ACQUA PANNA S.PELLEGRINO

——— THE FINE DINING WATERS ———

SULLE MIGLIORI
TAVOLE DEL MONDO

MADE OF ITALY. DAL 1980.

SI ESALTA CON POCO

Una Divina Creazione ha tutto quello che le serve
per dichiararsi unica: forme artigianali e ripieni
originali negli abbinamenti di ingredienti scelti
tra i migliori DOP Italiani.
Qualità e creatività firmano un piatto a cui basta
davvero poco per parlare di sé.

Intervento realizzato con il cofinanziamento FEASR del Programma di Sviluppo Rurale 2014-2020 della Regione Toscana - sottomi

VERNACCIA DI SAN GIMIGNANO
Scopri il bianco toscano:
dal 1966 il primo
vino italiano ad ottenere
la Denominazione di Origine

seguici su

Gambero Rosso

2021

VINI

D'ITALIA

VINI D'ITALIA 2021
GAMBERO ROSSO®

Curatori
Marco Sabellico
Gianni Fabrizio
Giuseppe Carrus

Vice Curatore
Lorenzo Ruggeri

Coordinamento tecnico
William Pregentelli

Collaboratori Speciali
Stefania Annese
Antonio Boco
Paolo De Cristofaro
Paolo Zaccaria

Coordinamento Regionale
Nino Aiello
Francesco Beghi
Nicola Frasson
Massimo Lanza
Gianni Ottogalli
Nereo Pederzolli
Pierpaolo Rastelli

Hanno inoltre redatto le schede
Sergio Bonanno
Giorgio Buloncelli
Michele Bressan
Pasquale Buffa
Dionisio Castello
Stefano Ghisletta
Giacomo Mojoli
Franco Pallini
Leonardo Romanelli
Giulia Sampognaro
Herbert Taschler
Cinzia Tosetti

Hanno collaborato
Giovanni Angelucci
Stefano Barone
Enrico Battistella
Carlotta Ozino Caligaris
Pietro Chirco
Palmiro Ciccarelli
Giambeppe Colombano
Francesco D'Angelo
Emilio Del Fante
Franco Fusco
Davide Giachino
Giovanni Lanzillo
Alessandro Mancuso
Roberto Mattozzi
Sandro Milei
Michele Muraro
Alberto Parrinello
Davide Pelucchi
Dario Piccinelli
Nicola Piccinini
Massimo Ponzanelli
Mirko Rainer
Federico Ranieri
Filippo Rapini
Riccardo Rossetti
Jacopo Rossi
Maurizio Rossi
Yukari Sato
Simona Silvestri
Sabrina Somigli
Marzio Taccetti
Anna Valli
Andrea Vannelli
Henry W. Visentin
Danilo Zannella

Segreteria
Giulia Sciortino

Impaginazione
Marina Proietti

Gambero Rosso S.p.A.
via Ottavio Gasparri, 13/17
00152 Roma
tel. 06/551121 -fax 06/55112260
www.gamberorosso.it
email: gambero@gamberorosso.it

Direttore Editoriale
Laura Mantovano

Responsabile Grafica
Chiara Buosi

Direttore Commerciale
Francesco Dammicco

**Responsabile distribuzione e vendita
prodotti editoriali**
Eugenia Durando

Produzione
Angelica Sorbara

Concessionaria di Pubblicità:
Class Pubblicità SpA
Milano, Via Marco Burigozzo, 5
tel. 02 58219522
Per informazioni commerciali: mprestileo@class.it

Distribuzione in libreria
Messaggerie Libri S.p.A.
via Verdi, 8 -20057 Assago (MI)
tel. 02/457741 - fax 02/45701032

Distribuzione in edicola
SO.DI.P. - Angelo Patuzzi S.p.A.
via Bettoia, 18
20092 Cinisello Balsamo (MI)
tel. 02/660301 - fax 02/66030320

Vini d'Italia
Iscrizione al Tribunale di Roma,
sez. stampa e informazione, n. 520 del 24.10.1995
Direttore Responsabile Paolo Cuccia

copyright © 2020
Gambero Rosso S.p.A.
i diritti di traduzione, di riproduzione, di memorizzazione
elettronica e di adattamento totale o parziale,
con qualsiasi mezzo (compresi microfilm
e le copie fotostatiche) sono riservati per tutti i paesi

La guida è stata chiusa in redazione
il 10 settembre 2020

ISBN 978-88-6641-212-0

stampato per conto di
Gambero Rosso S.p.A.
nel mese di ottobre 2020 da
D'Auria Printing Spa
Zona Industriale Destra Tronto
64016 S.Egidio alla Vibrata (TE)

SOMMARIO

LE REGIONI

INDICE

LA GUIDA

Questa è la Guida dei Record. In un anno caratterizzato da difficili (se non drammatiche) tensioni che hanno scosso - e continuano a farlo - il mondo, e di conseguenza anche quello del vino, il comparto enologico italiano e la squadra di appassionati degustatori che sono il fulcro di questa pubblicazione hanno risposto in maniera esemplare. È il modo migliore per testimoniare la straordinaria vitalità dell'Italia del Vino che si conferma Paese leader per esportazioni anche nel difficile 2020. Innanzitutto abbiamo assaggiato molti vini in più rispetto alle scorse edizioni. Circa 2000. Questo vuol dire che la nostra pubblicazione viene vissuta dal mondo della produzione come un supporto irrinunciabile. Assaggiare oltre 46mila vini è stata un'impresa incredibile, se consideriamo la complessità del panorama italiano, da Pantelleria al Ticino (che pur essendo in Svizzera rientra nella Guida) e le condizioni in cui abbiamo dovuto operare. E allora ecco un altro record, quello delle pagine, che dopo l'indispensabile aumento di foliazione arriva a 1056. Tutto questo ha portato il totale delle aziende recensite alla cifra stellare di 2645, oltre 100 in più dello scorso anno. Un risultato impensabile 34 anni fa quando veniva stesa la prima edizione con 465 aziende e circa 1400 vini degustati. In questa edizione troverete valutati ben 24.638 vini. Non ci avremmo scommesso nemmeno noi durante i mesi del lockdown (o meglio: clausura) quando ci interrogavamo sull'effettiva possibilità di realizzare l'edizione 2021. Ora capirete che se nel mondo Vini d'Italia viene definita "The Italian Wine Bible" forse un motivo c'è. La nostra Guida viene tradotta ogni anno in inglese, tedesco, cinese e giapponese ed è uno strumento irrinunciabile per appassionati e operatori professionali di tutto il mondo. Il merito di questo successo, indubbiamente, va a una squadra di appassionati ed esperti degustatori che dedica settimane ogni anno all'assaggio (rigorosamente coperto) di migliaia di campioni in ogni parte d'Italia. Oltre sessanta persone che abbiamo selezionato nel corso degli anni per la loro competenza e affidabilità, che sono state lungamente sul campo. Dopo i nostri assaggi, condensati in due mesi, abbiamo potuto ancora tracciare un quadro dell'enologia italiana aderente e obbiettivo. Le degustazioni finali - dove sono stati coinvolti 2300 vini – ci hanno dato lo spettacolare risultato di 467 vini premiati con i leggendari Tre Bicchieri. Con oltre 1800 vini che si classificano a pochissima distanza dai premiati, e nel caso di molte aziende (noi premiamo un solo vino per cantina) valgono tanto quanto quello sul podio. In un anno come il travagliato 2020 questo è davvero un record, ma che ha una valenza ancora più importante. È pur vero che sulla nostra strada abbiamo trovato belle e bellissime annate, come la 2015 a Montalcino, ad esempio, o la 2016 a Barolo. Ma è altrettanto vero che l'Italia del vino cresce rigogliosamente per quantità e qualità, e questo 1% di grandi vini che premiamo sul totale di quelli che valutiamo è il fiore all'occhiello di un'enologia che non ha paura di confrontarsi a livello mondiale. Il modo migliore per capire la nostra filosofia, la nostra visione del mondo enologico, dove vedrete premiati fianco a fianco piccole produzioni artigianali vinificate in anfora come prestigiosi best-seller sul mercato internazionale, è esaminare i Premi Speciali. Il premio Rosso dell'Anno va a una sontuosa edizione del Barolo Ornato, la 2016, di Pio Cesare. Un vino di finezza, eleganza e longevità spettacolari che sarà bello seguire nel corso degli anni e che incornicia una prestazione superlativa non solo di questa firma storica ma di tutta la Langa. Il Bianco dell'Anno viene dalla Valle d'Aosta: è il Sopraquota 900 '19 della Rosset Terroir. Un vino di finezza indicibile figlio di una viticoltura davvero eroica. Le Bollicine dell'Anno sono appannaggio della Lombardia con l'Oltrepò Pavese Pinot Nero Dosaggio Zero Farfalla Cave Privée '11 della Ballabio, un marchio storico di Casteggio brillantemente riportato in auge dalla famiglia Nevelli. Il Rosato dell'Anno è il Cerasuolo d'Abruzzo Piè delle Vigne '18 di Luigi Cataldi Madonna. Un Rosato di fascino e pienezza – di struttura e colore – figlio della grande tradizione abruzzese reinterpretato alla luce della moderna scienza enologica. Il Vino da Meditazione dell'Anno (quest'anno non è dolce…) è una spettacolare Vernaccia di Oristano Antico Gregori della Contini. Il millesimo è il 1976. Non è un refuso. Il vino è memorabile. Il Miglior Rapporto Qualità Prezzo va infine al Friuli Pinot Bianco '19 di Vigneti Le Monde. Un grande bianco friulano accessibile a tutti. Il Premio per il Progetto Solidale, un riconoscimento cui teniamo molto, quest'anno va ancora in Friuli, a Villa Russiz, un'azienda che è anche una fondazione, che mantiene in vita da decenni la casa famiglia Adele Cerruti per minori in difficoltà. Il Premio per la Viticoltura Sostenibile va a una grande azienda siciliana, la Firriato, che oltre a proporre grandi vini, da sempre è impegnata su questo difficile fronte. Il Viticoltore dell'Anno… è donna. Antonella Lombardo nella sua azienda di Bianco, nella Riviera dei Gelsomini, in Calabria, realizza vere perle enologiche e segue ogni fase della lavorazione, dalla potatura della vigna alla cantina. La Cantina Emergente è la Ridolfi a Montalcino. Tre Bicchieri per la prima volta a uno straordinario Brunello di Montalcino '15 e un ambizioso progetto in crescita. Il nuovo Premio Speciale Cooperativa dell'Anno va alla San Michele Appiano in Alto Adige. Ci è sembrato importante assegnare un riconoscimento al mondo della cooperazione e nessuna cantina più di questa poteva onorarlo con altrettanta autorevolezza. Infine il premio alla Cantina dell'Anno va al Gruppo Santa Margherita della famiglia Marzotto, che riunisce griffe di assoluto spessore del panorama italiano, dalla Ca' del Bosco alla Cà Maiol in Lombardia, la Kettmeir in Alto Adige, Lamole di Lamole in Chianti Classico e Mesa in Sardegna. Ognuna di queste ci ha presentato vini di livello eccellente, a cominciare dalla casa madre. Troverete poi i Tre Bicchieri Verdi, da aziende certificate biologiche o biodinamiche, che sono 126, ormai il 27% del totale, un dato che ci inorgoglisce. Infine i vini premiati reperibili in enoteca entro la fascia dei 15 Euro, che sono quest'anno ben 79. Salutiamo infine l'ingresso di Giuseppe Carrus tra i curatori: è il riconoscimento di quindici anni di appassionato lavoro nel team e di una straordinaria competenza. Il ruolo di vice curatore va a Lorenzo Ruggeri, da sempre impegnato con successo in ogni ramo delle pubblicazioni del Gambero Rosso in Italia e mondo. Perché il Gambero Rosso, con le sue riviste cartacee, i contenuti video e digitali, con gli eventi organizzati annualmente in ogni continente è sempre di più il brand che rappresenta l'enologia e la gastronomia italiana di alto profilo a livello globale.

Marco Sabellico, Gianni Fabrizio, Giuseppe Carrus

RINGRAZIAMENTI

Ringraziamo la Camera di Commercio di Bolzano EOS, Consorzio Vini Alto Adige, le strade del Vino di Arezzo, l'Istituto Marchigiano di Tutela Vini di Jesi (IMT) e la VINEA di Offida, l'Ente Vini Bresciani, il Consorzio Valbormida Formazione di Carcare (SV), il Comitato Grandi Cru della Costa Toscana, Assovini Sicilia, il Centro per l'Innovazione della Filiera Vitivinicola Ernesto del Giudice di Marsala e poi i Consorzi di Tutela: quello del Gavi, quello del Barolo, Barbaresco, Alba, Langhe e Dogliani, dei Vini dei Colli Tortonesi, dei Nebbiolo dell'Alto Piemonte, di Caluso, di Carema e del Canavese, dei Vini di Valtellina, dell'Oltrepò Pavese, del Franciacorta, della Valcalepio, dei Vini Mantovani, dei Vini Valcamonica, di San Colombano, del Lugana, della Valtenesi, di Conegliano Valdobbiadene, del Soave, della Valpolicella, Consorzio Colli Euganei, Consorzio Colli Berici, il Consorzio Vini Trentini, e poi il Consorzio Marchio Storico dei Lambruschi Modenesi e quello del Lambrusco di Modena, quello dei Vini di Romagna, quelli di Bolgheri, del Brunello di Montalcino, del Chianti Classico, di San Gimignano, di Montepulciano, del Chianti Colli Fiorentini, del Chianti Rufina, del Morellino di Scansano, quello dei Vini della Maremma Toscana, del Montecucco, del Carmignano, di Orvieto, di Montefalco, il Consorzio di Tutela dei Vini Piceni e infine il Consorzio di Tutela dei vini Doc Sicilia.

Ringraziamo inoltre l'Enoteca Regionale del Roero, di Nizza Monferrato, di Canelli e dell'Astesana, la Cantina Comunale I Sörì di Diano d'Alba, la Bottega del Vino di Dogliani, il ristorante Carpe Diem di Montaione, il Calidario di Venturina, la Città del Gusto di Roma, l'Enoteca Regionale della Basilicata di Venosa, la Caneva di Mogliano Veneto, il ristorante Casa e Putia di Messina, Andrea Conconi e tutto il team di Ticinowine e l'Azienda Agraria Cantonale di Mezzana.

Ringraziamo infine tutta la squadra dei nostri collaboratori, che ci ha assistito con autentica passione nella realizzazione di questa Guida, dalle degustazioni sul territorio alla redazione delle schede fino alla realizzazione del volume, e a tutti quelli che con noi hanno collaborato nel corso degli anni. Con un ringraziamento particolare a Danilo Zannella, regista di tutte le nostre degustazioni.

I TRE BICCHIERI 2021

VALLE D'AOSTA

Sopraquota 900 '19	Rosset Terroir	41
Valle d'Aosta Chambave Muscat Flétri '18	La Vrille	41
Valle d'Aosta Chardonnay Cuvée Bois '18	Les Crêtes	37
Valle d'Aosta Chardonnay Mains et Cœur '18	Maison Anselmet	36
Valle d'Aosta Petite Arvine '19	Elio Ottin	40
Valle d'Aosta Pinot Gris '19	Lo Triolet	39

PIEMONTE

Alta Langa Brut Rosé 60 Mesi Ris. '13	Colombo - Cascina Pastori	99
Alta Langa Extra Brut Ris. '15	Coppo	102
Alta Langa Pas Dosé Zero Ris. '14	Enrico Serafino	179
Barbaresco Crichët Pajé '12	Roagna	168
Barbaresco Currà '15	Sottimano	181
Barbaresco Martinenga Camp Gros Ris. '15	Tenute Cisa Asinari dei Marchesi di Grésy	96
Barbaresco Rabajà '16	Bruno Rocca	169
Barbaresco Rabajà Ris. '13	Giuseppe Cortese	104
Barbaresco Rombone '16	Fiorenzo Nada	143
Barbaresco Roncaglie Ris. '15	Socré	180
Barbaresco Vallegrande '17	Ca' del Baio	74
Barbera d'Asti Sup. La Luna e i Falò '18	Vite Colte	193
Barbera d'Asti Sup. V. La Mandorla '18	Luigi Spertino	182
Barbera del M.to Albarola '16	Tacchino	184
Barbera del M.to Sup. Cantico della Crosia '17	Vicara	190
Barolo '16	Bartolo Mascarello	133
Barolo Arborina '16	Elio Altare	51
Barolo Bric dël Fiasc '16	Paolo Scavino	177
Barolo Brunate '16	Giuseppe Rinaldi	166
Barolo Cannubi '16	G. B. Burlotto	72
Barolo Cannubi '16	Poderi Luigi Einaudi	108
Barolo Castelletto '16	Fortemasso	113
Barolo Cerequio '16	Michele Chiarlo	93
Barolo Cerretta '16	Brandini	67
Barolo Cerretta Luigi Baudana '16	G. D. Vajra	188
Barolo del Comune di Castiglione Falletto V. V. '15	Cascina Fontana	84
Barolo Falletto V. Le Rocche Ris. '14	Bruno Giacosa	120
Barolo Ginestra Ris. '12	Paolo Conterno	100
Barolo Lazzarito '16	Casa E. di Mirafiore	79
Barolo Liste '15	Giacomo Borgogno & Figli	63
Barolo Meriame '16	Paolo Manzone	129
Barolo Monfortino Ris. '14	Giacomo Conterno	100
Barolo Monprivato '15	Giuseppe Mascarello e Figlio	134
Barolo Monvigliero '16	F.lli Alessandria	48
Barolo Monvigliero '16	Bel Colle	57
Barolo Ornato '16	Pio Cesare	157
Barolo Parafada '16	Massolino - Vigna Rionda	135
Barolo Pressenda '16	Abbona	44
Barolo Rive '16	Negretti	144
Barolo Rocche dell'Annunziata '16	Renato Corino	103
Barolo Rocche di Castelletto '16	Cascina Chicco	82
Barolo Sottocastello di Novello '16	Ca' Viola	75
Barolo Sperss '16	Gaja	116

...dobbiadene Brut Particella 68 '19	Sorelle Bronca	378
...dobbiadene Extra Dry Casté '19	Merotto	411
...aldobbiadene Extra Dry Giustino B '19	Ruggeri & C.	425
Valdobbiadene Rive di Collalto Extra Brut '19	Borgoluce	375
Valdobbiadene Rive di Refrontolo Brut		
Col Del Forno '19	Andreola	368
Valpolicella Cl. Sup. Campo Morar '17	Viviani	444
Valpolicella Cl. Sup. Ognisanti '18	Bertani	372
Valpolicella Sup. Brolo dei Giusti '15	Cantina Valpantena Verona	438

FRIULI VENEZIA GIULIA

Braide Alte '18	Livon	490
Capo Martino '18	Jermann	487
Collio '18	Edi Keber	487
Collio Bianco Blanc di Blanchis Ris. '17	Ronco Blanchis	508
Collio Bianco Broy '18	Eugenio Collavini	474
Collio Bianco Fosarin '18	Ronco dei Tassi	508
Collio Friulano '19	Schiopetto	512
Collio Friulano '18	Tenuta Stella	518
Collio Friulano Rassauer '19	Castello di Spessa	472
Collio Pinot Bianco '19	Doro Princic	503
Collio Pinot Bianco '19	Villa Russiz	527
Collio Pinot Grigio '19	Polje	501
Collio Sauvignon '19	Tenuta Borgo Conventi	464
Collio Sauvignon '19	Tiare - Roberto Snidarcig	520
Collio Sauvignon Ris. '16	Russiz Superiore	511
Eclisse '18	La Roncaia	506
FCO Bianco Myò I Fiori di Leonie '18	Zorzettig	531
FCO Biancosesto '18	Tunella	521
FCO Friulano '19	Torre Rosazza	521
FCO Sauvignon Liende '18	La Viarte	523
FCO Sauvignon Zuc di Volpe '19	Volpe Pasini	529
Friuli Isonzo Friulano I Ferretti '18	Tenuta Luisa	490
Friuli Isonzo Sauvignon Piere '18	Vie di Romans	524
Friuli Pinot Bianco '19	Vigneti Le Monde	489
Miklus Natural Art Ribolla Gialla '15	Draga - Miklus	480
Ribolla Gialla Selezione '10	Damijan Podversic	500

EMILIA ROMAGNA

Arvange Pas Dosé M. Cl.	Cantina Valtidone	570
C. B. Pignoletto Frizzante '19	Floriano Cinti	549
Lambrusco di Sorbara Brut Rosé M. Cl. '15	Cantina della Volta	545
Lambrusco di Sorbara del Fondatore '19	Cleto Chiarli Tenute Agricole	549
Lambrusco di Sorbara Leclisse '19	Alberto Paltrinieri	560
Lambrusco di Sorbara V. del Cristo '19	Cavicchioli	547
MaraMia Sangiovese '18	Tenuta Mara	557
Reggiano Lambrusco Concerto '19	Ermete Medici & Figli	557
Romagna Albana Passito Scaccomatto '16	Fattoria Zerbina	573
Romagna Albana Secco A '19	Fattoria Monticino Rosso	558
Romagna Sangiovese Modigliana I Probi Ris. '17	Villa Papiano	572
Romagna Sangiovese Predappio Calisto Ris. '16	Stefano Berti	543
Romagna Sangiovese Predappio Godenza '18	Noelia Ricci	562
Romagna Sangiovese Predappio		
Le Lucciole Ris. '17	Chiara Condello	550
Romagna Sangiovese Sup. Primo Segno '18	Villa Venti	572

TOSCANA

Alessandro Dal Borro Syrah '16	Il Borro	597
Aria di Caiarossa '16	Caiarossa	601
Baron'Ugo '16	Monteraponi	668
Bolgheri Rosso Rute '18	Guado al Melo	649
Bolgheri Rosso Sup. Grattamacco '17	Grattamacco	648
Bolgheri Rosso Sup. Le Gonnare '17	Fabio Motta	674
Bolgheri Rosso Sup. Ornellaia '17	Ornellaia	676
Bolgheri Rosso Villa Donoratico '18	Tenuta Argentiera	587
Bolgheri Rosso Volpolo '18	Podere Sapaio	709
Bolgheri Sup. Sassicaia '17	Tenuta San Guido	707
Bolgheri Varvàra '18	Castello di Bolgheri	612
Brunello di Montalcino '15	Baricci	592
Brunello di Montalcino '15	Camigliano	602
Brunello di Montalcino '15	Casisano	608
Brunello di Montalcino '15	Le Chiuse	620
Brunello di Montalcino '15	Donatella Cinelli Colombini	622
Brunello di Montalcino '15	Tenuta Fanti	636
Brunello di Montalcino '15	Le Macioche	660
Brunello di Montalcino '15	Poggio di Sotto	690
Brunello di Montalcino '15	Ridolfi	698
Brunello di Montalcino '15	Tenuta di Sesta	717
Brunello di Montalcino Giodo '15	Giodo	646
Brunello di Montalcino Madonna delle Grazie '15	Il Marroneto	663
Brunello di Montalcino Ripe al Convento di Castelgiocondo Ris. '14	Castelgiocondo	609
Brunello di Montalcino Tenuta Nuova '15	Casanova di Neri	608
Brunello di Montalcino V. del Suolo '15	Argiano	587
Brunello di Montalcino V. Schiena d'Asino '15	Mastrojanni	665
Brunello di Montalcino V. Spuntali '15	Val di Suga	725
Brunello di Montalcino Vignavecchia '15	San Polo	708
Campo di Camagi Cabernet Franc '18	Tenuta di Trinoro	717
Carmignano Ris. '17	Tenuta Le Farnete - Cantagallo	637
Carmignano Ris. '17	Piaggia	683
Cepparello '17	Isole e Olena	651
Chianti Cl. '18	Badia a Coltibuono	590
Chianti Cl. '18	Castello di Radda	614
Chianti Cl. '18	San Felice	706
Chianti Cl. '17	Val delle Corti	725
Chianti Cl. Ama '18	Castello di Ama	611
Chianti Cl. Ducale Ris. '17	Ruffino	702
Chianti Cl. Gran Selezione Capraia Effe 55 '16	Rocca di Castagnoli	700
Chianti Cl. Gran Selezione Colledilà '17	Barone Ricasoli	698
Chianti Cl. Gran Selezione Il Poggio '15	Castello di Monsanto	613
Chianti Cl. Gran Selezione Valiano 6.38 '18	Tenute Piccini	684
Chianti Cl. Gran Selezione Vign. di Campolungo '16	Lamole di Lamole	653
Chianti Cl. Gran Selezione Villa Rosa '17	Famiglia Cecchi	618
Chianti Cl. Lamole '18	I Fabbri	635
Chianti Cl. Montaperto '17	Fattoria Carpineta Fontalpino	606
Chianti Cl. Ris. '17	Tenuta di Arceno	586
Chianti Cl. Ris. '17	Bibbiano	594
Chianti Cl. Ris. '17	Castello di Albola	611
Chianti Cl. Ris. '17	Castello di Volpaia	615
Chianti Cl. Ris. '17	Tenuta di Lilliano	657

...anti Cl. Tenuta S. Alfonso '18	Rocca delle Macìe	700
...hianti Cl. V. Istine '18	Istine	652
Chianti Cl. Vallenuova '18	Tolaini	721
Chianti Rufina Nipozzano Ris. '17	Frescobaldi	644
Colline Lucchesi Tenuta di Valgiano '16	Tenuta di Valgiano	726
Cortona Syrah '17	Stefano Amerighi	585
Costa dell'Argentario Ansonica '19	Tenuta La Parrina	680
Duemani '17	Duemani	634
Guardiavigna '16	Podere Forte	641
I Sodi di San Niccolò '16	Castellare di Castellina	609
Il Pareto '17	Tenute Ambrogio e Giovanni Folonari	639
La Gioia '16	Riecine	699
La Madonnina '17	La Madonnina	660
La Regola '17	Podere La Regola	697
Le Pergole Torte '17	Montevertine	671
Maremma Toscana Alicante Oltreconfine '18	Bruni	599
Maremma Toscana Baffonero '17	Rocca di Frassinello	701
Montecucco Rosso Sidus '17	Pianirossi	684
Montecucco Sangiovese Poggio Lombrone Ris. '16	Colle Massari	625
Monteti '16	Tenuta Monteti	670
Morellino di Scansano Calestaia Ris. '16	Roccapesta	702
Morellino di Scansano Madrechiesa Ris. '16	Terenzi	718
Nambrot '17	Tenuta di Ghizzano	646
Nobile di Montepulciano '17	Salcheto	703
Nobile di Montepulciano '17	Tenute del Cerro	718
Nobile di Montepulciano I Quadri '17	Bindella	595
Nobile di Montepulciano Il Nocio '16	Boscarelli	597
Nobile di Montepulciano Le Caggiole '17	Poliziano	693
Oreno '18	Tenuta Sette Ponti	713
Orma '18	Orma	675
Paleo Rosso '17	Le Macchiole	659
Pinot Nero '17	Podere della Civettaja	623
Solaia '17	Marchesi Antinori	586
Valdarno di Sopra Merlot Galatrona '17	Fattoria Petrolo	682
Vernaccia di S. Gimignano Carato '17	Montenidoli	667
Vernaccia di S. Gimignano Ris. '16	Panizzi	679
Vernaccia di San Gimignano L'Albereta Ris. '17	Il Colombaio di Santa Chiara	628
Volta di Bertinga '16	Bertinga	594

MARCHE

Arshura '17	Valter Mattoni	780
Castelli di Jesi Verdicchio Cl. Ambrosia Ris. '17	Vignamato	798
Castelli di Jesi Verdicchio Cl. Ergo Sum Ris. Mirizzi '16	Montecappone - Mirizzi	781
Castelli di Jesi Verdicchio Cl. Rincrocca Ris. '17	La Staffa	792
Castelli di Jesi Verdicchio Cl. Salmariano Ris. '17	Marotti Campi	779
Castelli di Jesi Verdicchio Cl. V. Il Cantico della Figura Ris. '17	Andrea Felici	773
Conero Campo San Giorgio Ris. '16	Umani Ronchi	795
Falerio Pecorino Onirocep '19	Pantaleone	783
Kupra '17	Oasi degli Angeli	782
Offida Pecorino '19	Tenuta Santori	789
Offida Pecorino Artemisia '19	Tenuta Spinelli	792
Offida Pecorino Vignagiulia '19	Emanuele Dianetti	772
Piceno Sup. Morellone '16	Le Caniette	762

Rosso Piceno Sup. Roggio del Filare '17	Velenosi	797
Verdicchio dei Castelli di Jesi Cl. Sup. Ghiffa '18	Cològnola - Tenuta Musone	768
Verdicchio dei Castelli di Jesi Cl. Sup. Massaccio '18	Tenute San Sisto Fazi Battaglia	788
Verdicchio dei Castelli di Jesi Cl. Sup. Qudì '18	Roberto Venturi	797
Verdicchio dei Castelli di Jesi Cl. Sup. Ylice '18	Poderi Mattioli	779
Verdicchio di Matelica Cambrugiano Ris. '17	Belisario	759
Verdicchio di Matelica Collestefano '19	Collestefano	767
Verdicchio di Matelica Senex Ris. '15	Bisci	759

UMBRIA

Adarmando Trebbiano Spoletino '18	Giampaolo Tabarrini	824
Brecciaro Ciliegiolo '18	Leonardo Bussoletti	809
Cervaro della Sala '18	Castello della Sala	811
Fiorfiore Grechetto '18	Roccafiore	822
Mattone Bianco Trebbiano '19	Briziarelli	809
Montefalco Rosso Lampante Ris. '17	Tenute Lunelli - Castelbuono	816
Montefalco Rosso Pomontino '18	Tenuta Bellafonte	808
Montefalco Sagrantino Collepiano '16	Arnaldo Caprai	810
Montefalco Sagrantino Medeo '16	Romanelli	822
Montefalco Sagrantino Molino dell'Attone '15	Antonelli - San Marco	806
Orvieto Cl Sup. Luigi e Giovanna '17	Barberani	807
Orvieto Cl. Villa Barbi '19	Decugnano dei Barbi	813
Todi Grechetto Sup. Colle Nobile '18	Tudernum	826
Torgiano Rosso Rubesco V. Monticchio Ris. '16	Lungarotti	816

LAZIO

Anthium '19	Casale del Giglio	834
Fiorano Rosso '15	Tenuta di Fiorano	843
Frascati Sup. '19	Castel de Paolis	836
Habemus '18	San Giovenale	843
Poggio della Costa '19	Sergio Mottura	840
Roma Rosso Ed. Limitata '17	Poggio Le Volpi	842
Sodale '18	Falesco - Famiglia Cotarella	838

ABRUZZO

8½ Pecorino '19	Villa Medoro	868
Abruzzo Pecorino Castello di Semivicoli '19	Masciarelli	861
Abruzzo Pecorino Sup. Tegèo '18	Codice Vino	856
Cerasuolo d'Abruzzo '19	Emidio Pepe	863
Cerasuolo d'Abruzzo Giusi '19	Tenuta Terraviva	864
Cerasuolo d'Abruzzo Piè delle Vigne '18	Cataldi Madonna	854
Montepulciano d'Abruzzo '15	Valentini	866
Montepulciano d'Abruzzo Amorino '16	Castorani	853
Montepulciano d'Abruzzo Colline Teramane Zanna Ris. '15	Dino Illuminati	859
Montepulciano d'Abruzzo Mo Ris. '16	Cantina Tollo	865
Montepulciano d'Abruzzo Vign. Sant'Eusanio '18	Valle Reale	867
Trebbiano d'Abruzzo Bianchi Grilli per la Testa '18	Torre dei Beati	865
Trebbiano d'Abruzzo Solàrea '18	Agriverde	852
Tullum Pecorino Biologico '19	Feudo Antico	858

MOLISE

Molise Rosso Don Luigi Ris. '16	Di Majo Norante	874

CAMPANIA

Campi Flegrei Falanghina Cruna deLago '18	La Sibilla	900
Campi Flegrei Piedirosso Colle Rotondella '19	Cantine Astroni	879
Core Bianco '19	Montevetrano	892
Costa d'Amalfi Furore Bianco Fiorduva '19	Marisa Cuomo	884
Falanghina del Sannio Janare Senete '19	La Guardiense	891
Falanghina del Sannio Sant'Agata dei Goti V. Segreta '18	Mustilli	892
Falanghina del Sannio Svelato '19	Terre Stregate	901
Falanghina del Sannio Taburno '19	Fontanavecchia	888
Fiano di Avellino '19	Colli di Lapio	883
Fiano di Avellino '19	Tenuta Scuotto	899
Fiano di Avellino Alimata '18	Villa Raiano	903
Fiano di Avellino Pietramara '19	I Favati	886
Fiano di Avellino Tognano '17	Rocca del Principe	896
Greco di Tufo '19	Fonzone	889
Greco di Tufo Claudio Quarta Special Edition '19	Sanpaolo di Claudio Quarta	898
Greco di Tufo G '19	Di Meo	885
Morrone Pallagrello Bianco '18	Alois	878
Pian di Stio '19	San Salvatore 1988	898
Taurasi '16	Donnachiara	886
Taurasi '15	Fiorentino	888
Taurasi V. Cinque Querce '13	Salvatore Molettieri	891
Taurasi V. Macchia dei Goti '16	Antonio Caggiano	881
Zagreo '18	I Cacciagalli	880

BASILICATA

Aglianico del Vulture Donato D'Angelo '17	Donato D'Angelo di Filomena Ruppi	916
Aglianico del Vulture Gricos '18	Grifalco	917
Aglianico del Vulture Il Repertorio '18	Cantine del Notaio	915
Aglianico del Vulture Nocte '16	Terra dei Re	920
Aglianico del Vulture Sup. Serpara '16	Re Manfredi Cantina Terre degli Svevi	919
Aglianico del Vulture Titolo '18	Elena Fucci	916

PUGLIA

1943 del Presidente '18	Cantine Due Palme	928
Askos Verdeca '19	Masseria Li Veli	932
Brindisi Rosso Susumaniello Oltremé '18	Tenute Rubino	938
Castel del Monte Rosso Bolonero '19	Torrevento	942
Collezione Privata Cosimo Varvaglione Old Vines Negroamaro '17	Varvaglione 1921	944
Gioia del Colle Primitivo 17 Vign. Montevella '17	Polvanera	936
Gioia del Colle Primitivo Muro Sant'Angelo Contrada Barbatto '17	Tenute Chiaromonte	927
Gioia del Colle Primitivo Ris. '17	Plantamura	935
Gioia del Colle Primitivo Sellato '18	Tenuta Viglione	945
Gioia del Colle Primitivo Senatore '17	Coppi	927
Onirico '18	Terre dei Vaaz	940
Orfeo Negroamaro '18	Cantine Paolo Leo	931
Otto '18	Carvinea	925
Primitivo di Manduria Lirica '18	Produttori di Manduria	937
Primitivo di Manduria Piano Chiuso 26 27 63 Ris. '17	Masca del Tacco	933
Primitivo di Manduria Raccontami '18	Vespa Vignaioli per Passione	944

Primitivo di Manduria Sessantanni '17	Cantine San Marzano	939
Primitivo di Manduria Sinfarosa Zinfandel '18	Felline	929

CALABRIA

Cirò Rosso Cl. Sup. Duca San Felice Ris. '18	Librandi	956
Esmen Tetra '18	Tenuta del Travale	959
Grisara Pecorello '19	Roberto Ceraudo	954
Moscato Passito '19	Luigi Viola	959
Pi Greco '19	Antonella Lombardo	956

SICILIA

Cerasuolo di Vittoria Giambattista Valli '18	Feudi del Pisciotto	975
Cerasuolo di Vittoria Il Para Para '17	Poggio di Bortolone	985
Etna Bianco Alta Mora '19	Alta Mora	967
Etna Bianco Arcuria '18	Graci	979
Etna Bianco Pietrarizzo '19	Tornatore	991
Etna Bianco Trainara '18	Generazione Alessandro	978
Etna Rosso Barbagalli '17	Pietradolce	984
Etna Rosso Contrada Santo Spirito Part. 468 '16	Palmento Costanzo	983
Etna Rosso Erse Contrada Moscamento 1911 '17	Tenuta di Fessina	989
Etna Rosso Lenza di Munti 720 slm '17	Cantine Nicosia	981
Etna Rosso Passorosso '18	Passopisciaro	983
Etna Rosso Qubba '18	Monteleone	980
Etna Rosso San Lorenzo '18	Girolamo Russo	988
Etna Rosso V. Vico Prephylloxera '17	Tenute Bosco	970
Etna Rosso Zottorinoto Ris. '16	Cottanera	973
Faro '18	Le Casematte	972
Malvasia delle Lipari Passito '19	Caravaglio	971
Passito di Pantelleria Ben Ryé '17	Donnafugata	974
Salealto Tenuta Ficuzza '18	Cusumano	974
Sicilia Catarrato V. di Mandranova '18	Alessandro di Camporeale	966
Sicilia Chardonnay V. San Francesco Tenuta Regaleali '18	Tasca d'Almerita	989
Sicilia Mandrarossa Cartagho '18	Cantine Settesoli	988
Sicilia Nero d'Avola Saia '18	Feudo Maccari	976
Sicilia Perricone Furioso '17	Assuli	967
Sicilia Perricone Ribeca '15	Firriato	977
Sicilia Zibibbo Al Qasar '19	Rallo	986

SARDEGNA

Alghero Torbato Catore '18	Tenute Sella & Mosca	1021
Cannonau di Sardegna Cl. Dule '17	Giuseppe Gabbas	1010
Cannonau di Sardegna Mamuthone '17	Giuseppe Sedilesu	1020
Cannonau di Sardegna Naniha '18	Tenute Perdarubia	1017
Cannonau di Sardegna Nepente di Oliena Pro Vois Ris. '15	F.lli Puddu	1018
Capichera V. T. '17	Capichera	1005
Carignano del Sulcis 6 Mura Ris. '17	Cantina Giba	1011
Carignano del Sulcis Sup. Terre Brune '16	Cantina Santadi	1019
Nuracada Bovale '18	Audarya	1004
Su' Nico '18	Su Entu	1022
Turriga '16	Argiolas	1004
Vermentino di Gallura Sup. Sciala '19	Surrau	1022
Vermentino di Sardegna Stellato '19	Pala	1016
Vernaccia di Oristano Antico Gregori '76	Attilio Contini	1007
Vernaccia di Oristano Ris. '68	Silvio Carta	1006

I MIGLIORI VINI DELL'ANNO

ROSSO DELL'ANNO

BAROLO ORNATO '16 - PIO CESARE

BIANCO DELL'ANNO

SOPRAQUOTA 900 '19 - ROSSET TERROIR

BOLLICINE DELL'ANNO

OP PINOT NERO DOSAGGIO ZERO FARFALLA CAVE PRIVÉE '11

BALLABIO

ROSATO DELL'ANNO

CERASUOLO D'ABRUZZO PIÈ DELLE VIGNE '18

CATALDI MADONNA

VINO DA MEDITAZIONE DELL'ANNO

VERNACCIA DI ORISTANO ANTICO GREGORI '76 - CONTINI

MIGLIOR RAPPORTO QUALITÀ PREZZO

FRIULI PINOT BIANCO '19 – VIGNETI LE MONDE

CANTINA DELL'ANNO

SANTA MARGHERITA GRUPPO VINICOLO
CA' DEL BOSCO, CÀ MAIOL, KETTMEIR, LAMOLE DI LAMOLE, MESA

CANTINA COOPERATIVA DELL'ANNO

SAN MICHELE APPIANO

CANTINA EMERGENTE

RIDOLFI

VITICOLTORE DELL'ANNO

ANTONELLA LOMBARDO

PREMIO PER LA VITIVINICOLTURA SOSTENIBILE

FIRRIATO

PREMIO PROGETTO SOLIDALE

VILLA RUSSIZ

I TRE BICCHIERI SOTTO I 15 EURO

L'accessibilità del vino italiano di qualità è uno dei punti cardine dell'enologia tricolore. Quest'anno sono 79 i Tre Bicchieri che si possono acquistare in enoteca sotto i 15 euro; tra questi vi segnaliamo, in rosso, 10 etichette al di sotto della soglia dei dieci euro. Il più economico tra i premiati? È il Pignoletto Frizzante '19 di Floriano Cinti. Si porta via con meno di otto euro.

A. A. Santa Maddalena Cl. '19	Tenuta Waldgries	**Alto Adige**
A. A. Valle Isarco Sylvaner '19	Strasserhof Hannes Baumgartner	**Alto Adige**
A. A. Valle Isarco Veltliner Praepositus '18	Abbazia di Novacella	**Alto Adige**
Abruzzo Pecorino Castello di Semivicoli '19	Masciarelli	**Abruzzo**
Aglianico del Vulture Gricos '18	Grifalco	**Basilicata**
Anthium '19	Casale del Giglio	**Lazio**
Barbera d'Asti Sup. La Luna e i Falò '18	Vite Colte	**Piemonte**
Bardolino Sup. Pràdicà '18	Corte Gardoni	**Veneto**
Brecciaro Ciliegiolo '18	Leonardo Bussoletti	**Umbria**
C. B. Pignoletto Frizzante '19	Floriano Cinti	**Emilia Romagna**
Campi Flegrei Piedirosso Colle Rotondella '19	Cantine Astroni	**Campania**
Capitel Croce '19	Roberto Anselmi	**Veneto**
Castel del Monte Rosso Bolonero '19	Torrevento	**Puglia**
Castelli di Jesi Verdicchio Cl. Salmariano Ris. '17	Marotti Campi	**Marche**
Cerasuolo d'Abruzzo Giusi '19	Tenuta Terraviva	**Abruzzo**
Chianti Cl. '18	Castello di Radda	**Toscana**
Chianti Cl. '18	San Felice	**Toscana**
Chianti Cl. Vallenuova '18	Tolaini	**Toscana**
Cirò Rosso Cl. Sup. Duca San Felice Ris. '18	Librandi	**Calabria**
Colli di Luni Vermentino Pianacce '19	Giacomelli	**Liguria**
Collio '18	Edi Keber	**Friuli Venezia Giulia**
Collio Bianco Fosarin '18	Ronco dei Tassi	**Friuli Venezia Giulia**
Collio Friulano Rassauer '19	Castello di Spessa	**Friuli Venezia Giulia**
Collio Sauvignon '19	Tenuta Borgo Conventi	**Friuli Venezia Giulia**
Conegliano Valdobbiadene Rive di Soligo Extra Brut '19	BiancaVigna	**Veneto**
Costa dell'Argentario Ansonica '19	Tenuta La Parrina	**Toscana**

Custoza Sup. Amedeo '18	Cavalchina	**Veneto**
Custoza Sup. Ca' del Magro '18	Monte del Frà	**Veneto**
Dogliani Sorì Dij But '19	Anna Maria Abbona	**Piemonte**
Erbaluce di Caluso		
Anima dAnnata '17	La Masera	**Piemonte**
Erbaluce di Caluso La Rustia '19	Orsolani	**Piemonte**
Etna Rosso		
Lenza di Munti 720 slm '17	Cantine Nicosia	**Sicilia**
Falanghina del Sannio		
Janare Senete '19	La Guardiense	**Campania**
Falanghina del Sannio Svelato '19	Terre Stregate	**Campania**
Falanghina del Sannio Taburno '19	Fontanavecchia	**Campania**
Falerio Pecorino Onirocep '19	Pantaleone	**Marche**
FCO Friulano '19	Torre Rosazza	**Friuli Venezia Giulia**
Fiano di Avellino '19	Tenuta Scuotto	**Campania**
Frascati Sup. '19	Castel de Paolis	**Lazio**
Friuli Pinot Bianco '19	Vigneti Le Monde	**Friuli Venezia Giulia**
Gioia del Colle Primitivo Sellato '18	Tenuta Viglione	**Puglia**
Greco di Tufo '19	Fonzone	**Campania**
Greco di Tufo G '19	Di Meo	**Campania**
L'Ora Nosiola '15	Toblino	**Trentino Alto Adige**
Lambrusco di Sorbara	Cleto Chiarli	
del Fondatore '19	Tenute Agricole	**Emilia Romagna**
Lambrusco di Sorbara Leclisse '19	Alberto Paltrinieri	**Emilia Romagna**
Lambrusco di Sorbara		
V. del Cristo '19	Cavicchioli	**Emilia Romagna**
Lugana Menasasso Ris. '16	Selva Capuzza	**Lombardia**
Mattone Bianco Trebbiano '19	Briziarelli	**Umbria**
Montecucco Rosso Sidus '17	Pianirossi	**Toscana**
Montepulciano d'Abruzzo		
Amorino '16	Castorani	**Abruzzo**
Montepulciano d'Abruzzo Mo Ris. '16	Cantina Tollo	**Abruzzo**
Moscato d'Asti Casa di Bianca '19	Gianni Doglia	**Piemonte**
Offida Pecorino '19	Tenuta Santori	**Marche**
Offida Pecorino Artemisia '19	Tenuta Spinelli	**Marche**
Offida Pecorino Vignagiulia '19	Emanuele Dianetti	**Marche**
Orvieto Cl. Villa Barbi '19	Decugnano dei Barbi	**Umbria**
Ovada Convivio '18	Gaggino	**Piemonte**
Primitivo di Manduria Lirica '18	Produttori di Manduria	**Puglia**
Reggiano Lambrusco Concerto '19	Ermete Medici & Figli	**Emilia Romagna**
Riviera Ligure di Ponente		
Pigato di Albenga Saleasco '19	Cantine Calleri	**Liguria**
Roero Arneis Cecu d'La Biunda '19	Monchiero Carbone	**Piemonte**
Roero Arneis Renesio '19	Malvirà	**Piemonte**
Roero Arneis Sarun '19	Stefanino Costa	**Piemonte**
Romagna Albana Secco A '19	Fattoria Monticino Rosso	**Emilia Romagna**

Romagna Sangiovese Sup.		
Primo Segno '18	Villa Venti	Emilia Romagna
Ruchè di Castagnole M.to Clàsic '19	Luca Ferraris	Piemonte
Sicilia Mandrarossa Cartagho '18	Cantine Settesoli	Sicilia
Sicilia Zibibbo Al Qasar '19	Rallo	Sicilia
Soave Cl. Campo Vulcano '19	I Campi	Veneto
Soave Sup. Il Casale '18	Agostino Vicentini	Veneto
Todi Grechetto Sup. Colle Nobile '18	Tudernum	Umbria
Tullum Pecorino Biologico '19	Feudo Antico	Abruzzo
Valdobbiadene Rive di Refrontolo Brut		
Col Del Forno '19	Andreola	Veneto
Verdicchio dei Castelli di Jesi Cl. Sup.		
Ghiffa '18	Cològnola - Tenuta Musone	Marche
Verdicchio dei Castelli di Jesi Cl. Sup.		
Qudì '18	Roberto Venturi	Marche
Verdicchio dei Castelli di Jesi Cl. Sup.		
Ylice '18	Poderi Mattioli	Marche
Verdicchio di Matelica		
Cambrugiano Ris. '17	Belisario	Marche
Verdicchio di Matelica		
Collestefano '19	Collestefano	Marche

I TRE BICCHIERI VERDI

Con i Tre Bicchieri Verdi segnaliamo i vini prodotti da cantine che lavorano secondo i canoni della viticoltura biologica o biodinamica (indicata in rosso) certificata. Quest'anno sono 126, ben il 27% rispetto a tutti i premiati, record assoluto per Vini d'Italia, a conferma di un trend virtuoso che si alimenta di vendemmia in vendemmia, dalle micro cantine alle grandi aziende capaci di rilanciare le molteplici sfide della sostenibilità ambientale.

Aglianico del Vulture Gricos '18	Grifalco	**Basilicata**
Aglianico del Vulture Titolo '18	Elena Fucci	**Basilicata**
Alessandro Dal Borro Syrah '16	Il Borro	**Toscana**
Amarone della Valpolicella Cl.		
Sant'Urbano '16	Speri	**Veneto**
Aria di Caiarossa '16	Caiarossa	**Toscana**
Arvange Pas Dosé M. Cl.	Cantina Valtidone	**Emilia Romagna**
Barbaresco Currà '15	Sottimano	**Piemonte**
Barbaresco Rabajà '16	Bruno Rocca	**Piemonte**
Barbera d'Asti Sup. La Luna e i Falò '18	Vite Colte	**Piemonte**
Barbera del M.to Sup.		
Cantico della Crosia '17	Vicara	**Piemonte**
Barolo Cerretta '16	Brandini	**Piemonte**
Barolo Lazzarito '16	Casa E. di Mirafiore	**Piemonte**
Barolo Liste '15	Giacomo Borgogno & Figli	**Piemonte**
Barolo Meriame '16	Paolo Manzone	**Piemonte**
Barolo Villero '16	Brovia	**Piemonte**
Baron'Ugo '16	Monteraponi	**Toscana**
Bolgheri Rosso Sup. Grattamacco '17	Grattamacco	**Toscana**
Bolgheri Rosso Volpolo '18	Podere Sapaio	**Toscana**
Brecciaro Ciliegiolo '18	Leonardo Bussoletti	**Umbria**
Brunello di Montalcino '15	Le Chiuse	**Toscana**
Brunello di Montalcino '15	Poggio di Sotto	**Toscana**
Brunello di Montalcino Giodo '15	Giodo	**Toscana**
Campi Flegrei Piedirosso		
Colle Rotondella '19	Cantine Astroni	**Campania**
Cannonau di Sardegna Naniha '18	Tenute Perdarubia	**Sardegna**
Cannonau di Sardegna Nepente di Oliena		
Pro Vois Ris. '15	F.lli Puddu	**Sardegna**
Cartizze Brut La Rivetta	Villa Sandi	**Veneto**
Castelli di Jesi Verdicchio Cl.		
Rincrocca Ris. '17	La Staffa	**Marche**
Castelli di Jesi Verdicchio Cl. V.		
Il Cantico della Figura Ris. '17	Andrea Felici	**Marche**
Cerasuolo d'Abruzzo '19	Emidio Pepe	**Abruzzo**
Cerasuolo d'Abruzzo Giusi '19	Tenuta Terraviva	**Abruzzo**
Cerasuolo d'Abruzzo Piè delle Vigne '18	Cataldi Madonna	**Abruzzo**
Chianti Cl. '18	Badia a Coltibuono	**Toscana**
Chianti Cl. '17	Val delle Corti	**Toscana**
Chianti Cl. Lamole '18	I Fabbri	**Toscana**
Chianti Cl. Montaperto '17	Fattoria Carpineta Fontalpino	**Toscana**

Chianti Cl. Ris. '17	Bibbiano	**Toscana**
Chianti Cl. Ris. '17	Castello di Albola	**Toscana**
Chianti Cl. Ris. '17	Castello di Volpaia	**Toscana**
Chianti Cl. Ris. '17	Tenuta di Lilliano	**Toscana**
Chianti Cl. V. Istine '18	Istine	**Toscana**
Colli Berici Carmenere Carminium '16	Inama	**Veneto**
Colline Lucchesi Tenuta di Valgiano '16	Tenuta di Valgiano	**Toscana**
Collio Friulano '18	Tenuta Stella	**Friuli Venezia Giulia**
Conegliano Valdobbiadene Rive di Soligo Extra Brut '19	BiancaVigna	**Veneto**
Conero Campo San Giorgio Ris. '16	Umani Ronchi	**Marche**
Cortona Syrah '17	Stefano Amerighi	**Toscana**
Duemani '17	Duemani	**Toscana**
Etna Bianco Arcuria '18	Graci	**Sicilia**
Etna Rosso Contrada Santo Spirito Part. 468 '16	Palmento Costanzo	**Sicilia**
Etna Rosso Lenza di Munti 720 slm '17	Cantine Nicosia	**Sicilia**
Etna Rosso San Lorenzo '18	Girolamo Russo	**Sicilia**
Etna Rosso V. Vico Prephylloxera '17	Tenute Bosco	**Sicilia**
Falerio Pecorino Onirocep '19	Pantaleone	**Marche**
Faro '18	Le Casematte	**Sicilia**
Fiano di Avellino Alimata '18	Villa Raiano	**Campania**
Fiorano Rosso '15	Tenuta di Fiorano	**Lazio**
Franciacorta Brut Eronero '12	Ferghettina	**Lombardia**
Franciacorta Dosage Zéro Naturae '16	Barone Pizzini	**Lombardia**
Franciacorta Dosage Zéro Vintage Collection Noir '11	Ca' del Bosco	**Lombardia**
Franciacorta Extra Brut EBB '15	Mosnel	**Lombardia**
Franciacorta Extra Brut Extreme Palazzo Lana Ris. '09	Guido Berlucchi & C.	**Lombardia**
Gioia del Colle Primitivo 17 Vign. Montevella '17	Polvanera	**Puglia**
Gioia del Colle Primitivo Ris. '17	Plantamura	**Puglia**
Gioia del Colle Primitivo Sellato '18	Tenuta Viglione	**Puglia**
Gioia del Colle Primitivo Senatore '17	Coppi	**Puglia**
Grisara Pecorello '19	Roberto Ceraudo	**Calabria**
Guardiavigna '16	Podere Forte	**Toscana**
Habemus '18	San Giovenale	**Lazio**
L'Ora Nosiola '15	Toblino	**Trentino**
La Gioia '16	Riecine	**Toscana**
La Regola '17	Podere La Regola	**Toscana**
Lugana Madreperla Ris. '18	Perla del Garda	**Lombardia**
Madre '18	Italo Cescon	**Veneto**
Malvasia delle Lipari Passito '19	Caravaglio	**Sicilia**
MaraMia Sangiovese '18	Tenuta Mara	**Emilia Romagna**
Molise Rosso Don Luigi Ris. '16	Di Majo Norante	**Molise**
Montecucco Sangiovese Poggio Lombrone Ris. '16	Colle Massari	**Toscana**
Montefalco Rosso Lampante Ris. '17	Tenute Lunelli - Castelbuono	**Umbria**
Montefalco Sagrantino Medeo '16	Romanelli	**Umbria**
Montefalco Sagrantino Molino dell'Attone '15	Antonelli - San Marco	**Umbria**
Montepulciano d'Abruzzo Amorino '16	Castorani	**Abruzzo**

Montepulciano d'Abruzzo Vign. Sant'Eusanio '18	Valle Reale	Abruzzo
Moscato Passito '19	Luigi Viola	Calabria
Nambrot '17	Tenuta di Ghizzano	Toscana
Nobile di Montepulciano '17	Salcheto	Toscana
Offida Pecorino '19	Tenuta Santori	Marche
Oreno '18	Tenuta Sette Ponti	Toscana
Orfeo Negroamaro '18	Cantine Paolo Leo	Puglia
Orvieto Cl. Sup. Luigi e Giovanna '17	Barberani	Umbria
Otto '18	Carvinea	Puglia
Pian di Stio '19	San Salvatore 1988	Campania
Piceno Sup. Morellone '16	Le Caniette	Marche
Pinot Nero '17	Podere della Civettaja	Toscana
Poggio della Costa '19	Sergio Mottura	Lazio
Primitivo di Manduria Sessantanni '17	Cantine San Marzano	Puglia
Primitivo di Manduria Sinfarosa Zinfandel '18	Felline	Puglia
Reggiano Lambrusco Concerto '19	Ermete Medici & Figli	Emilia Romagna
Ribolla Gialla Selezione '10	Damijan Podversic	Friuli Venezia Giulia
Roero Mompissano Ris. '17	Cascina Ca' Rossa	Piemonte
Romagna Sangiovese Modigliana I Probi Ris. '17	Villa Papiano	Emilia Romagna
Romagna Sangiovese Sup. Primo Segno '18	Villa Venti	Emilia Romagna
Sicilia Catarrato V. di Mandranova '18	Alessandro di Camporeale	Sicilia
Sicilia Nero d'Avola Saia '18	Feudo Maccari	Sicilia
Sicilia Perricone Furioso '17	Assuli	Sicilia
Sicilia Perricone Ribeca '15	Firriato	Sicilia
Sicilia Zibibbo Al Qasar '19	Rallo	Sicilia
Soave Cl. Calvarino '18	Leonildo Pieropan	Veneto
Soave Cl. La Froscà '18	Gini	Veneto
Taurasi '16	Donnachiara	Campania
Trebbiano d'Abruzzo Bianchi Grilli per la Testa '18	Torre dei Beati	Abruzzo
Trebbiano d'Abruzzo Solàrea '18	Agriverde	Abruzzo
Trentino Pinot Nero V. Cantanghel '17	Maso Cantanghel	Trentino
Trentino Riesling '19	Pojer & Sandri	Trentino
Trento Brut Madame Martis Ris. '10	Maso Martis	Trentino
Tullum Pecorino Biologico '19	Feudo Antico	Abruzzo
Valdarno di Sopra Merlot Galatrona '17	Fattoria Petrolo	Toscana
Valle d'Aosta Chambave Muscat Flétri '18	La Vrille	Valle d'Aosta
Verdicchio dei Castelli di Jesi Cl. Sup. Ghiffa '18	Cològnola - Tenuta Musone	Marche
Verdicchio dei Castelli di Jesi Cl. Sup. Ylice '18	Poderi Mattioli	Marche
Verdicchio di Matelica Collestefano '19	Collestefano	Marche
Verdicchio di Matelica Senex Ris. '15	Bisci	Marche
Vernaccia di Oristano Antico Gregori '76	Attilio Contini	Sardegna
Vernaccia di Oristano Ris. '68	Silvio Carta	Sardegna
Vernaccia di S. Gimignano Carato '17	Montenidoli	Toscana
Vernaccia di San Gimignano L'Albereta Ris. '17	Il Colombaio di Santa Chiara	Toscana
Zagreo '18	I Cacciagalli	Campania

LA CLASSIFICAZIONE
DELLE ANNATE DAL 1995 AL 2018

	ALTO ADIGE BIANCO	LUGANA / SOAVE	FRIULI BIANCO
2006	🍾🍾🍾	🍾🍾🍾	🍾🍾🍾🍾🍾
2007	🍾🍾🍾	🍾🍾🍾🍾	🍾🍾🍾🍾🍾
2008	🍾🍾🍾	🍾🍾🍾🍾	🍾🍾🍾
2009	🍾🍾🍾🍾	🍾🍾🍾🍾🍾	🍾🍾🍾🍾
2010	🍾🍾🍾🍾🍾	🍾🍾🍾🍾	🍾🍾
2011	🍾🍾🍾	🍾🍾🍾🍾	🍾🍾🍾
2012	🍾🍾🍾🍾	🍾🍾🍾	🍾🍾🍾🍾🍾
2013	🍾🍾🍾🍾	🍾🍾🍾	🍾🍾🍾🍾
2014	🍾	🍾🍾🍾	🍾🍾🍾
2015	🍾🍾🍾🍾	🍾🍾🍾🍾	🍾🍾🍾🍾🍾
2016	🍾🍾🍾🍾🍾	🍾🍾🍾🍾🍾	🍾🍾🍾🍾🍾
2017	🍾🍾🍾	🍾🍾🍾🍾	🍾🍾🍾🍾
2018	🍾🍾🍾🍾	🍾🍾🍾🍾🍾	🍾🍾🍾🍾🍾
2019	🍾🍾🍾🍾🍾	🍾🍾🍾🍾	🍾🍾🍾🍾

VERDICCHIO DEI CASTELLI DI JESI	FIANO DI AVELLINO	GRECO DI TUFO	FRANCIACORTA

	BARBARESCO	BAROLO	AMARONE	CHIANTI CLASSICO
1995	3	3	5	5
1996	5	5	3	4
1997	3	3	4	4
1998	3	4	3	3
1999	5	4	3	5
2000	3	3	4	4
2001	5	5	5	5
2002	2	2	3	2
2003	2	2	3	2
2004	4	4	4	4
2005	3	3	4	3
2006	3	4	3	3
2007	3	3	5	4
2008	4	4	4	4
2009	2	2	3	3
2010	5	5	4	5
2011	4	4	4	3
2012	3	3	3	3
2013	5	5	4	4
2014	3	2	2	3
2015	4	4	4	4
2016	5	5	5	5
2017	3			3
2018				4

BRUNELLO DI MONTALCINO	BOLGHERI	TAURASI	MONTEPULCIANO D'ABRUZZO	ETNA ROSSO
🍾🍾🍾🍾🍾	🍾🍾🍾🍾	🍾🍾🍾	🍾🍾🍾🍾🍾	🍾🍾🍾
🍾🍾	🍾🍾🍾	🍾🍾🍾	🍾🍾🍾🍾	🍾🍾
🍾🍾🍾🍾	🍾🍾🍾🍾	🍾🍾🍾🍾	🍾🍾🍾🍾	🍾🍾🍾🍾
🍾🍾🍾🍾	🍾🍾🍾🍾🍾	🍾🍾	🍾🍾🍾🍾	🍾🍾🍾
🍾🍾🍾🍾🍾	🍾🍾🍾🍾	🍾🍾🍾🍾🍾		🍾🍾🍾🍾
🍾🍾🍾	🍾🍾🍾	🍾🍾🍾	🍾🍾🍾🍾	🍾🍾🍾
🍾🍾🍾🍾🍾	🍾🍾🍾🍾	🍾🍾🍾🍾	🍾🍾🍾🍾🍾	🍾🍾🍾🍾
🍾	🍾🍾	🍾🍾	🍾	🍾
🍾🍾	🍾🍾	🍾🍾🍾	🍾🍾	🍾🍾
🍾🍾🍾	🍾🍾🍾	🍾🍾🍾🍾	🍾🍾🍾	🍾🍾🍾
🍾🍾🍾	🍾🍾🍾	🍾🍾🍾	🍾🍾🍾🍾	🍾🍾🍾🍾
🍾🍾🍾🍾	🍾🍾🍾🍾	🍾🍾🍾🍾	🍾🍾🍾	🍾🍾🍾🍾
🍾🍾🍾	🍾🍾🍾	🍾🍾🍾🍾🍾	🍾🍾🍾	🍾🍾🍾
🍾🍾🍾	🍾🍾🍾🍾	🍾🍾🍾🍾🍾	🍾🍾🍾	🍾🍾🍾🍾🍾
🍾	🍾🍾🍾	🍾🍾🍾	🍾🍾	🍾🍾🍾
🍾🍾🍾🍾🍾	🍾🍾	🍾🍾🍾🍾	🍾🍾	🍾🍾🍾🍾🍾
🍾🍾🍾	🍾🍾🍾🍾	🍾🍾🍾	🍾🍾🍾	🍾🍾🍾🍾🍾
🍾🍾🍾	🍾🍾🍾	🍾🍾🍾	🍾🍾🍾	🍾🍾🍾
🍾🍾🍾🍾🍾	🍾🍾🍾🍾🍾	🍾🍾🍾	🍾🍾🍾🍾	🍾🍾🍾
🍾🍾	🍾🍾	🍾🍾🍾	🍾🍾	🍾🍾🍾🍾🍾
🍾🍾🍾🍾				
	🍾🍾🍾🍾	🍾🍾🍾	🍾🍾🍾	🍾🍾🍾🍾
	🍾🍾🍾		🍾🍾🍾	🍾🍾🍾
	🍾🍾🍾🍾			🍾🍾🍾🍾

LE STELLE

58
Gaja (Piemonte)

45
Ca' del Bosco (Lombardia)

39
Elio Altare (Piemonte)

38
La Spinetta (Piemonte)

36
Allegrini (Veneto)
Valentini (Abruzzo)

34
Castello di Fonterutoli (Toscana)

32
Bellavista (Lombardia)
Giacomo Conterno (Piemonte)
Jermann (Friuli Venezia Giulia)
Tenuta San Guido (Toscana)
Cantina Produttori San Michele Appiano
(Alto Adige)

31
Castello della Sala (Umbria)
Ferrari (Trentino)
Masciarelli (Abruzzo)

30
Planeta (Sicilia)

29
Poliziano (Toscana)
Tasca d'Almerita (Sicilia)

Cantina Tramin (Alto Adige)
Vie di Romans
(Friuli Venezia Giulia)

28
Marchesi Antinori (Toscana)
Fèlsina (Toscana)
Bruno Giacosa (Piemonte)
Leonildo Pieropan (Veneto)

27
Feudi di San Gregorio (Campania)
Ornellaia (Toscana)

26
Argiolas (Sardegna)
Cantina Bolzano (Alto Adige)
Arnaldo Caprai (Umbria)
Castello di Ama (Toscana)
Livio Felluga (Friuli Venezia Giulia)
Nino Negri (Lombardia)
Paolo Scavino (Piemonte)
Schiopetto (Friuli Venezia Giulia)
Villa Russiz (Friuli Venezia Giulia)

25
Falesco - Famiglia Cotarella (Lazio)
Tenute Sella & Mosca (Sardegna)
Cantina Terlano (Alto Adige)

24
Ca' Viola (Piemonte)
Cantina Colterenzio (Alto Adige)
Fontodi (Toscana)
Gravner (Friuli Venezia Giulia)
Isole e Olena (Toscana)
Vietti (Piemonte)

23
Michele Chiarlo (Piemonte)
Les Crêtes (Valle d'Aosta)
Montevetrano (Campania)
Barone Ricasoli (Toscana)
San Leonardo (Trentino)
Volpe Pasini (Friuli Venezia Giulia)
Elena Walch (Alto Adige)

22

Ca' Rugate (Veneto)
Cascina La Barbatella (Piemonte)
Castellare di Castellina (Toscana)
Domenico Clerico (Piemonte)
Cantina Kaltern (Alto Adige)
Le Macchiole (Toscana)
Montevertine (Toscana)

21

Castello del Terriccio (Toscana)
Cataldi Madonna (Abruzzo)
Cusumano (Sicilia)
Donnafugata (Sicilia)
Ruffino (Toscana)
Cantina Santadi (Sardegna)
Serafini & Vidotto (Veneto)
Sottimano (Piemonte)

20

Abbazia di Novacella (Alto Adige)
Antoniolo (Piemonte)
Dorigo (Friuli Venezia Giulia)
Firriato (Sicilia)
Gioacchino Garofoli (Marche)
Elio Grasso (Piemonte)
Lis Neris (Friuli Venezia Giulia)
Livon (Friuli Venezia Giulia)
Monsupello (Lombardia)
Cantina Convento Muri-Gries (Alto Adige)
Fiorenzo Nada (Piemonte)
Giuseppe Quintarelli (Veneto)
Bruno Rocca (Piemonte)
Ronco dei Tassi (Friuli Venezia Giulia)
Franco Toros (Friuli Venezia Giulia)
Umani Ronchi (Marche)
Venica & Venica (Friuli Venezia Giulia)

19

Roberto Anselmi (Veneto)
Casanova di Neri (Toscana)
Coppo (Piemonte)
Matteo Correggia (Piemonte)
Massolino - Vigna Rionda (Piemonte)
Palari (Sicilia)
Doro Princic (Friuli Venezia Giulia)
San Patrignano (Emilia Romagna)
Luciano Sandrone (Piemonte)

Velenosi (Marche)
Le Vigne di Zamò
  (Friuli Venezia Giulia)
Fattoria Zerbina (Emilia Romagna)

18

Lorenzo Begali (Veneto)
Bertani (Veneto)
Brancaia (Toscana)
Castello Banfi (Toscana)
Conterno Fantino (Piemonte)
Kuenhof - Peter Pliger (Alto Adige)
Mastroberardino (Campania)
Fattoria Petrolo (Toscana)

17

Abbona (Piemonte)
Bucci (Marche)
Cavit (Trentino)
Di Majo Norante (Molise)
Grattamacco (Toscana)
Librandi (Calabria)
Lungarotti (Umbria)
Bartolo Mascarello (Piemonte)
Masi (Veneto)
Pietracupa (Campania)
Querciabella (Toscana)
Albino Rocca (Piemonte)
Rocca di Frassinello (Toscana)
San Felice (Toscana)
Tenuta Sant'Antonio (Veneto)
Speri (Veneto)
Suavia (Veneto)
Tenuta Unterortl - Castel Juval
  (Alto Adige)
Vignalta (Veneto)
Viviani (Veneto)

16

F.lli Alessandria (Piemonte)
Aldo Conterno (Piemonte)
Romano Dal Forno (Veneto)
Ferghettina (Lombardia)
Tenuta di Ghizzano (Toscana)
Dino Illuminati (Abruzzo)
Malvirà (Piemonte)
Miani (Friuli Venezia Giulia)
La Monacesca (Marche)
Sergio Mottura (Lazio)
Piaggia (Toscana)

Russiz Superiore
   (Friuli Venezia Giulia)
Valle Reale (Abruzzo)

15

Giulio Accornero e Figli (Piemonte)
Biondi - Santi Tenuta Greppo (Toscana)
Boscarelli (Toscana)
Ca' del Baio (Piemonte)
Cavalchina (Veneto)
Tenute Cisa Asinari dei Marchesi di Grésy
   (Piemonte)
Elvio Cogno (Piemonte)
Eugenio Collavini (Friuli Venezia Giulia)
Poderi Luigi Einaudi (Piemonte)
Falkenstein Franz Pratzner (Alto Adige)
Tenute Ambrogio e Giovanni Folonari
   (Toscana)
Frescobaldi (Toscana)
Elena Fucci (Basilicata)
Köfererhof - Günther Kerschbaumer
   (Alto Adige)
Leone de Castris (Puglia)
Mamete Prevostini (Lombardia)
Monchiero Carbone (Piemonte)
Nals Margreid (Alto Adige)
Oasi degli Angeli (Marche)
Graziano Prà (Veneto)
Produttori del Barbaresco (Piemonte)
Aldo Rainoldi (Lombardia)
Tenuta di Valgiano (Toscana)
Villa Medoro (Abruzzo)
Roberto Voerzio (Piemonte)
Zenato (Veneto)

14

Avignonesi (Toscana)
Bricco Rocche - Bricco Asili (Piemonte)
Brovia (Piemonte)
Piero Busso (Piemonte)
Cascina Ca' Rossa (Piemonte)
Castello di Albola (Toscana)
Castello di Volpaia (Toscana)
Cantine Due Palme (Puglia)
Ettore Germano (Piemonte)
Gini (Veneto)
Cantina Girlan (Alto Adige)
Edi Keber (Friuli Venezia Giulia)
Cantina Kurtatsch (Alto Adige)
Franco M. Martinetti (Piemonte)

Fattoria Le Pupille (Toscana)
Ronco del Gelso (Friuli Venezia Giulia)
Torrevento (Puglia)
Uberti (Lombardia)
Villa Sparina (Piemonte)

13

Maison Anselmet (Valle d'Aosta)
Braida (Piemonte)
Brigaldara (Veneto)
Cavalleri (Lombardia)
Tenuta Col d'Orcia (Toscana)
Colle Massari (Toscana)
Marisa Cuomo (Campania)
Dorigati (Trentino)
Le Due Terre (Friuli Venezia Giulia)
Foradori (Trentino)
Galardi (Campania)
Maculan (Veneto)
Marchesi di Barolo (Piemonte)
Vigneti Massa (Piemonte)
Pecchenino (Piemonte)
Poggio di Sotto (Toscana)
Tenute Rubino (Puglia)
Salvioni (Toscana)
Giampaolo Tabarrini (Umbria)
Tenute del Cerro (Toscana)
Tormaresca (Puglia)
Torraccia del Piantavigna (Piemonte)
Tua Rita (Toscana)
G. D. Vajra (Piemonte)

12

Abate Nero (Trentino)
Gianfranco Alessandria (Piemonte)
Azelia (Piemonte)
Benanti (Sicilia)
Guido Berlucchi & C. (Lombardia)
Cà Maiol (Lombardia)
I Campi (Veneto)
Fattoria Carpineta Fontalpino (Toscana)
Castello dei Rampolla (Toscana)
Tenute Chiaromonte (Puglia)
Cleto Chiarli Tenute Agricole (Emilia
   Romagna)
Colli di Lapio (Campania)
Còlpetrone (Umbria)
Cottanera (Sicilia)
Feudi del Pisciotto (Sicilia)
Feudo Maccari (Sicilia)

Giuseppe Gabbas (Sardegna)
Giorgi (Lombardia)
Franz Haas (Alto Adige)
Lo Triolet (Valle d'Aosta)
Cantine Lunae Bosoni (Liguria)
Mastrojanni (Toscana)
Ermete Medici & Figli (Emilia Romagna)
Orma (Toscana)
Ottella (Veneto)
Pio Cesare (Piemonte)
Dario Raccaro (Friuli Venezia Giulia)
Rocche dei Manzoni (Piemonte)
Ruggeri & C. (Veneto)
Tenute San Sisto - Fazi Battaglia
  (Marche)
Luigi Spertino (Piemonte)
Tiefenbrunner (Alto Adige)

11
Badia a Coltibuono (Toscana)
Borgo San Daniele (Friuli Venezia Giulia)
Bruna (Liguria)
Tenuta di Capezzana (Toscana)
Capichera (Sardegna)
Castello di Monsanto (Toscana)
Castello di Spessa (Friuli Venezia Giulia)
F.lli Cigliuti (Piemonte)
Paolo Conterno (Piemonte)
Corte Sant'Alda (Veneto)
Guerrieri Rizzardi (Veneto)
Gumphof - Markus Prackwieser
  (Alto Adige)
Letrari (Trentino)
Giuseppe Mascarello e Figlio (Piemonte)
La Massa (Toscana)
Cantina Meran (Alto Adige)
Monte del Frà (Veneto)
Poderi e Cantine Oddero (Piemonte)
Pietradolce (Sicilia)
Poggio Le Volpi (Lazio)
Polvanera (Puglia)
Prunotto (Piemonte)
Re Manfredi - Cantina Terre degli Svevi
  (Basilicata)
Podere Sapaio (Toscana)
Tenuta Sette Ponti (Toscana)
F.lli Tedeschi (Veneto)
Villa Sandi (Veneto)
Luigi Viola (Calabria)
Tenuta Waldgries (Alto Adige)

10
Nicola Balter (Trentino)
Belisario (Marche)
Enzo Boglietti (Piemonte)
Giacomo Borgogno & Figli (Piemonte)
Carvinea (Puglia)
Castello di Cigognola (Lombardia)
Castorani (Abruzzo)
Cavallotto - Tenuta Bricco Boschis
  (Piemonte)
Famiglia Cecchi (Toscana)
Ceretto (Piemonte)
Giovanni Corino (Piemonte)
Hilberg - Pasquero (Piemonte)
Tenuta J. Hofstätter (Alto Adige)
Inama (Veneto)
Alois Lageder (Alto Adige)
Tenuta di Lilliano (Toscana)
Merotto (Veneto)
Monte Rossa (Lombardia)
Montenidoli (Toscana)
Elio Ottin (Valle d'Aosta)
Paternoster (Basilicata)
Le Piane (Piemonte)
Poggio Antico (Toscana)
Riecine (Toscana)
Giuseppe Rinaldi (Piemonte)
Rocca delle Macìe (Toscana)
Giovanni Rosso (Piemonte)
Girolamo Russo (Sicilia)
Enrico Serafino (Piemonte)
Tacchino (Piemonte)
Tenimenti Luigi d'Alessandro (Toscana)
Tenuta delle Terre Nere (Sicilia)
Torre dei Beati (Abruzzo)
Agostino Vicentini (Veneto)
Villa Matilde Avallone (Campania)
Conti Zecca (Puglia)

COME LEGGERE LA GUIDA

DATI AZIENDALI

VENDITA DIRETTA
VISITA SU PRENOTAZIONE
OSPITALITÀ
RISTORAZIONE

PRODUZIONE ANNUA
ETTARI VITATI
AZIENDA SOSTENIBILE

TIPO DI VITICOLTURA
- biodinamico certificato
- biologico certificato

*N.B. I dati riportati in Guida vengono forniti annualmente dalle aziende.
    L'Editore declina ogni responsabilità per eventuali indicazioni errate.*

I SIMBOLI

○ VINO BIANCO
⊙ VINO ROSATO
● VINO ROSSO

CLASSIFICAZIONE DEI VINI

🍷 VINI BUONI NELLE LORO RISPETTIVE CATEGORIE
🍷🍷 VINI DA MOLTO BUONI A OTTIMI NELLE LORO RISPETTIVE CATEGORIE
🍷🍷 VINI DA MOLTO BUONI A OTTIMI CHE HANNO RAGGIUNTO LE DEGUSTAZIONI FINALI
🍷🍷🍷 VINI ECCELLENTI NELLE LORO RISPETTIVE CATEGORIE

I VINI VALUTATI NELLE PRECEDENTI EDIZIONI DELLA GUIDA SONO SEGNALATI CON I BICCHIERI
BIANCHI (♀, ♀♀, ♀♀♀).

LA STELLA ★

SEGNALA LE AZIENDE CHE HANNO CONQUISTATO
PER OGNI STELLA 10 VOLTE I TRE BICCHIERI

FASCE DI PREZZO

1 fino a 5 euro
3 da € 10,01 a € 15,00
5 da € 20,01 a € 30,00
7 da € 40,01 a € 50,00

2 da € 5,01 a € 10,00
4 da € 15,01 a € 20,00
6 da € 30,01 a € 40,00
8 oltre € 50,01

I PREZZI INDICATI FANNO RIFERIMENTO ALLE QUOTAZIONI MEDIE IN ENOTECA.

L'ASTERISCO *

SEGNALA UN VINO CON UN RAPPORTO QUALITÀ/PREZZO PARTICOLARMENTE FAVOREVOLE

ABBREVIAZIONI

A. A.	Alto Adige	OP	Oltrepò Pavese
C.	Colli	P.R.	Peduncolo Rosso
Cl.	Classico	P.	Prosecco
C.S.	Cantina Sociale	Rif. Agr.	Riforma Agraria
CEV	Colli Etruschi Viterbesi	Ris.	Riserva
Cons.	Consorzio	Sel.	Selezione
Coop.Agr.	Cooperativa Agricola	Sup.	Superiore
C. B.	Colli Bolognesi	TdF	Terre di Franciacorta
C. P.	Colli Piacentini	V.	Vigna
Et.	Etichetta	Vign.	Vigneto
FCO	Friuli Colli Orientali	V. T.	Vendemmia Tardiva
M.	Metodo	V. V.	Vecchia Vigna/Vecchie Vigne
M.to	Monferrato		

VALLE D'AOSTA

È vero che la Valle d'Aosta, in proporzione agli
ettari vitati (che rimangono intorno ai 400), è la
regione che ottiene più Tre Bicchieri. Certamente
abbiamo grande rispetto e anche un pizzico di
ammirazione per i viticoltori che tutti gli anni
coltivano come fossero veri e propri giardini i loro vigneti,
spesso addirittura difficili da raggiungere a piedi e ancora più stremanti da lavorare,
ma i nostri premi non hanno nulla a che fare con questi sentimentalismi. Vanno ai
grandi vini e solo ai grandi vini che la regione è in grado di offrire. Se pensiamo che
per molto tempo le vigne sono state piantate in prossimità delle abitazioni contadine
per meri motivi di comodità, senza alcun tipo di studio sui terreni o sul microclima o
ancora sulle le rispettive interazioni con i diversi vitigni, allora si capisce come il
potenziale qualitativo del vigneto Valle d'Aosta è ancora in buona parte sconosciuto.
Purtroppo è difficile chiedere a vigneron e cantine sociali di farsi carico di questo
fardello, se non in minima parte. La passione e l'entusiasmo, che a dire il vero negli
ultimi anni abbiamo scorto più nei vignaioli privati che nelle realtà pubbliche o
cooperative, aumentano la voglia di provare nuove strade. Ciononondimeno, nei vini
valdostani la qualità è presente in modo omogeneo e la regione conferma i sei Tre
Bicchieri dello scorso anno. La grande differenza rispetto al passato è che,
malgrado le belle parole spese lo scorso anno sulla ricchezza ampelografica della
regione, in questa edizione della Guida i Tre Bicchieri premiano esclusivamente vini
bianchi di cui un Passito. Non si tratta certamente di una bocciatura dei vitigni e dei
rossi regionali, che non hanno sfigurato e che in futuro torneranno a sorridere, ma
di una conferma dei nostri pensieri. Da tempo sosteniamo che le specificità
morfologiche e climatiche della Valle, con le importanti escursioni termiche,
facilitano la produzione di bianchi freschi e profumati, attualmente i più ricercati dai
consumatori. La Petite Arvine Sopraquota 900 '19 di Rosset Terroir si aggiudica il
premio di Bianco dell'Anno, grazie alla sua finezza olfattiva e alla sua tensione
gustativa, e rappresenta l'esempio evidente della vocazione di tanti vigneti
valdostani per la produzione di bianchi di caratura mondiale. Lo stesso Elio Ottin
conferma la sua dimestichezza con il vitigno di origine svizzera. I Tre Bicchieri a
Anselmet e Les Crêtes (Chardonnay) e Lo Triolet (Pinot Gris) issano i rispettivi vini a
vere e proprie icone dei grandi bianchi del nostro paese. Infine si chiude con il
premio al Muscat Flétri di La Vrille che entra anche lui di diritto nel ristretto novero
dei grandi viticoltori italiani.

VALLE D'AOSTA

★Maison Anselmet

FRAZ. VEREYTAZ, 30
11018 VILLENEUVE [AO]
TEL. 0165904851
www.maisonanselmet.it

VENDITA DIRETTA
VISITA SU PRENOTAZIONE
PRODUZIONE ANNUA 80.000 bottiglie
ETTARI VITATI 11,50

La famiglia Anselmet ha da sempre un occhio di riguardo sugli sviluppi tecnologici che possono aumentare la qualità dei loro vini ma che utilizzano anche per ridurre i trattamenti in vigna. L'azienda, che si trova nel cuore della sottozona Torrette, da qualche anno ormai è nelle redini di Giorgio che gestisce vigneti e vinificazioni con l'aiuto di tutta la famiglia. Il livello qualitativo di tutta la gamma è in costante crescita, a partire dagli autoctoni della Valle, senza, ovviamente, tralasciare gli internazionali, soprattutto lo chardonnay, vero e proprio cavallo di battaglia aziendale. Ottimo lo Chardonnay Mains et Cœur, vino di grande finezza, intenso e complesso con note speziate che incorniciano il frutto mentre al palato l'equilibrio gustativo la fa da padrone. Sempre grande il Pinot Noir Semel Pater: fragoline e mirtilli si amalgamano a sfumature pepate; la bocca incanta per finezza tannica e ricchezza. Molto apprezzabile lo Chardonnay Elevé en fût de chêne, dal gusto fresco e lungo.

○ Valle d'Aosta Chardonnay Mains et Cœur '18	♙♙♙	6
○ Valle d'Aosta Chardonnay Élevé en Fût de Chêne '18	♙♙	5
● Valle d'Aosta Pinot Noir Semel Pater '18	♙♙	7
● Valle d'Aosta Syrah Henri '18	♙♙	6
○ Valle d'Aosta Chardonnay Élevé en Fût de Chêne '15	♟♟♟	5
○ Valle d'Aosta Chardonnay Mains et Cœur '16	♟♟♟	6
● Valle d'Aosta Pinot Noir Semel Pater '17	♟♟♟	7
● Valle d'Aosta Pinot Noir Semel Pater '13	♟♟♟	8

Château Feuillet

LOC. CHÂTEAU FEUILLET, 12
11010 SAINT PIERRE
TEL. 3287673880
www.chateaufeuillet.it

VENDITA DIRETTA
OSPITALITÀ E RISTORAZIONE
PRODUZIONE ANNUA 45.000 bottiglie
ETTARI VITATI 6,00
VITICOLTURA Biodinamico Certificato

Maurizio Fiorano con la sua Château Feuillet opera in uno dei territori più vocati per la vitivinicoltura della Valle d'Aosta, la zona centrale della regione, terra d'elezione del petit rouge. Maurizio lavora le sue uve nel pieno rispetto della tradizione locale e, anche se la sua azienda è relativamente giovane, i suoi vini sono espressione del territorio. Il vigneto è dedicato perlopiù ai vitigni autoctoni, anche se, come spesso capita da queste parti, le uve internazionali hanno un ruolo importante nella deliziosa gamma aziendale. Buona prova d'insieme dell'intera gamma. Abbiamo apprezzato il Syrah, ancora giovane e vinoso, con tannini delicati e fresco. Grande tipicità nel Torrette Supérieur dalla beva gradevole; buona versione della Petite Arvine, floreale e agrumata, semplice in bocca e molto piacevole; impenetrabile il Fumin, che profuma di frutta nera amalgamata a sentori di china, ampio e polposo.

● Valle d'Aosta Fumin '19	♙♙	4
○ Valle d'Aosta Petite Arvine '19	♙♙	4
● Valle d'Aosta Syrah '19	♙♙	4
● Valle d'Aosta Torrette Sup. '18	♙♙	4
○ Valle d'Aosta Petite Arvine '12	♟♟♟	3*
○ Valle d'Aosta Petite Arvine '11	♟♟♟	3*
○ Valle d'Aosta Petite Arvine '10	♟♟♟	3*
● Valle d'Aosta Fumin '18	♟♟	4
● Valle d'Aosta Fumin '17	♟♟	4
● Valle d'Aosta Fumin '16	♟♟	4
○ Valle d'Aosta Petite Arvine '18	♟♟	3*
○ Valle d'Aosta Petite Arvine '16	♟♟	3
● Valle d'Aosta Syrah '18	♟♟	3
● Valle d'Aosta Syrah '17	♟♟	3
● Valle d'Aosta Torrette Sup. '17	♟♟	3
● Valle d'Aosta Torrette Sup. '16	♟♟	3*
● Valle d'Aosta Torrette Sup. '15	♟♟	3

★★Les Crêtes

LOC. VILLETOS, 50
11010 AYMAVILLES [AO]
TEL. 0165902274
www.lescretes.it

VENDITA DIRETTA
VISITA SU PRENOTAZIONE
PRODUZIONE ANNUA 200.000 bottiglie
ETTARI VITATI 25,00
AZIENDA SOSTENIBILE

Les Crêtes da sempre è il traino e l'esempio per tutti i produttori della Valle d'Aosta. L'innesto di forze nuove ha dato vitalità all'azienda, ma se le nuove tecnologie e le nuove sperimentazioni spingono sempre più in alto l'asticella della qualità della gamma, questo non significa che vengano trascurate le produzioni tradizionali. I vini sono sempre espressione del territorio e rappresentativi della regione con un ventaglio ampolografico che parte dagli autoctoni e sconfina nei vitigni internazionali. Non abbiamo abbastanza spazio per descrivere la qualità di tutti i vini di questa azienda ma possiamo dire che tutti spiccano per struttura ed eleganza. La Petite Arvine mette in mostra profumi floreali e fruttati resi accattivanti da una chiusura minerale su un sorso lungo e vitale. Aspettative rispettate anche per lo Chardonnay, ampio nel ventaglio olfattivo ed equilibrato e pulito. Tannini si grana fine per l'impenetrabile Fumin; buono anche il Pinot Nero.

○ Valle d'Aosta Chardonnay Cuvée Bois '18	♟♟♟ 7
● Valle d'Aosta Nebbiolo Sommet '17	♟♟ 6
○ Valle d'Aosta Petite Arvine Fleur V. Devin Ros '18	♟♟ 5
● Valle d'Aosta Fumin '18	♟♟ 5
● Valle d'Aosta Pinot Nero Revei '17	♟♟ 7
○ Valle d'Aosta Chardonnay Cuvée Bois '17	♟♟♟ 6
○ Valle d'Aosta Chardonnay Cuvée Bois '16	♟♟♟ 6
○ Valle d'Aosta Chardonnay Cuvée Bois '13	♟♟♟ 6
○ Valle d'Aosta Chardonnay Cuvée Bois '10	♟♟♟ 6
○ Valle d'Aosta Chardonnay Cuvée Bois '09	♟♟♟ 6
● Valle d'Aosta Nebbiolo Sommet '15	♟♟♟ 6

La Crotta di Vegneron

P.ZZA RONCAS, 2
11023 CHAMBAVE [AO]
TEL. 016646670
www.lacrotta.it

VENDITA DIRETTA
VISITA SU PRENOTAZIONE
RISTORAZIONE
PRODUZIONE ANNUA 200.000 bottiglie
ETTARI VITATI 40,00

La cooperativa nasce nel 1980 e oggi può contare sul lavoro di circa 120 conferitori seguiti costantemente dai tecnici regionali e aziendali per fare in modo che le uve siano sempre sane e di ottima qualità. I 40 ettari aziendali, piccolissime parcelle, sono coltivate con passione e attenzione e danno vita a un numero non indifferente di etichette proprio a voler confermare la grande vocazione vitivinicola del territorio: l'attenzione per i vitigni autoctoni è ovviamente molto alta e ogni vino è un bella espressione di tipicità. La qualità del Moscato Passito di Chambave è ormai granitica, vino di classe, elegante, sempre armonico ed equilibrato; profilo olfattivo giocato su frutta secca e miele; suadente in bocca: uno spettacolo come sempre. Molta buona la nuova versione del Fumin con i suoi profumi che ricordano le bacche nere, ha tannini vigorosi e morbidi carattere da vendere. Ottima la versione del Moscato con affinamento lungo e segnaliamo pure la buona prestazione della Malvoisie di Nus.

○ Valle d'Aosta Chambave Moscato Passito Prieuré '18	♟♟ 5
● Valle d'Aosta Fumin La Griffe des Lions '18	♟♟ 5
○ Valle d'Aosta Chambave Muscat Attente '17	♟♟ 4
● Valle d'Aosta Nus Malvoisie '19	♟♟ 4
○ Valle d'Aosta Chambave Moscato Passito Prieuré '15	♟♟♟ 5
○ Valle d'Aosta Chambave Moscato Passito Prieuré '13	♟♟♟ 5
○ Valle d'Aosta Chambave Moscato Passito Prieuré '12	♟♟♟ 5
○ Valle d'Aosta Chambave Moscato Passito Prieuré '11	♟♟♟ 5
● Valle d'Aosta Fumin Esprit Follet '09	♟♟♟ 3

Cave Gargantua

FRAZ. CLOS CHATEL, 1
11020 GRESSAN [AO]
TEL. 3299271999
www.cavegargantua.it

PRODUZIONE ANNUA 25.000 bottiglie
ETTARI VITATI 4,50

Il percorso della Dora Baltea taglia la Valle d'Aosta da nord-ovest a sud-est. È risaputo che la maggior parte dei vigneti siano coltivati sulla sinistra orografica della valle, "l'ardet", che gode di una migliore esposizione. Non è il caso dell'azienda di Nadir e Laurent Cuneaz che invece si trovano a Gressan, nell'"envers", un territorio certo più difficile ma che se coltivato con serietà e passione, riesce a dare grandissime interpretazioni vinicole. I numeri di produzione sono limitati ma la qualità dei loro vini è notevole e ogni anno riservano sempre delle piacevoli sorprese. Accattivante, elegante e complesso il Torrette Supérieur: deliziose le note fruttate al naso che chiudono con sfumature di tabacco. Decisamente equilibrato in bocca con tannini vellutati e possenti, vino di gran carattere. Erbe officinali e tanta freschezza per il Mon Dadà. Armonico l'Impasse: bacche rosse e spezie anticipano un palato ricco nella struttura gustativa. Buono il Daphne caratterizzato da piacevoli note speziate. Gradevole e intenso il Pinot Gris, mai banale.

● Valle d'Aosta Torrette Sup. Labiè '18	♥♥	4
○ Mon Dadà	♥♥	5
○ Valle d'Aosta Bianco Daphne	♥♥	5
○ Valle d'Aosta Pinot Grigio '19	♥♥	5
● Valle d'Aosta Rosso Impasse Elevée Fût de Chêne '18	♥♥	5
○ Valle d'Aosta Chardonnay Daphne '16	♥♥	5
● Valle d'Aosta Pinot Noir '16	♥♥	3*
● Valle d'Aosta Rosso Impasse '15	♥♥	5
● Valle d'Aosta Rosso Impasse Elevée Fût de Chêne '16	♥♥	5
● Valle d'Aosta Torrette Sup. Labiè '17	♥♥	4
● Valle d'Aosta Torrette Sup. Labiè '16	♥♥	4
● Valle d'Aosta Vin de la Fée '18	♥♥	5
● Vin de la Fée '16	♥♥	5

Grosjean

FRAZ. OLLIGNAN, 2
11020 QUART [AO]
TEL. 0165775791
www.grosjeanvins.it

VENDITA DIRETTA
VISITA SU PRENOTAZIONE
PRODUZIONE ANNUA 120.000 bottiglie
ETTARI VITATI 12,00
VITICOLTURA Biologico Certificato

La famiglia Grosjean ha fatto la storia vitivinicola della regione. Fin dal 1781 si parla di loro nel mondo agricolo valdostano ma fu solo nel 1968 che incominciarono a imbottigliare e commercializzare i propri vini. Oggi siamo alla terza generazione e quello che colpisce di più è la passione che i ragazzi hanno ereditato da padri e zii. Passione, studio, conoscenza e pratica hanno elevato la qualità dei loro vini ormai conosciuti in tutto il mondo. Tipicità e tradizione caratterizzano tutta la loro produzione senza tralasciare l'attenzione di portare il loro lavoro nella direzione del biologico. Lo Chardonnay è vivo e brillante, piacevole al naso con note prima floreali e vegetali che ricordano le erbe officinali e i fiori di acacia; poi fruttato con la mela e le susine. Buona la struttura gustativa, molto fresco. Intensa e raffinata la Petite Arvine, agrumata ed esplosiva in bocca. Aromi intensi per il Fumin con tannini marcati, ancora giovane. Segnaliamo anche un buon Pinot Nero.

○ Valle d'Aosta Chardonnay '19	♥♥	4
○ Valle d'Aosta Petite Arvine V. Rovettaz '19	♥♥	4
● Valle d'Aosta Fumin '18	♥♥	5
● Valle d'Aosta Pinot Noir V. Tzeriat '18	♥♥	4
● Valle d'Aosta Fumin '06	♥♥♥	4
● Valle d'Aosta Fumin V. Rovettaz '07	♥♥♥	5
○ Valle d'Aosta Petite Arvine V. Rovettaz '09	♥♥♥	4
● Valle d'Aosta Cornalin V. Rovettaz '16	♥♥	5
● Valle d'Aosta Fumin V. Rovettaz '16	♥♥	5
● Valle d'Aosta Fumin V. Rovettaz '14	♥♥	5
○ Valle d'Aosta Petite Arvine V. Rovettaz '18	♥♥	4
● Valle d'Aosta Pinot Noir '11	♥♥	3*

★Lo Triolet

Loc. Junod, 7
11010 Introd [AO]
Tel. 016595437
www.lotriolet.vievini.it

VENDITA DIRETTA
VISITA SU PRENOTAZIONE
PRODUZIONE ANNUA 42.000 bottiglie
ETTARI VITATI 5,00

Lo Triolet è una delle aziende storiche del
panorama vitivinicolo della Valle d'Aosta
che, negli anni, ha sempre ricercato, e
trovato, la giusta armonia tra vinificazioni di
stampo tradizionale e una visione moderna.
Anche se le maggiori attenzioni sono
dedicate alle uve e ai vini bianchi, pinot
grigio su tutte, Marco Martin non ha mai
trascurato i vini rossi ottenendo, vendemmia
dopo vendemmia, risultati sempre più
interessanti. Attento ai principi di lotta
integrata, lavora i suoi vigneti nel più totale
rispetto dell'ambiente montano che lo
circonda. Non stupisce più la grande qualità
e soprattutto la continuità di uno dei Pinot
Grigio più riusciti d'Italia, intenso e raffinato
al naso con note di frutta bianca, pera e
albicocca, grande struttura gustativa, un
vero fuoriclasse. Buona impressione per il
Fumin, con profumi fruttati e un po'
selvatici, morbido in bocca. Da provare
anche il Pinot Grigio maturato in barrique:
speziato, ricco e possente. Note di viola e
bacche rosse ci sorprendono nel Coteau
Barrage, piacevole e di buon equilibrio.

Cave Mont Blanc de Morgex et La Salle

Fraz. La Ruine
Chemin des Îles, 31
11017 Morgex [AO]
Tel. 0165800331
www.caveduvinblanc.com

VENDITA DIRETTA
VISITA SU PRENOTAZIONE
PRODUZIONE ANNUA 140.000 bottiglie
ETTARI VITATI 19,00

Il prié blanc è un vitigno molto particolare
coltivato esclusivamente nei paesi di
Morgex e la Salle; le vigne, a piede franco,
sono allevate con pergole molto basse e
godono di un ciclo vegetativo piuttosto
corto, caratteristica che permette alla
pianta di sopravvivere e dare ottime uve
anche nel clima estremo del nord della
regione. Questa cooperativa segue passo
per passo i vignaioli della zona che si
prendono cura delle loro parcelle
microscopiche per produrre il famoso Blanc
de Morgex e La Salle. Sempre molto
intensa l'attività spumantistica: quest'anno
abbiamo assaggiato la Cuvée du Prince:
perlage molto fine e persistente, al naso è
fragrante con note di erbe di montagna e
fieno, mentre in bocca è fresco ed
equilibrato, lungo e persistente.
Piacevolmente avvolgente il Blanc du Blanc
che sfoggia profumi di frutta bianca e un
sorso intrigante. Infine segnaliamo una
buona versione de La Piagne.

○ Valle d'Aosta Pinot Gris '19	♟♟♟ 4*
● Valle d'Aosta Fumin '18	♟♟ 5
● Valle d'Aosta Coteau Barrage '18	♟♟ 6
○ Valle d'Aosta Pinot Gris Élevé en Barriques '18	♟♟ 6
● Valle d'Aosta Fumin '16	♟♟♟ 5
○ Valle d'Aosta Pinot Gris '18	♟♟♟ 4*
○ Valle d'Aosta Pinot Gris '16	♟♟♟ 5
○ Valle d'Aosta Pinot Gris '15	♟♟♟ 5
○ Valle d'Aosta Pinot Gris '14	♟♟♟ 3*
○ Valle d'Aosta Pinot Gris '13	♟♟♟ 3*
○ Valle d'Aosta Pinot Gris '12	♟♟♟ 3*
○ Valle d'Aosta Pinot Gris '09	♟♟♟ 3
○ Valle d'Aosta Pinot Gris '08	♟♟♟ 3*
○ Valle d'Aosta Pinot Gris '05	♟♟♟ 3*
○ Valle d'Aosta Pinot Gris Élevé en Barriques '10	♟♟♟ 5

○ Valle d'Aosta Blanc de Morgex et de La Salle Brut Blanc du Blanc M. Cl.	♟♟ 5
○ Valle d'Aosta Blanc de Morgex et de La Salle Brut Nature Cuvée du Prince M. Cl. '12	♟♟ 6
○ Valle d'Aosta Blanc de Morgex et de La Salle La Piagne '18	♟ 5
○ Valle d'Aosta Blanc de Morgex et de La Salle Brut Blanc du Blanc M. Cl. '15	♟♟ 4
○ Valle d'Aosta Blanc de Morgex et de La Salle Brut Blanc du Blanc M. Cl. '16	♟♟ 5
○ Valle d'Aosta Blanc de Morgex et de La Salle Pas Dosé Glacier M. Cl. '16	♟♟ 5

★Elio Ottin

FRAZ. POROSSAN NEYVES, 209
11100 AOSTA
TEL. 3474071331
www.ottinvini.it

VENDITA DIRETTA
VISITA SU PRENOTAZIONE
PRODUZIONE ANNUA 60.000 bottiglie
ETTARI VITATI 8,00
AZIENDA SOSTENIBILE

L'avventura vinicola di Elio Ottin inizia nel 2007, e in poco più di un decennio, con dedizione e intelligenza, è giunto all'apice della vitivinicoltura regionale. Ma il suo successo più grande, come lo definisce lui stesso, è il figlio Nicolas, che oggi, dopo diverse esperienze all'estero collabora sempre più attivamente in azienda. La produzione è incentrata soprattutto sugli autoctoni, petit rouge, fumin e petite arvine, ma non mancano ottime interpretazioni di vitigni internazionali: su tutti, il pinot nero, interpretato con sensibilità e senza eccessi. Scegliere il vino migliore nella batteria presentata dall'azienda è davvero sempre più difficile ma ancora una volta la spunta la Petite Arvine: intenso ed elegante al naso con sensazioni fresche floreali e fruttate, brilla per l'eleganza vellutata del sorso, che si fa possente e lungo. Spettacolare il Fumin dal colore impenetrabile, dai profumi avvolgenti di coulis di more e spezie dolci, con una bocca estremamente equilibrata e lunga.

○ Valle d'Aosta Petite Arvine '19	♟♟♟ 4*
● Valle d'Aosta Fumin '18	♟♟ 5
● Valle d'Aosta Pinot Noir L'Emerico '17	♟♟ 6
○ Valle d'Aosta Petite Arvine Nuances '18	♟♟ 5
● Valle d'Aosta Fumin '12	♟♟♟ 3*
○ Valle d'Aosta Petite Arvine '17	♟♟♟ 4*
○ Valle d'Aosta Petite Arvine '16	♟♟♟ 5
○ Valle d'Aosta Petite Arvine '15	♟♟♟ 5
○ Valle d'Aosta Petite Arvine '14	♟♟♟ 4*
○ Valle d'Aosta Petite Arvine '12	♟♟♟ 3*
○ Valle d'Aosta Petite Arvine '11	♟♟♟ 3*
○ Valle d'Aosta Petite Arvine '10	♟♟♟ 3*
● Valle d'Aosta Pinot Noir L'Emerico '16	♟♟♟ 6
○ Valle d'Aosta Petite Arvine '18	♟♟ 4
○ Valle d'Aosta Petite Arvine Nuances '17	♟♟ 5

Ermes Pavese

S.DA PINETA, 26
11017 MORGEX [AO]
TEL. 0165800053
www.ermespavese.it

VENDITA DIRETTA
VISITA SU PRENOTAZIONE
PRODUZIONE ANNUA 32.000 bottiglie
ETTARI VITATI 6,00
VITICOLTURA Biologico Certificato

Azienda a conduzione familiare, nasce nel 1999 da un'idea di Ermes, sviluppatasi negli anni fino a diventare una delle più belle realtà del territorio. Siamo ai piedi del Monte Bianco, dove lo spazio dedicato alla terra è davvero minimo e la viticoltura diventa pratica estrema. Ormai anche i giovani figli Nathan e Ninive collaborano con lui in azienda: le uve sono coltivate su più di un centinaio di appezzamenti ma la loro fatica è ripagata dalla qualità dei vini, caratteriali, legati alla tradizione e espressione verace del territorio. Molto tipico il Blanc de Morgex et de La Salle, piacevole con i suoi profumi di fiori di montagna armonizzati da una marcata mineralità, dalla bocca lunga e pulita. Anche quest'anno la tradizione spumantistica di questa azienda riscontra consensi con il Metodo Classico presentato in tre versioni, 18, 24 e 36 mesi: spumanti freschi e dal buon equilibrio gustativo. La novità è il Ventanni, una nuova interpretazione del priè blanc: frutta bianca al naso, lungo e fresco al palato.

○ Valle d'Aosta Vin Blanc de Morgex et La Salle '19	♟♟ 4
○ Priè Ventanni	♟♟ 5
○ Valle d'Aosta Vin Blanc de Morgex et La Salle Pavese Pas Dosé M.Cl. XVIII '16	♟♟ 5
○ Valle d'Aosta Vin Blanc de Morgex et La Salle Pavese Pas Dosé M.Cl. XXIV '16	♟♟ 5
○ Valle d'Aoste Blanc de Morgex et de La Salle Pavese XXXVI Pas Dosé M. Cl. '15	♟♟ 5
○ Valle d'Aosta Vin Blanc de Morgex et La Salle '18	♟♟ 4
○ Valle d'Aoste Blanc de Morgex et de La Salle Pavese XXXVI Pas Dosé M. Cl. '13	♟♟ 5

Rosset Terroir

LOC. TORRENT DE MAILLOD, 4
11020 QUART [AO]
TEL. 0165774111
www.rosseterroir.it

VENDITA DIRETTA
PRODUZIONE ANNUA 30.000 bottiglie
ETTARI VITATI 7,00

I recenti investimenti effettuati dalla proprietà sono il segno tangibile di quanto Nicola Rosset creda nella vitivinicoltura valdostana: nuova cantina e una struttura dotata di moderne tecnologie ma sempre nel solco del rispetto per la tradizione. Dopo gli inizi dedicati ai vitigni internazionali, ora l'attenzione si è spostata maggiormente sugli autoctoni: così mentre i terreni a Saint Cristophe ospitano lo chardonnay, il cornalin e il potit rouge, a Chambave troviamo il moscato locale e a Villeneuve la petite arvine e il pinot grigio. Il Sopraquota rimane la punta di diamante della produzione aziendale ed è ormai una realtà costante di qualità: intensi i profumi floreali con sentori di erbe officinali e fruttati dove spicca il mandarino; bocca immensa, equilibrata e fresca, dal finale lungo e piacevolmente sapido. Per noi è il Bianco dell'Anno. Spezie e frutta scura al naso per il Syrah, fine ed elegante. Suadente la Petite Arvine, intensa e brillante, equilibrata nella struttura e dal finale piacevolmente lungo.

○ Sopraquota 900 '19	🍷🍷🍷4*
● Valle d'Aosta Syrah '18	🍷🍷4
○ Valle d'Aosta Petite Arvine '19	🍷🍷 5
○ Sopraquota 900 '18	🍷🍷🍷 4*
● Valle d'Aosta Cornalin '16	🍷🍷🍷 4*
● Valle d'Aosta Cornalin '15	🍷🍷🍷 4*
● Valle d'Aosta Syrah '13	🍷🍷🍷 4*
○ Valle d'Aosta Chardonnay '18	🍷🍷 5
○ Valle d'Aosta Chardonnay '17	🍷🍷 4
○ Valle d'Aosta Chardonnay '16	🍷🍷 4
● Valle d'Aosta Cornalin '17	🍷🍷 4
○ Valle d'Aosta Pinot Gris '18	🍷🍷 5
○ Valle d'Aosta Pinot Gris '17	🍷🍷 5
● Valle d'Aosta Syrah '17	🍷🍷 5
● Valle d'Aosta Syrah '15	🍷🍷 4
● Valle d'Aosta Syrah '14	🍷🍷 4

La Vrille

LOC. GRANGEON, 1
11020 VERRAYES [AO]
TEL. 0166543018
www.lavrille.it

VENDITA DIRETTA
VISITA SU PRENOTAZIONE
OSPITALITÀ E RISTORAZIONE
PRODUZIONE ANNUA 18.000 bottiglie
ETTARI VITATI 3,90
VITICOLTURA Biologico Certificato
AZIENDA SOSTENIBILE

All'ombra dei monti Avic e Emilius, sulla via Francigena, a pochi passi da Aosta, in un anfiteatro naturale troviamo le vigne de La Vrille. Hervé Deguillame, francese di nascita, ne è il proprietario, persona schiva e molto attenta alla salvaguardia dell'ambiente, molto conosciuta in regione per il suo amore verso la terra dei suoi avi. La sua produzione è quasi esclusivamente dedicata ai vitigni autoctoni e il suo vino passito ottenuto da uve di Muscat di Chambave tutti gli anni è tra i migliori del Paese. Il passito di Muscat di questa azienda è ormai diventato un must; costante nella qualità eccelsa, ha profumi sempre suadenti di miele e grande armonia al palato, un vino di cui non si può fare a meno. Quest'anno molto buono anche il Pinot Nero, pulito nei profumi, fresco, complesso e lungo in bocca. Profumi tipici per il Muscat Secco che sorprende per un sorso intrigante e succoso. Pieno e possente il Fumin.

○ Valle d'Aosta Chambave Muscat Flétri '18	🍷🍷🍷7
● Valle d'Aosta Pinot Noir '17	🍷🍷5
○ Valle d'Aosta Chambave Muscat '18	🍷🍷 5
● Valle d'Aosta Fumin '16	🍷🍷 6
○ Valle d'Aosta Chambave Muscat '12	🍷🍷🍷 4*
○ Valle d'Aosta Chambave Muscat Flétri '17	🍷🍷🍷 7
○ Valle d'Aosta Chambave Muscat Flétri '16	🍷🍷🍷 7
○ Valle d'Aosta Chambave Muscat Flétri '15	🍷🍷🍷 7
○ Valle d'Aosta Chambave Muscat Flétri '14	🍷🍷🍷 7
○ Valle d'Aosta Chambave Muscat Flétri '11	🍷🍷🍷 6

Caves Cooperatives de Donnas

VIA ROMA, 97
11020 DONNAS [AO]
TEL. 0125807096
www.donnasvini.it

La cooperativa è in crescita, con nuovi vitigni gestiti direttamente. I terreni di questa zona sono davvero molto difficili da lavorare ma questo non impedisce alla cantina di mettere sul mercato vini di carattere, da uve nebbiolo, localmente chiamato Picotendro.

● Valle d'Aosta Donnas '17	♙♙ 5
● Valle d'Aosta Donnas Napoléon '17	♙♙ 4
● Valle d'Aosta Donnas Sup. Vieilles Vignes '16	♙♙ 5

Cave des Onze Communes

LOC. URBAINS, 14
11010 AYMAVILLES [AO]
TEL. 0165902912
www.caveonzecommunes.it

I vini di questa azienda sono da segnalare soprattutto per l'ottimo rapporto qualità prezzo. Nella gamma proposta abbiamo apprezzato il Gewürztraminer dalla piacevole aromaticità e lungo in bocca; poi la Petite Arvine, con buoni profumi e una buona struttura.

● Valle d'Aosta Fumin '18	♙♙ 5
○ Valle d'Aosta Gewürztraminer '19	♙♙ 4
○ Valle d'Aosta Petite Arvine '19	♙♙ 4

André Pellissier

FRAZ. BUSSAN DESSOUS, 17
11010 SAINT PIERRE [AO]
TEL. 3405704029
info@pellissierwine.it

Sorprendente la complessità del Syrah: profumi che ricordano la frutta rossa sono in armonia con note di tabacco e spezie dolci; elegante e fine con tannini vellutati. Ottima la struttura del Torrette Supèrieur ancora giovane ma con grande potenzialità. Buono anche il Fumin.

● Valle d'Aosta Syrah '18	♙♙ 4
● Bouquet XXVIII	♙♙ 4
● Valle d'Aosta Fumin '17	♙♙ 4
● Valle d'Aosta Torrette Sup. '18	♙♙ 4

Pianta Grossa

VIA ROMA, 213
11020 DONNAS [AO]
TEL. 3480077404
www.piantagrossadonnas.it

Sempre buona l'interpretazione del nebbiolo di questa azienda. La qualità del Donnas Georgos è una costante nel tempo: brillante nel colore e intenso all'olfatto, floreale con nuances speziate, elegante in bocca con tannini austeri ma vellutati. Interessanti anche il Dessus e il 396.

● Valle d'Aosta Donnas Georgos '17	♙♙ 7
● Valle d'Aosta Nebbiolo Dessus '18	♙♙ 5
● Valle d'Aosta Nebbiolo 396 '18	♙ 4

La Plantze

FRAZ. VEREYTAZ, 30
11018 VILLENEUVE [AO]
TEL. 3460571193
www.laplantze.eu

Henri Anselmet è un giovane vignaiolo nato in una famiglia di grandi produttori. Ci ha presentato una batteria di ottimi vini, di grande struttura, equilibrati ed armonici. Menzioniamo il Pinot Gris con i suoi profumi fruttati e un ampio palato. Notevole anche il Torrette Supérieur.

○ Trii Rundin Pinot Gris '19	♙♙ 4
● Valle d'Aosta El Teemp '18	♙♙ 4
● Valle d'Aosta Torrette Sup. '18	♙♙ 5

La Source

LOC. BUSSAN DESSOUS, 1
11010 SAINT PIERRE
TEL. 0165904038
www.lasource.it

Rubino granato intenso per il Syrah, profumi di buona complessità con note di sottobosco, bocca austera e ricca di tannini, fresca ed equilibrata. Intrigante lo Chardonnay con profumi di fiori secchi, camomilla e biscotti al burro, bocca ricca con finale di carattere. Brillante il Torrette.

○ Valle d'Aosta Chardonnay '16	♙♙ 3
● Valle d'Aosta Syrah '15	♙♙ 3
● Valle d'Aosta Torrette Sup. '15	♙ 3

PIEMONTE

Malgrado il bruttissimo periodo storico che ha condizionato la ristorazione e la viticoltura, i produttori hanno dimostrato di sapere lottare. Qualcuno come Flavio Roddolo ha posticipato l'imbottigliamento e quindi non lo troverete in questa edizione. I risultati però, nel complesso, sono notevoli e ogni anno diventa più difficile limitare i Tre Bicchieri. L'annata 2016, salutata a suo tempo come una delle vendemmie del secolo per il nebbiolo, mantiene tutte le promesse con ben 29 vini titolati su 32 del millesimo in questione. Tra questi 29 Tre Bicchieri ben 25 sono Barolo, 2 sono Barbaresco e 2 provengono dall'Alto Piemonte. La grandezza dei Barolo 2016, ampiamente annunciata è stata confermata con ben 32 Tre Bicchieri e con il Rosso dell'Anno che va all'azienda Pio Cesare con il suo straordinario Barolo Ornato. Con il crescere della qualità, soprattutto nelle denominazioni più prestigiose, il nostro lavoro diventa sempre più arduo. Con 45 Tre Bicchieri su un totale regionale di 75 il Nebbiolo rimane la varietà regina. Per fortuna aumenta la diffusione di cultivar meno note. Il Timorasso nel Tortonese si attesta su due premiati, mentre nella zona di Castagnole Monferrato per il Ruchè arriva il secondo Tre Bicchieri. Lo conquista con merito l'inebriante Clàsic della cantina Luca Ferraris che tanto ha fatto per il rilancio del vitigno. Il Grignolino del Monferrato Casalese, nella nuova versione invecchiata, conserva due Tre Bicchieri che ricompensano l'associazione Monferace a capo del progetto. Da notare anche la notevole performance del comparto spumantistico che piazza quattro vini sul palco, di cui ben tre Alta Langa, una denominazione in piena espansione. Le cantine che ottengono per la prima volta i Tre Bicchieri sono cinque – addirittura sei se consideriamo il Barolo Lazzarito '16 di Casa E. di Mirafiore, che è in realtà un'azienda a pieno titolo solo da poco, dal momento del distacco dalla casa madre Fontanafredda -, ovvero quasi il 10 per cento del totale dei premiati. Si tratta di Socré con il Barbaresco Roncaglie Riserva '15, di La Masera e il suo Erbaluce di Caluso Anima dAnnata '17, di La Toledana e il Gavi del Comune di Gavi Vigne Rade '19, di Castellari Bergaglio con il notevole Gavi Pilin '14 e infine di Luca Ferraris di cui sopra.

460 Casina Bric

LOC. CASCINA BRICCO
VIA SORELLO, 1A
12060 BAROLO [CN]
TEL. 335283468
www.casinabric-barolo.it

VENDITA DIRETTA
VISITA SU PRENOTAZIONE
PRODUZIONE ANNUA 45.000 bottiglie
ETTARI VITATI 10,00

La nuova cantina dell'enologo Gianluca
Viberti a Serralunga d'Alba funziona ormai
a pieno regime e i frutti si coglieranno al
meglio con le nuove etichette che
nasceranno a partire dalla vendemmia
2019. Restano comunque validissime le
proposte derivanti dai vigneti di Barolo e di
Guarene. Dai primi nascono principalmente
i vini a denominazione Barolo, con il Bricco
delle Viole sempre in grande spolvero, dai
secondi le proposte spumeggianti, che si
avvalgono della denominazione Nebbiolo
d'Alba. Tra queste si mettono
costantemente in luce il Metodo Classico
Brut Nature Rosé 48 Mesi e il più
immediato Brut Rosé Cuvée 970, elaborato
con la tecnica Charmat. Notevole impatto
olfattivo nel giovanile Barolo Bricco delle
Viole '16, caratterizzato da erbette, china e
liquirizia assieme ad un palato armonico e
di buona struttura. Appena più connotato
dal rovere il fresco Barolo del comune di
Barolo '16, semplice e diretto oltre che di
impeccabile fattura. La nuova linea di vini
quotidiani chiamati Mesdì (mezzogiorno)
vede prevalere il godibile e fruttato bianco.

● Barolo Bricco delle Viole '16		♟♟ 7
☉ Nebbiolo d'Alba Brut Nature Rosé		
Origo-Ginis 60 mesi '14		♟♟ 5
● Barolo del Comune di Barolo '16		♟♟ 6
○ Langhe Arneis Ansì '19		♟♟ 6
○ Mesdì Bianco		♟♟ 3
☉ Nebbiolo d'Alba Brut Rosé Cuvée 970		♟♟ 5
● Langhe Rosso Ansì '17		♟ 4
● Mesdì Rosso		♟ 3
● Barolo '13		♟♟ 6
● Barolo Bricco delle Viole '15		♟♟ 7
● Barolo Bricco delle Viole '14		♟♟ 7
● Barolo Bricco delle Viole '13		♟♟ 7
● Barolo del Comune di Barolo '15		♟♟ 6
● Barolo		
del Comune di Serralunga d'Alba '14		♟♟ 6

★ Abbona

B.GO SAN LUIGI, 40
12063 DOGLIANI [CN]
TEL. 0173721317
www.abbona.com

VENDITA DIRETTA
VISITA SU PRENOTAZIONE
OSPITALITÀ
PRODUZIONE ANNUA 350.000 bottiglie
ETTARI VITATI 50,00

Non è facile raggiungere l'obiettivo di
avere una proposta enologica tutta di alto
livello: Marziano Abbona c'è riuscito al
meglio, come dimostrano i riconoscimenti
nazionali ed esteri che non riguardano più
solo il Papà Celso o il Barolo Cerviano ma
che si aprono ormai sempre anche al
Nebbiolo d'Alba Bricco Barone come al
Langhe Bianco, al Barolo Pressenda come
all'Alta Langa Extra Brut millesimato.
Cinquant'anni di vendemmie coronati dal
meritato successo. Importante avviso per
gli enoturisti: alla qualità dei vini e alla
simpatia del titolare si è da poco
aggiunta la possibilità di soggiornare nelle
eleganti camere dell'agriturismo
sovrastante la monumentale cantina
interrata. Torna il Barolo Cerviano-Merli
nella ricca annata 2016: grazia e finezza
ne caratterizzano gli aromi fruttati,
arricchiti da un delicato sfondo di rovere.
Ma è il Pressenda a imporsi grazie a una
robusta e decisa versione 2016, con begli
aromi di china e tannini incisivi.
Sorprendente e gradevolissima la Barbera
d'Alba Rinaldi '18.

● Barolo Pressenda '16		♟♟♟ 7
● Barbera d'Alba Rinaldi '18		♟♟ 8
● Barolo Cerviano-Merli '16		♟♟ 8
● Dogliani Papà Celso '19		♟♟ 4
○ Alta Langa Extra Brut '15		♟♟ 5
● Dogliani San Luigi '19		♟♟ 3
○ Langhe Bianco Cinerino '19		♟♟ 5
● Nebbiolo d'Alba Bricco Barone '18		♟♟ 4
● Barolo Cerviano '10		♟♟♟ 7
● Barolo Terlo Ravera '08		♟♟♟ 6
● Dogliani Papà Celso '18		♟♟♟ 4*
● Dogliani Papà Celso '17		♟♟♟ 4*
● Dogliani Papà Celso '16		♟♟♟ 4*
● Dogliani Papà Celso '15		♟♟♟ 4*
● Dogliani Papà Celso '13		♟♟♟ 4*
● Dogliani Papà Celso '11		♟♟♟ 3*

Anna Maria Abbona

FRAZ. MONCUCCO, 21
12060 FARIGLIANO [CN]
TEL. 0173797228
www.annamariaabbona.it

VENDITA DIRETTA
VISITA SU PRENOTAZIONE
PRODUZIONE ANNUA 85.000 bottiglie
ETTARI VITATI 20,00

I coniugi Anna Maria Abbona e Franco Schellino possono contare sull'aiuto sempre più rilevante dei figli Federico e Lorenzo, tenendo conto che l'azienda si è progressivamente ampliata e che oggi il parco vigneti comprende impianti non solo di uve dolcetto ma anche di nebbiolo da Barolo, riesling, nascetta e barbera. Nascono da qui ben 15 etichette, tutte dotate di una ricca personalità che ben toctimonia la passione della famiglia per il lavoro in vigna e l'attenta cura in cantina. La sempre affidabilissima proposta di Dogliani Docg è capeggiata dal San Bernardo, frutto di viti molto vecchie, mentre è ogni anno più importante e definito il Barolo Bricco San Pietro di Monforte d'Alba. Rara armonia nel giovanissimo Dogliani Sorí dij But '19, dotato di notevole struttura e di una suadente vena fresca che allieta il palato: un elegante inno alla ricchezza fruttata tipica del Dogliani. Sontuoso il godibilissimo Dogliani Superiore Maioli '18, tra aromi di mora e mandorla amara, dal sorso polposo sottolineato da tannini fitti e morbidi.

● Dogliani Sorì Dij But '19	♛♛♛	3*
● Barolo Bricco San Pietro '16	♛♛	7
● Dogliani Sup. Maioli '18	♛♛	3*
● Barolo del Comune di Monforte d'Alba '16	♛♛	6
● Langhe Dolcetto '19	♛♛	2*
● Langhe Nebbiolo '17	♛♛	3
○ Langhe Riesling L'Alman '18	♛♛	3
● Barbera d'Alba '19	♛	3
○ Langhe Nascetta Netta '19	♛	3
○ Netta Brut	♛	4
● Dogliani Sup. San Bernardo '12	♛♛♛	4*
● Dogliani Sup. San Bernardo '11	♛♛♛	4*
● Dogliani Sup. San Bernardo '16	♛♛	4

F.lli Abrigo

LOC. BERFI
VIA MOGLIA GERLOTTO, 2
12055 DIANO D'ALBA [CN]
TEL. 017369104
www.abrigofratelli.it

VENDITA DIRETTA
VISITA SU PRENOTAZIONE
PRODUZIONE ANNUA 100.000 bottiglie
ETTARI VITATI 27,00

La storia aziendale inizia nel 1935 con l'acquisizione della cascina dei Berfi, ma il passo più importante sotto l'aspetto produttivo giunge nel 1976, quando Ernesto Abrigo si diploma alla Scuola enologica di Alba. Da allora la famiglia si è dedicata principalmente al vino portabandiera di quest'area, il Dolcetto di Diano d'Alba, con un recente e rilevante passo in avanti quando viene commercializzato per la prima volta il Barolo Ravera del 2013, assieme a uno spumante Alta Langa in cui il brillante figlio Walter crede molto. Ambiente di rara bellezza e qualità spalmata con sapienza e cura su tutti i vini: da visitare. La Barbera d'Alba Superiore si colloca a buon diritto tra le migliori dell'annata 2018 nelle Langhe: elegante e speziata senza particolari contributi del rovere, in bocca ha molta polpa, freschezza ed equilibrio. Morbido e raffinato il Langhe Nebbiolo '18, appena sfiorato da una nota di quercia, non grosso e di grande piacevolezza. Prugna e mandorla nel simpatico e scorrevole Diano '19.

● Barbera d'Alba Sup. '18	♛♛	3*
● Diano d'Alba '19	♛♛	2*
○ Langhe Bianco Lumiè '19	♛♛	2*
● Langhe Nebbiolo '18	♛♛	3
○ Alta Langa Brut Sivà '15	♛	5
● Barolo Ravera '16	♛	7
● Barbera d'Alba Sup. '17	♛♛	3
● Barbera d'Alba Sup. '16	♛♛	3
● Barolo Ravera '15	♛♛	7
● Barolo Ravera '14	♛♛	7
● Diano d'Alba '18	♛♛	2*
● Diano d'Alba Sorì dei Berfi '15	♛♛	3*
● Diano d'Alba Sup. '16	♛♛	3*
● Diano d'Alba Sup. Pietrin '17	♛♛	3
● Dolcetto di Diano d'Alba '17	♛♛	2*

Giovanni Abrigo

VIA SANTA CROCE, 9
12055 DIANO D'ALBA [CN]
TEL. 017369345
www.abrigo.it

VENDITA DIRETTA
VISITA SU PRENOTAZIONE
PRODUZIONE ANNUA 40.000 bottiglie
ETTARI VITATI 10,00

Come ben raccontato dal grande
gastronomo Giovanni Goria, "l'uva dolcetto
è tonda, fitta e polposa, nonché profumata
e rallegrante". A ciò si aggiunge che è poco
dotata di acidità e ricca di zuccheri, per cui
un tempo veniva utilizzata, appena raccolta,
come cura ricostituente per i bambini. Ed è
a alla coltivazione e alla vinificazione di
quest'uva che dal 1968 si dedicano gli
Abrigo, con risultati di sicura piacevolezza
gustativa e, non da ultimo, praticando
prezzi più che amichevoli. Negli ultimi anni
Giorgio, sempre più aiutato dai figli Giulio e
Sergio, è riuscito a dedicarsi anche al
Barolo grazie a una parcella all'interno del
pregiato cru Ravera. Ed è proprio il Barolo
Ravera '16 a guidare le degustazioni di
quest'anno: raffinata frutta rossa e tabacco
vanno a costruire una nitida complessità,
mentre la bocca è austera e ricca, con i
tannini che costruiscono una solida spina
dorsale. Frutti neri e bella freschezza nella
suadente Barbera d'Alba Marminela '18,
armonica e stimolante. Un gioiellino il
fruttato e vegetale Nebbiolo d'Alba '18.

● Barolo Ravera '16	♛♛	6
● Barbera d'Alba Marminela '18	♛♛	2*
● Nebbiolo d'Alba '18	♛♛	3
● Dolcetto di Diano d'Alba Sorì dei Crava '19	♛	2
● Barbera d'Alba Marminela '17	♛♛	2*
● Barbera d'Alba Marminela '16	♛♛	2*
● Barbera d'Alba Marminela '15	♛♛	2*
● Barolo Ravera '15	♛♛	6
● Barolo Ravera '14	♛♛	6
● Diano d'Alba Sup. Garabei '15	♛♛	2*
● Dolcetto di Diano d'Alba '17	♛♛	2*
● Dolcetto di Diano d'Alba Sup. Garabei '16	♛♛	2*
● Dolcetto Diano d'Alba Sup. Garabei '17	♛♛	2*
● Nebbiolo d'Alba '17	♛♛	3

Orlando Abrigo

VIA CAPPELLETTO, 5
12050 TREISO [CN]
TEL. 0173630533
www.orlandoabrigo.com

VENDITA DIRETTA
VISITA SU PRENOTAZIONE
OSPITALITÀ
PRODUZIONE ANNUA 100.000 bottiglie
ETTARI VITATI 23,00
AZIENDA SOSTENIBILE

Troviamo Giovanni Abrigo alla guida di
questa azienda dotata di una moderna e
splendida cantina, perfettamente integrata
nel territorio, impreziosita da una foresteria
per una vera esperienza agrituristica. Le
vigne hanno ormai raggiunto la piena
maturità, fiore all'occhiello sono i cru di
Barbaresco Meruzzano e Montersino che
producono vini particolarmente ricchi,
compatti e potenti. Lo stile della cantina è
improntato a vini polposi, densi e ben
strutturati, capaci di articolare complessità
e profondità gustativa. Da finale il
Barbaresco Rongalio Riserva che offre note
di anguria ben abbinate a un delicato tono
vegetale e a un giro di spezie scure; in
bocca è pieno, succoso, dalla trama
tannica fitta e progressiva. Di carattere il
Barbaresco Meruzzano '17, di bella
freschezza aromatica e allungo deciso, i
tannini sono cremosi e fini. Classico nelle
note di tabacco e liquirizia il Barbaresco
Montersino del 2016.

● Barbaresco Rongalio Ris. '15	♛♛	8
● Barbaresco Meruzzano '17	♛♛	6
● Barbaresco Montersino '16	♛♛	7
● Barbera d'Alba Sup. Mervisano '16	♛♛	4
● Nebbiolo d'Alba Valmaggiore '17	♛♛	5
○ Langhe Très Plus '18	♛	3
● Barbaresco Meruzzano '16	♛♛	5
● Barbaresco Meruzzano '15	♛♛	5
● Barbaresco Meruzzano '14	♛♛	5
● Barbaresco Montersino '15	♛♛	7
● Barbaresco Rongalio Ris. '14	♛♛	8
● Barbaresco Rongalio Ris. '13	♛♛	8
● Barbaresco Rongalio Ris. '12	♛♛	8
○ Langhe Sauvignon D'Amblè '17	♛♛	2*
○ Langhe Très Plus '17	♛♛	3
○ Langhe Très Plus '16	♛♛	3
● Nebbiolo d'Alba Valmaggiore '15	♛♛	5

★Giulio Accornero e Figli

Cascina Ca' Cima, 1
15049 Vignale Monferrato [AL]
Tel. 0142933317
www.accornerovini.it

VENDITA DIRETTA
VISITA SU PRENOTAZIONE
OSPITALITÀ
PRODUZIONE ANNUA 100.000 bottiglie
ETTARI VITATI 22,00
AZIENDA SOSTENIBILE

Tra le aziende che stanno scrivendo la storia enologica del territorio, un posto spetta alla famiglia Accornero. In questo contesto tradizioni, nuove tecnologie e uno stile inconfondibile, collaborano per creare delle straordinarie interpretazioni delle varietà autoctone piemontesi. I vini mettono in evidenza le caratteristiche dei vitigni, in un esempio virtuoso del concetto di terroir. Inoltre dal cilindro ampelografico piemontese, Ermanno ha estratto di recente anche il ruchè: da quest'uva nasce infatti il Monferrato Rosso Viarì, alla sua prima uscita con la vendemmia 2019. Proposte di altissimo livello, che evidenziano la grande cura dedicata a tutta la produzione. Giulin, con una maturazione in legno più lunga, assume connotazioni da grande rosso piemontese. Di grande impatto gusto-olfattivo la versione del Grignolino maturato in legno, il Bricco del Bosco Vigne Vecchie. Da provare la novità, Viarì. Di ottima fattura anche gli altri vini.

● Grignolino del M.to Casalese Monferace Bricco del Bosco V. V. '16	♟♟♟	6
● Barbera del M.to Giulin '17	♟♟	4
● Grignolino del M.to Casalese Bricco del Bosco '19	♟♟	4
● M.to Girotondo '17	♟♟	4
● Barbera del M.to Sup. Cima '15	♟♟	7
● Casorzo Brigantino '19	♟♟	2*
● M.to Freisa La Bernardina '19	♟♟	3
● M.to Rosso Viarì '19	♟♟	3
● Piemonte Barbera Campomoro '18	♟♟	3
● Barbera del M.to Giulin '15	♟♟♟	3*
● Barbera del M.to Sup. Bricco Battista '15	♟♟♟	5
● Grignolino del M.to Casalese Bricco del Bosco V. Vecchie '15	♟♟♟	6

Marco e Vittorio Adriano

Fraz. San Rocco Seno d'Elvio, 13a
12051 Alba [CN]
Tel. 0173362294
www.adrianovini.it

VENDITA DIRETTA
VISITA SU PRENOTAZIONE
PRODUZIONE ANNUA 160.000 bottiglie
ETTARI VITATI 27,00
AZIENDA SOSTENIBILE

Vini rigorosi, ariosi e austeri: ecco la cifra di questa cantina che utilizza solo botti grandi di rovere di Slavonia per i suoi Nebbioli eleganti ed espressivi. Dagli inizi del '900, in quel di San Rocco Seno d'Elvio, a qualche chilometro da Alba, due fratelli, due mogli e una giovane vivace Michela piena di entusiasmo che porta avanti l'export, hanno dato vita a una bellissima attività di famiglia. Si è sposata da diversi anni una filosofia green sia in vigna che in cantina, certificando una solidità qualitativa che viaggia insieme a un interessante rapporto qualità prezzo. Delizioso il timbro floreale del Barbaresco Sanadaive '17 che si articola tra toni di viola e fieno, dalla bocca ricca, piena, strutturata e molto persistente. Più evoluto il carattere del Barbaresco Basarin '17, dalla trama tannica morbida e cremosa, e ben speziato il profilo del Barbaresco Basarin Riserva '15, caldo e maturo nelle note di china e fiori secchi. Nota di merito per la Barbera d'Alba, vibrante e progressiva nei richiami di ginepro e piccoli frutti rossi.

● Barbaresco Sanadaive '17	♟♟	5
● Barbaresco Basarin '17	♟♟	5
● Barbaresco Basarin Ris. '15	♟♟	5
● Barbera d'Alba Sup. '18	♟♟	2*
● Langhe Freisa Lica '18	♟♟	2*
● Langhe Nebbiolo Cainassa '17	♟	3
○ Moscato d'Asti Maddalena '19	♟	3
● Barbaresco Basarin '16	♟♟	5
● Barbaresco Basarin '15	♟♟	5
● Barbaresco Basarin '14	♟♟	5
● Barbaresco Basarin Ris. '13	♟♟	6
● Barbaresco Sanadaive '16	♟♟	5
● Barbaresco Sanadaive '15	♟♟	5
● Barbaresco Sanadaive '14	♟♟	5
● Barbera d'Alba Sup. '17	♟♟	2*
○ Langhe Sauvignon Basarico '15	♟♟	3

Claudio Alario

VIA SANTA CROCE, 23
12055 DIANO D'ALBA [CN]
TEL. 0173231808
www.alarioclaudio.it

VENDITA DIRETTA
VISITA SU PRENOTAZIONE
PRODUZIONE ANNUA 46.000 bottiglie
ETTARI VITATI 10,00

Abbiamo conosciuto Claudio Alario nel 1990, e da 30 anni assaggiamo con piacere e consigliamo senza remore i suoi vini agli appassionati: rossi immediati e privi di infingimenti, a volte persino un po' rustici ma sempre ricchi di personalità. Il che non vuole dire che non ci sono stati ammodernamenti e mutamenti, infatti sono nate due etichette di Barolo - il Sorano da Serralunga e il Riva Rocca da Verduno - e la cantina è stata dotata di numerose vasche in acciaio, tra cui i rotomaceratori, che consentono la vinificazione separata di ogni parcella. L'ingresso in attività dei giovani figli Matteo e Francesco non tarderà a farsi notare. Splendido il Riva Rocca: all'iniziale ribes nero si accosta una raffinata liquirizia che arriva a sconfinare nel tartufo, mentre la bocca è tesa e importante, armonica, con un finale che già contiene raffinati sentori di catrame. Più che valido anche il Sorano, con un bel fruttato in primo piano e un delicato sfondo di spezie, dai tannini docili. Ottimo come sempre il resto della proposta.

● Barolo Riva Rocca '16	♟♟ 5
● Dolcetto di Diano d'Alba Sorì Costa Fiore '19	♟♟ 2*
● Barbera d'Alba Valletta '18	♟♟ 4
● Barolo Sorano '16	♟♟ 6
● Dolcetto di Diano d'Alba Sorì Montagrillo '19	♟♟ 2*
● Nebbiolo d'Alba Cascinotto '18	♟♟ 4
● Barolo Sorano '05	♟♟♟ 7
● Barbera d'Alba Valletta '17	♟♟ 4
● Barolo Riva Rocca '15	♟♟ 5
● Barolo Sorano '15	♟♟ 6
● Barolo Sorano '14	♟♟ 6
● Dolcetto di Diano d'Alba Sorì Montagrillo '18	♟♟ 2*
● Nebbiolo d'Alba Cascinotto '17	♟♟ 4

★F.lli Alessandria

VIA B. VALFRÉ, 59
12060 VERDUNO [CN]
TEL. 0172470113
www.fratellialessandria.it

VENDITA DIRETTA
VISITA SU PRENOTAZIONE
PRODUZIONE ANNUA 90.000 bottiglie
ETTARI VITATI 15,00

Questa affascinante cantina, proprietà degli Alessandria dal 1870, è tra le poche e vere artefici della nascita del Barolo, inteso come importante vino secco e fermo in grado di migliorare per decenni, realizzato sulla base degli insegnamenti di Paolo Francesco Staglieno, ancor oggi di sicuro interesse e ben presentati nel volume Il vino del generale: lettere dell'enologo di Re Carlo Alberto, di Giusi Mainardi e Pierstefano Berta. Oggi, è Vittore in prima fila nella conduzione enologica, con risultati di livello assoluto non solo con le sue quattro etichette di Barolo ma con tutta la gamma: il nostro consiglio è quello di assaggiare anche lo sfizioso Verduno Pelaverga Speziale. Complessità ed eleganza sono i tratti salienti dello splendido Barolo Monvigliero '16, che si offre al naso con un raffinato e intenso ventaglio di fiori rossi e di spezie dolci per poi lasciare spazio a un sorso misurato e classico, ben articolato e vivo, molto lungo e affascinante. Appena più incisivo e lievemente segnato dal legno il nitido e convincente Gramolere '16.

● Barolo Monvigliero '16	♟♟♟ 6
● Barolo Gramolere '16	♟♟ 6
● Barolo San Lorenzo di Verduno '16	♟♟ 6
● Barolo '16	♟♟ 5
● Langhe Rossoluna '17	♟♟ 4
● Verduno Pelaverga Speziale '19	♟♟ 3
● Langhe Nebbiolo Prinsiot '18	♟ 3
● Barolo Gramolere '11	♟♟♟ 6
● Barolo Gramolere '10	♟♟♟ 6
● Barolo Monvigliero '15	♟♟♟ 6
● Barolo Monvigliero '14	♟♟♟ 6
● Barolo Monvigliero '13	♟♟♟ 6
● Barolo Monvigliero '12	♟♟♟ 6
● Barolo Monvigliero '09	♟♟♟ 6
● Barolo S. Lorenzo '08	♟♟♟ 6

ENOLOGIA
Software e servizi per le imprese del vino.

Se produrre ottimo vino è la vostra priorità, noi vi rendiamo più semplice l'impresa.

sistemiamo l'Italia

Produrre un buon vino non è facile. Per questo abbiamo creato un sistema gestionale dedicato esclusivamente alle aziende vitivinicole, per togliervi ogni problema e lasciarvi il gusto di fare al meglio ciò che apprezzeranno i vostri clienti. ENOLOGIA è la soluzione pensata e progettata per farvi concentrare solo sul meglio del vino, senza retrogusti.

ENOLOGIA è il sistema gestionale completo e integrato per gestire le attività amministrative, produttive e distributive del settore vitivinicolo ed è utilizzato quotidianamente da centinaia di aziende vitivinicole su tutto il territorio italiano. I suoi punti di forza: competenza e solidità, aggiornamento normativo e completezza funzionale, gestione integrata delle attività e controllo di gestione, tracciabilità tecnica e normativa. Anche in cloud.

Chiamate noi o il più vicino dei nostri Partner. Insieme a voi per lavorare, produrre, creare e innovare. Insieme, sistemiamo l'Italia.

Insieme, per ogni soluzione.

sistemi®
Professione Informatica

www.sistemiamolitalia.it   www.sistemi.com

Come avere un bicchiere perfetto?

Con il il sistema completo
Winterhalter

Se il vostro obiettivo è quello di presentare
i vostri prodotti d'eccellenza in modo impeccabile,
ciò di cui avete bisogno
è un bicchiere igienizzato e brillante.
Un risultato che solo
i Sistemi di Lavaggio Winterhalter
sono in grado di garantirvi.

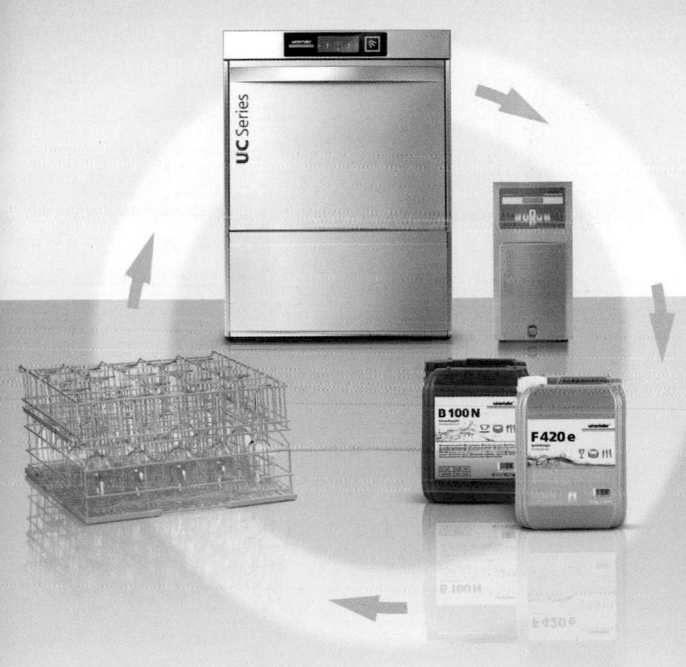

★Gianfranco Alessandria

LOC. MANZONI,13
12065 MONFORTE D'ALBA [CN]
TEL. 017378576
www.gianfrancoalessandria.com

VENDITA DIRETTA
VISITA SU PRENOTAZIONE
PRODUZIONE ANNUA 50.000 bottiglie
ETTARI VITATI 7,00

Il vigneto da cui la famiglia Alessandria ricava la maggior parte delle uve è all'interno del cru San Giovanni e guarda verso est/sud-est, garantendo sempre, oltre a un'importante struttura, anche una spiccata dote di freschezza alle uve che ne derivano. A ciò si aggiunga che Gianfranco è da sempre un convinto sostenitore del diradamento dei grappoli, in modo da essere certo di portare in cantina solo uve particolarmente ricche o concentrate. Il resto lo fa il lavoro in cantina, dove si usa molto legno francese nuovo che dona una raffinata eleganza ai pluripremiati Barolo San Giovanni e Barbera d'Alba Vittoria. Tutta di valore la proposta di quest'anno, capeggiata da una squisita versione di Barolo "base" che dalla grande vendemmia 2016 ha ricavato aromi freschi e liquiriziosi uniti a un palato succoso e assai armonico, godibilissimo. Più giovanile il ricco San Giovanni '16. Da non perdere l'assaggio sia della gustosa e beverina Barbera d'Alba sia del seducente Langhe Nebbiolo del 2018. Potente la celebre Barbera d'Alba Vittoria '17.

● Barolo '16	♟♟ 6
● Barolo San Giovanni '16	♟♟ 8
● Barbera d'Alba '18	♟♟ 3
● Barbera d'Alba Vittoria '17	♟♟ 5
● Langhe Nebbiolo '18	♟♟ 4
● Barbera d'Alba Vittoria '15	♟♟♟ 5
● Barbera d'Alba Vittoria '11	♟♟♟ 5
● Barbera d'Alba Vittoria '96	♟♟♟ 6
● Barolo '93	♟♟♟ 6
● Barolo S. Giovanni '04	♟♟♟ 7
● Barolo S. Giovanni '01	♟♟♟ 7
● Barolo S. Giovanni '00	♟♟♟ 7
● Barolo S. Giovanni '99	♟♟♟ 8

Marchesi Alfieri

P.ZZA ALFIERI, 28
14010 SAN MARTINO ALFIERI [AT]
TEL. 0141976015
www.marchesialfieri.it

VENDITA DIRETTA
VISITA SU PRENOTAZIONE
OSPITALITÀ
PRODUZIONE ANNUA 130.000 bottiglie
ETTARI VITATI 21,00
AZIENDA SOSTENIBILE

Supportate da Mario Olivero, le sorelle Emanuela, Antonella e Giovanna San Martino di San Germano si prendono cura di una realtà a decisa vocazione rossista, avviata a metà degli anni '80 nello storico castello dei Marchesi Alfieri a San Martino. Protagonista assoluta nelle vigne di proprietà è la barbera astigiana, ma una quota significativa è coltivata a nebbiolo, grignolino e pinot nero, utilizzato per produrre un Blanc de Noir Metodo Classico. Uno scacchiere varietale articolato, che dà forma ad una proposta solidamente territoriale. Sempre in primo piano la Barbera d'Asti Superiore Alfiera '17, con i suoi toni di china, frutti neri maturi e spezie a dare carattere e complessità a un palato di grande struttura e volume, ben sostenuto dall'acidità. Ottimi anche la Barbera d'Asti La Tota '18, elegante nelle sue note di frutti di bosco, ricca di polpa, lunga ed equilibrata, e il Piemonte Grignolino Sansoero '19, accattivante e di piacevole beva, in cui spiccano aromi floreali e di pepe.

● Barbera d'Asti La Tota '18	♟♟ 3*
● Barbera d'Asti Sup. Alfiera '17	♟♟ 5
● Piemonte Grignolino Sansoero '19	♟♟ 3*
○ Blanc de Noir Extra Brut M. Cl. '16	♟♟ 5
● M.to Rosso Sostegno '18	♟♟ 2*
● Piemonte Pinot Nero San Germano '17	♟♟ 5
● Terre Alfieri Nebbiolo Costa Quaglia '17	♟♟ 4
● Barbera d'Asti Sup. Alfiera '07	♟♟♟ 5
● Barbera d'Asti Sup. Alfiera '05	♟♟♟ 5
● Barbera d'Asti Sup. Alfiera '01	♟♟♟ 5
● Barbera d'Asti Sup. Alfiera '00	♟♟♟ 5
● Barbera d'Asti Sup. Alfiera '99	♟♟♟ 5
● Barbera d'Asti La Tota '17	♟♟ 3*
● Barbera d'Asti Sup. Afiera '16	♟♟ 5
● Terre Alfieri Nebbiolo Costa Quaglia '16	♟♟ 4

Cantina Alice Bel Colle

REG. STAZIONE, 9
15010 ALICE BEL COLLE [AL]
TEL. 014474103
www.cantinaalicebc.it

VENDITA DIRETTA
VISITA SU PRENOTAZIONE
PRODUZIONE ANNUA 100.000 bottiglie
ETTARI VITATI 370,00

Sono 100 i soci conferitori della cantina di
Alice Bel Colle, che conta su una estensione
viticola di circa 350 ettari. Fondata nel 1955
la cantina era perlopiù indirizzata alla
produzione di barbera. Nel corso degli anni,
grazie anche all'acquisizione di moderne
tecnologie, si è ampliata la gamma di
prodotti, soprattutto a favore dei vini dolci
aromatici, tipici della zona: moscato e
brachetto. Oggi è una realtà moderna e
dinamica, con consulenti di rango, come
Beppe Caviola. Una vivacità, che ha
interessato di recente, anche il pregevole
aspetto grafico delle etichette. Brillante la
gamma delle proposte, con in testa la
Barbera d'Asti della linea 360°. Intensa, con
un bel frutto croccante, su note di erbe
aromatiche, al palato fresca e sapida, con
finale lungo e ricco di polpa. Alix è molto
ricca, quasi opulenta, ma molto giovane e
fruttata. Bacche rosse e confettura, su una
bella struttura, con tannini armonici, per il
Dolcetto d'Acqui. Piacevole la Barbera
d'Asti, Le Casette di Alice.

● Barbera d'Asti	
Collezione 360° Al Casò '19	♟♟ 2*
● Barbera d'Asti Sup. Alix '17	♟♟ 3*
● Barbera d'Asti Le Casette di Alice '19	♟♟ 2*
● Dolcetto d'Acqui	
Collezione 360° Coste di Muiran '17	♟♟ 3
○ Asti Dolce M. Cl.	♟ 5
● Brachetto d'Acqui Le Casette di Alice '19	♟ 2
○ Moscato d'Asti Le Casette di Alice '19	♟ 2
● Barbera d'Asti '17	♟♟ 3
● Barbera d'Asti Al Casò '16	♟♟ 2*
● Barbera d'Asti Al Casò '15	♟♟ 2*
● Barbera d'Asti Filari Sociali '16	♟♟ 2*
● Barbera d'Asti Le Casette di Alice '18	♟♟ 2*
● Barbera d'Asti Sup. Alix '16	♟♟ 3*
● Barbera d'Asti Sup. Alix '14	♟♟ 3
● Barbera d'Asti Sup. Alix '13	♟♟ 3

Giovanni Almondo

VIA SAN ROCCO, 26
12046 MONTÀ [CN]
TEL. 0173975256
www.giovannialmondo.com

VISITA SU PRENOTAZIONE
PRODUZIONE ANNUA 130.000 bottiglie
ETTARI VITATI 18,00
AZIENDA SOSTENIBILE

Domenico Almondo, affiancato dai figli
Federico e Stefano, è da anni uno dei
protagonisti del panorama roerino. I vigneti,
coltivati con un approccio ispirato ai principi
della biodinamica, si trovano a Montà
d'Alba. L'arneis, con viti che raggiungono i
60 anni di età, è situato nella zona nord del
comune, su terreni sabbiosi e acidi a circa
400 metri di altitudine mentre i vitigni rossi
insistono su terreni più calcarei ad altitudini
inferiori, tra i 200 e i 300 metri. I vini
proposti sono tra i più interessanti del
territorio per complessità ed eleganza.
Sempre tra i migliori della denominazione il
Roero Arneis Bricco delle Ciliegie. La
versione 2019 presenta al naso profumi di
agrumi e macchia mediterranea, con
sfumature floreali e di erbe aromatiche,
mentre il palato è affilato, sapido e
grintoso. Allo stesso livello troviamo il Roero
Bric valdiana '17, dai sentori di frutti di
bosco con note di glicine, dal palato di
buon spessore e dai tannini fini, croccante
e di bell'allungo.

○ Roero Arneis Bricco delle Ciliegie '19	♟♟ 3*
● Roero Bric Valdiana '17	♟♟ 5
● Roero '18	♟♟ 3
○ Roero Arneis	
Le Rive del Bricco delle Ciliegie '16	♟♟♟ 4*
● Roero Bric Valdiana '11	♟♟♟ 5
● Roero Bric Valdiana '07	♟♟♟ 5
● Roero Bric Valdiana '03	♟♟♟ 5
● Roero Bric Valdiana '01	♟♟♟ 4
● Roero Bric Valdiana '00	♟♟♟ 4*
● Roero Giovanni Almondo Ris. '13	♟♟♟ 5
● Roero Giovanni Almondo Ris. '11	♟♟♟ 5
● Roero Giovanni Almondo Ris. '09	♟♟♟ 5
○ Roero Arneis Bricco delle Ciliegie '18	♟♟ 3*
○ Roero Arneis	
Le Rive del Bricco delle Ciliegie '18	♟♟ 4
● Roero Bric Valdiana '15	♟♟ 5

★★★Elio Altare

FRAZ. ANNUNZIATA, 51
12064 LA MORRA [CN]
TEL. 017350835
www.elioaltare.com

VENDITA DIRETTA
VISITA SU PRENOTAZIONE
PRODUZIONE ANNUA 70.000 bottiglie
ETTARI VITATI 11,00

Elio Altare ha rappresentato al massimo livello qualitativo il concetto di "Barolo moderno", creando uno stile in cui l'uva nebbiolo resta comunque la protagonista. Quindi utilizzo di piccoli legni francesi, trattati in modo da non essere mai troppo coprenti e invasivi; rotomaceratori e fermentazioni molti brevi, estraendo però sostanza e tannini tali da consentire una salubre longevità; basse rese di uva in vigna, evitando concentrazioni e surmaturazioni dei grappoli. La capace figlia Silvia è ormai alla guida della cantina e ha già dimostrato di essere in grado di proseguire sui prestigiosi livelli che hanno reso la cantina celebre nel mondo. Particolarmente complesso e sfaccettato il delizioso Barolo Arborina '16, in cui la fresca frutta rossa si unisce a suadenti richiami di liquirizia che lasciano spazio a una bocca poderosa e perfettamente bilanciata. Anche nella fresca vendemmia 2014 il Barolo Vigna Bricco del cru Cerretta di Serralunga d'Alba si mostra in grado di offrire una pregevole materia gustativa, ricca e avvolgente.

● Barolo Arborina '16	▼▼▼	8
● Barolo '16	▼▼	8
● Barolo Cerretta V. Bricco Ris. '14	▼▼	8
● Langhe Giàrborina '18	▼▼	8
● Dolcetto d'Alba '19	▼▼	3
● Langhe La Villa '18	▼▼	8
● Langhe Larigi '18	▼▼	8
● Langhe Nebbiolo '19	▼▼	4
● Barbera d'Alba '19	▼	3
● Barolo Arborina '09	▽▽▽	8
● Barolo Cerretta V. Bricco '11	▽▽▽	8
● Barolo Cerretta V. Bricco '10	▽▽▽	8
● Barolo Cerretta V. Bricco Ris. '13	▽▽▽	8
● Langhe Larigi '13	▽▽▽	8
● Langhe Larigi '12	▽▽▽	8
● Langhe Rosso Giàrborina '16	▽▽▽	8

Amalia Cascina in Langa

LOC. SANT'ANNA, 85
12065 CUNEO
TEL. 0173789013
www.cascinaamalia.it

VENDITA DIRETTA
VISITA SU PRENOTAZIONE
OSPITALITÀ
PRODUZIONE ANNUA 40.000 bottiglie
ETTARI VITATI 8,00
AZIENDA SOSTENIBILE

Entra quest'anno nella maggiore età l'azienda di Gigi Boffa, validamente supportato dal figlio Paolo e da consulenti del calibro di Piero Ballario in cantina e Gian Piero Romana nei vigneti. E i risultati sono già di ottimo livello su tutte le otto etichette proposte, con le selezioni di Barolo che stanno ottenendo riconoscimenti sempre più importanti da parte della critica enologica. Il fulcro della proposta nasce dalle uve nebbiolo coltivate nei cru Le Coste e Bussia, ma anche la zona di Sant'Anna, dove hanno sede la cantina e il delizioso bed & breakfast di famiglia, è da sempre celebre per la produzione di ottime uve dolcetto e barbera. Pregevole complessità nel Barolo Le Coste di Monforte '16, nei cui profumi si rincorrono frutti rossi, tabacco e liquirizia; la bocca è progressiva ed equilibrata, decisamente di carattere. Bella armonia nel Barolo Bussia '16, che si muove tra richiami di liquirizia e accenni di piccoli frutti neri, con una bocca fresca e già ben bilanciata. Di notevole struttura la fruttata Barbera d'Alba Superiore '17, mentre è più delicato e beverino l'appagante Dolcetto d'Alba '18.

● Barolo Bussia '16	▼▼	6
● Barolo Le Coste di Monforte '16	▼▼	6
● Barbera d'Alba Sup. '17	▼▼	4
● Dolcetto d'Alba '18	▼▼	3
○ Langhe Rossese Bianco '18	▼	4
● Barbera d'Alba '17	▽▽	4
● Barbera d'Alba Sup. '16	▽▽	4
● Barbera d'Alba Sup. '15	▽▽	4
● Barolo '14	▽▽	6
● Barolo '13	▽▽	6
● Barolo Bussia '15	▽▽	6
● Barolo Bussia '13	▽▽	6
● Barolo Le Coste di Monforte '15	▽▽	6
● Barolo Le Coste di Monforte '13	▽▽	6

Antichi Vigneti di Cantalupo

VIA MICHELANGELO BUONARROTI, 5
28074 GHEMME [NO]
TEL. 0163840041
www.cantalupo.net

VENDITA DIRETTA
VISITA SU PRENOTAZIONE
PRODUZIONE ANNUA 180.000 bottiglie
ETTARI VITATI 35,00

La valorizzazione dell'uva nebbiolo, la filosofia produttiva basata su una precisa osservanza della classicità e il rigoroso rispetto dell'ambiente sono i punti cardine di questa importante e apprezzata cantina, un vero modello per il Nord Piemonte. Da mettere in rilievo anche l'encomiabile scelta aziendale che prevede, per le etichette di punta quali il Collis Breclemae e l'Abate di Cluny, la commercializzazione solo dopo parecchi anni di affinamento in cantina. Altro preciso indice della professionalità di Alberto Arlunno e del suo rispetto per il consumatore è che questi vini non vengono prodotti nelle annate ritenute meno felici. Liquirizia e tabacco biondo nel complesso Collis Breclemae '13, polposo e pieno oltre che dotato di suadente delicatezza gustativa. Il fruttato e vivo Nebbiolo Il Mimo si conferma anche nel 2019 tra i rosati più interessanti della regione, mentre la Vespolina Villa Horta '18 sfodera uno stuzzicante pepe bianco a ravvivare eleganti aromi di frutta rossa fresca. Fragoline e spezie dolci nell'invogliante Primigenia '18, a base prevalente di nebbiolo.

● Ghemme Collis Breclemae '13	♟♟ 7
⊙ Colline Novaresi Nebbiolo Il Mimo '19	♟♟ 2*
● Colline Novaresi Primigenia '18	♟♟ 2*
● Colline Novaresi Vespolina Villa Horta '18	♟♟ 2*
○ Carolus Bianco N. M.	♟ 2
● Ghemme '05	♟♟♟ 4
● Ghemme Collis Breclemae '00	♟♟♟ 6
○ Carolus '17	♟♟ 2*
● Colline Novaresi Abate di Cluny '11	♟♟ 5
⊙ Colline Novaresi Nebbiolo Il Mimo '17	♟♟ 2*
● Colline Novaresi Rosso Primigenia '17	♟♟ 2*
● Colline Novaresi Vespolina Villa Horta '16	♟♟ 2*
● Ghemme Cantalupo Anno Primo '11	♟♟ 5
● Ghemme Collis Breclemae '11	♟♟ 7
● Ghemme Collis Carellae '11	♟♟ 6

★★Antoniolo

C.SO VALSESIA, 277
13045 GATTINARA [VC]
TEL. 0163833612
antoniolovini@bmm.it

VENDITA DIRETTA
VISITA SU PRENOTAZIONE
PRODUZIONE ANNUA 60.000 bottiglie
ETTARI VITATI 12,00

Ha superato da poco i 70 anni di vita la cantina fondata da Mario Antoniolo, oggi condotta dai nipoti Lorella, infaticabile ambasciatrice del nebbiolo del Nord Piemonte, e Alberto, che segue la parte enologica. Le tre selezioni di Gattinara, capeggiate da un costantemente superbo Osso San Grato, rappresentano al meglio la denominazione e sono caratterizzate da una morbida e persistente bevibilità, in cui i tannini vengono domati con eleganza da severe selezioni in vigna e da lunghe maturazioni in botti di rovere, per lo più di notevoli dimensioni. Splendida riuscita di tutte e tre le Riserve di Gattinara nella felice vendemmia 2016, con il primo posto conquistato ancora una volta dall'Osso San Grato. Un Tre Bicchieri che unisce a suadenti aromi di genziana, tabacco scuro e bacche rosse una bocca incisiva, potente e succosa, destinata ad arrotondarsi per molti anni. Un tocco iodato e tannini rugosi senza essere aggressivi caratterizzano la Riserva senza indicazione di cru, un vero portento. Ricco di liquirizia e denso di polpa il San Francesco.

● Gattinara Osso San Grato Ris. '16	♟♟♟ 8
● Gattinara Ris. '16	♟♟ 6
● Gattinara San Francesco Ris. '16	♟♟ 8
● Coste della Sesia Nebbiolo Juvenia '18	♟♟ 4
⊙ Bricco Lorella Rosato '19	♟ 3
● Gattinara Vign. Castelle '00	♟♟♟ 6
● Gattinara Vign. Castelle '99	♟♟♟ 5
● Gattinara Vign. Osso S. Grato '06	♟♟♟ 6
● Gattinara Vign. Osso S. Grato '05	♟♟♟ 6
● Gattinara Vign. Osso S. Grato '04	♟♟♟ 6
● Gattinara Vign. Osso S. Grato '01	♟♟♟ 6
● Gattinara Vign. S. Francesco '06	♟♟♟ 5
● Gattinara Vign. S. Francesco '05	♟♟♟ 6
● Gattinara Vign. S. Francesco '03	♟♟♟ 6
● Gattinara Vign. S. Francesco '01	♟♟♟ 6

Odilio Antoniotti

FRAZ. CASA DEL BOSCO
V.LO ANTONIOTTI, 5
13868 SOSTEGNO [BI]
TEL. 0163860309
antoniottiodilio@libero.it

VENDITA DIRETTA
VISITA SU PRENOTAZIONE
PRODUZIONE ANNUA 15.000 bottiglie
ETTARI VITATI 4,50

Nonostante il brillante successo decretato dai consumatori, Odilio e Mattia Antoniotti proseguono la loro politica dei piccoli passi, facendo un'attenta cernita nelle vigne e commercializzando solo il meglio delle proprie selezioni, come si coglie immediatamente osservando il rapporto tra superficie vitata e bottiglie vendute. L'uva protagonista è il nebbiolo, che dà origine in primis a un sempre ricco e longevo Bramaterra, frutto di lavorazioni assolutamente naturali o rispettose dell'ambiente, tanto che la cantina aderisce al consorzio ViniVeri. La fresca vendemmia 2016 ha realizzato un Bramaterra particolarmente fruttato, con importanti richiami vegetali che compongono un sorso decisamente giovanile e vivo, in grado di armonizzarsi in bottiglia per parecchi anni. Il Coste della Sesia Nebbiolo '17 ha superato bene quella caldissima estate ed è ricco di lamponi, fragoline e spezie nei nitidi aromi.

● Bramaterra '16	♟♟	6
● Coste della Sesia Nebbiolo '17	♟♟	4
● Bramaterra '10	♟♟♟	3*
● Coste della Sesia Nebbiolo '15	♟♟♟	3*
● Bramaterra '15	♟♟	6
● Bramaterra '14	♟♟	5
● Bramaterra '13	♟♟	4
● Bramaterra '12	♟♟	4
● Bramaterra '11	♟♟	3*
● Bramaterra '09	♟♟	3*
● Bramaterra '08	♟♟	3*
● Bramaterra '07	♟♟	3*
● Coste della Sesia Nebbiolo '16	♟♟	4

F.lli Aresca

VIA PONTETTO, 8A
14047 MOMBERCELLI [AT]
TEL. 0141955128
www.arescavini.it

VENDITA DIRETTA
VISITA SU PRENOTAZIONE
PRODUZIONE ANNUA 180.000 bottiglie
ETTARI VITATI 12,00
AZIENDA SOSTENIBILE

L'azienda della famiglia Aresca è stata fondata sulle colline di Mombercelli nel 1952 dai fratelli Luigi e Piero, che fin dagli anni '70 si sono concentrati sull'attività vitivinicola imbottigliando il proprio vino. La gamma dei prodotti è ovviamente centrata principalmente sulla barbera, ma non mancano vini da altre denominazioni, come il Dolcetto di Ovada, il Barolo, il Roero Arneis o il Gavi. I vini realizzati sono d'impianto moderno, ma rispettosi del territorio di origine e con un approccio produttivo che cerca di essere il meno invasivo possibile. L'azienda della famiglia Aresca entra nella sezione principale della nostra Guida grazie a una serie di vini di ottima fattura, tra i quali spicca il Nizza San Luigi '17, dai toni speziati e di violetta, con note di tabacco e liquirizia, di grande pienezza e complessità e con un finale persistente e di carattere. Tra gli altri vini ci è piaciuta soprattutto la Barbera d'Asti La Moretta '18, agile e fresca, succosa e di bell'equilibrio.

● Nizza Barbera San Luigi '17	♟♟	5
● Barbera d'Asti La Moretta '18	♟♟	2*
● Barbera d'Asti Sup. La Rossa '17	♟♟	3
● Grignolino d'Asti Testabalorda '19	♟♟	2*
● Barbera d'Asti La Moretta '17	♟♟	2*
● Barbera d'Asti La Moretta '16	♟♟	2*
● Barbera d'Asti Superiore La Rossa '15	♟♟	3
● Grignolino d'Asti '17	♟♟	2*
● Grignolino d'Asti Testabalorda '18	♟♟	2*
● Nizza San Luigi '16	♟♟	5
● Nizza San Luigi '15	♟♟	5

L'Armangia

Fraz. San Giovanni, 122
14053 Canelli [AT]
Tel. 0141824947
www.armangia.it

VENDITA DIRETTA
VISITA SU PRENOTAZIONE
OSPITALITÀ
PRODUZIONE ANNUA 95.000 bottiglie
ETTARI VITATI 11,00
AZIENDA SOSTENIBILE

È uno scacchiere varietale a dir poco
composto, quello che alimenta il progetto
produttivo immaginato oltre trent'anni fa da
Ignazio Giovine a Canelli, là dove la famiglia
produceva uve e vini già da metà '800. Le
vigne attorno alla cantina sono occupate
perlopiù dalle uve bianche, moscato in
testa, mentre da Moasca, San Marzano
Oliveto e Castel Boglione arrivano
soprattutto le uve a bacca rossa: nebbiolo,
freisa, merlot, cabernet e naturalmente
barbera. Coadiuvato dalla moglie Giuliana,
firma oggi una batteria estremamente
affidabile e riconoscibile stilisticamente.
Una gamma di vini di alto livello quella
proposta da Ignazio Giovine. Spiccano i due
Nizza: il Titon '17 è ampio al naso, con
aromi floreali, fruttati, di terra bagnata e
iodio, e dal palato ricco di frutto e di
notevole struttura, ben sostenuto da una
vibrante acidità che gli dà lunghezza e
freschezza, mentre il Vignali Riserva '16
presenta toni di ciliegia matura e rosa, ha
una fitta trama tannica, è sapido e di
affascinante complessità.

● Nizza Titon '17	🏆🏆 4
● Nizza Vignali Ris. '16	🏆🏆 5
● Barbera d'Asti Sopra Berruti '18	🏆🏆 2*
○ Lorenzo MariaSole Dosaggio Zero M. Cl. '14	🏆🏆 4
○ M.to Bianco EnnEEnnE '18	🏆🏆 2*
○ Moscato d'Asti Canelli '19	🏆🏆 2*
○ Piemonte Chardonnay Pratorotondo '19	🏆🏆 2*
○ Piemonte Chardonnay Robi & Robi '18	🏆🏆 4
○ Lorenzo MariaSole Dosaggio Zero M. Cl. '13	🏆🏆 4
○ Lorenzo MariaSole Pas Dosé M. Cl.	🏆🏆 4
● Nizza Titon '16	🏆🏆 4
● Nizza Titon '15	🏆🏆 4
○ Piemonte Chardonnay Pratorotondo '18	🏆🏆 2*

Ascheri

Via Piumati, 23
12042 Bra [CN]
Tel. 0172412394
www.ascherivini.it

VENDITA DIRETTA
VISITA SU PRENOTAZIONE
OSPITALITÀ E RISTORAZIONE
PRODUZIONE ANNUA 240.000 bottiglie
ETTARI VITATI 40,00

Forte di una storia vinicola che inizia nel
1880 e di un cognome che appartiene
anche a una menzione geografica di
Verduno, Matteo Ascheri, attivo presidente
del Consorzio di Tutela del Barolo, ha
realizzato negli anni un'importante struttura
produttiva nel cuore della città di Bra,
sicuramente meritevole di una visita. Anche
perché alla cantina si accompagna una
convincente proposta di ristorazione e di
soggiorno. La parte più significativa dei
vigneti si trova a Serralunga d'Aba e a
Verduno, con una prevalenza di uve
nebbiolo, mentre sulla collina di Bra trovano
spazio syrah e viognier. Una proposta
complessiva di pregevole qualità, a partire
dalle etichette di Barolo dell'annata 2016.
Elegante nei suoi aromi di ciliegie sotto
spirito il Sorano, di buona rotondità sul
palato; giovanile e scattante l'Ascheri, che
offre liquirizia e un accenno di vaniglia
assieme a buona tannicità. Eccellente
prestazione del Viognier Montalupa Bianco,
che per complessità e carattere ricorda i
grandi bianchi del Rodano.

● Barolo Sorano '16	🏆🏆 6
○ Langhe Bianco Montalupa '16	🏆🏆 4
○ Ascheri Brut M. Cl.	🏆🏆 5
● Barolo '16	🏆🏆 5
● Barolo Ascheri '16	🏆🏆 5
● Barolo Coste & Bricco '16	🏆🏆 6
● Barolo Pisapola '16	🏆🏆 5
○ Langhe Arneis Cristina Ascheri '19	🏆🏆 2*
● Langhe Dolcetto Nirane '19	🏆🏆 4
● Langhe Nebbiolo S. Giacomo '18	🏆🏆 4
● Langhe Rosso Montalupa '15	🏆 4
● Verduno Pelaverga '19	🏆 2
● Barolo Sorano '00	🏆🏆🏆 5
● Barolo Sorano Coste & Bricco '06	🏆🏆🏆 5
● Barolo Coste & Bricco '10	🏆🏆 6
● Barolo Sorano '10	🏆🏆 5

★Azelia

VIA ALBA BAROLO, 143
12060 CASTIGLIONE FALLETTO [CN]
TEL. 017362859
www.azelia.it

VENDITA DIRETTA
VISITA SU PRENOTAZIONE
PRODUZIONE ANNUA 80.000 bottiglie
ETTARI VITATI 16,00
AZIENDA SOSTENIBILE

Sono due le caratteristiche principali della produzione enologica di Luigi Scavino e del figlio Lorenzo: l'eleganza e la potenza. La concentrazione delle sostanze gustative ed aromatiche all'interno degli acini è realizzata sia da severissimi diradamenti sia da viti particolarmente vecchie, in grado di contribuire già di per sé ad evitare eccessi produttivi e a dare tannini di assoluta morbidezza. L'eleganza deriva, ovviamente, dall'uva nebbiolo, che dispone di aromi tra i più complessi e affascinanti all'interno delle migliaia di varietà; la passione di Luigi per lo studio delle diverse botti per la maturazione del Barolo fa il resto. Raffinatissimi gli aromi del Bricco Fiasco '16, con erbette, frutti rossi e liquirizia che precedono un sorso ricco di sostanza, lunghissimo, di rara armonia e piacevolezza. Ancora più importante In bocca il San Rocco '16, ben dotato di materia e di avvolgente tannicità. Il Barolo Cerretta '16 è potente e succoso, con lungo finale armonioso. Sempre valido l'elegante Dolcetto d'Alba Bricco dell'Oriolo.

● Barolo Bricco Fiasco '16	♀♀	8
● Barolo Cerretta '16	♀♀	8
● Barolo San Rocco '16	♀♀	8
● Barbera d'Alba Punta '16	♀♀	5
● Barolo '16	♀♀	6
● Barolo Margheria '16	♀♀	8
● Dolcetto d'Alba Bricco dell'Oriolo '18	♀♀	3
● Langhe Nebbiolo '18	♀♀	4
● Barolo Bricco Fiasco '12	♀♀♀	8
● Barolo Bricco Fiasco '09	♀♀♀	8
● Barolo Bricco Fiasco '01	♀♀♀	7
● Barolo Margheria '06	♀♀♀	7
● Barolo S. Rocco '11	♀♀♀	8
● Barolo S. Rocco '08	♀♀♀	8
● Barolo Voghera Brea Ris. '01	♀♀♀	8

Barbaglia

VIA DANTE, 54
28010 CAVALLIRIO [NO]
TEL. 016380115
www.vinibarbaglia.it

VENDITA DIRETTA
VISITA SU PRENOTAZIONE
PRODUZIONE ANNUA 25.000 bottiglie
ETTARI VITATI 4,50

Come previsto dal disciplinare di produzione, Sergio Barbaglia per realizzare il suo Boca unisce una piccola percentuale di uve vespolina a quelle del nebbiolo, ottenendo profumi particolarmente ricchi di note di fiori rossi e di delicate spezie. La proprietà è molto piccola, ma la brillante figlia Silvia sta apportando il suo contributo nel realizzare ampliamenti e nel valorizzare la sede aziendale. L'ambiente naturale in cui sono inseriti i vigneti è particolarmente suggestivo, con il Monte Rosa che fa da sfondo ai tanti boschi e ai radi appezzamenti vitati, simbolo della volontà di ripresa della tradizione enologia locale. Si presenta bene già dal colore il Boca '16, di un bel rubino fitto e vivo, giovanile; il naso è intenso e nitido, con frutta rossa e nera in prima battuta, poi anche rabarbaro e iodio: grande complessità e finezza; la bocca è stimolante e polposa, con tannini fitti ma non aggressivi e un lungo finale di carattere che fa presagire un grande futuro. Susina e cera d'api nel più che gradevole Bianco Lucino '19.

● Boca '16	♀♀	5
○ Colline Novaresi Bianco Lucino '19	♀♀	3
● Colline Novaresi Vespolina Ledi '19	♀	3
● Boca '15	♀♀	5
● Boca '13	♀♀	5
● Boca '12	♀♀	5
○ Colline Novaresi Bianco Lucino '17	♀♀	3*
● Colline Novaresi Croatina '13	♀♀	2*
● Colline Novaresi Nebbiolo Il Silente '17	♀♀	3
● Colline Novaresi Nebbiolo Il Silente '15	♀♀	3*
● Colline Novaresi Vespolina Ledi '17	♀♀	3
● Colline Novaresi Vespolina Ledi '15	♀♀	3

Osvaldo Barberis

B.TA VALDIBÀ, 42
12063 DOGLIANI [CN]
TEL. 017370054
www.osvaldobarberis.com

VENDITA DIRETTA
VISITA SU PRENOTAZIONE
PRODUZIONE ANNUA 20.000 bottiglie
ETTARI VITATI 8,00
VITICOLTURA Biologico Certificato

Pare che molti vecchi consumatori piemontesi siano rimasti un po' perplessi di fronte alla moda del Dolcetto molto potente e alcolico, abituati com'erano a vederlo e a gustarlo come un semplice e immediato vino da pasto. Il nostro consiglio, valido per tutti, è di assaggiare i Dogliani di Osvaldo Barberis, mai troppo muscolosi ma sempre ricchi di personalità e di un frutto avvincente sin dai ricchi aromi di prugna, non troppo strutturati e dotati di una rara capacità di abbinamento con il cibo. La proposta è arricchita da due proposte a base di uve nebbiolo e altre due a base barbera, assieme al valido bianco Langhe Nascetta Anì. Pregiata classicità nel vivo Dogliani Puncin '19, che ai tipici sentori di mora e mandorla amara unisce fresche note di ribes; parimenti affascinante il palato, armonico, succoso e dalla tannicità appena accennata. Un po' più rigido e diretto il Dogliani Valdibà '19, dai bei profumi di bacche rosse. Particolarmente complessa e appena ruvida la gustosa Langhe Barbera Brichat '19. Agrumata e strutturata la Nascetta Anì '19.

● Dogliani Puncin '19	♟♟3*
● Dogliani Valdibà '19	♟♟ 3
● Langhe Barbera Brichat '19	♟♟ 2*
○ Langhe Nascetta Anì '19	♟♟ 3
● Barbera d'Alba Cesca '18	♟ 3
● Dogliani Avrì '19	♟ 3
● Barbera d'Alba Cesca '17	♔♔ 3
● Barbera d'Alba Cesca '16	♔♔ 3
● Barbera d'Alba Cesca '15	♔♔ 3
● Dogliani Puncin '17	♔♔ 3
● Dogliani Sup. Puncin '16	♔♔ 3
● Dogliani Valdibà '18	♔♔ 3*
● Dogliani Valdibà '17	♔♔ 2*
● Dogliani Valdibà '16	♔♔ 2*
○ Langhe Nascetta Anì '18	♔♔ 3
● Langhe Nebbiolo Muntajà '16	♔♔ 3

Batasiolo

FRAZ. ANNUNZIATA, 87
12064 LA MORRA [CN]
TEL. 017350130
www.batasiolo.com

VENDITA DIRETTA
VISITA SU PRENOTAZIONE
PRODUZIONE ANNUA 2.500.000 bottiglie
ETTARI VITATI 130,00

Sono nove le cascine con una superficie vitata che si estende per 120 ettari, di cui circa la metà coltivati a Nebbiolo, 5 i cru di Barolo d'eccellenza: Briccolina, Cerequio, Brunate, Bussia e Boscareto di cui omonimo resort, elegante, dotato di spa, ristorante di livello e una vista sulle vigne da sogno. Ma non solo Barolo, la gamma include Barbaresco, Barbera d'Alba, Dolcetto d'Alba, per quanto riguarda i rossi, mentre tra i bianchi troviamo vini da uve cortese, arneis, sauvignon, pinot bianco e moscato. All'interno di una proposta articolata e impreziosita da alcuni cru di valore assoluto, spicca il Barolo Cerequio '16, figlio di un ottimo millesimo e in grado di rappresentare al meglio il varietale, l'eleganza e l'armonia di un terroir straordinario. Altrettanto valido per definizione gustativa, in equilibrio tra sfumature balsamiche e speziate con profondità di beva il Barolo Briccolina '16, storica punta di diamante aziendale. Ancora austero, come da tradizione, lo strutturato e longevo Boscareto '15.

● Barolo Briccolina '16	♟♟8
● Barolo Cerequio '16	♟♟7
● Barbera d'Alba Sovrana '18	♟♟ 4
● Barolo '16	♟♟ 6
● Barolo Boscareto '15	♟♟ 7
● Barolo Brunate '16	♟♟ 7
○ Batasiolo Brut M. Cl. '14	♟♟ 3
○ Langhe Chardonnay Vign. Morino '18	♟♟ 5
● Langhe Nebbiolo '18	♟♟ 3
○ Roero Arneis '19	♟ 3
● Barolo Boscareto '05	♔♔♔ 7
● Barolo Briccolina '15	♔♔♔ 8
● Barolo Corda della Briccolina '90	♔♔♔ 7
● Barolo Corda della Briccolina '89	♔♔♔ 7
● Barolo Corda della Briccolina '88	♔♔♔ 7

Bava

s.da Monferrato, 2
14023 Cocconato [AT]
Tel. 0141907083
www.bava.com

VENDITA DIRETTA
VISITA SU PRENOTAZIONE
OSPITALITÀ
PRODUZIONE ANNUA 490.000 bottiglie
ETTARI VITATI 55,00

Le radici enoiche della famiglia Bava
risalgono ai primi decenni del '900, mentre
quelle agricole addirittura al XVII secolo.
Negli anni '70 ha rilevato il marchio Cocchi,
creando un primo nucleo produttivo a
Cocconato, sui pendii del Monferrato
Astigiano, successivamente ampliatosi con
le vigne in Langa di Agliano e Castiglione
Falletto. Nebbiolo, barbera e moscato
rappresentano oggi la base ampelografica
declinata nella versatile batteria proposta,
dove trovano spazio anche tipologie meno
conosciute come i vini a base ruchè,
malvasia di Castelnuovo Don Bosco e
albarossa. Raggiungono le nostre finali vini
delle varie anime dell'azienda. Il Nizza
Piano Alto '17 al naso presenta aromi di
frutti neri, arricchiti da note di rosa, cacao e
china, mentre il palato è ricco di frutto, con
tannini ben gestiti a sostegno del lungo
finale. L'Alta Langa Brut TotoCorde '15 ha
toni di agrumi e frutta bianca, è di bella
struttura e pienezza, mentre il Barolo
Scarrone '15 ha una trama tannica austera,
è succoso e complesso.

○ Alta Langa Brut TotoCorde '15	🏆🏆 5
● Nizza Barbera Piano Alto '17	🏆🏆 4
○ Alta Langa Brut Rösa '15	🏆🏆 6
● Barbera d'Asti Li Bera '18	🏆🏆 3
● Barolo Scarrone '16	🏆🏆 7
● Barolo Scarrone '15	🏆🏆 7
○ Alta Langa Brut Bianc 'd Bianc '15	🏆 6
○ Piemonte Chardonnay Thou Bianc '19	🏆 3
○ Alta Langa Brut Bianc 'd Bianc Giulio Cocchi '12	🏆🏆 6
○ Alta Langa Brut Bianc 'd Bianc Giulio Cocchi '10	🏆🏆 6
○ Alta Langa Pas Dosé '12	🏆🏆 6
○ Alta Langa Pas Dosé Giulio Cocchi '08	🏆🏆 6
● Nizza Piano Alto '16	🏆🏆 4
● Nizza PianoAlto '15	🏆🏆 4

Bel Colle

fraz. Castagni, 56
12060 Verduno [CN]
Tel. 0172470196
www.belcolle.eu

VENDITA DIRETTA
VISITA SU PRENOTAZIONE
PRODUZIONE ANNUA 180.000 bottiglie
ETTARI VITATI 14,00

Nell'estate 2015 la Bel Colle, la storica
cantina fondata 45 anni fa a Borgo
Castani, frazione di Verduno, dai fratelli
Franco e Carlo Pontiglione e Giuseppe
Priola, entra a far parte del gruppo Bosio
Family Estates. I vini denotano una
precisione stilistica davvero mirabile, sia
sul terreno del Barbaresco che del Barolo,
potendo contare su cru meravigliosi come
Pajorè o il mitico Monvigliero. In cantina il
lavoro è molto rispettoso della materia
prima di partenza con estrazioni misurate
per vini dall'ottimo equilibrio tannico.
Suntuoso il Barolo Monvigliero '16 dai
profumi a dir poco fragranti e complessi,
dal lampone alla rosa, pepe e liquirizia. In
bocca è maestoso per volume, carattere,
finezza e lungo finale. Fine e arioso il
Pajorè '17, classico nei tratti fruttati e
balsamici, in bocca è velluto, la chiusura
eterea e sfumata. Molto convincente ed
equilibrato il Barolo Simposio '16, nota di
merito per l'Alta Langa di pari annata, che
sfoggia carattere e complessità in una
trama di vibrante freschezza.

● Barolo Monvigliero '16	🏆🏆🏆 6
● Barbaresco Pajorè '17	🏆🏆 5
○ Alta Langa Extra Brut Cuvée Valentina '16	🏆🏆 6
● Barbaresco Boschi dei Signori Bosio '17	🏆🏆 5
● Barolo 10 Anni Ris. '09	🏆🏆 7
● Barolo Bosco dei Signori Bosio '16	🏆🏆 5
● Barolo Simposio '16	🏆🏆 6
● Nebbiolo d'Alba La Reala '18	🏆🏆 3
● Barbera d'Alba Sup. Le Masche '18	🏆 3
● Barbera d'Asti Sup. Nuwanda '18	🏆 3
○ Langhe Nas-cëtta '19	🏆 3
● Barbaresco Pajorè '16	🏆🏆🏆 5
● Barbaresco Pajorè '15	🏆🏆🏆 5
● Barolo Monvigliero '09	🏆🏆🏆 5

Bera

LOC. CASCINA PALAZZO
VIA CASTELLERO, 12
12050 NEVIGLIE [CN]
TEL. 0173630500
www.bera.it

VENDITA DIRETTA
VISITA SU PRENOTAZIONE
RISTORAZIONE
PRODUZIONE ANNUA 180.000 bottiglie
ETTARI VITATI 30,00

Le vigne di proprietà della famiglia Bera si distinguono fra le più vocate del distretto di Neviglie: si posizionano nei pressi della cantina, tra i 300 e i 400 metri di altitudine su suoli calcarei frammisti ad argilla e tufo, dando forma soprattutto a vini da moscato di grande nitidezza espressiva e bevibilità. Senza dimenticare il valore dei nebbiolo da Barbaresco derivanti dai celebri cru Rabajà, Basarin e Serraboella a cui si affiancano altre interessanti etichette da dolcetto, barbera, pinot nero e chardonnay. L'intera gamma presentata è di ottima qualità. Tra i vini prodotti nelle vigne astigiane spicca il Moscato d'Asti Su Reimond '19, dai toni di frutta tropicale ed erbe officinali, complesso e di buona finezza, ricco di polpa e dal lungo finale. Da quelle delle Langhe invece è il Barbaresco Serraboella '16 ad averci particolarmente convinto, con i suoi aromi speziati, affiancati da note di tabacco, frutta rossa e liquirizia, per un palato di grande ricchezza, ma anche fresco, dai tannini eleganti e ben integrati.

● Barbaresco Serraboella '16	♟♟8
○ Moscato d'Asti Su Reimond '19	♟♟4
○ Asti '19	♟♟4
● Barbaresco '16	♟♟6
● Barbaresco Rabajà Ris. '13	♟♟8
● Barbaresco Serraboella '17	♟♟8
● Barbera d'Alba Sup. La Lena '17	♟♟5
○ Dell'Um.be '16	♟♟5
● Langhe Nebbiolo Alladio '16	♟♟5
○ Moscato d'Asti '19	♟♟4
○ Alta Langa Bera Brut '16	♟6
○ Alta Langa Bera Brut '12	♟♟3
● Barbaresco Basarin Ris. '11	♟♟7
○ Moscato d'Asti '18	♟♟3
○ Moscato d'Asti '17	♟♟2*
○ Moscato d'Asti Su Reimond '18	♟♟3*
○ Moscato d'Asti Su Reimond '17	♟♟3*

Cinzia Bergaglio

VIA GAVI, 29
15060 TASSAROLO [AL]
TEL. 0143342203
www.vinicinziabergaglio.it

VENDITA DIRETTA
VISITA SU PRENOTAZIONE
PRODUZIONE ANNUA 30.000 bottiglie
ETTARI VITATI 9,00

Pur essendo una piccola realtà, l'azienda di Cinzia Bergaglio è una delle protagoniste della scena vitivinicola del territorio del Gavi grazie a uno stile essenziale e curato su tutta la filiera di produzione. In vigna si fa grande attenzione alla qualità delle uve nel massimo rispetto dell'ambiente, mentre in cantina le pratiche enologiche sono poco invasive, interamente mirate alla realizzazione di un prodotto di forte impronta territoriale. A parlare nel bicchiere sono i terreni tra Rovereto e Tassarolo per una gamma di vini incentrata sulle uve cortese. Grifone delle Roveri '19 è un'interpretazione strepitosa della tipologia. Molto intenso, con i suoi aromi floreali e fruttati, che virano verso note di felci e minerali, al palato si rivela potente e ricco con un bel finale persistente e sapido. Si difende molto bene il Gavi La Fornace, fine e complesso, con una fase gustativa ampia e un finale lungo.

○ Gavi del Comune di Gavi Grifone delle Roveri '19	♟♟2*
○ Gavi La Fornace '19	♟♟2*
○ Gavi del Comune di Gavi Grifone delle Roveri '18	♟♟2*
○ Gavi del Comune di Gavi Grifone delle Roveri '16	♟♟2*
○ Gavi del Comune di Gavi Grifone delle Roveri '15	♟♟2*
○ Gavi del Comune di Gavi Grifone delle Roveri '14	♟♟2*
○ Gavi La Fornace '18	♟♟2*
○ Gavi La Fornace '17	♟♟2*
○ Gavi La Fornace '16	♟♟2*
○ Gavi La Fornace '15	♟♟2*
○ Gavi La Fornace '14	♟♟2*
○ Gavi La Fornace '13	♟♟2*

Nicola Bergaglio

FRAZ. ROVERETO
LOC. PEDAGGERI, 59
15066 GAVI [AL]
TEL. 0143682195
nicolabergaglio@alice.it

VENDITA DIRETTA
VISITA SU PRENOTAZIONE
PRODUZIONE ANNUA 140.000 bottiglie
ETTARI VITATI 17,00
AZIENDA SOSTENIBILE

La cantina Nicola Bergaglio ha contribuito a fare la storia del Gavi, portando questo vino in giro per il mondo tra riconoscimenti sempre più numerosi. Segreti? Un terroir perfetto per le caratteristiche del vitigno cortese, che solo in queste zone ha dato risultati così eclatanti. Lo stile di produzione è sicuramente ben definite, affinato con nuove tecnologie, per vini di grande complessità senza perdere in naturalezza di beva ed equilibrio. A tutto questo dobbiamo aggiungere il tempo e l'esperienza ricavata di vendemmia in vendemmia, la prima è del 1970 e con la 2020 fanno 50. Colore invitante e vitale, aromi fini ed eleganti: erbe fresche e frutta bianca, che proseguono in un palato ricco di polpa e dal finale lungo e sapido: è eccellente questo Minaia '19. Come spesso accade, quello che consideriamo il prodotto "base" è un filo più pronto del fratello maggiore. Si palesa la fase minerale, preceduta da sentori di felci e note di canfora, su un palato teso e vibrante, dal finale lungo.

○ Gavi del Comune di Gavi Minaia '19	▼▼▼ 4*
○ Gavi del Comune di Gavi '19	▼▼ 3*
○ Gavi del Comune di Gavi Minaia '18	▽▽▽ 4*
○ Gavi del Comune di Gavi Minaia '17	▽▽▽ 4*
○ Gavi del Comune di Gavi Minaia '15	▽▽▽ 4*
○ Gavi del Comune di Gavi Minaia '14	▽▽▽ 4*
○ Gavi del Comune di Gavi Minaia '11	▽▽▽ 4*
○ Gavi del Comune di Gavi Minaia '10	▽▽▽ 4
○ Gavi del Comune di Gavi Minaia '09	▽▽▽ 4
○ Gavi del Comune di Gavi '18	▽▽ 2*
○ Gavi del Comune di Gavi '17	▽▽ 2*
○ Gavi del Comune di Gavi '16	▽▽ 2*
○ Gavi del Comune di Gavi '15	▽▽ 2*
○ Gavi del Comune di Gavi Et. Bianca '14	▽▽ 3*
○ Gavi del Comune di Gavi Minaia '13	▽▽ 4
○ Gavi del comune di Gavi' Minaia' '16	▽▽ 4

Bersano

P.ZZA DANTE, 21
14049 NIZZA MONFERRATO [AT]
TEL. 0141720211
www.bersano.it

VENDITA DIRETTA
VISITA SU PRENOTAZIONE
PRODUZIONE ANNUA 1.300.000 bottiglie
ETTARI VITATI 230,00

Se il marchio Bersano è diventato uno dei più importanti in assoluto nello scacchiere enoico del Piemonte, le ragioni vanno ricercate prima di tutto nel lavoro di ricerca agricola che ha portato l'azienda ad espandersi praticamente in tutti i principali distretti regionali. Il nucleo originario è quello che si snoda attorno alle cascine dislocate tra Monferrato e Langhe, progressivamente ampliato con le acquisizioni che hanno permesso di aggiungere alla gamma altre importanti tipologie, come ad esempio il cortese di Gavi. Quest'anno in primo piano troviamo il Nizza Cremosina '18, che propone un naso di bella intensità e finezza, con note di ciliegia, tabacco e spezie, e un palato possente e ricco di polpa, dal finale lungo e armonico. Ottimo anche Il Nizza Generala Riserva '17, ricco e di grande fittezza, dai toni di frutti neri maturi, ancora un po' coperto dal legno. Da segnalare l'Arturo Bersano Brut '17, dai profumi floreali e dal palato teso, fine, austero.

● Nizza Cremosina '18	▼▼ 3*
● Nizza Generala Ris. '17	▼▼ 5
○ Arturo Bersano Brut M. Cl. '17	▼▼ 4
● Barbera d'Asti Sup. Costalunga '18	▼▼ 3
⊙ Arturosé Brut M. Cl. '17	▼ 4
○ Gavi del Comune di Gavi '19	▼ 3
● Barbera d'Asti Sup. Generala '97	▽▽▽ 5
● Nizza Generala Ris. '16	▽▽▽ 5
○ Artur.O Brut Pas Dosè M. Cl.	▽▽ 4
● Barbera d'Asti Costalunga '17	▽▽ 2*
● Barbera d'Asti Sup. Cremosina '16	▽▽ 3*
● Barolo Badarina '13	▽▽ 7
● Barolo Badarina Ris. '12	▽▽ 7
● Piemonte Pinot Nero La Prata '16	▽▽ 4
● Ruché di Castagnole M.to San Pietro Realto '17	▽▽ 3

Franco Boasso - Gabutti

B.TA GABUTTI, 3A
12050 SERRALUNGA D'ALBA [CN]
TEL. 0173613165
www.gabuttiboasso.com

VENDITA DIRETTA
VISITA SU PRENOTAZIONE
OSPITALITÀ
PRODUZIONE ANNUA 25.000 bottiglie
ETTARI VITATI 7,00

Il cru Gabutti è sempre stato considerato
tra i più importanti di tutta l'area del Barolo,
come testimonia l'ampia documentazione
che, partendo dal 1880 con la Monografia
sulla viticoltura in provincia di Cuneo di
Lorenzo Fantini, arriva al recente Barolo
MGA di Alessandro Masnaghetti passando
per la Carta del Barolo di Renato Ratti del
1976 e l'Atlante delle Vigne di Langa del
1990. Ed è proprio qui che ha il proprio
baricentro la valida cantina oggi condotta
da Ezio Boasso, proprietario anche di altri
appezzamenti vitati a nebbiolo in cui
primeggia il cru Margheria. Alla proposta
dei vini, di stampo tradizionale, si
accompagna l'offerta del consigliato B&B I
Grappoli. Fresco e ricco di sentori fruttati il
delizioso Barolo Gabutti '16, che nasce in
un vigneto dal suolo un po' più sabbioso
rispetto agli altri importanti cru di
Serralunga che lo affiancano, ricavandone
preziose caratteristiche di morbidezza
gustativa. Appena più legnoso il potente
Margheria '16, già più aperto ed evoluto il
Barolo che si avvale della denominazione
comunale.

● Barolo Gabutti '16	♛♛ 6
● Barolo del Comune di Serralunga d'Alba '16	♛♛ 5
● Barolo Margheria '16	♛♛ 6
● Dolcetto d'Alba '19	♛♛ 2*
● Langhe Nebbiolo '18	♛♛ 3
● Barolo Gabutti '13	♛♛♛ 6
● Barolo Margheria '05	♛♛♛ 5*
● Barbera d'Alba Sup. '17	♛♛ 2*
● Barolo del Comune di Serralunga d'Alba '15	♛♛ 5
● Barolo Gabutti '15	♛♛ 6
● Barolo Gabutti '14	♛♛ 6
● Barolo Margheria Ris. '13	♛♛ 7
● Langhe Nebbiolo '17	♛♛ 3

★Enzo Boglietti

VIA FONTANE, 18A
12064 LA MORRA [CN]
TEL. 017350330
www.enzoboglietti.com

VENDITA DIRETTA
VISITA SU PRENOTAZIONE
PRODUZIONE ANNUA 100.000 bottiglie
ETTARI VITATI 22,50
VITICOLTURA Biologico Certificato
AZIENDA SOSTENIBILE

Come sottolinea il brillante Enzo Boglietti,
qui si è data la priorità a mantenere
intatta la personalità di ogni singolo vigneto
sin dall'inizio dell'attività nel 1991, e oggi
questa felice impostazione è resa ancora
più percepibile dalla riduzione dell'uso di
quei legni nuovi e un po' invasivi che un
certo mercato ha richiesto sino a una
decina d'anni orsono. Anche la campagna,
seguita dal fratello Gianni, vive
un'evoluzione continua, soprattutto nella
ricerca di una coltivazione sempre più
sostenibile, come dimostra anche la recente
certificazione biologica. L'eleganza gustativa
è sempre al primo posto in tutte le etichette.
Come ben dimostra il Barolo Arione '16, con
la frutta rossa in evidenza su uno sfondo di
tabacco biondo e china; la bocca rivela una
presa tannica particolarmente morbida e
avvolgente. Delicati sentori affumicati
presentano il Case Nere '16, dal palato vivo,
ricco e progressivo. Meritano un periodo di
maturazione in bottiglia i giovanili e scattanti
Brunate e Fossati della stessa, potente
annata. Da sottolineare l'eleganza del
gradevole Langhe Nebbiolo '18.

● Barolo Arione '16	♛♛ 8
● Barolo Case Nere '16	♛♛ 8
● Barolo Brunate '16	♛♛ 8
● Barolo Fossati '16	♛♛ 8
● Langhe Nebbiolo '18	♛♛ 4
● Barbera d'Alba '18	♛ 3
● Barolo Boiolo '16	♛ 7
● Dolcetto d'Alba Tiglineri '18	♛ 3
● Barolo Arione '06	♛♛♛ 8
● Barolo Arione '05	♛♛♛ 8
● Barolo Brunate '13	♛♛♛ 8
● Barolo Brunate '01	♛♛♛ 8
● Barolo Case Nere '04	♛♛♛ 8
● Barolo Case Nere '99	♛♛♛ 8
● Barolo V. Arione '07	♛♛♛ 8

La Bollina

via Monterotondo, 58
15069 Serravalle Scrivia [AL]
Tel. 014361984
www.labollina.it

VENDITA DIRETTA
VISITA SU PRENOTAZIONE
OSPITALITÀ E RISTORAZIONE
PRODUZIONE ANNUA 200.000 bottiglie
ETTARI VITATI 28,00

Il complesso della Bollina è dominato dalla splendida villa nobiliare in stile Liberty che oggi ospita quattro strutture ricettive. A circondare il fabbricato principale, un parco secolare e per gli appassionati un campo da golf a nove buche, un contesto affascinante, incastonato nella storica zona di produzione del Gavi. Nella moderna e attrezzata cantina nascono sette etichette, in prevalenza da uve autoctone. Due Gavi, un Monferrato Chiaretto ottenuto da uve nebbiolo, due Monferrato Rosso da uve barbera e due Monferrato Bianco da uve chardonnay: vini moderni, espressione di un territorio, da sempre legato alla viticoltura. A fare gli onori di casa, una splendida versione del Gavi Ventola: intenso e complesso, con i suoi aromi di erbe fresche e frutta bianca, su fondo minerale. Equilibrio e armonia caratterizzano una fase gustativa ricca di polpa e dal finale persistente. Meno complesso il Gavi "base", con una impostazione più classica e una beva agevole e fresca. Piacevole la versione 2018 del Bricchetta.

○ Gavi Ventola '19	🍷🍷 3*
○ Gavi '19	🍷🍷 3
● M.to Rosso Bricchetta '18	🍷🍷 3
⊙ M.to Chiaretto Tinetta '19	🍷 3
○ Gavi '18	🍷🍷 3*
○ Gavi Ventola '18	🍷🍷 3
○ M.to Bianco Armason '18	🍷🍷 3

Bondi

s.da Cappellette, 73
15076 Ovada [AL]
Tel. 0131299186
www.bondivini.it

VENDITA DIRETTA
VISITA SU PRENOTAZIONE
PRODUZIONE ANNUA 20.000 bottiglie
ETTARI VITATI 5,00

Si concentra esclusivamente sul terreno dei vini rossi quest'azienda a conduzione familiare. La proposta è fedele espressione di un territorio storicamente vocato alla viticoltura, abbinato all'abilità artigiana della famiglia Bondi: i vini sanno essere eleganti e persistenti negli aromi, quanto potenti e ricchi di personalità. Peculiarità della produzione, che si aggira sulle 20mila bottiglie, è la longevità, una caratteristica che ritroviamo anche nell'interpretazione del dolcetto, un vitigno che solitamente esprime il meglio di sé nei primi due o tre anni di vita, ma che qui si dimostra capace di emozionare anche nel lungo termine. La Barbera del Monferrato Superiore Ruvrin, mette in evidenza la potenza dell'impianto gusto olfattivo. Mora matura, su note di spezie e tabacco, anticipano un palato ricco e fresco, dal finale molto persistente. Ansensò ha un aspetto molto giovanile e una fase olfattiva, dove emergere la maturazione in legno. Ma l'ottima materia prima da cui proviene gli garantisce: crescita e longevità.

● Barbera del M.to Sup. Ruvrin '17	🍷🍷 4
● M.to Rosso Ansensò '17	🍷🍷 5
● Ovada D'Uien '17	🍷 3
● Barbera del M.to Banaiotta '17	🍷🍷 4
● Barbera del M.to Ruvrin '10	🍷🍷 4
● Barbera del M.to Sup. Ruvrin '15	🍷🍷 4
● Dolcetto di Ovada Nani '17	🍷🍷 2*
● Dolcetto di Ovada Nani '16	🍷🍷 2*
● Dolcetto di Ovada Nani '15	🍷🍷 2*
● M.to Rosso Ansensò '15	🍷🍷 4
● M.to Rosso Ansensò '11	🍷🍷 4
● Nani	🍷🍷 3*
● Ovada D'Uien '16	🍷🍷 3*
● Ovada D'Uien '15	🍷🍷 3*
● Ovada D'Uien '13	🍷🍷 3
● Ovada D'Uien '11	🍷🍷 4

Marco Bonfante

S.DA VAGLIO SERRA, 72
14049 NIZZA MONFERRATO [AT]
TEL. 0141725012
www.marcobonfante.com

VENDITA DIRETTA
VISITA SU PRENOTAZIONE
PRODUZIONE ANNUA 250.000 bottiglie
ETTARI VITATI 13,00
AZIENDA SOSTENIBILE

Ancorati a radici produttive stratificate in
ben otto generazioni, i fratelli Marco e
Micaela Bonfante hanno creato all'inizio
degli anni 2000 la propria azienda,
trovando il modo di emergere in poche
stagioni come una delle realtà più
interessanti del comprensorio astigiano, e
non solo. Agli impianti di Nizza Monferrato,
infatti, si aggiungono le uve provenienti da
altre zone della regione, che contribuiscono
ad una ricca e versatile gamma
rappresentativa delle più prestigiose
denominazioni piemontesi, costantemente
apprezzata per pulizia e vigore. Solida
prova complessiva per i vini Bonfante, tra i
quali spicca il Barbaresco '17, sfaccettato,
con aromi di erbe aromatiche secche e
tabacco, canfora e frutti neri, e un palato di
buona struttura e lunghezza. Il Barolo
Bussia '15 è equilibrato e dinamico, dai
toni di china e liquirizia, con un finale lungo
e grintoso, mentre la Barbera d'Asti
Superiore Menego '16 alle note di ciliegia,
sottobosco e terra bagnata fa seguire un
palato potente, denso e fruttato.

● Barbaresco '17	♙♙ 4
● Barbera d'Asti Sup. Menego '16	♙♙ 4
● Barolo Bussia '15	♙♙ 6
● M.to Rosso Duedidue '16	♙♙ 4
○ Gavi di Gavi I Ronchetti '19	♙ 2
○ Roero Arneis Persté '19	♙ 2
● Barbera d'Asti Sup. Menego '15	♙♙ 4
● Barbera d'Asti Sup. Stella Rossa '16	♙♙ 2*
● Barolo Bussia '14	♙♙ 6
● Barolo Bussia '13	♙♙ 6
● Langhe Nebbiolo Imma '16	♙♙ 4
● M.to Rosso Duedidue '15	♙♙ 4
○ Moscato d'Asti '17	♙♙ 2*
● Nizza Bricco Bonfante Ris. '15	♙♙ 5
● Nizza Bricco Bonfante Ris. '14	♙♙ 5

Gilberto Boniperti

VIA VITTORIO EMANUELE, 43/45
28010 BARENGO [NO]
TEL. 0321997123
www.bonipertivignaioli.com

VENDITA DIRETTA
PRODUZIONE ANNUA 12.000 bottiglie
ETTARI VITATI 3,50

Nella sempre più interessante e variegata
schiera dei grandi rossi del Nord Piemonte, il
Fara si caratterizza per una contenuta
presenza dell'uva nebbiolo, prevista solo tra
il 50 e il 70% per lasciare maggiore spazio
alla vespolina e all'uva rara. Gilberto
Boniperti, esperto enologo, ha elaborato un
proprio dosaggio per il suo Fara Barton, che
prevede di aggiungere al nebbiolo solo un
30% di vespolina, in grado di apportare
vivacità soprattutto sotto l'aspetto aromatico.
È poi caldamente consigliato anche
l'assaggio del suo Colline Novaresi Vespolina
Favolalunga, affinata solo in acciaio e dotata
di coinvolgente bevibilità. Rispecchia bene la
caldissima estate del 2017 il Fara BarTön,
dotato di intensi aromi di frutta matura e di
una bocca caratterizzata da una consistente
presa tannica: migliorerà ancora in bottiglia.
Fresco e vitale il Nebbiolo Carlin '18,
raffinato nei suoi richiami di lamponi, dalla
bocca armonica e assai invitante. Si apre su
note di ciliegia matura la Vespolina
Favolalunga '18, che nel finale dell'armonico
palato propone anche una sfumatura di
pepe bianco.

● Fara BarTön '17	♙♙ 5
● Colline Novaresi Nebbiolo Carlin '18	♙♙ 4
● Colline Novaresi Vespolina Favolalunga '18	♙♙ 3
⊙ Rosadisera	♙ 3
● Fara BarTön '15	♙♙♙ 5
● Colline Novaresi Barbera Barblin '17	♙♙ 4
● Colline Novaresi Barbera Barblin '16	♙♙ 4
● Colline Novaresi Nebbiolo Carlin '17	♙♙ 4
● Colline Novaresi Nebbiolo Carlin '16	♙♙ 4
● Colline Novaresi Nebbiolo Carlin '15	♙♙ 4
● Colline Novaresi Vespolina Favolalunga '17	♙♙ 3
● Fara BarTön '16	♙♙ 5

Borgo Maragliano

VIA SAN SEBASTIANO, 2
14051 LOAZZOLO [AT]
TEL. 014487132
www.borgomaragliano.com

VENDITA DIRETTA
VISITA SU PRENOTAZIONE
PRODUZIONE ANNUA 365.000 bottiglie
ETTARI VITATI 39,00
AZIENDA SOSTENIBILE

Una meravigliosa tenuta posizionata intorno
ai 450 metri di altitudine sui pendii di
Loazzolo: è qui che i coniugi Carlo Galliano
e Silvio Quirico hanno creato Borgo
Maragliano, facendone uno dei marchi
piemontesi più reputati. Plasmate dai
particolari suoli sabbiosi, tufacei e calcarei,
le etichette a base moscato esaltano tutta la
plasticità del vitigno, tanto negli Spumanti
Metodo Classico quanto nei dolci naturali.
Vere e proprie punte di diamante di una
gamma elegantemente contemporanea,
dove trovano spazio anche vini da
chardonnay, riesling, brachetto e pinot nero.
Splendida la gamma dei Metodo Classico. Il
Giuseppe Galliano Brut Nature '15, dal
perlage fine e persistente, evidenzia note
floreali, di pasticceria e di nocciola tostata, è
armonico e di grande freschezza. Il Giovanni
Galliano Brut Rosé '16 ai toni di frutta rossa
fa seguire un palato equilibrato e grintoso. Il
Dogma Blanc de Noirs '16 è invece
complesso, con aromi di crosta di pane e
frutta secca, per un palato giocato
soprattutto sulla potenza.

○ Dogma Blanc de Noirs M. Cl. '16		♟♟5
☉ Giovanni Galliano Brut Rosé M. Cl. '16		♟♟5
○ Giuseppe Galliano		
Brut Nature M. Cl. '15		♟♟5
○ El Calié '19		♟♟ 2*
○ Federico Galliano Brut Nature M. Cl. '17		♟♟ 5
○ Francesco Galliano		
Blanc de Blancs M. Cl. '17		♟♟ 4
○ Moscato d'Asti La Caliera '19		♟♟ 3
○ Piemonte Chardonnay Crevoglio '19		♟♟ 2*
○ Giuseppe Galliano Ris. Brut M. Cl. '01		♟♟♟ 4*
☉ Giovanni Galliano Brut Rosé M. Cl. '15		♟♟♟5
○ Giuseppe Galliano		
Brut Nature M. Cl. '13		♟♟♟5
○ Dogma Blanc de Noirs M. Cl. '15		♟♟5
○ Federico Galliano Brut Nature M. Cl. '16		♟♟5
○ Giuseppe Galliano Brut Nature M. Cl. '14		♟♟5

★Giacomo Borgogno & Figli

VIA GIOBERTI, 1
12060 BAROLO [CN]
TEL. 017356108
www.borgogno.com

VENDITA DIRETTA
VISITA SU PRENOTAZIONE
PRODUZIONE ANNUA 250.000 bottiglie
ETTARI VITATI 34,00
VITICOLTURA Biologico Certificato
AZIENDA SOSTENIBILE

I cru Liste, Fossati e Cannubi sono il cuore
produttivo dell'azienda, da cui nascono
soprattutto le omonime etichette di Barolo e
una sempre sontuosa Riserva. Ma il giovane
Andrea Farinetti ha seguito l'acquisto di
vigneti a Madonna di Como, area celebre
per lo squisito Dolcetto d'Alba, dove
l'altitudine consente di realizzare anche uve
riesling. A questa hanno fatto seguito
appezzamenti di uva timorasso nel
Tortonese e barbera nel Monferrato,
giungendo poi sino all'Etna, di cui si parlerà
presto. Profumato di erbette e fieno fresco
uniti a una potente componente di frutta
rossa il Barolo Liste '15, molto incisivo e
strutturato sul ricco e avvolgente palato: Tre
Bicchieri. Complesso, potente e armonico il
Barolo Riserva '13, con aromi che si
muovono tra il lampone, la liquirizia e la
cantora, dotato sia di polpa sia di fitti
tannini. E non è meno impressionante il
floreale, setoso e persistente Barolo
"base" '15. Ricco di raffinate sfumature
olfattive il valido Timorasso Derthona '18.

● Barolo Liste '15		♟♟♟8
● Barolo '15		♟♟7
● Barolo Ris. '13		♟♟8
● Barolo Cannubi '15		♟♟8
● Barolo Fossati '15		♟♟8
○ Colli Tortonesi Timorasso Derthona '18		♟♟7
● Langhe Nebbiolo No Name '16		♟♟6
● Barbera d'Alba Sup. '18		♟5
● Barbera d'Asti Cascina Valle Asinari '18		♟6
● Barbera d'Asti Sup.		
Cascina Valle Asinari '18		♟6
○ Langhe Riesling Era Ora '18		♟5
● Nizza Cascina Valle Asinari '17		♟5
● Barolo Liste '11		♟♟♟8
● Barolo Liste '10		♟♟♟8
● Barolo Ris. '11		♟♟♟8

Boroli

VIA PUGNANE, 4
12060 CASTIGLIONE FALLETTO [CN]
TEL. 017362927
www.boroli.it

VENDITA DIRETTA
VISITA SU PRENOTAZIONE
OSPITALITÀ E RISTORAZIONE
PRODUZIONE ANNUA 200.000 bottiglie
ETTARI VITATI 32,00
AZIENDA SOSTENIBILE

La famiglia Boroli può contare vigneti di proprietà in siti prestigiosi come Castiglione Falletto, Barolo e La Morra, annoverando parcelle di culto a livello mondiale come Cerequio o Villero, nomi che parlano al cuore dei grandi appassionati di vino. Le piante hanno un'età compresa tra i 20 e i 40 anni, curate come veri e propri giardini; le rese sono particolarmente basse, mentre in cantina si prediligono legni di prima qualità, soprattutto di piccola dimensione per una batteria di vini solida e molto affidabile. Batteria ridotta quella proposta in quest'edizione della Guida, solo due i vini in assaggio: sono due Barolo della felice annata 2016. Il Villero offre profumi di lampone maturo, china e liquirizia, la bocca è polposa, il finale lungo e sostenuto. Tratto floreale più pronunciato nel Barolo Brunella, dalla trama tannica ancora un po' severa: un rosso da lasciare riposare in cantina ancora un po'.

Agostino Bosco

VIA FONTANE, 24
12064 LA MORRA [CN]
TEL. 0173509466
www.barolobosco.com

VENDITA DIRETTA
VISITA SU PRENOTAZIONE
PRODUZIONE ANNUA 28.000 bottiglie
ETTARI VITATI 5,50
AZIENDA SOSTENIBILE

Giustamente fiero delle sue apprezzate selezioni di Barolo, Andrea Bosco festeggia il quarantesimo anniversario della propria cantina riaffermando la sua convinzione che "la Barbera d'Alba è un vino che merita di essere finalmente apprezzato in tutto il mondo, purché vi si dedichino grandi attenzioni sia in vigna sia durante l'affinamento in legno". Sempre valide le due etichette di Barolo: più immediato e aperto il Neirane, che nasce su terreni piuttosto sabbiosi, più severo e bisognoso di affinamento La Serra. Entrambi più che brillanti nella vendemmia 2016, con il cru La Serra a proporre fini note di spezie dolci e lampone assieme a un palato che è sia polposo sia ancora lievemente tannico. Il Neirane è più volto verso profumi di liquirizia, tabacco ed erbe officinali, in un sorso già ben bilanciato e di grande godibilità. Fresca e quasi balsamica al naso la Barbera d'Alba Superiore Volupta '18, severa in un palato che chiude con note di rabarbaro.

● Barolo Brunella '16	♟♟ 8
● Barolo Villero '16	♟♟ 8
● Barolo Villero '01	♟♟♟ 6
● Barolo Villero '00	♟♟♟ 4*
● Barolo '14	♟♟ 6
● Barolo '12	♟♟ 6
● Barolo '11	♟♟ 6
● Barolo Brunella '15	♟♟ 8
● Barolo Brunella '14	♟♟ 8
● Barolo Brunella '13	♟♟ 8
● Barolo Cerequio '15	♟♟ 8
● Barolo Cerequio '14	♟♟ 8
● Barolo Cerequio '13	♟♟ 8
● Barolo Cerequio '12	♟♟ 7
● Barolo Villero '15	♟♟ 8
● Barolo Villero '13	♟♟ 8
● Barolo Villero '12	♟♟ 7

● Barolo La Serra '16	♟♟ 6
● Barolo Neirane '16	♟♟ 6
● Barbera d'Alba Sup. Volupta '18	♟♟ 4
● Langhe Nebbiolo Rurem '18	♟ 4
● Barbera d'Alba Sup. Volupta '17	♟♟ 3*
● Barbera d'Alba Sup. Volupta '16	♟♟ 3*
● Barbera d'Alba Sup. Volupta '15	♟♟ 3
● Barolo La Serra '15	♟♟ 6
● Barolo La Serra '14	♟♟ 6
● Barolo La Serra '13	♟♟ 6
● Barolo Neirane '15	♟♟ 5
● Barolo Neirane '14	♟♟ 5
● Barolo Neirane '13	♟♟ 5
● Dolcetto d'Alba Vantrin '15	♟♟ 2*
● Langhe Nebbiolo Rurem '17	♟♟ 3
● Langhe Nebbiolo Rurem '15	♟♟ 3

Giacomo Boveri

FRAZ. MONTALE CELLI
VIA COSTA VESCOVATO, 15
15050 COSTA VESCOVATO [AL]
TEL. 0131838223
www.vignetiboveri.it

VENDITA DIRETTA
VISITA SU PRENOTAZIONE
PRODUZIONE ANNUA 25.000 bottiglie
ETTARI VITATI 9,00

Giacomo Boveri, pur avendo alle spalle una
solida tradizione familiare legata
all'agricoltura, è solo da qualche anno
emerso nelle nostre cronache viticole
grazie a una serie di annate di grandissimo
carattere tra le etichette di Timorasso. Oggi
possiamo annoverarlo nella nicchia dei
produttori più interessanti per la tipologia.
La produzione, legata ai soli vitigni
autoctoni, vede oltre al già citato
Timorasso, vini da uve cortese, barbera,
croatina e freisa. Lo stile aziendale ha un
approccio elegante capace di esaltare gli
aromi tipici dei vitigni, nonostante
l'esuberanza alcolica che ha contraddistinto
le ultime annate. Bricco della Ginestra si
presenta con un bel frutto maturo su note
di spezie dolci e cacao; al palato è ricco e
intenso, con l'acidità che prolunga un finale
molto persistente. Pregevole la versione di
Muntà l'è Ruma, ricco e intenso con un bel
finale fresco e sapido, molto persistente.
Piccolo Derthona ha una beva agevole e
fresca molto invitante. Intrigante e
complessa la Freisa La Cappelletta.

● Colli Tortonesi Barbera Sup.	
Bricco della Ginestra '15	♀♀3*
● Colli Tortonesi Freisa La Cappelletta '16	♀♀ 3
○ Colli Tortonesi Timorasso	
Muntà L'è Ruma '17	♀♀ 5
○ Piccolo Derthona '19	♀♀ 3
○ Colli Tortonesi Timorasso	
Lacrime del Bricco '17	♀ 5
○ Colli Tortonesi Timorasso	
Lacrime del Bricco '16	♀♀ 4
○ Colli Tortonesi Timorasso	
Lacrime del Bricco '15	♀♀ 4
○ Colli Tortonesi Timorasso	
Muntà L'è Ruma '16	♀♀ 4
○ Colli Tortonesi Timorasso	
Muntà L'è Ruma '15	♀♀ 4

Luigi Boveri

LOC. MONTALE CELLI
VIA XX SETTEMBRE, 6
15050 COSTA VESCOVATO [AL]
TEL. 0131838165
www.boveriluigi.com

VENDITA DIRETTA
VISITA SU PRENOTAZIONE
PRODUZIONE ANNUA 80.000 bottiglie
ETTARI VITATI 22,00

Luigi e la moglie Germana hanno fornito un
contributo fondamentale alla storia
vitivinicola locale, recitando un ruolo di
primo piano nella rivoluzione enologica
degli anni Novanta assieme a un piccolo e
virtuoso manipolo di produttori che hanno
cambiato le sorti di questo distretto in
provincia di Alessandria. Fortissimo il
legame con le tradizioni del luogo, ben
testimoniato dall'utilizzo massiccio di vitigni
autoctoni. Il succo della produzione è
rappresentato dai vini a base timorasso e
barbera dove Luigi mette in mostra una
cifra stilistica di grande eleganza e
persistenza, unita a una spiccata longevità.
Poggio Delle Amarene '17 sviluppa le sue
peculiarità in una versione molto raffinata
ed elegante. È intenso, con sentori di
spezie dolci da legno e note di tabacco e
china. Potente il Timorasso Derthona, con
un finale freschissimo e sapido. Filari di
Timorasso ha un bagaglio gusto-olfattivo
importante, ma il suo potenziale non si è
ancora espresso pienamente.

● Colli Tortonesi Barbera	
Poggio delle Amarene '17	♀♀5
○ Colli Tortonesi Timorasso Derthona '18	♀♀5
○ Colli Tortonesi Timorasso Derthona	
Filari di Timorasso '18	♀♀ 6
● Colli Tortonesi Barbera Boccanera '19	♀ 3
○ Colli Tortonesi Cortese	
Terre del Prete '19	♀ 3
○ Colli Tortonesi Timorasso Derthona '11	♀♀♀ 4*
○ Colli Tortonesi Timorasso	
Filari di Timorasso '12	♀♀♀ 5
○ Colli Tortonesi Timorasso	
Filari di Timorasso '07	♀♀♀ 3
○ Colli Tortonesi Timorasso Derthona	
Filari di Timorasso '17	♀♀ 5
○ Colli Tortonesi Timorasso Derthona	
Filari di Timorasso '16	♀♀ 5

Gianfranco Bovio

FRAZ. ANNUNZIATA
B.TA CIOTTO, 63
12064 LA MORRA [CN]
TEL. 017350667
www.boviogianfranco.com

VENDITA DIRETTA
VISITA SU PRENOTAZIONE
PRODUZIONE ANNUA 65.000 bottiglie
ETTARI VITATI 8,50

La cantina porta il nome di quel Gianfranco che ci ha lasciato cinque anni fa ma che è ancora ben presente nella memoria degli appassionati di cibo di mezzo mondo, avendo gestito in prima persona tra il 1963 e il 2007 il ristorante Belvedere, che fu tra i primi a ricevere la stella Michelin in Piemonte. Non tardò comunque a inserire nella propria ricca carta dei vini le etichette di Barolo della sua cantina, basate su uve provenienti per lo più da ottimi cru di La Morra. La figlia Alessandra sta proseguendo e ampliando questa attività, proponendo con pregevole costanza etichette di Barolo ispirate alla più stretta e tradizionale classicità. Spettacolare riuscita di tutta la proposta di Barolo del 2016: il Gattera è complesso e ricorda erbe essiccate assieme a più giovanili richiami di lampone, mentre il palato è denso, con una discreta acidità che aggiunge dinamismo al sorso. Assai elegante il liquirizioso Arborina, che gioca con successo più sulla finezza che sulla potenza. Il variegato Parussi si apre con aromi di tabacco che lasciano poi spazio a un elegante cenno di tartufo bianco.

● Barolo Gattera '16	♟♟ 7
● Barolo Parussi '16	♟♟ 8
● Barolo Rocchettevino '16	♟♟ 7
● Barolo '16	♟♟ 6
● Barolo Arborina '16	♟♟ 7
● Barbera d'Alba Sup. Regiaveja '18	♟ 4
● Dolcetto d'Alba Dabbene '19	♟ 2
● Langhe Nebbiolo Firagnetti '18	♟ 4
● Barolo Bricco Parussi Ris. '01	♟♟♟ 6
● Barolo Gattera '11	♟♟♟ 6
● Barolo Rocchettevino '06	♟♟♟ 5*
● Barolo V. Arborina '90	♟♟♟ 6
● Barolo Arborina '15	♟♟ 6
● Barolo Gattera '15	♟♟ 6

★Braida

LOC. CIAPPELLETTE
S.DA PROV.LE 27, 9
14030 ROCCHETTA TANARO [AT]
TEL. 0141644113
www.braida.it

VENDITA DIRETTA
VISITA SU PRENOTAZIONE
OSPITALITÀ
PRODUZIONE ANNUA 700.000 bottiglie
ETTARI VITATI 70,00
AZIENDA SOSTENIBILE

Da oltre mezzo secolo è una delle aziende piemontesi più amate: impostata da Giuseppe Bologna detto Braida col figlio Giacomo, è oggi guidata dai nipoti Giuseppe e Raffaella. La piattaforma agricola si snoda su cinque tenute dedicate a precise interpretazioni stilistiche: da Mango d'Alba e Trezzo Tinella arrivano le uve bianche e il moscato, là dove gli impianti di Costigliole d'Asti e Castelnuovo Calcea modellano i rossi più golosi, mentre a Rocchetta Tanaro ci sono le vigne con cui vengono prodotti i grandi classici a base barbera come Bricco dell'Uccellone e Bricco della Bigotta. Questi due vini non sono stati presentati, lasciando la ribalta alla Barbera d'Asti Ai Suma, proposta in due versioni: la 2016 al naso evidenzia ricche note di frutti rossi, con sfumature di spezie dolci, per un palato lungo, potente e succoso, mentre la 2017 è più densa ed estrattiva, con il legno ancora in primo piano, ma di grande grinta e complessità. Da segnalare il Langhe Chardonnay Asso di Fiori '18, dai toni agrumati, sapido e persistente.

● Barbera d'Asti Ai Suma '17	♟♟ 7
● Barbera d'Asti Ai Suma '16	♟♟ 7
● Grignolino d'Asti Limonte '19	♟♟ 3
○ Langhe Chardonnay Asso di Fiori '18	♟♟ 5
○ Langhe Nascetta La Regina '19	♟♟ 3
○ Langhe Bianco Il Fiore '19	♟ 3
○ Langhe Riesling Re di Fiori '18	♟ 3
○ Moscato d'Asti Vigna senza Nome '19	♟ 3
● Barbera d'Asti Ai Suma '04	♟♟♟ 7
● Barbera d'Asti Bricco dell'Uccellone '15	♟♟♟ 7
● Barbera d'Asti Bricco dell'Uccellone '12	♟♟♟ 7
● Barbera d'Asti Bricco dell'Uccellone '09	♟♟♟ 6
● Barbera d'Asti Bricco dell'Uccellone '05	♟♟♟ 6
● Barbera d'Asti Bricco dell'Uccellone '03	♟♟♟ 6
● Barbera d'Asti Bricco della Bigotta '07	♟♟♟ 6
● Barbera d'Asti Bricco della Bigotta '06	♟♟♟ 6
● Barbera d'Asti Montebruna '11	♟♟♟ 3*

Brandini

FRAZ. BRANDINI, 16
12064 LA MORRA [CN]
TEL. 017350266
www.agricolabrandini.com

VENDITA DIRETTA
VISITA SU PRENOTAZIONE
OSPITALITÀ E RISTORAZIONE
PRODUZIONE ANNUA 80.000 bottiglie
ETTARI VITATI 15,00
VITICOLTURA Biologico Certificato
AZIENDA SOSTENIBILE

Piero Bagnasco vanta una vasta esperienza in qualità di amministratore di aziende vinicole, naturale quindi che abbia pensato di dotare le figlie di una cantina che puntasse subito all'alta qualità. Ed è questo il percorso che stanno facendo Giovanna e Serena, quest'ultima laureata all'università di Scienze gastronomiche di Pollenzo, con l'attiva partecipazione di un consulente enologico del calibro di Beppe Caviola. Ai primi vigneti situati nella parte più alta di La Morra, da sempre in regime biologico, si sono già aggiunte importanti acquisizioni, in particolare a Serralunga d'Alba, dove i cru Cerretta e Meriame stanno già dando vita a proposte di eccellenza assoluta. Vivo, stimolante, floreale e succoso il valido Barolo Annunziata '16, più volto alla liquirizia l'importante e classicissimo Cerretta. Appena più immediato e giovanile il Barolo R 56 '16. Tra i migliori della tipologia il fruttato Langhe Nebbiolo Filari Corti '17, polposa e fruttata la Barbera d'Alba Superiore Rocche del Santo '18.

Brangero

VIA PROVINCIALE, 26
12055 DIANO D'ALBA [CN]
TEL. 017369423
www.brangero.com

VISITA SU PRENOTAZIONE
PRODUZIONE ANNUA 50.000 bottiglie
ETTARI VITATI 9,00

Marco Brangero è saldamente alla guida di questa cantina situata nella parte alta della collina che guarda verso Diano d'Alba. Nel vigneto troviamo le classiche varietà piemontesi: troviamo il dolcetto, in compagnia di barbera, nebbiolo, arneis, con un paio di filari dedicati a varietà internazionali. Inoltre, da una piccola parcella a Verduno, nello specifico il glorioso cru Monvigliero, Marco produce anche due etichette di Barolo. L'impegno vitivinicolo di Marco va oltre i confini regionali; da diversi anni infatti conduce anche La Ginestraia, azienda ligure in provincia di Imperia. Raffinato nei tratti di rosa e liquirizia il Barolo Monvigliero '16 che offre una materia ricca e succosa, tannini fini e progressivi, e una chiusura di classe. Convince l'Alta Langa Extra Brut '15 nei suoi toni di pane tostato e susina, ha perlage fine e finale secco fresco e secco. Profumi ricchi di burro e nocciola nello Chardonnay Centofile che regala un respiro finale speziato.

● Barolo Cerretta '16	♥♥♥	8
● Barolo Annunziata '16	♥♥	8
● Langhe Nebbiolo Filari Corti '17	♥♥	4
● Barbera d'Alba Sup. Rocche del Santo '18	♥♥	5
● Barolo R56 '16	♥♥	8
● Barolo del Comune di La Morra '16	♥	7
● Barolo del Comune di La Morra '14	♥♥♥	8
● Barolo R56 '15	♥♥♥	8
● Barolo Resa 56 '13	♥♥♥	8
● Barolo Resa 56 '12	♥♥♥	8
● Barolo Resa 56 '11	♥♥♥	7
● Barolo Resa 56 '10	♥♥♥	7

● Barolo Monvigliero '16	♥♥	6
○ Alta Langa Extra Brut '15	♥♥	5
○ Langhe Chardonnay Centofile '18	♥♥	3
● Barbera d'Alba Sup. La Soprana '18	♥	3
● Barbera d'Alba La Soprana '13	♀♀	3
● Barolo Monvigliero '15	♀♀	6
● Barolo Monvigliero '14	♀♀	6
● Barolo Monvigliero '12	♀♀	6
● Dolcetto di Diano d'Alba Sörì Cascina Rabino '16	♀♀	2*
● Dolcetto di Diano d'Alba Sörì Rabino Soprano '17	♀♀	2*
● Dolcetto di Diano d'Alba Sörì Rabino Soprano '19	♀♀	2*
● Langhe Nebbiolo Quattro Cloni '16	♀♀	4
● Langhe Nebbiolo Quattro Cloni '15	♀♀	4
● Langhe Rosso Tremarzo '15	♀♀	4

Brema

VIA POZZOMAGNA, 9
14045 INCISA SCAPACCINO [AT]
TEL. 014174019
www.vinibrema.com

VENDITA DIRETTA
VISITA SU PRENOTAZIONE
PRODUZIONE ANNUA 150.000 bottiglie
ETTARI VITATI 25,00
AZIENDA SOSTENIBILE

Umberto Brema incarna la quinta
generazione attiva in una realtà agricola
dalla storia secolare. Radici che si
manifestano soprattutto nel lavoro portato
avanti sulla barbera, ovvero la tipologia di
riferimento del Monferrato Astigiano
interpretata in varie etichette differenziate
per opzioni territoriali, tecniche e stilistiche.
Le vigne di proprietà si distribuiscono infatti
tra Nizza Monferrato, Fontanile d'Asti, Incisa
Scapaccino, Mombaruzzo, San Marzano
Oliveto e Sessame d'Asti: ben sei comuni
che raccontano i diversi temperamenti del
vitigno con precisione e slancio. Anche
quest'anno si confermano tra i migliori delle
rispettive tipologie due classici aziendali: il
Nizza A Luigi Veronelli '17, che evidenzia
aromi di tabacco, liquirizia e ciliegia, mentre
il palato è teso e lungo, e la Barbera d'Asti
Superiore Volpettona '17, giocata più sui
toni fruttati di susina nera e prugna,
accompagnati da sentori speziati, e dal
palato denso, quasi masticabile, ma senza
alcuna pesantezza, anzi dal finale lungo e
succoso.

- Barbera d'Asti Sup. Volpettona '17 — ▼▼ 5
- Nizza A Luigi Veronelli '17 — ▼▼ 6
- Barbera d'Asti Ai Cruss '18 — ▼▼ 3
- Barbera d'Asti Sup. Nizza A Luigi Veronelli '12 — ▼▼▼ 6
- Barbera d'Asti Sup. Nizza A Luigi Veronelli '06 — ▼▼▼ 6
- Barbera d'Asti Ai Cruss '17 — ▼▼ 3
- Barbera d'Asti Ai Cruss '16 — ▼▼ 2*
- Barbera d'Asti Sup. Nizza A Luigi Veronelli '13 — ▼▼ 6
- Barbera d'Asti Sup. Volpettona '16 — ▼▼ 5
- Barbera d'Asti Sup. Volpettona '15 — ▼▼ 5
- Barbera d'Asti Sup. Volpettona '14 — ▼▼ 5
- Barbera del M.to Vivace Castagni '17 — ▼▼ 2*
- Nizza A Luigi Veronelli '16 — ▼▼ 6
- Nizza A Luigi Veronelli '15 — ▼▼ 6

Giacomo Brezza & Figli

VIA LOMONDO, 4
12060 BAROLO [CN]
TEL. 0173560921
www.brezza.it

VENDITA DIRETTA
VISITA SU PRENOTAZIONE
OSPITALITÀ E RISTORAZIONE
PRODUZIONE ANNUA 100.000 bottiglie
ETTARI VITATI 20,00
VITICOLTURA Biologico Certificato
AZIENDA SOSTENIBILE

A pochi passi da Barolo un nome storico
che accende l'entusiasmo dei veri
appassionati. Brezza è vino, ospitalità e
ristorazione nel solco della grande tradizione
piemontese. I primi imbottigliamenti
risalgono al 1910, oggi i vini maturano
lentamente in botti medie e grandi in rovere
di Slavonia, mentre i vigneti sono collocati
tra Barolo (Castellero, Cannubi, Sarmassa e
Sarmassa Vigna Bricco, proposta in versione
Riserva), con parcelle anche a Monforte
d'Alba, Novello, Diano d'Alba e Alba. Il
colore scarico e brillante dei vini richiamo
uno stile molto classico, ricchi di spigoli e
contrasto acido, pensati per un lungo
affinamento in bottiglia. Partiamo dall'ottima
Barbera d'Alba Superiore '17, succosa nei
suoi toni di ribes e liquirizia, dalla bocca
agile, vibrante e molto saporita. Tradizionale
nei richiami di erbe secche e china il Barolo
Cannubi '16, austero e severo, più giocato
sul fascino delle spezie che sul frutto.
Compatto nella trama tannica il possente
Barolo Sarmassa '16, vivido nei toni di
lampone e tabacco. Come di consueto, più
che convincente il resto della batteria.

- Barbera d'Alba Sup. '17 — ▼▼ 4
- Barolo Cannubi '16 — ▼▼ 7
- Barolo Sarmassa '16 — ▼▼ 7
- Barbera d'Alba V. Santa Rosalia '18 — ▼▼ 3
- Barolo '16 — ▼▼ 6
- Barolo Castellero '16 — ▼▼ 6
- Langhe Nebbiolo '19 — ▼▼ 3
- Barolo Bricco Sarmassa '08 — ▼▼▼ 7
- Barolo Bricco Sarmassa '07 — ▼▼▼ 7
- Barolo Cannubi '01 — ▼▼▼ 6
- Barolo Cannubi '96 — ▼▼▼ 6
- Barolo Sarmassa '11 — ▼▼▼ 6
- Barolo Sarmassa '05 — ▼▼▼ 6
- Barolo Sarmassa '04 — ▼▼▼ 6
- Barolo Sarmassa '03 — ▼▼▼ 6
- Barolo Sarmassa V. Bricco Ris. '11 — ▼▼▼ 7

Gallino Domenico
Bric Castelvej

Madonna Loreto, 70
12043 Canale [CN]
Tel. 017398108
www.briccastelvej.com

VENDITA DIRETTA
VISITA SU PRENOTAZIONE
PRODUZIONE ANNUA 100.000 bottiglie
ETTARI VITATI 12,40

Fondata da Domenico Gallino nel 1956, la
Bric Castelvej è oggi gestita dal genero
Mario Repellino e da suo figlio Cristiano. I
vini prodotti sono di stampo tradizionale,
ma anche ricchi di carattere, e provengono
da vigneti situati nel comune di Canale, sui
classici suoli sabbiosi roerini, con inserti di
limo e argille calcaree. Anche le uve
coltivate sono quelle che si trovano di solito
in questo territorio, a cominciare da arneis,
nebbiolo e barbera, per proseguire con
dolcetto, favorita, grignolino, bonarda e
poche piante di uve internazionali, come
viognier e chardonnay. Ottimo il Roero
Panera Alta Riserva '17, dai profumi
floreali, con sfumature di frutti rossi e
incenso, e dal palato armonico, lungo, con
tannini fitti e di buon corpo, in cui spiccano
note di arancia sanguinella. Ben realizzato il
resto della gamma, in particolare il Roero
Arneis Vigna Bricco Novara '19, dai toni di
frutta bianca e macchia mediterranea,
articolato e complesso, e il Roero '17, dai
sentori di violetta e tabacco, di bella
struttura e lunghezza.

● Roero Panera Alta Ris. '17	♟♟	6
● Barbera d'Alba '19	♟♟	2*
● Barbera d'Alba Sup. V. Mompassiano '17	♟♟	2*
● Roero '17	♟♟	4
○ Roero Arneis '19	♟♟	2*
○ Roero Arneis V. Bricco Novara '19	♟♟	3
○ San Vittore '19	♟♟	2*
● Barbera d'Alba Sup. V. Mompassiano '18	♟	2
○ Langhe Favorita '19	♟	2
● Langhe Nebbiolo '19	♟	3
● Nebbiolo d'Alba Selezione Il Pilone '19	♟	2
● Barbera d'Alba '18	♟♟	2*
○ Nebbiolo d'Alba Selezione Il Pilone '18	♟♟	2*
● Roero '16	♟♟	4
● Roero Panera Alta Ris. '16	♟♟	6

Bric Cenciurio

via Roma, 24
12060 Barolo [CN]
Tel. 017356317
www.briccenciurio.com

VENDITA DIRETTA
VISITA SU PRENOTAZIONE
PRODUZIONE ANNUA 50.000 bottiglie
ETTARI VITATI 15,00

Fiorella Sacchetto ha trovato un convinto
appoggio anche professionale nei figli avuti
con il marito Franco Pittatore: Alessandro
impegnato in cantina e Alberto nella
conduzione agricola. Dalle proprietà di
famiglia situate nel Roero nascono due
sempre valide etichette di Arneis, mentre
hanno origine nel comune sede della
cantina, situata proprio nel centro del
paese, i Barolo Coste di Rose e Monrobiolo
di Bussia. Da una felice commistione di due
vigneti situati sulle sponde opposte del
fiume Tanaro nasce poi un sempre
convincente Langhe Riesling.
Dall'assemblaggio di uve dei diversi cru è
nato un Barolo base" '16 particolarmente
convincente, di precisa classicità sia negli
aromi fruttati e speziati sia in un palato
reso avvolgente da una pregevole polpa.
Altrettanto elegante il Coste di Rose '16,
già aperto su gradevoli e importanti
richiami di catrame e ginepro, non molto
potente ma di ottima armonia sul palato.
Agrumato e fresco l'ottimo Sito dei Fossili,
da uve arneis.

● Barolo '16	♟♟	6
● Barolo Coste di Rose '16	♟♟	7
● Barolo Monrobiolo di Bussia '16	♟♟	6
● Langhe Nebbiolo '19	♟♟	4
○ Langhe Riesling '18	♟♟	3
○ Roero Arneis Sito dei Fossili '19	♟♟	3
○ Sito dei Fossili V. T.	♟♟	5
○ Roero Arneis '19	♟	3
● Barolo '15	♟♟	5
● Barolo Coste di Rose '15	♟♟	6
● Barolo Coste di Rose Ris. '13	♟♟	7
● Barolo Monrobiolo di Bussia '15	♟♟	6
● Langhe Nebbiolo '17	♟♟	4
○ Langhe Riesling '17	♟♟	2*
○ Roero Arneis '18	♟♟	3

Bricco dei Guazzi

VIA VITTORIO VENETO, 23
15030 OLIVOLA [AL]
TEL. 0422864511
www.briccodeiguazzi.it

VISITA SU PRENOTAZIONE
PRODUZIONE ANNUA 100.000 bottiglie
ETTARI VITATI 35,00
AZIENDA SOSTENIBILE

Bricco dei Guazzi ha sede in un contesto storico rilevante, con la cantina originaria edificata sotto la villa residenziale della famiglia Guazzo, nel XV° secolo. Interessata poi da diversi ampliamenti, fino al definitivo ammodernamento degli anni scorsi, che gli ha conferito le attuali caratteristiche. L'ottimo livello conservativo delle antiche strutture, si può ammirare nella cantina di maturazione dei vini, piuttosto che nella sala degustazione adiacente all'infernot. I vitigni messi a dimora: albarossa, barbera, merlot e chardonnay, che danno vita alle cinque etichette prodotte. Il Piemonte Albarossa è uno dei più interessanti assaggiati quest'anno. Intenso al naso, con aromi vegetali e di spezie dolci, su note di cipria e china. Al palato: morbido e ricco di polpa, con un bel finale fresco e persistente. La Barbera d'Asti ha un bel frutto invitante, su note di cacao, bocca poderosa e ricca, con un finale molto intenso, sorretto da un tannino elegante. Di pregio gli altri vini.

● Barbera d'Asti '18	▼▼ 2*
● Piemonte Albarossa '18	▼▼ 5
○ Gavi del Comune di Gavi '19	▼▼ 3
● M.to Rosso La Presidenta '18	▼▼ 3
● Barbera d'Asti '16	♀♀ 2*
● M.to Rosso La Presidenta '17	♀♀ 3
● Piemonte Albarossa '16	♀♀ 5
○ Piemonte Chardonnay '18	♀♀ 3

Bricco Maiolica

FRAZ. RICCA
VIA BOLANGINO, 7
12055 DIANO D'ALBA [CN]
TEL. 0173612049
www.briccomaiolica.it

VENDITA DIRETTA
VISITA SU PRENOTAZIONE
OSPITALITÀ
PRODUZIONE ANNUA 110.000 bottiglie
ETTARI VITATI 24,00
AZIENDA SOSTENIBILE

Non è la crisi di mercato dei vini a base di uva dolcetto ad aver indotto Beppe Accomo a valorizzare sempre più altre varietà all'interno della sua vasta proprietà. Egli infatti è da sempre convinto che i terreni di Diano d'Alba siano più che adatti per altri vitigni: e lo dimostra con impianti che negli ultimi 30 anni hanno visto crescere chardonnay e pinot nero, sauvignon e nebbiolo. Proprio da quest'ultima uva giungono i suoi maggiori successi di critica, dapprima con il Nebbiolo d'Alba Cumot, che è costantemente ai vertici della tipologia, e dal 2012 anche con il convincente Barolo Contadin. Il suo Diano d'Alba offre, sempre e comunque, una nitida e gioiosa bevibilità. Ha già raggiunto una preziosa e godibile armonia gustativa il Barolo del comune di Diano d'Alba Contadin '16, dotato di molta polpa fruttata da una parte e da un'importante componente tannica dall'altra, in un insieme elegante e sfaccettato. Imponente, complesso e di grande ricchezza gustativa il Pensiero Infinito '16, che conserva incredibile freschezza.

● Barolo del Comune di Diano d'Alba	
Contadin '16	▼▼ 8
○ Langhe Chardonnay	
Pensiero Infinito '16	▼▼ 6
● Barbera d'Alba Sup. V. Vigia '17	▼▼ 5
● Nebbiolo d'Alba Sup. Cumot '17	▼▼ 5
● Dolcetto di Diano d'Alba '19	▼ 3
● Langhe Pinot Nero Perlei '17	▼ 5
● Barbera d'Alba V. Vigia '98	♀♀♀ 4*
● Diano d'Alba Sup. Sörì	
Bricco Maiolica '07	♀♀♀ 3*
● Nebbiolo d'Alba Cumot '11	♀♀♀ 5
● Nebbiolo d'Alba Cumot '10	♀♀♀ 4*
● Nebbiolo d'Alba Cumot '09	♀♀♀ 4*
● Nebbiolo d'Alba Sup. Cumot '13	♀♀♀ 5
● Barbera d'Alba Sup. V. Vigia '16	♀♀ 5
● Nebbiolo d'Alba Sup. Cumot '16	♀♀ 5

Francesco Brigatti

via Olmi, 31
28019 Suno [NO]
Tel. 032285037
www.vinibrigatti.it

VENDITA DIRETTA
VISITA SU PRENOTAZIONE
PRODUZIONE ANNUA 25.000 bottiglie
ETTARI VITATI 6,50

Per rimarcare le caratteristiche olfattive del Nebbiolo del Nord Piemonte si ricorre spesso a termini quali china, grafite, ruggine, sangue, rabarbaro, genziana, pietra focaia, tamarindo, ferro e pepe nero. Insomma, si potrebbe pensare a una maggiore rusticità rispetto alle Langhe o al Roero. Ma non si deve credere che queste sfumature siano le caratteristiche principali dei grandi rossi di quest'area, che restano invece quelle dei piccoli frutti rossi, della balsamicità, dei petali di viola e di rosa. Come ben dimostra l'elegante Ghemme Oltre Il Bosco del capace Francesco Brigatti, che si mette ben in luce anche con due raffinati Colline Novaresi Nebbiolo, il Mötfrei e il Mötziflon. Frutta rossa in primo piano seguita da liquirizia e china a dare carattere e complessità al fine impianto olfattivo del bel Mötfrei '17; la bocca è di buon corpo, con tannini eleganti e notevole carattere e un gradevole finale molto lungo. Appena meno vivo e variegato il piacevole MötZiflon '17. La Barbera Campazzi '19 è di pregevole e nitida bevibilità.

● Colline Novaresi Nebbiolo V. Mötfrei '17	♙♙	3*
● Colline Novaresi Barbera Campazzi '19	♙♙	3
● Colline Novaresi Nebbiolo MötZiflon '17	♙♙	3
● Ghemme Oltre il Bosco '16	♙♙	5
○ Colline Novaresi Bianco Mottobello '19	♙	3
● Colline Novaresi Uva Rara Selvalunga '19	♙	3
● Colline Novaresi Vespolina Maria '19	♙	3
● Colline Novaresi Barbera Campazzi '18	♕♕	3
● Colline Novaresi Nebbiolo Mötfrei '16	♕♕	3
● Colline Novaresi Nebbiolo MötZiflon '16	♕♕	3*
● Colline Novaresi Vespolina Maria '18	♕♕	3
● Ghemme Oltre il Bosco '15	♕♕	4

Broccardo

loc. Manzoni, 22
12065 Monforte d'Alba [CN]
Tel. 017378180
www.broccardo.it

VENDITA DIRETTA
VISITA SU PRENOTAZIONE
PRODUZIONE ANNUA 90.000 bottiglie
ETTARI VITATI 13,00
AZIENDA SOSTENIBILE

I Broccardo, forti di una lunga esperienza di lavoro in vigna, hanno atteso con pazienza il momento ritenuto idoneo per fare il salto di qualità: era il 2009 e iniziavano finalmente l'imbottigliamento e il confronto con il mercato. Filippo ha dimostrato di saper ben interpretare le classiche uve rosse di Langa, ovviamente con il nebbiolo in prima fila, e da lì nascono oggi etichette di sicura qualità, capeggiate da quattro proposte di Barolo a cui, dal prossimo anno, se ne aggiungerà una quinta. Forte del supporto della famiglia e di un valido consulente enologico, i vini commercializzati nel corso del 2020 hanno piacevolmente sorpreso le nostre commissioni di degustazione, come si può ben vedere dal palmares pubblicato sotto. Tra le proposte di Barolo del 2016 brilla il Bricco San Pietro, che si muove tra la rosa e la liquirizia per poi rivelare tannini morbidi e un lungo finale di pregevole classicità. Appena meno potente ma di perfetta rifinitura il più pronto I Tre Pais, da uve di Monforte, Novello e Barolo, mentre è già ben armonico e godibile il Paiagallo.

● Barolo Bricco San Pietro '16	♙♙	6
● Barolo I Tre Pais '16	♙♙	5
● Barolo Paiagallo '16	♙♙	7
● Barbera d'Alba La Martina '18	♙♙	2*
● Barolo Ravera '16	♙♙	7
● Langhe Nebbiolo Il Giò Pì '18	♙	3
● Barbera d'Alba La Martina '16	♕♕	4
● Barolo Bricco San Pietro '15	♕♕	6
● Barolo Bricco San Pietro '14	♕♕	7
● Barolo I Tre Pais '15	♕♕	5
● Langhe Nebbiolo '16	♕♕	5
● Langhe Nebbiolo Il Giò Pì '17	♕♕	3

★Brovia

VIA ALBA-BAROLO, 145
12060 CASTIGLIONE FALLETTO [CN]
TEL. 017362852
www.brovia.net

VENDITA DIRETTA
VISITA SU PRENOTAZIONE
PRODUZIONE ANNUA 75.000 bottiglie
ETTARI VITATI 15,00
VITICOLTURA Biologico Certificato
AZIENDA SOSTENIBILE

Brovia è una delle più significative dimostrazioni della capacità di un grande vigneto di creare un grande vino: qui nascevano già cinquant'anni fa, ad opera del grande Giacinto Brovia, selezioni di Barolo spettacolari senza che si applicassero tecniche che non fossero quelle legate al lavoro serio e alla tradizione. Quando poi si aggiungono le competenze e le cure oggi applicate dalla figlia Elena e dal marito Alex Sanchez, si realizzano veri capolavori. Con risultati che si estendono anche alle poche altre etichette della casa. Perfetta classicità e straordinaria complessità nel nitido Barolo Brea Vigna Ca' Mia '16, ricco di aromi di frutti rossi, tabacco dolce e liquirizia; la bocca è potente e fitta, proiettata verso un'eleganza gustativa che arriverà a compimento tra molti anni. Più fresco e delicato l'ammaliante Villero '16, leggiadro e sontuoso nei finissimi sentori di rose. Erbe assolate e lamponi nell'armonico Rocche di Castiglione '16.

● Barolo Villero '16	♔♔♔ 8
● Barolo Brea V. Ca' Mia '16	♔♔ 8
● Barolo Rocche di Castiglione '16	♔♔ 8
● Barbera d'Alba Sorì del Drago '18	♔♔ 4
● Barolo '16	♔♔ 7
● Barolo Garblèt Sué '16	♔♔ 8
● Barolo Brea V. Ca' Mia '10	♔♔♔ 8
● Barolo Brea Vigna Ca' Mia '15	♔♔♔ 8
● Barolo Ca' Mia '09	♔♔♔ 8
● Barolo Monprivato '90	♔♔♔ 8
● Barolo Rocche di Castiglione '12	♔♔♔ 8
● Barolo Villero '13	♔♔♔ 8
● Barolo Villero '11	♔♔♔ 8
● Barolo Villero '10	♔♔♔ 8

G. B. Burlotto

VIA VITTORIO EMANUELE, 28
12060 VERDUNO [CN]
TEL. 0172470122
www.burlotto.com

VENDITA DIRETTA
VISITA SU PRENOTAZIONE
OSPITALITÀ
PRODUZIONE ANNUA 60.000 bottiglie
ETTARI VITATI 15,00

Fabio Alessandria è estremamente legato alla tradizione vitivinicola delle Langhe, che però sostiene di voler continuamente aggiornare e rivisitare perché onorare il passato vuole anche dire migliorarlo. Ed ecco quindi che il rispetto delle sue uve nebbiolo viene tradotto in fermentazioni con i raspi, in delicate pigiature con i piedi, in una presenza mai eccessiva del rovere di affinamento. Le etichette di Barolo - con i cru Cannubi e Monvigliero in testa - sono ormai premiatissime e ricercate in ogni dove, ma anche le altre proposte della casa sono particolarmente curate, dal Sauvignon al Pelaverga al sempre squisito Barolo base. È complesso ed elegante il Barolo Cannubi '16, che porge fresche bacche rosse assieme a più maturi richiami di liquirizia; la bocca è di perfetta e suadente armonia, lunga e sfaccettata, dotata di una ravvivante vena acida: Tre Bicchieri. Di straordinaria complessità il Monvigliero '16, ma tutta la proposta è di elevato valore, con un plauso particolare per il teso, complesso ed elegante Sauvignon Dives '18.

● Barolo Cannubi '16	♔♔♔ 7
● Barolo Monvigliero '16	♔♔ 7
○ Langhe Sauvignon Dives '18	♔♔ 3*
● Barbera d'Alba Aves '18	♔♔ 4
● Barolo '16	♔♔ 6
● Barolo Acclivi '16	♔♔ 6
● Langhe Nebbiolo '18	♔♔ 3
● Verduno Pelaverga '19	♔♔ 3
● Barolo Acclivi '11	♔♔♔ 6
● Barolo Acclivi '07	♔♔♔ 6
● Barolo Cannubi '12	♔♔♔ 7
● Barolo Monvigliero '10	♔♔♔ 7
● Barolo Cannubi '15	♔♔ 7

★Piero Busso

VIA ALBESANI
12052 NEIVE [CN]
TEL. 017367156
www.bussopiero.com

VENDITA DIRETTA
VISITA SU PRENOTAZIONE
OSPITALITÀ
PRODUZIONE ANNUA 45.000 bottiglie
ETTARI VITATI 11,50
AZIENDA SOSTENIBILE

Piero Busso ama esprimersi molto liberamente ed è dotato di un'onestà intellettuale che gli ha procurato una grande stima da parte dei produttori langaroli. E vuole che anche il suo Barbaresco esprima liberamente e compiutamente le caratteristiche di ogni singolo vigneto. Consigliamo caldamente la visita alla cantina, in cui le ricerche e le sperimentazioni nelle fermentazioni e negli affinamenti continuano anche grazie al sempre più intenso impegno del capace figlio Pierguido. Variegato e stuzzicante il Barbaresco San Stunet '16, che si apre su liquirizia e un tocco di arance rosse per poi presentarsi in bocca sapido, vivo, strutturato e ben bilanciato nonostante si colga ancora bene il contributo dei tannini. Molto accattivante il bouquet olfattivo del Gallina '16, dotato di una godibilissima freschezza sul palato. Più semplice ma di immediata piacevolezza il Mondino '17. Bella nota di catrame e legno dolce nel complesso Barbaresco Albesani Vigna Borgese '16.

● Barbaresco Albesani V. Borgese '16	♟♟ 7
● Barbaresco Gallina '16	♟♟ 8
● Barbaresco S. Stunet '16	♟♟ 8
● Barbaresco Mondino '17	♟♟ 6
○ Langhe Sauvignon Arbè '18	♟♟ 4
● Barbera d'Alba '18	♟ 2
● Barbera d'Alba S. Stefanetto '18	♟ 5
● Barbaresco Albesani V. Borgese '15	♟♟♟ 7
● Barbaresco Borgese '09	♟♟♟ 6
● Barbaresco Borgese '08	♟♟♟ 6
● Barbaresco Gallina '12	♟♟♟ 8
● Barbaresco Gallina '11	♟♟♟ 8
● Barbaresco Gallina '09	♟♟♟ 8
● Barbaresco S. Stefanetto '07	♟♟♟ 7
● Barbaresco S. Stunet '11	♟♟♟ 7

Ca' Bianca

REG. SPAGNA, 58
15010 ALICE BEL COLLE [AL]
TEL. 0144745420
www.cantinacabianca.it

VENDITA DIRETTA
VISITA SU PRENOTAZIONE
PRODUZIONE ANNUA 555.000 bottiglie
ETTARI VITATI 24,00

L'azienda del Gruppo Italiano Vini è una realtà dinamica e vitale, in continuo aggiornamento sul piano tecnologico al fine di valorizzare la buona materia prima di partenza. Negli ultimi anni abbiamo registrato un ulteriore cambio di passo che ha consentito alla gamma dei prodotti di elevarsi su standard qualitativi molto Interessanti. La produzione gira intorno ai vitigni tipici del Piemonte come nebbiolo, barbera e dolcetto, per i vini rossi, arneis o cortese di Gavi, per quanto riguarda i bianchi. Completano il quadro I vini da dessert, ottenuti da uve moscato e brachetto. Un frutto croccante presente nella fase gusto olfattiva, rende la beva della Barbera d'Asti Superiore, estremamente gradevole. Mentre la Chersì ancora in fase di crescita, ha il potenziale per migliorare ulteriormente con l'affinamento in bottiglia. Equilibrato e intenso il Roero Arneis, arricchito nella fase gustativa, da un finale fresco e sapido. Di beva piacevole e invitante il Moscato D'Asti.

● Barbera d'Asti Sup. '18	♟♟ 2*
● Barbera d'Asti Sup. Chersì '17	♟♟ 4
○ Moscato d'Asti '19	♟♟ 2*
○ Roero Arneis '19	♟♟ 2*
● Dolcetto d'Acqui '19	♟ 2
○ Gavi '19	♟ 2
● Barbera d'Asti Sup. Antè '17	♟♟ 2*
● Barbera d'Asti Sup. Antè '16	♟♟ 3
● Barbera d'Asti Sup. Chersì '16	♟♟ 4
● Barbera d'Asti Sup. Chersì '15	♟♟ 5
● Barbera d'Asti Sup. Chersì '14	♟♟ 5
● Barbera d'Asti Teis '17	♟♟ 3
● Dolcetto d'Acqui '17	♟♟ 3
○ Gavi '18	♟♟ 3
○ Gavi '17	♟♟ 3
○ Moscato d'Asti '18	♟♟ 2*

PIEMONTE

Ca' d' Gal

FRAZ. VALDIVILLA
S.DA VECCHIA DI VALDIVILLA, 1
12058 SANTO STEFANO BELBO [CN]
TEL. 0141847103
www.cadgal.it

VENDITA DIRETTA
VISITA SU PRENOTAZIONE
OSPITALITÀ E RISTORAZIONE
PRODUZIONE ANNUA 95.000 bottiglie
ETTARI VITATI 12,00

Un'idea semplice quanto temeraria: dimostrare con le proprie bottiglie come il Moscato d'Asti rappresentasse molto più che una specie di bevanda da stappare alle feste. È così che Alessandro Boido è riuscito ad imporsi tra i riferimenti assoluti dalla tipologia, cesellando sulle colline di Santo Stefano Belbo vini dolci e frizzanti adatti a tutte le occasioni, oltretutto capaci di evolvere virtuosamente nel tempo. Discorso che vale in particolare per il Vigna Vecchia, a cui si affiancano altre tre etichette a base moscato e i vini fermi da chardonnay, sauvignon, pinot nero, barbera e freisa. Splendida la batteria di Moscato presentata da Alessandro Boido. Il Moscato d'Asti Canelli Sant'Ilario '19 è ampio e complesso al naso, con aromi che vanno dalle erbe officinali al rosmarino, dal limone candito all'ananas allo zafferano, seguiti da un palato di notevole volume e ricchezza che trova equilibrio nella sapidità e nell'acidità, per un finale di grande lunghezza. Elegante e fresco il Moscato d'Asti Lumine '19.

★Ca' del Baio

VIA FERRERE SOTTANO, 33
12050 TREISO [CN]
TEL. 0173638219
www.cadelbaio.com

VENDITA DIRETTA
VISITA SU PRENOTAZIONE
PRODUZIONE ANNUA 130.000 bottiglie
ETTARI VITATI 25,00

Federica, Paola e Valentina Grasso, senza alcuna gerarchia di età o di mansione, rappresentano ormai il motore pulsante di un'impresa artigianale famigliare fortemente coesa. Mamma Luciana e Papà Giulio, dividendosi le aree di competenza, le affiancano quotidianamente e, insieme, hanno costruito una delle aziende agricole più prestigiose del comprensorio del Barbaresco e della Langa intera. La produzione è costantemente affidabile e la gamma, spaziando dalle varietà a bacca bianca fino ai cru di Barbaresco, rappresenta ormai un sicuro punto di riferimento in Italia e nel mondo. Rose, lamponi ed erbette sono al centro della struttura olfattiva del pregevole Barbaresco Asili Riserva '15; sul palato si colgono tannini importanti ma non asciuganti assieme a una componente fruttata che persiste sino al lungo finale. Floreale e liquirizioso il gradevolissimo Barbaresco Pora '16, dalla bocca strutturata e incisiva. Fresco nonostante l'annata e potente il Vallegrande '17, ampio e avvolgente. Sempre una sicurezza il Langhe Riesling.

○ Moscato d'Asti Canelli Sant'Ilario '19	♟♟♟ 4*
○ Moscato d'Asti Lumine '19	♟♟ 3*
○ Asti '19	♟♟ 3
○ Moscato d'Asti Canelli Sant'Ilario '16	♟♟♟ 4*
○ Moscato d'Asti Canelli Sant'Ilario '15	♟♟♟ 3*
○ Moscato d'Asti V. V. '11	♟♟♟ 3*
○ Moscato d"Asti Vite Vecchia '14	♟♟ 7
○ Moscato d'Asti Canelli Sant'Ilario '18	♟♟ 4
○ Moscato d'Asti Canelli Sant'Ilario '17	♟♟ 4
○ Moscato d'Asti Lumine '18	♟♟ 3
○ Moscato d'Asti Lumine '17	♟♟ 3
○ Moscato d'Asti Lumine '16	♟♟ 3
○ Moscato d'Asti Lumine '15	♟♟ 3*
○ Moscato d'Asti V. Vecchia '10	♟♟ 7
○ Moscato d'Asti Vite Vecchia '15	♟♟ 7

● Barbaresco Vallegrande '17	♟♟♟ 5
● Barbaresco Asili Ris. '15	♟♟ 8
● Barbaresco Pora '16	♟♟ 6
● Barbaresco Autinbej '17	♟♟ 5
○ Langhe Riesling Fré '18	♟♟ 3
● Barbaresco Asili '15	♟♟♟ 6
● Barbaresco Asili '12	♟♟♟ 6
● Barbaresco Asili '10	♟♟♟ 6
● Barbaresco Asili '09	♟♟♟ 5
● Barbaresco Asili Ris. '11	♟♟♟ 8
● Barbaresco Pora '10	♟♟♟ 6
● Barbaresco Pora '06	♟♟♟ 6
● Barbaresco Valgrande '08	♟♟♟ 5
● Barbaresco Vallegrande '16	♟♟♟ 5
● Barbaresco Vallegrande '14	♟♟♟ 5

Ca' Romé

s.da Rabajà, 86
12050 Barbaresco [CN]
Tel. 0173635126
www.carome.com

VENDITA DIRETTA
VISITA SU PRENOTAZIONE
PRODUZIONE ANNUA 30.000 bottiglie
ETTARI VITATI 5,00

Era il 1980 quando Romano Marengo decise di creare una propria cantina, piccola e curatissima, con il pavimento di cotto incerato e tirato a lucido in modo da dare subito al visitatore l'idea di quanta attenzione venisse lì riposta ad ogni dettaglio. Le ridotte dimensioni dei vigneti, posti in ottimi cru sia a Barbaresco che a Serralunga d'Alba, gli hanno sempre consentito di occuparsi personalmente, con l'ausilio della moglie Olimpia, di tutte le fasi produttive, in cui si sono poi armonicamente inseriti i figli, con il capace Giuseppe a seguire la parte enologica e la figlia Paola alla commercializzazione. Il Barbaresco Maria di Brün '16 ha un naso complesso e delicato, con note di rosa e di cacao; la bocca è ricca di polpa fruttata che fa presagire un magnifico invecchiamento. L'intenso Chiaramanti '17 è un po' più vegetale e liquirizioso, potente e molto lungo. Splendida personalità nel reattivo e fine Barolo Rapet '16.

● Barbaresco Chiaramanti '17	♟♟	8
● Barbaresco Maria di Brün '16	♟♟	8
● Barolo Rapet '16	♟♟	8
● Barbaresco Rio Sordo '17	♟♟	6
● Barolo Cerretta '16	♟♟	8
● Barbaresco Maria di Brün '13	♟♟♟	8
● Barbaresco Sorì Rio Sordo '06	♟♟♟	6
● Barolo Rapet '14	♟♟♟	7
● Barolo Rapet '11	♟♟♟	7
● Barolo Rapet '08	♟♟♟	7
● Barolo V. Cerretta '09	♟♟♟	7
● Barbaresco Chiaramanti '16	♟♟	7
● Barbaresco Maria di Brün '15	♟♟	8
● Barolo Cerretta '15	♟♟	7
● Barolo Rapet '15	♟♟	7

★★Ca' Viola

b.ta San Luigi, 11
12063 Dogliani [CN]
Tel. 017370547
www.caviola.com

VENDITA DIRETTA
VISITA SU PRENOTAZIONE
OSPITALITÀ E RISTORAZIONE
PRODUZIONE ANNUA 70.000 bottiglie
ETTARI VITATI 10,00

Beppe Caviola è un grande enologo, come dimostrano i risultati delle aziende di cui è consulente in tutta Italia, ma resta soprattutto un convinto artigiano del vino. Più che ai dati ricavati nel suo attrezzato laboratorio di analisi, si affida infatti con sicurezza alla propria eccezionale bravura di degustatore. La fama della sua cantina è andata pian piano crescendo per il Dolcetto e la Barbera d'Alba realizzati in vecchissimi impianti a Montelupo Albese, per poi varcare l'oceano con l'arrivo del suo Barolo Sottocastello di Novello, vera quintessenza dell'uva nebbiolo affinata con pregevole classicità. Ed è qui che nasce la Riserva '13, dotata di un gradevole tocco agrumato al naso, importante e severa sul lungo palato. Ancor più fruttato e avvincente l'armonico Barolo Sottocastello di Novello '16. Caviola conferma la sua bravura con il vitigno barbera in entrambe le proposte: lungo, progressivo e avvolgente il Bric du Luv '17, raffinato e piacevole il Brichet '18. Brillante esordio per l'importante Rosato Rita, gradevolissimo frutto di uve nebbiolo.

● Barolo Sottocastello di Novello '16	♟♟♟	8
● Barolo Cavlot '16	♟♟	8
● Barolo Sottocastello di Novello Ris. '13	♟♟	8
● Barbera d'Alba Bric du Luv '17	♟♟	5
● Barbera d'Alba Brichet '18	♟♟	4
● Dolcetto d'Alba Vilot '19	♟♟	3
● Langhe Nebbiolo Giblin '18	♟♟	5
○ Langhe Riesling Clem '18	♟♟	5
☉ Langhe Rosato Rita '19	♟♟	4
● Barbera d'Alba Bric du Luv '12	♟♟♟	5
● Barbera d'Alba Bric du Luv '10	♟♟♟	5
● Barolo Sottocastello '06	♟♟♟	7
● Barolo Sottocastello di Novello '11	♟♟♟	8
● Barolo Sottocastello di Novello '10	♟♟♟	7
● Barolo Sottocastello di Novello '08	♟♟♟	7

Fabrizia Caldera

FRAZ. PORTACOMARO STAZIONE, 53
14100 ASTI
TEL. 0141296154
www.vinicaldera.it

VENDITA DIRETTA
VISITA SU PRENOTAZIONE
OSPITALITÀ
PRODUZIONE ANNUA 95.000 bottiglie
ETTARI VITATI 22,00

Avviata dal mitico signor Prospero nei primi
del '900 ad Asti, quella guidata da Fabrizia
Caldera con l'aiuto del marito Roberto Rossi
e del figlio Fabio, è una realtà familiare
storica del Monferrato. Rispetto agli esordi il
parco viticolo e ampelografico si è
progressivamente rimpolpato, permettendo
di strutturare una vasta proposta basata
perlopiù sulle tipologie tradizionali. Balmèt,
Harmonius e Il Giullare compongono il
trittico a tema Barbera, ma ottime
indicazioni arrivano regolarmente anche dai
vini prodotti con moscato, cortese, viognier,
chardonnay, ruchè, grignolino, dolcetto. E
quest'anno i risultati più interessanti sono
arrivati proprio dai vini realizzati con queste
uve. Sugli scudi troviamo il Ruché di
Castagnole Monferrato Prevost '19, dalle
note di rosa e frutta rossa e dal palato
denso, di grande struttura, ma anche
equilibrato e con un lungo finale, e il
Grignolino d'Asti Leserre '19, classico nei
suoi aromi di pepe bianco, dal palato ricco,
dai tannini fitti ma già ben integrati.

● Grignolino d'Asti Leserre '19	🏆🏆 3*
● Ruché di Castagnole Monferrato	
Prevost '19	🏆🏆 4
● Barbera d'Asti Harmonius '17	🏆🏆 3
○ Piemonte Viognier Viò '19	🏆🏆 3
● Ruché di Castagnole Monferrato	
Xenio '18	🏆🏆 3
● Barbera d'Asti Sup. Balmèt '17	🏆 4
○ Monferrato Bianco Forestè '18	🏆 6
● Barbera d'Asti '15	🏆🏆 3
● Barbera d'Asti Sup. Balmèt '16	🏆🏆 4
● Grignolino d'Asti Leserre '18	🏆🏆 3
● Grignolino d'Asti Leserre '17	🏆🏆 2*
● Ruché di Castagnole Monferrato	
Prevost '18	🏆🏆 4
● Ruché di Castagnole Monferrato	
Prevost '17	🏆🏆 3

Cantina del Nebbiolo

VIA TORINO, 17
12050 VEZZA D'ALBA [CN]
TEL. 017365040
www.cantinadelnebbiolo.com

VENDITA DIRETTA
VISITA SU PRENOTAZIONE
PRODUZIONE ANNUA 300.000 bottiglie
ETTARI VITATI 300,00
VITICOLTURA Biologico Certificato

Questa storica cantina sociale, fondata nel
1959 sulle ceneri della Cantina Sociale
Parrocchiale di Vezza d'Alba, che risaliva al
1901, è tra le più importanti della regione.
Sono 170 i soci conferitori, per una gamma
di oltre 20 etichette realizzate
esclusivamente con vitigni autoctoni, in cui
ovviamente il ruolo principale è giocato dal
nebbiolo, nelle più prestigiose
denominazioni di origine di Langa e Roero. I
vini proposti sono d'impronta tradizionale, di
buona territorialità e precisione tecnica.
Quest'anno alla ribalta ci sono i Barbaresco.
La Riserva '15 presenta note di tabacco ed
erbe aromatiche secche, con un
affascinante richiamo salmastro, e un palato
ricco di polpa, dai tannini fitti e dal lungo
finale. Il Meruzzano '17 a note affumicate e
di ginepro fa seguire un palato agile ma di
carattere, nitido e dinamico. Ben realizzati,
tra gli altri, il Roero Arneis '19, sapido e
agrumato, il Barolo Perno '16, un po'
marcato dal legno, ma armonico e dal
tannino elegante, e la Barbera d'Alba
Superiore '17, fruttata e grintosa.

● Barbaresco Meruzzano '17	🏆🏆 5
● Barbaresco Ris. '15	🏆🏆 6
● Barbaresco '17	🏆🏆 4
● Barbera d'Alba Sup. '17	🏆🏆 2*
● Barolo Perno '16	🏆🏆 5
○ Langhe Nascetta Riververse '18	🏆🏆 2*
● Nebbiolo d'Alba V. Valmaggiore '18	🏆🏆 3
○ Roero Arneis '19	🏆🏆 2*
○ Roero Arneis Arenarium '19	🏆🏆 2*
● Barbera d'Alba '18	🏆 2
○ Langhe Favorita '19	🏆 2
● Nebbiolo d'Alba '18	🏆 2
● Barbaresco '16	🏆🏆 4
● Barbaresco Meruzzano '16	🏆🏆 5
● Barbaresco Meruzzano Ris. '15	🏆🏆 5
● Barolo Perno '15	🏆🏆 5
○ Roero Arneis '18	🏆🏆 2*

Cantina del Pino

S.DA OVELLO, 31
12050 BARBARESCO [CN]
TEL. 0173635147
www.cantinadelpino.com

PRODUZIONE ANNUA 35.000 bottiglie
ETTARI VITATI 7,00

Ricordiamo con grande affetto Renato
Vacca, uno dei più stimati vignaioli della
sua generazione, che ci ha lasciati lo
scorso marzo. Nel 1997 insieme al padre
Adriano, creò questo celebre marchio nel
rispetto di Domizio Cavazza, ideatore del
vino Barbaresco e precedente proprietario
della cascina, il quale piantò il pino
marittimo oggi ben visibile. Tra i cru che ha
valorizzato con straordinaria tenacia
ricordiamo l'Ovello, prima di tutto, seguito
dal Gallina, traghettati in bottiglia con una
mano attenta e delicata capace di estrarre
in maniera gentile il carattere di ciascun
cru. Il Barbaresco Albesani offre un bel
frutto fresco e grande armonia nei ricordi di
rosa secca e genziana, con sentori
salmastri a dare carattere e complessità; al
palato ha armonia e tannini misurati e
equilibrati, il finale lungo e armonico. Più
speziato il Barbaresco Ovello di pari annata,
fine e gradevole nel suo tratto misurato e
balsamico finale. Toni di frutto rosso
morbido e un palato cremoso
caratterizzano il Barbaresco '16.

● Barbaresco Albesani '16	♟♟	7
● Barbaresco Ovello '16	♟♟	7
● Barbaresco '16	♟♟	5
● Barbaresco '04	♟♟♟	5*
● Barbaresco '03	♟♟♟	4*
● Barbaresco Albesani '14	♟♟♟	7
● Barbaresco Albesani '05	♟♟♟	6
● Barbaresco Ovello '13	♟♟♟	7
● Barbaresco Ovello '07	♟♟♟	6
● Barbaresco Ovello '99	♟♟♟	7
● Barbaresco '15	♟♟	5
● Barbaresco '14	♟♟	5
● Barbaresco '13	♟♟	5
● Barbaresco Albesani '13	♟♟	7
● Barbaresco Gallina '14	♟♟	7
● Barbaresco Ovello '15	♟♟	7
● Barbaresco Ovello '14	♟♟	7

La Caplana

VIA CIRCONVALLAZIONE, 4
15060 BOSIO [AL]
TEL. 0143684182
www.lacaplana.com

VENDITA DIRETTA
VISITA SU PRENOTAZIONE
PRODUZIONE ANNUA 120.000 bottiglie
ETTARI VITATI 5,00

Bosio è un piccolo comune piemontese
situato sull'Appennino ligure settentrionale
e confinante con il comune di Genova.
Quindi facile immaginare un'agricoltura più
di montagna che collinare, con pendii
scoscesi a influire, da una parte, e i venti
che provengono dal mare e soffiano tra i
filari, dall'altra. La famiglia Guido coltiva in
quest'area vigneti di cortese, dolcetto,
barbera e chardonnay. A caratterizzare la
gamma dei vini di Natalino troviamo uno
stile moderno, non invasivo, con un oculato
uso del legno e una predilezione per la
pulizia degli aromi tipici dei vitigni. Ottima
la prestazione del Gavi, con una fase
olfattiva intensa e complessa: aromi floreali
e di frutta bianca matura e note di
mandorla anticipano una bocca poderosa e
fresca con finale persistente e sapido.
Narcys è un ottimo esempio di Dolcetto di
Ovada, con un bel frutto che si allunga su
note di mandorla amara e cacao. Al palato
è intenso, dal tannino setoso e dal finale
lungo. Intrigante la Barbera d'Asti; di buona
fattura gli altri vini.

○ Gavi '19	♟♟	2*
● Barbera d'Asti '18	♟♟	3
● Dolcetto di Ovada Narcys '16	♟♟	3
○ Gavi del Comune di Gavi '19	♟	2
○ Gavi Villa Vecchia '19	♟	2
○ Piemonte Chardonnay '19	♟	2
● Barbera d'Asti '17	♟♟	3
● Barbera d'Asti Rubis '16	♟♟	3
● Barbera d'Asti Rubis '15	♟♟	3
● Dolcetto di Ovada '17	♟♟	2*
● Dolcetto di Ovada Narcys '17	♟♟	3*
● Dolcetto di Ovada Narcys '15	♟♟	3*
○ Gavi '18	♟♟	2*
○ Gavi del Comune di Gavi '18	♟♟	2*
○ Gavi del Comune di Gavi '17	♟♟	2*
○ Gavi del Comune di Gavi '16	♟♟	2*
○ Gavi Villa Vecchia '18	♟♟	2*

Pierangelo Careglio

LOC. APRATO, 15
12040 BALDISSERO D'ALBA [CN]
TEL. 3339905448
www.cantinacareglio.it

VENDITA DIRETTA
VISITA SU PRENOTAZIONE
PRODUZIONE ANNUA 35.000 bottiglie
ETTARI VITATI 9,00
AZIENDA SOSTENIBILE

Fondata nel 1986 da Pierangelo Careglio,
questa piccola realtà famigliare ha seguito
la strada di tante aziende del territorio
roerino, passando dalle colture frutticole
alla produzione vinicola, grazie anche
all'arrivo al timone della nuova
generazione, in questo caso il figlio
Andrea. I vigneti aziendali sono situati sia
su suoli sabbiosi di origine marina, tipici
del Roero, che su terreni con una
maggiore presenza di calcare e argilla. I
vini proposti hanno un impianto moderno,
che lascia tuttavia spazio all'espressione di
un forte carattere territoriale. L'azienda
della famiglia Careglio quest'anno
conquista la nostra sezione principale. Il
Roero Arneis '19 evidenzia al naso note di
pera ed erbe aromatiche, mentre il palato
è sia di notevole struttura e ricchezza di
frutto che sapido, lungo e di bella acidità. Il
Roero '17 invece agli aromi di frutti rossi,
con note di china, tabacco e spezie, fa
seguire un palato austero, ma anche
lungo, persistente e dal finale succoso.

● Roero '17	♟♟	5
○ Roero Arneis '19	♟♟	3*
● Barbera d'Alba '18	♟♟	4
○ Langhe Favorita '19	♟♟	2*
○ Roero Arneis Savij '16	♟♟	5
● Langhe Nebbiolo '18	♟	2
● Barbera d'Alba '17	♟♟	4
● Barbera d'Alba '15	♟♟	2*
● Roero '16	♟♟	5
● Roero '13	♟♟	2*
○ Roero Arneis '17	♟♟	2*
○ Roero Arneis '16	♟♟	2*
○ Roero Arneis Savij '15	♟♟	5

Tenuta Carretta

LOC. CARRETTA, 2
12040 PIOBESI D'ALBA [CN]
TEL. 0173619119
www.tenutacarretta.it

VENDITA DIRETTA
VISITA SU PRENOTAZIONE
OSPITALITÀ E RISTORAZIONE
PRODUZIONE ANNUA 500.000 bottiglie
ETTARI VITATI 85,00

È dal 1985 che la famiglia Miroglio
gestisce questa storica tenuta, situata in
una località conosciuta e citata fin dal XV
secolo per i suoi vigneti. Al corpo unico di
35 ettari, che si estende ad anfiteatro tutto
intorno alla cantina, i Miroglio nel corso
degli anni hanno aggiunto una serie di
vigneti in alcune delle più prestigiose
denominazioni piemontesi, da Cannubi nel
Barolo a Treiso nel Barbaresco, a delle
vigne nella zona dell'Alta Langa, fino alla
recente acquisizione della Malgrà nel cuore
dell'Astigiano, giungendo così a proporre
un'ampia gamma di vini. Il Roero Bric
Paradiso Riserva '15, si propone fine e
complesso al naso, nelle sue note di frutta
rossa fresca, tabacco e liquirizia, e con un
palato denso, dai tannini fini, ricco di frutto
e dal lungo finale. Ottimo anche il Barolo
Cannubi Collezione Rag. Franco Miroglio
Riserva '14, classico nelle sue note di
scorza d'arancia, per un palato succoso e
gradevole. Solida la prestazione degli altri
vini proposti.

● Barolo Cannubi Collezione Ragionier Franco Miroglio Ris. '14	♟♟	8
● Roero Bric Paradiso Ris. '15	♟♟	6
● Barbaresco Cascina Bordino Ris. '14	♟♟	8
● Barbaresco Garassino '16	♟♟	7
● Barolo Cannubi '15	♟♟	8
○ Gavi del Comune di Gavi Poggio Basco Malgrà '19	♟♟	2*
○ Roero Arneis Cayega '19	♟♟	4
● Langhe Nebbiolo Podio '18	♟	5
☉ Langhe Rosato Cereja '19	♟	4
● Barbaresco Garassino '15	♟♟	5
● Barolo Cannubi Collezione Rag. Franco Miroglio Ris. '12	♟♟	8
● Barolo Cannubi Selezione Franco Miroglio Ris. '13	♟♟	8

Casa E. di Mirafiore

VIA ALBA, 15
12050 SERRALUNGA D'ALBA [CN]
TEL. 0173626111
www.mirafiore.it

VENDITA DIRETTA
VISITA SU PRENOTAZIONE
OSPITALITÀ E RISTORAZIONE
PRODUZIONE ANNUA 200.000 bottiglie
ETTARI VITATI 25,00
VITICOLTURA Biologico Certificato
AZIENDA SOSTENIBILE

Ha assunto una propria autonomia produttiva il marchio che, nato nel 1878 per iniziativa di Alberto Emanuele di Mirafiore, dal 2008 è proprietà della famiglia Farinetti. La maggior parte dei vigneti in dotazione si trova a Serralunga d'Alba, dove all'eccellente cru Lazzarito, da cui nasce l'omonimo Barolo, si accompagnano coltivazioni a base di uve barbera e dolcetto assieme al pinot nero e allo chardonnay utilizzati negli spumanti. Senza dimenticare il nebbiolo che viene lavorato nella più che valida vigna Paiagallo nel comune di Barolo. Ed è già in progettazione un'autonoma cantina di vinificazione, su cui daremo notizie dettagliate nelle prossime edizioni della Guida. Raffinato e complesso il Barolo Lazzarito '16, che suggerisce eleganti aromi di lamponi, agrumi e liquirizia, importante e voluminoso in bocca, lungo e di precisa classicità. Più volto verso la montuccia e le erbette fresche il profumo del Paiagallo, solido e possente sul nitido palato. Molta polpa fruttata e gentili tocchi di catrame nella matura Riserva '13. Un plauso al Barolo "base" '16, armonico e suadente.

● Barolo Lazzarito '16	♣♣♣	8
● Barolo Paiagallo '16	♣♣	8
● Barolo Ris. '13	♣♣	8
○ Alta Langa Brut Blanc de Noir '15	♣♣	5
● Barbera d'Alba Sup. '18	♣♣	5
● Barolo '16	♣♣	7
● Langhe Rosso Pietra Magica '17	♣♣	5
● Langhe Nebbiolo '18	♣	5
● Barolo Paiagallo '13	♀♀♀	7
● Barolo Paiagallo '12	♀♀♀	7
● Barolo Ris. '04	♀♀♀	8

La Casaccia

VIA D. BARBANO, 10
15034 CELLA MONTE [AL]
TEL. 0142489986
www.lacasaccia.biz

VENDITA DIRETTA
VISITA SU PRENOTAZIONE
PRODUZIONE ANNUA 25.000 bottiglie
ETTARI VITATI 6,70
VITICOLTURA Biologico Certificato

Cella Monte è uno dei borghi più affascinanti d'Italia, patria della pietra da cantone e tappa del percorso degli Infernot (le vecchie cantine scavate nel tufo, tipiche del Casalese), un contesto storico, culturale e paesaggistico che non può non abbracciare anche il mondo del vino. La cantina de La Casaccia, costruita a partire dal 1700, assolve ancora oggi alla sua funzione originaria: qui avvengono le maturazioni e gli affinamenti in bottiglia dei vini biologici prodotti dalla famiglia Rava a partire dalle classiche uve del Monferrato. Interessante la versione 2019 del Poggeto, si apre su note di tabacco e pepe, per proseguire su un palato: fresco e intenso dalla lunga persistenza finale. Monfiorenza ha un bagaglio olfattivo, piuttosto austero, etereo, con aromi di confettura su note di resina. In bocca evidenzia: carattere e intensità, con un bel finale fresco e persistente.

● Grignolino del M.to Casalese Poggeto '18	♣♣	3
● M.to Freisa Monfiorenza '18	♣♣	3
● Barbera del M.to Giuanìn '18	♣	3
● Grignolino del M.to Casalese Ernesto '14	♣	3
● Barbera del M.to Bricco dei Boschi '15	♀♀	3
● Barbera del M.to Calichè '15	♀♀	3
● Grignolino del M.to Casalese Ernesto '13	♀♀	3
● Grignolino del M.to Casalese Ernesto '12	♀♀	3*
● Grignolino del M.to Casalese Poggeto '17	♀♀	3*
● Grignolino del M.to Casalese Poggeto '16	♀♀	2*
● Grignolino del M.to Casalese Poggeto '15	♀♀	2*
○ La Casaccia Brut M.Cl. '15	♀♀	4

Casalone

VIA MARCONI, 100
15040 LU E CUCCARO MONFERRATO [AL]
TEL. 0131741280
www.casalone.it

VENDITA DIRETTA
VISITA SU PRENOTAZIONE
PRODUZIONE ANNUA 50.000 bottiglie
ETTARI VITATI 10,00

Il territorio del nuovo comune diffuso di Lu e
Cuccaro è zona storicamente vocata alla
viticoltura: qui la famiglia Casalone ha
costruito questa solida realtà artigiana. Sono
una decina gli ettari vitati, allevati su suoli
prevalentemente argilloso-calcarei suddivisi
tra i Bricchi Santa Maria, Morlantino e San
Benedetto. In produzione una dozzina di
etichette, espressione del legame con il
territorio e dell'intraprendenza delle nuove
generazioni, oggi alla guida dell'azienda. Ad
aprire la batteria, una bella versione del Brut
Metodo Classico, da uve malvasia greca.
Intenso e complesso al naso: con aromi di
fiori secchi e zafferano, su note di miele. In
bocca, grande struttura e lunga persistenza
finale. Di colore oro antico, il passito
Monvasia si apre su aromi di frutta secca e
albicocca deidratata, al palato denso, ma
ben equilibrato dall'acidità. Da provare il
Rus, interessanti gli altri vini.

● M.to Rosso Rus '16	🏆🏆	3
○ Monvasia Brut M. Cl.	🏆🏆	4
○ Monvasia		
Mosto Parzialmente Fermentato	🏆🏆	2*
○ Monvasia Passito '18	🏆🏆	3
● Barbera del M.to Sup. Rubermillo '16	🏆	3
● Barbera d'Asti Rubermillo '13	🍷🍷	3
● Barbera del M.to Sup.		
Bricco Morlantino '15	🍷🍷	3*
● Barbera del M.to Sup.		
Bricco Morlantino '11	🍷🍷	2*
● Barbera del M.to Sup. Rubermillo '15	🍷🍷	3
● M.to Rosso Rus '12	🍷🍷	3
● Monferrato Rosso Fandamat '14	🍷🍷	2*
○ Monvasia Brut M. Cl. 60 mesi '13	🍷🍷	4
● Piemonte Grignolino I Canonici di Lu '15	🍷🍷	4
● Piemonte Grignolino La Caplëtta '15	🍷🍷	3*

Cascina Barisél

REG. SAN GIOVANNI, 30
14053 CANELLI [AT]
TEL. 3394165913
www.barisel.it

VENDITA DIRETTA
VISITA SU PRENOTAZIONE
PRODUZIONE ANNUA 35.000 bottiglie
ETTARI VITATI 4,50
AZIENDA SOSTENIBILE

Operativa dalla metà degli anni '80, la
famiglia Penna è riuscita vendemmia dopo
vendemmia ad insediare stabilmente i vini
di Cascina Barisèl tra i più interessanti del
comprensorio astigiano. Tutto ruota attorno
ai siti calcarei del comune di Canelli, che
accolgono le vigne di proprietà e le varietà
più rappresentative della zona: barbera,
dolcetto e moscato in testa. A completare lo
scacchiere ampelografico e la conseguente
versatile gamma ci sono le parcelle coltivate
a favorita, chardonnay e pinot nero
(utilizzate per produrre uno Spumante
Metodo Classico). Quest'anno a convincerci
sono stati soprattutto il Nizza Vigna dei Pilati
Riserva '15, dalle note di cacao, spezie e
frutti neri, cui fa seguito un palato di grande
potenza e acidità, equilibrato e dal lungo
finale succoso, e la Barbera d'Asti Superiore
La Cappelletta '17, che mette in evidenza
aromi di china, ginepro e grafite e un
palato ricco, polposo e di bella sapidità.
Nota di merito all'Enrico Penna Extra Brut
Metodo Classico '15, allo stesso tempo
vibrante e cremoso.

● Barbera d'Asti Sup. La Cappelletta '17	🏆🏆	4
● Nizza V. dei Pilati Ris. '15	🏆🏆	6
● Barbera d'Asti Sup. Listoria '18	🏆🏆	3
○ Enrico Penna Extra Brut M. Cl. '15	🏆🏆	5
○ Moscato d'Asti Canelli '19	🏆🏆	2*
● Barbera d'Asti '19	🏆	2
● Barbera d'Asti '18	🍷🍷	2*
● Barbera d'Asti '17	🍷🍷	2*
● Barbera d'Asti Sup. La Cappelletta '16	🍷🍷	4
● Barbera d'Asti Sup. La Cappelletta '15	🍷🍷	4
● Barbera d'Asti Sup. Listoria '17	🍷🍷	3
● Barbera d'Asti Sup. Listoria '16	🍷🍷	3*
● Barbera d'Asti Sup. Nizza V. dei Pilati '13	🍷🍷	6
○ Enrico Penna Brut M. Cl. '15	🍷🍷	5
● Moscato d'Asti Canelli '17	🍷🍷	2*
○ Moscato d'Asti Canelli '16	🍷🍷	2*

Cascina Bongiovanni

LOC. UCCELLACCIO
VIA ALBA BAROLO, 3
12060 CASTIGLIONE FALLETTO [CN]
TEL. 0173262184
www.cascinabongiovanni.com

VENDITA DIRETTA
VISITA SU PRENOTAZIONE
OSPITALITÀ
PRODUZIONE ANNUA 50.000 bottiglie
ETTARI VITATI 7,20
AZIENDA SOSTENIBILE

Procede a vele spiegate il lavoro di Davide Mozzone, alla guida della cantina fondata nel 1950 da Giovanni Bongiovanni. Otto gli ettari vitati lavorati che si estendono tra i comuni di Castiglione Falletto, Serralunga d'Alba, Monforte d'Alba, Diano d'Alba e San Pietro in Govone. La gamma produttiva è ricca e ampia, si spazia da vini di pronta beva a vini da lungo invecchiamento, proposti con uno stile ben ponderato tra tradizione e modernità, con apporti speziati mai eccessivi o fuori luogo. Propone un carattere particolarmente complesso il Barolo Pernanno '16, scuro nel frutto e ricco di richiami di goudron ed erbe secche nel palato ricco di succo. Intensa nel suo profilo tostato la Barbera d'Alba '18 che regala una bocca molto fine, agile e dinamica. Ottimo anche il Barolo '16 che si presenta armonico e solido sulla struttura. Di buon livello il resto della gamma.

★Cascina Ca' Rossa

LOC. CASCINA CA' ROSSA, 56
12043 CANALE [CN]
TEL. 017398348
www.cascinacarossa.com

VENDITA DIRETTA
VISITA SU PRENOTAZIONE
PRODUZIONE ANNUA 90.000 bottiglie
ETTARI VITATI 16,00
VITICOLTURA Biologico Certificato

Angelo Ferrio, uno degli interpreti più ispirati del Roero e del suo nebbiolo, da anni propone alcune tra le migliori espressioni del territorio roerino per tipicità, finezza ed eleganza. I vigneti aziendali, situati tra Canale, Santo Stefano Roero e Vezza d'Alba, contano tra loro dei cru di grande qualità, a partire dalle vecchie vigne di Audinaggio nello storico Valmaggiore, per proseguire con Mompissano o Le Coste. Alla gamma dei Roero si aggiungono delle riuscite etichette di Roero Arneis e Barbera d'Alba, oltre a un classico Birbet. Anche quest'anno i vari cru aziendali sono davvero di alto livello. A conquistarci è stato il Rocro Mompissano Riserva '17, elegante nelle sue note di sottobosco e frutti neri, dai tannini di grande finezza, fresco e dal finale lungo e saporito. Affascinante il Roero Valmaggiore Audinaggio '18, sempre di grande finezza e tensione, di buona materia e sapidità, succoso e lungo, mentre il Roero Le Coste '17 è complesso e grintoso, con toni speziati e di frutti neri.

● Barolo Pernanno '16	🏆🏆 7
● Barbera d'Alba '18	🏆🏆 4
● Barolo '16	🏆🏆 6
● Dolcetto d'Alba '19	🏆🏆 3
○ Langhe Arneis '19	🏆🏆 3
● Langhe Nebbiolo '18	🏆🏆 4
● Dolcetto di Diano d'Alba '19	🏆 3
● Barolo Pernanno '01	🏆🏆🏆 6
● Barolo '15	🏆🏆 6
● Barolo Pernanno '15	🏆🏆 7
● Barolo Pernanno '14	🏆🏆 7
● Barolo Pernanno '13	🏆🏆 7
● Barolo Ris. '13	🏆🏆 8
● Langhe Nebbiolo '17	🏆🏆 4
● Langhe Rosso Faletto '17	🏆🏆 4

● Roero Mompissano Ris. '17	🏆🏆🏆 5
● Roero Le Coste '17	🏆🏆 5
● Roero Valmaggiore V. Audinaggio '18	🏆🏆 5
○ Roero Arneis Merica '19	🏆🏆 3
● Barbera d'Alba Mulassa '04	🏆🏆🏆 4*
● Barbera d'Alba Mulassa '99	🏆🏆🏆
● Roero Audinaggio '07	🏆🏆🏆 5
● Roero Audinaggio '06	🏆🏆🏆 5
● Roero Audinaggio '01	🏆🏆🏆 5
● Roero Mompissano Ris. '13	🏆🏆🏆 5
● Roero Mompissano Ris. '12	🏆🏆🏆 5
● Roero Mompissano Ris. '10	🏆🏆🏆 5
● Roero Mompissano Ris. '07	🏆🏆🏆 6
● Roero Valmaggiore V. Audinaggio '17	🏆🏆🏆 5
● Roero Valmaggiore V. Audinaggio '16	🏆🏆🏆 5
● Roero Valmaggiore V. Audinaggio '15	🏆🏆🏆 5

Cascina Chicco

VIA VALENTINO, 14
12043 CANALE [CN]
TEL. 0173979411
www.cascinachicco.com

VENDITA DIRETTA
VISITA SU PRENOTAZIONE
PRODUZIONE ANNUA 435.000 bottiglie
ETTARI VITATI 50,00
AZIENDA SOSTENIBILE

L'azienda della famiglia Faccenda ha saputo trovare in questi anni il giusto equilibrio tra le sue radici roerine e il nuovo impegno in terra di Barolo. L'azienda, nata a Canale nel 1950 con un ettaro vitato, oltre alle vigne nel Roero, nei comuni di Canale, Vezza d'Alba, Castellinaldo e Castagnito, conta infatti su circa otto ettari a Monforte d'Alba. Le etichette proposte sono esclusivamente a base di vitigni autoctoni e sono impostate per la ricerca del giusto equilibrio tra precisione tecnica ed espressione del carattere territoriale. Splendido il Barolo Rocche di Castelletto '16, dai sentori di tabacco e liquirizia in primo piano, seguiti da note di lampone, anice, rosa, mentre il palato è ricco di frutto, dai tannini setosi, di grande equilibrio e complessità. Quasi sullo stesso piano il Barolo Ginestra Riserva '13, dai toni di sottobosco e fiori secchi, lungo e dalla trama tannica vellutata. Di ottima qualità anche la produzione roerina, in particolare la piacevole e fruttata Barbera d'Alba Bric Loira '18.

Cascina Corte

FRAZ. SAN LUIGI
B.TA VALDIBERTI, 33
12063 DOGLIANI [CN]
TEL. 0173743539
www.cascinacorte.it

VENDITA DIRETTA
VISITA SU PRENOTAZIONE
OSPITALITÀ
PRODUZIONE ANNUA 30.000 bottiglie
ETTARI VITATI 5,00
VITICOLTURA Biologico Certificato
AZIENDA SOSTENIBILE

La scommessa iniziata esattamente vent'anni orsono è stata vinta. Sandro Barosi è stato in questo periodo riconosciuto e stimato come un grande interprete delle uve dolcetto e, ancor più, come maestro di uno stile di lavoro viticolo ed enologico che mette al centro la natura e non la tecnologia, il rispetto dell'ambiente e non gli additivi chimici. Al celebre Dogliani Vigna Pirochetta si uniscono proposte della Doc Langhe che spaziano dalla Nascetta al Riesling passando per il Nebbiolo. Mettono d'accordo tutti la freschezza e la vegetalità del Dogliani Superiore Pirochetta Vecchie Vigne '18, che non gioca tanto sull'eleganza del frutto quanto sulle possibili sfaccettature dell'uva dolcetto. Più potente e ricco il Dogliani San Luigi '19, dotato di intensi frutti rossi e di richiami di mandorla. Intenso e deciso il dorato Langhe Riesling '19, destinato ad aprirsi nei prossimi anni di bottiglia ma già ora apprezzabile grazie alle note agrumate e alla sentita acidità.

● Barolo Rocche di Castelletto '16	♟♟♟5
● Barbera d'Alba Bric Loira '18	♟♟4
● Barolo Ginestra Ris. '13	♟♟8
○ Arcass	♟♟4
⊙ Cuvée Zero Extra Brut Rosé M. Cl. '16	♟♟4
● Langhe Nebbiolo '19	♟♟3
● Nebbiolo d'Alba Mompissano '18	♟♟4
○ Roero Arneis Anterisio '19	♟♟3
● Roero Valmaggiore Ris. '17	♟♟4
● Barbera d'Alba Granera Alta '19	♟3
○ Cuvée Zero Extra Brut M. Cl. '16	♟4
● Roero Montespinato '18	♟3
○ Arcàss Passito '04	♟♟♟4
● Barbera d'Alba Bric Loira '98	♟♟♟4*
● Barolo Ginestra Ris. '11	♟♟♟8
● Nebbiolo d'Alba Mompissano '99	♟♟♟3*
● Roero Valmaggiore Ris. '12	♟♟♟4*

● Dogliani San Luigi '19	♟♟3
● Dogliani Sup. Pirochetta V. V. '18	♟♟3
● Langhe Barbera '18	♟♟3
○ Langhe Riesling '19	♟♟3
● L'Imprevisto	♟5
● Langhe Barbera Amphorae '18	♟3
○ Langhe Nascetta '19	♟3
● Langhe Nebbiolo Amphorae '18	♟4
● Dogliani Vecchie V. Pirochetta '08	♟♟♟3*
● Barbetto	♟♟2*
● Dogliani '15	♟♟3*
● Dogliani Sup. Pirochetta V. V. '17	♟♟3*
● Dogliani Sup. Pirochetta V. V. '15	♟♟3
● Dogliani Sup. Pirochetta V. V. Anfora '17	♟♟3
● Langhe Nebbiolo '17	♟♟4
● Langhe Nebbiolo Anfora '17	♟♟4

Cascina delle Rose

FRAZ. TRE STELLE
S.DA RIO SORDO, 58
12050 BARBARESCO [CN]
TEL. 0173638292
www.cascinadellerose.it

VENDITA DIRETTA
VISITA SU PRENOTAZIONE
OSPITALITÀ
PRODUZIONE ANNUA 30.000 bottiglie
ETTARI VITATI 5,00
VITICOLTURA Biologico Certificato

Il giovane Davide, figlio della sempre attiva fondatrice della cantina, Giovanna Rizzolio, ha ormai preso in mano la conduzione agronomica, che cura con una passione e un rispetto esemplari, tanto da fargli rifiutare proposte di ampliamento dei vigneti nel timore che le maggiori dimensioni vitate possano impedirgli di curare personalmente ogni filare. L'altro figlio, Riccardo, si è a sua volta ben inserito in azienda e segue soprattutto i rapporti con gli appassionati clienti. La filosofia aziendale si richiama alla classicità della tradizione, interpretata con eleganza e fedeltà al territorio. Ottima struttura nel ricco Barbaresco Rio Sordo '17, elegante nei profumi fruttati quanto incisivo sul palato grazie alla buona componente tannica: intrigante oggi, sarà ancora più affascinante dopo un periodo di maturazione in bottiglia. Fresco e dotato di lievi richiami balsamici il Barbaresco Tre Stelle dello stesso anno, già più aperto e fruibile. Particolarmente affascinante l'offerta aromatica del Dolcetto d'Alba A Elizabeth '19.

● Barbaresco Rio Sordo '17	♟♟ 7
● Barbaresco Tre Stelle '17	♟♟ 7
● Dolcetto d'Alba A Elizabeth '19	♟♟ 3
● Langhe Nebbiolo '19	♟ 4
● Barbaresco Rio Sordo '16	♟♟♟ 7
● Barbaresco Rio Sordo '15	♟♟ 5
● Barbaresco Tre Stelle '16	♟♟ 7
● Barbaresco Tre Stelle '15	♟♟ 5
● Barbera d'Alba '17	♟♟ 3
● Barbera d'Alba '16	♟♟ 4
● Barbera d'Alba Sup. Donna Elena '15	♟♟ 4
● Dolcetto d'Alba A Elizabeth '18	♟♟ 3
● Langhe Nebbiolo '18	♟♟ 4
● Langhe Nebbiolo '16	♟♟ 4

Cascina Fonda

VIA SPESSA, 29
12052 MANGO [CN]
TEL. 0173677877
www.cascinafonda.com

VENDITA DIRETTA
VISITA SU PRENOTAZIONE
OSPITALITÀ
PRODUZIONE ANNUA 110.000 bottiglie
ETTARI VITATI 12,00

Cascina Fonda nasce alla fine degli anni '80, quando i fratelli Massimo e Marco decidono di iniziare ad imbottigliare i vini prodotti dalla tenuta di famiglia, avviata nei primi anni '60 da papà Secondino. Il nucleo della proposta si focalizza dapprima sul moscato, declinato in diverse tipologie sulla base delle caratteristiche peculiari evidenziate dai siti di Mango e Neive. Parallelamente viene sviluppata anche una pregevole batteria di rossi tradizionali, dove spiccano in particolare il nebbiolo da Barbaresco e il Dolcetto, senza trascurare i Brachetto. L'Asti Spumante Bel Piasì si presenta con belle note fresche di salvia e pesca, seguite da un palato giocato più; sulla finezza che sulla dolcezza, ben sostenuto dall'acidià; e con un finale di notevole lunghezza. Tra i migliori della tipologia il Moscato d'Asti Canelli '19, dai ricchi aromi di pesca e frutta candita, rosmarino e menta, armonico ed equilibrato, lungo ed elegante. Ben realizzato anche il Moscato Spumante Tardivo, balsamico e ricco di frutto.

○ Asti Spumante Bel Piasì '19	♟♟ 2*
○ Moscato d'Asti Canelli '19	♟♟ 2*
○ Driveri Extra Brut M. Cl.	♟♟ 5
○ Moscato d'Asti Bel Piano '19	♟♟ 2*
○ Tardivo Moscato Spumante	♟♟ 3
○ Asti Bel Piasì '18	♟♟ 2*
○ Asti Bel Piasì '16	♟♟ 2*
○ Asti Spumante Bel Piasì '15	♟♟ 2*
○ Brut Nature	♟♟ 4
● Dolcetto d'Alba Brusalino '14	♟♟ 2*
○ La Tardja '16	♟♟ 3*
○ Moscato d'Asti Bel Piano '18	♟♟ 2*
○ Moscato d'Asti Bel Piano '16	♟♟ 2*
○ Moscato d'Asti Bel Piano '14	♟♟ 2*
○ Moscato Spumante Chiara Blanc	♟♟ 3
○ Moscato Spumante Tardivo '14	♟♟ 3*
○ Moscato Spumante Tardivo '12	♟♟ 3*

Cascina Fontana

Loc. Perno
v.lo della Chiesa, 2
12065 Monforte d'Alba [CN]
Tel. 0173789005
www.cascinafontana.com

VENDITA DIRETTA
VISITA SU PRENOTAZIONE
PRODUZIONE ANNUA 26.000 bottiglie
ETTARI VITATI 5,00
AZIENDA SOSTENIBILE

Pur mantenendo la dimensione aziendale ad un livello assolutamente artigianale, Mario Fontana è fiero di essersi attorniato di una bella squadra di collaboratori, che negli anni si sono ben inseriti nel suo progetto di realizzare vini puri e schietti, immediati nella loro diretta espressione dell'uva. Anche i locali di vinificazione e affinamento sono stati ampliati, al solo fine di consentire il più sereno lavoro dei lieviti sui mosti e un confortevole periodo di maturazione del Barolo nelle botti. I risultati sono qualitativamente importanti e, anche a livello commerciale, i riconoscimenti da parte degli appassionati non sono mancati, così come il plauso della critica enologica. Un solo vino pronto per le degustazioni di quest'anno. Intenso e ricco di aromi di tabacco e fiori secchi ma con un frutto ancora presente il Barolo del comune di Castiglione Falletto Vecchie Vigne '15; la bocca è armonica e calda, con tannini austeri ma non asciutti e la polpa fruttata è ben vitale sino al lungo finale.

Cascina Gilli

Fraz. Nevissano, 36
14022 Castelnuovo Don Bosco [AT]
Tel. 0119876984
www.cascinagilli.it

VENDITA DIRETTA
VISITA SU PRENOTAZIONE
PRODUZIONE ANNUA 100.000 bottiglie
ETTARI VITATI 12,00
AZIENDA SOSTENIBILE

Cascina Gilli si configura come una delle realtà più sorprendenti del basso Monferrato. Guidata da Gianni Vergnano insieme al figlio Paolo, Giovanni Matteis e Gianpiero Gerbi, ha il grande merito di aver portato progressivamente attenzione su zone e varietà non così battute dalle rotte regionali. Nei siti attorno la cantina sul bricco di Cornareto, a Castelnuovo Don Bosco, incontriamo soprattutto l'omonima malvasia e la freisa; arrivano invece da Albugnano e dalla collina di Schierano a Passerano Marmorito bonarda e barbera. Anche il millesimo 2018 della Freisa d'Asti Il Forno è un riferimento per la tipologia: intenso e raffinato al naso, con aromi floreali, di frutti neri e pepe, ha un palato bocca polposo e di notevole struttura, dai tannini in evidenza ma anche ben gestiti e dal finale lungo e di grande carattere. Come al solito ben realizzato anche il resto della gamma, tra cui spicca la Barbera d'Asti Le More '18, dai sentori di sottobosco, cacao e spezie, ricco di polpa, lungo e persistente.

● Barolo del Comune di Castiglione Falletto V. V. '15	♟♟♟ 7
● Barolo '12	♟♟♟ 6
● Barolo '10	♟♟♟ 7
● Barbera d'Alba '17	♟♟ 3
● Barbera d'Alba '16	♟♟ 3
● Barbera d'Alba '14	♟♟ 3
● Barbera d'Alba '13	♟♟ 3
● Barbera d'Alba '11	♟♟ 5
● Barolo '15	♟♟ 6
● Barolo '14	♟♟ 6
● Barolo '13	♟♟ 6
● Barolo '11	♟♟ 6
● Barolo del Comune di Castiglione Falletto V. V. '13	♟♟ 7

● Freisa d'Asti Il Forno '18	♟♟ 2*
● Barbera d'Asti Le More '18	♟♟ 3
● Barbera d'Asti Sup. Dedica '17	♟♟ 4
● Freisa d'Asti Sup. Arvelé '16	♟♟ 3
● Malvasia di Castelnuovo Don Bosco '19	♟♟ 2*
● Barbera d'Asti Le More '16	♟♟ 2*
● Barbera d'Asti Le More '15	♟♟ 2*
● Barbera d'Asti Sup. Dedica '16	♟♟ 3
● Dlcà	♟♟ 3
● Freisa d'Asti Arvelé '15	♟♟ 3*
● Freisa d'Asti Il Forno '17	♟♟ 2*
● Freisa d'Asti Il Forno '16	♟♟ 2*
● Freisa d'Asti Il Forno '15	♟♟ 2*
● Malvasia di Castelnuovo Don Bosco '18	♟♟ 2*
● Malvasia di Castelnuovo Don Bosco '17	♟♟ 2*
● Malvasia di Castelnuovo Don Bosco '16	♟♟ 2*
● Piemonte Bonarda Sernù '16	♟♟ 2*

Cascina Guido Berta

LOC. SALINE, 63
14050 SAN MARZANO OLIVETO [AT]
TEL. 0141856731
www.cascinaguidoberta.com

★★Cascina La Barbatella

S.DA ANNUNZIATA, 55
14049 NIZZA MONFERRATO [AT]
TEL. 0141701434
www.labarbatella.com

VENDITA DIRETTA
VISITA SU PRENOTAZIONE
PRODUZIONE ANNUA 68.000 bottiglie
ETTARI VITATI 20,00

VENDITA DIRETTA
VISITA SU PRENOTAZIONE
PRODUZIONE ANNUA 25.000 bottiglie
ETTARI VITATI 4,00

San Marzano Oliveto, Calamandrana e Agliano Terme: sono i tre comuni del Monferrato Astigiano che ospitano i vigneti appartenenti a Guido Berta e famiglia. Parliamo di un'azienda che da oltre vent'anni si mette in luce per il prezioso lavoro portato avanti in particolare sulla barbera e su una delle sue espressioni più carismatiche: il Nizza. Ma non vanno certo trascurate la cura e la coerenza stilistica che legano la proposta nel suo insieme, completata dai vini a base chardonnay, moscato e nebbiolo, riconoscibile per il virtuoso mix di vivacità e tensione. Sempre di buona fattura il Nizza Canto di Luna. La versione 2017 alle note di bacche nere e spezie fa seguire un palato sapido e di buona freschezza acida, cui manca giusto un filo di frutto. La Barbera d'Asti Superiore '17 invece propone sentori di china e terra bagnata e ha un palato ricco e armonico, mentre il Piemonte Chardonnay '18 evidenzia note di frutta bianca e spezie dolci, con un fondo minerale, per un finale fresco, lungo e di carattere.

È già trascorso un decennio da quando Lorenzo e Cinzia Perego rilevarono l'azienda avviata nei primi anni '80 da Angelo Sonvico, partendo da una cascina-tenuta (denominata La Barbatella) posizionata sui pendii di Nizza Monferrato. Un corpo unico fortemente caratterizzato dai suoli sabbioso-calcarei, consacrato naturalmente in primis alla barbera, che qui evidenzia un'impronta snella ed elegante. Vi si affiancano altre varietà autoctone ed internazionali, che contribuiscono ad una proposta di stile contemporaneo, sempre molto affidabile. Torna ai Tre Bicchieri il Nizza La Vigna dell'Angelo. Splendida la versione 2017, dagli aromi che spaziano dalla frutta matura alle spezie, passando per note di cacao, liquirizia e grafite, mentre il palato stupisce per profondità, eleganza e persistenza. Ottima anche la Nizza La Vigna dell'Angelo Riserva '16, ricca di frutto e di notevole struttura, dai toni di ciliegia matura e china, con un fondo speziato su cui si innesta l'acidità, per un finale equilibrato e fresco.

● Barbera d'Asti Sup. '17	♀♀ 4
● Nizza Canto di Luna '17	♀♀ 5
○ Piemonte Chardonnay '18	♀♀ 4
● Barbera d'Asti '18	♀ 3
● M.to Rosso '17	♀ 5
○ Moscato d'Asti '19	♀ 3
● Barbera d'Asti '17	♀♀ 3*
● Barbera d'Asti Le Rondini '16	♀♀ 3
● Barbera d'Asti Sup. '16	♀♀ 3
● M.to Rosso '16	♀♀ 4
○ Moscato d'Asti '17	♀♀ 3
○ Moscato d'Asti '16	♀♀ 3
● Nizza Canto di Luna '16	♀♀ 5
● Nizza Canto di Luna '15	♀♀ 5
● Nizza Canto di Luna '14	♀♀ 5

● Nizza La V. dell'Angelo '17	♀♀♀ 5
● Nizza La V. dell'Angelo Ris. '16	♀♀ 5
● Barbera d'Asti La Barbatella '18	♀♀ 3
○ M.to Bianco Non È '18	♀♀ 3
● M.to Rosso Ruanera '17	♀♀ 2*
● M.to Rosso Sonvico '15	♀♀ 6
○ M.to Bianco Noè '18	♀ 3
● Barbera d'Asti Sup. Nizza V. dell'Angelo '11	♀♀♀ 5
● Barbera d'Asti Sup. Nizza V. dell'Angelo '07	♀♀♀ 5
● M.to Rosso Mystère '01	♀♀♀ 6
● M.to Rosso Sonvico '09	♀♀♀ 6
● M.to Rosso Sonvico '06	♀♀♀ 5
● M.to Rosso Sonvico '04	♀♀♀ 5
● M.to Rosso Sonvico '03	♀♀♀ 5
● Nizza La V. dell'Angelo '14	♀♀♀ 5

Cascina Luisin

S.DA RABAJÀ, 34
12050 BARBARESCO [CN]
TEL. 0173635154
cascinaluisin@gmail.com

VISITA SU PRENOTAZIONE
PRODUZIONE ANNUA 30.000 bottiglie
ETTARI VITATI 8,00

Giustamente celebre grazie a una storia che
ha più di un secolo di vini di qualità alle
spalle, Cascina Luisin è oggi diretta da
Roberto Minuto, pronipote del fondatore
Luigi. La conduzione è strettamente
familiare, con uno stile di vinificazione che,
pur adottando lunghe macerazioni sulle
bucce e botti di rovere di Slavonia, è sempre
molto attento alla finezza gustativa. I Minuto
si confermano abilissimi interpreti dell'uva
nebbiolo, declinati nelle diverse
denominazioni delle Langhe. A partire dal
riuscitissimo Barbaresco Riserva '15, di
precisa e fine classicità, già ora riccamente
armonico nell'avvolgente palato, di rara
piacevolezza. Altrettanto ben bilanciato il
Barolo del comune di Serralunga d'Alba
Léon '15, ricco di bacche rosse sotto spirito,
caldo, con una morbida tannicità che dona
potenza alla bocca. Appena più moderno,
con una lieve nota speziata, il convincente
Barbaresco Rabajà '16, mentre è delicato e
raffinato il vellutato Asili '16.

● Barbaresco Rabajà '16	♟♟ 6
● Barbaresco Ris. '15	♟♟ 6
● Barolo del Comune di Serralunga d'Alba Léon '15	♟♟ 7
● Barbaresco Asili '16	♟♟ 6
● Barbaresco Paolin '16	♟♟ 6
● Langhe Nebbiolo Maggiur '18	♟♟ 3
○ Roero Arneis Ave '19	♟ 2

Cascina Morassino

S.DA BERNINO, 10
12050 BARBARESCO [CN]
TEL. 3471210223
morassino@gmail.com

VENDITA DIRETTA
VISITA SU PRENOTAZIONE
PRODUZIONE ANNUA 20.000 bottiglie
ETTARI VITATI 4,50
AZIENDA SOSTENIBILE

Siamo abituati a parlare di Roberto Bianco
come di un giovane serio e scrupoloso,
amante del lavoro di campagna e di cantina
più che delle pubbliche relazioni. Ma
passando a visitarlo si cominciano a
scorgere sul suo viso e sulle sue mani i
segni delle vendemmie che ha seguito da
quando ha creato l'azienda, nel 1984. I
principali vigneti vitati a nebbiolo si trovano
in due cru di primo piano della
denominazione: Ovello e Cottà. Di qui
nascono proposte costantemente armoniche
ed equilibrate, sempre all'insegna della più
raffinata eleganza olfattiva e dalla bocca viva
e intensa. Sono altrettanto curate le
proposte di Barbera e Dolcetto d'Alba. Solo
due etichette di Barbaresco in degustazione.
La bollente estate 2017 ha portato non
poche difficoltà sia in vendemmia sia in
cantina. Ecco quindi che il celebre
Barbaresco Ovello manca quest'anno
dell'usuale freschezza, presentandosi ricco
di sentori di fieno essiccato al naso e
marcato da tannini ruvidi al palato.
Caratteristiche non dissimili nel Morassino,
dotato di maggior equilibrio in bocca.

● Barbaresco Morassino '17	♟♟ 5
● Barbaresco Ovello '17	♟♟ 6
● Barbaresco Morassino '09	♟♟♟ 5
● Barbaresco Ovello '14	♟♟♟ 6
● Barbaresco Morassino '16	♟♟ 5
● Barbaresco Morassino '15	♟♟ 5
● Barbaresco Morassino '14	♟♟ 5
● Barbaresco Morassino '13	♟♟ 5
● Barbaresco Morassino '12	♟♟ 5
● Barbaresco Ovello '16	♟♟ 6
● Barbaresco Ovello '15	♟♟ 6
● Barbaresco Ovello '13	♟♟ 6

Cascina Salicetti

VIA CASCINA SALICETTI, 2
15050 MONTEGIOCO [AL]
TEL. 0131875192
www.cascinasalicetti.it

VENDITA DIRETTA
VISITA SU PRENOTAZIONE
PRODUZIONE ANNUA 25.000 bottiglie
ETTARI VITATI 16,00

L'enologo Anselmo Franzosi guida questa
realtà che si è distinta negli anni per la
qualità e la cura dei prodotti. La svolta è
figlia di un approccio più incisivo nella
gestione dei vigneti e di un uso sempre più
puntuale di tecnologie avanzate in fase di
vinificazione: un volto moderno che
valorizza i vitigni autoctoni, oltre alla
vocazione vinicola del territorio. Dal
patrimonio ampelografico locale nascono
vini genuini e schietti, con una spiccata
propensione all'invecchiamento. Elegante la
versione 2018 del Timorasso Ombra di
Luna, con aromi di agrumi su fondo
minerale e una fase gustativa intensa e
sapida. Caratteristico e varietale il Colli
Tortonesi Rosso Il Seguito, con un taglio
piuttosto morbido che ne agevola la beva.
Mont'Effe è un Dolcetto dagli aromi
tendenti a sensazioni erbacee su un palato
fresco e intenso di buona persistenza.
Piacevole il cortese Montarlino.

○ Colli Tortonesi Timorasso Ombra di Luna '18	♟♟4
○ Colli Tortonesi Cortese Montarlino '18	♟♟4
● Colli Tortonesi Dolcetto Mont'Effe '19	♟♟2*
● Colli Tortonesi Rosso Il Seguito '18	♟♟2*
○ Colli Tortonesi Timorasso Ombra di Luna '15	♟♟♟4*
○ Colli Tortonesi Timorasso Ombra di Luna '17	♟♟4
○ Colli Tortonesi Timorasso Ombra di Luna '16	♟♟4
○ Colli Tortonesi Timorasso Ombra di Luna '13	♟♟4
○ Colli Tortonesi Timorasso Ombra di Luna '11	♟♟3*

Francesca Castaldi

VIA NOVEMBRE, 6
28072 BRIONA [NO]
TEL. 0321826045
www.cantinacastaldi.it

VENDITA DIRETTA
VISITA SU PRENOTAZIONE
PRODUZIONE ANNUA 20.000 bottiglie
ETTARI VITATI 6,30
AZIENDA SOSTENIBILE

Dici Francesca Castaldi e pensi al Fara. Il
binomio che lega questa cantina alla
piccola e storica denominazione - la Doc è
del 1969 - dell'Alto Piemonte è fortissimo.
Il Fara di Francesca ha una carattere del
tutto unico per articolazione e complessità,
forte di suoli rossi ricchi di minerali e una
curatissima gestione delle vigne e interventi
minimi in cantina. La quota della Vespolina
nel blend contribuisce a dare leggerezza e
apporto speziato a un vino di grande
fascino. Da finale il Fara del 2016. Si offre
intenso con aromi che spaziano dalla china
alla liquirizia, poi iodio e rabarbaro su un
bel fondo di lampone; la bocca è di
carattere grazie a tannini fitti, per un finale
maturo e complesso. Molto buono il Colline
Novaresi Nebbiolo Bigin '18 dalle note fini
di anguria e liquirizia; bocca poderosa con
tannini eleganti e polpa che dà sensazione
vellutata di pienezza, finale lungo e
raffinato. Carattere e freschezza
caratterizzano la chiusura del Colline
Novaresi Bianco Lucia '19 da uve erbaluce.

● Fara '16	♟♟5
○ Colline Novaresi Bianco Lucia '19	♟♟3
● Colline Novaresi Nebbiolo Bigin '18	♟♟3
● Colline Novaresi Uva Rara Valceresole '19	♟♟3
● Colline Novaresi Vespolina Nina '19	♟3
○ Colline Novaresi Bianco Lucia '17	♟♟3
○ Colline Novaresi Bianco Lucia '16	♟♟3
● Colline Novaresi Nebbiolo Bigin '15	♟♟3
☉ Colline Novaresi Rosato Rosa Alba '17	♟♟3
● Colline Novaresi Vespolina Nina '16	♟♟3
● Fara '15	♟♟5
● Fara '14	♟♟5
● Fara '13	♟♟5

Castellari Bergaglio

FRAZ. ROVERETO, 136R
15066 GAVI [AL]
TEL. 0143644000
www.castellaribergaglio.it

VENDITA DIRETTA
VISITA SU PRENOTAZIONE
PRODUZIONE ANNUA 90.000 bottiglie
ETTARI VITATI 11,00

La Castellari Bergaglio ha scritto pagine significative nella tradizione vitivinicola locale. Dagli undici ettari vitati nascono una serie di prodotti che sono fedele espressione dei terreni in cui affondano i vigneti. Sono vini di grande personalità, saldamente guidati dallo stile di Marco Bergaglio, che non ha mai voluto inseguire i mercati o la moda del momento, tenendo fede a un concetto classsico e tradizionale di Gavi per una proposta interessante tutta incentrata sull'uva cortese. La produzione si articola di quattro vini fermi, un Metodo Classico e un Passito. Da una annata difficile come la 2014 è nato un capolavoro. Pilin è un vino estremamente elegante, complesso, con aromi di erbe secche e cereali, su note di incenso. Al palato è strepitoso per la potenza che sprigiona e il finale interminabile. Rolona ha un impianto gusto-olfattivo strutturato, intenso e persistente. Di pregevole fattura gli altri vini.

○ Gavi Pilin '14	♉♉♉	5
○ Gavi del Comune di Gavi Rolona '19	♉♉	3*
○ Gavi del Comune di Gavi Rovereto Vignavecchia '17	♉♉	
○ Gavi del Comune di Tassarolo Fornaci '19	♉♉	2*
○ Gavi Brut Ardé M. Cl. '11	♀♀	4
○ Gavi del Comune di Gavi Rolona '18	♀♀	3
○ Gavi del Comune di Gavi Rolona '17	♀♀	3*
○ Gavi del Comune di Gavi Rovereto Vignavecchia '16	♀♀	3*
○ Gavi del Comune di Tassarolo Fornaci '18	♀♀	2*
○ Gavi del Comune di Tassarolo Fornaci '17	♀♀	2*
○ Gavi del Comune di Tassarolo Fornaci '16	♀♀	2*

Castello di Gabiano

VIA SAN DEFENDENTE, 2
15020 GABIANO [AL]
TEL. 0142945004
www.castellodigabiano.com

VENDITA DIRETTA
VISITA SU PRENOTAZIONE
OSPITALITÀ E RISTORAZIONE
PRODUZIONE ANNUA 130.000 bottiglie
ETTARI VITATI 24,00

L'affascinante Castello di Gabiano domina il panorama della valle del Po, in quella che sin dall'VIII secolo era ritenuta una posizione strategica. La tenuta si estende per 260 ettari di cui 24 a vigneto: tra i filari sono protagonisti perlopiù i vitigni autoctoni, barbera, freisa e grignolino, anche se non mancano incursioni tra gli internazionali con chardonnay, sauvignon e pinot nero. La struttura, aggiornata nelle attrezzature per i moderni stili di vinificazione, è affidata alle cure dell'enologo Mario Ronco che la segue dal 2007. Il Gabiano Riserva: A Matilde Giustiniani, ha una fase olfattiva intensa e sfaccettata. Spezie dolci e note di tabacco su un fondo ancora fruttato, anticipano un palato, molto elegante: ricco di polpa, persistente e sapido. Gavius è intenso e articolato al naso, con una fase gustativa: corposa e ricca, che si distende sapida, su un finale persistente. Molto interessanti le altre proposte.

● Gabiano Ris. A Matilde Giustiniani '15	♉♉	8
● Barbera d'Asti La Braja '18	♉♉	4
● Grignolino del M.to Casalese Il Ruvo '19	♉♉	4
○ M.to Bianco Corte '19	♉♉	4
● M.to Rosso Gavius '18	♉♉	5
○ Piemonte Chardonnay Castello '17	♉♉	8
● Piemonte Pinot Nero '18	♉♉	3
● Rubino di Cantavenna '17	♉♉	5

Castello di Neive

c.so Romano Scagliola, 205
12052 Neive [CN]
Tel. 017367171
www.castellodineive.it

VENDITA DIRETTA
VISITA SU PRENOTAZIONE
OSPITALITÀ
PRODUZIONE ANNUA 170.000 bottiglie
ETTARI VITATI 26,00
AZIENDA SOSTENIBILE

L'acquisizione del castello settecentesco da
parte della famiglia Stupino risale al 1964 e
l'impostazione enologica è sempre stata
fedele alla tradizione, seguendo la linea
enologica voluta da Italo, attivissimo
conduttore della cantina. Da allora la ricerca
non si è mai fermata e ha riguardato vitigni,
cloni, tipologie e metodi di affinamento,
andando a spaziare tra l'Arneis e il Metodo
Classico, tra il Pinot Nero e il Riesling. I
principali vigneti da cui nascono le selezioni
di Barbaresco si trovano in due cru di
primario livello, il Santo Stefano e il Gallina. I
visitatori possono degustare le diverse
proposte nell'accogliente Casetta del
Castello. Fine e articolata la proposta
olfattiva del Barbaresco Albesani Santo
Stefano Riserva '15, con lampone ed erbe
officinali in evidenza; il palato è potente e
lungo, polposo e avvolgente, ancora un po'
duro per l'importante e benvenuta presenza
tannica. Tra i migliori dell'annata il
Barbaresco Gallina '17, ricco di spezie dolci
e frutta rossa, armonico e già ben
scorrevole sul lunghissimo palato.

● Barbaresco Albesani Santo Stefano Ris. '15	♈♈8
● Barbaresco Gallina '17	♈♈7
● Barbaresco Albesani Santo Stefano '17	♈♈7
● Barbera d'Alba Sulfites Free '18	♈♈5
○ Langhe Riesling '18	♈♈5
○ Piemonte Pinot Nero M. Cl. '14	♈♈5
● Barbaresco '17	♈6
● Barbera d'Alba Sup. '18	♈6
● Barbaresco Albesani S. Stefano '12	♈♈♈6
● Barbaresco Albesani S. Stefano Ris. '12	♈♈♈8
● Barbaresco Albesani S. Stefano Ris. '11	♈♈♈8
● Barbaresco Albesani Santo Stefano Ris. '13	♈♈♈8
● Barbaresco S. Stefano Ris. '01	♈♈♈7
● Barbaresco S. Stefano Ris. '99	♈♈♈7
● Barbaresco Albesani Santo Stefano '16	♈♈8

Castello di Tassarolo

loc. Alborina, 1
15060 Tassarolo [AL]
Tel. 0143342248
www.castelloditassarolo.it

VENDITA DIRETTA
VISITA SU PRENOTAZIONE
PRODUZIONE ANNUA 130.000 bottiglie
ETTARI VITATI 20,00
VITICOLTURA Biologico Certificato
AZIENDA SOSTENIBILE

Possiamo annoverare il Castello di Tassarolo
tra le realtà più importanti del mondo del
Gavi, per la storia millenaria della famiglia
Spinola, ma anche perché, già a partire dal
2006, l'azienda si è impegnata in prima
linea nella produzione a basso impatto
ambientale. Tra i primi in zona ad
implementare la conduzione biodinamica,
ciò ha ridefinito lo stile dei vini. Piuttosto
nutrita la gamma delle etichette, in gran
parte ottenute da uve cortese. Gli altri vitigni
utilizzati sono barbera e cabernet sauvignon,
che danno vita a un Piemonte Barbera, un
Monferrato Chiaretto e un Monferrato
Rosso. In questa edizione della guida,
abbiamo degustato solo una parte dei vini in
produzione. Il Gavi del Comune di Tassarolo
Il Castello, si presenta con aromi di
albicocca su note di mandorla, che
anticipano un palato fresco e persistente.
Marchesi Spinola ha uno stile più centrato
sulla macerazione, che fa emergere sul
finale di bocca, una leggera nota tannica. Di
beva piacevole lo Sparklig Spinola.

○ Gavi del Comune di Tassarolo Il Castello '19	♈♈3
○ Gavi del Comune di Tassarolo Sparkling Spinola '19	♈2
○ Gavi del Comune di Tassarolo Spinola '19	♈2
○ Gavi del Comune di Tassarolo Alborina '16	♈♈3*
○ Gavi del Comune di Tassarolo Alborina '15	♈♈3
○ Gavi del Comune di Tassarolo Il Castello '18	♈♈3*
○ Gavi del Comune di Tassarolo Il Castello '16	♈♈3*
○ Gavi del Comune di Tassarolo Spinola '17	♈♈2*

Castello di Uviglie

VIA CASTELLO DI UVIGLIE, 73
15030 ROSIGNANO MONFERRATO [AL]
TEL. 0142488132
www.castellodiuviglie.com

VENDITA DIRETTA
VISITA SU PRENOTAZIONE
PRODUZIONE ANNUA 90.000 bottiglie
ETTARI VITATI 25,00

L'azienda di Rosignano Monferrato è senza dubbio tra quelle che hanno contribuito al rilancio enologico del territorio: il contesto è di quelli che unisce la storia secolare del feudo di Uviglie alla tecnologia che caratterizza una moderna cantina. La produzione è quella tipica della zona, con vini ottenuti in prevalenza da vitigni autoctoni, mentre gli internazionali concorrono alla creazione dei fragranti bianchi. Stile moderno, uso attento dei legni, ma anche del cemento vetrificato, e valorizzazione dell'ottima materia prima sono le caratteristiche principali perseguite da Simone Lupano. Barbera e grignolino sono tra i punti di forza dell'azienda. Pico Gonzaga è intenso al naso con pregevoli aromi di mora di gelso e ribes nero, su note di cacao. In bocca, bella freschezza a regolare la ricchezza della polpa e finale molto lungo. Intenso con belle note di pepe su fondo vegetale, il grignolino 19. Al palato: fresco e intenso, con un tannino di carattere. Di pregio le altre proposte.

● Barbera del M.to Sup. Pico Gonzaga '17	♟♟ 5
● Grignolino del M.to Casalese San Bastiano '19	♟♟ 3*
● Barbera del M.to Bricco del Conte '19	♟♟ 2*
● Barbera del M.to Sup. Le Cave '18	♟♟ 3
● Grignolino del M.to Casalese Monferace San Bastiano Terre Bianche '15	♟♟ 5
○ Le Cave Extra Brut M. Cl. '16	♟♟ 5
○ Piemonte Chardonnay Ninfea '19	♟♟ 2*
● Barbera del M.to Sup. Le Cave '16	♟♟♟ 3*
● Barbera del M.to Sup. Le Cave '13	♟♟♟ 3*
● Barbera del M.to Sup. Le Cave '09	♟♟♟ 3*
● Barbera del M.to Sup. Le Cave '07	♟♟♟ 3*
● Barbera del M.to Sup. Pico Gonzaga '13	♟♟♟ 5
● Barbera del M.to Sup. Pico Gonzaga '07	♟♟♟ 4*

Castello di Verduno

VIA UMBERTO I, 9
12060 VERDUNO [CN]
TEL. 0172470284
www.cantinecastellodiverduno.it

VENDITA DIRETTA
VISITA SU PRENOTAZIONE
OSPITALITÀ E RISTORAZIONE
PRODUZIONE ANNUA 68.000 bottiglie
ETTARI VITATI 10,00
AZIENDA SOSTENIBILE

Il meraviglioso castello di proprietà di Gabriella Burlotto e Franco Bianco porta con sé storie dei Savoia e di Re Carlo Alberto. Oggi, grazie al supporto prezioso delle tre figlie e rispettive famiglie, è diventato un elegante albergo, ristorante di livello, abbinando perfettamente l'anima della cantina e quella dell'agriturismo. Sono dieci gli ettari curati tra la zona del Barbaresco (Faset e Rabajà) e Barolo (Massara e Monvigliero). I vini sono all'insegna della classicità, maturati in botti grandi; da non perdere la straordinaria piacevolezza del Pelaverga. Partiamo dalla goduriosa versione di Verduno Basadone, piacevolissimo nei suoi lampi di pepe e freschezza, la bocca leggera e ariosa, il finale delicatamente tannico e continuo. Ottimo il Barbaresco Rabajà Riserva '15 che mette in primo piano un frutto rosso fresco e fragrante, poi tabacco e liquirizia. Abbina finezza e polpa in una trama progressiva per un finale di carattere. Particolarmente ricca e strutturata la versione del Barbaresco Rabajà-Bas, la 2017 ha materia e polpa generosa.

● Barbaresco Rabajà Ris. '15	♟♟ 8
● Verduno Basadone '19	♟♟ 3*
● Barbaresco Rabajà '17	♟♟ 6
● Barbaresco Rabajà-Bas '17	♟♟ 6
● Barolo Massara '16	♟♟ 6
● Barbaresco Rabajà '04	♟♟♟ 6
● Barolo Massara '08	♟♟♟ 6
● Barolo Massara '01	♟♟♟ 6
● Barolo Monvigliero Ris. '08	♟♟♟ 7
● Barolo Monvigliero Ris. '04	♟♟♟ 7
● Barbaresco '16	♟♟ 5
● Barbaresco Rabajà '16	♟♟ 6
● Barbaresco Rabajà-Bas '16	♟♟ 6
● Barolo '15	♟♟ 5
● Barolo Massara '15	♟♟ 6
● Barolo Monvigliero Ris. '13	♟♟ 7
● Verduno Basadone '18	♟♟ 3*

La Caudrina

VIA VALLE BERA, 10
12053 CASTIGLIONE TINELLA [CN]
TEL. 0141855126
www.caudrina.it

VENDITA DIRETTA
VISITA SU PRENOTAZIONE
PRODUZIONE ANNUA 200.000 bottiglie
ETTARI VITATI 25,00

I vigneti di moscato dell'azienda di Romano Dogliotti sono situati nel comune di Castiglione Tinella, su suoli principalmente marnoso calcarei, e vedono la presenza di piante di una media d'età di oltre quarant'anni. Barbera, nebbiolo e dolcetto sono coltivati in una tenuta a Nizza Monferrato, mentre lo chardonnay nasce in un vigneto di Ottiglio Monferrato. I vini sono d'impianto tradizionale, con una particolare attenzione a garantire allo stesso tempo tipicità e precisione aromatica. Bel rientro in Guida per La Caudrina. Tra i migliori della tipologia il Moscato d'Asti La Galeisa '19, intenso al naso nelle sue note di frutta tropicale, pesca e canditi, e dal palato ricco e dolce, ma equilibrato dalla buona tenuta acida, per un finale lungo e di grande piacevolezza. Altrettanto riuscito il Nizza Montevenere '16, di grande classicità nei suoi toni di ciliegia e terra bagnata, dai tannini presenti ma ben gestiti, brillante e grintosa. Ben realizzati gli altri vini presentati.

○ Moscato d'Asti La Galeisa '19	♟♟	3*
● Nizza Montevenere '16	♟♟	3*
○ Asti La Selvatica	♟♟	3
● Barbera d'Asti La Solista '18	♟♟	2*
● Barbera d'Asti La Solista '17	♟♟	2*
○ Moscato d'Asti La Caudrina '19	♟♟	3
○ Piemonte Chardonnay Mej '17	♟♟	3
● Barbera d'Asti La Solista '13	♟♟	2*
● Barbera d'Asti La Solista '12	♟♟	2*
○ Moscato d'Asti '13	♟♟	3*
○ Moscato d'Asti La Caudrina '15	♟♟	3
○ Moscato d'Asti La Caudrina '12	♟♟	3*
○ Moscato d'Asti La Galeisa '15	♟♟	3
○ Moscato d'Asti La Galeisa '14	♟♟	3
○ Moscato d'Asti La Galeisa '13	♟♟	3
○ Piemonte Moscato Passito Redento '11	♟♟	4

★Cavallotto
Tenuta Bricco Boschis

LOC. BRICCO BOSCHIS
VIA ALBA-MONFORTE
12060 CASTIGLIONE FALLETTO [CN]
TEL. 017362814
www.cavallotto.com

VENDITA DIRETTA
VISITA SU PRENOTAZIONE
PRODUZIONE ANNUA 110.000 bottiglie
ETTARI VITATI 25,00
VITICOLTURA Biologico Certificato

Alfio Cavallotto ci accoglie con un sorriso uscendo dalla portella di un'enorme botte di rovere che stava ripulendo dai sedimenti accumulatisi durante la maturazione del vino. E ci tiene a precisare di come sia fiero dell'unione di strumenti tradizionali, quali appunto i suoi giganteschi contenitori in legno, con le più moderne tecniche di vinificazione. Il nome della cantina è sinonimo, oltre che di altissima qualità, di rigoroso rispetto ambientale, perseguito attraverso erbe, minerali e infusi che hanno ormai da tempo preso il posto della chimica. Il risultato si apprezza al meglio nel Barolo Bricco Boschis, che è la quintessenza della classicità e della purezza dell'uva nebbiolo. Solo due proposte di Barolo in degustazione quest'anno. I nitidi profumi di lampone ed erbette del Bricco Boschis '16 lasciano spazio a un palato sontuoso, di rara armonia fondata su un magistrale connubio di acidità, tannini e polpa fruttata: un capolavoro gustativo. Più matura e severa la Riserva Vigna San Giuseppe '13, dal ricco finale che volge verso il rabarbaro.

● Barolo Bricco Boschis '16	♟♟	8
● Barolo Bricco Boschis		
V. San Giuseppe Ris. '13	♟♟	8
● Barolo Bricco Boschis '12	♟♟♟	8
● Barolo Bricco Boschis '05	♟♟♟	6
● Barolo Bricco Boschis '04	♟♟♟	7
● Barolo Bricco Boschis		
V. S. Giuseppe Ris. '05	♟♟♟	8
● Barolo Bricco Boschis		
V. S. Giuseppe Ris. '01	♟♟♟	7
● Barolo Bricco Boschis		
V. S. Giuseppe Ris. '00	♟♟♟	7
● Barolo Bricco Boschis		
V. S. Giuseppe Ris. '99	♟♟♟	7
● Barolo Vignolo Ris. '06	♟♟♟	8
● Barolo Vignolo Ris. '04	♟♟♟	8

Le Cecche

VIA MOGLIA GERLOTTO, 10
12055 DIANO D'ALBA [CN]
TEL. 3316357664
www.lececche.it

VENDITA DIRETTA
VISITA SU PRENOTAZIONE
PRODUZIONE ANNUA 35.000 bottiglie
ETTARI VITATI 8,00
AZIENDA SOSTENIBILE

Quello che vent'anni fa poteva sembrare un passatempo è andato consolidandosi anno dopo anno e Jean Jules de Bruyne è oggi il timoniere di una cantina che propone una gamma di vini di pregevole livello, senza eccezioni. Divenuta ben presto un punto di riferimento per l'elegante interpretazione dell'uva dolcetto nel Diano d'Alba docg, da poche vendemmie presenta anche curate selezioni di Barolo, realizzate anche grazie alla competenza di un enologo dell'esperienza di Piero Ballario. Inoltre si attendono a breve i frutti dei nuovi vigneti acquisiti a Bossolasco, in Alta Langa. Impressionante livello qualitativo di tutta la proposta. Il vertice della piacevolezza è quest'anno raggiunto dal Fiammingo, un originale assemblaggio di merlot, nebbiolo e barbera, tanto raffinato quanto armonico. Nella valida proposta di Barolo, ci piace sottolineare la potenza e la nitida complessità del Bricco San Pietro '16. Merita un elogio anche il profumatissimo Langhe Bianco '19, stravagante e riuscita unione di uve manzoni bianco e timorasso.

● Barolo Bricco San Pietro '16	♟♟ 6
● Langhe Rosso Fiammingo '18	♟♟ 4
● Barolo Borzone '16	♟♟ 5
● Barolo Sorano '16	♟♟ 6
● Diano d'Alba '19	♟♟ 2*
○ Langhe Bianco '19	♟♟ 2*
● Langhe Rosso '19	♟♟ 2*
● Nebbiolo d'Alba '17	♟♟ 3
● Barbera d'Alba '17	♟♟ 3
● Barolo Borzone '15	♟♟ 6
● Barolo Bricco San Pietro '15	♟♟ 6
● Barolo Sorano '15	♟♟ 5
● Diano d'Alba '18	♟♟ 2*
● Langhe Rosso Fiammingo '17	♟♟ 3
● Nebbiolo d'Alba '16	♟♟ 3

★ Ceretto

LOC. SAN CASSIANO, 34
12051 ALBA [CN]
TEL. 0173282582
www.ceretto.com

VENDITA DIRETTA
VISITA SU PRENOTAZIONE
RISTORAZIONE
PRODUZIONE ANNUA 900.000 bottiglie
ETTARI VITATI 130,00
VITICOLTURA Biologico Certificato
AZIENDA SOSTENIBILE

La famiglia Ceretto è entrata nel mondo del vino nel 1937, seguendo un'evoluzione emblematica dello sviluppo enologico delle Langhe. Nei primi decenni la produzione si è basata molto sulle uve acquistate al mercato di Alba, dove confluivano centinaia di coltivatori con i loro carri. A partire dagli anni '70 vi è poi la nascita delle etichette relative ai grandi cru di Barbaresco e Barolo, quindi nel 1985 si crea il geniale Blangé, un Arneis che ha avuto un immediato successo planetario. Mentre gli ettari vitati di proprietà continuano ad aumentare, dal 2010 vi è, inoltre, l'adesione al biologico. La maestria del cantiniere emerge con chiarezza dalla finezza con cui sono state realizzate le proposte di Barbaresco nella non facile annata 2017. A partire dalla versione "base", che è un gioiellino di eleganza e di rotondità in bocca. L'Asili è la perfetta rappresentazione della classicità, non molto ricco in struttura ma suadente, nitido e armonico. Belle note di liquirizia e tannini eleganti caratterizzano lo splendido Prapò '16.

● Barbaresco '17	♟♟ 6
● Barbaresco Asili '17	♟♟ 8
● Barolo Bricco Rocche '16	♟♟ 8
● Barolo Prapò '16	♟♟ 8
● Barbaresco Bernardot '17	♟♟ 8
● Barolo '16	♟♟ 7
● Barolo Brunate '16	♟♟ 8
● Barolo Bussia '16	♟♟ 8
● Nebbiolo d'Alba '18	♟♟ 5
○ Langhe Arneis Blangé '19	♟ 4
● Barbaresco Asili '16	♟♟♟ 8
● Barbaresco Asili '15	♟♟♟ 8
● Barbaresco Asili '13	♟♟♟ 8
● Barolo Bricco Rocche '13	♟♟♟ 8

Cerutti

VIA CANELLI, 205
14050 CASSINASCO [AT]
TEL. 0141851286
www.cascinacerutti.it

VENDITA DIRETTA
VISITA SU PRENOTAZIONE
PRODUZIONE ANNUA 25.000 bottiglie
ETTARI VITATI 8,00
AZIENDA SOSTENIBILE

Gianmario è la quarta generazione della famiglia Cerutti a condurre l'azienda, fondata dal bisnonno Enrico negli anni '30 del secolo scorso. I vigneti aziendali sono situati tutt'attorno alla cascina, tra Cassinasco, in un clima fresco e su terreni sabbiosi, ideale per la coltivazione di moscato e chardonnay, e Canelli, in un clima più caldo, su terreni con maggiore presenza di limo e argilla, più indicati per la barbera. Oltre a queste uve vengono coltivate anche pinot nero e cortese. Tra i migliori della tipologia, il Moscato d'Asti Canelli Surì Sandrinet '19 al naso evidenzia note di zafferano e salvia, pesca ed erbe officinali, cui fa seguito un palato di grande complessità e altrettanta finezza, dall'acidità vibrante. La Barbera d'Asti '19 è una classica Barbera d'annata, dai toni di ciliegia, polposa e con un finale giocato sulla freschezza e la piacevolezza. Ottimo anche l'Alta Langa Brut Cuvée Enrico Cerutti '16, dagli aromi di frutta bianca e pane tostato, di bella finezza, sapido ed equilibrato.

● Barbera d'Asti '19	♟♟	3*
○ Moscato d'Asti Canelli Surì Sandrinet '19	♟♟	3*
○ Alta Langa Brut Cuvée Enrico Cerutti '16	♟♟	5
● Barbera d'Asti Sup. Fòje Rùsse '17	♟	4
○ Cortese dell'Alto M.to '19	♟	3
○ Alta Langa Brut Cuvée Enrico Cerutti '15	♟♟	3
● Barbera d'Asti '17	♟♟	2*
● Barbera d'Asti '15	♟♟	2*
● Barbera d'Asti Sup. Fòje Rùsse '16	♟♟	4
● Barbera d'Asti Sup. Fòje Rùsse '15	♟♟	4
● Barbera d'Asti Sup. Foje Russe '12	♟♟	4
○ Enrico Cerutti Brut M. Cl.	♟♟	3
○ Moscato d'Asti Canelli Surì Sandrinet '18	♟♟	2*
○ Moscato d'Asti Canelli Surì Sandrinet '16	♟♟	2*
○ Moscato d'Asti Canelli Surì Sandrinet '15	♟♟	2*
○ Piemonte Chardonnay Riva Granda '17	♟♟	3
○ Piemonte Chardonnay Riva Granda '15	♟♟	3

★★Michele Chiarlo

S.DA NIZZA-CANELLI, 99
14042 CALAMANDRANA [AT]
TEL. 0141769030
www.michelechiarlo.it

VENDITA DIRETTA
VISITA SU PRENOTAZIONE
OSPITALITÀ
PRODUZIONE ANNUA 1.100.000 bottiglie
ETTARI VITATI 150,00
AZIENDA SOSTENIBILE

Tre poli produttivi, una decina di tenute vitate, oltre venti etichette e una copertura pressoché completa delle più reputate denominazioni piemontesi: solo alcuni dei numeri che sintetizzano l'importanza acquisita nel tempo dal marchio battezzato da Michele Chiarlo negli anni '50. Basti pensare alla rosa dei cru messi insieme tra Langhe, Monferrato e Alessandrino: Cerequio, Cannubi, Asili, Faset per Barolo e Barbaresco, La Court per il Nizza, Rovereto per il Gavi, la batteria permette di esaltare le doti migliori di nebbiolo, barbera, cortese, moscato e tante altre tipologie, autoctone e non. Splendido il Barolo Cerequio '16, che al naso si presenta con note di menta e anice, liquirizia e frutto rosso fresco di grande nitidezza, mentre il palato è armonico, pieno, con una trama tannica fitta e progressiva a dare carattere e lunghezza. Tra i vini di Langa spicca anche il Barolo Cannubi '16 elegante, lungo e di buona freschezza. Tra gli astigiani si conferma il Nizza La Court Riserva '17, dai toni speziati, compatto e di bella sapidità.

● Barolo Cerequio '16	♟♟♟	8
● Barolo Cannubi '16	♟♟	8
● Barolo Cerequio Ris. '13	♟♟	8
● Nizza La Court Ris. '17	♟♟	6
● Barbaresco Faset '17	♟♟	8
○ Gavi del Comune di Gavi Rovereto '19	♟♟	3
● Nizza Cipressi '18	♟♟	4
● Piemonte Albarossa '17	♟	3
● Barbera d'Asti Sup. Nizza La Court '13	♟♟♟	5
● Barbera d'Asti Sup. Nizza La Court '12	♟♟♟	5
● Barbera d'Asti Sup. Nizza La Court '09	♟♟♟	5
● Barolo Cerequio '10	♟♟♟	7
● Barolo Cerequio '09	♟♟♟	7
● Barolo Cerequio '07	♟♟♟	7
● Nizza La Court Ris. '15	♟♟♟	6

Chionetti

FRAZ. FRAZ. SAN LUIGI
B.TA VALDIBERTI, 44
12063 DOGLIANI [CN]
TEL. 017371179
www.chionettiquinto.com

VENDITA DIRETTA
VISITA SU PRENOTAZIONE
PRODUZIONE ANNUA 83.000 bottiglie
ETTARI VITATI 15,00
VITICOLTURA Biologico Certificato
AZIENDA SOSTENIBILE

Nicola Chionetti crede con assoluta convinzione nelle potenzialità del Dogliani, frutto esclusivamente di uve dolcetto, tanto che alle classiche etichette del celebre nonno Quinto - Briccolero e San Luigi - ha voluto unire il ricco La Costa, che fruisce di un delicatissimo passaggio in botte grande e che pertanto esce con un anno di ritardo. È altrettanto convinto che il completamento della sua azienda debba avvenire attraverso la realizzazione del vino più celebre delle Langhe, ed ecco quindi la nascita delle prime etichette di Barolo, per il momento proposto in poche migliaia di bottiglie, accompagnato dal Nebbiolo La Chiusa. Molta polpa fruttata e rovere ancora in evidenza nel riuscito Barolo Parussi '16, dal palato concentrato e di giovanile tannicità. Corposo, intrigante e ricco di bacche nere il deciso Dogliani Briccolero '19, mentre è già più espressivo e aperto il San Luigi '19, che spazia con disinvoltura dalle erbette fresche al cacao. Ciliegie mature e buon calore alcolico nella complessa Barbera d'Alba Vigna San Sebastiano '18.

● Barolo Parussi '16	♟♟ 7
● Dogliani Briccolero '19	♟♟ 3*
● Barbera d'Alba V. San Sebastiano '18	♟♟ 4
● Dogliani San Luigi '19	♟♟ 3
○ Langhe Riesling '19	♟♟ 3
● Barolo Bussia V. Pianpolvere '16	♟ 6
● Langhe Nebbiolo La Chiusa '18	♟ 4
● Dolcetto di Dogliani Briccolero '07	♟♟♟ 3*
● Dolcetto di Dogliani Briccolero '04	♟♟♟ 3*
● Barolo Bussia V. Pianpolvere '15	♟♟ 6
● Barolo Primo '15	♟♟ 6
● Dogliani Briccolero '18	♟♟ 3
● Dogliani Briccolero '17	♟♟ 3*
● Dogliani La Costa '17	♟♟ 4
● Dogliani San Luigi '18	♟♟ 3
● Dogliani San Luigi '17	♟♟ 3*

Ciabot Berton

FRAZ. SANTA MARIA, 1
12064 LA MORRA [CN]
TEL. 017350217
www.ciabotberton.it

VENDITA DIRETTA
VISITA SU PRENOTAZIONE
PRODUZIONE ANNUA 70.000 bottiglie
ETTARI VITATI 14,00

Una cantina con vista. Da bei vigneti di proprietà la famiglia Oberto ricava espressioni di prim'ordine incentrate soprattutto sull'uva nebbiolo. Già nell'Ottocento era stata avviata l'attività vitivinicola ma è solo intorno agli anni Sessanta del secolo scorso che l'azienda inizia a imbottigliare col proprio marchio. Oggi è Marco a guidare l'azienda, che può vantare parcelle in cru storici quali Roggeri, Bricco San Biagio, Rive, Cappallotti, Pira e Rocchettevino. Oltre al nebbiolo, troviamo altre varietà tipiche piemontesi: dolcetto, barbera e favorita. La freschezza aromatica è un tratto comune. Pregevolissima la trama tannica del Barolo Rocchettevino '15, nitido nei richiami tostati e speziati, armonico, a dir poco cremoso nella grana, dal finale equilibrato e continuo. Offre una beva molto piacevole anche il Barolo Rocchettevino '15, il frutto è carnoso e il finale molto ben disteso. Nota di merito per la Barbera d'Alba Fisetta '18, scura nel frutto, stuzzicante nei toni di erba appena tagliata e liquirizia, che nascondono una struttura morbida ricca di sapore.

● Barolo Rocchettevino '15	♟♟ 6
● Barbera d'Alba Fisetta '18	♟♟ 2*
● Barolo '15	♟♟ 5
● Barolo del Comune di La Morra '16	♟♟ 5
● Barolo Roggeri '15	♟♟ 6
● Dolcetto d'Alba Rutuin '18	♟♟ 2*
● Langhe Nebbiolo 3 Utin '18	♟ 3
● Barbera d'Alba Fisetta '17	♟♟ 3
● Barbera d'Alba V. Bricco S. Biagio '17	♟♟ 4
● Barbera d'Alba V. Bricco S. Biagio '16	♟♟ 4
● Barolo del Comune di La Morra '13	♟♟ 5
● Barolo Rocchettevino '14	♟♟ 6
● Barolo Rocchettevino '13	♟♟ 6
● Barolo Rocchettevino '12	♟♟ 6
● Barolo Roggeri '13	♟♟ 6
● Langhe Nebbiolo 3 Utin '16	♟♟ 3

Cieck

Cascina Castagnola, 2
10090 San Giorgio Canavese [TO]
Tel. 0124330522
www.cieck.it

VENDITA DIRETTA
VISITA SU PRENOTAZIONE
PRODUZIONE ANNUA 85.000 bottiglie
ETTARI VITATI 12,00

Remo Falconieri ha iniziato l'attività aziendale nel 1985 e i risultati sono stati positivi, in particolare grazie all'apprezzamento ottenuto dall'Alladium, un Passito che si è subito collocato tra i migliori della tipologia a livello nazionale. È veramente suggestivo osservare, durante le visite invernali alla cantina, centinaia di grappoli appesi a telai che per mesi concentrano la propria ricchezza zuccherina e minerale. Senza dimenticare che ottimi risultati si sono ottenuti anche con i Metodo Classico e con i bianchi fermi, tra cui consigliamo di assaggiare sia il classico Misobolo sia il nuovo Erbaluce di Caluso T. Bel risultato per l'Erbaluce di Caluso T '18, derivante da uve del celebre vigneto Misobolo raccolte tardivamente, nel mese di novembre: conserva una buona acidità, è bello secco pur in presenza di una bocca piuttosto grossa e avvolgente, ha una fine componente floreale al naso che lo rende di sicura piacevolezza. Semplice e immediato il facile Erbaluce di Caluso '19. Splendido stile ossidativo nell'Erbaluce di Caluso Passito Alladium Riserva '06.

○ Erbaluce di Caluso Passito Alladium Ris. '06	TT 6
○ Erbaluce di Caluso T '18	TT 3
○ Erbaluce di Clauso Passito Alladium '13	TT 5
● Canavese Nebbiolo '17	T 3
○ Erbaluce di Caluso '19	T 2
○ Erbaluce di Caluso Extra Brut M. Cl. San Giorgio '17	T 4
○ Erbaluce di Caluso Passito Alladium '06	YYY 5
○ Caluso Passito Alladium Ris. '05	YY 5
○ Erbaluce di Caluso Brut San Giorgio '16	YY 4
○ Erbaluce di Caluso Passito Alladium '10	YY 5
○ Erbaluce di Caluso T '16	YY 3*

★F.lli Cigliuti

via Serraboella, 17
12052 Neive [CN]
Tel. 0173677185
www.cigliuti.it

VENDITA DIRETTA
VISITA SU PRENOTAZIONE
PRODUZIONE ANNUA 30.000 bottiglie
ETTARI VITATI 7,50

La porzione posseduta nel cru Serraboella - che si estende per circa 25 ettari vitati - gode di un'esposizione e di un'altitudine particolarmente felici: è qui che dal 1964 Renato Cigliuti raccoglie personalmente le sue uve più pregiate, con risultati che hanno fatto entrare questa piccola cantina nel gotha del Barbaresco. L'impostazione agricola è particolarmente attenta alla salubrità dei terreni, tanto che sono banditi i prodotti di sintesi e che per le concimazioni ci si limita ad utilizzare il sovescio. Le capaci figlie Claudia e Silvia si stanno dimostrando ben in grado di procedere sulla strada della qualità. Tanta struttura nei frutti della ricca vendemmia '16: il Barbaresco Serraboella è deciso, potente, un filo tannico, con un naso che unisce un richiamo di cuoio ai piccoli frutti rossi. Il Vie Erte ha note lievemente più fresche che virano verso la mentuccia e palato aggraziato. Moderne e circonfuse di rovere entrambe le gradevoli Barbere d'Alba '17.

● Barbaresco Serraboella '16	TT 8
● Barbaresco Vie Erte '16	TT 6
● Barbera d'Alba V. Serraboella '17	TT 4
● Langhe Nebbiolo '18	TT 5
● Barbera d'Alba Campass '17	T 5
● Barbaresco '83	YYY 6
● Barbaresco Serraboella '13	YYY 8
● Barbaresco Serraboella '11	YYY 7
● Barbaresco Serraboella '10	YYY 7
● Barbaresco Serraboella '09	YYY 7
● Barbaresco Serraboella '01	YYY 6
● Barbaresco Serraboella '00	YYY 6
● Barbaresco V. Erte '04	YYY 6
● Barbaresco Serraboella '15	YY 8
● Barbaresco Serraboella '14	YY 8
● Barbaresco Vie Erte '15	YY 6
● Barbaresco Vie Erte '14	YY 6

★Tenute Cisa Asinari dei Marchesi di Grésy

LOC. MARTINENGA
S.DA DELLA STAZIONE, 21
12050 BARBARESCO [CN]
TEL. 0173635222
www.marchesidigresy.com

VENDITA DIRETTA
VISITA SU PRENOTAZIONE
OSPITALITÀ
PRODUZIONE ANNUA 200.000 bottiglie
ETTARI VITATI 35,00
AZIENDA SOSTENIBILE

L'azienda agricola ha origini antiche, ma è stato Alberto di Grésy, con cui collaborano da pochi anni i figli, a portare la cantina nel gotha dei produttori di qualità delle Langhe. Ciò grazie non solo alla splendida tenuta della Martinenga, in cui nascono vini di grande eleganza e preziosa longevità, ma anche al voluto stile aziendale basato sulla finezza e sulla delicatezza che la potente uva nebbiolo è comunque in grado di proporre. Complessità, nitidezza aromatica e territorialità sono così divenuti i veri e riconoscibili emblemi della cantina. L'aroma del Barbaresco Martinenga Camp Gros Riserva '15 è di meravigliosa classicità e finezza, con un tenue sfondo di frutti rossi maturi su cui si innestano i primi eleganti sentori di liquirizia; la bocca è solida e quasi austera, con i delicati tannini già ben inseriti nella ricca polpa. Ancora lievemente avvolto in dolci sentori di rovere l'incisivo Gaiun '16, assai gradevole e ricco di personalità. Precisa e affascinante armonia nel caldo Martinenga '17.

● Barbaresco Martinenga Camp Gros Ris. '15	♟♟♟	8
● Barbaresco Martinenga '17	♟♟	8
● Barbaresco Martinenga Gaiun '16	♟♟	8
● Dolcetto d'Alba Monte Aribaldo '18	♟♟	3
● Langhe Nebbiolo '19	♟♟	4
○ Langhe Sauvignon '19	♟♟	4
● M.to Rosso Merlot DaSolo '12	♟♟	5
● Langhe Rosso Virtus '12	♟	6
○ Moscato d'Asti La Serra '19	♟	2
● Barbaresco Camp Gros Martinenga '09	♟♟♟	8
● Barbaresco Camp Gros Martinenga '08	♟♟♟	8
● Barbaresco Camp Gros Martinenga Ris. '13	♟♟♟	8
● Barbaresco Martinenga Camp Gros Ris. '12	♟♟♟	8

★★Domenico Clerico

LOC. MANZONI, 67
12065 MONFORTE D'ALBA [CN]
TEL. 017378171
www.domenicoclerico.com

VISITA SU PRENOTAZIONE
PRODUZIONE ANNUA 110.000 bottiglie
ETTARI VITATI 21,00

Giuliana Viberti è dotata di personalità e determinazione, come sta ben dimostrando da quando è alla guida della cantina, dove si avvale della collaborazione di Oscar Arrivabene. Lo stile produttivo sta seguendo il percorso già iniziato da Domenico Clerico e prevede un Barolo sempre ben strutturato, elegante e ricco di aromi, senza che il legno abbia più quel rilievo che lo caratterizzava negli anni '90. La proposta enologica è composta da nove etichette, tutte di livello sopraffino. Splendidi risultati del Barolo nella vendemmia 2016. A primeggiare per eleganza e potenza è l'Aeroplanservaj, celebre anche per le sue artistiche etichette, ricco di frutto ma già dotato di accenni di liquirizia al naso, mentre il palato è armonico, ricchissimo e lungo, fresco di gioventù ma già pienamente apprezzabile. Pregevole anche la versione "base", ancor più fruttata e appena meno incisiva. Il celebre Pajana nasce nel magico cru Ginestra e lo dimostra con le sue suadenti note mentolate e l'elegante progressione gustativa.

● Barolo '16	♟♟	6
● Barolo del Comune di Serralunga d'Alba Aeroplanservaj '16	♟♟	7
● Barolo Pajana '16	♟♟	8
● Barolo Ciabot Mentin '16	♟♟	8
● Barolo Percristina '10	♟♟	8
● Dolcetto d'Alba Visadì '18	♟♟	3
● Langhe Rosso Arte '17	♟♟	5
● Barbera d'Alba Trevigne '17	♟	6
● Langhe Nebbiolo Capisme-e '18	♟	5
● Barolo Ciabot Mentin '08	♟♟♟	8
● Barolo Ciabot Mentin Ginestra '05	♟♟♟	8
● Barolo Ciabot Mentin Ginestra '04	♟♟♟	8
● Barolo Ciabot Mentin Ginestra '01	♟♟♟	7
● Barolo Ciabot Mentin Ginestra '99	♟♟♟	8
● Barolo Percristina '01	♟♟♟	8
● Barolo Percristina '99	♟♟♟	8

★Elvio Cogno

VIA RAVERA, 2
12060 NOVELLO [CN]
TEL. 0173744006
www.elviocogno.com

VENDITA DIRETTA
VISITA SU PRENOTAZIONE
OSPITALITÀ
PRODUZIONE ANNUA 90.000 bottiglie
ETTARI VITATI 15,00
VITICOLTURA Biologico Certificato
AZIENDA SOSTENIBILE

Una trentina di proprietari e una quindicina di etichette di Barolo hanno la propria base produttiva nel cru Ravera, che con i suoi 50 ettari vitati a nebbiolo si pone tra i più importanti di tutta l'area, non solo per le dimensioni ma anche per i risultati qualitativi. All'interno di questa pregiata zona, Valter Fissore e Nadia Cogno possiedono splendide posizioni, tra cui svettano il Bricco Pernice e Vigna Elena, con la Cascina Nuova in grado di dare a sua volta risultati assoluti anche grazie alle viti particolarmente vecchie. La cantina è stata ripetutamente arricchita di spazi sotterranei che la rendono affascinante e meritevole di una visita. L'armonico Barolo Ravera '16 è ricco di frutti e fiori rossi, dal lampone alla viola, ed è dotato di un palato ricco di carattere e già particolarmente bilanciato, dall'affascinante finale di liquirizia dolce. Ricco e polposo il Barolo Ravera Bricco Pernice '15, figlio di una vendemmia densa di un frutto fresco che dona una succosa piacevolezza. Importante e vivo il Barolo Ravera Vigna Elena Riserva '14.

● Barolo Ravera '16	♀♀	8
● Barolo Ravera Bricco Pernice '15	♀♀	8
● Barolo Ravera V. Elena Ris. '14	♀♀	8
● Barbaresco Bordini '17	♀♀	5
● Barolo Cascina Nuova '16	♀♀	6
● Dolcetto d'Alba Mandorlo '19	♀♀	3
○ Langhe Nascetta del Comune di Novello Anas-Cëtta '19	♀♀	4
● Barbera d'Alba Bricco dei Merli '18	♀	4
● Barolo Bricco Pernice '11	♀♀♀	8
● Barolo Bricco Pernice '09	♀♀♀	8
● Barolo Bricco Pernice '08	♀♀♀	8
● Barolo Ravera '11	♀♀♀	7
● Barolo Ravera Bricco Pernice '13	♀♀♀	8
● Barolo Ravera Bricco Pernice '12	♀♀♀	8
● Barolo Ravera V. Elena Ris. '13	♀♀♀	8

Col dei Venti

S.DA COMUNALE BALBI, 25
12053 CASTIGLIONE TINELLA [CN]
TEL. 0141793071
www.coldeiventi.com

VISITA SU PRENOTAZIONE
PRODUZIONE ANNUA 35.000 bottiglie
ETTARI VITATI 10,00

Compie 18 anni l'azienda di Ornella Cordara, che realizza vini delle principali denominazioni di Langhe e Monferrato. L'impresa è strettamente familiare ed è dotata di tutte le competenze interne necessarie, grazie anche all'attiva collaborazione dei due figli, Sara laureata in Enologia e Ivan in Economia. La produzione ha il cuore pulsante nel Moscato d'Asti, che arriva a circa 20.000 bottiglie annue, ma anche le proposte qualitativamente meno rilevanti, come il Barolo Debútto, sono curate con grande maestria. Come ben dimostra la versione del 2016, particolarmente fine, aggraziata e armonica, ricca di frutta rossa e di richiami di china che tornano anche nel lunghissimo finale. Molto piacevole l'elegante Barbaresco Túfoblu '17, appena velato da un giovanile tocco di rovere. Degli aromi di prugna e un tocco di tostato nella nitida e fresca Barbera d'Asti Petràia '17. Una valida cantina in espansione quantitativa e qualitativa.

● Barolo Debútto '16	♀♀	8
● Barbaresco Túfoblu '17	♀♀	8
● Barbera d'Asti Petràia '17	♀♀	3
○ Infiore Brut	♀	3
● Barbaresco Túfoblu '16	♀♀	6
● Barbaresco Túfoblu '15	♀♀	6
● Barbaresco Túfoblu '14	♀♀	6
● Barbaresco Túfoblu '13	♀♀	6
● Barbera d'Alba Sopralta '15	♀♀	3
● Barbera d'Asti '15	♀♀	2*
● Barbera d'Asti Sup. '11	♀♀	3
● Barolo Debútto '15	♀♀	7
● Barolo Debútto '14	♀♀	7
● Barolo Debútto '13	♀♀	7
● Barolo Debútto '12	♀♀	6
● Barolo Debútto '11	♀♀	6
● Langhe Nebbiolo Lampio '17	♀♀	4

Poderi Colla

FRAZ. SAN ROCCO SENO D'ELVIO, 82
12051 ALBA [CN]
TEL. 0173290148
www.podericolla.it

VENDITA DIRETTA
VISITA SU PRENOTAZIONE
PRODUZIONE ANNUA 150.000 bottiglie
ETTARI VITATI 26,00

L'azienda nasce ufficialmente nel 1994 anche se troviamo dei documenti che attestano la presenza nel mondo del vino già all'inizio del 1700. Nel 1930 nasce Beppe Colla che partecipa alla stesura dei disciplinari di produzione delle denominazioni dei vini di Alba. Tra i primi in Langa ad aver valorizzato i cru vinificandoli separatamente, Beppe Colla è stato anche uno degli antesignani della viticoltura sostenibile. Negli anni '50 nasce il figlio Tino, che diventa il riferimento in azienda, con la figlia Federica e il nipote Pietro. Molto affascinante il profilo del Barbaresco Roncaglie '17, nitido nel frutto rosso fragrante e nei toni di tabacco e corteccia; la bocca è insieme potente e dinamica, il finale molto lungo e ben articolato. Intenso nella trama fumé e il frutto scuro il Langhe Bricco del Drago '16 che sfoggia un perfetto equilibrio tra polpa e trama tannica. Austero e classico il Barolo Dardi Le Rose '16: ripercorrerà le orme dei grandi Barolo della famiglia.

● Barbaresco Roncaglie '17	♟♟ 6
● Barolo Bussia Dardi Le Rose '16	♟♟ 6
● Langhe Bricco del Drago '16	♟♟ 4
● Nebbiolo d'Alba Drago '18	♟♟ 3
○ Pietro Colla Blanc de Noirs Extra Brut M. Cl. '16	♟♟ 5
● Barbera d'Alba Costa Bruna '18	♟ 3
● Langhe Pinot Nero Campo Romano '17	♟ 4
⊙ Nebbiolo d'Alba Rosé Extra Brut M. Cl. '13	♟ 5
● Barbaresco Roncaglie '16	♀♀ 6
● Barbaresco Roncaglie '15	♀♀ 6
● Barolo Bussia Dardi Le Rose '15	♀♀ 6
● Barolo Bussia Dardi Le Rose '14	♀♀ 6
● Dolcetto d'Alba Pian Balbo '18	♀♀ 2*

La Colombera

LOC. VHO
S.DA COMUNALE PER VHO, 7
15057 TORTONA [AL]
TEL. 0131867795
www.lacolomberavini.it

VENDITA DIRETTA
VISITA SU PRENOTAZIONE
PRODUZIONE ANNUA 80.000 bottiglie
ETTARI VITATI 24,00
AZIENDA SOSTENIBILE

La famiglia Semino gestisce con competenza e serietà questa bella realtà sulle colline di Vho, subito sopra Tortona. La prima etichetta de La Colombera risale al 1998, mentre dalla prima vendemmia di Timorasso sono passati circa vent'anni: quattro lustri che hanno cambiato l'economia di un territorio e trasformato La Colombera nell'azienda dinamica e moderna che conosciamo oggi. I prodotti hanno raggiunto uno standard qualitativo straordinario su tutte le etichette, a partire dagli eccellenti vini base, a dimostrazione della cura e della passione che i Semino mettono nel loro lavoro. Il Montino, come un faro nella notte, sorprende sempre per la fragranza degli aromi e per l'eleganza, che ne argina la potenza gustativa. Sentori minerali su note di pietra focaia caratterizzano il Derthona, un Timorasso ricco, intenso e molto persistente. Aspetto molto giovanile e brillante per la Barbera Elisa. Vegia Rampana '19 è una Barbera fresca e succosa. Da provare i vini da uve croatina.

○ Colli Tortonesi Timorasso Il Montino '18	♟♟♟ 5
○ Colli Tortonesi Timorasso Derthona '18	♟♟ 4
● Colli Tortonesi Barbera Elisa '17	♟♟ 4
○ Colli Tortonesi Cortese Bricco Bartolomeo '19	♟♟ 2*
● Colli Tortonesi Croatina Arché '18	♟♟ 4
● Colli Tortonesi Croatina La Romba '19	♟♟ 3
● Colli Tortonesi Rosso Suciaja '17	♟♟ 4
○ Colli Tortonesi Timorasso Il Montino '17	♀♀♀ 5
○ Colli Tortonesi Timorasso Il Montino '16	♀♀♀ 5
○ Colli Tortonesi Timorasso Il Montino '13	♀♀♀ 5
○ Colli Tortonesi Timorasso Il Montino '09	♀♀♀ 5

Colombo - Cascina Pastori

REG. CAFRA, 172B
14051 BUBBIO [AT]
TEL. 0144852807
www.colombovino.it

VENDITA DIRETTA
VISITA SU PRENOTAZIONE
PRODUZIONE ANNUA 40.000 bottiglie
ETTARI VITATI 10,00
AZIENDA SOSTENIBILE

Il progetto di Cascina Pastori prende forma nei primi anni 2000 dalla passione per il vino di Antonio Colombo, cardiologo di fama internazionale che successivamente ha fortemente voluto farsi affiancare dall'immenso enologo Riccardo Cotarella. Le vigne di proprietà si collocano in collina, all'interno di un suggestivo anfiteatro che guarda a sud-est ed insiste su terreni marnoso-calcarei, ideali per la coltivazione di pinot nero, chardonnay e moscato, interpretati con stile virtuosamente moderno a partire da vinificazioni parcellari. Sempre di alto livello il Piemonte Pinot Nero Maxima. La versione 2016 al naso è particolarmente ampia, con note di frutta rossa, china e liquirizia, tabacco e spezie, mentre il palato è grintoso e potente, con tannini eleganti e un lungo finale. Testimone di una significativa crescita nella spumantistica invece l'Alta Langa Brut Rosé Riserva 60 Mesi '13, dal perlage fine e persistente, con toni di frutti di bosco e pasticceria, ricco ed equilibrato, fresco e di carattere. Un Tre Bicchieri meritatissimo.

⊙ Alta Langa Brut Rosé 60 Mesi Ris. '13	♈♈♈ 5
○ Piemonte Chardonnay	
Blanc de Blancs 60 Mesi M. Cl. '14	♈♈ 4
● Piemonte Pinot Nero Maxima '16	♈♈ 5
● Piemonte Pinot Nero Apertura '16	♈♈♈ 4*
● Piemonte Pinot Nero Apertura '15	♈♈♈ 3*
⊙ Alta Langa Brut Rosé Silvì Ris. '12	♈♈ 5
○ Piemonte Chardonnay Onisia '18	♈♈ 2*
○ Piemonte Chardonnay Spumante	
Blanc de Blancs 48 Mesi M. Cl. '14	♈♈ 5
○ Piemonte Chardonnay Spumante	
Blanc de Blancs Andrè M. Cl. '13	♈♈ 5
● Piemonte Pinot Nero Apertura '14	♈♈ 3*
● Piemonte Pinot Nero Apertura '13	♈♈ 3
● Piemonte Pinot Nero	
Apertura Maxima '12	♈♈ 8

Diego Conterno

VIA MONTÀ, 27
12065 MONFORTE D'ALBA [CN]
TEL. 0173789265
www.diegoconterno.it

VENDITA DIRETTA
VISITA SU PRENOTAZIONE
PRODUZIONE ANNUA 40.000 bottiglie
ETTARI VITATI 7,50

Il 2003 è l'anno della svolta: Diego, mettendo a frutto l'esperienza alla Conterno Fantino, decide di prendere la sua strada in solitaria. Oggi cura sette ettari per una realtà familiare virtuosa, con il prezioso supporto del figlio Stefano, sempre più centrale nel progetto. La cantina gode di una posizione sicuramente panoramica, con vista sulle colline di Monforte fino a perdita d'occhio sulle Alpi cuneesi. Tra i cru di Barolo, troviamo Le Coste e Ginestra, che maturano in botti grandi, accanto alle interpretazioni di Barbera e Nascetta. Ma la famiglia ha deciso di posticipare l'uscita del Barolo Ginestra '16 al prossimo anno. Molto classico con tratti misurati di erbe secche, tabacco e china il Barolo del Comune di Monforte d'Alba '16, che ha netti margini di miglioramento in bottiglia. Elegante e ben a fuoco il Barolo '16, dal frutto rosso fresco e fragrante, dall'evoluzione gustativa fine, ben modulata; il finale ha lunghezza e un tratto balsamico molto piacevole. Nitida e molto invitate la Nascetta '19.

● Barolo	
del comune di Monforte d'Alba '16	♈♈ 7
● Barbera d'Alba Ferrione '18	♈♈ 3
● Barolo '16	♈♈ 6
○ Langhe Nascetta '19	♈♈ 3
● Nebbiolo d'Alba Baluma '18	♈♈ 4
● Barolo Le Coste '09	♈♈♈ 6
● Barbera d'Alba Ferrione '16	♈♈ 3
● Barolo '15	♈♈ 6
● Barolo '14	♈♈ 6
● Barolo '13	♈♈ 6
● Barolo Ginestra '15	♈♈ 7
● Barolo Ginestra '14	♈♈ 7
● Barolo Ginestra '13	♈♈ 7
○ Langhe Nascetta '18	♈♈ 3
○ Langhe Nascetta '17	♈♈ 3
● Nebbiolo d'Alba Baluma '15	♈♈ 3

★★★Giacomo Conterno

LOC. ORNATI, 2
12065 MONFORTE D'ALBA [CN]
TEL. 017378221
www.conterno.it

VISITA SU PRENOTAZIONE
PRODUZIONE ANNUA 60.000 bottiglie
ETTARI VITATI 23,00

La ricerca della perfezione continua, e si
deve dire che Roberto Conterno le è sempre
vicino con il suo Monfortino, divenuto uno
dei vini più ambiti a livello mondiale. Tanti
riconoscimenti lo hanno invogliato anche ad
aumentare la proposta di etichette, grazie
ad acquisizioni importanti in cru idonei alla
produzione di Barolo, sempre nell'amato
territorio di Serralunga d'Aba, quali Cerretta
e Arione. Il nostro consiglio è quello di
degustare anche le due sopraffine - e
accessibili - proposte di Barbera d'Alba. Un
po' più in alto in Piemonte, ma sempre con
l'uva nebbiolo in primo piano, ha inoltre
acquisito la storica cantina Nervi, di cui
parliamo nell'autonoma scheda dedicata.
Magnifica riuscita anche nel 2014 del
celeberrimo Barolo Monfortino: in primo
piano note di erbette secche e liquirizia,
mentre lo sfondo è disegnato da un vivo
frutto rosso; la bocca è di grande suadenza,
con la componente fresca che accompagna
una vellutata tannicità: Tre Bicchieri.
Esemplare finezza, progressione gustativa e
complessità nel liquirizioso, persistente e
imperdibile Barolo Arione '16.

● Barolo Monfortino Ris. '14	▼▼▼	8
● Barbera d'Alba V. Francia '18	▼▼	5
● Barolo Arione '16	▼▼	8
● Barolo Francia '16	▼▼	8
● Barolo Cerretta '16	▼▼	8
● Barbera d'Alba V. Cerretta '18	▼	5
● Barolo Cascina Francia '06	♀♀♀	8
● Barolo Cerretta '14	♀♀♀	8
● Barolo Francia '12	♀♀♀	8
● Barolo Francia '10	♀♀♀	8
● Barolo Monfortino Ris. '13	♀♀♀	8
● Barolo Monfortino Ris. '10	♀♀♀	8
● Barolo Monfortino Ris. '08	♀♀♀	8
● Barolo Monfortino Ris. '06	♀♀♀	8
● Barolo Monfortino Ris. '05	♀♀♀	8
● Barolo Monfortino Ris. '04	♀♀♀	8
● Barolo Monfortino Ris. '02	♀♀♀	8

★Paolo Conterno

LOC. GINESTRA, 34
12065 MONFORTE D'ALBA [CN]
TEL. 017378415
www.paoloconterno.com

VENDITA DIRETTA
VISITA SU PRENOTAZIONE
OSPITALITÀ
PRODUZIONE ANNUA 180.000 bottiglie
ETTARI VITATI 37,00
AZIENDA SOSTENIBILE

Viaggiamo nel tempo e andiamo nel 1886
quando Paolo Conterno fonda la casa della
Ginestra, selezionando con straordinaria
cura i terreni e le esposizioni migliori dove
coltivare nebbiolo, barbera e dolcetto. Il
lavoro è stato portato avanti nel tempo con
grande dedizione e competenza, oggi è
Giorgio a condurre questa cantina sempre
più apprezzata nei principali mercati
mondiali. Il suo lavoro travalica la Langa,
gestisce infatti anche l'Antico Podere
Sant'Uffizio tra Astigiano e Monferrato e la
Tenuta Ortaglia a Pratolino, a nord di
Firenze. Il Barolo Ginestra '16 sfoggia una
veste tostata intensa e complessa,
mostrando una fase di piena gioventù, con
un palato ancora molto severo, vena acida
vibrante e carattere. Tre Bicchieri al Barolo
Ginestra Riserva '12, elegante con belle
note di erbe secche e tabacco su un nitido
fondo di bacche rosse: moderno,
complesso e fine. Rivela una bocca
armonica e tannini fitti sostenuti da una
bella polpa morbida, ricca, piena. Il finale
è lunghissimo.

● Barolo Ginestra Ris. '12	▼▼▼	8
● Barolo Ginestra '16	▼▼	8
● Barbera d'Asti Bricco '18	▼▼	3
● Barolo Riva del Bric '16	▼▼	6
○ Langhe Arneis A Val '19	▼▼	4
● Barolo Ginestra '10	♀♀♀	8
● Barolo Ginestra '06	♀♀♀	8
● Barolo Ginestra '05	♀♀♀	8
● Barolo Ginestra Ris. '11	♀♀♀	8
● Barolo Ginestra Ris. '10	♀♀♀	8
● Barolo Ginestra Ris. '09	♀♀♀	8
● Barolo Ginestra Ris. '08	♀♀♀	8
● Barolo Ginestra Ris. '06	♀♀♀	8
● Barolo Ginestra Ris. '05	♀♀♀	8
● Barolo Ginestra Ris. '01	♀♀♀	8
● Barbera d'Alba La Ginestra '17	♀♀	4
● Barbera d'Asti Bricco '17	♀♀	3

Contratto

VIA G. B. GIULIANI, 56
14053 CANELLI [AT]
TEL. 0141823349
www.contratto.it

VENDITA DIRETTA
VISITA SU PRENOTAZIONE
PRODUZIONE ANNUA 140.000 bottiglie
ETTARI VITATI 21,00

Una sede aziendale da fare invidia alle più prestigiose maison di Champagne, insieme all'esperienza e all'energia di un fuoriclasse come Giorgio Rivetti, costituiscono la principale somma di fattori che sta contribuendo a riscrivere la storia di questa importante azienda del panorama spumantistico piemontese e nazionale. I tempi del vino di qualità non consentono accelerazioni troppo rapide e, in quest'ottica, si muove l'universo Contratto di questi ultimi anni. Lo straordinario patrimonio vitato in Alta Langa ne costituirà l'ulteriore tassello per la progressiva costruzione di un grande mosaico. La batteria presentata quest'anno, valida in maniera uniforme, vede la Special Cuvée Extra Brut '12 distinguersi per definizione gustativa, complessità olfattiva e sapidità. Ottimo anche il Piemonte Pas Dosé '15, potente, gustoso e armonico all'interno del suo profilo verticale e minerale. Menzione d'obbligo per il De Miranda Metodo Classico da uve moscato, coinvolgente e affascinante nella sua singolarità.

○ Piemonte Pas Dosé M. Cl. '15	♟♟ 5
○ Special Cuvée Extra Brut M. Cl. '12	♟♟ 5
○ Alta Langa Pas Dosé Blanc de Blancs For England '16	♟♟ 6
○ Alta Langa Pas Dosé For England Blanc de Noir '16	♟♟ 6
☉ Alta Langa Pas Dosé For England Rosé '16	♟♟ 6
○ De Miranda M. Cl. '13	♟♟ 5
○ Asti De Miranda M. Cl. '00	♟♟♟ 5
○ Asti De Miranda M. Cl. '97	♟♟♟ 5
○ Asti De Miranda M. Cl. '96	♟♟♟ 5
● Barolo Cerequio '99	♟♟♟ 8
● Barolo Cerequio Tenuta Secolo '97	♟♟♟ 8
○ Millesimato Pas Dosé M. Cl. '13	♟♟♟ 5

Vigne Marina Coppi

VIA SANT'ANDREA, 5
15051 CASTELLANIA [AL]
TEL. 0131837089
www.vignemarinacoppi.com

VENDITA DIRETTA
VISITA SU PRENOTAZIONE
PRODUZIONE ANNUA 25.000 bottiglie
ETTARI VITATI 4,50

Francesco Bellocchio, pragmatico e lungimirante, ha intrapreso nei primi anni 2000 un'avventura straordinaria. Partendo da zero, a Castellania, terra natia del nonno Fausto, in pochi anni ha raggiunto livelli qualitativi di eccellenza, soprattutto grazie a il Fausto, vino di straordinaria eleganza, che ha ricevuto numerosi riconoscimenti. Oltre alle etichette di Timorasso, segnaliamo le interessanti proposte da uve barbera, nebbiolo e favorita. Le maturazioni dei vini prevedono per i bianchi da sei a dieci mesi sulle fecce fini in acciaio e un ulteriore affinamento in bottiglia. Per i rossi la sosta è tra i 12 e 18 mesi in legni medio grandi. Fausto si apre su sentori classici legati ad aromi minerali e note di pietra focaia. Al palato è intenso, con acidità che si allunga su un finale sapido e persistente. Francesca è più centrato su aromi floreali e fruttati. Da provare la Barbera Sant'Andrea, con un bel frutto croccante e una bocca succosa e golosa. Di buona fattura gli altri vini.

○ Colli Tortonesi Timorasso Fausto '18	♟♟ 6
● Colli Tortonesi Barbera Sant'Andrea '19	♟♟ 3
● Colli Tortonesi Barbera Sup. I Grop '16	♟♟ 5
○ Colli Tortonesi Favorita Marine '18	♟♟ 5
● Colli Tortonesi Rosso Lindin '17	♟♟ 5
○ Colli Tortonesi Timorasso Francesca '19	♟♟ 3
○ Colli Tortonesi Timorasso Fausto '15	♟♟♟ 6
○ Colli Tortonesi Timorasso Fausto '12	♟♟♟ 6
○ Colli Tortonesi Timorasso Fausto '11	♟♟♟ 6
○ Colli Tortonesi Timorasso Fausto '10	♟♟♟ 6
○ Colli Tortonesi Timorasso Fausto '09	♟♟♟ 6
○ Colli Tortonesi Timorasso Fausto '17	♟♟ 6
○ Colli Tortonesi Timorasso Fausto '16	♟♟ 6
○ Colli Tortonesi Timorasso Fausto '14	♟♟ 6

★Coppo

VIA ALBA, 68
14053 CANELLI [AT]
TEL. 0141823146
www.coppo.it

VENDITA DIRETTA
VISITA SU PRENOTAZIONE
PRODUZIONE ANNUA 420.000 bottiglie
ETTARI VITATI 52,00

A lungo conosciuta per la qualità delle sue Barbera d'Asti, dalla più semplice Avvocata alle più complesse Pomorosso o Riserva della Famiglia, Coppo ci ha spesso ricordato di essere anche un grande interprete dello Chardonnay affinato in legno (Monteriolo e Chardonnay Riserva della Famiglia). Con l'ingresso in azienda di una squadra giovane, non solo i vini si sono adattati al gusto odierno, riducendo l'uso del legno nuovo, ma l'azienda lavora in modo organico con il territorio, rientrando con i loro vini più importanti nelle nuove denominazioni: Nizza per le Barbere e Alta Langa per gli Spumanti metodo classico. In una batteria senza punti deboli è stato difficile scegliere, soprattutto perché quest'anno l'azienda ha presentato gli splendidi cru del Nizza '17: il potente e polposo Pontiselli e il più austero Bric del Marchese. Ma i Tre Bicchieri premiano per la prima volta l'Alta Langa Riserva Coppo, che con la vendemmia 2015 offre uno magnifico naso agrumato e ricco di sensazioni di lieviti e una fase gustativa aristocratica e armonica.

○ Alta Langa Extra Brut Ris. '15	♟♟♟	6
● Nizza Barbera Pontiselli '17	♟♟	8
● Nizza Barbera		
Riserva della Famiglia '15	♟♟	8
○ Piero Coppo		
Riserva del Fondatore Extra Brut '09	♟♟	8
● Barbera d'Asti Camp du Rouss '18	♟♟	4
● Barbera d'Asti L'Avvocata '19	♟♟	3
● Bric del Marchese '17	♟♟	8
○ Clelia Coppo Brut Rosé M. Cl.	♟♟	5
○ Gavi La Rocca '19	♟♟	3
○ Luigi Coppo Brut M. Cl.	♟♟	4
○ Moscato d'Asti Canelli Moncalvina '19	♟♟	3
○ Piemonte Chardonnay		
Riserva della Famiglia '15	♟♟	8
● Barbera d'Asti Sup. Nizza		
Riserva della Famiglia '09	♟♟♟	8

★Giovanni Corino

FRAZ. ANNUNZIATA, 25B
12064 LA MORRA [CN]
TEL. 0173509452
www.corino.it

VENDITA DIRETTA
VISITA SU PRENOTAZIONE
PRODUZIONE ANNUA 50.000 bottiglie
ETTARI VITATI 9,50

Il nuovo Barolo nasce nel cru denominato Bricco Manescotto, nome per ora utilizzato solamente dalla cantina di Giuliano Corino. Si tratta di una dolce collinetta ben esposta verso sud-ovest a un'altitudine media di 250 metri e i primi risultati di vinificazione sono sicuramente promettenti. Lo stile di vinificazione è, come nelle altre selezioni di Barolo provenienti dai vigneti Arborina e Giachini, decisamente moderno ed elegante, con affascinanti sentori fruttati e speziati derivanti anche dall'affinamento nei piccoli legni francesi. Il nome aziendale è meritatamente celebre anche per una raffinata selezione di Barbera d'Alba, la Ciabot dù Re. Pregevole e interminabile scia di tannini dolci nel Barolo Bricco Manescotto '16, che nell'elegante naso assomma note di frutti rossi freschi e più maturi richiami di erbe assolate. Di stile più fresco e giovanile il pregevole Arborina '16, dotato di una splendida spina dorsale di invitante acidità. Tutto giocato sulla finezza il Giachini '16, che non mostra i muscoli a favore di una gentile bevibilità e di un palato morbido e scorrevole.

● Barolo Arborina '16	♟♟	8
● Barolo Bricco Manescotto '16	♟♟	7
● Barolo del Comune di La Morra '16	♟♟	6
● Barolo Giachini '16	♟♟	8
● Langhe Nebbiolo '18	♟♟	3
● Barbera d'Alba '18	♟	3
● Barbera d'Alba Ciabot dù Re '17	♟♟♟	5
● Barbera d'Alba V. Pozzo '97	♟♟♟	5
● Barbera d'Alba V. Pozzo '96	♟♟♟	5
● Barolo Giachini '12	♟♟♟	7
● Barolo Giachini '11	♟♟♟	7
● Barolo Rocche '01	♟♟♟	7
● Barolo Rocche '90	♟♟♟	7
● Barolo V. Giachini '89	♟♟♟	7
● Barolo V. V. '99	♟♟♟	8
● Barolo V. V. '98	♟♟♟	8

Renato Corino

FRAZ. ANNUNZIATA
B.GO POZZO, 49A
12064 LA MORRA [CN]
TEL. 0173500349
www.renatocorino.it

VENDITA DIRETTA
VISITA SU PRENOTAZIONE
PRODUZIONE ANNUA 50.000 bottiglie
ETTARI VITATI 7,00

In 15 anni di attività la bella cantina di
Renato Corino si è affermata, nonostante le
piccole dimensioni produttive.
L'impostazione enologica è decisamente
innovativa, con basse rese in vigna e legni
francesi piuttosto nuovi. E l'ingresso in
attività del volitivo figlio Stefano sta già
conducendo a nuove sperimentazioni e
ulteriori sfide enologiche. La conduzione
agronomica è volta al massimo rispetto
dell'ambiente, con risultati rimarchevoli.
Imperdibile proposta di Barolo '16, a partire
dalla riuscitissima etichetta del cru
Roncaglie firmata dal giovane Stefano, che
si impone per armonia e finezza più che per
potenza. Ancora più articolato Il complesso
e intenso Rocche dell'Annunziata, con
lampone e delicato rovere nel fine aroma,
dotato di una bocca ricca di polpa e di
altrettanta acidità, lunga e affascinante. Non
così potente ma di sorprendente vitalità ed
eleganza il Barolo a denominazione
comunale. Spezie sullo sfondo e fine frutta
rossa nel vitale e fresco Arborina.

Cornarea

VIA VALENTINO, 150
12043 CANALE [CN]
TEL. 017365636
www.cornarea.com

VENDITA DIRETTA
VISITA SU PRENOTAZIONE
OSPITALITÀ
PRODUZIONE ANNUA 90.000 bottiglie
ETTARI VITATI 14,00

La famiglia Bovone è stata tra le prime nel
Roero a credere nella qualità dell'arneis e
vanta alcune tra le vigne più vecchie di
questo vitigno, piantate tra il 1975 e il
1978. I vigneti aziendali sono composti da
un corpo unico che circonda la cantina,
situato sulla collina Cornarea su di un suolo
calcareo argilloso con una forte
componente di magnesio. Sono solo due i
vitigni coltivati: arneis e nebbiolo. Le varie
etichette, tutte tecnicamente ben realizzate,
mostrano grande carattere e tipicità. Un
grande classico il Roero Arneis: il 2019 si
presenta con note di pera kaiser e
gelsomino, è di buona tenuta e sapidità,
con un finale lungo e piacevole. Davvero
ben riuscito anche il Roero '17, dai profumi
di frutti neri, spezie e liquirizia e dal palato
coerente e di buon allungo, scorrevole e
dalla fine trama tannica. Ben realizzati il
Roero Arneis En Ritard '16, dai toni di
resina e rosmarino, il Mapoi Brut Metodo
Classico, avvolgente nelle sue note di frutta
tropicale, e il Tarasco Passito '16, suadente
ed equilibrato.

● Barolo Rocche dell'Annunziata '16	♟♟♟ 8
● Barolo del Comune di La Morra '16	♟♟ 6
● Barolo Roncaglie '16	♟♟ 8
● Barolo Arborina '16	♟♟ 7
● Dolcetto d'Alba '19	♟♟ 3
● Langhe Nebbiolo '19	♟♟ 3
● Barbera d'Alba '19	♟ 3
● Barolo Rocche dell'Annunziata '14	♟♟♟ 8
● Barolo Rocche dell'Annunziata '11	♟♟♟ 8
● Barolo Rocche dell'Annunziata '10	♟♟♟ 7
● Barolo Rocche dell'Annunziata '09	♟♟♟ 7
● Barolo Vign. Rocche '06	♟♟♟ 7
● Barolo Vign. Rocche '04	♟♟♟ 8
● Barolo Vign. Rocche '03	♟♟♟ 8

● Roero '17	♟♟ 4
○ Roero Arneis '19	♟♟ 3*
○ Mapoi Brut M. Cl.	♟♟ 4
○ Roero Arneis En Ritard '16	♟♟ 3
○ Tarasco Passito '16	♟♟ 5
● Nebbiolo d'Alba '17	♟ 3
○ Enritard '14	♟♟ 3
● Nebbiolo d'Alba '16	♟♟ 3
● Roero '16	♟♟ 4
● Roero '15	♟♟ 4
● Roero '14	♟♟ 4
○ Roero Arneis '18	♟♟ 3*
○ Roero Arneis '17	♟♟ 3*
○ Roero Arneis '16	♟♟ 3*
○ Roero Arneis En Ritard '15	♟♟ 3*
○ Tarasco Passito '15	♟♟ 5
○ Tarasco Passito '14	♟♟ 5

★Matteo Correggia

LOC. GARBINETTO
VIA SANTO STEFANO ROERO, 124
12043 CANALE [CN]
TEL. 0173978009
www.matteocorreggia.com

VENDITA DIRETTA
VISITA SU PRENOTAZIONE
PRODUZIONE ANNUA 150.000 bottiglie
ETTARI VITATI 20,00
VITICOLTURA Biologico Certificato

Sono passati 35 anni da quando Matteo Correggia decise di creare un'azienda vinicola per realizzare vini in grado di portare il nome e la qualità del Roero nel mondo e l'azienda è oggi una delle più note e significative del territorio roerino. Le vigne di proprietà sono tutte situate a Canale, a parte una piccola tenuta a Santo Stefano Roero da cui nasce il Le Marne Grigie. In questi anni al lavoro in regime biologico delle vigne si è affiancata una ricerca costante in cantina, che va dalla vinificazione in anfora all'utilizzo del tappo a vite. Il Roero Ròche d'Ampsèj Riserva '16 ai sentori di sottobosco e funghi porcini fa seguire un palato ricco di frutto, tannico e di buona sapidità. L'altro Roero, La Val dei Preti '17, ha toni di macchia mediterranea e frutti neri, è fresco e di buona materia, con tannini ancora in evidenza ma fini e ben gestiti, mentre la Barbera d'Alba Superiore Marun '17 è di grande piacevolezza di beva, succosa e ricca di materia allo stesso tempo.

● Barbera d'Alba Sup. Marun '17	♟♟	5
● Roero La Val dei Preti '17	♟♟	5
● Roero Ròche d'Ampsèj Ris. '16	♟♟	6
○ Roero Arneis La Val dei Preti '14	♟♟	3
● Barbera d'Alba Marun '04	♟♟♟	5
● Barbera d'Alba Marun '99	♟♟♟	5
● Roero Ròche d'Ampsèj '04	♟♟♟	6
● Roero Ròche d'Ampsèj '01	♟♟♟	6
● Roero Ròche d'Ampsèj '00	♟♟♟	6
● Roero Ròche d'Ampsèj '99	♟♟♟	6
● Roero Ròche d'Ampsèj Ris. '14	♟♟♟	6
● Roero Ròche d'Ampsèj Ris. '09	♟♟♟	6
● Roero Ròche d'Ampsèj Ris. '07	♟♟♟	6
● Roero Ròche d'Ampsèj Ris. '06	♟♟♟	6

Giuseppe Cortese

S.DA RABAJÀ, 80
12050 BARBARESCO [CN]
TEL. 0173635131
www.cortesegiuseppe.it

VENDITA DIRETTA
VISITA SU PRENOTAZIONE
OSPITALITÀ
PRODUZIONE ANNUA 58.000 bottiglie
ETTARI VITATI 9,00
AZIENDA SOSTENIBILE

Troviamo i fratelli Cortese, Pier Carlo e Tiziana, insieme al marito Gabriele, alla guida di questa boutique fondata da Giuseppe nei primi anni Settanta. Il nucleo produttivo si concentra sulla collina di Rabajà, cru da cui vengono prodotte due versioni di Barbaresco, una d'annata, l'altra Riserva. La novità di quest'anno è una terza etichetta di Barbaresco, un base che esalta quella leggerezza espressiva tipica dell'azienda. I vini maturano in botti grandi di rovere, per una gamma solidissima a partire da un Langhe Nebbiolo o una Barbera d'Alba che sono gioie quotidiane. Fini, sussurrati e complessi i profumi del Barbaresco Rabajà '17, un rosso avvincente tra il fondo floreale e le spezie, ha sapore e leggerezza espressiva in chiusura. Molto intenso e maturo nei toni di frutti rossi, china e liquirizia il Barbaresco Rabajà Riserva '13, ancora giovanissimo, dalla freschezza acida a dir poco vibrante, ha tannini fitti e un'energia scalpitante che gli consentirà un lunghissimo e brillante futuro. Da Tre Bicchieri.

● Barbaresco Rabajà Ris. '13	♟♟♟	8
● Barbaresco Rabajà '17	♟♟	7
● Barbaresco '17	♟♟	5
● Barbera d'Alba '19	♟♟	3
● Langhe Nebbiolo '18	♟♟	4
● Langhe Dolcetto '19	♟	2
● Barbaresco Rabajà '16	♟♟♟	6
● Barbaresco Rabajà '15	♟♟♟	6
● Barbaresco Rabajà '11	♟♟♟	5
● Barbaresco Rabajà '10	♟♟♟	5
● Barbaresco Rabajà '08	♟♟♟	5
● Barbaresco Rabajà Ris. '96	♟♟♟	8
● Barbaresco Rabajà Ris. '11	♟♟	8
● Barbera d'Alba '18	♟♟	3
● Barbera d'Alba Morassina '15	♟♟	3
● Langhe Nebbiolo '17	♟♟	3*
● Langhe Nebbiolo '16	♟♟	3*

Clemente Cossetti

VIA GUARDIE, 1
14043 CASTELNUOVO BELBO [AT]
TEL. 0141799803
www.cossetti.it

VENDITA DIRETTA
VISITA SU PRENOTAZIONE
OSPITALITÀ E RISTORAZIONE
PRODUZIONE ANNUA 500.000 bottiglie
ETTARI VITATI 28,00

È ormai da quattro generazioni che la famiglia Cossetti è una presenza costante nel panorama vitivinicolo monferrino. Alle etichette che provengono dai vocati vigneti di proprietà, tutti situati nel comune di Castelnuovo Belbo, su terreni argillosi di medio impasto, ricchi di minerali, e impiantati principalmente a barbera, l'azienda affianca una selezione di vini di altri territori, presentando così alcune delle più importanti denominazioni piemontesi. I vini prodotti sono ben realizzati e d'impianto moderno. Gamma solida e affidabile quella presentata dalla Cossetti. Ben realizzati il Nizza Cribelletto '17, dove ai toni di frutta rossa e tabacco fa seguito un palato di buona complessità e profondità, e la Barbera d'Asti Gelsomora '18, classica nei suoi aromi di spezie dolci, tabacco e ciliegie fresche, dal ricco palato ben sostenuto dall'acidità. Tipico e accattivante il Ruchè '19, ricco di aromi varietali di rosa e more e dal corpo imponente. Più morbido e gentile del solito il Grignolino '19.

Stefanino Costa

B.TA BENNA, 5
12046 MONTÀ [CN]
TEL. 0173976336
ninocostawine@gmail.com

VENDITA DIRETTA
VISITA SU PRENOTAZIONE
PRODUZIONE ANNUA 50.000 bottiglie
ETTARI VITATI 9,50

Stefanino Costa e suo figlio Alessandro guidano con passione e competenza l'azienda di famiglia. In questi ultimi anni la produzione è sensibilmente cresciuta dal punto di vista qualitativo, con dei prodotti di grande nitidezza di esecuzione e di notevole precisione aromatica, sia per quanto riguarda i vini rossi che per gli Arneis, oggi tra i migliori in assoluto. I vigneti aziendali sono situati nei comuni di Canale, Montà e Santo Stefano Roero sui tipici terreni della riva sinistra del Tanaro a prevalenza sabbiosa. Bella conferma per il Roero Arneis Sarun, che conquista i nostri Tre Bicchieri anche con la versione 2019, evidenziando note di erbe aromatiche, spezie e frutta gialla al naso, mentre il palato risulta ricco, pieno, quasi salato, con un finale lungo e dinamico. Davvero riuscito anche il Roero Gepin Riserva '15, dai toni balsamici e di frutti rossi, accompagnati da sfumature speziate, e dal palato grintoso, con tannini ben presenti ma di bella finezza e un piacevole e succoso finale.

● Barbera d'Asti Gelsomora '18	♟♟ 2*	
● Barbera d'Asti Venti di Marzo '18	♟♟ 3	
● Grignolino d'Asti Gelsomora '19	♟♟ 2*	
● Nizza Crivelletto '17	♟♟ 4	
● Ruché di Castagnole M.to '19	♟♟ 3	
● Barbera d'Asti La Vigna Vecchia '15	♟♟ 2*	
● Barbera d'Asti Sup. La Vigna Vecchia '17	♟♟ 2*	
● Grignolino d'Asti '17	♟♟ 2*	
● Grignolino d'Asti Gelsomora '18	♟♟ 2*	
○ Moscato d'Asti La Vita '15	♟♟ 2*	
● Nizza '16	♟♟ 4	
● Nizza '15	♟♟ 4	
● Piemonte Albarossa Amartè '14	♟♟ 3	
● Ruché di Castagnole M.to '17	♟♟ 3	
● Ruché di Castagnole M.to '16	♟♟ 3	
● Ruché di Castagnole Monferrato '15	♟♟ 3	

○ Roero Arneis Sarun '19	♟♟♟ 3*	
● Roero Gepin Ris. '15	♟♟ 5	
○ Langhe Bianco Ricordi '18	♟♟ 3	
○ Roero Arneis Seminari '19	♟♟ 3	
○ Roero Arneis Sarun '18	♟♟♟ 3*	
○ Roero Arneis Sarun '17	♟♟♟ 3*	
● Roero Gepin '13	♟♟♟ 4*	
● Roero Gepin '12	♟♟♟ 4*	
● Roero Gepin '11	♟♟♟ 4*	
● Roero Gepin '10	♟♟♟ 4*	
○ Roero Arneis Sarun '15	♟♟ 3*	
○ Roero Arneis Seminari '17	♟♟ 3*	
● Roero Gepin '15	♟♟ 4	
● Roero Gepin '14	♟♟ 4	

Tenuta Cucco

VIA MAZZINI, 10
12050 SERRALUNGA D'ALBA [CN]
TEL. 0173613003
www.tenutacucco.it

VENDITA DIRETTA
VISITA SU PRENOTAZIONE
OSPITALITÀ
PRODUZIONE ANNUA 70.000 bottiglie
ETTARI VITATI 13,00
VITICOLTURA Biologico Certificato

L'adesione della famiglia Rossi Cairo alla viticoltura biologica è una scelta convinta e basilare, come prova anche l'impiego della biodinamica attuato nell'azienda La Raia di Gavi già a partire dal 2003. L'acquisto di questa pregevole tenuta e dell'affascinante sede aziendale è avvenuto nel 2015 e la scelta è stata subito quella di puntare qualitativamente in alto, come ben dimostra la collaborazione di tecnici di valore quali Piero Ballario per la cantina e Gian Piero Romana per la viticoltura. Il cuore produttivo della cantina si trova nel cru Cerrati, che regala un Barolo particolarmente ricco nella fase gustativa. Approda in finale il Barolo Cerrati '16, intenso e raffinato nei fragranti toni di frutta rossa, fiori secchi e scorza d'arancia; al palato è ricco e polposo, caldo, avvolgente, di lunghezza gustativa ragguardevole. Più evoluto il Barolo del Comune di Serralunga d'Alba '16, affascinante nei richiami di sottobosco e tabacco, dalla trama tannica particolarmente fitta e finale lungo e severo.

● Barolo Cerrati '16	♟♟	8
● Barolo del Comune di Serralunga d'Alba '16	♟♟	6
● Langhe Nebbiolo '19	♟♟	4
● Barolo Cerrati '15	♟♟	7
● Barolo Cerrati '14	♟♟	7
● Barolo Cerrati '13	♟♟	7
● Barolo Cerrati V. Cucco Ris. '13	♟♟	8
● Barolo Cerrati V. Cucco Ris. '12	♟♟	8
● Barolo Cerrati V. Cucco Ris. '11	♟♟	8
● Barolo del Comune di Serralunga d'Alba '15	♟♟	6
● Barolo del Comune di Serralunga d'Alba '14	♟♟	6
○ Langhe Chardonnay '16	♟♟	3
● Langhe Rosso '16	♟♟	4

Giovanni Daglio

VIA MONTALE CELLI, 10
15050 COSTA VESCOVATO [AL]
TEL. 0131838262
www.vignetidaglio.com

VENDITA DIRETTA
PRODUZIONE ANNUA 15.000 bottiglie
ETTARI VITATI 10,00

I maestri del vino si misurano soprattutto nelle annate cosiddette inferiori. Basta assaggiare il Cantico del difficile millesimo 2014 per capire le qualità e la bontà del lavoro di questa cantina. Giovanni Daglio ha dimostrato di essere capace tanto sul terreno dei bianchi, protagonista il Timorasso, quanto su quello dei rossi: la Barbera Basinass, il Dolcetto Nibiö e la Croatina Zerbo sono spesso interpretazioni magistrali dei vitigni autoctoni del Tortonese. Un capitolo a parte per il Negher, ottenuto dalle uve del raro moscato nero, a cui Giovanni fa fare un leggero appassimento in vigna. Splendidi esempi della tipologia, sia il Cantico, sia il Derthona sono due Timorasso di carattere, accomunati da tratti molto eleganti. Il primo apre con un'intensa fase minerale su note di pietra focaia e ha un ingresso in bocca roboante per freschezza e corpo, e poi sfoggia una persistenza infinita. Il secondo è profuma di agrumi su un sottofondo minerale; ha un palato sontuoso, ricco e lunghissimo.

○ Colli Tortonesi Timorasso Cantico '18	♟♟	4
○ Colli Tortonesi Timorasso Derthona '18	♟♟	4
● Colli Tortonesi Barbera Basinass '16	♟♟	4
○ Colli Tortonesi Timorasso Cantico '17	♟♟	4
○ Colli Tortonesi Timorasso Cantico '16	♟♟	4
○ Colli Tortonesi Timorasso Cantico '15	♟♟	4
○ Colli Tortonesi Timorasso Cantico '13	♟♟	4
○ Colli Tortonesi Timorasso Derthona '17	♟♟	4
○ Colli Tortonesi Timorasso Derthona '15	♟♟	4
○ Colli Tortonesi Timorasso Derthona Cantico '14	♟♟	4

Deltetto

c.so Alba, 43
12043 Canale [CN]
Tel. 0173979383
www.deltetto.com

Gianni Doglia

via Annunziata, 56
14054 Castagnole delle Lanze [AT]
Tel. 0141878359
www.giannidoglia.it

VENDITA DIRETTA
VISITA SU PRENOTAZIONE
PRODUZIONE ANNUA 170.000 bottiglie
ETTARI VITATI 21,00
VITICOLTURA Biologico Certificato
AZIENDA SOSTENIBILE

VENDITA DIRETTA
VISITA SU PRENOTAZIONE
PRODUZIONE ANNUA 110.000 bottiglie
ETTARI VITATI 16,00
AZIENDA SOSTENIBILE

Antonio Deltetto è ormai da diversi anni uno dei protagonisti del panorama vitivinicolo del Roero. La produzione, certificata biologica dal 2017, è centrata sui classici del territorio roerino a base di vitigni come l'arneis e il nebbiolo, la barbera e la favorita, cui si aggiungono i prodotti realizzati in altre prestigiose denominazioni, come Barolo o Gavi. Stile moderno, attenzione all'espressione del territorio, nitidezza e precisione aromatica sono le caratteristiche principali dei vini proposti. Bella prestazione complessiva per i vini della famiglia Deltetto. Il Roero Arneis Daivej '19 si presenta al naso con intense note floreali e di erbe aromatiche fresche, seguite da note di frutta bianca, mentre il palato è ricco di polpa, sapido, grintoso e ben equilibrato dalla freschezza acida. Il Roero Braja Riserva '17 ai sentori di foglie di tè e frutti rossi fa seguire un palato complesso, di buona materia e spessore, mentre è pieno e cremoso, con le sue note di burro e crosta di pane, il Deltetto Extra Brut '14.

Con simpatia e umiltà, ma ormai anche con tanta sicurezza, Gianni racconta ai visitatori dei suoi metodi di lavoro in vigna e in cantina, a suo dire semplici e naturali, in cui quello che più conta è badare ai mille dettagli che servono a realizzare vini senza difetti. Anzi con molti pregi, aggiungiamo noi. Ormai riconosciuto grande interprete del Moscato d'Asti, tanto che parecchi suoi colleghi gli si rivolgono per avere consigli, sono di pregio assoluto anche le sue proposte a base di uva barbera, non solo nelle etichette di punta (Nizza e Genio) ma anche nell'economica, nitida e fresca versione Bosco Donne, affinata unicamente in acciaio. Splendido il Moscato d'Asti Casa di Bianca '19: le note di pesca e salvia sono accompagnate dalle erbe officinali, la menta e il lime, e sono seguite da un palato fine e fitto allo stesso tempo, lungo e armonioso. Di alto livello anche il Nizza Viti Vecchie '18, dai complessi toni di china, tabacco e spezie e dal palato succoso, sapido, di grande carattere e persistenza.

○ Deltetto Extra Brut M. Cl. '14	♟♟ 5
○ Roero Arneis Daivej '19	♟♟ 3*
● Roero Braja Ris. '17	♟♟ 4
○ Alta Langa Brut '16	♟♟ 5
● Barolo Parussi '15	♟♟ 6
⊙ Deltetto Brut Rosé M. Cl.	♟♟ 4
○ Roero Arneis San Defendente '18	♟♟ 3
● Roero Gorrini '18	♟♟ 3
● Langhe Pinot Nero 777 '18	♟ 3
○ Roero Arneis San Michele '19	♟ 3
● Barolo Parussi '14	♟♟ 6
○ Deltetto Brut M. Cl. '15	♟♟ 4
● Langhe Pinot Nero 777 '17	♟♟ 3
● Roero Braja Ris. '16	♟♟ 4
● Roero Gorrini '17	♟♟ 3*

○ Moscato d'Asti Casa di Bianca '19	♟♟♟ 3*
○ Moscato d'Asti '19	♟♟ 3*
● Nizza V. V. '18	♟♟ 5
● Barbera d'Asti Bosco Donne '19	♟♟ 3
● Barbera d'Asti Sup. Genio '18	♟♟ 4
● Grignolino d'Asti '19	♟♟ 3
● Barbera d'Asti Sup. Genio '12	♟♟♟ 4*
○ Moscato d'Asti Casa di Bianca '17	♟♟♟ 5
○ Moscato d'Asti Casa di Bianca '16	♟♟♟ 3*
○ Moscato d'Asti Casa di Bianca '15	♟♟♟ 3*
○ Moscato d'Asti Casa di Bianca '18	♟♟♟ 3*
● Barbera d'Asti Sup. Genio '17	♟♟ 4
● Grignolino d'Asti '18	♟♟ 2*
○ Moscato d'Asti '18	♟♟ 3*
○ Moscato d'Asti '17	♟♟ 4
● Nizza '16	♟♟ 6
● Nizza V. V. '17	♟♟ 5

Dosio

REG. SERRADENARI, 6
12064 LA MORRA [CN]
TEL. 017350677
www.dosiovigneti.com

VENDITA DIRETTA
VISITA SU PRENOTAZIONE
OSPITALITÀ
PRODUZIONE ANNUA 65.000 bottiglie
ETTARI VITATI 11,00

La cantina, fondata nel 1974 dal capace e infaticabile Beppe Dosio, ha poi vissuto notevoli cambiamenti dovuti all'ingresso della famiglia Lenci nella proprietà e ai conseguenti mutamenti organizzativi. La linea produttiva prevede sia la precisa osservanza della classicità, che riguarda la gran parte delle etichette con il Barolo in prima fila, sia proposte innovative basate su un contributo sostanzioso del rovere utilizzato in affinamento, come nel caso del Langhe Nebbiolo Barilà e del Dolcetto d'Alba Nassone, per giungere sino all'innovativo Eventi, a base di uve merlot. Una proposta, tutta all'insegna della correttezza tecnica e della piacevolezza gustativa, che si apre con un Barolo Fossati '15 ricco di frutto, pulito e delicato, dai tannini gentili e dalla discreta freschezza. Appena più giovane e con gli aromi del legno in evidenza il Serradenari '16, che poi si offre con una bocca importante e austera. Richiami di china e un alcol avvolgente caratterizzano lo strutturato Barolo "base". Assai gradevole per le sue note di frutti rossi e di rovere dolce la Barbera d'Alba Superiore '17.

● Barbera d'Alba Sup. '17	♟♟	4
● Barolo '16	♟♟	6
● Barolo Fossati '15	♟♟	7
● Barolo Serradenari '16	♟♟	7
● Dolcetto d'Alba Sup. Nassone '18	♟♟	3
☉ Per Ti Rosato '19	♟♟	3
● Dolcetto d'Alba '19	♟	3
● Barolo Fossati '13	♟♟	7
● Barolo Fossati Ris. '12	♟♟	8
● Barolo Fossati Ris. '11	♟♟	8
● Barolo Serradenari '15	♟♟	7
● Barolo Serradenari '13	♟♟	6
● Barolo Serradenari '12	♟♟	6
● Langhe Momenti '16	♟♟	5
● Langhe Nebbiolo Barilà '15	♟♟	5

★Poderi Luigi Einaudi

LOC. CASCINA TECC
B.TA GOMBE, 31/32
12063 DOGLIANI [CN]
TEL. 017370191
www.poderieinaudi.com

VENDITA DIRETTA
VISITA SU PRENOTAZIONE
OSPITALITÀ
PRODUZIONE ANNUA 350.000 bottiglie
ETTARI VITATI 60,00
AZIENDA SOSTENIBILE

Cresce con costanza e qualità la vocazione barolistica, iniziata nel 1958, di questa cantina nata nel 1897. Ciò grazie a importanti investimenti sia in nuovi vigneti di pregio, dal Cannubi al Monvigliero, sia in cantina, dove sono stati rinnovati i locali e il parco botti. Il che non ci deve far dimenticare che qui si realizza costantemente il Dogliani Vigna Tecc, che è un sicuro portabandiera della denominazione e che merita di essere conosciuto da tutti gli appassionati di grandi vini. La guida aziendale è saldamente in mano a Matteo Sardagna Einaudi, supportato da una qualificata squadra aziendale e da consulenti del calibro di Beppe Caviola e Gian Piero Romana. Il cru Cannubi non smentisce la propria meritata fama e nel 2016 regala uve fresche e vive, di armonica struttura e dai tannini morbidi, che in bocca portano a una ricca ed elegante progressione. Appena più austero il gradevolissimo Ludo '16, frutto dei vigneti Bussia, Cannubi e Terlo. Belle note di bacche rosse e di tostatura nel Bussia '16. More e cacao nell'incantevole Dogliani Superiore Tecc '18, morbido e polposo.

● Barolo Cannubi '16	♟♟♟	8
● Barolo Bussia '16	♟♟	8
● Dogliani Sup. Tecc '18	♟♟	4
● Barolo Ludo '16	♟♟	6
● Barolo Terlo V. Costa Grimaldi '16	♟♟	7
● Dogliani '19	♟	3
● Langhe Barbera '17	♟	3
● Langhe Nebbiolo '19	♟	4
● Barolo Cannubi '15	♟♟	8
● Barolo Cannubi '11	♟♟	8
● Barolo Cannubi '10	♟♟	8
● Barolo Costa Grimaldi '05	♟♟	8
● Barolo Costa Grimaldi '01	♟♟	7
● Barolo nei Cannubi '00	♟♟	8
● Dogliani Sup. V. Tecc '10	♟♟	3*
● Dogliani V. Tecc '06	♟♟	4
● Langhe Rosso Luigi Einaudi '04	♟♟	5

F.lli Facchino

LOC. VAL DEL PRATO, 210
15078 ROCCA GRIMALDA [AL]
TEL. 014385401
www.vinifacchino.it

VENDITA DIRETTA
VISITA SU PRENOTAZIONE
RISTORAZIONE
PRODUZIONE ANNUA 80.000 bottiglie
ETTARI VITATI 31,00

La cantina dei fratelli Facchino ha sede in Val del Prato, una località collinare dai panorami suggestivi, vicino al borgo medioevale di Rocca Grimalda, non lontano da Ovada. Oggi sono I Giorgio e Diego, la seconda generazione della famiglia, a occuparsi della gestione. Cresciuti nella migliore tradizione vitivinicola, hanno dimostrato di avere le competenze giuste per traghettare l'azienda verso un futuro brillante. Al centro dell'offerta troviamo una serie di vitigni autoctoni piemontesi, declinati con eleganza e cura dei dettagli, grazie anche a un uso moderato del legno. Di ottima fattura le due versioni dell'Ovada. Poggiobello, giovane e brillante, con frutto in evidenza e una fase gustativa armonica e persistente. Carasöi sembra il fratello maggiore, posato e serio, con aromi più complessi e un palato potente, dal tannino ben dosato. Terre del Re ha un grande potenziale, ma solo un ulteriore affinamento in bottiglia ci dirà chi è veramente. Da provare l'albarossa e il dolcetto base.

● Barbera del M.to Terre del Re '17	♟♟ 3
● Dolcetto di Ovada '18	♟♟ 2*
● Ovada Carasöi '17	♟♟ 3
● Ovada Poggiobello '17	♟♟ 3
● Piemonte Albarossa Note d'Autunno '16	♟♟ 3
● Barbera del M.to '19	♟ 2
○ Cortese dell'Alto M.to Pacialan '19	♟ 2
● Barbera del M.to '16	♟♟♟ 2*
● Barbera del M.to '18	♟♟ 2*
● Barbera del M.to Terre del Re '15	♟♟ 2*
○ Cortese dell'Alto M.to Pacialan '16	♟♟ 2*
● Dolcetto di Ovada '17	♟♟ 2*
● Dolcetto di Ovada '16	♟♟ 2*
● Dolcetto di Ovada Poggiobello '16	♟♟ 2*
● Dolcetto di Ovada Poggiobello '15	♟♟ 2*
● Ovada Carasöi '15	♟♟ 3

Tenuta Il Falchetto

FRAZ. CIOMBI
VIA VALLE TINELLA, 16
12058 SANTO STEFANO BELBO [CN]
TEL. 0141840344
www.ilfalchetto.com

VENDITA DIRETTA
VISITA SU PRENOTAZIONE
PRODUZIONE ANNUA 280.000 bottiglie
ETTARI VITATI 50,00

Bricco Paradiso, Lovetta, Lurei, Pian Scorrone, Vigna del Ciabot ad Agliano Terme, Vigneto del Fant a Calosso, Marini e Il Falchetto a Santo Stefano Belbo: è un vero e proprio dream team di tenute e vigne, dislocate tra le province di Cuneo e Asti, a fare da pentagramma viticolo nell'avventura produttiva della famiglia Forno. Zone a dir poco rinomate tanto per la barbera quanto per il moscato, senza dimenticare i risultati raggiunti in questi anni sui vini a base chardonnay, dolcetto, cabernet sauvignon, merlot, pinot nero. Sempre ai vertici della denominazione il Moscato d'Asti Canelli Ciombo '19, classico nelle sue note di frutta bianca e salvia, con sfumature di canditi e clorofilla, di grande armonia, fresco, fine e lungo. Di alto livello anche la Barbera d'Asti Superiore Lürei '17, dai complessi aromi di cacao, tabacco e frutti neri e dal palato potente, con tannini fitti, ma anche gustoso e di bella acidità, e il Piemonte Pinot Nero Solo '17, elegante e grintoso nei suoi tipici toni di frutti di bosco.

● Barbera d'Asti Sup. Lurei '17	♟♟ 3*
○ Moscato d'Asti Canelli Ciombo '19	♟♟ 2*
● Piemonte Pinot Nero Solo '17	♟♟ 4
● Barbera d'Asti Pian Scorrone '19	♟♟ 2*
● Barbera d'Asti Sup. Bricco Paradiso '17	♟♟ 4
○ Moscato d'Asti Canelli Tenuta del Fant '19	♟♟ 2*
● Nizza Bricco Roche Ris. '16	♟♟ 6
○ Moscato d'Asti Canelli Ciombo '17	♟♟♟ 2*
● Barbera d'Asti Pian Scorrone '17	♟♟ 2*
● Barbera d'Asti Sup. Bricco Paradiso '16	♟♟ 4
○ Moscato d'Asti Canelli Ciombo '18	♟♟ 2*
○ Moscato d'Asti Canelli Tenuta del Fant '18	♟♟ 2*
○ Moscato d'Asti Tenuta del Fant '18	♟♟ 2*
○ Piemonte Sauvignon Pian Craie '18	♟♟ 3*

Benito Favaro

s.da Chiusure, 1bis
10010 Piverone [TO]
Tel. 012572606
www.cantinafavaro.it

VENDITA DIRETTA
VISITA SU PRENOTAZIONE
PRODUZIONE ANNUA 20.000 bottiglie
ETTARI VITATI 3,50
VITICOLTURA Biologico Certificato

Sta per compiere vent'anni la cantina di
Benito e Camillo Favaro, situata nella zona
che dà il nome al vino aziendale
quantitativamente più importante, l'Erbaluce
di Caluso Le Chiusure, di cui vengono
proposte annualmente oltre 8.000 bottiglie.
Di rilievo assoluto l'altra selezione, chiamata
13 Mesi in quanto ha sempre goduto di un
affinamento in cantina più lungo rispetto
alla consuetudine della zona. Camillo sta
dimostrando al meglio che l'Erbaluce, di per
sé dotato di spiccata acidità, acquista in
rotondità sul palato e in complessità
aromatica proprio grazie ai prolungati tempi
di maturazione. Tanto elegante quanto ricco,
l'Erbaluce di Caluso Le Chiusure '18 si è
ben giovato del lungo periodo di
maturazione in cantina e si mostra variegato
al naso con fini note di erbette e di cera; in
bocca è importante, di ottima freschezza e
con una squisita nota mandorlata nel finale.
Altrettanto complesso ma al momento un
po' meno armonico il 13 Mesi. Frutti rossi in
evidenza nel potente e gradevole
Rossomeraviglia '18.

○ Erbaluce di Caluso Le Chiusure '18	♟♟ 3*
○ Erbaluce di Caluso 13 Mesi '18	♟♟ 4
● Rossomeraviglia '18	♟♟ 5
○ Erbaluce di Caluso 13 Mesi '17	♟♟♟ 4*
○ Erbaluce di Caluso 13 Mesi '16	♟♟♟ 3*
○ Erbaluce di Caluso Le Chiusure '16	♟♟♟ 2*
○ Erbaluce di Caluso Le Chiusure '13	♟♟♟ 2*
○ Erbaluce di Caluso Le Chiusure '12	♟♟♟ 2*
○ Erbaluce di Caluso Le Chiusure '11	♟♟♟ 2*
○ Erbaluce di Caluso Le Chiusure '10	♟♟♟ 2*
○ Erbaluce di Caluso 13 Mesi '15	♟♟ 3*
○ Erbaluce di Caluso Le Chiusure '17	♟♟ 3*
○ Erbaluce di Caluso Le Chiusure '15	♟♟ 2*
● Rossomeraviglia '17	♟♟ 5
● Rossomeraviglia '16	♟♟ 5
● Rossomeraviglia '15	♟♟ 5

Giacomo Fenocchio

loc. Bussia, 72
12065 Monforte d'Alba [CN]
Tel. 017378675
www.giacomofenocchio.com

VENDITA DIRETTA
VISITA SU PRENOTAZIONE
OSPITALITÀ
PRODUZIONE ANNUA 95.000 bottiglie
ETTARI VITATI 16,00
AZIENDA SOSTENIBILE

L'atteggiamento di Claudio Fenocchio nei
confronti del Barolo è apparentemente
semplice: infatti dichiara con umiltà di
attenersi alla tradizione produttiva più
classica, a partire da lunghissime
macerazioni sulle bucce per proseguire con
affinamenti in grandi botti di rovere di
Slavonia. Nei suoi Barolo si coglie una
precisione stilistica che è chiaro indice di
una raffinata sensibilità enologica. Il cuore
aziendale batte nei vigneti della Bussia a
Monforte d'Alba, ma sono di grande rilievo
anche i cru di Castiglione Falletto (Villero) e
Barolo (Cannubi). Solo Barolo '16 in
degustazione. Di pregevoli proporzioni ed
armonia il classicissimo Bussia: tipici sentori
di frutti rossi e un richiamo di rosa nei bei
profumi puliti, bocca di pregevole equilibrio,
con una lunga spina dorsale acida che
rinfresca la gratificante bevibilità. Note più
vicine al tabacco dolce e al rovere nel
Cannubi, che in bocca mostra però
un'inaspettata potenza e una certa tannicità.
Appena più vegetale l'importante Villero.

● Barolo Bussia '16	♟♟ 6
● Barolo Cannubi '16	♟♟ 7
● Barolo Castellero '16	♟♟ 6
● Barolo Villero '16	♟♟ 7
● Barolo Bussia '11	♟♟♟ 6
● Barolo Bussia '09	♟♟♟ 6
● Barolo Bussia 90 Dì Ris. '12	♟♟♟ 8
● Barolo Bussia 90 Dì Ris. '10	♟♟♟ 8
● Barolo Bussia 90 Dì Ris. '13	♟♟ 8
● Barolo Cannubi '15	♟♟ 7
● Barolo Castellero '15	♟♟ 6
● Barolo Villero '15	♟♟ 7

Ferrando

VIA TORINO, 599
10015 IVREA [TO]
TEL. 0125633550
www.ferrandovini.it

VENDITA DIRETTA
VISITA SU PRENOTAZIONE
PRODUZIONE ANNUA 50.000 bottiglie
ETTARI VITATI 5,00

Questa benemerita cantina, che ha una storia di cinque generazioni alle spalle, è oggi condotta da Andrea e Roberto Ferrando ed è sicuramente tra le realtà più significative di tutto il Canavese. Le due proposte di Carema nascono da appena due ettari vitati esclusivamente a nebbiolo e si differenziano lievemente in quanto l'elegante Etichetta Nera si offre costantemente un po' più rotonda e potente, mentre l'Etichetta Bianca risulta appena più immediata e scorrevole. Analoga diversità per l'Erbaluce di Caluso: più longevo e strutturato il Cariola, appena meno ricco La Torrazza. La valida proposta comprende anche uno sferzante Metodo Classico Pas Dosé e un sontuoso Passito. Elegante ciliegia sotto spirito nel valido Carema Etichetta Nera '16, su uno sfondo dato da un tocco di bella tostatura del rovere; pregevole vitalità sul palato, con tannini morbidi che vanno a costruire una già meritevole grazia gustativa. Decisamente giovanile e fruttata l'Etichetta Bianca dello stesso anno, ricca anche di erbette aromatiche. Notevole finezza olfattiva nell'Erbaluce di Caluso Cariola '19.

● Carema Et. Nera '16	♟♟ 7
● Carema Et. Bianca '16	♟♟ 5
○ Erbaluce di Caluso Cariola '19	♟♟ 3
○ Erbaluce di Caluso Pas Dosé M. Cl. '13	♟♟ 5
○ Erbaluce di Caluso La Torrazza '19	♟ 3
● Carema Et. Bianca '12	♟♟♟ 5
● Carema Et. Nera '11	♟♟♟ 7
● Carema Et. Nera '09	♟♟♟ 6
● Carema Et. Nera '08	♟♟♟ 6
● Carema Et. Nera '07	♟♟♟ 6
● Carema Et. Nera '06	♟♟♟ 6
● Carema Et. Nera '05	♟♟♟ 6
● Carema Et. Nera '01	♟♟♟ 5
● Carema Et. Nera '15	♟♟ 7
● Carema Et. Nera '13	♟♟ 7
○ Erbaluce di Caluso Cariola '18	♟♟ 3*
○ Erbaluce di Caluso La Torrazza '17	♟♟ 3*

Luca Ferraris

LOC. RIVI, 7
S.DA PROV.LE 14
14030 CASTAGNOLE MONFERRATO [AT]
TEL. 0141292202
www.ferrarisagricola.it

VENDITA DIRETTA
VISITA SU PRENOTAZIONE
PRODUZIONE ANNUA 220.000 bottiglie
ETTARI VITATI 21,00
AZIENDA SOSTENIBILE

Era il 1999 quando Luca Ferraris decise di rimettere in sesto l'azienda fondata negli anni '20 dalla bisnonna Teresa. Tra i primi a puntare forte sulle potenzialità del Ruchè di Castagnole Monferrato, il progetto si è progressivamente consolidato nel tempo, anche grazie alla collaborazione del californiano Randall Grahm. La gamma propone addirittura quattro versioni stilisticamente differenziate (Clàsic, Sant'Eufemia, Vigna del Parroco e Opera Prima per il Fondatore), a cui si affiancano i vini da barbera, grignolino, viognier e chardonnay. Sono due i Ruché di Castagnole Monferrato presentati quest'anno da Luca Ferraris. Tra i due ci ha conquistato il Clàsic '19, dai ricchi aromi fruttati con eleganti note di rosa al naso e dal palato di notevole volume, morbido, ma anche lungo, equilibrato e giustamente aromatico. Ottima anche la Barbera d'Asti Superiore Ca' Mongross Viti Centenarie '17, in cui i toni di frutta nera, terra bagnata, tabacco e china preparano un palato fitto, ricco di frutto e vellutato.

● Ruchè di Castagnole M.to Clàsic '19	♟♟♟ 3*
● Barbera d'Asti Sup. Ca' Mongross Viti Centenarie '17	♟♟ 4
● Ruchè di Castagnole M.to Sant'Eufemia '19	♟♟ 3
○ Pimonte Viognier Sensazioni '19	♟ 3
● Ruchè di Castagnole M.to Clàsic '18	♟♟ 2*
● Ruchè di Castagnole M.to Clàsic '17	♟♟ 2*
● Ruchè di Castagnole M to Sant'Eufemia '18	♟♟ 3
● Ruchè di Castagnole M.to Sant'Eufemia '17	♟♟ 3
● Ruchè di Castagnole M.to V. del Parroco '18	♟♟ 3*

Roberto Ferraris

REG. DOGLIANO, 33
14041 AGLIANO TERME [AT]
TEL. 0141954234
www.robertoferraris.com

VENDITA DIRETTA
VISITA SU PRENOTAZIONE
PRODUZIONE ANNUA 70.000 bottiglie
ETTARI VITATI 12,00
AZIENDA SOSTENIBILE

Interamente consacrata ai tradizionali vini
rossi del Monferrato Astigiano, l'azienda
guidata da Roberto Ferraris si posiziona ad
Agliano Terme. I siti di proprietà sono
caratterizzati da suoli limoso-calcarei con
poca argilla, estremamente adatti alla
coltivazione di grignolino, nebbiolo e
naturalmente barbera, declinata addirittura
in cinque diverse versioni. Si distinguono
per tipo di vinificazione e maturazione: solo
inox per I Suôrí e Nobbio, legni piccoli per
Bisavolo e La Cricca, 18 mesi di rovere
francese per il Nizza Liberta (proveniente
dall'omonimo vigneto di Castelnuovo
Calcea). Davvero di alto livello la gamma di
Barbera proposte, in particolare la Barbera
d'Asti Superiore Bisavolo '18, che alle note
di frutti rossi maturi, grafite e tabacco fa
seguire un palato avvolgente e ricco di
frutto, perfettamente bilanciato dall'acidità,
e la Barbera d'Asti I Suôrí '18, fresca e
armonica, grintosa nelle sue fresche
note di ciliegia e prugna, dal finale lungo
e succoso.

● Barbera d'Asti I Suôrí '18	♟♟ 2*
● Barbera d'Asti Sup. Bisavolo '18	♟♟ 3*
● Barbera d'Asti Nobbio '18	♟♟ 3
● Barbera d'Asti Sup. La Cricca '18	♟♟ 4
● Nizza Liberta '17	♟♟ 5
● Nizza Liberta '15	♟♟♟ 5
● Barbera d'Asti Nobbio '17	♟♟ 3
● Barbera d'Asti Nobbio '16	♟♟ 3*
● Barbera d'Asti Sup. Bisavolo '17	♟♟ 3*
● Barbera d'Asti Sup. Bisavolo '16	♟♟ 3
● Barbera d'Asti Sup. Bisavolo '15	♟♟ 4
● Barbera d'Asti Sup. La Cricca '17	♟♟ 4
● Barbera d'Asti Sup. La Cricca '16	♟♟ 4
● Barbera d'Asti Sup. La Cricca '15	♟♟ 5
● Barbera d'Asti Sup. La Cricca '13	♟♟ 3*
● Nizza Liberta '16	♟♟ 5

Carlo Ferro

FRAZ. SALERE, 41
14041 AGLIANO TERME [AT]
TEL. 3282818967
www.ferrovini.com

VENDITA DIRETTA
VISITA SU PRENOTAZIONE
PRODUZIONE ANNUA 15.000 bottiglie
ETTARI VITATI 12,00

Barbera, dolcetto, grignolino, nebbiolo e
qualche filare di cabernet sauvignon:
soltanto uve a bacca rossa nelle vigne
coltivate dalla famiglia Ferro, condotte
secondo i principi dell'agricoltura
sostenibile e dislocate intorno ai 300 metri
di altitudine sui pendii di Agliano Terme,
vero e proprio ponte vitivinicolo tra Langhe
e Monferrato. Avviata da oltre un secolo, è
oggi una delle realtà più solide del
comprensorio, grazie ad una batteria di
ispirazione tradizionale ma non certo
passatista, ulteriormente capace di brillare
nelle ultime vendemmie. Anche quest'anno
la gamma di vini presentata si conferma
affidabile e di buona fattura. La Barbera
d'Asti Giulia '18 al naso evidenzia note di
olive nere, rosmarino e ciliegia, mentre il
palato è fitto e denso, equilibrato da una
spiccata acidità che gli dà notevole
lunghezza, la Barbera d'Asti Superiore
Notturno '17 è più austera, ma anche di
bella polpa e carattere, mentre il Nizza
La Corazziera '17, ancora coperto dagli
aromi del legno, è ricco di frutto e di
notevole volume.

● Barbera d'Asti Giulia '18	♟♟ 2*
● Barbera d'Asti Sup. Notturno '17	♟♟ 3
● Nizza La Carrozziera '17	♟♟ 4
● M.to Rosso Paolo '16	♟ 4
● Barbera d'Asti Giulia '16	♟♟ 2*
● Barbera d'Asti Giulia '15	♟♟ 2*
● Barbera d'Asti Sup. Notturno '16	♟♟ 3
● Barbera d'Asti Sup. Notturno '15	♟♟ 2*
● Barbera d'Asti Sup. Notturno '15	♟♟ 3*
● Barbera d'Asti Sup. Notturno '14	♟♟ 3
● Barbera d'Asti Sup. Roche '16	♟♟ 4
● Barbera d'Asti Sup. Roche '13	♟♟ 4
● M.to Rosso Paolo '13	♟♟ 4
● Nizza La Carrozziera '16	♟♟ 4
● Nizza La Corazziera '15	♟♟ 4

Fontanafredda

LOC. FONTANAFREDDA
VIA ALBA, 15
12050 SERRALUNGA D'ALBA [CN]
TEL. 0173626111
www.fontanafredda.it

VENDITA DIRETTA
VISITA SU PRENOTAZIONE
OSPITALITÀ E RISTORAZIONE
PRODUZIONE ANNUA 8.500.000 bottiglie
ETTARI VITATI 100,00
VITICOLTURA Biologico Certificato
AZIENDA SOSTENIBILE

Questa imponente tenuta divenne celebre nel 1858, quando venne acquistata dal re Vittorio Emanuele II, e da allora è sempre stata un importante punto di riferimento per tutta l'area del Barolo. Basti pensare che alla fine della Prima guerra mondiale in questo splendido borgo abitavano e lavoravano 200 persone. A partire dal 2009, con l'acquisto di tutto il complesso da parte della famiglia Farinetti, l'attività produttiva ha ripreso grande impulso, soprattutto sotto l'aspetto qualitativo, e oggi Fontanafredda, assieme alla consorella Casa E. di Mirafiore, propone una gamma di vini di sicuro valore. Finezza e complessità caratterizzano il Barolo Fontanafredda Vigna La Rosa '16, che nasce in quello che è probabilmente il più bell'appezzamento della splendida tenuta: si colgono bacche rosse e tabacco assieme a un richiamo di agrumi, mentre la bocca è di bella struttura, gentile senza risultare troppo morbida, lunga e nitida. Secco ma non tagliente il riuscito Alta Langa Brut Nature Vigna Gatinera '11, delicatamente lievitoso e di sicuro fascino.

● Barolo Fontanafredda V. La Rosa '16	♥♥	8
○ Alta Langa Brut Nature V. Gatinera '11	♥♥	6
● Barolo Fontanafredda Proprietà in Fontanafredda '16	♥♥	8
● Barolo Silver '16	♥♥	8
○ Langhe Riesling Marin '18	♥♥	4
○ Roero Arneis Val di Tana '19	♥♥	3
● Barolo del Comune di Serralunga d'Alba '16	♥	7
○ Roero Arneis Pradalupo '19	♥	3
● Barolo Fontanafredda V. La Rosa '07	♥♥♥	7
● Barolo Lazzarito V. La Delizia '04	♥♥♥	8
● Barolo Lazzarito V. La Delizia '01	♥♥♥	7
● Barolo V. La Rosa '04	♥♥♥	7
● Barolo V. La Rosa '00	♥♥♥	7

Fortemasso

LOC. CASTELLETTO, 21
12065 MONFORTE D'ALBA [CN]
TEL. 0173328148
www.fortemasso.it

VENDITA DIRETTA
PRODUZIONE ANNUA 27.000 bottiglie
ETTARI VITATI 5,20

Il gruppo Agricole Gussalli Beretta ha puntato subito sula qualità e, in meno di 10 anni, è riuscita a inserire la propria cantina langarola nella schiera dei produttori più rinomati di Barolo. Ciò per merito di un investimento mirato che è partito dalla scelta di mettere a disposizione dei propri consulenti locali un importante vigneto Implantato a nebbiolo nel cru Castelletto. Caratteristica di questo appezzamento è quella di unire alla classica potenza del Barolo di Monforte d'Alba una notevole freschezza gustativa, derivante dalla naturale acidità presente nelle uve, che garantisce una invogliante bevibilità. Il primo ingresso al naso conduce verso note di lampone e tabacco di buona finezza e complessità, poi si aggiunge uno sfondo di menta supportato da una buona componente alcolica; bocca possente e ricca, molto lunga, con discreta sensazione di freschezza e una leggera diluizione alcolica: questo è il bel Barolo Castelletto '16. Petali freschi di rosa e un sussurro di terra bagnata nell'equilibrato e godibile Langhe Nebbiolo '19.

● Barolo Castelletto '16	♥♥♥	6
● Langhe Nebbiolo '19	♥♥	3
● Barbera d'Alba '18	♥	3
● Barolo Castelletto Ris. '13	♥♥♥	8
● Barbera d'Alba '17	♥♥	3
● Barbera d'Alba '16	♥♥	3
● Barbera d'Alba '15	♥♥	3
● Barolo Castelletto '15	♥♥	6
● Barolo Castelletto '14	♥♥	6
● Barolo Castelletto '13	♥♥	6
● Langhe Nebbiolo '17	♥♥	3
● Langhe Nebbiolo '16	♥♥	3

Davide Fregonese

VIA RODDINO, 10/1
12050 SERRALUNGA D'ALBA [CN]
TEL. 3409643637
www.davidefregonese.com

PRODUZIONE ANNUA 5.000 bottiglie
ETTARI VITATI 1,00

Prima nell'alta finanza, poi la scelta del
vino. Non solo berlo - come ha sempre
fatto - ma soprattutto farlo. Questa in due
righe la biografia di Davide Fregonese, uno
degli ultimi produttori arrivati in Langa. Un
ettaro in tutto diviso tra due Cru, quello di
Cerretta e di Prapò per due Barolo più un
Langhe Rosso fatti a Serralunga d'Alba.
Nessuna tradizione alle spalle, ma una
grande passione per il vino eccellente,
piemontese e francese in primis. L'incontro
e l'amicizia con Davide Rosso dell'azienda
Giovanni Rosso trasforma il sogno in
impresa e i due decidono di collaborare. Un
team che funziona anche al sud con
un'azienda condivisa sull'Etna. La
produzione è limitata, ma la qualità è
assoluta, con due cru contigui eppure così
diversi. Il Prapò '16 offre un olfatto
complesso, con aromi di liquirizia e
tabacco, arricchiti da una nitida vena di
lamponi, mentre al palato svela una
insospettabile finezza nella trama tannica
per un vino così potente. Appena meno
armonioso appare il Cerretta.

● Barolo Prapò '16	♟♟ 7
● Barolo Cerretta '16	♟♟ 7
● Barolo Cerretta '15	♟♟ 7
● Barolo Prapò '15	♟♟ 7

La Fusina

FRAZ. SANTA LUCIA, 33
12063 DOGLIANI [CN]
TEL. 017370488
www.lafusina.com

VENDITA DIRETTA
VISITA SU PRENOTAZIONE
PRODUZIONE ANNUA 80.000 bottiglie
ETTARI VITATI 20,00
AZIENDA SOSTENIBILE

È più di un secolo che la famiglia Abbona
coltiva i propri vigneti nella splendida
cascina in frazione Santa Lucia, un luogo
che consigliamo di visitare a tutti gli
enoturisti. Col tempo si è proceduto a
graduali ampliamenti vitati, come
testimoniano soprattutto il Barolo e l'Alta
Langa, ma il cuore produttivo continua a
battere per le uve dolcetto e per i Dogliani
docg che se ne ricavano. La conduzione
della cantina è oggi seguita da Massimo,
che - anche in vista di ulteriori ampliamenti
produttivi - ha deciso di avvalersi della
collaborazione di valenti consulenti
enologici. Si passa dai frutti rossi alla
mandorla passando per raffinate note
vegetali nel Dogliani Superiore San Luigi
Cavagnè '18, che in bocca ha buona polpa
e tannini appena incisivi. Ancora più
complesso e deciso il Santa Lucia '19, che
crescerà ancora per anni in bottiglia.
Particolarmente delicato il riuscito Barolo
Perno '16, gradevolmente speziato e
scorrevole sul palato. Da assaggiare anche
il gradevolissimo Chardonnay '19, ricco di
fiori di acacia e di sentori minerali.

● Barolo Perno '16	♟♟ 6
● Dogliani Santa Lucia '19	♟♟ 4
● Dogliani Sup. Luigi Cavagnè '18	♟♟ 3
○ Langhe Chardonnay '19	♟♟ 2*
● Langhe Nebbiolo '19	♟♟ 3
○ Alta Langa Pas Dosé '16	♟ 5
● Barbera d'Alba Sup. La Castella '18	♟ 4
○ Alta Langa Extra Brut '16	♟♟ 5
● Barbera d'Alba '18	♟♟ 3
● Barbera d'Alba '17	♟♟ 3
● Barbera d'Alba '16	♟♟ 3
● Barolo '14	♟♟ 5
● Barolo Perno '15	♟♟ 6
● Dogliani Gombe '17	♟♟ 2*
● Dogliani Gombe '16	♟♟ 2*
● Dogliani Sup. Cavagnè '16	♟♟ 3

Gaggino

S.DA SANT'EVASIO, 29
15076 OVADA [AL]
TEL. 0143822345
www.gaggino.it

VISITA SU PRENOTAZIONE
OSPITALITÀ
PRODUZIONE ANNUA 150.000 bottiglie
ETTARI VITATI 70,00
AZIENDA SOSTENIBILE

Con il passare degli anni il nome Gaggino è
sempre più sinonimo di Dolcetto di Ovada
grazie al preziosissimo lavorato svolto nel
tempo da questa cantina che ha sempre
creduto fortemente nel valore di questa
varietà e di questo territorio. Il Dolcetto, a
volte maltrattato anche dal mercato interno,
oggi torna a rappresentare un territorio
meraviglioso, riportando in luce un legame
fortissimo saldato dalla storia. La
produzione abbraccia anche magistrali
interpretazioni della Barbera del
Monferrato, per finire con una gamma di
prodotti base di ottima fattura, a conferma
della bontà e della coerenza del progetto
aziendale. Grande prestazione dei campioni
di razza di casa Gaggino. Convivio si
presenta ancora in finale con un impianto
gusto olfattivo di gran classe e con un
frutto che prolunga il già persistente finale
gustativo. Ticco è intenso al naso, con
pregevoli aromi terziari, su note di
confettura, che precedono un palato
potente e fresco, di pregevole fattura: la
barbera Lazzarina e il Dolcetto di Ovada 19.

● Ovada Convivio '18	▼▼▼	3*
● Barbera del M.to Sup. Ticco '17	▼▼	4
● Barbera del M.to La Lazzarina '19	▼▼	2*
● Dolcetto di Ovada Sedici '19	▼▼	2*
○ Gavi '19	▼▼	3
☉ Piemonte Rosato Sedici Rosé '19	▼	2
● Ovada Convivio '17	♀♀♀	3*
● Ovada Convivio '16	♀♀♀	3*
● Ovada Convivio '13	♀♀♀	2*
● Barbera del M.to La Lazzarina '18	♀♀	2*
● Barbera del M.to La Lazzarina '16	♀♀	2*
● Barbera del M.to Ticco '16	♀♀	4
● Dolcetto di Ovada '17	♀♀	2*
● Dolcetto di Ovada '16	♀♀	2*
● Dolcetto di Ovada Sedici '18	♀♀	2*
● Ovada Convivio '15	♀♀	3*
● Piemonte Rosso Passito '17	♀♀	3

Poderi Gianni Gagliardo

FRAZ. SANTA MARIA
B.GO SERRA DEI TURCHI, 88
12064 LA MORRA [CN]
TEL. 017350829
www.gagliardo.it

VENDITA DIRETTA
VISITA SU PRENOTAZIONE
PRODUZIONE ANNUA 180.000 bottiglie
ETTARI VITATI 25,00

Il nome Gianni Gagliardo compare sulle
etichette della casa solo dal 1986, ma la
storia vitivinicola aziendale ha inizio già
attorno alla metà dell'Ottocento, con
possedimenti comprendenti vigneti in
Monferrato, Roero e Langhe. Infaticabile
promotrice del Barolo al di qua e al di là
dell'oceano, la filosofia aziendale è oggi
tesa con sicurezza ad affermare uno stile di
assoluta classicità, applicando attente
selezioni dei grappoli e lunghi affinamenti in
botti di grandi dimensioni. Il risultato è in
ben otto proposte diverse di Barolo che
riscuotono crescente successo. Bacche
rosse e nere si mettono in luce nei
complessi aromi del Barolo Lazzarito Vigna
Preve '16, lasciando poi spazio a un palato
di bel corpo, con una tannicità fitta e densa
ben armonizzata nella ricca polpa fruttata.
Fresco ed elegante il meno potente Barolo
Mosconi '16, di agevole e gustosa bevibilità.
Appena severo il Fossati '16, con profumi di
china ed erbe assolate e palato ben reattivo.
Ruspante e immediato il gradevole Barolo
del comune di La Morra '16.

● Barolo Lazzarito V. Preve '16	▼▼	8
● Barbera d'Asti Tenuta Garetto '18	▼▼	3
● Barolo del Comune di La Morra '16	▼▼	7
● Barolo Fossati '16	▼▼	7
● Barolo Mosconi '16	▼▼	7
● Nebbiolo d'Alba Sup. San Ponzio '17	▼▼	5
● Barolo Castelletto '16	▼	7
● Barolo Monvigliero '16	▼	7
● Roero Arneis '19	▼	2
● Barolo '10	♀♀	5
● Barolo '08	♀♀	5
● Barolo Cannubi '08	♀♀	8
● Barolo Preve '07	♀♀	8
● Barolo Serre '10	♀♀	8
● Barolo Serre '09	♀♀	8

★★★★★ Gaja

VIA TORINO, 18
12050 BARBARESCO [CN]
TEL. 0173635158
info@gaja.com

PRODUZIONE ANNUA 350.000 bottiglie
ETTARI VITATI 92,00

Gli insegnamenti del padre Giovanni sono stati recepiti a dovere e ora, con lo stesso carisma e la stessa determinazione trasmette ai suoi figli (Gaia, Rosanna e Giovanni) idee, strategie, cultura enologica, ma soprattutto tanto amore e rispetto per il territorio. Angelo Gaja non ha bisogno di presentazione e la sua azienda è un modello in Piemonte, in Italia, all'estero. La gamma prodotta è, oggi più che mai, un vero concentrato di Langa, nonostante il linguaggio usato sia universalmente riconosciuto e rispettato. Sperss e Sorì Tildin, due veri cavalli di razza a capitanare una squadra di fuoriclasse. Tra i due la spunta il Barolo, forte della sua (grande) annata 2016: la complessità al naso è stupefacente, ma è ancor più affascinante la bocca. Grande equilibrio, col nerbo a render vivo il sorso, mentre il tannino dà ritmo e scandisce una beva che sembra non finire mai. Più immediato, avvolgente e cremoso il Sorì Tildin, incredibile per sapidità e freschezza. Ai vertici anche il San Lorenzo e il Barbaresco '17.

● Barolo Sperss '16	♟♟♟	8
● Barbaresco '17	♟♟	8
● Barbaresco San Lorenzo '17	♟♟	8
● Barbaresco Sorì Tildin '17	♟♟	8
● Barbaresco Costa Russi '17	♟♟	8
● Barbaresco '09	♟♟♟	8
● Barbaresco '08	♟♟♟	8
● Barbaresco Costa Russi '13	♟♟♟	8
● Barbaresco Sorì Tildin '16	♟♟♟	8
● Barbaresco Sorì Tildin '15	♟♟♟	8
● Barbaresco Sorì Tildin '14	♟♟♟	8
● Langhe Nebbiolo Costa Russi '10	♟♟♟	8
● Langhe Nebbiolo Costa Russi '08	♟♟♟	8
● Langhe Nebbiolo Costa Russi '07	♟♟♟	8
● Langhe Nebbiolo Sorì Tildin '11	♟♟♟	8
● Langhe Nebbiolo Sperss '11	♟♟♟	8

Filippo Gallino

FRAZ. VALLE DEL POZZO, 63
12043 CANALE [CN]
TEL. 017398112
www.filippogallino.com

VENDITA DIRETTA
VISITA SU PRENOTAZIONE
OSPITALITÀ
PRODUZIONE ANNUA 100.000 bottiglie
ETTARI VITATI 14,00
AZIENDA SOSTENIBILE

Storico protagonista della scena roerina, Filippo Gallino oggi è affiancato alla guida dell'azienda dai figli Laura e Gianni. I vigneti di proprietà sono situati tutti nel comune di Canale, principalmente attorno alla sede aziendale, su terreni sabbiosi e argillosi. La produzione è centrata sulle uve del territorio - arneis, barbera, brachetto e nebbiolo - gestite in modo tradizionale in vigna e con un approccio moderno in cantina, per vini piacevoli, ricchi di frutto e di notevole territorialità. Sempre affidabili i vini di Filippo Gallino. Quest'anno ci è particolarmente piaciuta la Barbera d'Alba '18, intensa al naso nei suoi profumi di frutti rossi e spezie dolci, e dal palato coerente, ricco, ancora un po' segnato dal legno, ma di buona sapidità e con un finale lungo e piacevole. Molto ben realizzati anche il Langhe Nebbiolo Licin '18, dalle note balsamiche e di macchia mediterranea, con sfumature di frutti rossi, teso e succoso allo stesso tempo, e il Roero Arneis '19, fresco, agile e agrumato.

● Barbera d'Alba '18	♟♟	2*
● Langhe Nebbiolo Licin '18	♟♟	3
○ Moda Veja	♟♟	4
○ Roero Arneis '19	♟♟	2*
● Langhe Nebbiolo '18	♟	2
○ Roero Arneis 4 Luglio '18	♟	4
● Barbera d'Alba Sup. '05	♟♟♟	4*
● Barbera d'Alba Sup. '04	♟♟♟	4*
● Roero '06	♟♟♟	4*
● Roero Sup. '03	♟♟♟	3
● Roero Sup. '01	♟♟♟	5
● Roero Sup. '99	♟♟♟	5
● Barbera d'Alba '17	♟♟	2*
○ Roero Arneis 4 Luglio '16	♟♟	3
● Roero Sorano Ris. '15	♟♟	5

Garesio

Loc. Sordo, 1
12050 Serralunga d'Alba [CN]
Tel. 3667076775
www.garesiovini.it

VENDITA DIRETTA
VISITA SU PRENOTAZIONE
PRODUZIONE ANNUA 85.000 bottiglie
ETTARI VITATI 25,00
VITICOLTURA Biologico Certificato

In soli dieci anni di attività la famiglia
Garesio ha portato a casa risultati
importanti. Il lavoro si articola su un doppio
piano, prima quello dell'Astigiano, con uve
barbera da cui ricava due proposte di
Nizza, il secondo riguarda la Langa, con la
base operativa a Serralunga d'Alba. Qui si
realizzano diverse versioni di Barolo tra cui
spicca il prestigioso cru Cerretta. Lo stile di
vinificazione prevede macerazioni piuttosto
lunghe e legni di dimensioni medio-grandi
in rovere francese e austriaco. Da finale il
Nizza Riserva '16. Toni di china e terra
bagnata impreziosiscono un frutto scuro e
maturo; in bocca è voluminosa, di grande
struttura e molto ben bilanciata dall'acidità.
Più esile e di bell'equilibrio complessivo il
Nizza '17. In attesa dell'uscita il prossimo
anno del Cerretta '16 assistiamo alla solida
prova del Barolo Giannetto, dal nitido tratto
di fiori e spezie, dalla bocca polposa e
sapida. Nota di merito finale per il Langhe
Nebbiolo '18, elegante e arioso.

● Nizza Ris. '16	♟♟ 5
● Barolo del Comune di Serralunga d'Alba '16	♟♟ 6
● Barolo Gianetto '16	♟♟ 6
● Langhe Nebbiolo '18	♟♟ 4
○ M.to Bianco Resilio '19	♟♟ 3
● Nizza '17	♟♟ 4
● Barbera d'Asti Sup. Sage '18	♟ 3
● Barolo Cerretta '15	♟♟♟ 7
● Barolo del Comune di Serralunga d'Alba '15	♟♟ 5
● Barolo del Comune di Serralunga d'Alba '14	♟♟ 5
● Langhe Nebbiolo '16	♟♟ 3
● Nizza '16	♟♟ 4
● Nizza '15	♟♟ 4

Cantine Garrone

Via Scapaccino, 36
28845 Domodossola [VB]
Tel. 0324242990
www.cantinegarrone.it

VENDITA DIRETTA
VISITA SU PRENOTAZIONE
OSPITALITÀ
PRODUZIONE ANNUA 50.000 bottiglie
ETTARI VITATI 10,00

L'attività dei Garrone ha raggiunto il secolo
di vita e ha visto diverse fasi: imbottigliatori
di vini acquistati fuori zona, enotecari e,
finalmente, produttori in proprio delle uve,
principalmente nebbiolo, coltivate nei pochi
ettari di proprietà. A questa dotazione
viticola si aggiungono poi i vigneti di alcuni
aderenti all'Associazione Produttori Agricoli
Ossolani. La cantina d'invecchiamento dei
vini si trova in un edificio che risale al
Trecento a Oira di Crevoladossola, dove ha
sede anche l'affascinante B&B, che
consigliamo agli enoturisti anche per lo
splendido ambiente naturale che lo
circonda. Quest'anno si mette in evidenza il
Nebbiolo Superiore Prünent Diecibrente '16,
arioso, complesso e dotato di una rara
armonia gustativa, grazie a tannini
scorrevoli e a una bella polpa fruttata. La
versione di Prünent '17 spazia tra le fragole
di bosco, lo iodio e la liquirizia, in un insieme
di raffinata eleganza. Il Cà d'Maté '17, a
base di nebbiolo e croatina, è ancora poco
espressivo ma ha una bella struttura.

● Valli Ossolane Nebbiolo Sup. Prünent '17	♟♟ 5
● Valli Ossolane Nebbiolo Sup. Prünent Diecibrente '16	♟♟ 6
● Valli Ossolane Rosso Cà d'Maté '17	♟♟ 4
● Valli Ossolane Rosso Tarlap '18	♟♟ 3
○ Valli Ossolane Bianco La Gera '19	♟ 4
● Valli Ossane Rosso Cà d'Maté '13	♟♟ 3
● Valli Ossane Rosso Cà d'Maté '11	♟♟ 3
● Valli Ossolane Nebbiolo Sup. Prünent '16	♟♟ 5
● Valli Ossolane Nebbiolo Sup. Prünent '12	♟♟ 4
● Valli Ossolane Nebbiolo Sup. Prünent '11	♟♟ 4
● Valli Ossolane Nebbiolo Sup. Prünent Diecibrente '15	♟♟ 6
● Valli Ossolane Rosso Cà d'Maté '16	♟♟ 4
● Valli Ossolane Rosso Tarlàp '13	♟♟ 2*
● Valli Ossolane Rosso Tarlàp '12	♟♟ 2*

Gaudio - Bricco Mondalino

C.NE REG. MONDALINO, 5
15049 VIGNALE MONFERRATO [AL]
TEL. 0142933204
www.gaudiovini.it

Generaj

B.TA TUCCI, 4
12046 MONTÀ [CN]
TEL. 0173976142
www.generaj.it

VENDITA DIRETTA
VISITA SU PRENOTAZIONE
PRODUZIONE ANNUA 100.000 bottiglie
ETTARI VITATI 19,50
AZIENDA SOSTENIBILE

VENDITA DIRETTA
VISITA SU PRENOTAZIONE
PRODUZIONE ANNUA 50.000 bottiglie
ETTARI VITATI 12,00
AZIENDA SOSTENIBILE

I vigneti della Famiglia Gaudio sono suddivisi tra i comuni di Vignale, Camagna e Casorzo. La piattaforma ampelografica si divide tra barbera, grignolino, freisa, cortese, malvasia; ma non mancano gli spunti internazionali con due parcelle coltivate con merlot e syrah. Il cuore della produzione è rappresentato dalle etichette da vitigni autoctoni, declinate in diverse versioni: acciaio e legno, perlopiù di dimensioni ridotte (barrique e tonneau). Tra i punti di forza aziendali certamente dobbiamo annoverare la produzione di Malvasia di Casorzo, solitamente una delle più interessanti del territorio, e il Grignolino Metodo Classico Margot (36 mesi sui lieviti). Zerolegno ci allieta con un bel frutto croccante, su aromi di bacche nere e reso più complesso da leggere note di fumo. Al palato ricco e intenso, con un finale energico e persistente. Il grignolino, Gaudio, evidenzia grande tipicità, con aromi floreali su note di pepe e tabacco. In bocca equilibrato e intenso, con un tannino severo, ma di carattere. Di buona fattura gli altri vini.

Giuseppe Viglione guida l'azienda di famiglia fondata nel 1947. I vigneti della Generaj sono situati nella parte più settentrionale del territorio roerino su vari terreni, che vanno da quelli a dominante sabbiosa a suoli più calcarei e misto ghiaiosi, ad altitudini tra i 350 e i 450 metri. Secondo tradizione arneis, barbera e nebbiolo sono le principali uve coltivate, per vini d'impianto moderno, di buona freschezza e ricchezza di frutto, in grado di esprimere al meglio le caratteristiche del territorio d'origine. Ottima la prestazione dei vini di Giuseppe Viglione, a partire dal Roero Bric Aût Riserva '16, dai profumi di frutti neri, spezie orientali e china, con un palato succoso, complesso e piacevole insieme, dalla fine trama tannica. Fresco e immediato, dai toni floreali con note di frutti rossi, il Roero Bric Aût '17, sapido e fruttato il Roero Arneis Bric Varomaldo '19, mentre la Barbera d'Alba Superiore Ca' d' Pistola '17 è classica nei suoi aromi di sottobosco. Pieno e ricco di frutto il Pas Dosé 60 Mesi Metodo Classico '13.

● Barbera d'Asti Zerolegno '18	♟♟ 4
● Grignolino del M.to Casalese Gaudio '19	♟♟ 3*
● Barbera d'Asti Il Bergantino '17	♟♟ 4
● Barbera del M.to Sup. '17	♟♟ 2*
● Grignolino del M.to Casalese Monte della Sala '17	♟ 4
● Barbera d'Asti Zerolegno '17	♟♟ 4
● Barbera del M.to Sup. '16	♟♟ 2*
● Barbera del M.to Sup. '15	♟♟ 2*
● Grignolino del M.to Casalese '17	♟♟ 3
● Grignolino del M.to Casalese Bricco Mondalino '17	♟♟ 3
● Grignolino del M.to Casalese Bricco Mondalino '13	♟♟ 2*
● Grignolino del M.to Casalese Monte della Sala '13	♟♟ 4

● Roero Bric Aût Ris. '16	♟♟ 5
● Barbera d'Alba Sup. Cà d' Pistola '17	♟♟ 3
○ Generaj Pas Dosè 60 Mesi M. Cl. '13	♟♟ 5
○ Roero Arneis Bric Varomaldo '19	♟♟ 2*
● Roero Bric Aût '17	♟♟ 4
○ Roero Arneis Quindicilune Ris. '18	♟ 3
○ Generaj Brut M. Cl. '15	♟♟ 5
○ Roero Arneis Bric Varomaldo '18	♟♟ 2*
○ Roero Arneis Bric Varomaldo '17	♟♟ 2*
○ Roero Arneis Quindicilune Ris. '17	♟♟ 3
● Roero Bric Aût '16	♟♟ 4
● Roero Bric Aût Ris. '15	♟♟ 5
● Roero Bric Aût Ris. '14	♟♟ 5

★Ettore Germano

LOC. CERRETTA, 1
12050 SERRALUNGA D'ALBA [CN]
TEL. 0173613528
www.ettoregermano.com

VENDITA DIRETTA
VISITA SU PRENOTAZIONE
OSPITALITÀ
PRODUZIONE ANNUA 140.000 bottiglie
ETTARI VITATI 20,00
AZIENDA SOSTENIBILE

Possiamo finalmente segnalare agli enoturisti che è a loro disposizione la nuova, imponente cantina di Sergio Germano, dotata anche di una più che accogliente sala di degustazione. Gli ambienti sono strutturati in modo funzionale alle tre anime enologiche presenti: i rossi anzitutto, poi i bianchi fermi e, con sempre maggiore rilievo, gli spumanti Metodo Classico. In tutte e tre le tipologie Sergio si è dimostrato un vero maestro. Essenziale ma ricchissimo, forte del terroir di una delle più celebri denominazioni del Barolo, il Vignarionda '15, alla prima uscita, è un gioiello fruttato con un ampio complesso di spezie dolci, mentre la bocca è severa e liquiriziosa, senza eccedere in muscolosità. Di raffinata misura anche il Cerretta '16, delicatamente balsamico e lunghissimo nell'armonico palato. Tra le migliori della vendemmia '17 la Barbera d'Alba Superiore della Madre. E i bianchi sono sempre più una certezza, con l'Alta Langa Brut teso, fresco e sapido, mentre l'Hérzu è finemente minerale.

La Ghibellina

FRAZ. MONTEROTONDO, 61
15066 GAVI [AL]
TEL. 0143686257
www.laghibellina.it

VENDITA DIRETTA
VISITA SU PRENOTAZIONE
RISTORAZIONE
PRODUZIONE ANNUA 60.000 bottiglie
ETTARI VITATI 17,00

Al ventennale dalla nascita, La Ghibellina si presenta come un'azienda moderna e ben inserita nel panorama vitivinicolo di Monterotondo. La produzione è incentrata prevalentemente sul vitigno cortese, dal quale si ottengono due vini fermi di carattere e due Metodo Classico, con differenti tempi di maturazione sui lieviti. La produzione si articola anche su un vino rosato da uve barbera e due rossi, il Pituj e il Nero del Montone, barbera in purezza. La gamma si caratterizza per uno stile moderno ed elegante. Il Gavi Altius ha carattere e personalità: intenso su aromi di buccia di agrumi e frutta tropicale, con un ingresso in bocca possente e fitto; sul finale ci regala una nota tannica intrigante, per proseguire persistente e sapido. Il Mainìn è intenso al naso con aromi di tiglio e mela su fondo minerale, con bella polpa in evidenza su un finale gustativo fresco e sapido. Di buona fattura gli altri vini.

● Barolo Cerretta '16	♟♟ 7
● Barolo Lazzarito Ris. '14	♟♟ 8
● Barolo Vignarionda '15	♟♟ 8
○ Langhe Riesling Hérzu '18	♟♟ 5
○ Alta Langa Extra Brut '16	♟♟ 5
● Barbera d'Alba Sup. V. della Madre '17	♟♟ 5
● Barolo del Comune di Serralunga d'Alba '16	♟♟ 6
● Barolo Prapò '16	♟♟ 8
● Langhe Nebbiolo '19	♟♟ 3
⊙ Rosanna Nebbiolo Extra Brut M. Cl. Rosé	♟♟ 5
● Barolo Lazzarito Ris. '13	♟♟♟ 8
● Barolo Lazzarito Ris. '12	♟♟♟ 8
● Barolo Lazzarito Ris. '11	♟♟♟ 8

○ Gavi del Comune di Gavi Altius '18	♟♟ 5
○ Gavi del Comune di Gavi Mainìn '19	♟♟ 3
○ Gavi del Comune di Gavi Brut M. Cl.	♟ 4
● M.to Rosso Pituj '18	♟ 4
⊙ Piemonte Rosato Sandrino '19	♟ 2
○ Gavi del Comune di Gavi Altius '16	♕♟ 5
○ Gavi del Comune di Gavi Altius '14	♕♟ 5
○ Gavi del Comune di Gavi Brut M. Cl. Cuvée Marina '12	♕♟ 5
○ Gavi del Comune di Gavi Brut M. Cl. Cuvée Marina '11	♕♟ 7
○ Gavi del Comune di Gavi Mainìn '18	♕♟ 3*
○ Gavi del Comune di Gavi Mainìn '17	♕♟ 3*
○ Gavi del Comune di Gavi Mainìn '16	♕♟ 3*
○ Gavi del Comune di Gavi Mainìn '15	♕♟ 3*
○ Gavi del Comune di Gavi Mainìn '14	♕♟ 3*
● M.to Rosso Pituj '17	♕♟ 4

★★Bruno Giacosa

VIA XX SETTEMBRE, 52
12052 NEIVE [CN]
TEL. 017367027
www.brunogiacosa.it

PRODUZIONE ANNUA 300.000 bottiglie
ETTARI VITATI 20,00
AZIENDA SOSTENIBILE

Bruno Giacosa ci raccontava che, nel corso
delle sue 50 vendemmie, non aveva mai
voluto apportare grandi cambiamenti nello
stile dei suoi vini; però era stato costretto a
lente e continue modifiche dettate da uve
che, a furia di trattamenti fitosanitari, si
indebolivano lentamente negli anni. Aveva
quindi deciso di ridurre progressivamente il
tempo di macerazione, che ai suoi esordi
arrivava a 100 giorni, e aveva adottato
grandi botti di rovere francese, che trovava
un po' più morbide e gentili rispetto a
quelle di Slavonia. Nascevano e nascono
così Riserve di Barolo e di Barbaresco che
fanno costantemente parte del vertice
enologico mondiale. Brillante e raffinato nei
suoi ricchi profumi il Barolo Falletto Vigna
Le Rocche Riserva '14, fresco e di rara
armonia in bocca, dove i tannini ben maturi
si limitano ad arricchire la pregevole polpa
fruttata. Spettacolare il naso del Barbaresco
Rabajà '16, con viola, radici e liquirizia che
si fondono in una vera sinfonia aromatica;
la bocca è tanto potente quanto setosa, di
una bevibilità ammaliante.

● Barolo Falletto V. Le Rocche Ris. '14	♛♛♛	8
● Barbaresco Asili '17	♛♛	8
● Barbaresco Rabajà '16	♛♛	8
● Barolo Falletto '16	♛♛	8
○ Roero Arneis '19	♛	4
● Barbaresco Asili '05	♛♛♛	8
● Barbaresco Asili Ris. '07	♛♛♛	8
● Barbaresco Asili Ris. '04	♛♛♛	8
● Barbaresco Rabajà Ris. '01	♛♛♛	8
● Barolo Falletto '07	♛♛♛	8
● Barolo Falletto '04	♛♛♛	8
● Barolo Falletto '01	♛♛♛	8
● Barolo Le Rocche del Falletto '05	♛♛♛	8
● Barolo Le Rocche del Falletto '04	♛♛♛	8
● Barolo Le Rocche del Falletto Ris. '01	♛♛♛	8

Carlo Giacosa

S.DA OVELLO, 9
12050 BARBARESCO [CN]
TEL. 0173635116
www.carlogiacosa.it

VENDITA DIRETTA
VISITA SU PRENOTAZIONE
PRODUZIONE ANNUA 42.000 bottiglie
ETTARI VITATI 5,50
AZIENDA SOSTENIBILE

Sono appena otto gli ettari vitati del cru
Montefico, con sei cantine che lo
propongono in etichetta. Ciononostante, si
tratta di un nome assai famoso tra gli
appassionati del Barbaresco, in quanto da
generazioni è ritenuta una vigna che
produce uve nebbiolo tra le più eleganti di
tutta l'area. Nasce qui il vino che ha reso
celebre la piccola azienda oggi condotta da
Maria Grazia Giacosa, convinta sostenitrice
dei metodi di affinamento più tradizionali.
Dall'assemblaggio delle uve di tre vigneti
diversi nasce invece la sempre valida
Riserva di Barbaresco Luca. Sono 9 le
etichette proposte, tutte caratterizzate da
gradevoli sentori fruttati e dal prezzo
amichevole. Lampone, liquirizia e tabacco
biondo nel tradizionale ed elegante
Barbaresco Luca Riserva '15, complesso,
lungo e vellutato nel palato appena
arricchito dalla componente tannica. Note
di erbe assolate e di rovere dolce nel
Montefico '17, frutto di un'annata
particolarmente calda che ha limitato la
componente acida.

● Barbaresco Luca Ris. '15	♛♛	7
● Barbaresco Montefico '17	♛♛	6
● Langhe Nebbiolo Maria Grazia '18	♛	4
● Langhe Pinot Nero '18	♛	5
● Barbaresco Montefico '15	♛♛♛	6
● Barbaresco Montefico '08	♛♛♛	5*
● Barbaresco Luca Ris. '14	♛♛	7
● Barbaresco Montefico '16	♛♛	6
● Barbaresco Narin '16	♛♛	6
● Barbaresco Narin '15	♛♛	5
● Barbera d'Alba Mucin '16	♛♛	3
● Barbera d'Alba Sup. Lina '17	♛♛	3
● Barbera d'Alba Sup. Lina '16	♛♛	4
● Langhe Nebbiolo Maria Grazia '17	♛♛	4

Giovanni Battista Gillardi

Cascina Corsaletto, 69
12060 Farigliano [CN]
Tel. 017376306
www.gillardi.it

VENDITA DIRETTA
VISITA SU PRENOTAZIONE
PRODUZIONE ANNUA 50.000 bottiglie
ETTARI VITATI 9,00

Passeggiare d'estate con Giacolino nel
ripido anfiteatro in cui sono coltivate le uve
dolcetto ci porta indietro di parecchi anni,
quando questa camminata la facevamo con
suo padre Giovanni Battista, grandissimo
interprete di quest'uva. Ed è davvero strano
notare come l'ambiente sia cambiato così
poco, solo fa un po'più caldo di allora e
molte viti hanno un tronco assai più
sviluppato e nodoso, per via dell'età. Qui
nascono due Dogliani di grande classicità e
godibile bevibilità, il più snello e scorrevole
Maestra e l'appena più denso e consistente
Cursalet: da provare anche dopo tre o
quattro anni dall'imbottigliamento. E intanto
a Barolo la nuova cantina cresce. Parecchi
vini, tra cui i celebri Dogliani Maestra e il
Langhe Harys, erano ancora in vasca o
botte al momento delle nostre degustazioni,
per cui la griglia sottostante è forzatamente
ridotta. Il piccolo cru Vignane, che si trova
di fronte ai celebri Cannubi guardando
verso Monforte, ha dato un Barolo '16 di
buona personalità, dove si fondono richiami
di terra bagnata, rovere dolce e frutta
rossa, con un palato già rotondo e invitante.

● Barolo Vignane '16	♥♥ 6
● Dogliani Cursalet '19	♥♥ 3*
● Dogliani Maestra '19	♥♥ 3*
● Barolo '16	♥♥ 6
● Langhe Nebbiolo '18	♥♥ 4
● Barolo '15	♥♥ 6
● Barolo '14	♥♥ 6
● Barolo del Comune di Barolo '13	♥♥ 4
● Barolo Vignane '15	♥♥ 6
● Barolo Vignane '13	♥♥ 6
● Dogliani Cursalet '18	♥♥ 3
● Dogliani Cursalet '17	♥♥ 3*
● Dogliani Cursalet '16	♥♥ 3*
● Dogliani Maestra '18	♥♥ 3
● Dogliani Maestra '17	♥♥ 3
● Langhe Harys '17	♥♥ 7
● Langhe Nebbiolo '17	♥♥ 4

La Gironda

s.da Bricco, 12
14049 Nizza Monferrato [AT]
Tel. 0141701013
www.lagironda.com

VENDITA DIRETTA
VISITA SU PRENOTAZIONE
PRODUZIONE ANNUA 60.000 bottiglie
ETTARI VITATI 9,00
AZIENDA SOSTENIBILE

Quella condotta da Susanna Galandrino
insieme al marito Alberto Adamo è una
delle realtà astigiane più interessanti.
Avviata da papà Agostino nei primi anni
2000 e da sempre ispirata ai principi della
sostenibilità ambientale, l'azienda valorizza
al meglio la proverbiale vocazione di due
fra i migliori siti per la barbera, come
Bricco di Nizza e Chiesavecchia di
Calamandrana, interpretati con sensibilità
contemporanea. Ad arricchire la batteria ci
sono poi i vini da sauvignon, moscato,
brachetto, cabernet sauvignon e nebbiolo,
per non parlare del Metodo Classico da
chardonnay e pinot nero. Il Nizza Le
Nicchie '17 si propone con aromi di
prugna e ciliegia, accompagnati da note di
cacao e liquirizia, mentre il palato è ricco
di frutto, ben sostenuto da una fine acidità,
per un finale lungo e armonico. Sullo
stesso livello il Nizza Riserva Ago '15, con
note di china, di maggiore struttura e
austerità, compatto e grintoso. Ben
realizzati gli altri vini proposti, in particolare
il Moscato d'Asti, fresco e piacevole.

● Nizza Ago Ris. '15	♥♥ 7
● Nizza Le Nicchie '17	♥♥ 5
● Barbera d'Asti La Lippa '19	♥♥ 3
○ Galandrino Brut M. Cl. '15	♥♥ 5
○ Moscato d'Asti '19	♥♥ 3
● Barbera d'Asti Sup. Nizza Le Nicchie '11	♥♥♥ 5
● Barbera d'Asti La Gena '16	♥♥ 3
● Barbera d'Asti La Gena '15	♥♥ 3*
● Barbera d'Asti La Lippa '16	♥♥ 2*
● Barbera d'Asti Sup. La Gena '17	♥♥ 3*
○ Galandrino Brut M. Cl. '14	♥♥ 3
● M.to Rosso Chiesavecchia '16	♥♥ 4
● M.to Rosso Soul '15	♥♥ 5
○ Moscato d'Asti '17	♥♥ 2*
● Nizza Le Nicchie '16	♥♥ 5
● Nizza Le Nicchie '15	♥♥ 5

Tenuta La Giustiniana

FRAZ. ROVERETO, 5
15066 GAVI [AL]
TEL. 0143682132
www.lagiustiniana.it

VENDITA DIRETTA
VISITA SU PRENOTAZIONE
PRODUZIONE ANNUA 200.000 bottiglie
ETTARI VITATI 39,00

La Giustiniana ha scritto pagine importanti
nella storia del Gavi. La famiglia Giustiniani
acquistò quello che era un insediamento
agricolo benedettino del XIII° secolo, dove
già si produceva anche vino, e lo trasformò
in una splendida villa neoclassica. Tutto ciò
avveniva nel primo quarto del XVII° secolo.
Nel tempo, i passaggi di proprietà non
hanno mai arrestato l'attività vitivinicola,
dando lustro alla zona di Rovereto, tra le
più interessanti del comprensorio per la
qualità delle uve. La produzione comprebde
tre Gavi, un base e due cru, il Lugarara e il
Montessora. Montessora si presenta con
eleganti note di camomilla, su buccia di
agrumi e fondo minerale. Al palato è
corposo e intenso, con acidità che enfatizza
un finale sapido e molto persistente.
Lugarara è elegante e intenso, con sentori
erbacei su fondo minerale. La fase
gustativa rivela una struttura eccellente per
corposità e freschezza, con un finale sapido
e persistente ancora in crescita.

○ Gavi del Comune di Gavi Montessora '19	♼♼ 4
○ Gavi del Comune di Gavi Lugarara '19	♼♼ 3
○ Gavi del Comune di Gavi Il Nostro Gavi '12	♼ 4
○ Gavi del Comune di Gavi Lugarara '18	♼ 3*
○ Gavi del Comune di Gavi Lugarara '17	♼ 3
○ Gavi del Comune di Gavi Lugarara '16	♼ 3*
○ Gavi del Comune di Gavi Lugarara '15	♼ 3
○ Gavi del Comune di Gavi Montessora '18	♼ 4
○ Gavi del Comune di Gavi Montessora '17	♼ 4
○ Gavi del Comune di Gavi Montessora '16	♼ 4
○ Gavi del Comune di Gavi Montessora '15	♼ 4

★★Elio Grasso

LOC. GINESTRA, 40
12065 MONFORTE D'ALBA [CN]
TEL. 017378491
www.eliograsso.it

VISITA SU PRENOTAZIONE
PRODUZIONE ANNUA 90.000 bottiglie
ETTARI VITATI 18,00
AZIENDA SOSTENIBILE

La cantina della famiglia Grasso gode di
uno dei più bei panorami vitati di Langa,
infatti può contare sulla vista sia della
irripetibile zona della Ginestra di Monforte
sia della sequenza dei celebri cru di
Serralunga d'Alba. Entrando si ha poi lo
spettacolo della grande galleria interrata, in
cui riposano sia le botti per la maturazione
sia le bottiglie per l'affinamento dei vini.
Elio Grasso ha iniziato nel 1978 ed è stato
un abilissimo precursore della rivoluzione
che di lì a pochi anni avrebbe coinvolto il
mondo del Barolo. Il figlio Gianluca si
dimostra in grado di far esprimere sempre
eleganza e finezza alle sue selezioni,
partendo dalla coltivazione attentissima
delle uve. Il Barolo Ginestra Casa Maté '16
è sicuramente destinato a una lunga e
positiva evoluzione, considerato che già
oggi è potente e armonico, complesso e
lungo: il naso si caratterizza per liquirizia e
legno dolce, il palato per avvolgente
struttura e per un raffinato finale in cui si
coglie del tabacco biondo. Analoga
impostazione per il Gavarini Chiniera '16,
che nei profumi offre bei frutti rossi e china.

● Barbera d'Alba V. Martina '17	♼♼ 5
● Barolo Gavarini Chiniera '16	♼♼ 8
● Barolo Ginestra Casa Maté '16	♼♼ 8
● Barolo Rüncot Ris. '13	♼♼ 8
● Barolo Gavarini Chiniera '09	♼♼♼ 8
● Barolo Gavarini V. Chiniera '06	♼♼♼ 8
● Barolo Gavarini V. Chiniera '01	♼♼♼ 8
● Barolo Gavarini V. Chiniera '00	♼♼♼ 7
● Barolo Ginestra Casa Maté '15	♼♼♼ 8
● Barolo Ginestra Casa Maté '12	♼♼♼ 8
● Barolo Ginestra Casa Maté '07	♼♼♼ 8
● Barolo Ginestra V. Casa Maté '05	♼♼♼ 8
● Barolo Ginestra V. Casa Maté '04	♼♼♼ 8
● Barolo Ginestra V. Casa Maté '03	♼♼♼ 7
● Barolo Rüncot '01	♼♼♼ 8
● Barolo Rüncot '00	♼♼♼ 8
● Barolo Rüncot '99	♼♼♼ 8

Silvio Grasso

FRAZ. ANNUNZIATA, 112
12064 LA MORRA [CN]
TEL. 3355273168
www.silviograsso.com

VENDITA DIRETTA
VISITA SU PRENOTAZIONE
PRODUZIONE ANNUA 80.000 bottiglie
ETTARI VITATI 14,00

Oltre alla versione base, i Grasso realizzano
ben cinque etichette di Barolo che prendono
il nome dal rispettivo cru di provenienza
delle uve, a riprova della loro attenzione alla
specificità e alla personalità di ogni singolo
vigneto. Lo stile di cantina è decisamente
moderno, con i suadenti sentori delle
barrique francesi che nei primi anni di
bottiglia fanno da sfondo alle diverse
proposte, con la sola eccezione del Barolo
Turné, a cui si applicano vinificazioni e
affinamenti più che tradizionali. Una
proposta tutta interessante e basata
sull'eleganza più che sulla potenza, con il
Barolo Bricco Luciani a raccogliere il
maggior numero di medaglie. A dominare la
scena sono due versioni di Barolo del 2016
assai diverse tra loro: il Bricco Manzoni è
moderno ed elegante, con una pregevole
fusione di liquirizia, rovere dolce e frutto
fresco cui fa seguito un palato polposo e già
gradevolmente armonico. Dall'altra c'è il
sicuro stile tradizionale del Turné, fatto di
richiami speziati e sottobosco cui segue una
bocca di buona struttura. Ancora avvolto nel
rovere il Bricco Luciani '16.

● Barolo Bricco Manzoni '16	♟♟ 8
● Barolo Turnè '16	♟♟ 7
● Barolo Annunziata V. Plicotti '16	♟♟ 7
● Barolo Il Contadino Ris. '13	♟♟ 6
● Barolo '16	♟ 5
● Barolo Bricco Luciani '16	♟ 7
● Barolo Giachini '16	♟ 6
● Barolo Bricco Luciani '04	♟♟♟ 7
● Barolo Bricco Luciani '01	♟♟♟ 7
● Barolo Bricco Luciani '96	♟♟♟ 6
● Barolo Bricco Luciani '95	♟♟♟ 6
● Barolo Bricco Luciani '90	♟♟♟ 6
● Barolo Bricco Manzoni '10	♟♟♟ 7

Bruna Grimaldi

VIA PAREA, 7
12060 GRINZANE CAVOUR [CN]
TEL. 0173262094
www.grimaldibruna.it

VENDITA DIRETTA
VISITA SU PRENOTAZIONE
PRODUZIONE ANNUA 70.000 bottiglie
ETTARI VITATI 15,00
VITICOLTURA Biologico Certificato

Il cru Badarina comprende quasi 20 ettari
vitati a nebbiolo e si trova a un'altitudine di
tutto riguardo, mediamente superiore ai 400
metri, a stretto contatto con gli altri
celeberrimi vigneti di Serralunga d'Alba. Qui
si trova il cuore produttivo della cantina di
Bruna Grimaldi e del marito Franco Fiorino,
in cui oggi opera con passione il figlio
Simone. E qui nasce un Barolo che alla
potenza gustativa tipica della zona unisce
sempre una stimolante sferzata di
freschezza che dona una spiccata dote di
bevibilità. Dal meno celebre ma sempre più
apprezzato Bricco Ambrogio, in comune di
Roddi e a una quota media di 250 metri,
nasce invece un Barolo meno strutturato ma
di pregevole eleganza. Negli aromi del
Barolo Badarina '16 il tabacco e la liquirizia
si uniscono a un felice tocco di menta; la
bocca ha una struttura imponente, con
acidità e tannini ben inseriti nella polpa
fruttata, e un elegante finale. Più vegetale
e sussurrato il Bricco Ambrogio '16 e
ancora leggermente aggressivo il Barolo
Camilla '16.

● Barolo Badarina '16	♟♟ 6
● Barbera d'Alba Sup. Scassa '17	♟♟ 3
● Barolo Bricco Ambrogio '16	♟♟ 6
● Barolo Camilla '16	♟♟ 5
● Dolcetto d'Alba San Martino '19	♟♟ 2*
● Nebbiolo d'Alba Bonurei '18	♟♟ 4
○ Langhe Arneis '19	♟ 2
● Barbera d'Alba Sup. Scassa '16	♟♟ 3*
● Barbera d'Alba Sup. Scassa '15	♟♟ 3
● Barolo Badarina '15	♟♟ 6
● Barolo Badarina '14	♟♟ 6
● Barolo Bricco Ambrogio '15	♟♟ 6
● Barolo Bricco Ambrogio '14	♟♟ 5
● Barolo Camilla '15	♟♟ 5
● Dolcetto d'Alba '17	♟♟ 2*
○ Langhe Arneis '18	♟♟ 2*
● Nebbiolo d'Alba '16	♟♟ 3

Fratelli Grimaldi

LOC. SAN GRATO, 15
12058 SANTO STEFANO BELBO [CN]
TEL. 0141840341
www.fratelligrimaldi.it

VENDITA DIRETTA
VISITA SU PRENOTAZIONE
PRODUZIONE ANNUA 100.000 bottiglie
ETTARI VITATI 18,00
AZIENDA SOSTENIBILE

Letteralmente "Casa del Sindaco", Ca' du Sindic è la menzione con cui veniva storicamente chiamata la cascina-tenuta della famiglia Grimaldi, che Sergio decise di recuperare alla fine degli anni '80 con l'aiuto dei genitori Ilario e Vittorina. Supportato oggi dalla moglie Angela insieme ai figli Paolo e Ilaria, si prende cura di un parco vigne di prim'ordine, che incarna al meglio la vocazione delle colline di Santo Stefano Belbo. San Grato, San Maurizio e Moncucco sono le principali parcelle che forgiano l'originale gamma a base brachetto, barbera, dolcetto, pinot nero e moscato. Sempre di ottimo livello il Moscato d'Asti Canelli Vigna Moncucco. L'annata 2019 è tutta giocata sulla freschezza, con un palato in bell'equilibrio tra dolcezza e acidità e un finale lungo e piacevole. Ottimo anche il Moscato d'Asti Vigna San Maurizio '19 che si fa apprezzare per il suo perfetto equilibrio tra dolcezza e acidità, anche se manca appena un po' di struttura e persistenza.

○ Moscato d'Asti V. Moncucco '19	♟♟	3*
○ Moscato d'Asti V. San Maurizio '19	♟♟	3
○ Moscato d'Asti Capsula Argento '19	♟	3
☙ Ventuno Brut Rosé '18	♟	3
○ Alta Langa Brut '15	♟♟	4
● Barbera d'Asti San Grato '15	♟♟	2*
● Barbera d'Asti SanGrato '17	♟♟	2*
○ Moscato d'Asti Ca' du Sindic '18	♟♟	3*
○ Moscato d'Asti Ca' du Sindic '17	♟♟	3
○ Moscato d'Asti Ca' du Sindic Capsula Oro '16	♟♟	3
○ Moscato d'Asti Capsula Argento '16	♟♟	3
○ Moscato d'Asti V. Moncucco '18	♟♟	3
○ Moscato d'Asti V. Moncucco '17	♟♟	3*
○ Moscato d'Asti V. Moncucco '16	♟♟	3*
○ Moscato d'Asti V. Moncucco '15	♟♟	3*
○ Ventuno Brut '14	♟♟	3

Giacomo Grimaldi

VIA LUIGI EINAUDI, 8
12060 BAROLO [CN]
TEL. 0173560536
www.giacomogrimaldi.com

VENDITA DIRETTA
VISITA SU PRENOTAZIONE
PRODUZIONE ANNUA 50.000 bottiglie
ETTARI VITATI 13,00

Il giovane Alberto Grimaldi non vede l'ora di cimentarsi in prima persona con la vinificazione e l'affinamento del Barolo, pertanto studia enologia e fa esperienza con il capace papà Ferruccio. La vocazione della cantina è volta al nebbiolo, coltivato in vigneti situati su entrambe le sponde del Tanaro. Sulla sinistra si trova il celebre e impervio vigneto Valmaggiore, che dà luogo all'omonimo e sempre elegante Nebbiolo d'Alba. È invece situato negli immediati pressi della cantina il cru Le Coste, con viti molto vecchie che realizzano un Barolo sempre armonico e suadente. Un po' più scalpitante e tannico il Barolo Sotto Castello di Novello. Che infatti nell'annata 2016 si presenta fruttato e catramoso, con i tannini ancora ben incisivi ad allungare un sorso di buona struttura e finezza. Assente Le Coste '16, si mostra di buon equilibrio il Ravera, di corpo contenuto e aggraziato: un Barolo di grande eleganza. Bella personalità anche nel "base" '16, misurato nelle forme ma dotato di elegante liquirizia.

● Barolo Ravera '16	♟♟	7
● Barolo '16	♟♟	7
● Barolo Sotto Castello di Novello '16	♟♟	6
● Nebbiolo d'Alba V. Valmaggiore '18	♟	4
● Barolo Sotto Castello di Novello '05	♟♟♟	6
● Barolo '13	♟♟	6
● Barolo '12	♟♟	6
● Barolo Le Coste '15	♟♟	7
● Barolo Le Coste '14	♟♟	7
● Barolo Le Coste '13	♟♟	7
● Barolo Le Coste '12	♟♟	7
● Barolo Sotto Castello di Novello '15	♟♟	6
● Barolo Sotto Castello di Novello '14	♟♟	6
● Barolo Sotto Castello di Novello '13	♟♟	6
● Barolo Sotto Castello di Novello '12	♟♟	6
● Nebbiolo d'Alba V. Valmaggiore '17	♟♟	4
○ Roero Arneis '18	♟♟	2*

★Hilberg - Pasquero

VIA BRICCO GATTI, 16
12040 PRIOCCA [CN]
TEL. 0173616197
www.hilberg-pasquero.com

VENDITA DIRETTA
VISITA SU PRENOTAZIONE
PRODUZIONE ANNUA 23.000 bottiglie
ETTARI VITATI 8,00
VITICOLTURA Biologico Certificato

Nome storico del territorio roerino, l'azienda di Miclo Pasquero e Annette Hilberg propone esclusivamente vini rossi a base delle tipiche uve di queste terre: barbera, brachetto e nebbiolo. I vigneti aziendali sono situati tutt'intorno alla cantina, sul Bricco Gatti, appena sopra Priocca, su terreni limosi e marnosi, e nelle zone Monteforche e Bricco Stella. Le etichette proposte, equilibrate e di buona struttura, sono frutto di un incontro tra viticoltura tradizionale in vigna e un accorto uso del legno in cantina. In una gamma di ottima fattura quest'anno a spiccare è il Nebbiolo d'Alba '17: intenso al naso con le sue note di menta, erbe aromatiche e cacao, ha un palato austero ma lungo, pieno e di buona polpa. La Barbera d'Alba Sulla Stella '19 ai profumi di ciliegia nera, china e legno dolce fa seguire un palato fitto e potente, ma allo stesso tempo fresco, succoso e con un finale ben sostenuto dall'acidità, mentre il Nebbiolo d'Alba Sul Monte '18 ha toni di lampone e liquirizia, è armonico e con tannini di bella finezza.

Ioppa

FRAZ. MAULETTA
VIA DELLE PALLOTTE, 10
28078 ROMAGNANO SESIA [NO]
TEL. 0163833079
www.viniioppa.it

VENDITA DIRETTA
VISITA SU PRENOTAZIONE
PRODUZIONE ANNUA 140.000 bottiglie
ETTARI VITATI 20,50

Generazione dopo generazione, è stato un continuo susseguirsi di ammodernamenti e ampliamenti, il che consente oggi alla famiglia Ioppa di disporre di un'azienda che, in quest'area, si può considerare di buone dimensioni. La loro passione è ovviamente rivolta all'uva nebbiolo, di cui sono abilissimi coltivatori e vinificatori: sia i Ghemme che il Colline Novaresi Nebbiolo sono di squisita fattura, senza dimenticare l'invitante bevibilità del Rosato. Le vinificazioni sono di stampo classico, con fermentazioni piuttosto lunghe e prevalenza del rovere di Slavonia per l'affinamento. Straordinaria interpretazione dell'annata 2015, rappresentata da ben quattro vini. Il raffinato Ghemme Santa Fé si apre con aromi di tabacco, liquirizia e genziana, per proseguire con uno sviluppo gustativo dalla delicata tannicità. Appena più giovanile e fruttato il Balsina, di notevole struttura e viva freschezza. Appena più scalpitante e diretto il pregevole Ghemme "base". La Vespolina Mauletta è ben speziata al naso e grintosa sul gradevolissimo palato.

● Nebbiolo d'Alba '17	♟♟ 6
● Barbera d'Alba Sulla Stella '19	♟♟ 5
● Nebbiolo d'Alba Sul Monte '18	♟♟ 6
● Vareij '19	♟♟ 4
● Barbera d'Alba Sup. '17	♟ 6
● Barbera d'Alba '18	♟♟ 3*
● Barbera d'Alba Stella '17	♟♟ 3*
● Barbera d'Alba Sup. '16	♟♟ 5
● Nebbiolo d'Alba '16	♟♟ 5
● Nebbiolo d'Alba Sul Monte '17	♟♟ 5
● Nebbiolo d'Alba Sul Monte '16	♟♟ 5
● Nebbiolo d'Alba Sup. '15	♟♟ 5
● Vareij '18	♟♟ 3
● Vareij '17	♟♟ 3

● Colline Novaresi Vespolina Mauletta '15	♟♟ 3*
● Ghemme Balsina '15	♟♟ 6
● Ghemme Santa Fé '15	♟♟ 6
● Ghemme '15	♟♟ 4
● Colline Novaresi Nebbiolo '19	♟ 3
⊙ Colline Novaresi Nebbiolo Rusin '19	♟ 2
○ San Grato Bianco	♟ 2
● Ghemme Balsina '13	♟♟♟ 6
● Ghemme '11	♟♟ 4
● Ghemme '07	♟♟ 4
● Ghemme Bricco Balsina '08	♟♟ 6
● Ghemme Bricco Balsina '07	♟♟ 4
● Ghemme Santa Fè '07	♟♟ 6
● Ghemme Santa Fè '06	♟♟ 6

Isolabella della Croce

LOC. SARACCHI
REGIONE CAFFI, 3
14051 LOAZZOLO [AT]
TEL. 014487166
www.isolabelladellacroce.it

VENDITA DIRETTA
VISITA SU PRENOTAZIONE
PRODUZIONE ANNUA 90.000 bottiglie
ETTARI VITATI 14,00

Situata nel territorio della denominazione
Loazzolo, nella Langa astigiana, l'azienda
che la famiglia Isolabella della Croce ha
creato nel 2001 conta su vigneti di
proprietà situati su terreni calcareo marnosi
a circa 500 metri di altitudine, in una zona
dal clima particolarmente fresco, anche
per l'importante presenza di boschi. I
principali vitigni coltivati sono moscato,
chardonnay e pinot nero. La barbera invece
proviene da una tenuta a Calamandrana,
nella zona del Nizza. I vini sono d'impianto
moderno. Splendida conferma per il
Piemonte Pinot Nero Bricco del Falco. La
versione 2016 al naso ha note di frutta
rossa fresca, erbe aromatiche secche e
liquirizia, mentre il palato è ricco ma
elegante, con una fitta trama tannica e un
lungo finale. Ottimi il Nizza Augusta '16, dai
toni di mora e caffè, di grande
concentrazione e altrettanta acidità, e il
Piemonte Chardonnay Solum '18, dai
profumi di fiori d'acacia e frutta bianca,
fine e complesso allo stesso tempo.

● Piemonte Pinot Nero Bricco del Falco '16	♟♟♟ 5
● Nizza Augusta '16	♟♟ 4
○ Piemonte Chardonnay Solum '18	♟♟ 4
● Barbera d'Asti Sup. Serena '17	♟♟ 4
○ Moscato d'Asti Canelli Valdiserre '19	♟♟ 3
○ Piemonte Sauvignon '19	♟♟ 3
● Nizza Augusta '14	♟♟♟ 4*
● Piemonte Pinot Nero Bricco del Falco '15	♟♟♟ 5
● Nizza Augusta '15	♟♟ 4
○ Piemonte Chardonnay Solum '17	♟♟ 4
● Piemonte Pinot Nero Bricco del Falco '14	♟♟ 5
● Piemonte Pinot Nero Bricco del Falco '13	♟♟ 5

Tenuta Langasco

FRAZ. MADONNA DI COMO, 10
12051 ALBA [CN]
TEL. 0173286972
www.tenutalangasco.it

VENDITA DIRETTA
VISITA SU PRENOTAZIONE
PRODUZIONE ANNUA 60.000 bottiglie
ETTARI VITATI 22,00

Dal 1979 la famiglia Sacco guida questa
tenuta posizionata in un felicissimo sito
sulla collina che domina le torri di Alba da
dove si gode uno scenario suggestivo. La
gamma di vini proposta da Claudio si
conferma ampia e affidabile, si spazia dal
Langhe Arneis al Nebbiolo d'Alba,
passando per Moscato d'Asti e Dolcetto, il
Madonna di Como e il Vigna Miclet, per
giungere a un'interessante Langhe
Favorita e al Brachetto. Insomma, tanta
tradizione proposta a prezzi ragionevoli
considerata la qualità in bottiglia. Buona la
prova della Barbera d'Alba Sorì '18 che si
presenta con note affumicate eleganti, dal
tabacco alla liquirizia, che anticipano una
bocca molto godibile, dalla dinamica
gustativa ritmata e dinamica, dal finale
fresco e prolungato. Nitido il profilo
aromatico del Dolcetto d'Alba Vigna
Madonna di Como '19 nei suoi fragranti
toni di more e mandorla, dal finale preciso
e piacevolissimo.

● Barbera d'Alba Sorì '18	♟♟ 3
● Dolcetto d'Alba V. Madonna di Como '19	♟♟ 2*
● Nebbiolo d'Alba Sorì Coppa '18	♟♟ 4
● Barbera d'Alba V. Madonna di Como '18	♟ 2
● Barbera d'Alba Sorì '17	♟♟ 3
● Barbera d'Alba Sorì '17	♟♟ 3
● Barbera d'Alba V. Madonna di Como '17	♟♟ 2*
● Barbera d'Alba V. Madonna di Como '16	♟♟ 2*
● Dolcetto d'Alba Madonna di Como V. Miclet '16	♟♟ 3*
● Dolcetto d'Alba Madonna di Como V. Miclet '15	♟♟ 3*
● Dolcetto d'Alba V. Madonna di Como '16	♟♟ 2*
● Dolcetto d'Alba V. Miclet '17	♟♟ 3
● Langhe Saccorosso '15	♟♟ 4
● Nebbiolo d'Alba Sorì Coppa '17	♟♟ 4
● Nebbiolo d'Alba Sorì Coppa '15	♟♟ 4

Ugo Lequio

VIA DEL MOLINO, 10
12057 NEIVE [CN]
TEL. 0173677224
www.ugolequio.it

VENDITA DIRETTA
VISITA SU PRENOTAZIONE
PRODUZIONE ANNUA 30.000 bottiglie

Vengono lavorate con cura nella cantina di Molino di Neive le uve acquistate da storici e fidati viticoltori. Fiore all'occhiello il Gallina, uno dei più ispirati cru della denominazione del Barbaresco, che Ugo Lequio da tanto tempo traghetta nel bicchiere con costanza e sensibilità, rendendo onore a uno dei più nobili e blasonati terreni del comune di Neive. La cifra stilistica prevede macerazioni medio-lungho o maturazioni in rovere francese di medie dimensioni; intensi e speziati in gioventù, i vini hanno bisogno della sosta in bottiglia per trovare il ritmo giusto. Da non perdere la Barbera d'Alba Superiore Vigna Gallina '17, sicuramente tra le migliori della sua tipologia. Ha un profilo fruttato classico ed elegante, con una bocca cremosa, fitta, avvolgente, ricca di freschezza e contrasto acido, per un finale vivo, appuntito e di carattere. Richiami di erbe medicinali e piccoli frutti rossi caratterizzano il Barbaresco Gallina '17, dalla bocca possente, calda e matura.

● Barbera d'Alba Sup. V. Gallina '17	♟♟ 4
● Barbaresco Gallina '17	♟♟ 6
● Langhe Nebbiolo '18	♟♟ 4
○ Langhe Arneis '19	♟ 3
● Barbaresco Gallina '16	♟♟ 6
● Barbaresco Gallina '15	♟♟ 6
● Barbaresco Gallina '14	♟♟ 6
● Barbaresco Gallina '13	♟♟ 5
● Barbaresco Gallina '12	♟♟ 5
● Barbaresco Gallina '11	♟♟ 5
● Barbaresco Gallina Ris. '10	♟♟ 6
● Barbera d'Alba Sup. Gallina '12	♟♟ 4
● Barbera d'Alba Sup. V. Gallina '16	♟♟ 4
● Barbera d'Alba Sup. V. Gallina '15	♟♟ 4
● Barbera d'Alba Sup. V. Gallina '14	♟♟ 4
● Langhe Nebbiolo '17	♟♟ 4
● Langhe Nebbiolo '15	♟♟ 4

Malabaila di Canale

VIA MADONNA DEI CAVALLI, 93
12043 CANALE [CN]
TEL. 017398381
www.malabaila.com

VENDITA DIRETTA
VISITA SU PRENOTAZIONE
PRODUZIONE ANNUA 100.000 bottiglie
ETTARI VITATI 22,00
AZIENDA SOSTENIBILE

L'azienda della famiglia Carrega Malabaila e di Valerio Falletti da ormai diversi anni fa parte del gruppo di vertice della vitivinicoltura roerina. I vigneti di proprietà - coltivati secondo tradizione principalmente ad arneis, barbera e nebbiolo - si trovano tutti all'interno di una grande tenuta di 90 ettari, sui tipici terreni marnosi sabbiosi della riva sinistra del Tanaro, e danno vita a una gamma di vini dallo stile moderno, in cui il ruolo principale è giocato dalla territorialità e dalla piacevolezza di beva. Quest'anno a conquistare le nostre finali è il Roero Bric Volta '17, dai profumi di frutti rossi e violette, con sfumature speziate, e dal palato di media struttura e scorrevole, ma ricco di polpa, lungo e dai tannini eleganti. Ben realizzati il Roero Castelletto Riserva '16, di buona complessità e materia, il Roero Arneis Le Tre '19, sapido e agrumato, il Nebbiolo d'Alba Bric Merli '17, ricco nei suoi sentori di mora e anice, e il Langhe Nebbiolo Aja '19, agile e di gradevole immediatezza.

● Roero Bric Volta '17	♟♟ 3*
● Langhe Nebbiolo Aja '19	♟♟ 4
● Nebbiolo d'Alba Bric Merli '17	♟♟ 3
○ Roero Arneis Le Tre '19	♟♟ 2*
● Roero Castelletto Ris. '16	♟♟ 5
● Barbera d'Alba Sup. Mezzavilla '17	♟ 3
○ Roero Arneis Pradvaj '19	♟ 3
● Barbera d'Alba Giardino '16	♟♟ 2*
● Barbera d'Alba Sup. Mezzavilla '16	♟♟ 3
● Nebbiolo d'Alba Bric Merli '16	♟♟ 3*
○ Roero Arneis Le Tre '18	♟♟ 2*
● Roero Castelletto Ris. '15	♟♟ 5
● Roero Castelletto Ris. '14	♟♟ 4

★Malvirà

LOC. CANOVA
VIA CASE SPARSE, 144
12043 CANALE [CN]
TEL. 0173978145
www.malvira.com

VENDITA DIRETTA
VISITA SU PRENOTAZIONE
OSPITALITÀ E RISTORAZIONE
PRODUZIONE ANNUA 300.000 bottiglie
ETTARI VITATI 42,00

Massimo e Roberto Damonte sono da diversi anni tra i protagonisti della scena roerina, sia per la produzione vitivinicola che per il loro splendido relais - Villa Tiboldi - situato sulla collina Trinità proprio sopra la cantina. I vigneti di proprietà, tra i quali spiccano alcune prestigiose MGA, vedono la presenza soprattutto dei tre vitigni tipici di questo territorio: arneis, barbera e nebbiolo. Longevità e territorialità sono i tratti caratteristici della produzione aziendale, anche per quanto riguarda la produzione barolista, che nasce nella MGA Boiolo a La Morra. Quest'anno i fratelli Damonte ci hanno presentato una gamma davvero di alto livello, a partire dai due cru di Roero Arneis '19. Splendido il Renesio, speziato e agrumato, di grande lunghezza e complessità, con il finale ben sostenuto dalla sapidità, mentre il S.S. Trinità, sapido e grintoso, è giocato più su toni di frutta bianca. Tra i rossi spicca il Roero Vigna Renesio Riserva '16, con note floreali e di scorza d'arancia, tannini fini e finale succoso.

○ Roero Arneis Renesio '19	♟♟♟	3*
○ Roero Arneis S. S. Trinità '19	♟♟	3*
● Roero V. Renesio Ris. '16	♟♟	5
● Barbera d'Alba '18	♟♟	3
● Barolo Boiolo '16	♟♟	7
○ Roero Arneis '19	♟♟	2*
○ Roero Arneis V. Saglietto '18	♟♟	3
● Roero Trinità Ris. '16	♟♟	5
● Roero V. Mombeltramo Ris. '16	♟♟	5
● Roero Bio '17	♟	3
○ Roero Arneis Renesio '18	♟♟♟	3*
● Barbera d'Alba S. Michele '17	♟♟	3
● Barolo Boiolo '15	♟♟	7
○ Roero Arneis S. S. Trinità '18	♟♟	3*
● Roero Trinità Ris. '15	♟♟	5
● Roero V. Mombeltramo Ris. '15	♟♟	5

Giovanni Manzone

VIA CASTELLETTO, 9
12065 MONFORTE D'ALBA [CN]
TEL. 017378114
www.manzonegiovanni.com

VENDITA DIRETTA
VISITA SU PRENOTAZIONE
PRODUZIONE ANNUA 45.000 bottiglie
ETTARI VITATI 7,50
AZIENDA SOSTENIBILE

Ai tempi in cui abbiamo conosciuto Giovanni Manzone, questa era l'unica cantina delle Langhe a produrre il Rossese Bianco, un vino piuttosto raro che nasce dall'omonima uva di origine ligure e che è dotato di profumi floreali e agrumati seguiti da una bocca di buona struttura e di una certa freschezza. Ma l'azienda, in cui collaborano attivamente la moglie Rita Roggero e i figli Mauro e Mirella, è ancor più celebre per le proprie proposte di Barolo: il floreale e classico Castelletto, il più fruttato e robusto Gramolere, il complesso e potente Bricat. La buona altitudine dei vigneti garantisce una costante e vitale freschezza gustativa. La fresca vendemmia 2013 ha regalato una suadente sfumatura balsamica al Barolo Gramolere Riserva, cui si uniscono un delicato tocco di rovere e bacche rosse che lasciano poi il posto a un palato vitale, con tannini ben amalgamati nella ricca struttura della polpa. Ovviamente più irruente e scalpitante il Gramolere '16, destinato a un felice futuro in bottiglia. Raffinata e non invasiva l'aromaticità dell'elegante Rossese Bianco Rosserto '17, da provare.

● Barolo Gramolere '16	♟♟	6
● Barolo Gramolere Ris. '13	♟♟	8
● Barolo Bricat '16	♟♟	6
● Barolo Castelletto '16	♟♟	6
○ Langhe Rossese Bianco Rosserto '17	♟♟	3
● Langhe Nebbiolo Il Crutin '18	♟	3
● Barolo Bricat '05	♟♟♟	6
● Barolo Castelletto '09	♟♟♟	6
● Barolo Gramolere Ris. '05	♟♟♟	7
● Barolo Le Gramolere '04	♟♟♟	6
● Barolo Le Gramolere Ris. '01	♟♟♟	7
● Barolo Le Gramolere Ris. '00	♟♟♟	7
● Barolo Le Gramolere Ris. '99	♟♟♟	7
● Barolo Bricat '15	♟♟	6
● Barolo Castelletto '15	♟♟	6
● Barolo Gramolere '15	♟♟	6

Paolo Manzone

LOC. MERIAME, 1
12050 SERRALUNGA D'ALBA [CN]
TEL. 0173613113
www.barolomeriame.com

VENDITA DIRETTA
VISITA SU PRENOTAZIONE
OSPITALITÀ
PRODUZIONE ANNUA 85.000 bottiglie
ETTARI VITATI 10,00
VITICOLTURA Biologico Certificato
AZIENDA SOSTENIBILE

L'azienda agricola è attiva dal 1970, ma è solo nel 1999 che Paolo Manzone, forte anche del patrimonio vitato della moglie Luisella Corino, ha dato vita all'attuale struttura enologica. Questa vede al proprio centro il potente cru Meriame, ovviamente utilizzato per realizzare l'omonimo Barolo, a cui si affiancano validi vigneti nell'adiacente comune di Sinio, dove si coltivano principalmente uve dolcetto, barbera e nebbiolo. La premiatissima Riserva realizza costantemente un Barolo particolarmente vellutato ed elegante, mentre è un po' più scalpitante e tannico il Meriame. Incantevole l'agriturismo di famiglia. La base olfattiva del Barolo Meriame '16 è data da nitidi richiami di tabacco biondo ed erbe aromatiche, cui si unisce un delicato sfondo di rovere ben tostato; in bocca non manca la morbida presenza dell'alcol ma un perfetto equilibrio acido-tannico garantisce un sorso importante e di appagante bevibilità. L'elegante Nebbiolo d'Alba Mirinè è tra i più riusciti della tipologia nell'annata 2018, con deliziosi richiami balsamici e una bocca di precisa armonia.

● Barolo Meriame '16	▼▼▼	7
● Nebbiolo d'Alba Mirinè '18	▼▼	4
● Barbera d'Alba Sup. Fiorenza '18	▼▼	3
● Barolo del Comune di Serralunga d'Alba '16	▼▼	6
● Dolcetto d'Alba Magna '19	▼▼	2*
● Langhe Rosso Luvì '17	▼▼	4
○ Roero Arneis Reysu' '19	▼▼	3
● Barolo Ris. '13	♈♈♈	7
● Barolo Ris. '11	♈♈♈	7
● Barbera d'Alba Sup. Fiorenza '17	♈♈	3
● Barolo del Comune di Serralunga d'Alba '15	♈♈	6
● Barolo Meriame '15	♈♈	7
● Barolo Ris. '12	♈♈	7
● Nebbiolo d'Alba Mirinè '17	♈♈	3
○ Roero Arneis Reysù '18	♈♈	3

Marcalberto

VIA PORTA SOTTANA, 9
12058 SANTO STEFANO BELBO [CN]
TEL. 0141844022
www.marcalberto.it

VENDITA DIRETTA
VISITA SU PRENOTAZIONE
PRODUZIONE ANNUA 40.000 bottiglie
ETTARI VITATI 6,50

L'azienda della famiglia Cane va ormai considerata tra le migliori "maison" spumantistiche italiane. Piero Cane e i figli Alberto e Marco in questi ultimi anni hanno saputo crescere e migliorare, sia in vigna che in cantina, dando vita a una realtà che rappresenta al meglio l'eccellenza del Metodo Classico piemontese, sempre più conosciuta e apprezzata. I vigneti sono situati a Loazzolo, Calosso, Cossano Belbo e Santo Stefano Belbo, su suoli in genere di composizione marnoso-calcarea e tra i 300 e i 550 metri di altitudine. La conferma dell'altissima qualità della produzione aziendale arriva puntuale con il Marcalberto Pas Dosé Blanc de Blancs, dalle note complesse di susina e fiori bianchi, frutta secca e crosta di pane, di grande profondità, con una freschezza e una struttura da fuoriclasse. L'Alta Langa Extra Brut Millesimo2mila16 '16 invece agli eleganti aromi di frutta bianca e di fette biscottate fa seguire un palato cremoso e ricco di polpa, ma anche lungo e grintoso. Fine, complesso e seducente il Rosé.

○ Marcalberto Pas Dosé Blanc de Blancs M. Cl.	▼▼▼	4
○ Alta Langa Extra Brut Millesimo2Mila16 '16	▼▼	5
⊙ Marcalberto Brut Rosé M. Cl.	▼▼	4
○ Marcalberto Brut Sansannée M. Cl.	▼▼	4
○ Marcalberto Nature M. Cl. Senza Aggiunta di Solfiti	▼▼	6
● Piemonte Pinot Nero Lavorare Stanca '17	▼▼	5
○ Alta Langa Extra Brut Millesimo2Mila15 '15	♈♈♈	5
○ Marcalberto Extra Brut Millesimo2Mila12 M. Cl. '12	♈♈♈	5
○ Marcalberto Extra Brut Millesimo2Mila13 M. Cl. '13	♈♈♈	5
⊙ Marcalberto Brut Rosé M. Cl.	♈♈	4

Poderi Marcarini

P.ZZA MARTIRI, 2
12064 LA MORRA [CN]
TEL. 017350222
www.marcarini.it

VENDITA DIRETTA
VISITA SU PRENOTAZIONE
OSPITALITÀ
PRODUZIONE ANNUA 125.000 bottiglie
ETTARI VITATI 20,00

Siamo alla sesta generazione in casa
Marcarini, in quel di La Morra, grazie al
lavoro dei fratelli Andrea, Chiara ed Elisa
Marchetti. L'azienda affonda le sue radici a
metà Ottocento e può contare su due dei
migliori cru di Langa, parliamo di Brunate e
La Serra, vigneti vicini geograficamente, ma
diversi sul piano del carattere e degli umori
che regalano in bottiglia. Ma sono ormai
una ventina gli ettari a disposizione, la
cantina può infatti contare anche sui poderi
Sargentin a Neviglie e Muschiadivino a
Montaldo Roero, dove trovano spazio
dolcetto, barbera, moscato e arneis.
Batteria ridotta quella presentata in
quest'edizione della Guida ma di sicuro
interesse. Il Barolo La Serra '16 si presente
con belle note floreali e balsamiche a
impreziosire un frutto rosso delicato; la
bocca è più fine che potente, con una
vivida vena acida a dare ritmo a una trama
di classe e carattere. Nitido e preciso
nell'impronta fruttata il Barolo del comune
di La Morra '16, aggraziato nell'estrazione,
già molto piacevole, succoso e articolato.

● Barolo La Serra '16	♟♟7
● Barolo del Comune di La Morra '16	♟♟7
● Barolo Brunate '05	♟♟♟6
● Barolo Brunate '03	♟♟♟6
● Barolo Brunate '01	♟♟♟6
● Barolo Brunate '99	♟♟♟6
● Barolo Brunate '96	♟♟♟6
● Barolo Brunate Ris. '85	♟♟♟6
● Dolcetto d'Alba Boschi di Berri '96	♟♟♟4*
● Barolo Brunate '15	♟♟7
● Barolo Brunate '14	♟♟7
● Barolo Brunate '13	♟♟7
● Barolo del Comune di La Morra '15	♟♟7
● Barolo La Serra '15	♟♟7
● Barolo La Serra '14	♟♟7
● Barolo La Serra '13	♟♟7

★Marchesi di Barolo

VIA ROMA, 1
12060 BAROLO [CN]
TEL. 0173564400
www.marchesibarolo.com

VENDITA DIRETTA
VISITA SU PRENOTAZIONE
RISTORAZIONE
PRODUZIONE ANNUA 1.500.000 bottiglie
ETTARI VITATI 200,00

Torniamo indietro di 200 anni, quando il
Marchese Carlo Tancredi Falletti sposa
Juliette Colbert Maulévrier, pronipote del Re
Sole, la donna che comprese le potenzialità
del nebbiolo e grazie alla quale vennero
realizzate le cantine per la vinificazione. Una
storia che si conserva ancora oggi grazie ad
Anna ed Ernesto Abbona con i figli Davide e
Valentina che portano avanti un'eredità
importante, che bilancia tradizione ed
innovazione, per conservare la storia di un
passato che racconta le origini del Barolo, il
Castello Falletti e un'estensione vitata di
200 ettari, oltre che nelle Langhe, anche nel
Roero e Monferrato. Regala affascinanti
sensazioni di fiori appassiti e liquirizia il
Barolo Cannubi '16, al palato ha un frutto
rosso fine e fragrante, è potente e ritmico,
dotato di una struttura tannica intensa, il
finale è lungo e di carattere. Ancora più
rigoroso e serrato il Barolo Sarmassa di pari
annata, sfaccettato nei richiami alla terra e
alle spezie; più delicato e floreale il Barolo
Coste di Rose '16. Possente, evoluto e
intenso il Barbaresco Rio Sordo Cascina
Bruciata Riserva '15.

● Barolo Cannubi '16	♟♟8
● Barolo Sarmassa '16	♟♟8
● Barbaresco Rio Sordo Cascina Bruciata '16	♟♟5
● Barbaresco Rio Sordo Cascina Bruciata Ris. '15	♟♟6
● Barolo Coste di Rose '16	♟♟8
● Barolo del Comune di Barolo '16	♟♟8
● Barolo Cannubi '14	♟♟♟8
● Barolo Cannubi '12	♟♟♟8
● Barolo Cannubi '11	♟♟♟8
● Barolo Cannubi '10	♟♟♟8
● Barolo Sarmassa '09	♟♟♟8
● Barolo Sarmassa '08	♟♟♟7
● Barolo Sarmassa '07	♟♟♟7
● Barolo Sarmassa '06	♟♟♟7
● Barolo Sarmassa '05	♟♟♟7

Marchesi Incisa della Rocchetta

VIA ROMA, 66
14030 ROCCHETTA TANARO [AT]
TEL. 0141644647
www.marchesiincisawines.it

VENDITA DIRETTA
VISITA SU PRENOTAZIONE
OSPITALITÀ E RISTORAZIONE
PRODUZIONE ANNUA 120.000 bottiglie
ETTARI VITATI 17,00
AZIENDA SOSTENIBILE

Armonicamente inserite all'interno del Parco Naturale di Rocchetta Tanaro, le parcelle vitate storicamente curate dalla famiglia Incisa della Rocchetta si distribuiscono in collina su terreni di matrice argilloso-sabbiosa. Ospitano principalmente barbera, grignolino e pinot nero (qui coltivato dalla fine dell'800), con qualche filare riservato a merlot. Arneis, moscato e nebbiolo provengono invece da altri vigneti successivamente acquisiti tra Langhe e Roero, andando a comporre una batteria a dir poco variegata e precisa su tutti i fronti. In assenza delle Barbera è sugli scudi il Grignolino d'Asti '19, uno dei migliori Grignolino assaggiati quest'anno. Intenso al naso, con note di erbe aromatiche e pepe, ha un palato equilibrato, senza spunti tannici eccessivi, di grande progressione e con un finale lungo e piacevole. Ben realizzato anche il Piemonte Pinot Nero Marchese Leopoldo '18, di buona ricchezza e volume, morbido e avvolgente, ma anche di bella lunghezza.

Mario Marengo

LOC. SERRA DENARI, 2A
12064 LA MORRA [CN]
TEL. 017350115
marengo@cantinamarengo.it

VENDITA DIRETTA
VISITA SU PRENOTAZIONE
PRODUZIONE ANNUA 38.000 bottiglie
ETTARI VITATI 7,50
AZIENDA SOSTENIBILE

La famiglia Marengo vinifica in La Morra da quattro generazioni, cioè da quando venne fondata l'azienda, nel 1899. Un dna che non si smentisce quello di Marco Marengo, che oggi governa l'azienda gestendo sette ettari vitati di proprietà. Lascia indietro lo stile del padre, e ancora prima del nonno, per dar voce all'innovazione: in vigna solo rame e zolfo, in cantina fermentazioni brevi. Pregevole prova d'insieme con due vini che approdano alle nostre finali. Si tratta del Barolo Bricco delle Viole '16, raffinato nei suoi toni di piccoli frutti rossi e fiori, delicato nel tratto aromatico, di vibrante acidità e lungo finale. Il Barolo Brunate '16 è leggermente più indietro sul piano della maturità ma ha energia e stoffa per evolvere con successo nei prossimi anni, supportato da una bella polpa e un'estrazione tannica fitta e ben tarata sulla struttura del vino.

● Grignolino d'Asti '19	♟♟ 3*
● Piemonte Pinot Nero Marchese Leopoldo '18	♟♟ 5
⊙ Piemonte Rosato Futurosa '19	♟ 3
● Barbera d'Asti Sup. Sant' Emiliano '15	♟♟♟ 5
● Barbera d'Asti Sup. Sant' Emiliano '17	♟♟ 5
● Barbera d'Asti Sup. Sant' Emiliano '16	♟♟ 5
● Barbera d'Asti Valmorena '18	♟♟ 3
● Barbera d'Asti Valmorena '17	♟♟ 3
● Barbera d'Asti Valmorena '16	♟♟ 3
● Grignolino d'Asti '18	♟♟ 3
● Grignolino d'Asti '17	♟♟ 3
● Grignolino d'Asti '16	♟♟ 3
● Piemonte Pinot Nero Barbera Rollone '17	♟♟ 3
● Piemonte Pinot Nero Barbera Rollone '16	♟♟ 3

● Barolo Bricco delle Viole '16	♟♟ 6
● Barolo Brunate '16	♟♟ 7
● Barolo '16	♟♟ 5
● Nebbiolo d'Alba V. Valmaggiore '17	♟♟ 4
● Barbera d'Alba V. Pugnane '18	♟ 3
● Dolcetto d'Alba '19	♟ 2
● Barolo Brunate '12	♟♟♟ 7
● Barolo Brunate '11	♟♟♟ 7
● Barolo Brunate '09	♟♟♟ 6
● Barolo Brunate '07	♟♟♟ 6
● Barolo Brunate '06	♟♟♟ 6
● Barolo Brunate '05	♟♟♟ 6
● Barolo Brunate '04	♟♟♟ 6
● Barbera d'Alba V. Pugnane '16	♟♟ 3*
● Barolo Bricco delle Viole '14	♟♟ 6
● Barolo Brunate '15	♟♟ 7
● Barolo Brunate '14	♟♟ 7

Claudio Mariotto

S.DA PER SAREZZANO, 29
15057 TORTONA [AL]
TEL. 0131868500
www.claudiomariotto.it

VENDITA DIRETTA
VISITA SU PRENOTAZIONE
PRODUZIONE ANNUA 100.000 bottiglie
ETTARI VITATI 24,00

Parliamo spesso della longevità del Timorasso ed è giusto citarne prove tangibili. Sappiamo che prodotti con sei, sette o dieci anni di affinamento reggono molto bene nel tempo. Ma in una recente degustazione, un riassaggio del Pitasso '04 ci ha lasciati basiti per la straordinaria freschezza e l'eleganza degli aromi. Claudio Mariotto non smette mai di soprendere, tanto eclettico lui, quanto nitidi, eleganti e generosi i suoi vini. Non parliamo solo dei vini a base timorasso, ma anche quelli da uve barbera, dolcetto, croatina, freisa, cortese o moscato. Ed in cantiere ci sono alcune esperimenti che hanno acceso la nostra curiosità. Una batteria di vini da incorniciare. Pitasso ci regala incantevoli sentori minerali giocati su note di idrocarburi e una fase gustativa imponente per eleganza e persistenza. Cavallina ne è il gemello ma sembra leggermente più evoluto, con un finale di bocca quasi tannico, di grande carattere. Derthona ha un equilibrio gusto-olfattivo impeccabile. Bricco San Michele forse è il più semplice dei quattro, ma che eleganza!

○ Colli Tortonesi Timorasso Pitasso '18	♟♟♟ 6
○ Colli Tortonesi Timorasso Bricco San Michele '18	♟♟ 4
○ Colli Tortonesi Timorasso Cavallina '18	♟♟ 5
○ Colli Tortonesi Timorasso Derthona '18	♟♟ 5
● Colli Tortonesi Barbera Vhò '16	♟♟ 4
● Colli Tortonesi Croatina Montemirano '16	♟♟ 4
● Colli Tortonesi Freisa Braghè '18	♟♟ 3
○ Colli Tortonesi Bianco Pitasso '06	♟♟♟ 5
○ Colli Tortonesi Bianco Pitasso '05	♟♟♟ 4
○ Colli Tortonesi Timorasso Derthona Pitasso '17	♟♟♟ 6
○ Colli Tortonesi Timorasso Pitasso '13	♟♟♟ 6
○ Colli Tortonesi Timorasso Pitasso '12	♟♟♟ 6
○ Colli Tortonesi Timorasso Pitasso '08	♟♟♟ 5

Marsaglia

VIA MADAMA MUSSONE, 2
12050 CASTELLINALDO [CN]
TEL. 0173213048
www.cantinamarsaglia.it

VENDITA DIRETTA
VISITA SU PRENOTAZIONE
PRODUZIONE ANNUA 80.000 bottiglie
ETTARI VITATI 15,00

L'azienda Marsaglia vede la partecipazione di tutta la famiglia, da Marina ed Emilio fino ai figli Enrico e Monica. I vigneti di proprietà sono situati a Castellinaldo, ma su terreni diversi: tipicamente sabbiosi verso il comune di Canale, dove si trova Brich d'America, il loro cru di riferimento, mentre sono più compatti nella zona verso il comune di Castagnito. I vini proposti, a base dei classici vitigni roerini, soprattutto arneis, barbera e nebbiolo, sono ben realizzati tecnicamente e di bella piacevolezza di beva. Il Roero Brich d'America '16 ai profumi di frutti neri, legno e spezie fa seguire un palato fitto, pieno, dai sentori di frutta dolce ben equilibrati dalla sapidità. Succosa e ricca di frutto la Barbera d'Alba Superiore Castellinaldo '17, di buona materia e tenuta, mentre è fresca e di bella piacevolezza la Barbera d'Alba San Cristoforo '18. Interessante infine il Roero Arneis Serramiana '19, dai profumi di agrumi e macchia mediterranea, sapido e grintoso.

● Barbera d'Alba S. Cristoforo '18	♟♟ 3
● Barbera d'Alba Sup. Castellinaldo '17	♟♟ 4
○ Roero Arneis Serramiana '19	♟♟ 3
● Roero Brich d'America '16	♟♟ 4
⊙ Langhe Rosato Rustichel '19	♟ 4
● Nebbiolo d'Alba San Pietro '18	♟ 3
● Barbera d'Alba Sup. Castellinaldo '16	♀♀ 4
● Barbera d'Alba Sup. Castellinaldo '15	♀♀ 4
● Nebbiolo d'Alba San Pietro '15	♀♀ 3
○ Roero Arneis Armonia '16	♀♀ 3
○ Roero Arneis Serramiana '18	♀♀ 3*
○ Roero Arneis Serramiana '17	♀♀ 3
● Roero Brich d'America '15	♀♀ 4
● Roero Brich d'America '14	♀♀ 4

★Franco M. Martinetti

VIA SAN FRANCESCO DA PAOLA, 18
10123 TORINO
TEL. 0118395937
www.francomartinetti.it

VISITA SU PRENOTAZIONE
PRODUZIONE ANNUA 1.200.000 bottiglie
ETTARI VITATI 5,00

Raffinato esperto di vini e cibi, Franco
Martinetti ha iniziato a proporre le sue
selezioni nel 1974, quando il consumo in
Italia era ancora prevalentemente basato
su damigiane e vini sfusi. Nel corso degli
anni ha ampliato la propria proposta,
sempre avvalendosi della collaborazione di
pregiate cantine, andando a coprire le
principali tipologie delle Langhe e del
Monferrato, sia in bianco che in rosso. Ed è
riuscito ad entrare con validi risultati nel
non facile mondo del Barolo, pur essendosi
affermato a livello internazionale
principalmente con le sue sempre eleganti
proposte di Barbera d'Asti, di Gavi e di
Timorasso. Ottima prova per il Barolo
Marasco '16, ricco e raffinato, ancora
dotato di una lieve copertura legnosa sullo
sfondo olfattivo e lungo e severo sul palato.
Versione riuscitissima della Barbera d'Asti
Bric dei Banditi '18, importante, solida e
progressiva come non mai. Belle note di
erbette e di pesca nell'affascinante
Timorasso Biancofranco '19, morbido,
rotondo e di gratificante bevibilità.

● Barbera d'Asti Sup. Bric dei Banditi '18	♟♟ 4
● Barolo Marasco '16	♟♟ 8
○ Colli Tortonesi Timorasso Biancofranco '19	♟♟ 5
○ Colli Tortonesi Timorasso Martin '19	♟♟ 6
○ Gavi Minaia '19	♟♟ 5
● M.to Rosso sul Bric '18	♟♟ 6
● Barbera d'Asti Sup. Montruc '06	♟♟♟ 5
● Barbera d'Asti Sup. Montruc '01	♟♟♟ 5
● Barbera d'Asti Sup. Montruc '96	♟♟♟ 5
● Barolo Marasco '01	♟♟♟ 7
● Barolo Marasco '00	♟♟♟ 7
○ Colli Tortonesi Timorasso Martin '12	♟♟♟ 6
○ Gavi Minaia '14	♟♟♟ 5
● M.to Rosso Sul Bric '10	♟♟♟ 6
● M.to Rosso Sul Bric '09	♟♟♟ 6
● M.to Rosso Sul Bric '00	♟♟♟ 5

★Bartolo Mascarello

VIA ROMA, 15
12060 BAROLO [CN]
TEL. 017356125

VENDITA DIRETTA
VISITA SU PRENOTAZIONE
PRODUZIONE ANNUA 30.000 bottiglie
ETTARI VITATI 5,00

Il Barolo dei Mascarello è sempre stato
realizzato attraverso l'assemblaggio delle
uve di 4 piccoli vigneti, raccolte
contemporaneamente e affinate assieme in
grandi tini di rovere. Il cru che dà l'impronta
di fondo è sicuramente quello situato, in
splendida posizione soleggiata, nei
Cannubi, il nome più famoso e antico di
tutta l'area del Barolo. Maria Teresa
Mascarello procede su questa linea,
aggiungendo appena un tocco di finezza e
precisione stilistica a quello che è sempre
stato un vino amato dagli appassionati
dello stile più classico e puro del Barolo. Un
secolo di storia per una cantina, resa
celeberrima dall'indimenticato Bartolo, al
vertice della qualità. Complice un millesimo
perfetto, completo e complesso come il
2016, la definizione del Barolo firmato
Bartolo Mascarello raggiunge vette davvero
notevoli in quanto a espressività e
profondità. I richiami balsamici, integrati a
un ventaglio di viola e liquirizia,
contribuiscono, insieme a una trama
tannica setosa e sfaccettata, a disegnare
un profilo gustativo dal fascino unico.

● Barolo '16	♟♟♟ 8
● Barolo '15	♟♟♟ 8
● Barolo '13	♟♟♟ 8
● Barolo '12	♟♟♟ 8
● Barolo '11	♟♟♟ 8
● Barolo '10	♟♟♟ 8
● Barolo '09	♟♟♟ 8
● Barolo '07	♟♟♟ 8
● Barolo '05	♟♟♟ 8
● Barolo '05	♟♟♟ 8
● Barolo '01	♟♟♟ 8
● Barolo '99	♟♟♟ 8
● Barolo '98	♟♟♟ 8
● Barolo '89	♟♟♟ 8
● Barolo '85	♟♟♟ 8
● Barolo '84	♟♟♟ 8
● Barolo '83	♟♟♟ 8

★Giuseppe Mascarello e Figlio

VIA BORGONUOVO, 108
12060 MONCHIERO [CN]
TEL. 0173792126
www.mascarello1881.com

VENDITA DIRETTA
VISITA SU PRENOTAZIONE
PRODUZIONE ANNUA 60.000 bottiglie
ETTARI VITATI 13,50

La cantina è stata costruita nel 1919 appena fuori dalla zona del Barolo, ma sin da allora è proprio questo il vino che ne ha caratterizzato la produzione, in particolare grazie allo splendido cru Monprivato. Si tratta di un vigneto, posseduto nella quasi totalità proprio dai Mascarello, unanimemente riconosciuto come uno dei più prestigiosi di tutta l'area, da cui nascono due etichette: il celeberrimo Monprivato e la rara selezione Ca' d' Morissio. Lo stile enologico, che riguarda anche il Barolo realizzato nei vigneti Villero e Santo Stefano di Perno, è la quintessenza della classicità e consente lunghissimi affinamenti in bottiglia. Solo tre vini in degustazione. Di grande finezza e armonia il Barolo Monprivato '15, intenso con belle note fruttate di lampone che poi virano verso sentori più complessi di iodio e tabacco non senza un tocco minerale di radici che va a comporre una pregevole complessità; la bocca è progressiva e profonda, con tannini e acidità in equilibrio e finale molto lungo e armonioso. Buona prugna e ricordi di botte nella polposa Barbera d'Alba Scudetto '18.

● Barolo Monprivato '15	♟♟♟ 8
● Babera D'Alba Scudetto '18	♟♟ 6
▲ Langhe Nebbiolo '18	♟♟ 7
● Barolo Monprivato '13	♟♟♟ 8
● Barolo Monprivato '12	♟♟♟ 8
● Barolo Monprivato '11	♟♟♟ 8
● Barolo Monprivato '10	♟♟♟ 8
● Barolo Monprivato '09	♟♟♟ 8
● Barolo Monprivato '08	♟♟♟ 8
● Barolo Monprivato '01	♟♟♟ 8
● Barolo Monprivato '85	♟♟♟ 8
● Barolo S. Stefano di Perno '98	♟♟♟ 8
● Barolo Villero '96	♟♟♟ 8
● Barolo Monprivato '14	♟♟ 8
● Barolo Perno V. Santo Stefano '14	♟♟ 8
● Barolo Villero '14	♟♟ 8
● Barolo Villero '13	♟♟ 8

La Masera

S.DA SAN PIETRO, 32
10010 PIVERONE [TO]
TEL. 0113164161
www.lamasera.it

VENDITA DIRETTA
VISITA SU PRENOTAZIONE
PRODUZIONE ANNUA 25.000 bottiglie
ETTARI VITATI 5,00
AZIENDA SOSTENIBILE

Il progetto cresce e quello che era nato quasi come un gioco sta divenendo una realtà sempre più attenta alla precisione e alla nitidezza dei vini, oggi proposti in una gamma che è arrivata alle 12 etichette. Come ci tengono a rimarcare i cinque fondatori dell'azienda, la volontà è quella di interpretare al meglio il territorio del Canavese, raccogliendo l'eredità vitivinicola dei nonni senza però rinunciare alle opportunità date dalle nuove tecniche di cantina. Splendida freschezza olfattiva nell'Erbaluce di Caluso Anima dAnnata '17, che si muove tra erbette officinali e sentori di anice in un insieme di grande finezza; il palato è importante, delicatamente fresco, lungo e nitido. Altrettanto complessa la versione Macaria, in cui un tocco di legno va a unirsi a note di frutti orientali in un finale di bocca di rilevante struttura. In questa bella terra di vini bianchi si mette in luce anche una valida Barbera Monte Gerbido '17 e un più che gradevole Spumante Brut Masilé '13.

○ Erbaluce di Caluso Anima dAnnata '17	♟♟♟ 3*
○ Erbaluce di Caluso Macaria '17	♟♟ 3*
● Canavese Barbera Monte Gerbido '17	♟♟ 2*
○ Erbaluce di Caluso Anima '19	♟♟ 3
○ Erbaluce di Caluso Brut M. Cl. Masilé '13	♟♟ 5
○ Erbaluce di Caluso Passito Ris. Venanzia '06	♟♟ 4
● Canavese Rosso '18	♟ 2
○ Caluso Passito Venanzia '12	♟♟ 5
● Canavese Rosso '17	♟♟ 2*
● Canavese Rosso '16	♟♟ 2*
○ Erbaluce di Caluso Anima '18	♟♟ 3
○ Erbaluce di Caluso Anima '17	♟♟ 3*
○ Erbaluce di Caluso Anima '16	♟♟ 2*
○ Erbaluce di Caluso Anima d'Annata '16	♟♟ 3
○ Erbaluce di Caluso Brut Masilé '14	♟♟ 5

★Vigneti Massa

P.ZZA G. CAPSONI, 10
15059 MONLEALE [AL]
TEL. 013180302
massa@vignetimassa.com

VENDITA DIRETTA
VISITA SU PRENOTAZIONE
PRODUZIONE ANNUA 120.000 bottiglie
ETTARI VITATI 25,00
AZIENDA SOSTENIBILE

Walter Massa è indubbiamente la firma più conosciuta del Tortonese e ormai da tempo la sua fama ha travalicato frontiere ben più ampie di quelle locali. Negli anni ha saputo imporre il suo concetto di vino con una determinazione e un coraggio con pochi eguali, senza curarsi delle mode del mercato. La sua produzione, dal Timorasso alla Barbera, dalla Croatina alla Freisa, ma anche il suo Moscato sono espressione del talento di un grande artigiano. Le caratteristiche peculiari? Potenza, intensità e longevità. Pochi tratti per descrivere una grande storia che ha cambiato il percorso dei vini bianchi in regione. Sterpi si apre intenso su aromi di agrumi che virano rapidamente su sensazioni minerali con note di idrocarburi; è sontuoso al palato con un'acidità che prolunga il finale sapido. Derthona è ampio, con aromi floreali su fondo minerale e una fase gustativa corposa e ricca. Molto valide le altre proposte, a partire dal Costa del Vento, un vino che può sorprendere dopo qualche anno di affinamento.

★Massolino - Vigna Rionda

P.ZZA CAPPELLANO, 8
12050 SERRALUNGA D'ALBA [CN]
TEL. 0173613138
www.massolino.it

VENDITA DIRETTA
VISITA SU PRENOTAZIONE
PRODUZIONE ANNUA 290.000 bottiglie
ETTARI VITATI 42,00

Partiamo dall'inquadramento geografico: Parafada, Margheria, Vigna Rionda sul versante occidentale di Serralunga d'Alba; Parussi, a Castiglione Falletto. Provengono da qui le etichette più celebrate della famiglia Massolino, attiva sul piano produttivo già nel 1896, declinate in uno stile che ben abbina ricchezza e potenza, intensità tannica e allungo. La gamma produttiva è ampia ma affidabile su tutta la linea che abbraccia vini da nebbiolo, barbera, dolcetto, chardonnay e moscato. Tre Bicchieri al Barolo Parafada, di buona freschezza aromatica nei suoi toni di piccoli frutti rossi, tabacco e liquirizia; al palato è complesso e fine, ricco di sapore e tensione gustativa. Consueta sfaccettatura e profondità per il Barolo Vigna Rionda '14, appena contratto in chiusura. Ottimo il Barolo '16, dinamico e slanciato nel profilo sapido e balsamico. Nota di merito per il Riesling '18 elegante nei suoi delicati richiami fumé.

○ Derthona '18	♈♈	5
○ Sterpi '18	♈♈	6
○ Anarchia Costituzionale '19	♈♈	3
○ Costa del Vento '18	♈♈	6
○ Montecitorio '18	♈♈	6
● Sentieri '19	♈♈	4
☉ Libertà '19	♈	2
○ Colli Tortonesi Timorasso Derthona '06	♈♈♈	5
○ Colli Tortonesi Timorasso Sterpi '08	♈♈♈	7
○ Colli Tortonesi Timorasso Sterpi '07	♈♈♈	7
○ Costa del Vento '15	♈♈♈	6
○ Costa del Vento '12	♈♈♈	6
○ Derthona '09	♈♈♈	5
○ Derthona Sterpi '16	♈♈♈	6
○ Montecitorio '11	♈♈♈	6
○ Montecitorio '10	♈♈♈	6
○ Sterpi '13	♈♈♈	6

● Barolo Parafada '16	♈♈♈	8
● Barolo '16	♈♈	5
● Barolo Vigna Rionda Ris. '14	♈♈	8
● Barolo Margheria '16	♈♈	8
● Barolo Parussi '16	♈♈	8
● Dolcetto d'Alba '19	♈♈	2*
○ Langhe Chardonnay '18	♈♈	3
○ Langhe Riesling '18	♈♈	4
● Barbera d'Alba '19	♈	3
● Langhe Nebbiolo '18	♈	4
○ Moscato d'Asti '19	♈	2
● Barolo Parafada '11	♈♈♈	8
● Barolo Vigna Rionda Ris. '11	♈♈♈	8
● Barolo Vigna Rionda Ris. '10	♈♈♈	8
● Barolo Vigna Rionda Ris. '08	♈♈♈	8
● Barolo Vigna Rionda Ris. '06	♈♈♈	8
● Barolo Vigna Rionda Ris. '05	♈♈♈	8

Tiziano Mazzoni

VIA ROMA, 73
28010 CAVAGLIO D'AGOGNA [NO]
TEL. 3488200635
www.vinimazzoni.it

VENDITA DIRETTA
VISITA SU PRENOTAZIONE
PRODUZIONE ANNUA 20.000 bottiglie
ETTARI VITATI 4,50
AZIENDA SOSTENIBILE

Gilles Mazzoni si è ben affiancato al padre Tiziano nella conduzione di questa piccola azienda che realizza etichette, tutte curate con grande sensibilità enologica, che rappresentano al meglio le caratteristiche dei vitigni e delle vigne di provenienza. Il disciplinare di produzione prevede che il Ghemme possa essere realizzato con la presenza minima dell'85% di nebbiolo, ma qui si è sempre preferito dedicarvi il 100%, realizzando con l'uva vespolina un'apposita etichetta di stuzzicante bevibilità. Restando nel campo del nebbiolo, il Monteregio è costantemente tra i migliori della denominazione. China, liquirizia ed erbe assolate nel pregevole Ghemme Ai Livelli '15, dalla bocca possente e ancora persino un po' severa grazie alla presenza di una bella acidità. Buona prestazione gustativa del più immediato e giovanile Ghemme dei Mazzoni, che si giova dell'ottima vendemmia '16. Fragoline e un cenno di rabarbaro nel raffinato e armonico Nebbiolo del Monteregio '18.

● Ghemme Ai Livelli '15	♟♟ 6
● Colline Novaresi Nebbiolo del Monteregio '18	♟♟ 3
● Ghemme dei Mazzoni '16	♟♟ 5
● Colline Novaresi Vespolina Il Ricetto '19	♟ 3
○ Iris	♟ 4
● Ghemme dei Mazzoni '12	♟♟♟ 5
● Colline Novaresi Nebbiolo del Monteregio '17	♟♟ 4
● Colline Novaresi Nebbiolo del Monteregio '16	♟♟ 3
● Colline Novaresi Vespolina Il Ricetto '18	♟♟ 4
● Ghemme Ai Livelli '13	♟♟ 6
● Ghemme dei Mazzoni '15	♟♟ 5
○ Iris	♟♟ 4

Tenuta La Meridiana

VIA TANA BASSA, 5
14048 MONTEGROSSO D'ASTI [AT]
TEL. 0141956172
www.tenutalameridiana.com

VENDITA DIRETTA
VISITA SU PRENOTAZIONE
PRODUZIONE ANNUA 100.000 bottiglie
ETTARI VITATI 10,00
AZIENDA SOSTENIBILE

Gianpiero Bianco e Federico Primo incarnano la quinta generazione impegnata nell'attività produttiva di Tenuta La Meridiana, menzionata tra le migliori realtà agricole del Monferrato sin dall'800. Il nucleo aziendale è storicamente focalizzato sulla barbera, esaltata da diverse interpretazioni stilistiche e territoriali in una batteria ricca di opzioni. Basti pensare ai monovarietali e ai blend da chardonnay, cortese, favorita, arneis, moscato, nebbiolo e malaga: vini sorprendenti per carattere e vigore, tutti da scoprire. Davvero belle le due Barbera d'Asti Superiore '18 presentate. Il Bricco Sereno si propone con note di ciliegie mature, cacao e caffè tostato, che danno complessità e carattere a un palato ricco di frutto e ben sostenuto dall'acidità che garantisce freschezza ed equilibrio, mentre la Tra La Terra e Il Cielo alle note di more e prugne mature, abbinate a ricordi speziati da legno, fa seguire un palato di grande struttura, con acidità e alcol in armonia e un finale lungo e sapido.

● Barbera d'Asti Sup. Bricco Sereno '18	♟♟ 4
● Barbera d'Asti Sup. Tra la Terra e il Cielo '18	♟♟ 5
○ M.to Bianco Puntet '19	♟♟ 3
○ Ouverture Brut M. Cl.	♟♟ 5
● Barbera d'Asti Le Gagie '18	♟ 3
● Barbera d'Asti Le Quattro Terre '19	♟ 2
● Barbera d'Asti Le Gagie '17	♀♀ 3
● Barbera d'Asti Le Quattro Terre '18	♀♀ 2*
● Barbera d'Asti Le Quattro Terre '17	♀♀ 2*
● Barbera d'Asti Sup. Bricco Sereno '17	♀♀ 4
● Barbera d'Asti Sup. Tra la Terra e il Cielo '17	♀♀ 5
● Barbera d'Asti Sup. Tra la Terra e il Cielo '16	♀♀ 5
● Barbera d'Asti Vitis '17	♀♀ 2*
● M.to Rosso Rivaia '15	♀♀ 5

La Mesma

FRAZ. MONTEROTONDO, 7
15066 GAVI [AL]
TEL. 0143342012
www.lamesma.it

VENDITA DIRETTA
VISITA SU PRENOTAZIONE
OSPITALITÀ
PRODUZIONE ANNUA 52.000 bottiglie
ETTARI VITATI 25,00
VITICOLTURA Biologico Certificato

Anni fa descrivevamo La Mesma come una delle aziende emergenti più interessanti del panorama vitivinicolo Gaviese. Oggi siamo di fronte ad una realtà solida e dinamica, fresca della certificazione bio. La produzione dimostra una grande attenzione ai dettagli per una gamma di vini, principalmente da uve cortese, più che coinvolgente già a partire dai vini base che risultano intensi e di carattere. Alla base troviamo una cifra enologica originale capace di enfatizzare o dare profondità al quadro aromatico. In mancanza del Gavi Riserva, ci consoliamo con gli altri splendidi vini della produzione aziendale. Indi è intenso, vitale, con aromi di susina e mela su fondo vegetale. Al palato esprime grande armonia, con una freschezza che prolunga un bel finale sapido. L'Etichetta Gialla si presenta con aromi vegetali che virano su note floreali e minerali; in bocca c'è grande equilibrio e finale molto persistente. Eccellente il Brut Metodo Classico.

○ Gavi del Comune di Gavi Et. Gialla '19	♟♟	3*
○ Gavi del Comune di Gavi Indi '19	♟♟	4
○ Gavi Brut M. Cl. '14	♟♟	5
○ Gavi V. della Rovere Verde Ris. '17	♟♟♟	5
○ Gavi V. della Rovere Verde Ris. '15	♟♟♟	5
○ Gavi Brut M. Cl. '13	♟♟	5
○ Gavi Brut M. Cl. '11	♟♟	5
○ Gavi del Comune di Gavi 10 Anni '08	♟♟	2*
○ Gavi del Comune di Gavi Et. Gialla '18	♟♟	3*
○ Gavi del Comune di Gavi Et. Gialla '17	♟♟	3
○ Gavi del Comune di Gavi Et. Gialla '16	♟♟	2*
○ Gavi del Comune di Gavi Et. Nera '18	♟♟	3
○ Gavi del Comune di Gavi Et. Nera '17	♟♟	3*
○ Gavi del Comune di Gavi Et. Nera '16	♟♟	3*
○ Gavi del Comune di Gavi Indi '18	♟♟	4
○ Gavi del Comune di Gavi Indi '17	♟♟	4
○ Gavi V. della Rovere Verde Ris. '16	♟♟	5

Mauro Molino

FRAZ. ANNUNZIATA GANCIA, 111A
12064 LA MORRA [CN]
TEL. 017350814
www.mauromolino.com

VENDITA DIRETTA
VISITA SU PRENOTAZIONE
PRODUZIONE ANNUA 95.000 bottiglie
ETTARI VITATI 12,00
AZIENDA SOSTENIBILE

Sta per festeggiare i 40 anni di attività la cantina di Mauro Molino, che nel 1982 decise di mettersi in proprio e di partecipare alla piccola rivoluzione enologica che stava per avvenire nelle Langhe. Le dimensioni sono ancora familiari come allora, con l'aggiunta di una proposta di Barbera d'Asti che nasce nella terra natia dei Molino, e le etichette di Barolo costituiscono la parte più rilevante, capeggiate da un sempre interessantissimo Conca. Il figlio Matteo è attivo a tutto campo da 15 anni e si sta dimostrando un capace interprete delle uve nebbiolo, affinate in piccole botti di rovere in una cantina che merita la visita. Solo Barolo in degustazione. Si apre su frutti rossi maturi e richiami alla liquirizia il Conca '16, assai ricco di personalità; i sentori di legno dolce sono ben presenti ma la struttura è notevole e si crea così un complesso dialogo gustativo tra il rovere e la polpa del nebbiolo. Più ispirato alla classicità il Barolo '16, contenuto nella potenza ma di nitida pulizia olfattiva. Vaniglia e catrame dominano nel gradevole La Serra '16, dalla bella chiusura sulla nota del rabarbaro.

● Barolo Conca '16	♟♟	7
● Barolo La Serra '16	♟♟	7
● Barolo '16	♟♟	5
● Barolo Bricco Luciani '16	♟	6
● Barbera d'Alba V. Gattere '00	♟♟♟	5
● Barbera d'Alba V. Gattere '97	♟♟♟	7
● Barbera d'Alba V. Gattere '96	♟♟♟	7
● Barolo Gallinotto '11	♟♟♟	6
● Barolo Gallinotto '03	♟♟♟	6
● Barolo Gallinotto '01	♟♟♟	6
● Barolo V. Conca '00	♟♟♟	7
● Barolo V. Conca '97	♟♟♟	7
● Barolo V. Conca '96	♟♟♟	7
● Barolo '15	♟♟	5
● Barolo Bricco Luciani '15	♟♟	7
● Barolo Conca '15	♟♟	7
● Barolo Gallinotto '15	♟♟	6

F.lli Monchiero

via Alba Monforte, 49
12060 Castiglione Falletto [CN]
Tel. 017362820
www.monchierovini.it

VENDITA DIRETTA
VISITA SU PRENOTAZIONE
PRODUZIONE ANNUA 40.000 bottiglie
ETTARI VITATI 12,00
AZIENDA SOSTENIBILE

Tra i tanti documenti e attestati che certificano l'eccellente livello qualitativo delle Rocche di Castiglione, ve ne sono due di particolare interesse. Da una parte le testimonianze dei commercianti di uve, che sono sempre stati disposti a pagarle ad un prezzo più alto rispetto ad altri cru. Dall'altra quella del professor Ferdinando Vignolo Lutati, che nel 1930 scriveva: "l'uva nebbiolo che qui si produce è adatta per ottenere un Barolo di un profumo spiccato che lo rende altamente pregiato". Ed è qui che Vittorio Monchiero e la sua famiglia ottengono il prodotto di punta della cantina, proposto a volte anche nella versione Riserva. Ha lo sviluppo tannico del grande Barolo la selezione del comune di Castiglione Falletto '16, austera e decisa al naso con i suoi fiori secchi e i primi accenni di liquirizia: eccellente. Appena meno potente ma di squisita fattura anche l'elegante Barolo Montanello '16, arricchito da un ricordo dell'affinamento in legno. Erbe aromatiche e tabacco, con la componente fruttata a fare solo da sfondo, nel più che convincente Barolo '16.

● Barolo		
del comune di Castiglione Falletto '16	♚♚	8
● Barolo Montanello '16	♚♚	5
● Barolo '16	♚♚	5
● Nebbiolo d'Alba '18	♚♚	3
● Barbera d'Alba Sup. '17	♚	3
● Barbera d'Alba Sup. '16	♙♙	3
● Barbera d'Alba Sup. '15	♙♙	3
● Barolo Montanello '14	♙♙	5
● Barolo Montanello Ris. '13	♙♙	5
● Barolo Rocche di Castiglione '15	♙♙	5
● Barolo Rocche di Castiglione '13	♙♙	5
● Barolo Rocche di Castiglione Ris. '13	♙♙	7
● Barolo Rocche di Castiglione Ris. '12	♙♙	7
○ Langhe Arneis '18	♙♙	2*
● Langhe Nebbiolo '17	♙♙	3

★Monchiero Carbone

via Santo Stefano Roero, 2
12043 Canale [CN]
Tel. 017395568
www.monchierocarbone.com

VENDITA DIRETTA
VISITA SU PRENOTAZIONE
PRODUZIONE ANNUA 190.000 bottiglie
ETTARI VITATI 30,00
AZIENDA SOSTENIBILE

La Monchiero Carbone anno dopo anno si conferma tra le più significative e rinomate aziende roerine, con una serie di etichette che sono ormai diventate veri e propri riferimenti stilistici e qualitativi per tutto il territorio. Francesco e Lucrezia Monchiero gestiscono alcuni tra i più bei vigneti del Roero, tra i quali spiccano Monbirone, Renesio e Sru, coltivati con i vitigni classici del territorio. I vini prodotti uniscono carattere territoriale a complessità, eleganza e grande nitidezza aromatica. Il Roero Arneis Cecu d'la Biunda è ormai diventato un modello per la denominazione: la versione 2019 al naso si esprime con sentori di macchia mediterranea e melograno, accompagnati da note floreali, mentre il palato è sapido, ricco di frutto, lungo e grintoso. Di alto livello anche i due Roero, Srü '17, fresco e fruttato, dai toni di frutti rossi ed erbe aromatiche, e il Printi Riserva '16 potente e complesso, dalle note speziate e dai tannini ancora in evidenza ma di grande finezza, lungo e succoso.

○ Roero Arneis Cecu d'La Biunda '19	♚♚♚	3*
● Roero Printi Ris. '16	♚♚	6
● Roero Srü '17	♚♚	4
● Barbera d'Alba Pelisa '18	♚♚	2*
○ Roero Arneis Recit '19	♚♚	3
○ Roero Arneis Cecu d'la Biunda '17	♙♙♙	3*
● Roero Printi Ris. '15	♙♙♙	6
● Barbera d'Alba Monbirone '16	♙♙	5
● Barbera d'Alba Pelisa '17	♙♙	2*
○ Langhe Bianco Tamardì '18	♙♙	2*
○ Roero Arneis Cecu d'La Biunda '18	♙♙	3*
○ Roero Arneis Recit '18	♙♙	3
● Roero Printi Ris. '14	♙♙	5
● Roero Srü '16	♙♙	4
● Roero Srü '15	♙♙	4

La Montagnetta

FRAZ. BRICCO CAPPELLO, 4
14018 ROATTO [AT]
TEL. 335309361
www.lamontagnetta.com

VENDITA DIRETTA
VISITA SU PRENOTAZIONE
PRODUZIONE ANNUA 50.000 bottiglie
ETTARI VITATI 10,00

Domenico Capello è meritatamente riconosciuto come vero e proprio alfiere della freisa, tradizionale varietà piemontese per lungo tempo trascurata, non solo per il suo controverso profilo agronomico. Ferma-secca, frizzante, spumante o rosé: nella proposta de La Montagnetta viene declinata quasi in ogni versione, con risultati sotto gli occhi di tutti in termini di qualità e carattere. La medesima cura riservata ai vini da barbera, bonarda, chardonnay, sauvignon e viognier, derivanti dalle vocate vigne di Roatto, San Paolo Solbrito e Piovà Massaia. Davvero bella la batteria presentata da Domenico Capello. La Barbera d'Asti Pi-Cit '19 è una splendida Barbera d'annata, con le sue note nitide e fresche di ciliegia e prugna e un palato grintoso, equilibrato, di notevole struttura e altrettanta freschezza acida. La Barbera d'Asti Superiore Piovà '17 evidenzia aromi di frutto maturo di grande finezza e un palato ricco e lungo, ben sostenuto dalla trama tannica. Nota di merito per la Freisa d'Asti Superiore Bugianen '16, tra le migliori della tipologia.

● Barbera d'Asti Pi Cit '19	♟♟ 2*
● Barbera d'Asti Sup. Piovà '17	♟♟ 4
● Freisa d'Asti I Ronchi '19	♟♟ 2*
● Freisa d'Asti Sup. Bugianen '16	♟♟ 4
○ Piemonte Chardonnay La Fiur '19	♟♟ 2*
● Piemonte Bonarda Frizzante La Mossa '19	♟ 2
⊙ Piemonte Rosato Il Ciaret '19	♟ 2
● Barbera d'Asti Pi Cit '17	♟♟ 2*
● Barbera d'Asti Pi-Cit '18	♟♟ 2*
● Barbera d'Asti Sup. Piovà '16	♟♟ 4
● Barbera d'Asti Sup. Piova '15	♟♟ 4
● Freisa d'Asti Sup. Bugianen '15	♟♟ 4
● Freisa d'Asti Sup. Bugianen '14	♟♟ 4
○ M.to Bianco A Stim '18	♟♟ 3

Montalbera

VIA MONTALBERA, 1
14030 CASTAGNOLE MONFERRATO [AT]
TEL. 0119433311
www.montalbera.it

VENDITA DIRETTA
VISITA SU PRENOTAZIONE
PRODUZIONE ANNUA 550.000 bottiglie
ETTARI VITATI 184,00
AZIENDA SOSTENIBILE

Con oltre metà dei vigneti idonei alla produzione di Ruchè di Castagnole Monferrato, Montalbera è di gran lunga la realtà agricola di riferimento per la denominazione astigiana, declinata in varie versioni. Ma la piattaforma ampelografica seguita dalla famiglia Morando è assai più composita: le parcelle coltivate a viognier, grignolino e barbera sono affiancate da quelle riservate a nebbiolo, moscato e chardonnay, provenienti dalle tenute di La Morra, Barbaresco, Neive e Castiglione Tinella. Sempre ai vertici i Ruché di Castagnole Monferrato della Montalbera. Laccento '19 si presenta con sentori di rosa e pepe, frutta rossa e tabacco, cui fa seguito un palato potente, ma allo stesso tempo di grande finezza e armonia, dai tannini morbidi e fitti, di bella lunghezza. La Tradizione '19 è più austero, ma sempre molto persistente, con note di fiori ed erbe aromatiche secche. La Barbera d'Asti Superiore Nuda '18, dai toni di lamponi e agrumi, con sfumature speziate e terrose, è invece scorrevole e ricca di frutto.

● Ruchè di Castagnole M.to Laccento '19	♟♟♟ 4*
● Barbera d'Asti Sup. Nuda '18	♟♟ 5
● Ruchè di Castagnole M.to La Tradizione '19	♟♟ 3*
● Barbera d'Asti Solo Acciaio '19	♟♟ 3
● Grignolino d'Asti Grignè '19	♟♟ 3
● Ruchè di Castagnole M.to Limpronta '17	♟♟ 5
● Barbera d'Asti Nuda '15	♟♟♟ 5
● Ruché di Castagnole M.to La Tradizione '15	♟♟♟ 3*
● Ruché di Castagnole M.to Laccento '18	♟♟♟ 4*
● Ruché di Castagnole M.to Laccento '16	♟♟♟ 3*
● Barbera d'Asti Sup. Nuda '16	♟♟ 5

Tenuta Montemagno

VIA CASCINA VALFOSSATO, 9
14030 MONTEMAGNO [AT]
TEL. 014163624
www.tenutamontemagno.it

VENDITA DIRETTA
VISITA SU PRENOTAZIONE
OSPITALITÀ E RISTORAZIONE
PRODUZIONE ANNUA 140.000 bottiglie
ETTARI VITATI 15,00
AZIENDA SOSTENIBILE

Un antico casale del XVI secolo è il fulcro del contesto decisamente affascinante in cui è immersa la Tenuta Montemagno: la cantina, e il relais a cui è annessa, è circondata dai vigneti mentre a fare da cornice, sullo sfondo, ci sono le Alpi. Un'esperienza amplificata dalla qualità della produzione, molto curata, anche nei minimi particolari. Vini gestiti con grande maestria dall'enologo Gianfranco Cordero che riesce a esaltare il quadro aromatico dei bianchi e a nobilitare la struttura dei rossi con maturazioni in legno mai troppo invasive. Vasta la gamma delle etichette, ottenute in prevalenza da vitigni autoctoni. L'insieme delle proposte, mette in evidenza la qualità, di tutta la produzione. Il Barolo Soranus ha un impianto gusto-olfattivo intenso e persistente. Piacevoli i vini da uve ruchè: Nobilis ha un portamento elegante, con i suoi aromi floreali su note speziate. Invictus è più impostato sul frutto, con note floreali e di erbe aromatiche. Di ottima fattura anche gli altri vini.

● Barolo Soranus '15	♟♟ 6
○ Brut M. Cl. 36 Mesi	♟♟ 5
● Grignolino d'Asti Ruber '19	♟♟ 2*
○ M.to Bianco Musae '19	♟♟ 3
○ M.to Bianco Nymphae '19	♟♟ 2*
● Ruché di Castagnole M.to Invictus '19	♟♟ 3
● Ruché di Castagnole M.to Nobilis '19	♟♟ 3
● Barbera d'Asti Austerum '17	♟♟ 3
● Barbera d'Asti Austerum '16	♟♟ 3
● Barbera d'Asti Sup. Mysterium '16	♟♟ 4
● Barbera d'Asti Sup. Mysterium '15	♟♟ 4
● Grignolino d'Asti Ruber '18	♟♟ 2*
● Grignolino d'Asti Ruber '17	♟♟ 2*
○ M.to Bianco Solis Vis '18	♟♟ 3
● M.to Rosso Violae '18	♟ 2

La Morandina

LOC. MORANDINI, 11
12053 CASTIGLIONE TINELLA [CN]
TEL. 0141855261
www.lamorandina.com

VENDITA DIRETTA
VISITA SU PRENOTAZIONE
PRODUZIONE ANNUA 100.000 bottiglie
ETTARI VITATI 20,00

I fratelli Giulio e Paolo Morando da più di trent'anni hanno trasformato la storica attività di famiglia, presente sul territorio di Castiglione Tinella fin dal XVII secolo, per farne un'importante realtà produttiva che propone una serie di etichette, frutto dei vari vigneti di proprietà, che spazia dal Moscato alla Barbera al Barbaresco. Sono quattro le tenute, a Castiglione Tinella per il Moscato d'Asti, a Neive per il Barbaresco e a Montegrosso d'Asti per la Barbera, dove le viti raggiungono i cent'anni per dare vita alla Barbera d'Asti Superiore Varmat. Rientro in Guida in grande stile per La Morandina, grazie a una serie di vini davvero di ottima fattura. La Barbera d'Asti Superiore Varmat '17 alle note di more e ribes nero, accompagnate da sfumature speziate e tostate, fa seguire un palato poderoso, ma con un'acidità viva che ne accentua il lungo finale succoso. Il Moscato d'Asti Canelli '19 evidenzia aromi eleganti di salvia e pesca, è di vibrante acidità e grande freschezza, fine ed elegante.

● Barbera d'Asti Sup. Varmat '17	♟♟ 6
○ Moscato d'Asti Canelli '19	♟♟ 2*
● Barbaresco '16	♟♟ 6
● Barbera d'Asti Zucchetto '18	♟♟ 4
○ Langhe Chardonnay '18	♟♟ 3

Diego Morra

VIA CASCINA MOSCA, 37
12060 VERDUNO [CN]
TEL. 3284623209
www.morrawines.com

VENDITA DIRETTA
VISITA SU PRENOTAZIONE
PRODUZIONE ANNUA 40.000 bottiglie
ETTARI VITATI 32,00

Le tre M intrecciate che costruiscono il logo aziendale derivano da Morra (il cognome della famiglia), Monvigliero (il cru più importante, all'interno del quale si trova anche la cantina) e Mosca, che è il nome della cascina in cui si svolge l'attività di cantina. Il patrimonio vitato è sicuramente importante rispetto alla realtà langarola, soprattutto se si tiene conto che dei 30 ettari complessivi ben 16 sono coltivati con uve nebbiolo da Barolo. Dall'unione delle uve di Verduno e La Morra nasce il nuovo Barolo Zinzasco, che svolge ampi e felici aromi di fragole, liquirizia ed erbette aromatiche; la bocca è morbida e vellutata, già di ottimale equilibrio e priva di ogni asperità. Altrettando valido il Barolo Monvigliero '16, appena più speziato e stuzzicante nei profumi, di bella presa avvolgente sul palato. Il Barolo "base" del 2016 è un portento di finezza e dotato di notevole personalità. Delicato e ciliegioso l'appagante Langhe Nebbiolo '18.

Stefanino Morra

LOC. SAN PIETRO
VIA CASTAGNITO, 50
12050 CASTELLINALDO [CN]
TEL. 0173213489
www.morravini.it

VENDITA DIRETTA
VISITA SU PRENOTAZIONE
PRODUZIONE ANNUA 75.000 bottiglie
ETTARI VITATI 12,00
AZIENDA SOSTENIBILE

Nata ormai quasi un secolo fa, nel 1925, l'azienda della famiglia Morra è guidata da oltre trent'anni da Stefanino, che da qualche tempo è affiancato dal figlio Luca. I vigneti di proprietà sono situati principalmente nel comune di Castellinaldo, su terreni sabbiosi attraversati da inserti marnosi e venature calcaree, e vedono la presenza delle classiche uve di questo territorio: arneis, barbera, brachetto, favorita e nebbiolo. I vini prodotti sono ben realizzati, di stampo classico e di buona pienezza. Sono i cosiddetti vini "base" ad averci maggiormente convinto quest'anno. Il Roero Arneis '19 al naso evidenzia aromi di frutta a polpa bianca, con sfumature di melone ed erbe aromatiche, mentre il palato è grintoso, ben sostenuto dalla sapidità e con una chiusura di grande piacevolezza. La Barbera d'Alba '17 è di buona materia e ricca di frutto, con note di frutti rossi e melograno, mentre il Roero '17, dal tannino ancora in forte evidenza, gioca più su note di spezie e macchia mediterranea.

● Barolo Monvigliero '16	♟♟ 7
● Barolo Zinzasco '16	♟♟ 6
● Barbera d'Alba '18	♟♟ 3
● Barolo '16	♟♟ 6
● Langhe Nebbiolo '18	♟♟ 3
○ Langhe Chardonnay '19	♟ 3
☉ Langhe Rosato '19	♟ 3
● Barbera d'Alba '16	♟♟ 3
● Barolo '14	♟♟ 6
● Barolo '12	♟♟ 6
● Barolo Monvigliero '15	♟♟ 7
● Barolo Monvigliero '14	♟♟ 6
● Barolo Monvigliero '12	♟♟ 6
● Dolcetto d'Alba '17	♟♟ 2*
● Langhe Nebbiolo '14	♟♟ 3
● Verduno Pelaverga '17	♟♟ 3

○ Roero Arneis '19	♟♟ 2*
● Barbera d'Alba '17	♟♟ 3
● Roero '17	♟♟ 3
● Barbera d'Alba Castellinaldo '17	♟ 4
● Barbera d'Alba Castlè '17	♟ 5
● Barbera d'Alba '16	♟♟ 3*
● Barbera d'Alba Castellinaldo '15	♟♟ 4
● Roero '16	♟♟ 3*
● Roero '14	♟♟ 3
○ Roero Arneis '17	♟♟ 2*
○ Roero Arneis '16	♟♟ 2*
○ Roero Arneis V. San Pietro '17	♟♟ 3
○ Roero Arneis Vign. San Pietro '15	♟♟ 3
● Roero Srai Ris. '15	♟♟ 5

F.lli Mossio

FRAZ. CASCINA CARAMELLI
VIA MONTÀ, 12
12050 RODELLO [CN]
TEL. 0173617149
www.mossio.com

VENDITA DIRETTA
VISITA SU PRENOTAZIONE
OSPITALITÀ
PRODUZIONE ANNUA 50.000 bottiglie
ETTARI VITATI 10,00
AZIENDA SOSTENIBILE

L'attività vitivinicola è iniziata nel 1967, con l'acquisto della classica cascina di Langa in cui la parte interrata ben si prestava all'affinamento in vasche d'acciaio del Dolcetto. È da allora che i Mossio operano con sicurezza, oltre che con ottimi risultati di mercato, per far conoscere i propri vini, basati su grande classicità, purezza del frutto e strutture importanti ma mai esagerate. In ciò favoriti anche da vigneti che si trovano ad altitudini che possono superare i 400 metri di quota. La lungimirante scelta di posticipare di alcuni mesi la commercializzazione delle nuove annate ha ulteriormente accresciuto la già invitante bevibilità di tutta la proposta. Questi veri "artisti del Dolcetto" sono riusciti a trovare il perfetto punto di equilibrio nel loro Gamus, derivante dalla calda estate del 2017. Grazie alla buona altitudine del vigneto si è conservata una premiante freschezza, mentre una delicata maturazione di un anno in rovere usato ha provveduto a far esprimere e a rendere suadente tutta la complessità fruttata tipica del vitigno.

● Dolcetto d'Alba Sup. Gamvs '17	♟♟ 4
● Dolcetto d'Alba Piano delli Perdoni '18	♟♟ 2*
● Dolcetto d'Alba Sup. Bricco Caramelli '18	♟♟ 3
● Langhe Nebbiolo Luen '16	♟♟ 4
● Barbera d'Alba '18	♟ 4
● Barbera d'Alba '16	♟ 4
● Dolcetto d'Alba Piano delli Perdoni '17	♟ 2*
● Dolcetto d'Alba Piano delli Perdoni '16	♟ 2*
● Dolcetto d'Alba Sup. Bricco Caramelli '17	♟ 3
● Dolcetto d'Alba Sup. Bricco Caramelli '16	♟ 3
● Langhe Nebbiolo Luen '15	♟ 4
● Langhe Rosso '16	♟ 4
● Langhe Rosso '15	♟ 4

Musso

VIA D. CAVAZZA, 5
12050 BARBARESCO [CN]
TEL. 0173635129
www.mussobarbaresco.it

VENDITA DIRETTA
VISITA SU PRENOTAZIONE
PRODUZIONE ANNUA 80.000 bottiglie
ETTARI VITATI 10,00

L'azienda è nata nel 1929 ad opera di Sebastiano Musso, in un periodo certamente difficile per la viticoltura, e la grande svolta è avvenuta nel 1968, quando suo figlio Augusto decise di vinificare e imbottigliare tutto il frutto dei vigneti di proprietà e, ancor più, di acquisire gli appezzamenti in Pora e Rio Sordo. Oggi, il capace Valter Musso si occupa di tutte le attività della cantina, con l'importante collaborazione del figlio Emanuele e del nipote Luca Accornero. Splendidi risultati giungono dal cru Pora: la moderna Riserva di Barbaresco '15 offre avvolgenti aromi di tostatura assieme a nitidi richiami di frutta fresca e viva, mentre il palato è pieno e polposo sino al vellutato, molto lungo e invitante. Il Pora '17 regala al naso una valida speziatura dolce e bacche rosse, assieme ad una bocca potente, dai tannini fitti e incisivi ma non aggressivi. Un'importante proposta complessiva, in cui emergono un'elegantissima Barbera d'Alba '18 e un raffinato ed erbaceo Roero Arneis '19.

● Barbaresco Pora '17	♟♟ 6
● Barbaresco Pora Ris. '15	♟♟ 6
● Barbaresco Rio Sordo '17	♟♟ 6
● Barbera d'Alba '17	♟♟ 3
● Dolcetto d'Alba '19	♟♟ 2*
● Langhe Pinot Nero '18	♟♟ 2*
○ Roero Arneis '19	♟♟ 3
● Barbaresco '17	♟ 5
● Barbera d'Alba Sup. Brua '18	♟ 4
● Barbaresco Pora '16	♟ 6
● Barbaresco Rio Sordo '16	♟ 6
● Barbaresco Rio Sordo '15	♟ 5
● Barbera d'Alba '16	♟ 3
● Barbera d'Alba Sup. Brua '16	♟ 4
● Langhe Nebbiolo '18	♟ 4

Ada Nada

LOC. ROMBONE
VIA AUSARIO, 12
12050 TREISO [CN]
TEL. 0173638127
www.adanada.it

VENDITA DIRETTA
VISITA SU PRENOTAZIONE
OSPITALITÀ E RISTORAZIONE
PRODUZIONE ANNUA 45.000 bottiglie
ETTARI VITATI 9,00

Merita una visita la cantina guidata da
Elvio, insieme alla moglie Anna Lisa e le
figlie Elisa, Serena ed Emma, ospitata in
una bella cascina settecentesca dotata di
un ottimo agriturismo. Fondata nel 1919 da
Carlo Nada, può contare oggi su alcuni cru
prestigiosi come Valeirano e Rombone,
declinato sia nell'Elisa che nella Riserva
Cichin dove confluiscono le parcelle più
vecchie. I Barbaresco maturano in botti
grandi di rovere da 3000 litri per uno stile
all'insegna della piena classicità. Un tris di
Barbaresco più che convincente quello
proposto in quest'edizione della Guida.
Partiamo dal Barbaresco Rombone Cichin
Riserva '15 che mette in mostra toni di
more e radici, una struttura tannica
cremosa e un finale lungo e continuo, ricco
di sapore. Fresco nei richiami di menta ed
erbe medicinali il Barbaresco Valcirano '17,
che si fa apprezzare per una beva già
pronta e succosa grazie a una trama ben
profilata. Trova equilibrio e buona armonia il
Barbaresco Elisa '17, nitido e preciso nel
quadro aromatico.

● Barbaresco Cichin Ris. '15	♀♀	6
● Barbaresco Valeirano '17	♀♀	5
● Barbaresco Rombone Elisa '17	♀♀	5
● Barbaresco Rombone Elisa '16	♀♀♀	5
● Barbaresco Cichin Ris. '13	♀♀	6
● Barbaresco Cichin Ris. '12	♀♀	6
● Barbaresco Rombone Elisa '15	♀♀	5
● Barbaresco Valeirano '16	♀♀	5
● Barbaresco Valeirano '15	♀♀	5
● Barbaresco Valeirano '14	♀♀	5
● Barbera d'Alba Sup. Salgà '16	♀♀	3
● Langhe Nebbiolo Serena '18	♀♀	3
○ Langhe Sauvignon Neta '18	♀♀	2*
○ Langhe Sauvignon Neta '17	♀♀	2*

★★Fiorenzo Nada

VIA AUSARIO, 12c
12050 TREISO [CN]
TEL. 0173638254
www.nada.it

VENDITA DIRETTA
VISITA SU PRENOTAZIONE
PRODUZIONE ANNUA 45.000 bottiglie
ETTARI VITATI 10,00
AZIENDA SOSTENIBILE

Questa cantina è ininterrottamente presente
sulla nostra Guida sin dal primo anno di
pubblicazione: era il 1988, Fiorenzo
compiva 63 anni e aveva già ben dimostrato
la propria grandezza di vignaiolo, Bruno
Nada iniziava ad appassionarsi al vino pur
facendo ancora l'insegnante, mentre il figlio
Danilo stava imparando a camminare. Un
percorso di successo, fatto di bei vigneti -
Rombone, Manzola e il recente Montaribaldi
- uniti a una sensibilità enologica di rara
finezza e alla convinta voglia di eccellere.
Tutta la piccola proposta di etichette è
all'altezza di tanta fama. Molto elegante,
ricco di piccoli frutti neri e spezie il
Barbaresco Rombone '16, appena
accarezzato da un velo olfattivo di rovere e
da uno stuzzicante ricordo di cacao nel
finale; la bocca interpreta al meglio la
ricchezza dell'annata ed è già ben
equilibrata. Lo squisito Seifile '16 è
arricchito da un fresco tocco vegetale che
gli dona complessità, mentre il sorso rivela
la tranquilla presenza dei tannini e la gioiosa
vitalità derivante da un tocco di acidità.

● Barbaresco Rombone '16	♀♀♀	8
● Langhe Rosso Seifile '16	♀♀	8
● Barbaresco Manzola '16	♀♀	7
● Barbaresco Montaribaldi '16	♀♀	8
● Barbera d'Alba '18	♀♀	4
● Langhe Nebbiolo '18	♀	4
● Barbaresco Manzola '08	♀♀♀	6
● Barbaresco Manzola '06	♀♀♀	6
● Barbaresco Montaribaldi '15	♀♀♀	7
● Barbaresco Montaribaldi '14	♀♀♀	7
● Barbaresco Montaribaldi '13	♀♀♀	7
● Barbaresco Rombone '12	♀♀♀	7
● Barbaresco Rombone '10	♀♀♀	7
● Barbaresco Rombone '09	♀♀♀	7
● Barbaresco Rombone '07	♀♀♀	7
● Barbaresco Rombone '06	♀♀♀	7

Cantina dei Produttori Nebbiolo di Carema

VIA NAZIONALE, 32
10010 CAREMA [TO]
TEL. 0125811160
www.caremadoc.it

VENDITA DIRETTA
VISITA SU PRENOTAZIONE
RISTORAZIONE
PRODUZIONE ANNUA 65.000 bottiglie
ETTARI VITATI 20,00

I piloni di pietra che sorreggono le pergole vitate di Carema sono un patrimonio storico e culturale che viene mantenuto vivo e produttivo soprattutto per merito di questa benemerita cantina sociale, che raccoglie le uve nebbiolo di decine di piccolissimi viticoltori di quest'area piemontese in cui già si respira l'aria della Valle d'Aosta. Le due proposte principali sono costituite dal Carema e dal Carema Riserva, ma la potenzialità produttiva di questo comune di 795 abitanti è ben completata da altre etichette in cui si sta mettendo in luce la versione spumante del nebbiolo denominata Villanova, elaborata con il Metodo Classico. Interessante la ricchezza olfattiva del Carema Riserva '16, dotato di intense note di erbe aromatiche e di un buon supporto alcolico; la bocca porge, come vogliono sia l'annata sia la zona di produzione, una sentita acidità accompagnata da una moderata tannicità, in un insieme di buona sostanza fruttata. Stessa freschezza e struttura appena più diluita nel Canavese Nebbiolo Paré '18.

Negretti

FRAZ. SANTA MARIA, 53
12064 LA MORRA [CN]
TEL. 0173509850
www.negrettivini.com

VENDITA DIRETTA
PRODUZIONE ANNUA 50.000 bottiglie
ETTARI VITATI 13,00

Gode di ottima salute la cantina dei fratelli Ezio e Massimo Negretti che hanno saputo ben valorizzare l'attività vitivinicola della famiglia. Gli ettari vitati a disposizione sono 13 e si trovano tra le colline dei comuni di La Morra (sui cru Rive e Bettolotti) e sul Bricco Ambrogio di Roddi. La cifra aziendale ormai è ben consolidata, grande attenzione in vigna, estrazioni intense e ben dosate, cenni speziati equilibrati. In cantina trovano posto botti di diversa capacità, da 225 o 2500 litri, e provenienza, dalla Francia all'Austria. Tre Bicchieri al Barolo Rive '16 dal tratto aromatico raffinato tra toni di fragoline di bosco, tabacco e spezie dolci; al palato è elegante e complesso, peso medio, tannini cremosi e un finale lungo e dinamico. Molto buono anche il Barolo '16 che si presenta arioso nelle sue note di liquirizia e fiori e lamponi freschi: raffinato e classico, bocca possente e finezza tannica. Più severo nella trama tannica il Barolo Mirau '16, dal tratto speziato affascinante.

● Carema Et. Bianca Ris. '16	♟♟ 4
● Canavese Nebbiolo Parè '18	♟ 2
● Carema Et. Bianca '07	♟♟♟ 3*
● Carema Et. Bianca Ris. '11	♟♟♟ 3*
● Carema Et. Bianca Ris. '09	♟♟♟ 3*
● Carema Et. Bianca Ris. '08	♟♟♟ 3*
● Canavese Nebbiolo Parè '17	♟♟ 2*
● Carema Et. Bianca Ris. '15	♟♟ 4
● Carema Et. Bianca Ris. '12	♟♟ 3
● Carema Et. Bianca Ris. '10	♟♟ 3*
● Carema Et. Nera '16	♟♟ 3
● Carema Et. Nera '15	♟♟ 3
● Carema Et. Nera '14	♟♟ 3
● Carema Et. Nera '13	♟♟ 2*
● Carema Et. Nera '12	♟♟ 2*
● Carema Et. Nera '11	♟♟ 2*
● Carema Ris. '13	♟♟ 4

● Barolo Rive '16	♟♟♟ 7
● Barolo Bricco Ambrogio '16	♟♟ 7
● Barolo Mirau '16	♟♟ 6
● Barbera d'Alba Sup. '17	♟♟ 3
● Barolo '16	♟♟ 6
○ Langhe Chardonnay Dadà '18	♟♟ 4
● Nebbiolo d'Alba Minot '17	♟ 4
● Barolo Bricco Ambrogio '14	♟♟♟ 6
● Barolo Rive '15	♟♟♟ 6
● Barolo '15	♟♟ 6
● Barolo '13	♟♟ 6
● Barolo Bricco Ambrogio '15	♟♟ 6
● Barolo Bricco Ambrogio '13	♟♟ 6
● Barolo Bricco Ambrogio '09	♟♟ 6
● Barolo Rive '14	♟♟ 6
● Barolo Rive '13	♟♟ 6

Angelo Negro

FRAZ. SANT' ANNA , 1
12040 MONTEU ROERO [CN]
TEL. 017390252
www.angelonegro.it

VENDITA DIRETTA
VISITA SU PRENOTAZIONE
PRODUZIONE ANNUA 350.000 bottiglie
ETTARI VITATI 60,00
AZIENDA SOSTENIBILE

Ciabot San Giorgio, Prachiosso e Serra Lupini a Monteu Roero, San Vittore a Canale per la loro storica produzione roerina, Basarin a Neive per i Barbaresco e Baudana a Serralunga d'Alba per i Barolo: in questi ultimi anni i grandi vigneti della famiglia Negro sono sempre più numerosi e riguardano non solo il Roero ma anche le Langhe. L'ampia gamma di etichette è tutta realizzata con uve autoctone e si articola in una serie di vini di grande nitidezza aromatica, dall'impianto classico, di notevole tipicità e territorialità. Il Roero Sudisfá Riserva '17 al naso evidenzia note di macchia mediterranea con toni balsamici e di agrumi dolci, mentre il palato è di grande volume, ricco di frutto, con tannini fitti ma fini e un finale lungo e succoso. Fresco e disteso, di notevole finezza, con sentori di frutti neri, violetta e spezie è invece il Roero Ciabot San Giorgio Riserva '17. Di alto livello anche i vini di Langa, in particolare il Barolo del Comune di Serralunga d'Alba '16, classico, di buona complessità e finezza.

● Roero Sudisfà Ris. '17	♛♛♛ 6
● Barolo del Comune di Serralunga d'Alba '16	♛♛ 7
● Roero Ciabot San Giorgio Ris. '17	♛♛ 5
● Barbaresco Basarin '15	♛♛ 5
○ Roero Arneis Serra Lupini '19	♛♛ 3
○ Roero Arneis Sette Anni '13	♛♛ 7
● Roero Prachiosso '18	♛♛ 4
● Roero Sudisfà Ris. '16	♛♛♛ 6
● Barbaresco Basarin '16	♙♙ 5
○ Roero Arneis Perdaudin '18	♙♙ 4
○ Roero Arneis Sette Anni '12	♙♙ 7
● Roero Ciabot San Giorgio '16	♙♙ 5
● Roero Prachiosso '16	♙♙ 4

Lorenzo Negro

FRAZ. SANT'ANNA, 55
12040 MONTEU ROERO [CN]
TEL. 017390645
www.negrolorenzo.com

VENDITA DIRETTA
VISITA SU PRENOTAZIONE
PRODUZIONE ANNUA 35.000 bottiglie
ETTARI VITATI 8,00
AZIENDA SOSTENIBILE

L'azienda di Lorenzo Negro da ormai 15 anni è una stabile presenza del panorama roerino e propone una gamma di vini di stile moderno, attento alla nitidezza aromatica e a esprimere al meglio i caratteri tipici del territorio e dei suoi vitigni autoctoni. La cantina a Monteu Roero è situata in cima alla collina Serra Lupini ed è circondata dai vigneti aziendali, che si sviluppano a circa 300 metri di altitudine sui tipici suoli sabbiosi della riva sinistra del Tanaro, con inserti di limo e argilla. Il Roero S. Francesco Riserva '16 è fine nei suoi profumi di frutti e fiori rossi su un fondo di spezie, dal palato armonico e dinamico, con una trama tannica fitta e vellutata e un lungo finale di giusta austerità. Ben realizzati gli altri vini della gamma, dalla Barbera d'Alba Superiore La Nanda '16, fresca e di placevole sapidità, con toni di frutti neri e macchia mediterranea, al Roero Arneis '19, dai sentori di pera kaiser è dal palato coerente e di buona tenuta.

● Roero S.Francesco Ris. '16	♛♛ 3*
● Barbera d'Alba Sup. La Nanda '16	♛♛ 3
● Langhe Nebbiolo '17	♛♛ 2*
○ Roero Arneis '19	♛♛ 2*
● Roero Prachiosso '17	♛♛ 3
● Barbera d'Alba '17	♛ 2
● Barbera d'Alba '16	♙♙ 2*
● Barbera d'Alba '15	♙♙ 2*
○ Roero Arneis '18	♙♙ 2*
○ Roero Arneis Brut M. Cl. '12	♙♙ 4
● Roero Prachiosso '16	♙♙ 3*
● Roero Prachiosso '15	♙♙ 3*
● Roero S.Francesco Ris. '15	♙♙ 3*
● Roero San Francesco Ris. '14	♙♙ 3

Nervi Conterno

c.so Vercelli, 117
13045 Gattinara [VC]
Tel. 0163833228
www.nervicantine.it

VENDITA DIRETTA
VISITA SU PRENOTAZIONE
PRODUZIONE ANNUA 120.000 bottiglie
ETTARI VITATI 27,00

La transizione dalla vecchia proprietà, che detiene ancora il 10% della struttura, alla nuova è stata condotta con facilità e senza traumi, vista l'alta considerazione che Roberto Conterno - "è una zona fantastica", ha dichiarato nel 2018 - aveva per i vini qui realizzati con l'uva nebbiolo sotto la supervisione del norvegese Erling Astrup. Entrambi erano e sono convinti che le potenzialità siano altissime e che sia quindi possibile un ulteriore salto di qualità, anche grazie agli investimenti e alle ristrutturazioni che il nuovo assetto sta già operando. E i primi risultati significativi stanno già arrivando. Come ben dimostra innanzitutto il complesso Gattinara Valferana '16, ricco di frutti rossi e di accenni di iodio e genziana; la bocca gioca sulla finezza, con tannini delicati e setosi che contribuiscono ad allungare la lunghezza gustativa. Ancora più sfaccettato il Molsino '16, con rosa e lampone a dare vitalità all'impianto aromatico, mentre la bocca eccelle in persistenza e armonia. Appena più deciso e immediato il gustoso Gattinara della calda vendemmia 2017.

● Gattinara V. Molsino '16	♟♟ 7
● Gattinara V. Valferana '16	♟♟ 6
● Gattinara '17	♟♟ 5
● Gattinara Podere dei Ginepri '01	♟♟♟ 5
● Gattinara Vign. Molsino '00	♟♟♟ 5
● Colline Novaresi Spanna '15	♟♟ 3
● Gattinara '15	♟♟ 5
● Gattinara '15	♟♟ 4
● Gattinara '13	♟♟ 4
● Gattinara Molsino '11	♟♟ 5
● Gattinara V. Molsino '14	♟♟ 7
● Gattinara V. Molsino '13	♟♟ 7
● Gattinara V. Molsino '12	♟♟ 5
● Gattinara V. Valferana '14	♟♟ 6
● Gattinara V. Valferana '13	♟♟ 6

Silvano Nizza

fraz. Balla Lora 29a
12040 Santo Stefano Roero [CN]
Tel. 017390516
www.nizzasilvano.it

VENDITA DIRETTA
VISITA SU PRENOTAZIONE
PRODUZIONE ANNUA 65.000 bottiglie
ETTARI VITATI 8,00

È stato Silvano Nizza a fondare l'azienda nel 2001, riprendendo la tradizione familiare iniziata dal padre Sandro e dallo zio Alfredo cinquant'anni prima. Arneis, barbera, brachetto e nebbiolo sono le uve coltivate nei vigneti aziendali, situati principalmente accanto alla cascina Ca' Boscarone a Santo Stefano Roero e nei comuni di Canale e di Montà. I vini proposti, pur di schietto impianto moderno, cercano di esprimere al meglio le caratteristiche dei vitigni e dei territori di origine. La Barbera d'Alba Superiore Crua '17 si presenta con aromi di grande finezza di prugna e di ciliegia, ben accompagnati da sfumature speziate, cui fa seguito un palato armonico e di grande carattere, ricco di frutto e ben sostenuto dalla freschezza acida. Interessante e di notevole tipicità il Roero Arneis Il Santo Stefano '17, con i suoi toni di frutta bianca e mandorla, dal palato coerente, lungo, di buona materia e sapidità, mentre è di buona tensione, con note di erbe alpine e frutti neri, il Roero '17.

● Barbera d'Alba Sup. Crua '17	♟♟ 4
● Nebbiolo d'Alba '18	♟♟ 4
● Roero '17	♟♟ 5
○ Roero Arneis '19	♟♟ 3
○ Roero Arneis Il Santo Stefano Limited Edition '17	♟♟ 3
● Barbera d'Alba '15	♟♟ 4
● Barbera d'Alba Sup. Crua '16	♟♟ 4
● Roero '16	♟♟ 5
● Roero '15	♟♟ 5
○ Roero Arneis '18	♟♟ 3
○ Roero Arneis '17	♟♟ 3
● Roero Ca' Boscarone Ris. '14	♟♟ 6

Noah

VIA FORTE, 48
13862 BRUSNENGO [BI]
TEL. 3201510906
info@noah.wine

VENDITA DIRETTA
VISITA SU PRENOTAZIONE
PRODUZIONE ANNUA 15.000 bottiglie
ETTARI VITATI 4,50
AZIENDA SOSTENIBILE

La prima vendemmia di Andrea Mosca e Giovanna Pepe Diaz è stata effettuata nel 2011 e il progetto finale era già piuttosto chiaro: produrre solo uve classiche del territorio, quindi principalmente nebbiolo, operando interventi agricoli rispettosi dell'ambiente uniti a vinificazioni di stile tradizionale. Di qui la scelta di utilizzare rovere di Slavonia sia per le fermentazioni che per l'affinamento, con risultati di sicuro valore gustativo. La superficie vitata è da allora leggermente aumentata e consente di realizzare, oltre ai premiati Lessona e Bramaterra, una splendida Croatina e uno sperimentale Rosso Noah. Nell'annata 2016 la cantina Noah si conferma abile e precisa interprete sia del Lessona che del Bramaterra. Il primo si dimostra ricco e scalpitante grazie alla notevole dote tannica che rafforza il palato, dopo aver porto al naso aromi caratterizzati da frutta rossa e china. Il secondo regala eleganti petali di rosa e viola per poi mostrarsi assai polposo ed elegante in bocca.

● Bramaterra '16	♈♈ 5
● Lessona '16	♈♈ 6
● Coste della Sesia Rosso Noah '19	♈♈ 4
● Coste della Sesia Rosso Noah '18	♈♈ 4
● Coste della Sesia Rosso Dalla Mesola '18	♈ 3
● Bramaterra '12	♈♈♈ 5
● Bramaterra '15	♈♈ 5
● Bramaterra '14	♈♈ 5
● Bramaterra '13	♈♈ 5
● Coste della Sesia Croatina '15	♈♈ 5
● Lessona '15	♈♈ 5
● Lessona '14	♈♈ 5

★Poderi e Cantine Oddero

FRAZ. SANTA MARIA
VIA TETTI, 28
12064 LA MORRA [CN]
TEL. 017350618
www.oddero.it

VENDITA DIRETTA
VISITA SU PRENOTAZIONE
PRODUZIONE ANNUA 150.000 bottiglie
ETTARI VITATI 35,00
VITICOLTURA Biologico Certificato
AZIENDA SOSTENIBILE

Mariacristina e Mariavittoria Oddero possono contare su un parco vigneti tra i più prestigiosi in regione, grazie all'eredità lasciata dal padre Giacomo. Tra i tanti, ricordiamo Villero e Rocche di Castiglione Falletto, Brunate a La Morra, Vigna Mondoca di Bussia Soprana a Monforte d'Alba, Vignarionda a Serralunga. La cifra stilistica si conferma classica e rigorosa, con una spiccata sensibilità per quanto riguarda le estrazioni e l'utilizzo di legni di diversa capacità, per vini in grado di viaggiare splendidamente nel tempo. Fine, potente ed armonico il Barolo Vigna Rionda Riserva '13 che dosa freschezza aromatica e complessità speziata in una trama ricca, articolata e molto persistente al palato. Peculiare il tratto salmastro del Barolo Brunate '16, ricco di sensazioni speziate, dalla trama tannica fitta e progressiva, di sicura evoluzione in bottiglia. Magistrale armonia, finezza ed equilibrio il Barolo '16 che già regala una beva piacevolissima e succosa.

● Barolo Rocche di Castiglione '16	♈♈ 8
● Barolo Vignarionda Ris. '13	♈♈ 8
● Barolo Villero '16	♈♈ 8
● Barbaresco Gallina '17	♈♈ 7
● Barbera d'Alba Sup. '17	♈♈ 4
● Barolo Brunate '16	♈♈ 8
● Barolo Bussia V. Mondoca Ris. '14	♈♈ 8
● Langhe Nebbiolo '18	♈♈ 5
● Nizza Barbera '17	♈ 4
● Barbaresco Gallina '16	♈♈ 6
● Barbera d'Asti Sup. Nizza '15	♈♈ 4
● Barolo '15	♈♈ 6
● Barolo Brunate '15	♈♈ 8
● Barolo Bussia V. Mondoca Ris. '13	♈♈ 8
● Barolo Vignarionda Ris. '11	♈♈ 8
● Barolo Villero '15	♈♈ 8

Figli Luigi Oddero
Tenuta Parà

FRAZ. SANTA MARIA
LOC. TENUTA PARÀ, 95
12604 LA MORRA [CN]
TEL. 0173500386
www.figliluigioddero.it

VENDITA DIRETTA
VISITA SU PRENOTAZIONE
PRODUZIONE ANNUA 110.000 bottiglie
ETTARI VITATI 20,00
AZIENDA SOSTENIBILE

L'azienda nasce grazie a un uomo di eccezionale curiosità. Scopriamo Luigi Oddero nel racconto di Mario Soldati, un gentiluomo di campagna capace di coniugare passato e futuro, tradizione e visione. Seguono le orme del marito la moglie Lena e e i figli Maria e Giovanni che portano i nomi dei nonni. I vini hanno raggiunto picchi di vera eccellenza grazie a uno stile sempre più definito capace di mantenere una peculiare freschezza aromatica, declinando parcelle prestigiose come Rive e Santa Maria di La Morra, Scarrone a Castiglione Falletto, Vigna Rionda a Serralunga d'Alba, Rombone a Treiso. Una prova d'insieme che vogliamo rimarcare ancora una volta: sono ben tre i vini in finale. Grande carattere, struttura e lunghezza per l'ottimo Barolo Rocche Rivera '16 capace di dosare potenza ed energia con particolare grazia e finezza. Vivido per freschezza e precisione degli aromi il Barbaresco Rombone '17, dal finale spiccatamente balsamico nei toni di ginepro e menta. Il Barolo Vigna Rionda Riserva '14 offre una brillante interpretazione dell'annata.

● Barbaresco Rombone '17	♟♟	6
● Barolo Rocche Rivera '16	♟♟	8
● Barolo Vigna Rionda Ris. '14	♟♟	8
● Barolo '16	♟♟	8
● Langhe Nebbiolo '18	♟♟	6
● Barbera d'Alba '18	♟	6
● Barolo Vigna Rionda '13	♟♟♟	8
● Barolo Vigna Rionda '10	♟♟♟	8
● Barbaresco Rombone '16	♟♟	6
● Barbaresco Rombone '15	♟♟	6
● Barbaresco Rombone '14	♟♟	8
● Barbera d'Alba '17	♟♟	6
● Barolo '15	♟♟	8
● Barolo '13	♟♟	8
● Barolo Rocche Rivera '13	♟♟	6
● Barolo Specola '11	♟♟	8
● Barolo Vigna Rionda '12	♟♟	8

Tenuta Olim Bauda

VIA PRATA, 50
14045 INCISA SCAPACCINO [AT]
TEL. 0141702171
www.tenutaolimbauda.it

VENDITA DIRETTA
VISITA SU PRENOTAZIONE
PRODUZIONE ANNUA 200.000 bottiglie
ETTARI VITATI 30,00
AZIENDA SOSTENIBILE

Marchio storico fondato negli anni '60 dalla famiglia Bertolino, Tenuta Olim Bauda è oggi condotta dai fratelli Dino, Diana e Giovanni. Una realtà agricola cresciuta progressivamente nel tempo, fino a mettere insieme varie tenute dislocate fra i comuni di Nizza Monferrato, Isola d'Asti, Fontanile, Castelnuovo Calcea e Gavi, che danno spazio di volta in volta alle varietà più vocate rispetto alle diverse zone. Incontriamo soprattutto barbera e moscato, ma non sono certo relegati a ruoli da comprimari i vini da cortese, chardonnay, grignolino, nebbiolo e freisa. Sempre ai vertici le Barbera della famiglia Bertolino. Il Nizza Riserva '17 al naso mette in luce belle note di mora e ciliegia matura, con sfumature di terra e tabacco, mentre il palato ha struttura e polpa, ma anche eleganza nello sviluppo e un lungo finale. La Barbera d'Asti Superiore Le Rocchette '17 invece ai toni di frutti rossi, agrumi e spezie dolci, fa seguire un corpo importante e di bella pienezza, con un finale di buona sapidità.

● Nizza Ris. '17	♟♟♟	5
● Barbera d'Asti Sup. Le Rocchette '17	♟♟	4
● Barbera d'Asti La Villa '19	♟♟	3
○ Moscato d'Asti Centive '19	♟♟	3
● Barbera d'Asti Sup. Nizza '13	♟♟♟	5
● Barbera d'Asti Sup. Nizza '12	♟♟♟	5
● Barbera d'Asti Sup. Nizza '11	♟♟♟	5
● Barbera d'Asti Sup. Nizza '08	♟♟♟	5
● Barbera d'Asti Sup. Nizza '07	♟♟♟	5
● Barbera d'Asti Sup. Nizza '06	♟♟♟	5
● Nizza '15	♟♟♟	5
● Nizza Ris. '16	♟♟♟	5
● Barbera d'Asti La Villa '18	♟♟	3*
● Freisa d'Asti '16	♟♟	4
○ Gavi del Comune di Gavi '18	♟♟	3
○ Moscato d'Asti Centive '18	♟♟	3*
● Nebbiolo d'Alba San Pietro '17	♟♟	4

Orsolani

VIA MICHELE CHIESA, 12
10090 SAN GIORGIO CANAVESE [TO]
TEL. 012432386
www.orsolani.it

VENDITA DIRETTA
VISITA SU PRENOTAZIONE
PRODUZIONE ANNUA 140.000 bottiglie
ETTARI VITATI 19,00

L'attivissimo Gigi Orsolani è un vero ambasciatore a livello internazionale, certo com'è che l'Erbaluce di Caluso sia un bianco che non teme confronti. Ed è altresì convinto delle ottime qualità della conduzione agronomica basata sul metodo della pergola, che consente una funzionale selezione delle uve, in tempi diversi, da destinare sia allo spumante Metodo Classico sia al bianco fermo sia alla dolce versione passita. Sempre validissima la selezione La Rustìa, proposta in ben 60.000 bottiglie annue, che consigliamo vivamente di degustare anche dopo qualche anno di bottiglia. Grandissima prestazione per La Rustìa '19, un'etichetta nata nel 1985 e da allora divenuta una delle icone della denominazione: è ricca di erbette e di fiori bianchi, seguiti da una bella polpa gustativa non priva di invitante freschezza. Qualità di prim'ordine nella Cuvée Tradizione '13, un Metodo Classico intenso e fine che offre al naso note di erbe secche e crosta di pane; la bocca è armonica, con il dosaggio perfettamente integrato e il finale lungo.

○ Erbaluce di Caluso La Rustìa '19	♟♟♟	3*
○ Caluso Extra Brut Cuvée Tradizione '13	♟♟	5
● Canavese Rosso Acini Sparsi '18	♟♟	3
○ Erbaluce di Caluso Vintage '16	♟♟	5
○ Caluso Passito Sulè '15	♟	5
○ Caluso Passito Sulé '04	♟♟♟	5
○ Caluso Passito Sulé '98	♟♟♟	5
○ Erbaluce di Caluso La Rustìa '15	♟♟♟	3*
○ Erbaluce di Caluso La Rustìa '13	♟♟♟	3*
○ Erbaluce di Caluso La Rustìa '12	♟♟♟	3*
○ Erbaluce di Caluso La Rustìa '11	♟♟♟	3*
○ Erbaluce di Caluso La Rustìa '10	♟♟♟	2*
○ Erbaluce di Caluso La Rustìa '09	♟♟♟	2*
● Canavese Rosso Acini Sparsi '17	♟♟	3
○ Erbaluce di Caluso La Rustìa '18	♟♟	3*

Pace

FRAZ. MADONNA DI LORETO
LOC. CASCINA PACE, 52
12043 CANALE [CN]
TEL. 3384323245
www.pacevini.it

VENDITA DIRETTA
VISITA SU PRENOTAZIONE
PRODUZIONE ANNUA 60.000 bottiglie
ETTARI VITATI 22,00

Famiglia di agricoltori da quattro generazioni, dall'acquisto di una cascina nel 1934, oggi l'azienda della famiglia Negro è guidata dai fratelli Dino e Pietro, che nel 1996 hanno fondato l'azienda vitivinicola. I vigneti sono situati su una collina che domina Canale, in una zona denominata Pace, una delle più boscose e fresche di tutto il comune, su suoli di medio impasto, e vedono la presenza principalmente dei classici vitigni del territorio, come arneis, barbera, favorita e nebbiolo. I vini proposti sono di stampo tradizionale. Torna nella sezione principale della Guida l'azienda dei fratelli Negro. Davvero riuscito il Roero Riserva '15, dagli aromi di liquirizia e tabacco a dare complessità ai sentori di frutta rossa fresca, e dal palato armonico, ricco di frutto, ma anche con tannini eleganti e un finale succoso e sapido. Ben realizzati il Brut Metodo Classico '16, fresco e piacevole, e il Roero Arneis '19, di buona materia e ricco di frutto. Meno brillante dello splendido 2010 invece il Roero Arneis Giuan da Pas '11.

● Roero Ris. '15	♟♟	5
○ Brut M. Cl. '16	♟♟	5
○ Langhe Favorita '19	♟♟	2*
○ Roero Arneis '19	♟♟	2*
● Barbera d'Alba '18	♟	2
● Barbera d'Alba Sup. '17	♟	5
● Langhe Nebbiolo '18	♟	2
○ Roero Arneis Giuan da Pas '11	♟	7
● Barbera d'Alba '17	♟♟	2*
○ Langhe Favorita '17	♟♟	2*
○ Roero Arneis '17	♟♟	3*
○ Roero Arneis Giuan da Pas '10	♟♟	7
● Roero Ris. '13	♟♟	5

Paitin

FRAZ. BRICCO DI NEIVE
VIA SERRABOELLA, 20
12052 NEIVE [CN]
TEL. 017367343
www.paitin.it

VENDITA DIRETTA
VISITA SU PRENOTAZIONE
OSPITALITÀ
PRODUZIONE ANNUA 90.000 bottiglie
ETTARI VITATI 18,00
VITICOLTURA Biologico Certificato
AZIENDA SOSTENIBILE

Delle tre sottovarietà dell'uva nebbiolo, lampia, michet e rosé, quest'ultima è quella che fa più discutere, arrivando alcuni studiosi persino a sostenere che si tratta di un vitigno autonomo. Tra i pochi produttori che ancora la utilizzano in purezza, la varietà rosé dà comunque ottimi risultati gustativi, come ben dimostra il Barbaresco Sorì Paitin della famiglia Pasquero Elia, dove Giovanni e Silvano godono sempre più della collaborazione del giovane Luca. Squisita interpretazione della calda vendemmia 2017 in entrambe le etichette di Barbaresco proposte. Il Serraboella è ricco di frutti rossi con una lievissima nota di rovere dolce, potente in bocca e delicato nei tannini. Ancora più elegante il Serraboella Sorì Paitin, giocato su fini richiami di liquirizia e di petali di rosa, decisamente armonico. Più chiusa e austera la valida Riserva Vecchie Vigne del 2015. Un plauso al riuscito Nebbiolo Starda '18, ai massimi livelli.

Palladino

P.ZZA CAPPELLANO, 9
12050 SERRALUNGA D'ALBA [CN]
TEL. 0173613108
www.palladinovini.com

VENDITA DIRETTA
PRODUZIONE ANNUA 180.000 bottiglie
ETTARI VITATI 11,00

Nata nel 1974, la cantina dei Palladino si è inizialmente specializzata nella selezione di uve coltivate dai vignaioli dell'area di Serralunga, procedendo poi alla lavorazione di cantina e all'imbottigliamento. Negli anni si è poi proceduto all'acquisizione diretta di alcune prestigiose parcelle, tra cui brillano i nomi dei cru Ornato e Parafada, senza dimenticare che il piccolo appezzamento in San Bernardo si è già ripetutamente meritato i nostri Tre Bicchieri grazie al suo Barolo Riserva. La proposta enologica si basa su 11 etichette, tutte basate sui vitigni classici del Piemonte meridionale, caratterizzate anche da prezzi piuttosto amichevoli. Una viola appena appassita si accompagna ala lampone e a fini spezie dolci nell'intenso Barolo Ornato '16, creando una complessità di notevole carattere; la bocca è assai ricca, dotata di un'avvincente e delicata trama tannica che aggiunge pienezza e struttura. Di pregiata eleganza anche il Barolo Parafada '16, con pesca matura e fiori rossi freschi a creare un insieme di bella finezza, mentre la bocca è di grande classicità, potente, lunga e progressiva.

● Barbaresco Serraboella '17	♈♈ 6
● Barbaresco Serraboella Sorì Paitin '17	♈♈ 7
● Barbaresco Sorì Paitin V. V. '15	♈♈ 8
● Langhe Nebbiolo Starda '18	♈♈ 4
● Nebbiolo d'Alba Ca Veja '17	♈♈ 5
● Barbera d'Alba Serra '18	♈ 3
● Barbera d'Alba Sup. Campovile '17	♈ 5
● Barbaresco Sorì Paitin '07	♈♈♈ 5
● Barbaresco Sorì Paitin '04	♈♈♈ 5
● Barbaresco Sorì Paitin '97	♈♈♈ 5
● Barbaresco Sorì Paitin '95	♈♈♈ 7
● Barbaresco Sorì Paitin V. V. '04	♈♈♈ 7
● Barbaresco Sorì Paitin V. V. '01	♈♈♈ 7
● Barbaresco Sorì Paitin V. V. '99	♈♈♈ 8
● Langhe Paitin '97	♈♈♈ 5

● Barolo Ornato '16	♈♈ 6
● Barolo Parafada '16	♈♈ 6
● Barbera d'Alba Sup. Bricco delle Olive '17	♈♈ 3
● Langhe Nebbiolo '18	♈♈ 3
● Barolo del Comune di Serralunga d'Alba '16	♈ 5
● Barolo San Bernardo Ris. '13	♈♈♈ 8
● Barbera d'Alba Sup. Bricco delle Olive '16	♈♈ 3
● Barolo del Comune di Serralunga d'Alba '14	♈♈ 5
● Barolo del Comune di Serraunga d'Alba '15	♈♈ 5
● Barolo Ornato '15	♈♈ 6
● Barolo Parafada '15	♈♈ 6
● Nebbiolo d'Alba '17	♈♈ 3

F.lli Parusso

LOC. BUSSIA, 55
12065 MONFORTE D'ALBA [CN]
TEL. 017378257
www.parusso.com

VENDITA DIRETTA
VISITA SU PRENOTAZIONE
PRODUZIONE ANNUA 125.000 bottiglie
ETTARI VITATI 25,00
AZIENDA SOSTENIBILE

L'azienda agricola può ormai vantare 120 anni di attività, anche se è solo nel 1971 che Armando Parusso prende il timone dell'attività vitivinicola e inizia a far conoscere le sue bottiglie nel mondo. I figli Marco e Tiziana hanno dato un'ulteriore svolta, imprimendo al loro Barolo una notevole personalità, fatta di agricoltura biologica e biodinamica, di legni nuovi francesi e di grande maturità del frutto. Sempre con l'uva nebbiolo viene realizzato uno spumante Metodo Classico di sicura eleganza e piacevolezza. Nelle annate eccezionali vengono proposte anche prestigiose etichette di Barolo Riserva, come il Bussia Oro '12 che brilla per struttura e persistenza. Il Rovella si conferma anche nel 2018 tra i più interessanti Sauvignon italiani, grazie ad aromi ben articolati di agrumi e ananas, mentre la bocca è sicuramente voluminosa e avvolgente senza divenire mai pesante. Lo stile che accomuna le proposte di Barolo '16 è dato dalle note mature, che si rifanno al cacao e al cioccolato oltre che alla china, con tannini sempre piuttosto incisivi e fitti.

● Barolo Bussia Riserva Oro '12	♟♟ 8
● Barolo Mariondino '16	♟♟ 8
○ Langhe Sauvignon Rovella '18	♟♟ 5
● Barolo '16	♟♟ 7
● Barolo Mosconi '16	♟♟ 8
○ Parusso Brut M. Cl. '15	♟♟ 6
● Barolo Bussia '16	♟ 8
● Barolo '15	♟♟ 6
● Barolo '14	♟♟ 6
● Barolo Bussia '15	♟♟ 8
● Barolo Bussia Ris. '10	♟♟ 8
● Barolo Mariondino '15	♟♟ 7
● Barolo Mosconi '15	♟♟ 8
○ Parusso Brut M. Cl. '14	♟♟ 6

Agostino Pavia e Figli

LOC. MOLIZZO, 3
14041 AGLIANO TERME [AT]
TEL. 0141954125
www.agostinopavia.it

VENDITA DIRETTA
VISITA SU PRENOTAZIONE
OSPITALITÀ
PRODUZIONE ANNUA 75.000 bottiglie
ETTARI VITATI 9,00

Nevralgico snodo viticolo che collega idealmente Langhe e Monferrato, Agliano Terme accoglie in contrada Bologna la cantina e buona parte delle vigne condotte da Giuseppe e Mauro Pavia. Dislocate anche nel comune di Montegrosso, le quote maggioritarie sono riservate naturalmente a barbera, ma i vini prodotti anche da grignolino, dolcetto e syrah dimostrano una padronanza stilistica a tutto tondo, riconoscibile nel tocco misurato e guatoso; sulle etichette d'entrata come nelle selezioni più ambiziose. Sempre di ottima fattura le Barbera d'Asti proposte da quest'azienda. La Superiore Moliss '17 al naso evidenzia aromi di china e bacche di ginepro, con un palato fitto e potente, giocato soprattutto sulla ricchezza alcolica e del frutto, mentre la Superiore La Marescialla '17 alle note di caffè tostato e cacao fa seguire un palato ricco di polpa, ancora segnato dalla presenza del legno, ma dal finale lungo e succoso. Di buona pienezza anche il Monferrato Rosso Talin '17, blend di barbera (85%) e syrah.

● Barbera d'Asti Sup. La Marescialla '17	♟♟ 4
● Barbera d'Asti Sup. Moliss '17	♟♟ 3
● M.to Rosso Talin '17	♟♟ 3
⊙ Piemonte Rosato '19	♟ 2
● Piemonte Rosso i Tre Volti '15	♟ 2
● Barbera d'Asti Blina '17	♟♟ 2*
● Barbera d'Asti Blina '15	♟♟ 2*
● Barbera d'Asti Casareggio '16	♟♟ 2*
● Barbera d'Asti Sup. La Marescialla '16	♟♟ 4
● Barbera d'Asti Sup. Moliss '16	♟♟ 3
● Barbera d'Asti Sup. Moliss '14	♟♟ 3
● Grignolino d'Asti '18	♟♟ 2*
● Grignolino d'Asti '16	♟♟ 2*
● M.to Rosso Talin '16	♟♟ 3

★Pecchenino

B.TA VALDIBERTI, 59
12063 DOGLIANI [CN]
TEL. 017370686
www.pecchenino.com

VENDITA DIRETTA
VISITA SU PRENOTAZIONE
OSPITALITÀ
PRODUZIONE ANNUA 130.000 bottiglie
ETTARI VITATI 28,00
AZIENDA SOSTENIBILE

Attilio e Orlando Pecchenino sono alla guida della cantina dal 1987, con risultati di rilievo assoluto nel mondo del Dogliani docg, proposto in diverse versioni che spaziano dal sempre elegante Sirì d'Jermu al potente Bricco Botti, che si avvale di un anno di affinamento in più in cantina, per giungere al fresco e fruttato San Luigi. I capaci fratelli hanno inoltre proceduto a una progressiva espansione dei vigneti, acquisendo soprattutto parcelle atte alla produzione di Barolo in comune di Monforte d'Alba. L'ultima passione di famiglia è costituita dal Metodo Classico, che nasce da uve nebbiolo e che si è messo in evidenza già con la prima prova della vendemmia 2015. La bocca del Barolo Le Coste di Monforte '16 è il prototipo dell'armonia gustativa, con alcol, acidità e tannini perfettamente fusi e perfettamente bilanciati; il bel naso ha molta frutta e un fine ricordo di rovere. Simile la felice impostazione del Barolo San Giuseppe '16, dalla struttura progressiva e non troppo ricca. Appena più vegetale, con richiami di erbe assolate, l'agrumato naso del Barolo Bussia '16.

● Barolo Le Coste di Monforte '16	♟♟ 7
○ Alta Langa Pas Dosé Psea '16	♟♟ 5
● Barbera d'Alba Quass '19	♟♟ 4
● Barolo Bussia '16	♟♟ 7
● Barolo San Giuseppe '16	♟♟ 6
● Dogliani San Luigi '19	♟♟ 3
● Langhe Nebbiolo Bricco Ravera '17	♟♟ 3
● Dogliani Sup. Sirì d'Jermu '18	♟ 4
○ Langhe Chardonnay Maestro '19	♟ 3
○ Alta Langa Pas Dosé Psea '15	♟♟ 5
● Barolo Bussia '15	♟♟ 7
● Barolo San Giuseppe '15	♟♟ 6
● Dogliani San Luigi '18	♟♟ 3*
● Dogliani Sup. Bricco Botti '16	♟♟ 4
● Dogliani Sup. Sirì d'Jermu '17	♟♟ 4
● Dogliani Sup. Sirì d'Jermu '16	♟♟ 4

Magda Pedrini

LOC. CA' DA' MEO
VIA PRATOLUNGO, 163
15066 GAVI [AL]
TEL. 0143667923
www.magdapedrini.it

VENDITA DIRETTA
VISITA SU PRENOTAZIONE
PRODUZIONE ANNUA 90.000 bottiglie
ETTARI VITATI 11,50
AZIENDA SOSTENIBILE

La scenografica cantina Magda Pedrini si trova a Gavi, sulla via che porta alla frazione Pratolungo, una zona confinante con i Comuni di Arquata, Gavi e Serravalle Scrivia. Siamo in un territorio storicamente legato alle famiglie nobili genovesi che può vantare una ricca tradizione di attività agricola e viticola. Oggi i vitigni utilizzati sono prevalentemente cortese e barbera per una gamma che abbraccia quattro etichette: due Gavi del Comune di Gavi dalla spiccata personalità, un Gavi del Comune di Gavi Brut Metodo Classico che sosta 42 mesi sui lieviti e il Pettirosso, un Monferrato Rosso da uve barbera e cabernet sauvignon. Il Gavi del Comune di Gavi Magda ha una fase olfattiva imponente: camomilla, frutta esotica e fondo minerale, aromi che convergono in un palato intenso, corposo e sapido, dalla lunga persistenza finale. Ad Lunam ha un quadro aromatico intenso e persistente, con sentori di susina e frutta secca su note minerali. In bocca è corposo, con acidità e sapidità che prolungano un finale molto persistente.

○ Gavi del Comune di Gavi Magda '19	♟♟ 3*
○ Gavi del Comune di Gavi ad Lunam '19	♟♟ 3
○ Gavi del Comune di Gavi ad Lunam '18	♟♟ 3*
○ Gavi del Comune di Gavi Domino '14	♟♟ 4
○ Gavi del Comune di Gavi È '17	♟♟ 3
○ Gavi del Comune di Gavi È '16	♟♟ 3*
○ Gavi del Comune di Gavi È '15	♟♟ 3
○ Gavi del Comune di Gavi La Piacentina '17	♟♟ 3*
○ Gavi del Comune di Gavi La Piacentina '16	♟♟ 3
○ Gavi del Comune di Gavi La Piacentina '15	♟♟ 3
○ Gavi del Comune di Gavi Magda '18	♟♟ 3*

Pelassa

B.GO TUCCI, 43
12046 MONTÀ [CN]
TEL. 0173971312
www.pelassa.com

VENDITA DIRETTA
PRODUZIONE ANNUA 80.000 bottiglie
ETTARI VITATI 14,00

Fondata nel 1960 da Mario Pelassa, l'azienda oggi è guidata dai figli Daniele e Davide. I vigneti di proprietà sono situati a Montà d'Alba, nella parte più settentrionale del comune, una zona fresca e boscosa, da cui nascono i vini aziendali a base principalmente dei tipici vitigni autoctoni della zona, arneis, barbera e nebbiolo; altre parcelle si trovano invece a Verduno, dove viene prodotto Barolo. I vini sono ben realizzati, piacevoli e di buona ricchezza di frutto, ma allo stesso tempo di corpo e struttura. Il Roero Antaniolo Riserva conquista le nostre finali anche con il millesimo 2017, che al naso evidenzia sentori di foglie di tè e agrumi, mentre il palato, nonostante sia ancora segnato dal legno, è ricco di polpa, lungo e di bella armonia. Allo stesso livello troviamo il Barolo San Lorenzo di Verduno '16, dai sentori di frutti rossi con sfumature balsamiche al naso e dal palato dalla trama tannica elegante e di buona spalla. Corretti gli altri vini proposti.

● Barolo San Lorenzo di Verduno '16	▼▼ 6
● Roero Antaniolo Ris. '17	▼▼ 4
● Nebbiolo d'Alba Sot '17	▼ 3
○ Roero Arneis San Vito '19	▼ 3
● Barbera d'Alba Sup. San Pancrazio '17	♀♀ 3
● Barbera d'Alba Sup. San Pancrazio '15	♀♀ 3
● Barolo '12	♀♀ 6
● Barolo San Lorenzo '15	♀♀ 6
● Barolo San Lorenzo di Verduno '13	♀♀ 6
● Nebbiolo d'Alba Sot '14	♀♀ 3
● Nebbiolo d'Alba Sot '12	♀♀ 3
● Roero Antaniolo Ris. '16	♀♀ 4
● Roero Antaniolo Ris. '15	♀♀ 4
● Roero Antaniolo Ris. '13	♀♀ 4
○ Roero Arneis San Vito '18	♀♀ 3
○ Roero Arneis San Vito '17	♀♀ 3*
○ Roero Arneis San Vito '16	♀♀ 2*

Pelissero

VIA FERRERE, 10
12050 TREISO [CN]
TEL. 0173638430
www.pelissero.com

VENDITA DIRETTA
VISITA SU PRENOTAZIONE
PRODUZIONE ANNUA 250.000 bottiglie
ETTARI VITATI 43,00
AZIENDA SOSTENIBILE

L'infaticabile Giorgio Pelissero cura con pari passione la propria cantina e i propri clienti, per cui lo si può trovare, a seconda delle stagioni, a seguire le fermentazioni dei suoi nebbioli oppure all'aeroporto di Tokyo, a dare istruzioni sulla potatura di un certo vigneto oppure a tenere una presentazione del suo Barbaresco in un'enoteca di Roma. La panoramica cantina è dotata della più moderna tecnologia ma Giorgio ci tiene sempre a sottolineare il suo più profondo rispetto per le caratteristiche intrinseche di ogni cru, con lavorazioni rispettose della personalità di ogni tipologia di uva. In asssenza dei Barbaresco il cui assaggio è stato posticipato al prossimo anno, brilla la Barbera d'Alba Tulin '17, che abbina note di ciliegia matura e cenni tostati ad una bocca opulenta ma non priva di una vivace spina dorsale acida. Appare più aperta e immediata la Barbera d'Alba Piani '18. Appagante e convincente il Moscato d'Asti '19, che al naso ricorda la salvia fresca e sul palato è di godibile morbidezza. Ottimi i due Dolcetto d'Alba '19.

● Barbera d'Alba Tulin '17	▼▼ 5
● Barbera d'Alba Piani '18	▼▼ 3
● Dolcetto d'Alba Augenta '19	▼▼ 3
○ Langhe Favorita '19	▼▼ 2*
○ Langhe Riesling Rigadin '19	▼▼ 3
○ Moscato d'Asti '19	▼▼ 2*
● Dolcetto d'Alba Munfrina '19	▼ 2
● Barbaresco Vanotu '08	♀♀♀ 8
● Barbaresco Vanotu '07	♀♀♀ 8
● Barbaresco Vanotu '06	♀♀♀ 8
● Barbaresco Vanotu '01	♀♀♀ 7
● Barbaresco Nubiola '16	♀♀ 5
● Barbaresco Vanotu '16	♀♀ 8
● Barbera d'Alba Piani '17	♀♀ 3*
● Barbera d'Alba Tulin '16	♀♀ 5

Pasquale Pelissero

CASCINA CROSA, 2
12052 NEIVE [CN]
TEL. 017367376
www.pasqualepelissero.com

VENDITA DIRETTA
VISITA SU PRENOTAZIONE
PRODUZIONE ANNUA 35.000 bottiglie
ETTARI VITATI 8,00

Ornella Pelissero si mantiene lontana dai riflettori e dal clamore mediatico, preferendo proseguire nel riservato stile di famiglia fatto solo di serio lavoro artigianale sia in vigna che in cantina. E, anche con il giovane figlio Simone sempre più attivo, la sua linea produttiva si attiene a quest'impostazione classicamente langarola: diradamenti non draconiani, niente rotomaceratori, fermentazioni piuttosto lunghe, solo legno grande e mai invasivo. Nascono così bottiglie che hanno nella purezza del frutto e nella grande bevibilità i loro punti di forza, dal Dolcetto d'Alba al sempre convincente Barbaresco. Solo due vini in degustazione. Il Barbaresco San Giuliano Bricco è particolarmente complesso e raffinato, certamente tra i più riusciti della calda vendemmia 2017: frutti neri e rossi con accenni di liquerizia precedono un sorso morbido e disteso, non privo di materia ma dall'ottimo equilibrio, assai gradevole. Ciliegia sotto spirito e un tocco di rovere nell'elegante e scorrevole Cascina Crosa '17.

● Barbaresco San Giuliano Bricco '17	♟♟ 5
● Barbaresco Cascina Crosa '17	♟♟ 4
● Barbaresco Bricco San Giuliano '14	♟♟ 5
● Barbaresco Bricco San Giuliano '12	♟♟ 5
● Barbaresco Cascina Crosa '16	♟♟ 4
● Barbaresco Cascina Crosa '14	♟♟ 4
● Barbaresco Cascina Crosa '13	♟♟ 4
● Barbaresco Ciabot Ris. '13	♟♟ 5
● Barbaresco Ciabot Ris. '12	♟♟ 4
● Barbaresco Ciabot Ris. '10	♟♟ 4
● Barbaresco San Giuliano Bricco '16	♟♟ 5
● Barbaresco San Giuliano Bricco '15	♟♟ 5
● Barbaresco San Giuliano Bricco '13	♟♟ 5
● Barbera d'Alba Anna '17	♟♟ 2*

Pertinace

LOC. PERTINACE, 2/5
12050 TREISO [CN]
TEL. 0173442238
www.pertinace.com

VENDITA DIRETTA
VISITA SU PRENOTAZIONE
PRODUZIONE ANNUA 700.000 bottiglie
ETTARI VITATI 100,00

Pertinace è una realtà cooperativa che oggi riunisce 17 soci che insieme coltivano con grande attenzione e dedizione circa 90 ettari vitati nel comune di Treiso. Fondata da Mario Barbero nel 1973, Pertinace si è attesta su elevati livelli qualitativi, mantenendo prezzi di listino vantaggiosi, raggiungendo ormai i maggiori mercati mondiali. La principale varietà coltivata è il nebbiolo, affiancato da dolcetto, barbera, chardonnay e moscato, per una produzione complessiva annua che ormai supera le 600mila bottiglie prodotte. Intenso nei toni di frutta rossa, tabacco e viola il Barbaresco Nervo '16, dal corpo medio e dalla trama gustativa piena e armonica, tannini fini e finale ricco di frutto. Felpato il passo del Barbaresco Castellizzano '17 nei toni di ciliegia e menta, abbinando un respiro maturo a un finale di buona freschezza aromatica. Un'impronta maggiormente tostata e speziata caratterizza il Barbaresco Marcarini del 2017.

● Barbaresco Castellizzano '17	♟♟ 5
● Barbaresco '17	♟♟ 5
● Barbaresco Marcarini '17	♟♟ 5
● Barbaresco Nervo '17	♟♟ 5
● Dolcetto d'Alba '19	♟♟ 3
● Barbera d'Alba '18	♟ 3
● Langhe Nebbiolo '18	♟ 3
● Barbaresco '16	♟♟ 5
● Barbaresco '15	♟♟ 5
● Barbaresco Castellizzano '16	♟♟ 5
● Barbaresco Marcarini '16	♟♟ 5
● Barbaresco Marcarini '15	♟♟ 5
● Barbaresco Nervo '16	♟♟ 5
● Barbaresco Nervo '15	♟♟ 5
● Barbera d'Alba '17	♟♟ 3
● Dolcetto d'Alba '18	♟♟ 3

Pescaja

VIA SAN MATTEO, 59
14010 CISTERNA D'ASTI [AT]
TEL. 0141979711
www.pescaja.com

VISITA SU PRENOTAZIONE
PRODUZIONE ANNUA 200.000 bottiglie
ETTARI VITATI 23,50

Pescaja, l'azienda fondata da Beppe Guido,
è unica nell'unire tre territori vicini tra loro
ma dalla storia, dalle denominazioni di
origine e dalle tradizioni vitivinicole
piuttosto differenti: Roero, Terre Alfieri e
Nizza. La cantina è situata a Cisterna
d'Asti, dove si trova il primo corpo
aziendale, acquisito nel 1990, su terreni a
prevalenza sabbiosa, ma conta anche su
delle tenute a Nizza Monferrato, acquisite
nel 1998, su terreni più calcarei. I vini
proposti sono ben realizzati, d'impianto
moderno, ricchi di frutto e piacevoli. Una
batteria di vini solida e ben realizzata quella
che ci ha proposto quest'anno Beppe
Guido. La Nizza Solneri '17 è classica nei
suoi aromi di frutti neri maturi e terra
bagnata, per un palato ricco di frutto ben
sostenuto dall'acidità, la Barbera d'Asti
Soliter '19 è fresca, grintosa, tutta giocata
su note di sottobosco e ciliegia, con un
finale di grande piacevolezza, mentre il
Terre Alfieri Arneis Solei '19 ai sentori di
frutta bianca e agrumi fa seguire un palato
coerente, sapido e di buona tenuta.

○ Monferrato Bianco Solo Luna '18	♟♟	5
● Nizza Solneri '17	♟♟	5
● Barbera d'Asti Soliter '19	♟♟	2*
● Monferrato Rosso Solis '17	♟♟	5
○ Roero Arneis '19	♟♟	3
○ Terre Alfieri Arneis Solei '19	♟♟	2*
● Terre Alfieri Nebbiolo Tuké '18	♟♟	3
● Barbera d'Asti Soliter '18	♟♟	2*
● Barbera d'Asti Soliter '17	♟♟	2*
○ Monferrato Bianco Solo Luna '17	♟♟	5
● Monferrato Rosso Solis '16	♟♟	3
● Nizza Solneri '16	♟♟	4
● Nizza Solneri '15	♟♟	4
⊙ Piemonte Rosato Le Fleury '18	♟♟	2*
○ Roero Arneis '18	♟♟	3
○ Terre Alfieri Arneis Solei '18	♟♟	2*
○ Terre Alfieri Arneis Sololuce '17	♟♟	2*

★Le Piane

P.ZZA MATTEOTTI, 1
28010 BOCA [NO]
TEL. 3483354185
www.bocapiane.com

VENDITA DIRETTA
VISITA SU PRENOTAZIONE
PRODUZIONE ANNUA 60.000 bottiglie
ETTARI VITATI 10,00
AZIENDA SOSTENIBILE

Christopf Künzli è approdato a Boca nel
1998 proveniente dalla Svizzera, deciso a
scommettere sulle grandi potenzialità non
solo delle uve nebbiolo del Nord Piemonte
ma anche sulla validità della quasi
scomparsa denominazione Boca.
Scommesse vinte pienamente grazie a una
fondamentale e lungimirante convinzione:
si potevano preservare sia le tecniche
agronomiche della tradizione, e in
particolare il tipico allevamento dell'uva "a
maggiorina", sia la qualità dell'ambiente,
evitando ogni ricorso alla chimica di sintesi.
I risultati qualitativi sono cresciuti
costantemente e oggi Le Piane è una
cantina conosciuta e apprezzata nel
mondo. I suoli della zona (i porfidi del
supervulcano della Valsesia) contribuiscono
fortemente all'espressione del magnifico
Boca '16: proprio da questi terreni trae il
suo carattere indomito, sapido e selvaggio,
ricco di aromi di genziana. Splendido anche
il Bianko '18, da uve erbaluce, che offre
una struttura quasi da rosso al palato.

● Boca '16	♟♟♟	8
○ Bianko '18	♟♟	3*
● Mimmo '17	♟	5
● Piane '17	♟	6
● Boca '15	♟♟♟	8
● Boca '12	♟♟♟	8
● Boca '11	♟♟♟	8
● Boca '10	♟♟♟	7
● Boca '08	♟♟♟	7
● Boca '06	♟♟♟	6
● Boca '05	♟♟♟	6
● Boca '04	♟♟♟	6
● Boca '03	♟♟♟	6
● La Maggiorina '18	♟♟	3
● Mimmo '16	♟♟	5
● Piane '12	♟♟	6
● Piane '11	♟♟	5

Le Pianelle

S.DA FORTE, 24
13862 BRUSNENGO [BI]
TEL. 3478772726
www.lepianelle.com

VISITA SU PRENOTAZIONE
PRODUZIONE ANNUA 12.000 bottiglie
ETTARI VITATI 3,00

L'esperienza di Dieter Heuskel e Peter Dipoli in Nord Piemonte, apprezzato produttore in Alto Adige, ha raggiunto una sua maturità. Lo dicono prima di tutto i risultati nel bicchiere. Il lavoro prezioso su tantissime minuscole parcelle vitate (50 su un totale di 4 ettari) ha dato i suoi frutti, la conoscenza delle singole zolle ora è profonda, le lavorazioni in cantina risultano sempre più calibrate e aggraziate. Siamo a circa 500 metri di quota su suoli ricchi di sabbie porfiriche rosse di natura vulcanica e rocce frantumate. Il vino portabandiera è il Bramaterra, realizzato da uve nebbiolo con saldo di croatina e vespolina. Magnifico il Bramaterra '16, invitante già dal colore, intenso nelle sue sfumature leggiadre prima speziate e poi appena erbacee. In bocca ha un peso misurato, un frutto rosso croccante e una quota sapida molto saporita per un finale lunghissimo e di carattere. Il Rosato Al Posto dei Fiori '19 sta diventando un modello di riferimento per via di un colore e una struttura accentuata per la tipologia: ha polpa, densità e allungo.

● Bramaterra '16	♈♈♈	8
⊙ Coste della Sesia Rosato Al Posto dei Fiori '19	♈♈	3
● Coste della Sesia Rosso Al Forte '17	♈♈	5
● Bramaterra '15	♈♈	8
● Bramaterra '14	♈♈	8
● Bramaterra '13	♈♈	8
● Bramaterra '12	♈♈	8
● Bramaterra '11	♈♈	8
⊙ Coste della Sesia Rosato Al Posto dei Fiori '18	♈♈	3
⊙ Coste della Sesia Rosato Al Posto dei Fiori '17	♈♈	3
⊙ Coste della Sesia Rosato Al Posto dei Fiori '16	♈♈	3
⊙ Coste della Sesia Rosato Al Posto dei Fiori '15	♈♈	3

Pico Maccario

VIA CORDARA, 87
14046 MOMBARUZZO [AT]
TEL. 0141774522
www.picomaccario.com

VENDITA DIRETTA
VISITA SU PRENOTAZIONE
PRODUZIONE ANNUA 650.000 bottiglie
ETTARI VITATI 100,00

Fondata nella seconda metà degli anni '90, l'azienda della famiglia Maccario si configura come una sorta di "château" circondato da un unico corpo vitato di circa 70 ettari sulle colline di Mombaruzzo, tra le più vocate per la produzione del Nizza e della barbera in generale. Declinata in quattro versioni stilisticamente e territorialmente differenziate, la varietà astigiana rappresenta il perno di una proposta schiettamente moderna completata dalle tipologie a base chardonnay, sauvignon, favorita, freisa, merlot e cabernet. La Barbera d'Asti Lavignone anche nella versione 2019 si conferma una deliziosa Barbera d'annata: dai toni di frutti rossi freschi con sfumature vegetali al naso, presenta un palato scorrevole ma anche lungo e di piacevole beva. Il Nizza Tre Roveri '18 ha materia eccellente, con note di funghi secchi e ciliegia. Giocata sulla complessità e la fittezza dei tannini la Barbera d'Asti Superiore Epico '18, mentre è di medio corpo e ben sostenuta dall'acidità la Barbera d'Asti Villa della Rosa '19.

● Nizza Tre Roveri '18	♈♈♈	4*
● Barbera d'Asti Lavignone '19	♈♈	3*
● Barbera d'Asti Sup. Epico '18	♈♈	6
● Barbera d'Asti Villa della Rosa '19	♈♈	2*
○ M.to Bianco Vita '19	♈	5
● Barbera d'Asti Lavignone '18	♈♈♈	3*
● Barbera d'Asti Lavignone '17	♈♈♈	3*
● Barbera d'Asti Sup. Epico '15	♈♈♈	5
● Barbera d'Asti Lavignone '16	♈♈	3
● Barbera d'Asti Sup. Epico '17	♈♈	6
● Barbera d'Asti Sup. Epico '16	♈♈	5
● Barbera d'Asti Sup. Tre Roveri '16	♈♈	4
● Barbera d'Asti Sup. Tre Roveri '15	♈♈	4
● Barbera d'Asti Villa della Rosa '18	♈♈	2*
● Barbera d'Asti Villa della Rosa '17	♈♈	2*
● Barbera d'Asti Villa della Rosa '16	♈♈	2*
● Nizza Tre Roveri '17	♈♈	4

★Pio Cesare

VIA CESARE BALBO, 6
12051 ALBA [CN]
TEL. 0173440386
www.piocesare.it

VISITA SU PRENOTAZIONE
PRODUZIONE ANNUA 420.000 bottiglie
ETTARI VITATI 75,00
AZIENDA SOSTENIBILE

Pio Cesare ha portato questa cantina al
vertice della produzione delle Langhe,
operando sia sul continuo incremento del
patrimonio vitato di proprietà sia sulla
costruzione di una vasta squadra di
agronomi ed enologi di riconosciuta
professionalità. Qualità ed espressività
molto alte su tutta la proposta, con il Barolo
Ornato, il Barbaresco Il Bricco e lo
Chardonnay Piodilei regolarmente in prima
fila. Magnifica personalità nel vivo ed
espressivo Barolo Ornato '16, ricco di
piccoli frutti rossi e di una deliziosa nota di
liquirizia, dalla bocca di eccezionale
lunghezza e armonia, con un soffuso alone
di austerità che ne aumenta il fascino e
l'importanza. Per noi questa eccellente
versione di Ornato è il Vino Rosso
dell'Anno. Il bel Barolo "base" del 2016 è
appena più irruento ma è ricco di polpa e
dà una grande soddisfazione gustativa.
Notevole complessità e delicata armonia
nel Barbaresco Il Bricco '16.

● Barolo Ornato '16	♔♔♔ 8
● Barbaresco Il Bricco '16	♔♔ 8
● Barolo Mosconi '16	♔♔ 8
○ Langhe Chardonnay Piodilei '17	♔♔ 6
● Barolo '16	♔♔ 8
○ Langhe Sauvignon Blanc '19	♔♔ 4
● Barbera d'Alba Sup. Fides V. Mosconi '18	♔ 6
● Barolo Ornato '13	♔♔♔ 8
● Barolo Ornato '12	♔♔♔ 8
● Barolo Ornato '11	♔♔♔ 8
● Barolo Ornato '10	♔♔♔ 8
● Barolo Ornato '09	♔♔♔ 8
● Barolo Ornato '08	♔♔♔ 8
● Barolo Ornato '06	♔♔♔ 8
● Barolo Ornato '05	♔♔♔ 8

Luigi Pira

VIA XX SETTEMBRE, 9
12050 SERRALUNGA D'ALBA [CN]
TEL. 0173613106
www.piraluigi.it

VENDITA DIRETTA
VISITA SU PRENOTAZIONE
PRODUZIONE ANNUA 50.000 bottiglie
ETTARI VITATI 12,00

La cantina Luigi Pira, che ha antiche
tradizioni di viticoltura, è divenuta celebre
per il proprio Barolo alla fine degli anni '90
del secolo scorso, quando la critica
statunitense si accorse che era nata una
nuova stella. Gianpaolo Pira aveva da poco
preso le redini dell'azienda e aveva fatto
due scelte: da una parte lavorare al meglio
possibile le uve dei celebri cru di proprietà
della famiglia, dall'altra adottare sistemi di
lavorazione all'avanguardia, con vinificatori
orizzontali per la fermentazione e pregiati
piccoli legni francesi per l'affinamento. La
proposta comprende solo vini rossi, in cui
il Barolo Marenca contende spesso il primo
posto al più celebre Vignarionda. L'unione
delle uve dei diversi cru aziendali ha dato
origine a un più che interessante Barolo
del comune di Serralunga d'Alba '16, dai
bei frutti rossi e neri al naso e dal palato
importante, di misurata presa tannica,
lungo e suadente. Fresche e intense note
di liquirizia e tabacco sovrastano la linda
base aromatica fruttata del Barolo Vigna
Rionda '16, mentre la bocca è imponente
e gradevole.

● Barolo del Comune di Serralunga d'Alba '16	♔♔ 5
● Barolo Marenca '16	♔♔ 7
● Barbera d'Alba Sup. '18	♔♔ 3
● Barolo Margheria '16	♔♔ 6
● Barolo Vigna Rionda '16	♔♔ 8
● Langhe Nebbiolo '18	♔♔ 3
● Barolo Marenca '11	♔♔♔ 7
● Barolo Marenca '09	♔♔♔ 7
● Barolo Marenca '08	♔♔♔ 7
● Barolo V. Marenca '01	♔♔♔ 7
● Barolo V. Marenca '97	♔♔♔ 8
● Barolo V. Rionda '06	♔♔♔ 8
● Barolo V. Rionda '04	♔♔♔ 8
● Barolo V. Rionda '00	♔♔♔ 8
● Barolo Vignarionda '12	♔♔♔ 8
● Barolo Margheria '15	♔♔ 6

E. Pira & Figli
Chiara Boschis

VIA VITTORIO VENETO, 1
12060 BAROLO [CN]
TEL. 017356247
www.pira-chiaraboschis.com

VENDITA DIRETTA
VISITA SU PRENOTAZIONE
PRODUZIONE ANNUA 35.000 bottiglie
ETTARI VITATI 8,50
VITICOLTURA Biologico Certificato

Pochi tra i nostri lettori hanno avuto modo di conoscere il primo ideatore della cantina, che se ne andò negli anni '70 del secolo scorso dopo essere divenuto celebre per la bontà dei propri vini e per essere l'ultimo produttore che si vantava di pigiare l'uva con i piedi. Chiara Boschis, entrata in azione nel 1980, non solo ha voluto mantenere la dimensione artigianale della cantina ma ha voluto creare un suo Barolo dallo stile moderno e ricco di fascino, che nascesse da uve coltivate nel più assoluto rispetto dell'ambiente. Nasce nel 2016 la miglior versione di Barolo Mosconi sinora proposta: gli aromi spaziano dalla viola alle bacche rosse passando per le erbette su un delicatissimo richiamo di rovere elegante, mentre la bocca è ricchissima, lunga e sempre perfettamente bilanciata. Particolarmente fresco e vivo il suadente Barolo Via Nuova '16, già ora di raffinatissima bevibilità. E Chiara non si smentisce mai come interprete della più moderna classicità del cru Cannubi.

● Barolo Cannubi '16	▼▼8
● Barolo Mosconi '16	▼▼8
● Barolo Via Nuova '16	▼▼8
● Barbera d'Alba Sup. '18	▼▼5
● Langhe Nebbiolo '18	▼▼6
● Dolcetto d'Alba '19	▼4
● Barolo '94	♈♈♈7
● Barolo Cannubi '11	♈♈♈8
● Barolo Cannubi '10	♈♈♈8
● Barolo Cannubi '06	♈♈♈8
● Barolo Cannubi '05	♈♈♈8
● Barolo Cannubi '00	♈♈♈8
● Barolo Cannubi '97	♈♈♈8
● Barolo Cannubi '96	♈♈♈8
● Barolo Ris. '90	♈♈♈8

Guido Platinetti

VIA ROMA, 60
28074 GHEMME [NO]
TEL. 3389945783
www.platinettivini.com

VENDITA DIRETTA
VISITA SU PRENOTAZIONE
PRODUZIONE ANNUA 25.000 bottiglie
ETTARI VITATI 8,00

Valorizzata a pieno la lunga tradizione vitivinicola di questa storica cantina di Ghemme, ben condotta dai fratelli Stefano e Andrea. Curatissimi gli otto ettari di proprietà, fiore all'occhiello il vigneto Ronco al Maso, una collina esposta a sud-ovest, con suoli ricchi di componenti minerali. Parliamo di vini dal grande fascino, proposti a un prezzo decisamente attraente, accanto al nebbiolo, grande protagonista, troviamo barbera e vespolina, per una batteria di solido impianto tradizionale che rende onore alle peculiarità della Docg. Intenso con belle note di frutta rossa con sentori leggermente vegetali a dare complessità all'insieme il Ghemme Vigna Ronco al Maso '16, fine e giovane; bocca fresca e succosa con tannini fitti e un bel finale raffinato e armonico. Accattivante con il suo fruttato giovane e l'impronta smaliziata di pepe la Vespolina '19, di beva semplice e piacevolissima, ma anche dotata di carattere e articolazione nel finale.

● Ghemme V. Ronco al Maso '16	▼▼5
● Colline Novaresi Nebbiolo '18	▼▼3
● Colline Novaresi Vespolina '19	▼▼3
● Colline Novaresi Rosso Guido '19	▼3
● Ghemme V. Ronco al Maso '15	♈♈♈4*
● Colline Novaresi Nebbiolo '17	♈♈3
● Colline Novaresi Nebbiolo '16	♈♈3
● Colline Novaresi Nebbiolo '14	♈♈3
● Colline Novaresi Nebbiolo '11	♈♈3
● Colline Novaresi Rosso Guido '18	♈♈3
● Colline Novaresi Vespolina '18	♈♈3
● Colline Novaresi Vespolina '17	♈♈3
● Colline Novaresi Vespolina '16	♈♈2*
● Colline Novaresi Vespolina '14	♈♈2*
● Ghemme V. Ronco al Maso '13	♈♈4
● Ghemme V. Ronco Maso '12	♈♈4
● Ghemme V. Ronco Maso '10	♈♈4

Marco Porello

c.so ALBA, 71
12043 CANALE [CN]
TEL. 0173979324
www.porellovini.it

VENDITA DIRETTA
VISITA SU PRENOTAZIONE
PRODUZIONE ANNUA 130.000 bottiglie
ETTARI VITATI 15,00

Marco Porello da un quarto di secolo guida
l'azienda di famiglia, nata negli anni Trenta
del secolo scorso. I vigneti di proprietà
sono situati in due comuni: a Vezza d'Alba,
su terreni di origine marina a prevalenza
sabbiosa e ricchi di minerali, dove vengono
coltivati arneis, favorita e nebbiolo, e a
Canale, su terreni di media densità di tipo
calcareo argilloso, dove invece si trovano
barbera, brachetto e nebbiolo. I vini
proposti sono improntati alla nitidezza,
alla finezza e alla freschezza di frutto.
Ottimi i due Roero proposti quest'anno. Il
Torretta '17 è intenso al naso, con bella
armonia tra frutto fresco e legno dolce, e
di notevole struttura al palato, dai tannini
importanti e ancora un po' rugosi, ma
succoso e con un finale molto lungo e di
nerbo. Il Roero San Michele Riserva '16
invece agli aromi di ciliegia sotto spirito e
macchia mediterranea fa seguire un palato
piuttosto agile, di medio corpo e di grande
piacevolezza.

Guido Porro

VIA ALBA, 1
12050 SERRALUNGA D'ALBA [CN]
TEL. 0173613306
www.guidoporro.com

VENDITA DIRETTA
VISITA SU PRENOTAZIONE
OSPITALITÀ
PRODUZIONE ANNUA 35.000 bottiglie
ETTARI VITATI 8,00

Prosegue a vele spiegate il lavoro di Guido
Porro nella sua cantina di Serralunga
d'Alba, circondato dai vigneti che
costituiscono praticamente un corpo unico.
Siamo nel cuore del Lazzarito, storico cru
aziendale, che regala vini dalla forte
matrice sapida e balsamica. In tutto sono
ben quattro le etichette di Barolo proposte,
ultimo in ordine di tempo il prestigioso
Vigna Rionda, frutto di parcelle che furono
di Tommaso Canale. Le vinificazioni
avvengono in acciaio e cemento, seguite da
maturazione in botti di Slavonia. Profondi e
ariosi i richiami di terra del Barolo Vigna
Rionda '16, un rosso di stoffa capace di
articolare una trama gustativa molto
complessa senza mai perdere slancio e
ritmo gustativo; il finale è travolgente, i
margini di miglioramenti in bottiglia
enorme. Da Tre Bicchieri. Da finale anche il
Barolo Vigna Lazzairasco '16, intenso nei
suoi toni di tabacco e liquirizia, il finale è
severo e prolungato. Di pregevole fattura il
resto della gamma.

● Roero San Michele Ris. '16	♟♟ 3*
● Roero Torretta '17	♟♟ 4
● Langhe Nebbiolo '18	♟♟ 3
○ Roero Arneis '19	♟♟ 2*
○ Roero Arneis Camestri '19	♟♟ 3
● Barbera d'Alba Mommiano '19	♟ 2
○ Langhe Favorita '19	♟ 2
● Roero Torretta '06	♟♟♟ 3*
● Roero Torretta '04	♟♟♟ 3*
● Nebbiolo d'Alba '16	♟♟ 3
○ Roero Arneis '18	♟♟ 2*
○ Roero Arneis '17	♟♟ 2*
○ Roero Arneis Camestri '18	♟♟ 3
○ Roero Arneis Camestri '17	♟♟ 3*
○ Roero San Michele Ris. '15	♟♟ 3
● Roero Torretta '16	♟♟ 4
● Roero Torretta '15	♟♟ 4

● Barolo Vigna Rionda '16	♟♟♟ 8
● Barolo Gianetto '16	♟♟ 5
● Barolo V. Lazzairasco '16	♟♟ 5
● Barbera d'Alba V. Santa Caterina '19	♟♟ 3
● Lange Nebbiolo Camilu '19	♟ 4
● Barolo V. Lazzairasco '13	♟♟♟ 5
● Barolo V. Lazzairasco '12	♟♟♟ 5
● Barolo V. Lazzairasco '11	♟♟♟ 5
● Barolo V. Lazzairasco '09	♟♟♟ 5
● Barolo V. Lazzairasco '07	♟♟♟ 5
● Barolo Vigna Rionda '15	♟♟♟ 8
● Barolo Gianetto '15	♟♟ 5
● Barolo V. Lazzairasco '15	♟♟ 5
● Barolo V. Lazzairasco '14	♟♟ 5
● Barolo V. Santa Caterina '15	♟♟ 5
● Barolo V. Santa Caterina '14	♟♟ 5
● Barolo Vigna Rionda '14	♟♟ 8

Post dal Vin
Terre del Barbera

FRAZ. POSSAVINA
VIA SALIE, 19
14030 ROCCHETTA TANARO [AT]
TEL. 0141644143
www.postdalvin.it

VENDITA DIRETTA
VISITA SU PRENOTAZIONE
PRODUZIONE ANNUA 80.000 bottiglie
ETTARI VITATI 100,00

Rocchetta Tanaro, Cortiglione e Masio: sono i comuni che accolgono la maggior parte dei siti condotti dai circa 200 viticoltori che conferiscono le proprie uve barbera a Post dal Vin, storica cantina sociale del Monferrato Astigiano attiva da oltre 60 anni. Organizzata su varie linee tra etichette d'entrata, selezioni e cru, la produzione si lega a due sedi operative: una attrezzata per la vinificazione e lo stoccaggio con le tecnologie più moderne, l'altra dotata di un punto vendita dove vengono commercializzati sia i vini in bottiglia che gli sfusi. Una bella gamma di Barbera d'Asti quella presentata da questa cantina cooperativa. La Maricca '19 ha sentori di prugna, palato polposo e una spiccata nota acida, la Superiore Castagnassa '18 ai toni di frutto nero al naso fa seguire un palato ricco, potente e di carattere, la Rebarba '17 è giocata sulla pienezza e il volume, con note terrose e di china e un finale lungo e grintoso. La "base" 2019 infine è una classica Barbera d'annata, fresca e piacevole.

● Barbera d'Asti '19	♈♈	1*
● Barbera d'Asti Maricca '19	♈♈	2*
● Barbera d'Asti Rebarba '17	♈♈	3
● Barbera d'Asti Sup. Castagnassa '18	♈♈	3
● Barbera d'Asti '17	♈♈	1*
● Barbera d'Asti Maricca '18	♈♈	2*
● Barbera d'Asti Maricca '17	♈♈	2*
● Barbera d'Asti Maricca '16	♈♈	2*
● Barbera d'Asti Maricca '14	♈♈	2*
● Barbera d'Asti Rebarba '16	♈♈	2*
● Barbera d'Asti Sup. Briccofiore '16	♈♈	2*
● Barbera d'Asti Sup. Briccofiore '15	♈♈	2*
● Barbera d'Asti Sup. BriccoFiore '14	♈♈	2*
● Barbera d'Asti Sup. Castagnassa '17	♈♈	3
● Barbera d'Asti Sup. Castagnassa '16	♈♈	3
● Barbera d'Asti Sup. Castagnassa '14	♈♈	2*
● Barbera del M.to La Matutona '15	♈♈	2*

Diego Pressenda
La Torricella

LOC. SANT'ANNA, 98
12065 MONFORTE D'ALBA [CN]
TEL. 017378327
www.diegopressenda.it

VENDITA DIRETTA
VISITA SU PRENOTAZIONE
OSPITALITÀ E RISTORAZIONE
PRODUZIONE ANNUA 50.000 bottiglie
ETTARI VITATI 13,00
AZIENDA SOSTENIBILE

La famiglia Pressenda si pone all'attenzione per lo stile elegante e raffinato, tanto nei vini che nell'accoglienza degli enoturisti. La parte enologica è affidata alla giovane Silvia, con risultati che crescono con ammirevole costanza, basati su un patrimonio coltivato principalmente nel comune di Monforte, con una puntata nel fresco comune di Roddino, dove viene coltivata una parte delle uve destinate al riesling. Le altitudini sono comunque sempre considerevoli, tra i 450 e i 500 metri di quota, il che garantisce una bella forza acida a tutte le tipologie. Intenso e complesso il Barolo Barbadelchi '16, con un ventaglio aromatico che si muove tra la rosa e la liquirizia su uno sfondo di stuzzicante fragolina; la bocca è vellutata e vitale, progressiva nel delicato ma lungo sviluppo tannico. Note più scure che volgono verso la china nel rigido Le Coste di Monforte '16, di pregevole armonia il raffinato Bricco San Pietro '16. Incenso e cera d'api nel potente e gradevolissimo Langhe Riesling '18.

● Barolo Barbadelchi '16	♈♈	6
● Barolo Bricco San Pietro '16	♈♈	7
● Barolo Le Coste di Monforte '16	♈♈	7
● Langhe Nebbiolo '18	♈♈	3
○ Langhe Riesling '18	♈♈	3
● Barolo Barbadelchi '13	♈♈	6
● Barolo Bricco San Pietro '15	♈♈	7
○ Langhe Riesling '17	♈♈	3
○ Langhe Riesling '16	♈♈	3
● Nebbiolo d'Alba Il Donato '17	♈♈	4
● Nebbiolo d'Alba Il Donato '15	♈♈	4

La Prevostura

VIA CASCINA PREVOSTURA, 1
13853 LESSONA [BI]
TEL. 0158853188
www.laprevostura.it

VENDITA DIRETTA
VISITA SU PRENOTAZIONE
RISTORAZIONE
PRODUZIONE ANNUA 15.000 bottiglie
ETTARI VITATI 5,50

La cantina condotta dai fratelli Marco e
Davide Bellini sta per compiere vent'anni e
viaggia a gonfie vele non tanto per le
quantità, che restano legate a pochi e
pregiati ettari di proprietà, quanto per la
qualità. Il nome dell'azienda coincide con
quello del vigneto di maggior prestigio, in
cui nascono ogni anno circa 5.000 bottiglie
di Lessona: qui le uve nebbiolo hanno
caratteristiche molto fruttate e aromi
particolarmente ampi e freschi. È sempre
dall'uva nebbiolo, ma in questo caso con
l'aggiunta di una piccola componente di
vespolina e di croatina, che nasce l'altro
portabandiera aziendale, il Bramaterra.
Assente per il momento quest'ultimo, è il
raffinato e complesso Lessona '16 a
strappare gli applausi: eleganti note di
tabacco e liquirizia si uniscono a un bel
frutto rosso nitido e giovanile; la bocca
gioca le carte dell'eleganza e dell'armonia,
con tannini setosi e progressivi inseriti in
una polpa fruttata di notevole importanza.
Più immediato e appena rustico lo
stuzzicante Piemonte Rosso Garsun '18, a
base prevalente di nebbiolo.

● Lessona '16	♟♟ 5
⊙ Piemonte Rosato Corinna '19	♟♟ 3
● Piemonte Rosso Garsum '18	♟♟ 3
● Lessona '12	♟♟♟ 5
● Bramaterra '12	♟♟ 5
● Bramaterra '11	♟♟ 5
● Coste della Sesia Rosso Muntacc '13	♟♟ 3*
● Coste della Sesia Rosso Muntacc '12	♟♟ 3*
● Coste della Sesia Rosso Muntacc '11	♟♟ 3
● Coste della Sesia Rosso Muntacc '10	♟♟ 3
● Lessona '13	♟♟ 5
● Lessona '11	♟♟ 5
● Lessona '09	♟♟ 5
⊙ Piemonte Rosato Corinna '16	♟♟ 3

Prinsi

VIA GAIA, 5
12052 NEIVE [CN]
TEL. 017367192
www.prinsi.it

VENDITA DIRETTA
VISITA SU PRENOTAZIONE
PRODUZIONE ANNUA 60.000 bottiglie
ETTARI VITATI 14,50

Salutiamo con affetto Franco Lequio, che è
venuto a mancare lo scorso marzo, che è
stato capace di trasmettere pienamente
l'amore e il rispetto per la terra al figlio
Daniele. Interventi minimi in cantina e
profonda conoscenza delle singole parcelle
danno vita a vini di autentica aderenza
territoriale a partire dalle versioni di
Barbaresco: strutturato e potente il Fausoni,
che ha bisogno di tempo e viene quindi
utilizzato per la Riserva; più sottile e ariosi
nei profumi il Gaia Principe; rara armonia e
ammaliante rotondità nel Gallina. Anche
quest'anno l'azienda ci propone una
batteria di tutto rispetto. Aromi di bacche
selvatiche e liquirizia caratterizzano il profilo
olfatti del Barbaresco Gaia-Principe '17,
fine e complesso, dalla bocca possente e
dinamica, il finale è ricco di energia e
vitalità. Più matura nei suoi toni di
sottobosco e tabacco il Barbaresco Riserva
Fausoni '15. Elegante e complesso, il
Gallina sviluppa un'armonica trama tannica
e grande lunghezza.

● Barbaresco Gaia Principe '17	♟♟ 5
● Barbaresco Gallina '17	♟♟ 5
● Barbaresco Fausoni Ris. '15	♟♟ 6
● Barbera d'Alba Sup. Much '17	♟ 3
○ Langhe Arneis Il Nespolo '19	♟ 3
● Barbaresco Gaia Principe '16	♟♟ 5
● Barbaresco Gaia Principe '15	♟♟ 5
● Barbaresco Gaia Principe '14	♟♟ 5
● Barbaresco Gaia Principe '13	♟♟ 5
● Barbaresco Gallina '16	♟♟ 5
● Barbaresco Gallina '15	♟♟ 5
● Barbaresco Gallina '14	♟♟ 5
● Barbaresco Gallina '13	♟♟ 5
● Barbaresco Gallina '12	♟♟ 5
● Barbera d'Alba Sup. Il Bosco '17	♟♟ 3
● Barbera d'Alba Sup. Il Bosco '16	♟♟ 3

★Produttori del Barbaresco

VIA TORINO, 54
12050 BARBARESCO [CN]
TEL. 0173635139
www.produttoridelbarbaresco.com

VENDITA DIRETTA
VISITA SU PRENOTAZIONE
OSPITALITÀ
PRODUZIONE ANNUA 540.000 bottiglie
ETTARI VITATI 105,00

Come saggiamente ricorda Eleonora Guerini nel suo Grande libro illustrato del vino italiano, la cooperazione nasce per consentire il riscatto economico, sociale e professionale. Proprio con questi intenti è sorta nel 1894, per poi ricostituirsi nel 1958, la benemerita società agricola cooperativa Produttori del Barbaresco, divenuta ben presto un punto di riferimento internazionale per le sue proposte, tutte e solo a base di uva nebbiolo. Un riscatto che, quindi, si è trasformato ben presto in un prestigioso successo, soprattutto per la costanza qualitativa dimostrata dalle nove etichette delle Riserve ma anche dal sempre soddisfacente Barbaresco base. Dai vigneti di due piccoli viticoltori sono nate nel 2015 appena 10.000 bottiglie di uno straordinario Barbaresco Pajé '15. I raffinati aromi parlano di lampone, china e liquirizia, mentre il palato è poderoso per struttura, di armonica tannicità e ricco di polpa fruttata: un gioiello. L'eccezionale valore della serie di Riserve '15 non deve far passare in second'ordine il pregevole risultato del delicato Barbaresco '17.

● Barbaresco Montestefano Ris. '15	♟♟ 6
● Barbaresco Muncagota Ris. '15	♟♟ 6
● Barbaresco Pajè Ris. '15	♟♟ 6
● Barbaresco Rio Sordo Ris. '15	♟♟ 6
● Barbaresco '17	♟♟ 5
● Barbaresco Asili Ris. '15	♟♟ 6
● Barbaresco Montefico Ris. '15	♟♟ 6
● Barbaresco Ovello Ris. '15	♟♟ 6
● Barbaresco Pora Ris. '15	♟♟ 6
● Barbaresco Rabajà Ris. '15	♟♟ 6
● Barbaresco Asili Ris. '13	♟♟♟ 6
● Barbaresco Ovello Ris. '09	♟♟♟ 6
● Barbaresco Vign. in Montestefano Ris. '05	♟♟♟ 6
● Barbaresco Vign. in Ovello Ris. '08	♟♟♟ 6
● Barbaresco Vign. in Pora Ris. '07	♟♟♟ 6

Cantina Produttori del Gavi

VIA CAVALIERI DI VITTORIO VENETO, 45
15066 GAVI [AL]
TEL. 0143642786
www.cantinaproduttoridelgavi.it

VENDITA DIRETTA
VISITA SU PRENOTAZIONE
PRODUZIONE ANNUA 300.000 bottiglie
ETTARI VITATI 220,00

Il lavoro che si sta facendo nella cantina di Gavi è quanto mai virtuoso, capace di coniugare alti standard qualitativi e numeri produttivi importanti. Quello che sorprende è la cura dei dettagli che contraddistingue tutta la produzione a partire dai vini base che confermano la bontà del progetto. Lo stile è moderno, teso ad esaltare il quadro aromatic di un grande vitigno autoctono come il cortese di Gavi. Dietro a questo successo ci sono le rigorose politiche aziendali stipulate con i soci e la mano dell'enologo Andrea Pancotti. Splendida la batteria di vini presentata, con evidenza della grande qualità intrinseca dell'intera produzione. Il Mille951 ci accoglie con aromi di felci e muschio su note minerali; al palato è teso e ricco, di grande persistenza. Maddalena è intenso su aromi di erbe fresche e mandorla, con note minerali. In bocca è possente, con acidità vibrante e lunga persistenza finale. Andrà lontano. Di pregio gli altri vini.

○ Gavi del Comune di Gavi Mille951 '19	♟♟ 3*
○ Gavi Maddalena '19	♟♟ 2*
○ Gavi Brut M. Cl.	♟♟ 4
○ Gavi del Comune di Gavi GG '18	♟♟ 3
○ Gavi G '18	♟♟ 3
○ Gavi Il Forte '19	♟♟ 2*
○ Gavi del Comune di Gavi GG '15	♟♟♟ 3*
○ Gavi del Comune di Gavi Bio '18	♟♟ 3*
○ Gavi del Comune di Gavi GG '17	♟♟ 3
○ Gavi del Comune di Gavi Mille951 '18	♟♟ 3*
○ Gavi del Comune di Gavi Mille951 '17	♟♟ 3*
○ Gavi del Comune di Gavi Primi Grappoli '18	♟♟ 3
○ Gavi G '17	♟♟ 3
○ Gavi Il Forte '18	♟♟ 2*
○ Gavi Il Forte '17	♟♟ 2*
○ Gavi Maddalena '18	♟♟ 2*

★Prunotto

c.so Barolo, 14
12051 Alba [CN]
Tel. 0173280017
www.prunotto.it

VENDITA DIRETTA
VISITA SU PRENOTAZIONE
OSPITALITÀ
PRODUZIONE ANNUA 800.000 bottiglie
ETTARI VITATI 55,00

L'ampia cantina, dove convergono le uve
delle vaste proprietà nel Piemonte
meridionale, si trova in Alba, mentre
l'accoglienza dei visitatori avviene nella
suggestiva cascina di Monforte d'Alba. Qui
nascono le sempre valide proposte di
Barolo, Bussia e Vigna Colonnello, assieme
alla celebre Barbera d'Alba Pian Romualdo,
prodotta dalla Prunotto sin dal 1961.
Restando in tema di Barbera, l'altro fiore
all'occhiello è la Nizza Costamiòle,
costantemente in evidenza come elegante
portabandiera del Monferrato. La linea
produttiva voluta dalla famiglia Antinori - e
attuata dall'enologo Gianluca Torrengo - è
basata sulla stretta osservanza della più
raffinata tradizione. Eleganti richiami fruttati
e vegetali nell'armonico Barbaresco Bric
Turot '17, dotato di un palato di discreta
consistenza e di una pregevole
piacevolezza complessiva che non prevede
spigoli. Petali di rosa e bella nota speziata
nell'elegante Barolo Bussia '16, dinamico e
progressivo nel palato ben bilanciato. Toni
morbidi più che freschi nel moderno Nizza
Costamiòle Riserva '17.

● Barbaresco Bric Turot '17	♔♔ 6
● Barolo Bussia '16	♔♔ 8
● Barbaresco '17	♔♔ 5
● Barbaresco Secondine '17	♔♔ 8
● Barolo '16	♔♔ 6
● Barolo Bussia V. Colonnello Ris. '14	♔♔ 8
● M.to Mompertone '17	♔♔ 2*
● Nizza Costamiole Ris. '17	♔♔ 4
● Barbera d'Asti Costamiòle '99	♔♔♔ 4*
● Barbera d'Asti Costamiòle '96	♔♔♔ 6
● Barolo Bussia '01	♔♔♔ 8
● Barolo Bussia '99	♔♔♔ 8
● Barolo Bussia '98	♔♔♔ 8
● Barolo Bussia '96	♔♔♔ 8
● Barolo Bussia '85	♔♔♔ 8

La Raia

s.da Monterotondo, 79
15067 Novi Ligure [AL]
Tel. 0143743685
www.la-raia.it

VENDITA DIRETTA
VISITA SU PRENOTAZIONE
OSPITALITÀ
PRODUZIONE ANNUA 150.000 bottiglie
ETTARI VITATI 50,00
VITICOLTURA Biodinamico Certificato
AZIENDA SOSTENIBILE

La Raia è uno dei gioielli della Tenimenti
Rossi Cairo, azienda che ha investito
ingenti risorse in quel di Gavi a partire dal
2003 avviando un progetto di largo respiro
che ha come fulcro l'armonia tra territorio,
architettura e cultura. Fa parte di questo
approccio naturalistico la conduzione
biodinamica di vigneti, insieme a pascoli e
seminativi, per un variopinto puzzle di 180
ettari di cui 50 a vigneto. A gestire la
cantina c'è una brillante enologa: Clara
Milani. La produzione conta oggi cinque
etichette di cui tre Gavi, con differenti
caratteristiche e affinamenti, e due rossi da
uve barbera. Una prestazione magistrale
vede in finale due grandi esempi della
tipologia. Il Gavi Riserva è un tripudio di
aromi: frutta bianca su erbe officinali e note
di pietra focaia. Al palato è succoso e
sapido con acidità tesa e finale
interminabile. Pisè è intenso e articolato e
sviluppa aromi di miele, erbe secche e
mandorla su note di canfora. In bocca è
solido e potente, dal finale lungo. Piacevole
il Gavi base.

○ Gavi Pisè '17	♔♔ 5
○ Gavi V. della Madonnina Ris. '18	♔♔ 3*
○ Gavi '19	♔♔ 3
○ Gavi V. della Madonnina Ris. '16	♔♔♔ 3*
○ Gavi '18	♔♔ 3
○ Gavi '17	♔♔ 3
○ Gavi '16	♔♔ 3*
○ Gavi '15	♔♔ 3*
○ Gavi Pisè '15	♔♔ 5
○ Gavi Ris. '15	♔♔ 3*
○ Gavi V. della Madonnina Ris. '17	♔♔ 3*
● Piemonte Barbera '18	♔♔ 3
● Piemonte Barbera '16	♔♔ 3
● Piemonte Barbera Largé '15	♔♔ 4

Renato Ratti

FRAZ. ANNUNZIATA, 7
12064 LA MORRA [CN]
TEL. 017350185
www.renatoratti.com

VENDITA DIRETTA
VISITA SU PRENOTAZIONE
OSPITALITÀ
PRODUZIONE ANNUA 350.000 bottiglie
ETTARI VITATI 35,00

La vasta estensione dei vigneti consente di realizzare numeri importanti, distribuiti su nove etichette strettamente legate ai vitigni classici della zona: nebbiolo, barbera e dolcetto. Uniche eccezioni per il bianco I Cedri, a base di sauvignon, e per la componente di merlot presente nel Villa Pattono, prodotto anche con uva barbera sin dal 1982. Le tre proposte di Barolo nascono in vigneti non lontano dalla bella cantina, che merita di essere visitata anche per la panoramica sala degustazione. Pur nascendo vicini, è interessante notare come il Rocche dell'Annunziata risulti costantemente più fresco e fragrante del più fruttato Conca: da provare entrambi. Raffinato stile tradizionale nel giovanile Barolo Marcenasco '16, ricco di lampone e liquirizia, dai tannini setosi e dalla polpa ricca, lungo e affascinante. Appena più maturo il felice Barolo Conca '16, caratterizzato al naso da tabacco dolce e frutta sotto spirito, mentre il palato ha buona avvolgenza alcolica e una certa austerità tannica. Ancora piuttosto chiuso e rigido il potente Barolo Rocche dell'Annunziata '16.

● Barolo Conca '16	♥♥ 8
● Barolo Marcenasco '16	♥♥ 6
● Barbera d'Asti Sup. Villa Pattono '18	♥♥ 4
● Barolo Rocche dell'Annunziata '16	♥♥ 8
○ Langhe Chardonnay Brigata '19	♥♥ 3
● Langhe Nebbiolo Reggimento '17	♥ 5
● Barolo Rocche '06	♥♥♥ 8
● Barolo Rocche Marcenasco '84	♥♥♥ 6
● Barolo Rocche Marcenasco '83	♥♥♥ 6
● Barbera d'Alba Battaglione '18	♥♥ 3
● Barolo Conca '15	♥♥ 8
● Barolo Conca '14	♥♥ 8
● Barolo Marcenasco '15	♥♥ 6
● Barolo Marcenasco '14	♥♥ 6
● Barolo Rocche dell'Annunziata '15	♥♥ 8
● M.to Rosso Villa Pattono '16	♥♥ 5
○ Piemonte Sauvignon I Cedri '18	♥♥ 2*

Réva

LOC. SAN SEBASTIANO, 68
12065 MONFORTE D'ALBA [CN]
TEL. 0173789269
www.revamonforte.it

VENDITA DIRETTA
VISITA SU PRENOTAZIONE
OSPITALITÀ E RISTORAZIONE
PRODUZIONE ANNUA 35.000 bottiglie
ETTARI VITATI 8,00
AZIENDA SOSTENIBILE

Una struttura tanto complessa quanto accogliente, che somma la ristorazione all'eleganza delle camere, ai vigneti e alla splendida cantina. La filosofia dichiarata è perentoria: "Siamo liberi dal fardello della tradizione, siamo ispirati da influenze di diversa natura". Il che potrebbe far pensare a stravolgimenti enologici di non poco conto. Nella realtà i vini sono di sicura impronta classica, assaggiandoli si può al massimo notare il tentativo di realizzare un Barolo di grande finezza e privo di asperità tanniche, in cui comunque le componenti di potenza e struttura delle Langhe sono sempre al primo posto, in cui la viola e il goudron sono protagonisti nel ricco e nitido ventaglio aromatico. Ancora in fase di armonizzazione il Barolo Cannubi '16, che procederà nei prossimi anni a smussare la nota di rovere ancora un po' invasiva al momento dei nostri assaggi; i tannini sono ben presenti e il finale è di notevole persistenza. Più fruttato e sfaccettato il riuscito Barolo "base" del 2016, dotato di gradevole freschezza ed eleganza.

● Barolo Cannubi '16	♥♥ 8
● Barolo '16	♥♥ 5
● Barbera d'Alba Sup. '18	♥ 4
● Nebbiolo d'Alba '18	♥ 3
● Barbera d'Alba Sup. '15	♥♥ 3
● Barolo '15	♥♥ 5
● Barolo '14	♥♥ 5
● Barolo '13	♥♥ 5
● Barolo '12	♥♥ 5
● Barolo Ravera '15	♥♥ 7
● Barolo Ravera '13	♥♥ 7
● Barolo Ravera '12	♥♥ 7
○ Langhe Bianco Grey '18	♥♥ 3
○ Langhe Bianco Grey '17	♥♥ 3
● Nebbiolo d'Alba '17	♥♥ 3
● Nebbiolo d'Alba '16	♥♥ 3*
● Nebbiolo d'Alba '15	♥♥ 3

Carlo & Figli Revello

FRAZ. SANTA MARIA
12064 LA MORRA [CN]
TEL. 3356765021
www.carlorevello.com

VISITA SU PRENOTAZIONE
PRODUZIONE ANNUA 25.000 bottiglie
ETTARI VITATI 7,00

La creazione del nuovo progetto enologico di Carlo Revello sta completandosi: la struttura produttiva è a punto sia nella parte agricola che in quella di cantina, il suo stile enologico basato sul ritorno alla classicità può ormai giovarsi di vini elaborati in prima persona con il proprio stile, il giovane Erik sta iniziando a mettere in pratica le nozioni apprese durante gli studi enologici. La proposta enologica prevede solo vini rossi, a base di uve dolcetto, barbera e - soprattutto - nebbiolo, con le etichette di Barolo derivanti dai pregiati cru Rocche dell'Annunziata e Giachini in prima fila. Il Barolo '16 è decisamente complesso e variegato, con una base di frutta rossa e una buona componente alcolica; la bocca è densa e di grande volume, con sensazioni vellutate che riempiono il lungo palato. Il Barolo R.G. '16 è intenso, con belle note di menta e liquirizia ad aprire un naso di precisa tipicità con sentori di lampone e di tabacco; la bocca è potente e ricca, ancora poco distesa ma è dotata di un finale lungo e non privo di acidità. Tutti impostati sulla freschezza e sulla finezza i vini del 2019.

● Barolo '16	♟♟ 5
● Barolo R.G. '16	♟♟ 7
● Barbera d'Alba Sup. '19	♟♟ 3
● Dolcetto d'Alba '19	♟♟ 2*
● Langhe Nebbiolo '19	♟ 3
● Barbera d'Alba '16	♀♀ 3
● Barbera d'Alba Sup. '17	♀♀ 3
● Barolo '15	♀♀ 5
● Barolo '14	♀♀ 5
● Barolo '13	♀♀ 5
● Barolo R.G. '15	♀♀ 7
● Barolo R.G. '14	♀♀ 7
● Barolo R.G. '13	♀♀ 7

F.lli Revello

FRAZ. ANNUNZIATA, 103
12064 LA MORRA [CN]
TEL. 017350276
www.revellofratelli.it

VENDITA DIRETTA
VISITA SU PRENOTAZIONE
OSPITALITÀ
PRODUZIONE ANNUA 45.000 bottiglie
ETTARI VITATI 8,00
AZIENDA SOSTENIBILE

Il primo Barolo aziendale fu imbottigliato nella ormai mitologica annata 1967 assemblando uve di diversa provenienza, mentre l'attuale fisionomia produttiva risale agli anni '90, quando prendono vita le prime etichette dedicate ai singoli cru. E da allora le selezioni dei quattro vigneti di La Morra, arricchite nel 2013 dal primo Barolo Cerretta che nasce a Serralunga d'Alba, sono state apprezzate per la loro eleganza, basata su una morbida struttura e sui raffinati aromi dell'uva nebbiolo, arricchiti dall'uso di botti francesi in parte nuove. Costantemente valida anche l'armoniosa Barbera d'Alba Ciabot du Re. Magnifica interpretazione del Barolo Cerretta '16, che rappresenta perfettamente i caratteri del bel vigneto di Serralunga d'Alba: frutti rossi e bacche nere si uniscono alla tipica e raffinata nota balsamica, mentre la bocca ne esprime tutta la potenza rimanendo elegante e armonica, con un suadente e nitido finale mentolato. Liquirizia e petali di rosa essiccati nel Barolo Giachini '16, di fine classicità e dotato di una dinamica freschezza.

● Barolo Cerretta '16	♟♟ 7
● Barolo Giachini '16	♟♟ 7
● Barolo '16	♟♟ 5
● Barolo Conca '16	♟♟ 7
● Barolo Gattera '16	♟♟ 6
● Barbera d'Alba Ciabot du Re '05	♀♀♀ 5
● Barbera d'Alba Ciabot du Re '00	♀♀♀ 5
● Barolo '93	♀♀♀ 5
● Barolo Rocche dell'Annunziata '01	♀♀♀ 8
● Barolo Rocche dell'Annunziata '00	♀♀♀ 8
● Barolo Rocche dell'Annunziata '97	♀♀♀ 8
● Barolo V. Conca '99	♀♀♀ 7
● Barbera d'Alba Ciabot du Re '16	♀♀ 5
● Barolo Conca '15	♀♀ 7
● Barolo Gattera '15	♀♀ 6
● Barolo Giachini '15	♀♀ 7
● Barolo Giachini '14	♀♀ 7

Michele Reverdito

FRAZ. RIVALTA
B.TA GARASSINI, 74B
12064 LA MORRA [CN]
TEL. 017350336
www.reverdito.it

VENDITA DIRETTA
VISITA SU PRENOTAZIONE
PRODUZIONE ANNUA 100.000 bottiglie
ETTARI VITATI 24,00

I fratelli Michele e Sabina Reverdito,
nonostante le dimensioni aziendali siano
oggi consistenti, non hanno rinunciato a
intervenire in prima persona in tutte le
principali fasi produttive, dalla vigna alla
cantina. E festeggiano i primi vent'anni di
attività consolidando da una parte
l'adozione di vinificazioni e affinamenti di
stile sempre più tradizionale, dall'altra
apportando ulteriori cambiamenti nel lavoro
in vigna, dove la chimica di sintesi è ormai
un ricordo. La ricerca della purezza del
frutto ha fatto entrare in cantina le prime
anfore, impiegate per lo sfizioso Pelaverga,
mentre per il Barolo si utilizzano botti in
rovere di notevoli dimensioni. Grande
carattere e altrettanta finezza nel Barolo La
Serra '16, con bella frutta rossa matura
che si impone su un velo di tabacco dolce;
la bocca è di prestigiosa classicità, di bella
forza tannica e di suadente armonia. Note
lievemente più balsamiche nell'avvolgente
Badarina '16, quindi un sorso rotondo e
ben bilanciato che conduce a una chiusura
in cui compare un'elegante nota agrumata.

★Giuseppe Rinaldi

VIA MONFORTE, 5
12060 BAROLO [CN]
TEL. 017356156
www.rinaldigiuseppe.com

VENDITA DIRETTA
VISITA SU PRENOTAZIONE
PRODUZIONE ANNUA 35.000 bottiglie
ETTARI VITATI 6,50

L'etichetta firmata Giuseppe Rinaldi è
divenuta un emblema di un Barolo ricco di
personalità, mutevole ad ogni vendemmia,
puro nella sua naturale vitalità, privo di ogni
artificio di cantina. E la comunità
internazionale degli appassionati premia
sempre più questo stile diretto e
spontaneo, a volte persino rustico ma
sempre perfetta espressione dell'uva
nebbiolo. Quello splendido cantore delle
Langhe e del rispetto della natura che è
stato Beppe Rinaldi ci ha lasciati, quindi
oggi sono le figlie Carlotta e Marta a
profondere il loro impegno, fatto anche di
ricerca e sperimentazione a partire dalla
coltivazione delle uve con metodi sempre
più sostenibili. Sottobosco e frutti rossi nel
riservato Barolo Brunate '16, un po' chiuso
negli aromi e ancora restio a concedersi in
questa fase di quella che sarà sicuramente
una lunga evoluzione; la bocca è segnata
da tannini giovanili e da un bel finale lungo.
Sulla stessa falsariga il Tre Tine '16, ma
con più freschezza e vivacità al naso,
mentre il palato è ancora compatto e di
bella austerità.

● Barolo Badarina '16	♛♛	8
● Barolo La Serra '16	♛♛	8
● Barbera d'Alba Delia '17	♛♛	4
● Barolo Ascheri '16	♛♛	6
● Barolo Bricco Cogni '16	♛♛	7
○ Langhe Nascetta '18	♛	3
● Langhe Nebbiolo Simane '18	♛	3
● Barolo Bricco Cogni '04	♛♛♛	6
● Barolo Ascheri '14	♛♛	8
● Barolo Ascheri '13	♛♛	5
● Barolo Badarina '15	♛♛	7
● Barolo Bricco Cogni '15	♛♛	6
● Barolo Bricco Cogni '14	♛♛	8
● Barolo Bricco Cogni '13	♛♛	6
● Barolo Castagni '14	♛♛	7
● Langhe Nebbiolo Simane '16	♛♛	4
● Langhe Nebbiolo Simane '15	♛♛	3

● Barolo Brunate '16	♛♛♛	8
● Barolo Tre Tine '16	♛♛	7
● Barolo Brunate '15	♛♛♛	8
● Barolo Brunate '13	♛♛♛	7
● Barolo Brunate '11	♛♛♛	7
● Barolo Brunate-Le Coste '07	♛♛♛	7
● Barolo Brunate-Le Coste '06	♛♛♛	7
● Barolo Brunate-Le Coste '01	♛♛♛	6
● Barolo Brunate-Le Coste '00	♛♛♛	6
● Barolo Brunate-Le Coste '97	♛♛♛	6
● Barolo Cannubi S. Lorenzo-Ravera '04	♛♛♛	6
● Barolo Brunate '14	♛♛	7
● Barolo Brunate '12	♛♛	7
● Barolo Tre Tine '15	♛♛	7
● Barolo Tre Tine '14	♛♛	7
● Barolo Tre Tine '13	♛♛	7
● Barolo Tre Tine '12	♛♛	7

Francesco Rinaldi & Figli

VIA CROSIA, 30
12060 BAROLO [CN]
TEL. 0173440484
www.rinaldifrancesco.it

VENDITA DIRETTA
VISITA SU PRENOTAZIONE
OSPITALITÀ
PRODUZIONE ANNUA 70.000 bottiglie
ETTARI VITATI 11,00

Nata nel 1970, la cantina oggi guidata da
Piera e Paola Rinaldi dispone di due vigneti
particolarmente importanti all'interno
dell'area del Barolo: il Cannubi e il Brunate.
E in entrambi i casi l'appezzamento di
proprietà si trova nel cuore del cru, nella
parte più felicemente esposta al sole.
L'affinamento del Barolo avviene in grandi
botti di rovere di Slavonia, che ne
consentono una lentissima maturazione: il
nostro consiglio è di degustarlo dopo
qualche anno di maturazione In bottiglia
perché, come scriveva acutamente Burton
Anderson nel suo Grande atlante del vino
italiano, "i suoi Barolo acquistano finezza
solo con il tempo". Importante risultato per
il Cannubi '16: gli aromi intensi e
sfaccettati si muovono tra la frutta rossa e
la rosa secca passando per tabacco, viola, e
una fresca sfumatura di anice e liquirizia; la
bocca è di squisite proporzioni e carattere,
con tannini fini ma ben presenti e polpa
adeguata sino al lunghissimo finale.
Delicatamente speziato e provvisto di
qualche nota agrumata il più chiuso
Brunate '16.

● Barolo Brunate '16	🏆🏆	7
● Barolo Cannubi '16	🏆🏆	7
● Barbaresco '14	🍷🍷	5
● Barbaresco '13	🍷🍷	5
● Barbera d'Alba '13	🍷🍷	3
● Barolo Brunate '15	🍷🍷	7
● Barolo Brunate '13	🍷🍷	7
● Barolo Brunate '12	🍷🍷	7
● Barolo Brunate '11	🍷🍷	6
● Barolo Brunate '10	🍷🍷	7
● Barolo Cannubi '15	🍷🍷	7
● Barolo Cannubi '14	🍷🍷	7
● Barolo Cannubi '13	🍷🍷	7
● Barolo Cannubi '12	🍷🍷	7
● Barolo Cannubi '11	🍷🍷	7
● Barolo Cannubi '10	🍷🍷	7
● Barolo Cannubi Ris. '13	🍷🍷	7

Massimo Rivetti

VIA RIVETTI, 22
12052 NEIVE [CN]
TEL. 017367505
www.rivettimassimo.it

VENDITA DIRETTA
VISITA SU PRENOTAZIONE
PRODUZIONE ANNUA 70.000 bottiglie
ETTARI VITATI 25,00

Il cru Serraboella, con i suoi 15 ettari
coltivati a uve nebbiolo, ha la caratteristica
di produrre uve che danno vita a un
Barbaresco particolarmente strutturato, con
buona polpa fruttata e un importante
corredo tannico. È qui che Massimo Rivetti
realizza le due più significative etichette
aziendali - Barbaresco Serraboella e
l'omonima Riserva - badando soprattutto a
raccogliere grappoli sani e puri, privi di ogni
contaminazione chimica di sintesi. Più
disteso e lineare il Barbaresco Froi, a sua
volta da coltivazione biologica, che nasce
nel bel vigneto soleggiato attorno alla
cantina di produzione. Impegnativa e
serrata la Riserva '15 del Barbaresco
Serraboella, grazie a decisi aromi che
associano i frutti rossi alle spezie e a una
sentita nota di ginepro, mentre il palato
dispone di bei tannini incisivi: migliorerà
ancora con qualche tempo in bottiglia.
Giocato più sulla raffinatezza che sulla
robustezza il piacevole Barbaresco '17. Si
posiziona bene anche il Barolo '16,
proveniente da un ettaro vitato a La Morra.

● Barbaresco Serraboella Ris. '15	🏆🏆	6
● Barbaresco '17	🏆🏆	5
● Barolo '16	🏆🏆	5
● Barbaresco '14	🍷🍷	5
● Barbaresco '13	🍷🍷	5
● Barbaresco Froi '16	🍷🍷	6
● Barbaresco Froi '15	🍷🍷	6
● Barbaresco Froi '14	🍷🍷	6
● Barbaresco Froi '13	🍷🍷	5
● Barbaresco Serraboella '13	🍷🍷	7
● Barbaresco Serraboella Ris. '14	🍷🍷	6
● Barbera d'Alba Sup. Froi '16	🍷🍷	2*
● Barbera d'Alba Sup. V. Serraboella '16	🍷🍷	4
● Barbera d'Alba Sup. V. Serraboella '12	🍷🍷	4
● Langhe Nebbiolo Avene '17	🍷🍷	3
● Langhe Nebbiolo Avene '15	🍷🍷	3
● Langhe Pinot Nero '15	🍷🍷	3

Rizzi

VIA RIZZI, 15
12050 TREISO [CN]
TEL. 0173638161
www.cantinarizzi.it

VENDITA DIRETTA
VISITA SU PRENOTAZIONE
OSPITALITÀ
PRODUZIONE ANNUA 90.000 bottiglie
ETTARI VITATI 40,00
AZIENDA SOSTENIBILE

La cantina della famiglia Dellapiana è uno dei marchi più apprezzati del comprensorio del Barbaresco, denominazione sempre più nota a livello mondiale. Segreti del successo alcuni tra i cru più vocati, massima attenzione in tutte le fasi produttive e una politica di prezzi molto corretta nonostante l'altissima domanda. Quattro i Barbaresco prodotti, tutti maturati in botti di rovere di Slavonia di media capacità. Approda agevolmente in finale il Barbaresco Riserva Rizzi Vigna Boito '15, un rosso di carattere, capace di dosare struttura e acidità in una trama molto ampia e succosa, con un frutto carnoso e maturo; il finale è continuo e molto lungo. Un arioso respiro balsamico caratterizza il Barbaresco Pajoré '17, puro nei richiami di rosa e lampone, in bocca è delicato e aggraziato, il finale vivacizzato da una saporita verve sapida.

Roagna

LOC. PAJÉ
S.DA PAGLIERI, 7
12050 BARBARESCO [CN]
TEL. 0173635109
www.roagna.com

VENDITA DIRETTA
VISITA SU PRENOTAZIONE
PRODUZIONE ANNUA 50.000 bottiglie
ETTARI VITATI 15,00

Doppia ricorrenza da festeggiare: papà Alfredo raggiunge le 50 vendemmie, mentre il figlio Luca celebra i primi 20 anni di attività, proseguendo su uno stile enologico basato da sempre sulla naturalità in vigna e sulla più rigorosa tradizione in cantina. Il che non significa affatto fermarsi: per la gioia dei tanti appassionati dei vini dell'azienda agricola I Paglieri, sono state acquisite nuove parcelle nella zona del Barbaresco, oltre ad un vigneto in cui nasce il Timorasso Derthona. Anche il Barolo, già forte del bel vigneto nelle Rocche di Castiglione dove ha origine la selezione Pira, è stato incrementato grazie ad appezzamenti vitati proprio nel comune di Barolo. Erbe officinali e liquirizia nel sontuoso e raffinato Crichët Pajé '12, dal palato elegante e ricco, delicato e armonico con un incantevole tocco di freschezza. Nel Barbaresco emerge il potente Montefico Vecchie Viti '15, mentre è un po' più rustico l'Asili. Risultati eccellenti anche nei Barolo '15: fine e complesso il Vecchie Viti; armonico e vellutato il Pira.

Vino	Bicchieri	Punti
● Barbaresco Pajorè '17	♟♟	6
● Barbaresco Rizzi V. Boito Ris. '15	♟♟	8
● Barbaresco Nervo '17	♟♟	6
● Barbaresco Rizzi '17	♟♟	5
● Barbera d'Alba '17	♟♟	3
● Dolcetto d'Alba '19	♟♟	3
○ Langhe Chardonnay '19	♟	3
● Langhe Nebbiolo '18	♟	4
● Barbaresco Boito Ris. '10	♟♟♟	6
● Barbaresco Nervo '14	♟♟♟	6
● Barbaresco Nervo '16	♟♟	6
● Barbaresco Nervo '15	♟♟	6
● Barbaresco Pajorè '16	♟♟	6
● Barbaresco Pajorè '15	♟♟	6
● Barbaresco Rizzi '16	♟♟	5
● Barbaresco Rizzi Boito Ris. '14	♟♟	7
● Langhe Nebbiolo '17	♟♟	4

Vino	Bicchieri	Punti
● Barbaresco Crichët Pajé '12	♟♟♟	8
● Barbaresco Montefico V. V. '15	♟♟	8
● Barolo Pira '15	♟♟	8
● Barolo Pira V. V. '15	♟♟	8
● Barbaresco Asili V. V. '15	♟♟	8
● Barbaresco Pajé '15	♟♟	8
● Barbaresco Pajè V. V. '15	♟♟	8
○ Derthona Montemarzino '18	♟♟	8
● Langhe Rosso '15	♟♟	3
● Barbaresco Asili V. Viti '13	♟♟♟	8
● Barbaresco Asili V. Viti '07	♟♟♟	8
● Barbaresco Crichët Pajé '11	♟♟♟	8
● Barbaresco Crichët Pajé '08	♟♟♟	8
● Barbaresco Crichët Pajé '06	♟♟♟	8
● Barbaresco Crichët Pajé '05	♟♟♟	8
● Barbaresco Crichët Pajé '04	♟♟♟	8
● Barbaresco Pajé '11	♟♟♟	8

★Albino Rocca

S.DA RONCHI, 18
12050 BARBARESCO [CN]
TEL. 0173635145
www.albinorocca.com

VENDITA DIRETTA
VISITA SU PRENOTAZIONE
PRODUZIONE ANNUA 100.000 bottiglie
ETTARI VITATI 18,00
AZIENDA SOSTENIBILE

La cantina delle sorelle Rocca, validamente supportate dal marito di Paola, Carlo Castellengo, è dotata di una sede splendida sia per la posizione panoramica sia, e ancor più, per la dotazione di spazi sotterranei e locali di vinificazione degni di uno dei nomi più prestigiosi dell'area del Barbaresco. I vigneti impiantati a nebbiolo e che danno il nome alle diverse selezioni si trovano in celebri cru dell'area: Vigna Loreto nell'Ovello, Ronchi, Montersino o Cottà, mentre da un assemblaggio di queste uve nasce dal 2013 il Barbaresco Angelo, dedicato al padre. Il Barbaresco Ronchi interpreta al meglio la potente annata 2016, evitando spigoli e durezze a favore di una complessiva rotondità gustativa: il naso è ricco di fiori e frutti rossi nonché di una stuzzicante nota affumicata, mentre sul palato è morbido, con i tannini ben sotto controllo e un'ottima avvolgenza. Un po' più rigide le versioni di Barbaresco '17, con il Cottà e il Montersino che offrono una sentita nota di mandorla amara nel finale e il celebre Ovello Vigna Loreto che insiste su freschi richiami vegetali.

● Barbaresco Ovello V. Loreto '17	♟♟	6
● Barbaresco Ronchi '16	♟♟	6
● Barbaresco Cottà '17	♟♟	5
● Barbaresco Montersino '17	♟♟	6
● Barbaresco Angelo '13	♟♟♟	5
● Barbaresco Ovello V. Loreto '16	♟♟♟	6
● Barbaresco Ovello V. Loreto '11	♟♟♟	6
● Barbaresco Ovello V. Loreto '09	♟♟♟	6
● Barbaresco Ovello V. Loreto '07	♟♟♟	6
● Barbaresco Ronchi '10	♟♟♟	6
● Barbaresco Vign. Brich Ronchi '05	♟♟♟	6
● Barbaresco Vign. Brich Ronchi '03	♟♟♟	6
● Barbaresco Vign. Brich Ronchi '00	♟♟♟	6
● Barbaresco Vign. Brich Ronchi Ris. '06	♟♟♟	8
● Barbaresco Vign. Brich Ronchi Ris. '04	♟♟♟	8
● Barbaresco Vign. Loreto '04	♟♟♟	6

★★Bruno Rocca

S.DA RABAJÀ, 60
12050 BARBARESCO [CN]
TEL. 0173635112
www.brunorocca.it

VENDITA DIRETTA
VISITA SU PRENOTAZIONE
PRODUZIONE ANNUA 70.000 bottiglie
ETTARI VITATI 15,00
VITICOLTURA Biologico Certificato

Francesco Rocca è dotato di indubbie capacità sia in vigna che in cantina, dove sta apportando il proprio importante contributo all'impostazione enologica già di grandissimo pregio realizzata dal padre Bruno a partire dal 1978. Gli obiettivi sono principalmente due: riuscire a preservare i vigneti, già certificati biologici, con il minor uso possibile di trattamenti, in primo luogo riducendo quindi il rame. In cantina l'intento è, oltre all'ulteriore diminuzione dello zolfo, quello di mantenere l'eleganza per cui questi vini sono celebri utilizzando botti più grandi e meno incisive. Finissima armonia nel complesso Rabajà '16, che doma la forza dell'annata a favore di una morbida complessità in cui tannini e acidità sono solo i comprimari di una avvolgente polpa fruttata. Altrettanto aggraziato e affascinante il Currà '16, appena più incisivo nella potente carica fruttata. Sontuosa e strutturata la vellutata selezione Maria Adelaide '13, in cui la freschezza e la potenza costruiscono un'intelaiatura gustativa di rara ricchezza. Splendide anche le Riserve '14.

● Barbaresco Rabajà '16	♟♟♟	8
● Barbaresco Currà '16	♟♟	8
● Barbaresco Maria Adelaide '13	♟♟	8
● Barbaresco Rabajà Ris. '14	♟♟	8
● Barbaresco '17	♟♟	7
● Barbaresco Currà Ris. '14	♟♟	8
● Barbaresco Coparossa '04	♟♟♟	8
● Barbaresco Currà Ris. '13	♟♟♟	8
● Barbaresco Currà Ris. '12	♟♟♟	8
● Barbaresco Maria Adelaide '07	♟♟♟	8
● Barbaresco Maria Adelaide '04	♟♟♟	8
● Barbaresco Maria Adelaide '01	♟♟♟	8
● Barbaresco Rabajà '13	♟♟♟	8
● Barbaresco Rabajà '12	♟♟♟	8
● Barbaresco Rabajà '11	♟♟♟	8
● Barbaresco Rabajà '10	♟♟♟	8
● Barbaresco Rabajà '09	♟♟♟	8

Rocche Costamagna

VIA VITTORIO EMANUELE, 8
12064 LA MORRA [CN]
TEL. 0173509225
www.rocchecostamagna.it

VENDITA DIRETTA
VISITA SU PRENOTAZIONE
OSPITALITÀ
PRODUZIONE ANNUA 95.000 bottiglie
ETTARI VITATI 15,80

Le Rocche dell'Annunziata sono uno dei cru
meritatamente più celebri di tutta l'area del
Barolo, grazie ai suoi 25 ettari coltivati a
uve nebbiolo ben esposti verso sud a una
quota compresa tra i 250 e i 360 metri.
Alessandro Locatelli ha qui il cuore
produttivo della sua cantina, ricca di una
storia più che secolare come testimoniano
documenti dell'Ottocento relativi all'attività
vitivinicola dei Costamagna. Oltre al Barolo
Rocche dell'Annunziata, talvolta proposto
anche nella versione Riserva, la cantina
realizza i classici vini rossi della zona,
capeggiati da una formidabile Barbera
Superiore, e un bianco a base di uve arneis.
Il ventaglio fruttato del Barolo Rocche
dell'Annunziata '16 è particolarmente
ampio e variegato e sovrasta un delicato
sentore di erbe assolate e di tabacco dolce
sullo sfondo; la bocca è altrettanto
complessa, con una prestigiosa armonia
realizzata dal buon bilanciamento tra tannini
e polpa. Si aggiungono fini note di cuoio nel
godibilissimo Barolo Rocche dell'Annunziata
Bricco Francesco Riserva '13, morbido e
avvolgente.

● Barbera d'Alba Sup. Rocche delle Rocche '17	♟♟ 4
● Barolo Rocche dell'Annunziata '16	♟♟ 6
● Barolo Rocche dell'Annunziata Bricco Francesco Ris. '13	♟♟ 8
● Barbera d'Alba '18	♟♟ 3
● Barolo '16	♟♟ 5
○ Langhe Arneis '19	♟ 3
● Barolo Rocche dell'Annunziata '04	♟♟♟ 5
● Barbera d'Alba '17	♟♟ 2
● Barbera d'Alba '16	♟♟ 3
● Barbera d'Alba Sup. Rocche delle Rocche '15	♟♟ 4
● Barolo '15	♟♟ 5
● Barolo Rocche dell'Annunziata '15	♟♟ 6
● Barolo Rocche dell'Annunziata '14	♟♟ 6
● Langhe Nebbiolo Roccardo '17	♟♟ 3

Il Rocchin

LOC. VALLEMME, 39
15066 GAVI [AL]
TEL. 0143642228
www.ilrocchin.it

VENDITA DIRETTA
VISITA SU PRENOTAZIONE
PRODUZIONE ANNUA 50.000 bottiglie
ETTARI VITATI 20,00

La famiglia Zerbo ha costruito l'azienda
vitivinicola a partire dal 1982. A gestire
l'attività oggi sono i figli di Bruno, Angelo e
Francesca, ma l'inossidabile capostipite,
nonostante l'età, non fa mancare il suo
spirito critico. L'estensione aziendale si
sviluppa oggi intorno ai 100 ettari di cui 44
a vigneto. Gran parte degli impianti sono
coltivati a cortese, barbera e dolcetto. Una
dozzina le etichette in produzione, con
diverse interpretazioni delle uve cortese e
della barbera, inclusa un'interpretazione di
dolcetto in purezza, ottenuta con le uve del
vigneto di San Cristoforo. Batteria
equilibrata per Il Rocchin, che in mancanza
de Il Bosco, ci presenta un altro Gavi del
Comune di Gavi. Intenso al naso, si apre su
aromi di glicine e camomilla con note
minerali. Al palato è ricco e intenso, con
pregevole spalla acida a sostenere un
finale persistente. Meno complesso il Gavi
base, ma dotato di un ottimo corredo gusto
olfattivo. Di beva agevole e fresca, il
Dolcetto di Ovada.

● Dolcetto di Ovada '18	♟♟ 2*
○ Gavi '19	♟♟ 3
○ Gavi del Comune di Gavi '19	♟♟ 2*
● Barbera del M.to Il Basacco '17	♟♟ 3*
● Barbera del M.to Il Basacco '16	♟♟ 3
● Dolcetto di Ovada '16	♟♟ 2*
● Dolcetto di Ovada '15	♟♟ 2*
○ Gavi del Comune di Gavi '17	♟♟ 2*
○ Gavi del Comune di Gavi '16	♟♟ 2*
○ Gavi del Comune di Gavi '15	♟♟ 2*
○ Gavi del Comune di Gavi '14	♟♟ 2*
○ Gavi del Comune di Gavi Il Bosco '18	♟♟ 3
○ Gavi del Comune di Gavi Il Bosco '17	♟♟ 3*
○ Gavi del Comune di Gavi Il Bosco '16	♟♟ 3*
○ Gavi del Comune di Gavi Il Bosco '15	♟♟ 3*

★Giovanni Rosso

VIA RODDINO, 10/1
12050 SERRALUNGA D'ALBA [CN]
TEL. 0173613340
www.giovannirosso.com

VENDITA DIRETTA
VISITA SU PRENOTAZIONE
PRODUZIONE ANNUA 130.000 bottiglie
ETTARI VITATI 18,00

Davide Rosso nei suoi vent'anni di attività
in cantina è riuscito a dimostrare al meglio
come sia possibile unire la potenza con la
raffinatezza, la struttura con l'eleganza, la
complessità con la bevibilità. Gli enoturisti
potranno cogliere bene dai suoi racconti
quante siano le continue attenzioni e gli
infiniti dettagli che portano alla
realizzazione di etichette di Barolo che
hanno conquistato i consumatori e la critica
a livello mondiale. E se la piccola proposta
di Vigna Rionda è difficilmente accessibile,
gli appassionati possono godere
agevolmente di altre quattro proposte di
Barolo realizzate con la medesima perizia.
Spettacolare palato nel Barolo Vigna Rionda
Ester Canale Rosso '16, tanto solido quanto
armonico, articolato e progressivo nello
sviluppo, mentre gli aromi sono di classicità
da manuale, con spezie, bacche rosse e
lieve richiamo di tabacco sullo sfondo. Più
fruttato e immediato il raffinato Barolo
Serra '16, dai tannini delicati che rafforzano
un'avvolgente polpa. Magnifico il Langhe
Nebbiolo Ester Canale Rosso '17.

● Barolo Vigna Rionda		
Ester Canale Rosso '16	♈♈♈	8
● Barolo Cerretta '16	♈♈	8
● Barolo Serra '16	♈♈	8
● Langhe Nebbiolo		
Ester Canale Rosso '17	♈♈	8
● Barolo		
del Comune di Serralunga d'Alba '16	♈♈	5
● Langhe Nebbiolo '18	♈	5
● Barolo Cerretta '12	♈♈♈	8
● Barolo Serra '15	♈♈♈	8
● Barolo Vigna Rionda		
Ester Canale Rosso '14	♈♈♈	8
● Barolo Vigna Rionda		
Ester Canale Rosso '13	♈♈♈	8
● Barolo Vigna Rionda		
Ester Canale Rosso '11	♈♈♈	8

Poderi Rosso Giovanni

P.ZZA ROMA 36/37
14041 AGLIANO TERME [AT]
TEL. 0141954006
www.rossowines.it

VENDITA DIRETTA
VISITA SU PRENOTAZIONE
PRODUZIONE ANNUA 55.000 bottiglie
ETTARI VITATI 12,00
AZIENDA SOSTENIBILE

Condotti secondo i principi dell'agricoltura
sostenibile, gli impianti vitati della famiglia
Rosso si distribuiscono tra Cascina Perno e
Cascina San Sebastiano, toponimi storici dei
pendii di Agliano Terme. Parliamo di
un'azienda attiva da tre generazioni, che
vede oggi al timone Lionello: a lui il merito
di aver ulteriormente consolidato una realtà
versatile tanto sul piano produttivo quanto
su quello stilistico, capace di raccontare i
diversi volti della barbera astigiana con ben
quattro versioni modulate su diverse opzioni
di vinificazione e maturazione (acciaio,
barrique e tonneau). La Nizza Gioco dell'Oca
Riserva '17 ha profumi di frutti di bosco e
spezie dolci e un palato di grande
concentrazione, ma anche lungo ed
equilibrato. Delle due Barbera d'Asti
Superiore la Cascina Perno '18 è più fresca
e sostenuta dall'acidità, con toni di ciliegia e
liquirizia, mentre con la Carlinet '17 si torna
a toni estrattivi, ma ben gestiti e di bella
nitidezza aromatica. Piacevole e immediata
la Barbera d'Asti San Bastian '19.

● Nizza Gioco dell'Oca Ris. '17	♈♈	6
● Barbera d'Asti San Bastian '19	♈♈	2*
● Barbera d'Asti Sup. Carlinet '17	♈♈	4
● Barbera d'Asti Sup. Cascina Perno '18	♈♈	3
● Barbera d'Asti Podere San Bastian '14	♈♈	2*
● Barbera d'Asti San Bastian '17	♈♈	2*
● Barbera d'Asti San Bastian '15	♈♈	2*
● Barbera d'Asti Sup. Carlinet '16	♈♈	4
● Barbera d'Asti Sup. Carlinet '15	♈♈	4
● Barbera d'Asti Sup. Carlinet '13	♈♈	4
● Barbera d'Asti Sup. Cascina Perno '17	♈♈	3*
● Barbera d'Asti Sup. Cascina Perno '16	♈♈	3*
● Barbera d'Asti Sup. Cascina Perno '15	♈♈	3
● Barbera d'Asti Sup. Cascina Perno '14	♈♈	3
● Barbera d'Asti Sup. Gioco dell'Oca '16	♈♈	6
● Barbera d'Asti Sup. Gioco dell'Oca '15	♈♈	6
● Barbera d'Asti Sup. Gioco dell'Oca '13	♈♈	6

Josetta Saffirio

LOC. CASTELLETTO, 39
12065 MONFORTE D'ALBA [CN]
TEL. 0173787278
www.josettasaffirio.com

VENDITA DIRETTA
VISITA SU PRENOTAZIONE
PRODUZIONE ANNUA 30.000 bottiglie
ETTARI VITATI 5,00
VITICOLTURA Biologico Certificato
AZIENDA SOSTENIBILE

Sara Vezza continua a dimostrarsi capace interprete del Barolo, da cui ricava tre etichette - con uve coltivate nel bel cru Castelletto - dotate sempre di vivace personalità e di notevole complessità olfattiva. Al vertice vi è la Riserva, che nasce da viti impiantate nel 1948, ma tutte le proposte sono di sicuro valore. Ed è altrettanto convinta sostenitrice del Metodo Classico, sia a base di uve nebbiolo sia delle più classiche chardonnay e pinot nero, tanto che ha acquistato un notevole possedimento nel fresco comune di Roddino, oltre i 400 metri di altitudine. All'interno delle 10 etichette oggi proposte va segnalato anche il profumato e longevo Langhe Rossese Bianco. Intenso e assai fruttato il Barolo Persiera '16, che sullo sfondo olfattivo regala anche spezie dolci tra cui un'accattivante liquirizia; i tannini si fanno sentire ma sono ben avvolti nel succo polposo e contribuiscono quindi a dare volume gustativo sino al lungo e raffinato finale. Più severa e gradevolmente vegetale la Riserva '14 del Barolo Millenovecento48.

● Barolo Persiera '16	♟♟ 8
● Barolo del Comune di Monforte d'Alba '16	♟♟ 5
● Barolo Millenovecento48 Ris. '14	♟♟ 8
○ Langhe Rossese Bianco '18	♟♟ 3
⊙ Nebbiolo d'Alba Brut Rosé M. Cl. '17	♟♟ 5
● Barolo '89	♟♟♟ 6
● Barolo '88	♟♟♟ 6
● Barolo del Comune di Monforte d'Alba '15	♟♟ 5
● Barolo Millenovecento48 Ris. '13	♟♟ 8
● Barolo Millenovecento48 Ris. '12	♟♟ 8
● Barolo Millenovecento48 Ris. '11	♟♟ 8
● Barolo Persiera '15	♟♟ 8
● Barolo Persiera '14	♟♟ 8
● Langhe Nebbiolo '15	♟♟ 3
○ Langhe Rossese Bianco '16	♟♟ 3

San Fereolo

LOC. SAN FEREOLO
B.TA VALDIBÀ, 59
12063 DOGLIANI [CN]
TEL. 0173742075
www.sanfereolo.com

VISITA SU PRENOTAZIONE
PRODUZIONE ANNUA 46.000 bottiglie
ETTARI VITATI 12,00

L'obiettivo enologico perseguito da Nicoletta Bocca nei suoi trent'anni di attività è stato quello di concretizzare le grandi potenzialità dell'uva dolcetto, un vitigno che nel Doglianese avrebbe potuto dimostrare di essere longevo e ricco di personalità. Nascono di qui due significative caratteristiche della sua azienda: da una parte coltivare ogni singola pianta e ogni vigneto rispettando in modo preciso la natura e favorendo la più diretta espressione delle peculiarità di ogni impianto; dall'altra proporre anche bottiglie che abbiano effettuato qualche anno di affinamento in cantina prima di essere messe in commercio, in modo da esaltare lo sviluppo aromatico e gustativo del suo Dogliani. Mora, spezie e cuoio nel ricco Dogliani Superiore Vigne Dolci '18, di struttura notevolissima. Carattere fermo e austero nel complesso Dogliani Superiore San Fereolo '13, che arriva sino a ricordare il tartufo bianco. È dotato di una personalità fortissima, appena appena scontrosa, il Langhe Rosso 1593 '09, da uve dolcetto.

● Dogliani Sup. San Fereolo '13	♟♟ 2*
● Dogliani Sup. Vigne Dolci '18	♟♟ 3
● Langhe Nebbiolo Il Provinciale '16	♟♟ 5
● Langhe Rosso 1593 '09	♟♟ 5
● Dogliani Sup. Vigneti Dolci '17	♟♟♟ 3*
● Dolcetto di Dogliani S. Fereolo '99	♟♟♟ 2
● Dogliani Sup. '17	♟♟ 3
● Dogliani Valdibà '13	♟♟ 3*
● Dolcetto di Dogliani Valdibà '10	♟♟ 3*
○ Langhe Bianco Coste di Riavolo '11	♟♟ 3
○ Langhe Bianco Coste di Riavolo '10	♟♟ 3
● Langhe Nebbiolo Il Provinciale '09	♟♟ 3
● Langhe Rosso 1593 '07	♟♟ 5
● Langhe Rosso Il Provinciale '10	♟♟ 4

Tenuta San Sebastiano

CASCINA SAN SEBASTIANO, 41
15040 LU [AL]
TEL. 0131741353
www.dealessi.it

VENDITA DIRETTA
VISITA SU PRENOTAZIONE
PRODUZIONE ANNUA 70.000 bottiglie
ETTARI VITATI 9,00

Roberto De Alessi è uno dei vignaioli più brillanti di questo angolo di Piemonte. Inoltre, da quando ha il figlio Fabio al suo fianco nell'attività, ha riacquistato la grinta di un trentenne. La sua passione ha forgiato in questi anni grandi vini: come la barbera Mepari o il grignolino Monfiorato, splendidi esempi di valorizzazione dei vitigni autoctoni. Tra le sue proposte anche un nebbiolo, Capolinea, e un pinot nero, Sol Do. La produzione è di circa 70 mila bottiglie all'anno, tra le quali anche un affascinante passito, LV, ottenuto da uve moscato bianco e traminer aromatico. Strepitoso il Grignolino Monfiorato '15. Estremamente articolato ed elegante al naso, con aromi di tabacco, su note di: pepe, china e caffè. Al palato prorompente, per la potenza e la ricchezza, che arriva a coinvolgere, un finale sapido, interminabile. Mepari ha un buon insieme gusto olfattivo e gli gioverà ulteriormente, un più lungo affinamento in bottiglia. Ben modulate le altre proposte.

● Piemonte Grignolino Monfiorato '15	♟♟	4
● Barbera del M.to Sup. Mepari '18	♟♟	4
○ LV Quinquagesimaquinta Mansio Passito '17	♟♟	4
● M.to Rosso Dalera '16	♟♟	3
● Piemonte Grignolino '19	♟♟	2*
○ M.to Bianco Sperilium '19	♟	2
● Barbera del M.to '16	♟♟	2*
● Barbera del M.to Sup. Mepari '17	♟♟	4
● Barbera del M.to Sup. Mepari '16	♟♟	4
● Barbera del M.to Sup. Mepari '15	♟♟	4
● M.to Rosso Capolinea '16	♟♟	2*
● M.to Rosso Dalera '16	♟♟	3
● M.to Rosso Dalera '15	♟♟	3
● Piemonte Grignolino '18	♟♟	2*
● Piemonte Grignolino Monfiorato '13	♟♟	4
● Piemonte Grignolino Monfiorato '12	♟♟	4

★Luciano Sandrone

VIA PUGNANE, 4
12060 BAROLO [CN]
TEL. 0173560023
www.sandroneluciano.com

VISITA SU PRENOTAZIONE
PRODUZIONE ANNUA 110.000 bottiglie
ETTARI VITATI 27,00
AZIENDA SOSTENIBILE

Luciano Sandrone è un personaggio chiave per comprendere il successo planetario del Barolo e la sua evoluzione. È stato infatti tra i primi - il debutto produttivo è del 1978 - a utilizzare piccoli legni, proponendo uno stile molto originale che si staccava dalla tradizione. In pochi anni quella cifra ha fatto scuola, stimolando tutto il mondo produttivo a un confronto proficuo. Luciano, con l'aiuto fondamentale del fratello Luca e la figlia Barbara, continua a proporre vini neoclassici di grande prestigio che traghettano nel bicchiere il valore di parcelle celebri come Cannubi Boschis (Barolo Aleste) o Le Vigne dove confluiscono le uve di Novello, Serralunga, Castiglione Falletto e Barolo. Un profilo elegante di spezie introduce il Barolo Aleste '16, classico nelle note di china, tabacco e pepe nero. In bocca regala un frutto di particolare fragranza e sapore, è insieme ricco, fitto e dinamico, il finale è lungo e molto articolato. Ancora più intenso e potente il Barolo Le Vigne '16, dai sentori terrosi ben modulati, ha energia e tensione ragguardevole.

● Barolo Aleste '16	♟♟	8
● Barolo Le Vigne '16	♟♟	8
● Barbera d'Alba '18	♟♟	5
● Dolcetto d'Alba '18	♟♟	3
● Nebbiolo d'Alba Valmaggiore '18	♟♟	5
● Barolo Aleste '15	♟♟♟	8
● Barolo Cannubi Boschis '11	♟♟♟	8
● Barolo Cannubi Boschis '10	♟♟♟	8
● Barolo Cannubi Boschis '08	♟♟♟	8
● Barolo Cannubi Boschis '07	♟♟♟	8
● Barolo Cannubi Boschis '06	♟♟♟	8
● Barolo Cannubi Boschis '05	♟♟♟	8
● Barolo Cannubi Boschis '04	♟♟♟	8
● Barolo Cannubi Boschis '03	♟♟♟	8
● Barolo Cannubi Boschis '01	♟♟♟	8
● Barolo Cannubi Boschis '00	♟♟♟	8

Tenuta Santa Caterina

VIA GUGLIELMO MARCONI, 17
14035 GRAZZANO BADOGLIO [AT]
TEL. 0141925108
www.tenuta-santa-caterina.it

VENDITA DIRETTA
VISITA SU PRENOTAZIONE
OSPITALITÀ
PRODUZIONE ANNUA 50.000 bottiglie
ETTARI VITATI 23,00

Lo scorso anno la Tenuta Santa Caterina ha ricevuto il Premio Speciale Cantina Emergente e i Tre Bicchieri al Grignolino Monferace: due riconoscimenti che hanno confermato il trend di crescita che ha caratterizzato la produzione dell'azienda sin dal suo esordio in Guida. Il progetto è stato ben pianificato da Carlo Alleva, con la collaborazione di Mario Ronco, enologo apprezzato a livello nazionale, un'intesa che ha come obbiettivo la valorizzazione dei vitigni autoctoni, soprattutto grignolino e freisa, elevati a veri e propri campioni di razza. Le proposte sono di altissimo livello. Il Monferace si sviluppa ricco e intenso, con aromi di china e pepe, su una nota leggermente evoluta, che lo rende ancora più complesso. Articolato e intenso, Arlandino, ben ancorato su aromi fruttati, con note di pepe e corteccia. Silente delle Marne strepitoso, con note dolci da legno, su aromi di agrumi canditi e fondo minerale. Da provare, gli altri vini.

Paolo Saracco

VIA CIRCONVALLAZIONE, 6
12053 CASTIGLIONE TINELLA [CN]
TEL. 0141855113
www.paolosaracco.it

VENDITA DIRETTA
VISITA SU PRENOTAZIONE
PRODUZIONE ANNUA 600.000 bottiglie
ETTARI VITATI 46,00

Suddivise in oltre dieci tenute dislocate tra i comuni di Calosso, Castagnole Lanze, Castiglione Tinella e Santo Stefano Belbo, le vigne seguite dalla famiglia Saracco sono fortemente caratterizzate dalle altimetrie oscillanti tra quota 300 e 500, così come dai suoli di matrice sabbiosa, limosa e calcarea. Spartito ideale per amplificare la voce polifonica del moscato astigiano, tipologia su cui l'azienda si è specializzata nel tempo senza trascurare gli altrettanto personali vini a base chardonnay, riesling, pinot nero e barbera. Sempre ottimi i Moscato di questa storica azienda. Il Piemonte Moscato d'Autunno '19 agli spiccati sentori di salvia fa seguire un palato di notevole volume - giocato più di altre volte su toni dolci di miele e frutti canditi - e di bella lunghezza, mentre il Moscato d'Asti '19 evidenzia aromi di pesca e melone maturo, ha un palato di bella struttura, è complesso ed equilibrato. Ben realizzato anche il sapido Langhe Chardonnay Prasué '19, in cui spiccano note di frutta a polpa bianca.

● Grignolino d'Asti Monferace '15	▼▼▼ 5
● Grignolino d'Asti Arlandino '18	▼▼ 3*
○ M.to Bianco Silente delle Marne '15	▼▼ 5
● Barbera d'Asti Sup. Setecàpita '16	▼▼ 5
● Barbera d'Asti Sup. V. Lina '17	▼▼ 3
○ M.to Bianco Salidoro '18	▼▼ 3
● M.to Rosso Illegale '17	▼▼ 3
● Grignolino d'Asti M '13	♈♈♈ 5
● Barbera d'Asti Sup. Setecàpita '15	♈♈ 5
● Barbera d'Asti Sup. Setecàpita '13	♈♈ 5
● Barbera d'Asti Sup. V. Lina '16	♈♈ 3
● Barbera d'Asti Sup. V. Lina '15	♈♈ 3*
● Barbera d'Asti Sup. V. Lina '14	♈♈ 3
● Freisa d'Asti Sorì di Giul '15	♈♈ 5
● Grignolino d'Asti Arlandino '17	♈♈ 3*
● Grignolino d'Asti Arlandino '16	♈♈ 3
● Grignolino d'Asti M2012 '12	♈♈ 3*

○ Moscato d'Asti '19	▼▼ 3*
○ Piemonte Moscato d'Autunno '19	▼▼ 3*
○ Langhe Chardonnay Prasué '19	▼▼ 3
○ Langhe Riesling '19	▼▼ 3
○ Moscato d'Asti '16	♈♈♈ 3*
○ Langhe Chardonnay Prasué '18	♈♈ 3
○ Langhe Chardonnay Prasué '16	♈♈ 3
○ Moscato d'Asti '18	♈♈ 3*
○ Moscato d'Asti '17	♈♈ 3*
○ Piemonte Moscato d'Autunno '18	♈♈ 3*
○ Piemonte Moscato d'Autunno '17	♈♈ 3*
○ Piemonte Moscato d'Autunno '16	♈♈ 3*
● Piemonte Pinot Nero '17	♈♈ 5

Roberto Sarotto

VIA RONCONUOVO, 13
12050 NEVIGLIE [CN]
TEL. 0173630228
www.robertosarotto.com

VENDITA DIRETTA
VISITA SU PRENOTAZIONE
PRODUZIONE ANNUA 700.000 bottiglie
ETTARI VITATI 84,00
AZIENDA SOSTENIBILE

La cantina di Roberto Sarotto è tra le realtà
più grandi e variegate in regione, grazie a
un parco di vigneti che si articola di oltre
50 ettari di proprietà, ai quali vanno
sommati altri 30 in fitto. Si va dagli
appezzamenti a Barolo, quelli a Barbaresco,
poi ancora Gavi e vigne nell'astigiano, per
una produzione che copre le classiche
denominazioni con spazio a progetti
innovativi e nuovi percorsi stilistici. La cifra
aziendale è improntata a vini di grande
intensità e ricchezza aromatica, maturi e
speziati, avvolgenti e morbidi, offerti a un
costo accessibile. Batteria leggermente
meno pimpante del solito quella presentata
in quest'edizione della Guida. Morbido e
spiccatamente tostato il Barbaresco
Gaia-Principe '17 dall'impronta fruttata
dolce, la bocca è calda e matura. Brillano i
due Gavi in particolare l'intenso e potente
Bric Sassi '19.

Scagliola

VIA SAN SIRO, 42
14052 CALOSSO [AT]
TEL. 0141853183
www.scagliolavini.com

VENDITA DIRETTA
VISITA SU PRENOTAZIONE
PRODUZIONE ANNUA 200.000 bottiglie
ETTARI VITATI 37,00

L'avventura produttiva della famiglia
Scagliola affonda le sue radici negli anni '30
del '900 e si snoda su due principali poli
agricoli. Il nucleo originario è sulle colline di
Calosso, ai circa 400 metri di altitudine della
frazione San Siro: un'area che si
contraddistingue per i terreni sabbioso-
tufacei con inserti calcarei, particolarmente
vocata per i rossi da barbera. Sono invece
suoli marnoso-sabbiosi a disegnare i siti di
Canelli, dove trova spazio soprattutto il
moscato, senza dimenticare le altre varietà
che vanno a comporre l'ampia e affidabile
gamma. La Barbera d'Asti Superiore Sansì
Antologia '17 è di grande complessità al
naso, con aromi di erbe secche e cacao,
terra bagnata e prugna, e con un palato
vellutato, potente e di notevole freschezza.
Ottimi anche il Moscato d'Asti Volo di
Farfalle '19, con note di frutta tropicale,
canditi, agrumi e salvia, complesso e
fresco allo stesso tempo, e la Barbera d'Asti
Frem '18, fine e di carattere, dai toni speziati
e di ciliegia matura, sapida e succosa.

○ Gavi del Comune di Gavi Bric Sassi Tenuta Manenti '19	♟♟ 3*
● Barbaresco Gaia Principe '17	♟♟ 6
○ Gavi Aurora '19	♟♟ 2*
○ Langhe Arneis Runcneuv '19	♟♟ 2*
○ Piemonte Chardonnay Puro '19	♟♟ 3
● Barbera d'Alba Elena la Luna '18	♟ 4
● Barolo Audace '16	♟ 4
● Barbaresco Currà Ris. '14	♟♟ 5
● Barbaresco Gaia Principe '16	♟♟ 6
● Barbaresco Gaia Principe '15	♟♟ 6
● Barolo Audace '15	♟♟ 4
● Barolo Audace '14	♟♟ 4
● Barolo Briccobergera '13	♟♟ 4
○ Gavi del Comune di Gavi Bric Sassi '18	♟♟ 2*
○ Langhe Arneis Runcneuv '18	♟♟ 2*
○ Piemonte Chardonnay Puro '18	♟♟ 3

● Barbera d'Asti Frem '18	♟♟ 4
● Barbera d'Asti Sup. SanSì Antologia '17	♟♟ 8
○ Moscato d'Asti Volo di Farfalle '19	♟♟ 3*
● Barbera d'Asti Sup. SanSì '18	♟♟ 6
● M.to Rosso Azörd '18	♟♟ 5
● Nizza Foravia '18	♟♟ 5
○ Piemonte Chardonnay Casot Dan Vian '19	♟♟ 3
● Nizza Foravia '17	♟ 5
● Barbera d'Asti Sup. SanSì Sel. '01	♟♟♟ 6
● Barbera d'Asti Sup. SanSì Sel. '00	♟♟♟ 6
● Barbera d'Asti Sup. SanSì Sel. '99	♟♟♟ 5
● Barbera d'Asti Sup. SanSì '17	♟♟ 6
● Barbera d'Asti Sup. SanSì Antologia '16	♟♟ 8
● M.to Rosso Azörd '17	♟♟ 5
○ Moscato d'Asti Primo Bacio '18	♟♟ 3
○ Moscato d'Asti Volo di Farfalle '18	♟♟ 3*

Simone Scaletta

LOC. MANZONI, 61
12065 MONFORTE D'ALBA [CN]
TEL. 3484912733
www.simonescaletta.it

VENDITA DIRETTA
VISITA SU PRENOTAZIONE
OSPITALITÀ
PRODUZIONE ANNUA 35.000 bottiglie
ETTARI VITATI 7,00

Sono vini di grande personalità quelli proposti dal giovane Simone Scaletta dai suoi cinque ettari di proprietà a Monforte d'Alba. Le bottiglie coniugano una rigorosa impronta territoriale a una piacevolezza di beva spiccata, con caratteri vibranti a dettare il sorso. Di fondo c'è una filosofia poco interventista e un rispetto assoluto per l'ambiente nelle sue vigne: Viglioni, Sarsera, Chirlet e Autin 'd Madama. In cantina si prediligono estrazioni mai invasive per una cifra di buona riconoscibilità, abbinata a una politica di prezzi molto onesta se rapportata alla qualità intrinseca delle etichette elaborate. Vivida nel suo registro balsamico la Barbera d'Alba Superiore Sarsera '18, ben modulata tra polpa ed acidità per una beva distesa e molto appagante. Più che convincente il Dolcetto d'Alba Viglioni '19, tra i migliori della tipologia, articolato e complesso, saporito e di grande impatto al palato. Avvolgente e profondo il Barolo Bricco San Pietro Chirlet '16.

● Barbera d'Alba Sup. Sarsera '18	♥♥ 5
● Barolo Bussia '16	♥♥ 8
● Barolo Chirlet Bricco San Pietro '16	♥♥ 8
● Dolcetto d'Alba Viglioni '19	♥♥ 3
● Langhe Nebbiolo Autin 'd Madama '18	♥♥ 5
● Langhe Nebbiolo Autin 'd Professor '19	♥ 5
● Barbera d'Alba Sup. Sarsera '17	♀♀ 5
● Barbera d'Alba Sup. Sarsera '16	♀♀ 5
● Barbera d'Alba Sup. Sarsera '15	♀♀ 4
● Barolo Bricco San Pietro Chirlet '14	♀♀ 8
● Barolo Bussia '15	♀♀ 8
● Barolo Bussia '14	♀♀ 8
● Barolo Chirlet '15	♀♀ 6
● Barolo Ris. '13	♀♀ 7
● Dolcetto d'Alba Viglioni '17	♀♀ 2*
● Langhe Nebbiolo Autin 'd Madama '16	♀♀ 5
● Langhe Nebbiolo Autin 'd Madama '15	♀♀ 4

Giorgio Scarzello e Figli

VIA ALBA, 29
12060 BAROLO [CN]
TEL. 017356170
www.scarzellobarolo.com

VENDITA DIRETTA
VISITA SU PRENOTAZIONE
PRODUZIONE ANNUA 45.000 bottiglie
ETTARI VITATI 5,50

Il giovanile Federico Scarzello ha da poco superato le 30 vendemmie, effettuate prima con il padre Giorgio e poi in autonomia, forte tanto di studi enologici quanto di entusiasmo. La proprietà resta assai piccola ma è imperniata su uno dei cru più celebri e giustamente apprezzati di tutta la denominazione, il Sarmassa, da cui nasce un Barolo Vigna Merenda che si colloca spesso ai vertici delle valutazioni della stampa specializzata. Pregevole il rispetto per il consumatore e per le caratteristiche di ogni annata, tanto che, per fare un recente esempio, Federico ha preferito commercializzare l'importante vendemmia 2013 un anno dopo l'uscita della più semplice 2014. Fine e potente il nuovo Barolo Boschetti '15, di buona freschezza sia al naso sia sul palato. Frutta sotto spirito nel più caldo Barolo Sarmassa Vigna Merenda '15, assai gentile e avvolgente in bocca. Risulta al momento ancor più armonico e bilanciato il Barolo del comune di Barolo '15, lievemente affumicato e dalla morbida tannicità. Frutti neri e fiori rossi nella viva Barbera d'Alba Superiore '17.

● Barolo del Comune di Barolo '15	♥♥ 7
● Barolo Sarmassa V. Merenda '15	♥♥ 8
● Barbera d'Alba Sup. '17	♥♥ 5
● Barolo Boschetti '15	♥♥ 8
● Langhe Nebbiolo '18	♥♥ 4
● Barolo Sarmassa V. Merenda '10	♀♀♀ 6
● Barolo V. Merenda '99	♀♀♀ 5
● Barbera d'Alba Sup. '15	♀♀ 4
● Barolo del Comune di Barolo '14	♀♀ 5
● Barolo del Comune di Barolo '13	♀♀ 5
● Barolo del Comune di Barolo '10	♀♀ 5
● Barolo Sarmassa V. Merenda '13	♀♀ 6
● Barolo Sarmassa V. Merenda '12	♀♀ 6
● Langhe Nebbiolo '17	♀♀ 3
● Langhe Nebbiolo '16	♀♀ 3

★★Paolo Scavino

FRAZ. GARBELLETTO
VIA ALBA-BAROLO, 157
12060 CASTIGLIONE FALLETTO [CN]
TEL. 017362850
www.paoloscavino.com

VENDITA DIRETTA
VISITA SU PRENOTAZIONE
PRODUZIONE ANNUA 130.000 bottiglie
ETTARI VITATI 29,00

Oltre alle Riserve e a qualche selezione particolare, sono ormai ben sette i cru di Barolo proposti in etichetta da Enrico Scavino, uno dei più celebrati produttori delle Langhe. La caratteristica comune è l'eleganza, ma di ogni singolo vigneto si può cogliere in modo preciso la personalità: dal ricco e polposo Prapò al più morbido e rotondo Monvigliero, dal Ravera ricco di frutto al floreale e maestoso Bric dël Fiasc. Risultati ottenuti con sapienza e ricerca, sperimentando innovativi sistemi di vinificazione, confrontando rovere di diverse provenienze e dimensioni, proteggendo le uve con reti antigrandine e proponendo al consumatore sempre e solo etichette di sicura eccellenza. Fresche e intense note di sottobosco caratterizzano gli aromi del fine Bric dël Fiasc, dalla bocca ricca e potente, sostenuta da una bella componente alcolica. Erbe essiccate e un richiamo di liquirizia nel complesso Bricco Ambrogio, non privo di acidità e di pregevole armonia gustativa.
Bell'inserimento di richiami agrumati nel Ravera, dal raffinato e caldo finale.

● Barolo Bric dël Fiasc '16	♟♟♟ 8
● Barolo Bricco Ambrogio '16	♟♟ 8
● Barolo Carobric '16	♟♟ 8
● Barolo Ravera '16	♟♟ 7
● Barolo Cannubi '16	♟♟ 8
● Barolo Enrico Scavino '16	♟♟ 7
● Barolo Monvigliero '16	♟♟ 8
● Barolo Prapò '16	♟♟ 7
● Barolo Bric dël Fiasc '15	♟♟ 8
● Barolo Bricco Ambrogio '15	♟♟ 8
● Barolo Cannubi '15	♟♟ 8
● Barolo Carobric '15	♟♟ 8
● Barolo Enrico Scavino '15	♟♟ 7
● Barolo Monvigliero '15	♟♟ 8
● Barolo Prapò '15	♟♟ 7
● Barolo Rocche dell'Annunziata Ris. '13	♟♟ 8

Schiavenza

VIA MAZZINI, 4
12050 SERRALUNGA D'ALBA [CN]
TEL. 0173613115
www.schiavenza.com

VENDITA DIRETTA
VISITA SU PRENOTAZIONE
RISTORAZIONE
PRODUZIONE ANNUA 46.000 bottiglie
ETTARI VITATI 11,00
AZIENDA SOSTENIBILE

Dopo aver pranzato nella vicina e squisita trattoria di famiglia, consigliamo agli enoturisti di visitare la cantina, tanto essenziale e tradizionale quanto ricca di un valido patrimonio enologico. Qui si vinificano solo tre tipi di uve rosse, a ben rappresentare l'indubbia vocazione del comune di Serralunga d'Alba: barbera, dolcetto e, soprattutto, nebbiolo. I cru che danno vita alle etichette di Barolo sono accollenti e colobri, trattandosi di Broglio, Prapò e Cerretta: ben fruttato e polposo il primo, arricchito dalla componente tannica il secondo, di rara potenza il terzo. Splendido risultato delle quattro proposte di Barolo '16, con quello a denominazione comunale che arriva a un soffio dal tagliare per primo il traguardo. Splendida la classicità, ben rappresentata da ricche note speziate e da petali di rosa; sul palato ha una presa tannica morbida e progressiva, mai troppo incisiva, con finale lungo e austero. Bella liquirizia nel succoso Prapò, assai polposo il Broglio.

● Barolo Broglio '16	♟♟ 6
● Barolo del Comune di Serralunga d'Alba '16	♟♟ 5
● Barolo Prapò '16	♟♟ 7
● Barolo Cerretta '16	♟♟ 6
● Barolo Broglio '11	♟♟♟ 5
● Barolo Broglio '05	♟♟♟ 5
● Barolo Broglio '04	♟♟♟ 5
● Barolo Broglio Ris. '08	♟♟♟ 7
● Barolo Broglio Ris. '04	♟♟♟ 5
● Barolo Prapò '08	♟♟♟ 6
● Barolo Broglio '15	♟♟ 6
● Barolo Cerretta '15	♟♟ 6
● Barolo del Comune di Serralunga d'Alba '15	♟♟ 5
● Barolo Prapò '15	♟♟ 7
● Langhe Nebbiolo '17	♟♟ 4

Mauro Sebaste

FRAZ. GALLO D'ALBA
VIA GARIBALDI, 222BIS
12051 ALBA [CN]
TEL. 0173262148
www.maurosebaste.it

VENDITA DIRETTA
VISITA SU PRENOTAZIONE
PRODUZIONE ANNUA 120.000 bottiglie
ETTARI VITATI 30,00
AZIENDA SOSTENIBILE

Compie 30 anni la cantina condotta da
Mauro Sebaste e dalla sua famiglia, forte di
vigneti importanti in molte denominazioni
sparse tra Langhe, Monferrato e Roero.
Mauro dichiara infatti che il suo principale
sforzo, quando ha deciso nel 1991 di aprire
una propria azienda, è stato proprio quello
di avere a disposizione i terreni più adatti
per le proprie ambizioni: da qui le scelte
relative a Serralunga per il Barolo; Alba e
Diano per il Nebbiolo; Vezza, Corneliano e
Monteu per il Roero Arneis; Santa Rosalia
d'Alba per la Barbera, il Dolcetto e la
Freisa; Vinchio per la Barbera d'Asti e il
Nizza; Gavi per l'omonima Docg e Mango
per il Moscato d'Asti. Votata all'eleganza
più che alla potenza la gustosa Riserva Ghè
del 2014, con un bel tocco di rovere dolce
in un naso rinfrescato da un piacevole
tocco di resina; bocca assai rotonda e
armonica, di contenuta tannicità. Appena
più fruttato il Barolo Trèsùri '16, a sua volta
ammorbidito dal passaggio in legno. Sicura
piacevolezza nell'importante Nizza
Costemonghisio '17.

● Barolo Ghe Ris. '14		♈♈ 8
● Barolo Tresuri '16		♈♈ 6
● Nizza Barbera Costemonghisio '17		♈♈ 5
● Barolo Cerretta '16		♈ 8
● Nebbiolo d'Alba Parigi '18		♈ 5
● Barbera d'Alba Sup. Centobricchi '16		♉♉ 5
● Barolo Cerretta '15		♉♉ 6
● Barolo Cerretta '14		♉♉ 6
● Barolo Ghè Ris. '12		♉♉ 8
● Barolo Prapò '11		♉♉ 7
● Barolo Trèsùrì '15		♉♉ 6
● Barolo Trèsùrì '14		♉♉ 6
● Nizza Costemonghisio '16		♉♉ 4
● Nizza Costemonghisio '15		♉♉ 4

F.lli Seghesio

LOC. CASTELLETTO, 19
12065 MONFORTE D'ALBA [CN]
TEL. 017378108
www.fratelliseghesio.com

VENDITA DIRETTA
VISITA SU PRENOTAZIONE
PRODUZIONE ANNUA 55.000 bottiglie
ETTARI VITATI 10,00

Tutta la famiglia Seghesio, coordinata dal
posato e capace Riccardo, è impegnata sia
nella lavorazione delle ripide vigne di
proprietà, coltivate con il massimo rispetto
ambientale, sia nella bella cantina, dove
convivono botti di legno francese di varie
dimensioni. Un luogo ameno, appartato e
panoramico, che consigliamo vivamente di
visitare agli enoturisti. Le uve utilizzate sono
esclusivamente rosse e sono quelle tipiche
della zona: nebbiolo soprattutto, barbera e
dolcetto, con una piccola concessione
internazionale nello sperimentale Langhe
Rosso Bouquet. Solo tre vini proposti in
degustazione. Bacche rosse e liquirizia nel
complesso Barolo La Villa '16, dotato di una
viva freschezza, armonico e progressivo nel
bel palato polposo che chiude su ricordi di
tabacco dolce. Belle note vegetali e frutti
rossi nel classicissimo Barolo '16, di
premiante equilibrio gustativo. Appena
segnata dalle spezie del rovere l'elegante
Barbera d'Alba La Chiesa '17, ricca anche
di ravvivante acidità.

● Barbera d'Alba La Chiesa '17		♈♈ 6
● Barolo La Villa '16		♈♈ 7
● Barolo '16		♈♈ 7
● Barbera d'Alba Vign. della Chiesa '00		♉♉♉ 4*
● Barbera d'Alba Vign. della Chiesa '97		♉♉♉ 4*
● Barolo La Villa '10		♉♉♉ 7
● Barolo Vign. La Villa '04		♉♉♉ 6
● Barolo Vign. La Villa '99		♉♉♉ 7
● Barolo Vign. La Villa '91		♉♉♉ 6
● Barbera d'Alba '16		♉♉ 3
● Barolo '13		♉♉ 7
● Barolo '12		♉♉ 7
● Barolo La Villa '15		♉♉ 7
● Barolo La Villa '14		♉♉ 7
● Barolo La Villa '13		♉♉ 7
● Barolo La Villa '12		♉♉ 7
● Langhe Rosso Bouquet '14		♉♉ 4

Tenute Sella

VIA IV NOVEMBRE, 130
13060 LESSONA [BI]
TEL. 01599455
www.tenutesella.it

VENDITA DIRETTA
VISITA SU PRENOTAZIONE
PRODUZIONE ANNUA 70.000 bottiglie
ETTARI VITATI 22,50
AZIENDA SOSTENIBILE

La creazione dell'azienda da parte della famiglia Sella risale al 1671, e tanto basta per presentare un nome che rappresenta degnamente la potenzialità enologica dell'uva nebbiolo del Nord Piemonte, in primis attraverso la proposta delle sempre valide denominazioni Lessona e Bramaterra. Il vino più importante della cantina, il Lessona Omaggio a Quintino Sella, è dedicato allo statista che fu ripetutamente ministro delle Finanze tra il 1862 e il 1873, nonché benemerito fondatore della Società geologica italiana. Sempre e solo nebbiolo anche nel Metodo Classico, mentre nelle altre etichette si impiegano anche le tradizionali croatina e vespolina. La lunga permanenza in bottiglia ha creato un San Sebastiano allo Zoppo '11 posato e armonioso, giocato più su toni rilassati e maturi che freschi e giovanili. Ben incisivo il Bramaterra '13, dai profumi di tabacco e china uniti a un palato di buona tannicità.Si conferma di grande raffinatezza anche nel 2018 l'Orbello, felice blend di cinque uve con il nebbiolo in prima posizione.

● Coste della Sesia Rosso Orbello '18	♟♟	3*
● Bramaterra '13	♟♟	5
⊙ Coste della Sesia Rosato Majoli '19	♟♟	3
● Lessona '14	♟♟	5
● Lessona S. Sebastiano allo Zoppo '11	♟♟	6
● Bramaterra I Porfidi '11	♟	5
● Bramaterra I Porfidi '07	♟♟♟	5
● Bramaterra I Porfidi '05	♟♟♟	5
● Bramaterra I Porfidi '03	♟♟♟	5
● Lessona Omaggio a Quintino Sella '06	♟♟♟	7
● Lessona Omaggio a Quintino Sella '05	♟♟♟	6
● Lessona S. Sebastiano allo Zoppo '04	♟♟♟	5
● Lessona S. Sebastiano allo Zoppo '01	♟♟♟	5
● Bramaterra '12	♟♟	5
● Lessona '13	♟♟	5

★Enrico Serafino

C.SO ASTI, 5
12043 CANALE [CN]
TEL. 0173970474
www.enricoserafino.it

VENDITA DIRETTA
VISITA SU PRENOTAZIONE
PRODUZIONE ANNUA 350.000 bottiglie
ETTARI VITATI 60,00
AZIENDA SOSTENIBILE

Storica azienda roerina, la Enrico Serafino, oggi proprietà della famiglia Krause, conta su 60 ettari vitati - 25 di proprietà e 35 gestiti con affitti a lungo termine in cui operano direttamente gli agronomi aziendali - che spaziano dal Roero alle Langhe al Monferrato. Le uve coltivate sono quelle classiche di questi territori, cui si aggiungono chardonnay e pinot nero per la produzione delle etichette di Alta Langa. Tutti i vini proposti sono ben realizzati, con una sempre maggiore attenzione all'espressione delle caratteristiche del territorio. Splendida la batteria di Alta Langa proposta dalla Serafino, che si sta affermando come una delle migliori aziende spumantistiche d'Italia. Il Pas Dosé Zero Riserva '14, dal perlage fine e continuo, ai sentori di crosta di pane, spezie e macchia mediterranea fa seguire un palato ricco e complesso, lungo, dal finale sapido e grintoso. Il Pas Dosé Zero 140 Riserva '07 è affascinante, di buona lunghezza ma anche austero, mentre il Brut Oudeis Rosé '16 è fine e floreale.

○ Alta Langa Pas Dosé Zero Ris. '14	♟♟♟	7
⊙ Alta Langa Brut		
Oudeis Rosé de Saignée '16	♟♟	5
○ Alta Langa Pas Dosé Zero 140 '07	♟♟	8
● Roero Oesio '17	♟♟	5
○ Alta Langa Brut Oudeis '16	♟♟	5
○ Alta Langa Extra Brut Blanc de Blancs		
Propago '16	♟♟	7
● Barolo Briccolina '15	♟♟	8
● Barolo		
del Comune di Serralunga d'Alba '16	♟♟	8
● Barolo Monclivio '16	♟♟	6
● Langhe Nebbiolo Picotener '18	♟♟	5
○ Moscato d'Asti		
Black Limited Edition '19	♟♟	4
● Barbera d'Alba Sup.		
S. Defendente '17	♟	5
○ Alta Langa Pas Dosé Zéro Ris. '13	♟♟♟	7

La Smilla

VIA GARIBALDI, 7
15060 BOSIO [AL]
TEL. 0143684245
www.lasmilla.it

VENDITA DIRETTA
PRODUZIONE ANNUA 100.000 bottiglie
ETTARI VITATI 5,00

Danilo Guido è cresciuto nel mondo del vino e già da diversi anni gestisce l'attività di famiglia in questa storica cantina nel centro di Bosio. La produzione è incentrata su vini ottenuti da vitigni autoctoni piemontesi, mettendosi in mostra tanto sul territorio del Gavi quando del Dolcetto di Ovada, senza tralasciare la Barbera. Ne viene fuori una gamma solida e ben definita, declinata da una cifra stilistica moderna, rispettosa della tradizione e delle caretteristiche varietali e territoriali. Il Gavi del Comune di Gavi '19 è intenso, con aromi fruttati, su sensazioni di erbe e frutta secca, in bocca fresco e armonico. Il Dolcetto di Ovada comincia a evidenziare aromi terziari di spezie e cacao, su un palato abbastanza armonico e persistente, dal tannino piuttosto incisivo. Intrigante il Gavi Brut Metodo Classico, con un bel naso complesso e intenso, su un palato potente e fresco.

● Dolcetto di Ovada '18	♛♛ 2*
○ Gavi Brut M. Cl. '16	♛♛ 3
○ Gavi del Comune di Gavi '19	♛♛ 2*
● Barbera d'Asti '18	♛ 2
○ Gavi '19	♛ 2
● M.to Rosso Calicanto '17	♛ 3
● Barbera d'Asti '17	♕♕ 2*
● Dolcetto di Ovada '17	♕♕ 2*
● Dolcetto di Ovada '15	♕♕ 2*
○ Gavi '18	♕♕ 2*
○ Gavi '17	♕♕ 2*
○ Gavi Brut M. Cl. '14	♕♕ 3
○ Gavi del Comune di Gavi '18	♕♕ 2*
○ Gavi del Comune di Gavi '17	♕♕ 2*
○ Gavi del Comune di Gavi '16	♕♕ 2*
○ Gavi I Bergi '16	♕♕ 3
○ Gavi I Bergi '15	♕♕ 3*

Socré

S.DA TERZOLO, 7
12050 BARBARESCO [CN]
TEL. 3487121685
www.socre.it

VENDITA DIRETTA
VISITA SU PRENOTAZIONE
PRODUZIONE ANNUA 30.000 bottiglie
ETTARI VITATI 5,50

La solidità dei millenari massi granitici con i quali ha progettato e costruito la sua cantina sono una metafora della rocciosa energia e della tenace passione con cui l'architetto Marco Piacentino continua a far crescere la qualità e l'immagine dei suoi vini. Ottenendo sempre maggiori successi di critica e di clientela con etichette che vanno dal sempre sorprendente Chardonnay Paint It Black al classico Barbaresco Roncaglie, passando per i tanti fratelli minori di cantina: Barbaresco base, Barbera d'Alba e Langhe Freisa. La passione per il Metodo Classico, oggi da uva nebbiolo, farà presto nascere nuove etichette in Alta Langa. Di incantevole armonia, elegante e fresco il Barbaresco Roncaglie Riserva '15, dai suadenti richiami di catrame e mentuccia che riemergono nel lungo finale. Ha creato scompiglio nel sonnacchioso mondo dello Chardonnay di Langa il Paint It Black, alla sua terza uscita con la 2018: regala tocchi olfattivi di nocciola, agrumi e spezie dolci, mentre il palato è assai ricco e avvolgente ma anche dotato di un'invogliante freschezza.

● Barbaresco Roncaglie Ris. '15	♛♛♛ 8
○ Langhe Chardonnay Paint it Black '18	♛♛ 5
● Barbaresco '17	♛♛ 6
● Barbaresco Roncaglie '16	♛♛ 7
● Barbera d'Asti '17	♛♛ 3
● Cisterna d'Asti De Scapin '17	♛♛ 4
● Langhe Freisa '18	♛♛ 4
● Langhe Nebbiolo '17	♛♛ 4
● Barbera d'Alba Sup. '17	♛ 5
● Barbaresco '16	♕♕ 5
● Barbaresco '15	♕♕ 5
● Barbaresco Roncaglie '15	♕♕ 6
● Barbaresco Roncaglie '14	♕♕ 6
○ Langhe Chardonnay Paint It Black '17	♕♕ 3*
○ Langhe Chardonnay Paint It Black '16	♕♕ 3*
● Langhe Freisa '17	♕♕ 3

Giovanni Sordo

FRAZ. GARBELLETTO
VIA ALBA BAROLO, 175
12060 CASTIGLIONE FALLETTO [CN]
TEL. 017362853
www.sordogiovanni.it

VENDITA DIRETTA
VISITA SU PRENOTAZIONE
OSPITALITÀ
PRODUZIONE ANNUA 350.000 bottiglie
ETTARI VITATI 53,00

La cantina ha una storia ormai secolare alle spalle, ma è il 2014 l'anno che fa da vero spartiacque per la produzione aziendale: nuova splendida sede, cantina tanto affascinante quanto funzionale, presentazione di nuove selezioni di Barolo, importanti riconoscimenti da parte della critica enologica. Giorgio Sordo è deciso a portare la sua azienda ai massimi livelli qualitativi delle Langhe, e lo fa a partire da ben otto cru di primo livello da cui ricava ben 10 etichette di Barolo, comprensive di due Riserve. Una realtà che consigliamo vivamente di visitare e che dispone anche di una delle più attraenti sale di degustazione della zona. Di grande carattere e fedele alla migliore tradizione il Barolo Rocche di Castiglione '16, che alla classicità dei sentori di liquirizia e tabacco unisce una fine e rinfrescante nota di anice; la bocca è tanto maestosa quanto vellutata e mai troppo morbida, di un'affascinante austerità. Più fruttato e giovanile lo squisito Gabutti '16, che al palato mostra più armonia che muscoli. Da non perdere il Valmaggiore '17.

● Barolo Gabutti '16	♟♟	7
● Barolo Rocche di Castiglione '16	♟♟	7
● Barbera d'Alba Sup. Massucchi '16	♟♟	4
● Barolo '16	♟♟	6
● Barolo Monprivato '15	♟♟	8
● Nebbiolo d'Alba V. Valmaggiore '17	♟♟	5
● Barolo Monvigliero '16	♟	7
○ Roero Arneis Garblet Suè '19	♟	3
● Barolo '15	♟♟	5
● Barolo Gabutti '15	♟♟	7
● Barolo Monvigliero '14	♟♟	7
● Barolo Monvigliero '13	♟♟	7
● Barolo Parussi '14	♟♟	7
● Barolo Parussi '13	♟♟	7
● Barolo Perno '13	♟♟	7
● Barolo Rocche di Castiglione '15	♟♟	7
● Dolcetto d'Alba '18	♟♟	3

★★Sottimano

LOC. COTTÀ, 21
12052 NEIVE [CN]
TEL. 0173635186
www.sottimano.it

VENDITA DIRETTA
VISITA SU PRENOTAZIONE
PRODUZIONE ANNUA 85.000 bottiglie
ETTARI VITATI 18,00
VITICOLTURA Biologico Certificato

Rino Sottimano è un eccellente protagonista del mondo del Barbaresco, ma tutte le volte che andiamo a trovarlo ci fa assaggiare anche il suo Maté, un simpatico brachetto che consigliamo anche ai nostri lettori per la golosa bevibilità. Il figlio Andrea si sta dimostrando all'altezza di tanta scuola e prosegue nelle sue ricerche volte ad ottenere naturalità nelle uve ed eleganza in bottiglia. Grazie a progressive acquisizioni di nuovi vigneti, la produzione è sempre più rivolta al Barbaresco, di cui quest'affiatata e ospitale famiglia offre sei selezioni in cui è veramente difficile stilare una classifica, tanto sono tutte curate e impeccabili. Notevole intensità olfattiva nel delizioso e raffinato Barbaresco Currà '15, con note di erbe secche e liquirizia seguite da tabacco e lampone; la bocca è possente, con buona morbidezza apportata dall'alcol e dalla consistente polpa, sino a un finale armonico e lungo. Piuttosto austero il Basarin '16, dal radioso futuro. Splendido il complesso e potente Pajoré.

● Barbaresco Currà '15	♟♟♟	8
● Barbaresco Basarin '16	♟♟	7
● Barbaresco Pajoré '17	♟♟	7
● Barbaresco Cottà '17	♟♟	7
● Barbaresco Cottà '15	♟♟♟	7
● Barbaresco Cottà '05	♟♟♟	7
● Barbaresco Currà '12	♟♟♟	8
● Barbaresco Currà '10	♟♟♟	8
● Barbaresco Currà '08	♟♟♟	7
● Barbaresco Currà '04	♟♟♟	6
● Barbaresco Pajoré '16	♟♟♟	7
● Barbaresco Pajoré '14	♟♟♟	7
● Barbaresco Pajoré '10	♟♟♟	7
● Barbaresco Pajoré '08	♟♟♟	7
● Barbaresco Ris. '10	♟♟♟	8
● Barbaresco Ris. '05	♟♟♟	8
● Barbaresco Ris. '04	♟♟♟	8

★Luigi Spertino

VIA LEA, 505
14047 MOMBERCELLI [AT]
TEL. 0141959098
luigi.spertino@libero.it

VENDITA DIRETTA
VISITA SU PRENOTAZIONE
PRODUZIONE ANNUA 40.000 bottiglie
ETTARI VITATI 9,00

L'escalation del vino astigiano deve molto alle grandi bottiglie firmate dalla famiglia Spertino, partendo dalle suggestive e acclivi vigne di Mombercelli. Al timone c'è oggi Mauro, che prosegue senza sosta il lavoro del padre Luigi, orientato anche al recupero di cultivar per lungo tempo lasciate sostanzialmente ai margini, come ad esempio il grignolino. Una visione lungimirante oggi ripagata dal traversale apprezzamento riconosciuto all'intera gamma, costantemente capace di brillare per fedeltà varietale e naturalezza di beva anche sui vini a base barbera, pinot nero e cortese. Torna alla grande in questa edizione la Barbera La Mandorla '18, probabilmente la migliore di sempre, che ha potuto usufruire dell'apporto di quella che sarebbe dovuta diventare la seconda annata della Mandorla Edizione Speciale, dopo la '14. Il risultato è una Barbera che come pochi riesce a portare con disinvoltura la sua straordinaria ricchezza. Acidità e tannini bilanciano alla perfezione l'interminabile persistenza.

● Barbera d'Asti Sup. V. La Mandorla '18	♟♟♟ 8
● Barbera d'Asti '18	♟♟ 4
● Grignolino d'Asti '19	♟♟ 3*
● Grignolino d'Asti Margherita Barbero '19	♟♟ 3*
○ Piemonte Cortese Vilet '17	♟♟ 7
○ Piemonte Pinot Nero Brut Nature M. Cl. Cuvée della Famiglia '16	♟♟ 7
● Barbera d'Asti Sup. La Mandorla '13	♟♟♟ 8
● Barbera d'Asti Sup. V. La Mandorla '16	♟♟♟ 8
● Barbera d'Asti Sup. V. La Mandorla '15	♟♟♟ 8
● Barbera d'Asti Sup. V. La Mandorla Edizione La Grisa '14	♟♟♟ 8
● Grignolino d'Asti '18	♟♟♟ 3*

★★★La Spinetta

VIA ANNUNZIATA, 17
14054 CASTAGNOLE DELLE LANZE [AT]
TEL. 0141877396
www.la-spinetta.com

VENDITA DIRETTA
VISITA SU PRENOTAZIONE
OSPITALITÀ
PRODUZIONE ANNUA 500.000 bottiglie
ETTARI VITATI 100,00
AZIENDA SOSTENIBILE

Le dimensioni aziendali consentono una produzione di tutto rispetto, grazie ad un ingente patrimonio vitato che si muove tra il Monferrato e le Langhe. I successi internazionali più rilevanti derivano costantemente dalle selezioni di Barbaresco, con i nomi dei cru Gallina, Starderi e Valeirano a contendersi il primato, ma l'avvolgente Barolo Campè è da solo riuscito a rivitalizzare la zona di Grinzane Cavour per la produzione di uve nebbiolo. Senza dimenticare che questa cantina, nata nel 1977, era inizialmente dedita principalmente al Moscato e alla Barbera d'Asti, di cui è tuttora primaria interprete. È il raffinato cru Starderi ad affermarsi quest'anno tra le selezioni di Barbaresco '17 proposte: al naso frutta fresca, in cui compaiono ciliegie e fragole, e bocca magnifica per consistenza e avvolgenza, con i tannini densi e ben arrotondati a dare complessità. Splendida la versione '16 del Barolo Campè, in cui si rincorrono in armonia bacche rosse e rovere elegante, assieme a spezie che arrivano al cacao amaro; bocca molto voluminosa e polposa, con una graditissima nota fresca.

● Barbaresco Starderi '17	♟♟ 8
● Barbera d'Asti Sup. Bionzo '17	♟♟ 6
● Barolo Campè '16	♟♟ 8
● Barbaresco Gallina '17	♟♟ 8
● Barbaresco Valeirano '17	♟♟ 8
● Barbaresco Vign. Bordini '17	♟♟ 7
● Barolo Vign. Garretti '16	♟♟ 7
○ Colli Tortonesi Timorasso Piccolo Derthona '19	♟♟ 5
○ Langhe Bianco '17	♟♟ 6
○ Moscato d'Asti Bricco Quaglia '19	♟♟ 3
○ Piemonte Moscato Passito Oro '11	♟♟ 6
○ Piemonte Chardonnay Lidia '17	♟ 8
● Barbaresco Gallina '11	♟♟♟ 8
● Barbaresco Vign. Starderi '07	♟♟♟ 8
● Barbera d'Asti Sup. Bionzo '09	♟♟♟ 6
● Barolo Campè '08	♟♟♟ 8

Marchese Luca Spinola

FRAZ. ROVERETO
LOC. CASCINA MASSIMILIANA, 97
15066 GAVI [AL]
TEL. 0143682514
www.marcheselucaspinola.it

VENDITA DIRETTA
VISITA SU PRENOTAZIONE
PRODUZIONE ANNUA 30.000 bottiglie
ETTARI VITATI 15,00
VITICOLTURA Biologico Certificato

La piccola realtà della famiglia Spinola può contare su un solido bagaglio storico. Oggi è Andrea Spinola a portare avanti l'attività grazie agli antichi vigneti di famiglia dislocati tra Rovereto e Tassarolo. La produzione, certificata bio, conta tre etichette figlie di un progetto che mette al centro la sostenibilità ambientale e una corretta gestione delle risorse naturali per perservare al meglio le caratteristiche dei terreni di provenienza. Grande protagonista il vitigno cortese, declinato con un taglio contemporaneo capace di dare lustro ai vini di una volta volta, vedi il Marchese col Fondo, ottenuto con il metodo ancestrale. Bella prestazione per il Gavi del Comune di Gavi Carlo, con aromi di erbe secche e note di mandorla a donargli complessità; al palato risulta fresco e sapido con bel finale persistente. Il Gavi del Comune di Tassarolo è più orientato su aromi floreali e di agrumi con note minerali; in bocca è fresco e intenso, dal finale sapido. Massimiliano ha un impianto gusto-olfattivo complesso, ancora in crescita.

○ Gavi del Comune di Gavi Carlo '19		♟♟ 3*
○ Gavi del Comune di Tassarolo '19		♟♟ 2*
○ Gavi del Comune di Gavi Massimiliano '18		♟ 3
○ Gavi del Comune di Gavi '16		♟♟ 2*
○ Gavi del Comune di Gavi '15		♟♟ 2*
○ Gavi del Comune di Gavi Carlo '18		♟♟ 3*
○ Gavi del Comune di Gavi Carlo '17		♟♟ 2*
○ Gavi del Comune di Gavi Et. Blu '14		♟♟ 2*
○ Gavi del Comune di Gavi Massimiliano '17		♟♟ 3*
○ Gavi del Comune di Gavi Tenuta Massimiliana '16		♟♟ 3*
○ Gavi del Comune di Gavi Tenuta Massimiliana '15		♟♟ 3
○ Gavi del Comune di Gavi Tenuta Massimiliana '14		♟♟ 3

Giuseppe Stella

S.DA BOSSOLA, 8
14055 COSTIGLIOLE D'ASTI [AT]
TEL. 0141966142
www.stellavini.com

VENDITA DIRETTA
VISITA SU PRENOTAZIONE
PRODUZIONE ANNUA 50.000 bottiglie
ETTARI VITATI 12,00

L'azienda avviata negli anni '20 del '900 da Domenico Stella si trova a Costigliole d'Asti, autentico baricentro produttivo del Monferrato. Oggi è guidata da Giuseppe insieme ai figli Massimo e Paolo, che hanno contribuito a consolidare ulteriormente la già affidabile batteria plasmata sia da varietà autoctone che internazionali: barbera, dolcetto, grignolino per quanto riguarda le uve a bacca rossa, cortese, chardonnay e moscato per quelle a bacca bianca. Sono vini di impronta tradizionale, ideali per la tavola. Batteria di solida fattura quella presentata dalla famiglia Stella. La Barbera d'Asti Superiore Giaiet '17, dai toni di frutta rossa in confettura con un fondo agrumato, ha ricchezza, volume e un finale lungo e sapido, la Barbera d'Asti Superiore Il Maestro '17 agli aromi di frutta nera matura e china fa seguire un palato fitto e denso, ben sostenuto dall'acidità, mentre il Piemonte Chardonnay Giaiet '19 evidenzia note minerali che caratterizzano un palato potente e ricco, ma anche di grande beva.

● Barbera d'Asti Sup. Giaiet '17		♟♟ 4
● Barbera d'Asti Sup. Il Maestro '17		♟♟ 5
● Grignolino d'Asti Sufragio '18		♟♟ 3
○ Piemonte Chardonnay Giaiet '19		♟♟ 4
● Barbera d'Asti Stravisan '18		♟ 3
● Freisa d'Asti Convento '17		♟ 3
● Barbera d'Asti Stravisan '17		♟♟ 2*
● Barbera d'Asti Stravisan '13		♟♟ 2*
● Barbera d'Asti Stravisan '11		♟♟ 2*
● Barbera d'Asti Sup. Giaiet '16		♟♟ 3
● Barbera d'Asti Sup. Giaiet '11		♟♟ 3
● Barbera d'Asti Sup. Il Maestro '16		♟♟ 4
● Barbera d'Asti Sup. Il Maestro '12		♟♟ 4
● Freisa d'Asti Convento '16		♟♟ 3*
● Grignolino d'Asti Sufragio '14		♟♟ 3
● Grignolino d'Asti Vign. Sufragio '10		♟♟ 2*

Sulin

v.le Pininfarina, 14
14035 Grazzano Badoglio [AT]
Tel. 0141925136
www.sulin.it

VENDITA DIRETTA
VISITA SU PRENOTAZIONE
PRODUZIONE ANNUA 220.000 bottiglie
ETTARI VITATI 19,50

La famiglia Fracchia adotta da sempre un
approccio etico e sostenibile alla viticoltura
che supera anche le prescrizioni previste
per il biologico. Il profondo legame con il
territorio e un istinto per la preservazione
della biodiversità li ha spinti anni fa a
investire tempo e denaro per selezionare un
clone di barbera da una loro vecchia vigna
quasi centenaria. Da quelle poche piante è
nato un percorso virtuoso che ha generato il
vigneto Ornella da cui nasce l'omonima
Barbera del Monferrato Superiore. La
prossima scommessa? Due vini ottenuti da
vitigni autoctoni, quasi estinti: la slarina e il
baratuciat. Monferace Brasal è un vino
estremamente elegante e complesso. Note
di: pepe, tabacco e liquirizia, convergono in
un palato, raffinato e corposo, dalla
lunghissima persistenza finale. Affascinante
il Centum, con aromi di cassis, su leggere
note vegetali, che convergono in una fase
gustativa: piena e corposa; con un tannino
ben modulato e finale persistente. Di ottima
fattura gli altri vini.

● Barbera del M.to Centum '18	♟♟	3*
● Piemonte Grignolino Monferace Brasal '16	♟♟	5
● Barbera del M.to Sup. Ornella Memoriae '09	♟♟	5
● Casorzo Voület '19	♟♟	2*
● Grignolino del M.to Casalese '19	♟♟	2*
● M.to Rosso Adriano '17	♟♟	2*
○ Piemonte Chardonnay Memoriae '14	♟♟	3
● Barbera del M.to '17	♙♙	2*
● Barbera del M.to Sup. Ornella '16	♙♙	5
● Barbera del M.to Sup. Ornella '15	♙♙	5
● Casorzo Voület '18	♙♙	2*
● M.to Rosso Adriano '16	♙♙	3
● Piemonte Grignolino Monferace Brasal '15	♙♙	5

★Tacchino

via Martiri della Benedicta, 26
15060 Castelletto d'Orba [AL]
Tel. 0143830115
www.luigitacchino.it

VENDITA DIRETTA
VISITA SU PRENOTAZIONE
PRODUZIONE ANNUA 120.000 bottiglie
ETTARI VITATI 12,00

Romina e Alessio guidano una tra le
aziende più vitali del comprensorio, grazie a
uno spirito di iniziativa raro, unito a una
fortissima passione per il loro lavoro. I loro
vini, di ogni ordine e grado, godono di
un'estrema cura e i prodotti di punta
presenziano regolarmente alle finali per i
Tre Bicchieri, che sono arrivati tante volte
nel tempo, facendo di quella dei Gaggino
una delle cantine più titolate in regione. Al
centro del progetto il prezioso lavoro sul
Dolcetto di Ovada, che nonostante le sue
peculiarità rischiava di rimanere schiacciato
e cadere nell'oblio. La produzione si
connota per uno stile nitido e moderno. La
batteria di vini presentata non avrebbe
bisogno di commenti. Du Riva e Albarola,
sono due grandi interpreti delle loro
rispettive tipologie. Forse un po' più pronto
Albarola, che si presenta con un impianto
gusto olfattivo, di grande carattere. Da Tre
Bicchieri. Da non perdere anche il
Monferrato Rosso Di Fatto e soprattutto la
Barbera del Monferrato 18, dalla beva
succosa e invitante.

● Barbera del M.to Albarola '16	♟♟♟	5
● Dolcetto di Ovada Sup. Du Riva '16	♟♟	4
● Barbera del M.to '18	♟♟	3
● Dolcetto di Ovada '18	♟♟	2*
○ Gavi del Comune di Gavi '19	♟♟	3
● M.to Rosso Di Fatto '17	♟♟	4
● Dolcetto di Ovada '16	♙♙♙	2*
● Dolcetto di Ovada '15	♙♙♙	2*
● Dolcetto di Ovada Sup. Du Riva '15	♙♙♙	4*
● Dolcetto di Ovada Sup. Du Riva '13	♙♙♙	4*
● Dolcetto di Ovada Sup. Du Riva '12	♙♙♙	5
● Dolcetto di Ovada Sup. Du Riva '11	♙♙♙	5

Michele Taliano

C.SO A. MANZONI, 24
12046 MONTÀ [CN]
TEL. 0173975658
www.talianomichele.com

VENDITA DIRETTA
VISITA SU PRENOTAZIONE
PRODUZIONE ANNUA 60.000 bottiglie
ETTARI VITATI 12,00

Nata nel 1930, l'azienda della famiglia
Taliano è oggi guidata dai fratelli Alberto
ed Ezio. Le tenute di proprietà sono divise
tra le vigne del Roero, situate nel comune
di Montà, e quelle di Langa, situate nella
denominazione di Barbaresco, a San
Rocco Seno d'Elvio. I vitigni coltivati sono
principalmente quelli autoctoni, a
cominciare da arneis, barbera e nebbiolo,
e ancora brachetto, dolcetto, favorita e
moscato, cui si affiancano piccole quantità
di sauvignon e cabernet sauvignon. I vini
prodotti sono d'impianto moderno,
equilibrati e di bella nitidezza aromatica.
Sono i due Barbaresco i prodotti di punta
di quest'anno. Il Montersino Tera Mia
Riserva '13 ai profumi di frutti rossi maturi
e liquirizia fa seguire un palato disteso e
dai tannini ben gestiti, mentre il Montersino
Ad Altiora '16 è ancora un po' contratto,
ma fresco, grintoso e ricco di frutto. La
Barbera d'Alba Superiore Laboriosa '16 è
piena, in spinta e di buona sapidità, mentre
è scorrevole e di facile beva la Barbera
d'Alba A Bon Rendre '19.

● Barbaresco Montersino Ad Altiora '16	♟♟ 5
● Barbaresco Montersino Tera Mia Ris. '13	♟♟ 5
● Barbera d'Alba Sup. Laboriosa '16	♟♟ 3
● Roero Ròche Dra Bòssora Ris. '16	♟♟ 3
● Barbera d'Alba A Bon Rendre '19	♟ 2
● Dolcetto d'Alba Ciabot '19	♟ 2
○ Langhe Favorita Fiori e Frutti '19	♟ 2
● Barbaresco Montersino Ad Altiora '15	♟♟ 5
● Barbaresco Montersino Ad Altiora '14	♟♟ 5
● Barbaresco Montersino Tera Mia Ris. '12	♟♟ 5
● Barbera d'Alba A Bon Rendre '18	♟♟ 2*
● Barbera d'Alba Sup. '14	♟♟ 3
○ Roero '14	♟♟ 2*
○ Roero Arneis '17	♟♟ 2*
○ Roero Arneis Sernì '18	♟♟ 2*
○ Roero Arneis U R Nice '17	♟♟ 2*
● Roero Ròche dra Bòssora Ris. '15	♟♟ 3*

Tenuta Tenaglia

S.DA SANTUARIO DI CREA, 5
15020 SERRALUNGA DI CREA [AL]
TEL. 0142940252
www.tenutatenaglia.it

VENDITA DIRETTA
VISITA SU PRENOTAZIONE
OSPITALITÀ
PRODUZIONE ANNUA 100.000 bottiglie
ETTARI VITATI 30,00
AZIENDA SOSTENIBILE

Tenuta Tenaglia ha la sede sotto il
Santuario della Madonna di Crea, in una
invidiabile posizione panoramica dovuta
all'importante quota altimetrica a cui si
trova. Cosa che, inoltre, giova ai vigneti
allevati in un microclima ideale con
escursioni termiche che favoriscono
maturazioni perfette delle uve, lente e
regolari. La produzione è affidata a Roberto
Imarisio, enologo di grande esperienza; lo
stile dei vini è tendenzialmente moderno,
con uso attento delle maturazioni in legno,
teso a preservare gli aromi tipici dei vitigni.
La produzione ha il suo fulcro nei vini
ottenuti da barbera e grignolino. Emozioni
veste un colore rubino intenso, al naso
articolato e persistente: spezie dolci su note
di china e cacao con un leggero tocco di
moka. Ingresso in bocca ricco e intenso,
con una fase molto armonica e un finale
interminabile. Giorgio Tenaglia con
l'affinamento in bottiglia, potrebbe rivelarci
il suo vero potenziale. Beva eccellente per il
Cappella III, interessanti gli altri vini.

● Barbera d'Asti Sup. Emozioni '15	♟♟ 6
● Barbera d'Asti Giorgio Tenaglia '17	♟♟ 4
● Barbera del M.to Cappella III '19	♟♟ 2*
● Grignolino del M.to Casalese '19	♟♟ 2*
● Grignolino del M.to Casalese Monferace '16	♟♟ 6
⊙ M.to Chiaretto Edenrose '19	♟♟ 2*
○ Piemonte Chardonnay '19	♟ 3
● Barbera d'Asti Emozioni '99	♟♟♟ 4*
● Grignolino del M.to Casalese '17	♟♟♟ 2*
● Barbera d'Asti Bricco '18	♟♟ 3
● Barbera del M.to Sup. 1930 Una Buona Annata '15	♟♟ 5
● Grignolino del M.to Casalese '18	♟♟ 2*
● Grignolino del M.to Casalese '16	♟♟ 2*
● Grignolino del M.to Casalese Monferace '15	♟♟ 6

Terre del Barolo

VIA ALBA - BAROLO, 8
12060 CASTIGLIONE FALLETTO [CN]
TEL. 0173262053
www.arnaldorivera.com

VENDITA DIRETTA
VISITA SU PRENOTAZIONE
PRODUZIONE ANNUA 3.000.000 bottiglie
ETTARI VITATI 600,00
VITICOLTURA Biologico Certificato
AZIENDA SOSTENIBILE

È nata solo quattro anni orsono la linea produttiva che ha preso il nome del fondatore della cantina, Arnaldo Rivera, e i risultati sono già esaltanti, grazie a numerosissimi premi della critica enologica di qua e di là dell'oceano. Il progetto è stato realizzato grazie alla collaborazione di alcuni viticoltori che hanno messo a disposizione le proprie uve, lavorate seguendo i più rigorosi protocolli qualitativi con la collaborazione di qualificati agronomi ed enologi. Il risultato è costituito da 11 etichette, tra cui primeggiano otto cru di Barolo, perfetta espressione di ogni singolo territorio, con vigneti che spaziano da Vignarionda a Bussia a Monvigliero. L'assaggio delle proposte di Barolo '16 si apre con un sontuoso e complesso Monvigliero, dotato di una nitida frutta rossa fresca in prima posizione, dalla bocca austera e di classicissima armonia. Si inserisce un delicato richiamo di rovere dolce nel suadente Vigna Rionda, dalla poderosa trama tannica e dall'incantevole persistenza. Liquirizia e china in evidenza nel Castello, ricco di sfaccettature e ben equilibrato.

● Barolo Monvigliero '16	♟♟	6
● Barolo Vignarionda '16	♟♟	7
● Barolo Bussia '16	♟♟	6
● Barolo Castello '16	♟♟	6
● Barolo Ravera '16	♟♟	6
● Barolo Rocche di Castiglione '16	♟♟	7
● Barolo Undicicomuni '16	♟♟	5
○ Langhe		
Nascetta del Comune di Novello '18	♟♟	3
● Barolo Vignarionda Arnaldo Rivera '13	♟♟♟	7
● Barolo Boiolo '15	♟♟	5
● Barolo Castello '15	♟♟	6
● Barolo Monvigliero '15	♟♟	6
● Barolo Rocche di Castiglione '15	♟♟	7
● Barolo Undicicomuni '15	♟♟	5
● Barolo Vignarionda '15	♟♟	7

La Toledana

LOC. SERMOIRA, 5
15066 GAVI [AL]
TEL. 0141837211
www.latoledana.it

VENDITA DIRETTA
VISITA SU PRENOTAZIONE
PRODUZIONE ANNUA 160.000 bottiglie
ETTARI VITATI 28,00

L'azienda prende il nome dall'affascinante villa rurale della metà del XVI secolo, ampliata, così come la vediamo oggi, dalla famiglia Gambiaso a fine '800. I vigneti sono accorpati alla proprietà e i vini prodotti, sono il Gavi del Comune di Gavi Toledana e lo Spumante Metodo Italiano Toledana. Della stessa proprietà, Cascina La Doria, a San Cristoforo, piccolo comune a circa tre chilometri da Gavi, anche questa tra le storiche zone di produzione di vini da uve cortese. I vigneti si trovano alla sinistra idrografica del torrente Lemme e danno vita a un unico prodotto: il Gavi La Doria. Il Gavi Vigne Rade ci accoglie con un bouquet complesso e articolato: aromi di mimosa e acacia, su fondo minerale convergono in un palato vibrante, fresco e sapido dal finale lunghissimo. Profumi di glicine e tiglio su più complesse note minerali sono il biglietto da visita de La Doria, un vino intenso, con una fase gustativa molto sapida e fresca dal finale persistente.

○ Gavi del Comune di Gavi		
Vigne Rade '19	♟♟♟	5
○ Gavi La Doria San Cristoforo '19	♟♟	3*
● Barolo Lo Zoccolaio '15	♟♟	5
● Barolo Ravera Lo Zoccolaio Ris. '12	♟♟	7
○ Gavi del Comune di Gavi		
La Toledana '18	♟♟	5
○ Gavi del Comune di Gavi		
La Toledana '17	♟♟	5
○ Gavi del Comune di Gavi		
La Toledana '16	♟♟	5
○ Gavi del Comune di Gavi		
La Toledana '15	♟♟	5
○ Gavi del Comune di Gavi		
V.Rade Foglio 46 '18	♟♟	5
○ Gavi La Doria '17	♟♟	3
○ Gavi La Doria '16	♟♟	3
● Langhe Baccanera Lo Zoccolaio '16	♟♟	3

★Torraccia del Piantavigna

VIA ROMAGNANO, 20
28074 GHEMME [NO]
TEL. 0163840040
www.torracciadelpiantavigna.it

VENDITA DIRETTA
VISITA SU PRENOTAZIONE
PRODUZIONE ANNUA 150.000 bottiglie
ETTARI VITATI 38,00
AZIENDA SOSTENIBILE

Alessandro Francoli è diventato celebre prima per le sue grappe e poi, negli ultimi vent'anni, per questa cantina che si è progressivamente sviluppata anche grazie all'ingresso nella società della famiglia Ponti. L'obiettivo era quello di rilanciare le due Docg del Nord Piemonte - Ghemme e Gattinara - proponendo rossi di grande struttura adatti all'invecchiamento e sempre dotati delle caratteristiche di eleganza che l'uva nebbiolo può esprimere. Il risultato è stato conseguito grazie a un serio lavoro nei vigneti e ad articolati processi di vinificazione, curati con sapienza dall'enologo responsabile della cantina, Mattia Donna, e dai consigli di Beppe Caviola. Merita la visita. Pregevole armonia gustativa nel Gattinara '16, con la sensazione fruttata e quella tannica che si bilanciano sino al lungo e raffinato finale. Un po' più duro e deciso il Ghemme '15, in cui si colgono note sia legnose che vegetali a dare complessità. Di semplice e gradevole bevibilità tutto il resto della proposta.

Giancarlo Travaglini

VIA DELLE VIGNE, 36
13045 GATTINARA [VC]
TEL. 0163833588
www.travaglinigattinara.it

VENDITA DIRETTA
VISITA SU PRENOTAZIONE
PRODUZIONE ANNUA 250.000 bottiglie
ETTARI VITATI 55,00
AZIENDA SOSTENIBILE

Giancarlo Travaglini iniziò nel 1958 a perseguire il suo sogno di realizzare un Gattinara basato sulla raffinatezza aromatica, oltre che sulla potenza gustativa naturalmente propria delle uve nebbiolo, con risultati che sono stati apprezzati nel mondo intero. La capace figlia Cinzia rilancia, mantenendo alta la qualità e ampliando sia le superfici vitate sia i locali della cantina, che comprende ora anche un'adeguata sala degustazione. Sempre imperdibile la Riserva, ma anche il Gattinara base e il Tre Vigne sono di squisita fattura. Escono in contemporanea il Gattinara Riserva e il Tre Vigne del 2015: raffinata eleganza nei profumi del primo, cui segue una bevibilità densa e progressiva data dalla notevole struttura e dalla benvenuta acidità. Il secondo è appena più severo al palato, preceduto da suadenti richiami di tabacco, genziana e liquirizia. Fresco e assai vivo al naso il Gattinara della pur calda vendemmia '17.

● Gattinara '16	♟♟ 6
● Ghemme '15	♟♟ 6
● Colline Novaresi Nebbiolo Tre Confini '18	♟♟ 3
○ Colline Novaresi Bianco ErbaVoglio '19	♟ 3
● Colline Novaresi Nebbiolo Neb '18	♟ 4
⊙ Colline Novaresi Nebbiolo Rosato Barlàn '19	♟ 3
● Gattinara '15	♟♟♟ 6
● Gattinara '09	♟♟♟ 5
● Ghemme '13	♟♟♟ 6
● Ghemme '11	♟♟♟ 6
● Ghemme '10	♟♟♟ 5
● Ghemme Ris. '07	♟♟♟ 5
● Ghemme V. Pelizzane '11	♟♟♟ 6
● Ghemme V. Pelizzane '10	♟♟♟ 6

● Gattinara Ris. '15	♟♟♟ 6
● Gattinara Tre Vigne '15	♟♟ 6
● Gattinara '17	♟♟ 5
● Coste della Sesia Nebbiolo '19	♟ 4
● Il Sogno '16	♟ 8
● Gattinara Ris. '13	♟♟♟ 7
● Gattinara Ris. '12	♟♟♟ 7
● Gattinara Ris. '06	♟♟♟ 6
● Gattinara Ris. '04	♟♟♟ 5
● Gattinara Ris. '01	♟♟♟ 5
● Gattinara Tre Vigne '04	♟♟♟ 5
● Coste della Sesia Nebbiolo '18	♟♟ 3
● Gattinara '15	♟♟ 6
● Gattinara '14	♟♟ 6
● Gattinara '13	♟♟ 6
● Gattinara Tre Vigne '14	♟♟ 7
● Il Sogno '15	♟♟ 8

★ G. D. Vajra

FRAZ. VERGNE
VIA DELLE VIOLE, 25
12060 BAROLO [CN]
TEL. 017356257
www.gdvajra.it

VISITA SU PRENOTAZIONE
OSPITALITÀ
PRODUZIONE ANNUA 350.000 bottiglie
ETTARI VITATI 60,00
AZIENDA SOSTENIBILE

Aldo Vaira ha sempre avuto, per indole personale rafforzata dalla laurea in Agraria, un approccio tecnico e poco fantasioso verso i problemi dell'enologia, convinto che il rispetto della natura non significhi affidarsi al caso quanto piuttosto studiare la maturazione dell'uva in vigna e poi lavorare con metodo nella fase di vinificazione. Ma è ancora in grado, anche dopo quasi 50 vendemmie, di emozionarsi ogni anno davanti ai suoi grappoli di nebbiolo nel delicato e sempre complesso momento della vendemmia. I vigneti si trovano principalmente a Barolo e a Serralunga d'Alba, con risultati costantemente premiati dalla critica e dai consumatori. Un importante e variegato complesso aromatico che si sposta dalla rosa alla liquirizia, dal lampone alle erbe essiccate: una fantastica girandola condensata nello straordinario Barolo Cerretta Luigi Baudana '16, dal palato lungo e aggraziato, con tannini e acidità a dare vitalità a un sorso incantevole. Dai vigneti in Barolo giunge poi un magnifico Bricco delle Viole '16.

● Barolo Cerretta Luigi Baudana '16	▼▼▼ 6
● Barolo Baudana Luigi Baudana '16	▼▼ 6
● Barolo Bricco delle Viole '16	▼▼ 8
● Barolo Coste di Rose '16	▼▼ 8
● Barbera d'Alba Sup. '17	▼▼ 5
● Barolo Ravera '16	▼▼ 8
○ Langhe Bianco Dragon '19	▼▼ 4
○ Langhe Riesling '19	▼▼ 5
● Barolo Baudana Luigi Baudana '09	♔♔♔ 6
● Barolo Bricco delle Viole '15	♔♔♔ 8
● Barolo Bricco delle Viole '12	♔♔♔ 8
● Barolo Bricco delle Viole '10	♔♔♔ 8
● Barolo Bricco delle Viole '05	♔♔♔ 8
● Barolo Bricco delle Viole '01	♔♔♔ 8
● Barolo Bricco delle Viole '00	♔♔♔ 8
● Barolo Cerretta Luigi Baudana '08	♔♔♔ 6
○ Langhe Bianco '02	♔♔♔ 5

Valfaccenda

FRAZ. MADONNA LORETO
LOC. VAL FACCENDA, 43
12043 CANALE [CN]
TEL. 3397303837
www.valfaccenda.it

VENDITA DIRETTA
VISITA SU PRENOTAZIONE
OSPITALITÀ
PRODUZIONE ANNUA 22.000 bottiglie
ETTARI VITATI 3,50
VITICOLTURA Biologico Certificato
AZIENDA SOSTENIBILE

Da generazioni la famiglia Faccenda vive in una valle tra Canale e Cisterna chiamata Valle Faccenda. L'azienda è stata fondata da Luca Faccenda nel 2010 e le vigne di proprietà, coltivate esclusivamente ad arneis e nebbiolo, si trovano a due passi dalla cascina, sulle colline che costeggiano le Rocche, cui si affiancano altri vigneti in affitto in altri comuni roerini. Tutti sono situati sui terreni sabbiosi tipici di questo territorio. I vini proposti sono di stampo tradizionale, frutto di una pratica che vuole essere il meno invasiva possibile, sia in vigna che in cantina. Affascinante il Roero '19, da uve arneis, in parte macerate sulle bucce, che al naso si presenta ampio, con note di frutta gialla, cera d'api e incenso, mentre il palato, accanto ai toni fruttati, evidenzia una marcata sensazione sapida, quasi salata, con un piacevole finale amarognolo. Il Roero Valmaggiore '17 ai sentori di frutti rossi, macchia mediterranea e china fa seguire un palato ricco di polpa e struttura, dal finale scorrevole e succoso.

● Roero '19	▼▼ 5
● Roero V. Valmaggiore Ris. '17	▼▼ 6
● Roero '18	▼▼ 5
● Roero '16	♔♔ 4
● Roero '15	♔♔ 4
● Roero '14	♔♔ 4
● Roero '13	♔♔ 4
● Roero Ris. '15	♔♔ 6
● Roero V. Valmaggiore Ris. '16	♔♔ 6
● Roero V. Valmaggiore Ris. '14	♔♔ 4
● Roero V. Valmaggiore Ris. '13	♔♔ 4
● Vindabeive '15	♔♔ 3

Mauro Veglio

FRAZ. ANNUNZIATA
LOC. CASCINA NUOVA, 50
12064 LA MORRA [CN]
TEL. 0173509212
www.mauroveglio.com

VENDITA DIRETTA
VISITA SU PRENOTAZIONE
PRODUZIONE ANNUA 115.000 bottiglie
ETTARI VITATI 22,00
AZIENDA SOSTENIBILE

Mauro Veglio è convinto che l'eleganza sia il principale punto di forza del Barolo che nasce nei suoi vigneti di La Morra, negli importanti cru Arborina, Gattera e Rocche dell'Annunziata. Pertanto dichiara che il suo compito primario in cantina è quello di mantenere tale raffinatezza, partendo in primis dall'utilizzo di legni francesi di altissima qualità. Nel Barolo che nasce a Monforte d'Alba, nel cru Castelletto, lascia invece libero sfogo alla potenza gustativa tipica di quest'area, conducendo comunque fermentazioni e affinamenti non dissimili. La moglie Daniela Saffirio e il nipote Alessandro Veglio sono le altre colonne portanti di questa pregevole cantina. Stile moderno senza eccessi nel carezzevole Barolo Gattera '16, ricco di bacche rosse e di un tocco di rovere dolce che viene ben stemperato nella ricca materia gustativa. Elegante e liquirizioso l'Arborina '16, che in bocca esibisce anche una gradevolissima freschezza. Raffinato e nitido negli aromi fruttati il Barolo Paiagallo '16, a sua volta di notevole e armonico impatto sul palato.

● Barolo Arborina '16	♟♟	7
● Barolo Gattera '16	♟♟	7
● Barolo Paiagallo '16	♟♟	8
● Barbera d'Alba Cascina Nuova '18	♟♟	5
● Barolo '16	♟♟	6
● Barolo Castelletto '16	♟♟	7
● Barbera d'Alba '18	♟♟	3
● Barbera d'Alba Cascina Nuova '17	♟♟	5
● Barbera d'Alba Cascina Nuova '16	♟♟	5
● Barolo '15	♟♟	5
● Barolo Arborina '15	♟♟	7
● Barolo Castelletto '15	♟♟	7
● Barolo Castelletto '14	♟♟	7
● Barolo Gattera '15	♟♟	7
● Barolo Rocche dell'Annunziata '15	♟♟	8
● Barolo Rocche dell'Annunziata '14	♟♟	8
● Dolcetto d'Alba '18	♟♟	2*

Giovanni Viberti

FRAZ. VERGNE
VIA DELLE VIOLE, 30
12060 BAROLO [CN]
TEL. 017356192
www.viberti-barolo.com

VENDITA DIRETTA
VISITA SU PRENOTAZIONE
RISTORAZIONE
PRODUZIONE ANNUA 205.000 bottiglie
ETTARI VITATI 23,00
AZIENDA SOSTENIBILE

Al timone di questa cantina situata nella parte più alta del comune di Barolo, tra i 400 e i 550 metri di quota, troviamo Claudio Viberti. Qui i vini hanno bisogno di tempo per trovare armonia ed equilibrio in bottiglia, questo spiega la scelta di proporre sul mercato ben tre selezioni di Barolo Riserva (Bricco delle Viole, San Pietro e La Volta). Lo stile aziendale è all'insegna della classicità, con estrazioni calibrate in tini troncoconici e botti non tostate. Da non perdere l'offerta gastronomica tradizionale e di livello del ristorante Buon Padre, dove i vini della casa sono proposti ai clienti dal 1923. Offre aromi di china, liquirizia e lamponi Il Barolo Buon Padre '16, aggraziato nella struttura misurata, i tannini sono raffinati e progressivi, il finale è lungo e ricco di sapore ed energia. Complesso ed elegante il Barolo Bricco delle Viole Riserva '14 dalle note di cuoio e fiori secchi, leggero ed espressivo al palato. Note di menta e pepe nel carnoso Barolo Ravera Riserva '14 che deve ancora trovare il perfetto equilibrio.

● Barolo Buon Padre '16	♟♟	6
● Barolo Bricco delle Viole Ris. '14	♟♟	7
● Barolo Ravera Ris. '14	♟♟	8
● Langhe Nebbiolo '18	♟♟	4
● Barbera d'Alba La Gemella '19	♟	3
○ Langhe Chardonnay Rinato '18	♟	5
● Barbera d'Alba La Gemella '17	♟♟	3
● Barbera d'Alba Sup. Bricco Airoli '15	♟♟	4
● Barolo Bricco delle Viole Ris. '13	♟♟	8
● Barolo Buon Padre '15	♟♟	6
● Barolo Buon Padre '14	♟♟	6
● Barolo Ravera Ris. '13	♟♟	8
● Dolcetto d'Alba Sup. '17	♟♟	3
● Dolcetto d'Alba Sup. '16	♟♟	3
● Langhe Dolbà '17	♟♟	2*
● Langhe Dolbà '16	♟♟	2*
● Langhe Nebbiolo '17	♟♟	3

Vicara

VIA MADONNA DELLE GRAZIE, 5
15030 ROSIGNANO MONFERRATO [AL]
TEL. 0142488054
www.vicara.it

VENDITA DIRETTA
VISITA SU PRENOTAZIONE
PRODUZIONE ANNUA 200.000 bottiglie
ETTARI VITATI 37,00
VITICOLTURA Biodinamico Certificato

Grande capacità di gestire e declinare i vitigni autoctoni: è questa una delle migliori frecce nella faretra aziendale, una caratteristica affinata sempre di più col passare delle vendemmie. Le etichette, che siano quelle d'annata o quelle invecchiate in legno, riescono a stupirci anno dopo anno per l'eleganza degli aromi e il frutto esplosivo, come nella Barbera Volpuva, o la finezza speziata del grignolino, per arrivare alle versioni più ambiziose, il Cantico della Crosia e l'Uccelletta: una produzione preziosa per un territorio straordinario. Cominciamo dal pluripremiato Grignolino G. Fine ed elegante, con i suoi aromi speziati su note di frutti rossi, rivela un palato di gran classe, con un tannino armonico e un finale molto persistente. Cantico della Crosia apre su aromi di bacche rosse con note di china e liquirizia; bellissima la fase gustativa, con grande freschezza a bilanciare la polpa e finale lungo e succoso. Di pregio gli altri vini.

● Barbera del M.to Sup. Cantico della Crosia '17	♔♔♔ 4*
● Grignolino del M.to Casalese G '19	♔♔ 4
● Barbera del M.to Cascina La Rocca 33 '17	♔♔ 4
● Barbera del M.to Volpuva '19	♔♔ 3
● Grignolino del M.to Casalese Monferace Uccelletta '16	♔♔ 4
○ M.to Airales '19	♔♔ 3
● Grignolino del M.to Casalese °G '15	♔♔♔ 4*
● Barbera del M.to Sup. Cantico della Crosia '16	♔♔ 4
● Barbera del M.to Volpuva '18	♔♔ 3
● Grignolino del M.to Casalese G '18	♔♔ 4
● Grignolino del M.to Casalese Uccelletta Monferace '15	♔♔ 4

★★Vietti

P.ZZA VITTORIO VENETO, 5
12060 CASTIGLIONE FALLETTO [CN]
TEL. 017362825
www.vietti.com

VENDITA DIRETTA
VISITA SU PRENOTAZIONE
PRODUZIONE ANNUA 300.000 bottiglie
ETTARI VITATI 40,00

Luca Currado Vietti non è solo l'amministratore delegato dell'azienda ma è anche l'enologo responsabile di ogni scelta produttiva, a livello sia agronomico sia di cantina. Il livello qualitativo con cui il nome Vietti si è imposto a livello internazionale è assoluto, tanto nelle etichette più celebri e costose, capeggiate dal Barolo Villero Riserva, quanto nelle proposte più economiche, in cui primeggia il Langhe Nebbiolo Perbacco, che si avvale di ben due anni di affinamento in legno. La famiglia Krause, proprietaria dal 2016, procede intanto nell'acquisizione di importanti vigneti, non solo nelle Langhe. Complessità da manuale nel Barolo Villero Riserva '13, che si apre con frutti rossi maturi e coinvolgenti note di liquirizia e catrame, presentando poi una bocca densa, importante e quasi austera, ricca di polpa e di delicata tannicità. Raffinate note dolci di tabacco e un richiamo di rovere negli splendidi aromi del Lazzarito '16, dal palato possente e incisivo. Nella splendida proposta non va dimenticato il fantastico Barbaresco Masseria '16.

● Barolo Villero Ris. '13	♔♔♔ 8
● Barolo Lazzarito '16	♔♔ 8
● Barolo Ravera '16	♔♔ 8
● Barolo Rocche di Castiglione '16	♔♔ 8
● Barbaresco Masseria '16	♔♔ 8
● Barbera d'Alba Scarrone V. Vecchia '18	♔♔ 6
● Barbera d'Alba Tre Vigne '18	♔♔ 3
● Barbera d'Alba V. Scarrone '18	♔♔ 5
● Barolo Brunate '16	♔♔ 8
● Barolo Castiglione '16	♔♔ 7
○ Roero Arneis '19	♔♔ 3
● Langhe Nebbiolo Perbacco '17	♔ 4
● Barolo Ravera '12	♔♔♔ 8
● Barolo Rocche '08	♔♔♔ 8
● Barolo Rocche di Castiglione '11	♔♔♔ 8
● Barolo Villero Ris. '07	♔♔♔ 8
● Barolo Villero Ris. '06	♔♔♔ 8

Villa Giada

REG. CEIROLE, 10
14053 CANELLI [AT]
TEL. 0141831100
www.villagiada.wine

VENDITA DIRETTA
VISITA SU PRENOTAZIONE
OSPITALITÀ E RISTORAZIONE
PRODUZIONE ANNUA 180.000 bottiglie
ETTARI VITATI 25,00
AZIENDA SOSTENIBILE

Cascina Dani ad Agliano Terme (terreni sciolti di medio impasto), Cascina del Parroco a Calosso (un piccolo altipiano affacciato sulla valle del rio Nizza), Cascina Ceirole a Canelli (nucleo vitato originario con annessa cantina di vinificazione): sono i tre poderi che alimentano la proposta della famiglia Faccio alias Villa Giada, basata principalmente su barbera e moscato. Una realtà veterana che ancora oggi utilizza la suggestiva bottaia risalente alla fine del '700 per la maturazione delle sue bottiglie più importanti, fiore all'occhiello di una batteria senza punti deboli. Il Nizza Dani '17 è ancora poco espressivo al naso, ma emergono comunque placevoli sentori di ciliegia e amarena, con una leggera speziatura, mentre il palato è ricco di frutto, di notevole volume e dal lungo finale. Ben realizzate sia la Barbera d'Asti Superiore Quercia '18, un po' troppo marcata dal legno, ma di buona morbidezza e complessità, che la Barbera d'Asti Surì '19, dai toni di china e di bacche di ginepro, ricca e sapida.

● Nizza Dani '17	♟♟ 4
● Barbera d'Asti Sup. Quercia '18	♟♟ 3
● Barbera d'Asti Surì '19	♟♟ 2*
○ Moscato d'Asti Canelli '19	♟♟ 2*
● Barbera d'Asti Ajan '19	♟ 2
● Barbera d'Asti Ajan '16	♟♟ 2*
● Barbera d'Asti Sup. La Quercia '17	♟♟ 3
● Barbera d'Asti Sup. La Quercia '16	♟♟ 3*
● Barbera d'Asti Surì '18	♟♟ 2*
● Gamba di Pernice	♟♟ 3*
○ Moscato d'Asti Canelli '17	♟♟ 2*
○ Moscato d'Asti Canelli '16	♟♟ 2*
○ Moscato d'Asti Surì '15	♟♟ 2*
● Nizza Bricco Dani '15	♟♟ 4
● Nizza Dedicato '16	♟♟ 5
● Nizza Dedicato '15	♟♟ 5
○ Piemonte Chardonnay Cortese Manè '17	♟♟ 2*

★Villa Sparina

FRAZ. MONTEROTONDO, 56
15066 GAVI [AL]
TEL. 0143633835
www.villasparina.it

VISITA SU PRENOTAZIONE
OSPITALITÀ E RISTORAZIONE
PRODUZIONE ANNUA 550.000 bottiglie
ETTARI VITATI 65,00

La famiglia Moccagatta ha creato tra le colline di Monterotondo una tra le più quotate realtà imprenditoriali del territorio. L'insieme è composto da un bell'albergo a quattro stelle, un ristorante rinomato e un'attività vitivinicola di eccellenza. Il contesto è impreziosito da un panorama spettacolare che anticipa esperienze sensoriali di livello. Per quanto concerne i vini, le etichette più importanti sono fedeli rappresentazioni del territorio: due etichette da uve cortese, il base e il cru Monterotondo, due da uve barbera, con il Rivalta grande esempio della tipologia, e il Brut Metodo Classico Blanc de Blancs. La batteria di vini presentata vede i pezzi importanti della scacchiera in posizione dominante. Monterotondo è complesso e staccettato, con aromi di frutta matura e note di agrumi e canfora.
Straordinariamente complesso il 10 Anni, con aromi di erbe secche e spezie, su un sottofondo di zafferano e incenso. Di grande intensità e persistenza il Gavi del Comune di Gavi. Ottimi gli altri vini.

○ Gavi del Comune di Gavi '19	♟♟ 3*
○ Gavi del Comune di Gavi Monterotondo '17	♟♟ 6
○ Gavi del Comune di Gavi Villa Sparina 10 anni '09	♟♟ 3*
● Barbera del M.to '18	♟♟ 3
○ Brut Villa Sparina Blanc de Blancs M. Cl.	♟♟ 3
○ Gavi del Comune di Gavi Monterotondo '14	♟♟♟ 6
○ Gavi del Comune di Gavi Monterotondo '12	♟♟♟ 6
○ Gavi del Comune di Gavi Monterotondo '16	♟♟♟ 6
○ Gavi del Comune di Gavi Monterotondo '15	♟♟♟ 6

Viticoltori Associati di Vinchio Vaglio Serra

REG. SAN PANCRAZIO, 1
S.DA PROV.LE 40 KM. 3,75
14040 VINCHIO [AT]
TEL. 0141950903
www.vinchio.com

VENDITA DIRETTA
VISITA SU PRENOTAZIONE
PRODUZIONE ANNUA 1.200.000 bottiglie
ETTARI VITATI 450,00

Circa 200 viticoltori, oltre 450 ettari di vigna coperti, una cinquantina di etichette in gamma: cifre che fotografano in un attimo il peso produttivo della Cantina Sociale di Vinchio Vaglio Serra, avviata alla fine degli anni '50 da un gruppo di appena 19 conferitori. Una realtà cresciuta nel tempo e capace di imporsi all'attenzione ben oltre i confini del Monferrato Astigiano. I due comuni citati nel marchio aziendale ospitano il grosso degli impianti, ma una quota rilevante si distribuisce anche tra Castelnuovo Belbo, Castelnuovo Calcea, Cortiglione, Incisa Scapaccino, Mombercelli e Nizza. Ottimi il Nizza Laudana Riserva '16, dagli aromi di prugna e mora, accompagnati da note di terra bagnata, con un palato ricco e denso, dal lungo finale ben sostenuto dall'acidità, e il Barbera d'Asti 50 Vigne Vecchie '18, giocato più su toni di spezie e cacao, fine e complesso allo stesso tempo, di buona agilità e immediatezza. Come al solito ben realizzate le altre etichette.

Virna

VIA ALBA, 24
12060 BAROLO [CN]
TEL. 017356120
www.virnabarolo.it

VENDITA DIRETTA
VISITA SU PRENOTAZIONE
PRODUZIONE ANNUA 60.000 bottiglie
ETTARI VITATI 12,00

Troviamo Virna Borgogno, laureata in enologia, e la sorella Ivana, che si occupa di tutta la parte amministrativa e commerciale, al timone di questa cantina ai piedi dell'abitato di Barolo, proprio dove inizia a prendere forma la storica vigna dei Cannubi. Gli ettari vitati di proprietà sono 12; a Barolo troviamo i vigneti Cannubi, Sarmassa e Preda, mentre dai comuni di Novello annoveriamo Monforte e La Morra che danno vita al Barolo Noi. In cantina si alternano botti di rovere di varia dimensione, con predilezione per tonneaux e carati di media e grande dimensione. Fiori rossi e un tocco di fragola si aggiungono a una base di raffinata liquirizia nel complesso Barolo Sarmassa '16, dotato di una bocca potente e ricca di morbidi tannini, di raro equilibrio. Ancora molto fruttata la Riserva di Barolo '13, di precisa classicità e di ottima armonia. Anche il Barolo che si avvale della denominazione comunale merita ampi elogi, grazie a una variegata speziatura olfattiva e a una fase gustativa importante, nitida e seducente.

● Barbera d'Asti V. V. 50° '18	♟♟ 3*
● Nizza Laudana Ris. '16	♟♟ 4
● Barbera d'Alba Sup. I Tre Vescovi '18	♟♟ 3
● Barbera d'Alba Sup. V. V. '17	♟♟ 5
● Barbera d'Asti Sorì dei Mori '19	♟♟ 2*
● Barbera d'Asti Sup. Sei Vigne Insynthesis '15	♟♟ 7
● Grignolino d'Asti Le Nocche '19	♟♟ 2*
● Barbera d'Asti La Leggenda '19	♟ 2
○ Moscato d'Asti Valamasca '19	♟ 2
● Barbera d'Asti Sup. Sei Vigne Insynthesis '01	♟♟♟ 6
● Barbera d'Asti 50° Vigne Vecchie '17	♟♟ 3*
● Barbera d'Asti Sup. I Tre Vescovi '17	♟♟ 3*
● Barbera d'Asti Sup. Vigne Vecchie '16	♟♟ 5
○ Moscato d'Asti Valamasca '18	♟♟ 2*
● Nizza Laudana Ris. '15	♟♟ 4

● Barolo del Comune di Barolo '16	♟♟ 6
● Barolo Ris. '13	♟♟ 5
● Barolo Sarmassa '16	♟♟ 8
● Barolo Cannubi '16	♟♟ 8
● Langhe Nebbiolo '17	♟♟ 3
● Barbera d'Alba San Giovanni '17	♟ 3
● Barolo Noi '16	♟ 6
● Langhe Rosso Le Sorelle '17	♟ 3
● Barbera d'Alba La '17	♟♟ 3
● Barolo Cannubi '15	♟♟ 8
● Barolo Cannubi Boschis '14	♟♟ 6
● Barolo del Comune di Barolo '15	♟♟ 6
● Barolo del Comune di Barolo '14	♟♟ 6
● Barolo Sarmassa '15	♟♟ 8
● Barolo Sarmassa '14	♟♟ 6

Vite Colte

VIA BERGESIA, 6
12060 BAROLO [CN]
TEL. 0173564611
www.vitecolte.it

VENDITA DIRETTA
VISITA SU PRENOTAZIONE
PRODUZIONE ANNUA 1.200.000 bottiglie
ETTARI VITATI 300,00
VITICOLTURA Biologico Certificato
AZIENDA SOSTENIBILE

È sempre più definito il progetto Vite Colte, la gamma produttiva più alta della Terre da Vino, cantina fondata nel 1980. Alla base troviamo un condiviso protocollo agronomico serio che mette insieme 180 soci, per un totale di ben 300 ettari vitati. Di anno in anno, i vini sono sempre più saldamente legati ai caratteri tradizionali, forti di alcune parcelle pregiatissime che ricadono nei comuni di Barolo e Serralunga d'Alba; la ricca batteria abbraccia nebbiolo, barbera, dolcetto, arneis, cortese o moscato. Un esemplare di finezza aromatica la Barbera d'Asti La Luna e i Falò '18, complessa e fragrante nel suo tocco mentolato, ha armonia, tannini setosi e un finale ricco di richiami invitanti di terra e spezie. Molto buona anche la prova del Barbaresco Spezie Riserva '10 che sfrutta il grande millesimo in un vino sfaccettato e profondo, evoluto ed ampio, rinfrescato da un fondo mentolato finale di classe. Buonissimo anche il Barolo del Comune di Serralunga d'Alba Essenze '15, ricco di frutto e polpa.

● Barbera d'Asti Sup. La Luna e i Falò '18	♔♔♔	3*
● Barbaresco Spezie Ris. '10	♔♔	6
● Barolo del Comune di Serralunga d'Alba Essenze '15	♔♔	7
● Barbaresco La Casa in Collina '17	♔♔	5
● Barolo del Comune di Barolo Essenze '16	♔♔	7
● Barolo del Comune di Monforte d'Alba Essenze '15	♔♔	7
● Barolo Paesi Tuoi '16	♔♔	6
○ Piemonte Moscato Passito La Bella Estate '18	♔♔	5
● Barbera d'Asti Sup. La Luna e i Falò '17	♔♔♔	3*
○ Piemonte Moscato Passito La Bella Estate '16	♔♔♔	5

Voerzio Martini

S.DA LORETO, 3
12064 LA MORRA [CN]
TEL. 0173509194
voerzio.gianni@tiscali.it

VENDITA DIRETTA
VISITA SU PRENOTAZIONE
PRODUZIONE ANNUA 54.000 bottiglie
ETTARI VITATI 12,00

Mirko e Federica Martini - laureati in Enologia uno e in Scienze gastronomiche l'altra - hanno concretizzato il loro giovanile entusiasmo per il mondo del vino realizzando una nuova realtà particolarmente dinamica, costruita utilizzando anche gli amichevoli suggerimenti derivanti dalla lunga e qualificata esperienza di vignaiolo e di cantiniere di Gianni Voerzio. La linea produttiva è basata su tre principi centrali: vigneti di pregio (che cresceranno ancora), bassissime rese in vigna, rovere francese non invadente per l'affinamento in botte. E i risultati sono di anno in anno più interessanti. Fine frutta fresca e spezie dolci nei begli aromi del Barolo La Serra '16, che in bocca ha freschezza e ottima lunghezza sino al finale in cui si coglie una nota di rovere elegante. Liquirizioso e soavemente armonico il Barolo "base" '16, di cui consigliamo vivamente l'assaggio. Tra le migliori dell'annata la moderna Barbera d'Alba Superiore Ciabot della Luna '18, viva e progressiva nell'avvolgente palato.

● Barbera d'Alba Ciabot della Luna '18	♔♔	5
● Barolo La Serra '16	♔♔	8
● Barolo '16	♔♔	6
○ Langhe Arneis Bricco Cappellina '19	♔	3
● Langhe Nebbiolo Ciabot della Luna '18	♔	5
● Barbera d'Alba Ciabot della Luna '17	♔♔	5
● Barbera d'Alba Ciabot della Luna '16	♔♔	4
● Barbera d'Alba Ciabot della Luna '15	♔♔	4
● Barolo '15	♔♔	6
● Barolo La Serra '15	♔♔	8
● Barolo La Serra '13	♔♔	8
○ Langhe Arneis Bricco Cappellina '17	♔♔	3
● Langhe Nebbiolo Ciabot della Luna '16	♔♔	5

499

LOC. CAMO
VIA ROMA, 3
12058 SANTO STEFANO BELBO [CN]
TEL. 0141840155
www.499vino.it

Gabriele Saffirio in vigna e Mario Andrion in
cantina hanno iniziato l'attività nel 2012 e
lavorano con metodi ecocompatibili 11
ettari, vitati prevalentemente a freisa e
moscato. Brilla la Freisa, con la Costa dei
Fre '16 potente e carnosa.

● Langhe Freisa '18	♟♟ 3
● Langhe Freisa Coste dei Fre '16	♟♟ 3

Tenuta Alemanni

FRAZ. CHERLI INFERIORE, 64
15070 TAGLIOLO MONFERRATO [AL]
TEL. 0143896229
tenutaalemanni@gmail.com

Chiara Primo è una giovane imprenditrice,
con alle spalle una famiglia appassionata,
da sempre nel mondo del vino. Da molti
anni, seppure con produzioni limitate, tra i
migliori interpreti del Dolcetto di Ovada. La
sorpresa di quest'anno il bianco: Tre Lune,
da uve riesling.

○ M.to Bianco Tre Lune '13	♟♟ 3
● M.to Rosso Aimemì '11	♟♟ 4

Alemat

VIA GIARDINI, 19
15020 PONZANO MONFERRATO [AL]
TEL. 335268464
www.alemat.it

Seguiamo da qualche anno la famiglia
Dominici constatando di anno in anno la
crescita della qualità dei prodotti. La spinta
definitiva per l'ingresso in Guida è un
Monferace estremamente elegante e
raffinato, in ogni fase della degustazione.

● Grignolino	
del M.to Casalese Monferace '16	♟♟ 4
● Barbera d'Asti Praie '19	♟♟ 4
● Grignolino d'Asti Emilio '19	♟♟ 2*

Paolo Angelini

CASCINA CAIRO, 10
15039 OZZANO MONFERRATO [AL]
TEL. 3468549015
www.societaagricolaangelinipaolo.com

Dopo una vendemmia flagellata dalla
grandine, ritroviamo i fratelli Angelini con la
grinta di sempre e con le loro proposte di
carattere. Il Monferace è molto giovane e
deve ancora armonizzare la maturazione in
legno. Bello e caratteristico il Grignolino '19.
Di ottima beva First.

● Barbera del M.to First '19	♟♟ 2*
● Grignolino del M.to Casalese Arbian '19	♟♟ 2*
● Grignolino del M.to Casalese Monferace	
Golden Arbian '15	♟♟ 6

Antica Cascina
dei Conti di Roero

LOC. VAL RUBIAGNO, 2
12040 VEZZA D'ALBA [CN]
TEL. 017365459
www.oliveropietro.it

Sempre ben realizzati i vini di questa
storica cantina roerina. Il Roero Arneis
Sru Riserva '18 presenta aromi di frutta
bianca e un palato di buona freschezza e
materia, mentre il Roero Vigna Sant'Anna
Riserva '16, dai toni di lamponi e liquirizia,
ha una fine trama tannica e un lungo finale.

⊘ Nebbiolo d'Alba Brut Rosè M. Cl.	
Maria Teresa '17	♟♟ 4
○ Roero Arneis Sru Ris. '18	♟♟ 3
● Roero V. Sant'Anna Ris. '16	♟♟ 4

Anzivino

C.SO VALSESIA, 162
13045 GATTINARA [VC]
TEL. 0163827172
www.anzivino.it

Emanuele Anzivino ha iniziato l'avventura
enologica poco più di vent'anni fa,
riprendendo un'antica tradizione di famiglia.
Solo Gattinara '15 in assaggio: già ora
godibilissima la polposa versione "base",
ancora rigida la valida Riserva e appena più
asciugata dal legno la Riserva Cesare.

● Gattinara '15	♟♟ 4
● Gattinara Ris. '15	♟♟ 5
● Gattinara Cesare Ris. '15	♟ 8

195

L'Astemia Pentita

VIA CROSIA, 40
12060 BAROLO [CN]
TEL. 0173560501
www.astemiapentita.it

Sandra Vezza si è costruita un parco vitato
di tutto rispetto, e una bella cantina
appoggiata sul celebre cru Cannubi.
Spezie, rovere e china nella gradevole
Riserva di Barolo Cannubi '14, più fresca e
quasi balsamica la versione '16. Di sicura
piacevolezza la stuzzicante Nascetta '19.

● Barolo Cannubi '16	♟♟ 8
● Barolo Cannubi Ris. '14	♟♟ 8
● Barolo Terlo '16	♟♟ 8
○ Langhe Nascetta '19	♟♟ 3

Paolo Avezza

REG. MONFORTE, 62
14053 CANELLI [AT]
TEL. 0141822296
www.paoloavezza.com

Bella batteria quella presentata da Paolo
Avezza. Spiccano il Nizza '17, che presenta
note di terra bagnata e frutta nera con una
spolverata di spezie dolci, è ricco, elegante
e di bella lunghezza, e il Nizza Riserva '15
dai toni di tabacco e china e dal palato
fresco e armonico.

○ Alta Langa Dosaggio Zero '16	♟♟ 5
● Barbera d'Asti '18	♟♟ 3
● Nizza '17	♟♟ 5
● Nizza Ris. '15	♟♟ 6

Melchiorre Balbiano

VIA VITTORIO EMANUELE, 1
10020 ANDEZENO [TO]
TEL. 0119434214

Francesco e Luca Balbiano conducono
un'azienda, nata nel 1941, che è divenuta
l'indiscussa interprete dei vini delle colline
torinesi. Dal celebre e coreografico vigneto
della Villa della Regina è nata una Freisa
Superiore '16 floreale e speziata, armonica
ed elegante.

● Freisa di Chieri Federico I Il Barbarossa '18	♟♟ 3
● Freisa di Chieri Sup. V. Villa della Regina '16	♟♟ 5
● Freisa di Chieri Surpreisa '19	♟ 2

Baldissero

VIA ROMA, 29
12050 TREISO [CN]
TEL. 3334420201
www.baldisserovini.it

L'esperto Marco Lo Russo ha iniziato a
imbottigliare i propri vini nel 2016,
lavorando sette ettari che hanno al proprio
centro il bel cru San Stunet. Solo due i vini
presentati in assaggio: tradizionale e pulito
il Barbaresco '17, fruttato e ricco il Langhe
Nebbiolo '18.

● Barbaresco '17	♟♟ 5
● Langhe Nebbiolo '18	♟♟ 3

Cantina Sociale Barbera dei Sei Castelli

VIA OPESSINA, 41
14040 CASTELNUOVO CALCEA [AT]
TEL. 0141957137
www.barberaseicastelli.it

Ottimo il Nizza '17, dalle note di frutti neri,
china e terra bagnata al naso e dal palato
pieno e ricco di frutto, dal lungo finale. Ben
realizzati gli altri vini proposti, dalla Barbera
d'Asti 50 Anni di Barbera '18, tesa e di
carattere, al Grignolino d'Asti '19,
aromatico e grintoso.

● Nizza '17	♟♟ 5
● Barbera d'Asti 50 Anni di Barbera '18	♟♟ 3
● Grignolino d'Asti '19	♟♟ 2*
● Nizza Angelo Brofferio Ris. '16	♟ 6

Fabrizio Battaglino

LOC. BORGONUOVO
VIA MONTALDO ROERO, 44
12040 VEZZA D'ALBA [CN]
TEL. 0173658156
www.battaglino.com

Il Roero Arneis San Michele '19 è tra i
migliori dell'annata: dai sentori floreali, di
frutta bianca e agrumi dolci, è coerente,
sapido e fresco al palato. Molto buona
anche la Barbera d'Alba Munbèl '18,
grintosa e fresca, succosa nei suoi toni di
frutti rossi e di bella lunghezza.

○ Roero Arneis San Michele '19	♟♟ 3*
● Barbera d'Alba Munbèl '18	♟♟ 3
○ Nebula Brut Nature '16	♟ 4
● Roero Colla Ris. '16	♟ 5

Battaglio - Briccogrilli

LOC. BORBORE
VIA SALERIO, 15
12040 VEZZA D'ALBA [CN]
TEL. 017365423
www.battaglio.com

Ben realizzati i due Barbaresco '17
aziendali, il "base" è elegante e di buona
polpa, con i tannini ancora in evidenza ma
ben gestiti, e il Serragrilli, dai profumi di
cardo e liquirizia, scorrevole ma di grande
eleganza. Di buona fattura anche
l'equilibrata vendemmia tardiva Amus.

○ Amus V.T.	♟♟ 5
● Barbaresco Battaglio '17	♟♟ 6
● Barbaresco Serragrilli '17	♟♟ 7
● Nebbiolo d'Alba Riverte '18	♟ 4

Antonio Bellicoso

FRAZ. MOLISSO, 5A
14048 MONTEGROSSO D'ASTI [AT]
TEL. 0141953233
antonio.bellicoso@alice.it

Deliziosa la Barbera d'Asti Amormio '19,
dai sentori di bacche nere mature e dal
palato ricco, polposo e fresco, con un lungo
finale. Ben realizzata anche la Barbera
d'Asti Merum '18 dalle note di china e di
cacao, dal palato fitto e denso e un finale di
buona tenuta.

● Barbera d'Asti Amormio '19	♟♟ 3
● Barbera d'Asti Merum '18	♟♟ 5
● Freisa d'Asti '19	♟ 3

Piero Benevelli

LOC. SAN GIUSEPPE, 13
12065 MONFORTE D'ALBA [CN]
TEL. 017378416
www.barolobenevelli.com

Un tempo disinvolto amante delle barrique,
Massimo Benevelli non dimentica che
sull'etichetta del suo Barolo campeggia la
scritta "famiglia contadina", lavorando
ben 10 ettari vitati principalmente a
nebbiolo. Bel catrame e buona polpa nel
Barolo Le Coste.

● Barolo Le Coste di Monforte '16	♟♟ 6
● Barolo Ravera di Monforte '16	♟♟ 7
● Barolo Mosconi '16	♟ 6

Paolo Berta

S.DA SAN MICHELE, 42
14049 NIZZA MONFERRATO [AT]
TEL. 3483536205
viniberta@gmail.com

Entra in Guida la Paolo Berta. La Barbera
d'Asti Evolution '17 è raffinata, con note di
spezie e tabacco, e un palato di buon
corpo, dinamico e dai tannini ben integrati,
mentre il Nizza La Berta '16 ha profumi
intensi di frutti rossi e un palato di
carattere, armonico ed equilibrato.

● Barbera d'Asti Evolution '17	♟♟ 3*
● Nizza La Berta '16	♟♟ 3
● Barbera d'Asti Belmon '17	♟ 2
● Barbera d'Asti Sup. Valbeccara '17	♟ 3

Bianchi

VIA ROMA, 37
28070 SIZZANO [NO]
TEL. 0321810004
www.bianchibiowine.it

Cresce la precisione enologica di questa
storica cantina, oggi impegnata nella
realizzazione di numerose denominazioni
del Nord Piemonte. Fine, complesso e
piacevolmente austero il pregevole
Ghemme '12, preciso il maturo Gattinara
Valferana Riserva '10.

● Ghemme '12	♟♟ 4
○ Colline Novaresi Bianco Luminae '12	♟♟ 2*
● Gattinara Vign. Valferana Ris. '10	♟♟ 4
● Sizzano '14	♟ 4

Silvano Bolmida

LOC. BUSSIA 30
12065 MONFORTE D'ALBA [CN]
TEL. 0173789877
www.silvanobolmida.com

Silvano Bolmida si dichiara giustamente
orgoglioso della nuova cantina appena
inaugurata, dove potrà lavorare con la
dovuta cura le sue uve, da cui ricava
principalmente Barolo di notevole struttura.
Ne è prova la potente bocca del Bussia '16,
di pregevole classicità aromatica.

● Barolo Bussia '16	♟♟ 5
● Barolo Bussia Ris. '13	♟♟ 7
● Barolo Bussia V. dei Fantini '16	♟♟ 5

F.lli Serio & Battista Borgogno

LOC. CANNUBI
VIA CROSIA, 12
12060 BAROLO [CN]
TEL. 017356107
www.borgognoseriobattista.it

Federica Boffa ed Emanuela Bolla sono alla testa di questa storica cantina che ha il proprio cuore in ben tre ettari vitati a nebbiolo nel cru Cannubi. Il Barolo "base" '16 è delicato e piacevolmente fruttato, mentre il Cannubi '16 è giovanile e bisognoso di maturazione in bottiglia.

● Barolo '16	♟♟ 5
● Barolo Cannubi '16	♟♟ 6
○ Langhe Nascetta '19	♟ 3

Francesco Boschis

B.TA PIANEZZO, 57
12063 DOGLIANI [CN]
TEL. 017370574
www.boschisfrancesco.it

Niente chimica nei dieci ettari lavorati dai fratelli Marco e Paolo Boschis. L'uva dominante è ovviamente il dolcetto, da cui ricavano bottiglie di grande personalità, come ben dimostra innanzitutto l'elegante e ricco Dogliani Superiore Pianezzo Vigna dei Prey '18.

● Dogliani Sup. V. dei Prey '18	♟♟ 2*
● Dogliani Sup. V. Sorì San Martino '17	♟♟ 2*
● Dogliani V. in Pianezzo '18	♟♟ 2*
○ Langhe Sauvignon V. dei Garisin '19	♟♟ 3

La Briccolina

VIA RODDINO, 7
12050 SERRALUNGA D'ALBA [CN]
TEL. 3282217094
labriccolina@gmail.com

Daniele Grasso ha preso in mano le redini aziendali solo nel 2011 e sta aumentando a piccoli passi la produzione, basata sull'uva nebbiolo che nasce nell'ottimo cru Briccolina. Delicato, floreale e di grande eleganza il Barolo Briccolina '16, dal godibile finale liquirizioso.

● Barolo Briccolina '16	♟♟ 5

Bussia Soprana

LOC. BUSSIA, 88A
12065 MONFORTE D'ALBA [CN]
TEL. 039305182
www.bussiasoprana.it

Sta per compiere 30 anni la cantina creata da Silvano Casiraghi con la collaborazione di Guido Rossi, che stanno affiancando al loro classico Barolo nuove etichette di sicuro valore provenienti da Nizza e Barbaresco.

● Barolo Mosconi '16	♟♟ 7
● Barolo Bussia V. Colonnello '16	♟♟ 7
● Barolo Bussia V. Gabutti '16	♟♟ 8
● Nizza '17	♟♟ 5

Oreste Buzio

VIA PIAVE, 13
15049 VIGNALE MONFERRATO [AL]
TEL. 0142933197
www.orestebuzio.altervista.org

A guidare le proposte della famiglia Buzio troviamo il Grignolino '19. Si offre intenso con i suoi aromi di frutti poco maturi e note di erbe secche, su fondo leggermente speziato. Elegante l'Albarossa, con un bel frutto presente e note di spezie tendenti all'anice stellato.

● Grignolino del M.to Casalese '19	♟♟ 3
● Piemonte Albarossa Al Barba Carlo '17	♟♟ 4
● Barbera del M.to '19	♟ 2

Cà Bensi

LOC. CASCINA BENSI, 31A
15070 TAGLIOLO MONFERRATO [AL]
TEL. 014389194
www.ca-bensi.it

Federico Robbiano è il titolare di un'azienda a conduzione familiare, con annesso agriturismo. L'azienda è nata negli '50 e l'agriturismo nel 2006. La produzione è incentrata prevalentemente su vini ottenuti dai vitigni autoctoni locali.

● Dolcetti di Ovada Poggio San Pietro '16	♟♟ 2*
○ M.to Bianco '19	♟♟ 2*
● Ovada Moongiardin '16	♟♟ 3

Ca' Brusà

LOC. MANZONI, 25
12065 MONFORTE D'ALBA [CN]
TEL. 017378169
www.cabrusa.com

Sta per compiere vent'anni l'azienda condotta da Diego Marengo assieme ai figli Luca e Dario, che dispongono di sette ettari vitati oltre che di un panoramico agriturismo. In evidenza le proposte di Barolo, ma anche la Barbera Superiore Cunca d'Or '17 è ottimamente riuscita.

● Barbera d'Alba Sup. Cunca d'Or '17	♥♥ 4
● Barolo del Comune di Monforte d'Alba Menico '16	♥♥ 5
● Barolo Vai Ris. '10	♥♥ 7

Ca' Nova

VIA SAN ISIDORO, 1
28010 BOGOGNO [NO]
TEL. 0322863406
www.cascinacanova.it

Compie 25 anni la bella cantina di Giada Codecasa, e li festeggia con un'impostazione vitivinicola sempre più verde e sostenibile, basata sul rifiuto dei pesticidi chimici in vigna e su interventi poco invasivi in cantina. Vitale e gradevole il Nebbiolo Aurora '19.

⊙ Colline Novaresi Nebbiolo Aurora '19	♥♥ 2*
○ Colline Novaresi Bianco Rugiada '19	♥ 2
● Colline Novaresi Nebbiolo Bocciolo '19	♥ 2

Cagliero

VIA MONFORTE, 34
12060 BAROLO [CN]
TEL. 017356172
www.cagliero.com

Splendide note fruttate, con il lampone e le spezie dolci in evidenza, nel robusto e bilanciato Barolo Ravera '16. Liquiriziosa e immediata la versione del 2015, appena più rustico il neonato Barolo Terlo.

● Barolo Ravera '16	♥♥ 5
● Barolo Ravera '15	♥♥ 5
● Barolo Terlo '16	♥♥ 5

Marco Canato

FRAZ. FONS SALERA
LOC. CA' BALDEA, 19/3
15049 VIGNALE MONFERRATO [AL]
TEL. 00393409193882
www.canatovini.it

Marco Canato è sempre molto attento nella gestione delle sue proposte: vini strutturati, ottenuti in prevalenza da vitigni autoctoni. Molto interessante il Celio, con aromi classici e un palato dal tannino severo, ma di carattere. Di buona fattura La Baldea, eccellente Gambaloita.

● Barbera del M.to Gambaloita '19	♥♥ 3
● Barbera del M.to Sup. La Baldea '16	♥♥ 4
● Grignolino del M.to Casalese Celio '19	♥♥ 3

La Carlina

VIA VALLE TALLORIA, 35
12060 GRINZANE CAVOUR [CN]
TEL. 0173262926
www.lacarlina.com

Giovanile entusiasmo e precise competenze - Camilla è laureata in Economia e Francesco in Enologia - hanno indotto i fratelli Scavino a decidere di aprire la propria cantina, biologica, nel 2014. Di rara armonia ed eleganza la Bionzo, caldo e potente il balsamico Barolo.

● Barbera d'Asti Sup. Bionzo '17	♥♥ 3*
● Barolo '16	♥♥ 6

Davide Carlone

VIA MONSIGNOR SAGLIASCHI, 8
28075 GRIGNASCO [NO]
TEL. 3290987672
www.aziendaagricoladavidecarlone.wordpress.com

L'appassionato Davide Carlone ha ereditato dal nonno il proprio amore per la viticoltura e nel 1989 ha raccolto i primi grappoli della sua azienda, che oggi possiede 7 ettari. I vini sono immediati e ricchi di personalità, a partire dagli ottimi Boca.

● Boca '16	♥♥ 5
● Boca Adele '16	♥♥ 6
● Coste della Sesia Nebbiolo '18	♥♥ 3
● Colline Novaresi Croatina '17	♥ 3

Casavecchia

VIA ROMA, 2
12055 DIANO D'ALBA [CN]
TEL. 017369321
www.cantinacasavecchia.com

Tutta la famiglia Casavecchia è impegnata nella valorizzazione del frutto dei dieci ettari di proprietà, situati principalmente a Diano. Stile ruvido e deciso nella Riserva di Barolo '13, delicato il Nebbiolo d'Alba Vigna Piadvenza '16, armonica e fresca la Barbera d'Alba Superiore '16.

- Barbera d'Alba Sup. '16   ♥♥ 3
- Nebbiolo d'Alba V. Piadvenza '16   ♥♥ 4
- Barolo del Comune
  di Castiglione Falletto '13   ♥ 5

Cascina Adelaide

VIA AIE SOTTANE, 14
12060 BAROLO [CN]
TEL. 0173560503
www.cascinaadelaide.com

Il punto di forza della bella cantina di Amabile Drocco è costituito dai pregiati vigneti, situati a Barolo, Novello, Monforte e Serralunga per il Barolo, a Diano d'Alba per il Dolcetto e a Novello per la Nascetta. Solo due vini in assaggio, il maestoso Barolo Baudana e l'elegante Cannubi '16.

- Barolo Baudana '16   ♥♥ 7
- Barolo Cannubi '16   ♥♥ 8

Cascina Alberta

VIA ALBA, 5
12050 TREISO [CN]
TEL. 0173638047
www.calberta.it

Al centro del progetto, nato nel 2010, ci sono i sette ettari coltivati a vite in biologico. L'impostazione enologica è tradizionale, con l'uso di grandi botti di rovere di Slavonia per l'affinamento del Barbaresco. Vellutato e complesso il Barbaresco Giacone '17.

- Barbaresco Giacone '17   ♥♥ 6
- Barbera d'Alba '18   ♥♥ 3
- Langhe Nebbiolo '18   ♥ 3
- Langhe Riesling '18   ♥ 4

Cascina Ballarin

FRAZ. ANNUNZIATA, 115
12064 LA MORRA [CN]
TEL. 017350365
www.cascinaballarin.it

Forti di cru situati a La Morra, Novello e Monforte, Giovanni e Giorgio Viberti realizzano ogni anno oltre 50.000 bottiglie, distribuite su 15 etichette in cui emergono le quattro proposte di Barolo. Ottima proposta di Barolo, con il moderno e progressivo Bricco Rocca '16 in prima fila.

- Barolo Bricco Rocca '16   ♥♥ 7
- Barolo Bussia '16   ♥♥ 7
- Barolo Tre Ciabót '16   ♥♥ 6

Cascina del Monastero

FRAZ. ANNUNZIATA, 112A

12064 LA MORRA [CN]
TEL. 0173509245
www.cascinadelmonastero.it

L'azienda di Giuseppe Grasso, ricavata in un antico convento, dispone non solo di 12 ettari vitati ma anche di un suggestivo agriturismo. Fruttato e armonico il Barolo Perno '15, appena legnosa e molto piacevole la Barbera d'Alba Superiore Parroco '15.

- Barbera d'Alba Sup. Parroco '15   ♥♥ 5
- Barolo Perno '15   ♥♥ 5
- Barolo Bricco Luciani '16   ♥ 6
- Langhe Nebbiolo Monastero '16   ♥ 3

Cascina Galarin

LOC. CAROSSI, 12
14054 CASTAGNOLE DELLE LANZE [AT]
TEL. 0141878586
www.galarin.it

Sempre di buon livello i vini di Giuseppe Garosso. La Barbera d'Asti Le Querce '18 al naso evidenzia belle note di frutta rossa e sentori di china, mentre il palato è fitto e polposo. La Barbera d'Asti Superiore Tinella '17 è invece compatta, di buona materia e dal finale austero.

- Barbera d'Asti Le Querce '18   ♥♥ 3
- Barbera d'Asti Sup. Tinella '17   ♥♥ 5
- Moscato d'Asti Prà Dône '19   ♥ 3

Cascina Garitina

VIA GIANOLA, 20
14040 CASTEL BOGLIONE [AT]
TEL. 0141762162
www.cascinagaritina.it

Ricca, di grande volume e lunghezza la
Barbera d'Asti Garitta '18, dagli aromi di
frutta rossa e agrumi, cacao e china.
Ottimi anche il Nizza 900 Neuvsent
Margherita '17, possente e denso, ma di
bella acidità, e il Nizza 900 58-61 '17, di
grande polpa e freschezza.

● Barbera d'Asti Bricco Garitta '18	♟♟	3
● Barbera d'Asti Sup. Caranti '17	♟♟	4
● Nizza 900 58-61 '17	♟♟	5
● Nizza 900 Neuvsent Margherita '17	♟♟	6

Cascina Gentile

S.DA PROV.LE PER SAN CRISTOFORO. 11
15060 CAPRIATA D'ORBA [AL]
TEL. 0143468975
www.cascinagentile.tumblr.com

Batteria molto equilibrata per Daniele
Oddone, che si destreggia bene con
diverse denominazioni. L'Ovada '17 è
solido e articolato. Una Piemonte Barbera
di buona complessità e un Timorasso,
ricco quasi opulento, dal grande impatto
gusto olfattivo.

○ Colli Tortonesi Timorasso Derthona '17	♟♟	3
● Ovada Le Parole Servon Tanto Ris. '17	♟♟	3
● Piemonte Barbera Mat '17	♟♟	3

Cascina Lo Zoccolaio

LOC. BOSCHETTI, 4
12060 BAROLO [CN]
TEL. 0141837211
www.cascinalozoccolaio.it

Ben 30 ettari vitati, di cui 14 a nebbiolo,
consentono alla Cascina Lo Zoccolaio di
coltivare i classici nebbiolo, barbera e
dolcetto lasciando anche un piccolo spazio
a pinot nero, merlot e cabernet sauvignon.
China e catrame nel compatto e gradevole
Barolo '16.

● Barolo '16	♟♟	5
● Barolo Ravera Ris. '14	♟♟	6
● Langhe Rosso Baccanera '17	♟♟	3
● Barbera d'Alba Sup. Suculè '17	♟	3

Cascina Massara Gian Carlo Burlotto

VIA CAPITANO LANERI, 6
12060 VERDUNO [CN]
TEL. 0172470152
www.cantinamassara.it

Gian Carlo e Gianluca Burlotto hanno
ripreso e sviluppato con impegno la
tradizione vitivinicola della famiglia. Ottimi
risultati con i Barolo '15, ben fruttata la
speziata Pelaverga '19 e di ottimo palato la
moderna Barbera d'Alba '18.

● Barbera d'Alba '18	♟♟	3
● Barolo Massara '15	♟♟	8
● Barolo Monvigliero '15	♟♟	7
● Verduno Pelaverga '19	♟♟	3

Cascina Melognis

VIA SAN PIETRO, 10
12036 REVELLO [CN]
TEL. 0175257395
cascina.melognis@gmail.com

Prosegue con passione la ricerca enologica
di Vanina Maria Carta e di Michele Fino, il
professore-contadino che cura piccoli e
vecchi vigneti che guardano verso la
Francia ai piedi del Monviso. Morbido ma
non privo di tannini il Colline Saluzzesi
Pelaverga Divicaroli '19.

● Colline Saluzzesi Ardy '18	♟♟	3
● Colline Saluzzesi Divicaroli '19	♟♟	3
● Novamen '18	♟♟	4
⊙ Sinespina '19	♟	3

Cascina Montagnola

S.DA MONTAGNOLA, 1
15058 VIGUZZOLO [AL]
TEL. 3480742701
www.cascinamontagnola.com

La versione 2018 del Morasso tralascia il
suo schema classico e assume una
connotazione più morbida, probabilmente
evidenziata da un'acidità meno tagliente
del solito. Risveglio si presenta articolato e
intenso, con un bel finale persistente. Di
beva agile e fresca il Cortese Dunin.

○ Colli Tortonesi Timorasso Morasso '18	♟♟	4
○ Risveglio	♟♟	4
○ Colli Tortonesi Cortese Dunin '19	♟	3

Cascina Mucci

LOC. MUCCI, 2
12050 RODDINO [CN]
TEL. 3496201920
www.cascinamucci.it

Le parcelle coltivate da Alexander Bion e
Carlotta Ineichen attorno alla cantina sono
poche, ma la qualità espressa da ogni
etichetta merita di essere conosciuta.
Vegetale, acidina e appena legnosa la
Barbera d'Alba Superiore '17, fruttato e di
una certa tannicità il Langhe Rosso '16.

● Barbera d'Alba Sup. '17	♥♥ 4
● Langhe Rosso '16	♥♥ 5

Cascina Rabaglio

S.DA RABAJÀ, 8
12050 BARBARESCO [CN]
TEL. 3388885031
www.cascinarabaglio.com

Filippo e Daniela Rigo, assieme a Andrea
Salatin, curano i propri vigneti, collocati a
Neive, Treiso e Alba, oltre che tutta l'attività
di cantina e di commercializzazione, iniziata
nel 2012. Fresco nonostante la calda
annata e ben variegato il Barbaresco Gaia
Principe '17.

● Barbaresco Gaia Principe '17	♥♥ 5
● Langhe Nebbiolo '18	♥♥ 3
● Barbera d'Alba Sup. '17	♥ 5
● Dolcetto d'Alba '19	♥ 3

Cascina Val del Prete

S.DA SANTUARIO, 2
12040 PRIOCCA [CN]
TEL. 0173616534
www.valdelprete.com

Bei risultati per i vini della famiglia Roagna.
La Barbera d'Alba Superiore Carolina '17
evidenzia toni di mora e macchia
mediterranea, cui fa seguito un palato ricco
di frutto ma anche fresco, mentre la
Barbera d'Alba Serra de' Galli '19 è di
bella immediatezza, fresca e piacevole.

● Barbera d'Alba Serra dè Gatti '19	♥♥ 3
● Barbera d'Alba Sup. Carolina '17	♥♥ 5
● Nebbiolo d'Alba '16	♥♥ 3
● Roero Bricco Medica '17	♥ 3

Cascina Vano

VIA RIVETTI, 9
12057 NEIVE [CN]
TEL. 017367263
www.cascinavano.com

Bruno Rivetti, sempre più accompagnato
dai giovanissimi figli, opera in vigna con
grande rispetto per l'ambiente e in cantina
con intelligente valorizzazione della
classicità. Entrambe di ottimo livello le
selezioni di Barbaresco degustate: le
consigliamo a tutti gli appassionati.

● Barbaresco Canova '16	♥♥ 5
● Barbaresco Pilone nei Rivetti '15	♥♥ 4

Pietro Cassina

VIA IV NOVEMBRE, 171
13583 LESSONA [BI]
TEL. 3332518903
www.pietrocassina.com

Pietro Cassina sta ultimando la costruzione
della sua nuova cantina. Lievi sentori di
legno nell'armonico e persistente Lessona
Pidrin '14, evoluta ma molto equilibrata la
convincente Vespolina Tèra Rùssa '12.

● Coste della Sesia Vespolina	
Tèra Rùssa '12	♥♥ 7
○ Lessona Pidrin '14	♥♥ 5

Renzo Castella

VIA ALBA, 15
12055 DIANO D'ALBA [CN]
TEL. 017369203
renzocastella@virgilio.it

In vent'anni di attività Renzo Castella ha
fatto della sua cantina un punto di
riferimento imprescindibile nel panorama
dianese. Sono sempre pregevoli le sue
proposte di Dolcetto e Nebbiolo: raffinato il
Nebbiolo Madonnina '18, bel frutto
invitante in entrambi i Dolcetto '19.

● Dolcetto di Diano d'Alba '19	♥♥ 2*
● Dolcetto di Diano d'Alba	
Sorì della Rivolia '19	♥♥ 2*
● Langhe Nebbiolo Madonnina '18	♥♥ 2*

Castello di Castellengo

VIA CASTELLO, 31
13836 COSSATO [BI]
TEL. 3383543101
www.centovigne.it

Questa originale cantina, ubicata in una zona ricca di potenzialità, produce piccole tirature di vini dal carattere interessante, tra cui quest'anno spicca il Coste della Sesia Nebbiolo Il Centovigne '16 che si rivela preciso nel varietale e complesso gustativamente.

● Coste della Sesia Nebbiolo Il Centovigne '16	♛♛ 4
⊙ Coste della Sesia Rosato Il Rosa '19	♛ 3
● Rosso della Motta '18	♛ 3

Cavalier Bartolomeo

VIA ALBA BAROLO, 55
12060 CASTIGLIONE FALLETTO [CN]
TEL. 017362866
www.cavalierbartolomeo.com

Dario Borgogno lavora solo uve rosse, principalmente nebbiolo, nella sua piccola cantina impostata sul rigoroso rispetto della tradizione. Di notevole precisione stilistica entrambe le proposte di Barolo '16, il fine e fruttato Altenasso e il più maturo San Lorenzo.

● Barolo Altenasso '16	♛♛ 6
● Barolo San Lorenzo '16	♛♛ 6

Davide Cavelli

VIA PROVINCIALE, 77
15010 PRASCO [AL]
TEL. 0144375706
www.cavellivini.com

Davide Cavelli ci certifica che la finale dello scorso anno non era dovuta al caso, visto che anche il Bricco Le Zerbe '17 si ripete. Una versione se possibile ancora più speciale della precedente, un vino fine e complesso al naso, quanto straordinario al palato per ricchezza ed eleganza.

● Ovada Bricco Le Zerbe '17	♛♛ 3*
● Dolcetto di Ovada Le Zerbe '19	♛♛ 2*
○ Cortese dell'Alto M.to Pertiassa '19	♛ 2

La Chiara

LOC. VALLEGGE, 24/2
15066 GAVI [AL]
TEL. 0143642293
www.lachiara.it

Interessante il colpo d'occhio sulla produzione di La Chiara. Groppella spicca su tutti, con le sue note dolci da legno e il fondo minerale. L'Etichetta Nera ha personalità, con i suoi aromi fruttati su note di agrumi ed erbe aromatiche. Il base ha un impianto più semplice, ma equilibrato.

○ Gavi del Comune di Gavi Groppella '18	♛♛ 2*
○ Gavi del Comune di Gavi '19	♛♛ 2*
○ Gavi del Comune di Gavi Et. Nera '18	♛♛ 3

Il Chiosso

V.LE GUGLIELMO MARCONI 45-47A
13045 GATTINARA [VC]
TEL. 0163826739
www.ilchiosso.it

Marco Arlunno e Carlo Gambieri hanno iniziato nel 2007 la loro attività, basata sulla realizzazione di ben due Docg, il Ghemme e il Gattinara, oltre alle classiche Doc della zona. Lampone e rabarbaro nel vellutato e armonico Fara '17, a base di nebbiolo con un tocco di vespolina e uva rara.

● Fara '17	♛♛ 3*
● Colline Novaresi Vespolina '19	♛♛ 4
● Gattinara '15	♛♛ 5
● Ghemme '15	♛♛ 4

Cantina Clavesana

FRAZ. MADONNA DELLA NEVE, 19
12060 CLAVESANA [CN]
TEL. 0173790451
www.inclavesana.it

La vasta produzione aziendale ha trovato nella linea Terra un valido metodo per organizzare la propria proposta di alta qualità. Come si coglie bene dalla tabella che segue, ne sono bella dimostrazione sia i Dogliani sia le Barbera d'Alba. Pregevole il liquirizioso Barolo Mito '15.

● Barbera d'Alba Sup. Terra '17	♛♛ 3
● Barolo Mito '15	♛♛ 5
● Dogliani Sup. Terra '18	♛♛ 3
● Dogliani Terra '19	♛♛ 2*

Aldo Clerico

LOC. MANZONI, 69
12065 MONFORTE D'ALBA [CN]
TEL. 0173209981
www.aldoclerico.it

La recente e funzionale cantina di Aldo Clerico riceve le uve dei suoi dieci ettari, dedicati prevalentemente alle uve nebbiolo, che consentono di realizzare annualmente circa 11.000 bottiglie di Barolo, e dolcetto di due denominazioni.

● Barbera d'Alba '18	♟♟ 3
● Dogliani '19	♟♟ 2*
● Barolo Ginestra '16	♟ 8
● Dolcetto d'Alba '19	♟ 2

Colle Manora

LOC. COLLE MANORA
S.DA BOZZOLA, 5
15044 QUARGNENTO [AL]
TEL. 0131219252
www.collemanora.it

Ottima la gamma delle proposte di Colle Manora. Intensa ed elegante la Barbera d'Asti Superiore Manora. Ricco e complesso Rosso Barchetta, ottenuto da uve cabernet sauvignon e merlot. Austero e speziato, con un tannino ben dosato, l'Albarossa Ray. Sempre gradevole il Sauvignon Mimosa.

● Barbera d'Asti Sup. Manora '17	♟♟ 3
○ M.to Bianco Mimosa '19	♟♟ 2*
● M.to Rosso Barchetta '17	♟♟ 3
● Piemonte Albarossa Ray '17	♟♟ 3

Cortino - Produttori Dianesi

VIA S. CROCE, 1/BIS
12055 DIANO D'ALBA [CN]
TEL. 017369221
www.produttoridianesi.com

La cantina della famiglia Boffa opera con serio impegno per ampliare la qualità e la quantità della sua proposta enologica. Come ben dimostra la prima uscita di un bel Barolo, che va a unirsi alla classica gamma della zona di Diano d'Alba.

○ Alta Langa Brut '16	♟♟ 4
● Barbera d'Alba Luisella '17	♟♟ 3
● Barolo	
del Comune di Serralunga d'Alba '16	♟♟ 5

Cantine Crosio

VIA ROMA, 75
10010 CANDIA CANAVESE [TO]
TEL. 0119836048
www.cantinecrosio.it

Figlio di celebri ristoratori, Roberto Crosio ha iniziato nel 2000 a dedicarsi ai propri 7,5 ettari, coltivati principalmente con uve erbaluce e tocchi di nebbiolo, barbera e merlot. Elegante e scorrevole il Canavese Nebbiolo '17.

● Canavese Nebbiolo Gemini '17	♟♟ 3
○ Erbaluce di Caluso Erbalus '19	♟♟ 2*
○ Erbaluce di Caluso Brut Incanto '15	♟ 4
○ Erbaluce di Caluso Primavigna '19	♟ 3

Cuvage

STRADALE ALESSANDRIA, 90
15011 ACQUI TERME [AL]
TEL. 0144371600
www.cuvage.com

L'azienda di Acqui Terme consolida la vena spumantistica con ottime prestazioni. Quest'anno è il Nebbiolo d'Alba Brut Rosé Metodo Classico a emergere in una batteria molto equilibrata. Al naso si offre intenso su piccoli frutti rossi e palato elegante fresco e persistente.

○ Alta Langa Brut '16	♟♟ 4
○ Brut Blanc de Blancs M. Cl.	♟♟ 3
⊙ Nebbiolo d'Alba Brut Rosé M.Cl. '16	♟♟ 3
○ Pas Dosé Cuvage de Cuvage M. Cl.	♟♟ 3

Dacapo

S.DA ASTI MARE, 4
14041 AGLIANO TERME [AT]
TEL. 0141964921
www.dacapo.it

Ottimo il Nizza Vigna Dacapo Riserva '16, dai toni di china e cacao a fare da apripista alle sensazioni fruttate, equilibrato e di grande beva. Ben realizzati il Grignolino d'Asti Renard '19, dalle note pepate e dai tannini fitti ma ben integrati, e il Ruché Majoli, fresco e floreale.

● Nizza V. Dacapo Ris. '16	♟♟ 5
● Barbera d'Asti Sup. Valrionda '17	♟♟ 3
● Grignolino d'Asti Renard '19	♟♟ 3
● Ruché di Castagnole M.to Majoli '19	♟♟ 3

Duilio Dacasto

FRAZ. VIANOCE, 26

14041 AGLIANO TERME [AT]
TEL. 3339828612
www.dacastoduilio.com

Quest'anno tocca alla Barbera d'Asti La Maestra '18 il ruolo di portabandiera di questa piccola azienda astigiana: aromi di ciliegia, prugna e spezie dolci, palato in equilibrio tra acidità e ricchezza di frutto, finale lungo e di carattere. Ben realizzati gli altri vini presentati.

● Barbera d'Asti La Maestra '18	♀♀ 3*
● Nizza Moncucco '17	♀♀ 4
○ Piemonte Chardonnay Bourg '19	♀♀ 3

Cantina Delsignore

C.SO VERCELLI, 88
13045 GATTINARA [VC]
TEL. 0163833777
www.cantinadelsignore.com

L'attività di cantina iniziata da nonno Attilio nel 1960 è stata ripresa nel 2009 dal nipote Stefano Delsignore, che cura i suoi tre ettari vitati prevalentemente a nebbiolo. Intensi aromi fruttati nel potente e fresco Gattinara Il Putto Vendemmiatore '16.

● Gattinara Il Putto Vendemmiatore '16	♀♀ 5
● Gattinara Borgofranco Ris. '15	♀♀ 6

Fogliati

VIA PUGNANE, 8
12060 CASTIGLIONE FALLETTO [CN]
TEL. 3333230410
www.poderifogliati.it

La cantina Fogliati è rinata nel 2016, con i giovani Guido e Annalisa che hanno rivitalizzato e ampliato un'attività sorta negli anni '50 del secolo scorso. Complesso, raffinato e anche possente in bocca il Barolo Bussia '16; fresco, di buon corpo e gustoso il Langhe Nebbiolo '18.

● Barolo Bussia '16	♀♀ 8
● Langhe Nebbiolo '18	♀♀ 4

Livia Fontana

VIA FONTANA, 1
12060 CASTIGLIONE FALLETTO [CN]
TEL. 017362844
www.liviafontana.it

Nuovo ingresso in Guida. Validamente aiutata dai figli Michele e Lorenzo, Livia Fontana prosegue con entusiasmo la tradizione di famiglia. Tanto elegante quanto morbido il delicato e complesso Barolo Fontanin '16, più immediato e scorrevole il Villero '16.

● Barolo Fontanin '16	♀♀ 5
● Barbera d'Alba Sup. '17	♀♀ 3
● Langhe Nebbiolo '18	♀♀ 4
● Barolo Villero '16	♀ 8

Fontanabianca

LOC. BORDINI, 15
12057 NEIVE [CN]
TEL. 017367195
www.fontanabianca.it

Nuova sede aziendale per la bella cantina di Matteo Pola, che cura con attenta sensibilità ambientale i suoi 15 ettari vitati in prevalenza con uva nebbiolo. Bei risultati del Barbaresco '17, con il fresco Bordini ben fruttato e appena tostato, mentre il "base" è piacevolmente schietto e diretto.

● Barbaresco '17	♀♀ 5
● Barbaresco Bordini '17	♀♀ 6
○ Langhe Arneis '19	♀♀ 2*
● Langhe Nebbiolo '18	♀ 3

Forteto della Luja

REG. CANDELETTE, 4
14051 LOAZZOLO [AT]
TEL. 014487197
www.fortetodellaluja.it

Sempre di buona qualità i vini di Giovanni Scaglione. Il Moscato d'Asti Canelli '19 al naso si rivela intenso e molto complesso, con aromi di agrumi e menta, mentre il palato è di bella pienezza e tenuta; il Loazzolo '16 è fine e di bella complessità allo stesso tempo.

○ Loazzolo V. T. Piasa Rischei '16	♀♀ 6
○ Moscato d'Asti Canelli '19	♀♀ 3
● M.to Rosso Le Grive '18	♀ 4

Giovanni e Lorenzo Frea

FRAZ. SAN ROCCO
12040 MONTALDO ROERO [CN]
TEL. 017240254
aziendagricolafrea@libero.it

Il Roero Muschiavin '18 alle note di macchia mediterranea fa seguire un palato un po' austero, ma dal finale lungo e teso, il Roero Arneis Galarà '19 è di buon frutto, sapido e succoso, e la Barbera d'Alba La Padruna '18, classica nelle note terrose e di frutti rossi, è fresca e piacevole.

● Barbera d'Alba La Padruna '18	♟♟ 3
○ Roero Arneis Galarà '19	♟♟ 2*
● Roero Muschiavin '18	♟♟ 3
● Nebbiolo d'Alba Sarzurì '18	♟ 3

Gagliasso

BORGATA TORRIGLIONE, 7
12064 LA MORRA [CN]
TEL. 017350180
www.gagliassovini.it

Tutta la famiglia Gagliasso è impegnata nella conduzione dei propri 15 ettari vitati e dell'accogliente agriturismo. Fruttato, fresco e armonico il lungo e speziato Rocche dell'Annunziata '16, più severo il rigido Torriglione '16, ricco di polpa il Tre Utin '16 ed evoluta la Riserva '13.

● Barolo Rocche dell'Annunziata '16	♟♟ 6
● Barolo Torriglione '16	♟♟ 6
● Barolo Tre Utin '16	♟♟ 6
● Barolo Ris. '13	♟ 8

Pierfrancesco Gatto

VIA VITTORIO EMANUELE II, 13
14030 CASTAGNOLE MONFERRATO [AT]
TEL. 0141292149
vinigatto@libero.it

Rientra in Guida questa piccola azienda famigliare, grazie a una bella prestazione d'insieme, ma soprattutto per una splendida Barbera d'Asti Superiore Iolanda '17, un'esplosione di note fruttate fresche e nitide, con una grande acidità a equilibrare l'insieme e un finale lungo e armonioso.

● Barbera d'Asti Sup. Iolanda '17	♟♟ 3*
● Barbera d'Asti Robiano '19	♟♟ 2*
● Barbera d'Asti Vigna Serra '18	♟♟ 3
● Ruché di Castagnole M.to Caresana '19	♟♟ 3

F.lli Giacosa

VIA XX SETTEMBRE, 64
12052 NEIVE [CN]
TEL. 017367013
www.giacosa.it

Naso dalle calde note di erbe assolate e di tabacco nel Barolo Bussia '16, che in bocca rivela un'inaspettata componente acida a fare da contraltare. Ancora un po' avvolto nel rovere il Barbaresco Basarin Vigna Gianmaté '17, bisognoso di un ulteriore affinamento in bottiglia.

● Barolo Bussia '16	♟♟ 7
● Barbaresco Basarin V. Gianmaté '17	♟ 7
● Barbera d'Alba Maria Gioana '17	♟ 6

Le Ginestre

S.DA GRINZANE, 15
12050 GRINZANE CAVOUR [CN]
TEL. 0173262910
www.leginestre.com

Gian Luca e Barbara Audasso possiedono una porzione di vigneti che, attorno alla metà dell'Ottocento, appartennero a Camillo Benso di Cavour. Qui è nata una versione di Barolo '16 gentilmente balsamica, di bella freschezza e gradevolmente scorrevole sul palato.

● Barolo Sotto Castello di Novello '16	♟♟ 6
● Langhe Nebbiolo '18	♟♟ 3
● Dolcetto d'Alba '19	♟ 3

La Giribaldina

FRAZ. SAN VITO, 39
14042 CALAMANDRANA [AT]
TEL. 0141718043
www.giribaldina.com

Il Nizza Cala delle Mandrie '17 alle fresche note fruttate fa seguire un palato ricco e polposo, ben sostenuto dall'acidità, mentre la Barbera d'Asti Cavalbianc '19 evidenzia note di china e tabacco, ciliegia e prugna, per un palato complesso e fine, lungo e di carattere.

● Barbera d'Asti Cavalbianc '19	♟♟ 2*
○ M.to Bianco Ferro di Cavallo '19	♟♟ 3
● Nizza Cala delle Mandrie '17	♟♟ 4

Gozzelino

S.DA BRICCO LÙ, 7
14055 COSTIGLIOLE D'ASTI [AT]
TEL. 0141966134
www.gozzelinovini.com

Bella prestazione d'insieme dei vini della famiglia Gozzelino, a partire dalla Barbera d'Asti Superiore Ciabot d'la Mandorla '17, fine nelle sue note di frutta rossa, di bella tenuta acida e dal finale lungo e un po' austero, e dal Grignolino d'Asti Bric d'la Riva '19, floreale e pepato.

● Barbera d'Asti Ciabot d'la Mandorla '18	♟♟ 2*
● Barbera d'Asti Sup. Ciabot d'la Mandorla '17	♟♟ 3
● Grignolino d'Asti Bric d'la Riva '19	♟♟ 2*

Clemente Guasti

C.SO IV NOVEMBRE, 80
14049 NIZZA MONFERRATO [AT]
TEL. 0141721350
www.clemente.guasti.it

Sempre di buona fattura i vini proposti da questa storica azienda nicese. La Barbera d'Asti Superiore Severa '16 ha toni di frutta fresca e terra bagnata, è avvolgente e di bella beva, mentre il Moscato d'Asti Santa Teresa '19 si esprime su note di frutta tropicale e miele.

● Barbera d'Asti Sup. Severa '16	♟♟ 3
○ Moscato d'Asti Santa Teresa '19	♟♟ 3
● Barbera d'Asti Sup. Boschetto Vecchio '16	♟ 4
● Nizza Barcarato '16	♟ 5

Franco Ivaldi

S.DA CARANZANO, 211
15016 CASSINE [AL]
TEL. 348 7492231
www.francoivaldivini.com

Franco e il figlio Giorgio Enologo ci regalano quest'anno una perla di viticoltura artigiana. Il Dolcetto d'Acqui è strepitoso, per eleganza e intensità sia olfattiva che gustativa. Di buona fattura gli altri vini, a dimostrazione della crescita qualitativa della produzione.

● Dolcetto d'Acqui Sup. La Uèca '18	♟♟ 3*
● Barbera d'Asti La Guerinotta '19	♟♟ 2*
● Barbera d'Asti Sup. La Balzana '17	♟♟ 4
● Dolcetto d'Acqui La Moschina '19	♟♟ 2*

Tenute Guardasole

FRAZ. ISELLA, 35
28075 GRIGNASCO [NO]
TEL. 0163411693
www.tenuteguardasole.it

Marco Bui coltiva le sue viti con il massimo rispetto ambientale, adottando sistemi di potatura dolce ed evitando l'uso della chimica di sintesi. Piccola la produzione ma grande la qualità, come ben testimonia l'eleganza dei tre vini degustati quest'anno, a base di nebbiolo e vespolina.

● Boca '16	♟♟ 6
● Pio Decimo '18	♟♟ 5
● Virgilio '18	♟♟ 4

Paride Iaretti

VIA PIETRO MICCA, 23B
13045 GATTINARA [VC]
TEL. 0163826899
www.parideiaretti.it

Paride Iaretti ha appena festeggiato i vent'anni di attività inaugurando la nuova cantina, in cui convergono le uve dei suoi quattro ettari vitati. Liquirizia ed erbette nel bel Gattinara Vigna Valferana '16, di pregevole armonia. Frutti rossi e agrumi nel fine Nebbiolo Velut Luna '18.

● Gattinara V. Valferana '16	♟♟ 8
● Coste della Sesia Nebbiolo Velut Luna '18	♟♟ 3
● Gattinara Pietro '16	♟ 5
● Gattinara Ris. '15	♟ 7

Lagobava

FRAZ. CA' BERGANTINO, 5
15049 VIGNALE MONFERRATO [AL]
TEL. 3476900656
www.lagobava.it

Gabriele Bava ci presenta sempre prodotti impreziositi da un'attenta gestione delle lunghe maturazioni in legno che dedica ai suoi vini: una piccola produzione, ma di grande spessore. Da provare L'Amo, da pinot nero e merlot, e Lagobava ottenuto da uve barbera e cabernet sauvignon.

● M.to Rosso L'Amo '16	♟♟ 6
● M.to Rosso Lagobava '12	♟♟ 4

Gianluigi Lano

FRAZ. SAN ROCCO SENO D'ELVIO
S.DA BASSO, 38
12051 ALBA [CN]
TEL. 0173286958
www.lanovini.it

Gianluigi Lano e il figlio Samuele si
occupano con bravura della conduzione dei
propri cinque ettari, coltivati in regime
biologico. Ricca personalità nello schietto
Barbaresco Rocche Massalupo '16, ben
articolata e setosa la Barbera d'Alba
Superiore Vigna Altavilla '16.

● Barbaresco Rocche Massalupo '16	♚♚	5
● Barbera d'Alba Sup. V. Altavilla '16	♚♚	3
● Langhe Lanot '16	♚	3
● Langhe Nebbiolo '18	♚	4

Le Marie

VIA SAN DEFENDENTE, 6
12032 BARGE [CN]
TEL. 0175345159
www.lemarievini.eu

Ha compiuto 20 anni la cantina di Valerio
Raviolo e dei figli Daniele e Simona, che
dispongono di nove ettari a oltre 400 metri
di quota. Ricco di personalità e
piacevolmente fresco il Piemonte Pinot
Nero Noir de Mariette '18, speziato e
agrumato l'elegante passito Festina Lente.

○ Festina Lente '18	♚♚	5
○ Pas Dosé M. Cl.	♚♚	5
● Piemonte Pinot Nero Noir de Mariette '18	♚♚	3
○ Blanc de Lissart	♚	3

Le Strette

VIA LE STRETTE, 1F
12060 NOVELLO [CN]
TEL. 0173744002
www.lestrette.com

Nelle 25.000 bottiglie proposte
annualmente dai fratelli Mauro e Savio
Daniele predomina il Barolo ma la Nas-Cëtta
si sta rivelando sempre più duttile e longeva.
Buon rovere e bacche rosse in evidenza nel
Barolo Corini-Pallaretta '16, speziata ed
elegante la Nas-Cëtta Pasinot '18.

● Barolo Bergeisa '16	♚♚	6
● Barolo Corini-Pallaretta '16	♚♚	6
○ Langhe Nas-cëtta del Comune di Novello Pasinot '18	♚♚	5

Liedholm

LOC. VILLA BOEMIA, 41A
VIA PER CUCCARO
15043 LU E CUCCARO MONFERRATO [AL]
TEL. 0332798836
www.liedholm.com

Azienda storica di Cuccaro Monferrato,
acquistata dal grande Nils Liedholm nel
1973. La produzione comincia nel 1977,
solo a uso familiare e si sviluppa negli anni
con le richieste di mercato. Del 1985
l'edificazione della nuova cantina. L'attuale
consulente enologico è Mario Ronco.

● Barbera d'Asti '15	♚♚	3
○ Grenoli	♚♚	3
● Grignolino del M.to Casalese '19	♚♚	2*

Lodali

V.LE RIMEMBRANZA, 5
12050 TREISO [CN]
TEL. 0173638109
www.lodali.it

Walter Lodali è oggi a capo di una cantina,
nata nel 1939, in grado di produrre
annualmente quasi 100.000 bottiglie che
spaziano tra le principali denominazioni
dell'area. Frutta rossa ed erbe asciutte nel
Barolo Lorens '16, contenuto nel volume e
di gradevole sapidità.

● Barolo Lorens '16	♚♚	7
● Barbaresco Lorens '17	♚♚	7
● Barbaresco Rocche dei 7 Fratelli '17	♚♚	5
● Barolo Bricco Ambrogio '16	♚♚	5

Maccagno

VIA BONORA, 29
12043 CANALE [CN]
TEL. 0173979438
www.cantinamaccagno.it

La Barbera d'Alba Superiore Arcalè '17 al
naso evidenzia note di frutti neri e di
liquirizia, al palato è ricca di frutto, di buona
sapidità e tenuta. Ben realizzato il Nebbiolo
d'Alba '16 dai profumi di ciliegia,
scorrevole e di buona piacevolezza.

● Barbera d'Alba Sup. Arcalè '17	♚♚	4
● Nebbiolo d'Alba '16	♚♚	3
○ Roero Arneis '19	♚	2
● Roero La Perla Nera Ris. '14	♚	5

Podere Macellio

VIA ROMA, 18
10014 CALUSO [TO]
TEL. 0119833511
www.erbaluce-bianco.it

Daniele e Renato Bianco conducono questa azienda tanto piccola nei numeri quanto ricca di storia secolare, ricavando le proprie uve erbaluce dal vigneto Macellio. Fresco e semplice il proporzionato Erbaluce di Caluso '19, importante acidità nel raffinato Erbaluce di Caluso Extra Brut.

○ Erbaluce di Caluso Extra Brut	♟♟ 3
○ Erbaluce di Caluso '19	♟ 2

Cantine Macrì

VIA GIUSEPPE AVALLE, 13
14042 CALAMANDRANA [AT]
TEL. 014175643
www.cantinemacri.it

Entra in Guida questa storica cantina di Calamandrana. Il Nizza Federica '17 ha note di china, terra bagnata e prugna, e un palato denso e molto lungo in cui tannini e acidità sono in bell'equilibrio. Ottimo anche il Moscato d'Asti Dulcis in Fundo '19, tipico nelle sue note di agrumi e canditi.

● Nizza Federica '17	♟♟ 4
○ Moscato d'Asti Dulcis in Fundo '19	♟♟ 2*

Marenco

P.ZZA VITTORIO EMANUELE II, 10
15019 STREVI [AL]
TEL. 0144363133
www.marencovini.com

Azienda storica della zona di Acqui Terme e anche tra quelle con la maggiore estensione. La fondazione risale al primo quarto del Novecento, mentre la cantina al centro di Strevi è operativa dalla metà degli anni '50. Molto ampia la produzione dedicata ai vitigni autoctoni locali.

● Barbera d'Asti Bassina '18	♟♟ 3
○ M.to Bianco Carialoso '18	♟♟ 3
○ Moscato d'Asti Scrapona '19	♟ 3
○ Moscato d'Asti Strev '19	♟ 2

Mirù

P.ZZA ANTONELLI, 24
28074 GHEMME [NO]
TEL. 0163840032
www.aziendaagricolamiru.it

Marco Arlunno conduce con estrema naturalità i suoi dieci ettari, vitati principalmente con uva nebbiolo. Nella valida gamma degustata si staglia il Ghemme Riserva Vigna Cavenago '15, di rara finezza e armonia, sapido, succoso e di notevole struttura.

● Ghemme V. Cavenago Ris. '15	♟♟ 5
● Colline Novaresi Nebbiolo N50 '18	♟♟ 3
● Colline Novaresi Vespolina N54 '19	♟♟ 3
○ Colline Novaresi Bianco Piriet '19	♟ 2

Moccagatta

S.DA RABAJÀ, 46
12050 BARBARESCO [CN]
TEL. 0173635228
www.moccagatta.eu

Solo due etichette di Barbaresco '17 nelle nostre degustazioni. Il Bric Balin porge un intenso e dolce sentore di rovere, mentre la bocca è compatta e di buon volume. Il Cole è già oggi più armonico e aggraziato.

● Barbaresco Cole '17	♟♟ 8
● Barbaresco Bric Balin '17	♟ 7

Molino

VIA AUSARIO, 5
12050 TREISO [CN]
TEL. 0173638384
www.molinovini.com

Compie 30 anni la cantina dei fratelli Molino, che dispongono di 16 ettari vitati a dolcetto, barbera e nebbiolo, uniti a un pizzico di chardonnay e arneis. Frutta matura e sentori di rovere nel caldo Barbaresco Teorema '17, gradevole tostatura nel complesso Ausario Riserva '15.

● Barbaresco Ausario Ris. '15	♟♟ 8
● Barbaresco Teorema '17	♟♟ 6
● Barbera d'Alba Sup. '18	♟ 4
● Piemonte Rosso Selvaggia '19	♟ 3

Montaribaldi

FRAZ. TRE STELLE
S.DA NICOLINI ALTO, 12
12050 BARBARESCO [CN]
TEL. 0173638220
www.montaribaldi.com

La famiglia Taliano gestisce dal 1994, assieme a un'affiatata squadra di collaboratori, i propri 25 ettari vitati e le 140.000 bottiglie annue che ne scaturiscono. Cenni di erbette e di catrame nel ricco e piacevole Barbaresco Sorì Montaribaldi '16.

● Barbaresco Ricü '15	♟♟ 6
● Barbaresco Sorì Montaribaldi '16	♟♟ 5
● Dolcetto d'Alba Vagnona '19	♟♟ 2*
● Barbera d'Alba Dü Gir '17	♟ 4

Paolo Monti

FRAZ. CAMIE
LOC. SAN SEBASTIANO, 39
12065 MONFORTE D'ALBA [CN]
TEL. 017378391
www.paolomonti.com

I vini di Paolo Monti nascono in 16 ettari vitati di proprietà e sono elaborati per raggiungere due obiettivi centrali: l'eleganza e la longevità. Ragguardevole interpretazione della Barbera d'Alba Superiore nella ricca vendemmia 2016.

● Barbera d'Alba Sup. '16	♟♟ 7
● Nebbiolo d'Alba Sup. '17	♟♟ 5
● Barolo del Comune di Monforte d'Alba '16	♟ 7

Le More Bianche

VIA ADELE ALFIERI, 35
12050 MAGLIANO ALFIERI [CN]
TEL. 3456141980
www.lemorebianche.com

Entra in Guida l'azienda di Alessandro Bovio. La Barbera d'Alba '18 è successa, con note di frutti rossi e macchia mediterranea, di buona spinta e corpo, il Roero San Bernardo '17 è ricco di frutto e dalla trama tannica elegante, mentre il Langhe Nebbiolo Nebiulin '19 è fresco e piacevole.

● Barbera d'Alba '18	♟♟ 3
● Langhe Nebbiolo Nebiulin '19	♟♟ 4
● Roero San Bernardo '17	♟♟ 5
● Barbera d'Alba Sup. '18	♟ 5

Morgassi Superiore

CASE SPARSE SERMORIA, 7
15066 GAVI [AL]
TEL. 0143642007
www.morgassisuperiore.it

Impatto gusto-olfattivo imponente per il Volo: articolato e intenso, con aromi di frutta bianca e felci, su note di pietra focaia; al palato risulta possente, con acidità vibrante che sorregge un finale molto persistente. Fine ed elegante Tuffo. Di buona fattura Timorgasso.

○ Gavi del Comune di Gavi Volo '18	♟♟ 4
○ Gavi del Comune di Gavi Tuffo '19	♟♟ 3
○ M.to Bianco Timorgasso '18	♟ 4

Cantina Sociale di Nizza

S.DA ALESSANDRIA, 57
14049 NIZZA MONFERRATO [AT]
TEL. 0141721348
www.nizza.it

Solida prestazione dei vini di questa storica cantina cooperativa. La Barbera d'Asti Superiore Magister agli aromi di prugna e mora fa seguire un palato di buona polpa, mentre la Barbera d'Asti Le Pole '18 evidenzia aromi di frutta rossa e un palato di buona complessità.

● Barbera d'Asti Le Pole '18	♟♟ 2*
● Barbera d'Asti Sup. Magister '18	♟♟ 3
○ Piemonte Chardonnay Labrì '19	♟ 2

Massimo Pastura Cascina La Ghersa

VIA CHIARINA, 2
14050 MOASCA [AT]
TEL. 0141856012
www.laghersa.it

Tra le varie etichette presentate da Massimo Pastura spicca la Barbera d'Asti Superiore Camparò '18, con note di frutta rossa, fresca e piacevole, dai tannini eleganti e dal finale lungo e sapido. Affascinante la Collezione 10 Anni '10, densa e di grande pienezza.

● Barbera d'Asti Sup. Camparò '18	♟♟ 4
● Barbera d'Asti Sup. Nizza Collezione 10 Anni '10	♟♟ 7
● Nizza Muaschae Ris. '17	♟ 6

Elio Perrone

VIA SAN MARTINO, 2
12053 CASTIGLIONE TINELLA [CN]
TEL. 0141855803
www.elioperrone.it

La Barbera d'Asti Superiore Mongovone '18 evidenzia delle belle note di more, ciliegie nere e cacao, per un palato ricco e succoso, di grande pienezza di frutto, dal finale di grande lunghezza. Ben realizzato anche il Moscato d'Asti Sourgal '19, gradevole e di fresca acidità.

● Barbera d'Asti Sup. Mongovone '18	♥♥	5
○ Moscato d'Asti Sourgal '19	♥♥	2*
● Barbera d'Asti Tasmorcan '19	♥	3

Armando Piazzo

FRAZ. SAN ROCCO DI SENO D'ELVIO, 31
12051 ALBA [CN]
TEL. 017335689
www.piazzo.it

Cresce l'impegno della famiglia Piazzo Allario, forte del sempre più incisivo impegno dei giovani Marco e Simone, oltre che di ben 70 ettari vitati. Bella riuscita della coraggiosa sfida dell'austero Barolo Riserva, che esce a 10 anni dalla vendemmia, ricco di rose e liquirizia.

● Barolo Sottocastello di Novello Ris. '10	♥♥	7
● Barbaresco '17	♥♥	5
● Barbaresco Nervo V. Giaia Ris. '15	♥♥	6
● Barolo '16	♥♥	5

Paolo Giuseppe Poggio

VIA ROMA, 67
15050 BRIGNANO FRASCATA [AL]
TEL. 0131784929
www.cantinapoggio.com

Questa piccola realtà artigiana ha sede a Brignano Frascata e si estende per circa 15 ettari, di cui quattro dedicati al vigneto. Sette le etichette in produzione ottenute da vitigni autoctoni in prevalenza timorasso e barbera, con una percentuale minore di croatina, cortese e moscato.

● Colli Tortonesi Barbera Campo La Bà '18	♥♥	2*
● Colli Tortonesi Rosso Prosone '18	♥♥	2*
○ Colli Tortonesi Timorasso Ronchetto '18	♥♥	3

Fabio Perrone

FRAZ. VALDIVILLA, 69
12058 SANTO STEFANO BELBO [CN]
TEL. 0141847123
www.fabioperrone.com

Entra in Guida l'azienda di Fabio Perrone. Davvero riuscita la Barbera d'Asti Superiore '18, con aromi di china e frutti neri, per un palato importante e dal finale fresco e lungo. Il Moscato d'Asti Cascina Galletto '19 ha profumi di frutta bianca e un palato armonico e di carattere.

● Barbera d'Asti Sup. '18	♥♥	5
● Langhe Nebbiolo Ciabot '18	♥♥	3
○ Moscato d'Asti Cascina Galletto '19	♥♥	2*
○ Langhe Favorita Parroco '19	♥	2

Poderi dei Bricchi Astigiani

FRAZ. REPERGO
VIA RITANE, 7
14057 ISOLA D'ASTI [AT]
TEL. 0141958974
www.bricchiastigiani.it

L'azienda della famiglia Gaslini Alberti a conduzione biologica ci ha proposto una bella versione della Barbera d'Asti "base", una 2018 dagli aromi di frutti neri e china, piena e densa, lunga e tesa al limite dell'austerità. Ben riuscito anche il Blanc de Noirs, complesso e grintoso.

● Barbera d'Asti '18	♥♥	2*
○ Piemonte Pinot Nero Blanc de Noirs M. Cl.	♥♥	4
● Barbera d'Asti Sup. Bricco del Perg '17	♥	3
⊙ Piemonte Rosato Bricco Preje '19	♥	2

Pomodolce

VIA IV NOVEMBRE, 7
15050 MONTEMARZINO [AL]
TEL. 0131878135
www.pomodolce.it

Prestazione molto interessante per l'azienda di Montemarzino, con il Diletto in finale e il Grue in grande spolvero. Sono due Colli Tortonesi Timorasso molto ricchi e strutturati, con il Diletto, in questa fase, più pronto del Grue, che confidiamo spiccherà il volo con un ulteriore affinamento.

○ Colli Tortonesi Timorasso Derthona Diletto '18	♥♥	4
○ Colli Tortonesi Timorasso Grue '18	♥♥	5
● Colli Tortonesi Monleale Marsen '14	♥	4

Maurizio Ponchione

VIA R. SACCO, 9A
12040 GOVONE [CN]
TEL. 017358149
www.ponchionemaurizio.com

Ottimi sia il Roero Monfrini '16, dai sentori di frutta rossa e tabacco su fondo di leggera speziatura e cuoio, di buon frutto, equilibrato, lungo e con tannini ben fusi, che il Roero Arneis Monfrini '19, in cui alle note iodate e di pera kaiser, fa seguito un palato agile e sapido.

● Roero Arneis Monfrini '19	♟♟ 3
● Roero Monfrini '16	♟♟ 3
● Barbera d'Alba Donia '16	♟ 3
● Barbera d'Alba Monfrini '16	♟ 3

Giovanni Prandi

FRAZ. CASCINA COLOMBÈ
VIA FARINETTI, 5
12055 DIANO D'ALBA [CN]
TEL. 017369248
www.prandigiovanni.it

Alessandro Prandi è un capace interprete dell'uva dolcetto, coltivato nei cinque ettari disposti attorno alla cascina di famiglia. Qui trovano spazio anche valide parcelle dedicate alla Barbera e al Nebbiolo d'Alba. Polposo, importante e assai fruttato il nitido Sörì Colombè '19.

● Dolcetto di Diano d'Alba Sorì Colombè '19	♟♟ 2*
● Nebbiolo d'Alba '18	♟♟ 3
● Barbera d'Alba '19	♟ 2
○ Langhe Arneis '19	♟ 2

Punset

VIA ZOCCO, 2
12052 NEIVE [CN]
TEL. 01736707267072
www.punset.com

Marina Marcarino da oltre 30 anni applica metodi sempre più naturali e non invasivi nei suoi 17 ettari vitati, da cui ricava circa 60.000 bottiglie annue. Fitto e austero il Barbaresco San Cristoforo Campo Quadro '14, fresco di erbette aromatiche il piacevolissimo Langhe Nebbiolo '18.

● Barbaresco San Cristoforo Campo Quadro '14	♟♟ 6
● Barbera d'Alba '19	♟♟ 3
● Langhe Nebbiolo '18	♟♟ 4

Raineri

LOC. PANEROLE, 24
12060 NOVELLO [CN]
TEL. 3396009289
www.rainerivini.com

La piccola e curata cantina guidata da Gianmatteo Raineri, attiva dal 2004, ricava il proprio Barolo da vigneti situati a Monforte e Serralunga d'Alba. Fantastico sentore fruttato nel ricco e armonico Dogliani Zovetto '19, tra i migliori della tipologia nella vendemmia 2019.

● Dogliani Zovetto '19	♟♟ 2*
● Barolo Castelletto '16	♟♟ 8
● Langhe Nebbiolo Snart '19	♟♟ 3
● Barolo Perno '16	♟ 8

Vigneti Repetto

LOC. CASTELLAZZO
15050 MONTEMARZINO [AL]
TEL. 3494669501
www.vignetirepetto.it

Giampaolo Repetto, dopo brillanti esperienze imprenditoriali, è ritornato alle origini. Oggi gestisce, insieme alla moglie Marina, un'azienda moderna e dinamica, concepita con lo scopo di ottenere la migliore qualità di prodotto con il minore impatto ambientale.

○ Colli Tortonesi Timorasso Derthona Quadro '18	♟♟ 4
○ Colli Tortonesi Timorasso Derthona Origo '18	♟♟ 4

Ressia

VIA CANOVA, 28
12052 NEIVE [CN]
TEL. 0173677305
www.ressia.com

Tra i vini presentati quest'anno spicca per complessità varietale, ventaglio di sfumature balsamiche e speziate e persistenza gustativa, il Barbaresco Canova Riserva del 2015 che, pur figlio di un millesimo di sostanza e struttura, si rivela fresco e agile nella beva.

● Barbaresco Canova Serie Oro Ris. '15	♟♟ 7
● Barbaresco Canova '17	♟♟ 5
○ Evien '19	♟♟ 2*

Pietro Rinaldi

FRAZ. MADONNA DI COMO
12051 ALBA [CN]
TEL. 0173360090
www.pietrorinaldi.com

La cantina di Paolo Tenino e Monica Rinaldi si trova in una delle zone più vocate per la produzione di Dolcetto d'Alba, ma l'area vitata aziendale comprende anche cru a Verduno per il Barolo e a Neive per il Barbaresco. Ottimo risultato con entrambe le proposte di Barolo '16.

● Barolo '16	♟♟	6
● Barolo Monvigliero '16	♟♟	6
○ Langhe Arneis Hortensia '16	♟♟	2*
● Barbera d'Alba Sup. Bricco Cichetta '17	♟	4

Silvia Rivella

LOC. MONTESTEFANO, 17
12050 BARBARESCO [CN]
TEL. 0173635040
www.agriturismorivella.it

La supervisione dei tre ettari vitati è quella del celebre Guido Rivella, che si diletta ad applicare qui in scala ridotta la sua decennale esperienza di enologo. Liquirizioso e appena vanigliato il fine Barbaresco "base" '17, più incisivo e vegetale il Montestefano.

● Barbaresco '17	♟♟	7
● Barbaresco Montestefano '17	♟♟	7

Rizieri

CASCINA RICCHINO
12055 DIANO D'ALBA [CN]
TEL. 0173468540
www.rizieri.com

La famiglia Verrotti di Pianella ha trovato in questa piccola e bella cantina la strada per realizzare un sogno, attorniandosi di collaboratori di primo piano. Nella più che valida batteria eccelle uno speziato Barolo '16 moderno, raffinato e armonico.

● Barbera d'Alba Sbilauta '19	♟♟	4
● Barbera d'Alba Sup. '17	♟♟	4
● Barolo '16	♟♟	5
● Nebbiolo d'Alba '17	♟♟	3

Tenuta Rocca

LOC. ORNATI, 19
12065 MONFORTE D'ALBA [CN]
TEL. 017378412
www.tenutarocca.com

Compie 35 anni di attività la Tenuta Rocca, che può contare su 15 ettari vitati e sulla collaborazione di professionisti di primo piano. Ottima proposta di Barolo '16, con un elogio particolare alla versione "base", intensa, liquiriziosa e di notevole armonia sul palato.

● Barolo '16	♟♟	6
● Barolo Bussia '16	♟♟	7
● Barolo del Comune di Serralunga d'Alba '16	♟♟	8

Rolfo - Ca' di Cairè

B.GO VALLE CASETTE, 52
12046 MONTÀ [CN]
TEL. 0173971263
www.emanuelerolfo.it

Davvero ben realizzati il Roero Arneis '19, dai sentori di frutta a polpa bianca e macchia mediterranea, di buon nerbo, piacevole e sapido, e il Nebbiolo d'Alba Ca 'd Pilat '17, con note di frutti neri, sottobosco ed erbe aromatiche al naso, mentre il palato è fresco e immediato.

● Nebbiolo d'Alba Ca 'd Pilat '17	♟♟	3
○ Roero Arneis '19	♟♟	2*
● Barbera d'Alba '16	♟	3

Gigi Rosso

STRADA ALBA-BAROLO, 34
12060 CASTIGLIONE FALLETTO [CN]
TEL. 0173262369
www.gigirosso.com

Maurizio Rosso è oggi alla guida di questo ormai storico marchio, reso celebre dal carismatico fondatore Gigi. Nell'ampia gamma proposta, si mettono in evidenza ottime selezioni di Barolo: rose e lampone nel polposo e fresco il Bricco San Pietro '16, appena più morbido Rocche Mariondino '15.

● Barolo Rocche Mariondino '15	♟♟	8
● Barolo Bricco San Pietro '16	♟♟	6

F.lli Rovero

LOC. VALDONATA
FRAZ. SAN MARZANOTTO, 218
14100 ASTI
TEL. 0141592460
www.rovero.it

Quest'azienda in conduzione biologica, più
nota forse per la produzione di grappa, ci
ha proposto una gamma di vini solida e di
buona fattura, a cominciare dalla Barbera
d'Asti Superiore Rouvè '17, dagli aromi di
ciliegie mature, more e spezie e dal palato
ricco ed equilibrato.

● Barbera d'Asti Sanpansè '19	♟♟ 2*
● Barbera d'Asti Sup. Rouvè '17	♟♟ 4
● Barbera d'Asti Sup. Vign. Gustin '18	♟♟ 3
● Grignolino d'Asti Vign. La Casalina '18	♟♟ 2*

San Biagio

FRAZ. SANTA MARIA
SAN BIAGIO, 98
12064 LA MORRA [CN]
TEL. 017350214
www.barolosanbiagio.com

L'azienda agricola della famiglia Roggero si
basa su 14 ettari, vitati solo con uve rosse,
e realizza le etichette proprie delle principali
denominazioni di Langa. Molto gradevole il
mentolato Barolo Bricco San Biagio '16,
piuttosto severo e ricco; più fruttato e
immediato il Capalot '16.

● Barolo Bricco San Biagio '16	♟♟ 5
● Barolo Pria-Capalot '16	♟♟ 5
● Barbaresco Montersino '17	♟ 5
● Barolo Sorano '15	♟ 5

Santa Clelia

REG. ROSSANA, 7
10035 MAZZÈ [TO]
TEL. 0119835187
www.santaclelia.it

La famiglia Dezzutto ha proposto nella
vendemmia 2019 due etichette di Erbaluce
di Caluso che si staccano dalla usuale
proposta, adottando uno stile più maturo e
ossidativo. Buona complessità sia nel più
ricco Essenthia che nello scorrevole Ypa.

○ Erbaluce di Caluso Essenthia '19	♟♟ 3
○ Erbaluce di Caluso Ypa '19	♟ 3

Podere Ruggeri Corsini

LOC. BUSSIA BOVI 18
12065 MONFORTE D'ALBA [CN]
TEL. 017378625
www.ruggericorsini.it

● Nicola Argamante e Loredana Addari hanno
costruito una solida realtà ben conosciuta
anche all'estero. I vigneti dedicati al Barolo
si trovano all'interno del celebre cru Bussia
e nel Bricco San Pietro. Ed è quest'ultimo a
rivelarsi nel 2016 elegante ma anche molto
ricco, lungo e armonico.

● Barolo Bricco San Pietro '16	♟♟ 5
● Barbera d'Alba '18	♟♟ 2*
● Barolo Bussia Corsini '16	♟♟ 6
● Langhe Nebbiolo '18	♟♟ 3

Cantine Sant'Agata

REG. MEZZENA, 19
14030 SCURZOLENGO [AT]
TEL. 0141203186
www.santagata.com

L'azienda della famiglia Cavallero è un
punto di riferimento per la produzione del
Ruché di Castagnole Monferrato. Il 'Na Vota
si propone con note floreali e di frutti rossi,
tannini fitti ma non troppo severi e un finale
molto lungo, mentre Il Cavaliere è grintoso
e di buona struttura.

● Ruché di Castagnole M.to 'Na Vota '19	♟♟ 3
● Ruché di Castagnole M.to Il Cavaliere '19	♟♟ 2*
● Ruché di Castagnole M.to Pro Nobis '17	♟ 4

Sassi - San Cristoforo

VIA PASTURA, 10
12052 NEIVE [CN]
TEL. 0173677122
www.sassisancristoforo.com

Appena due ettari a disposizione
dell'enologo Davide Carniel, che si dedica
principalmente alla lavorazione delle
proprie uve nebbiolo. Eccellenti i risultati
con il Barbaresco delle annate 2015 e
2016, particolarmente riuscito il raffinato e
balsamico 2017.

● Barbaresco '17	♟♟ 4
● Barbaresco San Cristoforo '16	♟♟ 5
● Barbaresco San Cristoforo Ris. '15	♟♟ 6
● Langhe Nebbiolo '18	♟♟ 3

Antica Casa Vinicola Scarpa

VIA MONTEGRAPPA, 6
14049 NIZZA MONFERRATO [AT]
TEL. 0141721331
www.scarpavini.it

Batteria di vini davvero riuscita per questa
storica azienda nicese. La Barbera d'Asti
I Bricchi '15 è austera e complessa nelle
sue note di china e tabacco, lunga e di
carattere; la Freisa '17 è ricca e polposa,
con tannini fitti e finale succoso, il
Rouchet '17 è fine e floreale.

● Barbera d'Asti CasaScarpa '17	♟♟ 2*
● Barbera d'Asti I Bricchi '15	♟♟ 4
● M.to Freisa '17	♟♟ 4
● M.to Rosso Rouchet '17	♟♟ 5

Segni di Langa

LOC. RAVINALI, 25
12060 RODDI [CN]
TEL. 3803945151
www.segnidilanga.it

Gian Luca Colombo e Alessandra Moretti
conducono questa piccola e ambiziosa
nuova realtà di Langa che, anno dopo
anno, si sta ritagliando il suo spazio.
Complice l'ottimo millesimo, il Barolo '16 si
distingue per complessità varietale e
definizione gustativa.

● Barolo '16	♟♟ 6
● Barbera d'Alba Sup. '18	♟♟ 4
● Nebbiolo d'Alba '18	♟♟ 4

Collina Serragrilli

FRAZ. SERRAGRILLI
VIA SERRAGRILLI, 30
12052 NEIVE [CN]
TEL. 0173677010
www.serragrilli.it

La cantina diretta da Piernicola Bruno e
dalle sorelle Lequio è giustamente nota
soprattutto per il Barbaresco, ma non
mancano proposte derivanti dal Monferrato
e dal Roero. Moderna e appena vanigliata
l'elegante Barbera d'Alba Serraia '17, di
gradevole armonia gustativa.

● Barbaresco Starderi '17	♟♟ 7
● Barbera d'Alba Serraia '17	♟♟ 2*
● Langhe Nebbiolo Bailè '17	♟♟ 3
● Barbaresco Serragrilli '17	♟ 6

Sette

LOC. PONTEVERDE, 74
14049 NIZZA MONFERRATO [AT]
TEL. 3803945151
www.sette.wine

Il Nizza di questa giovane azienda, fondata
nel 2017, nasce da vigne di 75 anni situate
nella parte più alta del Bricco Nizza. Il 2019
si presenta con aromi di ciliegia, liquirizia e
tabacco di grande finezza, per un palato
grintoso, agile e lungo. Piacevole e tutta da
bere la Barbera d'Asti d'annata.

● Nizza V. V. '18	♟♟ 4
● Barbera d'Asti '19	♟♟ 3

Vini Silva

CASCINE ROGGE, 1B
10011 AGLIÈ [TO]
TEL. 3473075648
www.silvavini.com

Prima solo viticoltori, dal 1995 i Silva si
dedicano anche all'imbottigliamento,
utilizzando quasi esclusivamente uve
bianche coltivate nei 12 ettari di proprietà.
Fiori bianchi ed erbe aromatiche nel
gustoso Erbaluce di Caluso Dry Ice '19, più
severo e appena mosso il Tre Ciochè '19.

○ Erbaluce di Caluso Dry Ice '19	♟♟ 2*
○ Erbaluce di Caluso Tre Ciochè '19	♟ 2

Poderi Sinaglio

FRAZ. RICCA
VIA SINAGLIO, 5
12055 DIANO D'ALBA [CN]
TEL. 0173612209
www.poderisinaglio.it

Azienda agricola con ospitalità, in grado di
offrire un'autentica esperienza di Langa
con il valore aggiunto di una produzione
enologica interessante e affidabile, tra cui
quest'anno spicca il Nebbiolo d'Alba
Giachet '18, molto definito a livello varietale
e dotato di eleganza e freschezza.

● Barbera d'Alba Erta '18	♟♟ 3
● Dolcetto di Diano d'Alba	
Sorì Bric Maiolica '19	♟♟ 2*
● Nebbiolo d'Alba Giachet '18	♟♟ 3

Francesco Sobrero

VIA PUGNANE, 5
12060 CASTIGLIONE FALLETTO [CN]
TEL. 017362864
www.sobrerofrancesco.it

Flavio Sobrero dispone di ottimi appezzamenti situati in celebri cru, quali Pernanno, Parussi e Villero. Di qui si ricava ogni anno una gamma capeggiata dalle proposte di Barolo. Rosa, lampone e liquirizia al naso, bocca armonica e ricca nel Parussi '16.

● Barolo Ciabot Tanasio '16	♟♟ 6
● Barolo Parussi '16	♟♟ 7

Terre Astesane

VIA MARCONI, 42
14047 MOMBERCELLI [AT]
TEL. 0141959155
www.terreastesane.it

Storica cantina sociale, la Terre Astesane ci ha proposto un'ottima gamma di vini tra i quali spiccano il Nizza Mumbersè '17, intenso nei suoi aromi di funghi secchi e frutti rossi, fitto e di vibrante acidità, e il Grignolino d'Asti Ganassa '19, dai toni di pepe e genziana, lungo e dinamico.

● Grignolino d'Asti Ganassa '19	♟♟ 2*
● Nizza Mumbersé '17	♟♟ 3
● Barbera d'Asti La '19	♟ 2
● Barbera d'Asti Sup. Savej '17	♟ 2

Terre dei Santi

VIA SAN GIOVANNI, 6
14022 CASTELNUOVO DON BOSCO [AT]
TEL. 0119876117
www.terredeisanti.it

Nata dall'unione nel 2004 della Cantina del Freisa di Castelnuovo Don Bosco con la Cantina del Barbera di San Damiano d'Asti, Terre dei Santi propone principalmente vini a base di uve freisa, barbera e malvasia. Equilibrata la Barbera d'Asti L'Alfiere '17.

● Barbera d'Asti '18	♟♟ 2*
● Barbera d'Asti l'Alfiere '17	♟♟ 3
● Freisa d'Asti Zaffo '17	♟♟ 3
● Freisa di Chieri '19	♟ 2

Terre di Sarizzola

FRAZ. SARIZZOLA
VIA APPENNINI, 41
15050 COSTA VESCOVATO [AL]
TEL. 3381222128
www.terredisarizzola.com

Terre di Sarizzola evolve da novità dello scorso anno a certezza di oggi. Il Derthona è articolato e intenso, con pregevoli aromi floreali su note di erbe aromatiche e minerali. Molto intrigante il Biancornetto '17, (quello degustato lo scorso anno era il 2016). Da provare il Monleale.

○ Colli Tortonesi Timorasso Derthona '18	♟♟ 4
● Colli Tortonesi Barbera Sup. M.....e '16	♟♟ 6
○ Colli Tortonesi Timorasso Biancornetto '17	♟♟ 4

Terre Sabaude Produttori di Govone

VIA UMBERTO I, 46
12040 GOVONE [CN]
TEL. 017358120
www.produttorigovone.com

Nuovo percorso verso la qualità per la dinamica Produttori di Govone con la linea Terre Sabaude. Il grande balzo sarà in primavera con l'esordio de "IPARCELLARI" progetto dell'eccellente sommelier Davide Canina (enologo Dacasto) che proporrà vini nati solo da selezioni "a parcella".

● Barbera d'Alba Sup. Borbonica Terre Sabaude '17	♟♟ 3
○ Roero Arneis Terre Sabaude '19	♟♟ 2*

Tibaldi

S.DA SAN GIACOMO, 49
12060 POCAPAGLIA [CN]
TEL. 0172421221
www.cantinatibaldi.com

Il Roero Le Passere '17 è classico nei suoi profumi di tabacco e foglie di tè, con sfumature di lamponi e fragole, mentre il palato è armonico, scorrevole, persistente e di bell'equilibrio. Da segnalare anche il Roero Arneis Pas Dosé Ritasté '15, fine e allo stesso tempo di buona complessità.

○ Roero Arneis Pas Dosé Ritasté M. Cl. '15	♟♟ 3
● Roero Le Passere '17	♟♟ 3
○ Roero Arneis Bricco delle Passere '18	♟ 3

Trediberri

B.TA TORRIGLIONE, 4
12064 LA MORRA [CN]
TEL. 3391605470
www.trediberri.com

Sono arrivati a nove gli ettari, coltivati in regime biologico, da cui giungono le uve nella nuova cantina di Nicola e Federico Oberto, che conducono l'attività assieme a Vladimiro Rambaldi. Floreale, vivo e succoso il Rocche dell'Annunziata '16; non da meno il Barolo "base" pari annata.

● Barolo '16		♟♟ 5
● Barolo Rocche dell'Annunziata '16		♟♟ 7
● Langhe Nebbiolo '19		♟♟ 2*
● Barbera d'Alba '19		♟ 2

Poderi Vaiot

BORGATA LAIONE, 43
12046 MONTÀ [CN]
TEL. 0173976283
www.poderivaiot.it

Ben realizzati il Roero Arneis Franco '19 è fresco e di buon corpo e lunghezza, tutto giocato su note vegetali di erbe aromatiche, e il Roero Pierin '17 , dai profumi di frutti neri con sfumature floreali e dal palato piacevole, dinamico, nitido e di buon frutto.

○ Roero Arneis Franco '19		♟♟
● Roero Pierin '17		♟♟
● Nebbiolo d'Alba Sessantadì '18		♟
○ Val del Moro M. Cl.		♟

Valdinera

VIA CAVOUR, 1
12040 CORNELIANO D'ALBA [CN]
TEL. 0173619881
www.valdinera.com

La famiglia Careglio ha presentato due ottimi Nebbiolo: il Roero San Carlo Riserva '16, dagli aromi di foglie di tè e violette, succoso, fine e con un finale giocato su note di arancia rossa, e il Nebbiolo d'Alba Sontuoso '16, dai toni di frutti neri e macchia mediterranea, fresco e piacevole.

● Nebbiolo d'Alba Sontuoso '16		♟♟ 4
● Roero San Carlo Ris. '16		♟♟ 5
● Barbera d'Alba Sup. '18		♟ 3
● Nebbiolo d'Alba '18		♟ 3

La Vecchia Posta

VIA MONTEBELLO, 2
15050 AVOLASCA [AL]
TEL. 0131876254
www.lavecchiaposta-avolasca.com

Il Selvaggio '18 ha un buon bagaglio gusto-olfattivo, ma risulta più snello rispetto ad altre annate. Ottima beva per la Barbera Languia '16, fresca e intensa, dal finale persistente. Frutti di bosco e aromi vegetali su sfumature di pepe caratterizzano il Rosso Ciliegio '19.

● Colli Tortonesi Barbera Languia '16		♟♟ 4
○ Colli Tortonesi Timorasso Derthona		
Il Selvaggio '18		♟♟ 4
● Rosso Ciliegio '19		♟♟ 3

Alberto Voerzio

B.GO BRANDINI, 1A
12064 LA MORRA [CN]
TEL. 3333927654
www.albertovoerzio.com

Le piccole dimensioni aziendali consentono ad Alberto Voerzio di seguire in prima persona sia i suoi quattro ettari di vigneti, sia le fasi di vinificazione e maturazione dei vini. Piuttosto chiuso il rigido e agrumato Barolo Castagni '16, più aperto e complesso il tannico Barolo La Serra '16.

● Barolo Castagni '16		♟♟ 6
● Barolo La Serra '16		♟♟ 7
● Langhe Nebbiolo '17		♟♟ 6
● Barbera d'Alba '17		♟ 3

La Zerba

LOC. ZERBA, 1
15060 TASSAROLO [AL]
TEL. 0143342259
www.la-zerba.it

Non sono molti i vini rossi nella zona del Gavi, ma la Piemonte Barbera '18 ci ha sorpresi per l'eleganza degli aromi e per l'armonia della fase gustativa. Potente ed estrattivo Anfora, che evidenzia lo stile di vinificazione. Terrarossa è meno spinto sulla macerazione, ma sullo stesso stile.

● Piemonte Barbera Bio '18		♟♟ 2*
○ Gavi del Comune di Tassarolo Anfora '18		♟ 3
○ Gavi del Comune di Tassarolo		
Terrarossa '19		♟ 2

LIGURIA

La Liguria presenta un territorio costiero lungo circa 350 km, che solo in apparenza appare uniforme. È racchiuso dalle Alpi Marittime nell'estremo Ponente e dagli Appennini Liguri che si aprono a Levante. Sui monti si insinuano diverse valli che in senso longitudinale attraversano tutta la regione e qui, storicamente, la coltura viticola si è aperta a tipologie diverse, creando tradizioni enologiche e vini differenti. Mai come quest'anno la Guida riesce a esprimere queste diversità e gli 8 vini premiati sono una bella rappresentazione dei singoli vitigni nei territori. Il comprensorio del Levante si presenta compatto e offre una qualità altissima: qui il Vermentino è principe incontrastato e quest'anno lo apprezziamo particolarmente grazie a quattro grandi produttori. Lunae Bosoni ci propone un'ottima versione dell'etichetta Nera, bianco dagli affascinanti sentori esotici; Baia del Sole dei fratelli Federici riesce a esprimere tutta la mineralità possibile attraverso il Sarticola; Giacomelli, col Pianacce, si distingue per un tocco mediterraneo esemplare; Zangani, infine, col Vermentino Superiore Boceda, regala un vino di importante struttura, ma sempre elegante ed armonico. L'apertura del Ponente alla diversità passa attraverso più tipologie premiate. È un vero fuoriclasse di complessità ma anche deliziosamente bevibile, il Luvaira, Dolceacqua di Giovanna Maccario, mentre il Rossese di Massimo Alessandri è vino armonico e dalla beva elegante e conquista il suo primo Tre Bicchieri. Tra i bianchi emerge prorompente la personalità del vitigno Pigato, ai vertici attraverso due grandi etichette: il più volte premiato U Baccan di Bruna e, un'altra prima volta, il Pigato di Albenga Saleasco dello storico produttore Marcello Calleri. Riviera Ligure e Dolceacqua a Ovest, Colli di Luni a Est, pigato, vermentino e rossese. Questo è il vero valore della Regione, ma non bisogna dimenticare altre denominazioni più piccole, ma di indubbio pregio. Una di queste è rappresentata dalle Cinque Terre, zona di indiscusso valore paesaggistico che riesce ancora (fortunatamente) a regalare vini unici al mondo come lo Sciacchetrà: un passito che nasce sulle celebri vigne terrazzate immerse in uno scenario di assoluta bellezza.

Massimo Alessandri

VIA COSTA PARROCCHIA, 42
18020 RANZO [IM]
TEL. 018253458
www.massimoalessandri.it

VENDITA DIRETTA
VISITA SU PRENOTAZIONE
RISTORAZIONE
PRODUZIONE ANNUA 35.000 bottiglie
ETTARI VITATI 7,00

L'azienda Alessandri, qualificatasi ormai da tempo come realtà di alta affidabilità qualitativa, trova in Massimo il proprietario e factotum. Viticoltore attento che ha investito molto in termini tecnici e umani, tra i suoi fiori all'occhiello annoveriamo il Viorus, prodotto da un 80% di uve viognier con 20% di roussanne, che ha celebrato più di 15 anni di produzione. La fermentazione sulle sole fecce fini, senza macerazione sulle bucce, unita alla maturazione in botti da 600 litri, conferiscono al vino un gusto articolato e unico. Ottimo il Rossese Costa de Vigne '18: dal colore rubino granato e intenso, ha note di china e corteccia, cacao e bacche rosse; è caldo alla beva con una piacevole polpa, tannino armonioso e vitale, buona lunghezza. Complesso il Pigato Vigne Vëggie '18 con le sue note di agrumi, menta e tabacco, espresse in un corpo elegante e avvolgente, lunghissimo. Ben riusciti anche il Pigato Costa de Vigne '19 e la Granaccia '18.

Tenuta Anfosso

C.SO VERBONE, 175
18036 SOLDANO [IM]
TEL. 0184289906
www.tenutaanfosso.it

VENDITA DIRETTA
OSPITALITÀ
PRODUZIONE ANNUA 23.000 bottiglie
ETTARI VITATI 4,50

Alessandro Anfosso, sempre coadiuvato dalla moglie Marisa che si occupa della parte commerciale, continua gli investimenti con un nuovo terreno, in zona Pini di Soldano. Si tratta di un vigneto abbandonato a circa 400 metri di altitudine nella parte alta della menzione geografica "Pini" che verrà reimpiantato a uve rossese. Il suo percorso, intrapreso nel 2002, sta portando ottimi risultati, al punto che anche il figlio titolare dell'azienda E Prie, sta seguendo le stesse orme, sperimentando nuove lavorazioni con buoni risultati. La 2018 si rivela un'annata a dir poco positiva per i Dolceacqua di Tenuta Anfosso. Granato vivo al colore, il Superiore Fulavin si articola tra suggestioni di liquirizia e tabacco, corteccia e fiori secchi, regalando al sorso una bella vena sapida, di garbata intensità. Annunciato da timbri di frutta rossa e spezie, liquirizia e cacao, il Poggio Pini coniuga al palato carattere e lunghezza.

● Riviera Ligure di Ponente Rossese Costa de Vigne '18	▼▼▼ 4*
○ Riviera Ligure di Ponente Pigato Vigne Vëggie '18	▼▼ 4
● Riviera Ligure di Ponente Granaccia '18	▼▼ 4
○ Riviera Ligure di Ponente Pigato Costa de Vigne '19	▼▼ 3
○ Riviera Ligure di Ponente Vermentino Costa de Vigne '19	▼ 3
○ Viorus '18	▼ 5
● Riviera Ligure di Ponente Granaccia '17	♀♀ 4
● Riviera Ligure di Ponente Granaccia '15	♀♀ 4
○ Riviera Ligure di Ponente Pigato Costa de Vigne '18	♀♀ 3
● Riviera Ligure di Ponente Rossese Costa de Vigne '17	♀♀ 4
○ Riviera Ligure di Ponente Vermentino Costa de Vigne '18	♀♀ 3*

● Dolceacqua Sup. Fulavin '18	▼▼ 5
● Dolceacqua Sup. Poggio Pini '18	▼▼ 5
● Dolceacqua Sup. '18	▼▼ 4
● Dolceacqua Sup. Luvaira '18	▼▼ 5
● Dolceacqua E Prie '19	▼ 4
● Dolceacqua '15	♀♀ 4
● Dolceacqua Sup. '17	♀♀ 4
● Dolceacqua Sup. '16	♀♀ 4
● Dolceacqua Sup. '13	♀♀ 4
● Dolceacqua Sup. Fulavin '16	♀♀ 5
● Dolceacqua Sup. Fulavin '13	♀♀ 4
● Dolceacqua Sup. Luvaira '17	♀♀ 5
● Dolceacqua Sup. Luvaira '16	♀♀ 4
● Dolceacqua Sup. Luvaira '13	♀♀ 4
● Dolceacqua Sup. Poggio Pini '16	♀♀ 5
● Dolceacqua Sup. Poggio Pini '15	♀♀ 4
● Dolceacqua Sup. Poggio Pini '12	♀♀ 4

Arrigoni

VIA SARZANA, 224
19126 LA SPEZIA
TEL. 0187504060
www.arrigoni1913.it

VENDITA DIRETTA
VISITA SU PRENOTAZIONE
OSPITALITÀ E RISTORAZIONE
PRODUZIONE ANNUA 150.000 bottiglie
ETTARI VITATI 18,00
AZIENDA SOSTENIBILE

L'azienda Arrigoni è composta da due realtà distinte: la prima sita in San Gimignano e la seconda a La Spezia, in Liguria. Qui la coltivazione è distribuita su un ampio territorio che parte da Castelnuovo Magra-La Colombera, nel territorio della Doc Colli di Luni, arrivando fino a Ricò del Golfo, nell'entroterra delle Cinque Terre. Sul versante mare, il lavoro è concentrato in due piccole tenute: una a Volastra e l'altra nel bellissimo borgo di Vernazza. Sono microstrutture indispensabili per lavorare le uve provenienti dai parcellizzati vigneti del territorio. La Cascina dei Peri '19 è un Vermentino intenso, che si presenta con note di macchia mediterranea e rosmarino, frutta bianca e agrumi: raffinato e complesso, esprime salda struttura e sapida piacevolezza in un lungo finale. Il Prefetto '19 si distingue per uno stile fresco ed elegante, con fondo minerale e fruttato, che si sviluppa con bella armonia.

Laura Aschero

P.ZZA VITTORIO EMANUELE, 7
18027 PONTEDASSIO [IM]
TEL. 0183710307
www.lauraaschero.it

VENDITA DIRETTA
VISITA SU PRENOTAZIONE
PRODUZIONE ANNUA 65.000 bottiglie
ETTARI VITATI 50,00

L'azienda rimane a struttura familiare, anche se la crescente e continua richiesta di prodotto sta spingendo i titolari a nuove ricerche di spazi per incrementare la futura gamma. La cantina è conosciuta soprattutto per i suoi vini bianchi, derivanti da vigneti situati principalmente in zona Monti e Posai, a circa 150 metri di altitudine, lungo la valle del torrente Impero. Seppur scarsa quantitativamente, l'ultima vendemmia ha generato frutti sani e raccolti a giusta maturazione. Marco e Carla sostengono la figlia Bianca, che ormai da anni ha preso a pieno titolo le redini operative. Annunciato da brillanti riflessi verdognoli, il Pigato '19 si accompagna a intense note di erbe officinali e frutta bianca, sviluppandosi armonico al palato, con elegante freschezza e lungo retrogusto. Meno incisivo il Vermentino '19 con aromi di frutta bianca ed erbe mediterranee su corpo misurato, mentre il Rossese '19 è piacevole nell'intenso corredo di frutto rosso e dotato di buona persistenza.

○ Colli di Luni Vermentino Il Prefetto '19	♟♟ 3*
○ Colli di Luni Vermentino La Cascina dei Peri '19	♟♟ 3*
○ Cinque Terre Pigato '19	♟♟ 3
○ Cinque Terre Sciacchetrà Passito Rosa di Maggio '09	♟♟ 8
○ Cinque Terre Sciacchetrà Rosa di Maggio '16	♟♟ 8
○ Cinque Terre Tra I Monti '18	♟♟ 3*
○ Cinque Terre Tra I Monti '17	♟♟ 3*
○ Colli di Luni Vermentino La Cascina dei Peri '18	♟♟ 3
○ Colli di Luni Vermentino V. del Prefetto '18	♟♟ 3
○ Colli di Luni Vermentino V. del Prefetto '17	♟♟ 3

○ Riviera Ligure di Ponente Pigato '19	♟♟ 3*
● Riviera Ligure di Ponente Rossese '19	♟ 3
○ Riviera Ligure di Ponente Vermentino '19	♟ 3
○ Riviera Ligure di Ponente Vermentino '10	♟♟♟ 3*
○ Riviera Ligure di Ponente Pigato '18	♟♟ 3*
○ Riviera Ligure di Ponente Pigato '17	♟♟ 3
○ Riviera Ligure di Ponente Pigato '16	♟♟ 3
○ Riviera Ligure di Ponente Pigato '15	♟♟ 3*
○ Riviera Ligure di Ponente Pigato '13	♟♟ 3*
○ Riviera Ligure di Ponente Pigato '11	♟♟ 3*
○ Riviera Ligure di Ponente Vermentino '18	♟♟ 3
○ Riviera Ligure di Ponente Vermentino '17	♟♟ 3
○ Riviera Ligure di Ponente Vermentino '16	♟♟ 3

La Baia del Sole - Federici

FRAZ. LUNI ANTICA
VIA FORLINO, 3
19034 LUNI [SP]
TEL. 0187661821
www.cantinefederici.com

VENDITA DIRETTA
VISITA SU PRENOTAZIONE
PRODUZIONE ANNUA 180.000 bottiglie
ETTARI VITATI 35,00

L'azienda della famiglia Federici è in continua crescita: sono stati impiantati tre nuovi ettari a vermentino bianco e una parte più contenuta a vermentino nero. Una parte in località Palvotrisia nel comune di Castelnuovo Magra, a circa 200 metri di altitudine, il restante su tre ampi poggi in frazione San Martino nel comune di Luni. E nonostante l'ultima vendemmia abbia fatto registrare un leggero calo quantitativo, la produzione si rafforza anche grazie alla vicina passerella costruita per il museo di Luni, che ha contribuito ad alimentare le visite in cantina. Grande vino il Vermentino Sarticola '19: paglierino vivo e brillante, si presenta con intense note di erbe secche e agrumi gialli, arricchite da sentori di albicocca e iodio. Al palato è complesso, di bella struttura minerale e sorprendente eleganza, con un fresco impatto su un finale lunghissimo. Anche il Vermentino Oro D'Ise'e '19 ha grande vigore e complessità.

Maria Donata Bianchi

VIA MEREA, 101
18013 DIANO ARENTINO [IM]
TEL. 0183498233
www.aziendaagricolabianchi.it

VENDITA DIRETTA
VISITA SU PRENOTAZIONE
OSPITALITÀ
PRODUZIONE ANNUA 30.000 bottiglie
ETTARI VITATI 4,00

Marta Trevia, fresca di laurea in enologia e viticoltura, è il ponte tra il passato e il presente di una realtà che coniuga le conoscenze moderne, veloci nel cambiamento e nell'informazione, con gli antichi saperi, le varietà coltivate e le espressioni del territorio. È lei che ha oggi il compito di far crescere l'azienda Maria Donata Bianchi e le sue idee sono già molto chiare: un propizio sguardo al futuro che, con il percorso di conversione al biologico e la richiesta di nuovi diritti, segna un sentiero tracciato e lineare verso l'obiettivo. Tipico e sfaccettato negli aromi di frutta bianca, macchia mediterranea e pompelmo, il Pigato '19 si mostra al palato fine e complesso, fitto e armonico, grazie alla salda struttura e al pimpante scheletro acido. Pienamente convincente il Vermentino '19 col suo esuberante profilo fruttato, ampliato da nuance di erbe secche; la bocca evidenzia un tocco maggiormente solare, prima del finale leggermente ammandorlato.

○ Colli di Luni Vermentino Sarticola '19	♟♟♟ 5
○ Colli di Luni Vermentino Oro D'Ise'e '19	♟♟ 4
○ Colli di Luni Bianco Glaudius '19	♟♟ 3
Q Colli di Luni Vermentino Solaris '19	♟♟ 3
○ Colli di Luni Bianco Muri Grandi '19	♟ 2
⊙ Prima Brezza Rosato '19	♟ 3
○ Colli di Luni Vermentino Sarticola '15	♟♟♟ 4*
○ Colli di Luni Bianco Gladius '17	♟♟ 2*
○ Colli di Luni Vermentino Oro d'Ise'e '18	♟♟ 4
○ Colli di Luni Vermentino Oro d'Ise'e '17	♟♟ 4
○ Colli di Luni Vermentino Sarticola '18	♟♟ 5
○ Colli di Luni Vermentino Sarticola '17	♟♟ 5
○ Colli di Luni Vermentino Sarticola '16	♟♟ 4
○ Colli di Luni Vermentino Solaris '18	♟♟ 3*
○ Colli di Luni Vermentino Solaris '17	♟♟ 3*

○ Riviera Ligure di Ponente Pigato '19	♟♟ 3*
○ Riviera Ligure di Ponente Vermentino '19	♟♟ 3
○ Riviera Ligure di Ponente Pigato '12	♟♟♟ 3*
○ Riviera Ligure di Ponente Vermentino '09	♟♟♟ 3
○ Riviera Ligure di Ponente Vermentino '07	♟♟♟ 3*
○ Antico Sfizio '18	♟♟ 4
○ Riviera Ligure di Ponente Pigato '18	♟♟ 3
○ Riviera Ligure di Ponente Pigato '17	♟♟ 3
○ Riviera Ligure di Ponente Pigato '16	♟♟ 3
○ Riviera Ligure di Ponente Pigato '14	♟♟ 3*
○ Riviera Ligure di Ponente Vermentino '18	♟♟ 3*
○ Riviera Ligure di Ponente Vermentino '17	♟♟ 3

BioVio

FRAZ. BASTIA
VIA CROCIATA, 24
17031 ALBENGA [SV]
TEL. 018220776
www.biovio.it

VENDITA DIRETTA
VISITA SU PRENOTAZIONE
OSPITALITÀ
PRODUZIONE ANNUA 60.000 bottiglie
ETTARI VITATI 9,00
VITICOLTURA Biologico Certificato

Caterina Vio sta mostrando sempre più capacità e bravura produttiva. In gamma c'è un nuovo vino, una sorta di esperimento con uve pigato lavorate senza l'aggiunta di solfiti: la raccolta avviene con la selezione dei grappoli più sani, crio-macerati per 24 ore prima della fermentazione svolta con soli lieviti indigeni. Il progetto aziendale prevede anche un futuro appezzamento a Vallette, nella prima zona collinare di Bastia di Albenga, da impiantare a granaccia. Il vitigno già presente sul territorio incrementerà la proposta di gamma. Intenso nel corpo con leggere note di caramello, il Pigato Grand Père '18 evidenzia una notevole dotazione materica e tenui sentori di frutta gialla matura, che riportano alla macerazione e arricchiscono un lungo retrogusto. Un bel mix di erbe officinali e macchia mediterranea, frutta e spezie, caratterizzano invece il Ma René '19, che chiude con grande struttura e bella armonia. Ottima versione anche per il Granaccia Gigò '19.

○ Riviera Ligure di Ponente Pigato Grand Père '18	▼▼ 5
○ Riviera Ligure di Ponente Pigato Ma René '19	▼▼ 3*
● Gigò Granaccia '19	▼▼ 3
○ Riviera Ligure di Ponente Pigato Essenza '19	▼ 4
● Riviera Ligure di Ponente Rossese U Bastiò '19	▼ 3
○ Riviera Ligure di Ponente Pigato Bon in da Bon '17	▼▼▼ 5
○ Riviera Ligure di Ponente Pigato Bon in da Bon '16	▼▼▼ 5
○ Riviera Ligure di Ponente Pigato Bon in da Bon '15	▼▼▼ 2*
○ Riviera Ligure di Ponente Vermentino Aimone '11	▼▼▼ 2*

Bregante

VIA UNITÀ D'ITALIA, 47
16039 SESTRI LEVANTE [GE]
TEL. 018541388
www.cantinebregante.it

VENDITA DIRETTA
VISITA SU PRENOTAZIONE
PRODUZIONE ANNUA 120.000 bottiglie
ETTARI VITATI 1,00

Sergio Sanguineti conduce la cantina ereditata da Ferdinando Bregante, papà della moglie Simona. Nel tempo si è specializzato nella vinificazione delle uve, dilettandosi nelle varie tecniche di produzione: oltre alle tipologie tradizionali, compreso il moscato metodo charmat, nella gamma troviamo lo spumante plasmato con le uve di bianchetta genovese, vitigno principe del territorio. È un Metodo Classico, lavorato in solo acciaio o bottiglia con la permanenza di 18 mesi sui lieviti, da grappoli raccolti precocemente con l'obiettivo di salvaguardare il tenore acido. Suggestioni di pesca e albicocca, con un lontano richiamo muschiato, sorso saporito e dinamico grazie alla fitta grana carbonica: è in sintesi il profilo del Moscato '19, ricco e piacevole. Fine e intenso negli aromi che ricordano i fiori di campo e le felci, la Bianchetta Genovese '19 si mostra delicata, raffinata e fresca con un finale gradevole.

○ Golfo del Tigullio Portofino Moscato '19	▼▼ 3*
○ Golfo del Tigullio Baia delle Favole Brut M. Cl.	▼▼ 5
○ Golfo del Tigullio Portofino Bianchetta Genovese '19	▼▼ 2*
○ Golfo del Tigullio Portofino Bianco '19	▼▼ 2*
● Golfo del Tigullio Portofino Ciliegiolo '19	▼▼ 2*
○ Golfo del Tigullio Portofino Vermentino '19	▼ 2
○ Golfo del Tigullio Portofino Bianchetta Genovese '17	♀♀ 2*
○ Golfo del Tigullio Portofino Bianco '18	♀♀ 2*
○ Golfo del Tigullio Portofino Bianco '17	♀♀ 2*
● Golfo del Tigullio Portofino Ciliegiolo '18	♀♀ 2*
○ Golfo del Tigullio Portofino Moscato '18	♀♀ 3
○ Golfo del Tigullio Portofino Moscato '17	♀♀ 3
○ Golfo del Tigullio Portofino Vermentino '16	♀♀ 2*

★Bruna

FRAZ. BORGO
VIA UMBERTO I, 81
18020 RANZO [IM]
TEL. 0183318082
www.brunapigato.it

VENDITA DIRETTA
VISITA SU PRENOTAZIONE
PRODUZIONE ANNUA 40.000 bottiglie
ETTARI VITATI 8,50

L'azienda al secondo anno del percorso di certificazione biologica ha registrato un significativo decremento produttivo, confermando però l'alto trend qualitativo dell'annata 2019. Le copiose piogge primaverili, accompagnate da basse temperature, hanno inibito il pieno sviluppo, determinando la formazione di grappoli spargoli adatti a vini di valore. La struttura aziendale non ha subito modifiche: Roberto si occupa principalmente di seguire i vigneti, la moglie Francesca dell'ufficio. Entrambi gestiscono anche la cantina con i tanti e diversificati lavori che essa comporta. Il Pigato U Baccan '18 esibisce un colore intenso e vivo, con note complesse di menta e rosmarino che si aprono sulla frutta bianca; il sorso è fresco, di grande armonia e indiscussa eleganza. Paglierino tenue con sfumature verdognole, anche il Pigato Majè '19 gioca sulle sensazioni officinali e balsamiche, snodandosi teso ed elegante, prima della chiusura leggermente ammandorlata.

○ Riviera Ligure di Ponente Pigato U Baccan '18	♟♟♟ 6
○ Riviera Ligure di Ponente Pigato Le Russeghine '19	♟♟ 4
● Bansigu '18	♟♟ 3
○ Riviera Ligure di Ponente Pigato Majè '19	♟♟ 3
○ Riviera Ligure di Ponente Vermentino '19	♟ 4
○ Riviera Ligure di Ponente Pigato U Baccan '16	♟♟♟ 5
○ Riviera Ligure di Ponente Pigato U Baccan '15	♟♟♟ 5
○ Riviera Ligure di Ponente Pigato U Baccan '13	♟♟♟ 5
○ Riviera Ligure di Ponente Pigato U Baccan '12	♟♟♟ 5

Cantine Calleri

LOC. SALEA
REG. FRATTI, 2
17031 ALBENGA [SV]
TEL. 018220085
www.cantinecalleri.com

PRODUZIONE ANNUA 55.000 bottiglie
ETTARI VITATI 6,00

L'impegno e la professionalità che da sempre Marcello Calleri mette nella trasformazione delle uve, scelte con meticolosità anno per anno da conferitori abituali, è materia ormai indiscussa. Il suo amore per il lavoro, unito alla competenza enologica acquisita, sono le ragioni per cui l'azienda da lui battezzata produce vini di grande qualità. Una nuova etichetta aumenta la gamma produttiva: una selezione di pigato, Il Calleri, proveniente da Salea, imbottigliato dopo un passaggio in barrique nuove di circa quattro mesi e una lunga maturazione in vasche di acciaio. Estremamente raffinato negli aromi di albicocca, rosmarino ed erbe mediterranee, il Pigato Saleasco '19 si rivela un grande vino: coniuga complessità e classe, ampia sapidità e buona freschezza, con un lungo finale, ricco e al contempo agile. Di buona eleganza, piacevole corpo e buona armonia anche il Vermentino Muzzazzi '19, ma è l'intera gamma a spiccare per personalità e naturalezza di sorso.

○ Riviera Ligure di Ponente Pigato di Albenga Saleasco '19	♟♟♟ 3*
○ Riviera Ligure di Ponente Vermentino I Müzazzi '19	♟♟ 3*
● Dolceacqua '18	♟♟ 3
○ Riviera Ligure di Ponente Pigato di Albenga '19	♟♟ 3
○ Riviera Ligure di Ponente Pigato di Albenga Il Calleri '17	♟♟ 4
○ Riviera Ligure di Ponente Pigato di Albenga Saleasco '18	♟♟ 3*
○ Riviera Ligure di Ponente Pigato di Albenga Saleasco '17	♟♟ 3*
○ Riviera Ligure di Ponente Vermentino '18	♟♟ 3
● Rossese di Dolceacqua '17	♟♟ 3

Cheo

VIA BRIGATE PARTIGIANE, 1
19018 VERNAZZA [SP]
TEL. 0187821189
www.cheo.it

VENDITA DIRETTA
VISITA SU PRENOTAZIONE
PRODUZIONE ANNUA 13.000 bottiglie
ETTARI VITATI 2,00
AZIENDA SOSTENIBILE

È a Vernazza, piccolo borgo delle Cinque
Terre, che Bartolo Lercari ha le sue origini.
Ed è qui che con la moglie Lise, dopo anni
di lavoro all'Università di Pisa, ha costruito
il suo presente. Il suo principale corpo
vitato è uno spettacolo: raggiungibile quasi
unicamente con la monorotaia, tiene
insieme ordine e bellezza, contribuendo ad
arricchire il fascino paesaggistico del
litorale. Uomo di indiscussa intelligenza e
larghe vedute, diventa maniacale o attento
a ogni piccolo particolare quando si tratta
dei suoi vigneti, curati con assiduità e
costanza quasi pianta per pianta. Intense
note di caramello, toffee e arancia candita,
con raffinato sottofondo di incenso e
liquirizia, lo Sciacchetrà '17 si rivela vino di
grande complessità con un corpo
armonico e profondo, capace di innescare
un lunghissimo finale di autentica
classicità. È maggiormente giocato su
fresche sensazioni di erbe e piante
officinali il Perciò '19, altrettanto dotato di
polpa ed equilibrio.

○ Cinque Terre Sciacchetrà '17	♟♟	8
○ Cinque Terre Perciò '19	♟♟	4
● Liguria di Levante '18	♟♟	3
○ Cinque Terre Bianco Mavà '19	♟	4
○ Cheo Bianco '18	♟♟	3
● Cheo Rosso '17	♟♟	4
○ Cinque Terre Cheo '17	♟♟	3
○ Cinque Terre Cheo '16	♟♟	3
○ Cinque Terre Mavà '17	♟♟	4
○ Cinque Terre Perciò '18	♟♟	4
○ Cinque Terre Perciò '17	♟♟	4
○ Cinque Terre Perciò '16	♟♟	4
○ Cinque Terre Perciò '15	♟♟	4
○ Cinque Terre Sciacchetrà '16	♟♟	8
○ Cinque Terre Sciacchetrà '15	♟♟	8
○ Cinque Terre Sciacchetrà '14	♟♟	8
○ Cinque Terre Sciacchetrà '13	♟♟	8

Cantina Cinque Terre

FRAZ. MANAROLA
LOC. GROPPO
19010 RIOMAGGIORE [SP]
TEL. 0187920435
www.cantinacinqueterre.com

VISITA SU PRENOTAZIONE
PRODUZIONE ANNUA 200.000 bottiglie
ETTARI VITATI 45,00

Sita nelle alture del bellissimo borgo di
Riomaggiore, la Cantina Cinque Terre ha
attivato importanti investimenti per il
miglioramento del comparto ricettivo e per
una migliore accoglienza degli enoturisti,
che sempre più salgono le alture per
visitare i sentieri e i vigneti affacciati a
dirupo sul mare. È stata poi consolidata la
parte superiore del centro operativo,
adibito all'appassimento delle uve per lo
Sciacchetrà: una struttura fissa, con ampie
finestre e al di sopra una tettoia e una sala
che servirà da punto di ritrovo e di
assaggio. Intenso e piuttosto fine il Costa
de Campu '19, semplice e immediato con
il sapore di erbe fresche e felci; al palato
si avverte buona armonia nella lunga
scia finale. Oro antico nel colore, tanto
estratto nel corpo con profumi di
albicocca, miele e arancia candita, lo
Sciacchetrà '18 è di pimpante acidità
nel sorso ampio e piacevole. Ottime
riuscite anche per i Cinque Terre Pergole
Sparse e Vigne Alte '19.

○ Cinque Terre Costa de Campu '19	♟♟	3*
○ Sciacchetrà '18	♟♟	6
○ Cinque Terre Pergole Sparse '19	♟♟	3
○ Cinque Terre Vigne Alte '19	♟♟	3
○ Cinque Terre Costa da' Posa '19	♟	3
○ Cinque Terre '18	♟♟	2*
○ Cinque Terre '17	♟♟	2*
○ Cinque Terre Costa da' Posa '18	♟♟	3
○ Cinque Terre Costa da' Posa '17	♟♟	3
○ Cinque Terre Costa de Campu '18	♟♟	3
○ Cinque Terre Costa de Campu '17	♟♟	3
○ Cinque Terre Pergole Sparse '17	♟♟	3
○ Cinque Terre Sciacchetrà '17	♟♟	6
○ Cinque Terre Sciacchetrà '15	♟♟	6
○ Cinque Terre Sciacchetrà Ris. '12	♟♟	6
○ Cinque Terre Vigne Alte '18	♟♟	3*
○ Cinque Terre Vigne Alte '17	♟♟	3*

Fontanacota

FRAZ. PONTI
VIA PROVINCIALE, 137
18100 PORNASSIO [IM]
TEL. 3339807442
www.fontanacota.it

VENDITA DIRETTA
VISITA SU PRENOTAZIONE
PRODUZIONE ANNUA 40.000 bottiglie
ETTARI VITATI 6,00

La sede aziendale è nel comune di Pornassio, ma Marina e il fratello Fabio si stanno espandendo in altri comuni limitrofi implementando la proposta firmata Fontanacota. Oltre a un primo vigneto già impiantato nel comune di Dolcedo, annoverano nell'entroterra a San Giorgio un altro piccolo appezzamento di granaccia, che entrerà in produzione nei prossimi anni. Nel mentre i giovani Andreas e Ludovico stanno lavorando al nuovo sito che prevede due progetti: il primo di e-commerce e il secondo di comunicazione della nuova sala degustazione prevista nei locali sovrastanti la cantina. Il Pigato '19 spicca per le belle note di agrumi e albicocca, arricchite da sentori di clorofilla e macchia mediterranea: complessità e classe contraddistinguono il sorso, sorretto da una buona acidità e un finale aristocratico. Tenue, vivo e molto giovane il Vermentino '19, con ingresso sulla frutta, nuance mentolate e leggere erbe secche.

○ Riviera Ligure di Ponente Pigato '19	♟♟ 3*
● Ormeasco di Pornassio Sup. '18	♟♟ 4
● Riviera Ligure di Ponente Rossese '19	♟♟ 3
○ Riviera Ligure di Ponente Vermentino '19	♟♟ 3
● Ormeasco di Pornassio '18	♟ 3
○ Riviera Ligure di Ponente Pigato '11	♟♟♟ 3*
○ Riviera Ligure di Ponente Vermentino '18	♟♟♟ 3*
● Ormeasco di Pornassio '17	♟♟ 3
● Ormeasco di Pornassio Sup. '17	♟♟ 3
○ Riviera Ligure di Ponente Pigato '18	♟♟ 3*
○ Riviera Ligure di Ponente Pigato '17	♟♟ 3
○ Riviera Ligure di Ponente Pigato '16	♟♟ 3
● Riviera Ligure di Ponente Rossese '17	♟♟ 3
○ Riviera Ligure di Ponente Vermentino '17	♟♟ 3

Giacomelli

VIA PALVOTRISIA, 134
19030 CASTELNUOVO MAGRA [SP]
TEL. 3496301516
www.azagricolagiacomelli.com

VENDITA DIRETTA
VISITA SU PRENOTAZIONE
PRODUZIONE ANNUA 100.000 bottiglie
ETTARI VITATI 12,00
AZIENDA SOSTENIBILE

Da Giacomelli sono in via di completamento i lavori nella nuova cantina, che hanno visto l'ampliamento degli spazi già in uso per la parte di conferimento delle uve e il ripristino delle vecchie vasche in cemento, che verranno sistemate e rivestite in vetroresina: l'obiettivo è quello di produrre vini nel solco della tradizione. Per quanto riguarda i vigneti invece, un piccolo appezzamento è stato impiantato nel comune di Luni: si tratta di vermentino nero, vitigno che sul territorio sta riscuotendo grandi consensi. Giovane ed esplosivo, il Pianacce '19 propone belle note di frutta bianca e menta su un fondo di agrumi. Al palato è elegante e complesso, ricco e sapido, con un finale lungo e di gran carattere. Con i suoi intensi aromi floreali e citrini, il Boboli '19 esprime imperioso il carattere del Vermentino, coniugando eleganza, fresca sapidità e lunga persistenza. Su ottimi livelli anche i Vermentino Paduletti '19 e Giardino dei Vescovi '18.

○ Colli di Luni Vermentino Pianacce '19	♟♟♟ 3*
○ Colli di Luni Vermentino Boboli '19	♟♟ 4
○ Colli di Luni Vermentino Giardino dei Vescovi '18	♟♟ 5
○ Colli di Luni Vermentino Paduletti '19	♟♟ 2*
● Liguria di Levante Pergole Basse '19	♟ 3
○ Colli di Luni Vermentino Boboli '17	♟♟♟ 4*
○ Colli di Luni Vermentino Pianacce '18	♟♟♟ 3*
○ Colli di Luni Bianco Paduletti '16	♟♟ 2*
○ Colli di Luni Vermentino Boboli '18	♟♟ 4
○ Colli di Luni Vermentino Boboli '13	♟♟ 4
○ Colli di Luni Vermentino Giardino dei Vescovi '17	♟♟ 5
○ Colli di Luni Vermentino Paduletti '18	♟♟ 2*
○ Colli di Luni Vermentino Pianacce '17	♟♟ 3
○ Colli di Luni Vermentino Pianacce '16	♟♟ 2*
○ Colli di Luni Vermentino Pianacce '15	♟♟ 2*

La Ginestraia

VIA STERIA
18100 CERVO [IM]
TEL. 3482613723
www.laginestraia.com

PRODUZIONE ANNUA 50.000 bottiglie
ETTARI VITATI 7,00

Finalmente Mauro Leporieri e Marco Brangero lavorano il nuovo appezzamento di proprietà coltivato a vermentino, sito nel comune di Cervo subito al di sopra del paese di San Bartolomeo al Mare. Si tratta di un vigneto a giropoggio collocato a circa 400 metri sul livello del mare, con un orientamento che abbraccia tutto il colle da sud-est a sud-ovest. Piantati quattro cloni diversi di vermentino, ne uscirà un unico vino di selezione che andrà ad arricchire la collezione dei bianchi. Una seconda importante notizia è l'autorizzazione alla costruzione della nuova cantina. Il Pigato '19 mostra un impianto espressivo ricco di frutta, sorretto da incisiva freschezza con una invitante traccia erbacea. Anche il Pigato Le Marige '19 è brioso, con sentori di frutta bianca matura su corpo di buona armonia e finale abbastanza lungo. Pulito, sincero, piacevole, il Vermentino '19 gioca maggiormente sulle timbriche primarie.

Ka' Mancinè

FRAZ. SAN MARTINO
VIA MACIURINA, 7
18036 SOLDANO [IM]
TEL. 339 3965477
www.kamancine.it

VENDITA DIRETTA
VISITA SU PRENOTAZIONE
PRODUZIONE ANNUA 20.000 bottiglie
ETTARI VITATI 3,00

Maurizio Anfosso, vulcanico vigneron del Dolceacqua, amplia i suoi obiettivi con nuovi appezzamenti coltivati a rossese. Il primo in Vallata Verbone, nel comune di Soldano, in quella zona che ricade sotto la menzione geografica Bramusa; un nuovo vigneto, sulle spoglie di quello abbandonato negli anni '80, verrà piantato in località Beragna. Piccole parcelle che andranno a completamento di quelle già in produzione: nei prossimi anni la cantina potrà quindi avvalersi di numeri sensibilmente in crescita per far fronte alle richieste dei mercati. Il Galeae Angè Riserva '18 ha silhouette giovanile, con intense note fruttate che si accompagnano a sfumature più profonde di cortecce e spezie: un temperamento polposo e austero particolarmente evidente nel sorso prospettico. Vivido ed esuberante, ma ugualmente complesso, il Galeae '19 col suo tripudio di frutti rossi e pepe, arricchito da una leggera e stuzzicante sensazione "verde". Molto promettente anche il Beragna '19.

○ Riviera Ligure di Ponente Pigato '19	♟♟	3
○ Riviera Ligure di Ponente Pigato Le Marige '19	♟♟	5
○ Riviera Ligure di Ponente Vermentino '19	♟♟	3
○ Riviera Ligure di Ponente Pigato Le Marige '18	♟♟♟	5
○ Riviera Ligure di Ponente Pigato Le Marige '15	♟♟♟	3*
○ Riviera Ligure di Ponente Pigato Via Maestra '16	♟♟♟	5
○ Riviera Ligure di Ponente Pigato '18	♟♟	3*
○ Riviera Ligure di Ponente Pigato Le Marige '17	♟♟	3
○ Riviera Ligure di Ponente Pigato Via Maestra '15	♟♟	3*
○ Riviera Ligure di Ponente Vermentino '17	♟♟	3

● Dolceacqua Galeae Angè Ris. '18	♟♟	3*
● Dolceacqua Beragna '19	♟♟	3
● Dolceacqua Galeae '19	♟♟	3
☉ Sciakk '19	♟	3
○ Tabaka '19	♟	3
● Dolceacqua Beragna '17	♟♟♟	3*
● Dolceacqua Beragna '16	♟♟♟	3*
● Dolceacqua Galeae '13	♟♟♟	3*
● Dolceacqua Beragna '18	♟♟	3*
● Dolceacqua Beragna '15	♟♟	3*
● Dolceacqua Galeae '18	♟♟	3
● Dolceacqua Galeae '17	♟♟	3*
● Dolceacqua Galeae '16	♟♟	3*
● Dolceacqua Galeae Angè Ris. '17	♟♟	3*
● Dolceacqua Galeae Angè Ris. '16	♟♟	3*
● Dolceacqua Galeae Angè Ris. '15	♟♟	3
● Dolceacqua Galeae Angè Ris. '14	♟♟	3*

Ottaviano Lambruschi

VIA OLMARELLO, 28
19030 CASTELNUOVO MAGRA [SP]
TEL. 0187674261
www.ottavianolambruschi.com

VENDITA DIRETTA
VISITA SU PRENOTAZIONE
PRODUZIONE ANNUA 36.000 bottiglie
ETTARI VITATI 10,00

È finito l'ampliamento esterno della struttura operativa, ma questo permetterà a Fabio Lambruschi di lavorare più agevolmente, anche se tale area sarà adibita nel prossimo futuro soprattutto a sala di degustazione a supporto dell'accoglienza in cantina. Una nuova etichetta entra intanto in produzione: nasce dalle uve raccolte dai filari posti più in alto nel cru Costa Marina che, dopo la vinificazione in acciaio a temperatura controllata, sono sottoposte a un breve passaggio sulle bucce. Poche bottiglie che escono con la menzione Superiore. Giovane e intenso, Il Maggiore '19 è un Vermentino di stampo minerale, che si articola su una bella vena salmastra, gusto poderoso, lungo e austero finale. Il Superiore '19 si apre invece su piacevoli sentori di erbe officinali e mediterranee, felci e agrumi. Ottimo anche il Costa Marina '19 col suo corpo pieno, supportato dal vivace scheletro iodato.

○ Colli di Luni Vermentino Il Maggiore '19	♟♟ 5
○ Colli di Luni Vermentino Sup. '19	♟♟ 3*
○ Colli di Luni Vermentino '19	♟♟ 3
○ Colli di Luni Vermentino Costa Marina '19	♟♟ 4
● Liguria di Levante Maniero '19	♟ 2
○ Colli di Luni Vermentino Costa Marina '16	♟♟♟ 4*
○ Colli di Luni Vermentino Costa Marina '11	♟♟♟ 4*
○ Colli di Luni Vermentino Costa Marina '09	♟♟♟ 3
○ Colli di Luni Vermentino Il Maggiore '15	♟♟♟ 5
○ Colli di Luni Vermentino Il Maggiore '14	♟♟♟ 5
○ Colli di Luni Vermentino Il Maggiore '13	♟♟♟ 5
○ Colli di Luni Vermentino Il Maggiore '12	♟♟♟ 4*
○ Colli di Luni Vermentino Sarticola '08	♟♟♟ 3*

★Cantine Lunae Bosoni

VIA BOZZI, 63
19034 LUNI [SP]
TEL. 0187669222
www.cantinelunae.com

VENDITA DIRETTA
VISITA SU PRENOTAZIONE
PRODUZIONE ANNUA 550.000 bottiglie
ETTARI VITATI 80,00

I progetti di Paolo Bosoni, ormai da anni supportato dai figli Diego e Debora, si spingono verso lo studio e la ricerca, nel rispetto della biodiversità a partire dall'analisi dei suoli in funzione di una precisa identità territoriale, con una viticoltura sempre più sostenibile. Tra i vitigni autoctoni ricordiamo l'albarola, che in questi ultimi anni sta affiancando la qualità del vermentino bianco incontrando sempre maggiori consensi. Nuove attenzioni anche per il vermentino nero, varietà coltivata da pochi produttori nell'area ristretta della Lunigiana. Molto promettente il Vermentino Cavagino '19: al naso si focalizza su note di salvia e frutta gialla matura (melone e albicocca), mentre al palato si concede fine e complesso, rilasciando un mix di freschezza e sapidità in pregevole armonia col finale accattivante. L'Etichetta Nera '19 eguaglia i suoi trascorsi con un gusto vivace e lungo, amplificato dai dolci aromi di erbe secche e spezie. Pieno ed elegante il Numero Chiuso '16.

○ Colli di Luni Vermentino Lunae Et. Nera '19	♟♟♟ 4*
○ Colli di Luni Vermentino Cavagino '19	♟♟ 5
○ Colli di Luni Vermentino Numero Chiuso '16	♟♟ 7
○ Colli di Luni Vermentino Albarola '19	♟♟ 4
○ Colli di Luni Vermentino Et. Grigia '19	♟♟ 3
● Colli di Luni Rosso Niccolò V Ris. '13	♟ 5
○ Labianca '19	♟ 3
○ Colli di Luni Vermentino Et. Nera '15	♟♟♟ 4*
○ Colli di Luni Vermentino Lunae Et. Nera '18	♟♟♟ 4*
○ Colli di Luni Vermentino Lunae Et. Nera '17	♟♟♟ 4*
○ Colli di Luni Vermentino Lunae Et. Nera '16	♟♟♟ 4*

Maccario Dringenberg

VIA TORRE, 3
18036 SAN BIAGIO DELLA CIMA [IM]
TEL. 0184289947
maccariodringenberg@yahoo.it

VENDITA DIRETTA
VISITA SU PRENOTAZIONE
PRODUZIONE ANNUA 23.000 bottiglie
ETTARI VITATI 4,00

L'azienda di Giovanna Maccario e del marito Goetz Dringenberg continua la sua crescita: da quest'anno entra in scuderia un nuovo vigneto, nel comune di Ventimiglia, che nel futuro verrà valorizzato con la menzione geografica di "Sette Camini". Si tratta di un appezzamento di circa 50 anni, già vitato a uve rossese, sito a circa 480 metri di altitudine e di fronte al mare, ai piedi del monte Grammondo, Alpi Marittime. Il terreno è calcareo di origine marina, ricco di sali minerali e di fossili, con una bellissima esposizione a sud, sud-est. Nell'elegante batteria dei Dolceacqua spicca innanzitutto il Posaù Biamonti '18: intenso e slanciato, tannico e sapido, chiude con una lunga e gustosa scia. Ancora più sorprendente il Luvaira '18, dal colore intenso e vivo che anticipa un ricco sapore di frutta rossa su ricordi di sigaro e corteccia. Ottimo anche il Dolceacqua '19 con note di tabacco e fiori secchi, sorso caldo e tannico, finale reattivo.

● Rossese di Dolceacqua Sup. Luvaira '18	♟♟♟ 4*
● Rossese di Dolceacqua '19	♟♟ 3*
● Rossese di Dolceacqua Posaù Biamonti '18	♟♟ 5
● Rossese di Dolceacqua Sup. Brae '19	♟♟ 3
● Rossese di Dolceacqua Sup. Curli '18	♟♟ 3
● Dolceacqua Sup. Vign. Posaù '13	♟♟♟ 3*
● Rossese di Dolceacqua Posaù Biamonti '17	♟♟♟ 5
● Rossese di Dolceacqua Sup. Vign. Luvaira '07	♟♟♟ 4*
● Rossese di Dolceacqua Sup. Vign. Posaù '10	♟♟♟ 3*
● Rossese di Dolceacqua Sup. Vign. Posaù '08	♟♟♟ 3
● Rossese di Dolceacqua '18	♟♟ 3*
● Rossese di Dolceacqua '17	♟♟ 3*

Maixei

LOC. REGIONE PORTO
18035 DOLCEACQUA [IM]
TEL. 0184205015
www.maixei.it

VENDITA DIRETTA
VISITA SU PRENOTAZIONE
PRODUZIONE ANNUA 45.000 bottiglie
ETTARI VITATI 10,00

Un'importante fusione con altre due realtà operative sul territorio porta una ventata di novità nell'azienda Maixei. Il marchio rimane lo stesso, ma all'attuale produzione enologica si affiancherà anche quella olearia e floricola, raggiungendo mercati più ampi e diversificati. All'agronomo Pasquale Restuccia e all'enologo Fabio Corradi spetterà il compito di seguire direttamente la lavorazione agricola. L'annata 2019 ha visto una compressione nella raccolta di uve bianche, mentre c'è stato un incremento dell'apporto di uve rosse da parte dei conferitori. China, liquirizia e tabacco, il Dolceacqua Superiore '18 si rivela a dir poco classico col suo corpo raffinato e il sottofondo di frutta rossa matura, capace di innescare una beva elegante e a tratti austera per effetto della solida trama tannica: finale lungo e piacevole. Non lontano il Barbadirame '18, maggiormente giocato sulle timbriche dolci e speziate di cacao e pepe; al palato è morbido, caldo e avvolgente.

● Dolceacqua Sup. '18	♟♟ 4
● Dolceacqua Sup. Barbadirame '18	♟♟ 4
● Dolceacqua '19	♟ 3
● Dolceacqua '18	♟♟ 3*
● Dolceacqua '15	♟♟ 3
● Dolceacqua '14	♟♟ 3*
● Dolceacqua Sup. '16	♟♟ 4
● Dolceacqua Sup. '15	♟♟ 4
● Dolceacqua Sup. '14	♟♟ 4
● Dolceacqua Sup. '13	♟♟ 4
● Dolceacqua Sup. Barbadirame '17	♟♟ 4
● Dolceacqua Sup. Barbadirame '16	♟♟ 4
● Dolceacqua Sup. Barbadirame '15	♟♟ 4
● Mistral '15	♟♟ 4
○ Riviera Ligure di Ponente Riviera dei Fiori Vermentino '17	♟♟ 3
○ Riviera Ligure di Ponente Vermentino '18	♟♟ 3

La Pietra del Focolare

VIA ISOLA, 76
19034 LUNI [SP]
TEL. 0187662129
www.lapietradelfocolare.it

VENDITA DIRETTA
VISITA SU PRENOTAZIONE
PRODUZIONE ANNUA 30.000 bottiglie
ETTARI VITATI 6,00
AZIENDA SOSTENIBILE

L'azienda è sempre gestita da Laura e dal marito Stefano, mentre al loro fianco c'è un nuovo agronomo che opera secondo i dettami dell'agricoltura biologica. La vendemmia 2019 ha registrato un contenuto calo quantitativo, che abbinato all'attenta gestione viticola, ha permesso di portare in cantina uve sane e di elevata qualità. Alla scelta di lavorare senza aggiunta di solfiti si affianca quella di avviare nuove sperimentazioni, come l'uso di anfore di terracotta non vetrificate, atte alla produzione di vini con una lunga macerazione sulle bucce. Il Vermentino Superiore Solarancio '19 si presenta con intensi timbri di frutta, rosmarino ed erbe officinali, per poi distendersi al palato con pregevole armonia e complessità.
L'Augusto '19 si staglia su aromi di erbe fresche, agrumi e menta, confermando lo stile fine e slanciato, prima del lunghissimo finale. Anche il Villa Linda '19 gioca su una trama classica di frutta bianca matura.

Poggio dei Gorleri

FRAZ. DIANO GORLERI
VIA SAN LEONARDO
18013 DIANO MARINA [IM]
TEL. 0183495207
www.poggiodeigorleri.com

VENDITA DIRETTA
VISITA SU PRENOTAZIONE
OSPITALITÀ
PRODUZIONE ANNUA 80.000 bottiglie
ETTARI VITATI 10,50

Davide Merano continua l'attività produttiva e ricettiva di Poggio dei Gorleri insieme alla moglie Cristina, con papà Giampiero e mamma Rosella. Quest'anno propone al mercato due nuove etichette: la prima nasce da una parcella di circa due ettari collocata nell'ampia conca al di sotto del paese di Arnasco, una delle aree più vocate per il pigato. La seconda è un vino realizzato con uve granaccia, provenienti da un appezzamento di circa un ettaro di vigneto impiantato a Garzelli, nella valle Impero. Ennesima grande prova d'insieme per tutta la gamma, a partire dal Pigato Albium '17, caratterizzato da aromi complessi di bucce ed erbe secche, ricco e originale al palato. Molto piacevole anche il Pigato Arveglio '19 con le sue intense note di frutta bianca matura, piante officinali e scorze d'agrumi. Buoni i Granaccia, Cian di Previ '18 e Shalok '17: rossi potenti e al contempo slanciati.

○ Colli di Luni Vermentino Augusto '19	♟♟ 3*
○ Colli di Luni Vermentino Sup. Solarancio '19	♟♟ 4
○ Colli di Luni Vermentino Sup. Villa Linda '19	♟♟ 4
○ Colli di Luni Vermentino Augusto '18	♟♟ 3
○ Colli di Luni Vermentino Augusto '16	♟♟ 3
○ Colli di Luni Vermentino Augusto '15	♟♟ 3
○ Colli di Luni Vermentino L'Aura di Sarticola '16	♟♟ 6
○ Colli di Luni Vermentino Solarancio '15	♟♟ 4
○ Colli di Luni Vermentino Sup. Solarancio '18	♟♟ 4
○ Colli di Luni Vermentino Sup. Villa Linda '18	♟♟ 4
○ Colli di Luni Vermentino Sup. Villa Linda '17	♟♟ 4
○ Vigna delle Rose '17	♟♟ 3*

○ Riviera Ligure di Ponente Pigato Albium '17	♟♟ 5
○ Riviera Ligure di Ponente Pigato Arveglio '19	♟♟ 5
● Riviera Ligure di Ponente Granaccia Cian di Previ '18	♟♟ 5
● Riviera Ligure di Ponente Granaccia Shalok '17	♟♟ 5
○ Riviera Ligure di Ponente Pigato Cycnus '19	♟♟ 3
○ Riviera Ligure di Ponente Pigato Albium '15	♟♟♟ 5
○ Riviera Ligure di Ponente Pigato Albium '13	♟♟♟ 5
○ Riviera Ligure di Ponente Pigato Albium '10	♟♟♟ 5
○ Riviera Ligure di Ponente Pigato Cycnus '13	♟♟♟ 3*

Terenzuola

VIA VERCALDA, 14
54035 FOSDINOVO [MS]
TEL. 0187670387
www.terenzuola.it

VISITA SU PRENOTAZIONE
PRODUZIONE ANNUA 180.000 bottiglie
ETTARI VITATI 18,00

Ivan Giuliani è un giovane viticoltore della Lunigiana, che da anni convive con le difficoltà di un territorio a dir poco peculiare dal punto di vista ambientale, viticolo e produttivo. Dislocato sul confine tra la Liguria e la Toscana, dove la denominazione Colli di Luni scavalca i confini regionali uniformando la coltivazione, Ivan continua nel progetto "Lunigiana Storico", ampliando la piattaforma agricola. E nonostante tutte le insidie derivanti dall'allevamento di vitigni diversi, l'azienda cresce in ettari vitati e qualità. Piacevolmente incisivo, il Vermentino Superiore Fosso di Corsano '19 che mostra solida struttura alcolica nel centro bocca rotondo e minerale. Ricco di estratto e di grande pulizia il Vermentino Nero Permano '17, intenso nel frutto che si apre alla distanza dopo l'impatto delicatamente vegetale. Il Cinque Terre '19 ha aromi di erbe fresche, vivace acidità e beva scorrevole.

○ Cinque Terre '19	🍷🍷 4
○ Colli di Luni Vermentino Sup. Fosso di Corsano '19	🍷🍷 4
● Merla della Miniera '17	🍷🍷 4
● Permano Vermentino Nero '17	🍷🍷 8
● Vermentino Nero V. Basse '18	🍷🍷 3
○ Colli di Luni Vermentino Sup. Fosso di Corsano '18	🍷🍷🍷 4*
○ Colli di Luni Vermentino Sup. Fosso di Corsano '17	🍷🍷🍷 3*
○ Colli di Luni Vermentino Sup. Fosso di Corsano '16	🍷🍷🍷 3*
○ Colli di Luni Vermentino Sup. Fosso di Corsano '11	🍷🍷🍷 3*
○ Cinque Terre Sciacchetrà Ris. '16	🍷🍷 8
● Merla della Miniera '16	🍷🍷 4
● Vigne Basse '17	🍷🍷 3*

Terre Bianche

LOC. ARCAGNA
18035 DOLCEACQUA [IM]
TEL. 018431426
www.terrebianche.com

VENDITA DIRETTA
VISITA SU PRENOTAZIONE
OSPITALITÀ
PRODUZIONE ANNUA 55.000 bottiglie
ETTARI VITATI 8,50
AZIENDA SOSTENIBILE

La vendemmia 2019 si posiziona su alti livelli qualitativi, registrando di contro un calo nella produzione. Per questo Filippo Rondelli e il socio Franco Locani hanno deciso di non realizzare la selezione di pigato Arcana Bianco e di concentrarsi unicamente sui vini d'annata più freschi e immediati, caratterizzati da una spiccata sapidità, molto apprezzata in questa fase dai mercati internazionali. Per quanto riguarda il patrimonio viticolo aziendale, la gestione di un terreno già vitato in località Tramontina a Dolceacqua permetterà di incrementare la gamma nel prossimo futuro. Rosso granato fitto e brillante, il Bricco Arcagna '18 si presenta con accattivanti sentori di frutta rossa e spezie dolci, quasi ad annunciare il carattere piacevolmente disinvolto che ritroveremo nella lunga e armonica silhouette gustativa. E sono sempre le sensazioni polpose e pepate a disegnare il profilo del Dolceacqua '19, col suo sorso elegante e complesso.

● Dolceacqua '19	🍷🍷 4
● Dolceacqua Bricco Arcagna '18	🍷🍷 6
● Dolceacqua Terrabianca '18	🍷🍷 5
○ Riviera Ligure di Ponente Pigato '19	🍷🍷 3
○ Riviera Ligure di Ponente Pigato Arcana '18	🍷🍷 5
○ Riviera Ligure di Ponente Vermentino '19	🍷🍷 3
● Dolceacqua Bricco Arcagna '14	🍷🍷🍷 5
● Dolceacqua Bricco Arcagna '12	🍷🍷🍷 5
● Rossese di Dolceacqua '12	🍷🍷🍷 3*
● Rossese di Dolceacqua Bricco Arcagna '17	🍷🍷🍷 6
● Rossese di Dolceacqua Bricco Arcagna '09	🍷🍷🍷 4
● Rossese di Dolceacqua Bricco Arcagna '08	🍷🍷🍷 5

Vis Amoris

LOC. CARAMAGNA
S.DA PER VASIA, 1
18100 IMPERIA
TEL. 3483959569
www.visamoris.it

VENDITA DIRETTA
VISITA SU PRENOTAZIONE
PRODUZIONE ANNUA 24.000 bottiglie
ETTARI VITATI 3,50
VITICOLTURA Biologico Certificato
AZIENDA SOSTENIBILE

Sempre più significativa la presenza del giovane Simone in azienda: dopo la laurea ad Alba in Viticoltura ed Enologia, il giovane figlio di Roberto Tozzi si occupa a pieno ritmo della produzione, seguendo con sempre più determinazione la strada del biologico. La filiera è ora tutta nelle sue mani, a partire dalla cura dei vigneti fino alle lavorazioni in cantina, dove le fermentazioni svolte con lieviti indigeni si accompagnano a una forte riduzione dell'uso dei solfiti e del numero delle chiarifiche. Ancora focalizzato su sensazioni giovanili, il Sogno '18 è un Pigato piacevole e allo stesso tempo complesso, che esibisce una ricca veste mediterranea e un'elegante vena minerale: in bocca è grasso, fine, continuo nello sviluppo. Interessante anche il Brut Metodo Classico col suo perlage delicato e fragrante come gli apporti di agrumi e crosta di pane, senza dimenticare la buona prova dei Pigato '19, Domè e Verum.

Zangani

LOC. PONZANO SUPERIORE
VIA GRAMSCI, 46
19037 SANTO STEFANO DI MAGRA [SP]
TEL. 0187632406
www.zangani.it

VENDITA DIRETTA
VISITA SU PRENOTAZIONE
OSPITALITÀ E RISTORAZIONE
PRODUZIONE ANNUA 40.000 bottiglie
ETTARI VITATI 10,00

L'azienda della famiglia Zangani è gestita dalle giovani leve: Filippo si occupa del reparto produttivo, commerciale e amministrativo, mentre il fratello Michele è impegnato nella divisione finanziaria, con la cugina Rossana responsabile di marketing e comunicazione. In ricordo dei nonni Gemma e Alberto, che negli anni '60 hanno dato vita alla cantina, è nato un nuovo vino da vermentino nero chiamato appunto: "Gemma". I vigneti di proprietà stanno entrando quasi tutti a regime, incrementando in maniera significativa la proposta di gamma. Colore brillante e vivo, il Vermentino Boceda '19 propone belle note di pera e agrumi, con un piacevole fondo iodato che si fa sentire maggiormente al sorso: avvolgente e strutturato, si dipana in armonia senza rinunciare a sfumature più complesse. Profilo che ritroviamo nel Mortedo '19: macchia mediterranea e battigia su fondo mentolato, al palato coniuga ricchezza e carattere.

○ Riviera Ligure di Ponente Pigato Sogno '18	♟♟ 4
○ Vis Amoris Brut M.Cl.	♟♟ 5
○ Riviera Ligure di Ponente Pigato Domè '19	♟ 4
○ Riviera Ligure di Ponente Pigato Verum '19	♟ 3
○ Riviera Ligure di Ponente Pigato Sogno '17	♟♟ 4
○ Riviera Ligure di Ponente Pigato Sogno '16	♟♟ 4
○ Riviera Ligure di Ponente Pigato Sogno '15	♟♟ 4
○ Riviera Ligure di Ponente Pigato Verum '18	♟♟ 3*
○ Riviera Ligure di Ponente Pigato Verum '17	♟♟ 3*

○ Colli di Luni Vermentino Sup. Boceda '19	♟♟♟ 4*
○ Colli di Luni Vermentino Mortedo '19	♟♟ 4
○ Colli di Luni Albarola Feletti '19	♟♟ 3
● Gemma Vermentino Nero '19	♟♟ 3
● Marfi Rosso '19	♟♟ 2*
○ Colli di Luni Vermentino Sup. Boceda '18	♟♟♟ 4*
○ Boceda '16	♟♟ 3
○ Colli di Luni Vermentino Mortedo '18	♟♟ 3*
○ Colli di Luni Vermentino Mortedo '17	♟♟ 3
○ Colli di Luni Vermentino Sup. Boceda '17	♟♟ 4
○ Marfi Bianco '18	♟♟ 2*
○ Marfi Bianco '16	♟♟ 2*
● Marfi Rosso '18	♟♟ 2*
○ Mortedo '16	♟♟ 2*

Michele Alessandri

VIA UMBERTO I, 15
18020 RANZO [IM]
TEL. 0183318114
az.alessandricarlo@libero.it

Intense note di erbe fresche e frutta bianca con toni di leggera albicocca per il Pigato '19 di Michele Alessandri, elegante e discretamente complesso, con un delicato finale. Accattivante nei sentori di frutta rossa matura il Pornassio '19, caldo e ricco di vivaci tannini.

● Pornassio '19	♀♀	3
○ Riviera Ligure di Ponente Pigato '19	♀♀	3
● Pornassio Sciac-Trà '19	♀	3
○ Riviera Ligure di Ponente Vermentino '19	♀	2

aMaccia

FRAZ. BORGO
VIA UMBERTO I, 54
18020 RANZO [IM]
TEL. 0183318003
www.amaccia.it

Ingresso discreto ed elegante, il Pigato '19 di aMaccia si apre su note di macchia mediterranea, svelando garbata struttura e finale un po' sbrigativo. Il Vermentino '19 ha tempra solare abbinata a un palato leggero e fresco; fine, giovanile e piacevole lo Sciac-trà '19.

○ Riviera Ligure di Ponente Pigato '19	♀♀	3
● Ormeasco di Pornassio Sciac-trà '19	♀	3
○ Riviera Ligure di Ponente Vermentino '19	♀	3

Berry and Berry

VIA MATTEOTTI, 2
17020 BALESTRINO [SV]
TEL. 3332805368
www.berryandberry.it

Colore brillante, impianto aromatico ricco, con note di spezie dolci a dominare la fase iniziale della beva, prima che emergano in tutto il loro vigore mediterraneo le sensazioni di erbe secche: è l'ottimo Campulou '18. Il Baitinin '19 ha un profilo più giovanile e minerale.

○ Campulou '18	♀♀	5
○ Baitinin '19	♀	4
☉ Lappazucche '19	♀	4

Cantine Bondonor

VIA ISOLA ALTA, 53
19034 LUNI [SP]
TEL. 3488713641
www.cantinebondonor.it

La proposta di Bondonor è guidata da un Vermentino Lunaris '19 tutto giocato sulle nuance officinali e agrumate, che al palato si aprono sulla frutta bianca, rivelando finezza ed equilibrio senza rinunciare alla potenza. Buona prova anche per il RosaLuna '19 e l'Atrum '16.

○ Colli di Luni Vermentino Lunaris '19	♀♀	3
● Atrum '16	♀	3
○ RosaLuna '19	♀	3

Andrea Bruzzone

VIA BOLZANETO, 96R
16162 GENOVA
TEL. 0107455157
www.andreabruzzonevini.it

La Bunassa '19 è una Bianchetta Genovese dai freschi aromi di erbe e fiori: piacevolmente complesso, regala una beva ricca su un finale asciutto e lungo. Note classiche di erbe officinali e agrumi per l'Equinozio '19, armonico al palato con buon corpo e briosa chiusura.

○ Val Polcèvera Bianchetta Genovese Bunassa '19	♀♀	3*
○ Equinozio '19	♀♀	2*
○ Val Polcèvera Coronata La Superba '19	♀♀	3

Luca Calvini

VIA SOLARO, 76/78A
18038 SANREMO [IM]
TEL. 0184660242
www.luigicalvini.com

Intenso negli apporti di frutta tropicale, il Pigato '19 mostra una beva semplice ed elegante, che convince per armonia e sapidità. Il Vermentino Gold Label '19 è altrettanto vigoroso, con note giovanili di erbe fresche e clorofilla a innescare una pregevole agilità di sorso.

○ Riviera Ligure di Ponente Pigato '19	♀♀	3
○ Riviera Ligure di Ponente Vermentino Gold Label '19	♀♀	5
○ Riviera Ligure di Ponente Vermentino '19	♀	3

Cascina Praiè

LOC. COLLA MICHERI
S.DA CASTELLO, 20
17051 ANDORA [SV]
TEL. 019602377
www.cascinapraievino.it

Cambio di proprietà per Cascina Praiè, che inizia bene il nuovo corso con il Colla Micheri '19: è un Vermentino giovane e armonico, giocato sulla fresca silhouette fruttata e balsamica, polposo e complesso al sorso. Nerbo e misura caratterizzano anche il Pigato Il Canneto '19.

○ Riviera Ligure di Ponente Vermentino Colla Micheri '19	♥♥ 3*
○ Riviera Ligure di Ponente Pigato Il Canneto '19	♥♥ 3

La Colombiera

LOC. MONTECCHIO, 92
19030 CASTELNUOVO MAGRA [SP]
TEL. 0187674265
info@cantinalacolombiera.it

Profilo classico con note mediterranee che si aprono sulla frutta bianca, il Vermentino 3 Vigne '19 è complesso ed elegante grazie alla fresca scia citrina e al martellante finale. Di piacevole vigore e gustosa sapidità anche il Vermentino Celsus e il Colli di Luni Rosso '18.

○ Colli di Luni Vermentino 3 Vigne '19	♥♥ 3*
● Colli di Luni Rosso '18	♥♥ 4
○ Colli di Luni Vermentino Celsus '18	♥♥ 4

Durin

VIA ROMA, 202
17037 ORTOVERO [SV]
TEL. 0182547007
www.durin.it

Paglierino brillante, il Pigato '19 offre in prima battuta aromi di frutta bianca e agrumi, poi sensazioni più eteree e ricordi di erbe officinali. Al palato è complesso, con finale lungo e appena amarognolo. Di buona fattura, ma meno caratterizzati, gli altri vini della gamma.

○ Riviera Ligure di Ponente Pigato '19	♥♥ 3*
● Alicante '18	♥ 3
○ Riviera Ligure di Ponente Pigato Geva '19	♥ 3
○ Riviera Ligure di Ponente Vermentino '19	♥ 3

I Cerri

VIA GARIBOTTI
19012 CARRO [SP]
TEL. 3485102780
www.icerrivaldivara.it

Il Cian dei Seri '19 ha una buona intensità con note giovani di erbe fresche, fiori e frutti bianchi; al palato è immediato, elegante e di solida struttura. Note di erbe secche nel Fonte Dietro il Sole '19, vino di armonica eleganza che chiude su leggere sensazioni ammandorlate.

○ Cian dei Seri '19	♥♥ 3
● Fonte Dietro il Sole '19	♥♥ 3
○ Campo Grande '19	♥ 3
○ Poggio alle Api '19	♥ 3

Deperi

FRAZ. CANETO, 2
18020 RANZO [IM]
TEL. 0183318143
www.deperi.eu

Dal colore giovane e brillante, il Vermentino Colombera '19 di Deperi si apre con intensità e finezza: impronta fruttata e mentolata al naso, la bocca si sviluppa longilinea ed equilibrata. Note salmastre, di rosmarino e timo nel Pigato '19, meno fitto ma altrettanto piacevole.

○ Riviera Ligure di Ponente Pigato '19	♥♥ 3
○ Riviera Ligure di Ponente Vermentino Colombera '19	♥♥ 3
○ Riviera Ligure di Ponente Vermentino '19	♥ 3

Gajaudo

LOC. BUNDA
S.DA PROV.LE 7
18035 ISOLABONA [IM]
TEL. 0184208095
www.gajaudo.it

Paglierino luminoso, il Vermentino Pejuna '19 piace per la garbata combinazione di frutta ed erbe officinali, con note mentolate e di basilico a donare eleganza e freschezza. Meno incisivi il Pigato e il Vermentino '19, bianchi comunque piacevoli e di giovanile temperamento.

○ Riviera Ligure di Ponente Vermentino Pejuna '19	♥♥ 4
○ Riviera Ligure di Ponente Pigato '19	♥ 3
○ Riviera Ligure di Ponente Vermentino '19	♥ 3

Podere Grecale

LOC. BUSSANA
VIA CIOUSSE
18038 SANREMO [IM]
TEL. 01841955158
www.poderegrecale.it

Continua incessante il bel lavoro di Lino
Roncone con la figlia Serena, come
dimostra l'ottimo Pigato '19: intenso e
brillante, evidenzia note di erbe aromatiche
e frutta bianca, un corpo complesso e
ottima armonia.

● Riviera Ligure di Ponente Granaccia Sup.	
Beusi '18	♟♟ 4
○ Riviera Ligure di Ponente Pigato '19	♟♟ 3
○ Riviera Ligure di Ponente Vermentino '19	♟ 3

Tenuta La Ghiaia

VIA FALCINELLO, 127
19038 SARZANA [SP]
TEL. 0187627307
www.tenutalaghiaia.it

Impatto fresco e intenso, con spiccate
sensazioni agrumate, il Vermentino '19 di
Tenuta La Ghiaia si rivela a dir poco
convincente col suo passo solido e gustoso.
Meno potente ma ugualmente riuscito il
Vermentino Atys '19, mentre sembra
mancare un plus di nerbo all'Ithaa '19.

○ Colli di Luni Vermentino '19	♟♟ 3
○ Colli di Luni Vermentino Atys '19	♟♟ 3
○ Ithaa '19	♟ 4

Il Monticello

VIA GROPPOLO, 7
19038 SARZANA [SP]
TEL. 0187621432
www.ilmonticello.it

Riflessi giovani e vitali, corpo potente con
note di erbe fresche, elegante sapidità: è il
Groppolo '19, Vermentino che si sviluppa
con pregevole souplesse. Note di miele e
frutta sotto spirito annunciano il Passito dei
Neri '18, che si concede al sorso con
equilibrata dolcezza.

○ Colli di Luni Vermentino Groppolo '19	♟♟ 3*
○ Colli di Luni Vermentino	
Poggio Paterno '18	♟♟ 3
○ Passito dei Neri '18	♟♟ 4

Guglierame

VIA CASTELLO, 4
18024 PORNASSIO [IM]
TEL. 3475696718
www.ormeasco-guglierame.it

Rubino intenso con note violacee, il
Pornassio '18 di Guglierame regala nitide
sensazioni di frutti rossi e cacao in una
beva possente, caratterizzata da tannini
armonici. Un gradino sotto il Pornassio
Superiore '17, che si presenta con un
corredo fruttato più maturo.

● Ormeasco di Pornassio '18	♟♟ 4
⊙ Ormeasco di Pornassio Sciac-trà '19	♟ 4
● Ormeasco di Pornassio Sup. '17	♟ 5

Lupi

VIA MAZZINI, 9
18026 PIEVE DI TECO [IM]
TEL. 018336161
www.casalupi.it

Grande rientro per Massimo Lupi, che ci
presenta un Pigato Petraie '18 fresco e
sfaccettato nei sentori di menta, rosmarino
e agrumi, di beva elegante e persistente.
Ancora giovane il Vermentino Serre '18 con
aromi mediterranei ed un corpo di grande
struttura e forza minerale.

○ Riviera Ligure di Ponente Pigato	
Petraie '18	♟♟ 3*
○ Riviera Ligure di Ponente Vermentino	
Serre '18	♟♟ 3*

Gino Pino

FRAZ. MISSANO
VIA PODESTÀ, 31
16030 CASTIGLIONE CHIAVARESE [GE]
TEL. 0185408036
pinogino.az.agricola@tin.it

Dal color paglierino vivo, il Moscato '19
gioca al naso con tenui note aromatiche e
di frutta bianca, mele e pere mature,
mentre al palato si mostra raffinato ed
elegante, di piacevole struttura. Buono
anche il Ciliegiolo '19.

● Golfo del Tigullio Portofino Ciliegiolo '19	♟♟ 3
○ Golfo del Tigullio Portofino Moscato '19	♟♟ 3
○ Golfo del Tigullio Portofino	
Bianchetta Genovese '19	♟ 3

Possa

VIA SAN ANTONIO, 72
19017 RIOMAGGIORE [SP]
TEL. 0187920959
www.possa.it

Tanti sono i vini che arricchiscono la gamma dell'azienda di Samuele Heydi Bonanini. Particolarmente interessante lo Sciacchetrà '17, con tipiche note di frutta secca e spezie dolci amplificate dal sorso lungo ed equilibrato.

○ Cinque Terre Sciacchetrà '17	♥♥ 8
○ Cinque Terre '19	♥ 5
● Renfursà '18	♥ 8

Edoardo Primo

VIA AURELIA, 190
19030 CASTELNUOVO MAGRA [SP]
TEL. 340 6739118
www.edoardoprimo.it

Il Vermentino Cà Duà '19 si offre con belle note di frutta matura e di macchia mediterranea, che anticipano un sorso molto appagante, armonico, complesso negli apporti sapidi. Piacevole anche il Ma Teo '19, con sentori fruttati ed eterei, bocca compressa e leggermente amarognola.

○ Colli di Luni Vermentino Cà' Duà '19	♥♥ 3*
○ Colli di Luni Vermentino Ma Teo '19	♥♥ 3

Podere Lavandaro

VIA CASTIGLIONE
54035 FOSDINOVO [MS]
TEL. 018768202
www.poderelavandaro.it

Giovane e pieno di vivacità, il Vermentino '19 mostra gradevoli note di erbe e fiori di campo, unite a freschi sentori agrumati. In bocca è fine, elegante, piacevolmente scorrevole grazie alla pimpante acidità e alla rigogliosa sapidità. Interessante anche il Vignanera '18.

○ Colli Di Luni Vermentino '19	♥♥ 3*
● Vignanera '18	♥♥ 3
● Vermentino Nero '19	♥ 3

Natale Sassarini

LOC. PIAN DEL CORSO 1
19016 MONTEROSSO AL MARE [SP]
TEL. 0187818063
cantinasassarini.com

Versione da ricordare per il Cinque Terre Bucce '18: giocato su sensazioni bucciose e salmastre, si snoda al palato polposo e armonico, rivelando un corpo pieno e complesso che gli conferisce ulteriore lunghezza. Meno incisivi il Cinque Terre '19 e il Campo al Sole '19.

○ Cinque Terre Bucce '18	♥♥ 3*
○ Cinque Terre '19	♥ 4
○ Cinque Terre Campo al Sole '19	♥ 3

Terre di Levanto

LOC. SAN GOTTARDO, 1
19015 LEVANTO [SP]
TEL. 3395432482
www.terredilevanto.com

Rosso rubino leggermente scarico, il Rosso di Mare '18 si concede intenso e di buon corpo: al palato convince per la fresca tannicità e il rilassato finale. Piacevolmente agile il Ciliegiolo '18, mentre nel Costa de Brassù '18 dominano i timbri di prugna e pepe nero.

● Colline di Levanto Rosso di Mare '18	♥♥ 3
● Colline di Levanto Ciliegiolo '18	♥ 3
● Colline di Levanto Costa de Brassù '18	♥ 3

Innocenzo Turco

VIA BERTONE, 7A
17040 QUILIANO [SV]
TEL. 0192000026
www.innocenzoturco.it

Rubino granato, la Granaccia Cappuccini '17 presenta un frutto nitido e un palato pieno, con tannini vellutati a rendere più armonico il lungo finale. È giovane ma promettente In Rosa '19: ha fresca acidità, sorso polposo e sviluppo infiltrante. Più semplice il Pigato '19.

● Riviera Ligure di Ponente Granaccia Cappuccini '17	♥♥ 5
○ In Rosa '19	♥♥ 3
○ Riviera Ligure di Ponente Pigato '19	♥♥ 3

LOMBARDIA

Numeri alla mano, la Lombardia è la prima regione agricola italiana per superficie dedicata all'agricoltura, il 69% del territorio, forte di 50mila aziende che lavorano la terra. Per quanto riguarda il vino, sono 22.900 gli ettari vitati, con la provincia di Pavia a farla da padrone: l'Oltrepò Pavese da solo produce il 65% del vino regionale. Il ritratto che viene fuori dalle nostre degustazioni? Estremamente positivo e vitale, già a partire dal numero dei Tre Bicchieri, 27, record assoluto. La Lombardia conferma la sua vocazione per la spumantistica, è di gran lunga la regione italiana con più bollicine premiate, tutte elaborate con il Metodo Classico. La Franciacorta strappa 10 Tre Bicchieri dimostrando una solidità sempre più evidente; la denominazione si sta muovendo molto bene sia sul piano della sostenibilità, quasi la totalità degli ettari viene lavorata in biologico, che sul piano qualitativo. I dosaggi zuccherini sono sempre più contenuti, le cuvée acquisiscono sempre più definizione e carattere, con il pinot nero a farsi spazio in una strada storicamente tracciata dallo chardonnay. E a proposito del vitigno più difficile al mondo, l'Oltrepò porta a casa ben 5 Tre Bicchieri con il Metodo Classico da uve pinot nero. Tra questi, c'è una grossa novità: il premio speciale di Bollicine dell'Anno. Se lo aggiudica la Ballabio con l'Oltrepò Pavese Pinot Nero Metodo Classico Farfalla Cave Privée Dosaggio Zero del 2011, una cuvée che esprime al meglio le potenzialità di una zona storicamente legata alla spumantistica e che ha finalmente ritrovato una sua identità. Nel bicchiere c'è carattere, tensione gustativa, tutta la freschezza dell'Alta Valle Versa, dove acidità e sapore vanno di pari passo. Gli altri Tre Bicchieri del Vecchio Piemonte arrivano dal comparto dei rossi, con un pregiato Pinot Nero, un potente Buttafuoco Storico e un Oltrepò Pavese Rosso che porta con sé il nome del vigneto, il Cavariola di Bruno Verdi. Atra prova di carattere per il Lugana, un terroir che ha ormai raggiunto una sua piena maturità, con tre vini premiati e tanti vini apprezzati e ricercati in tutto il mondo. Ci spostiamo di pochi chilometri, in Valtènesi, per una denominazione in rosa che ha trovato nuovo slancio; il Chiaretto, il cosiddetto vino di una notte, può invecchiare con straordinaria grazia e articolazione come dimostra il Molmenti, da uve groppello, proposto da Mattia Vezzola. Completano la gamma dei Tre Bicchieri cinque perle valtellinesi firmate da Ar.Pe.Pe, Fay, Dirupi, Mamete Prevostini e Nino Negri. In bottiglia finisce anche il respiro delle Alpi.

LOMBARDIA

Marchese Adorno

VIA GARLASSOLO, 30
27050 RETORBIDO [PV]
TEL. 0383374404
www.marcheseadorno-wines.it

VENDITA DIRETTA
VISITA SU PRENOTAZIONE
PRODUZIONE ANNUA 250.000 bottiglie
ETTARI VITATI 85,00

Ulteriori cambiamenti per la cantina del Marchese Marcello Cattaneo Adorno, di proprietà della famiglia dal 1834: adesso la gestione della campagna è affidata a Paolo Fiocchi, mentre il giovane enologo piacentino Samuele Paraboschi si occupa delle vinificazioni. L'azienda è grande e strutturata, con seminativi in pianura e 60 ettari vitati in collina, fino a quasi 400 metri di altitudine: terroir molto differenti fra loro, con rigorosa mappatura dei suoli per ottenere i risultati migliori da ciascun vitigno. Il Rile Nero '17 conquista agevolmente l'accesso in finale in virtù di un naso elegante e profumato di mora, mirtillo, spezie, anice stellato; coerente il sorso, che si addentra nel sottobosco con equilibrio e integrità. Molto buono, sempre giocato su toni eleganti, il Riesling Renano Arcolaio '18, caratterizzato da frutti gialli maturi, nerbo e un accenno di mineralità. Ricca, sostenuta, profumata di visciola e cacao la Barbera Vigna del Re '17.

F.lli Agnes

VIA CAMPO DEL MONTE, 1
27040 ROVESCALA [PV]
TEL. 038575206
www.fratelliagnes.it

VENDITA DIRETTA
VISITA SU PRENOTAZIONE
PRODUZIONE ANNUA 120.000 bottiglie
ETTARI VITATI 21,00

Da Luigi e Alberto a Sergio e Cristiano, l'eredità dei Fratelli Agnes è un vero patrimonio in quella che è la culla del Bonarda (declinato al maschile, come si usa qui a Rovescala). Terreni vocati, selezione rigorosa delle uve, la scelta dei cloni di "pignola", ossia la croatina, con il grappolo più piccolo e compatto, nessun compromesso in vigna e in cantina: così, anno dopo anno, vendemmia dopo vendemmia, questa cantina si conferma la capofila di tutto il territorio per quanto riguarda il Bonarda nelle sue varie interpretazioni. Le nostre preferenze al Campo del Monte '19, una Bonarda dai toni fruttati lievemente sovramaturi figlia dell'annata, con il residuo zuccherino integrato nella notevole struttura. Appena sotto Cresta del Ghiffi '19, al solito più tendente all'abboccato, profumata di rosa e piccoli frutti. Il Loghetto '18 è un vino fermo ben fatto, ammandorlato, morbido di frutto e di zuccheri.

● OP Pinot Nero Rile Nero '17	♟♟ 5
● OP Barbera V. del Re '17	♟♟ 4
○ OP Riesling Arcolaio '18	♟♟♟ 3
● Cliviano '18	♟ 3
● OP Barbera Poggio Marino '18	♟ 3
● OP Bonarda Costa del Sole '19	♟ 3
● OP Pinot Nero Brugherio '18	♟ 2
● OP Pinot Nero Rile Nero '15	♟♟♟ 5
● OP Barbera V. del Re '16	♟♟ 4
● OP Barbera V. del Re '15	♟♟ 4
● OP Pinot Nero Brugherio '17	♟♟ 2*
● OP Pinot Nero Brugherio '16	♟♟ 2*
● OP Pinot Nero Brugherio '15	♟♟ 2*
● OP Pinot Nero Rile Nero '16	♟♟ 5
○ OP Riesling Arcolaio '17	♟♟ 3*
○ OP Riesling Arcolaio '16	♟♟ 3*

● OP Bonarda Frizzante Campo del Monte '19	♟♟ 2*
● Loghetto '18	♟♟ 5
● OP Bonarda Frizzante Cresta del Ghiffi '19	♟♟ 2*
● Poculum '15	♟ 4
● Possessione del Console '18	♟ 3
● OP Bonarda Vivace Campo del Monte '15	♟♟♟ 2*
● OP Bonarda Frizzante Campo del Monte '18	♟♟ 2*
● OP Bonarda Frizzante Campo del Monte '17	♟♟ 2*
● OP Bonarda Vivace Campo del Monte '16	♟♟ 2*

Antica Fratta

VIA FONTANA, 11
25040 MONTICELLI BRUSATI [BS]
TEL. 030652068
www.anticafratta.it

VENDITA DIRETTA
VISITA SU PRENOTAZIONE
PRODUZIONE ANNUA 350.000 bottiglie
ETTARI VITATI 35,00

Sebbene questa azienda faccia parte del Gruppo Guido Berlucchi, ha totale autonomia nella gestione dei vigneti e nella realizzazione dei vini. La sede è in un palazzo ottocentesco restaurato e adibito a sede di eventi e ricevimenti di vario genere: un tempo era proprietà di un ricco commerciante di vini, e una delle sue caratteristiche peculiari sono le bellissime cantine a volta con pianta a croce greca. Il livello dei Franciacorta che affinano nel "Cantinon", il nome con cui è noto il palazzo da queste parti, è sempre molto elevato. L'Essence Nature '15 rappresenta perfettamente lo stile della Fratta: è un franciacorta asciutto, sapido, nervoso e armonico, morbido per la componente fruttata e dall'effervescenza di invidiabile finezza. Doti che condivide con l'Essence Noir Extra Brut '15 dai bei riflessi ramati e dai sentori di pesca e frutti rossi. Ma tutta la gamma brilla per pulizia ed eleganza.

Antinori - Tenuta Montenisa

FRAZ. CALINO
VIA PAOLO VI, 62
25046 CAZZAGO SAN MARTINO [BS]
TEL. 0307750838
www.tenutamontenisa.it

VENDITA DIRETTA
PRODUZIONE ANNUA 300.000 bottiglie
ETTARI VITATI 60,00

Sono passati oltre vent'anni da quando la famiglia Antinori ha deciso di approdare anche in Franciacorta, acquisendo la tenuta di proprietà della famiglia dei Conti Maggi. La rinascita di Montenisa avviene infatti a partire dal 1999, con la ristrutturazione della storica villa padronale e dei vigneti. La produzione è cresciuta con il trascorrere del tempo, e attualmente la gamma prevede due linee: quella dei Franciacorta base e quella delle Riserve, che vengono prodotte solamente nelle annate più favorevoli. Il Satèn Donna Cora '15 è tra i migliori di questa classica tipologia franciacortina: ha un perlage di notevole finezza, belle note di frutto bianco maturo al naso come al palato, dov'è sapido fresco e persistente. Il Rosé è snello, fresco e vitale, e la Cuvée Royale si fa apprezzare per la pulizia stilisca e l'elegante vena minerale e agrumata.

○ Franciacorta Nature Essence '15	♟♟	5
○ Franciacorta Brut Cuvée Real	♟♟	4
○ Franciacorta Brut Essence '15	♟♟	5
○ Franciacorta Brut Essence Rosé '15	♟♟	6
○ Franciacorta Extra Brut Essence Noir '15	♟♟	6
○ Franciacorta Satèn Essence	♟	5
○ Franciacorta Brut Essence '14	♟♟	5
○ Franciacorta Brut Essence '13	♟♟	5
○ Franciacorta Essence Noir '14	♟♟	6
○ Franciacorta Nature Essence '14	♟♟	5
○ Franciacorta Nature Essence '13	♟♟	5
○ Franciacorta Nature Essence '11	♟♟	5
⊙ Franciacorta Rosé Essence '14	♟♟	5
○ Franciacorta Rosé Essence '11	♟♟	5
○ Franciacorta Satèn Essence '11	♟♟	5
○ Franciacorta Satèn Essence '11	♟♟	5

○ Franciacorta Satèn Donna Cora '15	♟♟	6
○ Franciacorta Brut Cuvée Royale	♟♟	5
⊙ Franciacorta Brut Rosé	♟♟	5
○ Franciacorta Brut Blanc de Blancs	♟	5
○ Franciacorta Brut Conte Aimo '07	♟♟	8
○ Franciacorta Brut Conte Aimo Ris. '09	♟♟	8
○ Franciacorta Brut Contessa Maggi '11	♟♟	7
○ Franciacorta Brut Contessa Maggi '06	♟♟	7
○ Franciacorta Brut Contessa Maggi Ris. '07	♟♟	7
○ Franciacorta Brut Satèn Donna Cora '11	♟♟	6

LOMBARDIA

Ar.Pe.Pe

VIA DEL BUON CONSIGLIO, 4
23100 SONDRIO
TEL. 0342214120
www.arpepe.com

VENDITA DIRETTA
VISITA SU PRENOTAZIONE
PRODUZIONE ANNUA 100.000 bottiglie
ETTARI VITATI 13,00

C'è tutto il carattere e il fascino dei vini nella Valtellina nelle etichette dei vini della famiglia Pelizzati Perego, quattro generazioni di vignaioli. La scommesssa di proporre sul mercato le bottigilie solo dopo un lungo riposo in bottiglia è stata sicuramente vincente, oggi la gamma si presenta sempre più articolata e solida tenendo fede a una cifra stilistica che gioca su vini intensi ma al contempo freschi e ariosi, ricchi di spigolo acido e sfaccettature speziate articolate. Di gran classe la Riserva Nuova Regina '13, possiede una nitidezza cristallina, con aromi di erbe secche e spezie dolci, amalgamate con frutta rossa fresca. La bocca è molto importante, finissima, con buona polpa che armonizza il lungo finale. Ottima e complessa la Riserva Buon Consiglio '13, con note di china, liquirizia, pepe e catrame. Il palato è armonico, con frutto bilanciato, tannini fitti e finale persistente. La Riserva Ultimi Raggi '13 è vitale con note di confettura di fragole, spezie ed erbe aromatiche. La bocca è di carattere e grande impatto, elegante, il finale molto lungo.

● Valtellina Sup. Sassella Nuova Regina Ris. '13	♟♟♟ 8
● Valtellina Sup. Grumello Buon Consiglio Ris. '13	♟♟ 8
● Valtellina Sup. Sassella Ultimi Raggi Ris. '13	♟♟ 8
● Rosso di Valtellina '18	♟♟ 4
● Valtellina Sup. Il Pettirosso '17	♟♟ 5
● Valtellina Sup. Inferno Sesto Canto Ris. '13	♟♟ 8
● Valtellina Sup. Sassella V. Regina Ris. '09	♟♟♟ 8
● Valtellina Sup. Grumello Rocca De Piro '15	♟♟ 5
● Valtellina Sup. Sassella Rocce Rosse Ris. '09	♟♟ 7
● Valtellina Sup. Sassella Stella Retica '15	♟♟ 5

Ballabio

VIA SAN BIAGIO, 32
27045 CASTEGGIO [PV]
TEL. 0383805878
www.ballabiowinery.it

VISITA SU PRENOTAZIONE
PRODUZIONE ANNUA 100.000 bottiglie
ETTARI VITATI 60,00
AZIENDA SOSTENIBILE

Sono passati oltre cent'anni da quando, nel 1905, Angelo Ballabio diede vita a quella che per molti anni è stata una cantina di riferimento per tutto l'Oltrepò Pavese anche per la convinzione di poter ottenere Metodo Classico da uve pinot nero di rilievo in zona, senza limitarsi a vendere le uve in Piemonte. Proprio da qui, dopo molti passaggi, è ripartita da alcuni anni una realtà che, giovandosi di una struttura all'avanguardia e di protocolli rigorosi, ha ricominciato a produrre spumanti sempre più affilati nello stile e convincenti nell'interpretazione del pinot nero. Quest'anno, la gamma di Ballabio si arricchisce di una nuova gemma: il Dosaggio Zero '11, uno spumante di purezza, equilibrio e nitidezza straordinari. La pura forza del pinot nero addomesticata in una bottiglia dalla bolla finissima, potente ed elegante allo stesso tempo, interminabile nel finale. Caratteristiche che gli valgono il Premio Speciale Bollicine dell'Anno. Livello molto alto, come di consueto, per le altre etichette, con menzione speciale all'ottimo Rosé.

○ OP Pinot Nero Dosaggio Zero Farfalla Cave Privée '11	♟♟♟ 7
○ Farfalla Extra Brut M. Cl.	♟♟ 5
⊘ Farfalla Extra Brut M. Cl. Rosé	♟♟ 4
○ Farfalla Zero Dosage M. Cl.	♟♟ 5
● OP Bonarda V. delle Cento Pertiche '15	♟♟ 3
● OP Bonarda V. delle Cento Pertiche '13	♟♟ 3
● OP Bonarda V. delle Cento Pertiche '11	♟♟ 2*
○ OP Pinot Grigio Clastidium '15	♟♟ 3
○ Pinot Grigio Clastidium '16	♟♟ 2*

I Barisei

VIA BELLAVISTA, 1A
25030 ERBUSCO [BS]
TEL. 0307356069
www.ibarisei.it

VENDITA DIRETTA
VISITA SU PRENOTAZIONE
OSPITALITÀ
PRODUZIONE ANNUA 90.000 bottiglie
ETTARI VITATI 40,00

La famiglia Bariselli coltiva terreni e produce vino in Franciacorta dal 1898. Negli anni Settanta del '900 alle uve rosse viene affiancata la produzione di chardonnay che andava ad alimentare le aziende della nascente Franciacorta. Gian Mario Bariselli decide nel 1993 di iniziare una piccola produzione in proprio con il marchio Solive che riscuote subito un buon successo. Nel 2002 viene costruita la nuova cantina in Erbusco, e dal 2006 le bottiglie sono sul mercato con il marchio I Barisèi. L'azienda lavora solamente le uve dei 40 ettari di proprietà, dislocati nelle posizioni più vocate della denominazione. Il Brut Sempiterre è esemplare dello stile de I Barisèi: ha un colore paglierino brillante, perlage finissimo e spuma cremosa; al palato si apre elegante e carezzevole, è sapido e pulito nelle sue note di pesca e limone d'Amalfi. L'Extra Brut Mariadri '12 è altrettanto riuscito: accattivante nei suoi toni di pasticceria e vaniglia all'olfatto, si rivela profondo, sfaccettato, vitale e pieno al palato.

○ Franciacorta Brut Sempiterre	♟♟	6
○ Franciacorta Extra Brut Mariadri '12	♟♟	5
○ Franciacorta Natura '14	♟	6
○ Franciacorta Natura '13	♟♟	6
⊙ Franciacorta Rosé '13	♟♟	6
○ Franciacorta Satèn '14	♟♟	6

Barone Pizzini

VIA SAN CARLO, 14
25050 PROVAGLIO D'ISEO [BS]
TEL. 0309848311
www.baronepizzini.it

VENDITA DIRETTA
VISITA SU PRENOTAZIONE
OSPITALITÀ
PRODUZIONE ANNUA 290.000 bottiglie
ETTARI VITATI 55,00
VITICOLTURA Biologico Certificato
AZIENDA SOSTENIBILE

Il vulcanico Silvano Brescianini è l'artefice di questa bellissima azienda posta a due passi dal Lago d'Iseo, nella Franciacorta occidentale. L'attuale presidente del Consorzio Franciacorta, supportato dall'impegno non solo economico dei soci, con un lavoro durato anni ha portato Barone Pizzini ad essere un punto di riferimento per quanto riguarda sostenibilità ambientale, biologico e biodinamico. Il tutto realizzando nel contempo vini di altissimo profilo. Il Dosaggio Zero Naturae '16 vale alla maison l'ennesimo Tre Bicchieri, a conferma di un meccanismo ormai perfettamente a punto, di splendide vigne e di una cantina all'avanguardia tecnologica oltre che sostenibile. Rimarrete colpiti dal suo profilo snello ma autorevole, dalla pulizia del frutto e dalla sottile vena mentolata che lo rende irresistibile. Ma tutta la gamma è di livello eccellente.

○ Franciacorta Dosage Zero Naturae '16	♟♟♟	5
○ Franciacorta Dosaggio Zero Animante LA	♟♟	5
○ Franciacorta Extra Brut Animante	♟♟	5
⊙ Franciacorta Extra Brut Rosé Edizione '16	♟♟	5
● San Carlo '17	♟♟	5
○ Tesi 2 Extra Brut M. Cl.	♟♟	5
○ Curtefranca Bianco Polzina '19	♟	3
○ Franciacorta Brut Golf 1927	♟	5
○ Franciacorta Brut Satèn Edizione '16	♟	5
○ Franciacorta Brut Naturae '13	♟♟♟	5
○ Franciacorta Brut Naturae '11	♟♟♟	5
○ Franciacorta Brut Nature '10	♟♟♟	5
○ Franciacorta Dosaggio Zero Bagnadore Ris. '11	♟♟♟	7

★★★Bellavista

VIA BELLAVISTA, 5
25030 ERBUSCO [BS]
TEL. 0307762000
www.bellavistawine.it

VENDITA DIRETTA
VISITA SU PRENOTAZIONE
PRODUZIONE ANNUA 1.400.000 bottiglie
ETTARI VITATI 190,00
AZIENDA SOSTENIBILE

Il gruppo capitanato da Vittorio Moretti è
una vera potenza in campo enologico, in
Italia e non solo. Bellavista è il fiore
all'occhiello di un gruppo che abbraccia sei
aziende vinicole tra Franciacorta, Toscana
e Sardegna. Il lavoro costante del team di
famiglia prevede continui miglioramenti e
slancio verso il futuro, con la creazione di
nuove etichette e acquisizioni di prestigio
come quello della Santissima Annunciata, il
bellissimo convento posto sulla cima del
Monte Orfano, con vigneti e cantina
annessi, in fase di ristrutturazione. È
stata dura scegliere tra la morbida ed
elegante complessità del Pas Operé '14 e
la freschezza e la grinta agrumata
dell'Alma Non Dosato, ma alla fine la
bella vena fruttata e un tocco di scorza di
mandarino di quest'ultimo hanno prevalso.
Tre Bicchieri. Senza dimenticare la
Riserva Vittorio Moretti '13, un
Franciacorta di rara profondità e armonia.
Eccellente tutta la gamma.

F.lli Berlucchi

FRAZ. BORGONATO
VIA BROLETTO, 2
25040 CORTE FRANCA [BS]
TEL. 030984451
www.fratelliberlucchi.it

VENDITA DIRETTA
VISITA SU PRENOTAZIONE
PRODUZIONE ANNUA 380.000 bottiglie
ETTARI VITATI 70,00

La cinquecentesca Casa delle Colonne è
il regno dove Pia Donata Berlucchi e la
figlia Tilli Rizzo elaborano Franciacorta di
stile e personalità, tratti dai 70 ettari di
proprietà. Le splendide cantine a volta
affrescate meritano una visita, così come
meritano i Franciacorta, suddivisi nelle due
linee Freccianera (i millesimati) e Casa
delle Colonne (le Riserve). Da oltre
vent'anni l'azienda ha adottato tecniche di
viticoltura a basso impatto ambientale.
Sempre di alto livello i Riserva Casa delle
colonne come ben testimonia il Brut '13
che si presenta con bel colore paglierino
verdolino brillante, finissimo perlage e un
naso complesso ad un tempo e fresco
nei suoi sentori di lieviti ma anche di
agrume e frutto bianco. Meritano una
citazione il Freccianera Rosa '16, delizioso
nei toni di piccoli frutti rossi, e il nitido e
scattante Freccianera Nature '16. Tutto il
resto della gamma è di esemplare pulizia
e schiettezza.

○ Franciacorta Non Dosato Grande Cuvée Alma	♈♈♈ 6
○ Franciacorta Extra Brut Vittorio Moretti Ris. '13	♈♈ 8
○ Franciacorta Pas Operé '14	♈♈ 8
○ Franciacorta Brut Teatro alla Scala '15	♈♈ 7
○ Franciacorta Brut Teatro alla Scala '13	♈♈♈ 7
○ Franciacorta Extra Brut Vittorio Moretti Ris. '08	♈♈♈ 8
○ Franciacorta Extra Brut Vittorio Moretti Ris. '06	♈♈♈ 8
○ Franciacorta Gran Cuvée Pas Operé '06	♈♈♈ 8
○ Franciacorta Pas Operé '10	♈♈♈ 7
○ Franciacorta Pas Operé '09	♈♈♈ 7

○ Franciacorta Brut Casa delle Colonne Ris. '13	♈♈ 8
○ Franciacorta Brut Freccianera '15	♈♈ 6
○ Franciacorta Nature Freccianera '16	♈♈ 7
○ Franciacorta Rosé Freccianera Rosa '16	♈♈ 6
○ Franciacorta Satèn '16	♈♈ 7
○ Curtefranca Bianco Ca' Brusade '19	♈ 3
○ Franciacorta Brut 25	♈ 6
○ Franciacorta Brut Casa delle Colonne Ris. '12	♈♈ 8
○ Franciacorta Brut Freccianera '14	♈♈ 6
○ Franciacorta Casa delle Colonne Zero Ris. '12	♈♈ 8
⊙ Franciacorta Nature Freccianera '15	♈♈ 7
⊙ Franciacorta Rosé Freccianera '15	♈♈ 6
⊙ Franciacorta Rosé Freccianera Rosa '14	♈♈ 6
○ Franciacorta Satèn '15	♈♈ 7

★Guido Berlucchi & C.

LOC. BORGONATO
P.ZZA DURANTI, 4
25040 CORTE FRANCA [BS]
TEL. 030984381
www.berlucchi.it

VENDITA DIRETTA
VISITA SU PRENOTAZIONE
OSPITALITÀ
PRODUZIONE ANNUA 4.400.000 bottiglie
ETTARI VITATI 115,00
VITICOLTURA Biologico Certificato
AZIENDA SOSTENIBILE

Franco Ziliani e Guido Berlucchi, un incontro che, più di sessant'anni fa, ha cambiato i destini dell'enologia italiana e inventato, di fatto, la Franciacorta, in quel magico anno 1961 che è ora ricordato nel nome di un'intera gamma di etichette. Berlucchi è poi diventato un brand di fama internazionale, e da una decina d'anni Arturo, il figlio di Franco, enologo e presidente del gruppo, ha praticamente rifondato l'azienda con il fondamentale apporto dei fratelli Cristina e Paolo. Se è vero che tutta la gamma della Guido Berlucchi è di livello e non ha punti deboli, è altrettanto vero che nelle annate in cui escono le selezioni di Palazzo Lana le emozioni sono assicurate. Eccoci allora alla Riserva Extrême '09, da pinot nero in purezza, che dopo oltre 9 anni di maturazione sui lieviti si presenta in forma smagliante, complesso, elegante fresco e profondo come non mai. Splendidamente contornato dal Brut 61 e dal 61 Blanc de Blancs Nature '13.

Cantina Bersi Serlini

VIA CERETO, 7
25050 PROVAGLIO D'ISEO [BS]
TEL. 0309823338
www.bersiserlini.it

VENDITA DIRETTA
VISITA SU PRENOTAZIONE
OSPITALITÀ E RISTORAZIONE
PRODUZIONE ANNUA 200.000 bottiglie
ETTARI VITATI 30,00
VITICOLTURA Biologico Certificato

Affondano nel Medioevo le origini di questa azienda, quando i monaci cluniacensi dell'Abbazia di San Pietro in Lamosa edificarono una grangia per fare il vino e conservare i vari prodotti agricoli dei monaci. La tenuta è di proprietà della famiglia Bersi Serlini sin dal 1886, e i successivi ampliamenti e le ristrutturazioni ne hanno fatto una importante realtà franciacortina. Maddalena e Chiara Bersi Serlini proseguono con entusiasmo la tradizione familiare. Il Satèn di Maddalena e Chiara è uno dei più interessanti assaggiati quest'anno in Franciacorta. Ha un bel colore paglierino verdolino brillante perlage minuto e continuo, e al naso s'apre su intense note di frutto bianco, vaniglia e miele d'acacia, e al palato si risolve cremoso sapido, morbido e persistente. Di eccellente livello anche il Blanc de Blancs Anniversario, proposto solo in magnum, dagli eleganti sentori di pesca, morbido e persistente.

○ Franciacorta Extra Brut Extreme Palazzo Lana Ris. '09	♟♟♟ 8
○ Franciacorta Brut 61	♟♟ 5
○ Franciacorta Nature Blanc de Blancs '13	♟♟ 8
○ Franciacorta Nature 61 '13	♟♟ 8
⊙ Franciacorta Nature Rosé 61 '13	♟♟ 8
⊙ Franciacorta Rosé 61	♟ 5
○ Franciacorta Satèn 61	♟ 5
○ Franciacorta Nature 61 '10	♟♟♟ 7
○ Franciacorta Extra Brut Extreme Palazzo Lana Ris. '07	♟♟♟ 7
○ Franciacorta Nature 61 '12	♟♟♟ 7
○ Franciacorta Nature 61 '11	♟♟♟ 7
○ Franciacorta Nature 61 '09	♟♟♟ 5
○ Franciacorta Satèn Palazzo Lana '06	♟♟♟ 6

○ Franciacorta Brut Anniversario	♟♟ 5
○ Franciacorta Brut Satèn	♟♟ 5
○ Franciacorta Brut Cuvée n. 4 '16	♟♟ 6
○ Franciacorta Demi Sec Nuvola	♟♟ 4
○ Franciacorta Brut Anteprima	♟ 5
⊙ Franciacorta Brut Rosé Rosa Rosae '14	♟ 5
○ Franciacorta Brut '11	♟♟ 5
○ Franciacorta Brut Cuvée n. 4 '15	♟♟ 6
○ Franciacorta Brut Cuvée n. 4 '13	♟♟ 6
○ Franciacorta Brut Cuvée n. 4 '12	♟♟ 5
○ Franciacorta Brut Cuvée n. 4 '10	♟♟ 5
○ Franciacorta Extra Brut '15	♟♟ 6
○ Franciacorta Extra Brut '14	♟♟ 6
○ Franciacorta Extra Brut '13	♟♟ 6
○ Franciacorta Extra Brut '12	♟♟ 6
○ Franciacorta Extra Brut '11	♟♟ 6
○ Franciacorta Extra Brut '10	♟♟ 6

Bertè & Cordini Francesco Montagna

via Cairoli, 67
27043 Broni [PV]
Tel. 038551028
www.bertecordini.it

VENDITA DIRETTA
VISITA SU PRENOTAZIONE
OSPITALITÀ
PRODUZIONE ANNUA 700.000 bottiglie
ETTARI VITATI 18,00

Questa antica cantina (la fondazione risale al 1895) è da oltre quarant'anni di proprietà delle famiglie Bertè e Cordini, che ne hanno mantenuto il nome originale. L'azienda è cambiata e si è evoluta con il passare del tempo, in primis sotto la guida di Natale Bertè, che è stato capace di portarla alla situazione attuale. Ora sono il figlio Matteo e il nipote Luca (entrambi enologi), con il supporto della sorella di quest'ultimo, Marzia, a condurre le danze. Molte le etichette prodotte, con alcune punte di eccellenza soprattutto nel Metodo Classico. Molto ben fatta, profumata di menta, pompelmo e mandarino, la Cuvée Tradizione '16, nervosa e dalla bolla fine. Sentori più maturi ed evoluti, ben sorretti dall'acidità, per la Cuvée della Casa. Molto tipico, pulito nei profumi di frutti di bosco con venature di erbe aromatiche, il Pinot Nero '18, che chiude su una piacevole nota ammandorlata. Tanti agrumi per un piacevole, semplice, scorrevole Cruasé.

F.lli Bettini

loc. San Giacomo
via Nazionale, 4a
23036 Teglio [SO]
Tel. 0342786068
www.vinibettini.it

VENDITA DIRETTA
VISITA SU PRENOTAZIONE
PRODUZIONE ANNUA 200.000 bottiglie
ETTARI VITATI 15,00

Si conferma ancora una volta tra le schede grandi della nostra Guida questa solida cantina di Teglio, forte di una tradizione vitivinicola profonda con oltre 130 anni di attività. L'offerta valorizza le diverse peculiarità di un territorio unico, capace di regalare vini fragranti e alpini, ma allo stesso tempo esprimere una potenza e una ricchezza aromatica invidiabile. Lo stile aziendale abbraccia vini ricchi e maturi, con un uso sapiente di legni piccoli per i vini di punta, dal tratto denso e speziato, capaci di lunghi affinamenti in bottiglia dove trovano ritmo ed equilibrio. È una garanzia la mano di Pietro Bettini nella realizzazione di buoni vini Sforzato. Come in questo esemplare Sfursat '15, che possiede note esotiche di tamarindo e crema di caffè. La bocca è severa e complessa, austera, con chiusura morbida e prolungata. Intenso ed elegante il Valgella Vigna La Cornella '16, con sfumature di frutta matura e di spezie. Il palato è solido e succoso, il finale lungo.

○ OP Brut M. Cl. Cuvée Tradizione '16	♟♟ 5
● OP Pinot Nero '18	♟♟ 3
○ OP Pinot Nero Brut M. Cl. Cuvée della Casa	♟♟ 5
⊙ OP Cruasé	♟ 5
○ OP Pinot Nero Brut M. Cl. Cuvée Nero d'Oro	♟ 5
○ OP Sauvignon Masaria '18	♟ 2
○ OP Brut M. Cl. Cuvée Tradizione '15	♟♟ 5
○ OP Brut M. Cl. Cuvée Tradizione '14	♟♟ 5
○ OP Pinot Nero Dosage Zéro M. Cl. Oblio '10	♟♟ 7
○ OP Sauvignon Masaria '17	♟♟ 2*
○ OP Pinot Nero Brut M. Cl. Cuvée Tradizione '13	♟ 5

● Sforzato di Valtellina '15	♟♟ 6
● Valtellina Sup. Ris. Sant'Andrea '15	♟♟ 5
● Valtellina Sup. Valgella V. La Cornella '16	♟♟ 5
● Valtellina Sup. Sassella Reale '16	♟ 5
● Sforzato di Valtellina '13	♟♟ 6
● Sforzato di Valtellina Fruttaio di Spina '13	♟♟ 7
● Valtellina Sup. Inferno Prodigio '15	♟♟ 5
● Valtellina Sup. La Botte Ventitrè Ris. '09	♟♟ 3
● Valtellina Sup. Sassella Reale '15	♟♟ 5

Bisi

LOC. CASCINA SAN MICHELE
FRAZ. VILLA MARONE, 70
27040 SAN DAMIANO AL COLLE [PV]
TEL. 038575037
www.aziendagricolabisi.it

VENDITA DIRETTA
VISITA SU PRENOTAZIONE
PRODUZIONE ANNUA 90.000 bottiglie
ETTARI VITATI 30,00

Non abbiamo mai nascosto la nostra predilezione per Claudio Bisi, un viticoltore "vero" nel senso più profondo del termine. Persona di poche parole e dalle idee chiare, cura maniacalmente ogni dettaglio sia in vigna sia in cantina. Pioniere della cosiddetta vendemmia verde e delle basse rese, per anni si è sentito dare del matto dagli anziani della zona, in quell'Oltrepò dove gran parte delle uve era (ed è tuttora) venduta al quintale. I vini di Claudio nascono così, rigorosi e complessi, da saper cogliere e apprezzare sulla lunga distanza. Densa, possente, profumata di frutti neri, tabacco e spezie, la Barbera Roncolongo '17 è il biglietto da visita di Claudio Bisi: da stappare anche tra vent'anni. Notevole Il Calonga '17, un Pinot Nero Intenso, profondo, con profumi di piccoli frutti di bosco. Mancano all'appello alcuni pezzi grossi come la Barbera Senz'Aiuto e l'Ultrapadum, non ancora pronti, ma tutta la gamma è, come di consueto, di altissimo livello.

● Calonga Pinot Nero '17	♀♀	5
● Roncolongo Barbera '17	♀♀	5
● OP Bonarda Vivace La Peccatrice '19	♀♀	2*
● Pezzabianca Barbera '18	♀♀	3
● Pramattone Croatina '18	♀♀	2*
● Calonga Pinot Nero '16	♀♀	5
● Calonga Pinot Nero '15	♀♀	5
● OP Bonarda Vivace La Peccatrice '18	♀♀	2*
● OP Bonarda Vivace La Peccatrice '17	♀♀	2*
● OP Pinot Nero Calonga '13	♀♀	3
● Pezzabianca Barbera '17	♀♀	3
● Pezzabianca Barbera '15	♀♀	3
● Roncolongo Barbera '16	♀♀	5
● Roncolongo Barbera '15	♀♀	5
● Roncolongo Barbera '14	♀♀	5
● Roncolongo Barbera '12	♀♀	3

La Boscaiola Vigneti Cenci

VIA RICCAFANA
25033 COLOGNE [BS]
TEL. 0307156386
www.vigneticenci.com

VENDITA DIRETTA
VISITA SU PRENOTAZIONE
PRODUZIONE ANNUA 50.000 bottiglie
ETTARI VITATI 6,00

Giuliana Cenci e suo figlio Maurizio proseguono con impegno l'avventura de La Boscaiola, la bella azienda di Cologne nata dalla passione di Nelson Cenci per questo territorio, la sua gente e il suo vino. Nelson, medico ma prima ancora Alpino e poi scrittore, negli anni Settanta ha iniziato a piantare viti nella sua tenuta che progressivamente s'è ingrandita, con il prezioso apporto di Giuliana e di professionisti d'eccellenza. Il Franciacorta Brut Sessanta '09 vale l'ingresso della maison alle nostre finali. Ha un bel colore paglierino brillante, spuma cremosa e fine perlage, e si apre su un bouquet dove il frutto, il fiore e l'agrume si stemperano su note di tostato e di vaniglia. Al palato è sapido, ricco e profondo, e coniuga elegantemente complessità e immediatezza di beva. L'Extra Brut vanta una bella e fresca vena minerale, mentre il Brut La Capinera è tutto giocato sulla freschezza del frutto e sulle note d'agrume.

○ Franciacorta Brut Sessanta '09	♀♀	6
○ Franciacorta Brut La Capinera	♀♀	5
○ Franciacorta Extra Brut Nelson Cenci	♀♀	6
⊙ Franciacorta Rosé La Capinera	♀♀	5
● Ritorno	♀♀	4
○ Franciacorta Pas Dosé Zero	♀	5
○ Franciacorta Satèn La Via della Seta	♀	5
○ Franciacorta Brut Nelson Cenci L'Insolita '11	♀♀	6
○ Franciacorta Brut Sessanta '10	♀♀	6

Bosio

FRAZ. TIMOLINE
VIA M. GATTI, 4
25040 CORTE FRANCA [BS]
TEL. 0309826224
www.bosiofranciacorta.it

VENDITA DIRETTA
VISITA SU PRENOTAZIONE
PRODUZIONE ANNUA 120.000 bottiglie
ETTARI VITATI 20,00
VITICOLTURA Biologico Certificato
AZIENDA SOSTENIBILE

I fratelli Cesare e Laura Bosio sono il cuore pulsante di questa moderna realtà franciacortina, nata da un piccolo podere vitato di famiglia e diventata ora una firma importante del territorio, grazie alle qualità agronomiche di Cesare e alle innate capacità imprenditoriali di Laura. La proprietà si è espansa fino agli attuali 30 ettari, dai quali nasce un'ampia gamma di Franciacorta e di vini fermi tipici della zona. L'Extra Brut Boschedòr '15 si guadagna agevolmente l'accesso alle nostre degustazioni finali in virtù dell'elegante complessità che riesce ad esprimere al naso come al palato nei suoi toni di miele millefiori e spezie, doti che non vanno a scapito di una vivace freschezza sottolineata dalle note di frutto bianco e agrume. Bello e lungo il finale sul frutto. Sapido cremoso, limpido e agrumato il Nature '15.

○ Franciacorta Extra Brut Boschedòr '15	🍷🍷 6
○ Franciacorta Brut	🍷🍷 5
○ Franciacorta Nature '15	🍷🍷 6
⊙ Franciacorta Pas Dosé Rosé Girolamo Bosio Ris. '13	🍷🍷 8
⊙ Franciacorta Rosé Extra Brut '16	🍷🍷 6
○ Franciacorta Satèn	🍷 5
○ Franciacorta Pas Dosé G irolamo Bosio Ris. '09	🍷🍷🍷 5
○ Franciacorta Extra Brut Boschedòr '13	🍷🍷 6
⊙ Franciacorta Extra Brut Rosé '14	🍷🍷 5
○ Franciacorta Pas Dosè Girolamo Bosio Ris. '12	🍷🍷 8
⊙ Franciacorta Pas Dosè Rosè Girolamo Bosio Ris. '11	🍷🍷 8
⊙ Franciacorta Rosé Extra Brut '15	🍷🍷 5

Alessio Brandolini

FRAZ. BOFFALORA, 68
27040 SAN DAMIANO AL COLLE [PV]
TEL. 038575232
www.alessiobrandolini.com

VENDITA DIRETTA
VISITA SU PRENOTAZIONE
PRODUZIONE ANNUA 70.000 bottiglie
ETTARI VITATI 11,00
AZIENDA SOSTENIBILE

Alessio Brandolini ha ormai preso in mano la conduzione dell'azienda di famiglia da alcuni anni, con lo scopo di valorizzare al meglio i singoli vigneti piantando le uve più adatte. Nel frattempo, ha ampliato la struttura creando una bella sala degustazione con vista sulle vigne. Le uve sono quelle della tradizione locale, da croatina a barbera, da pinot nero a malvasia - quest'ultima da sempre presente nella zona est dell'Oltrepò Pavese per via della vicinanza con la provincia di Piacenza - e una piccola produzione spumantistica dalla quale ci attendiamo risultati di spicco. Tra le novità, lo spumante da uve pinot nero I Ger '14 affascina per il colore quasi ramato, per lo stile lievemente ossidativo, per il nerbo unito ad una bocca carnosa e a un finale lunghissimo. Molto buona la Barbera Il Pozzo '18, fruttata e integra con le sue note di ribes, liquirizia e menta, energica e agile. Altra novità Il Costante '17, una croatina rifermentata in bottiglia di personalità. Non ci sono vini banali, nella batteria presentata da Alessio Brandolini.

○ I Ger Pas Dosé M. Cl. '14	🍷🍷 5
● Il Pozzo Barbera '18	🍷🍷 3*
● Il Beneficio '16	🍷🍷 4
● Il Costante Croatina FB '17	🍷🍷 3
⊙ Note d'Agosto Extra Brut M. Cl. Rosé '16	🍷🍷 5
● Al Negres Pinot Nero '18	🍷 4
○ Il Bardughino Malvasia '19	🍷 2
● Il Soffio Croatina '19	🍷 2
○ Luogo d'Agosto Pas Dosé M. Cl. '16	🍷 5
● OP Bonarda Frizzante Il Cassino '19	🍷 2
⊙ Brut M. Cl. Rosé Note d'Agosto '13	🍷🍷 5
○ Il Bardughino '16	🍷🍷 2*
○ Il Bardughino Malvasia '18	🍷🍷 2*
● Il Beneficio '15	🍷🍷 4
● Il Beneficio '14	🍷🍷 4
● Il Beneficio '13	🍷🍷 4
● Il Soffio Croatina '18	🍷🍷 2*

★Cà Maiol

VIA COLLI STORICI, 119
25015 DESENZANO DEL GARDA [BS]
TEL. 0309910006
www.camaiol.it

VENDITA DIRETTA
VISITA SU PRENOTAZIONE
OSPITALITÀ
PRODUZIONE ANNUA 940.000 bottiglie
ETTARI VITATI 112,00
AZIENDA SOSTENIBILE

Ca' Majol nasce nel 1967 per mano del milanese Walter Contato, appassionato di questo lembo di terra a sud del Lago di Garda. Nel 1996 l'azienda passa ai figli, mentre da alcuni anni è entrata a far parte del gruppo Santa Margherita, fatto che ha permesso un ulteriore salto qualitativo e commerciale. 110 ettari di vigneto suddivisi in vari poderi, un corpo centrale settecentesco, moderne cantine ipogee fanno di questa realtà un punto di riferimento per tuta l'area. Eccellente performance per i vini di Ca' Majol, con il Lugana Riserva '18 che si impone nelle nostre degustazioni per eleganza, profondità e placevolezza di beva. Ha un colore paglierino carico e brillante, naso complesso dove al frutto si sommano componenti boisé e d'incenso, e che al palato è ricco, fitto e sapido per la bella vena acida. Asciutto, teso e dai di cremosi toni di frutto bianco il Prestige '19, mentre il Valtènesi Fabio Contato '16 ha una bella struttura, tannini eleganti e persistenza.

○ Lugana Fabio Contato Ris. '18	♟♟♟	6
○ Lugana Prestige '19	♟♟	4
○ Lugana Molin '19	♟♟	5
● Valtènesi Riviera del Garda Cl. Rosso Fabio Contato '16	♟♟	5
⊙ Valtènesi Riviera del Garda Cl. Chiaretto Roseri '19	♟	4
○ Lugana Molin '16	♟♟♟	3*
○ Lugana Sel. Fabio Contato '16	♟♟♟	5
○ Lugana Molin '18	♟♟	3*
○ Lugana Molin '17	♟♟	3*
○ Lugana Sel. Fabio Contato Ris. '17	♟♟	5
○ Lugana Sup. Sel. Fabio Contato '15	♟♟	5

Cà Tessitori

VIA MATTEOTTI, 15
27043 BRONI [PV]
TEL. 038551495
www.catessitori.it

VENDITA DIRETTA
VISITA SU PRENOTAZIONE
PRODUZIONE ANNUA 120.000 bottiglie
ETTARI VITATI 40,00

Con il capostipite Luigi sempre saldamente alla guida e i figli Giovanni e Francesco come indispensabili supporti, questa azienda ha saputo ritagliarsi uno spazio di tutto rispetto nel variegato mondo del vino oltrepadano. Il progressivo abbandono dei legni e la rivalorizzazione delle vasche in cemento ha portato alla realizzazione di vini di notevole personalità, molto legati ai terreni (suddivisi in due ampi appezzamenti distinti fra loro) e alle annate. Da qualche anno, il Metodo Classico è diventato sempre più importante, e pare aver trovato la strada giusta dopo alcuni aggiustamenti stilistici. Molto buoni i due Metodo Classico Pas Dosé: più complesso, profondo, variegato e lungo nel finale l'M.V. '16; più potente, immediato, succoso e minerale l'LB9. Due differenti e molto interessanti versioni di spumante da pinot nero. Tra le migliori dell'annata la Bonarda Frizzante Sempà '19, piena, viva, cremosa nel frutto rosso di spessore.

○ OP Pinot Nero Dosaggio Zero M. Cl. M.V. '16	♟♟	5
● Borghesa Rosso '19	♟♟♟	3
● Oltremodo '18	♟♟	3
● OP Bonarda Frizzante Sempà '19	♟♟	2*
○ OP Pinot Nero Dosaggio Zero M. Cl. LB9	♟♟	5
○ Agòlo '19	♟	2
○ Agòlo '18	♟♟	2*
○ Agòlo '17	♟♟	2*
● Borghesa Rosso '17	♟♟	3
● Marona Barbera '15	♟♟	4
● Oltremodo '17	♟♟	3*
● OP Bonarda Frizzante '18	♟♟	2*
● OP Bonarda Vivace '16	♟♟	2*
○ OP Pinot Nero Brut M. V. '12	♟♟	4
○ OP Pinot Nero M. Cl. Dosaggio Zero LB9 '14	♟♟	5

LOMBARDIA

★★★★Ca' del Bosco

VIA ALBANO ZANELLA, 13
25030 ERBUSCO [BS]
TEL. 0307766111
www.cadelbosco.com

VENDITA DIRETTA
VISITA SU PRENOTAZIONE
OSPITALITÀ
PRODUZIONE ANNUA 1.800.000 bottiglie
ETTARI VITATI 245,40
VITICOLTURA Biologico Certificato
AZIENDA SOSTENIBILE

Quella che era la casa delle vacanze estive della madre Annamaria Clementi è stata trasformata dal vulcanico figlio Maurizio Zanella in un'azienda vinicola tra le più importanti, moderne e innovative d'Italia. La svolta fondamentale è stato l'ingresso in società del Gruppo Santa Margherita, che ha permesso a Maurizio e all'imprescindibile enologo Stefano Capelli di consolidare i risultati straordinari già ottenuti a livello nazionale e internazionale. Sicuramente le cuvée Annamaria Clementi nella versione in bianco e rosé sono dei punti d'arrivo della spumantistica italiana, e meritano di essere inserite nel Gotha dei grandi vini italiani. Eppure assaggiando il Vintage Collection Dosage Zéro Noir '11 abbiamo provato un brivido di piacere irrefrenabile che ci ha portato ad assegnare proprio a questa etichetta i Tre Bicchieri. Largo e profondo, elegante e complesso, irresistibilmente ricco di frutto e freschezza. Memorabile.

○ Franciacorta Dosage Zéro Vintage Collection Noir '11	▼▼▼ 8
○ Curtefranca Chardonnay '16	▼▼ 8
○ Franciacorta Dosaggio Zero Cuvée Annamaria Clementi Ris. '10	▼▼ 8
⊙ Franciacorta Extra Brut Rosé Cuvée Annamaria Clementi Ris. '10	▼▼ 8
○ Curtefranca Bianco Corte del Lupo '18	▼▼ 7
● Curtefranca Rosso Corte del Lupo '17	▼▼ 6
○ Franciacorta Brut Vintage Collection '15	▼▼ 8
○ Franciacorta Dosage Zéro Vintage Collection '15	▼▼ 8
○ Franciacorta Extra Brut Cuvée Prestige	▼▼ 6
○ Franciacorta Extra Brut Cuvée Prestige Rosé	▼▼ 7
● Maurizio Zanella '16	▼▼ 8

Ca' del Gè

FRAZ. CA' DEL GÈ, 3
27040 MONTALTO PAVESE [PV]
TEL. 0383870179
www.cadelge.com

VENDITA DIRETTA
VISITA SU PRENOTAZIONE
PRODUZIONE ANNUA 160.000 bottiglie
ETTARI VITATI 45,00

Fu Enzo Padroggi, diversi anni fa, a dare l'impulso alla viticoltura di qualità in questa bella cantina con terreni bianchi molto vocati per il pinot nero e, soprattutto, per il riesling che è un po' il simbolo aziendale. La sua eredità oggi è raccolta dai suoi figli, Carlo, Stefania e Sara, che conducono una viticoltura a basso impatto ambientale sui due appezzamenti in cui sono suddivisi i terreni, tra Montalto Pavese (i terreni gessosi di cui parlavamo) e la zona di Cigognola, più adatta alle uve a bacca rossa tradizionali come croatina e barbera. Buonissimo, cremoso, sapido, intenso il Metodo Classico '15, strutturato, nitido e fine nella bollicina. Molto buoni, nella loro diversità, Il Marinoni (riesling renano) e Filagn Long (italico), entrambi del millesimo 2019: teso e profumato di erbe officinali il primo, che lascia presagire una bella capacità di invecchiamento; più semplice, floreale, sapido, immediato il secondo.

○ OP Pinot Nero Brut M. Cl. '15	▼▼ 5
● Costa del Vento Pinot Nero '19	▼▼ 2*
○ Filagn Long Riesling '19	▼▼ 3
○ Il Marinoni Riesling '19	▼▼ 3
● OP Bonarda Frizzante La Fidela '18	▼▼ 4
○ Brinà Riesling '19	▼ 2
○ Brinà Riesling '18	♀♀ 2*
○ Brinà Riesling '17	♀♀ 2*
○ Brut M. Cl. '13	♀♀ 5
○ Filagn Long Riesling '18	♀♀ 3
● OP Bonarda Frizzante La Fidela '16	♀♀ 4
○ OP Brut Cà del Gé '13	♀♀ 5
○ OP Pinot Nero Brut M. Cl. '11	♀♀ 3
○ OP Pinot Nero Brut M. Cl. '10	♀♀ 3*
○ OP Riesling Brinà '16	♀♀ 2*
○ OP Riesling Brinà '15	♀♀ 2*

Ca' di Frara

VIA CASA FERRARI, 1
27040 MORNICO LOSANA [PV]
TEL. 0383892299
www.cadifrara.com

VENDITA DIRETTA
VISITA SU PRENOTAZIONE
PRODUZIONE ANNUA 400.000 bottiglie
ETTARI VITATI 46,00

Sono ormai oltre vent'anni che l'azienda della famiglia Bellani, guidata da Luca, ha intrapreso un percorso che, sia pur contraddistinto da inevitabili alti e bassi, l'ha portata a essere una delle realtà più significative dell'Oltrepò Pavese. Avvalendosi di vigneti molto vocati, in particolare su terreni gessosi e calcarei, e della costruzione di una nuova cantina più grande e funzionale, producono anno dopo anno vini di valore assoluto e grande personalità, partendo dal riesling e dal Metodo Classico, senza trascurare i rossi. Nell'ampia varietà di nomi ed etichette, Luca Bellani riesce sempre a tirar fuori il cilindro dal cappello: per esempio questo rosé Oltre Il Classico elegante, intenso, profumato di rosa e piccoli frutti di bosco, finissimo nella bolla. Torna agli antichi splendori il Pinot Grigio '18, cavallo di battaglia dell'azienda già vent'anni fa: molto tipico, carnoso, profumato e lunghissimo.

Ca' Lojera

LOC. ROVIZZA
VIA 1866, 19
25019 SIRMIONE [BS]
TEL. 0457551901
www.calojera.com

VENDITA DIRETTA
VISITA SU PRENOTAZIONE
PRODUZIONE ANNUA 140.000 bottiglie
ETTARI VITATI 20,00

Ca' Lojera, ovvero "Casa dei Lupi", azienda di riferimento per quanto riguarda l'area meridionale del Lago di Garda, dove le bianche argille moreniche sono il suolo ideale per il turbiana, ovvero il trebbiano locale, da cui si ricava il Lugana. Da molti anni Franco e Ambra Tiraboschi curano questa realtà in modo maniacale, con una particolare attenzione alla tradizione e al rispetto della terra. Il lavoro su questo vitigno permette loro di esaltarne non solo la freschezza ma anche la notevole capacità di invecchiamento. Tre ottime prove per i tre Lugana dei Tiraboschi. In finale comme d'habitude il Riserva del Lupo, il 2017, gran bel bianco che coniuga tensione e mineralità con sentori più complessi di vaniglia, cipria e frutto bianco maturo. Il Lugana Superiore '17 è esemplare, sapido fresco e teso, mentre leggermente meno complesso ma dalla beva invitante e fresca il fruttato e nitido Lugana '19.

⊙ Oltre il Classico Extra Brut M. Cl. Rosé	♈♈	5
○ Pinot Grigio '18	♈♈	3*
⊙ OP Pinot Nero Pas Dosé M. Cl. Luca Bellani Centoventi Rosé	♈♈	5
○ OP Riesling Oliva Ris. '18	♈♈	4
● Il Frater '16	♈	5
⊙ Oltre il Classico Nature Noir M. Cl.	♈	5
○ OP Riesling Oliva Ris. '16	♈♈♈	4*
● Il Frater '15	♈♈	5
● Io Rosso '15	♈♈	5
● Mornico Pinot Nero '15	♈♈	5
○ Oliva Riesling Ris. '17	♈♈	4
● OP Pinot Nero Parcella 4 Ris. '16	♈♈	5
○ OP Riesling '15	♈♈	4
○ OP Riesling Sup. '16	♈♈	2*

○ Lugana del Lupo Ris. '17	♈♈	4
○ Lugana '19	♈♈	3
○ Lugana Sup. '17	♈♈	4
○ Lugana '18	♈♈	3
○ Lugana '16	♈♈	3
○ Lugana '15	♈♈	3
○ Lugana '14	♈♈	3
○ Lugana Riserva del Lupo '16	♈♈	5
○ Lugana Riserva del Lupo '15	♈♈	5
○ Lugana Riserva del Lupo '14	♈♈	5
○ Lugana Sup. '16	♈♈	3
○ Lugana Sup. '15	♈♈	3
○ Lugana Sup. '14	♈♈	3
○ Lugana Sup. '13	♈♈	3

Calatroni

LOC. CASA GRANDE, 7
27040 MONTECALVO VERSIGGIA [PV]
TEL. 038599013
www.calatronivini.it

VENDITA DIRETTA
VISITA SU PRENOTAZIONE
RISTORAZIONE
PRODUZIONE ANNUA 70.000 bottiglie
ETTARI VITATI 15,00
AZIENDA SOSTENIBILE

Abbiamo seguito con particolare
attenzione l'evolversi di questa cantina nel
corso degli ultimi anni. Tanta strada è
stata fatta da quando fu fondata, nel
1964, dal capostipite Luigi Calatroni: ora,
con Stefano e l'enologo Cristian, giovani
rappresentanti della quarta generazione, è
stata intrapresa una strada volta a esaltare
al meglio le caratteristiche dei vigneti,
posti su terreni in prevalenza bianchi.
Riesling renano e pinot nero, soprattutto:
l'evoluzione del primo e i Metodo Classico
ricavati dal secondo si sono spesso distinti
per maturità e personalità, pur con
inevitabili alti e bassi. NorEma '17, uno
spumante dal colore acqua di rose, si offre
elegante nel naso, in cui emergono non
solo piccoli frutti rossi ma erbe aromatiche
e anice, fine nella bolla, nitido, lungo,
agile. L'eleganza è la cifra stilistica anche
del Pinot 64 '16, floreale e minerale,
sapido, di ampia bevibilità. La Riserva
della Famiglia '12 è un rosé più
impegnativo, evoluto, maturo e sfaccettato
tra frutto e spezie.

⊙ OP Extra Brut Rosé M. Cl. NorEma '17	♟♟♟ 4*
● OP Bonarda Frizzante Vigiò '19	♟♟ 2*
⊙ OP Pas Dosé M. Cl.	
Riserva della Famiglia Rosé '12	♟♟ 6
⊙ OP Riesling Campo Dottore '19	♟♟ 3
○ Pinot Nero Brut 64 M. Cl. '16	♟♟ 4
● OP Pinot Nero Fioravanti '19	♟ 3
⊙ OP Pinot Nero M. Cl. NorEma Rosé '13	♕♕♕ 4*
○ Pinot Nero Brut 64 M. Cl. '11	♕♕♕ 5
● OP Bonarda Frizzante Vigiò '17	♕♕ 2*
● OP Pinot Nero Fioravanti '18	♕♕ 3
● OP Riesling	
Viticoltori in Montecalvo '14	♕♕ 5
○ Pinot Nero Brut 64 M. Cl. '15	♕♕ 4
○ Pinot Nero Brut 64 M. Cl. '14	♕♕ 4
○ Riesling '15	♕♕ 2*

Il Calepino

VIA SURRIPE, 1
24060 CASTELLI CALEPIO [BG]
TEL. 035847178
www.ilcalepino.it

VENDITA DIRETTA
VISITA SU PRENOTAZIONE
PRODUZIONE ANNUA 230.000 bottiglie
ETTARI VITATI 15,00

Da molti anni ormai, l'azienda dei fratelli
Franco e Marco Plebani ha trovato la sua
dimensione più significativa nella
realizzazione di spumanti Metodo Classico
di livello assoluto. D'altra parte, solo il
corso del fiume Oglio, appena uscito dal
Lago d'Iseo, separa Il Calepino dalla parte
più occidentale della Franciacorta. Questo
per dire che suoli e microclimi sono simili
e molto adatti alla messa in dimora di pinot
nero e chardonnay, e lo dimostra anche il
lungo affinamento sui lieviti che questi
vini sono in grado di fare guadagnando
in complessità. Come l'anno scorso,
anche quest'anno il Non Dosato si fa
lievemente preferire alla storica Riserva
Fra' Ambrogio '11. È secco, nitido,
minerale, profumato di erbette e frutta
esotica; equilibrato, verticale, non cede di
un passo fino al lungo finale. Dicevamo del
Fra' Ambrogio: sempre ricco, opulento,
profumato di frutta secca e candita, ha la
larghezza piena e la cremosità di bolla che
ci si aspetta da lui. Molto buoni anche il
Blanc de Blancs e il Rosé.

○ Non Dosato M. Cl.	♟♟ 4
○ Fra Ambrogio Brut M. Cl. '11	♟♟ 5
⊙ Rosé Brut M. Cl.	♟♟ 5
○ Terre dei Colleoni B.D.B. Brut M. Cl.	♟♟ 4
○ Il Calepino Brut M. Cl. '13	♟ 4
● Merlot M.A.S '15	♟ 5
● Valcalepio Rosso Surìe Ris. '15	♟ 3
○ Brut M. Cl. Fra' Ambrogio Ris. '10	♕♕ 4
○ Brut M. Cl. Non Dosato '11	♕♕ 4
● Kalòs Cabernet '15	♕♕ 5
● Terre dei Colleoni B.D.B. Brut M. Cl.	♕♕ 4
● Valcalepio Rosso '15	♕ 2

CastelFaglia - Monogram

FRAZ. CALINO
LOC. BOSCHI, 3
25046 CAZZAGO SAN MARTINO [BS]
TEL. 0307751042
www.cavicchioli.it

VENDITA DIRETTA
VISITA SU PRENOTAZIONE
PRODUZIONE ANNUA 350.000 bottiglie
ETTARI VITATI 22,00

Nella cantina scavata nella collina morenica da cui partono i vigneti terrazzati verso il castello dei Faglia di Calino, l'enologo Sandro Cavicchioli, erede di una famiglia di vignaioli modenesi che non ha bisogno di presentazioni, realizza Franciacorta di particolare interesse, soprattutto nella linea Monogram. La filosofia dell'azienda, di proprietà Cavicchioli, è appunto quella di differenziare Franciacorta di alta gamma da quelli destinati ad un piu largo consumo. La proposta di Sandro Cavicchioli non ha punti deboli, ma solo punti di forza. Il più smagliante quest'anno è sicuramente il Monogram Zero '16, una cuvée a base di chardonnay con una piccola percentuale di pinot nero che fa mostra di un frutto nitido, bella polposità, con sfumature di tabacco e note eleganti di camomilla. Eccellente Satèn dalle note floreali come il resto dell'ottima gamma.

Castello Bonomi

LOC. FRANCIACORTA
VIA SAN PIETRO, 46
25030 COCCAGLIO [BS]
TEL. 0307721015
www.castellobonomi.it

VENDITA DIRETTA
VISITA SU PRENOTAZIONE
PRODUZIONE ANNUA 100.000 bottiglie
ETTARI VITATI 24,00
AZIENDA SOSTENIBILE

Quella dei Paladin è una famiglia veneta con possedimenti in Friuli e in Toscana ai quali, ormai da qualche anno, si somma Castello Bonomi, ai piedi del Monte Orfano, in Franciacorta. L'azienda prende il nome dalla bella villa liberty all'ingresso della tenuta. I fratelli Carlo e Roberto realizzano qui, su terreni calcarei, vini di grande espressività e longevità, grazie anche all'apporto del pinot nero che trova su questi suoli il suo habitat ideale. Il Dosage Zéro '11 si è imposto perentoriamente nelle nostre degustazioni finali riportando l'alloro del Tre Bicchieri in casa Bonomi, anzi, Paladin. Questa cuvée paritaria di chardonnay e pinot nero lungamente maturata sui lieviti ha sfoderato grande grinta ed altrettanta eleganza, nella sua complessità di note fumé e minerali che non hanno sacrificato la nitidezza dei toni fruttati coloriti d'agrume che gli assicurano oltre alla profondità una piacevolissima beva. Il Satèn '14 è tra i migliori in assoluto.

○ Franciacorta Monogram Zero '16	♈♈ 5
○ Franciacorta Brut	♈♈ 4
○ Franciacorta Brut Blanc de Blancs Monogram	♈♈ 5
○ Franciacorta Brut Monogram '13	♈♈ 5
⊙ Franciacorta Brut Rosé	♈♈ 4
⊙ Franciacorta Monogram Brut Rosé '12	♈♈ 5
○ Franciacorta Monogram Satèn '14	♈♈ 5
○ Franciacorta Satèn	♈♈ 5
○ Franciacorta Satèn Monogram	♈♈ 5
○ Franciacorta Brut Monogram '12	♈♈ 5
○ Franciacorta Brut Monogram '11	♈♈ 5
○ Franciacorta Dosage Zéro '15	♈♈ 5
○ Franciacorta Dosage Zero Monogram '15	♈♈ 5
○ Franciacorta Monogram Satèn '13	♈♈ 5
○ Franciacorta Monogram Zero '15	♈♈ 5
○ Franciacorta Satèn Monogram Zero '14	♈♈ 5

○ Franciacorta Dosage Zéro '11	♈♈♈ 7
○ Franciacorta Satèn '14	♈♈ 6
○ Franciacorta Brut Cuvée 22	♈♈ 6
○ Franciacorta Brut CruPerdu '14	♈ 6
○ Franciacorta Brut Rosé	♈ 7
○ Franciacorta Extra Brut Lucrezia Et. Nera Ris. '08	♈ 8
○ Franciacorta Extra Brut Lucrezia Et. Nera '04	♈♈♈ 8
○ Franciacorta Brut Cru Perdu '11	♈♈ 7
○ Franciacorta Brut CruPerdu Ris. '09	♈♈ 7
○ Franciacorta Dosage Zéro '12	♈♈ 7
○ Franciacorta Dosage Zéro Gran Cuvée del Laureato '10	♈♈ 8
○ Franciacorta Extra Brut Cuvée Lucrezia '06	♈♈ 8
○ Franciacorta Extra Brut Cuvée Lucrezia Et. Bianca Ris. '08	♈♈ 8

★Castello di Cigognola

P.ZZA CASTELLO, 1
27040 CIGOGNOLA [PV]
TEL. 0385284828
www.castellodicigognola.com

VENDITA DIRETTA
VISITA SU PRENOTAZIONE
PRODUZIONE ANNUA 75.000 bottiglie
ETTARI VITATI 30,00

Fondato nell'anno 1212 a guardia dell'accesso alla Valle Scuropasso, dopo la fine del feudalesimo il Castello di Cigognola ospitò una corte rinascimentale, mentre già all'inizio dell'800 divenne luogo di produzione vitivinicola. Questo sito bellissimo e splendidamente tenuto, che è anche centro di ricerca per studi su antiche varietà locali e nuovi vitigni, in collaborazione con l'Università di Milano, da alcuni anni ha intrapreso la strada della produzione di qualità, cambiando in corsa alcuni obiettivi, giungendo attualmente a puntare soprattutto sul Metodo Classico. Davvero buona la Cuvée 'More Pas Dosé, un Metodo Classico dal frutto ricco e maturo, potente, lineare, gastronomico e fragrante, lunghissimo nel finale. Nuova la Barbera Barberasso '18, che si fa apprezzare per il naso profumato di menta e visciola e, soprattutto, per una bocca succosa e fresca, distesa, con un lieve residuo zuccherino che si integra molto bene con l'acidità viva.

○ 'More Pas Dosé M. Cl.	♟♟♟ 4*
○ 'More Brut M. Cl.	♟♟ 4
● Barberasso Barbera '18	♟♟ 4
● OP Barbera Dodicidodici '16	♟♟ 3
○ OP Pinot Nero Pas Dosé M. Cl. Cuvée dell'Angelo '13	♟♟ 5
○ 'More Brut M. Cl. '11	♟♟♟ 4*
○ 'More Brut M. Cl. '10	♟♟♟ 4*
● OP Barbera Castello di Cigognola '07	♟♟♟ 6
● OP Barbera Castello di Cigognola '06	♟♟♟ 6
● OP Barbera Dodicidodici '11	♟♟♟ 3*
● OP Barbera Poggio Della Maga '05	♟♟♟ 7
○ OP Brut M. Cl. 'More '12	♟♟♟ 4*
○ OP Pinot Nero Brut M. Cl. 'More '13	♟♟♟ 4*
○ OP Pinot Nero Brut M. Cl. 'More '08	♟♟♟ 4*

Castello di Gussago La Santissima

VIA MANICA, 8
25064 GUSSAGO [BS]
TEL. 0302525267
www.castellodigussago.it

VENDITA DIRETTA
VISITA SU PRENOTAZIONE
PRODUZIONE ANNUA 130.000 bottiglie
ETTARI VITATI 21,00
VITICOLTURA Biologico Certificato
AZIENDA SOSTENIBILE

Sul Colle della Santissima, a Gussago, nei primi anni Duemila la famiglia Gozio ha ristrutturato un antico convento domenicano, recuperando una cantina del 1941 trasformandola in una struttura moderna. Operativa dal 2005, l'azienda lavora esclusivamente le uve dei 20 ettari di proprietà, vinificando separatamente i singoli vigneti, alcuni dei quali sorgono a 450 metri di quota, ai piedi dell'Abbazia. Tutta la filiera è gestita nel nome dell'ecosostenibilità. L'Extra Brut Rosé Inganni '15 è un Franciacorta schietto e sincero, tra i migliori della tipologia assaggiati quest'anno. Scherzi a parte l'etichetta dedicata al celebre pittore di Gussago Angelo Inganni si fa apprezzare per il bel colore rosa pallido e brillante, il naso complesso e fine che racconta frutti di bosco, fragoline e ciliegia, e per una bocca assertiva e strutturata da vero Pinot Nero. Ma tutta la gamma della maison è in crescita.

⊙ Franciacorta Extra Brut Rosé Inganni '15	♟♟ 5
○ Curtefranca Bianco Malandrino '18	♟♟ 4
● Curtefranca Rosso Pomaro '17	♟♟ 4
○ Franciacorta Brut Nobleblanc	♟♟ 5
○ Franciacorta Club Cuvée Satèn '15	♟♟ 5
○ Franciacorta Brut Noblenoir	♟ 5
○ Franciacorta Extra Brut Operacento Ris. '10	♟ 7
○ Franciacorta Pas Dosé '14	♟ 5
○ Curtefranca Bianco Malandrino '15	♟♟ 5
● Curtefranca Rosso Pomaro '15	♟♟ 4
● Curtefranca Rosso Pomaro '13	♟♟ 4
○ Franciacorta Brut Sel. Gozio '13	♟♟ 6
⊙ Franciacorta Extra Brut Rosé '14	♟♟ 5
○ Franciacorta Pas Dosé '12	♟♟ 5
○ Franciacorta Pas Dosé 800 '14	♟♟ 5

★Cavalleri

VIA PROVINCIALE, 96
25030 ERBUSCO [BS]
TEL. 0307760217
www.cavalleri.it

VISITA SU PRENOTAZIONE
PRODUZIONE ANNUA 200.000 bottiglie
ETTARI VITATI 42,00
VITICOLTURA Biologico Certificato

Sin dal 1450 il nome Cavalleri compare in un atto notarile che testimonia l'antica presenza della famiglia in Franciacorta. Capostipiti della produzione vinicola Gian Paolo e il figlio Giovanni, che hanno iniziato l'attività nel 1968 e contribuito alla nascita della denominazione. Le figlie di Giovanni, Maria e Giulia, e la quarta generazione rappresentata da Francesco e Diletta, si incaricano di portare avanti la tradizione di famiglia, gestendo i 42 ettari di proprietà in modalità ecosostenibile. Sempre di livello la gamma Cavalleri, che anche quest'anno piazza ben due cuvée nelle nostre degustazioni finali. Si tratta del Pas Dosé '15, dai bei toni di pesca bianca ed agrume all'olfatto reso più complesso da note di erbe officinali, che al palato è asciutto, disteso e sapido. Accanto a questo un Rosé tra i migliori assaggiati, fragrante e delicato nel bouquet di fiori e piccoli frutti, più austero e strutturato al palato. Ottimi anche gli storici Curtefranca della maison.

Contadi Castaldi

LOC. FORNACE BIASCA
VIA COLZANO, 32
25030 ADRO [BS]
TEL. 0307450126
www.contadicastaldi.it

VENDITA DIRETTA
VISITA SU PRENOTAZIONE
PRODUZIONE ANNUA 1.000.000 bottiglie
ETTARI VITATI 150,00
AZIENDA SOSTENIBILE

Risale agli anni 90 l'idea di Vittorio Moretti di realizzare una nuova cantina ristrutturando le fornaci di Adro. Idea che si è rivelata vincente, giacché nel corso degli anni i Franciacorta elaborati da Contadi Castaldi hanno raggiunto notevoli livelli qualitativi, facendo leva su uno stile molto moderno e grintoso. I vini sono realizzati facendo un'accurata selezione delle uve sia di proprietà sia provenienti da numerosi viticoltori terzi, per un totale di oltre 130 ettari. È probabilmente il Franciacorta Zéro l'etichetta che meglio rappresenta l'azienda. La cuvée '16, come sempre dominata dal pinot nero, si presenta con un bel bouquet caratterizzato da note di lavanda, mirtillo e frutti di bosco, e al palato è asciutto e sapido seppur non austero, e chiude persistente su note morbide di frutto maturo. Il Satèn '16 è sottile ma polposo nei toni di frutto, suadente, teso, nitido.

☉ Franciacorta Brut Rosé '15	♈♈ 6
○ Franciacorta Pas Dosé '15	♈♈ 6
○ Curtefranca Bianco V. Rampaneto '19	♈♈ 4
● Curtefranca Rosso V. Tajardino '16	♈♈ 5
○ Franciacorta Brut Blanc de Blancs	♈♈ 5
○ Franciacorta Satèn '16	♈♈ 6
○ Franciacorta Brut Collezione '05	♈♈♈ 6
○ Franciacorta Brut Collezione Esclusiva Giovanni Cavalleri '05	♈♈♈ 8
○ Franciacorta Brut Collezione Esclusiva Giovanni Cavalleri '04	♈♈♈ 7
○ Franciacorta Brut Collezione Esclusiva Giovanni Cavalleri '01	♈♈♈ 7
○ Franciacorta Collezione Grandi Cru '08	♈♈♈ 6
○ Franciacorta Pas Dosé '07	♈♈♈ 5
○ Franciacorta Pas Dosé Au Contraire '01	♈♈♈ 7
○ Franciacorta Pas Dosé R. D. '06	♈♈♈ 6

○ Franciacorta Zèro '16	♈♈ 6
○ Franciacorta Brut	♈♈ 5
○ Franciacorta Satèn '16	♈♈ 5
○ Franciacorta Brut Rosé	♈ 5
○ Franciacorta Brut Satèn Soul '11	♈♈♈ 6
○ Franciacorta Satèn '15	♈♈♈ 6
○ Franciacorta Satèn Soul '06	♈♈♈ 6
○ Franciacorta Satèn Soul '05	♈♈♈ 6
○ Franciacorta Zero '14	♈♈♈ 5
○ Franciacorta Zero '12	♈♈♈ 5
○ Franciacorta Zero '09	♈♈♈ 5
○ Franciacorta Brut Satèn '12	♈♈ 6
○ Franciacorta Pinònero Natura '11	♈♈ 7
○ Franciacorta Satèn '14	♈♈ 6
○ Franciacorta Satèn '11	♈♈ 5
○ Franciacorta Zero '15	♈♈ 5
○ Franciacorta Zero '13	♈♈ 5

Conte Vistarino

FRAZ. VILLA FORNACE, 11
27040 ROCCA DE' GIORGI [PV]
TEL. 0385241171
www.contevistarino.it

VENDITA DIRETTA
VISITA SU PRENOTAZIONE
PRODUZIONE ANNUA 350.000 bottiglie
ETTARI VITATI 200,00

Dici Conte Vistarino e subito pensi al pinot nero. È proprio qui, infatti, nel cuore della Valle Scuropasso, che intorno alla metà dell'Ottocento furono introdotti cloni di questo nobile vitigno provenienti dalla Champagne per la produzione di spumanti Metodo Classico. L'azienda, che si estende su 800 ettari di cui circa 120 vitati, ha da poco inaugurato la nuova cantina e, contestualmente, individuato i terreni più vocati per la realizzazione di tre differenti cru di Pinot Nero da vinificare in rosso, mentre le basi spumante arrivano dai vigneti posti alle quote più alte. Encomiabile il lavoro di Vistarino sui cru di Pinot Nero, sia per il livello qualitativo sia per le differenze stilistiche date dai diversi terroir. Quest'anno premiamo il Pernice '17, il cru più antico, integro e splendido nei profumi così come sapido, sostanzioso e agile in bocca. Molto elegante, come di consueto, il Bertone, mentre il Tavernetto si caratterizza per la trama profonda dei frutti di bosco neri e del sottobosco.

● OP Pinot Nero Pernice '17	♟♟♟6	
● OP Pinot Nero Bertone '17	♟♟6	
● OP Pinot Nero Tavernetto '17	♟♟5	
○ Cépage Brut M. Cl.	♟5	
○ OP Pinot Nero Pas Dosé M. Cl. 1865 '15	♟5	
● Bertone Pinot Nero '15	♟♟♟5	
● Bertone Pinot Nero '13	♟♟♟5	
○ OP Pinot Nero Brut M. Cl. Conte Vistarino 1865 '08	♟♟♟4*	
● OP Pinot Nero Pernice '06	♟♟♟4*	
● Tavernetto Pinot Nero '16	♟♟♟3*	
● OP Pinot Nero Pernice '12	♟♟5	
● Pernice Pinot Nero '15	♟♟5	
● Pernice Pinot Nero '13	♟♟5	
● Tavernetto Pinot Nero '15	♟♟3*	

Corte Aura

VIA COLZANO, 13
25030 ADRO [BS]
TEL. 030 7357281
www.corteaura.it

VENDITA DIRETTA
VISITA SU PRENOTAZIONE
PRODUZIONE ANNUA 100.000 bottiglie
ETTARI VITATI 6,00

Alcuni anni fa Federico Fossati, appassionato di Franciacorta, ha deciso di ristrutturare un antico casale trasformandolo in una cantina dai progetti ambiziosi. Per puntare in alto, ha deciso di avvalersi del supporto di Pierangelo Bonomi, enologo di lungo corso sul territorio. In attesa di prossime acquisizioni, i due integrano le uve provenienti dai sei ettari di proprietà con acquisti mirati, e la crescita del livello qualitativo testimonia la bontà del progetto. I lusinghieri giudizi che due cuvée di Fossati si sono guadagnati nelle nostre degustazioni valgono la conferma della scheda grande all'azienda. Si tratta del Brut, esemplare per equilibrio e freschezza, sapido e teso, ricco di note fruttate e di cremosa effervescenza, e del Satèn. Ci piace quest'interpretazione giocata sui profumi floreali, e al palato sul frutto bianco maturo e sulla morbidezza che non scivola sul dolce ma aggiunge opulenza.

○ Franciacorta Brut	♟♟5	
○ Franciacorta Brut Satèn	♟♟5	
○ Franciacorta Pas Dosé Insé	♟♟5	
⊙ Franciacorta Brut Rosè	♟5	
○ Franciacorta Brut Satèn '13	♟♟5	
○ Franciacorta Pas Dosé Insè '12	♟♟7	
○ Franciacorta Satèn '10	♟♟6	

La Costa

FRAZ. COSTA
VIA GALBUSERA NERA, 2
23888 PEREGO [LC]
TEL. 0395312218
www.la-costa.it

VENDITA DIRETTA
VISITA SU PRENOTAZIONE
RISTORAZIONE
PRODUZIONE ANNUA 30.000 bottiglie
ETTARI VITATI 12,00
VITICOLTURA Biologico Certificato

Tutta da scoprire questa bella realtà nel cuore del parco regionale di Montevecchia e della valle del Curone, nella Brianza lecchese, che si conferma su livelli elevati piazzando con grande costanza vini in finale. La cantina della famiglia Crippa cura 12 ettari di vigne condotte in regime biologico, circondate da boschi, fornendo interpretazioni molto originali di varietà internazionali che hanno trovato casa su suoli ricchissimi di minerali e materia calcarea. In crescita e stilisticamente perfetto il Riesling Solesta '17. Molto fine e complesso, con note di rosmarino, idrocarburi e frutta bianca. La bocca ha fresca acidità, con finale lungo e di carattere. Intenso, con sfumature di ribes e prugna il Serìz '17, in bocca è polposo, con chiusura sfaccettata e prolungata. Buono il San Giobbe '17, con pepe nero e confettura, il finale è persistente. È delizioso, fruttato e fresco il Brigante Bianco '19.

○ Solesta '17	♟♟ 5	
○ Brigante Bianco '19	♟♟ 3	
● Brigante Rosso '17	♟♟ 3	
● San Giobbe '17	♟♟ 5	
● Serìz '17	♟♟ 4	
○ Brigante Bianco '17	♀♀ 3	
● Brigante Rosso '16	♀♀ 3	
○ Incrediboll Extra Brut M. Cl. '16	♀♀ 5	
● San Giobbe '16	♀♀ 5	
● Serìz '16	♀♀ 4	
○ Solesta '16	♀♀ 5	
○ Solesta '15	♀♀ 4	
○ Solesta '14	♀♀ 4	
● Vino del Quindici '15	♀♀ 6	

Costaripa

VIA COSTA, 1A
25080 MONIGA DEL GARDA [BS]
TEL. 0365502010
www.costaripa.it

VENDITA DIRETTA
VISITA SU PRENOTAZIONE
PRODUZIONE ANNUA 400.000 bottiglie
ETTARI VITATI 40,00

Con la sua azienda, Mattia Vezzola sta facendo un lavoro di ricerca che si pone come punto di riferimento non solo per la Valtènesi e tutta la zona del Garda, ma anche per chi vuole scoprire le potenzialità di invecchiamento di una tipologia come il rosato fermo. L'altra anima di Vezzola è quella spumantistica, quindi non potevano mancare nella linea che porta il suo nome: Metodo Classico ottenuti con le tradizionali uve chardonnay e pinot nero. I figli Nicole e Gherardo affiancano il padre ormai da qualche anno. Al suo terzo successo nelle nostre finali il Chiaretto Molmenti, il 2017, è ormai un classico, col suo bellissimo colore rosa antico pallidissimo, il complesso bouquet dove il frutto incontra note minerali e speziate, ed un palato asciutto, fresco, ricco di riferimenti ai frutti rossi e alle erbe aromatiche eppure Incredibilmente profondo e persistente. Dal più immediato Chiaretto Rosamara '19, irresistibile, alle cuvée più mature di Metodo Classico come il Grande Annata '15 ogni etichetta merita l'assaggio.

⊙ Valtènesi Chiaretto Molmenti '17	♟♟♟ 5	
○ Brut Grande Annata '15	♟♟ 5	
⊙ Costaripa Brut Rosé '15	♟♟ 4	
⊙ Mattia Vezzola Brut	♟♟ 5	
⊙ Mattia Vezzola Rosé	♟♟ 5	
⊙ Valtènesi Chiaretto RosaMara '19	♟♟ 2*	
○ Mattia Vezzola Cremant	♟ 5	
⊙ Valtènesi Chiaretto Molmenti '16	♀♀♀ 5	
⊙ Valtènesi Chiaretto Molmenti '15	♀♀♀ 3*	
○ Brut Grande Annata '14	♀♀ 5	
⊙ Mattia Vezzola Brut	♀♀ 5	
⊙ Mattia Vezzola Brut Rosé	♀♀ 5	
⊙ Valtènesi Chiaretto Molmenti '13	♀♀ 2*	
⊙ Valtènesi Chiaretto RosaMara '18	♀♀ 2*	
⊙ Valtènesi Chiaretto RosaMara '17	♀♀ 3	

Derbusco Cives

VIA PROVINCIALE, 83
25030 ERBUSCO [BS]
TEL. 0307731164
www.derbuscocives.com

VENDITA DIRETTA
VISITA SU PRENOTAZIONE
RISTORAZIONE
PRODUZIONE ANNUA 96.000 bottiglie
ETTARI VITATI 12,00

È recente la creazione di questa realtà da parte di un gruppo di amici, "cittadini di Erbusco", come recita il nome latino dell'azienda. Dario e Giuseppe Vezzoli, Luigi Dotti, Paolo Bresciani e Vanni Bordiga hanno voluto così sottolineare la centralità di questa cittadina che si può considerare la capitale della Franciacorta, lavorando i 12 ettari di proprietà in modalità ecosostenibile ed elaborando i vini utilizzando mosto di Franciacorta per le rifermentazioni. Il Doppio Erre Di (ritardato dégorgement, recentemente degorgiato...) rappresenta al meglio la filosofia aziendale che punta sulle lunghe maturazioni dei lieviti, pigiature soffici e presa di spuma col metodo ancestrale. Anche l'edizione assaggiata quest'anno affascina per l'eleganza e l'armonia, per i riferimenti fruttati eagrumati, per la pacata assertività. Eccellente tutta la gamma, con menzione al Brut '13 e all'Extra Brut Grand Taille della stessa annata.

○ Franciacorta Brut Doppio Erre Di	♟♟	5
○ Franciacorta Brut '13	♟♟	6
○ Franciacorta Brut Doppio Erre DV	♟♟	5
○ Franciacorta Extra Brut Grand Taille '13	♟♟	7
○ Franciacorta Brut Crisalis '16	♟	7
○ Franciacorta Brut '12	♟♟	6
○ Franciacorta Brut '11	♟♟	6
○ Franciacorta Brut '10	♟♟	6
○ Franciacorta Brut Crisalis '12	♟♟	6
○ Franciacorta Brut Crisalis '11	♟♟	6
○ Franciacorta Extra Brut '12	♟♟	8
○ Franciacorta Extra Brut '11	♟♟	8
○ Franciacorta Extra Brut '10	♟♟	8
⊙ Franciacorta Rosé '14	♟♟	6

Dirupi

LOC. MADONNA DI CAMPAGNA
VIA GRUMELLO, 1
23020 MONTAGNA IN VALTELLINA [SO]
TEL. 3472909779
www.dirupi.com

VENDITA DIRETTA
VISITA SU PRENOTAZIONE
PRODUZIONE ANNUA 35.000 bottiglie
ETTARI VITATI 7,00
AZIENDA SOSTENIBILE

Sempre più vivo e articolato il progetto del duo Davide Fasolini e Pierpaolo di Franco, che sono riusciti a dar vita a una delle più belle sorprese enologiche italiane degli ultimi anni. Hanno rilevato una manciata di appezzamenti con pendenze da brividi e, allo stesso tempo, piantato nuovi vigneti in posizione strategica, arricchendo la produzione con cru che stiamo apprezzando solo adesso. Nelle loro bottiglie c'è tutta la leggerezza dell'aria di montagna, una dose di spensieratezza, tanta voglia di divertirsi fare qualcosa di bello per se stessi. Ottima batteria di vini presentata, un fuoco d'artificio dopo l'altro, a cominciare dall'Inferno Guast '17 che ha profumi fruttati finissimi, di grande armonia e freschezza, arricchiti da spezie e fiori secchi. La bocca è maestosa, con tannini in connubio con la polpa, finale personale e lungo. Il Grumello Riserva '17 è intenso ed elegante, con belle note di liquirizia e frutti rossi. La bocca è equilibrata, con frutto succoso, tannini molto fini, finale assai lungo. Molto ricco, raffinato, ma non appesantito dall'appassimento, lo Sforzato '18.

● Valtellina Sup. Grumello Ris. '17	♟♟♟	7
● Sforzato di Valtellina Vino Sbagliato '18	♟♟	6
● Valtellina Sup. Inferno Guast '17	♟♟	6
● Rosso di Valtellina Olè '19	♟♟	3
● Valtellina Sup. Dirupi '18	♟♟	4
● Valtellina Sup. Grumello Gess '17	♟♟	5
● Valtellina Sup. Dirupi '16	♟♟♟	4*
● Valtellina Sup. Dirupi Ris. '14	♟♟♟	6
● Valtellina Sup. Grumello Dirupi Ris. '16	♟♟♟	7
● Sforzato di Valtellina Vino Sbagliato '17	♟♟	6
● Valtellina Sup. Dirupi '17	♟♟	4

Luca Faccinelli

VIA MEDICI, 3A
23030 CHIURO [SO]
TEL. 3470807011
www.lucafaccinelli.it

VENDITA DIRETTA
VISITA SU PRENOTAZIONE
PRODUZIONE ANNUA 20.000 bottiglie
ETTARI VITATI 3,00
AZIENDA SOSTENIBILE

Procede a vele spiegate la cantina fondata da Luca Faccinelli nel 2007. Eccoci a Chiuro, ai piedi delle Alpi, in quel territorio a dir poco affascinante e complesso per la vite che è la Valtellina; le vigne insistono nella sottozona del Grumello tra i 400 e i 650 metri di quota, con pendenze incredibili anche del 70%. Qui si può lavorare solo a mano, dotati di passione ed entusiasmo, per una batteria di vini che vediamo crescere di anno in anno. Convalidano l'esordio positivo dello scorso anno tutti i vini presentati da Luca Faccinelli, appassionato e dinamico produttore di Grumello. A colpirci è stato il Tell '16, con frutto spiccato e tanta finezza complessiva. I tannini sono gentili, il finale fresco e molto persistente. Buono il Grumello Riserva '17, con sfumature di pepe nero e fiori secchi, la bocca è strutturata, con invitante finale. Intenso nei profumi l'Ortensio Lando '17, con frutto ancora in emersione. Il palato è importante e in positiva evoluzione. Gran belle note di lampone per il Rosso di Valtellina '18, la bocca è fine e fresca.

Sandro Fay

LOC. SAN GIACOMO
VIA PILA CASELLI, 1
23030 TEGLIO [SO]
TEL. 0342786071
www.vinifay.it

VENDITA DIRETTA
VISITA SU PRENOTAZIONE
PRODUZIONE ANNUA 38.000 bottiglie
ETTARI VITATI 13,00

La cantina fondata nel 1973 da Sandro Fay nel cuore della sottozona Valgella rappresenta un modello sotto tanti punti di vista. Gli studi portati avanti negli anni sui temi di sostenibilità ambientale e sull'effetto dell'altimetria hanno garantito risultati sempre più interessanti, giocando d'anticipo rispetto alla concorrenza. Alla guida troviamo Marco Fay, una delle voci più autorevoli in regione. Che splendida alchimia per questa Riserva Cortorio '16. La sintesi armoniosa delle tre "f": frutto, freschezza e finezza. Con note floreali e pepate, bocca ricca, finale lungo e polposo. Elegante, sempre in perfetto equilibrio tra il top e il pop del vino, il Valtellina Superiore Costa Bassa '17. È fruttato, con sfumature complesse di tabacco e liquirizia, la bocca è armonica e deliziosa. Intenso nei profumi, con frutti rossi, il Cà Morel '17. Il palato è importante e il finale lungo e voluminoso. Originale e ben interpretato lo Chardonnay Sottocastello '19, con note floreali e di pesca bianca, la bocca è vibrante.

● Valtellina Sup. Grumello Tell '16	🏆🏆 5
● Rosso di Valtellina Matteo Bandello '18	🏆🏆 4
● Valtellina Sup. Grumello Ortensio Lando '17	🏆🏆 5
● Valtellina Sup. Grumello Ris. '17	🏆🏆 6
● Rosso di Valtellina Matteo Bandello '17	🏆🏆 4
● Valtellina Sup. Grumello Ortensio Lando '16	🏆🏆 5
● Valtellina Sup. Grumello Ris. '16	🏆🏆 6
● Valtellina Sup. Grumello Tell '15	🏆🏆 5
● Valtellina Sup. Ortensio Lando '13	🏆🏆 5
● Valtellina Sup. Ortensio Lando '10	🏆🏆 5

● Valtellina Sup. Valgella Carterìa Ris. '16	🏆🏆🏆 6
● Valtellina Sup. Costa Bassa '17	🏆🏆 4
● Valtellina Sup. Valgella Ca' Morèi '17	🏆🏆 5
○ Sottocastello Chardonnay '18	🏆🏆 4
● Valtellina Sup. Sassella Il Glicine '17	🏆🏆 5
● Sforzato di Valtellina Ronco del Picchio '16	🏆🏆🏆 6
● Valtellina Sforzato Ronco del Picchio '10	🏆🏆🏆 6
● Valtellina Sforzato Ronco del Picchio '09	🏆🏆🏆 6
● Valtellina Sforzato Ronco del Picchio '02	🏆🏆🏆 6
● Valtellina Sup. Valgella Cà Morèi '13	🏆🏆🏆 5
● Sforzato di Valtellina Ronco del Picchio '14	🏆🏆 6
● Valtellina Sup. Valgella Ca' Morèi '16	🏆🏆 5
● Valtellina Sup. Valgella Carterìa Ris. '15	🏆🏆 6

★Ferghettina

VIA SALINE, 11
25030 ADRO [BS]
TEL. 0307451212
www.ferghettina.it

VENDITA DIRETTA
VISITA SU PRENOTAZIONE
PRODUZIONE ANNUA 500.000 bottiglie
ETTARI VITATI 190,00
VITICOLTURA Biologico Certificato

L'avventura di Ferghettina inizia nel 1990, allorché Roberto Gatti e la moglie Andreina prendono in gestione i primi quattro ettari di vigna in Erbusco. Da lì in poi è stata una continua espansione, fino ad arrivare ai circa 200 ettari gestiti attualmente. Nel frattempo, nel 2002 ad Adro si inizia la costruzione della nuova sede aziendale, completata nel 2005, mentre nel 2016 sono iniziati i lavori di ampliamento, terminati due anni dopo. Insomma, non si può certo dire che i Gatti - ora affiancati dai figli Laura e Matteo, enologi - si riposino sugli allori. L'etichetta che più ci ha colpito nella ricca e articolata gamma di questa maison quest'anno è l'Eronero Brut '12, da considerarsi una delle più compiute espressioni del Pinot Nero in Franciacorta. Ha struttura, finezza, polpa di frutto ed è pervaso da una sottile eleganza che lo porta ad un lungo ed armonico finale. Presa di spuma impeccabile. Tre Bicchieri. Ma dal Rosé '16 fino al Brut non millesimato ogni etichetta di Ferghettina è eccellente, vini fermi compresi.

○ Franciacorta Brut Eronero '12	♟♟♟	6
○ Franciacorta Brut	♟♟	4
○ Franciacorta Satèn '16	♟♟	5
● Baladello Merlot '15	♟♟	5
● Curtefranca Rosso '18	♟♟	2*
○ Franciacorta Brut Milledì '16	♟♟	5
⊙ Franciacorta Brut Rosé '16	♟♟	5
○ Franciacorta Extra Brut '14	♟♟	6
○ Franciacorta Extra Brut '09	♟♟♟	5
○ Franciacorta Extra Brut '06	♟♟♟	5
○ Franciacorta Extra Brut '05	♟♟♟	5
○ Franciacorta Pas Dosé 33 Ris. '10	♟♟♟	6
○ Franciacorta Pas Dosé 33 Ris. '09	♟♟♟	6
○ Franciacorta Pas Dosé 33 Ris. '07	♟♟♟	6
○ Franciacorta Pas Dosé 33 Ris. '06	♟♟♟	6
○ Franciacorta Pas Dosé Riserva 33 '11	♟♟♟	6

Fiamberti

VIA CHIESA, 17
27044 CANNETO PAVESE [PV]
TEL. 038588019
www.fiambertivini.it

VENDITA DIRETTA
VISITA SU PRENOTAZIONE
PRODUZIONE ANNUA 140.000 bottiglie
ETTARI VITATI 18,00

L'azienda della famiglia Fiamberti, con il padre Ambrogio che si dedica soprattutto ai vini frizzanti della tradizione, mentre il figlio Giulio è impegnato soprattutto sul fronte del Metodo Classico e del Buttafuoco Storico, conduce vigneti con collocazioni, terreni ed esposizioni molto diverse fra loro. Come da tradizione, la cantina produce vini di tutte le tipologie, bianchi, rossi, fermi, frizzanti, spumanti, tutti di livello, con le punte rappresentate dai due cru di Buttafuoco Storico, mentre sempre più centrati appaiono gli spumanti. Spezie, mora matura, cioccolato e, soprattutto, netti sentori balsamici: la Valle Solinga di Canneto esprime in pieno il suo terroir nel Buttafuoco Storico Vigna Solenga '16, denso e scuro, potente ed elegante. Più alcolico, marcato da note di liquirizia, tabacco e sottobosco, l'altro cru Sacca del Prete '16. Equilibrio, frutto e un bel corredo aromatico per il Buttafuoco giovane Il Cacciatore '18. Ben fatto, molto agrumato, il Cruasé.

● OP Buttafuoco Storico V. Solenga '16	♟♟♟	5
● OP Buttafuoco Storico V. Sacca del Prete '16	♟♟	5
● OP Buttafuoco Il Cacciatore '18	♟♟	3
⊙ OP Cruasé	♟♟	4
● OP Bonarda La Briccona '19	♟	2
○ OP Pinot Nero Brut M. Cl.	♟	4
○ OP Riesling Ida '19	♟	2
● OP Sangue di Giuda Lella '19	♟	2
● OP Buttafuoco Storico V. Sacca del Prete '15	♟♟♟	5
● OP Bonarda La Briccona '18	♟♟	2*
● OP Buttafuoco Il Cacciatore '16	♟♟	3
● OP Buttafuoco Storico V. Sacca del Prete '13	♟♟	4
● OP Buttafuoco Storico V. Solenga '15	♟♟	4

Finigeto

LOC. CELLA, 27
27040 MONTALTO PAVESE [PV]
TEL. 328 7095347
www.finigeto.com

VENDITA DIRETTA
VISITA SU PRENOTAZIONE
OSPITALITÀ
PRODUZIONE ANNUA 80.000 bottiglie
ETTARI VITATI 42,00

Diamo il benvenuto tra le schede grandi
all'azienda fondata da Aldo Dellavalle nel
2005. Sono alcuni anni che ne seguiamo
l'evoluzione in senso positivo, e il lavoro
portato avanti da Aldo con l'enologo Marco
Terzoni sta dando ottimi frutti. Il progetto
nasce da un'antica passione, ma solo tra il
2011 e il 2012 è stata realizzata la cantina
di vinificazione, seguendo i principi
dell'architettura ecocompatibile rispettando
lo stile del territorio, per vini di solida
personalità, dal carattere spiccatamente
varietale. Il Riesling Lo Spavaldo '19 ha la
tipica impronta del Renano giovane:
deliziosi profumi di camomilla ed erbe
aromatiche, frutto giallo, palato nervoso e
leggiadro. Invecchierà bene, come dimostra
il riassaggio del '18, nel quale comincia a
comparire una intrigante vena minerale.
Molto bene la Bonarda Frizzante La
Grintosa '19, dalla beva lunga e distesa,
profumata di frutti di bosco e
gradevolmente ammandorlata nel finale. La
Barbera Il Ribaldo '19 ha uno stile
paragonabile, preciso e scorrevole, molto
succosa nel frutto maturo.

○ Lo Spavaldo Riesling Renano '19	⚑⚑3*
○ Il Fermo Chardonnay '19	⚑⚑ 3
● OP Barbera Il Ribaldo '19	⚑⚑ 3
● OP Bonarda Frizzante La Grintosa '19	⚑⚑ 3
● OP Bonarda Il Baldo '19	⚑⚑ 3
○ OP Pinot Nero Brut M. Cl. '05	⚑ 6
● OP Pinot Nero Il Nirò Ris. '17	⚑ 5
○ Il Fermo Chardonnay '18	⚐⚐ 3
○ Lo Spavaldo Riesling Renano '16	⚐⚐ 3
○ Lo Spavaldo Riesling Renano '14	⚐⚐ 2*
● OP Barbera Il Ribaldo '13	⚐⚐ 3
● OP Pinot Nero Il Nirò '16	⚐⚐ 5
● OP Pinot Nero Il Nirò '15	⚐⚐ 5
● OP Pinot Nero Il Nirò '14	⚐⚐ 3
○ OP Riesling Lo Spavaldo '18	⚐⚐ 2*

Enrico Gatti

VIA METELLI, 9
25030 ERBUSCO [BS]
TEL. 0307267999
www.enricogatti.it

VENDITA DIRETTA
VISITA SU PRENOTAZIONE
PRODUZIONE ANNUA 120.000 bottiglie
ETTARI VITATI 17,00

La gestione famigliare dell'azienda fondata
nel 1975 da Enrico Gatti continua a dare
buoni frutti. Nella moderna cantina,
interrata e termocondizionata, realizzata nel
2005 e ampliata e ammodernata tre volte
in fasi successive, Lorenzo e Paola Gatti,
con il marito di Paola Enzo Balzarini,
elaborano le uve provenienti dai 17 ettari di
proprietà, tutti siti nel comune di Erbusco,
ottenendo dei Franciacorta molto aderenti
al terroir. Lo stile che è davvero nelle corde
della Gatti è sicuramente il Nature. Forti di
bellissime vigne nel cuore della
denominazione i nostri ne forniscono ogni
anno un'interpretazione avvincente sia nella
versione millesimata sia non millesimata.
Quella del '14 fa mostra di un frutto
cremoso, bella struttura, armonia
dell'insieme ravvivata dalle note agrumate.
Belle note di ananas e mandorla fresca nel
Brut "sans année". Valido il Satèn '16 dalla
bella vena salina.

○ Franciacorta Nature '14	⚑⚑6
○ Franciacorta Brut	⚑⚑ 5
○ Franciacorta Brut Satèn '16	⚑⚑ 5
○ Franciacorta Nature	⚑⚑ 5
○ Franciacorta Brut '05	⚐⚐⚐ 6
○ Franciacorta Nature '07	⚐⚐⚐ 5
○ Franciacorta Satèn '05	⚐⚐⚐ 5
○ Franciacorta Satèn '03	⚐⚐⚐ 5
○ Franciacorta Satèn '02	⚐⚐⚐ 4
○ Franciacorta Satèn '01	⚐⚐⚐ 4
○ Franciacorta Satèn '00	⚐⚐⚐ 5
○ Franciacorta Brut Satèn '15	⚐⚐ 5
○ Franciacorta Brut Satèn '14	⚐⚐ 5
○ Franciacorta Brut Satèn '13	⚐⚐ 5
○ Franciacorta Nature '13	⚐⚐ 6
○ Franciacorta Nature '11	⚐⚐ 6
○ Franciacorta Satèn '12	⚐⚐ 5

★Giorgi

FRAZ. CAMPONOCE, 39A
27044 CANNETO PAVESE [PV]
TEL. 0385262151
www.giorgi-wines.it

VENDITA DIRETTA
VISITA SU PRENOTAZIONE
PRODUZIONE ANNUA 1.600.000 bottiglie
ETTARI VITATI 60,00

Da anni la nuova generazione, rappresentata da Fabiano Giorgi, dalla sorella Eleonora e dalla moglie Ileana - sempre con l'imprescindibile supporto di di papà Antonio - ha cambiato faccia a questa cantina, raggiungendo vertici di assoluta eccellenza soprattutto con il Metodo Classico a base pinot nero, con uno stile che si è andato via via affinando e definendo. Ma molte sono le etichette da tener d'occhio, a partire dal Buttafuoco Storico. La squadra enologica è composta da Andrea Bonfanti e Matteo Olcelli, con la supervisione di Stefano Testa. Una delle migliori versioni di sempre del pluripremiato 1870: il millesimo 2016, dal colore decisamente ramato, ha profumi variegati che vanno dai fiori alla pasticceria, dagli agrumi all'anice, una bollicina finissima e persistente che regala cremosità ad un palato pieno, elegante, profondo. Il Top Zero è un Pas Dosé di nerbo; nella gamma dei Metodo Classico, spiccano anche un Rosé agrumato e un Gerry Scotti morbido e ammiccante.

○ OP Pinot Nero Brut M. Cl. 1870 '16	♛♛♛ 5
○ Top Zero Pas Dosé M. Cl.	♛♛ 6
☉ 1870 M. Cl. Rosé	♛♛ 4
● OP Buttafuoco Gerry Scotti 56 '16	♛♛ 3
○ OP Extra Brut M. Cl. Gerry Scotti	♛♛ 4
● OP Pinot Nero Monteroso '18	♛♛ 3
○ OP Riesling Il Bandito '19	♛♛ 4
○ Fusion M. Cl. '16	♛ 4
● OP Bonarda La Gallina '19	♛ 2
○ OP Pinot Nero Brut M. Cl. Gianfranco Giorgi '17	♛ 5
● OP Sangue di Giuda '19	♛ 3
○ OP Pinot Nero Brut 1870 '12	♛♛♛ 5
○ OP Pinot Nero Brut 1870 '11	♛♛♛ 5
○ OP Pinot Nero Brut M. Cl. 1870 '14	♛♛♛ 5

Isimbarda

FRAZ. CASTELLO
CASCINA ISIMBARDA
27046 SANTA GIULETTA [PV]
TEL. 0383899256
www.isimbarda.com

VENDITA DIRETTA
VISITA SU PRENOTAZIONE
PRODUZIONE ANNUA 130.000 bottiglie
ETTARI VITATI 40,00

Questa azienda si trova in una delle aree più affascinanti dell'Oltrepò Pavese. Qui, dove nel XVII si trovava il feudo dei Marchesi Isimbardi e dove già nell'Ottocento si produceva vino di qualità, sembra di essere in Toscana - sono d'aiuto anche i filari di cipressi. 40 ettari vitati, con suoli di composizione varia, da calcarei e marnosi ad argillosi, dove nascono vini di territorio, a partire dal Riesling Renano, fiore all'occhiello della tenuta, con un occhio alla spumantistica. La nuova uscita La Fleur '18 dimostra come l'affinamento in bottiglia non può che giovare al Riesling Renano dell'Oltrepò Pavese, soprattutto nelle zone più vocate. Più frutto maturo che fiori, tra i profumi, come contraltare all'evoluzione che porta l'affiorare della mineralità tipica del vitigno. Sapido in bocca, ha un finale lunghissimo e ottimo potenziale. Lo storico Vigna Martina è un Riesling d'annata godibilissimo nella sua floralità. Molto buono il Cruasé, fruttato e balsamico.

○ OP Riesling La Fleur '18	♛♛ 4
☉ OP Cruasé	♛♛ 4
○ OP Pinot Nero Brut M. Cl. Blanc de Noir	♛♛ 4
○ OP Riesling Renano V. Martina '19	♛♛ 3
● Costa di Annibale Croatina '19	♛ 3
● OP Barbera Monplò '19	♛ 3
○ OP Pinot Nero Brut M. Cl. Première Cuvée	♛ 4
○ OP Pinot Nero Pas Dosé M. Cl. Sniper	♛ 5
● OP Pinot Nero V. dei Giganti '16	♛♛ 3
● OP Pinot Nero V. del Cardinale '16	♛♛ 4
○ OP Riesling Renano V. Martina '18	♛♛ 3
○ OP Riesling Renano V. Martina '17	♛♛ 3*
○ OP Riesling Renano V. Martina '16	♛♛ 2*

Cantina Sociale La Versa

via F. Crispi, 15
27047 Santa Maria della Versa [PV]
Tel. 0385798411
www.laversa.it

VENDITA DIRETTA
VISITA SU PRENOTAZIONE
PRODUZIONE ANNUA 5.000.000 bottiglie
ETTARI VITATI 1300,00

Sarà la volta buona? Dopo una serie di
complesse vicissitudini societarie, nel 2017
Terre d'Oltrepò, assieme al colosso trentino
Cavit, ha salvato lo storico marchio dal
fallimento. A fine 2019 il controllo è passato
totalmente nelle mani di Terre d'Oltrepò. Il
patrimonio di storia, tradizione e anche di
bottiglie stoccate nelle cantine merita di
essere riportato ai lustri d'altri tempi,
quando il compianto Duca Denari aveva
saputo lanciare La Versa verso la fama
nazionale e internazionale. Intanto,
l'ingaggio di una star come Riccardo
Cotarella è un chiarissimo segnale di
rilancio. Il Testarossa '15 è un Metodo
Classico di sostanza, con un pinot nero
esuberante nei profumi e nella bolla: un
buon biglietto da visita. Sempre Pinot Nero,
ma in rosso: abbiamo una versione giovane,
piacevolmente fruttata, dal sorso succoso,
con tannino fine e bella beva. Riesling e
Pinot Grigio d'annata esibiscono una
piccola, piacevole rispondenza varietale.

○ Testarossa Brut M. Cl. '15	♟♟ 5	
● OP Pinot Nero '19	♟♟ 3	
○ OP Pinot Grigio '19	♟ 2	
○ OP Riesling '19	♟ 2	
○ Testarossa Principio Brut M. Cl. '08	♟ 6	
● OP Barbera '12	♟♟ 2*	
● OP Barbera Fermo La Versa '11	♟♟ 2*	
○ OP Moscato di Volpara '13	♟♟ 2*	

Lantieri de Paratico

loc. Colzano
via Videtti (ingresso da via 2 Agosto)
25031 Capriolo [BS]
Tel. 030736151
www.lantierideparatico.it

VENDITA DIRETTA
VISITA SU PRENOTAZIONE
OSPITALITÀ E RISTORAZIONE
PRODUZIONE ANNUA 140.000 bottiglie
ETTARI VITATI 20,00
VITICOLTURA Biologico Certificato

Sono oltre mille gli anni di storia che
legano la nobile famiglia bresciana
Lantieri de Paratico alla Franciacorta. Già
nel 1500, quando la famiglia si trasferì a
Capriolo, il vino qui prodotto, noto come
"Rubino di Corte Franca", era diffuso e
apprezzato nelle corti italiane ed europee.
Nella storica sede, sotto le cui volte
secentesche riposano le bottiglie, Fabio
Lantieri ha costruito la moderna cantina
dove realizza ottimi Franciacorta da uve
coltivate in regime biologico. L'Arcadia Brut
versione '16 si conferma una delle cuvée
più interessanti della denominazione, e si è
guadagnata l'accesso alle nostre
degustazioni finali. Ottenuto da chardonnay
(80%) e pinot nero, matura oltre 42 mesi
sui lieviti prima della sboccatura. Ha un
perlage finissimo, delicato bouquet floreale
e fruttato, e al palato è polposo, sapido e
ricco di note di frutto maturo, sorretto da
una ricca vena acida. Agrumato, fresco e
scattante ma con un finale morbidamente
vanigliato il piacevolissimo Brut.

○ Franciacorta Brut Arcadia '16	♟♟ 5
○ Franciacorta Brut	♟♟ 5
⊙ Franciacorta Brut Rosé	♟♟ 5
○ Franciacorta Extra Brut	♟♟ 5
○ Franciacorta Satèn	♟♟ 5
○ Franciacorta Brut Arcadia '13	♟♟♟ 5
○ Franciacorta Nature Origines Ris. '12	♟♟♟ 7
○ Franciacorta Brut Arcadia '15	♟♟ 5
○ Franciacorta Brut Arcadia '14	♟♟ 5
○ Franciacorta Brut Arcadia '12	♟♟ 5
○ Franciacorta Brut Arcadia '11	♟♟ 5
○ Franciacorta Brut Arcadia '10	♟♟ 5
○ Franciacorta Extra Brut Origines Ris. '10	♟♟ 7
○ Franciacorta Nature Origines Ris. '13	♟♟ 7
○ Franciacorta Nature Origines Ris. '11	♟♟ 7

Lazzari

VIA MELLA, 49
25020 CAPRIANO DEL COLLE [BS]
TEL. 0309747387
www.lazzarivini.it

VENDITA DIRETTA
VISITA SU PRENOTAZIONE
PRODUZIONE ANNUA 40.000 bottiglie
ETTARI VITATI 9,50
VITICOLTURA Biologico Certificato
AZIENDA SOSTENIBILE

Davide Lazzari è un giovane che conosce la terra di famiglia metro per metro. Sul Monte Netto ci sono nati e cresciuti e da quattro generazioni coltivano la vite con una passione incredibile su questa piccola altura dispersa nella pianura a Sud della città di Brescia. L'azienda è biologica, alimentata a pannelli fotovoltaici, proprio per preservare il più possibile l'ambiente. I vini sono autentici, schietti, talvolta stravaganti, ma sempre frutto di attenzione e amore per la terra. Il bianco che Davide Lazzari ha dedicato a nonno Fausto sa di lime e ananas, in bocca ha polpa ed è affilato e nervoso. Berzamì '19, ovvero marzemino in purezza, ha la fragranza fruttata immediata del vitigno, con la sua fresca beva. Il Rosso Adagio '17 è il vino tradizionale di famiglia: blend di quattro uve, ha la visciola e l'amarena come filo conduttore di un frutto integro e maturo. Bastian Contrario, da uve turbiana botritizzate, fermentate e invecchiate in barrique, come dicevamo lo scorso anno, tiene fede al nome. Questo '18 ha la vaniglia predominante sulla frutta esotica.

○ Capriano del Colle Bianco Fausto '19	🍷🍷	2*
● Capriano del Colle Marzemino Berzamì '19	🍷🍷	2*
● Capriano del Colle Rosso Adagio '17	🍷🍷	2*
○ Capriano del Colle Bianco Sup. Bastian Contrario '18	🍷	6
○ Capriano del Colle Bianco Fausto '18	🏆🏆	2*
○ Capriano del Colle Bianco Fausto '16	🏆🏆	2*
○ Capriano del Colle Bianco Sup. Bastian Contrario '16	🏆🏆	6
● Capriano del Colle Rosso Riserva degli Angeli '15	🏆🏆	4
● Capriano del Colle Rosso Riserva degli Angeli Ris. '16	🏆🏆	5

★Mamete Prevostini

LOC. SAN VITTORE
VIA DON PRIMO LUCCHINETTI, 63
23020 SONDRIO
TEL. 034341522
www.mameteprevostini.com

VENDITA DIRETTA
VISITA SU PRENOTAZIONE
RISTORAZIONE
PRODUZIONE ANNUA 180.000 bottiglie
ETTARI VITATI 20,00
AZIENDA SOSTENIBILE

Virtuosa la cantina condotta da Mamete Prevostini, un modello di sostenibilità ambientale, capace di offire una gamma di vini solida e completa sotto tutti i punti di vista, tra vini slanciati e ariosi che profumano di montagna e riserve che denotano grandi concentrazioni e profonde trame gustative. Riuscire a crescere costantemente in eleganza, nel produrre un vino che ogni anno raggiunge i vertici dell'eccellenza, non è cosa semplice e scontata. Ma, l'eccezione conferma la regola e, anche nell'edizione del 2018, lo Sforzato Corte di Cama ci stupisce per la sua poliedrica personalità. Con aromi di erbe officinali e liquirizia, bacche rosse e menta, un palato capace di surfare su tannini molto austeri e sensazioni di frutti rossi maturi. Di gran classe e finezza, con note di bacche rosse e spezie il San Lorenzo '18, la bocca è ricca e potente, con finale molto lungo. Lo Sforzato Albareda '18 è sapientemente complesso, con sfumature di rosa appassita, il palato pieno, particolarmente fine, interminabile nel finale.

● Valtellina Sforzato Corte di Cama '18	🍷🍷🍷	6
● Valtellina Sforzato Albareda '18	🍷🍷	6
● Valtellina Sup. Sassella San Lorenzo '18	🍷🍷	6
● Valtellina Sup. Inferno La Cruus '18	🍷🍷	5
● Valtellina Sup. Ris. '15	🍷🍷	5
● Valtellina Sforzato Albareda '15	🏆🏆🏆	6
● Valtellina Sforzato Albareda '13	🏆🏆🏆	6
● Valtellina Sforzato Corte di Cama '17	🏆🏆🏆	6
● Valtellina Sup. Sassella San Lorenzo '16	🏆🏆🏆	6
● Valtellina Sforzato Albareda '17	🏆🏆	6
● Valtellina Sup. Sassella Sommarovina '17	🏆🏆	5

Manuelina

FRAZ. RUINELLO DI SOTTO, 3A
27047 SANTA MARIA DELLA VERSA [PV]
TEL. 0385278247
Fraz. Ruinello di Sotto 3/a

VENDITA DIRETTA
VISITA SU PRENOTAZIONE
PRODUZIONE ANNUA 230.000 bottiglie
ETTARI VITATI 22,00

Scheda grande per l'azienda della famiglia
Achilli. La storia di questa cantina nasce
nella metà del secolo scorso, grazie a Luigi
Achilli e al fratello Guido. La mano è passata
poi a Paolo e Antonio, figli di Luigi, e alla
terza generazione, con il relativo cambio di
nome dell'azienda (Manuela è una delle
figlie di Paolo) per via dell'omonimia con
altre cantine della zona. Manuelina propone
vini moderni, tecnicamente impeccabili, e
nel contempo saldamente legati al territorio.
Solo Nero '18 è un Pinot Nero elegante già
all'approccio olfattivo, varietale nei profumi,
con le erbe aromatiche a ingentilire il nitido
frutto. Il vino è articolato, preciso, ampio e
profondo in un finale di carattere. Le erbe
aromatiche del terroir emergono anche nel
Riesling Filare 52 '18, profumato di pesca e
mentuccia, un vino di nerbo e personalità
nel quale la componente minerale sta
appena affiorando. Buoni gli spumanti, con
una menzione particolare per l'ottimo Rosé
145 '15, ben profumato e succoso nel suo
frutto di bosco rosso.

Le Marchesine

VIA VALLOSA, 31
25050 PASSIRANO [BS]
TEL. 030657005
www.lemarchesine.it

VENDITA DIRETTA
VISITA SU PRENOTAZIONE
PRODUZIONE ANNUA 450.000 bottiglie
ETTARI VITATI 43,00
AZIENDA SOSTENIBILE

Sono almeno cinque generazioni che
l'antica famiglia bresciana Biatta si dedica
al mondo del vino, ma è nel 1985 che
Giovanni, partendo da tre ettari vitati, fonda
Le Marchesine. Da allora, l'azienda si è
costantemente espansa, giungendo ai 47
ettari attuali. E oggi al timone c'è Loris
Biatta, con i figli Alice e Andrea, che si
avvale della preziosa consulenza
dell'esperto in bollicine Jean-Pierre Valade.
Gran bella prova anche quest'anno per la
cuvée Secolo Novo Brut '12. Dopo quasi
cinque anni di maturazione sui lieviti questo
Blanc de Blancs si presenta con un bel
colore paglierino verdolino brillante, profumi
eleganti di miele, burro e floreali oltre che
di frutto bianco. Al palato ha struttura,
freschezza, elegante sapidità e un lungo e
complesso finale all'insegna del frutto e
del miele di castagno. Ma dal Satèn '16 al
Brut non millesimato tutt la gamma è di
valore assoluto.

● OP Pinot Nero Solo Nero '18	♟♟ 4
☉ OP Pinot Nero Brut M. Cl. 145 Rosè '15	♟♟ 4
○ OP Riesling Filare 52 '18	♟♟ 3
○ OP Pinot Nero Brut M. Cl. 137 '16	♟ 4
○ Brut Pas Dosè '15	♟♟ 3
○ OP Pinot Nero Brut M. Cl. 137 '13	♟♟ 4
☉ OP Pinot Nero Brut M. Cl. 145 Rosé '13	♟♟ 3
● OP Pinot Nero Solo Nero '16	♟♟ 3
● OP Sangue di Giuda Il Traditore '17	♟♟ 2*
○ OP Pinot Nero Brut M. Cl. 137 '15	♟ 4

○ Franciacorta Brut Secolo Novo '12	♟♟♟ 7
○ Franciacorta Brut	♟♟ 4
○ Franciacorta Blanc de Blancs '12	♟♟ 6
☉ Franciacorta Brut Rosé '16	♟♟ 6
○ Franciacorta Brut Satèn '16	♟♟ 6
○ Franciacorta Extra Brut	♟♟ 5
○ Franciacorta Brut '04	♟♟♟ 5
○ Franciacorta Brut Blanc de Noir '09	♟♟♟ 5
○ Franciacorta Brut Secolo Novo '05	♟♟♟ 7
○ Franciacorta Dosage Zero Secolo Novo Ris. '11	♟♟♟ 8
☉ Franciacorta Brut Rosé '15	♟♟ 6
○ Franciacorta Brut Satèn '15	♟♟ 6
○ Franciacorta Brut Secolo Novo '11	♟♟ 8
○ Franciacorta Extra Brut Blanc de Noirs '15	♟♟ 6

Tenuta Mazzolino

VIA MAZZOLINO, 34
27050 CORVINO SAN QUIRICO [PV]
TEL. 0383876122
www.tenuta-mazzolino.com

VENDITA DIRETTA
VISITA SU PRENOTAZIONE
PRODUZIONE ANNUA 100.000 bottiglie
ETTARI VITATI 20,00

Mazzolino, ovvero villa con giardino all'italiana, vista spettacolare, di proprietà della famiglia Braggiotti dal 1980. Fu Giacomo Bologna in persona a consigliare Enrico Braggiotti a vinificare il pinot nero in rosso, all'epoca con Giancarlo Scaglione, due mostri sacri dell'enologia piemontese. Poi dalla Francia è arrivato l'appoggio esterno di Kyriakos Kinigopoulos, sì da ritagliare un lembo di Borgogna in Oltrepò, a base di pinot nero e chardonnay nelle varie declinazioni. Da tre anni la direzione tecnica è affidata all'enologo piacentino Stefano Malchiodi. Spezie, frutti di bosco integri, ricchezza in bocca e profondità: il Noir '17 è un Pinot Nero di classe e sostanza, cui è facile pronosticare una bella evoluzione con ulteriore affinamento in bottiglia. Molto bene i due spumanti: un Blanc de Blanc '16 slanciato, profumato di glicine e frutti tropicali, e un Cruasé elegante con i suoi frutti di bosco e un'acidità viva. Il Blanc '18 è uno Chardonnay di stoffa, da attendere con pazienza affinché il legno si integri perfettamente con la materia.

● OP Pinot Nero Noir '17	♟♟	5
○ Chardonnay Blanc '18	♟♟	3
○ Mazzolino Blanc de Blancs Brut M. Cl. '16	♟♟	4
⊙ OP Cruasé Mazzolino	♟♟	4
○ Camarà Chardonnay '19	♟	2
● Terrazze Pinot Nero '19	♟	3
● OP Pinot Nero Noir '12	♟♟♟	5
● OP Pinot Nero Noir '10	♟♟♟	5
● OP Pinot Nero Noir '09	♟♟♟	5
● OP Pinot Nero Noir '08	♟♟♟	5
● OP Pinot Nero Noir '07	♟♟♟	5
● OP Pinot Nero Noir '06	♟♟♟	5
○ Mazzolino Blanc de Blancs Brut M. Cl. '15	♟♟	4
● OP Pinot Nero Noir '16	♟♟	5
● OP Pinot Nero Noir '15	♟♟	5

Mirabella

VIA CANTARANE, 2
25050 RODENGO SAIANO [BS]
TEL. 030611197
www.mirabellafranciacorta.it

VENDITA DIRETTA
VISITA SU PRENOTAZIONE
OSPITALITÀ
PRODUZIONE ANNUA 350.000 bottiglie
ETTARI VITATI 45,00
AZIENDA SOSTENIBILE

Nel 1979 Teresio Schiavi, enologo, fonda Mirabella con un gruppo di amici vignaioli. Al giorno d'oggi l'azienda, con 50 ettari di vigneti, cantina moderna e una conduzione a basso impatto ambientale, è guidata dall'amministratore Francesco Bracchi con i figli di Teresio Alessandro, enologo, e Alberto, direttore commerciale. Quasi mezzo milione di bottiglie e una produzione in costante crescita qualitativa con vini a basso o nullo contenuto di solfiti aggiunti. L'annata '12 ci consegna una dei più interessanti Riserva della denominazione. Il Dosaggio Zero Døm nasce da una cuvée di chardonnay (60%) pinot nero (25%) e bianco vinificata parte in acciaio e parte (30%) in legno e che matura oltre 7 anni sui lieviti. Ha profumi morbidi e vanigliati, opulenza di frutto e cremosità di spuma e sfuma lungo su note di frutta tropicale. Eccellente il Demetra Extra Brut '13, asciutto nervoso e ben profilato.

○ Franciacorta Pas Dosé Døm Ris. '12	♟♟	7
○ Franciacorta Brut Edea	♟♟	5
⊙ Franciacorta Brut Rosé	♟♟	5
○ Franciacorta Exra Brut Demetra '13	♟♟	5
○ Franciacorta Brut Satèn	♟	5
○ Franciacorta Dosaggio Zero Dom Ris. '09	♟♟	6
○ Franciacorta Dosaggio Zero Døm Ris. '11	♟♟	7
○ Franciacorta Exra Brut Demetra '12	♟♟	5
○ Franciacorta Extra Brut '09	♟♟	5
○ Franciacorta Pinot Nero Brut Nature '15	♟♟	6

★★Monsupello

VIA SAN LAZZARO, 5
27050 TORRICELLA VERZATE [PV]
TEL. 0383896043
www.monsupello.it

VENDITA DIRETTA
VISITA SU PRENOTAZIONE
PRODUZIONE ANNUA 260.000 bottiglie
ETTARI VITATI 50,00

La cantina condotta da Pierangelo e Laura, figli del mai dimenticato Carlo Boatti, uno dei primi uomini a credere nella qualità dei vini oltrepadani, è punto di riferimento costante dell'enologia del territorio. Diretta con abilità dall'enologo Marco Bertelegni, è da anni una delle aziende spumantistiche migliori di tutta Italia. Tutte le etichette, comunque, sono di valore, dai bianchi ai rossi, giovani o da invecchiamento, senza dimenticare quei vini frizzanti che continuano a rappresentare un mercato locale importante. Ancora un centro per il Nature di Monsupello, Metodo Classico di riferimento, profumato di anice, erbe aromatiche e piccoli frutti di bosco, teso e minerale, brillante nel colore lievemente ramato, sapido fino al lungo finale. Molto buono il Rosé, carnoso di frutto e molto espressivo nei profumi di frutti di bosco. Il Brut - che ci rifiutiamo di definire "base" - è sempre ben fatto, pieno e maturo. Novità assoluta l'Extra Brut Blanc de Blancs, fine nei richiami di spezie e pasticceria, piacevolissimo nella cremosità della bolla.

★Monte Rossa

FRAZ. BORNATO
VIA MONTE ROSSA, 1
25040 CAZZAGO SAN MARTINO [BS]
TEL. 030725066
www.monterossa.com

VENDITA DIRETTA
VISITA SU PRENOTAZIONE
PRODUZIONE ANNUA 500.000 bottiglie
ETTARI VITATI 70,00

L'azienda della famiglia Rabotti è una di quelle che hanno scritto la storia della Franciacorta. Paolo Rabotti, infatti, con il supporto della moglie Paola, ha iniziato a commercializzare vino sin dalla sua fondazione, nel 1972, ed è stato fra i primi ad abbandonare la produzione di vini fermi per dedicarsi con passione alle bollicine. Oggi la guida è affidata al figlio Emanuele, affiancato da Oscar Farinetti. L'azienda possiede 70 ettari di vigne, collocate in terroir differenti, dalle cui uve si ricavano ogni anno circa 500mila bottiglie di ottimo livello. C'è piaciuto molto, anche quest'anno, il Brut P. R., il vino che meglio oggi rappresenta questa storica maison. È una cuvée di chardonnay con il 35% di vino di riserva, da circa 22 vigneti diversi di provenienza. È verticale, nitido, sapido e fruttato, sostenuto da una fresca vena acida e chiude lungo su note di frutto. I due Cabochon, Doppiozero e Brut, sono di buon livello ma francamente da queste etichette ci aspettiamo ben altre emozioni.

○ Nature M. Cl.	♙♙♙ 4
⊙ Brut M. Cl. Rosé	♙♙ 4
○ Extra Brut Blanc de Blancs M. Cl.	♙♙ 5
○ Brut M. Cl.	♙♙ 5
● OP Bonarda Vivace Vaiolet '19	♙ 2
● Podere La Borla '16	♙ 3
○ Riesling '19	♙ 2
○ Brut M. Cl. '13	♙♙♙ 5
○ OP Brut Classese '06	♙♙♙ 5
○ OP Brut Classese '04	♙♙♙ 5
○ Brut M. Cl. '14	♙♙ 5
● Pinot Nero 3309 '09	♙♙ 3
● Pinot Nero Junior '16	♙♙ 3
○ Riesling '16	♙♙ 2*

○ Franciacorta Brut P. R.	♙♙ 5
○ Franciacorta Brut Nature Cabochon Doppiozero '14	♙♙ 8
○ Franciacorta Brut Prima Cuvée	♙♙ 5
○ Franciacorta Brut Satèn Sansevé	♙♙ 5
○ Franciacorta Brut Cabochon Fuoriserie N. 022	♙ 8
⊙ Franciacorta Non Dosato Coupé	♙ 5
⊙ Franciacorta Rosé Flamingo	♙ 5
○ Franciacorta Brut Cabochon '05	♙♙♙ 6
○ Franciacorta Brut Cabochon '04	♙♙♙ 6
○ Franciacorta Brut Cabochon '03	♙♙♙ 6
○ Franciacorta Brut Cabochon '01	♙♙♙ 6
○ Franciacorta Brut Cabochon '99	♙♙♙ 7
○ Franciacorta Brut Cabochon '98	♙♙♙ 6
○ Franciacorta Brut Cabochon '97	♙♙♙ 6
○ Franciacorta Extra Brut Cabochon '93	♙♙♙

La Montina

FRAZ. BAIANA, 17
25040 MONTICELLI BRUSATI [BS]
TEL. 030653278
www.lamontina.com

VENDITA DIRETTA
VISITA SU PRENOTAZIONE
RISTORAZIONE
PRODUZIONE ANNUA 400.000 bottiglie
ETTARI VITATI 70,00
VITICOLTURA Biologico Certificato

Nata nel 1987, La Montina dei fratelli
Bozza, Vittorio, Giancarlo e Alberto, prende
il nome dalla storica proprietà della famiglia
Montini che diede i natali al papa Paolo VI.
Oggi l'azienda conta su oltre 70 ettari di
vigne dislocate in ben sette comuni della
Franciacorta. Il centro aziendale è una
bellissima villa dove accanto alla grande e
moderna cantina interrata troviamo
un'elegante struttura ricettiva. La nuova
generazione, costituita da Michele e
Daniele Bozza, aggiunge nuovo smalto
all'azienda, di cui registriamo una crescita
qualitativa È una gamma senza punti deboli
quella de La Montina. In cima alle nostre
preferenze quest'anno c'è il Brut '12, dai
bei toni speziati, ricco di frutto, struttura e
freschezza. Il Rosé Extra Brut fa bella
mostra di nerbo acido e di tensione, e
assicura una beva piacevole e fresca
all'insegna dei frutti di bosco, mentre il
Satèn esprime una elegante complessità,
note minerali e di vaniglia e chiude lungo
su sentori fruttati e di fiori di tiglio.

○ Franciacorta Brut '12	♟♟	5
⊙ Franciacorta Extra Brut Rosé	♟♟	5
⊙ Franciacorta Rosé Demi Sec	♟♟	4
○ Franciacorta Satèn	♟♟	5
○ Franciacorta Brut	♟	5
○ Franciacorta Extra Brut	♟	4
○ Franciacorta Brut '05	♟♟♟	6
○ Franciacorta Extra Brut Vintage Ris. '05	♟♟♟	6
○ Franciacorta Extra Brut Vintage Ris. '04	♟♟♟	6
○ Franciacorta Brut '11	♟♟	5
○ Franciacorta Pas Dosé Baiana Ris. '11	♟♟	5

Monzio Compagnoni

VIA NIGOLINE, 98
25030 ADRO [BS]
TEL. 0307457803
www.monziocompagnoni.com

VENDITA DIRETTA
VISITA SU PRENOTAZIONE
PRODUZIONE ANNUA 170.000 bottiglie
ETTARI VITATI 17,00

Marcello Monzio Compagnoni, viticoltore da
sempre, trent'anni fa ha creato una nuova
azienda in Franciacorta dove poter
esprimere la sua passione per lo spumante
metodo classico, che andava ad affiancare
gli ottimi prodotti realizzati nella tenuta di
famiglia nella vicina Valcalepio. Nella
moderna cantina di Adro elabora una curata
gamma di Franciacorta dai 14 ettari dei
vigneti di proprietà, e lo stesso fa a
Scanzorosciate con i vini della Valcalepio. È
il Blanc de Noir Riserva '09 il vino che
maggiormente ci ha impressionato nella
gamma aziendale quest'anno. Ha un bel
colore paglierino brillante dai riflessi ramati,
naso complesso e ricco che alle nuance
biscottate e di lieviti fa seguire note speziate
e di frutti rossi che ci introducono ad un
palato ricco e profondo dalla piacevole
chiusura fruttata con un delicato tono fumé.
Il Satèn nel classico stile della maison si
stempera tra cremose note di frutto e di
cedro, mentre piacevole e di beva golosa è
il Brut Cuvée alla Moda, sapido e fruttato.

○ Franciacorta Nature Blanc de Noir Monti della Corte Ris. '09	♟♟	7
○ Curtefranca Bianco Ronco della Seta '19	♟♟	3
○ Franciacorta Brut '15	♟♟	5
○ Franciacorta Brut Cuvée alla Moda	♟♟	5
○ Franciacorta Extra Brut '12	♟♟	5
○ Franciacorta Satèn '15	♟♟	6
○ Franciacorta Extra Brut '04	♟♟♟	5
○ Franciacorta Extra Brut '03	♟♟♟	5
○ Curtefranca Bianco della Seta '15	♟♟	4
○ Curtefranca Bianco Ronco della Seta '18	♟♟	3
○ Franciacorta Brut '14	♟♟	5
○ Franciacorta Brut '13	♟♟	6
○ Franciacorta Brut '12	♟♟	5
○ Franciacorta Satèn '13	♟♟	6

Mosnel

FRAZ. CAMIGNONE
C.DA BARBOGLIO, 14
25050 PASSIRANO [BS]
TEL. 030653117
www.mosnel.com

VENDITA DIRETTA
VISITA SU PRENOTAZIONE
RISTORAZIONE
PRODUZIONE ANNUA 250.000 bottiglie
ETTARI VITATI 41,00
VITICOLTURA Biologico Certificato

Da visitare il borgo cinquecentesco con villa annessa, splendidamente restaurato, dove Giulio e Lucia Barzanò accolgono gli ospiti e dove, a far da contrattare all'antico fascino del luogo, nelle modernissime cantine nascono Franciacorta tra i più apprezzati del territorio. Giulio e Lucia rappresentano la quinta generazione della famiglia: figli di una pioniera della Franciacorta come Emanuela Barzanò Barboglio, gestiscono i 40 ettari di vigneto che circondano l'azienda in regime biologico. L'Extra Brut EBB che Giulio e Lucia hanno dedicato alla madre anche nell'annata '15 da ottima prova di sé. Sapido, elegante, profondo, cremoso nell'effervescenza si conferma come una delle etichette più rappresentative del terroir. Il Pas Dosé è sapido nitido e croccante nel frutto, il Satèn '16 ai delicati toni vanigliati e floreali fa seguire una bocca morbida ed elegante ma non priva di una bella tensione acida. Ma tutta la gamma è di sicuro valore.

○ Franciacorta Extra Brut EBB '15	♙♙♙	7
○ Franciacorta Satèn '16	♙♙	6
○ Franciacorta Brut	♙♙	5
⊙ Franciacorta Brut Rosé	♙♙	5
○ Franciacorta Nature Bio	♙♙	4
○ Franciacorta Pas Dosé	♙♙	5
⊙ Franciacorta Pas Dosè Parosé '15	♙♙	7
○ Franciacorta Extra Brut EBB '09	♟♟♟	5
○ Franciacorta Pas Dosé QdE Ris. '04	♟♟♟	6
○ Franciacorta Pas Dosé Ris. '08	♟♟♟	8
○ Franciacorta Satèn '15	♟♟♟	6
○ Franciacorta Satèn '05	♟♟♟	5
○ Franciacorta Extra Brut EBB '14	♟♟	7
○ Franciacorta Extra Brut EBB '13	♟♟	7
⊙ Franciacorta Pas Dosè Parosé '14	♟♟	7
⊙ Franciacorta Pas Dosè Parosé '12	♟♟	7
○ Franciacorta Satèn '14	♟♟	5

★★Nino Negri

VIA GHIBELLINI
23030 CHIURO [SO]
TEL. 0342485211
www.ninonegri.it

VENDITA DIRETTA
VISITA SU PRENOTAZIONE
RISTORAZIONE
PRODUZIONE ANNUA 800.000 bottiglie
ETTARI VITATI 160,00
AZIENDA SOSTENIBILE

La Nino Negri rappresenta una bella fetta del vino della Valtellina. Per storia, per dimensioni aziendali, per qualità dei vini proposti, per l'intenso lavoro di promozione internazionale. Alla guida troviamo il direttore Danilo Trocco, l'invito è a visitare la cantina scavata nella roccia del Castello Quadrio tra annate incredibili che danno la misura del lunghissimo percorso svolto da questo marchio oggi di proprietà del Gruppo Italiano Vini. Equilibrio tra la potenza, la bevibilità e la finezza: il 5 Stelle '17 è questo e altro ancora, con le sue belle note di tabacco, liquirizia, spezie, frutti rossi e cuoio. In bocca, tannini fittissimi, ma anche tanta polpa, finale lunghissimo e armonico. Sorprendente il Sasso Rosso '17, con sensazioni di rose appassite, lampone e tabacco. Al palato è stilisticamente preciso, in progressione e assai persistente. Ottimo il Vigneto Fracia '17 per le sue note di erbe secche attraversate dal lampone maturo. La bocca ha polpa equilibrata, elegantemente espressiva del territorio.

● Valtellina Sfursat 5 Stelle '17	♙♙♙	8
● Valtellina Sup. Grumello Sassorosso '17	♙♙	5
● Valtellina Sup. Inferno Carlo Negri '17	♙♙	5
● Valtellina Sup. Vign. Fracia '17	♙♙	6
● Valtellina Sfursat Carlo Negri '17	♙♙	6
● Valtellina Sup. Sassella Le Tense '17	♙♙	5
● Valtellina Sfursat 5 Stelle '16	♟♟♟	8
● Valtellina Sfursat 5 Stelle '15	♟♟♟	8
● Valtellina Sfursat 5 Stelle '10	♟♟♟	7
● Valtellina Sfursat 5 Stelle '09	♟♟♟	7
● Valtellina Sfursat Carlo Negri '11	♟♟♟	8
● Valtellina Sup. Vign. Fracia '08	♟♟♟	7
● Valtellina Sfursat Carlo Negri '16	♟♟	6

Noventa

LOC. BOTTICINO MATTINA
VIA MERANO, 28
25080 BOTTICINO [BS]
TEL. 0302691500
www.noventabotticino.it

VENDITA DIRETTA
VISITA SU PRENOTAZIONE
PRODUZIONE ANNUA 45.000 bottiglie
ETTARI VITATI 11,00
VITICOLTURA Biologico Certificato

Alla famiglia Noventa, a partire da
Pierangelo e dalla figlia Alessandra, va dato
il merito di aver creduto fino in fondo alle
potenzialità di questa piccolissima
denominazione che racchiude una
manciata di produttori tra Brescia e il Lago
di Garda. Oltre quarant'anni di caparbio
lavoro su questi vigneti posti a 450 metri di
quota, da qualche anno gestiti in regime di
agricoltura biologica. Il risultato è una
gamma di vini rossi potenti, resi sempre più
eleganti nel corso degli anni. Mentre riposa
in cantina per un più lungo affinamento il
campione di casa, il Gobbio, l'azienda
propone l'ottimo Pià della Tesa '18, un
Botticino dal bel colore rubino carico ricco
di note speziate e di mirtillo al naso, di
bella bilanciata acidità e di notevole
finezza. Deliziosamente bevibile il Colle
degli Ulivi 18, mentre semplicemente
irresistibile nei suoi profumi di rosa e
pesca bianca abbiamo trovato il rosato
L'Aura '19 da uve schiava.

● Botticino Pià de la Tesa '18		♟♟ 5
● Botticino Colle degli Ulivi '18		♟♟ 4
⊙ L'Aura '19		♟♟ 3
● Botticino Gobbio '17		♟♟♟ 5
● Botticino Gobbio '16		♟♟♟ 5
● Botticino Colle degli Ulivi '17		♟♟ 2*
● Botticino Colle degli Ulivi '16		♟♟ 2*
● Botticino Gobbio '15		♟♟ 5
● Botticino Pià de la Tesa '15		♟♟ 3
● Botticino Pià de la Tesa '12		♟♟ 3
● Botticino Pià de la Tesa '11		♟♟ 3
● Botticino Pià della Tesa '17		♟♟ 3
● Botticino Pià della Tesa '16		♟♟ 3
● Botticino V. del Gobbio '11		♟♟ 5
● Botticino V. del Gobbio '10		♟♟ 5
● Botticino V. del Gobbio 50 '12		♟♟ 5
⊙ L'Aura Schiava '18		♟♟ 3

Oltrenero

LOC. BOSCO
27049 ZENEVREDO [PV]
TEL. 0385245326
www.ilbosco.com

VENDITA DIRETTA
VISITA SU PRENOTAZIONE
PRODUZIONE ANNUA 1.000.000 bottiglie
ETTARI VITATI 152,00

Parecchie cose sono cambiate da quando la
famiglia Zonin, nel 1987, decise di investire
in Oltrepò Pavese acquistando la tenuta
che, in epoca medievale, faceva parte del
Monastero di Santa Maria Teodote. Gli ettari
vitati, tutti di proprietà, sono passati dai 30
iniziali a 152. Naturalmente, si è puntato
subito sui vitigni più tradizionali della zona, a
partire da croatina e barbera. Ma è sul pinot
nero, presente in Oltrepò dal XIX secolo, che
è stato fatto il lavoro maggiore, individuando
terroir e cloni adatti sia alla spumantistica
sia alla vinificazione in rosso. Il Poggio
Pelato conferma la buona progressione di
questo vino nel corso degli anni. Il Poggio
Pelato '17 è un Pinot Nero maturo, molto
fruttato, ricco e denso, varietale nei profumi,
interpretato in pieno stile oltrepadano. Per
quanto riguarda la batteria dei Metodo
Classico targati Oltrenero, il Nature '15 ha
stoffa, intensità e bolla di buona finezza. Il
Rosé ha piccoli frutti e agrumi al naso, e
una buona acidità che compensa il residuo
zuccherino. Stesse considerazioni per il
Brut, profumato di pera e frutti gialli.

⊙ OP Pinot Nero Brut Rosé		♟♟ 3
○ OP Pinot Nero Nature M. Cl. Oltrenero '15		♟♟ 6
● OP Pinot Nero Poggio Pelato '17		♟♟ 4
○ OP Pinot Nero Brut M. Cl. Oltrenero		♟ 5
○ OP Pinot Nero Nature M. Cl '13		♟♟♟ 6
○ OP Pinot Nero Nature M. Cl Oltrenero '14		♟♟ 6
○ OP Pinot Nero Nature M. Cl. Oltrenero '10		♟♟ 6

Pasini San Giovanni

FRAZ. RAFFA
VIA VIDELLE, 2
25080 PUEGNAGO SUL GARDA [BS]
TEL. 0365651419
www.pasinisangiovanni.it

VENDITA DIRETTA
VISITA SU PRENOTAZIONE
PRODUZIONE ANNUA 300.000 bottiglie
ETTARI VITATI 36,00
VITICOLTURA Biologico Certificato
AZIENDA SOSTENIBILE

Fondata da Andrea Pasini nel 1958, l'azienda della famiglia è condotta ora dai cugini Luca, Sara, Laura e Paolo Pasini, terza generazione di viticoltori che lavorano 36 ettari di proprietà a cavallo delle denominazioni Valtènesi e Lugana. Nel corso degli anni la cantina è stata rimodernata e, a partire dal 2009, alimentata con pannelli fotovoltaici. L'attenzione all'ambiente e all'ecosostenibilità ha portato anche alla certificazione biologica. È Il Valtènesi Il Valtènesi '18 il vino che più c'è piaciuto nella batteria presentata quest'anno dai Pasini. Fresco, sapido, croccante nel frutto e di gran bella beva è un rosso di grande pulizia e freschezza davvero godibile, come forse dovrebbe essere ogni Groppello. Il Dosaggio Zero Ceppo 326 è un Metodo Classico da groppello in rosa e chardonnay di notevole finezza, sapido fresco e invitante nei toni di frutto il Chiaretto Rosagreen '19.

⊙ Brut M. Cl. Rosé Ceppo 326	♥♥	4
○ Lugana Busocaldo Ris. '18	♥♥	5
⊙ Valtènesi Chiaretto Rosagreen '19	♥♥	3
● Valtènesi Il Valtènesi '18	♥♥	3
⊙ Extra Brut M. Cl. 100%	♥	4
○ Lugana Il Lugana '19	♥	3
⊙ Valtènesi Il Chiaretto '19	♥	3
○ 100% Extra Brut M. Cl.	♀♀	4
○ Lugana Bio '18	♀♀	2*
● Valtènesi '16	♀♀	2*
● Valtènesi Arzane '15	♀♀	3
○ Valtènesi Chiaretto Rosagreen '18	♀♀	3
● Valtènesi Il Groppello '17	♀♀	3
⊙ Valtènesi Riviera del Garda Cl. Chiaretto Rosagreen '17	♀♀	3

Perla del Garda

VIA FENIL VECCHIO, 9
25017 LONATO [BS]
TEL. 0309103109
www.perladelgarda.it

VENDITA DIRETTA
VISITA SU PRENOTAZIONE
PRODUZIONE ANNUA 120.000 bottiglie
ETTARI VITATI 30,00
VITICOLTURA Biologico Certificato
AZIENDA SOSTENIBILE

Con un paziente lavoro di riassesto, i fratelli Giovanna ed Ettore Prandini hanno riportato, nel 2000, la viticoltura nella tenuta di famiglia. La produzione di vino è iniziata nel 2006, in una moderna cantina su tre livelli che permette la vinificazione in caduta. Trenta gli ettari, coltivati principalmente a turbiana, per ottenere dei Lugana con varie sfaccettature, e un importante impegno per quanto riguarda la sostenibilità ambientale. Il Lugana Riserva Madreperla '18 si impone nelle nostre degustazioni e guadagna il secondo alloro a questa bella realtà gardesana. Ha un colore paglierino brillante, naso ricco di frutto con eleganti venature di erbe aromatiche e agrume, al palato è ricco, profondo e pieno, di bella vena sapida e minerale, e chiude suadente sul frutto bianco. Tensione e freschezza che ritroviamo anche nel polposo Lugana Bio '19. Assai valido il Garda Brut, da uve chardonnay, armonico e sapido; fresco e beverino il Brio Brut, più complesso e profondo ma un po' evoluto il Brut Nature '12.

○ Lugana Madreperla Ris. '18	♥♥♥	4*
○ Garda Brut M. Cl.	♥♥	6
○ Lugana Perla Bio '19	♥♥	2*
○ Lugana Brio Brut	♥	3
○ Lugana Perla '19	♥	3
○ Perla Brut Nature M. Cl. '12	♥	3
⊙ Valtènesi Chiaretto '19	♥	3
○ Lugana Sup. Madonna della Scoperta '17	♀♀♀	4*
● Garda Merlot Leonatus '15	♀♀	4
○ Lugana Bio '16	♀♀	2*
○ Lugana Brut Nature M. Cl. '11	♀♀	7
○ Lugana Madreperla '16	♀♀	4
○ Lugana Perla '17	♀♀	3
○ Lugana Perla '16	♀♀	3
○ Lugana Perla Bio '18	♀♀	2*

Andrea Picchioni

FRAZ. CAMPONOCE, 4
27044 CANNETO PAVESE [PV]
TEL. 0385262139
www.picchioniandrea.it

VENDITA DIRETTA
VISITA SU PRENOTAZIONE
OSPITALITÀ
PRODUZIONE ANNUA 70.000 bottiglie
ETTARI VITATI 10,00
VITICOLTURA Biologico Certificato
AZIENDA SOSTENIBILE

La storia di Andrea Picchioni e della sua piccola azienda è paradigmatica. Costruita la cantina a vent'anni, acquisendo e cominciando a recuperare vecchi, ripidi vigneti abbandonati della Val Solinga, ha imparato a fare il vino e a migliorarlo, anno dopo anno, a piccoli passi, ascoltando il parere delle persone fidate e avvalendosi del prezioso aiuto dei genitori. Piccoli passi che hanno portato, vendemmia dopo vendemmia, a caratterizzare sempre più i vini, in particolare quelli destinati all'invecchiamento, sino a farli diventare dei veri e propri punti di riferimento per il territorio. Rosso potente ed elegante, il Bricco Riva Bianca '17 è un Buttafuoco ancora molto giovane, figlio dell'annata calda, più bisognoso di tempo rispetto al '16 per distendersi e svolgere al meglio la fitta trama di tannini finissimi e il frutto maturo. Slanciato, balsamico, armonico il Pinot Nero Arfena '18. Le tipiche note di mentuccia preannunciano un Rosso d'Asia '17 teso, fruttato, ampio e variegato. Tra le migliori dell'annata la Bonarda Ipazia '19.

● Arfena Pinot Nero '18	🍷🍷	4
● OP Buttafuoco Bricco Riva Bianca '17	🍷🍷	4
● Da Cima a Fondo '18	🍷🍷	3
● OP Bonarda Vivace Ipazia '19	🍷🍷	2*
● Rosso d'Asia '17	🍷🍷	4
● OP Buttafuoco Solinghino '19	🍷	3
☉ Profilo Pas Dosé M. Cl. Rosé '10	🍷	6

Pratello

VIA PRATELLO, 26
25080 PADENGHE SUL GARDA [BS]
TEL. 0309907005
www.pratello.com

VENDITA DIRETTA
OSPITALITÀ E RISTORAZIONE
PRODUZIONE ANNUA 600.000 bottiglie
ETTARI VITATI 31,00
VITICOLTURA Biologico Certificato

Vincenzo Bertola guida con passione la sua azienda, che vanta oltre 150 anni di storia e un bellissimo centro aziendale, alle spalle del Castello di Padenghe, in una posizione collinare mozzafiato che guarda il Lago di Garda e la Valtènesi. Il Pratello si stende su oltre settanta ettari, dedicati anche alla vite e all'olivo, in coltura biologica. 31 sono gli ettari di vigna, in gran parte ad alta densità (da 6250 a 8500 piedi per ettaro), pensati per una produzione di livello. Si tratta di una realtà agricola completa, dove anche seminativi ed allevamento convivono per creare un ecosistema sostenibile di cui Vincenzo è un guardiano scrupoloso. La gamma dei vini è vasta e spazia tra le denominazioni del Garda. Eccellente il Lugana Catulliano '19, sapido fruttato e polposo, sostenuto da una bella vena acida, e davvero affascinante e varietale il Riesling '19 dalle belle note di pompelmo e idrocarburi. Ottimi il Lugana 90+10 '19, scorrevole e speziato, e il Garda Spumante dai bei toni pesca e dalle coloriture d'erbe aromatiche. Cremoso e morbido il Garda Pinot Grigio '19.

○ Garda Chardonnay Brut M. Cl.	🍷🍷	4
○ Garda Riesling '19	🍷🍷	3
○ Lugana 90+10 Il Rivale '19	🍷🍷	4
○ Lugana Catulliano '19	🍷🍷	3
○ Pinot Grigio '19	🍷🍷	3
○ Lieti Conversari '18	🍷	4
☉ Valtènesi Chiaretto Sant'Emiliano '19	🍷	3
○ Lieti Conversari '16	🏆🏆	4
○ Lugana 90+10 '17	🏆🏆	3
○ Lugana Catulliano '16	🏆🏆	4
○ Riesling '16	🏆🏆	3*
☉ Valtènesi Chiaretto Sant'Emiliano '16	🏆🏆	3
☉ Valtènesi Riviera del Garda Cl. ChiarettoSant'Emiliano '17	🏆🏆	3
● Valtènesi Torrazzo '17	🏆🏆	3

Prime Alture

VIA MADONNA, 109
27045 CASTEGGIO [PV]
TEL. 038383214
www.primealture.it

VENDITA DIRETTA
VISITA SU PRENOTAZIONE
OSPITALITÀ E RISTORAZIONE
PRODUZIONE ANNUA 40.000 bottiglie
ETTARI VITATI 8,00

Nel 2006, Roberto Lechiancole decise di puntare sull'Oltrepò Pavese, realizzando sulla prima collina di Casteggio questa bella azienda che non produce solo vino ma ha anche ristorante e uno splendido resort (curato dalla moglie Anna e dalla figlia Simona) con stanze a tema e piscina di acqua salata. Invidiabile la vista sulla pianura e sui vigneti che circondano la cantina. La parte enologica, dopo alcuni passaggi di mano, è ora affidata alla supervisione dell'esperto Jean-François Coquard, enologo francese che in Oltrepò è di casa. Io per Te è un Metodo Classico da sole uve pinot nero che riposa almeno 36 mesi sui lieviti. I frutti rossi tipici del vitigno emergono anche da questa spumantizzazione in bianco, dai bei profumi lievi che ritroviamo in una bocca piuttosto ampia, cremosa grazie alla finezza della bollicina. Sopra Riva '19 è un originale blend di chardonnay (40%) e moscato bianco (60%) che ben sposa la saldezza tropicale del primo con l'aromaticità del secondo per un sorso piacevole e slanciato.

○ OP Pinot Nero Brut M. Cl. Io per Te	♟♟ 6
○ Sopra Riva '19	♟♟ 3
● Bordo Bosco Pinot Noir '19	♟ 4
● L'Altra Metà del Cuore '17	♟ 5
● Centopercento Pinot Noir '15	♟♟ 5
● Centopercento Pinot Noir '14	♟♟ 5
● Centopercento Pinot Noir '13	♟♟ 5
● Centopercento Pinot Noir '12	♟♟ 4
○ Il Bianco 60&40 '17	♟♟ 4
○ Io per Te Brut M. Cl.	♟♟ 5
● L'Altra Metà del Cuore Merlot '12	♟♟ 3
● Monsieur Pinot Noir '16	♟♟ 5
○ Sopra Riva '18	♟♟ 3

Quadra

VIA SANT'EUSEBIO, 1
25033 COLOGNE [BS]
TEL. 0307157314
www.quadrafranciacorta.it

VENDITA DIRETTA
VISITA SU PRENOTAZIONE
RISTORAZIONE
PRODUZIONE ANNUA 170.000 bottiglie
ETTARI VITATI 32,00

L'azienda prende vita nel 2003 ad opera dell'imprenditore Ugo Ghezzi, coadiuvato dai figli Cristina e Marco. Nel 2008 al team si aggiunge l'enologo Mario Falcetti, che assume la direzione. Attualmente, Quadra possiede 32 ettari vitati, coltivati in regime di agricoltura biologica. Particolare attenzione è posta verso il pinot bianco e il pinot nero, per i quali la ricerca di Falcetti ha individuato specifici vigneti in grado di far esprimere ai vitigni le qualità migliori. Lo spirito di ricerca e sperimentazione che anima Falcetti e la sue équipe si ritrova ben espresso nelle cuvée di Quadra. Il Qvée 72 '12 è un Extra Brut da chardonnay e pinot nero (20%) vinificato e maturato in legno, piccolo e non nuovo, che ha riposato 75 mesi sui lieviti prima della sboccatura. Delicato e profondo, è articolato, asciutto, morbido e complesso e chiude lungo sulle note del frutto. Assai validi il Qblack, da pinot nero, e il resto della gamma.

○ Franciacorta Quvée 72 Ris. '12	♟♟ 5
○ Franciacorta Brut QBlack	♟♟ 5
○ Franciacorta Dosaggio Zéro Eretiq '13	♟♟ 6
○ Franciacorta Dosaggio Zero QZero Ris. '13	♟♟ 5
○ Franciacorta Satèn QSaten '15	♟♟ 6
⊙ Franciacorta Brut QRosé	♟ 5
○ Franciacorta Brut Vegan	♟ 4
○ Franciacorta Dosaggio Zero EretiQ '11	♟♟ 6
○ Franciacorta Dosaggio Zero QZero '11	♟♟ 5
○ Franciacorta Dosaggio Zero QZero '10	♟♟ 5
○ Franciacorta Extra Brut Cuvée 55 '10	♟♟ 5
○ Franciacorta Extra Brut Quvée 58 Ris. '11	♟♟ 5
○ Franciacorta QSatèn '14	♟♟ 5
○ Franciacorta QSatèn '12	♟♟ 5
○ Franciacorta QSatèn '11	♟♟ 5
○ Franciacorta Satèn QSatèn '13	♟♟ 5

Francesco Quaquarini

LOC. MONTEVENEROSO
VIA CASA ZAMBIANCHI, 26
27044 CANNETO PAVESE [PV]
TEL. 038560152
www.quaquarinifrancesco.it

VENDITA DIRETTA
VISITA SU PRENOTAZIONE
PRODUZIONE ANNUA 650.000 bottiglie
ETTARI VITATI 60,00
VITICOLTURA Biologico Certificato

Quella dei Quaquarini - papà Francesco
con i figli Umberto, enologo, e Maria Teresa
- è una tipica cantina oltrepadana, di
dimensioni medio/grandi se rapportata alla
realtà molto frazionata del territorio. Vigneti
a conduzione biologica da molti anni, livello
qualitativo sempre buono e rapporto
qualità prezzo interessante. Molte le
etichette prodotte, come è normale in
questa zona, con i vini frizzanti che
rappresentano il core business
dell'azienda. Attendiamo sempre il colpo
d'ala dell'eccellenza, che è senz'altro alla
portata della famiglia. La Guasca '16 si
conferma un Buttafuoco integro nel frutto
maturo, speziato, saporito e vibrante al
sorso. Ricca, profumata di menta, cacao e
frutti a bacca scura, equilibrata e
sostanziosa la Barbera Poggio Anna '16.
Piacevole ed armonico, con i suoi toni
floreali e di frutti bianchi, il Classese '13,
fine nella bolla. Come sempre tra i migliori
il Sangue di Giuda '19, sapido e profumato
di frutti rossi e rosmarino, centrato nel
rapporto tra dolcezza, tannini e acidità.

● OP Buttafuoco La Guasca '16	♥♥	4
● OP Buttafuoco Storico V. Pregana '16	♥♥	6
○ OP Pinot Nero Brut M. Cl. Classese '13	♥♥	4
● OP Sangue di Giuda '19	♥♥	2*
● Poggio Anna Barbera '16	♥♥	3
● OP Bonarda Riva di Sass '19	♥	3
● OP Pinot Nero Blau '17	♥	3
● OP Barbera Poggio Anna '12	♀♀	2*
● OP Bonarda Riva di Sass '17	♀♀	3
● OP Buttafuoco Storico V. Pregana '15	♀♀	6
● OP Buttafuoco Storico V. Pregana '13	♀♀	6
● OP Pinot Nero Blau '14	♀♀	3
● OP Pinot Nero Blau '13	♀♀	3
● OP Sangue di Giuda '18	♀♀	2*
● OP Sangue di Giuda '17	♀♀	2*
● OP Sangue di Giuda '16	♀♀	2*
● OP Sangue di Giuda '15	♀♀	2*

★Aldo Rainoldi

FRAZ. CASACCE
VIA STELVIO, 128
23030 CHIURO [SO]
TEL. 0342482225
www.rainoldi.com

VENDITA DIRETTA
VISITA SU PRENOTAZIONE
PRODUZIONE ANNUA 180.000 bottiglie
ETTARI VITATI 9,60

Aldo Rainoldi è un vero ambasciatore dei
vini della Valtellina. In primo luogo, grazie ai
suoi vini che mettono a frutto tutte le
peculiarità di un territorio unico, che si parli
di Sassella nitidi e ariosi o di Sfursat ricchi
e potenti, in tal proposito, un recente
riassaggio del Ca' Rizzieri '97 ci ha
letteralmente stregati confermando lun
potenziale evolutivo straordinario. Oltre a
guidare l'azienda fondata nel 1925, Aldo è
impegnatissimo anche nel ruolo di
Presidente del Consorzio Vini Valtellina. Che
splendida interpretazione del territorio e del
Nebbiolo delle Alpi è presente in questo
Sassella Riserva '16. Una bellissima
armonia olfattiva, con frutta rossa in primo
piano che si fonde con cuoio, erbe secche
e legno nobile. La bocca è ricca e in forte
progressione, di rara eleganza. Ottimo,
come sempre, lo Sforzato Ca' Rizzieri '17,
raffinato, con note di tabacco e liquirizia,
ciliegia fresca e tanta frutta. La bocca è
voluttuosa, ma non pesante. Sfaccettato,
con china e frutti di bosco, il Grumello
Riserva '15. Al palato è corposo, di buona
classe e carattere, lungo nel finale.

● Valtellina Sfursat Ca' Rizzieri '17	♥♥	6
● Valtellina Sup. Grumello Ris. '15	♥♥	6
● Valtellina Sup. Sassella Ris. '16	♥♥	5
● Valtellina Sfursat '08	♀♀♀	5
● Valtellina Sfursat Fruttaio Ca' Rizzieri '15	♀♀♀	6
● Valtellina Sfursat Fruttaio Ca' Rizzieri '11	♀♀♀	6
● Valtellina Sfursat Fruttaio Ca' Rizzieri '10	♀♀♀	6
● Valtellina Sfursat Fruttaio Ca' Rizzieri '09	♀♀♀	6
● Valtellina Sfursat Fruttaio Ca' Rizzieri '06	♀♀♀	6
● Valtellina Sup. Grumello Ris. '13	♀♀♀	6
● Valtellina Sup. Sassella Ris. '13	♀♀♀	5
● Valtellina Sup. Sassella Ris. '12	♀♀♀	5
● Valtellina Sup. Sassella Ris. '06	♀♀♀	5

Rebollini

LOC. SBERCIA
27040 BORGORATTO MORMOROLO [PV]
TEL. 0383872295
www.rebollini.it

VENDITA DIRETTA
VISITA SU PRENOTAZIONE
PRODUZIONE ANNUA 100.000 bottiglie
ETTARI VITATI 35,00
AZIENDA SOSTENIBILE

Fondata agli inizi del '900, questa azienda dell'Oltrepò Pavese occidentale è sempre stata in mano alla famiglia Rebollini, fino ad arrivare ai giorni nostri, con l'enologo Gabriele Rebollini saldamente al timone di una realtà che, nel corso degli anni, si è ampliata nei Comuni limitrofi con l'acquisto di appezzamenti di terreno adatti in particolare alle uve pinot nero e riesling renano. I vigneti sono condotti con la tecnica della lotta integrata, mentre i vini mostrano sempre grande personalità, mai banali o scontati. Il Brut Nature '16 si presenta con un elegante bouquet floreale con note di frutta gialla; la bolla è molto fine, in bocca il vino si allarga mostrando sostanza e pienezza, verso un bel finale nitido. Molto speziato il Pinot Nero in rosso Re Noir '16, che unisce i piccoli frutti maturi a note di caffè, mentre il sorso è disteso e armonico. Sa di agrumi, mandarino in particolare, uno stilizzato e maturo Cruasé '15, mentre il Riesling '18 è in quella fase di passaggio tipica del renano quando intraprende la strada verso i sentori terziari.

⊙ OP Cruasé '15	♥♥ 4
○ OP Pinot Nero Brut Nature M. Cl. '16	♥♥ 5
● OP Pinot Nero Re Noir '16	♥♥ 4
○ OP Riesling '18	♥♥ 2*
○ Brut Nature M. Cl. '12	♀♀ 5
● OP Bonarda '15	♀♀ 4
● OP Bonarda Frizzante Sel. '16	♀♀ 3
○ OP Pinot Nero Brut M. Cl. '11	♀♀ 4
○ OP Pinot Nero Brut Nature M. Cl. '12	♀♀ 5
○ OP Riesling '17	♀♀ 2*
○ OP Riesling '16	♀♀ 2*
○ OP Riesling '14	♀♀ 4

Ricci Curbastro

VIA ADRO, 37
25031 CAPRIOLO [BS]
TEL. 030736094
www.riccicurbastro.it

VENDITA DIRETTA
VISITA SU PRENOTAZIONE
OSPITALITÀ
PRODUZIONE ANNUA 200.000 bottiglie
ETTARI VITATI 27,00
AZIENDA SOSTENIBILE

Originari della Romagna, dove tuttora possiedono un'azienda agricola, i Ricci Curbastro sono approdati in Franciacorta nel XIII secolo. L'azienda fondata da Gualberto è ormai da anni guidata dal figlio Riccardo, agronomo, che ha provveduto ad ampliare e ammodernare la tenuta di 32 ettari, di cui 27,5 vitati. Nella cantina ipogea prendono vita Franciacorta moderni, con il supporto degli enologi Annalisa Massetti e Andrea Rudelli e, ora, anche del figlio di Riccardo, Gualberto Jr. L'azienda è tra le capofila della sostenibilità in Italia. Anche quest'anno la maison non manca l'appuntamento con il Tre Bicchieri. Tre erano i candidati, e tutti di livello ma al fotofinish la spunta un eccellente Extra Brut '15, cuvée paritaria di chardonnay e pinot nero maturata almeno 42 mesi sui lieviti prima della sboccatura. Elegante, fitto, cremoso, complesso e ricco di frutto è sorretto da una bella e nervosa vena acida e avvolto da un'effervescenza cremosa. Eccellente il Satèn '16, come sempre, e da provare l'Extra Brut MR '09.

○ Franciacorta Extra Brut '15	♥♥♥ 5
○ Franciacorta Extra Brut Museum Release '09	♥♥ 6
○ Franciacorta Satèn '16	♥♥ 5
○ Brolo dei Passoni Passito '12	♥♥ 4
○ Franciacorta Brut	♥♥ 4
○ Franciacorta Dosaggio Zero Gualberto '10	♥♥ 6
⊙ Franciacorta Rosé	♥♥ 5
● Curtefranca Rosso V. Santella del Gröm '14	♥ 3
○ Franciacorta Demi Sec	♥ 4
○ Franciacorta Brut Museum Release '07	♀♀♀ 6
○ Franciacorta Extra Brut '12	♀♀♀ 5
○ Franciacorta Satèn '15	♀♀♀ 5
○ Franciacorta Satèn '14	♀♀♀ 5

Ronco Calino

loc. Quattro Camini
fraz. Torbiato
via Fenice, 45
25030 Adro [BS]
Tel. 0307451073
www.roncocalino.it

VENDITA DIRETTA
VISITA SU PRENOTAZIONE
PRODUZIONE ANNUA 70.000 bottiglie
ETTARI VITATI 13,00
VITICOLTURA Biologico Certificato
AZIENDA SOSTENIBILE

In quello che fu il rifugio del grande pianista bresciano Arturo Benedetti Michelangeli, l'industriale bergamasco Paolo Radici ha trovato il luogo ideale per coltivare la sua passione per il vino. Acquistata la tenuta nel 1996, nel 1999 è iniziata la costruzione della bella cantina ipogea. Dal 2002 anche la moglie Lara Imberti Radici è divenuta parte fondamentale dell'azienda, la cui consulenza agronomica ed enologica è curata da Pierluigi Donna e Leonardo Valenti. Mentre i millesimati e le tirature speciali di questa bella maison riposano ancora in cantina vi segnaliamo tre ottime etichette non millesimate che ci danno la misura della crescità dell'azienda dei Radici. Si tratta di un fresco, sapido e fragrante Brut dalla bella vena salina, di un Satèn dalle intense note fruttate e dalla coloritura di erbe aromatiche e di un Rosé Radijan dalle belle note di pesca e piccoli frutti. Da segnalare anche l'elegante e corposo Curtefranca Rosso Ponènt '17.

● Curtefranca Rosso Ponènt '17	🍷🍷 4
○ Franciacorta Brut	🍷🍷 5
⊙ Franciacorta Brut Rosé Radijan	🍷🍷 5
○ Franciacorta Satèn	🍷🍷 5
○ Curtefranca Bianco Leànt '19	🍷 3
○ Curtefranca Bianco Leànt '18	YY 3
○ Curtefranca Bianco Lèant '17	YY 3
● Curtefranca Rosso Ponènt '16	YY 4
● Curtefranca Rosso Ponènt '15	YY 4
● Curtefranca Rosso Ponènt '12	YY 4
○ Franciacorta Brut '12	YY 5
○ Franciacorta Brut '11	YY 5
○ Franciacorta Brut '10	YY 5
○ Franciacorta Brut Nature '15	YY 5
○ Franciacorta Brut Nature '12	YY 5
○ Franciacorta Brut Nature '11	YY 5
● L'Arturo Pinot Nero '15	YY 5

Rossetti & Scrivani

via Costaiola, 23
27054 Montebello della Battaglia [PV]
Tel. 038383169
www.rossettiescrivani.it

PRODUZIONE ANNUA 100.000 bottiglie
ETTARI VITATI 10,00

Posta in bella posizione sui colli sopra Casteggio, la cantina delle famiglie Rossetti e Scrivani ha cambiato varie volte nel corso del tempo la sua impostazione. Negli ultimi anni, il marchio La Costaiola è stato destinato ai vini d'annata della tradizione oltrepadana, mentre il marchio Rossetti & Scrivani è stato creato espressamente per i soli spumanti Metodo Classico da uve pinot nero. Spumanti che, con il lavoro di Fabio Rossetti in campagna e del fratello enologo Michele in cantina, più il supporto della cugina Simona, si stanno rivelando sempre più centrati e interessanti. Il Nature, profumato di piccoli frutti ed erbe aromatiche, è secco, affilato, maturo, con una sua morbidezza data anche dalla cremosità della bolla molto fine. Frutti di bosco anche nel naso del Brut Rosé, cui si aggiungono sentori di agrumi, mentre in bocca è agile e slanciato. Più materico e sostanzioso il nuovo Extra Brut Rosé, mentre il Brut, profumato di melone e pompelmo, è arrotondato dal residuo zuccherino.

○ Brut Nature M. Cl.	🍷🍷 4
⊙ Brut M. Cl. Rosé	🍷🍷 4
○ Extra Brut M. Cl. Rosé	🍷🍷 4
○ Brut M. Cl.	🍷 4

San Cristoforo

FRAZ. VILLA
VIA VILLANUOVA, 2
25030 ERBUSCO [BS]
TEL. 0307760482
www.sancristoforo.eu

VENDITA DIRETTA
VISITA SU PRENOTAZIONE
PRODUZIONE ANNUA 80.000 bottiglie
ETTARI VITATI 10,00
AZIENDA SOSTENIBILE

San Cristoforo è una piccola realtà nata nel 1992 per mano di Bruno Dotti e della moglie Claudia. La gestione è di stampo prettamente famigliare, con la figlia Celeste entrata ormai stabilmente nel team. I dieci ettari raggiunti nel corso degli anni sono personalmente seguiti da Bruno, mentre nel corso degli anni la cantina è stata ampliata e ristrutturata e i Franciacorta prodotti sono in crescita costante. Anno dopo anno questa maison famillale si fa apprezzare per costanza qualitativa e pulizia stilistica di tutta la gamma. Quest'anno vi segnaliamo in particolare il Pas Dosé '15, dal taglio armonico e cristallino, elegante al naso nel toni di frutto bianco, erbe aromatiche e miele, che al palato è verticale, fresco, asciutto e cremoso nella spuma. Eccellente il Brut ND, sapido e profondo, e intrigante nella complessità di rimandi speziati e d'erbe officinali il Celeste Pas Dosé '11.

○ Franciacorta Pas Dosé '15	♟♟ 6
○ Franciacorta ND	♟♟ 6
○ Franciacorta Pas Dosé Celeste '11	♟♟ 8
○ Franciacorta Brut '15	♟ 6
○ Franciacorta Brut	♟ 4
○ Franciacorta Brut '14	♟♟ 6
○ Franciacorta Brut '13	♟♟ 6
○ Franciacorta Brut '11	♟♟ 6
○ Franciacorta Dosaggio Zero '11	♟♟ 6
○ Franciacorta Pas Dosé '14	♟♟ 6
○ Franciacorta Pas Dosé '13	♟♟ 6
○ Franciacorta Pas Dosé '12	♟♟ 6
○ Franciacorta Pas Dosé '10	♟♟ 6
○ Franciacorta Pas Dosé Celeste '10	♟♟ 8

Scuropasso - Roccapietra

FRAZ. SCORZOLETTA, 40/42
27043 PIETRA DE' GIORGI [PV]
TEL. 038585143
www.scuropasso.it

VENDITA DIRETTA
VISITA SU PRENOTAZIONE
PRODUZIONE ANNUA 200.000 bottiglie
ETTARI VITATI 15,00

Pian piano, con ostinazione, Fabio Marazzi, superando qualche inevitabile intoppo di percorso, ha saputo costruire, partendo dall'azienda di famiglia, una realtà incentrata soprattutto sulle sue grandi passioni: lo spumante Metodo Classico e il Buttafuoco. Nel contempo, ha posto particolare attenzione all'impatto ambientale: infatti la cantina e completamente alimentata da energie rinnovabili, mentre i vigneti sono in conversione biologica. Da qualche anno è affiancato dalla figlia Flavia, uno stimolo in più per proseguire sulla strada della qualità. Che carattere il Cruasé Roccapietra '14! Si offre ricco, compatto, ha materia di frutti rossi di bosco in abbondanza, note di grano e liquirizia. Al sorso è pieno ed esuberante, pur mantenendo ritmo e finale energico e saporito. Molto ben fatto il Vigna Pian Long '17, un Buttafuoco Storico fruttato con un ampio corredo di spezie ed erbe aromatiche, dalla mentuccia al rosmarino. Agrumato, evoluto, ricco il Brut Roccapietra '15; il Buttafuoco Lunapiena '14 è caldo, robusto e sa di crostata di ciliegie.

● OP Buttafuoco Storico V. Pian Long '17	♟♟ 4
⊙ OP Cruasé Roccapietra '14	♟♟ 4
○ OP Brut M. Cl Roccapietra '15	♟♟ 4
● OP Buttafuoco Lunapiena '14	♟♟ 3
● OP Buttafuoco Costa Barosine '17	♟ 4
○ Roccapietra Pas Dosé M. Cl. '14	♟ 4
○ Roccapietra Pas Dosé M. Cl. '13	♟♟♟ 4*
● OP Buttafuoco '15	♟♟ 4
● OP Buttafuoco Lunapiena '13	♟♟ 3
● OP Buttafuoco Scuropasso '16	♟♟ 3
● OP Buttafuoco Storico Lunapiena '13	♟♟ 3*
⊙ OP Cruasé Roccapietra '13	♟♟ 4
⊙ OP Cruasé Roccapietra '12	♟♟ 4
○ Roccapietra Pas Dosé M. Cl. '12	♟♟ 4

Selva Capuzza

FRAZ. SAN MARTINO DELLA BATTAGLIA
LOC. SELVA CAPUZZA
25010 DESENZANO DEL GARDA [BS]
TEL. 0309910381
www.selvacapuzza.it

VENDITA DIRETTA
VISITA SU PRENOTAZIONE
OSPITALITÀ E RISTORAZIONE
PRODUZIONE ANNUA 300.000 bottiglie
ETTARI VITATI 25,00
AZIENDA SOSTENIBILE

Selva Capuzza è una bella tenuta di circa 50 ettari, suddivisi tra vigneti, uliveti e un bosco nato come tartufaia, sita nell'anfiteatro delle colline moreniche a sud del Lago di Garda. Azienda di storia centenaria, produce vini da sei vitigni autoctoni, suddivisi in tre denominazioni contigue, esclusivamente con uve dei vigneti di proprietà. Luca Formentini dirige con passione questa realtà, che include anche ristorante e agriturismo, con una particolare attenzione all'ecosostenibilità. Anche nella versione Riserva '16 il Lugana Menasasso s'impone nelle nostre finali. È un bianco complesso, di struttura ma soprattutto d'eleganza.Ha un colore paglierino intenso, e s'apre su un bouquet fresco e complesso ad un tempo, che ai toni cremosi di frutto bianco maturo fa seguire fresche sfumature d'erbe aromatiche; al palato è solido, polposo e pieno, pervaso da una fresca acida che lo porta ad un lungo e fresco finale agrumato. Dal Chiaretto San Donino '19 al San Martino '19 tutta la gamma è di livello eccellente.

○ Lugana Menasasso Ris. '16	♟♟♟ 3*
○ Lugana San Vigilio '19	♟♟ 3
○ Lugana Selva '19	♟♟ 4
○ San Martino della Battaglia Campo del Soglio '19	♟♟ 4
☉ Valtènesi Chiaretto San Donino '19	♟♟ 2*
○ Hirundo Brut	♟ 3
● Riviera Del Garda Bresciano Groppello San Biagio '18	♟ 3
○ Lugana Menasasso Ris. '15	♟♟♟ 3*
○ Lugana San Vigilio '18	♟♟ 3
○ Lugana Selva '18	♟♟ 4
○ San Martino della Battaglia Campo del Soglio '18	♟♟ 4
☉ Valtènesi Chiaretto San Donino '18	♟♟ 2*

Le Sincette

LOC. PICEDO
VIA ROSARIO, 44
25080 POLPENAZZE DEL GARDA [BS]
TEL. 0365651471
www.lesincette.it

VENDITA DIRETTA
VISITA SU PRENOTAZIONE
PRODUZIONE ANNUA 30.000 bottiglie
ETTARI VITATI 10,00
VITICOLTURA Biodinamico Certificato

L'azienda nasce nel 1979 dalla volontà dell'imprenditore Ruggero Brunori di creare un'azienda vitivinicola che rispettasse il più possibile l'ambiente. Ristrutturato il fabbricato che ha preso il nome di Cascina La Pertica, nel corso degli anni, grazie anche al supporto del direttore Andrea Salvetti, si sono susseguiti vari enologi e tecnici di fama fino ad arrivare prima alla certificazione biologica e poi, dopo l'incontro con Jacques Mell, alla conversione in biodinamico. Il Groppello '18 valutato lo scorso anno, è un gran bel vino rosso. È tuttora un rosso fragrante di piccoli frutti, dai tannini levigati, nitido e fresco, di bella struttura e davvero invitante nella beva. Uno di quei vini che oltre ad interpretare bene un difficile autoctono indicano una strada. Più rilassato, ricco e polposo nei toni di frutto rosso maturo, floreali e speziati il Colombaio '17, e infine un plauso al Chiaretto, vinificato in anfora, bellissimo da vedere col suo colore rosa pallido e brillante, buonissimo da gustare.

☉ Valtènesi Chiaretto '19	♟♟ 3*
● Il Colombaio '17	♟♟ 4
● Garda Cl. Groppello '18	♟♟ 2*
● Garda Cl. Groppello '14	♟♟ 2*
● Garda Cl. Groppello '13	♟♟ 2*
● Ronco del Garda '13	♟♟ 2*
☉ Valtenesi Chiaretto '18	♟♟ 2*
☉ Valtenesi Chiaretto '12	♟♟ 2*

Lo Sparviere

VIA COSTA
25040 MONTICELLI BRUSATI [BS]
TEL. 030652382
www.losparviere.com

VENDITA DIRETTA
VISITA SU PRENOTAZIONE
PRODUZIONE ANNUA 120.000 bottiglie
ETTARI VITATI 30,00

La famiglia Gussalli Beretta, capeggiata dal patriarca Ugo, possiede un nutrito gruppo di aziende agricole: oltre a Lo Sparviere in Franciacorta, ForteMasso nelle Langhe, Steinhaus in Alto Adige, il Castello di Radda nel Chianti Classico e Orlandi Contucci Ponno in Abruzzo. La struttura della cantina risale al sedicesimo secolo e deve il suo nome allo sparviere raffigurato sullo stemma del camino nel salone della casa padronale. Che la famiglia Beretta faccia sul serio anche in agricoltura lo testimonia il palmarès de Lo Sparviere, una delle griffe più importanti della Franciacorta. Quest'anno il prestigio della maison è affidato al Dosaggio Zero Riserva '13, un vino che fa della complessità e della profondità il tratto distintivo. Dalle erbe aromatiche all'agrume candito, dai toni fumé alla fresca componente citrina... nella flûte troverete tutto questo, avvolto da un'effervescenza cremosa e da una sapidità minerale.

Conti Thun

VIA MASSERINO 2
25080 PUEGNAGO SUL GARDA [BS]
TEL. 0365651757
www.contithun.com

PRODUZIONE ANNUA 25.000 bottiglie
ETTARI VITATI 12,00

Vittorio Sommo e Ilona Thun hanno scelto Puegnago come residenza dando vita a questa promettente azienda. Si tratta di dodici ettari di vigna (e due di uliveto) nel cuore della Valtènesi, intorno alla bella corte agricola ottocentesca perfettamente restaurata dove sono ospitate le suggestive cantine, abita la famiglia e viene praticata l'ospitalità rurale. I lavori di ristrutturazione di vigne e cantina intrapresi qualche anno fa, grazie anche ad uno staff tecnico di livello stanno ormai dando i loro frutti. Nonostante l'azienda sia appena alla seconda vendemmia, il Vino Rosa '17 si avventura ad esplorare le potenzialità di evoluzione di questa affascinante tipologia. Il risultato è un vino complesso e ricco ma sapido snello, piacevole e godibile come è nel Dna del groppello, uva che domina il blend. Cremoso e dai bei sentori di rosa, lampone, ribes e mirtillo il Rosé Bolle di Michaela, sapido e fruttato il Riesling Vasca 59 '19.

○ Franciacorta Dosaggio Zero Riserva '13	♟♟♟ 6
○ Franciacorta Extra Brut	♟♟ 5
○ Franciacorta Satèn	♟♟ 6
○ Franciacorta Brut Rosé Monique	♟ 5
○ Franciacorta Brut '13	♟♟♟ 5
○ Franciacorta Brut '12	♟♟♟ 5
○ Franciacorta Dosaggio Zero Ris. '08	♟♟♟ 6
○ Franciacorta Extra Brut '13	♟♟♟ 6
○ Franciacorta Extra Brut '09	♟♟♟ 5
○ Franciacorta Extra Brut '08	♟♟♟ 5
○ Franciacorta Extra Brut '07	♟♟♟ 5
○ Franciacorta Brut '14	♟♟ 5
○ Franciacorta Dosaggio Zero Riserva '12	♟♟ 6
○ Franciacorta Extra Brut '12	♟♟ 6

⊙ Brut Rosé Bolle di Michaela	♟♟ 4
○ Riesling Vasca 59 '19	♟♟ 3
⊙ Vinorosa '17	♟♟ 5
⊙ Bolle di Gioia Brut '19	♟ 3
○ Valtenesi Chiaretto Michaela '19	♟ 4
● Valtènesi Leonardo '18	♟ 4
⊙ Valtenesi Chiaretto Michaela '18	♟♟ 4

LOMBARDIA

Torrevilla

VIA EMILIA, 4
27050 TORRAZZA COSTE [PV]
TEL. 038377003
www.torrevilla.it

VENDITA DIRETTA
VISITA SU PRENOTAZIONE
PRODUZIONE ANNUA 3.000.000 bottiglie
ETTARI VITATI 650,00

Dal 2008, a cent'anni dalla fondazione della Cantina Sociale di Torrazza Coste, Torrevilla, sotto la presidenza di Massimo Barbieri, ha deciso di intraprendere una strada di valorizzazione importante. La collaborazione con l'Università di Milano e con il Centro Ricerca di Riccagioia ha permesso di effettuare uno studio approfondito di zonazione sui vigneti dei soci conferitori, con l'ausilio di quattro centraline meteorologiche. La crescita dei vini negli ultimi anni è palpabile. Recentissima un'importante acquisizione, ovvero quella del marchio storico de Il Montù, che porta in dote 70 ettari situati in Valle Versa. Molto buono il Nature Riserva 110 '16, uno spumante complesso e articolato, profumato di fiori ed erbe aromatiche, sapido e grintoso, cremoso nella finezza e nella persistenza della bolla. Bella performance per il Pinot Nero Riserva '17, fruttato ed energico, varietale in bello stile oltrepadano. La Bonarda La Genisia Bio '18, vino fermo da uve coltivate in regime biologico, ha tannino fitto e maturo, sentori di prugna e sottobosco, bel nerbo.

○ OP Pinot Nero Brut Nature M. Cl. 110 '16	🏆🏆 5
● OP Bonarda La Genisia Bio '18	🏆🏆 3
● OP Pinot Nero 110 Noir Ris. '17	🏆🏆 4
○ OP Pinot Nero Brut Nature M. Cl. La Genisia	🏆🏆 5
● OP Barbera La Genisia Bio '18	🏆 2
○ OP Cortese Garlà '19	🏆 2
○ OP Riesling Sup. La Genisia '19	🏆 3
● OP Barbera La Genisia '18	🏆🏆 2*
● OP Barbera La Genisia Bio '17	🏆🏆 2*
● OP Bonarda La Genisia Bio '17	🏆🏆 2*
○ OP Pinot Grigio La Genisia Ramato '18	🏆🏆 3
○ OP Pinot Nero Brut Nature M. Cl. 110 Ris. '14	🏆🏆 5
○ OP Riesling Sup. La Genisia '18	🏆🏆 3

Pietro Torti

FRAZ. CASTELROTTO, 9
27047 MONTECALVO VERSIGGIA [PV]
TEL. 038599763
www.pietrotorti.it

VENDITA DIRETTA
VISITA SU PRENOTAZIONE
OSPITALITÀ
PRODUZIONE ANNUA 40.000 bottiglie
ETTARI VITATI 18,00
VITICOLTURA Biologico Certificato

Sandro Torti, figlio di Pietro, conduce ormai dal 1990 l'azienda di famiglia, affiancato negli ultimi anni dalla figlia Chiara. Cinque generazioni di Torti si sono succedute sulle terre di Montecalvo, ora coltivate in regime di agricoltura biologica. Sandro è sostanzialmente un artigiano del vino: pochi interventi in campagna, uso limitato di solfiti e lieviti selezionati, vini che, quindi, vanno spesso interpretati e, soprattutto, molto sensibili all'andamento climatico delle singole annate. Quest'anno Sandro sfodera un Metodo Classico notevolissimo, senz'altro il suo migliore: complesso al naso, con profumi che vanno dagli agrumi ai frutti di bosco, con suggestioni marine e minerali, una lievissima, affascinante tendenza ossidativa e una bocca ricca e cremosa. Molto buona la Bonarda La Riva '19, scura, fitta, densa, tipica e ruspante, ampia in bocca e ammandorlata nel finale. Campo Rivera '17 è una Barbera profumata di visciola e lamponi, matura, fitta e carnosa.

○ OP Pinot Nero Brut M. Cl. '15	🏆🏆 4
○ Fagù '19	🏆🏆 2*
● OP Barbera Campo Rivera '17	🏆🏆 4
● OP Bonarda Frizzante La Riva '19	🏆🏆 2*
● OP Pinot Nero Mobi '16	🏆 4
● Uva Rara '18	🏆 3
○ Fagù '16	🏆🏆 2*
● OP Barbera Campo Rivera '16	🏆🏆 4
● OP Barbera Campo Rivera '15	🏆🏆 4
● OP Barbera Campo Rivera '12	🏆🏆 4
● OP Bonarda Verzello '17	🏆🏆 2*
● OP Bonarda Vivace '16	🏆🏆 2*
⊙ OP Cruasé '13	🏆🏆 4
⊙ OP Cruasé '12	🏆🏆 4
○ OP Pinot Nero Brut M. Cl. Torti '13	🏆🏆 4

Travaglino

LOC. TRAVAGLINO
27040 CALVIGNANO [PV]
TEL. 0383872222
www.travaglino.it

VENDITA DIRETTA
VISITA SU PRENOTAZIONE
OSPITALITÀ E RISTORAZIONE
PRODUZIONE ANNUA 200.000 bottiglie
ETTARI VITATI 80,00

Azienda storica dell'Oltrepò Pavese, con il corpo centrale costituito da un antico monastero trasformato in villa padronale, da oltre 150 anni è di proprietà della famiglia Comi, grazie al Cavalier Vincenzo. Fu il nipote omonimo, negli anni Sessanta, a rivoluzionare la tenuta, effettuando una zonazione dei terreni per valorizzare al meglio i singoli vitigni. E ora, dal 2013, altri nipoti, Cristina e Alessandro Cerri Comi, ne stanno rilanciando il nome soprattutto grazie a due vitigni: riesling renano e pinot nero. In cantina, Achille Bergomi, a supporto di Donato Lanati con il laboratorio Enosis. Campo della Fojada è un cru storico di riesling renano in Oltrepò, e la versione 2019 si conferma vino di stoffa, seppur solo all'inizio della sua vita: ha netti profumi di pesca, susina e frutti tropicali, accenni floreali, un tocco di miele, bel nerbo in bocca e un finale appagante. La Riserva del Fondatore '11 è un Metodo Classico di lunga permanenza sui lieviti, evoluto al naso, ben strutturato e sostenuto da un'acidità ancora viva.

○ OP Riesling Campo della Fojada '19	♟♟ 3*
○ OP Pinot Nero Brut M. Cl. Gran Cuvée '16	♟♟ 4
○ OP Pinot Nero Brut M. Cl. Vincenzo Comi Riserva del Fondatore '11	♟♟ 5
○ OP Pinot Nero Brut M. Cl. Cuvée 59	♟ 4
● OP Pinot Nero Poggio della Buttinera '17	♟ 5
● OP Pinot Nero Pernero '18	♟♟ 3
● OP Pinot Nero Poggio della Buttinera '16	♟♟ 5
● OP Pinot Nero Poggio della Buttinera '15	♟♟ 5
○ OP Riesling Campo della Fojada '18	♟♟ 3
○ OP Riesling Campo della Fojada '17	♟♟ 3*
○ OP Riesling Campo della Fojada Ris. '16	♟♟ 3*
○ OP Riesling Campo della Fojada Ris. '14	♟♟ 3*

★Uberti

LOC. SALEM
VIA E. FERMI, 2
25030 ERBUSCO [BS]
TEL. 0307267476
www.ubertivini.it

VISITA SU PRENOTAZIONE
PRODUZIONE ANNUA 180.000 bottiglie
ETTARI VITATI 26,00
VITICOLTURA Biologico Certificato
AZIENDA SOSTENIBILE

Un atto notarile certifica che sabato 12 ottobre 1793 Agostino Uberti acquistò una piccola cascina con vigneti in località Salem, ad Erbusco. Sino agli anni Settanta, la viticoltura era affiancata da altre tradizionali attività agricole del territorio. Di generazione in generazione, ecco un altro Agostino Uberti che decide di puntare solo sul vino effettuando, affiancato dalla moglie Eleonora, la prima vendemmia di Franciacorta nel 1978. Dopo vari ampliamenti, ecco ora in azienda anche le figlie Silvia (enologo) e Francesca, all'amministrazione. Il Comarì del Salem '13 che abbiamo assaggiato quest'anno ci è piaciuto moltissimo, ed esprime molto bene le caratteristiche di questo storico cru franciacortino. Ha spuma finissima, naso nitido e complesso, dominato dai sentori di frutto bianco, lieviti ed erbe aromatiche. Bella la bocca morbida e profonda. Il Rosé Francesco I è tra i migliori assaggiati quest'anno, come molte delle altre cuvée di questa storica azienda che ci pare in una fase di positivissima evoluzione.

○ Franciacorta Extra Brut Comarì del Salem '13	♟♟ 6
○ Curtefranca Bianco Maria Medici '17	♟♟ 4
○ Franciacorta Brut Francesco I	♟♟ 5
○ Franciacorta Brut Rosé Francesco I	♟♟ 5
○ Franciacorta Dosaggio Zero Sublimis Ris. '12	♟♟ 7
○ Franciacorta Satèn Magnificentia '16	♟♟ 6
● Rosso dei Frati Priori '16	♟♟ 5
○ Franciacorta Extra Brut Francesco I	♟ 5
○ Franciacorta Brut Comarì del Salem '00	♟♟♟ 6
○ Franciacorta Extra Brut Comarì del Salem '03	♟♟♟ 6
○ Franciacorta Extra Brut Comarì del Salem '02	♟♟♟ 6
○ Franciacorta Extra Brut Comarì del Salem '01	♟♟♟ 6

Vanzini

FRAZ. BARBALEONE, 7
27040 SAN DAMIANO AL COLLE [PV]
TEL. 038575019
www.vanzini-wine.com

VENDITA DIRETTA
VISITA SU PRENOTAZIONE
PRODUZIONE ANNUA 600.000 bottiglie
ETTARI VITATI 27,00

Se si parla di vini frizzanti prodotti con le uve classiche del territorio, quello dei fratelli Antonio, Michela e Pierpaolo Vanzini è un indirizzo sicuro. Bonarda, Sangue di Giuda, Moscato, sono sempre tra i migliori delle nostre degustazioni, grazie anche alla bravura dell'enologo Pierpaolo. Stesso discorso per gli extra dry Metodo Martinotti bianco e rosato, da sole uve pinot nero di proprietà, garanzia assoluta di piacevolezza. Ma anche tra i vini fermi non è raro trovare bottiglie di sicuro interesse. Il Sangue di Giuda '19 è un bel vino rosso frizzante dalla spuma violacea, molto profumato di frutti di bosco a bacca rossa, integro, non eccessivamente dolce, ben equilibrato tra zuccheri, acidità e tannino. Molto piacevoli, come di consueto, i due spumanti Extra Dry Metodo Martinotti Lungo, pinot nero in purezza, con una nota di merito per la versione rosata, dalle accattivanti nuance fruttate.

● OP Sangue di Giuda '19	♟♟ 3
⊙ Pinot Nero Extra Dry Rosé	♟♟ 3
○ Assedio Moscato '19	♟ 2
● OP Barbera La Desiderata '19	♟ 2
● OP Bornarda Frizzante Con Tatto '19	♟ 2
○ Pinot Nero Extra Dry	♟ 3
● OP Barbera La Desiderata '17	♟♟ 2*
● OP Bonarda '16	♟♟ 2*
● OP Bonarda Frizzante '18	♟♟ 2*
● OP Rosso Barbaleone '15	♟♟ 5
● OP Sangue di Giuda '18	♟♟ 3
● OP Sangue di Giuda '17	♟♟ 3
● OP Sangue di Giuda '16	♟♟ 3
● OP Sangue di Giuda '15	♟♟ 3

Bruno Verdi

VIA VERGOMBERRA, 5
27044 CANNETO PAVESE [PV]
TEL. 038588023
www.brunoverdi.it

VENDITA DIRETTA
VISITA SU PRENOTAZIONE
PRODUZIONE ANNUA 90.000 bottiglie
ETTARI VITATI 12,00

Non cessiamo mai di tessere le lodi di Paolo Verdi, vignaiolo da sempre, responsabile in prima persona fin da quando aveva vent'anni, stante la scomparsa del padre il cui nome Paolo ha voluto mantenere come marchio aziendale. Da allora, anno dopo anno, imparando a conoscere alla perfezione le sue terre e le sue vigne, curandole in modo maniacale, supportato dalla madre Carla, dalla sorella Monica, poi dalla moglie Enrica e, infine, dal figlio Jacopo, ha costruito una delle cantine di maggior valore del territorio, capace di sfornare vini di eccellenza. Cavariola '16, una delle migliori versioni di sempre di questo storico rosso: frutto di bosco maturo, cioccolato, mentuccia, possente e succoso, mirabilmente in equilibrio tra componente alcolica, tannini finissimi, acidità e struttura, lunghissimo nel finale ammandorlato. In una gamma di altissimo livello spiccano i due Metodo Classico: ampio e cremoso il Vergomberra '15, appena meno teso del solito, mentre il Cruasé colpisce per l'integrità del frutto e la finezza.

● OP Rosso Cavariola Ris. '16	♟♟♟ 5
⊙ OP Cruasé Extra Brut	♟♟ 5
○ OP Extra Brut M. Cl. Vergomberra '15	♟♟ 5
● OP Bonarda Frizzante Possessione di Vergomberra '19	♟♟ 2*
● OP Buttafuoco '19	♟♟ 2*
● OP Barbera Campo del Marrone '18	♟ 4
○ OP Riesling V. Costa '18	♟ 3
○ OP Dosage Zero Vergomberra '12	♟♟♟ 5
○ OP Pinot Nero Dosage Zéro M. Cl. Vergomberra '13	♟♟♟ 5
● OP Rosso Cavariola Ris. '10	♟♟♟ 5
● OP Rosso Cavariola Ris. '07	♟♟♟ 4
● OP Buttafuoco '18	♟♟ 2*
○ OP Pinot Nero M. Cl. Dosage Zero Vergomberra '14	♟♟ 5

Vigne Olcru

via Buca, 26
27047 Santa Maria della Versa [PV]
Tel. 0385799958
www.vigneolcru.com

VISITA SU PRENOTAZIONE
PRODUZIONE ANNUA 190.000 bottiglie
ETTARI VITATI 29,00
AZIENDA SOSTENIBILE

Nel 2013, i fratelli Massimiliano e Matteo Brambilla decidono di sbarcare in Oltrepò Pavese dalla Brianza per creare una nuova realtà vitivinicola in Alta Valle Versa. Nasce così Vigne Olcru, cantina avveniristica non solo nella struttura architettonica ma anche per quanto riguarda la ricerca, effettuata in collaborazione con il Dipartimento di Scienze Agrarie e Ambientali dell'Università degli Studi di Milano, con la supervisione del professor Leonardo Valenti. Numerosi cloni di pinot nero messi a dimora, e vini che negli ultimi anni hanno avuto un'impennata qualitativa notevole. Come lo scorso anno, il vino che ci è piaciuto di più è il Victoria '16, un Rosé Non Dosato dagli aromi complessi e intriganti, con un bel frutto di bosco nitido in evidenza accompagnato da sentori di agrumi e zenzero: in bocca è strutturato e nel contempo agile e dinamico. Bel frutto varietale per l'Enigma Nero '19, fresco e scorrevole. Antico Tralcio '17 è un rosso dal tipico uvaggio oltrepadano, profumato di frutti rossi e cacao, dalla salda trama tannica.

⊙ Victoria Pas Dosé M. Cl. Rosé '16	▼▼7
● Antico Tralcio '17	▼▼4
● Enigma Nero Pinot Nero '19	▼▼3
○ Verve Pas Dosé M. Cl. '14	▼▼5
● OP Bonarda Frizzante Buccia Rossa '18	▼4
○ Virtus Pas Dosé M. Cl. '16	▼4
● Coppiere Nero Pinot Nero '16	♛♛4
● Enigma Nero Pinot Nero '17	♛♛3
○ Verve Extra Brut M. Cl. '13	♛♛4
⊙ Victoria Pas Dosé M. Cl. Rosé '14	♛♛7
○ Virtus Brut M. Cl. '13	♛♛4

Villa Crespia

via Valli, 31
25030 Adro [BS]
Tel. 0307451051
www.villacrespia.it

VISITA SU PRENOTAZIONE
PRODUZIONE ANNUA 360.000 bottiglie
ETTARI VITATI 60,00
VITICOLTURA Biologico Certificato
AZIENDA SOSTENIBILE

Sessanta ettari vitati sui sei terroir specifici della Franciacorta, individuati dalla zonazione effettuata nei primi anni Novanta (denominati unità vocazionali), una grande e moderna cantina interrata su tre livelli dove le uve vengono lavorate per caduta, senza utilizzo di strumenti meccanici: questo è il biglietto da visita della famiglia Muratori, che ha dato all'azienda un nome basato sul termine "Crespia", ovvero una sorta di vino rifermentato ante litteram risalente al tardo Medioevo. Il Millè Brut Riserva '08 guadagna le nostre finali in virtù di un bel bouquet all'insegna dei toni floreali di biancospino e fruttati di mela e pesca bianca. È una cuvée elegante, fresca e tesa ad onta della lunga maturazione sui lieviti, e sfuma persistente e piena sulle note dell'albicocca, della nocciola e della vaniglia. Pieno ed appagante il Numerozero, ricco di frutto e sapidità l'Extra Brut Rosé Brolese. Ma tutta la gamma è di ottimo livello e merita l'assaggio.

○ Franciacorta Brut Millè Ris. '08	▼▼5
○ Franciacorta Brut Millè '12	▼▼5
○ Franciacorta Dosaggio Zero Cisiolo	▼▼5
○ Franciacorta Dosaggio Zero Numerozero	▼▼5
⊙ Franciacorta Extra Brut Rosé Brolese	▼▼5
○ Franciacorta Brut Novalia	▼5
○ Franciacorta Brut Satèn Cesonato	▼5
○ Franciacorta Dosaggio Zero Francesco Iacono Ris. '04	♛♛♛7
○ Franciacorta Brut Millè '11	♛♛5
○ Franciacorta Brut Millé '10	♛♛5
○ Franciacorta Brut Millè '09	♛♛5
○ Franciacorta Brut Millè Ris. '07	♛♛5
○ Franciacorta Dosaggio Zero Francesco Iacono Ris. '11	♛♛7

Villa Franciacorta

FRAZ. VILLA
VIA VILLA, 12
25040 MONTICELLI BRUSATI [BS]
TEL. 030652329
www.villafranciacorta.it

VISITA SU PRENOTAZIONE
OSPITALITÀ E RISTORAZIONE
PRODUZIONE ANNUA 300.000 bottiglie
ETTARI VITATI 37,00

La storia dell'azienda inizia nel 1960,
allorché Alessandro Bianchi, purtroppo
recentemente scomparso, decise di
acquistare il borgo medievale denominato
Villa. Sin dagli anni Sessanta, l'azienda ha
effettuato scavi per costruire gallerie e
cantine nel cuore della collina Madonna
della Rosa. Sui fianchi della collina si
trovano i vigneti terrazzati, fino a
raggiungere Villa Gradoni, splendido resort
in un ambiente unico. L'azienda oggi è
guidata da Alessandra Bianchi e al marito
Paolo Piziol. Eccellente anche quest'anno
la gamma delle cuvée e dei vini della Villa.
Si guadagnano l'accesso alle nostre finali
ben due cuvée, il Pas Dosé Diamant '15 ed
il Brut Emozione '16: elegante. Profondo
nei suoi toni di frutto segnati da un 15% di
pinot nero che gli conferisce autorevolezza
il primo, asciutto, sapido, teso e fruttato e
davvero godibile il secondo. Ma dalla
Riserva '11 al Mon Satèn '16 fino al Brut
Cuvétte '15 ogni etichetta della maison
merita grande attenzione.

○ Franciacorta Brut Emozione '16	♟♟ 5
○ Franciacorta Pas Dosé Diamant '15	♟♟ 6
● Bianchi Roncalli '15	♟♟ 6
● Curtefranca Rosso Gradoni '15	♟♟ 5
○ Franciacorta Brut Cuvette '15	♟♟ 5
○ Franciacorta Brut Sel. Ris. '11	♟♟ 6
○ Franciacorta Extra Brut Extra Blu '15	♟♟ 6
○ Franciacorta Mon Satèn '16	♟♟ 5
⊙ Franciacorta Brut Emozione '09	♟♟♟ 5
⊙ Franciacorta Brut Rosé Boké '12	♟♟♟ 5
⊙ Franciacorta Extra Brut '98	♟♟♟ 4*
○ Franciacorta Brut Cuvette '12	♟♟ 5
○ Franciacorta Brut Emozione '15	♟♟ 5
○ Franciacorta Brut Emozione '14	♟♟ 5
○ Franciacorta Brut Emozione 40 Ris. '08	♟♟ 5
○ Franciacorta Mon Satèn '15	♟♟ 5
○ Franciacorta Pas Dosé Diamant '13	♟♟ 6

Chiara Ziliani

VIA FRANCIACORTA, 7
25050 PROVAGLIO D'ISEO [BS]
TEL. 030981661
www.cantinachiaraziliani.it

VISITA SU PRENOTAZIONE
PRODUZIONE ANNUA 400.000 bottiglie
ETTARI VITATI 31,00
AZIENDA SOSTENIBILE

L'azienda di Chiara Ziliani si trova su una
collina morenica a Sud del lago d'Iseo,
dove molti dei 17 ettari di vigneto sono
terrazzati. Sulla sommità si trova la cantina,
dove prendono vita oltre 20 etichette,
suddivise in cinque linee, non solo di
Franciacorta ma anche di vini fermi
tradizionali del territorio. Una peculiarità
dell'azienda sono i sesti d'impianto utilizzati
in vigna, che portano a densità elevate,
sino a 7100 ceppi per ettaro. Nella
vastissima produzione aziendale vi
segnaliamo le etichette che più ci hanno
colpito. L'Extra Brut Ziliani C '16 è intenso
al naso come al palato, è armonico e
suadente nei toni di pesca e mela bianca,
fa mostra di finissimo perlage e bella
profondità e chiude lungo e suadente sul
frutto. Della stessa linea vi segnaliamo il
Satèn '16, che esprime nerbo, cremosità e
belle note iodate, e il Pas Dosé '16,
strutturato, armonico, minerale. Ricco di
carattere e freschezza il Brut Conte di
Provaglio, mentre si fa apprezzare per i toni
d'agrume e frutti rossi il Brut Duca d'Iseo.

○ Franciacorta Extra Brut Ziliani C '16	♟♟ 4
○ Franciacorta Brut Conte di Provaglio	♟♟ 3
○ Franciacorta Brut Duca d'Iseo	♟♟ 5
○ Franciacorta Brut Noir Ziliani C '16	♟♟ 5
○ Franciacorta Pas Dosé Ziliani C '16	♟♟ 5
○ Franciacorta Satèn Duca d'Iseo	♟♟ 3
○ Franciacorta Satèn Ziliani C '16	♟♟ 5
○ Franciacorta Brut Satèn Conte di Provaglio	♟ 3
○ Franciacorta Brut Ziliani C	♟ 3
○ Franciacorta Satèn Ziliani C	♟ 3
○ Franciacorta Brut Gran Cuvée Italo Ziliani Ris. '12	♟♟ 5
○ Franciacorta Brut Noir Ziliani C '15	♟♟ 4
⊙ Franciacorta Brut Rosé Ziliani C '14	♟♟ 5
○ Franciacorta Brut Satèn Ziliani C '15	♟♟ 4
○ Franciacorta Extra Brut Ziliani C '15	♟♟ 4

1701

P.ZZA MARCONI, 6
25046 CAZZAGO SAN MARTINO [BS]
TEL. 0307750875
www.1701franciacorta.it

Federico e Silvia Stefini continuano con impegno la secolare tradizione agricola della maison e realizzano ottimi vini dai loro 11 ettari di vigne in regime biodinamico. Il loro Satèn '15 è ambizioso ed elegante, il Dosaggio Zero sottile ed armonico nei toni di pasticceria, valido il Riserva '13.

○ Franciacorta Dosaggio Zero	♟♟	7
○ Franciacorta Dosaggio Zero Vintage Ris. '13	♟♟	7
○ Franciacorta Satèn '15	♟♟	6

Elisabetta Abrami

VIA VICINALE DELLE FOSCHE
25050 PROVAGLIO D'ISEO [BS]
TEL. 0306857185
www.vinielisabettaabrami.it

L'azienda vinifica le uve dei suoi 15 ettari di vigne tra Provaglio, Passirano e Paderno, in regime biologico, ed elabora cuvée di qualità. Assai valido il Satèn, dalle eleganti tonalità floreali e vanigliate, fascinoso l'Extra Brut Riserva '10, armonico, sapido e profondo,

○ Franciacorta Extra Brut 3V Ris. '10	♟♟	6
○ Franciacorta Brut '13	♟♟	5
○ Franciacorta Satèn	♟♟	5
○ Franciacorta Brut Rosé	♟	6

Alberelle

VIA ISONZO, 37
25038 ROVATO [BS]
TEL. 0307709050
info@agriturismoalberelle.it

Piccola ma curata la produzione di questa azienda familiare che vinifica uve delle proprie vigne. L'annata 2016 ci offre un Brut dal bel carattere fruttato e minerale, ed un Satèn polposo e di bella complessità, sapido e minerale.

○ Franciacorta Brut '16	♟♟	5
○ Franciacorta Satèn '16	♟♟	5
○ Franciacorta Brut Rosé '15	♟	5

Annibale Alziati

LOC. SCAZZOLINO, 55
27040 ROVESCALA [PV]
TEL. 038575261
www.gaggiarone.it

La Barbera '18 è molto matura e alcolica, scura e fitta, sa di ribes e frutti neri, con note affumicate e balsamiche. Gaggiarone Vigne Vecchie '16 è una Bonarda ferma old style dal tannino ruggente.

● La Barbera '18	♟♟	3
● O.P. Bonarda Gaggiarone V. V. '16	♟♟	5

Tenuta Ambrosini

VIA DELLA PACE, 58
25046 CAZZAGO SAN MARTINO [BS]
TEL. 0307254850
www.tenutambrosini.it

Gli Ambrosini oltre all'ospitalità rurale nella loro bella azienda propongono ottime cuvée dagli otto ettari di vigne di proprietà. Molto valide le tre etichette dell'annata 2015: fresco, cremoso, sapido e agrumato l'Extra Brut, dai bei toni biscottati e di vaniglia il Satèn, di bel nerbo il Rosé Ambrosé.

○ Franciacorta Brut Rosé Ambrosé '15	♟♟	6
○ Franciacorta Extra Brut '15	♟♟	5
○ Franciacorta Satèn '15	♟♟	5

Ascesa

VIA RIBOLATTI 42
23020 TRESIVIO [SO]
TEL. 340 4132048
www.ascesavini.com

Intenso e raffinato il Valtellina Superiore '18, belle le note di bacche rosse amalgamate con liquirizia. La bocca è densa, il finale fresco e lungo. Molto gradevole e fine il Rosso di Valtellina '18, fresco e fruttato, con buona polpa nella beva.

● Rosso di Valtellina Ascesa '18	♟♟	4
● Valtellina Sup. Ascesa '18	♟♟	5

Giovanni Avanzi

VIA TREVISAGO, 19
25080 MANERBA DEL GARDA [BS]
TEL. 0365551013
www.avanzi.net

La famiglia Avanzi ha creato l'azienda quasi novant'anni fa, nel 1931. Oggi la quinta generazione dai 70 ettari di vigneti ed uliveti, suddivisi in quattro diversi terroir gardesani ricava vini di qualità. Quest'anno vi segnaliamo un ottimo Dorobianco, da riesling, chardonnay e pinot bianco.

○ Garda Dorobianco '19	♟♟ 3
⊙ Riviera del Garda Cl. Brut Rosé	♟♟ 2*
○ Lugana di Sirmione '19	♟ 2

Balgera

C.SO M. QUADRIO, 26
23030 CHIURO [SO]
TEL. 0342482203
www.vinibalgera.it

L'appassimento è volutamente marcato: ciliegia sotto spirito, tabacco e cacao per il Solstizio '13. La bocca è poderosa, con note dolci su lungo finale. China, fiori secchi e spezie al naso del Pizaméi '13, il palato è austero, lo stile classico, il finale molto lungo.

● Sforzato di Valtellina Solstizio '13	♟♟ 8
● Valtellina Sup. Valgella Ris. Pizaméi '13	♟♟ 7
● Valtellina Sup. Valgella Ris. Quigna '13	♟♟ 7

Barboglio De Gaioncelli

FRAZ. COLOMBARO
VIA NAZARIO SAURO
25040 CORTE FRANCA [BS]
TEL. 0309826831
www.barbogliodegaioncelli.it

La famiglia Costa gestisce con passione questa storica maison che risale al 1875 e propone una linea di Franciacorta di livello. Quest'anno vi segnaliamo un Satèn '15 di eccellente livello, croccante, morbido e teso, ed un Pinot Nero Guido Costa '15 dagli eleganti toni varietali.

○ Franciacorta Satèn '15	♟♟ 5
● Pinot Nero Guido Costa '15	♟♟ 5
○ Franciacorta Extra Dry 1875	♟ 4

Bèlon du Bèlon

VIA RAMPANETO, 10/12
25030 ERBUSCO [BS]
TEL. 3351433774
www.franciacortabelon.it

Paolo Perin realizza una piccola ma pregevole gamma di Franciacorta da vigneti in conduzione diretta. Spicca quest'anno il Riserva del Fondatore '09, complesso e di bella armonia, cui si affianca un delizioso Rosé dai toni di piccoli frutti.

⊙ Franciacorta Brut Rosé	♟♟ 6
○ Franciacorta Pas Dosè Vintage 120 Mesi Riserva del Fondatore '09	♟♟ 8

Cantina Sociale Bergamasca

VIA BERGAMO, 10
24060 SAN PAOLO D'ARGON [BG]
TEL. 035951098
www.cantinabergamasca.it

Detto che il Brut Colleoni '14 si conferma un prodotto eccellente, un altro Metodo Classico si fa notare quest'anno: il Sottosopra, da uve chardonnay, pinot nero e pinot bianco, ha la nitidezza minerale dei ruscelli di montagna, aciita dai sentori di aghi di pino e di eucalipto.

○ Sottosopra Brut Cl.	♟♟ 3
○ Terre del Colleoni Incrocio Manzoni 6013 '19	♟♟ 5
⊙ Schiava '19	♟ 3

Bertagna

LOC. BANDE
S.DA MADONNA DELLA PORTA, 14
46040 CAVRIANA [MN]
TEL. 037682211
www.cantinabertagna.it

Rosso del Barone '18, un blend di cabernet sauvignon e cabernet franc profumato di fienagione, corteccia, sottobosco, sapido e concreto al palato. Montevolpe Bianco '19, chardonnay in purezza, ha nette nuance tropicali di frutti gialli e buon nerbo.

● Rosso del Barone '18	♟♟ 3
○ Montevolpe Bianco '19	♟ 3
● Rosso del Chino '17	♟ 3

Bonfadini

FRAZ. CLUSANE
VIA L. DI BERNARDO, 87
25049 ISEO [BS]
TEL. 0309826721
www.bonfadini.it

Francesca Bonfadini ha dato un notevole impulso qualitativo all'azienda fondata dal nonno Giovanni nel 1956. Il Satèn Carpe Diem è tra i migliori assaggiati, sapido e suadente, il Rosé Opera è teso nei toni di piccoli frutti, il Nature Victus '16 è profondo e cremoso.

⊙ Franciacorta Brut Opera Rosé '16	♟♟ 5
○ Franciacorta Nature Veritas	♟♟ 6
○ Franciacorta Nature Victus '16	♟♟ 8
○ Franciacorta Satèn Carpe Diem '16	♟♟ 5

Bosco Longhino

FRAZ. MOLINO MARCONI
27047 SANTA MARIA DELLA VERSA [PV]
TEL. 0385798049
www.boscolonghino.it

Campo dei Fitti '19 è un Pinot Grigio molto varietale, profumato di pera, pesca e fiori di caprifoglio, vivo e nitido, ben fatto e scorrevole. Preciso, non troppo dolce, il Sangue di Giuda '19. Casto '16 è un Metodo Classico dai toni evoluti.

○ Campo dei Fitti Pinot Grigio '19	♟♟ 3
● Sangue di Giuda '19	♟♟ 2*
● OP Bonarda Frizzante '19	♟ 2
○ OP Pinot Nero Pas Dosé Casto M. Cl. '16	♟ 3

Bricco dei Roncotti

FRAZ. VIGALONE, 132
27044 CANNETO PAVESE [PV]
TEL. 3663025432
www.briccodeironcotti.it

Vini decisamente fuori dagli schemi, quelli di William Colombo. Mistero è un rosso da uve sangiovese e cabernet sauvignon fruttato e sapido; Roncotto '16 è un rosso da sei varietà di uva, speziato il giusto e vivo in bocca.

● Mistero '17	♟♟ 3
● Nido della Tempesta Frizzante '19	♟♟ 2*
● Roncotto '16	♟♟ 4

Bulgarini

LOC. VAIBÒ, 1
25010 POZZOLENGO [BS]
TEL. 030918224
www.vini-bulgarini.com

Fausto e Virginia Bulgarini coltivano 50 ettari di belle vigne a Pozzolengo, e realizzano una ricca gamma di Lugana e di vini della Valtènesi. Il Lugana Ca' Vaibò '17 ha bella materia, frutto e complessità, il Lugana '19 è sapido e scattante. Polposo e fitto il 010 '19.

○ Lugana '19	♟♟ 2*
○ Lugana 010 '19	♟♟ 3
○ Lugana Sup. Cà Vaibò '17	♟♟ 2*
⊙ Riviera del Garda Cl. Chiaretto '19	♟ 2

Patrizia Cadore

LOC. CAMPAGNA BIANCA
25010 POZZOLENGO [BS]
TEL. 0309918138
www.vinicadore.eu

Ottima la batteria di vini proposta quest'anno: il Lugana '19 è fresco sapido e appagante, mentre ha toni di frutto stramaturo e un bell'equilibrio il Campagna Bianca '19. Giocato sulla croccantezza del frutto e sulla mineralità il San Martino 50° Anniversario '17.

○ Lugana '19	♟♟ 3
○ Lugana Campagna Bianca '19	♟♟ 4
○ San Martino della Battaglia 50° Anniversario '17	♟♟ 4

Andrea Calvi

FRAZ. VIGALONE, 13
27044 CANNETO PAVESE [PV]
TEL. 038560034
www.andreacalvi.it

Lo Spumante Metodo Classico di Andrea Calvi ha netti profumi di erbe aromatiche; in bocca è pastoso, ricco, morbido. La Bonarda Frizzante '19 ha sostanza, frutto integro e piacevole uscita balsamica.

● OP Bonarda Frizzante '19	♟♟ 2*
○ OP Pinot Nero M. Cl. Brut	♟♟ 4

Davide Calvi

FRAZ. PALAZZINA, 24
27040 CASTANA [PV]
TEL. 038582136
www.vinicalvi.it

Ci aspettiamo qualcosa di più da Davide Calvi, giovane vigneron appassionato di Borgogna. Siamo convinti che, con passione e dedizione, possa dare ai suoi vini ancora più carattere e pulizia costanza qualitativa. Molto ricco, estrattivo ed energico il Buttafuoco Vigna Montarzolo '16.

● OP Buttafuoco V. Montarzolo '16	♟♟ 4
● OP Bonarda '19	♟ 2
● OP Pinot Nero Marion '16	♟ 3

Camillucci

VIA DELLE SELVE, 1
25038 PADERNO FRANCIACORTA [BS]
TEL. 0307702739
www.camillucci.it

Stefano Camillucci ha dato nuovo impulso all'azienda di famiglia. Quest'anno segnaliamo un eccellente Riserva St. '06 dai bei toni di frutto, profondo e minerale, e un Extra Brut Anthologie '14 dai bei toni di pesca, complesso e ricco.

○ Franciacorta Brut Ammonites	♟♟ 5
○ Franciacorta Brut Nature St.06 Ris. '06	♟♟ 8
○ Franciacorta Extra Brut Anthologie Blanc '14	♟♟ 6

Camossi

VIA METELLI, 5
25030 ERBUSCO [BS]
TEL. 0307268022
www.camossi.it

Dario e Claudio Camossi dal 1996 vinificano le uve dei loro 24 ettari di vigne, ed oggi effettuano la presa di spuma con il mosto delle stesse uve. Segnaliamo la Riserva CR 142 '07 dal bel carattere evoluto, ricco di frutto e dalla viva spina acida.

○ Franciacorta Dosaggio Zero CR 142 Ris. '07	♟♟ 8
○ Franciacorta Extra Brut Pietro Camossi Ris. '10	♟♟ 8

Le Cantorìe

VIA CASTELLO DI CASAGLIO, 24/25
25064 GUSSAGO [BS]
TEL. 0302523723
www.lecantorie.it

Emiliano e Maria Bontempi con i figli Elisabetta, Erika e Gianluca hanno ingrandito le vigne di famiglia e costruito una nuova e moderna cantina. In attesa di nuove annate di Riserva da valutare vi consigliamo l'ottimo Satèn, di bella distensione, sapido e cremoso, ricco di toni di frutto e freschezza.

⊙ Franciacorta Rosé Rosi delle Margherite	♟♟ 4
○ Franciacorta Satèn Armonia	♟♟ 5
● Cellatica Rosso Giulia '17	♟ 3

Cantrina

VIA COLOMBERA, 7
25081 BEDIZZOLE [BS]
TEL. 3356362137
www.cantrina.it

Cantrina è un lembo di terra morenica sulle ultime colline della Valtènesi, nel comune di Bedizzole. L'azienda di Cristina Inganni e Diego Lavo coltiva otto ettari di vigne, e laloro produzione è di ottimo livello. Da segnalare quest'anno il Rinè, elegante blend a base riesling, fruttato e minerale.

○ Riné '18	♟♟ 3
⊙ Rosanoire '19	♟♟ 2*
⊙ Valtènesi Chiaretto '19	♟ 3
● Zerdì '17	♟ 3

Cascina Gnocco

FRAZ. LOSANA, 45
27040 MORNICO LOSANA [PV]
TEL. 038383499
www.cascinagnocco.it

Nino Cuneo e il figlio Fabio lavorano con straordinaria passione la mornasca, ossia l'uva di Mornico, varietà autoctona recentemente riscoperta. L'Orione '16 sa di prugna e mirtillo, e migliorerà ulteriormente con il tempo.

● Orione '16	♟♟ 4

Cascina Piano

LOC. ANGERA
VIA VALCASTELLANA, 33
21021 ANGERA [VA]
TEL. 0331930928
www.cascinapiano.it

Franco Berrini è antesignano della IGT Ronchi Varesini, alla riscoperta dei vigneti sulle sponde lombarde del Lago Maggiore, tra Ranco e Angera. Il suo Mott Carè è un buon passito da malvasia attaccata dalla botrytis cinerea, mentre Sebuino '18 è un rosso di nerbo e sostanza.

○ Mott Carè	♟♟ 4
● Sebuino '18	♟ 3

Castello di Luzzano

LOC. LUZZANO, 5
27040 ROVESCALA [PV]
TEL. 0523863277
www.castelloluzzano.com

Mesy '16 è un nuovo vino rosso da uve syrah (80%) e merlot. Invecchia due anni in botti di rovere e ha profumi di spezie, con un palato pieno e robusto. Molto alcolica, con sentori di sottobosco e castagna, la Bonarda Frizzante Sommossa '19.

● Mesy '16	♟ 6
● OP Bonarda Frizzante Sommossa '19	♟ 2

Castelveder

VIA BELVEDERE, 4
25040 MONTICELLI BRUSATI [BS]
TEL. 030652308
www.castelveder.it

La Castelveder vanta 12 ettari di vigne e una bella cantina a Monticelli Brusati. Camilla Alberti quest'anno ci propone un elegante Brut, sottile e profondo, dai bei toni floreali al naso e di cremosa polposità, e un Rosé snello e fragrante, dalle nuance delicatamente mentolate.

○ Franciacorta Brut	♟♟ 4
⊙ Franciacorta Brut Rosé	♟♟ 5
○ Franciacorta Extra Brut	♟♟ 5
○ Franciacorta Satèn	♟ 5

Le Chiusure

FRAZ. PORTESE
VIA BOSCHETTE, 2
25010 SAN FELICE DEL BENACO [BS]
TEL. 0365626243
www.lechiusure.net

Alessandro e Paola Luzzago gestiscono la bella cascina di famiglia con agriturismo e i sei ettari circostanti destinati a vigneto ed uliveto. La crescita qualitativa dell'azienda si misura dai due ottimi Chiaretto proposti quest'anno: lo speziato Roseti '18 e il fruttato '19.

⊙ Valtènesi Riviera del Garda Chiaretto Roseti '18	♟♟ 4
⊙ Valtènesi Riviera del Garda Cl. Chiaretto '19	♟♟ 3

Il Cipresso

FRAZ. TRIBULINA
VIA CERRI, 2
24020 SCANZOROSCIATE [BG]
TEL. 0354597005
www.ilcipresso.info

Tanta frutta candita per il Moscato di Scanzo Serafino '16, non esplosivo e sostanzioso come in altre annate. Un plauso invece per la Riserva San Bartolomeo '13, un bel Rosso evoluto, complesso, elegante, maturo nel frutto. Fragrante, fresco, scorrevole il Valcalepio Bianco Melardo '19.

○ Valcalepio Bianco Melardo '19	♟♟ 2*
● Valcalepio Rosso Bartolomeo Ris. '13	♟♟ 4
● Moscato di Scanzo Serafino '16	♟ 6
● Valcalepio Rosso Dionisio '17	♟ 3

Citari

FRAZ. SAN MARTINO DELLA BATTAGLIA
LOC. CITARI, 2
25015 DESENZANO DEL GARDA [BS]
TEL. 0309910310
www.citari.it

Fondata nel 1975 l'azienda è condotta oggi da Francesco e Maria Giovanna Mascini. Si tratta di 25 ettari, di cui 21 vitati, a cavallo delle denominazioni Lugana e San Martino. Sempre validissimi i Lugana: difficile quest'anno scegliere tra il Conchiglia e il Sorgente '19.

○ Lugana Conchiglia '19	♟♟ 4
○ Lugana Sorgente '19	♟♟ 3
○ San Martino della Battaglia Il Vecchio Vigneto '18	♟ 3

Battista Cola

VIA INDIPENDENZA, 3
25030 ADRO [BS]
TEL. 0307356195
www.colabattista.it

L'azienda di Stefano Cola conta su dieci
ettari di bei vigneti sul Monte Alto di Adro.
Sapido, di bella profondità, elegante il
Brut '15, mentre leggero e cristallino nei
toni agrumati abbiamo trovato l'Extra Brut,
che vanta anche un'effervescenza cremosa
e calibrata.

○ Franciacorta Brut '15	🍷🍷 5
○ Franciacorta Extra Brut	🍷🍷 4
○ Curtefranca Bianco '19	🍷 2
● Curtefranca Rosso '18	🍷 2

Colline della Stella - Arici

VIA FORCELLA, 70
25064 GUSSAGO [BS]
TEL. 3478039339
www.collinedellastella.com

Salutiamo l'ingresso in Guida dell'azienda di
Andrea Arici, che ha fatto un paziente lavoro
di recupero di vecchi terrazzamenti a
Gussago, nell'estremo est della
denominazione, e propone una eccellente
serie di cuvée a dosaggio zero. Da provare il
Riserva Francesco Arici '11, davvero buono.

○ Franciacorta Dosaggio Zero Francesco Arici Ris. '11	🍷🍷 6
○ Franciacorta Dosaggio Zero '15	🍷🍷 5
○ Franciacorta Dosaggio Zero Uno '15	🍷🍷 5

Cordero San Giorgio

LOC. CASTELLO, 1
27046 SANTA GIULETTA [PV]
TEL. 0383899168
www.poderesangiorgio.it

Comincia con il piede giusto l'avventura
della famiglia Cordero in Oltrepò Pavese. In
attesa di assaggiare le riserve, abbiamo
apprezzato un ottimo Pinot Nero del 2019,
elegante, sfumato e molto bene articolati,
insieme a un Pinot Grigio particolarmente
succoso, fragrante e saporito.

● OP Pinot Nero TiaMat '19	🍷🍷 3*
○ OP Pinot Grigio Katari '19	🍷🍷 3
○ Ramé '19	🍷🍷 3
◉ Piasa Rosato '19	🍷 2

Tenuta La Costa

FRAZ. COSTA, 68
27040 CASTANA [PV]
TEL. 0385241527
www.tenutalacosta.com

Tre le generazioni della famiglia Calvi che si
sono succedute alla guida dell'azienda di
famiglia. Tra i vini presentati, ci hanno
colpito due Metodo Classico di lungo
affinamento sui lieviti. In particolare, l'Extra
Brut '10 stupisce per la grinta e la
freschezza.

○ OP Pinot Nero Extra Brut M. Cl. '10	🍷🍷 4
◉ OP Pinot Nero Rosé Brut M. Cl. '12	🍷 5

La Costaiola

FRAZ. COSTAIOLA
VIA COSTAIOLA, 25
27054 MONTEBELLO DELLA BATTAGLIA [PV]
TEL. 038383169
www.lacostaiola.it

Il marchio storico delle famiglie Rossetti e
Scrivani produce vini del territorio di buona
fattura, tra cui una serie di Metodo Classico
di breve permanenza sui lieviti (da cui il
nome Nové) che si distingue per l'integrità
del frutto.

● Briccaia '18	🍷🍷 3
◉ Nové Brut Rosé M. Cl.	🍷🍷 3
○ Nové Brut M. Cl.	🍷 3
● Pinot Nero '19	🍷 3

De Toma

VIA BATTISTI, 7
24020 SCANZOROSCIATE [BG]
TEL. 035657329

De Toma produce uno dei migliori Moscato
di Scanzo sul mercato. Anche il 2017 si
conferma con un ampio ventaglio aromatico
di frutti di bosco, spezie, incenso, gomma
arabica, corposo e ben sorretto dall'acidità.
Il Cardinale '17 è un interessante blend di
merlot, cabernet e moscato di Scanzo.

● Moscato di Scanzo '17	🍷🍷 7
● Cardinale '17	🍷🍷 5

Due Pini

LOC. PICEDO
VIA NOVAGLIO, 16
25080 POLPENAZZE DEL GARDA [BS]
TEL. 0365675123
www.viniduepini.it

La famiglia Coccoli conduce con perizia e passione le sue vigne circondate da boschi impiantate su terreni morenici in prossimità del Lago di Garda. C'è piaciuto il Riesling Emanuela '19, dalla fresca sapidità e dalle note agrumate di pompelmo; Il Samantha '16 è ricco e maturo.

○ Garda Riesling Emanuela '19	♥♥ 3
● Riviera del Garda Cl. Sup. Rosso Samantha '16	♥♥ 3
☉ Valtènesi Chiaretto Grazie '19	♥ 3

Lorenzo Faccoli

VIA CAVA, 7
25030 COCCAGLIO [BS]
TEL. 0307722761
www.faccolifranciacorta.it

La Faccoli, griffe storica della Franciacorta elabora eleganti cuvée dalle uve delle vigne di proprietà. Segnaliamo quest'anno un elegante Extra Brut dal colore brillante e dal fine perlage, ricco di note di frutto bianco e un morbido Rosé giocato sui toni della ciliegia croccante e della pasticceria.

○ Franciacorta Brut Rosé	♥♥ 5
○ Franciacorta Extra Brut	♥♥ 5

Fejoia

VIA MEDOLAGO, 40
24020 SCANZOROSCIATE [BG]
TEL. 035668363
www.fejoia.it

Per la prima volta, questa piccola realtà a conduzione famigliare ci propone un Moscato di Scanzo '11 dal lungo affinamento, che tuttavia non gli ha fatto perdere di freschezza: uno stile giocato sulla fragranza del frutto, con spezie e cedro candito a fare da sottofondo.

● Moscato di Scanzo '11	♥♥ 7

Il Feudo Nico

VIA SAN ROCCO, 63
27040 MORNICO LOSANA [PV]
TEL. 0383892452

Prestazione interlocutoria per la famiglia Madama, che oltre a produrre vino gestisce uno dei più apprezzati agriturismi della zona. Il nuovo Pinot Grigio Schiavighetto '19 è varietale, mentre il Metodo Classico Maria Antonietta Pas Dosé '15 ha note floreali.

○ Maria Antonietta Pas Dosé M. Cl. '15	♥ 5
○ OP Pinot Grigio Schiavighetto '19	♥ 2

La Fiòca

FRAZ. NIGOLINE
VIA VILLA, 13B
25040 CORTE FRANCA [BS]
TEL. 0309826313
www.lafioca.com

Sergio Gatti con il figlio Massimiliano dalle vigne di proprietà in bella posizione collinare a Nigoline trae materia prima che trasforma con grande attenzione. Si distingue quest'anno il Dosaggio Zero Nudo, elaborato senza solfiti col metodo ancestrale, dai toni biscottati e di piccoli frutti.

○ Franciacorta Dosaggio Zero Nudo	♥♥ 7
○ Franciacorta Extra Brut Ris. '10	♥♥ 6
○ Franciacorta Satèn	♥♥ 5
● Rosso del Diavolo Allegro	♥ 5

La Fiorita

VIA MAGLIO, 10
25020 OME [BS]
TEL. 030652279
www.lafioritafranciacorta.com

La famiglia Bono vanta sette ettari di vigneto e offre una ricezione a tutto tondo tra ristorante e agriturismo. La gamma dei Franciacorta è di ottima fattura, dove si distinguono quest'anno un Dosaggio Zero dai bei toni di lavanda e di bella sapidità, ed un Satèn di notevole fragranza ed armonia.

○ Franciacorta Brut	♥♥ 4
○ Franciacorta Dosage Zéro Calicanto '15	♥♥ 5
○ Franciacorta Dosaggio Zero	♥♥ 4
○ Franciacorta Satèn	♥♥ 5

Le Fracce

FRAZ. MAIRANO
VIA CASTEL DEL LUPO, 5
27045 CASTEGGIO [PV]
TEL. 038382526
www.lefracce.com

A ogni edizione della Guida, da questa
storica e splendida tenuta esce qualche
vino di pregio. Quest'anno abbiamo
particolarmente apprezzato due rossi:
Garboso '18, una Barbera nitida e piena, e
il Cirgà '15, un Rosso morbido e speziato.

● OP Barbera Garboso '18	♥♥ 3
○ OP Pinot Grigio Levriere '19	♥♥ 3
● OP Rosso Cirgà '15	♥♥ 3
⊙ Bussolera Grand Rosé Brut	♥ 5

I Gessi

FRAZ. CASCINA FOSSA, 8
27050 OLIVA GESSI [PV]
TEL. 0383896606
www.cantineigessi.it

40 ettari vitati con agriturismo: in due
parole, l'azienda che Fabbio Defilippi
conduce con l'ausilio dell'esperto fratello
enologo Emilio. Nell'interessante
produzione spumantistica, emerge il Maria
Cristina bianco, ampio e succoso,
profumato di erbette.

● Barbera '16	♥♥ 3
○ Maria Cristina Brut M. Cl.	♥♥ 3
⊙ Maria Cristina Rosé Brut M. Cl.	♥ 3

Giorgio Gianatti

VIA DEI PORTICI, 82
23020 MONTAGNA IN VALTELLINA [SO]
TEL. 0342380033
gianatti.giorgio@alice.it

Intenso, con note di tabacco, erbe secche e
fondo di lampone, il Grumello '15. La bocca
è armonica, i tannini eleganti, con bel
carattere classico e finale persistente. Il
Rosso di Valtellina '16 è fruttato, con note
di liquirizia. Al palato è fine, setoso, con
polpa fresca.

● Valtellina Rosso '16	♥♥ 4
● Valtellina Sup. Grumello '15	♥♥ 3

Giubertoni

FRAZ. SAN NICOLÒ PO
VIA PAPA GIOVANNI XXIII
46031 BAGNOLO SAN VITO [MN]
TEL. 0376252762
www.cantinegiubertoni.it

Dalle Cantine Giubertoni dei Lambruschi
Mantovani vecchio stile, rustici e solidi. Il
Vecchio Ponte '19 ha un bel frutto integro
di ciliegia, lampone e ribes, con una nota
vegetale. Il G Rosso '19, dal canto suo, è
molto floreale, sapido, integro, con un
buono svolgimento in bocca.

● Il Vecchio Ponte '19	♥♥ 2*
● Lambrusco Mantovano G Rosso '19	♥♥ 2*
● Il Bel Angelin '19	♥ 2

Giuseppe Guglielmini

VIA DEL NERONE, 9
27010 MIRADOLO TERME [PV]
TEL. 038277183
az.guglielmini@libero.it

Giuseppe Guglielmini, erede di una famiglia
che coltiva uva sulla collina di San
Colombano da 150 anni, propone La
Bertona '16, un buon taglio bordolese con
le componenti varietali e speziate in primo
piano. Il San Colombano Rosso '18 è
fragrante di frutti rossi maturi.

● La Bertona '16	♥♥ 3
● San Colombano '18	♥♥ 2*
○ San Colombano Bianco '19	♥ 2

Tenuta La Vigna

CASCINA LA VIGNA
25020 CAPRIANO DEL COLLE [BS]
TEL. 0309748061
www.tenutalavigna.it

Cent'anni di storia famigliare dei Botti sul
Monte Netto, con Ugo che si intesta un
Nature Metodo Classico dorato, evoluto,
profumato di agrumi, erbe e crosta di pane,
mentre il Brut dedicato alla figlia Anna è
affilato, fine, dalla bella bollicina cremosa,
con le erbe aromatiche che ritornano.

○ Brut M. Cl. Anna Botti	♥♥ 4
○ Brut M. Cl. Nature Ugo Botti	♥♥ 5
● Capriano del Colle Montebruciato Ris. '16	♥ 5
● Capriano del Colle Rosso Rubinera '18	♥ 3

Lebovitz

FRAZ. GOVERNOLO
V.LE RIMEMBRANZE, 4
46037 RONCOFERRARO [MN]
TEL. 0376668115
www.lebovitz.it

Divertenti i nomi dei Lambruschi di Lebovitz, ma soprattutto c'è sostanza. Al Scagarun '19 ha un primo impatto floreale, poi si apre verso ciliegia e lampone offrendo un sorso netto e appagante. Il Rosso dei Concari '19 è più rustico ma come piacevolezza di beva è sullo stesso piano.

● Al Scagarün '19	🍷🍷 1*
● Lambrusco Mantovano Rosso dei Concari '19	🍷🍷 2*
● Sedamat '19	🍷🍷 1*

Francesco Maggi

FRAZ. COSTIOLO, 87
27044 CANNETO PAVESE [PV]
TEL. 038560233
www.maggifrancesco.it

L'azienda di Francesco Maggi e del figlio Marco opera sul cosiddetto Sperone di Stradella, dove sono i vini rossi potenti a rendere al meglio. Così è il Buttafuoco Abbondanza '16, ricco di frutto e ben bilanciato.

● OP Buttafuoco Abbondanza '19	🍷🍷 3
● OP Buttafuoco Storico V. Costera '16	🍷 3
● OP Riesling Essenza '19	🍷 2

Malavasi

LOC. CASINA SACCO, 1
FRAZ. SAN GIACOMO
25010 POZZOLENGO [BS]
TEL. 0309918759
www.malavasivini.it

Daniele Malavasi conduce personalmente quest'azienda familiare giunta alla quarta generazione che vinifica le uve dei 10 ettari di proprietà in Pozzolengo. Notevole il Mulinero '16, Petit Verdot di struttura, dalle belle nuance vegetali e speziate. Ottimo il Chiaretto '19.

⊙ Garda Bresciano Chiaretto Rosa del Lago '19	🍷🍷 3
● Mulinero '16	🍷🍷 6
○ Lugana Camilla '19	🍷 3

Locatelli Caffi

VIA A. MORO, 6
24060 CHIUDUNO [BG]
TEL. 035838308
www.locatellicaffi.it

Il Claudun '16 è un bel Metodo Classico fragrante, minerale, iodato, con ricordi di salsedine, beva snella e aggraziata. Spavaldo nella sua espressione da taglio bordolese I Cardinài '15, fieno maturo, frutto rosso e peperone. Frutti tropicali e bevibilità per il Valcalepio Bianco '19.

● I Cardinài '15	🍷🍷 4
○ TdC Claudun Brut M. Cl. '16	🍷🍷 3
○ Valcalepio Bianco '19	🍷 2

Majolini

LOC. VALLE
VIA A. MANZONI, 3
25050 OME [BS]
TEL. 0306527378
www.majolini.it

I Maiolini sono una antica famiglia di Ome: imprenditori di successo, hanno profonde radici agricole, che risalgono al XV secolo, in terra di Franciacorta. Il parco vigneti ammonta a 24 ettari, in belle posizioni, in parte terrazzate, nel comprensorio di Ome. Assai valido il Brut da Pinot Nero.

○ Franciacorta Brut Blanc de Noir	🍷🍷 5
○ Franciacorta Pas Dosé Aligi Sassu '15	🍷🍷 5
○ Franciacorta Extra Brut Disobbedisco	🍷 5

Mantì

VIA ISEO 76
25030 ERBUSCO [BS]
TEL. 0306813398
info@manti.wine

La Mantì di Erbusco propone etichette dal taglio curato che si sono ben presentate ai nostri assaggi. Vi segnaliamo un valido Brut, dal carattere pieno e maturo, ricco di polpa fruttata, sapido ed elegante. Fresco, nervoso e dai bei toni agrumati l'Extra Brut, dal carattere rilassato e morbido il Satèn.

○ Franciacorta Brut	🍷🍷 5
○ Franciacorta Extra Brut	🍷🍷 5
○ Franciacorta Satèn	🍷🍷 5

Marangona

loc. Marangona 1
25010 Pozzolengo [BS]
Tel. 030919379
www.marangona.com

La Marangona vanta 30 ettari di vigne di età ragguardevole (alcune anche di 50 anni). Alessandro Cutolo ha convertito la maison al regime biologico e realizza una serie di vini dal taglio curato e naturale. Impeccabili anche quest'anno i suoi Lugana.

○ Lugana '19	🍷🍷 2*
○ Lugana Tre Campane '18	🍷🍷 3

Marsadri

loc. Raffa di Puegnago
via Nazionale, 26
25080 Puegnago sul Garda [BS]
Tel. 0365651005
www.cantinamarsadri.it

La famiglia Marsadri dal 1879 realizza vini di Lugana e del Garda dalle vigne di proprietà. Bella struttura ed equilibrio per il Rosso del Pioppo '18, buona freschezza e bei toni di suina e pesca bianca per il Lugana Brolo '19. Fresco scorrevole e speziato il Groppello '18.

○ Lugana Brolo '19	🍷🍷 3
● Riviera del Garda Cl. Rosso Del Pioppo Sup. '18	🍷🍷 4
● Riviera del Garda Groppello Brolo '18	🍷 3

Martilde

fraz. Croce, 4a
27040 Rovescala [PV]
Tel. 0385756280
www.martilde.it

La piccola azienda a gestione famigliare di Antonella Tacci e del marito Raimondo Lombardi è solita presentare vini singolari, originali, fuori dagli schemi: come questa Barbera '13, lungamente invecchiata ma ancora fresca e ben evoluta.

● La Strega, la Gazza e il Pioppo Barbera '13	🍷🍷 4
○ Dedica Malvasia '19	🍷 2
● Nina Pinot Nero '18	🍷 2

Medolago Albani

via Redona, 12
24069 Trescore Balneario [BG]
Tel. 035942022
www.medolagoalbani.it

In evidenza quest'anno i due Metodo Classico di Medolago Albani: il giovane Brut '18 è fresco, etereo, netto, iodato e salmastro, secco, grintoso, di bella personalità. Il Rosé '17 è elegante, con tenui e nitidi profumi di piccoli frutti rossi, bolla cremosa e finale preciso.

○ Brut M. Cl. '18	🍷🍷 3
⊙ Brut Rosè M. Cl. '17	🍷🍷 3
● Valcalepio Rosso I Due Lauri Ris. '16	🍷 4
● Villa Redona Cabernet '17	🍷 3

Il Molino di Rovescala

loc. Molino, 2
27040 Rovescala [PV]
Tel. 339 4739924
www.ilmolinodirovescala.it/

I fratelli Daniele e Alberto Passerini gestiscono questa piccola azienda a conduzione famigliare creando vini accomunati da residui zuccherini piuttosto marcati. Così è il Riesling Felice '19, Renano molto varietale, lungo e profumato, ben sostenuto dal nerbo.

○ Felice Riesling '19	🍷🍷 3
○ Madone Malvasia '19	🍷 3
● OP Bonarda Povromme '18	🍷 3

Monte Alto

Via Luigi di Bernardo, 98
25049 Iseo [BS]
Tel. 3478693294

Alberto Tribbia nei suoi tre ettari di vigne sul Monte Alto coltiva principalmente pinot nero ed uve rosse che trasforma in ottimi vini e Franciacorta. Nei nostri assaggi spiccano un Extra Brut dai riflessi ramati, ricco di toni di frutti rossi e lieviti, sapido e profondo, e un Brut PR elegante e armonico.

○ Franciacorta Brut PR	🍷🍷 5
○ Franciacorta Extra Brut	🍷🍷 5

Monte Cicogna

VIA DELLE VIGNE, 6
25080 MONIGA DEL GARDA [BS]
TEL. 0365503200
www.montecicogna.it

Da oltre cent'anni la famiglia Materossi
coltiva con passione le sue vigne e produce
i vini tipici del Garda. Abbiamo molto
apprezzato il Lugana Imperiale '19, fresco,
polposo e ricco, e il Chiaretto Siclì '19, dal
bel colore brillante, sapido e fruttato dalle
nitide note di pompelmo rosa.

○ Lugana Imperiale '19	♥♥ 2*
⊙ Riviera del Garda Cl. Chiaretto Siclì '19	♥♥ 3
○ Lugana S.Caterina '19	♥ 2

Tenuta Monte Delma

VIA VALENZANO, 23
25050 PASSIRANO [BS]
TEL. 0306546161
www.montedelma.it

I Berardi hanno lunga tradizione agricola, e
da qualche anno si dedicano con passione
alla produzione di Franciacorta in quel di
Passirano. Si tratta di una ventina di ettari
di vigne, per una gamma di livello
eccellente e in crescita, come testimonia il
Brut, tra i migliori assaggiati quest'anno.

○ Franciacorta Brut	♥♥ 4
○ Franciacorta Brut Satèn	♥♥ 5
○ Franciacorta Pas Dosé '14	♥♥ 5
⊙ Franciacorta Brut Rosé	♥ 5

Montelio

VIA D. MAZZA, 1
27050 CODEVILLA [PV]
TEL. 0383373090
montelio.gio@alice.it

La nuova gestione tecnica della cantina
delle sorelle Caterina e Giovanna Brazzola,
affidata ai quattro figli, promette novità
stilistiche per una delle realtà storiche
dell'Oltrepò. Intanto, segnaliamo un ottimo
Merlot '17 varietale ed equilibrato.

● Comprino Merlot '17	♥♥ 4
⊙ Il Fiorile Brut Rosé	♥♥ 4
○ OP Riesling Il Nadòt '19	♥ 2

Montonale

LOC. CONTA, 4A
25015 DESENZANO DEL GARDA [BS]
TEL. 0309103358
www.montonale.it

Roberto Girelli, enologo, con i fratelli
Valentino e Claudio conduce con passione
autentica l'azienda di famiglia, specializzata
nel Lugana. Il nostro preferito quest'anno
è il Montunal '19 sapido e polposo,
mentre qualche incertezza pare mostrare
l'Orestilla '18.

○ Lugana Montunal '19	♥♥ 4
○ Lugana Orestilla '18	♥♥ 5
○ Primessenza Brut M. Cl. '17	♥ 5

Riccardi - Nettare dei Santi

VIA CAPRA, 17
20078 SAN COLOMBANO AL LAMBRO [MI]
TEL. 0371200523
www.nettaredeisanti.it

Una novità interessante il Domm Pas
Dosé '14, Metodo Classico dal colore
dorato profumato di pasticceria, crosta di
pane, evoluto in un intrigante stile
ossidativo, dal perlage fine e abbondante.
Segnaliamo il bel frutto pieno e maturo del
Roverone Riserva '17.

○ Domm Pas Dosè M. Cl. '14	♥♥ 6
● San Colombano V. Roverone Ris. '17	♥♥ 3
○ Brut M. Cl. Domm '16	♥ 4
○ Passito di Verdea '18	♥ 3

Oselara

S.DA VICINALE DELLA BAZZOLA, 1
25010 POZZOLENGO [BS]
TEL. 347 229 5623
www.oselara.it

Nata nei primi '90 l'azienda di Massimiliano
Pedassi si trova a Pozzolengo, nel cuore
del terroir del Lugana e si estende su 14
ettari, gran parte dei quali vitati. Abbiamo
molto apprezzato il Terra Dorata '19,
succoso e sapido, tra i migliori, e l'elegante
e morbido Brut.

○ Lugana Terra Dorata '19	♥♥ 3
○ Oselara Brut M. Cl.	♥♥ 3

Panigada - Banino

VIA DELLA VITTORIA, 13
20078 SAN COLOMBANO AL LAMBRO [MI]
TEL. 0371898795
www.banino.it

Niente Vigna La Merla, quest'anno, da
Antonio Panigada; il vino del 2016 necessita
di ulteriore affinamento in bottiglia. Dunque,
eccoci a parlare di un Aureum '17 (malvasia
di Candia in purezza) color ambra,
profumato di scorza d'agrume candita, con
buon nerbo a sostenere la dolcezza.

○ Aureum '17	♀♀ 4
● Banino Rosso Frizzante '19	♀ 2
● San Colombano Banino Tranquillo '17	♀ 2

La Perla

LOC. TRESENDA
VIA VALGELLA, 29B
23036 TEGLIO [SO]
TEL. 3462878894
www.vini-laperla.com

Sfaccettato, con buona tecnica di
appassimento il Quattro Soli '15, con note
di cacao, di pepe e di liquirizia. La bocca è
importante e armonica, il finale molto
lungo. Note floreali di rosa, tabacco e
lamponi per il Riserva Elisa '14.

● Sforzato di Valtellina Quattro Soli '15	♀♀ 7
○ La Perla Extra Brut M. Cl. '17	♀♀ 4
● Valtellina Sup. Elisa Ris. '14	♀♀ 5
● Valtellina Sup. La Mossa '15	♀♀ 5

Pian del Maggio

VIA ISEO,108
25030 ERBUSCO [BS]
TEL. 3355638610
www.piandelmaggio.it

La famiglia Foresti vanta anni di esperienza
nella lavorazione del metodo classico. Nel
2006 Alberto e Anita, con due soci, hanno
preso in affitto una manciata di ettari di
vigne a Gussago. Elegante, fragrante e
profondo nelle nuance agrumate il
Proscenio Brut.

○ Franciacorta Brut Proscenio	♀♀ 4

Piccolo Bacco dei Quaroni

FRAZ. COSTAMONTEFEDELE
27040 MONTÙ BECCARIA [PV]
TEL. 038560521
www.piccolobaccodeiquaroni.it

La piccola azienda gestita dalla famiglia
Cavalli, da tempo convertita al regime
biologico, ha un agriturismo
consigliatissimo. Quanto ai vini, risentono
molto dell'annata. Bonarda '19 e Riesling
Renano '18 sono molto rustici.

● OP Bonarda Vivace Mons Acutus '19	♀ 2
○ OP Riesling Il Pozzo '18	♀ 2

Pilandro

FRAZ. SAN MARTINO DELLA BATTAGLIA
LOC. PILANDRO, 1
25015 DESENZANO DEL GARDA [BS]
TEL. 0309910363
www.pilandro.it

Carlo Lavelli, viticoltore di talento, ha vigne
nel comprensorio del Lugana ma anche nei
Castelli di Jesi. Ottimi giudizi per le sue
etichette di Lugana, con il Terecrea 19 in
pole position, grazie alla bella materia, ad
un profilo sapido e nitido.

○ Lugana '19	♀♀ 2*
○ Lugana Terecrea '19	♀♀ 3

La Piotta

LOC. PIOTTA, 2
27040 MONTALTO PAVESE [PV]
TEL. 0383870178
www.padroggilapiotta.it

Enrico e Luca Padroggi conducono,
assieme ai rispettivi genitori Gabriele e
Mario, l'azienda fondata nel 1985 da nonno
Luigi, anche se la famiglia opera nel settore
da generazioni. Di particolare interesse la
produzione spumantistica.

○ OP Pinot Nero Nature M. Cl. '16	♀♀ 4
○ OP Pinot Nero Brut M. Cl. Talento '16	♀ 4

Priore

FRAZ. CALINO
VIA SALA, 41
25046 CAZZAGO SAN MARTINO [BS]
TEL. 0307254710
www.aziendaagricolapriore.it

Bruno e Alessandro Mingotti sono la terza generazione della famiglia coinvolta in attività agricole. A Calino elaborano una curata gamma di Franciacorta da vigne selezionate in diversi terroir della denominazione. Molto interessante il Brut Lihander'15, sapido e ricco.

○ Franciacorta Brut	▼▼ 5
○ Franciacorta Brut Lihander '15	▼▼ 5
○ Franciacorta Satèn	▼ 5

Cantina Sociale Cooperativa di Quistello

VIA ROMA, 46
46026 QUISTELLO [MN]
TEL. 0376618118
www.cantinasocialequistello.it

Sempre buonissimo il Gran Rosso del Vicariato, Lambrusco rifermentato in bottiglia che anche nell'edizione 2019 offre un bel frutto nero croccante, ampio, gustoso, con una vena vegetale piacevole. Floreale e impenetrabile alla vista il Rossissimo '19.

● Gran Rosso del Vicariato di Quistello '19	▼▼ 2*
● Rossissimo '19	▼▼ 2*
⊙ 80 Vendemmie Rosato '19	▼ 2

Ricchi

FRAZ. RICCHI
VIA FESTONI, 13D
46040 MONZAMBANO [MN]
TEL. 0376800238
www.cantinaricchi.it

Quella della famiglia Stefanoni è un'azienda che ultimamente ha puntato molto sul Metodo Classico, con risultati interessanti. Essenza Zero '14, per esempio, ha colore dorato, profumi di lime, menta, albicocca e buona sostanza. Particolare Aroma 85, Metodo Classico dolce da uve moscato.

○ Aroma 85 M. Cl.	▼▼ 3
○ Essenza Zero Pas Dosé M. Cl. '14	▼▼ 4
○ Espressione 8 Brut M. Cl. '14	▼ 4

Quattro Terre

FRAZ. BORGONATO
VIA RISORGIMENTO, 11
25040 CORTE FRANCA [BS]
TEL. 030984312
www.quattroterre.it

Vincenzo Vezzoli e i nipoti Marco, Matteo e Giorgio hanno rilevato alcuni anni fa un antico casale a Corte Franca, circondato da quattro vecchie vigne per un totale di sei ettari. In crescita costante la qualità dei vini, ne è prova l'ottimo Riserva 940 '11, dal bouquet floreale e dalla bocca polposa.

○ Franciacorta Brut 940 Ris. '11	▼▼ 8
○ Franciacorta Extra Brut Sinequal	▼▼ 6
○ Franciacorta Satèn Luna Mea	▼▼ 5
⊙ Franciacorta Brut Rosé l'Acrobata '16	▼ 6

Tenuta Quvestra

LOC. CASE NUOVE 9
27047 SANTA MARIA DELLA VERSA [PV]
TEL. 3476014109
www.quvestra.it

L'azienda condotta dai giovani Simone Bevilacqua e Miriam Prencisvalle conferma il Symposium come vino più rappresentativo. Si tratta di un Metodo Classico di sostanza e sapidità, profumato di erbe spontanee.

● OP Croatina '15	▼▼ 3
○ OP Pinot Nero Brut Symposium	▼▼ 4
● OP Rosso Sinfonia in Rosso '17	▼ 3

La Rifra

LOC. PILANDRO, 2
25010 DESENZANO DEL GARDA [BS]
TEL. 0309108023
claudiofraccaroli@virgilio.it

I Fraccaroli dai 14 ettari condotti con sistemi naturali ricavano una serie di eleganti Lugana. La sede è in una bella cascina settecentesca a Desenzano. La Riserva Bepi '17 è sempre in testa alle nostre preferenze: nitide note floreali al naso e bella tensione al palato.

○ Lugana Il Bepi Ris. '17	▼▼ 3
○ Lugana Libiam '19	▼▼ 2*
○ Follie Follie Brut	▼ 3
○ Lugana Brut	▼ 2

San Michele

VIA PARROCCHIA, 57
25020 CAPRIANO DEL COLLE [BS]
TEL. 0309444091
www.sanmichelevini.it

Il Carme '18 si conferma come il rosso più interessante dell'azienda. Lampone, mirtillo, ciliegia e peperone per un blend fragrante, polposo, dal sorso pieno e lineare. Tra gli altri vini proposti, segnaliamo il Belvedere, Metodo Classico da uve trebbiano e chardonnay, vitale e cremoso.

● Capriano del Colle Rosso Carme '18	♟♟ 2*
○ Belvedere Brut M. Cl.	♟ 4
○ Capriano del Colle Bianco Netto '19	♟ 2
● Capriano del Colle Marzemino '19	♟ 2

Santa Lucia

VIA VERDI, 6
25030 ERBUSCO [BS]
TEL. 0307769814
www.santaluciafranciacorta.it

Pierluigi Villa è un agronomo notissimo in Franciacorta. Con i figli Gregorio e Michele ha dato vita alla sua azienda che conta su un proprio parco di vigneti, circa 30 ettari. Quest'anno ci propongono un Satèn dagli eleganti toni di pesca bianca, camomilla e pasticceria, e un Brut cremoso e sapido.

○ Franciacorta Brut	♟♟ 5
○ Franciacorta Satèn	♟♟ 5
⊙ Franciacorta Brut Rosé	♟ 5

Santus

VIA BADIA, 68
25060 CELLATICA [BS]
TEL. 0308367074
www.santus.it

Maria Luisa Santus e Gianfranco Pagano, agronomi, elaborano validi vini dai loro 10 ettari di vigne a Rovato. Il Brut '15 coniuga elegantemente complessità freschezza e nitidi toni di frutto. Il Rosé Zero '15 è sottile terso e invitante nei suoi toni di frutti rossi.

⊙ Franciacorta Brut '15	♟♟ 5
⊙ Franciacorta Rosé Zero '15	♟♟ 5
○ Franciacorta Dosaggio Zero '15	♟ 5

Tenuta Scerscé

VIA STELVIO, 18
23037 TIRANO [SO]
TEL. 3461542970
www.tenutascersce.it

Frutti rossi, ciliegia matura e spezie per l'Infinito '17. Raffinato e complesso, la bocca ha polpa e tannini molto fini. Intenso e fine l'Essenza '17, è caldo e avvolgente, il finale è lungo. Delizioso, con fresca polpa, il Nettare '18.

● Valtellina Sforzato Infinito '17	♟♟ 6
● Rosso di Valtellina Nettare '18	♟♟ 3
● Valtellina Sup. Essenza '17	♟♟ 5

Scolari

LOC. PUEGNANO SUL GARDA
FRAZ. RAFFA
VIA NAZIONALE, 38
25080 BRESCIA
TEL. 0365651002
www.cantinescolari.it

Un marchio storico rivitalizzato dalla fusione di due aziende del territorio che l'hanno dotata di una modernissima cantina e ridisegnato la gamma. Abbiamo molto apprezzato la freschezza e il fruttato del Chiaretto Bellerica '19, i toni di susina e pesca bianca dei Lugana '19.

○ Lugana '19	♟♟ 2*
○ Lugana et Azzurra '19	♟♟ 3
⊙ Valtènesi Chiaretto Bellerica '19	♟♟ 3

Sullali

VIA COSTA DI SOPRA, 22
25030 ERBUSCO [BS]
TEL. 3930206080
info@sullali.com

I figli di Giuseppe Vezzoli, Jessica e Dario, hanno dato vita ad una loro azienda dal taglio innovativo, dedita alla sperimentazione del metodo ancestrale. Spicca nei nostri assaggi l'Extra Brut Blanc de Noirs, sapido, ricco di frutto e mineralità, tra i migliori della tipologia.

○ Franciacorta Extra Brut Blanc de Noirs	♟♟ 5
○ Franciacorta Brut	♟ 4
○ Franciacorta Extra Brut Blanc de Blancs	♟ 5

Tenute del Garda

VIA BURAGO, 1
25080 CALVAGESE DELLA RIVIERA [BS]
TEL. 0309919000
www.tenutedelgarda.it

L'azienda è una joint-venture tra le famiglie
Lorenzi e Stagnoli che vinificano le uve di
vari poderi in Valtènesi, tra Lonato,
Polpenazze e Calvagese, dov'è il centro
aziendale. Il Riesling '17 è sapido, lungo,
varietale e ben evoluto, il Chiaretto '19
delicatamente fruttato.

○ Garda Riesling '17	♟♟ 2*
⊙ Valtènesi Chiaretto '19	♟♟ 3

Benedetto Tognazzi

FRAZ. CAIONVICO
VIA SANT'ORSOLA, 161
25135 BRESCIA
TEL. 0302692695
www.tognazzivini.it

La famiglia Tognazzi segue due cantine,
quella storica a Botticino e quella più
recente sul Garda. Il Cobio è il vino più
importante dell'azienda: questo '17,
invecchiato 24 mesi in botti di rovere da 15
ettolitri, sa di frutti di bosco e spezie, è vivo,
solido, comunicativo.

● Botticino Cobio '17	♟♟ 5
○ Lugana Cascina Ardea '19	♟♟ 2*
● Botticino Uve di Mattina '17	♟ 3

La Travaglina

FRAZ. CASTELLO
VIA TRAVAGLINA, 1
27046 SANTA GIULETTA [PV]
TEL. 0383899195
www.latravaglina.it

Angelo Dacarro fondò questa bella realtà
nel 1967. Ora siamo arrivati alla terza
generazione, rappresentata da Stefano ed
Elisabetta. Siamo rimasti molto colpiti
dall'ottimo Metodo Classico Martinburgo,
teso e minerale, con ricordi di erbette.

○ Martinburgo Brut M. Cl.	♟♟ 4
● OP Pinot Nero Casaia '17	♟♟ 3
● OP Rosso 3 Lune '15	♟ 3

Triacca

VIA NAZIONALE, 121
23030 VILLA DI TIRANO [SO]
TEL. 0342701352
www.triacca.eu

Intensa e fruttata la Riserva Casa La
Gatta '16, la bocca è armonica, di
carattere, il finale persistente. Ricco e
potente, con aromi di sciroppo di ciliegia
e note di cioccolato il San Domenico '16.
Al palato è importante, vellutato,
decisamente lungo nel finale.

● Valtellina Sforzato San Domenico '16	♟♟ 6
● Valtellina Sup. Casa La Gatta '17	♟♟ 5
● Valtellina Sup. Casa La Gatta Ris. '16	♟♟ 5

Valdamonte

FRAZ. VALDAMONTE, 58
27047 SANTA MARIA DELLA VERSA [PV]
TEL. 038579665
www.valdamonte.it

Alberto Fiori è un giovane appassionato
che, a nostro avviso, può migliorare molto. I
due 347 M.S.L.M. '19 sono un po'
sottotono rispetto alle versioni '18. Pulita,
nitida, semplice, profumata di fragola e
lampone, la Bonarda Novecento '19.

○ 347 M.S.L.M. Bianco '19	♟ 3
● 347 M.S.L.M. Rosso '19	♟ 2
● OP Bonarda Frizzante Novecento '19	♟ 2

Agricola Vallecamonica

VIA XXV APRILE, 11
25040 ARTOGNE [BS]
TEL. 3355828410
www.vinivallecamonica.com

L'Estremo Adamadus '16 fa già capire che
tipo sia Alex Belingheri: un Metodo Classico
da uve riesling renano che affina per 12
mesi nelle acque gelate del Lago d'Aviolo, a
quasi 2000 metri di quota, sotto il ghiacciaio
dell'Adamello. Con il suo lime persistente, è
affilato come la lama di un rasoio.

○ Bianco dell'Annunciata '17	♟♟ 3
○ Estremo Adamamus Extra Brut M. Cl. '16	♟♟ 6
○ Bianco delle Colture '17	♟ 3

Le Vedute

Via Monte Orfano, snc
25038 Rovato [BS]
Tel.

Graziano Manenti e Andrea Gozzini, enologo, elaborano una curata gamma di Franciacorta da vigne selezionate in diverse posizioni del territorio e che conducono con rispetto dell'ambiente. Molto valido il Dosaggio Zero, a dominante pinot nero, dalle sfumature di lime e bergamotto.

○ Franciacorta Dosaggio Zero	🍷🍷 5
○ Franciacorta Satèn	🍷🍷 5

Vercesi del Castellazzo

Via Aureliano, 36
27040 Montù Beccaria [PV]
Tel. 0385262098
www.vercesidelcastellazzo.it

Ci riesce difficile seguire la strada intrapresa da questa azienda; in ogni caso segnaliamo un Gugiarolo davvero sorprendente: pinot nero in bianco fermo da sempre, ha abbandonato lo stile fresco e floreale per diventare un orange wine colmo di agrumi.

○ Gugiarolo Pinot Nero in Bianco '19	🍷🍷 2*
● Clà Barbera '18	🍷 2
● Fatila Croatina '15	🍷 4

Giuseppe Vezzoli

via Costa Sopra, 22
25030 Erbusco [BS]
Tel. 0307267579
www.vezzolivini.it

La Vezzoli nata nel 1994, è ormai arrivata a produrre 130mila bottiglie, elaborate dalle uve dei circa sessanta ettari di vigne (principalmente a Erbusco). Cremoso fine ed equilibrato, dai bei toni d'arancia e agrume il Brut '15, più complesso ed articolato il Nefertiti Dizeta '13.

○ Franciacorta Brut '15	🍷🍷 6
○ Franciacorta Nefertiti Dizeta '13	🍷🍷 6
○ Franciacorta Brut	🍷 5
○ Franciacorta Dosage Zero	🍷 5

Vigna Dorata

fraz. Calino
via Sala, 80
25046 Cazzago San Martino [BS]
Tel. 0307254275
www.vignadorata.it

Vigilio e Luciana Mingotti coltivano sei ettari di vigne di proprietà a Calino da cui ricavano eleganti Franciacorta, per una produzione media di 80mila bottiglie l'anno. Suadente, nervoso, profondo ma godibile il Satèn; sapido, ricco di frutto e mineralità il Brut Nature, dai bei toni floreali e di mela il Brut.

○ Franciacorta Brut	🍷🍷 5
○ Franciacorta Nature	🍷🍷 5
○ Franciacorta Satèn	🍷🍷 5

Villa Domizia

via Marconi, 1
24060 Torre de' Roveri [BG]
Tel. 035580701
www.villadomizia.it

Villa Domizia Gaudes '16 è un Valcalepio Rosso molto profumato di fieno e spezie, arioso e dinamico, bilanciato di corpo e tannino, godibile nel sorso. L'Incrocio Manzoni '19 ha tipici effluvi minerali con l'aggiunta di frutta tropicale matura. Semplice e fragrante il rosso Incrocio Terzi '18.

● Valcalepio Rosso Gaudes '16	🍷🍷 2*
○ TdC Incrocio Manzoni Punto Uno '19	🍷 3
● TdC Incrocio Terzi Punto Zero '18	🍷 2

Zatti

via Lanfranchi, 10
25080 Calvagese della Riviera [BS]
Tel. 3464273907
www.cantinazatti.it

Fondata alla fine degli anni '50 da Gino Zatti, l'azienda è condotta oggi dal figlio Giovanni e dal nipote Andrea. Il Riesling Gep '18 è deliziosamente evoluto e complesso nelle sfumature di idrocarburi, il Sandriolè delizioso nella morbida freschezza e nei toni di lampone.

● Brut Rosé Sandriolè M. Cl.	🍷🍷 5
○ Garda Riesling Gep '18	🍷🍷 3

CANTON TICINO

Eccoci al quarto anno di presenza del Ticino sulla nostra Guida. Una presenza che in passato aveva arricchito la nostra pubblicazione ma che per qualche anno era mancata. Affinità culturali, linguistiche e la contiguità territoriale ci hanno convinto a riprendere questa consuetudine. Ne siamo felici, perché anche quest'anno abbiamo assaggiato eccellenti vini, grazie anche ad una appassionata e competente squadra di degustatori ticinesi che ha reso tutto questo agevole oltre che possibile. Il Cantone offre una serie di terroir eccellenti per la viticoltura, che qui si pratica da tempo immemore. Basta visitare la regione, ammirare gli scoscesi pendii prealpini terrazzati e ricoperti di vigne per capire quanto la vite sia strettamente connessa con il paesaggio la storia e la cultura ticinese, e non solo nel senso di cultura materiale. Certo, la gran parte dei vini che recensiamo è a base di uve merlot, il vitigno oggi identitario di questa terra. Dopo la fillossera, nel 1907, l'uva bordolese rimpiazza uve locali ed ibridi al tempo popolari e diventa la varietà egemone. In questi ultimi anni, anche se la sua supremazia rimane netta, c'è un fiorire di riscoperte di varietà locali, in primis la bondola, e di sperimentazioni con moltissime varietà italiane e internazionali, tanto nel Sopraceneri come nel Sottoceneri. Quanto al Merlot è interpretato in diversi stili: come vino estivo leggero e fruttato, ma anche in corpose selezioni maturate in barrique, dov'è pienamente concentrato e adatto per l'invecchiamento. Anche vinificato in bianco può essere convincente. Quest'anno premiamo, alla fine delle nostre degustazioni, due aziende: la Paolo Basso Wine di Lugano, con un eccellente taglio bordolese, il Rosso di Chiara '17, e la Angelo Delea di Losone, che si conferma ai vertici con un elegante Ticino Merlot Carato Riserva '17. Due premi ma tanti vini, ben 22, alle nostre degustazioni finali. Il vino ticinese cresce, e noi siamo qui a testimoniarlo.

Agriloro

VIA PRELLA, 14
6852 GENESTRERIO
TEL. +41916405454
www.agriloro.ch

Paolo Basso Wine

C.SO PESTALOZZI, 3
6901 LUGANO
TEL. +41919220810
www.paolobassowine.ch

VENDITA DIRETTA
VISITA SU PRENOTAZIONE
PRODUZIONE ANNUA 180.000 bottiglie
ETTARI VITATI 20,00

VENDITA DIRETTA
VISITA SU PRENOTAZIONE
PRODUZIONE ANNUA 20.000 bottiglie
ETTARI VITATI 6,00

Il proprietario Meinrad C. Perler, cresciuto nel Canton Friburgo e figlio di contadini, decide nel 1981 di acquisire il Tenimento dell'Ör, nel Comune di Arzo, tornando così alle sue origini. La tenuta inizia un percorso di rinnovamento. Con la passione per la sperimentazione, crea un vigneto sperimentale con più di 600 varietà, per studiare le diverse caratteristiche. Nel 2002, acquisisce la Tenuta La Prella a Genestrerio. La produzione aziendale oggi conta ben 23 etichette diverse dove trovano spazio uve spesso inusuali per il cantone. Nella coltivazione delle viti e nella vinificazione si utilizzano, il più possibile, metodi naturali e rispettosi dell'ambiente. L'etichetta che più si è distinta nelle degustazioni è il Sottobosco '17, un vino di volume ed equilibrio, con un tannino ben integrato; il finale è complesso dove emerge una bella sapidità. Di tutto rispetto anche il Casimiro '16, un assemblaggio composto da ben 11 varietà e il Granito '18, un bianco di valore.

Dopo un'intensa carriera come sommelier, che l'ha portato a vincere il titolo di miglior sommelier del mondo nel 2013 (e precedentemente d'Europa nel 2010), la passione per il vino di Paolo Basso, complice anche il domicilio in uno dei villaggi viticoli più conosciuti del Ticino, l'ha portato a diventare produttore, avvalendosi della collaborazione dei migliori agronomi ed enologi della regione, formando un team di competenze molto specifiche. La linea dedicata a sua figlia Chiara rispecchia la precisione e la meticolosità di Paolo. Il Bianco di Chiara '18 è un Merlot in bianco, che gioca sulla freschezza e la finezza. Il Rosso di Chiara '17 è prodotto da un classico taglio bordolese. È sicuramente uno dei migliori rossi del Ticino presenti in Guida; un vino di grande classe, raffinato e vellutato dove tutte le componenti sono espresse con grande armonia. Un altro premio, un Tre Bicchieri, va ad arricchire il palmarès di Paolo. Bravo!

● Ticino Rosso Sottobosco '17	♟♟♟	7
● Casimiro '16	♟♟	5
○ Ticino Bianco Granito '18	♟♟	5
● Ticino Merlot Riserva da l'Ör '17	♟	7
● Ticino Pinot Nero '17	♟	5
● Casimiro '15	♟♟	5
○ Ticino Bianco Granito '16	♟♟	5
● Ticino Merlot La Prella Ris. '16	♟♟	6
● Ticino Merlot La Prella Ris. '15	♟♟	6
● Ticino Rosso Sottobosco '15	♟♟	6
● Ticino Sottobosco '16	♟♟	6

● Ticino Rosso di Chiara '17	♟♟♟	6
○ Ticino Bianco di Chiara '18	♟	5

Tenuta Castello di Morcote

S.DA AL CASTEL, 27
6921 VICO MORCOTE
TEL. +41919961230
www.castellodimorcote.ch

VENDITA DIRETTA
VISITA SU PRENOTAZIONE
PRODUZIONE ANNUA 60.000 bottiglie
ETTARI VITATI 13,00

La Tenuta Castello di Morcote si estende su un vasto promontorio circondato dal lago Ceresio, nella natura incontaminata con un suolo unico in Ticino. Nel cuore della tenuta, in una posizione panoramica a strapiombo sul lago, è situato il Castello del XV secolo. L'azienda agricola, a conduzione familiare dal 1930, applica una viticoltura accurata: lavora in modo scrupoloso e manualmente con pratiche biologiche per ottenere uve di qualità allo scopo di creare vini autentici, che siano espressione della terra da cui provengono. Le degustazioni evidenziano vini di ottimo livello. Il Castello di Morcote Riserva '17 si esprime con dolci note balsamiche. Al palato risulta vigoroso e fresco, con un tannino ben presente; la chiusura è sapida e persistente. Il Castello di Morcote '18, gioca sulla freschezza del frutto e sulla fragranza; è fine ed elegante, ha una buona energia e una piacevole bevibilità.

● Ticino Merlot Castello di Morcote Ris. '17	🍷🍷 8
● Ticino Merlot Castello di Morcote '18	🍷🍷 7
○ Ticino Merlot Bianc Castello di Morcote '19	🍷 7

Vini Angelo Delea

VIA ZANDONE, 11
6616 LOSONE
TEL. +41917910817
www.delea.ch

VENDITA DIRETTA
VISITA SU PRENOTAZIONE
PRODUZIONE ANNUA 550.000 bottiglie
ETTARI VITATI 24,00
AZIENDA SOSTENIBILE

L'azienda nasce nel 1983 grazie alla volontà di Angelo Delea di produrre vini di qualità. Oggi divide il proprio lavoro con i figli Cesare e David per mantenere gli ottimi livelli raggiunti ma pure per apportare nuovi stimoli e idee. La cura nella produzione regala un'interessante selezione di vini prodotti con uve raccolte nel Locarnese. Carato Riserva '17 conferma gli ottimi risultati raccolti negli anni precedenti. Dal frutto maturo e speziato, in bocca si esprime fresco, avvolgente, con un tannino elegante, lungo e persistente nel finale. Ancora Tre Bicchieri. Il Carato '17 è un vino classico, piacevole, con un frutto di buona freschezza. Ha buona struttura, è intenso e speziato. Finezza ed eleganza sono le sue principali caratteristiche. Anche il Carato Bianco '18 dà piacevoli sensazioni, un vino generoso, di buon equilibrio e più che discreto nello sviluppo gustativo.

● Ticino Merlot Carato Ris. '17	🍷🍷🍷 8
● Ticino Merlot Carato '17	🍷🍷 8
○ Ticino Bianco Carato '18	🍷🍷 7
○ Ticino Il Sauvignon '19	🍷 4
● Ticino Merlot Saleggi Losone '18	🍷 4
● Ticino Merlot Carato '16	🍷🍷🍷 5
○ Ticino Carato Bianco '17	🍷🍷 4
○ Ticino Carato Bianco '15	🍷🍷 4
● Ticino Diamante '15	🍷🍷 8
● Ticino Diamante '13	🍷🍷 8
○ Ticino Il Sauvignon '17	🍷🍷 3
○ Ticino Il Sauvignon '16	🍷🍷 3
● Ticino Merlot Carato Ris. '16	🍷🍷 6
● Ticino Merlot Carato Ris. '15	🍷🍷 6
● Ticino Merlot Saleggi '16	🍷🍷 4

Gialdi Vini - Brivio

VIA VIGNOO, 3
6850 MENDRISIO
TEL. +41916403030
www.gialdi.ch

VENDITA DIRETTA
VISITA SU PRENOTAZIONE
PRODUZIONE ANNUA 1.000.000 bottiglie
ETTARI VITATI 140,00

La fondazione dell'azienda, oggi diretta da Feliciano Gialdi, risale al 1953. I primi decenni furono dedicati al commercio di vini e, solo a partire dal 1985, l'attività si concentrò sulla produzione propria. Dal 2001 in poi, grazie al lavoro di Alfred Demartin e di un vasto gruppo di vignaioli, l'azienda ha saputo raggiungere le vette dell'enologia ticinese. Dal 2018, con l'inserimento del brand Brivio nella gamma commercializzata, è divenuta la maggiore azienda cantonale, fatto che comunque non impedisce di produrre vini di assoluta qualità. Circa 30 le etichette prodotte. In queste degustazioni oltre alla costante regolarità del Brivio Riflessi d'Epoca '17, ottenuto dalle vigne del Mendrisiotto, si esalta il Brivio Vigna d'Antan '17. Un vino preciso negli aromi, equilibrato e raffinato che si esprime con grande energia e lunga persistenza. Il Sassi Grossi, proveniente dal nord del cantone, resta sempre un vino capace di sviluppare le proprie potenzialità con il passare degli anni.

- Ticino Rosso Brivio Vigna D'Antan '17   ♟♟ 6
- Ticino Merlot Brivio Riflessi d'Epoca '17   ♟♟ 7
- Ticino Merlot Sassi Grossi '17   ♟♟ 7
- Ticino Rosso Estro '16   ♟ 6
- Ticino Brivio Merlot Riflessi d'Epoca '15   ♟♟ 5
- Ticino Merlot Arzo '13   ♟♟ 5
- Ticino Merlot Platinum '15   ♟♟ 8
- Ticino Merlot Riflessi d'Epoca '16   ♟♟ 5
- Ticino Merlot Sassi Grossi '16   ♟♟ 7
- Ticino Merlot Sassi Grossi '15   ♟♟ 6
- Ticino Merlot Sassi Grossi '13   ♟♟ 6
- Ticino Merlot Trentasei '13   ♟♟ 7
- Ticino Merlot Trentasei '10   ♟♟ 7

Hauser

VIA CANTONALE, 42
6594 CONTONE - GAMBAROGNO
TEL. +41792375452
www.vinohauser.ch

VENDITA DIRETTA
VISITA SU PRENOTAZIONE
PRODUZIONE ANNUA 35.000 bottiglie
ETTARI VITATI 7,50

Urs Hauser giunge in Ticino all'età di 25 anni, terminati gli studi d'ingegneria, per apprendere la lingua italiana. Il suo avrebbe dovuto essere un soggiono temporaneo, ma il rapporto con queste terre ha avuto un esito inaspettato. Pian piano ha cominciato ad appassionarsi alla viticoltura e da autodidatta ad apprendere i concetti delle vinificazioni. Oggi lavora poco più di sette ettari di vigna suddivisi in una ventina di parcelle dove il merlot la fa da padrone. Grazie a una gamma pienamente convincente, l'azienda di Urs fa il suo ingresso sulla nostra Guida. Tutti i vini si sono rivelati di ottima fattura; tra questi emerge Le Cime '17 dalla piacevole nota boisé ben integrata, dal tannino vellutato, dal perfetto equilibrio e con un'energia che caratterizza il finale. Complimenti. Stella '16 fa registrare grande piacevolezza, una bella freschezza sia nel frutto che nella parte gustativa, un tannino ben integrato e una buona complessità.

- Ticino Rosso Le Cime '17   ♟♟ 7
- Ticino Merlot Bella Stasera '16   ♟♟ 5
- Ticino Merlot Dopo Mezzanotte '16   ♟♟ 6
- Ticino Merlot Stella '16   ♟♟ 7
- Ticino Bianco Tutto Bene '18   ♟ 4

Cantina
Kopp von der Crone Visini

VIA NOGA, 2
6917 BARBENGO
TEL. +41916829616
www.cantinabarbengo.ch

VENDITA DIRETTA
VISITA SU PRENOTAZIONE
PRODUZIONE ANNUA 40.000 bottiglie
ETTARI VITATI 7,00

La cantina Kopp von der Crone Visini ha sede a Barbengo e nasce nel 2006 dalla fusione delle aziende Kopp von der Crone e Vini Visini che già collaboravano dal 2002 nelle vecchie cantine di Melide. Oggi la superficie a vigneto si è stabilizzata attorno ai sette ettari, ripartiti in alcuni comuni del Mendrisiotto, Luganese e Bellinzonese; il merlot occupa il 70% di queste terre. Anna Barbara Von der Crone e Paolo Visini lavorano in vigna secondo i metodi della lotta integrata. I loro vini sono di carattere e forza. Irto '16 ha aromi equilibrati, un bel volume, un tannino elegante e una freschezza che ne caratterizza il finale. Scalin '17 è in splendida forma: sotto l'aspetto olfattivo dà sensazioni di freschezza con un frutto rosso che si alterna a sfumature di erbe aromatiche. Ha vigore, tannino ben integrato e una chiusura che invoglia la beva. Sempre buono il Balin '17, un vino di carattere che, però, necessita di ulteriore affinamento in bottiglia.

● Ticino Rosso Irto '16	♟♟	7
● Ticino Rosso Scalin '17	♟♟	5
● Ticino Rosso Balin '17	♟♟	7
● Balin '15	♟♟	6
● Irto '13	♟♟	6
● Scala '15	♟♟	6

Istituto Agrario Cantonale
di Mezzana

VIA S. GOTTARDO, 1
6877 COLDRERIO
TEL. +41918166201
www.mezzana.ch

VENDITA DIRETTA
VISITA SU PRENOTAZIONE
PRODUZIONE ANNUA 65.000 bottiglie
ETTARI VITATI 10,00

L'Istituto Agrario Cantonale di Mezzana rappresenta, dal 1915, la tappa di passaggio obbligatoria per coloro che intendono seguire una formazione nel campo professionale agricolo. Su una superficie di circa 50 ettari, i giovani in formazione possono applicarsi in viticoltura, campicoltura, foraggicoltura, frutticoltura, e orticoltura. Nello specifico riferito alla viticoltura, le specializzazioni si suddividono nel lavoro in vigna o in cantina. L'azienda viticola diretta da Daniele Maffei e dall'enologo Nicola Caimi occupa dieci ettari nel Basso Mendrisiotto, dove sono messi a dimora ceppi di merlot, chardonnay, pinot bianco, viognier e doral. Un'azienda in continua crescita dove i giovani possono apprendere i segreti della professione. I vini prodotti sono garanzia di tipicità e quelli degustati confermano la bontà del lavoro svolto. Bongio '17 è un classico Merlot, fruttato, piacevolmente speziato e con tutte le componenti in equilibrio. Ronco '18 è fragrante, un vino che invoglia alla beva.

● Ticino Merlot Bongio '17	♟♟	5
● Ticino Merlot Ronco '18	♟♟	5

Moncucchetto

VIA MARIETTA CRIVELLI TORRICELLI, 27
6900 LUGANO
TEL. +41919677060
www.moncucchetto.ch

VENDITA DIRETTA
VISITA SU PRENOTAZIONE
RISTORAZIONE
PRODUZIONE ANNUA 30.000 bottiglie
ETTARI VITATI 6,50

La storia della famiglia Lucchini parte da lontano, quando, nel 1919, viene acquistato un podere collinare nel cuore di Lugano, proprio dove ottant'anni dopo verrà costruita la nuova cantina progettata dall'architetto Mario Botta. Questa zona denominata Moncucchetto è circondata dalle vigne da cui si ottengono vini di personalità. Oggi Lisetta e Nicolò Lucchini, coadiuvati dalla capace enologa Cristina Monico, grazie agli sforzi profusi stanno raccogliendo le giuste soddisfazioni. I vini sono via via sempre più conosciuti e capaci di dare importanti sensazioni. Collina d'Oro Agra '17 è quello che al momento si fa preferire. Un vino che si esalta sulla freschezza e sull'equilibrio. Ha densità e un tannino abbondante ma di grana sottile, ciò che ci fa ben sperare anche per l'invecchiamento. Moncucchetto Riserva '16 è vigoroso, tannico al punto giusto e con un finale dove si registra una piacevolissima espressione aromatica.

● Ticino Rosso Collina d'Oro Agra '17	♟♟	6
● Ticino Merlot Moncucchetto Ris. '16	♟♟	6
○ Ticino Bianco dell'Arco '19	♟	4
○ Ticino Bianco dell'Arco '18	♟♟	5
○ Ticino Bianco Moncucchetto '17	♟♟	4
● Ticino Merlot L'Arco '17	♟♟	5
● Ticino Merlot Moncucchetto '17	♟♟	6
● Ticino Merlot Moncucchetto '16	♟♟	6
○ Ticino Sauvignon '17	♟♟	5

Mondò

VIA AL MONDÒ, 3
6514 SEMENTINA
TEL. +41918574558
www.aziendamondo.ch

VENDITA DIRETTA
VISITA SU PRENOTAZIONE
PRODUZIONE ANNUA 50.000 bottiglie
ETTARI VITATI 7,00

L'azienda Mondò di Giorgio Rossi è situata sulle colline di Sementina ed è a gestione prettamente famigliare. L'amore per la terra e il controllo accurato del terreno e delle vigne, tutte in zona collinare, sono le naturali condizioni per ottenere uve sane e buone, e quindi ottimi vini. Qui oltre al merlot è valorizzata la bondola, l'unico vitigno autoctono del Ticino, in particolare del Sopra Ceneri, una decisione che permette di salvaguardare un aspetto tradizionale della vitivinicoltura ticinese. In degustazione la conferma del Ronco dei Ciliegi '17, vino dotato di equilibrio, tannini maturi e vellutati, vivacizzato da una bella freschezza che ne contraddistingue il finale. Scintilla '17 gode dei favori di una buona annata ed è fruttato e piacevolmente balsamico; si fa apprezzare per la finezza e la piacevolezza del finale. La Bondola del Nonu Mario '18 si esprime in tutta la sua originalità, con una decisa impronta acida e una certa rusticità, un vino che può essere aspettato anche per una decina d'anni.

● Ticino Rosso Ronco dei Ciliegi '17	♟♟	7
● Ticino Merlot Scintilla '17	♟♟	6
○ Ticino Bianco Crudéll '18	♟	6
● Ticino Bondola del Nonu Mario '18	♟	4
● Ticino Mondò '15	♟♟	7
● Ticino Mondò '13	♟♟	7
● Ticino Ronco dei Ciliegi '15	♟♟	6
● Ticino Ronco dei Ciliegi '13	♟♟	6

Cantina Monti

VIA DEI RONCHI
6936 CADEMARIO
TEL. +41916053475
www.cantinamonti.ch

VENDITA DIRETTA
VISITA SU PRENOTAZIONE
PRODUZIONE ANNUA 30.000 bottiglie
ETTARI VITATI 5,00
AZIENDA SOSTENIBILE

Ivo Monti è figlio del grande Sergio, nella memoria dei viticoltori ticinesi quale presidente per anni della Federviti del Luganese. Dalla terrazza della cantina si gode il panorama sui ripidi vigneti dei Ronchi di Cademario, nel Malcantone. La filosofia aziendale si basa su basse rese in vigna che portano a una maturazione ottimale delle uve. Un'attenzione particolare a ogni dettaglio, nella scelta delle barrique, dello tostature e dei tappi, ha portato l'azienda a livelli d'eccellenza. Anche la degustazione di quest'anno lo conferma. Cinque diversi vigneti a dominanza merlot danno origine allo splendido Rosso dei Ronchi '17, un vino fresco, compatto, raffinato e profondo. Il Canto della Terra '18 è succoso, dal tannino vellutato e pieno di forza ed energia. Il Rovere '17, anche se meno complesso, dà sempre grande piacere e rappresenta alla perfezione lo stile dell'azienda. In generale questi vini sanno invecchiare molto bene.

● Ticino Merlot Canto della Terra '18	♟♟ 8
● Ticino Rosso Malcantone Rosso dei Ronchi '17	♟♟ 7
● Ticino Merlot Rovere '17	♟♟ 6
● Ticino Rosso SM '18	♟♟ 7
○ Ticino Bianco di Cademario '18	♟ 5

Tamborini Vini

VIA SERTA, 18
6814 LAMONE
TEL. +41919357545
www.tamborinivini.ch

VENDITA DIRETTA
VISITA SU PRENOTAZIONE
PRODUZIONE ANNUA 700.000 bottiglie
ETTARI VITATI 30,00

Tamborini è un'azienda in continuo sviluppo; dapprima attiva nel campo del commercio di vini, dalla fine degli anni '70, sotto l'impulso di Claudio Tamborini è iniziata la lavorazione di uve proprie. Oggi, grazie a una nuova generazione sono arrivati altri impulsi che hanno reso l'azienda ancor più moderna. La superficie vitata raggiunge i 30 ettari, vigne sparse sulle colline del Luganese. La gamma dei vini è ampia e tocca diversi aspetti commerciali. Le migliori espressioni derivano dal merlot, capace di dare vini concentrati ma anche eleganti a seconda della provenienza delle uve. Il Comano '17, denota una struttura di particolare eleganza e raffinatezza. Per contro San Zeno Costamagna '17 è intenso nelle sue note di frutta nera e spezie; al palato mostra una struttura densa e potente. Credi '17, vino rosso della giovane figlia Valentina, mostra la sua tenacia, un vino di buona freschezza, con tannino presente da affinare ancora in bottiglia.

● Ticino Merlot San Zeno Costamagna '17	♟♟ 7
● Ticino Merlot San Zeno Trentalune '17	♟♟ 8
● Ticino Merlot Comano '17	♟♟ 8
○ Ticino Bianco Espe n.5 '19	♟ 5
○ Ticino Bianco Mosaico '18	♟ 5
● Ticino Credi Valentina WineCollection '17	♟ 8
● Ticino Credi '15	♟♟ 7
● Ticino Merlot Castelrotto '16	♟♟ 6
● Ticino Merlot Comano '15	♟♟ 7
● Ticino Merlot San Domenico '16	♟♟ 4
● Ticino Merlot San Domenico '15	♟♟ 7
● Ticino Merlot San Zeno Costamagna '15	♟♟ 7
● Ticino Merlot San Zeno Trentalune '16	♟♟ 7
● Ticino Merlot Tenuta San Rocco '16	♟♟ 4
● Ticino Merlot V. V. '15	♟♟ 4
○ Ticino Vivi '17	♟♟ 5

Tenuta Vitivinicola Trapletti
VIA P. F. MOLA, 34
6877 COLDRERIO
TEL. +41916301150
www.viticoltori.ch/trapletti

VENDITA DIRETTA
VISITA SU PRENOTAZIONE
PRODUZIONE ANNUA 40.000 bottiglie
ETTARI VITATI 4,00

Enrico Trapletti è un personaggio vulcanico
che realizza con grande impegno i propri
progetti. Fin da giovanissimo gli viene
trasmessa la cultura della terra. Inizia a
vinificare nei primi anni '90, e col tempo la
cantina diventa la sua principale attività. Tra
le tante idee messe in campo negli anni, gli
si deve dare il merito del rilancio in Ticino
del vitigno nebbiolo, varietà presente già
nel XIX secolo prima dell'avvento del
merlot. Oggi la produzione conta 15 vini
ottenuti da altrettante varietà diverse. I vini
degustati fanno parte della linea storica,
quella che l'ha fatto conoscere a livello
nazionale. Il suo Culdrée '17 (nome in
dialetto del comune di Coldrerio) proviene
da vecchi ceppi: è un vino di alto profilo,
denso ma energico, dove si percepisce la
maestria nell'estrazione del tannino. Il
Trapletti '17 è un vino di bella personalità
capace di esprimersi in tutta la sua
fragranza, con un frutto maturo e un
piacevole equilibrio.

● Ticino Merlot Culdrée '17	♥♥ 8
● Ticino Merlot Trapletti '17	♥♥ 6
● Ticino Merlot Terra Creda '18	♥ 6
● Ticino Merlot Culdrée '17	♀♀ 7
● Ticino Merlot Culdrée '15	♀♀ 7
● Ticino Merlot Culdrée '13	♀♀ 7
● Ticino Vino del Monte S. Giorgio '17	♀♀ 5
● Trapletti Rosso '13	♀♀ 5

Valsangiacomo Vini
V.LE ALLE CANTINE, 6
6850 MENDRISIO
TEL. +41916836053
www.valswine.ch

VENDITA DIRETTA
VISITA SU PRENOTAZIONE
PRODUZIONE ANNUA 250.000 bottiglie
ETTARI VITATI 20,00

L'azienda nasce nel 1831, ma è a partire
dagli inizi del '900 che assume un ruolo
importante e di riferimento nell'ambito della
vitivinicoltura del Canton Ticino. Oltre al
legame territoriale, quello generazionale ne
assicura la continuità. Oggi Uberto
Valsangiacomo, con entusiasmo segue le
orme del padre Cesare. I 20 ettari di vigna
sono sparsi sulle colline del Mendrisiotto
con una prevalenza di uve merlot. L'azienda
produce vini di qualità divenuti ormai dei
classici nel panorama svizzero.
L'affinamento avviene nelle caratteristiche
cantine di Mendrisio ai piedi del Monte
Generoso, dove i vini godono di perfette
condizioni naturali di temperatura e
umidità. Il GranSegreto Bianco '18, è
complesso nei profumi di frutta matura,
note speziate, di vaniglia e tostatura; fresco
e sapido al palato, persistente nel sapore. Il
1831 '18, è dolce di frutto, il pepe solletica
il naso e in bocca si rivela franco, fresco, di
buona struttura.

○ Ticino Merlot Bianco GranSegreto '18	♥♥ 6
● Ticino Syrah 1831 '18	♥♥ 6
● Ticino Merlot Rubro '16	♥ 7
○ Ticino Gransegreto Fondo del Bosco '16	♀♀ 5
● Ticino Merlot Loverciano '16	♀♀ 5
● Ticino Merlot Piccolo Ronco '15	♀♀ 5
● Ticino Merlot Piccolo Ronco '13	♀♀ 5

Bianchi

S.DA DA RÓV, 24
6822 AROGNO
TEL. +41762732050
www.bianchi.bio

I fratelli Gabriele (enologo) e Martino (viticoltore) grazie alla coltivazione di vitigni interspecifici sono rivolti all'innovazione; lavorano nel rispetto della certificazione Bio Suisse. Validi i risultati del Syrah Piaz '18.

● Ticino Syrah Piaz '18	♟♟ 6
○ Ticino Bianco Alma '19	♟ 5
○ Ticino Bianco None '19	♟ 5

Cagi - Cantina Giubiasco

VIA LINOLEUM, 11
6512 GIUBIASCO
TEL. +41918572531
www.cagivini.ch

La storica Cagi rappresenta oltre 350 viticoltori che conferiscono le uve e produce circa il 10% del vino in Ticino. Fedele alla tradizione, produce vini dall'ottimo rapporto qualità prezzo. Stupisce per qualità l'Enigma '16; conferme per Camorino '17 e Monte Carasso '17.

● Ticino Merlot Camorino '17	♟♟ 5
● Ticino Merlot Monte Carasso '17	♟♟ 5
● Ticino Rosso Enigma '16	♟♟ 5
○ Ticino Bianco di Merlot Ris. '18	♟ 4

Castello di Cantone

LOC. RANCATE
VIA MUNICIPIO, 6
6825 MENDRISIO
TEL. +41916404434
www.castellodicantone.ch

Tiziana Pasta e Dario Pistarà, con sei ettari di vigna ai piedi del monte San Giorgio, patrimonio dell'UNESCO, uniscono tradizione e innovazione. Il Negromante '17 è prova delle loro capacità. Succoso, con un tannino nobile e tanta freschezza a dare vivacità.

● Ticino Rosso Negromante '17	♟♟ 7
● Ticino Merlot Castello di Cantone Ris. '17	♟♟ 8
○ Ticino Merlot Bianco Galanthus '19	♟ 7
● Ticino Rosso Ungulus '16	♟ 8

Cantina Cavallini

LOC. VALLE DI MUGGIO
6838 CABBIO
TEL. +41916841579
cantinacavallini@gmail.com

L'azienda di Grazia e Luciano Cavallini è sita nella rurale Valle di Muggio. Ha vigneti nei territori di alcuni comuni della zona di frontiera. I suoi vini hanno una decisa impronta fruttata e una piacevole nota balsamica come dimostrano il Pedrinate '16 e il Cabernet '18.

● Ticino Merlot Pedrinate '16	♟♟ 6
● Cabernet '18	♟ 6

Cantina Cristini e Figli

AI SCARSITT, 6
6528 CAMORINO
TEL. +41787761161
cristini@ticino.com

Gianni Cristini, coadiuvato dai figli, produce due vini di spessore. Antares '18 è probabilmente la miglior versione mai prodotta, fresca e di carattere. Synthesis '17 è un vino di forte personalità, elegante, ampio e perfettamente equilibrato, con un finale molto lungo su tannini fini.

● Ticino Merlot Antares '18	♟♟ 6
● Ticino Rosso Synthesis '17	♟♟ 6

Robin Garzoli

6673 MAGGIA
TEL. +41917531863
www.rombolau.ch

Robin Garzoli, diplomato in enologia e viticoltura, fa le prime esperienze in una cantina ticinese; poi nel 2007 inizia la sua produzione in Vallemaggia. Il Cru Rombolau '17, o Rónch dl l'Áu " il ronco dell'avo ", è di buona sostanza, fruttato, ha un tannino presente, dà belle sensazioni.

● Ticino Acqua Reale '18	♟♟ 5
● Ticino Rombolau '17	♟♟ 6

Matteo Huber
Tenuta Arca Rubra
VIA P. MORETTO, 9
6924 SORENGO
TEL. +41919508373
www.arcarubra.ch

Matteo Huber, oltre che la passione per l'architettura, coltiva, dal 2005, quella per il buon vino. Due i vini che attirano la nostra attenzione. Note di Notte '17, ha forza ed eleganza, e integra nel sorso un tannino maturo e sottile. Arca Rubra '17, è incisivo e ha grande energia.

● Ticino Rosso Note di Notte '17	♟♟	7
● Ticino Merlot Arca Rubra '17	♟♟	6
● Ticino Merlot Primo Segno '19	♟	5
○ Ticino Sauvignon Arca Clara '19	♟	6

Monzeglio
VIA PRIVATA DEI GELSI, 5
6807 TAVERNE
TEL. +41794714102
www.vinimonzeglio.ch

Molto interessante la gamma dei vini presentata da Matteo Monzeglio. Su tutti le Tre Sorelle '18, un vino intenso, vigoroso, slanciato e con una lunga persistenza gustativa. Su ottimi livelli pure il Filari della Luna '18 e Terra Viva '18.

● Ticino Rosso Tre Sorelle '18	♟♟	5
● Ticino Merlot Filari della Luna '18	♟♟	6
● Ticino Rosso Terra Viva '18	♟♟	5
○ Ticino Bianco di Luna '19	♟	4

Tenuta Pian Marnino
AL GAGGIOLETTO, 2
6515 GUDO
TEL. +41918590960
www.pianmarnino.com

L'autodidatta Tiziano Tettamanti è un vignaiolo appassionato che coltiva cinque ettari di vigna sui terrazzamenti di Gudo. La produzione generale tocca tutte le tipologie ma è in particolare l'Oro di Gudo '16 che emerge, un vino di gran spessore, brioso ed elegante.

● Ticino Merlot Oro di Gudo '16	♟♟	7
● Ticino Rosso Tre Ori di Gudo '15	♟	7

Hubervini
6998 MONTEGGIO
TEL. +41916081754
www.hubervini.ch

Jonas Huber in questi ultimi anni ha rilevato il papà Daniel nella gestione dell'azienda, attiva su sette ettari situati nel Malcantone. In degustazione spiccano la struttura e l'eleganza del Costera Riserva '17, e la freschezza e la sapidità del Volpe Alata '18.

○ Ticino Bianco Volpe Alata '18	♟♟	5
● Ticino Merlot Fustoquattro '18	♟♟	4
● Ticino Rosso Costera Ris. '17	♟♟	6
● Ticino Rosso Montagna Magica '17	♟	7

Parravicini
VIA ALLE CORTI, 55
6873 CORTEGLIA
TEL. +41916302175
www.parravicini.ch

Ancor oggi la cantina Parravicini non ha perso quel carattere famigliare che dagli anni '40 la contraddistingue. La produzione è ben strutturata composta da 13 vini tra spumanti, bianchi e rossi. I Cavri '17 ha mostrato di essere un vino meritevole, ben realizzato e di qualità.

● Ticino Rosso I Cavri '17	♟♟	6

Theilervini
VIA CADEMARIO, 135
6935 BOSCO LUGANESE
TEL. +41916046078
www.theilervini.ch

Ralph Theiler ci mette il cuore per ottenere vini di qualità. Coltiva quattro ettari di vigna situati su vocati appezzamenti nel Malcantone e nel Luganese. Corifeo '17 ha attirato la nostra attenzione, rigoroso e deciso, mostra una viva tensione gustativa. Di carattere anche il Dives '17.

● Ticino Merlot Corifeo '17	♟♟	7
● Ticino Merlot Dives '17	♟♟	6

TRENTINO

Variegato come mai prima il palmares trentino di questa edizione 2021, con ben 14 vini sul podio. Un record, in tutti i sensi. Per numero complessivo e per l'avanzata degli spumanti Trentodoc, che continuano a stimolare il dinamismo del comparto vitivinicolo delle valli dolomitiche attorno a laghi alpini e rocce porfiriche. Nell'elenco, è doveroso precisarlo subito, non troverete alcune delle etichette più note e consolidate in quanto diverse aziende – San Leonardo in primis, così come altri rinomati vignaioli del Teroldego (De Vescovi) o prestigiose Cuvée briose (vedi Balter) – hanno deciso di prolungare ulteriormente l'affinamento in bottiglia dei loro prodotti più importanti. L'assaggio, comunque, è solo rimandato al prossimo anno. Le conferme però non mancano così come alcune stimolanti novità: dal vibrante Riesling del duo Pojer & Sandri al passito per eccellenza, il Vino Santo di Pravis. Poi un vino bianco che sfida il tempo, l'Ora di Toblino, da uve Nosiola, un lustro (2015) sulle spalle per dare ulteriore complessità al bianco ottenuto con una delle grandi varietà autoctone. Tra le riconferme non manca il Müller Thurgau di Corvée, così come il Pinot Nero che la famiglia Simoni produce a Maso Cantanghel e lo strepitoso – è proprio il caso di dire – Teroldego Rotaliano proposto dai Dorigati, chiamato Luigi in onore di un loro antenato. La carrellata degli spumeggianti Trento è capitanata invece dal solito Giulio Ferrari dei Lunelli, prototipo inconfondibile, must internazionale che trascina una sempre più competente pattuglia di bollicine dolomitiche: favoloso l'Abate Nero '09 del compianto Luciano Lunelli, enologo tra i patriarchi del vino trentino, un maestro della spumantistica che ha stimolato tante altre cantine a scommettere sul Trentodoc. Uno di questi è Francesco Moser, il campione del pedale che con i suoi figli propone un Nature assolutamente vincente. Conferme anche per le grandi e strutturate cooperative: Cavit, con il nuovo Blanc de Noirs '16, Mezzacorona con il Flavio '12, senza dimenticare l'Aquila Reale '10 di Cesarini Sforza. Non mancano inoltre Lucia Letrari con il Dosaggio Zero '14, nonchè l'autorevole Madame Martis '10 di Maso Martis. Tutte rigorosamente autentiche nel loro timbro di montagna.

★Abate Nero

VIA SPONDA TRENTINA, 45
38121 TRENTO
TEL. 0461246566
www.abatenero.it

VENDITA DIRETTA
PRODUZIONE ANNUA 65.000 bottiglie
ETTARI VITATI 65,00

Purtroppo un malore ha stroncato Luciano
Lunelli, il fondatore di Abate Nero,
personaggio di massima autorevolezza nel
comparto enologico trentino. L'azienda è
una bellissima realtà spumantisitca ed è
stata capace negli anni di proporre dei
grandi metodo classico, autentici interpreti
delle bollicine di montagna. La gestione
aziendale fa capo ora ai suoi familiari
stretti, la figlia Roberta con Roberto
Sebastiani, che subito hanno fatto tesoro
dei preziosi insegnamenti di Luciano. Le
cuvée regalano tutte finezza ed eleganza,
fascino e un grande carattere. La Cuvèe
dell'Abate '09 s'aggiudica con slancio e
assoluta naturalezza i nostri Tre Bicchieri.
Ha la forza inconfondibile di un classico
Trento e altrettanta vigoria gustativa; è
suadente, con richiami al grano maturo e
alle mele dolomitiche autunnali, mentre si
conferma intrigante nella sua complessa
lucentezza. Decisamente buoni gli altri tre
alfieri di questa squisita versione, a partire
dal Domini '13.

○ Trento Brut Cuvée dell'Abate Ris. '09	♟♟♟	6
○ Trento Brut Abate Nero	♟♟	5
○ Trento Brut Domini '13	♟♟	5
⊙ Trento Brut Rosé Abate Nero	♟♟	5
○ Trento Brut Cuvée dell'Abate Ris. '04	♟♟♟	6
○ Trento Brut Cuvée dell'Abate Ris. '03	♟♟♟	5
○ Trento Brut Cuvée dell'Abate Ris. '02	♟♟♟	5
○ Trento Brut Cuvée dell'Abate Ris. '01	♟♟♟	5
○ Trento Brut Domini '10	♟♟♟	5
○ Trento Brut Domini '07	♟♟♟	5
○ Trento Brut Domini '05	♟♟♟	5
○ Trento Brut Domini Nero '10	♟♟♟	5
○ Trento Brut Domini Nero '08	♟♟♟	5
○ Trento Domìni Nero '09	♟♟♟	5
⊙ Trento Brut Domini Rosé '13	♟♟	5

★Nicola Balter

VIA VALLUNGA II, 24
38068 ROVERETO [TN]
TEL. 0464430101
www.balter.it

VENDITA DIRETTA
VISITA SU PRENOTAZIONE
PRODUZIONE ANNUA 80.000 bottiglie
ETTARI VITATI 10,00

È un affascinante altopiano vitato che
guarda su Rovereto, l'area che già nel
1875 era annoverata tra i siti eccellenti
dove vendemmiare uve per vini importanti e
di qualità. L'azienda è molto bella,
attorniata dal bosco, tra muri a secco e una
singolare torre fortificata, a testimonianza
di qualche diatriba rusticana del passato.
Nicola Balter con i suoi due figli,
Clementina e Giacomo, hanno custodito il
fascino originario della struttura rurale,
scavando sotto i vigneti una cantina ideale
specie per la produzione del metodo
classico. In attesa dell'ulteriore evoluzione
dei Trento più importanti, Nicola Balter ha
proposto i vini fermi dell'azienda e gli
spumanti non millesimati. È il portentoso
Cabernet Sauvignon ad aprire il confronto:
pieno e corroborante, mostra gran stoffa al
palato e un naso di prugna e ribes in
confettura. Molto tradizionali gli altri vini -
insolito il Tramier, sia per zona di
produzione sia per stile di vinificazione
- senza dimenticare le versioni dei semplice
e sempre accattivanti Trento Brut e Rosé.

● Cabernet Sauvignon '17	♟♟	4
○ Trento Brut Balter	♟♟	4
⊙ Trento Rosé Balter	♟♟	5
● Lagrein Merlot '18	♟	3
○ Traminer '19	♟	4
○ Barbanico '97	♟♟♟	4*
○ Trento Balter Ris. '06	♟♟♟	5
○ Trento Balter Ris. '05	♟♟♟	5
○ Trento Balter Ris. '04	♟♟♟	5
○ Trento Balter Ris. '01	♟♟♟	5
○ Trento Dosaggio Zero Ris. '10	♟♟♟	7
○ Trento Pas Dosé Balter Ris. '13	♟♟♟	6
○ Trento Pas Dosé Balter Ris. '12	♟♟♟	6
○ Trento Pas Dosé Balter Ris. '11	♟♟♟	5
○ Trento Pas Dosé Balter Ris. '09	♟♟♟	5

Bellaveder

FRAZ. FAEDO
LOC. MASO BELVEDERE, 1
38010 SAN MICHELE ALL'ADIGE [TN]
TEL. 0461650171
www.bellaveder.it

VENDITA DIRETTA
VISITA SU PRENOTAZIONE
PRODUZIONE ANNUA 70.000 bottiglie
ETTARI VITATI 12,00
AZIENDA SOSTENIBILE

Tranquillo Lucchetta è un vignaiolo che porta avanti il suo lavoro con umiltà, senza ostentare successi o clamore. Accudisce splendidi vigneti, incastonati in due zone diametralmente distanti tra loro, ma in piena sintonia qualitativa. La sede è sulle pendici collinari che portano a Faedo, poco sopra la storica scuola agraria di San Michele all'Adige. Altri poderi si trovano a Cavedine, nella Valle dei Laghi, sul promontorio che guarda il Garda e le Dolomiti di Brenta. Due aree diverse per vinificare varie tipologie di uve a seconda della loro vocazione. Quest'anno è un Pinot Nero di stampo borgognone a distinguersi nettamente: molto espressivo, note calibrate di spezie, pieno in bocca, ma vellutato e con bella tensione evolutiva. Andamento sciolto e di nitida espressione varietale pure per il Riesling, dai toni da idrocarburi, succoso, pronto a sfidare l'affinamento nel tempo. In evidenza pure il Trento Nature, classico nella briosità e mirata aromaticità. Buon andamento per il Sauvignon. Meno coinvolgente il Mansum, da uve lagrein, ancora troppo giovane.

● Trentino Pinot Nero Faedi '17	♟♟ 5
○ Trentino Riesling Faedi '18	♟ 3
○ Trento Brut Nature '15	♟♟ 6
○ Faedi Sauvignon '19	♟ 3
● Trentino Lagrein Mansum '17	♟ 5
● Trentino Lagrein Mansum '16	♟♟ 5
● Trentino Lagrein Mansum '15	♟♟ 5
● Trentino Lagrein Mansum '12	♟♟ 4
○ Trentino Müller Thurgau San Lorenz '18	♟♟ 5
○ Trentino Müller Thurgau San Lorenz '13	♟♟ 2*
● Trentino Pinot Nero Faedi '15	♟♟ 6
● Trentino Pinot Nero Faedi Ris. '16	♟♟ 5
○ Trentino Riesling '16	♟♟ 3*
○ Trento Brut Nature Ris. '12	♟♟ 5
○ Trento Brut Nature Ris. '12	♟♟ 6
○ Trento Brut Nature Ris. '11	♟♟ 5

Borgo dei Posseri

LOC. POZZO BASSO, 1
38061 ALA [TN]
TEL. 0464671899
www.borgodeiposseri.com

VENDITA DIRETTA
VISITA SU PRENOTAZIONE
PRODUZIONE ANNUA 60.000 bottiglie
ETTARI VITATI 21,00
VITICOLTURA Biologico Certificato
AZIENDA SOSTENIBILE

Il cambiamento climatico si riscontra anche tra le Piccole Dolomiti, le montagne che sovrastano Ala e il sud della Vallagarina. Qui la viticoltura recupera spazi sempre più in quota e cerca di sfruttare microclimi più consoni. La zona da qualche decennio è nel mirino d'imprenditori vinicoli, decisi a lavorare nei ripidissimi pendii che sovrastano il fiume Adige. Borgo dei Posseri è stato l'apripista di questa nuova frontiera vitivinicola e continua ad essere esempio di ricerca e innovazione. La gestione è di Martin Mainenti e Maria Marangoni, due famiglie proprietarie che portano avanti una produzione molto legata al territorio. L'obiettivo era decisamente ambizioso: riuscire a vinificare uve pinot nero d'alta collina per ottenere un vino di gran carattere. Obiettivo centrato. Il Paradis Plus '17 è una versione assolutamente corroborante, vivida sia nel colore che per gamma organolettica, tante sfumature speziate e giusta scorrevolezza. Altrettanto validi altri vini come il Paradis, il Rocol, il Müller Thurgau e i due Trento, sia il Tananai Zero sia il classico Tananai Brut.

● Trentino Pinot Nero Paradis Plus '17	♟♟ 3*
○ Müller Thurgau '19	♟♟ 4
● Paradis Pinot Nero '16	♟♟ 3
● Trentino Merlot Rocol '17	♟♟ 3
○ Trento Brut Tananai '16	♟♟ 5
○ Trento Dosaggio Zero Tananai '14	♟♟ 5
○ Arliz Gewürztraminer '19	♟ 3
○ Furiel Sauvignon '19	♟ 4
○ Malusèl '18	♟ 3
○ Cuvée Malusel '15	♟♟ 4
○ Malusèl '16	♟♟ 3
● Paradis Plus Pinot Nero '16	♟♟ 3
○ Quaron Müller Thurgau '10	♟♟ 4
● Rocol Merlot '16	♟♟ 3
○ Trento Brut Tananai '15	♟♟ 5
○ Trento Brut Tananai '14	♟♟ 5

Bossi Fedrigotti

VIA UNIONE, 43
38068 ROVERETO [TN]
TEL. 0456832511
www.masi.it

VENDITA DIRETTA
VISITA SU PRENOTAZIONE
PRODUZIONE ANNUA 120.000 bottiglie
ETTARI VITATI 40,00
AZIENDA SOSTENIBILE

La storia viticola del vino trentino è in gran parte legata all'attività rurale dei Conti Bossi Fedrigotti, una dinastia nobiliare radicata in Vallagarina dai primi del 1500. Sono stati tra i principali innovatori in diversi settori agricoli e i primi a commercializzare il vino in Europa, grazie alle loro altolocate parentele dell'allora Impero Austroungarico. Furono anche artefici di un primo vino rosso di stampo bordolese, il Fojaneghe, presentato già nel 1961. Da qualche anno la gestione enologica è di Masi Agricola, che mira a tutelare tutte le peculiarità di questa storica cantina. È ancora il loro spumante classico quello che scandisce l'evoluzione qualitativa dell'azienda vitivinicola della Vallagarina, rinomata per il loro Fojaneghe che attende ulteriore affinamento in bottiglia. Il Trento Conte Federico è un mix d'aromi che richiamano il bergamotto e lo zucchero filato e in bocca ha una carica di briosità decisamente godibile. Tra i vini fermi spicca anzitutto il Marzemino, che si giova dell'appassimento di parte delle uve. Semplice e beverino il Vign'Asmara, da uve pinot grigio.

○ Trento Conte Federico Ris. '16	♟♟ 5
● Trentino Marzemino Mas'Est '19	♟♟ 3
○ Vign'Asmara Pinot Grigio '19	♟ 4
● Fojaneghe Rosso '12	♟♟♟ 5
○ Trento Brut Conte Federico Ris. '12	♟♟♟ 5
● Fojaneghe Rosso '15	♟♟ 5
● Fojaneghe Rosso '13	♟♟ 5
○ Trentino Bianco Vign'Asmara '16	♟♟ 4
● Trentino Teroldego Mas'Est '16	♟♟ 3
○ Trentino Vign'Asmara '17	♟♟ 4
○ Trento Brut Conte Federico Ris. '15	♟♟ 5
○ Trento Brut Conte Federico Ris. '13	♟♟ 5
○ Vign'Asmara '15	♟♟ 4
○ Vign'Asmara '14	♟♟ 4

★Cavit

VIA DEL PONTE, 31
38040 TRENTO
TEL. 0461381711
www.cavit.it

VENDITA DIRETTA
VISITA SU PRENOTAZIONE
PRODUZIONE ANNUA 70.000.000 bottiglie
ETTARI VITATI 5500,00

Cavit rappresenta la perfetta ottimizzazione del concetto di cooperazione vitivinicola. Parliamo di un colosso enologico in costante espansione, capace di recente di coinvolgere nelle sue variegate dinamiche societarie anche la Cantina La Vis e l'azienda spumantistica Cesarini Sforza. Qui si riesce a commercializzare enormi volumi di vino e nel contempo si rispettano le micro realtà viticole curate dai conferitori (sono oltre 5 mila!) attraverso la selezione di autentici cru. La gamma dei suoi vini è davvero eterogenea, alcune linee sono destinate all'export internazionale, altre alla grande distribuzione italiana. Quest'anno i Tre Bicchieri vanno al Blanc de Noirs, che la spunta sul poderoso Graal, entrambi dei Trento di gran forza. Il premiato, estremamente integro e brillante fin dal colore, danza su toni di susina, spezie dolci e gelsomino che la bocca rilancia nel tocco cremoso, senza crudezze citrine o ridondanze zuccherine. Sugli scudi pure la popolare Nosiola. Conferme dall'elegante Pinot Nero (il Brusafèr), affiancato da un delizioso Altemasi Rosé.

○ Trento Brut Altemasi Blanc de Noirs '16	♟♟♟ 4*
○ Trentino Nosiola Bottega Vinai '19	♟♟ 2*
○ Trento Brut Altemasi Graal Ris. '13	♟♟ 7
● Trentino Pinot Nero Sup. Brusafer '17	♟♟ 4
○ Trento Altemasi Rosé	♟♟ 4
○ Maso Torresella Cuvée '18	♟ 4
○ Trentino Bianco Sup. Rupe Re '17	♟ 4
● Trentino Rosso Sup. Quattro Vicariati '17	♟ 4
○ Trento Brut Altemasi Graal Ris. '12	♟♟♟ 6
○ Trento Brut Altemasi Graal Ris. '10	♟♟♟ 6
○ Trento Brut Altemasi Graal Ris. '09	♟♟♟ 6
○ Trento Brut Altemasi Graal Ris. '08	♟♟♟ 6
○ Trento Brut Altemasi Graal Ris. '06	♟♟♟ 6

Cesarini Sforza

FRAZ. RAVINA
VIA STELLA, 9
38123 TRENTO
TEL. 0461382200
www.cesarinisforza.com

VENDITA DIRETTA
VISITA SU PRENOTAZIONE
PRODUZIONE ANNUA 1.000.000 bottiglie
ETTARI VITATI 800,00
AZIENDA SOSTENIBILE

La recente sinergia societaria con il colosso Cavit non scalfisce minimamente l'autonomia della storica azienda spumantistica trentina. L'apporto è maggiore su tutti i fronti e così l'accurata selezione dei vini destinati a trasformarsi nella briosità tutta dolomitica è sempre più autentica. I Trentodoc - affiancati da alcune ottime versioni di spumante metodo italiano variante Nereo Cavazzani - si confermano archetipi di una solida evoluzione spumantistica, sempre più volta all'eleganza e all'estrema bevibilità. Non si smentisce neppure stavolta: il Trento Aquila Reale s'aggiudica facilmente i nostri Tre Bicchieri. Grazie alla rapace agilità della trama gustativa e alla grande precisione nell'aromaticità, con sentori di piccola pasticceria ed erbe montane in evidenza, il vino ha eleganza e armonia e un finale lunghissimo. Conferme anche dal Brut, decisamente sapido e dal sicuro e affidabile Rosé.

○ Trento Brut Aquila Reale '10	♟♟♟	7
○ Trento Brut	♟♟	5
⊙ Trento Brut Rosé	♟♟	5
○ Trento Aquila Reale Ris. '05	♕♕♕	7
○ Trento Aquila Reale Ris. '02	♕♕♕	7
○ Trento Brut Aquila Reale Ris. '09	♕♕♕	6
○ Trento Extra Brut 1673 Ris. '11	♕♕♕	5
○ Trento Extra Brut Tridentum '09	♕♕♕	4*
○ Trento Aquila Reale Ris. '08	♕♕	6
○ Trento Aquila Reale Ris. '06	♕♕	7
○ Trento Brut Nature Noir 1673 '12	♕♕	5
⊙ Trento Brut Rosé Ris. '11	♕♕	4
○ Trento Brut Tridentum '12	♕♕	4
○ Trento Extra Brut 1673 Ris. '12	♕♕	5
○ Trento Extra Brut 1673 Ris. '10	♕♕	5
⊙ Trento Rosè 1673 '13	♕♕	5

Corvée

LOC. BEDIN, 1
38034 LISIGNAGO [TN]
TEL. 3440260170
www.corvee.wine

VENDITA DIRETTA
VISITA SU PRENOTAZIONE
PRODUZIONE ANNUA 50.000 bottiglie
ETTARI VITATI 13,60

Prosegue senza sosta il cammino di questa innovativa azienda vitivinicola fondata appena qualche vendemmia fa da un gruppo d'imprenditori lungimiranti. La prima mossa fu coinvolgere alcuni bravi viticoltori della Valle di Cembra - dove la cantina ha sede - poi è stata acquistata l'emergente azienda spumantistica Opera. Ora lo staff enologico è guidato dal piemontese Beppe Caviola e dal giovane Moreno Nardin, cembrano doc, e la produzione verte sulle tipiche produzioni trentine, spumanti compresi. Il legame tra vitigno e territorio si conferma vincente anche stavolta. Perchè il müller thurgau e la valle di Cembra trovano simbiosi perfetta nella versione di Viàch, il vino dell'azienda che anche quest'anno porta in cantina un meritato Tre Bicchieri. Vino tanto corposo quanto di fine aromaticità, mostra vivida brillantezza e altrettanta coinvolgente bevibilità. La mano sicura dei cantinieri mette in risalto anche altre particolarità delle vendemmie cembrane, dal Pinot Nero al Traminer, dal Sauvignon al Trento.

○ Trentino Müller Thurgau Viàch '19	♟♟♟	4*
● Trentino Pinot Nero Agole '18	♟♟	6
● Trentino Lagrein Passo della Croce '18	♟♟	5
○ Trentino Sauvignon Bisù '19	♟♟	5
○ Trento Brut	♟♟	5
⊙ Trento Rosè	♟♟	5
○ Trentino Chardonnay Quaràs '19	♟	5
○ Trentino Müller Thurgau Viàch '18	♕♕♕	4*
○ Trentino Müller Thurgau Viàch '17	♕♕♕	4*
● Trentino Lagrein Passo della Croce '17	♕♕	5
● Trentino Pinot Nero Agole '17	♕♕	6
● Trentino Pinot Nero Agole '16	♕♕	6
○ Trentino Sauvignon Bisù '18	♕♕	5
○ Trentino Traminer Clongiàn '18	♕♕	5

De Vescovi Ulzbach

P.ZZA GARIBALDI, 12
38016 MEZZOCORONA [TN]
TEL. 04611740050
www.devescoviulzbach.it

VENDITA DIRETTA
VISITA SU PRENOTAZIONE
PRODUZIONE ANNUA 20.000 bottiglie
ETTARI VITATI 3,50

Qui il protagonista è il vitigno teroldego e il giovane Giulio De Vescovi Ulzbach lo vinifica esaltandone la massima espressione, non solo varietale, ma schiettamente rotaliana. I suoi altri vini - sperimenta pure alcune versioni di spumante classico proveniente da uve coltivata in alta quota, attorno 1000 metri - sono diventati dei cult, hanno conquistato premi e stimolato altri giovani vignaioli della zona a cimentarsi nella cosiddetta TeroldeGO(R)evolution. Fiduciosa che alcune sue vinificazioni (il Vigilius, anzitutto) miglioreranno dopo ulteriore riposo in cantina, l'azienda ha proposto solo due versioni di Teroldego e un vino ottenuto da uve locali, (groppello di Revò compreso). Quest'ultimo è il Kino Nero, vino in onore di padre Eusebio Chini, missionario ed esploratore della California nel 1600, personaggio legato a vicende storiche della famiglia De Vescovi. Riguardo i Teroldego, bella presenza e sicura bevibilità su entrambi, come oramai garantisce questo bravo produttore rotaliano.

● Kino Nero '16	♈♈	4
● Teroldego Rotaliano '18	♈♈	3
☉ Teroldego Rotaliano Kretzer '19	♈	3
● Teroldego Rotaliano '15	♈♈♈	3*
● Teroldego Rotaliano V. Le Fron '16	♈♈♈	6
● Teroldego Rotaliano Vigilius '12	♈♈♈	5
● Kino Nero '15	♈♈	4
● Teroldego Rotaliano '17	♈♈	3
● Teroldego Rotaliano '16	♈♈	3*
● Teroldego Rotaliano '14	♈♈	3*
● Teroldego Rotaliano '13	♈♈	3
● Teroldego Rotaliano '12	♈♈	3*
● Teroldego Rotaliano Vigilius '16	♈♈	5
● Teroldego Rotaliano Vigilius '15	♈♈	5
● Teroldego Rotaliano Vigilius '13	♈♈	5

★Dorigati

VIA DANTE, 5
38016 MEZZOCORONA [TN]
TEL. 0461605313
www.dorigati.it

VENDITA DIRETTA
VISITA SU PRENOTAZIONE
PRODUZIONE ANNUA 100.000 bottiglie
ETTARI VITATI 10,00
AZIENDA SOSTENIBILE

Vigna, casa e cantina è l'armonico insieme che da cinque generazioni caratterizza i Dorigati in quel di Mezzocorona. La loro è una dinastia di viticoltori veraci, studiosi dell'evoluzione agraria e tra i pionieri della spumantistica, amore che non hanno mai dimenticato nonostante la loro bravura nel produrre ottimi Teroldego. I cugini Paolo e Michele sono inoltre tra i promotori di TeroldeGO(R)evolution e da qualche vendemmia innovano la gamma dei loro vini sfruttando pure il rebo, varietà tutta trenina che abbinata al teroldego e cabernet sauvignon rappresenta la novità 2020. Però è con il 'vino della casa', un Teroldego dedicato ad un loro patriarca, Luigi Dorigati, che centrano i Tre Bicchieri. Un vino a dir poco entusiasmante, uno dei migliori assaggiati in Trentino nell'ultimo decennio: fragrante e carnoso nella succosità, squisito nella trama dei tannini, avvolgente e di gran classe. Sempre in evidenza il Diedri, altra Riserva di Teroldego godibilissimo. La novità Planus ha, invece, ulteriore bisogno di riposo in bottiglia, ma la stoffa del grande vino si sente di già.

● Teroldego Rotaliano Luigi Ris. '16	♈♈♈	6
● Planus '18	♈♈	4
● Teroldego Rotaliano Diedri Ris. '17	♈♈	5
● Teroldego Rotaliano '18	♈	4
● Teroldego Rotaliano Luigi Ris. '13	♈♈♈	6
○ Trento Brut Methius Ris. '09	♈♈♈	6
○ Trento Brut Methius Ris. '08	♈♈♈	6
○ Trento Brut Methius Ris. '06	♈♈♈	6
○ Trento Brut Methius Ris. '05	♈♈♈	6
○ Trento Brut Methius Ris. '04	♈♈♈	6
○ Trento Brut Methius Ris. '03	♈♈♈	6
○ Trento Brut Methius Ris. '02	♈♈♈	6
○ Trento Brut Methius Ris. '00	♈♈♈	6
○ Trento Brut Methius Ris. '98	♈♈♈	6
○ Trento Methius Ris. '95	♈♈♈	4
○ Trento Methius Ris. '92	♈♈♈	4*

Endrizzi

LOC. MASETTO, 2
38010 SAN MICHELE ALL'ADIGE [TN]
TEL. 0461650129
www.endrizzi.it

VENDITA DIRETTA
VISITA SU PRENOTAZIONE
PRODUZIONE ANNUA 600.000 bottiglie
ETTARI VITATI 55,00
AZIENDA SOSTENIBILE

Coltivare bellezza e farlo con mirabile
naturalità. È questa l'idea produttiva della
stimabile famiglia Endrici, una filosofia che
si concretizza attraverso una gamma di vini
perfettamente in equilibrio tra tipicità,
tendenze globali e altrettanta sostenibilità,
portata avanti in campagna come in
cantina. Nei loro vigneti sul conoide di
Faedo, verso il suggestivo Castel Monreale,
cinguettano gli uccelli che nidificano tra i
grappoli d'uva, sinceri indicatori ambientali
e simboli autentici dei vini Endrizzi.
Decisamente in netta evidenza alcune
etichette presentate quest'anno. A partire
dal Gran Masetto, rosso potente da uve
teroldego fatte leggermente appassire, per
avere un vino opulento, profondo, quasi
totalizzante. C'è pure un secondo vino da
finale: il Trento Masetto Privé, è una Riserva
con due lustri alle spalle, perfettamente
integro nella trama briosa, scattante, dalla
fresca salinità finale. Spazio pure al
Masetto Dulcis, un vendemmia tardiva da
gioiose meditazioni.

● Gran Masetto '15	♟♟	8
○ Trento Dosaggio Zero Masetto '10	♟♟	8
○ Masetto Dulcis '17	♟♟	5
● Teroldego Rotaliano Sup. Leoncorno '17	♟	4
● Gran Masetto '14	♟♟	8
● Gran Masetto '13	♟♟	8
● Gran Masetto '12	♟♟	8
○ Masetto Bianco '15	♟♟	3
● Teroldego Rotaliano Leoncorno Ris. '15	♟♟	5
● Teroldego Rotaliano Sup. Leocorno Ris. '16	♟♟	4
○ Trento Brut Pian Castello Ris. '12	♟♟	4
○ Tronto Brut Piancastello Rosè Ris. '13	♟♟	5
○ Trento Masetto Privè '09	♟♟	8
○ Trento Piancastello '13	♟♟	5

★★★Ferrari

VIA DEL PONTE, 15
38123 TRENTO
TEL. 0461972311
www.ferraritrento.com

VENDITA DIRETTA
VISITA SU PRENOTAZIONE
RISTORAZIONE
PRODUZIONE ANNUA 5.800.000 bottiglie
ETTARI VITATI 100,00
AZIENDA SOSTENIBILE

Il dinamismo della famiglia Lunelli è
paragonabile all'effervescenza magica dei
loro esclusivi Trentodoc. Potenziano in
continuazione le loro attività imprenditoriali,
progettano una spettacolare Cittadella del
Vino, ma soprattutto riescono ad elaborare
vini sempre più marcatamente Ferrari. Tutto
si gioca un equilibrio tra corpo e nerbo
acido, briosità nella struttura e slancio
sapido. Lo stile che si riscontra in tutte le
versioni, dal classico brut fino alle cuvèe più
preziose, è inimitabile ed è frutto di colture
viticole sempre più ecologiche portate
avanti da Ruben Larentis, il bravissimo chef
de cave aziendale. I magnifici sette: così si
potrebbero definire i Trento proposti dai
Lunelli alle nostre degustazioni. Tutti con
spiccata, inconfondibile identità. Il Giulio
Ferrari - il tradizionale ancor meglio del
nuovo Rosé è una versione di gran fascino
e conquista l'ennesimo Tre Bicchieri. È un
mix incredibile di delicatezza, cremosità e di
acidità suadente che rasenta la perfezione
assoluta. Giudizi altissimi anche per gli altri,
a partire dai Perlé, veri fuoriclasse. In alto
i calici.

○ Trento Brut Giulio Ferrari Riserva del Fondatore '09	♟♟♟	8
⊙ Trento Brut Giulio Ferrari Riserva del Fondatore Rosé '08	♟♟	8
○ Trento Brut Perlé Bianco Ris. '12	♟♟	7
○ Trento Extra Brut Perlé Nero Ris. '12	♟♟	8
○ Trento Perlé Zero Cuvée Zero 13	♟♟	8
○ Trento Brut Maximum	♟♟	6
○ Trento Extra Brut Riserva Lunelli '12	♟♟	8
○ Trento Brut Giulio Ferrari Riserva del Fondatore '08	♟♟♟	8
○ Trento Brut Giulio Ferrari Riserva del Fondatore '06	♟♟♟	8
○ Trento Brut Giulio Ferrari Riserva del Fondatore '05	♟♟♟	8

Cantina d'Isera

VIA AL PONTE, 1
38060 ISERA [TN]
TEL. 0464433795
www.cantinaisera.it

VENDITA DIRETTA
VISITA SU PRENOTAZIONE
PRODUZIONE ANNUA 500.000 bottiglie
ETTARI VITATI 200,00
VITICOLTURA Biologico Certificato

Il Marzemino in questa zona della
Vallagarina è sinonimo d'Isera, il borgo sulla
riva destra del fiume Adige che da secoli
riserva al vino e all'omonimo vitigno tutte le
attenzioni della locale comunità rurale. La
cantina sociale è baluardo della tradizione
'marzemina', anche se la gamma dei suoi
vini è ampia e può contare su vigneti
basaltici dislocati su vari livelli di quota, tra il
monte Baldo e le montagne che portano al
Garda. Terrazzamenti suggestivi, campi dove
la vite trova condizioni ideali, per clima e
esposizione solare. Un terroir che consente
al marzemino - così come a varietà idonee
alla spumantistica - splendide evoluzioni.
Per la prima volta in assoluto alle nostre
finali è arrivato il Corè, una selezione
accurata di Marzemino d'Isera. Gentile
nella sua facile beva, ma altrettanto
elegante, violaceo nel colore e dai sentori
di viola mammola, sia al naso sia al palato.
Anche le altre versioni di Marzemino si
sono distinte, così come diversi gli altri
vini rossi fermi, senza dimenticare la Riserva
di Trento.

● Trentino Marzemino Sup. Corè '17	♥♥	4
☉ Schiava '19	♥♥	3
● Trentino Cabernet Sauvignon '18	♥♥	3
● Trentino Lagrein '18	♥♥	3
● Trentino Marzemino '18	♥♥	3
● Trentino Marzemino Bio '18	♥♥	3
● Trentino Merlot '18	♥♥	3
● Trentino Rebo '18	♥♥	3
○ Trentino Extra Brut Ris. '15	♥♥	5
○ Trentino Chardonnay '19	♥	3
○ Trentino Gewürztraminer '19	♥	3
○ Trentino Müller Thurgau '19	♥	2
○ Trento Brut Ris. '15	♥	5
● Trentino Marzemino Et. Verde '17	♀♀	3
○ Trento Brut Ris. '13	♀♀	5
○ Trento Extra Brut '13	♀♀	5

La Vis - Valle di Cembra

VIA CARMINE, 7
38015 LAVIS [TN]
TEL. 0461440111
www.la-vis.com

VENDITA DIRETTA
VISITA SU PRENOTAZIONE
OSPITALITÀ
PRODUZIONE ANNUA 1.000.000 bottiglie
ETTARI VITATI 750,00
AZIENDA SOSTENIBILE

La Vis è una forza vitivinicola che ha
scandito l'evoluzione della miglior
cooperazione enoica del Trentino e che -
dopo aver superato qualche problema
gestionale - ora ritorna nell'ambito
manageriale di Cavit, mantenendo
comunque massima autonomia, a difesa
della sua storia, dell'impegno dei soci e a
tutela delle strutture di propria produzione.
La variabilità delle zone di coltivazione, tra
fondovalle e alta collina, tra Lavis, Pressano
e nei paesi che portano lassù, verso
Fiemme, consentono altrettante mirabili
vinificazioni, divise tra Cembra - Cantina di
Montagna e la classica Lavis. È proprio un
Pinot Bianco di Cantina Cembra la sorpresa
più convincente, decisamente autorevole,
verticale nelle fragranze e determinato nella
struttura da vero vino alpino. Poi è l'uvaggio
rosso Ritratto - dalla gamma della classica
La Vis - a salire sul podio. Lavis sceglie però
di puntare su vini più 'popolari', destinando i
suoi cru a prossimi appuntamenti. Ecco
allora un Sauvignon di facile approccio,
varietale e molto saporito, seguito da un
fragrante Riesling di stampo trentino.

● Ritratto Rosso '15	♥♥	5
○ Trentino Pinot Bianco V. Cembra '19	♥♥	3*
● Teroldego '19	♥♥	3
○ Trentino Kerner V. Cembra '19	♥♥	3
○ Trentino Nosiola '19	♥♥	3
○ Trentino Riesling '19	♥♥	3
○ Trentino Sauvignon '19	♥♥	3
○ Trentino Müller Thurgau '19	♥	3
○ Trentino Chardonnay '19	♥	3
● Trentino Lagrein '19	♥	3
○ Trentino Müller Thurgau V. Cembra '18	♥	3
● Trentino Pinot Nero V. Cembra '19	♥	3
○ Trentino Müller Thurgau V. delle Forche '14	♀♀♀	3*
○ Trentino Müller Thurgau V. delle Forche '13	♀♀♀	3*

★Letrari

VIA MONTE BALDO, 13/15
38068 ROVERETO [TN]
TEL. 0464480200
www.letrari.it

VENDITA DIRETTA
VISITA SU PRENOTAZIONE
PRODUZIONE ANNUA 160.000 bottiglie
ETTARI VITATI 23,00

Lucia Letrari riesce a essere vignaiola, spumantista, ma anche enopromoter senza alcuna discontinuità e lo fa con caparbietà e tanto entusiasmo. Sono tutte doti ereditate di sicuro da suo padre, il compianto Nello, patriarca della spumantistica trentina, persona che è stata brava nel trasmettere quegli insegnamenti enoici che continuano a consolidare il prestigio Letrari attraverso dei grandi spumanti Trentodoc. Il Dosaggio Zero Riserva '14 mette in fila gli altri cinque Metodo Classico dell'azienda e con orgoglio conquista i Tre Bicchieri, anche se il Quore non ha minimamente sfigurato: entrambi hanno perlage fine, molto lento, evidenziano sentori di crosta di pane, con un pizzico di aromaticità floreale e di pietra focaia per un finale caldo e coinvolgente. La piacevolezza e l'altrettanta autorevolezza emerge nella Riserva dedicata a Leonello Letrari, il fondatore: un Trento d'autore, che soddisfa i sensi e sorride alla beva.

○ Trento Dosaggio Zero Letrari Ris. '14	♈♈♈	6
○ Trento Brut Quore Ris. '13	♈♈	6
○ Trento Brut		
976 Riserva del Fondatore '09	♈♈	8
○ Trento Brut Letrari Ris. '14	♈♈	5
● Ballistarius '15	♈	5
○ Trento Brut '17	♈	5
○ Trento Cuvèe Blanche	♈	4
○ Trento Brut		
976 Riserva del Fondatore '05	♈♈♈	8
○ Trento Brut Letrari Ris. '09	♈♈♈	5
○ Trento Brut Letrari Ris. '08	♈♈♈	5
○ Trento Brut Letrari Ris. '07	♈♈♈	5
○ Trento Brut Ris. '10	♈♈♈	5
⊙ Trento Brut Rosé +4 '09	♈♈♈	6
○ Trento Dosaggio Zero Letrari Ris. '12	♈♈♈	6
○ Trento Dosaggio Zero Ris. '11	♈♈♈	6

Mas dei Chini

FRAZ. MARTIGNANO
VIA BASSANO, 3
38121 TRENTO
TEL. 0461821513
www.cantinamasdeichini.it

VENDITA DIRETTA
PRODUZIONE ANNUA 55.000 bottiglie
ETTARI VITATI 30,00

Il maso, per secoli, è stato sinonimo di caseggiato rurale tra le campagne dolomitiche. Mas dei Chini è invece la riproposizione moderna di un archetipo, trasformato in una suggestiva cantina scavata nella roccia e dotata di una serie di spazi per l'ospitalità e la ristorazione. Graziano Chini, noto imprenditore trentino concessionario di marche automobilistiche, ha dedicato grandi risorse alla sua azienda vitivinicola, situata sulla collina di Trento, verso il Calisio, tra vigneti soleggiati ideali per le varietà classiche idonee alla spumantistica. Sfiora il massimo riconoscimento il Nature, ancora in cerca di ulteriore complessità: è comunque un Trento di gran razza, dalla beva precisa e raffinata. Delicato ed elegante anche il Carlo V, ricco, centrato, di buon nerbo acido e di pura opulenza. Sempre piacevoli le versioni più facili, sia il Trento Brut, sia il Rosè. Mas dei Chini non è però solo spumanti: si conferma buon interprete anche sui vini fermi, mentre è partito un progetto per un particolare rosso, il Vida Rubina, frutto di varietà autoctone delle Dolomiti.

○ Trento Nature Inkino '12	♈♈	6
○ Trento Inkino Brut	♈♈	6
○ Trento Inkino Carlo V Ris. '11	♈♈	6
⊙ Trento Inkino Rosé	♈♈	4
● Vida Rubina '17	♈♈	4
○ Theodor Manzoni Bianco '19	♈	4
○ Trentino Gewürztraminer '19	♈	3
● Trentino Lagrein '19	♈	4
○ Inkino Brut Riserva '10	♈♈	5
● Trentino Lagrein '18	♈♈	4
○ Trento Inkino Carlo V Ris. '10	♈♈	6
○ Trento Inkino Nature '11	♈♈	6
○ Trento Inkino Rosè Nature	♈♈	6

Maso Cantanghel

VIA CARLO SETTE, 21
38015 LAVIS [TN]
TEL. 0461246353
www.masocantanghel.eu

VENDITA DIRETTA
VISITA SU PRENOTAZIONE
PRODUZIONE ANNUA 20.000 bottiglie
ETTARI VITATI 8,50
VITICOLTURA Biologico Certificato
AZIENDA SOSTENIBILE

La gentilezza caratterizza anzitutto i vini,
ma pure l'indole di Federico Simoni, un
vignaiolo imprenditore che porta avanti
l'attività ultradecennale di famiglia nella
cantina Monfort a Lavis. Una gentilezza che
smorza l'immagine austera della
fortificazione austroungarica che si staglia
sulle etichette dei vini, frutto dei vigneti di
Maso Cantanghel, sistemati proprio attorno
al Forte di Civezzano. Simone è convinto
cultore delle varietà di viti storiche del
Trentino, seleziona vini di stampo artigiano,
senza mai tralasciare le cure per ottenere
rossi e bianchi affascinanti, Pinot Nero su
tutti. È proprio il Pinot Nero a spiccare
anche quest'anno centrando per la terza
volta consecutiva i Tre Bicchieri. Seppur
ancora giovane è un rosso di gran stoffa,
espressivo nelle note di frutti di bosco e
spezie e dal sorso elegante e raffinato. In
risalto anche la Cuvèe di uve a bacca
bianca SotSàs e un succoso Pinot Grigio.
Riguardo Casata Monfort, la cantina-madre
di Lavis, abbiamo apprezzato la Nosiola
Corylus e il Gewürztraminer '19.

Maso Martis

LOC. MARTIGNANO
VIA DELL'ALBERA, 52
38121 TRENTO
TEL. 0461821057
www.masomartis.it

VENDITA DIRETTA
VISITA SU PRENOTAZIONE
PRODUZIONE ANNUA 65.000 bottiglie
ETTARI VITATI 12,00
VITICOLTURA Biologico Certificato

I vigneti circondano la cantina -
recentemente ampliata e dislocata sotto irti
filari di chardonnay, pinot nero e meunier
che s'inerpicano verso il monte Calisio e
ricreano l'aspetto originario della collina
che domina la sottostante città di Trento. Gli
Stelzer - in questa singolare enclave di
biodiversità strappata all'urbanizzazione
- praticano tecniche agronomiche in piena
sintonia ecologica, selezionando
scrupolosamente gli acini destinati a
diventare Trentodoc. La novità che
assaggeremo presto è rappresentata da
uno spumante prodotto unicamente da uve
meunier, frutto di lunga sperimentazione
comune a tutte le cuvée. Centra l'obiettivo
la Cuvée Madame Martis, merito
dell'infinitesimale brio delle sue bollicine ed
altrettanta complessità di fragranze che
richiamano sia fiori sia frutti di montagna
- dal biancospino alle pesche selvatiche - e
un finale interminabile, prerogative degne
degli spumanti davvero fuoriclasse. Sempre
positivi gli altri Trento: il Dosaggio Zero
Riserva Bio, il Brut Bio e il delizioso Rosé.

● Trentino Pinot Nero V. Cantanghel '17	♥♥♥	5
○ Corylus Nosiola Casata Monfort '16	♥♥	4
○ SotSàs Cuvée '18	♥♥	3
○ Trentino Gewürztraminer Casata Monfort '19	♥♥	3
● Trentino Lagrein Casata Monfort '18	♥♥	3
○ Trentino Pinot Grigio '18	♥♥	3
○ Trentino Sauvignon V. Cantanghel '19	♥♥	3
○ Trento Brut Casata Monfort	♥♥	4
○ Trento Brut Rosé Casata Monfort	♥♥	5
○ Trentino Gewürztraminer V. Caselle '19	♥	4
○ Trentino Müller Thurgau Casata Monfort '19	♥	2
● Trentino Pinot Nero Casata Monfort '18	♥	3

○ Trento Brut Madame Martis Ris. '10	♥♥♥	8
○ Trento Dosaggio Zero Maso Martis Ris. Bio '16	♥♥	5
○ Trento Brut Maso Martis Bio	♥♥	5
⊙ Trento Brut Maso Martis Rosé Bio '16	♥♥	5
○ Trento Brut Madame Martis Ris. '09	♀♀♀	8
○ Trento Brut Madame Martis Ris. '08	♀♀♀	8
○ Trento Dosaggio Zero Ris. '12	♀♀♀	6
○ Trento Dosaggio Zero Ris. '11	♀♀♀	6
○ Trento Brut Maso Martis Ris. '13	♀♀	6
⊙ Trento Brut Maso Martis Rosè Bio '15	♀♀	5
○ Trento Dosaggio Zero '13	♀♀	5
○ Trento Dosaggio Zero Maso Martis Ris. Bio '15	♀♀	5
⊙ Trento Extra Brut Rosé Bio Ris. '13	♀♀	5

Maso Poli

LOC. MASI DI PRESSANO, 33
38015 LAVIS [TN]
TEL. 0461871519
www.masopoli.com

VENDITA DIRETTA
VISITA SU PRENOTAZIONE
PRODUZIONE ANNUA 75.000 bottiglie
ETTARI VITATI 13,00

Dare tempo al tempo, in un terra antica,
modellata dalla fatica di atavici viticoltori,
per poi sfidare la modernità con vini che
vogliono recuperare il passato per aprirsi al
domani. È questo l'obiettivo delle sorelle
della famiglia Togn riuscite, nel giro di
poche vendemmie, a consolidare l'attività
d'imprenditrici vinicole nella loro Gajerhof a
Roverè della Luna e contemporaneamente
sviluppare i poderi vitati che attorniano
Maso Poli, sopra Lavis. Una delle ultime
scelte è stata quella di allungare
l'affinamento di tutti i loro vini, per questo è
stato predisposto l'ampliamento del caveau
aziendale. Vini dunque con due griffe,
distinte, che troverete in questa scheda
unitaria. Maso Poli si distingue per un
Traminer molto fragrante e beverino, senza
dimenticare il rosso Marmoran, da uve di
varietà teroldego e lagrein. La Gajerhof si
dimostra all'altezza con due versioni di
Teroldego, una speciale Riserva e quello
d'annata, poi con il Müller Thurgau e il
Lagrein, vini di squisita elaborazione,
prodotti adatti anche a soddisfare la
crescente richiesta del mercato estero.

● Teroldego Rotaliano Gaierhof '18	♟♟ 4
● Teroldego Rotaliano Sup. Ris. Gaierhof '16	♟♟ 5
○ Trentino Gewürztraminer '19	♟♟ 4
○ Trentino Müller Thurgau Gaierhof '19	♟♟ 3
○ Trentino Riesling '19	♟♟ 4
● Trentino Sorni Rosso Marmoram '17	♟♟ 5
● Trentino Lagrein '19	♟ 3
○ Trentino Nosiola '19	♟ 3
○ Trentino Nosiola Gaierhof '19	♟ 2
● Trentino Pinot Nero Sup. '17	♟ 3
○ Trentino Gewürztraminer '17	♟♟ 4
● Trentino Marmoram '16	♟♟ 5
○ Trentino Riesling '18	♟♟ 4
○ Trentino Traminer '18	♟♟ 3
○ Trento Brut Ris. '13	♟♟ 6

Mezzacorona

VIA DEL TEROLDEGO, 1E
38016 MEZZOCORONA [TN]
TEL. 0461616399
www.mezzacorona.it

VENDITA DIRETTA
VISITA SU PRENOTAZIONE
OSPITALITÀ
PRODUZIONE ANNUA 48.000.000 bottiglie
ETTARI VITATI 2800,00

Il Gruppo Mezzacorona diversifica la
vinificazione tra Trentino e Sicilia,
rispettando la specificità territoriale ma
sfruttando tutto l'enorme potenziale
commerciale del brand. Eccoci di fronte a
una proposta di vini di facile approccio,
enologicamente perfetti, che fanno da
traino a singolari microproduzioni
assolutamente encomiabili. E se Pinot
grigio e Teroldego possono essere
considerati i cavalli di razza tra i vini fermi,
non bisogna assolutamente dimenticare gli
eleganti e finissimi spumanti Trentodoc. Il
Flavio si conferma un grande Trento e con il
suo stilema frammisto di forza e gentilezza
mantiene saldamente i Tre Bicchieri.
Conquista per i variegati timbri agrumati,
lime e mandarino, ed è bilanciato
ottimamente tra sapidità e nerbo acido.
Tutti caratteri che riemergono in altri loro
Trento: dall'Alpe Regis alla Cuvèe 28.
Mezzacorona però vuol dire anzitutto vini
fermi. Si distinguono i due bianchi della
linea Musivum, mentre lo Chardonnay
Riserva è il capitano di una bella squadra
firmata Castel Firmian.

○ Trento Brut Rotari Flavio Ris. '12	♟♟♟ 8
○ Trentino Chardonnay Castel Firmian Ris. '18	♟♟ 5
● Nerofino '17	♟♟ 4
● Teroldego Rotaliano Sup. Ris. Castel Firmian '16	♟♟ 5
○ Trentino Gewürztraminer Sup. Castel Firmian '18	♟♟ 3
○ Trentino Müller Thurgau Musivum '17	♟♟ 6
○ Trentino Pinot Grigio Musivum '16	♟♟ 6
○ Trentino Sauvignon Castel Firmian '19	♟♟ 5
○ Trento Cuvée 28°	♟♟ 4
○ Trento Pas Dosé Rotari AlpeRegis '14	♟♟ 6
● Teroldego Rotaliano Castel Firmian '19	♟ 3
● Trentino Nosiola Castel Fimian '18	♟ 3
● Trentino Pinot Nero Castel Firmian '18	♟ 3

Moser

FRAZ. GARDOLO DI MEZZO
VIA CASTEL DI GARDOLO, 5
38121 TRENTO
TEL. 0461990786
www.mosertrento.com

VENDITA DIRETTA
VISITA SU PRENOTAZIONE
OSPITALITÀ
PRODUZIONE ANNUA 120.000 bottiglie
ETTARI VITATI 17,00

Francesco Moser non perde il guizzo del corridore esperto e mette tutta la sua esperienza sportiva a servizio di un singolare enotour. Con la complicità dei suoi figli (anzitutto Carlo, grande spumantista, ma anche Francesca, al commerciale, nonchè Ignazio, enologo diplomato, protagonista di show televisivi e acclamato sui social) porta avanti la bella azienda sita in collina, sopra Gardolo di Trento. L'impeccabile gestione ha visto coinvolto in cantina anche un loro cugino, Matteo Moser, che in pochi anni è diventato uno dei migliori 'chef de cave' tra i 'Trentodocchisti'. Il loro Nature è coinvolgente, profuma di fragranze mediterranee, crosta di pane e il frumento che lo ha generato. La beva è raffinata e vibrante, profonda e nel finale si avverte una sferzata acida magnetica. Tiene il passo - ciclisticamente parlando - anche il Brut 51,151, lo spumante dedicato al record dell'ora stabilito da Moser, mentre si mettono in luce anche alcuni vini fermi a partire da un Gewürztraminer di grande equilibrio gustativo.

○ Trento Brut Nature '14	♟♟♟ 5
○ Trentino Gewürztraminer Maso Warth '19	♟♟ 3*
○ Trentino Riesling Renano Maso Warth '18	♟♟ 3
○ Trento Brut 51,151	♟♟ 5
○ Trentino Chardonnay Maso Warth '19	♟ 3
○ Trentino Moscato Giallo Maso Warth '19	♟ 3
○ Trento Brut Nature '12	♟♟♟ 5
○ Trentino Chardonnay '18	♟♟ 2*
○ Trentino Traminer Aromatico '18	♟♟ 3
○ Trento Brut Nature '13	♟♟ 5
○ Trento Brut Nature '11	♟♟ 5
☉ Trento Extra Brut Rosé '15	♟♟ 5

Pisoni Spumanti

LOC. SARCHE
FRAZ. PERGOLESE DI LASINO
VIA SAN SIRO, 7A
38076 MADRUZZO
TEL. 0461564106
www.pisoni.it

VENDITA DIRETTA
VISITA SU PRENOTAZIONE
PRODUZIONE ANNUA 23.500 bottiglie
ETTARI VITATI 16,00

Pisoni rappresenta una dinastia di vignaioli che opera dal 1852 nella conca che si protende il lago di Garda. Coltivano da sempre vigneti in quota, impegnati nella tutela di varietà esclusive della zona - nosiola su tutte - e vinificano anche le uve fatte appassire per il raro Vino Santo. In più distillano in proprio tutte le vinacce della vendemmia e propongono acquaviti della tradizione alchemica trentina. Da qualche stagione hanno differenziato le loro competenze familiari, separando l'attività prettamente agricola (Pisoni Vini, dedicata unicamente ai vini fermi) da quelle legate alla grappa e alla cura dello spumante classico che recensiamo qui. Si distingue nelle nostre finali un Nature esuberante, dal corpo avvolgente e cremoso e dalla bella effervescenza, vigoroso nel finale fruttato persistente. Affascinante poi la Riserva 96 mesi sui lieviti dedicata a Erminia Segalla, nonna dei Pisoni. Ben fatti gli altri vini del millesimo 2016.

○ Trento Brut Nature '16	♟♟ 5
○ Trento Extra Brut Blanc de Noirs '16	♟♟ 5
○ Trento Extra Brut Erminia Segalla '11	♟♟ 6
○ Trento Brut '16	♟ 5
☉ Trento Brut Rosé '16	♟ 5

Pojer & Sandri

FRAZ. FAEDO
LOC. MOLINI, 4
38010 SAN MICHELE ALL'ADIGE [TN]
TEL. 0461650342
www.pojeresandri.it

VENDITA DIRETTA
VISITA SU PRENOTAZIONE
OSPITALITÀ
PRODUZIONE ANNUA 200.000 bottiglie
ETTARI VITATI 26,00
VITICOLTURA Biologico Certificato

Il duo - dal punto di vista enologico - ha scandito l'evoluzione del vino dolomitico dell'ultimo mezzo secolo. Mario Pojer e Fiorentino Sandri hanno rivoluzionato tecniche di vinificazione, selezione viticola, sperimentato varietà inconsuete, distillato vinacce, frutta e altro ancora, senza neppure tralasciare una squisita produzione di aceti. Il tutto per trasformare Faedo, il paesino vitato dove operano, in una vera fucina d'idee. Tutto si è concretizzato tramite vini di pronta beva, spumanti, rossi corposi e altre rarità frutto di lunghissimi affinamenti, ma anche tecniche colturali assolutamente naturali. La vera sorpresa arriva quest'anno da un Riesling decisamente austero e profondo. È la prima volta in Trentino che questa varietà s'aggiudica i Tre Bicchieri. Brilla nel colore oro verdolino, al naso dimostra purezza grazie a note pepate e di lime, e sarà interessante vedere la sua evoluzione per apprezzarne le sue note terziarie. La bocca è fine, elegante, per nulla invadente, di spiccata personalità.

○ Trentino Riesling '19	▼▼▼	4*
⊙ Ballo del Contadino Brut Rosé	▼▼	5
○ Essenzia '18	▼▼	5
● Faye Rosso '16	▼▼	6
○ Ballo del Contadino Extra Brut	▼	6
● Rodel Pianezzi Pinot Nero '17	▼	5
○ Faye Bianco '08	♀♀♀	5
○ Faye Bianco '01	♀♀♀	5
● Faye Rosso '05	♀♀♀	5
● Faye Rosso '00	♀♀♀	5
● Faye Rosso '94	♀♀♀	5
● Faye Rosso '93	♀♀♀	5
● Rodel Pianezzi Pinot Nero '09	♀♀♀	5
○ Faye Bianco '15	♀♀	5
○ Faye Bianco '13	♀♀	5
● Faye Rosso '12	♀♀	6
● Rodel Pianezzi Pinot Nero '16	♀♀	5

Pravis

LOC. LE BIOLCHE, 1
38076 LASINO [TN]
TEL. 0461564305
www.pravis.it

VENDITA DIRETTA
VISITA SU PRENOTAZIONE
PRODUZIONE ANNUA 200.000 bottiglie
ETTARI VITATI 32,00

La Pravis può godere di vigneti che scandiscono il ritmo del paesaggio alpino, sospesi tra l'azzurro dei laghi - il Garda è sullo sfondo - e il cielo terso delle Dolomiti - col gruppo del Brenta a corollario. La cantina, attigua a Castel Madruzzo, lavora uve tipiche della zona e le coltiva col massimo rispetto della biodiversità. I tre soci fondatori sono amici tra loro e da qualche vendemmia hanno coinvolto i rispettivi figli, con la giovane Erika Podrini alla guida enologica, sua sorella Giulia al marketing, mentre Alessio e Silvio Chistè incaricati del lavoro in vigna. La Valle dei Laghi si conferma una sorta di 'terra santa' per il vino da uve nosiola fatte appassire per poi dare vita al raro Vino Santo. La versione 2007 può orgogliosamente fregiarsi dei nostri Tre Bicchieri. È un vino meditativo, lunghissimo sotto ogni aspetto, per nulla stucchevole, con una grinta ancor giovanile, che fa pensare a ulteriori evoluzioni. Bell'andamento pure per il singolare Stravino di Stravino - da uve bianche surmature e vinificazione in legno d'acacia - così come per il Kerner Le Biolche '19.

○ Trentino Vino Santo Arèle '07	▼▼▼	6
○ Le Biolche Kerner '19	▼▼	3
○ Stravino di Stravino '18	▼▼	4
○ Teramara Sauvignon '19	▼	4
● Fratagranda '10	♀♀♀	4*
● Fratagranda '09	♀♀♀	4*
● Fratagranda '07	♀♀♀	4
○ Stravino di Stravino '99	♀♀♀	4*
○ Vino Santo Arèle '06	♀♀♀	6
○ l'Ora '14	♀♀	5
● Madruzzo Pinot Nero '16	♀♀	3
○ Müller Thurgau San Thomà '18	♀♀	2*
○ Nosiola Le Frate '18	♀♀	2*
○ Soliva '12	♀♀	6
● Syrae '16	♀♀	5
● Syrae '15	♀♀	5

Agraria Riva del Garda

Loc. San Nazzaro, 4
38066 Riva del Garda [TN]
Tel. 0464552133
www.agririva.it

VENDITA DIRETTA
VISITA SU PRENOTAZIONE
PRODUZIONE ANNUA 250.000 bottiglie
ETTARI VITATI 280,00

Diversificare per innovare, senza mai stravolgere la consuetudine agricola della riviera trentina del lago di Garda. Questo porta avanti la cooperativa Agririva, sempre presente nelle variegate attività legate alla promozione del gusto. Produce olio extravergine d'oliva tra i più blasonati, tutela specialità gastronomiche locali e coinvolge i suoi soci in precise cure viticole, nel rispetto dell'habitat. Vasta la gamma dei vini, prevalentemente da vitigni di stampo internazionale, ma vinificati con giusta attenzione alla tipicità, decisamente gardesana. Ancora una volta la certosina selezione di Pinot Nero si conferma una grande etichetta. Il merito va alla continua dedizione in vigna - anche in gestione bio - che qui si applica capillarmente. Il Maso Elèsi è un vino di grande versatilità e altrettanta eleganza, come raramente capita di riscontrare sulle terre che lambiscono il lago di Garda. Buono anche il Trento Brezza, spumante dedicato al vento che spira nella conca lacustre.

● Trentino Pinot Nero Sup. Maso Elèsi '16	♟♟ 4
○ Trento Brut Brezza	♟♟ 4
● Maso Lizzone '17	♟ 4
● Trentino Merlot Sup. Crèa '17	♟ 4
● Maso Lizzone '16	♟♟ 4
● Maso Lizzone '15	♟♟ 3
○ Trentino Chardonnay Loré '18	♟♟ 3
○ Trentino Chardonnay Loré '16	♟♟ 3
● Trentino Gère '16	♟♟ 3
● Trentino Lagrein Sasèra '17	♟♟ 4
● Trentino Lagrein Sasera '15	♟♟ 4
● Trentino Riva'Ldego '17	♟♟ 2*
● Trentino Sup. Pinot Nero Elesi '15	♟♟ 4
○ Trentino Traminer Aromatico La Prea '16	♟♟ 3

★★San Leonardo

Loc. San Leonardo, 1
38063 Avio [TN]
Tel. 0464689004
www.sanleonardo.it

VENDITA DIRETTA
VISITA SU PRENOTAZIONE
PRODUZIONE ANNUA 270.000 bottiglie
ETTARI VITATI 40,00
VITICOLTURA Biologico Certificato
AZIENDA SOSTENIBILE

Il rispetto della terra, l'autorevolezza nella cura della vite, la signorile dedizione al vino e una precisa, lungimirante visione globale. I marchesi Guerrieri Gonzaga - Carlo e il suo giovane figlio Anselmo - hanno reso ancora più affascinante Tenuta San Leonardo, un luogo che ha del magico, con una storia infinita alle spalle. Si trova in un sito vitato già prima del Mille, baluardo di tradizioni rurali d'impronta italo-asburgica, nel tempo diventata un'indiscussa azienda leader per i vini rossi che sfidano il tempo. Ma ora è pronta a scommettere pure su altre tipologie, dalle bollicine ai grandi vini bianchi. Sempre nel rispetto dei tempi. Ecco perché non trovate sulla scheda le nuove annate di San Leonardo e degli altri vini più importanti. Aspettiamo, pazientemente, ulteriori importanti evoluzioni in bottiglia, per nuove sfide qualitative. Spazio quindi ai due vini 'pop' della cantina: il Terre - cabernet e merlot in piena amalgama - e il Vette, da uve sauvignon in purezza. Due vini semplici, ma di gran classe e di ottima bevibilità.

● Terre di San Leonardo '17	♟♟ 3*
○ Vette di San Leonardo '19	♟♟ 3
● Carmenère '07	♟♟♟ 8
● San Leonardo '15	♟♟♟ 8
● San Leonardo '14	♟♟♟ 8
● San Leonardo '13	♟♟♟ 8
● San Leonardo '11	♟♟♟ 8
● San Leonardo '10	♟♟♟ 7
● San Leonardo '08	♟♟♟ 7
● San Leonardo '07	♟♟♟ 7
● San Leonardo '06	♟♟♟ 7
● San Leonardo '05	♟♟♟ 7
● San Leonardo '04	♟♟♟ 7
● San Leonardo '03	♟♟♟ 7
● San Leonardo '01	♟♟♟ 7
● San Leonardo '00	♟♟♟ 7
● Villa Gresti '03	♟♟♟ 6

Toblino

FRAZ. SARCHE
VIA LONGA, 1
38076 MADRUZZO
TEL. 0461564168
www.toblino.it

VISITA SU PRENOTAZIONE
RISTORAZIONE
PRODUZIONE ANNUA 400.000 bottiglie
ETTARI VITATI 700,00
VITICOLTURA Biologico Certificato
AZIENDA SOSTENIBILE

Toblino è nome che evoca il lago più
ameno del Trentino, l'omonimo castello
dove sostò in pace pure Attila, ma anche il
marchio di una cantina sociale
decisamente improntata all'innovazione.
Negli anni ha saputo coinvolgere i suoi soci
in attente riconversioni viticole, tra le
colture biologiche e il massimo rispetto
della vocazionalità dei vigneti. Alla
direzione c'è Carlo De Biasi coadiuvato da
uno staff enotecnico che vede all'opera
anche Luca D'Attoma. La produzione va
dal Trentodoc al raro e prezioso Vino Santo.
Tutti i suoi vini hanno riscosso ampi
consensi, uno è meritatamente da Tre
Bicchieri. Prestazione da incorniciare per
un Nosiola particolarissimo, con qualche
vendemmia sulle spalle, ma ancora
giovanissimo: l'Ora è un bianco solare, dai
sentori di frutta tropicale e dalla sapidità
coinvolgente. Ai vertici anche il passito
Vino Santo, ulteriore vanto aziendale,
mentre la nuova linea di vini da colture bio
esalta un Manzoni Bianco, un succoso
Lagrein e un classico Chardonnay.
Impeccabile lo spumante Nature.

○ L'Ora Nosiola '15	▼▼▼	3*
○ Trentino Vino Santo '04	▼▼	6
○ Trentino Chardonnay Foll '18	▼▼	5
● Trentino Lagrein Las '16	▼▼	6
○ Trentino Manzoni Bianco Da Fora '18	▼▼	5
○ Trento Brut Antares '16	▼▼	4
○ Trento Nature Antares '16	▼▼	5
● eLimarò '15	▼	3
○ Trentino Vino Santo '03	▽▽▽	6
○ Kerner '18	▽▽	2*
● Teroldego Bio '16	▽▽	2*
☉ Trentino Lagrein Kretzer '18	▽▽	2*
○ Trentino Nosiola Largiller '12	▽▽	3
● Trentino Pinot Nero '16	▽▽	2*
● Trentino Rebo Elimarò '17	▽▽	2*
○ Trentino Vino Santo '02	▽▽	6

Vallarom

LOC. VO' SINISTRO
FRAZ. MASI, 21
38063 AVIO [TN]
TEL. 0464684297
www.vallarom.it

VENDITA DIRETTA
VISITA SU PRENOTAZIONE
OSPITALITÀ E RISTORAZIONE
PRODUZIONE ANNUA 35.000 bottiglie
ETTARI VITATI 7,00
VITICOLTURA Biologico Certificato
AZIENDA SOSTENIBILE

Da Vallarom la natura si riprende la sua
ancestrale dimensione rispettando però la
sana vigoria delle viti curate da Filippo e
Barbara Scienza che, con il giovane figlio
Riccardo, hanno trasformato il loro maso in
un baluardo di vitienologia di massima
ecosostenibilità. Le colture sono
rigidamente biologiche e si opera sia
attraverso il recupero di vecchie varietà di
viti sia coltivando a dovere alcuni vitigni
internazionali come il shiraz. Tutto si
trasforma in vini sinceri, dalla marcata
tipicità, autenticamente trentini che godono
anche della certificazione vegan. È proprio
il rosso da uve syrah che maggiormente si
mette in mostra. Si distingue per il suo bel
colore scuro, per una gamma di sentori
speziati, tra fiori di campo ed erbe
mentolate; la tempra gustativa è fine, i
tannini ben ritmati, marcati solo da una
lieve spigolosità data dal veloce
affinamento. Buone impressioni pure per il
Pinot Nero.

● Pinot Nero '18	▼▼	4
● Syrah '17	▼▼	5
○ Chardonnay '18	▼	4
○ Moscato Giallo '19	▼	3
○ Vadum Caesaris '19	▼	3
● Cabernet Sauvignon Bio '13	▽▽	3
○ Enantio '15	▽▽	3
● Flufluns '15	▽▽	4
● Fufluns '11	▽▽	4
○ Trentatrè '18	▽▽	3
○ Trentatrè '16	▽▽	3
● Trentino Marzemino Bio '15	▽▽	3
○ Vadum Caesaris '17	▽▽	3*
○ Vadum Caesaris '16	▽▽	3
● Vallagarina Pinot Nero '15	▽▽	4
○ Vo' '14	▽▽	4
○ Vo' '13	▽▽	4

Villa Corniole

FRAZ. VERLA
VIA AL GREC', 23
38030 GIOVO [TN]
TEL. 0461695067
www.villacorniole.com

VENDITA DIRETTA
VISITA SU PRENOTAZIONE
OSPITALITÀ
PRODUZIONE ANNUA 75.000 bottiglie
ETTARI VITATI 10,00
AZIENDA SOSTENIBILE

Un'azienda in rosa, gestita con grande competenza da quattro donne, capitanate da Maddalena Pellegrini e dalle sue tre figlie Sara, Linda e Sabina. La cantina è interamente scavata nella roccia, nel porfido rosso. La proprietà può contare su vigneti tracciati sulle colline limitrofe il greto dell'Avisio e su qualche podere nel fondovalle, in zona Campo Rotaliano, specie per le uve a bacca rossa. La cura enologica è affidata a Mattia Clementi, enologo e grande promotore dei vini della sua natìa Valle Cembra, a partire dal müller thurgau. Con l'ultima vendemmia hanno ampliato la gamma dei vini, rinnovato il look e reso più eleganti e fini i Trentodoc. Il Teroldego 7 Pergole è decisamente suadente, corposo quanto vellutato. Ricorda sentori di piccole bacche di mirtillo rosso, con note cioccolatose, e un palato teso e invitante, con una nota speziata finale che lo rende appagante. Ottimo anche il Kròz, dal nome che richiama il porfido, minerale dominante a Cembra, per un vino di sicura evoluzione aromatica. Più che convincente la selezione di Müller Thurgau Pietramontis.

● Teroldego Rotaliano 7 Pergole '16	♟♟	6
○ Kròz '18	♟♟	5
○ Pinot Grigio Ramato '18	♟♟	3
●, Trentino Lagrein '18	♟♟	4
○ Trentino Müller Thurgau Sup. Pietramontis '19	♟♟	3
○ Trento Dosaggio Zero Salísa '15	♟♟	5
● Trentino Pinot Nero Sagum '18	♟	5
○ Trento Brut Salísa '16	♟	5
○ Kròz '17	♀♀	5
○ Kròz '16	♀♀	5
● Teroldego Rotaliano 7 Pergole '15	♀♀	6
● Teroldego Rotaliano 7 Pergole '13	♀♀	6
● Trentino Lagrein Petramontis '17	♀♀	4
○ Trentino Müller Thurgau Petramontis '17	♀♀	4
○ Trento Brut Salísa '15	♀♀	5

Roberto Zeni

FRAZ. GRUMO
VIA STRETTA, 2
38010 SAN MICHELE ALL'ADIGE [TN]
TEL. 0461650456
www.zeni.tn.it

VENDITA DIRETTA
VISITA SU PRENOTAZIONE
PRODUZIONE ANNUA 150.000 bottiglie
ETTARI VITATI 14,00
VITICOLTURA Biologico Certificato

La scelta di coltivare con metodi biologici ha portato la famiglia Zeni a recuperare non solo vigneti impervi, d'alta collina, ma anche ritornare a consuetudini di vinificazione più sostenibili, portate avanti anche attraverso le bottiglie e il packaging molto sobrio ed essenziale. Nessuna incertezza sulla costante dedizione ai loro gioielli aziendali, a partire dal Teroldego sempre in grande evidenza, selezionato sia in Campo Rotaliano, sia tra i vigneti in altura del loro Maso Nero, sopra Lavis. Gli Zeni si confermano quindi vignaioli di grande esperienza, spumantisti, ma anche distillatori e validi birrai. È uno spumante classico ad emergere durante gli assaggi. Parliamo di un Trento Maso Nero Rosé, dal carattere austero nella prima veste olfattiva, ma che subito sfuma per sentori di leggiadri petali di rosa, ribes e note di zenzero; in bocca ha buon equilibrio tra rotondità e nerbo acido e lunga sapidità. Valido l'andamento dei vini fermi, comunque di buona fattura generale.

⊙ Trento Maso Nero Rosé '15	♟♟	5
○ Trentino Nosiola Palustella '19	♟♟	2*
○ Trento Brut Maso Nero '16	♟♟	5
● Ternet Schwarzhof Teroldego '17	♟	5
● Trentino Moscato Rosa	♟	4
● Ternet Schwarzhof Teroldego '10	♀♀♀	5
● Teroldego Rotaliano Pini '13	♀♀♀	6
● Teroldego Rotaliano Pini '12	♀♀♀	6
● Teroldego Rotaliano Pini '09	♀♀♀	6
● Ternet Schwarzhof Teroldego '15	♀♀	5
● Teroldego Rotaliano Lealbere '18	♀♀	3*
● Teroldego Rotaliano Lealbere '16	♀♀	3
● Teroldego Rotaliano Pini '15	♀♀	6
● Teroldego Rotaliano Ternet Schwarzhof '16	♀♀	5
○ Trentino Nosiola Schwarzhof '18	♀♀	2*

Cantina Aldeno

via Roma, 76
38060 Aldeno [TN]
Tel. 0461842511
www.cantinaaldeno.com

La bravura del direttore Valter Weber si nota in tutta la gamma dei vini, con particolare personalità nei Trento, spumanti decisamente identitari, elaborati in una cantina solitamente legata al merlot. Diverse le versioni di bollicine, tutte di buona tempra, così come i vini fermi.

○ San Zeno Bianco '17	🍷🍷 4
● Trentino Merlot Ris. '16	🍷🍷 4
○ Trento Extra Brut Altinum Ris. '13	🍷🍷 5
○ Trento Pas Dosé Altinum '16	🍷🍷 5

Bolognani

via Stazione, 19
38015 Lavis [TN]
Tel. 0461246354
www.bolognani.com

Da quasi mezzo secolo sono cantinieri tra i più preparati e da qualche stagione pure accorti vignaioli. Diego Bolognani è il protagonista, coadiuvato da fratelli e cugini. La loro novità è legata ad uno spumante Trento decisamente buono: Per Nilo, dedicato a loro padre, fondatore dell'azienda.

○ Sanròc '18	🍷🍷 4
○ Sauvignon '19	🍷🍷 3
○ Trento Extra Brut PerNilo '13	🍷🍷 5
○ Nosiola '19	🍷 3

Cantina Sociale di Trento

via dei Viticoltori, 2/4
38123 Trento
Tel. 0461920186
www.cantinasocialetrento.it

Ottima performance per la cooperativa del capoluogo trentino, sia per gli spumanti sia per i vini fermi. Molto buono il Trento Zèll, cremoso e sapido, dal sorso profondo. Ottimo lo Ziresi '18, un Marzemino di carattere. Tra i bianchi segnaliamo il Riesling '18, di buon nerbo acido.

● Trentino Marzemino Sup. dei Ziresi '18	🍷🍷 2*
○ Trentino Riesling Renano '18	🍷🍷 4
○ Trento Brut Zèll	🍷🍷 5
⊙ Trento Brut Zèll Rosé	🍷 5

Comai

via San Cassiano, 9
38066 Riva del Garda [TN]
Tel. 0464553485
www.agriturcomai.com

Piccola cantina tanto emergente quanto preparata alla coltivazione della vite. È gestita dai giovanissimi fratelli Comai, Marco - laurea in enologia - e Andrea - perito agrario - entrambi decisi a valorizzare i vitigni che coltivano davanti casa. Ottima la performance dello Chardonnay '18.

○ Trentino Chardonnay '18	🍷🍷 4
● Busat Rosso '18	🍷🍷 5
○ Busat Bianco '19	🍷 4
● Rebo Morer '17	🍷 4

Cantina De Vigili

via Molini, 28
38017 Mezzolombardo [TN]
Tel. 349 554 3239
www.cantinadevigili.it

Cantina in grande evoluzione situata nel cuore del Campo Rotaliano, gestita in prima persona da Francesco De Vigili, giovane entusiasta della sfida intrapresa con altri vignaioli locali per dare vita al gruppo TedroldeGO(r)evolution. I suoi vini sono accattivanti e hanno futuro certo.

● Teroldego Rotaliano Sup. Ottaviano Ris. '17	🍷🍷 5
○ Trentino Chardonnay Terre Bianche '19	🍷🍷 4
⊙ Teroldego Rosato '19	🍷 4
● Teroldego Rotaliano '18	🍷 4

Delaiti

via Lucianer, 3
38060 Aldeno [TN]
Tel. 33986188299
www.cantinadelaiti.it

Famiglia tra le più conosciute della comunità vitivinicola di questo areale, Delaini rappresenta una dinastia di contadini con la passione della musica oltre che del buon vino. Vinificano solo le uve dei loro poderi, proponendo vini schietti, di buona prospettiva e con i caratteri del territorio.

● Borgognoni Rosso '18	🍷🍷 4
● Merlot '18	🍷🍷 4
● Merà Largo	🍷 4
○ Zerla Bianco '19	🍷 4

Marco Donati

VIA CESARE BATTISTI, 41
38016 MEZZOCORONA [TN]
TEL. 0461604141
www.cantinadonatimarco.it

Vini sempre affidabili e pienamente rispettosi della tradizione rotaliana quelli che Marco Donati propone con grande autorevolezza, coadiuvato dalla giovane figlia Elisabetta. Interprete del Teroldego, anzitutto, con qualche bella escursione sui vini da altre varietà.

● Teroldego Rotaliano Bagolari '18	♟♟ 4
● Trentino Lagrein '18	♟♟ 4
○ Trentino Müller Thurgau Albeggio '19	♟ 4
○ Trentino Nosiola Sole Alto '19	♟ 3

Eredi di Cobelli Aldo

LOC. SORNI
FRAZ. PANIZZA DI SOPRA
S.DA DEL VINO, 22
38015 LAVIS [TN]
TEL. 3319672482
www.cobelli.it

L'azienda agricola è accudita dalla famiglia Cobelli da tantissime generazioni, ma solo da qualche vendemmia lavorano in proprio le uve dei poderi lungo la Strada del Vino, verso la valle di Cembra. Poche migliaia di bottiglie per una gamma completa, spumante Trentodoc compreso.

● Ert Pinot Nero '17	♟♟ 5
● Teroldego Grill '16	♟♟ 4
○ Trentino Sorni Bianco Arlevo '18	♟ 4
○ Trentino Traminer Gess '16	♟ 5

Etyssa

LOC. MOIÀ, 4
38121 TRENTO
TEL. 3938922784
www.etyssaspumanti.it

Tre amici enologi impegnati nelle rispettive attività imprenditoriali, che decidono di elaborare un Trento esclusivamente con le uve vendemmiate nei vigneti d'alta collina situati attorno la sede della cantina. Etyssa, toponimo del fiume Adige, è uno spumante da tenere d'occhio.

○ Trento Extra Brut Cuvée N. 4 '15	♟♟ 5

Furletti

VIA SEGA, 36
38066 RIVA DEL GARDA [TN]
TEL. 3475228641
www.furlettiwines.com

Gabriele Furletti ha studiato enologia in Trentino, ha viaggiato, per poter poi sperimentare al meglio la sua micro produzione di vini gardesani. Giovanissimo quanto determinato, ha custodito varietà di viti stanziali e impostato una prossima uscita di spumante classico.

○ Furlet Bianco '19	♟♟ 4
● Furlet Rosso '18	♟ 5
○ Trentino Pinot Grigio Ris. '18	♟ 4

Grigoletti

VIA GARIBALDI, 12
38060 NOMI [TN]
TEL. 0464834215
www.grigoletti.com

È una delle cantine più accorte nel panorama vitivinicolo della Vallagarina. Le nozioni di campagna e cantina sono tramandate da padre in figlio e non mancano le attenzioni all'innovazione. Tra i vini assaggiati spiccano il rosso Gonzalier (da uve cabernet e merlot) e l'Antica Vigna.

● Gonzalier '15	♟♟ 5
○ San Martim V. T.	♟♟ 4
○ Trentino Chardonnay L'Opera '19	♟♟ 3
● Trentino Merlot Antica Vigna '17	♟♟ 4

Lagertal

VIA A. PESENTI, 1
38060 VILLA LAGARINA [TN]
TEL. 0422836790
info@lagertal.com

Prosegue con ulteriore entusiasmo il progetto vitivinicolo trentino della famiglia Zago, imprenditori veneti nel settore della carta. Hanno selezionato con cura le uve dei loro poderi di Isera e curato a dovere l'elaborazione dello spumante. Ottimo l'Extra Brut.

○ Trento Lagertal Extra Brut	♟♟ 5
○ Trentino Chardonnay Merum '18	♟ 4
○ Trentino Goldtraminer '19	♟ 4

Martinelli

VIA CASTELLO, 10
38016 MEZZOCORONA [TN]
TEL. 3388288686
www.cantinamartinelli.com

Quasi due secoli e mezzo di vendemmie alle spalle, ma lavori di cantina ripresi da pochi anni per volere di due giovani fratelli orgogliosamente legati all'attività dei loro antenati. Da protagonisti del gruppo TeroldeGO(R)evolution si sono distinti con alcune versioni di Teroldego da manuale.

● Teroldego Rotaliano Maso Chini '16	♥♥ 5
● Teroldego Rotaliano Single Barrel '18	♥♥ 5
○ Trentino Chardonnay Barrel Aged '18	♥♥ 4
● Teroldego Rotaliano Martinelli '17	♥ 4

Maso Grener

LOC. MASI DI PRESSANO
38015 LAVIS [TN]
TEL. 0461871514
www.masogrener.it

Azienda agrituristica che presta grande attenzione al vino e produce poche migliaia di bottiglie molto rappresentative. La gestione è della famiglia di Fausto Peratoner, già protagonista della miglior cooperazione vinicola trentina. Bella selezione, col Pinot Nero ai vertici degli assaggi.

○ Maso Grener '19	♥♥ 4
● Trentino Pinot Nero V. Bindesi '18	♥♥ 5
○ Nosiola '19	♥ 4
○ Trentino Chardonnay V. Tratta '19	♥ 4

Ress

VIA ROMA, 103
38010 SAN MICHELE ALL'ADIGE [TN]
TEL. 3478511776
spumanti.ress@gmail.com

La passione per gli spumanti contraddistingue la famiglia di Luigi Ress, contadino esperto e cultore della vite. I suoi figli hanno studiato enologia e ora, con la supervisione di Marco Ress, il più determinato, elaborano un paio di Trento dalle uve dei loro vigneti.

⊙ Trento Brut Maria Rosa Rosé	♥♥ 6
○ Trento Brut	♥♥ 5

Tenuta Maso Corno

LOC. VALBONA
38061 ALA [TN]
TEL. 0464421130
www.tenutamasocorno.it

Spettacolare conoide incastonato tra i Monti Lessini e le Piccole Dolomiti. Qui Giulio Larcher ha ricavato una piccola quanto razionale azienda vitivinicola: le viti sono allevate su pendii a prova di equilibrio, ma le piante sono in grado di dare uve pienamente idonee al suo progetto.

● Trentino Pinot Nero Santa Maria Ris. '11	♥♥ 6
○ Trento Giulio Larcher Pas Dosé Clou '14	♥♥ 5
○ Trentino Chardonnay '16	♥ 5
○ Trento Giulio Larcher Pas Dosé '15	♥ 5

Pisoni Agricola

LOC. SARCHE
FRAZ. PERGOLESE DI MADRUZZO
VIA SAN SIRO, 7A
38076 MADRUZZO
TEL. 0461563214
www.pisonivini.it

Azienda agricola di Marco e Stefano Pisoni, vignaioli autonomi di una famiglia storicamente legata al vino. Coltivano nel massimo rispetto dell'andamento vendemmiale puntando anche su vini da uve appassite, come il prezioso e ormai raro Vino Santo.

○ Trentino Vino Santo '06	♥♥ 6
● Reboro '15	♥♥ 6
● Pinot Nero '17	♥ 5

Revì

VIA FLORIDA, 10
38060 ALDENO [TN]
TEL. 0461843155
www.revispumanti.com

I fratelli Giacomo e Stefano, figli di Paolo Malfer, portano avanti l'azienda guardando al futuro. Qui si attende con massima attenzione l'evoluzione degli spumanti e allo stesso tempo si rinnovano, anche nel look, le bottiglie in nome di una personalità sempre più marcata (dentro e fuori).

⊙ Trento Extra Brut Cavaliere Nero Rosé	♥♥ 5
○ Trento Revì Paladino Extra Brut '14	♥♥ 7

Cantina Rotaliana

VIA TRENTO, 65B
38017 MEZZOLOMBARDO [TN]
TEL. 0461601010
www.cantinarotaliana.it

Potrebbe chiamarsi semplicemente Cantina
Teroldego, vista la sua naturale
predisposizione a proporre certe etichette.
La gamma dei suoi vini però spazia davvero
a tutto campo, valorizzando i vigneti dei
suoi soci conferitori che lavorano sulle
colline che circondano il Campo Rotaliano.

● Teroldego Rotaliano Clesurae '17	♟♟ 6
● Teroldego Rotaliano Sup. Ris. '17	♟♟ 4
○ Trentino Chardonnay '19	♟♟ 4
○ Trento Extra Brut	♟♟ 4

Cantina Sociale Roverè della Luna

VIA IV NOVEMBRE, 9
38030 ROVERÈ DELLA LUNA [TN]
TEL. 0461658530
www.csrovere1919.it

Centenaria cooperativa situata sul confine
tra Trentino e Alto Adige, terra di pinot
grigio e uve per la spumantistica, senza
tralasciare qualche varietà rossa. Si mette
in grande evidenza con un Trento molto
fine, elegante, cremoso, di carattere e
decisamente autorevole.

● Trentino Pinot Nero V. Feldi '17	♟♟ 5
○ Trento Extra Brut Vervè Ris. '13	♟♟ 5
● Trentino Lagrein V. Rigli '17	♟♟ 3

Sajini Fasanotti

VIA MARCONI, 40
38065 MORI [TN]
TEL. 3457504713
www.tenutesajnifasanotti.it

È l'azienda-novità di quest'anno, creata da
Umberto Sajni Fasanotti, industriale
lombardo/svizzero, deciso a rilanciare una
ventina di ettari vitati sistemati sul Monte
Baldo. La gamma offre vini tradizionali e
mette in evidenza un Pinot Grigio Ramato,
un Merlot e la versione Extra Brut di Trento.

○ Trentino Extra brut Cuvée Senza Pensieri	♟♟ 5
● Trentino Merlot Ris. Conversus '15	♟♟ 5
⊙ Trentino Pinot Grigio Ramato Crescendo '19	♟♟ 5

Marco Tonini

FRAZ. FOLASO
VIA A. ROSMINI, 8
38060 ISERA [TN]
TEL. 3404991043
www.marcotonini.it

Sono sempre una garanzia i vini che, anche
in etichetta, hanno l'impronta digitale del
vignaiolo Marco Tonini. Aiutato dal giovane
figlio Filippo, enologo occupato in una
grossa azienda, propone vini schietti,
semplici, ma di grande identità. Agli
assaggi due Trento e il classico Marzemino.

○ Trento Brut Nature Marco Tonini '17	♟♟ 5
○ Trento Nature Le Grile Ris. '14	♟♟ 6
● Trentino Marzemino Sup. di Isera '18	♟ 3

Vin de la Neu

FRAZ. COREDO
VIA SAN ROMEDIO, 8
38012 PREDAIA
TEL. 3474116854
www.vindelaneu.it

Nicola Biasi è il giovane enologo che da
anni porta avanti i progetti legati ai vitigni
resistenti alle malattie fungine. Proprio con
una di questa varietà, il Johanniter, produce
la sua rarità: un vino d'alta quota, in Val di
Non, dove la neve - ecco spiegato il nome
del vino - è di casa.

○ Vin de la Neu '18	♟♟ 8

Zanotelli

V.LE 4 NOVEMBRE, 52
38034 CEMBRA [TN]
TEL. 0461683131
www.zanotelliwines.com

I quattro giovani vignaioli della famiglia
Zanotelli sono autentici protagonisti della
nuova frontiera del vino della Valle di
Cembra. Coltivano uve su terrazzamenti
spettacolari e propongono una bella serie di
etichette, dai vini fermi (rossi e bianchi) agli
spumanti Trentodoc.

○ Trentino Riesling '19	♟♟ 4
○ Trentino Gewürztraminer '19	♟♟ 4
● Trentino Pinot Nero Sup. '18	♟♟ 5
○ Trento Brut Forneri '15	♟♟ 5

ALTO ADIGE

Poche denominazioni possono vantare una
varietà di suoli, altitudini, esposizioni e climi
come l'Alto Adige, un territorio che si dipana
lungo le valli, occupa gli altopiani più vocati,
pendii soleggiati di giorno e rinfrescati dalle
brezze notturne, dalla mediterranea conca di Bolzano
alla freschezza dei vigneti più alti sulla Mendola o Renon. In questa composita
denominazione trovano spazio e valorizzazione molti vitigni, dagli storici lagrein,
schiava e traminer alle varietà di più recente introduzione, come lo chardonnay,
il sauvignon o i vitigni del bordolese. Un tessuto agricolo gestito da realtà ben
distinte: le strutture cooperative, le aziende storiche del territorio e le piccole
realtà a conduzione familiare, che gestiscono un territorio vitato di poche
migliaia di ettari di altissimo valore mantenendo uno standard qualitativo di
altissimo profilo. Spetta al viticoltori il compito di valorizzare questo territorio,
esaltando il calore delle sponde del Lago di Caldaro con cabernet di spessore
come il Freienfeld della Cantina di Cortaccia, la freschezza dei vigneti che si
spingono anche oltre i 1000 metri come fa Tiefenbrunner con il suo Müller
Thurgau Feldmarshall, o ancora il legame inscindibile fra la Valle Isarco e
il sylvaner come si legge chiaramente nei vini di Köfererhof e Strasserhof.
Poi ci sono zone come l'Oltradige o il Burgraviato dove invece è l'eleganza
a caratterizzare le migliori bottiglie, spaziando dal Pinot Bianco Tyrol della
Cantina di Merano al Sauvignon Lafóa di quella di Colterenzio, dal Pinot Nero
Trattmann della cantina Girlan al Sauvignon Renaissance di Gumphof. Il riesling
ha trovato il suo territorio d'elezione nelle valli Isarco e Venosta, mentre le colline
che circondano il capoluogo vedono lagrein e schiava contendersi le migliori
esposizioni, con il primo protagonista di vini compatti e profondi, il secondo che
da vita a San Maddalena che sanno raccontare il calore del territorio, riuscendo
a coniugare ricchezza e semplicità nel sorso. Grande attenzione desta sempre
più il settore spumantistico con molte realtà che guardano con interesse al
mondo delle bollicine, seguendo il percorso tracciato da decenni di attività di
Kettmeier e Lorenz Martini. A sottolineare il virtuoso percorso delle Cantine
Sociali, San Michele Appiano conquista il riconoscimento dedicato al mondo
della cooperazione, indicando chiaramente come questo settore possa essere
fondamentale per lo sviluppo di un territorio.

★★Abbazia di Novacella

FRAZ. NOVACELLA
VIA ABBAZIA, 1
39040 VARNA/VAHRN [BZ]
TEL. 0472836189
www.abbazianovacella.it

VENDITA DIRETTA
VISITA SU PRENOTAZIONE
RISTORAZIONE
PRODUZIONE ANNUA 650.000 bottiglie
ETTARI VITATI 26,00

L'Abbazia di Novacella si staglia incastonata fra i vigneti proprio come una pietra preziosa all'interno di un gioiello. Attorno agli antichi edifici e alla moderna cantina impianti vitati che sembrano proteggere la struttura dall'esterno, perfetto connubio fra storia, tradizioni e modernità. Le parcelle destinate alla produzione dei vini bianchi costituiscono l'ossatura viticola dell'azienda e si sviluppano nella conca di Bressanone, mentre per le uve a bacca rossa si fa affidamento sulle zone di Bolzano e Cornaiano. Il grüner veltliner è fra gli ultimi vitigni accasati in Valle Isarco, dove ha trovato un habitat pressoché perfetto, come ben testimonia il Praepositus '18: porge al naso intense suggestioni di frutto giallo maturo e fiori secchi, con una tenue sfumatura affumicata sullo sfondo. Il sorso è sapido, dinamico e di grande lunghezza. Convincente anche il Pinot Grigio '19 della medesima linea, ricco, armonioso e capace di valorizzare al meglio il legame tra varietà e territorio.

○ A. A. Valle Isarco Veltliner Praepositus '18	♟♟♟ 3*
○ A. A. Valle Isarco Riesling Praepositus '18	♟♟ 5
● A. A. Moscato Rosa Praepositus '18	♟♟ 5
○ A. A. Pinot Bianco Quota Insolitus '18	♟♟ 5
○ A. A. Sauvignon '19	♟♟ 3
○ A. A. Valle Isarco Gewürztraminer Praepositus '18	♟♟ 5
○ A. A. Valle Isarco Kerner Praepositus '18	♟♟ 4
○ A. A. Valle Isarco Kerner Praepositus Passito '18	♟♟ 5
○ A. A. Valle Isarco Pinot Grigio Praepositus '18	♟ 4
○ A. A. Valle Isarco Sylvaner '19	♟♟ 3
○ A. A. Valle Isarco Riesling Praepositus '13	♟♟♟ 4*

Tenuta Baron Di Pauli

VIA CANTINE, 12
39052 CALDARO/KALTERN [BZ]
TEL. 0471963696
www.barondipauli.com

VENDITA DIRETTA
VISITA SU PRENOTAZIONE
PRODUZIONE ANNUA 46.000 bottiglie
ETTARI VITATI 15,00

La Tenuta Baron di Pauli vanta una storia enologica molto antica, da sempre capace di interpretare virtuosamente il meraviglioso distretto dell'Oltradige, il territorio che circonda il lago di Caldaro e che ospita un terzo delle vigne di tutta la provincia. Terreni dominati da calcare e porfido, un clima mite nella zona di Arzenhof e più caldo e soleggiato a Söll, consentono all'azienda di individuare il miglior vitigno per ogni area. Lo stile della produzione oscilla fra la valorizzazione del profilo varietale e la complessità che dona la lunga sosta in cantina. La vocazione del territorio per le uve a bacca rossa del bordolese è ben testimoniata dall'Arzio '17, che al naso porge profumi di frutto scuro e spezie, con una fresca nota vegetale a donare dinamismo in una bocca armoniosa e agile. Sul fronte dei bianchi apprezziamo la ricchezza esotica e floreale del Gewürztraminer Exil '19: impatto avvolgente, trova rigore e leggerezza più negli apporti sapidi che in quelli acidi.

○ A. A. Gewürztraminer Exil '19	♟♟ 6
● A. A. Lagrein Carano Ris. '17	♟♟ 5
● A. A. Merlot Cabernet Arzio Ris. '17	♟♟ 6
○ A. A. Sauvignon Kinesis '19	♟♟ 4
○ Enosi '19	♟♟ 3
● A. A. Arzio Merlot Cabernet '05	♟♟ 6
○ A. A. Enosi '04	♟♟ 3
○ A. A. Gewürztraminer Exilissi '07	♟♟ 6
○ A. A. Gewürztraminer Exilissi '03	♟♟ 6
● A. A. Lago di Caldaro Cl. Sup. Kalkofen '07	♟♟ 3*
● A. A. Lago di Caldaro Cl. Sup. Kalkofen '06	♟♟ 3*
○ Enosi '08	♟♟ 3*
○ Enosi '06	♟♟ 3*

Bessererhof - Otmar Mair

LOC. NOVALE DI PRESULE, 10
39050 FIÈ ALLO SCILIAR/VÖLS AM SCHLERN [BZ]
TEL. 0471601011
www.bessererhof.it

VENDITA DIRETTA
VISITA SU PRENOTAZIONE
PRODUZIONE ANNUA 40.000 bottiglie
ETTARI VITATI 4,50

L'azienda di Otmar Mair e della moglie Rosmarie si trova a Novale di Fiè allo Sciliar, a un tiro di schioppo da Bolzano eppure a distanza siderale sul piano climatico dal calore della conca cittadina. Qui l'influsso delle fresche correnti che si incuneano nella Valle Isarco conferisce leggerezza e fragranza alle uve, tramutandosi in vini dal profilo agile e scattante. Le vigne si estendono per una manciata di ettari a un'altitudine fra i 350 e gli 800 metri e sono destinate in massima parte ai vitigni a bacca bianca. Testimone di queste condizioni climatiche è il Pinot Bianco Riserva '16, dai raffinati profumi di frutto a polpa bianca e fiori, con una sottile presenza di rovere sullo sfondo. Succoso e agile, al palato si muove sinuoso in virtù della preziosa spinta acida. Molto convincente anche la versione più giovane che matura unicamente in acciaio, annata 2019: a profumi varietali freschi fa eco un sorso dinamico, affusolato e che conquista per finezza ed equilibrio.

○ A. A. Pinot Bianco Ris. '16	♟♟	3*
○ A. A. Pinot Bianco '19	♟♟	3
○ A. A. Sauvignon '19	♟♟	4
○ A. A. Valle Isarco Kerner '19	♟♟	4
○ A. A. Chardonnay Ris. '17	♟	3
○ A. A. Gewürztraminer '19	♟	4
○ A. A. Moscato Giallo '19	♟	4
● Roan Zweigelt '16	♟	4
○ A. A. Chardonnay '05	♟♟	3*
○ A. A. Chardonnay Ris. '07	♟♟	3
○ A. A. Pinot Bianco '16	♟♟	3*
○ A. A. Pinot Bianco '11	♟♟	3*
○ A. A. Sauvignon '18	♟♟	4

★★Cantina Bolzano

VIA SAN MAURIZIO, 36
39100 BOLZANO/BOZEN
TEL. 0471270909
www.cantinabolzano.com

VENDITA DIRETTA
VISITA SU PRENOTAZIONE
PRODUZIONE ANNUA 3.000.000 bottiglie
ETTARI VITATI 350,00
AZIENDA SOSTENIBILE

La Cantina di Bolzano nasce da una serie di fusioni che hanno coinvolto alcune cooperative del capoluogo altoatesino e si configura oggi come una delle realtà più significative della regione, a partire dall'amplissimo parco vigne coperto dagli oltre 200 soci. La zona di Gries rappresenta sicuramente una delle perle più importanti della collezione, ma con il tempo si sono aggiunti impianti vitati fino ai 1.000 metri dell'altopiano del Renon, alle spalle della città. Notevole e variegata anche la gamma proposta da Stefan Filippi, caratterizzata dalla valorizzazione del binomio vitigno vigneto. Percorso netto quello compiuto dall'azienda di via San Maurizio, capitanato una volta di più dal Lagrein Taber Riserva '18. La veste fitta e brillante anticipa un corredo fresco e raffinato, tra frutti di bosco, liquirizia ed erbe officinali: non colpisce per potenza, ma per la capacità di donarsi elegante e teso con tannini fini e levigati. Semplicemente meraviglioso il Santa Maddalena Moar '18.

● A. A. Lagrein Taber Ris. '18	♟♟♟	6
○ A. A. Gewürztraminer Kleinstein '19	♟♟	5
● A. A. Santa Maddalena Cl. Moar Ris. '18	♟♟	4
● A. A. Cabernet Mumelter Ris. '18	♟♟	6
● A. A. Lagrein - Merlot Mauritius '17	♟♟	5
● A. A. Lagrein Prestige Line Ris. '18	♟♟	4
○ A. A. Moscato Giallo Passito Vinalia '18	♟♟	3
○ A. A. Pinot Bianco Dellago '19	♟♟	4
● A. A. Pinot Nero Thalman Ris. '17	♟♟	5
● A. A. Santa Maddalena Cl. Huck am Bach '19	♟♟	3
○ A. A. Sauvignon Greel Ris. '18	♟♟	4
○ A. A. Sauvignon Mock '19	♟♟	4
● A. A. Lagrein Taber Ris. '17	♟♟♟	6
● A. A. Lagrein Taber Ris. '16	♟♟♟	6
● A. A. Lagrein Taber Ris. '15	♟♟♟	6

Josef Brigl

LOC. SAN MICHELE
VIA MADONNA DEL RIPOSO, 3
39057 APPIANO/EPPAN [BZ]
TEL. 0471662419
www.brigl.com

VENDITA DIRETTA
VISITA SU PRENOTAZIONE
OSPITALITÀ
PRODUZIONE ANNUA 1.000.000 bottiglie
ETTARI VITATI 50,00
AZIENDA SOSTENIBILE

Quella della famiglia Brigl è una delle storie
enologiche più antiche della regione: ben
sette secoli di esperienza e conoscenza del
territorio che la pongono fra le protagoniste
assolute del panorama altoatesino. Negli
ultimi anni abbiamo assistito a un deciso
cambio di rotta, con una produzione che
non si limita più alla perfezione tecnica ma
esplora il profondo legame fra vigneto e
vitigno, fra il risultato della vendemmia e le
ambizioni del kellermeister, con una nuova
gamma di etichette riconoscibili per l'anno
di fondazione dell'azienda: 1309. Le
selezioni più importanti sono prodotte con
uve da singolo appezzamento: veri e propri
gioielli gestiti completamente dall'azienda.
Tra queste spicca nell'annata 2019 il Lago
di Caldaro della vigna Windegg, vino dalla
veste luminosa color rubino, intensamente
profumato di frutti di bosco e spezie, dotato
di un sorso agile, succoso e di straordinaria
sapidità. Dal medesimo cru proviene anche
un Gewürztraminer '19 ricco e ammaliante.

● A. A. Lago di Caldaro Cl. V. Windegg '19	♔♔ 3*
○ A. A. Gewürztraminer V. Windegg '19	♔♔ 3
○ A. A. Pinot Bianco V. Haselhof '19	♔♔ 3
● A. A. Pinot Nero Haslhof Ris. '18	♔♔ 3
○ A. A. Sauvignon V. Rielerhof '19	♔ 3
○ A. A. Pinot Grigio Windegg '11	♔♔♔ 3*
○ A. A. Gewürztraminer V. Windegg '17	♔♔ 3*
○ A. A. Gewürztraminer Windegg '15	♔♔ 3*
● A. A. Lago di Caldaro Scelto Cl. Sup. Windegg '09	♔♔ 2*
● A. A. Lagrein Briglhof '11	♔♔ 5
● A. A. Lagrein Briglhof Ris. '10	♔♔ 5
● A. A. Santa Maddalena Rielerhof '06	♔♔ 2*
○ A. A. Sauvignon '07	♔♔ 2*
○ A. A. Terlano Drei König Hof '10	♔♔ 2*

Brunnenhof
Kurt Rottensteiner

LOC. MAZZON
VIA DEGLI ALPINI, 5
39044 EGNA/NEUMARKT [BZ]
TEL. 0471820687
www.brunnenhof-mazzon.it

VENDITA DIRETTA
VISITA SU PRENOTAZIONE
PRODUZIONE ANNUA 35.000 bottiglie
ETTARI VITATI 5,50
VITICOLTURA Biologico Certificato

L'azienda di Kurt Rottensteiner si estende
per una manciata di ettari su una delle più
interessanti aree della provincia di Bolzano,
quella di Mazzon, dove ha trovato dimora il
pinot nero, che qui può raggiungere
risultati di grande caratura. Vigneti esposti
a ovest che si sviluppano fra i 350 e i 500
metri di altitudine, capaci di catturare tutto
il calore estivo, rinfrescandosi di notte con
le correnti che scendono dai monti. Vini di
stile energico che devono essere domati
per guadagnare in tensione ed eleganza.
Brillante dimostrazione arriva dal Pinot
Nero Riserva '17 con le sue sensazioni di
frutto scuro arricchite di sfumature floreali
e speziate: uno spettro aromatico profondo
e terroso, che si lega al palato deciso, con
acidità e tannini a sostenere il sorso
rigoroso e lungo. Diametralmente opposto
il profilo del Lagrein '18, giocato su timbri
più immediati di frutta, con bocca succosa
e progressiva. Tra i bianchi da segnalare
uno Chardonnay '18 dalla dinamica
morbida e avvolgente.

● A. A. Pinot Nero Mazzon Ris. '17	♔♔ 5
○ A. A. Chardonnay '18	♔♔ 4
● A. A. Lagrein '18	♔♔ 5
○ Eva Manzoni Bianco '19	♔♔ 4
○ A. A. Gewürztraminer '19	♔ 4
● A. A. Lagrein V. V. '17	♔♔ 4
● A. A. Lagrein V. V. '16	♔♔ 3
● A. A. Lagrein V. V. '15	♔♔ 3
● A. A. Pinot Nero Mazzon Ris. '15	♔♔ 5
● A. A. Pinot Nero Mazzon V. Zis Ris. '15	♔♔ 5
● A. A. Pinot Nero Ris. '16	♔♔ 5
● A. A. Pinot Nero V. Zis Ris. '16	♔♔ 5
○ Eva '18	♔♔ 4
○ Eva '17	♔♔ 4

Castel Sallegg

V.LO DI SOTTO, 15
39052 CALDARO/KALTERN [BZ]
TEL. 0471963132
www.castelsallegg.it

VENDITA DIRETTA
VISITA SU PRENOTAZIONE
PRODUZIONE ANNUA 170.000 bottiglie
ETTARI VITATI 30,00

Il territorio che circonda il lago di Caldaro è dominato da vigneti caldi e soleggiati, ancora oggi coltivati in larga parte a schiava, che dai dolci pendii affacciati sul bacino via via si inerpicano lungo le pendici della Mendola e giungono a nascondersi fra i boschi, ad oltre 600 metri di altitudine, dove la brezza serale cattura gli aromi più fini negli acini. Questo è il territorio d'elezione di Castel Sallegg, una realtà che vanta quasi due secoli di storia e alterna vini dal profilo varietale e selezioni più complesse e ambiziose. Manca solo l'acuto quest'anno, per il resto non possiamo che segnalare una batteria di assoluto valore. Il Moscato Rosa '17 è una Vendemmia Tardiva che esprime un frutto maturo e invitante che si esalta in bocca, dove rivela solidità e un ottimo bilanciamento fra dolcezza e tensione acida. Convincente anche il Merlot Nussleiten '16, rosso giocato più sul registro dell'eleganza che su quello della potenza.

● A. A. Moscato Rosa V. T. '17	♟♟ 7
○ A. A. Bianco Ars Lyrica '17	♟♟ 4
● A. A. Cabernet Sauvignon Ris. '17	♟♟ 5
○ A. A. Gewürztraminer '19	♟♟ 3
● A. A. Lago di Caldaro Cl. Sup. Bischofsleiten '19	♟♟ 3
● A. A. Merlot Cabernet Chorus Madrigal Ris. '17	♟♟ 5
● A. A. Merlot Nussleiten '16	♟♟ 6
● A. A. Merlot Ris. '17	♟♟ 4
● A. A. Pinot Nero '18	♟♟ 3
○ A. A. Terlano Pinot Bianco Pratum '17	♟♟ 5
○ A. A. Moscato Giallo '19	♟ 3
● A. A. Lago di Caldaro Scelto Sup. Bischofsleiten '15	♟♟♟ 2*
● A. A. Lago di Caldaro Cl. Sup. Bischofsleiten '18	♟♟ 3*

Castelfeder

VIA PORTICI, 11
39040 EGNA/NEUMARKT [BZ]
TEL. 0471820420
www.castelfeder.it

VENDITA DIRETTA
VISITA SU PRENOTAZIONE
PRODUZIONE ANNUA 400.000 bottiglie
ETTARI VITATI 20,00

La famiglia Giovanett è autorevole interprete della Bassa Atesina, la zona viticola più meridionale della provincia che spazia dal fondovalle dell'Adige a 200 metri sul livello del mare, fino a superare quota 1.000. Ogni vitigno trova la sua collocazione ideale sfruttando suoli, esposizioni e altitudini che permettono di scegliere con oculatezza. Grande attenzione è riservata al pinot nero, declinato sfruttando le tre condizioni pedoclimatiche di Mazon, Glen e Buchholz, che danno forma ad un interessantissimo puzzle. Attenzione che dà vita a ben quattro vini a base pinot nero con la nostra predilezione che va al Burgum Novum '17 in virtù del senso di completezza che suggerisce, tanto nei raffinati e profondi aromi, quanto nella solidità e nell'eleganza del sorso. Su ottimi livelli anche Mazon, Glen e Buchholz '18, ognuno dei quali esplora a modo suo il legame fra vigneto e vitigno. Molto buoni sia lo Chardonnay Burgum Novum '17 che il Pinot Bianco Tecum '18.

○ A. A. Chardonnay Burgum Novum Ris. '17	♟♟ 4
○ A. A. Pinot Bianco Tecum Ris. '18	♟♟ 3*
● A. A. Pinot Nero Burgum Novum Ris. '17	♟♟ 5
● A. A. Lagrein Burgum Novum Ris. '17	♟♟ 4
○ A. A. Pinot Bianco Vom Stein '19	♟♟ 3
● A. A. Pinot Nero Glen '18	♟♟ 3
○ A. A. Sauvignon Burgum Novum '17	♟♟ 4
● A.A. Pinot Nero Buchholz '18	♟♟ 5
● A.A. Pinot Nero Mazon '18	♟♟ 6
○ Raif Sauvignon '19	♟♟ 3
○ A. A. Gewürztraminer Vom Lehm '19	♟ 3
○ A. A. Gewürztraminer Vom Lehm '15	♟♟♟ 3*
○ A. A. Pinot Bianco Tecum '10	♟♟♟ 3*

★★Cantina Colterenzio

Loc. Cornaiano/Girlan
S.da del Vino, 8
39057 Appiano/Eppan [BZ]
Tel. 0471664246
www.colterenzio.it

VENDITA DIRETTA
VISITA SU PRENOTAZIONE
PRODUZIONE ANNUA 1.600.000 bottiglie
ETTARI VITATI 300,00
AZIENDA SOSTENIBILE

La Cantina di Colterenzio fu creata nel 1960 nell'omonimo paesino dell'Oltradige da un manipolo di viticoltori desiderosi di uscire dal gioco dei commercianti e di dare valore alla propria produzione. I pochi contadini iniziali con il tempo sono diventati circa 300, ma l'area di riferimento rimane principalmente quella che gravita attorno ai paesini di Cornaiano e San Michele, completati da piccole proprietà disseminate un po' in tutta l'area viticola atesina. In cantina Martin Lemayr e il suo staff interpretano con sensibilità e precisione il raccolto di ogni socio. La linea Lafóa rimane il faro della gamma, con quattro vini che interpretano al meglio il legame fra vitigno e territorio d'elezione. Il Sauvignon '18 non si concede al naso in modo esplosivo, ma conquista poco per volta: prima le note floreali, poi il frutto bianco, infine una tenue sfumatura vegetale che dona leggerezza e freschezza; la pienezza del sorso è governata dalla sapidità e dalla spinta acida.

○ A. A. Sauvignon Lafóa '18	♟♟♟ 5	
● A. A. Cabernet Sauvignon Lafóa '17	♟♟ 7	
○ A. A. Chardonnay Lafóa '18	♟♟ 5	
○ A. A. Gewürztraminer Lafóa '18	♟♟ 5	
○ A. A. Gewürztraminer Perelise '19	♟♟ 3	
○ A. A. Pinot Bianco Berg '18	♟♟ 4	
● A. A. Pinot Nero Villa Nigra Ris. '17	♟♟ 5	
● A. A. Schiava Menzen '19	♟♟ 2*	
● A. A. Cabernet Sauvignon Lafóa '16	♟♟♟ 7	
● A. A. Cabernet Sauvignon Lafóa '12	♟♟♟ 7	
○ A. A. Chardonnay Lafóa '16	♟♟♟ 5	
○ A. A. Chardonnay Lafóa '15	♟♟♟ 5	
○ A. A. Sauvignon Lafóa '14	♟♟♟ 5	

Hartmann Donà

via Raffein, 8
39010 Cermes/Tscherms [BZ]
Tel. 3292610628
hartmann.dona@rolmail.net

PRODUZIONE ANNUA 35.000 bottiglie
ETTARI VITATI 4,65

Hartmann Donà rappresenta un Alto Adige diverso da quello che ci si aspetta. Talvolta la competenza tecnica tende a diluire l'espressione del territorio, donando vini di assoluto valore a cui può mancare un pizzico di anima: in questo caso, tuttavia, il percorso compiuto nel mondo del vino e la spiccata sensibilità del suo artefice riesce a mediare fra i due aspetti, con interpretazioni mai banali capaci di esplorare potenzialità nascoste anche nei vitigni meno nobili o nelle trasformazioni apportate dalla lunga sosta in cantina. Debutta con una grande prestazione la Schiava Liquid Stone Granit '18, prodotta da uve coltivate su suoli ricchi di granito che conferiscono al vino volume e vigore tannico, ricordando proprio la solidità della roccia. Lo Chardonnay Donà d'Or '13, proposto dopo lenta maturazione, porge al naso aromi maturi e complessi, dove il frutto a polpa gialla si lascia facilmente attraversare dalle note minerali e di fiori secchi; il sorso è pieno, teso, vitale.

○ A. A. Chardonnay Donà D'Or '13	♟♟ 5	
○ A. A. Pinot Bianco '19	♟♟ 3	
○ A. A. Sauvignon '19	♟♟ 4	
○ Donà Blanc '16	♟♟ 5	
● Schiava Liquid Stone Granit '18	♟♟ 5	
○ Blanc de Rouge Extra Brut M. Cl.	♟ 3	
○ A. A. Chardonnay Donà D'Or '10	♟♟ 5	
● A.A. Pinot Nero Donà Noir '11	♟♟ 3*	
● A.A. Pinot Nero Donà Noir '09	♟♟ 3*	
○ Donà Blanc '13	♟♟ 5	
○ Donà Blanc '12	♟♟ 3*	
● Donà Noir '08	♟♟ 3*	
● Donà Rouge '08	♟♟ 3*	
● Donà Rouge '07	♟♟ 3*	

Tenuta Ebner
Florian Unterthiner

FRAZ. CAMPODAZZO, 18
39054 RENON/RITTEN [BZ]
TEL. 0471353386
www.weingutebner.it

VENDITA DIRETTA
VISITA SU PRENOTAZIONE
RISTORAZIONE
PRODUZIONE ANNUA 20.000 bottiglie
ETTARI VITATI 4,50

Caratterizzato da un paesaggio agricolo che rapidamente lascia spazio a quello alpino, l'altopiano del Renon si eleva alle spalle di Bolzano, delimitato dalla Valle Isarco e dalla Val Sarentina. È qui che ha sede l'azienda di Florian e Brigitte Unterthiner, a una manciata di chilometri dal capoluogo, a Campodazzo: una zona che sembra legare la tensione acida e le nitidezza aromatica tipiche dei vini della Valle Isarco con la maturità e la pienezza della conca di Bolzano. La produzione è incentrata sui vitigni a bacca bianca. Sempre più convincente la proposta, con la nostra predilezione che va ai classici bianchi del distretto. Il Grüner Veltliner '19 si concede al naso con immediatezza, raffinato nelle note di frutto bianco, fiori secchi e la tipica nota affumicata che si staglia sullo sfondo. In bocca si distende con grazia sorretto dall'acidità, risultando lungo e succoso. Ancor più fresco, dinamico e immediato il Pinot Bianco '19, dotato di un sorso agile e scattante.

Egger-Ramer

VIA GUNCINA, 5
39100 BOLZANO/BOZEN
TEL. 0471280541
www.egger-ramer.com

VENDITA DIRETTA
VISITA SU PRENOTAZIONE
PRODUZIONE ANNUA 120.000 bottiglie
ETTARI VITATI 14,00

L'azienda della famiglia Egger Ramer è attiva da quasi un secolo e mezzo a Bolzano. Una realtà storica, che si sviluppa su una doppia direttrice viticola: da una parte i fazzoletti di terra dedicati ai bianchi di Appiano, San Paolo e Frangarto, dall'altra le varietà classiche della conca che abbraccia il capoluogo, ovvero schiava e lagrein. È quest'ultimo il vero fulcro produttivo della gamma con le sue specifiche declinazioni territoriali, come quella legata della sabbiosa vigna Kristan, ubicata in zona Gries. Proprio da questo cru arriva uno dei vini più in forma di questa tornata di assaggi: la versione 2018 convince per gli aromi di frutto nero e spezie, che ritmano il palato conservando un bel bilanciamento tra potenza e scorrevolezza. La Riserva '17 proveniente dalla medesima parcella percorre un sentiero aromatico simile, mentre la trama tannica si fa più morbida e setosa. Sul fronte dei bianchi abbiamo apprezzato l'immediatezza del Pinot Bianco '19.

○ A. A. Pinot Bianco '19	🍷🍷 3*
○ A. A. Valle Isarco Grüner Veltliner '19	🍷🍷 3*
● A. A. Pinot Nero Ris. '17	🍷🍷 4
○ A. A. Sauvignon '19	🍷🍷 3
○ A. A. Valle Isarco Gewürztraminer '19	🍷🍷 4
○ A. A. Valle Isarco Grüner Veltliner Ris. '18	🍷🍷 4
● Zweigelt '18	🍷🍷 4
● A. A. Pinot Nero '18	🍷 3
● A. A. Schiava '19	🍷 2
○ A. A. Pinot Bianco '17	🍷🍷 3*
○ A. A. Sauvignon '15	🍷🍷 3*
○ A. A. Valle Isarco Grüner Veltliner '10	🍷🍷 3*
○ A. A. Valle Isarco Grüner Veltliner '15	🍷🍷 3*

○ A. A. Gewürztraminer '19	🍷🍷 3
● A. A. Lagrein Gries '19	🍷🍷 2*
● A. A. Lagrein Gries Kristan '18	🍷🍷 3
● A. A. Lagrein Gries Kristan Ris. '17	🍷🍷 3
○ A. A. Pinot Bianco '19	🍷🍷 2*
● A. A. Santa Maddalena Cl. Reisegger '19	🍷🍷 2*
○ A.A. Moscato Giallo '19	🍷🍷 3
● Ottanta '18	🍷🍷 6
● A. A. Lagrein Gries Tenuta Kristan Ris. '11	🍷🍷 5
● A. A. Lagrein Gries Tenuta Kristan Ris. '10	🍷🍷 5
● A. A. Lagrein Gries Tenuta Kristan Ris. '09	🍷🍷 5
● A. A. Lagrein Kristan '17	🍷🍷 3*
● A. A. Lagrein Kristan '09	🍷🍷 3*

★Falkenstein Franz Pratzner

VIA CASTELLO, 19
39025 NATURNO/NATURNS [BZ]
TEL. 0473666054
www.falkenstein.bz

VENDITA DIRETTA
VISITA SU PRENOTAZIONE
PRODUZIONE ANNUA 90.000 bottiglie
ETTARI VITATI 12,00

La Val Venosta è l'area viticola atesina meno estesa: circa una cinquantina di ettari che rappresentano meno dell'1% della produzione provinciale. Eppure le condizioni di scarsa piovosità, unite a un suolo magro e sabbioso ricco di scisti e gneiss, conferiscono alle uve un carattere inconfondibile, che unisce la freschezza aromatica a un senso di maturità difficile da trovare altrove. Franz Pratzner assieme alla moglie Bernadette ne è protagonista assoluto, forte di una piattaforma viticola di una dozzina di ettari dedicati quasi esclusivamente alle varietà bianche. A guidare il gruppo è come di consueto il Riesling, con una versione 2018 di assoluto valore: maturato in botte grande, offre profumi che spaziano dal frutto bianco maturo ai fiori secchi, lasciando già trasparire le note di idrocarburi che diventeranno protagoniste nei prossimi anni; il palato è solido, dinamico e di trascinante beva. Strepitosa l'Alte Rebe '17: una manciata di bottiglie per una Selezione energica e potente.

○ A. A. Val Venosta Riesling '18	♟♟♟ 5
○ A. A. Val Venosta Riesling Alte Rebe '17	♟♟ 5
○ A. A. Val Venosta Pinot Bianco '18	♟♟ 4
○ A. A. Val Venosta Pinot Bianco Phileo '16	♟♟ 5
● A. A. Val Venosta Pinot Nero '18	♟♟ 5
○ A. A. Val Venosta Sauvignon '18	♟♟ 4
○ A. A. Val Venosta Riesling '15	♟♟♟ 5
○ A. A. Val Venosta Riesling '14	♟♟♟ 5
○ A. A. Val Venosta Riesling '13	♟♟♟ 5
○ A. A. Val Venosta Riesling '12	♟♟♟ 5
○ A. A. Val Venosta Riesling '11	♟♟♟ 5
○ A. A. Val Venosta Riesling '10	♟♟♟ 5

★Cantina Girlan

LOC. CORNAIANO
VIA SAN MARTINO, 24
39057 APPIANO/EPPAN [BZ]
TEL. 0471662403
www.girlan.it

VENDITA DIRETTA
VISITA SU PRENOTAZIONE
PRODUZIONE ANNUA 1.500.000 bottiglie
ETTARI VITATI 220,00

L'Alto Adige è la regione italiana con la presenza più significativa di strutture cooperative, che spesso sanno proporsi al vertice della produzione enologica nazionale. La cantina Girlan ha vissuto momenti di difficoltà nei decenni passati, ma oggi è una delle realtà più interessanti: merito di uno staff affiatato, capitanato con mano sicura da Gerhard Kofler in cantina e da Oscar Lorandi alla direzione. Grande attenzione è dedicata ai vitigni della tradizione, in primis la schiava, ma anche al felice connubio fra le varietà internazionali e le migliori vigne dei soci. Non a caso i risultati più interessanti giungono dal Pinot Nero, vero fiore all'occhiello. Il Trattmann '17 dona al naso intense suggestioni di frutto selvatico e sottobosco, mentre in bocca si allunga con vigore grazie alla buona spinta acida, per un finale lungo e raffinato. Dalle medesime vigne viene realizzata una selezione ancor più rigorosa, il Vigna Ganger, che non recensiamo per l'esiguità della produzione.

● A. A. Pinot Nero Trattmann Ris. '17	♟♟♟ 8
○ A. A. Chardonnay Flora '18	♟♟ 5
● A. A. Schiava Gschleier Alte Reben '18	♟♟ 3*
○ A. A. Bianco Cuvée Flora '18	♟♟ 4
○ A. A. Gewürztraminer Flora '18	♟♟ 6
○ A. A. Gewürztraminer V.T. Pasithea Oro '18	♟♟ 6
○ A. A. Pinot Bianco Flora Ris. '18	♟♟ 3
○ A. A. Pinot Bianco Platt&Riegl '19	♟♟ 3
● A. A. Pinot Nero Patricia '18	♟♟ 3
○ A. A. Sauvignon Flora '18	♟♟ 4
○ A. A. Sauvignon Indra '19	♟♟ 3
● A. A. Schiava Fass N° 9 '19	♟♟ 3
● A. A. Pinot Nero Trattmann Mazon Ris. '15	♟♟♟ 8
● A. A. Pinot Nero Trattmann Ris. '16	♟♟♟ 8

Glögglhof – Franz Gojer

FRAZ. SANTA MADDALENA
VIA RIVELLONE, 1
39100 BOLZANO/BOZEN
TEL. 0471978775
www.gojer.it

VENDITA DIRETTA
VISITA SU PRENOTAZIONE
OSPITALITÀ
PRODUZIONE ANNUA 55.000 bottiglie
ETTARI VITATI 7,40

Il tessuto agricolo che contraddistingue il comprensorio viticolo attorno Bolzano è costituito da una fitta trama di aziende di piccole dimensioni, che spesso coltivano vigne estese per poche migliaia di metri nei pressi della cantina. Non fa eccezione quella condotta da Franz Gojer assieme al figlio Florian e alla moglie Maria Luise ai piedi della collina di Santa Maddalena: una realtà che nel tempo si è ampliata fino ad inglobare siti della zona di Cornedo all'Isarco, dando così forma anche a una buona batteria di bianchi. Il cuore pulsante rimane fedelmente legato alle vigne alla periferia di Bolzano, da cui si ricava un'ottima versione 2017 del Lagrein Riserva. Porge profumi dominati dal frutto rosso maturo, con sfumature di rovere, spezie e fiori secchi sullo sfondo; palato ricco, sapido e di buona tensione, che risulta lungo e raffinato. Il Vigna Rondell '19 è il consueto Santa Maddalena che coniuga ricchezza e souplesse in un sorso tutto da godere, che non stanca mai.

Griesbauerhof Georg Mumelter

VIA RENCIO, 66
39100 BOLZANO/BOZEN
TEL. 0471973090
www.griesbauerhof.it

VENDITA DIRETTA
VISITA SU PRENOTAZIONE
PRODUZIONE ANNUA 30.000 bottiglie
ETTARI VITATI 3,80

La cantina di Georg Mumelter si trova a Rencio, piccolo borgo racchiuso fra il corso dell'Isarco e le colline del Santa Maddalena, immerso nei vigneti e al contempo a due passi dal centro di Bolzano. Anche se la batteria di vini proposta è piuttosto ampia, il cuore della produzione è tutto dedicato a schiava e lagrein, i vitigni principe di quest'angolo "mediterraneo" incastonato fra le vette alpine. I suoli sono sabbiosi e di origine porfirica, perfetti per la maturazione delle storiche varietà del territorio, che danno vita a etichette capaci di abbinare souplesse e potenza. La Schiava Isarcus '18 non insegue una ricchezza che non gli appartiene, ma valorizza la sua essenzialità nei profumi freschi e speziati, con il frutto carnoso ben presente ma non prevaricante. In bocca è sapida, tesa e di beva inarrestabile. Profilo diverso per il Lagrein Riserva '17: il frutto domina lo spettro aromatico e il sorso si fa più consistente e potente, ben sostenuto dalla trama tannica.

● A. A. Lagrein Ris. '17	♟♟ 4
● A. A. Santa Maddalena Rondell '19	♟♟ 3*
○ A. A. Kerner Karneid '19	♟♟ 3
● A. A. Santa Maddalena Cl. '19	♟♟ 2*
● A. A. Schiava Alte Reben '19	♟ 2
● A. A. Santa Maddalena Cl. Rondell '18	♟♟♟ 3*
● A. A. Santa Maddalena Cl. Rondell '16	♟♟♟ 3*
● A. A. Santa Maddalena Cl. Rondell '15	♟♟♟ 3*
● A. A. Lagrein '14	♟♟ 3*
● A. A. Lagrein Ris. '16	♟♟ 4
● A. A. Lagrein Ris. '15	♟♟ 4
● A. A. Santa Maddalena Cl. Rondell '17	♟♟ 3*

● Isarcus Schiava '18	♟♟ 3*
● A. A. Lagrein Ris. '17	♟♟ 5
○ A. A. Pinot Bianco '18	♟♟ 3
○ A. A. Pinot Grigio '19	♟♟ 3
● A. A. Santa Maddalena Cl. '19	♟♟ 2*
● A. A. Lagrein Ris. '09	♟♟♟ 5
● A. A. Cabernet Sauvignon Ris. '16	♟♟ 3
● A. A. Lagrein '13	♟♟ 3*
● A. A. Lagrein Ris. '16	♟♟ 5
● A. A. Lagrein Ris. '10	♟♟ 5
● A. A. Merlot Spitz '17	♟♟ 3
○ A. A. Pinot Grigio '18	♟♟ 3
● A. A. Santa Maddalena Cl. '18	♟♟ 2*

Gummerhof - Malojer

VIA WEGGESTEIN, 36
39100 BOLZANO/BOZEN
TEL. 0471972885
www.malojer.it

VENDITA DIRETTA
VISITA SU PRENOTAZIONE
PRODUZIONE ANNUA 100.000 bottiglie
ETTARI VITATI 18,00

C'è stato un tempo in cui la città di Bolzano
era ben più piccola di quella che
conosciamo oggi: a pochi passi dal centro
storico scomparivano le case e ci si trovava
in mezzo ai vigneti. La cantina Malojer è una
vera e propria testimonianza di questo
passato: si configura come una splendida
corte, ormai circondata da abitazioni, situata
a poche centinaia di metri dagli impianti
vitati. Oggi ospita tutte le lavorazioni e la
graziosa enoteca con giardino, mentre le
parcelle (in parte di proprietà e in parte
seguite da conferitori) sono dislocate tra la
conca di Bolzano e il Renon. Ottima la prova
del Lagrein Riserva '17, che sfrutta il calore
della vendemmia per coinvolgere con i
profumi di frutti rossi, spezie e fiori secchi:
la pienezza del sorso è ben governata da
acidità e tannini, per un risultato di buona
armonia. Percorso gustativo simile per il
Bautzanum '17, blend di cabernet e lagrein
dai profumi croccanti e succosi di frutto
rosso, combinati a fresche nuance di
erbe officinali.

● A. A. Lagrein Ris. '17	♟♟ 4
● A. A. Cabernet Lagrein Cuvée Bautzanum Ris. '17	♟♟ 4
○ A. A. Gewürztraminer Kui '19	♟♟ 3
○ A. A. Pinot Bianco Kreiter '19	♟♟ 3
● A. A. Pinot Nero Ris. '17	♟♟ 4
○ A. A. Sauvignon Gur zu Sand '19	♟♟ 3
○ A. A. Valle Isarco Sylvaner Kreiter '19	♟♟ 2*
○ A. A. Bianco Cuvée Bautzanum '19	♟ 4
○ A. A. Chardonnay Justinus '19	♟ 3
○ A. A. Müller Thurgau Kreiter '19	♟ 2
● A. A. Santa Maddalena Cl. Loamer '19	♟ 2
● A. A. Lagrein Gries '09	♟♟♟ 2*
● A. A. Lagrein Gummerhof zu Gries '14	♟♟ 3*
● A. A. Lagrein Ris. '15	♟♟ 4
● A. A. Lagrein Ris. '12	♟♟ 4

★Gumphof
Markus Prackwieser

FRAZ. NOVALE DI PRESULE
S.DA DI FIÈ, 11
39050 FIÈ ALLO SCILIAR/VÖLS AM SCHLERN [BZ]
TEL. 0471601190
www.gumphof.it

VENDITA DIRETTA
VISITA SU PRENOTAZIONE
PRODUZIONE ANNUA 60.000 bottiglie
ETTARI VITATI 7,00
AZIENDA SOSTENIBILE

Markus Prackwieser opera all'interno della
Valle Isarco, precisamente a Novale di
Presule, frazione di Fié allo Sciliar. Non
tragga in inganno la sede: qui il clima e le
tradizioni hanno poco da spartire con
l'enclave di Chiusa o di Bressanone, è un
comprensorio che risente maggiormente
del calore della conca di Bolzano e si
presta meravigliosamente alla maturazione
di frutti meno algidi e nervosi, capaci di
raggiungere armonia e compostezza per
molti versi unici. Pochi ettari di vigneto alla
base di una produzione di livello assoluto.
Sugli scudi anche quest'anno il
Renaissance Riserva '17, Sauvignon che va
ben oltre il carattere varietale: porge
profumi articolati e cangianti, dove il frutto
esotico viene improvvisamente rimpiazzato
dalle note floreali e quindi dagli accenni
minerali. Sapido e longilineo, quasi affilato
nell'acidità, incede al palato con leggerezza
e decisione, fino a un lungo e affascinante
finale. Sempre più convincente e fine anche
il Pinot Nero Praesulis '18.

○ A. A. Sauvignon Renaissance Ris. '17	♟♟♟ 4*
○ A. A. Pinot Bianco Mediaevum '19	♟♟ 4
○ A. A. Pinot Bianco Praesulis '19	♟♟ 4
● A. A. Pinot Nero Praesulis '18	♟♟ 5
● A. A. Schiava Mediaevum '19	♟♟ 4
○ A. A. Pinot Bianco Praesulis '17	♟♟♟ 4*
○ A. A. Pinot Bianco Praesulis '15	♟♟♟ 3*
○ A. A. Pinot Bianco Praesulis '14	♟♟♟ 3*
○ A. A. Pinot Bianco Praesulis '06	♟♟♟ 3*
○ A. A. Sauvignon Praesulis '13	♟♟♟ 4*
○ A. A. Sauvignon Praesulis '09	♟♟♟ 3
○ A. A. Sauvignon Praesulis '07	♟♟♟ 3*
○ A. A. Sauvignon Praesulis '04	♟♟♟ 3*
○ A. A. Sauvignon Renaissance '16	♟♟♟ 4*
○ A. A. Sauvignon Renaissance '14	♟♟♟ 4*

★Franz Haas

VIA VILLA, 6
39040 MONTAGNA/MONTAN [BZ]
TEL. 0471812280
www.franz-haas.it

VENDITA DIRETTA
VISITA SU PRENOTAZIONE
PRODUZIONE ANNUA 400.000 bottiglie
ETTARI VITATI 55,00
AZIENDA SOSTENIBILE

Franz Haas è sicuramente uno dei protagonisti che ha contribuito a far conoscere al mondo le potenzialità del versante del monte Corno racchiuso fra Mazzon, Glen e Montagna: luogo d'elezione per il pinot nero in Italia, dove la delicata varietà borgognona ha trovato modo di legarsi indissolubilmente al territorio. I vigneti di proprietà si espandono per molti ettari in questa zona, senza dimenticare la voglia di sperimentare di Franz che lo ha portato ad esplorare anche zone assolutamente insolite come le parcelle oltre i 1.000 metri di Aldino. Le indicazioni più interessanti arrivano quest'anno dai vini bianchi, con il Manna '18 in clma alle nostre preferenze. Blend di cinque varietà coltivate fra i 350 e gli 800 metri di altitudine, dona aromi complessi che spaziano dal frutto bianco all'origano, con una delicata suggestione botritica. Il sorso è molto sapido, agile e teso, e rivela un carattere deciso. Più semplice nella lettura il Sauvignon '18, tutto giocato su eleganza e armonia.

○ A. A. Sauvignon '18	♟♟ 5
○ Manna '18	♟♟ 5
○ A. A. Pinot Bianco Lepus '19	♟♟ 3
● A. A. Pinot Nero '18	♟♟ 5
● A. A. Pinot Nero Schweizer '16	♟♟ 6
○ Moscato Giallo '19	♟♟ 5
○ Petit Manseng '18	♟♟ 3
● A. A. Moscato Rosa '12	♟♟♟ 5
● A. A. Moscato Rosa '11	♟♟♟ 5
● A. A. Pinot Nero Schweizer '13	♟♟♟ 6
● A. A. Pinot Nero Schweizer '02	♟♟♟ 5
● A. A. Pinot Nero Schweizer '01	♟♟♟ 5
○ A. A. Sauvignon '13	♟♟♟ 5
○ Manna '17	♟♟♟ 5
○ Manna '07	♟♟♟ 4
○ Manna '05	♟♟♟ 4
○ Manna '04	♟♟♟ 4

Haderburg

FRAZ. POCHI
VIA ALBRECHT DÜRER, 3
39040 SALORNO/SALURN [BZ]
TEL. 0471889097
www.haderburg.it

VENDITA DIRETTA
VISITA SU PRENOTAZIONE
PRODUZIONE ANNUA 100.000 bottiglie
ETTARI VITATI 12,00
VITICOLTURA Biodinamico Certificato

L'azienda di Alois Ochsenreiter si trova a Pochi di Salorno, una sorta di piccolo altopiano che si sviluppa fra i 400 e i 600 metri di altitudine e che rappresenta un po' il confine viticolo fra le province di Bolzano e Trento. Da tempo al numero 3 di via Dürer si è scelto di convertire la produzione ai concetti della biodinamica e oggi Haderburg è una delle poche realtà certificate della regione. Le vigne si estendono attorno al maso Hausmannhof, mentre sopra Chiusa, nel podere Obermairlhof, trovano dimora le cultivar tipiche della Valle Isarco. Ottenuto da chardonnay con saldo di pinot nero, il Pas Dosé '16 si presenta con un perlage fine e continuo: sprigiona aromi di frutto giallo maturo, con un'aristocratica sfumatura di gesso in sottofondo, mentre al palato rivela un carattere indomito, nervoso e saporito, per un sorso energico, verticale e grintoso. Profilo simile nel Riesling Obermairlhof '18, che debutta con un naso leggermente chiuso per poi donarsi immediato e succoso.

○ A. A. Pinot Grigio Salurn Pfatten '18	♟♟ 5
● A. A. Pinot Nero Hausmannhof Ris. '16	♟♟ 6
○ A. A. Spumante Brut M. Cl.	♟♟ 5
○ A. A. Spumante Pas Dosé M. Cl. '16	♟♟ 5
○ A. A. Valle Isarco Riesling Obermairlhof '18	♟♟ 3
○ A. A. Gewürztraminer '18	♟ 3
○ A. A. Valle Isarco Sylvaner Obermairlhof '05	♟♟♟ 3*
● A. A. Pinot Nero Hausmannhof Ris. '10	♟♟ 6
○ A. A. Spumante Brut	♟♟ 5
○ A. A. Spumante Hausmannhof Brut M. Cl. Ris. '09	♟♟ 5
○ A. A. Spumante Hausmannhof Brut M. Cl. Ris. '08	♟♟ 5

★★Cantina Kaltern
VIA CANTINE, 12
39052 CALDARO/KALTERN [BZ]
TEL. 0471963149
www.kellereikaltern.com/it

VENDITA DIRETTA
VISITA SU PRENOTAZIONE
PRODUZIONE ANNUA 3.400.000 bottiglie
ETTARI VITATI 480,00

La cantina Kaltern è la più grande cooperativa della provincia di Bolzano, forte di un tessuto agricolo di quasi 500 ettari gestito dai numerosi soci, che con passione e competenza esplorano soprattutto le storiche zone viticole circostanti il lago di Caldaro. In cantina la gestione tecnica è seguita da Andrea Moser e dal suo staff, che negli ultimi anni ha saputo dare uno stile ben leggibile a tutta la produzione. Strutturata su due diverse linee, offre vini semplici e dallo spiccato profilo varietale insieme a selezioni che esprimono con maggiore incisività il legame con il territorio. Non manca mai di far sentire la sua classe il Lago di Caldaro Quintessenz '19, un calice che invoglia alla beva fin dalla sua veste luminosa e brillante. Al naso si colgono le note di frutti di bosco e fiori, mentre in bocca colpisce per come coniuga ricchezza a leggerezza. L'omonimo Pinot Bianco '18 invece esprime maggior profondità e complessità aromatica, esaltata da un sorso sapido, lungo e succoso.

● A. A. Lago di Caldaro Cl. Sup. Quintessenz '19	♼♼ 3*
○ A. A. Pinot Bianco Quintessenz '18	♼♼ 5
○ A. A. Bianco Solos '19	♼♼ 3
● A. A. Cabernet Sauvignon Quintessenz Ris. '17	♼♼ 5
○ A. A. Gewürztraminer Campaner '19	♼♼ 3
● A. A. Lago di Caldaro Cl. Sup. Leuchtenberg '19	♼♼ 2*
● A. A. Lagrein Lareith Ris. '17	♼♼ 5
○ A. A. Moscato Giallo Passito Quintessenz '16	♼♼ 6
○ A. A. Pinot Bianco Vial '19	♼♼ 3
● A. A. Pinot Nero Saltner Ris. '17	♼♼ 4
○ A. A. Sauvignon Quintessenz '18	♼♼ 5
○ A. A. Sauvignon Stern '19	♼♼ 3
○ A. A. Pinot Bianco Quintessenz '17	♼♼♼ 5

Kettmeir
VIA DELLE CANTINE, 4
39052 CALDARO/KALTERN [BZ]
TEL. 0471963135
www.kettmeir.com

VENDITA DIRETTA
VISITA SU PRENOTAZIONE
OSPITALITÀ
PRODUZIONE ANNUA 290.000 bottiglie
ETTARI VITATI 55,00

A differenza di molte altre realtà dell'area atesina, Kettmeir non ha puntato su una produzione omnicomprensiva delle varietà coltivate in regione, ma ha fatto delle scelte precise, con l'intento di valorizzare solo quelle che meglio si adattano ai vigneti curati. Grande attenzione dunque al mondo della spumantistica e selezioni importanti solo per pochi vitigni: precisione e sensibilità con cui Josef Romen gestisce la cantina, alternando vini dal carattere schietto e di facile lettura con quelli invece maturano a lungo per lasciar emergere l'animo più nascosto e profondo. La fresca vendemmia 2014 ha consentito la produzione di un fantastico Extra Brut 1919, spumante da chardonnay e pinot nero che si presenta alla vista con un delicato e continuo perlage. I profumi spaziano dal frutto bianco maturo alle note di pane biscottato, mentre in bocca emergono gli apporti minerali in un sorso energico e di grande tensione. Il Pinot Bianco Athesis '18 è la quintessenza della raffinatezza.

○ A. A. Spumante Extra Brut M. Cl. 1919 Ris. '14	♼♼♼ 6
○ A. A. Pinot Bianco Athesis '18	♼♼ 4
○ A. A. Chardonnay '19	♼♼ 3
○ A. A. Chardonnay V. Maso Reiner '18	♼♼ 4
● A. A. Moscato Rosa Athesis '16	♼♼ 5
○ A. A. Müller Thurgau Athesis '18	♼♼ 4
○ A. A. Pinot Bianco '19	♼♼ 3
○ A. A. Pinot Grigio '19	♼♼ 3
● A. A. Pinot Nero V. Maso Reiner '17	♼♼ 4
○ A. A. Spumante Brut Athesis '17	♼♼ 4
⊙ A. A. Spumante Brut Athesis Rosé '17	♼♼ 5
⊙ A. A. Spumante Pas Dosé '15	♼♼ 4
○ A. A. Spumante Extra Brut M. Cl. 1919 Ris. '13	♼♼♼ 6
○ A. A. Spumante Extra Brut M. Cl. 1919 Ris. '12	♼♼♼ 6

Tenuta Klosterhof
Oskar Andergassen

LOC. CLAVENZ, 40
39052 CALDARO/KALTERN [BZ]
TEL. 0471961046
www.garni-klosterhof.com

VENDITA DIRETTA
VISITA SU PRENOTAZIONE
OSPITALITÀ E RISTORAZIONE
PRODUZIONE ANNUA 38.000 bottiglie
ETTARI VITATI 5,00

Come altre piccole realtà del territorio, la
famiglia Andergassen suddivide il suoi
impegni fra la gestione dell'albergo di
famiglia e le attività viticole, nei pressi
dell'abitato di Caldaro. Oggi l'avventura
produttiva è sempre più centrale nel
progetto, con una piccola ma funzionale
cantina che soddisfa tutte le necessità
scaturite dalla gestione dei cinque ettari di
proprietà. Fra i vitigni a bacca rossa il ruolo
da protagonista spetta regolarmente alla
schiava, ma grande attenzione viene
riposta nel pinot nero; fra le uve bianche è
invece il pinot bianco la cultivar di
riferimento. Didattico negli aromi di frutti
selvatici e sottobosco, il Pinot Nero
Schwarze Madonna '17 rivela un sorso
piacevolmente grintoso, ben delineato da
acidità e tannini. Convincente anche il
Merlot Nussbaum Riserva '17: netti i
richiami di frutto rosso, che si combinano
con le note riconducibili al rovere, là dove
al palato il frutto emerge ancora più nitido,
trovando sostegno e allungo nella
rigogliosa sapidità.

● A. A. Pinot Nero Schwarze Madonna '17	♟♟ 5	
● A. A. Lago di Caldaro Cl. Sup. Plantaditsch '18	♟♟ 2*	
○ A. A. Pinot Bianco Acapella '18	♟♟ 3	
● A.A. Merlot Nussbaum Ris. '17	♟♟ 4	
○ A. A. Moscato Giallo Birnbaum '19	♟ 3	
⊙ A. A. Pinot Nero Rosé Summer '19	♟ 4	
● A. A. Merlot Ris. '16	♟♟ 4	
○ A. A. Moscato Giallo Birnbaum '18	♟♟ 3	
○ A. A. Pinot Bianco Ris. '15	♟♟ 3*	
● A. A. Pinot Nero Panigl '14	♟♟ 5	
● A. A. Pinot Nero Schwarze Madonna '16	♟♟ 5	
● A. A. Pinot Nero Schwarze Madonna '15	♟♟ 5	

★Köfererhof
Günther Kerschbaumer

FRAZ. NOVACELLA
VIA PUSTERIA, 3
39040 VARNA/VAHRN [BZ]
TEL. 3474778009
www.koefererhof.it

VENDITA DIRETTA
VISITA SU PRENOTAZIONE
RISTORAZIONE
PRODUZIONE ANNUA 80.000 bottiglie
ETTARI VITATI 10,00

Abbandonando la conca di Bolzano e
risalendo il corso dell'Isarco, il panorama
improvvisamente si restringe e
inesorabilmente comincia a salire: nel
volgere di una quarantina di chilometri si
giunge infine all'enclave di Varna, dove
hanno sede le aziende più a nord nel
territorio italiano. Fra queste un ruolo da
protagonista spetta alla tenuta condotta da
Günther Kerschbaumer, che sfrutta
l'altitudine dei vigneti e il clima fresco, con
rilevanti escursioni termiche, per una
produzione dedicata interamente ai
bianchi, caratterizzata da ricchezza e
tensione acida. Emblematico l'assaggio del
Sylvaner R '18, dai raffinati aromi di frutto
bianco che lasciano trasparire le note
affumicate e di paglia; in bocca debutta
pieno e potente, allungandosi poi sotto la
spinta della martellante acidità per
concludere nitido e asciutto. Il Veltliner '18
porge profumi più immediati e fragranti,
mentre al palato è largo e di grande
piacevolezza. Sapido e grintoso anche il
Riesling della medesima annata.

○ A. A. Valle Isarco Sylvaner R '18	♟♟♟ 5	
○ A. A. Valle Isarco Riesling '18	♟♟ 5	
○ A. A. Valle Isarco Veltliner '18	♟♟ 4	
○ A. A. Valle Isarco Gewürztraminer '19	♟♟ 4	
○ A. A. Valle Isarco Kerner '19	♟♟ 3	
○ A. A. Valle Isarco Müller Thurgau '19	♟♟ 3	
○ A. A. Valle Isarco Pinot Grigio '19	♟♟ 3	
○ A. A. Valle Isarco Sylvaner '19	♟♟ 3	
○ A. A. Valle Isarco Pinot Grigio '15	♟♟♟ 3*	
○ A. A. Valle Isarco Pinot Grigio '13	♟♟♟ 3*	
○ A. A. Valle Isarco Pinot Grigio '12	♟♟♟ 3*	
○ A. A. Valle Isarco Pinot Grigio '11	♟♟♟ 3*	
○ A. A. Valle Isarco Riesling '16	♟♟♟ 5	
○ A. A. Valle Isarco Sylvaner '16	♟♟♟ 3*	
○ A. A. Valle Isarco Sylvaner R '17	♟♟♟ 5	
○ A. A. Valle Isarco Sylvaner R '13	♟♟♟ 5	

Tenuta Kornell

FRAZ. SETTEQUERCE
VIA COSMA E DAMIANO, 6
39018 TERLANO/TERLAN [BZ]
TEL. 0471917507
www.kornell.it

VENDITA DIRETTA
VISITA SU PRENOTAZIONE
PRODUZIONE ANNUA 120.000 bottiglie
ETTARI VITATI 15,00

Uscendo da Bolzano in direzione Merano si
incontra il territorio di Settequerce: una
zona dove il fondovalle bruscamente si
interrompe per lasciar spazio alle pendici
dei monti che separano la valle dell'Adige
dalla Val Sarentina. Qui ha sede la cantina
di Florian Brigl, interprete attento e
sensibile di un comprensorio che appare
quasi come un fazzoletto di Mediterraneo
inserito nel cuore delle Alpi. Non ricercate
dunque vini oltremodo profumati o affilati:
la produzione di Florian sfrutta le
particolarissime condizioni climatiche per
vini che coniugano maturità ed eleganza.
Batteria da incorniciare quest'anno, grazie
a una serie di vini straordinariamente
territoriali, oltre che qualitativamente
eccellenti. Paradigmatico in tal senso il
Merlot Kressfeld '16 con le sue suggestioni
di prugna, erbe fini e spezie, restituite in un
sorso pieno, governato dalla spinta acida e
dalla levigata trama tannica. Aichberg e
Oberberg '18 sono due bianchi di carattere
e finezza.

★Kuenhof - Peter Pliger

LOC. LA MARA, 110
39042 BRESSANONE/BRIXEN [BZ]
TEL. 0472850546
www.kuenhof.com

VENDITA DIRETTA
VISITA SU PRENOTAZIONE
PRODUZIONE ANNUA 38.000 bottiglie
ETTARI VITATI 6,00
AZIENDA SOSTENIBILE

La Valle Isarco non offre grandi distese di
vigne: non ci sono pianori o altopiani dove
la viticoltura possa diventare protagonista
assoluta. Ogni singola parcella è stata
letteralmente strappata alla montagna,
inerpicandosi fino a superare gli 800 metri
di altitudine. Peter Pliger assieme alla
moglie Brigitte è uno dei produttori che
meglio rappresenta questo piccolo e
sinuoso distretto, dominato dalla presenza
di vitigni che altrove non trovano sviluppo
(come il sylvaner e il veltliner), o che si
giovano di condizioni ideali, come nel caso
del riesling. Manca solo l'acuto quest'anno
in casa Pliger, ma la batteria testata è come
sempre di assoluto valore. Il Sylvaner '19 si
presenta con una veste paglierino scarica, i
profumi sono quasi esplosivi: frutto bianco,
fiori e un accenno di affumicato sullo
sfondo, in bocca è teso, longilineo e
infiltrante, con bell'allungo finale. Il Kaiton
della medesima annata profuma di fiori e
agrumi, mentre al palato conquista per
tensione e armonia.

● A. A. Merlot V. Kressfeld Ris. '16	▼▼▼ 5
○ A. A. Sauvignon Oberberg '18	▼▼ 6
○ A.A. Bianco Aichberg '18	▼▼ 4
● A. A. Cabernet Sauvignon Staffes Ris. '17	▼▼ 5
● A. A. Lagrein Greif '19	▼▼ 3
● A. A. Lagrein Staffes Ris. '17	▼▼ 5
● A. A. Merlot Staffes Ris. '17	▼▼ 5
○ A. A. Pinot Bianco Eich '19	▼▼ 4
○ A. A. Pinot Grigio Gris '19	▼▼ 4
● A. A. Pinot Nero Marith '19	▼▼ 6
○ A. A. Sauvignon Cosmas '19	▼▼ 3
○ A. A. Gewürztraminer Damian '19	▼ 4
● A. A. Lagrein Staffes Ris. '16	▽▽▽ 5
● A. A. Lagrein Staves '14	▽▽▽ 5
● A. A. Lagrein Staves Ris. '12	▽▽▽ 5
● A. A. Merlot V. Kressfeld Ris. '15	▽▽ 5

○ A. A. Valle Isarco Riesling Kaiton '19	▼▼ 4
○ A. A. Valle Isarco Sylvaner '19	▼▼ 3*
○ A. A. Valle Isarco Veltliner '19	▼▼ 4
○ A. A. Valle Isarco Gewürztraminer '19	▼▼ 3
○ A. A. Valle Isarco Grüner Veltliner '15	▽▽▽ 3*
○ A. A. Valle Isarco Riesling Kaiton '16	▽▽▽ 3*
○ A. A. Valle Isarco Riesling Kaiton '12	▽▽▽ 4*
○ A. A. Valle Isarco Riesling Kaiton '11	▽▽▽ 4*
○ A. A. Valle Isarco Riesling Kaiton '10	▽▽▽ 4
○ A. A. Valle Isarco Riesling Kaiton '07	▽▽▽ 3*
○ A. A. Valle Isarco Sylvaner '18	▽▽▽ 3*
○ A. A. Valle Isarco Sylvaner '14	▽▽▽ 3*
○ A. A. Valle Isarco Sylvaner '13	▽▽▽ 3*
○ A. A. Valle Isarco Sylvaner '08	▽▽▽ 3
○ A. A. Valle Isarco Sylvaner '06	▽▽▽ 3*
○ A. A. Valle Isarco Veltliner '09	▽▽▽ 3*

★Cantina Kurtatsch

LOC. BREITBACH
S.DA DEL VINO, 23
39040 CORTACCIA/KURTATSCH [BZ]
TEL. 0471880115
www.cantina-kurtatsch.it

VENDITA DIRETTA
VISITA SU PRENOTAZIONE
PRODUZIONE ANNUA 1.500.000 bottiglie
ETTARI VITATI 190,00
AZIENDA SOSTENIBILE

Protagonista assoluta della Bassa Atesina, la Cantina di Cortaccia è la cooperativa geograficamente più a sud della regione. Dall'ampio fondovalle dell'Adige, le vigne si inerpicano rapidamente in direzione della Mendola fino ai 700 metri dei siti più freschi di Penon e poi ancora salendo intorno ai 900 di Graun. Othmar Donà sa bene come gestire uve provenienti da un puzzle territoriale così complesso, dedicando a ogni selezione le parcelle più significative, con una batteria di forte impostazione territoriale. I prodotti più semplici esaltano invece la schiettezza dell'aspetto varietale. Non scopriamo certo oggi che Cortaccia sia tra i pochi siti regionali dove le varietà bordolesi maturano con continuità, ma la prestazione del Cabernet Sauvignon Freienfeld '16 lascia a bocca aperta. Profumi intensi e articolati fanno da preludio ad un sorso energico, tratteggiato da tannini fitti e levigati. Segnaliamo con piacere anche l'ottima risuscita dell'ultimo nato, lo Spumante Pas Dosé Riserva '14.

● A. A. Cabernet Sauvignon Freienfeld Ris. '16	♟♟♟ 6
○ A. A. Chardonnay Freienfeld Ris. '17	♟♟ 7
○ A. A. Gewürztraminer Brenntal Ris. '18	♟♟ 5
○ A. A. Blanc de Blancs Pas Dosé M. Cl. 600 Ris. '14	♟♟ 5
● A. A. Merlot Brenntal Ris. '17	♟♟ 6
○ A. A. Müller Thurgau Graun '19	♟♟ 3
○ A. A. Pinot Grigio Penóner '18	♟♟ 4
● A. A. Pinot Nero Mazon Ris. '17	♟♟ 6
○ A. A. Sauvignon Kofl '18	♟♟ 4
○ Aruna V. T. '18	♟♟ 6
● Ushas Moscato Rosa Passito '18	♟♟ 6
● A. A. Schiava Sonntaler Alte Reben '19	♟ 3
○ A. A. Gewürztraminer Brenntal Ris. '16	♟♟♟ 5
○ A. A. Gewürztraminer Brenntal Ris. '15	♟♟♟ 5
○ A. A. Gewürztraminer Brenntal Ris. '14	♟♟♟ 5

Laimburg

LOC. LAIMBURG, 6
39040 VADENA/PFATTEN [BZ]
TEL. 0471969590
www.laimburg.bz.it

VENDITA DIRETTA
VISITA SU PRENOTAZIONE
PRODUZIONE ANNUA 100.000 bottiglie
ETTARI VITATI 20,00
AZIENDA SOSTENIBILE

Non tutti i territori viticoli d'Italia possono contare sulla preziosa opera di ricerca viticola che offe il centro sperimentale Laimburg, uno dei riferimenti più affidabili nello studio della sinergia fra varietà e territorio. Alla base ci sono vigneti che esplorano un po' tutte le zone produttive della regione e forniscono le uve per la cantina di Vadena, dove prende forma una produzione di pregevole fattura. Ampia la proposta suddivisa fra i vini del Podere, più immediati e semplici, e la Selezione Maniero che raggruppa invece le etichette più ambiziose. A quest'ultima linea appartiene il Sauvignon Passito Saphir '18, frutto di una vendemmia effettuata a inizio dicembre. Alla vista si presenta con un bel paglierino dorato e luminoso, mentre al naso esprime una maturità più spinta, tra suggestioni di caramello e biscotto che si legano al palato ricco, decisamente dolce ma equilibrato, grazie alla preziosa spinta sapida. Buona la prova del Merlot Riserva '17, un calice ricco e armonico.

● A. A. Cabernet Sauvignon Sass Roà Ris. '17	♟♟ 5
○ A. A. Gewürztraminer Elyònd Ris. '17	♟♟ 4
● A. A. Lago di Caldaro Cl. Sup. Vernacius Solemnis '18	♟♟ 3
● A. A. Lagrein Barbagòl Ris. '17	♟♟ 5
● A. A. Merlot Ris. '17	♟♟ 4
○ A. A. Pinot Bianco Musis '19	♟♟ 3
○ A. A. Riesling '18	♟♟ 4
○ A. A. Sauvignon Oyèll Ris. '17	♟♟ 4
○ A. A. Sauvignon Passito Saphir '18	♟♟ 6
● A.A. Moscato Rosa Passito '18	♟♟ 6
● Col de Réy '16	♟♟ 6
○ Dòa '17	♟ 4
● A. A. Lagrein Barbagòl Ris. '16	♟♟ 5
○ A. A. Pinot Bianco '17	♟♟ 2*
○ A. A. Pinot Bianco Musis '18	♟♟ 3*

Klaus Lentsch

S.DA REINSPERG, 18A
39057 APPIANO/EPPAN [BZ]
TEL. 0471967263
www.klauslentsch.eu

VENDITA DIRETTA
VISITA SU PRENOTAZIONE
PRODUZIONE ANNUA 50.000 bottiglie
ETTARI VITATI 6,00

Anche se la storia dell'azienda di Klaus Lentsch è relativamente recente, stiamo parlando di una famiglia che ha un radicato legame con il mondo della viticoltura atesina. L'avventura è iniziata da pochi anni e i pochi ettari di vigne all'imbocco della Valle Isarco sono rapidamente diventati una decina con le acquisizioni nelle zone di San Paolo e di Bronzoll. La produzione, affidabile e di pregevole fattura, ha nel pinot nero il vitigno più importante, declinato in due versioni: una immediata e fragrante, l'altra più profonda e complessa. I risultati più interessanti giungono dalla tenuta della Valle Isarco, con un Veltliner '18 di assoluto valore. La sosta in botte conferisce profondità e ricchezza: i profumi si fanno complessi, il frutto bianco lascia trasparire note di fiori secchi e accenni affumicati che si esaltano in un sorso energico, teso e grintoso. Esemplare il Pinot Nero Bachgart '17, immediato nell'espressione di sottobosco e dotato di un palato agile e succoso.

○ A. A. Valle Isarco Veltliner Eichberg '18	▼▼	4
○ A. A. Gewürztraminer Amperg '19	▼▼	2*
● A. A. Lagrein Amperg Ris. '17	▼▼	4
○ A. A. Pinot Bianco Amperg '19	▼▼	3
● A. A. Pinot Nero Bachgart '17	▼▼	4
● A. A. Pinot Nero Bachgart '13	♔♔♔	4*
○ A. A. Gewürztraminer Fuchslahn '16	♔♔	2*
○ A. A. Grüner Veltliner Eichberg '16	♔♔	3
○ A. A. Pinot Grigio '17	♔♔	2*
● A. A. Pinot Nero Bachgart '16	♔♔	4
● A. A. Pinot Nero Bachgart Ris. '16	♔♔	5
○ A. A. Valle Isarco Veltliner Eichberg '17	♔♔	4

Loacker Schwarhof

LOC. SANKT JUSTINA, 3
39100 BOLZANO/BOZEN
TEL. 0471365125
www.loacker.bio

VENDITA DIRETTA
VISITA SU PRENOTAZIONE
PRODUZIONE ANNUA 60.000 bottiglie
ETTARI VITATI 7,00
VITICOLTURA Biologico Certificato
AZIENDA SOSTENIBILE

L'azienda della famiglia Loacker si trova lungo le pendici delle colline di Santa Maddalena, piccoli rilievi che lambiscono il centro di Bolzano e sembrano stendersi al sole per coglierne i raggi, rinfrescati dalle brezze proveniente dalla Valle Isarco e dal Renon. È il suggestivo scenario dove si inseriscono vigneti in gestione biodinamica da anni, dedicati tanto alle storiche varietà del territorio quanto a quelle internazionali, che trovano qui l'habitat ideale per vini di carattere e pienezza, capaci di esprimere perfettamente il calore del luogo. Mano davvero felice per il Lagrein in casa Loacker, come testimonia l'assaggio del Gran Lareyn '18. La veste intensa ma non impenetrabile anticipa profumi dominati dalla maturità del frutto scuro, rinfrescato da sferzate minerali e di sottobosco che ritroviamo perfettamente espresse in bocca: possente e agile al tempo stesso, risulta sapido, asciutto e grintoso. In ottima forma il resto della batteria, a partire dall'Ywain Merlot '18.

● A. A. Lagrein Gran Lareyn Ris. '18	▼▼	5
● A. A. Santa Maddalena Morit '19	▼▼	3
● Kastlet '16	▼▼	5
○ Tasnim Sauvignon '19	▼▼	4
○ Timeless '11	▼▼	8
● Ywain Merlot '18	▼▼	4
○ A. A. Gewürztraminer Atagis '19	▼	4
● A. A. Merlot Ywain '04	♔♔♔	4*
○ A. A. Gewürztraminer Atagis '17	♔♔	4
● A. A. Lagrein Gran Lareyn Ris. '16	♔♔	5
● A. A. Lagrein Gran Lareyn Ris. '15	♔♔	4
● Kastlet '15	♔♔	5
● Lagrein Gran Lareyn '17	♔♔	4
● Ywain '16	♔♔	4

Manincor

LOC. SAN GIUSEPPE AL LAGO, 4
39052 CALDARO/KALTERN [BZ]
TEL. 0471960230
www.manincor.com

VENDITA DIRETTA
VISITA SU PRENOTAZIONE
PRODUZIONE ANNUA 330.000 bottiglie
ETTARI VITATI 50,00
VITICOLTURA Biodinamico Certificato
AZIENDA SOSTENIBILE

Fra le aziende più rappresentative dell'Alto
Adige va sicuramente annoverata Manincor,
la proprietà dei conti Göess-Enzemberg che
ha sede a due passi dal Lago di Caldaro.
Molti gli ettari di proprietà gestiti seguendo
i dettami dell'agricoltura biodinamica, che
forniscono le uve trasformate da Helmut
Zozin nella splendida cantina a basso
impatto ambientale di San Giuseppe al
Lago. L'ossatura viticola si sviluppa attorno
al centro operativo, dalle sponde del lago
fino alla più alta zona di Mason, senza
dimenticare le parcelle nei pressi di
Terlano. Tre bianchi 2018 in cima alle
nostre preferenze: Eichhorn, Sophie e
Tannenberg. Il primo è un Pinot Bianco di
giovanile espressione fruttata, che dona un
sorso energico e prospettico. Il secondo è
uno Chardonnay che porge un palato
sapido, ricco e teso al tempo stesso. Infine
il Sauvignon, dominato dalle suggestioni
esotiche e floreali che ritroviamo
coerentemente in bocca, dove manifesta la
perfetta fusione con il rovere.

○ A. A. Terlano Chardonnay Sophie '18	♈♈ 6
○ A. A. Terlano Pinot Bianco Eichhorn '18	♈♈ 5
○ A. A. Terlano Sauvignon Tannenberg '18	♈♈ 5
● A. A. Pinot Nero Mason '18	♈♈ 6
○ A. A. Terlano Réserve della Contessa '19	♈♈ 4
● Cassiano '18	♈♈ 6
○ A. A. Terlano Pinot Bianco Eichhorn '16	♈♈♈ 5
○ A. A. Terlano Pinot Bianco Eichhorn '15	♈♈♈ 5
○ A. A. Terlano Pinot Bianco Eichhorn '13	♈♈♈ 5
○ A. A. Terlano Pinot Bianco Eichhorn '12	♈♈♈ 5
○ A. A. Terlano Pinot Bianco Eichhorn '10	♈♈♈ 4
○ A. A. Terlano Pinot Bianco Eichhorn '09	♈♈♈ 4
○ A. A. Terlano Sauvignon Tannenberg '13	♈♈♈ 5
○ Le Petit '17	♈♈ 8

Lorenz Martini

LOC. CORNAIANO/GIRLAN
VIA PRANZOLL, 2D
39057 APPIANO/EPPAN [BZ]
TEL. 0471664136
lorenz-martini.jimdo.com

VENDITA DIRETTA
VISITA SU PRENOTAZIONE
PRODUZIONE ANNUA 20.000 bottiglie
ETTARI VITATI 3,00

Lorenz Martini fa parte dei pochissimi
produttori dell'Alto Adige che scelgono di
concentrare tutti i loro sforzi su un solo
vino, nel suo caso uno spumante prodotto
con le uve coltivate tra Cornaiano, Appiano
Monte e Cologna. Vigneti dislocati fra i 500
e gli 800 metri di altitudine: quote
indispensabili per conservare il patrimonio
acido che costituisce l'ossatura stilistica
esaltata da Lorenz. Solo chardonnay, pinot
bianco e pinot nero giungono nella piccola
cantina di via Pranzoll, dove vengono
effettuate tutte le lavorazioni. Come
accaduto con la 2011, nelle grandi annate
viene prodotta anche una Riserva più
importante: il Comitissa Gold. È uno
Spumante Brut di rara precisione e
profondità, con ricordi di frutto bianco a
rincorrere le note di pane biscottato, fiori
secchi e cenni minerali. In bocca si
distende con grazia e tensione, risultando
lungo, sapido e affascinante. Su un registro
più fresco il Comitissa Pas Dosé '16,
integro e fragrante nell'espressione di
frutto e fiori.

○ A. A. Spumante Brut Comitissa Gold Gran Riserva '11	♈♈ 8
○ A. A. Spumante Pas Dosé Comitissa Ris. '16	♈♈ 5
○ A. A. Brut Comitissa Ris. '10	♈♈ 5
○ A. A. Brut Comitissa Ris. '09	♈♈ 5
○ A. A. Spumante Brut Comitissa Gold Gran Riserva '06	♈♈ 5
○ A. A. Spumante Brut Comitissa Ris. '12	♈♈ 5
○ A. A. Spumante Pas Dosé Comitissa Ris. '15	♈♈ 5
○ A. A. Spumante Pas Dosé Comitissa Ris. '13	♈♈ 5

★Cantina Meran

VIA CANTINA, 9
39020 MARLENGO/MARLING [BZ]
TEL. 0473447137
www.kellereimeran.it

VENDITA DIRETTA
PRODUZIONE ANNUA 1.300.000 bottiglie
ETTARI VITATI 265,00

La cooperativa presieduta da Kaspar Platzer ha nel direttore tecnico Stefan Kapfinger e nel suo staff i perfetti interpreti del territorio del Burgraviato. Tiene insieme quasi 400 soci che coltivano fazzoletti di terra distribuiti da Lana fino alla Val Venosta, dai fondovalle fino a lambire i 1.000 metri di altitudine. Contrariamente a quanto accade per la maggior parte delle altre cooperative, il tessuto agricolo fa riferimento in modo quasi esclusivo alla zona in cui ha sede la cantina ed è valorizzato da una produzione che ha nella schiava e nel pinot bianco i suoi cavalli di razza. Davvero difficile decretare i vini migliori di questa tornata di assaggi. In una batteria di valore assoluto, spicca la classe del Pinot Bianco Tyrol '18: dallo spettro aromatico ampio e ancora giovanissimo, conquista per la ricchezza e l'armonia di un sorso che sembra non avere mai fine. Di grande caratura anche il Pinot Nero Zeno Riserva '17, profondo negli aromi e di solida eleganza in bocca.

○ A. A. Pinot Bianco Tyrol '18	♙♙♙ 4*
○ A. A. Moscato Giallo Passito Sissi '17	♙♙ 6
● A. A. Pinot Nero Zeno Ris. '17	♙♙ 4
○ A. A. Chardonnay Goldegg Ris. '17	♙♙ 4
○ A. A. Gewürztraminer Graf '19	♙♙ 3
● A. A. Lagrein Segen Ris. '17	♙♙ 4
● A. A. Meranese Schickenburg Graf '18	♙♙ 3
● A. A. Merlot Freiherr Ris. '17	♙♙ 5
○ A. A. Sauvignon Mervin '18	♙♙ 4
○ A. A. Val Venosta Pinot Bianco '19	♙♙ 3
○ A.A. Spumante Brut Meran 36 Ris. '16	♙♙ 5
○ A. A. Val Venosta Kerner '19	♙ 4
○ A. A. Pinot Bianco Tyrol '16	♙♙♙ 4*
○ A. A. Pinot Bianco Tyrol '15	♙♙♙ 4*
○ A. A. Sauvignon Mervin '14	♙♙♙ 4*

★★Cantina Convento Muri-Gries

P.ZZA GRIES, 21
39100 BOLZANO/BOZEN
TEL. 0471282287
www.muri-gries.com

VENDITA DIRETTA
PRODUZIONE ANNUA 650.000 bottiglie
ETTARI VITATI 55,00
AZIENDA SOSTENIBILE

Varcare i cancelli dell'Abbazia di Muri Gries è un po' come tornare indietro nel tempo. La cantina e le vigne più importanti si trovano nel centro cittadino e tutte le attività fanno riferimento all'Abate, come del resto avveniva anche in epoche lontane. Nel solco della tradizione tocca oggi al kellermeister Christian Werth interpretare le uve dell'importante piattaforma viticola (col Klosteranger a fare da punta di diamante assoluta), completata dagli impianti della zona di Appiano, dedicati in massima parte ai vitigni a bacca bianca. Rimasto a riposare in cantina il Lagrein Klosteranger, la nostra attenzione è calamitata dal Lagrein Abtei Muri Riserva '17. Dalla veste compatta e luminosa, al naso porge profumi intensi dove il frutto scuro è solo uno dei protagonisti: emergono sensazioni di viola, sottobosco, inchiostro, mentre la bocca impatta potente e decisa, trovando allungo grazie alla prorompente spinta acida. L'omonimo Pinot Bianco '17 è profondo negli aromi e armonico al palato.

● A. A. Lagrein Abtei Muri Ris. '17	♙♙♙ 5
○ A. A. Terlano Pinot Bianco Abtei Muri Ris. '17	♙♙ 5
⊙ A. A. Lagrein Kretzer '19	♙♙ 3
● A. A. Pinot Nero Abtei Muri Ris. '17	♙♙ 5
● A. A. Santa Maddalena Cl. '19	♙♙ 2*
○ A. A. Terlano Pinot Bianco '19	♙♙ 3
● A. A. Lagrein Abtei Muri Ris. '14	♙♙♙ 5
● A. A. Lagrein Abtei Muri Ris. '12	♙♙♙ 5
● A. A. Lagrein Abtei Muri Ris. '11	♙♙♙ 5
● A. A. Lagrein Abtei Muri Ris. '10	♙♙♙ 5
● A. A. Lagrein Abtei Muri Ris. '09	♙♙♙ 5
● A. A. Lagrein Abtei Ris. '07	♙♙♙ 5
● A. A. Lagrein V. Klosteranger Ris. '15	♙♙♙ 8
● A. A. Pinot Nero Abtei Muri Ris. '15	♙♙♙ 5

★Nals Margreid

VIA HEILIGENBERG, 2
39010 NALLES/NALS [BZ]
TEL. 0471678626
www.kellerei.it

VENDITA DIRETTA
VISITA SU PRENOTAZIONE
PRODUZIONE ANNUA 1.000.000 bottiglie
ETTARI VITATI 173,00
AZIENDA SOSTENIBILE

La cooperativa di via Heiligenberg nasce dall'insolita fusione fra due realtà molto distanti tra loro: Nalles è posta all'estremità settentrionale della viticoltura atesina, mentre Magrè ne rappresenta il limite sud, quasi al confine con il Trentino. Un vero e proprio puzzle viticolo che i numerosi soci coltivano seguendo le indicazioni del kellermeister Harald Schraffl e valorizzando territori a dir poco eterogenei con la preziosa collaborazione di Gottfried Pollinger, al quale non manca certo il modo di mettere a disposizione la sua profonda conoscenza del mondo del vino. Il Pinot Bianco Sirmian '19 sfodera una prestazione da incorniciare. Tratteggiato da aromi di frutto bianco, fiori ed accenni minerali, in bocca non stupisce per potenza ma conquista il palato con delicatezza e decisione: teso, grintoso e lunghissimo, un vero campione. Notevole la prova anche per il Pinot Nero Jura '17, caratterizzato da timbri di sottobosco e terra umida, che ritroviamo in un sorso ricco e succoso.

○ A. A. Pinot Bianco Sirmian '19	♥♥♥	5
○ A. A. Pinot Grigio Punggl '19	♥♥	5
● A. A. Pinot Nero Jura Ris. '17	♥♥	6
○ A. A. Chardonnay Baron Salvadori Ris. '17	♥♥	6
○ A. A. Chardonnay Magred '19	♥♥	4
● A. A. Lagrein Gries Ris. '17	♥♥	5
● A. A. Merlot Cabernet Anticus Ris. '17	♥♥	7
○ A. A. Moscato Giallo Passito Baronesse '17	♥♥	7
○ A. A. Pinot Bianco Penon '19	♥♥	3
○ A. A. Sauvignon Mantele '19	♥♥	5
● A. A. Schiava Galea '19	♥♥	3
○ A. A. Pinot Bianco Sirmian '18	♀♀♀	5
○ A. A. Pinot Bianco Sirmian '17	♀♀♀	5
○ A. A. Pinot Bianco Sirmian '16	♀♀♀	5

Ignaz Niedrist

LOC. CORNAIANO/GIRLAN
VIA RONCO, 5
39057 APPIANO/EPPAN [BZ]
TEL. 0471664494
www.ignazniedrist.com

VENDITA DIRETTA
VISITA SU PRENOTAZIONE
PRODUZIONE ANNUA 50.000 bottiglie
ETTARI VITATI 10,00
AZIENDA SOSTENIBILE

Cominciata quasi in punta di piedi alla fine degli anni '80 sui vigneti di famiglia a Ronco, l'avventura di Ignaz Niedrist e della moglie Elisabeth è diventata una realtà solida che esplora anche i territori di Mühlweg a Cornaiano, Untersteiner ad Appiano Monte e Gries a Bolzano. Ogni varietà è coltivata nel sito più adatto, tant'è che la produzione è composta quasi esclusivamente da vini da singola vigna: caprscciono del legame profondo che un'agricoltura consapevole e rispettosa dell'ambiente riesce a trasmettere dal suolo all'uva. Il Pinot Nero Riserva '17 si ferma a un passo dal massimo risultato. I profumi si dipanano lentamente: prima le note terrose e di sottobosco, poi il frutto rosso selvatico, infine le erbe officinali che donano leggerezza e freschezza. In bocca rivela consistenza e grinta, lasciando emergere un'elegante progressione alla distanza. Diametralmente opposto il Lagrein Berger Gei '17: intenso nelle note di frutto scuro, conquista il palato con potenza e rigore.

● A. A. Pinot Nero Ris. '17	♥♥	6
● A. A. Lagrein Berger Gei Ris. '17	♥♥	5
○ A. A. Sauvignon Porphyr & Kalk '18	♥♥	4
○ Trias '18	♥♥	4
○ A. A. Pinot Bianco Limes '18	♥	5
○ A. A. Riesling Berg '11	♀♀♀	4*
○ A. A. Terlano Pinot Bianco '12	♀♀♀	3*
○ A. A. Terlano Sauvignon '10	♀♀♀	3
○ Trias '14	♀♀♀	4*
● A. A. Lagrein Berger Gei Ris. '16	♀♀	5
● A. A. Lagrein Berger Gei Ris. '15	♀♀	4
● A. A. Pinot Nero Vom Kalk '16	♀♀	8
○ A. A. Sauvignon Limes '16	♀♀	4

Pfannenstielhof
Johannes Pfeifer

VIA PFANNESTIEL, 9
39100 BOLZANO/BOZEN
TEL. 0471970884
www.pfannenstielhof.it

VENDITA DIRETTA
VISITA SU PRENOTAZIONE
PRODUZIONE ANNUA 43.000 bottiglie
ETTARI VITATI 4,00

A differenza di molti colleghi di Santa Maddalena che hanno allargato il loro raggio d'azione anche ad altri distretti, la famiglia Pfeifer è rimasta fedelmente legata al suo territorio e alle sue uve: schiava e lagrein. Circondata dai vigneti, la cantina si trova a Rencio ed è racchiusa fra le sabbie miste a ghiaia dell'Isarco e i porfidi dolomitici della collina, luogo d'elezione dei vitigni bolzanini. La produzione esplora in pieno l'espressività di questi luoghi, esaltandone ora l'aspetto più immediato e godibile, ora invece quello più profondo e complesso. Il Lagrein Riserva '17 esprime tutto il carattere del vitigno bolzanino nella veste fitta e intensa, e nei profumi ricchi, dominati dal frutto maturo, che lentamente lasciano spazio alle spezie, alle note affumicate e di erbe officinali. L'impatto gustativo è potente e deciso, per poi guadagnare tensione grazie alla fresca spinta acida. Intenso e invitante il Santa Maddalena '19, che conquista per sapidità e piacevolezza di beva.

● A. A. Lagrein Ris. '17	♟♟	5
● A. A. Lagrein vom Boden '19	♟♟	3
● A. A. Santa Maddalena Cl. '19	♟♟	3
☉ Lagrein Rosé '19	♟♟	3
● A. A. Santa Maddalena Cl. '14	♟♟♟	3*
● A. A. Lagrein Ris. '14	♟♟	5
● A. A. Lagrein Ris. '12	♟♟	5
● A. A. Santa Maddalena Cl. '18	♟♟	3*
● A. A. Santa Maddalena Cl. '17	♟♟	3*
● A. A. Santa Maddalena Cl. '16	♟♟	3*
● A. A. Santa Maddalena Cl. '15	♟♟	3*

Tenuta Pfitscher

VIA DOLOMITI, 17
39040 MONTAGNA/MONTAN [BZ]
TEL. 04711681317
www.pfitscher.it

VENDITA DIRETTA
VISITA SU PRENOTAZIONE
PRODUZIONE ANNUA 60.000 bottiglie
ETTARI VITATI 7,00

La cantina della famiglia Pfitscher è una splendida struttura a basso impatto ambientale ed energetico, immersa tra i vigneti nella zona di Montagna, ovvero la culla del pinot nero bolzanino. I siti seguiti esplorano tutta la Bassa Atesina, con le uve che necessitano maggiormente di calore coltivate soprattutto a Cortaccia, Egna e Ora, là dove quelle che si esaltano con climi più freschi si concentrano sul versante di Montagna e in Valle Isarco, a Fiè allo Sciliar (unico impianto lontano dalla cantina). Batteria di tutto rispetto quella presentata quest'anno, dove spicca il Sauvignon Mathias: ottenuto dalla vigna Kathreinerfelder, collocata ai 900 metri di altitudine di Fiè, porge al naso intenso note affumicate e di frutto giallo maturo, che ritroviamo in un sorso sostanzioso capace di allungarsi con disinvoltura grazie alla martellante spinta acida, guadagnando tensione e finezza. Convincente anche il Pinot Nero Matan '17, cangiante negli aromi e dotato di un palato flessuoso e lungo.

○ A. A. Sauvignon Mathias Ris. '18	♟♟	4
○ A. A. Gewürztraminer Rutter Ris. '18	♟♟	4
● A. A. Lagrein Griesfeld '17	♟♟	5
● A. A. Pinot Nero Fuchsleiten '18	♟♟	4
● A. A. Pinot Nero Matan Ris. '17	♟♟	5
○ A. A. Sauvignon Saxum '19	♟♟	4
○ A. A. Chardonnay Arvum '18	♟♟	3
○ A. A. Gewürztraminer Rutter Ris. '17	♟♟	4
● A. A. Lagrein Griesfeld '16	♟♟	5
● A. A. Lagrein Kotznloater '09	♟♟	5
● A. A. Pinot Nero Matan '08	♟♟	5
● A. A. Pinot Nero Matan Ris. '16	♟♟	5
○ A. A. Sauvignon Mathias Ris. '17	♟♟	4
○ A. A. Sauvignon Saxum '18	♟♟	4

Tenuta Ritterhof

S.DA DEL VINO, 1
39052 CALDARO/KALTERN [BZ]
TEL. 0471963298
www.ritterhof.it

VENDITA DIRETTA
VISITA SU PRENOTAZIONE
RISTORAZIONE
PRODUZIONE ANNUA 300.000 bottiglie
ETTARI VITATI 40,00

L'azienda della famiglia Roner è guidata con
piglio sicuro da Ludwig Kaneppele, profondo
conoscitore dell'universo enoico che non
lesina sforzi, con l'obbiettivo di migliorare la
produzione di casa. Accanto a lui uno staff
competente e appassionato chiamato a
seguire sia i vigneti di proprietà sia i
numerosi conferitori che contribuiscono a
una produzione di ottimo livello qualitativo.
Cuore della piattaforma viticola sono le aree
dell'Oltradige, della Bassa Atesina e della
conca di Bolzano, ciascuna delle quali
fornisce le uve che meglio si adattano al
rispettivo territorio. Il Gewürztraminer
Auratus '19 è il consueto bianco di razza
che esprime inebrianti aromi di fiori di
zagara, frutta esotica e spezie; in bocca la
ricchezza esuberante trova nella presenza
sapida adeguata spalla per tendersi e
snodarsi in armonia. Intensamente
profumato di frutto rosso e erbe fini è il
Cabernet Sauvignon Gratus '16, che gioca
con la pienezza del sorso risultando
morbido, potente e caloroso.

Tenuta Hans Rottensteiner

FRAZ. GRIES
VIA SARENTINO, 1A
39100 BOLZANO/BOZEN
TEL. 0471282015
www.rottensteiner.wine

VENDITA DIRETTA
VISITA SU PRENOTAZIONE
PRODUZIONE ANNUA 450.000 bottiglie
ETTARI VITATI 90,00

L'avventura produttiva della famiglia
Rottensteiner comincia nel secondo
dopoguerra, quando Hans dà vita ad
un'azienda che si occupa di esportazione in
Svizzera di vini in damigiana. Dopo oltre
mezzo secolo l'attività è profondamente
cambiata: solo vino in bottiglia e
valorizzazione delle più belle parcelle vitate
della regione. Ciò che non è mai mutata è la
passione con cui la famiglia si dedica alla
viticoltura, curando una gamma capace di
raccontare al meglio i luoghi di origine, con
le gemme rappresentate dai più bei vigneti
di proprietà. Il Pinot Bianco Carnol '19 si
presenta con una veste tenue che anticipa
un corredo delicato: agli aromi di frutto
bianco fanno eco riflessi floreali, il sorso
risulta succoso, agile e piacevole. Lo
Chardonnay '19 si presenta con profumi più
intensi e fruttati, mentre in bocca rivela
buona consistenza, con la pimpante acidità
a donare tensione e ritmo verticale. Infine
una nota di merito per l'armonioso Santa
Maddalena Premstallerhof '19.

○ A. A. Gewürztraminer Auratus '19	🏆🏆 5
● A.A. Cabernet Sauvignon Gratus '16	🏆🏆 5
○ A. A. Gewürztraminer '19	🏆🏆 3
● A. A. Lago di Caldaro Cl. Sup. Novis '19	🏆🏆 3
● A. A. Lagrein '19	🏆🏆 3
○ A. A. Pinot Bianco '19	🏆🏆 2*
● A. A. Pinot Nero Dignus Crescendo '16	🏆🏆 5
○ A.A. Pinot Grigio Opes '18	🏆🏆 4
● Perlhofer Crescendus '17	🏆🏆 5
○ A. A. Pinot Bianco Verus '19	🏆 3
● A. A. Santa Maddalena Perlhof '19	🏆 2
○ A. A. Sauvignon '19	🏆 2
○ A.A. Gewürztraminer Auratus '18	🏆🏆🏆 5
○ A.A. Gewürztraminer Auratus '17	🏆🏆🏆 5
○ A. A. Gewürztraminer Auratus '16	🏆🏆🏆 4*

○ A. A. Chardonnay '19	🏆🏆 2*
○ A. A. Gewürztraminer Passito Cresta '18	🏆🏆 6
○ A. A. Pinot Bianco Carnol '19	🏆🏆 3
● A. A. Santa Maddalena Cl. V. Premstallerhof '19	🏆🏆 3
○ A. A. Sauvignon '19	🏆🏆 3
● A. A.Lagrein Gries Select Ris. '17	🏆🏆 5
○ A.A. Pinot Grigio '19	🏆🏆 3
○ A. A. Gewürztraminer Cancenai '19	🏆 4
● A. A. Schiava V. Kristplonerhof '19	🏆 2
● A. A. Cabernet Select Ris. '12	🏆🏆 5
● A. A. Lagrein Grieser Select Ris. '15	🏆🏆 5
● A. A. Santa Maddalena Cl. V. Premstallerhof '18	🏆🏆 3*

★★★Cantina Produttori San Michele Appiano

VIA CIRCONVALLAZIONE, 17/19
39057 APPIANO/EPPAN [BZ]
TEL. 0471664466
www.stmichael.it

VENDITA DIRETTA
VISITA SU PRENOTAZIONE
PRODUZIONE ANNUA 2.200.000 bottiglie
ETTARI VITATI 380,00

La cooperativa di San Michele Appiano è uno dei cardini su cui si è innestato il rilancio dell'Alto Adige enoico negli ultimi decenni: un gruppo di oltre 300 famiglie che ha contribuito a rinnovare la viticoltura e la produzione del vino sotto la guida di Hans Terzer, ancora oggi saldamente al comando dell'azienda. A rileggerne la storia ci si rende conto di come sia stato un fluire continuo, fatto di miglioramenti e percorsi inediti, talvolta sottolineati dalla nascita di una nuova etichetta, ma sempre visibili nella costante qualità dei vini. Impressionante il livello dell'ultima batteria testata. La nostra predilezione va allo Chardonnay Sanct Valentin '18: al naso il frutto sposa perfettamente le nuance del rovere, trovando nel sottofondo minerale il giusto completamento; sorso sapido, ricco e armonico. Segnaliamo poi la produzione di vere e proprie chicche in tiratura limitata che vale la pena di ricercare, come l'Appius '15 o il Pinot Nero e il Sauvignon The Wine Collection. Per tutto questo l'azienda merita un Premio Speciale: per noi è la Cooperativa dell'Anno.

○ A. A. Chardonnay Sanct Valentin '18	♟♟♟ 5
○ A. A. Pinot Bianco Sanct Valentin '18	♟♟ 5
● A. A. Pinot Nero Sanct Valentin Ris. '17	♟♟ 5
● A. A. Cabernet Merlot Sanct Valentin Ris. '17	♟♟ 5
○ A. A. Gewürztraminer Passito Comtess '18	♟♟ 7
○ A. A. Gewürztraminer Sanct Valentin '19	♟♟ 5
○ A. A. Pinot Bianco Schulthauser '19	♟♟ 3
○ A. A. Pinot Grigio Sanct Valentin '18	♟♟ 5
○ A. A. Sauvignon Sanct Valentin '19	♟♟ 5
○ A. A. Pinot Bianco Sanct Valentin '17	♟♟♟ 5
○ A. A. Pinot Bianco Sanct Valentin '15	♟♟♟ 6
○ A. A. Pinot Grigio Sanct Valentin '14	♟♟♟ 5
● A. A. Pinot Nero Sanct Valentin Ris. '15	♟♟♟ 5

Cantina Produttori San Paolo

LOC. SAN PAOLO
VIA CASTEL GUARDIA, 21
39057 APPIANO/EPPAN [BZ]
TEL. 0471662183
www.stpauls.wine

VENDITA DIRETTA
VISITA SU PRENOTAZIONE
PRODUZIONE ANNUA 1.200.000 bottiglie
ETTARI VITATI 175,00
AZIENDA SOSTENIBILE

San Paolo è una piccola frazione di Appiano, poche migliaia di abitanti che nel 1907 diedero vita alla Cantina Produttori. Oggi la cooperativa conduce per mano dei suoi soci quasi 200 ettari, disseminati soprattutto nel territorio d'Oltradige, ad altitudini che oscillano fra i 300 e i 700 metri e che vedono il suolo variare composizione a ogni piè sospinto. La produzione è strutturata su tre linee destinate a mettere in risalto l'aspetto varietale dei vini piuttosto che la ricchezza e la complessità che questo territorio può offrire. Complice la nuova presidenza di Dieter Haas e le problematiche mondiali purtroppo emerse in primavera, le bottiglie più ambiziose sono rimaste a maturare nella cantina di via Castel Guardia. Sono comunque tanti i vini convincenti assaggiati, espressioni precise dei rispettivi vitigni, come il Pinot Grigio Löss o il Pinot Bianco Plötzner, entrambi frutto della vendemmia 2019: due calici che hanno nel dinamismo gustativo la loro cifra stilistica.

○ A. A. Brut Praeclarus	♟♟ 5
○ A. A. Chardonnay Fuxberg '19	♟♟ 3
○ A. A. Gewürztraminer Kössler '17	♟♟ 3
○ A. A. Pinot Bianco Kössler '19	♟♟ 3
○ A. A. Pinot Bianco Plötzner '19	♟♟ 3
○ A. A. Pinot Grigio Kössler '19	♟♟ 3
○ A. A. Pinot Grigio Löss '19	♟♟ 3
● A. A. Pinot Nero Kössler '19	♟♟ 3
● A. A. Pinot Nero Luzia '19	♟♟ 3
○ A. A. Sauvignon Gfill '19	♟♟ 3
● A. A. Schiava Missianer '19	♟♟ 2*
○ A. A. Spumante Brut Praeclarus	♟♟ 5
○ Aurie Petit Manseng '18	♟♟ 5
○ A. A. Gewürztraminer Justina '19	♟ 3
○ A. A. Pinot Bianco Passion '09	♟♟♟ 4
○ A. A. Pinot Bianco Passion Ris. '11	♟♟♟ 4*

Tenuta Seeperle

LOC. SAN GIUSEPPE AL LAGO, 28
39052 CALDARO/KALTERN [BZ]
TEL. 0471960158
www.seeperle.it

PRODUZIONE ANNUA 15.000 bottiglie
ETTARI VITATI 2,00

L'avventura di Ingrid e Arthur Rainer nel mondo del vino comincia meno di vent'anni fa, quando per la prima volta sono state vinificate in proprio le uve dei vigneti di famiglia. Da allora tanta acqua è passata sotto i ponti e quello che era un piccolo ripostiglio strappato all'attività di albergatore per fare spazio a vasche in acciaio e botti, è diventata una piccola caotica cantina, dove però regna sovrana la passione. A eccezione di una piccola tenuta a Magrè, lo tenute di proprietà si concentrano nella zona di Caldaro, dalle sponde del lago fino alle più alte parcelle di Pianizza. Ampia la gamma proposta, spesso con tirature piuttosto esigue, come nel caso del Seitensprung '18, Pinot Bianco maturato in rovere che dona al naso intense suggestioni di frutto maturo e fiori impreziosite dalla presenza tostata. In bocca è pressoché perfetto: sapido, dinamico e di beva trascinante. Acciaio e rovere per il Lago di Caldaro Scheinheilig '19, calice fresco, invitante e goduroso.

● A. A. Lago di Caldaro Cl. Sup. Scheinheilig '19	🍷🍷 4
● A. A. Lago di Caldaro Cl. Sup. Waschecht '19	🍷🍷 4
○ A. A. Pinot Bianco Chardonnay '19	🍷🍷 5
○ A. A. Pinot Bianco Leidenschaft '19	🍷🍷 2*
○ A. A. Pinot Bianco Seitensprung Ris. '18	🍷🍷 5
○ A. A. Sauvignon Echt Geil '18	🍷🍷 4
● A.A. Cabernet Höhepunkt Ris. '15	🍷🍷 5
○ A. A. Gewürztraminer Scharf '19	🍷 4
● Rotlicht '17	🍷 4
● A. A. Lago di Caldaro Cl. Sup. Scheinheilig '17	🏆 4
● A. A. Lago di Caldaro Cl. Sup. Waschecht '17	🏆 4
○ A. A. Pinot Bianco Leidenschaft '17	🏆 2*

Peter Sölva & Söhne

VIA DELL'ORO, 33
39052 CALDARO/KALTERN [BZ]
TEL. 0471964650
www.soelva.com

VENDITA DIRETTA
VISITA SU PRENOTAZIONE
PRODUZIONE ANNUA 75.000 bottiglie
ETTARI VITATI 12,00

L'azienda della famiglia Sölva è una delle più antiche della regione: una realtà che ha aperto i battenti alla metà del diciottesimo secolo ed è passata di generazione in generazione fino ai giorni nostri. I vigneti si estendono soprattutto nella zona del Lago di Caldaro, ma non mancano le parcelle a ridosso della storica cantina, in procinto di essere ampliata e resa più funzionale. La volontà di produrre vini di alta qualità, unita alla maturazione dei vigneti di più recente impianto, ha portato alla cancellazione della linea più semplice I Vigneti a partire dalla vendemmia 2019. L'Amistar Edizione Rossa '16 è un taglio bordolese con sostanziosa aggiunta di lagrein in parte raccolto in surmaturazione. Porge al naso tutto il calore di questa zona negli aromi di frutto rosso dolce e carnoso, mentre in bocca sorprende per il connubio di potenza materica, grazia e tensione. L'omonima Cuvée Bianco '18 invece è un blend di chardonnay con saldo di sauvignon dal profilo ricco e armonioso.

● Amistar Edizione Rossa '16	🍷🍷 6
○ A. A. Gewürztramimer DeSilva '18	🍷🍷 4
● A. A. Lagrein I Vigneti '18	🍷🍷 3
○ Amistar Cuvée Bianco '18	🍷🍷 6
● Amistar Cuvée Rosso Ris. '17	🍷🍷 5
○ A. A. Sauvignon DeSilva '18	🍷 4
○ A. A. Terlano Pinot Bianco DeSilva '10	🏆🏆🏆 3
○ A. A. Terlano Pinot Bianco DeSilva '09	🏆🏆🏆 3
● A. A. Cabernet Franc Amistar '15	🏆🏆 5
● A. A. Lago di Caldaro Cl. Sup. Peterleiten DeSilva '18	🏆🏆 2*
● A. A. Lagrein I Vigneti '17	🏆🏆 3
○ A. A. Sauvignon DeSilva '17	🏆🏆 4
○ Amistar Cuvée Bianco '17	🏆🏆 6

Stachlburg Baron von Kripp

VIA MITTERHOFER, 2
39020 PARCINES/PARTSCHINS [BZ]
TEL. 0473968014
www.stachlburg.com

VENDITA DIRETTA
VISITA SU PRENOTAZIONE
PRODUZIONE ANNUA 30.000 bottiglie
ETTARI VITATI 7,00
VITICOLTURA Biologico Certificato

La storica tenuta della famiglia Kripp si sviluppa all'imbocco della Val Venosta, zona che da tempo immemore suddivide l'attività agricola fra la viticoltura e la ben più diffusa melicoltura. Non fa eccezione l'azienda di via Mitterhofer, realtà che si estende per una manciata di ettari dedicati alla vigna nei comuni di Paracines, Andriano e Naturno, ad altitudini comprese fra i 300 e i 650 metri. La conduzione in regime biologico da oltre vent'anni testimonia un approccio di grande rispetto per l'ambiente e limita l'intervento dell'uomo anche in cantina. Il Pinot Nero '17 rappresenta coerentemente i caratteri della vallata: il colore tenue anticipa profumi sottili, dove il frutto selvatico intreccia le note di erbe fini e sottobosco; il sorso è leggero, teso e retto perfettamente dall'acidità. Profilo gustativo simile anche per il Merlot Riserva '17, che pare ancora alla ricerca della perfetta armonia aromatica fra frutto, spezie e rovere, mentre in bocca si allunga leggero e agile.

Strasserhof - Hannes Baumgartner

FRAZ. NOVACELLA
LOC. UNTERRAIN, 8
39040 VARNA/VAHRN [BZ]
TEL. 0472830804
www.strasserhof.info

VENDITA DIRETTA
VISITA SU PRENOTAZIONE
OSPITALITÀ
PRODUZIONE ANNUA 45.000 bottiglie
ETTARI VITATI 5,50

La Valle Isarco sembra quasi abbandonare la viticoltura poco dopo l'abitato di Chiusa, per mostrarla poi con un ultimo sussulto nella zona di Novacella, allargandosi e rendendosi meno aspra prima di incunearsi in direzione del Brennero o della Val Pusteria. Qui Hannes Baumgartner conduce il maso di famiglia adagiato sulle colline a 700 metri di altitudine: una manciata di ettari abbarbicati fra i muretti a secco, che di giorno catturano i raggi del sole e la notte sono rinvigoriti dai freschi venti montani. Condizioni ideali per bianchi caratterizzati da tensione e finezza. Vini a dir poco convincenti capitanati dall'eccellente Sylvaner '19: i profumi di fiori e frutti bianchi lasciano spazio alle note affumicate, mentre in bocca si mostra teso, nervoso e affilato. La nuova Cuvée AnJo '18 è un blend delle migliori uve che esprime profondità olfattiva e grande armonia al palato, mentre il Riesling '19 è agrumato al naso e si avvale di un sorso bilanciato fra dolcezza e acidità.

● A. A. Merlot Ris. '17	♟♟ 5
○ A. A. Terlano Sauvignon '19	♟♟ 3
○ A. A. Val Venosta Pinot Bianco '19	♟♟ 3
● A. A. Val Venosta Pinot Nero '17	♟♟ 5
○ A. A. Pinot Grigio '18	♟ 2
○ A. A. Val Venosta Chardonnay '19	♟ 4
○ A. A. Valle Venosta Pinot Bianco '13	♟♟♟ 3*
○ A. A. Valle Venosta Pinot Bianco '10	♟♟♟ 3*
● A. A. Merlot Ris. '16	♟♟ 5
○ A. A. Val Venosta Chardonnay '18	♟♟ 4
○ A. A. Val Venosta Pinot Bianco '18	♟♟ 3
● A. A. Val Venosta Pinot Nero '16	♟♟ 5
● A. A. Val Venosta Pinot Nero Eustachius Ris. '15	♟♟ 6
○ Praesepium V. T. '16	♟♟ 5

○ A. A. Valle Isarco Sylvaner '19	♟♟♟ 3*
○ A. A. Valle Isarco Riesling '19	♟♟ 4
○ A. A. Sauvignon '19	♟♟ 3
○ A. A. Valle Isarco Grüner Veltliner '19	♟♟ 3
○ A. A. Valle Isarco Kerner '19	♟♟ 3
○ Cuvée AnJo '18	♟♟ 5
○ A. A. Valle Isarco Riesling '12	♟♟♟ 3*
○ A. A. Valle Isarco Riesling '11	♟♟♟ 3*
○ A. A. Valle Isarco Veltliner '10	♟♟♟ 3*
○ A. A. Valle Isarco Veltliner '09	♟♟♟ 3*
○ A. A. Valle Isarco Riesling '18	♟♟ 4
○ A. A. Valle Isarco Veltliner '18	♟♟ 3*

Stroblhof

LOC. SAN MICHELE
VIA PIGANÒ, 25
39057 APPIANO/EPPAN [BZ]
TEL. 0471662250
www.stroblhof.it

VENDITA DIRETTA
VISITA SU PRENOTAZIONE
PRODUZIONE ANNUA 40.000 bottiglie
ETTARI VITATI 5,20

Percorrendo la zona viticola di Appiano si potrebbe avere la sensazione di un territorio piuttosto uniforme, con poche differenze dovute essenzialmente all'altitudine dei vigneti. In realtà le variazioni sono molto marcate, tant'è che nei pressi dello Stroblhof le temperature serali e notturne sono sensibilmente più basse rispetto al centro del paese. Rosi Hanny e Andreas Nicolussi-Leck sfruttano queste condizioni ambientali per vini che esaltano il clima fresco e la luminosità dei vigneti posizionati a ridosso dei boschi della Mendola. L'assaggio del Pinot Nero Riserva '17 rimarca queste premesse, con un naso che debutta timido sulle note di frutti di bosco per poi lasciar emergere timbri più profondi di terra umida e spezie. In bocca non stupisce per la potenza quanto per la tensione e l'allungo, risultando armonioso e fine. Grande classico di casa il Pinot Bianco Strahler '19, giocato sulla freschezza del frutto bianco e dei fiori, dotato di un sorso affusolato e molto lungo.

Taschlerhof - Peter Wachtler

LOC. MARA, 107
39042 BRESSANONE/BRIXEN [BZ]
TEL. 0472851091
www.taschlerhof.com

VENDITA DIRETTA
VISITA SU PRENOTAZIONE
PRODUZIONE ANNUA 30.000 bottiglie
ETTARI VITATI 4,20

L'azienda di Peter Wachtler si dipana ad oltre 600 metri di altitudine nella zona meridionale di Bressanone, precisamente a La Mara. Accoglie vigneti straordinariamente scoscesi, esposti a sud-est su suoli dominati dalla presenza di scisti e dedicati esclusivamente ai vitigni che rappresentano al meglio la Valle Isarco: in particolar modo sylvaner, riesling e l'immancabile kerner. Il calore del giorno, seguito dai freschi venti notturni, conferisce alle uve ricchezza di frutto e grande spinta acida, disegnando un profilo di notevole finezza. Eleganza che è il vero tratto distintivo del Riesling '19: porge al naso un turbinio di agrumi, fiori freschi e una nota delicatamente affumicata. In bocca rivela tutta la sua gioventù con un sorso affilato, grintoso, con tutte le carte in regola per crescere ancora con la sosta in bottiglia. Il Sylvaner Lahner '18 offre note più mature e profonde di frutto giallo, paglia e fiori secchi; al palato è ricco e ben rinfrescato dalla vena acida.

● A. A. Pinot Nero Ris. '17	♟♟	6
○ A. A. Chardonnay Schwarzhaus '19	♟♟	4
○ A. A. Pinot Bianco Strahler '19	♟♟	4
● A. A. Pinot Nero Pigeno '17	♟♟	5
○ A. A. Sauvignon Nico '19	♟	4
○ A. A. Pinot Bianco Strahler '09	♟♟♟	3*
● A. A. Pinot Nero Ris. '15	♟♟♟	6
● A. A. Pinot Nero Ris. '05	♟♟♟	5
○ A. A. Chardonnay Schwarzhaus '11	♟♟	3*
○ A. A. Pinot Bianco Strahler '17	♟♟	4
● A. A. Pinot Nero Pigeno '14	♟♟	5
● A. A. Pinot Nero Ris. '16	♟♟	6
● A. A. Pinot Nero Ris. '13	♟♟	6
● A. A. Pinot Nero Ris. '11	♟♟	6

○ A. A. Valle Isarco Riesling '19	♟♟	4
○ A. A. Valle Isarco Sylvaner Lahner '18	♟♟	5
○ A. A. Valle Isarco Gewürztraminer '19	♟♟	4
○ A. A. Valle Isarco Kerner '19	♟♟	4
○ A. A. Valle Isarco Sylvaner '19	♟♟	3
○ A. A. Valle Isarco Riesling '14	♟♟♟	4*
○ A. A. Valle Isarco Sylvaner '15	♟♟♟	3*
○ A. A. Valle Isarco Sylvaner Lahner '16	♟♟♟	5
○ A. A. Valle Isarco Riesling '18	♟♟	4
○ A. A. Valle Isarco Sylvaner '17	♟♟	3*
○ A. A. Valle Isarco Sylvaner '16	♟♟	3*
○ A. A. Valle Isarco Sylvaner Lahner '17	♟♟	5

ALTO ADIGE

★★Cantina Terlano

VIA SILBERLEITEN, 7
39018 TERLANO/TERLAN [BZ]
TEL. 0471257135
www.cantina-terlano.com

VENDITA DIRETTA
VISITA SU PRENOTAZIONE
PRODUZIONE ANNUA 1.500.000 bottiglie
ETTARI VITATI 190,00

La zona di Terlano si divide in maniera piuttosto netta fra la sponda sinistra e destra dell'Adige. Verso Terlano i suoli sono rossi, di origine porfirica e con pochissima terra fine; verso Andriano, la cui cantina sociale si è fusa con quella di Terlano, la presenza della Mendola invece ha portato in dote rocce argilloso-calcaree. Rudi Kofler gestisce con sensibilità le uve plasmate da condizioni tanto diverse: esposizioni fresche o calde, altitudini che oscillano fra i 250 e i 900 metri, trovano sintesi in una produzione che ha nell'eleganza e la longevità il tratto distintivo. Sugli scudi il Vorberg '17, Pinot Bianco che esplora l'animo più ricco e profondo della tipologia. Dominato dalle note di frutto bianco maturo e di fiori secchi, con presenza discreta del rovere sullo sfondo, al palato rivela pienezza e compostezza, allungandosi bene sul finale. Di altissimo livello la produzione di entrambe le cantine e un vero e proprio privilegio assaggiare la rara Cuvée Terlaner I°.

○ A. A. Terlano Pinot Bianco Vorberg Ris. '17	♟♟♟ 5
○ A. A. Terlano Pinot Bianco Rarity '07	♟♟ 8
○ A. A. Terlano Sauvignon Quarz '18	♟♟ 6
○ A. A. Chardonnay Doran Andriano Ris. '17	♟♟ 4
○ A. A. Gewürztraminer Lunare '18	♟♟ 6
● A. A. Lagrein Porphyr Ris. '17	♟♟ 6
● A. A. Lagrein Tor di Lupo Andriano Ris. '17	♟♟ 4
● A. A. Merlot Gant Andriano Ris. '17	♟♟ 4
● A. A. Pinot Nero Monticol Ris. '17	♟♟ 5
○ A. A. Terlano Chardonnay Kreuth '18	♟♟ 4
○ A. A. Terlano Cuvée '19	♟♟ 4
○ A. A. Terlano Nova Domus Ris. '17	♟♟ 6
○ A. A. Terlano Sauvignon Winkl '19	♟♟ 3
○ A. A. Terlano Sauvignon Quarz '17	♟♟♟ 6

★Tiefenbrunner

FRAZ. NICLARA
VIA CASTELLO, 4
39040 CORTACCIA/KURTATSCH [BZ]
TEL. 0471880122
www.tiefenbrunner.com

VENDITA DIRETTA
VISITA SU PRENOTAZIONE
RISTORAZIONE
PRODUZIONE ANNUA 650.000 bottiglie
ETTARI VITATI 78,00

A guardare la zona in cui è insediata Tiefenbrunner, si potrebbe pensare ad un'azienda che produce vini ricchi e maturi, frutto di una viticoltura caratterizzata dal clima caldo e solare nonché da una tempra per certi versi più meridionale che alpina. La realtà è diametralmente opposta, per effetto di vigneti che si allungano ad esplorare quote montane in direzione della Mendola, evidenziando uno stile espressivo decisamente affilato e nervoso. Christof Tiefenbrunner, assieme al kellermeister Stephan Rohregger, interpreta dunque il territorio della Bassa Atesina con rigore e finezza. Il Feldmarschall sfodera una prestazione da incorniciare anche con la vendemmia 2018: profumi agrumati e minerali, fiori secchi e spezie illuminano un palato ricco e di grande tensione acida. Il Sauvignon Rachtl Riserva '17 si concede invece lentamente, prima con i timbri sulfurei, poi con le nuance di frutto bianco ed erbe aromatiche che ritroviamo nel sorso energico e di grande progressione.

○ A. A. Müller Thurgau Feldmarschall von Fenner '18	♟♟♟ 6
○ A. A. Chardonnay V. Au Ris. '17	♟♟ 3*
○ A. A. Sauvignon V. Rachtl Ris. '17	♟♟ 4
● A. A. Cabernet Merlot Linticlarus Cuvée Ris. '17	♟♟ 6
● A. A. Cabernet Sauvignon V. Toren Ris. '16	♟♟ 8
○ A. A. Gewürztraminer Tardus V.T. '16	♟♟ 6
○ A. A. Gewürztraminer Turmhof '18	♟♟ 5
● A. A. Lagrein Turmhof '18	♟♟ 3
○ A. A. Pinot Bianco Anna '18	♟♟ 3
● A. A. Pinot Nero Turmhof '18	♟♟ 3
○ A. A. Sauvignon Turmhof '18	♟♟ 4
● A. A. Schiava Turmhof '19	♟♟ 2*
○ A. A. Müller Thurgau Feldmarschall von Fenner '17	♟♟♟ 6

★★Cantina Tramin

S.DA DEL VINO, 144
39040 TERMENO/TRAMIN [BZ]
TEL. 0471096633
www.cantinatramin.it

VENDITA DIRETTA
VISITA SU PRENOTAZIONE
PRODUZIONE ANNUA 1.500.000 bottiglie
ETTARI VITATI 250,00

La cooperativa guidata da Willy Sturz si estende nel territorio della Bassa Atesina, con 300 soci attivi nelle zone di Termeno, Egna, Ora e Montagna. Sicuramente il gewürztraminer è il vitigno che più di ogni altro identifica questa soleggiata zona, ma la possibilità di salire in altitudine con molte vigne consente una produzione di assoluto valore, anche da uve bisognose di climi più freschi. Oculata gestione viticola da parte dei conferitori e attività di cantina volte alla valorizzazione di ogni singola parcella sono la base su cui la Cantina Tramin costruisce il suo successo. Il Nussbaumer '18 presenta aromi intensi di agrumi canditi, spezie e fiori di zagara, che ritroviamo in un sorso potente ma al contempo fine e teso, grazie alla sapidità che ne allunga il palato. Il Pinot Grigio Unterebner '18 è uno dei migliori della regione: un calice che coniuga ricchezza e eleganza. Segnaliamo infine il grande lavoro sullo chardonnay che dà vita al Troy, selezione a tiratura limitata.

Erbhof Unterganzner Josephus Mayr

FRAZ. CARDANO
VIA CAMPIGLIO, 15
39053 BOLZANO/BOZEN
TEL. 0471365582
www.mayr-unterganzner.it

VENDITA DIRETTA
VISITA SU PRENOTAZIONE
PRODUZIONE ANNUA 65.000 bottiglie
ETTARI VITATI 9,00

Josephus Mayr ha saputo donare al Santa Maddalena un profilo nuovo, che non si accontenta di piacevolezza immediata e rotondità di frutto, ma ne esplora l'animo più complesso e articolato, fatto di profondità, stratificazione e armonia. Alla base di tutto la grande precisione con cui sono gestiti i vigneti di famiglia, adagiati a ridosso del corso dell'Isarco, che con il tempo hanno trovato sviluppo al maso Kampenn. Suoli molto diversi, anche se entrambi di origine porfirica, che danno origine a una produzione a predominante vocazione rossista. Mayr ha saputo valorizzare il lagrein con uno stile ben definito, virtuosamente raccontato dalla Riserva '17. La veste compatta e impenetrabile anticipa profumi di frutto scuro maturo, impreziositi dalla presenza affumicata, di spezie e violetta: pieno e possente, i tannini trovano compensazione nella generosità del sorso, equilibrato e di grande bevibilità. Taglio bordolese con uno spruzzo di lagrein, il Composition Reif '17 è ricco e potente.

○ A. A. Gewürztraminer Nussbaumer '18	🍷🍷🍷 5
○ A. A. Gewürztraminer Terminum V. T. '17	🍷🍷 7
○ A. A. Pinot Grigio Unterebner '18	🍷🍷 5
○ A. A. Bianco Stoan '18	🍷🍷 4
● A. A. Cabernet Merlot Loam Ris. '18	🍷🍷 5
○ A. A. Gewürztraminer Selida '19	🍷🍷 3
● A. A. Lagrein Urban Ris. '18	🍷🍷 5
○ A. A. Pinot Blanco Moriz '19	🍷🍷 2*
● A. A. Pinot Nero Maglen Ris. '17	🍷🍷 5
● A. A. Pinot Nero Marjun '18	🍷🍷 4
○ A. A. Sauvignon Pepi '19	🍷🍷 3
● A. A. Schiava Freisinger '19	🍷🍷 3
○ A. A. Gewürztraminer Nussbaumer '17	🍷🍷🍷 5

● A. A. Lagrein Ris. '17	🍷🍷 5
⊙ A. A. Lagrein Kretzer Rosato V. T. '19	🍷🍷 3
● A. A. Santa Maddalena Cl. Heilman '18	🍷🍷 3
○ A. A. Sauvignon Platt & Pignat '19	🍷🍷 3
● Composition Reif '17	🍷🍷 6
● Lamarein '17	🍷🍷 6
● A. A. Lagrein Ris. '13	🍷🍷🍷 5
● A. A. Lagrein Ris. '11	🍷🍷🍷 5
● A. A. Cabernet Ris. '14	🍷🍷 5
● A. A. Lagrein Ris. '16	🍷🍷 5
● A. A. Lagrein Ris. '15	🍷🍷 5
● A. A. Lagrein Ris. '14	🍷🍷 5
● A. A. Santa Maddalena Cl. '17	🍷🍷 3*
● Composition Reif '15	🍷🍷 6
● Lamarein '15	🍷🍷 6

Untermoserhof
Georg Ramoser

VIA SANTA MADDALENA, 36
39100 BOLZANO/BOZEN
TEL. 0471975481
untermoserhof@rolmail.net

VENDITA DIRETTA
VISITA SU PRENOTAZIONE
OSPITALITÀ
PRODUZIONE ANNUA 30.000 bottiglie
ETTARI VITATI 3,70

La piccola azienda di Georg Ramoser si estende per una manciata di ettari sotto la chiesetta di Santa Maddalena, sull'incantevole collina alle porte del capoluogo Bolzano. I terreni sciolti e ben soleggiati, da sempre culla della schiava, sono rinfrescati durante la notte dalle correnti che giungono dalla Valle Isarco o che scendono dall'altopiano del Renon, permettendo alle uve di maturare sane e ricche di aromi. La produzione segue due principali interpretazioni: finezza e tensione per i vini più leggeri, potenza e struttura per lagrein e merlot. Proveniente dalle vigne più vecchie, il Santa Maddalena Hub '18 porge al naso uno sfaccettato bouquet, col frutto rosso che incontra le erbe officinali e la golosa speziatura. In bocca la tensione governa il sorso con delicatezza, per un risultato tutto da bere. Il Lagrein Riserva '17 si presenta con una veste cupa, che introduce aromi intensamente fruttati e pepati; in bocca colpisce per il tocco caldo, avvolgente, ben rinvigorito dai tannini.

★Tenuta Unterortl
Castel Juval

LOC. JUVAL, 1B
39020 CASTELBELLO CIARDES/KASTELBELL TSCHARS [BZ]
TEL. 0473667580
www.unterortl.it

VENDITA DIRETTA
VISITA SU PRENOTAZIONE
PRODUZIONE ANNUA 33.000 bottiglie
ETTARI VITATI 4,00

Martin Aurich e la moglie Gisela conducono una delle più piccole e blasonate aziende della regione, una realtà abbarbicata sui contrafforti che dall'ampia e soleggiata valle Venosta introducono alla più nascosta val Senales. Una manciata di ettari letteralmente strappati alla montagna, piccoli fazzoletti di terra che ospitano da oltre vent'anni soprattutto riesling, ma anche un po' di pinot bianco, pinot nero, müller thurgau e antiche varietà locali. A una conduzione dei vigneti a dir poco certosina, fa eco un'attività di cantina rigorosa che valorizza ogni singola partita di uve. Prodotto con le uve dei vigneti più vecchi e meglio esposti, il Riesling Unterortl '19 porge al naso intense note di fiori e agrumi che ritroviamo in un sorso dinamico, sapido. Dalla vigna Windbichel si ottengono poche migliaia di bottiglie di un Riesling più profondo e articolato, come testimonia la versione 2018: ai profumi floreali e di frutto esotico fa eco un sorso succoso e molto lungo.

● A. A. Lagrein Ris. '17	▼▼ 4
● A. A. Santa Maddalena Cl. Hub '18	▼▼ 3*
○ A. A. Chardonnay Morain '18	▼▼ 3
● A. A. Merlot Ris. '17	▼▼ 4
● A. A. Santa Maddalena Cl. '19	▼▼ 3
● A. A. Lagrein Scuro Ris. '03	▼▼▼ 4*
● A. A. Santa Maddalena Cl. Hueb '16	▼▼▼ 3*
● A. A. Lagrein Ris. '16	▽▽ 4
● A. A. Lagrein Ris. '08	▽▽ 4
● A. A. Lagrein Untermoserhof Ris. '11	▽▽ 5
● A. A. Lagrein Untermoserhof Ris. '10	▽▽ 4
● A. A. Santa Maddalena Cl. Hueb '17	▽▽ 3*

○ A. A. Val Venosta Riesling Unterortl '19	▼▼ 4
○ A. A. Val Venosta Riesling Windbichel '18	▼▼ 5
○ A. A. Val Venosta Pinot Bianco '19	▼▼ 2*
● A. A. Val Venosta Pinot Nero Ris. '17	▼▼ 5
○ A. A. Val Venosta Riesling Gletscherschliff '19	▼▼ 4
○ A. A. Val Venosta Pinot Bianco Castel Juval '13	▽▽▽ 3*
○ A. A. Val Venosta Riesling '14	▽▽▽ 4*
○ A. A. Val Venosta Riesling Unterortl '15	▽▽▽ 4*
○ A. A. Val Venosta Riesling Weingarten Windbichel '16	▽▽▽ 5
○ A. A. Val Venosta Riesling Windbichel '17	▽▽▽ 5
○ A. A. Val Venosta Riesling Windbichel '15	▽▽▽ 5

Cantina Produttori Valle Isarco

VIA COSTE, 50
39043 CHIUSA/KLAUSEN [BZ]
TEL. 0472847553
www.cantinavalleisarco.it

VENDITA DIRETTA
VISITA SU PRENOTAZIONE
PRODUZIONE ANNUA 900.000 bottiglie
ETTARI VITATI 150,00
AZIENDA SOSTENIBILE

La Cantina della Valle Isarco apre i battenti all'inizio degli anni '60 del secolo scorso per volontà di una ventina di soci. Oggi i soci sono diventati 130 e coltivano un vigneto disseminato lungo la valle per 150 ettari. Spesso piccoli fazzoletti di terra strappati alla montagna, ad altitudini che dai 300 metri arrivano a lambire i 1000, dedicati quasi esclusivamente alle varietà a bacca bianca che danno vita a una produzione che ha nell'eleganza e nella tensione la cifra stilistica. La linea Aristos rappresenta la punta di diamante della cantina, vini ottenuti solo dai vigneti più vocati e condotti dai soci più accorti. Il Grüner Veltliner '19 si presenta con una delicata veste paglierina che introduce aromi di frutto bianco e fieno; in bocca rivela un corpo sinuoso sorretto perfettamente da acidità e spinta sapida. Il Sylvaner della medesima annata ha profumi ancora molto giovanili, ma in bocca cambia passo: è ricco, dinamico e dotato di un grande allungo, che gli permette di chiudere netto e armonioso.

Von Blumen

FRAZ. POCHI, 18/BULCHOLZ, 18
39040 SALORNO/SALURN [BZ]
TEL. 0457230110
www.vonblumenwine.com

VENDITA DIRETTA
VISITA SU PRENOTAZIONE
PRODUZIONE ANNUA 44.000 bottiglie
ETTARI VITATI 11,00
AZIENDA SOSTENIBILE

Roberta, Cristina e Giuseppe Fugatti acquisirono solo qualche tempo fa una importante proprietà a Pochi di Salorno: poco più di dieci ettari in posizione incantevole, a circa di 500 metri di altitudine, dedicati principalmente ai vitigni che su questi terreni calcarei e porfirici danno il loro meglio. Anno dopo anno la qualità della produzione si è fatta sempre più costante e significativa; anche la scelta di rallentare l'uscita dei vini più ambiziosi conferma la lungimiranza del progetto. Il Pinot Bianco Flowers '18 si presenta con una bella veste luminosa che anticipa un corredo aromatico dove il frutto maturo è solo uno dei protagonisti: emergono poi le note floreali e minerali, con un pizzico di rovere ancora da assorbire. Il palato è sapido e armonioso, il sorso si allunga elegantemente in direzione di un finale asciutto. Molto interessante anche il Pinot Nero '19, espressione varietale e quasi didattica del vitigno che conquista per l'armonia e la piacevolezza della beva.

○ A. A. Valle Isarco Sylvaner Aristos '19	♟♟	4
○ A. A. Valle Isarco Veltliner Aristos '19	♟♟	3*
○ A. A. Pinot Bianco Aristos '19	♟♟	4
○ A. A. Sauvignon Aristos '19	♟♟	4
○ A. A. Valle Isarco Gewürztraminer Aristos '19	♟♟	4
○ A. A. Valle Isarco Kerner Aristos '19	♟♟	4
○ A. A. Valle Isarco Kerner Passito Nectaris '18	♟♟	6
○ A. A. Valle Isarco Kerner Sabiona '18	♟♟	5
○ A. A. Valle Isarco Müller Thurgau Aristos '19	♟♟	4
○ A. A. Valle Isarco Pinot Grigio Aristos '19	♟♟	4
○ A. A. Valle Isarco Riesling Aristos '19	♟♟	4
○ A. A. Valle Isarco Sylvaner Sabiona '18	♟♟	5

○ A. A. Pinot Bianco Flowers Selection '18	♟♟	5
○ A. A. Gewürztraminer '19	♟♟	4
● A. A. Lagrein '18	♟♟	4
○ A. A. Pinot Bianco '19	♟♟	3
● A. A. Pinot Nero '19	♟♟	4
○ A. A. Sauvignon '19	♟♟	3
○ A. A. Gewürztraminer '18	♟♟	4
● A. A. Lagrein '17	♟♟	4
○ A. A. Pinot Bianco Flowers '16	♟♟	5
○ A. A. Pinot Bianco Flowers Selection '17	♟♟	5
○ A. A. Pinot Bianco Flowers Selection '15	♟♟	5
○ A. A. Pinot Bianco Flowers Selection '14	♟♟	3*
○ A. A. Sauvignon Flowers Selection '17	♟♟	5

★★Elena Walch

VIA A. HOFER, 1
39040 TERMENO/TRAMIN [BZ]
TEL. 0471860172
www.elenawalch.com

VENDITA DIRETTA
RISTORAZIONE
PRODUZIONE ANNUA 550.000 bottiglie
ETTARI VITATI 65,00

La storica griffe intitolata a Elena Walch conduce una trentina di ettari dislocati tra alcuni dei siti più vocati della Bassa Atesina e d'Oltradige. Le punte di diamante sono le vigne Kastelaz e Castel Ringberg: la prima domina dall'alto il piccolo paese di Termeno, la seconda si configura come un dolce declivio orientato a est nei pressi di Caldaro. Si aggiungono poi altre piccole tenute che compongono una piattaforma viticola grande e di pregio, alla base di una produzione di alto profilo. Se le etichette più ambiziose fanno riferimento al vigneto di provenienza, la Grande Cuvée Beyond The Clouds è invece una selezione delle migliori uve. La versione 2018 sfodera una prestazione da incorniciare: al naso si coglie un turbinio di frutti, fiori e spezie, che si esaltano in un palato dove la parola d'ordine è: eleganza. Arriva dal podere Castel Ringberg il Lagrein Riserva '17, calice dai profumi di frutto scuro, con note affumicate più evidenti nel sorso ricco e rigoroso.

★Tenuta Waldgries

LOC. SANTA GIUSTINA, 2
39100 BOLZANO/BOZEN
TEL. 0471323603
www.waldgries.it

VENDITA DIRETTA
VISITA SU PRENOTAZIONE
PRODUZIONE ANNUA 65.000 bottiglie
ETTARI VITATI 8,20

A due passi dal centro di Bolzano si trova la zona del Santa Maddalena: pendii esposti a sud-est tradizionalmente consacrati alla schiava e al lagrein. Qui ha sede la storica azienda della famiglia Plattner, una realtà che nel corso degli ultimi decenni ha ampliato la sua piattaforma viticola anche alla zona di Appiano (dove Christian ha piantato sauvignon) e di Cornaiano (dove invece si coltiva il pinot bianco). Per il resto tutte le attenzioni sono dedicate alle due varietà tipiche bolzanine, a cui si aggiunge la presenza del moscato rosa. Strepitoso il Santa Maddalena '19, che offre al naso profumi intensi di frutto selvatico, violetta e spezie, riproposti in una bocca sapida e armonica, di grande piacevolezza. Energico e raffinato, il Pinot Bianco Isos '17 alterna le note sulfuree ai ricordi tostati. Ampia la gamma di Lagrein proposta, con la nostra predilezione che va al Roblinus de' Waldgries '17, vino dal profondo quadro aromatico e dal palato fitto e grintoso.

○ A. A. Bianco Grande Cuvée Beyond the Clouds '18	▼▼▼ 7	
○ A. A. Gewürztraminer V. Kastelaz '19	▼▼ 5	
● A. A. Lagrein V. Castel Ringberg Ris. '17	▼▼ 5	
● A. A. Cabernet Sauvignon V. Castel Ringberg Ris. '17	▼▼ 8	
○ A. A. Chardonnay V. Castel Ringberg Ris. '17	▼▼ 7	
● A. A. Merlot V. Kastelaz Ris. '17	▼▼ 6	
○ A. A. Pinot Bianco Kristallberg '18	▼▼ 4	
● A. A. Pinot Nero Ludwig '17	▼▼ 5	
○ A. A. Sauvignon V. Castel Ringberg '19	▼▼ 4	
○ A. A. Bianco Beyond the Clouds '16	♈♈♈ 7	
○ A. A. Gewürztraminer Kastelaz '13	♈♈♈ 5	
○ A. A. Gewürztraminer V. Kastelaz '18	♈♈♈ 5	
● A. A. Lagrein Castel Ringberg Ris. '11	♈♈♈ 5	

● A. A. Santa Maddalena Cl. '19	▼▼▼ 3*	
● A. A. Lagrein Roblinus de Waldgries '17	▼▼ 8	
○ A. A. Pinot Bianco Isos Ris. '17	▼▼ 4	
● A. A. Lagrein Mirell Ris. '17	▼▼ 6	
● A. A. Lagrein Ris. '17	▼▼ 5	
● A. A. Moscato Rosa '18	▼▼ 5	
● A. A. Lagrein Mirell '09	♈♈♈ 6	
● A. A. Lagrein Mirell Ris. '15	♈♈♈ 6	
● A. A. Lagrein Scuro Mirell '08	♈♈♈ 6	
● A. A. Santa Maddalena Cl. Antheos '16	♈♈♈ 5	
● A. A. Santa Maddalena Cl. Antheos '13	♈♈♈ 4*	
● A. A. Santa Maddalena Cl. Antheos '12	♈♈♈ 4*	
● A. A. Santa Maddalena Cl. Antheos '11	♈♈♈ 4*	

Wassererhof

LOC. NOVALE DI FIÈ, 21
39050 FIÈ ALLO SCILIAR/VÖLS AM SCHLERN [BZ]
TEL. 0471724114
www.wassererhof.com

VENDITA DIRETTA
VISITA SU PRENOTAZIONE
RISTORAZIONE
PRODUZIONE ANNUA 35.000 bottiglie
ETTARI VITATI 4,00

Alla fine degli anni '90 del secolo scorso la
famiglia Mock acquisisce la proprietà di un
antico maso vicino a una sorgente a Novale
di Fiè, il Wassererhof. Nel volgere di un paio
di anni la struttura viene restaurata
perfettamente, dando vita all'azienda
agricola e alla trattoria, guidate da due
fratelli: Andreas, capo della cucina, e
Christoph, impegnato nella gestione viticola
ed enologica. Le vigne si concentrano
soprattutto attorno alla cantina, nella parte
meridionale della valle Isarco e nella zona
di Costa a Bolzano, dove trovano dimora le
varietà a bacca rossa. Nell'affidabile
batteria spicca un Pinot Grigio '18 giocato
su una bella combinazione di frutto maturo
e note tostate riconducibili al rovere,
mentre in bocca è ricco, sapido e succoso.
Il Sauvignon '18 invece mette in mostra
con un frutto esotico più maturo, che
anticipa un palato scattante e di buona
lunghezza. Unico rosso presentato il
Cabernet Riserva '17, calice di grande
consistenza e rigore.

● A. A. Cabernet Ris. '17	♥♥	3
○ A. A. Pinot Bianco '18	♥♥	3
○ A. A. Pinot Grigio '18	♥♥	3
○ A. A. Sauvignon '18	♥♥	3
○ A. A. Sauvignon Ris. '17	♥♥	4
● A. A. Cabernet Ris. '16	♀♀	3
● A. A. Cabernet Ris. '15	♀♀	3
○ A. A. Pinot Bianco '17	♀♀	3
○ A. A. Pinot Bianco '16	♀♀	3
○ A. A. Pinot Bianco '15	♀♀	3
○ A. A. Pinot Grigio '17	♀♀	3
● A. A. Santa Maddalena Cl. '17	♀♀	3
● A. A. Santa Maddalena Cl. Mumelterhof '15	♀♀	3
○ A. A. Sauvignon '17	♀♀	3
○ A. A. Sauvignon '15	♀♀	3
○ A.A. Sauvignon '16	♀♀	3

Josef Weger

LOC. CORNAIANO/GIRLAN
VIA CASA DEL GESÙ, 17
39057 APPIANO/EPPAN [BZ]
TEL. 0471662416
www.wegerhof.it

VENDITA DIRETTA
VISITA SU PRENOTAZIONE
OSPITALITÀ E RISTORAZIONE
PRODUZIONE ANNUA 80.000 bottiglie
ETTARI VITATI 8,00

La storica azienda di Cornaiano è condotta
dalla famiglia Weger da sei generazioni. Un
rapporto con la viticoltura e con il vino di
queste terre mai venuto meno, anche negli
anni più bui, che ha visto i Weger esplorare
oltre alla produzione anche il settore della
commercializzazione, con l'istituzione di
una società di distribuzione all'ingrosso in
Austria ancora oggi in mano alla famiglia. I
vigneti si estendono per meno di dieci ettari
nelle zone della Bassa Atesina e
d'Oltradige, in particolare modo a
Cornaiano. La linea Maso delle Rose
rappresenta il vertice qualitativo della
gamma, come dimostra una volta di più il
Pinot Bianco '18, frutto dell'assemblaggio
in parti uguali di vini maturati in acciaio e in
rovere. Al naso si percepiscono note di
frutto maturo, fiori e un tenue riflesso
speziato; in bocca rivela un profilo sinuoso,
di sviluppo succoso e appagante. Molto
nitido nell'espressione vegetale il
Sauvignon '18, che al palato risulta
immediato e di piacevole beva.

○ A. A. Gewürztraminer Maso delle Rose '18	♥♥	3
● A. A. Merlot Maso delle Rose '16	♥♥	5
○ A. A. Pinot Bianco Maso delle Rose '18	♥♥	4
○ A. A. Sauvignon Maso delle Rose '18	♥♥	4
● Joanni Maso delle Rose '17	♥	4
○ A. A. Gewürztraminer Artyo '18	♀♀	3
● A. A. Merlot Maso delle Rose '13	♀♀	5
○ A. A. Müller Thurgau Pursgla '18	♀♀	3
○ A. A. Pinot Bianco Maso delle Rose '13	♀♀	4
○ A. A. Pinot Bianco Maso delle Rose '10	♀♀	4
○ A. A. Pinot Grigio Ried '18	♀♀	3
● A. A. Pinot Nero Maso delle Rose '16	♀♀	5
○ A. A. Sauvignon Myron '18	♀♀	3

Weingut Niklas
Dieter Sölva

LOC. SAN NICOLÒ
VIA DELLE FONTANE, 31A
39052 CALDARO/KALTERN [BZ]
TEL. 0471963434
www.niklaserhof.it

VENDITA DIRETTA
VISITA SU PRENOTAZIONE
PRODUZIONE ANNUA 50.000 bottiglie
ETTARI VITATI 7,00

La zona attorno al Lago di Caldaro offre alle vigne le temperature e il sole necessari per portare a perfetta maturazione le uve più bisognose di caldo. Basta però salire un po' in direzione della Mendola per trovare un clima completamente diverso, segnato da maggiori escursioni termiche e notti molto più fresche, ideali per le varietà a bacca bianca più raffinate. La famiglia Sölva coltiva vigneti in queste due situazioni climatiche, per una produzione di grande precisione stilistica. Maturato in acciaio, il Lago di Caldaro Hecht Klaser proviene dai siti di Barleit. La versione 2019 è da ricordare: al naso si colgono piccoli frutti rossi selvatici, che ritroviamo in un sorso dinamico, succoso e di piacevolezza immediata. Dalle parcelle di Prutznai provengono invece le uve del DJJ Riserva '17, Merlot dal profilo maturo e invitante, dominato dal frutto rosso e impreziosito dalla presenza delle spezie e del rovere sullo sfondo. In bocca è pieno, possente e ben governato dalla fitta trama tannica.

Peter Zemmer

S.DA DEL VINO, 24
39040 CORTINA SULLA STRADA DEL VINO/KURTINIG [BZ]
TEL. 0471817143
www.peterzemmer.com

VENDITA DIRETTA
VISITA SU PRENOTAZIONE
PRODUZIONE ANNUA 500.000 bottiglie
ETTARI VITATI 65,00

La cantina di Peter Zemmer si trova sulla strada del vino a Cortina, l'unico comune atesino adagiato in pianura, sul fondovalle dell'Adige. Estesi per molti ettari, i vigneti si dipanano invece in più direzioni, giungendo a risalire le colline fino a sfiorare i 1.000 metri di altitudine. Ogni varietà viene coltivata nelle zone di maggiore vocazione: in quelle di bassa collina troviamo soprattutto pinot grigio e chardonnay, mentre si sale agli 800 metri di Caprile per il müller thurgau o ai 1.000 di Kofl per il pinot nero. I vini più ambiziosi riposeranno in cantina un altro anno, ma l'ottima prova del Pinot Bianco '19 ci conforta nell'attesa. Presenta aromi freschi che ricordano il frutto a polpa bianca e i fiori, mentre in bocca esprime tutto il suo carattere atesino, teso e dinamico. Il Pinot Nero Rolhüt '19 è giocato sui timbri varietali e su un sorso agile, succoso, di grande piacevolezza. Intrigante il Müller Thurgau Caprile '19, delicato nei profumi, molto sapido al palato.

● A. A. Lago di Caldaro Cl. Sup. Hect Klaser '19	♟♟ 2*
○ A. A. Kerner Luxs '19	♟♟ 3
● A. A. Lagrein Bos Taurus Mondevinum Ris. '17	♟♟ 4
● A. A. Lagrein Cabernet Klaser Stoanadler Ris. '17	♟♟ 4
● A. A. Merlot DJJ Ris. '17	♟♟ 4
○ A. A. Pinot Bianco Salamander Klaser Ris. '17	♟♟ 4
○ A. A. Sauvignon Doxs '19	♟♟ 3
○ A. A. Kerner Libellula Mondevinum Ris. '17	♟ 4
○ A. A. Pinot Bianco Hos '19	♟ 3
○ A. A. Pinot Bianco Klaser Ris. '15	♟♟♟ 4*
● A. A. Lago di Caldaro Cl. Sup. Klaser '17	♟♟ 2*
○ A. A. Pinot Bianco Hos '18	♟♟ 3*

○ A. A. Gewürztraminer Frauenrigl '18	♟♟ 3
○ A. A. Müller Thurgau Caprile '19	♟♟ 3
○ A. A. Pinot Bianco '19	♟♟ 3
○ A. A. Pinot Grigio '19	♟♟ 3
● A. A. Pinot Nero Rolhütt '19	♟♟ 4
○ A. A. Riesling '19	♟♟ 2*
○ A. A. Sauvignon '19	♟♟ 3
○ A. A. Chardonnay '19	♟ 2
○ A. A. Pinot Grigio Giatl Ris. '15	♟♟♟ 3*
○ A. A. Chardonnay Crivelli Ris. '16	♟♟ 4
○ A. A. Chardonnay Crivelli Ris. '15	♟♟ 4
○ A. A. Chardonnay V. Crivelli Ris. '17	♟♟ 4
○ A. A. Pinot Grigio Giatl Ris. '17	♟♟ 3*
○ A. A. Pinot Grigio Giatl Ris. '16	♟♟ 3*

Baron Longo

VIA VAL DI FIEMME 30
39044 EGNA/NEUMARKT [BZ]
TEL. 0471 820007
www.baronlongo.com

In casa Baron Longo brilla per complessità
e armonia il Wellenburg '17, un taglio
bordolese che si presenta con profumi di
frutto rosso maturo ed erbe officinali. In
bocca colpisce non tanto per la potenza
quanto per la tensione, risultando fine, agile
e di beva trascinante.

○ Liebenstein '18	♟♟ 6
● Wellenburg '17	♟♟ 6
○ Hohenstein Gewürztraminer '18	♟ 6

Baron Widmann

ENDERGASSE, 3
39040 CORTACCIA/KURTATSCH [BZ]
TEL. 0471880092
www.baron-widmann.it

La storica azienda di Cortaccia propone un
Sauvignon '18 di grande caratura. La veste
paglierino luminoso anticipa profumi che
ricordano il frutto bianco, i fiori e solo sullo
sfondo appaiono note minerali e di botrite.
In bocca la sapidità del sorso dona tensione
e lunghezza.

● A. A. Cabernet Merlot V. Auhof '16	♟♟ 7
○ A. A. Sauvignon '18	♟♟ 3
○ Weiss '18	♟ 4

Befehlhof

VIA VEZZANO, 14
39028 SILANDRO/SCHLANDERS [BZ]
TEL. 0473742197
www.befehlhof.it

La più piccola zona viticola della regione
nasconde vere e proprie chicche come il
Val Venosta Pinot Bianco '19 della famiglia
Schuster. La veste è paglierino scarico, i
profumi leggeri e fragranti di fiori e frutti
freschi anticipano un sorso agile, scattante,
di bella lunghezza.

○ A. A. Val Venosta Pinot Bianco '19	♟♟ 4
○ Jera '19	♟♟ 3
○ A. A. Val Venosta Riesling '19	♟ 5
● Zweigelt '18	♟ 5

Bergmannhof

LOC. SAN PAOLO
RIVA DI SOTTO, 46
39050 APPIANO/EPPAN [BZ]
TEL. 047163/082
www.bergmannhof.it

L'azienda di Appiano propone un
Lagrein '17 di grande carattere. Al naso
appare chiuso e quasi restio a concedere
i suo aromi, in bocca invece la fitta
concentrazione non lascia spazio a dubbi:
lo sviluppo è potente, asciutto e grintoso.
Complesso e armonioso lo Chardonnay '17.

○ A. A. Chardonnay Ris. '17	♟♟ 5
● A.A. Lagrein Ris. '17	♟♟ 5
● Hoamet '17	♟♟ 4
● Kalch '16	♟ 6

Castello Rametz

LOC. MAIA ALTA
VIA LABERS, 4
39012 MERANO/MERAN [BZ]
TEL. 0473211011
www.rametz.com

Provengono dall'omonima tenuta trentina
le uve del Castel Monreale Extra Brut '15,
spumante dai profumi freschi e giovanili
che anticipano un sorso asciutto e di buona
tensione. Il Pinot Nero Castello '15 invece
è intensamente fruttato, di beva elegante
e longilinea.

● A. A. Pinot Nero Castello '15	♟♟ 5
○ A. A. Sauvignon '19	♟♟ 3
○ Castel Monreale Extra Brut '15	♟♟ 5
○ A. A. Riesling '19	♟ 3

Tenuta Donà

FRAZ. RIVA DI SOTTO
39057 APPIANO/EPPAN [BZ]
TEL. 0473221866
www.weingut-dona.com

La bella azienda della famiglia Donà si
trova in posizione appartata, fra i vigneti
della zona di Appiano che si affaccia
sull'Adige. Il Sauvignon '19 porge profumi
sfaccettati di frutto, fiori e spezie, che
ritroviamo in un sorso energico di buona
finezza. Ottima la Schiava '19.

○ A. A. Sauvignon '19	♟♟ 5
● A. A. Schiava '19	♟♟ 3
○ A. A. Pinot Bianco '19	♟ 3

Eichenstein

VIA CASTEL GATTO, 34
39012 MERANO/MERAN [BZ]
TEL. 3442820179
www.eichenstein.it

Il Baccara è un taglio bordolese della
vendemmia 2017 che porge al naso
intense note di frutto rosso, velocemente
affiancate da sfumature speziate e vegetali.
In bocca esprime grande eleganza e
armonia, sottolineata da tannini levigati nel
sorso agile e lungo.

● A. A. Merlot Cabernet Franc Baccara Ris. '17	♟♟ 5
● A. A. Pinot Nero Amantus '18	♟♟ 4
○ A. A. Sauvignon Stein '18	♟♟ 5

Schloss Englar

LOC. PIGENO, 42
39057 APPIANO/EPPAN [BZ]
TEL. 0471662628
www.weingut-englar.com

Il Pinot Bianco Riserva '17 di Schloss
Englar porge al naso intense note di frutto
a polpa bianca impreziosite dalle sfumature
speziate e floreali. In bocca impatta
morbido, trovando nella spina dorsale acida
il puntello su cui allungarsi per chiudere
infine nitido e asciutto.

○ A. A. Chardonnay Ris. '17	♟♟ 5
○ A. A. Pinot Bianco '18	♟♟ 3
○ A. A. Pinot Bianco Ris. '17	♟♟ 5
● A. A. Pinot Nero '17	♟ 4

Fliederhof - Stefan Ramoser

LOC. SANTA MADDALENA DI SOTTO, 33
39100 BOLZANO/BOZEN
TEL. 0471979048
www.fliederhof.it

La piccola realtà condotta da Stefan
Ramoser si estende per una manciata di
ettari nel cuore di Santa Maddalena, a due
passi dal centro di Bolzano. Ottimo il suo
Gran Marie '18, dai profumi di frutto rosso
e spezie che donano un sorso sapido, agile
e di grande piacevolezza.

● A. A. Santa Maddalena Cl. Gran Marie '18	♟♟ 4
● A. A. Lagrein Ris. '17	♟♟ 5

Haidenhof

VIA MONTELEONE, 17
39010 CERMES/TSCHERMS [BZ]
TEL. 0473562392
www.haidenhof.it

La piccola azienda di Cermes propone un
Pinot Nero '18 che strizza l'occhio più
all'eleganza che alla potenza. I profumi
sono freschi, dominati dal frutto selvatico
che intreccia le erbe e le spezie; in bocca si
allunga con decisione mettendo in luce un
sorso agile e dinamico.

○ A. A. Kerner '19	♟♟ 3
● A. A. Pinot Nero '18	♟♟ 5
○ A. A. Sauvignon V. Ofenweingarten '18	♟♟ 5
○ A.A. Sauvignon '19	♟♟ 2*

Himmelreichhof

VIA CONVENTO, 15A
39020 CASTELBELLO CIARDES/KASTELBELL TSCHARS [BZ]
TEL. 0473624417
www.himmelreich-hof.info

L'azienda di Markus Fliri si trova nel
cuore della Val Venosta. Il suo Riesling
Geieregg '18 porge al naso profumi di
frutto bianco con una tenue e quasi timida
sfumatura minerale. Il palato si regge teso
e scattante sulla spinta acida, risultando di
buona tensione e lunghezza.

○ A.A. Val Venosta Riesling Geieregg '18	♟♟ 4

Kandlerhof

VIA SANTA MADDALENA DI SOTTO, 30
39100 BOLZANO/BOZEN
TEL. 0471973033
www.kandlerhof.it

Situata nel cuore della collina di Santa
Maddalena, l'azienda della famiglia
Spornberger produce un Sauvignon '19
molto interessante. Al naso si colgono nette
le suggestioni di frutti esotici e fiori, in
bocca impatta succoso e immediato, dotato
di una dinamica agile e appagante.

○ A. A. Sauvignon '19	♟♟ 4
● A. A. Lagrein '19	♟ 3

Tenuta Kränzelhof
Graf Franz Pfeil

VIA PALADE, 1
39010 CERMES/TSCHERMS [BZ]
TEL. 0473564549
www.labyrinth.bz

Il Sagittarius '15 è un taglio bordolese a prevalenza merlot che esibisce un corredo aromatico di grande freschezza e integrità. Le note di frutto selvatico lasciano trasparire accenni di sottobosco e fiori, che si ritrovano in un sorso agile e scattante, di spiccata sapidità.

○ Dorado Passito '17	♟♟ 6
● Libra Kunstwerk der Natur Pinot Nero '17	♟♟ 6
● Sagittarius '15	♟♟ 7

Larcherhof - Spögler

VIA RENCIO, 82
39100 BOLZANO/BOZEN
TEL. 0471365034
larcherhof@yahoo.de

La tenuta Larcherhof si trova immersa nella zona del Santa Maddalena, racchiusa fra la collina e il corso dell'Isarco. Ottimo il Lagrein Rivelaun, una Riserva '16 che dona al naso un frutto maturo e invitante, snodandosi al palato pieno, possente e ben delineato dai tannini.

● A. A. Lagrein '17	♟♟ 3
● A. A. Lagrein Rivelaun Ris. '16	♟♟ 4
○ A. A. Pinot Grigio '19	♟ 3
● A.A. Santa Maddalena Cl. '19	♟ 2

Lehengut

VIA DELLE FONTI, 2
39020 COLSANO
TEL. 3487562676
www.lehengut.it

Thomas Plack gestisce la piccola azienda di famiglia in Val Venosta, una manciata di ettari suddivisi fra frutteti e vigne. Qui il Riesling ha trovato uno dei suoi habitat ideali e Thomas ne propone una versione di grande intensità e finezza aromatica.

○ A. A. Val Venosta Riesling '19	♟♟ 3
○ A. A. Val Venosta Pinot Bianco '19	♟ 3

Lieselehof
Werner Morandell

VIA KARDATSCH, 6
39052 CALDARO/KALTERN [BZ]
TEL. 3299011593
www.lieselehof.com

Werner Morandell coltiva vigneti che si estendono dalle sponde del lago di Caldaro fino al passo della Mendola. Ottimo il Sweet Claire '18, passito da uve bronner che alla complessità del naso fa seguire un sorso dalla dolcezza esuberante, sorretto dalla spinta acida.

○ Jullan '19	♟♟ 3
○ Sweet Claire '18	♟♟ 6
○ Vino del Passo '19	♟♟ 6
○ Lieselehof Brut '16	♟ 7

Marinushof - Heinrich Pohl

LOC. MARAGNO
S.DA VECCHIA, 9B
39020 CASTELBELLO CIARDES/KASTELBELL TSCHARS [BZ]
TEL. 0473624717
www.marinushof.it

La famiglia Pohl coltiva una manciata di ettari nella Val Venosta, la sottozona viticola meno estesa di tutta la provincia. Il Pinot Nero '18 si presenta con una bella veste luminosa che anticipa nuance di frutti selvatici e sottobosco: sorso asciutto, dinamico e teso.

○ A. A. Val Venosta Pinot Grigio '19	♟♟ 4
● A. A. Val Venosta Pinot Nero '18	♟♟ 5
○ A. A. Val Venosta Riesling '19	♟ 4
● Zweigelt Primus '18	♟ 5

K. Martini & Sohn

LOC. CORNAIANO
VIA LAMM, 28
39057 APPIANO/EPPAN [BZ]
TEL. 0471663156
www.martini-sohn.it

La storica azienda di Cornaiano propone un Pinot Bianco '17 ottenuto solo dalle vigne più vecchie. Al naso si colgono note di frutto giallo e spezie, in bocca cambia passo: il sorso si allarga con potenza e decisione, sostenuto più dalla sapidità che dalla spinta acida.

○ A. A. Pinot Bianco V. V. '17	♟♟ 7
● A. A. Pinot Nero Palladium '18	♟♟ 4
○ A. A. Sauvignon Palladium '19	♟♟ 3
○ A. A. Chardonnay Maturum '18	♟ 4

Maso Thaler

VIA GLENO, 59
39040 MONTAGNA/MONTAN [BZ]
TEL. 3388483363
www.masothaler.it

Più che convincenti i vini proposti dalla
famiglia Motta, capitanati dal Pinot
Nero '17. Coltivato a Glen, una della zone
più vocate per il vitigno borgognone, dà vita
ad una versione di grande profondità
aromatica e caratterizzata da un sorso
energico, delicatamente ruvido.

● A. A. Pinot Nero '17	♟♟ 5
● A. A. Pinot Nero 680 Ris. '16	♟♟ 5
○ Manzoni Bianco '19	♟♟ 2*
○ A. A. Gewürztraminer '19	♟ 3

Tenuta Nicolussi-Leck

VIA KREITH, 2
39051 CALDARO/KALTERN [BZ]
TEL. 3382963793
www.wein.kaltern.com

L'azienda della famiglia Nicolussi-Leck si
trova immersa fra vigne e boschi nella zona
del lago di Caldaro. Molto interessante il
Gewürztraminer '19, che a profumi intensi
di frutti esotici e fiori contrappone un sorso
decisamente agile e longilineo, di
sorprendente eleganza.

○ A. A. Gewürztraminer Stephanie '19	♟♟ 4
● A. A. Lagrein Sepp '18	♟♟ 3
○ A. A. Lago di Caldaro Cl. Sup. 1917 Alexander '19	♟ 4

Obermoser
H. & T. Rottensteiner

FRAZ. RENCIO
VIA SANTA MADDALENA, 35
39100 BOLZANO/BOZEN
TEL. 0471973549
www.obermoser.it

Un solo vino presentato dall'azienda di
Santa Maddalena, di assoluto valore. Si
tratta del Lagrein Grafenleiten Riserva '17:
veste purpurea intensa e compatta, mette
in luce profumi profondi di frutto, spezie e
accenni affumicati. Il palato è di buona
concentrazione e tensione.

● A. A. Lagrein Grafenleiten Ris. '17	♟♟ 5

Oberrautner - Anton Schmid

FRAZ. GRIES
VIA M. PACHER, 3
39100 BOLZANO/BOZEN
TEL. 0471281440
www.schmid.bz

La storica azienda di Bolzano si trova nella
zona settentrionale del capoluogo, in
direzione Val Sarentino. Grande attenzione
va al Lagrein, con il Villa Schmid '18 che
profuma di frutto nero e spezie, mentre in
bocca la tipica potenza del vitigno è ben
governata dall'acidità.

● A. A. Lagrein Ris. '16	♟♟ 5
● A. A. Lagrein Villa Schmid '18	♟♟ 3
● A. A. Lagrein Andrä '18	♟ 3

Pacherhof - Andreas Huber

FRAZ. NOVACELLA
V.LO PACHER, 1
39040 VARNA/VAHRN [BZ]
TEL. 0472835717
www.pacherhof.com

Complice le problematiche mondiali
dell'ultimo anno, l'azienda condotta da
Andreas Huber ha colto la palla al balzo e
ha deciso di destinare la produzione ad una
maturazione più lenta e rispettosa
dell'evoluzione dei vini. Una scelta
coraggiosa che porterà ottimi frutti.

○ A. A. Valle Isarco Grüner Veltliner '16	♟♟♟ 4*
○ A. A. Valle Isarco Sylvaner Alte Reben '16	♟♟♟ 5

Bergkellerei Passeier

VIA DEI LEGNAI, 5A
39015 SAN LEONARDO IN PASSIRIA/SANKT LEONHARD [BZ]
TEL. 3479982554
www.bergkellerei.it

Il Lagrein Riserva '17 della Bergkellerei
Passeier presenta un naso profondo che
amplia le note fruttate con quelle
affumicate e speziate. Il palato è pieno e
possente, ben sorretto da acidità e tannini
che donano tensione e lunghezza. Ottimo
anche il Pinot Bianco Burgunder '18.

● A. A. Lagrein Ris. '17	♟♟ 5
○ A. A. Pinot Bianco Burgunder '18	♟♟ 5
○ A. A. Sauvignon '18	♟♟ 5
● Rombo '17	♟ 6

Thomas Pichler

FRAZ. VILLA DI MEZZO
VIA DELLE VIGNE, 4A
39052 CALDARO/KALTERN [BZ]
TEL. 0471963094
www.thomas-pichler.it

Sono i vigneti adagiati sulla conca del Lago di Caldaro a fare da spartito per la produzione della famiglia Pichler: un fazzoletto di terra per una proposta affidabile e di carattere, come testimonia un Sauvignon Puiten '18 di pregevole nitore aromatico, pieno e articolato.

○ A. A. Pinot Bianco Mitanond '19	♣♣	4
○ A. A. Sauvignon Puiten '18	♣♣	4
○ Anima Vit Est Sauvignon Passito '17	♣	5
● Furioso '17	♣	8

Plonerhof - Erhard Tutzer

VIA TRAMONTANA, 29
39020 MARLENGO/MARLING [BZ]
TEL. 0473490525
www.weingut-plonerhof.it

L'azienda di Erhard Tutzer si sviluppa nella zona di Marlengo, dolci colline affacciate sulla cittadina di Merano. Ottima la Nörder Cuvée '19, un blend di sauvignon, riesling e pinot bianco dagli intensi profumi di agrumi e fiori, che si esaltano in un palato sapido e succoso.

○ A. A. Nörder Cuvée Blanc Mitterberg '19	♣♣	4
● A. A. Pinot Nero '18	♣♣	4
● A. A. Pinot Nero Exclusiv Ris. '16	♣	3
○ A. A. Sauvignon '19	♣♣	3

Rielingerhof

SIFFIANER LEITACH, 7
39054 RENON/RITTEN [BZ]
TEL. 0471356274
www.rielinger.it

La piccola azienda della famiglia Messner si sviluppa a 750 metri di altitudine sull'altopiano del Renon. Il loro Kerner si presenta paglierino scarico con i profumi dominati dalle suggestioni di mela golden matura impreziositi dalla tipica nota affumicata. Il sorso è asciutto e dinamico.

○ Kerner '19	♣♣	4

Pitzner

VIA CORNEDO, 15
39053 CORNEDO ALL'ISARCO/KARNEID [BZ]
TEL. 3384521694
www.pitzner.it

La famiglia Pitzner opera nel territorio di Cornedo all'Isarco, sulle colline che delimitano la sponda sinistra del fiume. L'Hexagon HX17 della vendemmia 2017 è un taglio bordolese arricchito da altri vitigni, che si distingue per gli aromi intensi e il profilo gustativo opulento.

● A. A. Lagrein Scharfegg '19	♣♣	5
● Hexagon HX17 '17	♣♣	7
● A. A. Merlot MR18 '18	♣	5
○ A. A. Pinot Grigio Finell '19	♣	4

Prackfolerhof

VIA SPIEGELWEG, 9
39050 FIÈ ALLO SCILIAR/VÖLS AM SCHLERN [BZ]
TEL. 0471601532
www.prackfolerhof.it

Ottima la produzione della famiglia Planer, contenuta nei numeri ma di grande carattere. Il Pinot Nero '17 porge al naso aromi di sottobosco, frutti selvatici ed erbe officinali, in bocca è sapido, agile e succoso, perfettamente sostenuto dal nerbo e da tannini dolci e levigati.

○ A. A. Pinot Bianco '19	♣♣	4
● A. A. Pinot Nero '17	♣♣	4
○ A. A. Sauvignon '19	♣♣	4

Tenuta Spitalerhof
Günther Oberpertinger

VIA LEITACH, 46
39043 CHIUSA/KLAUSEN [BZ]
TEL. 0472847612
www.spitalerhof.it

La Valle Isarco ha nel sylvaner il suo vitigno simbolo e Spitalerhof ne propone una versione dalle vigne più vecchie di Chiusa. La 2019 mette in luce un corredo di frutto bianco e fiori secchi con cenni affumicati: in bocca è sapido, dinamico e dotato di un buon allungo.

○ Grüner Veltliner '19	♣♣	4
○ Sylvaner Sepp Alte Rebe '19	♣♣	3
○ Grüner Veltliner Muga Selection '18	♣	5

St. Quirinus - Robert Sinn

VIA PIANIZZA DI SOPRA, 4B
39052 CALDARO/KALTERN [BZ]
TEL. 3298085003
www.st-quirinus.it

Più finezza che potenza in casa Sinn, come testimonia l'assaggio del Lagrein Badl '18. La veste rubino intenso anticipa profumi di frutto rosso maturo, spezie e erbe officinali; in bocca debutta con solidità e pienezza, per poi allungarsi in virtù della preziosa spinta acida.

● A. A. Lagrein Badl '18	♟♟ 4
● A. A. Merlot Ris. '17	♟♟ 5
○ Planties Weiss '19	♟♟ 4
○ A. A. Pinot Bianco Solt '19	♟ 4

Thurnhof - Andreas Berger

LOC. ASLAGO
VIA CASTEL FLAVON, 7
39100 BOLZANO/BOZEN
TEL. 0471288460
www.thurnhof.com

L'azienda di Bolzano coltiva vigneti sia nella zona sud-occidentale del capoluogo che nella zona del Renon. Ottimo il Vigna Weinegg '17, Cabernet Sauvignon dal profilo aromatico profondo e maturo che possiede un palato potente, caloroso, ben sostenuto dalla fitta trama tannica.

● A. A. Cabernet Sauvignon Weinegg Ris. '17	♟♟ 5
● A. A. Lagrein Ris. '17	♟♟ 4
○ A. A. Sauvignon 800 '19	♟ 3
⊙ Tirolensis Brut Rosé Ars Vini '16	♟ 5

Tröpfltalhof

VIA GARNELLEN, 17
39052 CALDARO/KALTERN [BZ]
TEL. 0471964126
www.bioweinhof.it

Andreas Dichristin conduce la sua azienda secondo i dettami dell'agricoltura biodinamica. Il Sauvignon Garnellen '16 nasce da fermentazione spontanea e da una lunga sosta in anfora sulle bucce: conquista per la complessità aromatica e la dinamica gustativa, grintosa e austera.

○ Garnellen Sauvignon Anphora '16	♟♟ 8
○ LeViogn '18	♟♟ 5
● Barleith Cabernet Sauvignon '16	♟ 6

Vivaldi - Arunda

VIA JOSEF-SCHWARZ, 18
39010 MELTINA/MÖLTEN [BZ]
TEL. 0471668033
www.arundavivaldi.it

La storica casa spumantistica atesina propone un Extra Brut di grande precisione stilistica: è il Cuvée Muggi '15, blend di chardonnay, pinot bianco e pinot nero parzialmente maturato in barrique, dai profumi di mela matura e pane biscottato, asciutto e armonico al palato.

⊙ A. A. Spumante Brut Nature Zero '16	♟♟ 6
○ A. A. Spumante Extra Brut Cuvée Muggi '15	♟♟ 5
⊙ A. A. Spumante Brut Rosé Excellor '16	♟ 6

Wilhelm Walch

VIA A. HOFER, 1
39040 TERMENO/TRAMIN [BZ]
TEL. 0471860172
www.walch.it

La storica azienda della famiglia Walch propone una gamma ampia e convincente di vini territoriali. Il Pinot Bianco '19 porge aromi intensamente fruttati e floreali, che trovano sviluppo nel palato elegante e longilineo. Ancor più profumato e coinvolgente il Gewürztraminer '19.

○ A. A. Gewürztraminer '19	♟♟ 3
○ A. A. Pinot Bianco '19	♟♟ 3
○ A. A. Sauvignon Krain '19	♟♟ 2*
● A. A. Lagrein '19	♟ 2

Weinberghof Christian Bellutti

IN DER AU, 4A
39040 TERMENO/TRAMIN [BZ]
TEL. 0471863224
www.weinberg-hof.com

Christian Bellutti popone un Gewürztraminer '18 proveniente dalla zona di Plon. Al naso profumi intensi di agrumi canditi, fiori e spezie, che ritroviamo in un sorso potente ma capace di conservare efficace tensione e agilità. Più immediata e di piacevole beva la versione 2019.

○ A. A. Gewürztraminer '19	♟♟ 3
○ A. A. Gewürztraminer Plon '18	♟♟ 3
● A. A. Lagrein Ris. '17	♟♟ 4

VENETO

Regione vasta e punteggiata di denominazioni piccole e grandi, il Veneto non fa mancare il suo peso anche nell'edizione 2021 della Guida. Partendo dalla pianura orientale che si allunga verso il Friuli Venezia Giulia e terminando sulle colline moreniche che cingono il bacino del Garda si alternano situazioni climatiche e di suoli molto differenti fra loro, dalle piane argillose e ghiaiose che lambiscono il corso del Piave o del Livenza ai suoli vulcanici dei colli Euganei, dal basalto di Gambellara e Soave al calcare della Valpolicella. Denominazioni a volte contigue, altre volte separate da pochi chilometri di campagna dove non manca comunque la presenza della vite. Se il Veneto orientale ha abbracciato con convinzione la glera, la parte occidentale invece è rimasta fedele alle storiche varietà che qui dimorano da secoli, con una produzione che alterna la fragranza di Bardolino e Custoza alla potenza dell'Amarone della Valpolicella. Al centro del palcoscenico i viticoltori che con la loro opera contribuiscono in maniera determinante alla gestione del territorio, alla prosecuzione delle tradizioni e alla valorizzazione di quel made in Italy che tanto funziona nel mondo. Se la Valpolicella ha sempre nell'Amarone il vino più rappresentativo, ecco una nuova lettura del Valpolicella Superiore, sempre più interpretato con finezza e tensione come evidenzia alla perfezione l'Ognisanti di Bertani, che indica una strada che convince appieno. L'estremo occidente della regione ha in Cavalchina, Corte Gardoni e Monte del Frà tre stelle di assoluto valore, interpreti di un territorio che gioca le sue carte sulla fragranza e la raffinatezza dei vini, quasi a fare da contraltare al Soave dove invece la garganega regna egemone e caratterizza le migliori etichette con personalità e grinta. Il distretto di Conegliano Valdobbiadene inanella una serie di etichette di assoluto valore impreziosita dal debutto di Borgoluce, interprete di un nuovo modo di concepire l'agricoltura, rinunciando alla monocoltura e sviluppando la grande azienda in armonia con l'ambiente. Si conferma il ruolo dei Colli Euganei e Berici nella valorizzazione dei vitigni del bordolese, mentre segnaliamo con grande soddisfazione il successo della Lessinia, territorio poco conosciuto dove il binomio vitigno territorio consente la produzione di spumanti Metodo Classico di grande fascino come testimoniano Casa Cecchin e Ca' Rugate.

A Mi Manera

FRAZ. LISON
VIA CADUTI PER LA PATRIA, 29
30026 PORTOGRUARO [VE]
TEL. 336592660
www.vinicolamimanera.com

VENDITA DIRETTA
VISITA SU PRENOTAZIONE
PRODUZIONE ANNUA 42.000 bottiglie
ETTARI VITATI 7,00

A mi manera, a modo mio. Non poteva scegliere un nome più adatto per la sua azienda Antonio Bigai, produttore eclettico e imprevedibile che opera nell'ampia zona di pianura racchiusa fra le province di Venezia, Treviso e Pordenone. Terra dal carattere forte, attraversata dal corso di tanti fiumi che contribuiscono a quell'alternanza fra argilla e ghiaia che caratterizza la denominazione di Lison Pramaggiore. La produzione è incentrata su vini ottenuti da monovitigno, affiancati da un bianco e un rosso che volutamente non riportano l'anno della vendemmia. Spetta al Cuvée Bianco il ruolo di capofila, un blend che prevede la presenza di tutte le uve coltivate in azienda con una predominanza del tai. Ampio nell'offerta aromatica al naso, conquista per il susseguirsi di sensazioni di macchia e frutta gialla che trovano sviluppo in un sorso asciutto, sapido e di grande progressione. il Cuvée Rosso invece si fa apprezzare per la fragranza aromatica e la spigliatezza della beva.

● Cabernet '18	▼▼	3
○ Cuvée Bianco Decimoquarto	▼▼	3
● Cuvée Rosso Duodecimo	▼▼	3
● Pinot Nero '18	▼▼	5
● Merlot '18	▼	3
● Rosso Vino in Anfora '18	▼	4
○ Tai Vino in Anfora '18	▼	4
● Cabernet '17	♈♈	3
○ Malvasia '17	♈♈	3
○ Malvasia Anfora '17	♈♈	4
● Merlot '17	♈♈	2*
● Pinot Nero '17	♈♈	5
○ Tai '18	♈♈	3
○ Tai '17	♈♈	3
○ Chardonnay '18	♈	3
○ Malvasia '18	♈	3

Stefano Accordini

FRAZ. CAVALO
LOC. CAMPAROL, 10
37022 FUMANE [VR]
TEL. 0457760138
www.accordinistefano.it

VENDITA DIRETTA
VISITA SU PRENOTAZIONE
OSPITALITÀ E RISTORAZIONE
PRODUZIONE ANNUA 210.000 bottiglie
ETTARI VITATI 27,00
VITICOLTURA Biologico Certificato
AZIENDA SOSTENIBILE

Il territorio di Cavalo è una sorta di anfiteatro aperto a sud che si sviluppa fra i 550 e i 600 metri di altitudine, dove la grande escursione termica e i freschi venti che scendono dal monte Pastello consentono alle uve di maturare mantenendo straordinaria intensità aromatica ed una grintosa presenza acida e tannica. Il resto lo fa la mano dell'uomo, con Tiziano che, coadiuvato da figli e nipoti, con sapienza trasforma le uve in vini di grande carattere, dove pienezza del sorso e dinamismo acido convivono in armonia. Emblematico l'assaggio di uno dei nuovi vini di casa, il Valpolicella Superiore Stefano '17, dedicato al fondatore, che esalta proprio la grinta delle uve che maturano in questa zona. I profumi, dominati dalle suggestioni fruttate e di pepe, sono attraversati dalle nuance del rovere, mentre in bocca il vino si distende asciutto e solido. Percorre lo stesso sentiero aromatico l'Amarone Acinatico '16, anche se in bocca rivela ovviamente maggior potenza e calore.

● Amarone della Valpolicella Cl. Acinatico '16	▼▼	7
● Valpolicella Sup. Stefano '18	▼▼	4
● Paxxo '18	▼▼	4
● Recioto della Valpolicella Cl. Acinatico '18	▼▼	5
● Valpolicella Cl. '19	▼▼	2*
● Valpolicella Cl. Bio '19	▼▼	2*
● Valpolicella Cl. Sup. Ripasso Il Fornetto '15	▼▼	5
● Valpolicella Cl. Sup. Ripasso Acinatico '18	▼	3
● Recioto della Valpolicella Cl. Acinatico '04	♈♈♈	6
● Recioto della Valpolicella Cl. Acinatico '00	♈♈♈	8

Adami

FRAZ. COLBERTALDO
VIA ROVEDE, 27
31020 VIDOR [TV]
TEL. 0423982110
www.adamispumanti.it

VENDITA DIRETTA
VISITA SU PRENOTAZIONE
PRODUZIONE ANNUA 700.000 bottiglie
ETTARI VITATI 12,00

L'areale di produzione del Prosecco Docg presenta una morfologia molto diversa a seconda delle zone prese in considerazione. Colline dolci e quasi accarezzate dai vigneti nel Coneglianese, pendii ripidi e aspri con i vigneti quasi aggrappati al terreno nella zona di Valdobbiadene. Qui opera da ormai quattro generazioni la famiglia Adami, con Armando e Franco interpreti di assoluto valore di queste rive, per una produzione dedicata interamente al Prosecco e che mette in risalto l'armonia e la finezza che questo territorio conferisce alle uve. Sugli scudi il Col Credas '19, capace di mettere in risalto la delicatezza di questo paesaggio con grinta e tensione, un Prosecco che accanto a profumi floreali e di frutto bianco porge un sorso energico, a tratti tagliente, che conquista per decisione e sapidità. Frutto di una selezione ancor più severa del solito il Giardino '19, che esalta invece l'ampiezza aromatica e quella delicatezza del sorso che le migliori esposizioni possono donare.

○ Valdobbiadene Rive di Colbertaldo Asciutto Vign. Giardino '19	♟♟ 3*
○ Valdobbiadene Rive di Farra di Soligo Brut Col Credas '19	♟♟ 3*
○ Cartizze	♟♟ 5
○ Valdobbiadene Brut Bosco di Gica	♟♟ 3
○ Valdobbiadene Extra Dry Dei Casel	♟♟ 3
○ Prosecco di Treviso Brut Garbel	♟ 2
○ Valdobbiadene Rive di Colbertaldo Asciutto Vign. Giardino '16	♟♟♟ 3*
○ Valdobbiadene Rive di Farra di Soligo Brut Col Credas '13	♟♟♟ 3*
○ Valdobbiadene Rive di Farra di Soligo Brut Col Credas '12	♟♟♟ 3*

Ida Agnoletti

LOC. SELVA DEL MONTELLO
VIA SACCARDO, 55
31040 VOLPAGO DEL MONTELLO [TV]
TEL. 0423621555
www.agnoletti.it

VENDITA DIRETTA
VISITA SU PRENOTAZIONE
PRODUZIONE ANNUA 50.000 bottiglie
ETTARI VITATI 7,00

Il Montello si staglia nitido nel panorama settentrionale della provincia di Treviso, sorta di avamposto di quelle che pochi chilometri più in là diventano le Prealpi. Qui opera da una trentina di anni Ida Agnoletti, produttrice dalle solide radici contadine che ha saputo ricavarsi un ruolo da protagonista nel territorio, interprete fedele di una tradizione enologica fatta più di campagna che di cantina, più di gesti ripetuti per generazioni che di innovazioni. Glera e varietà bordolesi costituiscono la dispensa cui attingere per la produzione di casa. Grande impressione ha destato il Seneca, un taglio bordolese a prevalenza merlot ottenuto da un vigneto di oltre sessant'anni, che conquista per la nitidezza dei suoi aromi, tratteggiati da frutti di bosco e spezie. In bocca si muove flessuoso con leggerezza e sapidità, retto dalla spinta acida che caratterizza i migliori rossi di quest'area. Intrigante il Follia, un Manzoni Bianco dallo stile ossidativo che si fa apprezzare per armonia e carattere del sorso.

● Montello e Colli Asolani Rosso Seneca '17	♟♟ 3*
○ Manzoni Bianco Follia	♟♟ 3
● Montello e Colli Asolani Cabernet Sauvignon Love Is... '18	♟♟ 3
○ PSL Always Frizzante	♟♟ 2
○ Asolo Frizzante Selva n. 55	♟ 2
● Montello e Colli Asolani Merlot La Ida '18	♟ 2
● Montello e Colli Asolani Merlot La Ida '16	♟♟ 2*
● Montello e Colli Asolani Merlot La Ida '15	♟♟ 2*
● Montello e Colli Asolani Recantina '17	♟♟ 2*
● Montello e Colli Asolani Recantina '16	♟♟ 2*
● Montello e Colli Asolani Recantina '15	♟♟ 2*
● Montello e Colli Asolani Rosso Seneca '16	♟♟ 3
● Montello e Colli Asolani Rosso Seneca '15	♟♟ 3
● Seneca '13	♟♟ 3
● Vita Life is Red '16	♟♟ 3
● Vita Life is Red '15	♟♟ 3

★★★Allegrini

VIA GIARE, 5
37022 FUMANE [VR]
TEL. 0456832011
www.allegrini.it

VENDITA DIRETTA
VISITA SU PRENOTAZIONE
OSPITALITÀ E RISTORAZIONE
PRODUZIONE ANNUA 1.000.000 bottiglie
ETTARI VITATI 150,00
AZIENDA SOSTENIBILE

In una zona che ha vissuto il successo ininterrotto per quasi un trentennio, sono poche le aziende che hanno saputo tenere la barra del timone dritta e ampliare la superficie vitata acquisendo solo vigneti di grande pregio. È il caso della famiglia Allegrini, oggi fra le aziende che possiedono uno dei più importanti parchi viticoli della zona, dove brillano le gemme de La Poja, La Grola, Palazzo della Torre, Monte dei Galli e Villa Cavarena, per un vigneto che si estende dai 150 agli oltre 500 metri di altitudine. Strepitoso l'Amarone '16, che sfrutta l'ottima vendemmia per sfoderare una delle migliori prestazioni degli ultimi anni. Se al naso i profumi ripercorrono lo stile di casa, fatto di nitidezza aromatica e integrità del frutto, è in bocca che il vino lascia il segno, rivelando un'armonia dove gioca da protagonista la sapidità, che affiancata dalla caratteristica tensione acida dona leggerezza e finezza al sorso. La Poja '16 e il Recioto Giovanni Allegrini '16 sono i consueti vini di razza.

Andreola

FRAZ. COL SAN MARTINO
VIA CAVRE, 19
31010 FARRA DI SOLIGO [TV]
TEL. 0438989379
www.andreola.eu

VENDITA DIRETTA
VISITA SU PRENOTAZIONE
PRODUZIONE ANNUA 900.000 bottiglie
ETTARI VITATI 93,00
AZIENDA SOSTENIBILE

Nata alla fine degli anni '80 del secolo scorso per volere di Nazzareno Pola, Andreola è oggi gestita con piglio sicuro dal figlio Stefano, giovane imprenditore del comprensorio di Conegliano Valdobbiadene. Una realtà ben sviluppata, che ha saputo velocemente transitare da realtà contadina a moderna azienda dedicata alla produzione di Prosecco, con un parco viticolo che si estende su alcune delle più belle esposizioni della denominazione, come Rolle, Col San Martino, Refrontolo e Soligo. A queste storiche vigne si è aggiunta la zona di Asolo, a testimonianza di un fermento in cabina di regia che non conosce sosta. La forza del territorio e la competenza in cantina risaltano però nel Rive di Refrontolo Col del Forno '19, un Brut che profuma di mela verde e agrumi e che mette in luce un palato asciutto e dinamico, ben sostenuto dall'acidità e dalle cremose bollicine che lo accompagnano con delicatezza. Più grintoso e tagliente il 26° Primo della medesima annata, frutto dei vigneti di Col San Martino.

● Amarone della Valpolicella Cl. '16	♛♛♛ 8
● La Poja '16	♛♛ 8
● Recioto della Valpolicella Cl. Giovanni Allegrini '16	♛♛ 7
● La Grola '17	♛♛ 5
○ Lugana Oasi Mantellina '19	♛♛ 4
● Palazzo della Torre '17	♛♛ 5
○ Soave Oasi San Giacomo '19	♛♛ 3
● Valpolicclla Cl. '19	♛♛ 3
● Amarone della Valpolicella Cl. '15	♛♛♛ 8
● Amarone della Valpolicella Cl. '14	♛♛♛ 8
● Amarone della Valpolicella Cl. '13	♛♛♛ 8
● Amarone della Valpolicella Cl. '12	♛♛♛ 8
● Amarone della Valpolicella Cl. '11	♛♛♛ 8
● Amarone della Valpolicella Cl. '10	♛♛♛ 8
● Amarone della Valpolicella Cl. '09	♛♛♛ 8
● Amarone della Valpolicella Cl. '08	♛♛♛ 8

○ Valdobbiadene Rive di Refrontolo Brut Col Del Forno '19	♛♛♛ 3*
○ Valdobbiadene Rive di Col San Martino Extra Brut 26° Primo '19	♛♛ 3*
○ Asolo Brut Akelum '19	♛♛ 3
○ Cartizze Dry '19	♛♛ 5
○ Valdobbiadene Brut Dirupo '19	♛♛ 3
○ Valdobbiadene Dry Rive di Rolle V. dei Piai '19	♛♛ 3
○ Valdobbiadene Dry Sesto Senso '19	♛♛ 3
○ Pensieri Passito '15	♛ 6
○ Valdobbiadene Extra Dry Dirupo '19	♛ 3
○ Valdobbiadene Extra Dry Rive di Soligo Mas de Fer '19	♛ 3
○ Valdobbiadene Brut Dirupo '17	♛♛♛ 3*
○ Valdobbiadene Rive Di Refrontolo Brut Col Del Forno '18	♛♛♛ 3*

★Roberto Anselmi

VIA SAN CARLO, 46
37032 MONTEFORTE D'ALPONE [VR]
TEL. 0457611488
www.anselmi.eu

VENDITA DIRETTA
VISITA SU PRENOTAZIONE
RISTORAZIONE
PRODUZIONE ANNUA 700.000 bottiglie
ETTARI VITATI 70,00

L'Azienda di Roberto Anselmi è una delle più note della regione, forte di una produzione che ha saputo portare il Veneto e in particolare modo le colline del Soave al centro del palcoscenico mondiale. Un percorso cominciato tanti anni fa trasformando l'attività del papà in un'azienda dinamica e capace di interpretare territorio e mercato con sensibilità e precisione. La piattaforma viticola si sviluppa totalmente sulle colline che cingono l'abitato di Monteforte, dando vita a una ristretta gamma di vini, riconoscibili per stile e eleganza. Capitel Foscarino e Capitel Croce, entrambi frutto della vendemmia '19, sembrano vini complementari: il primo, quasi esplosivo nell'espressione aromatica, rivela un sorso energico e scattante, il secondo invece si concede con maggior delicatezza tanto negli aromi quanto in bocca, risultando sapido e armonioso, tutto da bere. Ottima anche la prova del San Vincenzo, il bianco più semplice di casa Anselmi, che si fa apprezzare per la placevolezza della beva.

○ Capitel Croce '19	♀♀♀	3*
○ Capitel Foscarino '19	♀♀	3*
○ I Capitelli Passito '18	♀♀	6
○ San Vincenzo '19	♀♀	2*
○ Capitel Croce '18	♀♀♀	3*
○ Capitel Croce '17	♀♀♀	3*
○ Capitel Croce '15	♀♀♀	3*
○ Capitel Croce '09	♀♀♀	3*
○ Capitel Croce '06	♀♀♀	3
○ Capitel Croce '05	♀♀♀	3
○ Capitel Croce '04	♀♀♀	3
○ Capitel Croce '03	♀♀♀	3
○ Capitel Croce '02	♀♀♀	3*
○ Capitel Croce '01	♀♀♀	3
○ Capitel Croce '00	♀♀♀	3

Antolini

VIA PROGNOL, 22
37020 MARANO DI VALPOLICELLA [VR]
TEL. 0457755351
www.antolinivini.it

VENDITA DIRETTA
VISITA SU PRENOTAZIONE
OSPITALITÀ
PRODUZIONE ANNUA 60.000 bottiglie
ETTARI VITATI 9,00
AZIENDA SOSTENIBILE

La zona classica della Valpolicella è costituita da una serie di vallate che risalgono il territorio in direzione settentrionale, ognuna delle quali presenta caratteristiche differenti e dà origine a vini di grande carattere. Pierpaolo e Stefano Antolini operano principalmente lungo la valle di Marano, quella che ha mantenuto più integro il panorama e ha saputo convivere in armonia con la viticoltura. La produzione è dedicata alle tipologie storiche della denominazione, interpretate con schiettezza e autenticità. Nato solo da pochi anni, il Valpolicella Persegà conferma la sua caratura e con la vendemmia 2018 sfodera un'ottima prestazione. Al naso si colgono nitide le note di sottobosco e frutto selvatico, che trovano completamento nella caratteristica speziatura pepata, ancor più espressa nel sorso sapido, dinamico e dalla beva nervosa. Espressione più matura e compassata per l'Amarone Morópio, che conquista il palato con una larghezza e una morbidezza che lasciano via via spazio a una chiusura più grintosa.

● Valpolicella Cl. Sup. Persegà '18	♀♀	3*
● Amarone della Valpolicella Cl. Morópio '16	♀♀	6
● Corvina '16	♀♀	2*
● Valpolicella Cl. '19	♀♀	2*
● Valpolicella Cl. Sup. Ripasso '17	♀♀	3
● Amarone della Valpolicella Cl. Ca' Coato '16	♀	7
○ Elisium Passito	♀	5
● Theobroma '13	♀	5
● Amarone della Valpolicella Cl. Ca' Coato '15	♀♀	8
● Amarone della Valpolicella Cl. Morópio '15	♀♀	8
● Amarone della Valpolicella Cl. Morópio '14	♀♀	8
● Corvina '15	♀♀	4
● Recioto della Valpolicella Cl. '17	♀♀	6
● Valpolicella Cl. Sup. Persegà '17	♀♀	3
● Valpolicella Cl. Sup. Persegà '16	♀♀	3*

Albino Armani

VIA CERADELLO, 401
37020 DOLCÈ [VR]
TEL. 0457290033
www.albinoarmani.com

VENDITA DIRETTA
VISITA SU PRENOTAZIONE
PRODUZIONE ANNUA 900.000 bottiglie
ETTARI VITATI 220,00
AZIENDA SOSTENIBILE

Albino Armani nel corso dei decenni ha saputo dare una dimensione di ampio respiro all'azienda di famiglia, allargando i suoi confini dalla natia Valdadige alla Valpolicella, per spingersi ulteriormente verso est e il Friuli. Il cuore pulsante e la cabina di regia rimangono però fedelmente legate a quella terra di passaggio che è la Valle dell'Adige, dove le varietà internazionali sono state affiancate a quelle autoctone, creando un mix che offre spunti molto interessanti. Molti i vini convincenti, a cominciare dal Foja Tonda '16, un Casetta che dona al naso profumi di frutto rosso maturo e spezie che trovano sviluppo in un sorso asciutto e di buona impalcatura tannica. Fra i bianchi invece la nostra preferenza è andata ad un Sauvignon delle Grave del Friuli, che sfrutta la fresca vendemmia 2019 per donare profumi esotici di buona intensità ravvivati dalla caratteristiche note verdi. In bocca si muove agile e dinamico, concludendo con un finale asciutto e lungo.

● Amarone della Valpolicella Cl. '16	♟♟	5
○ Friuli Grave Sauvignon '19	♟♟	2*
○ Valdadige Pinot Grigio Corvara '19	♟♟	2*
● Valdadige Terra dei Forti Casetta Foja Tonda '16	♟♟	3
○ Trento Dosaggio Zero '15	♟	4
○ Valdadige Terra dei Forti Pinot Grigio Colle Ara '19	♟	2
● Amarone della Valpolicella Cl. '15	♟♟	5
● Amarone della Valpolicella Cl. Cuslanus '13	♟♟	6
● Amarone della Valpolicella Cl. Cuslanus '12	♟♟	6
○ Campo Napoleone Sauvignon '17	♟♟	2*
○ Valdadige Terra dei Forti Foja Tonda '14	♟♟	3
● Valpolicella Cl. Sup. Egle '17	♟♟	2*
● Valpolicella Cl. Sup. Ripasso '16	♟♟	3

Balestri Valda

VIA MONTI, 44
37038 SOAVE [VR]
TEL. 0457675393
www.vinibalestrivalda.com

VENDITA DIRETTA
VISITA SU PRENOTAZIONE
OSPITALITÀ
PRODUZIONE ANNUA 65.000 bottiglie
ETTARI VITATI 16,00
VITICOLTURA Biologico Certificato
AZIENDA SOSTENIBILE

Per raggiungere la cantina di Laura Rizzotto e del papà Guido bisogna addentrarsi nel cuore della zona classica a nord dell'abitato di Soave, risalire i primi contrafforti, e improvvisamente si aprirà davanti agli occhi uno scenario di rara armonia. La cantina, realizzata pochi decenni fa, si integra alla perfezione con l'ambiente, è cinta dal bosco e dai vigneti e sembra essere lì da sempre. Sia in campagna che in cantina le attività vanno in direzione della sostenibilità e della riduzione dell'impatto dell'opera umana nei confronti dell'ambiente. Ottima la prova del Soave Sengialta '17, frutto dell'omonimo vigneto adagiato sul suolo fortemente basaltico e calcareo che caratterizza questo versante della denominazione, dai profumi di frutta bianca che lasciano gradualmente spazio a note floreali e di idrocarburi. Al palato tanto carattere si risolve in un sorso che invece ha nell'armonia e nel dinamismo la sua cifra stilistica, concludendo con un allungo asciutto e sapido.

○ Soave Cl. Sengialta '17	♟♟	4
○ Soave Cl. '19	♟♟	2*
○ Soave Cl. Lunalonga '17	♟♟	3
○ Libertate '17	♟	3
○ Libertate '16	♟♟	3
○ Soave Cl. '18	♟♟	2*
○ Soave Cl. '17	♟♟	2*
○ Soave Cl. '16	♟♟	2*
○ Soave Cl. Lunalonga '12	♟♟	3*
○ Soave Cl. Vign. Sengialta '16	♟♟	3
○ Soave Cl. Vign. Sengialta '15	♟♟	3
○ Soave Cl. Vign. Sengialta '14	♟♟	2*
○ Soave Cl. Vign. Sengialta '13	♟♟	2*
○ Soave Cl. Vign. Sengialta '12	♟♟	2*

Barollo

VIA RIO SERVA, 4B
31022 PREGANZIOL [TV]
TEL. 0422633014
www.barollo.com

VENDITA DIRETTA
VISITA SU PRENOTAZIONE
PRODUZIONE ANNUA 88.000 bottiglie
ETTARI VITATI 45,00
AZIENDA SOSTENIBILE

La grande fascia pianeggiante che da Venezia porta a Treviso vede la presenza di ampie zone dedicate alla vitivinicoltura di qualità, un territorio che negli ultimi anni sta emergendo con aziende e prodotti di assoluto livello. Marco e Nicola Barollo operano in quest'area, testimoni di un'attività viticola che si distende fra le colline e il mare, che resiste all'invasione del Prosecco e rivendica un ruolo da protagonista nel panorama viticolo regionale. Una produzione solida e caratterizzata dallo stile netto e raffinato. Emblema di questo stile è il Frank! '18, un Cabernet Franc in purezza che porge al naso profumi di frutto rosso ben maturo, che trova rinfresco nelle note speziate e piacevolmente vegetali, e con un sorso ancora più centrato, flessuoso e dinamico, agile e mai esagerato nella struttura. Intrigante poi l'assaggio dell'Alfredo Barollo '13, uno spumante Metodo Classico da uve chardonnay che si fa apprezzare per la complessità aromatica e la compostezza gustativa.

● Frank! '18	♥♥♥	5
○ Alfredo Barollo Brut M. Cl. Ris. '13	♥♥	5
● Venezia Merlot Frater '19	♥♥	3
○ Prosecco di Treviso Brut '19	♥	2
○ Venezia Chardonnay Frater '19	♥	3
● Frank! '17	♥♥♥	4*
○ Chardonnay '16	♥♥	4
● Frank! '16	♥♥	4
● Frank! '15	♥♥	4
● Frank! '14	♥♥	4
● Frank! '13	♥♥	4
○ Piave Chardonnay '17	♥♥	5
○ Piave Chardonnay '15	♥♥	4
○ Venezia Chardonnay Frater '18	♥♥	3
● Venezia Merlot Frater '18	♥♥	3
● Venezia Merlot Frater '17	♥♥	3
● Piave Merlot Frater '15	♥	2

Le Battistelle

FRAZ. BROGNOLIGO
VIA SAMBUCO, 110
37032 MONTEFORTE D'ALPONE [VR]
TEL. 0456175621
www.lebattistelle.it

VENDITA DIRETTA
VISITA SU PRENOTAZIONE
PRODUZIONE ANNUA 22.000 bottiglie
ETTARI VITATI 9,00
AZIENDA SOSTENIBILE

L'azienda di Gelmino e Cristina Dal Bosco è una delle realtà più interessanti del comprensorio del Soave, un'azienda a conduzione squisitamente familiare che può contare su una piattaforma viticola contenuta, ma che si sviluppa su alcune delle più belle e vocate esposizioni della denominazione. Meno di una decina di ettari, dominati dal colore scuro del suolo vulcanico, sono dedicati esclusivamente alle varietà storiche della denominazione, per una produzione dallo stile ricco, grintoso e che profuma di autenticità. Semplicemente splendido il Roccolo del Durlo '18, un Soave da sole uve garganega che affondano le radici nel basalto di questa vigna posta a 250 metri di altitudine, lungo un pendio fortemente scosceso e sostenuto da muretti a secco. Al naso si colgono immediate le note di frutto maturo, che lasciano spazio a sempre più coinvolgenti sfumature minerali e di fiori secchi. In bocca il vino cambia ancora passo, allungandosi con tensione e grinta. Convincente anche il Battistelle '18, giocato su una più immediata nota fruttata.

○ Soave Cl. Roccolo del Durlo '18	♥♥	3*
○ Passito della Gloria '18	♥♥	6
○ Soave Cl. Le Battistelle '18	♥♥	3
○ Soave Cl. Montesei '19	♥♥	2*
○ Soave Brut Settembrino '19	♥	3
○ Soave Cl. Battistelle '14	♥♥	3
○ Soave Cl. Le Battistelle '17	♥♥	3*
○ Soave Cl. Le Battistelle '16	♥♥	3
○ Soave Cl. Le Battistelle '15	♥♥	3
○ Soave Cl. Montesei '18	♥♥	2*
○ Soave Cl. Montesei '17	♥♥	2*
○ Soave Cl. Montesei '16	♥♥	2*
○ Soave Cl. Roccolo del Durlo '17	♥♥	3*
○ Soave Cl. Roccolo del Durlo '16	♥♥	3*
○ Soave Cl. Roccolo del Durlo '15	♥♥	3*
○ Soave Cl. Roccolo del Durlo '14	♥♥	3

★Lorenzo Begali

VIA CENGIA, 10
37020 SAN PIETRO IN CARIANO [VR]
TEL. 0457725148
www.begaliwine.it

VENDITA DIRETTA
VISITA SU PRENOTAZIONE
PRODUZIONE ANNUA 90.000 bottiglie
ETTARI VITATI 12,00

Il successo che ha travolto la Valpolicella se
da un lato ha portato benessere e sviluppo
al territorio, dall'altro ha visto la nascita di
aziende che spesso hanno solo mirato al
profitto. Lorenzo Begali ha saputo invece
mantenere le sue radici ben legate alla
terra, diventando uno dei produttori più
apprezzati della denominazione. Accanto a
lui i figli Tiliana e Giordano completano una
squadra che è dedita a una produzione di
grande solidità e rispettosa delle tradizioni,
caratterizzata da vini energici e di grande
carattere. Dopo cinque anni trascorsi al
buio della cantina di via Cengia, vede la
luce la Riserva '15 del Monte Ca' Bianca,
un Amarone dallo stile inconfondibile, che
al naso si presenta con aromi di frutto e
spezie nitidi e fragranti, mentre all'assaggio
sfodera una prestazione che mette in luce
tutto il suo carattere. L'impatto è vigoroso,
ma il sorso riesce a distendersi con
tensione e agilità, grazie alla fresca vena
acida che caratterizza i vini di casa e
sostenuto da una fitta e piacevolmente
ruvida trama tannica.

● Amarone della Valpolicella Cl. Monte Ca' Bianca Ris. '15	▼▼▼	8
● Valpolicella Cl. Sup. Siora '17	▼▼	3*
● Amarone della Valpolicella Cl. '16	▼▼	6
● Tigiolo '16	▼▼	5
● Valpolicella Cl. Sup. Ripasso La Cengia '18	▼▼	3
● Valpolicella Cl. '19	▼	2
● Amarone della Valpolicella Cl. Monte Ca' Bianca '13	♀♀♀	8
● Amarone della Valpolicella Cl. Monte Ca' Bianca '12	♀♀♀	8
● Amarone della Valpolicella Cl. Monte Ca' Bianca '11	♀♀♀	8
● Amarone della Valpolicella Cl. Monte Ca' Bianca '10	♀♀♀	8
● Amarone della Valpolicella Cl. Vign. Monte Ca' Bianca '09	♀♀♀	8

★Bertani

VIA ASIAGO,1
37023 GREZZANA [VR]
TEL. 0458658444
www.bertani.net

VENDITA DIRETTA
VISITA SU PRENOTAZIONE
PRODUZIONE ANNUA 1.800.000 bottiglie
ETTARI VITATI 200,00
AZIENDA SOSTENIBILE

Il grande gruppo della famiglia Angelini ha
nella Bertani il suo cavallo di razza, una
realtà che ha saputo affrontare le sfide del
mercato moderno con precisione e rispetto
per le tradizioni. Se l'Amarone Classico
rappresenta un punto fermo per tutta la
denominazione, ancor più interessante è il
percorso iniziato con il progetto Bertani
Cru, dedicato alla valorizzazione dei
Valpolicella che non si vogliono appiattiti su
un gusto internazionale, ma vera
espressione della potenzialità dei singoli
vigneti. Le Miniere '19 porge al naso un
turbinio di aromi, dove la ciliegia e il pepe
recitano da protagonisti, attraversati
improvvisamente da note di rosa. Il sorso è
sapido, gentile e di trascinante beva.
Ognisanti '18 invece reinterpreta questo
percorso aromatico con maggior profondità
ed eleganza, indicando una delle direzioni
più interessanti da seguire per la tipologia
veronese. Al palato non gioca con la
potenza quanto con la tensione e la finezza,
risultando dinamico e di grande lunghezza.

● Valpolicella Cl. Sup. Ognisanti '18	▼▼▼	5
● Valpolicella Cl. Le Miniere '19	▼▼	4
● Amarone della Valpolicella Valpantena '17	▼▼	7
● Secco Bertani Vintage '17	▼▼	4
○ Soave Sereole '19	▼▼	3
○ Soave Vintage '18	▼▼	4
● Valpolicella '19	▼▼	3
● Valpolicella Ripasso '18	▼▼	4
● Amarone della Valpolicella Cl. '11	♀♀♀	8
● Amarone della Valpolicella Cl. '10	♀♀♀	8
● Amarone della Valpolicella Cl. '09	♀♀♀	8
● Amarone della Valpolicella Cl. '08	♀♀♀	8
● Amarone della Valpolicella Cl. '07	♀♀♀	8
● Amarone della Valpolicella Cl. '06	♀♀♀	8
● Amarone della Valpolicella Cl. '05	♀♀♀	8
● Amarone della Valpolicella Cl. '04	♀♀♀	8

BiancaVigna

LOC. OGLIANO
VIA MONTE NERO, 8
31015 CONEGLIANO [TV]
TEL. 0438788403
www.biancavigna.it

VENDITA DIRETTA
VISITA SU PRENOTAZIONE
OSPITALITÀ
PRODUZIONE ANNUA 600.000 bottiglie
ETTARI VITATI 32,00
VITICOLTURA Biologico Certificato
AZIENDA SOSTENIBILE

Nata pochi anni fa, l'azienda di Elena e
Enrico Moschetta ha intrapreso un
percorso poco battuto dalle realtà del
territorio, quello di far coesistere sotto lo
stesso tetto le diverse anime della
denominazione, dalla produzione viticola
alla vinificazione, dalla presa di spuma alla
commercializzazione. Spesso le aziende
storiche si occupano solo di una parte
della filiera, Biancavigna invece le
racchiude tutte, per una produzione che si
avvale di vigneti che si sviluppano
principalmente nella zona orientale della
Docg. Per comprendere quanto il territorio
sia influente anche su una tipologia come
il Prosecco è sufficiente assaggiare uno
vicino all'altro i due prodotti di punta, Rive
di Ogliano e Rive di Soligo '19. Il primo
esprime tutta la delicatezza e l'armonia
che la denominazione può offrire, con
aromi maturi e invitanti che si esaltano in
un sorso sapido e succoso, il secondo
invece ne esplora l'animo più nascosto e
grintoso, fatto di profumi meno esplosivi e
di un palato che rivela un'inaspettata
tensione, decisa e quasi tagliente.

○ Conegliano Valdobbiadene Rive di Soligo Extra Brut '19	♟♟♟ 3*	
○ Conegliano Valdobbiadene Rive di Ogliano Extra Brut '19	♟♟ 3*	
○ Conegliano Valdobbiadene Brut '19	♟♟ 3	
○ Conegliano Valdobbiadene Brut Biologico '19	♟♟ 3	
○ Conegliano Valdobbiadene Brut Nature Sui Lieviti '19	♟♟ 3	
○ Conegliano Valdobbiadene Extra Dry '19	♟♟ 3	
○ Prosecco Brut	♟♟ 3	
○ Prosecco Extra Dry	♟♟ 3	
⊙ Cuvée 1931 Brut Rosé	♟ 2	
○ Prosecco Frizzante	♟ 2	
○ Conegliano Valdobbiadene Rive di Ogliano Brut Nature '18	♟♟♟ 3*	
○ Conegliano Valdobbiadene Rive di Ogliano Brut Nature '17	♟♟♟ 3*	

Bisol 1542

FRAZ. SANTO STEFANO
VIA FOLLO, 33
31049 VALDOBBIADENE [TV]
TEL. 0423900138
www.bisol.it

VENDITA DIRETTA
VISITA SU PRENOTAZIONE
PRODUZIONE ANNUA 4.500.000 bottiglie
ETTARI VITATI 55,00

La storica maison di via Follo è da tempo
immemorabile uno dei punti fermi
dell'effervescente denominazione trevigiana,
forte di un passato importante e di una
ramificata presenza sui luoghi
maggiormente vocati del territorio. Alle
vigne di proprietà va aggiunta una rete di
conferitori che, seguiti lungo l'intero corso
dell'anno, forniscono le uve per una
produzione di grande affidabilità e
consistenza qualitativa. La gamma è ampia
e prende tutte le tipologie della
denominazione, interpretate inseguendo
fragranza e armonia. Sugli scudi il Brut,
frutto delle più belle vigne della zona di
Guia, vigneti arroccati su pendii
estremamente scoscesi che con la
vendemmia 2019 hanno portato in dote una
raffinata espressione aromatica, dominata
dalle note di pera e mela che trovano
completamente nella fresca espressione
floreale. Il sorso, sapido e sostenuto dalle
cremose bollicine, si allunga con eleganza e
delicatezza. Più immediato nell'espressione
fruttata ed energico al palato il Dry Rive di
Campea '19.

○ Valdobbiadene Rive di Guia Brut Relio '19	♟♟ 4	
○ Cartizze Dry '19	♟♟ 5	
○ Valdobbiadene Brut Crede '19	♟♟ 3	
○ Valdobbiadene Extra Dry Molera '19	♟♟ 3	
○ Valdobbiadene Rive di Campea Dry '19	♟♟ 3	
○ Valdobbiadene Brut Jeio	♟ 3	
○ Valdobbiadene Extra Dry Jeio	♟ 3	
○ P. di Valdobbiadene Dry Garnei '95	♟♟♟ 3	
○ Cartizze '18	♟♟ 5	
○ Valdobbiadene Brut Crede '18	♟♟ 3	
○ Valdobbiadene Brut Crede '17	♟♟ 4	
○ Valdobbiadene Brut Rive di Guia Relio '18	♟♟ 4	
○ Valdobbiadene Extra Dry Molera '18	♟♟ 3	

Bolla

FRAZ. PEDEMONTE
VIA A. BOLLA, 3
37029 SAN PIETRO IN CARIANO [VR]
TEL. 0456836555
www.bolla.it

VENDITA DIRETTA
VISITA SU PRENOTAZIONE
PRODUZIONE ANNUA 9.560.000 bottiglie
ETTARI VITATI 264,00

Spesso le aziende molto grandi sono interpreti di una produzione affidabile ma anche non particolarmente personale. Christian Zulian ha saputo guidare la storica realtà di Pedemonte su ben altri sentieri, esplorando a fondo le potenzialità che uve e territorio forniscono, alla ricerca della moderna attualità di un vino con radici antiche. Massima selezione nei vigneti di proprietà e suddivisione delle uve in base alle zone di provenienza, per una produzione che coniuga integrità e tradizione. Negli ultimi anni l'Amarone Le Origini ha dimostrato una crescita importante, confermata una volta di più dall'assaggio della Riserva '15. Al naso appare lento e quasi restio a concedere il suo corredo aromatico, fatto di frutto surmaturo e spezie, mentre al palato l'incedere è più sicuro e deciso, rivelando corpo pieno e ben sostenuto da acidità e tannini per un lungo e affascinante finale. Il Rhetico della medesima vendemmia invece al naso esprime un frutto più dolce e polposo, frutto che ritroviamo in un sorso pieno e possente.

● Amarone della Valpolicella Cl. Le Origini Ris. '15	♥♥ 6
● Amarone della Valpolicella Cl. '15	♥♥ 5
● Amarone della Valpolicella Cl. Rhetico '15	♥♥ 5
☉ Bardolino Chiaretto Cl. La Canestraia '19	♥♥ 2*
● Valpolicella Cl. Sup. Ripasso '17	♥♥ 2*
● Valpolicella Cl. Sup. Ripasso Le Poiane '17	♥♥ 3
○ Lugana '19	♥ 2
○ Soave Cl. Retrò '19	♥ 2
○ Soave Cl. Sup. Tufaie '18	♥ 2
● Amarone della Valpolicella Cl. '14	♀♀ 5
● Amarone della Valpolicella Cl. Le Origini Ris. '13	♀♀ 7
● Amarone della Valpolicella Cl. Le Origini Ris. '12	♀♀ 7
● Amarone della Valpolicella Cl. Rhetico '13	♀♀ 7

Bonotto delle Tezze

FRAZ. TEZZE DI PIAVE
VIA DUCA D'AOSTA, 36
31028 VAZZOLA [TV]
TEL. 0438488323
www.bonottodelletezze.it

VENDITA DIRETTA
VISITA SU PRENOTAZIONE
PRODUZIONE ANNUA 150.000 bottiglie
ETTARI VITATI 48,00

L'azienda di Antonio Bonotto si estende per qualche decina di ettari lungo le sponde del Piave, terra che nel corso dei secoli ha visto l'avvicendarsi delle attività agricole, ha vissuto la fame e i momenti di ricchezza rimanendo fedele alla sua vocazione e alle tradizioni. Oggi i terreni sono in gran parte dedicati alla viticoltura, con suoli che alternano la forte presenza ghiaiosa a inserzioni d'argilla, creando una sorta di puzzle dove ogni vitigno trova la sua collocazione ideale. Il Barabane '17 è un Carmenere in purezza proveniente da un piccolo vigneto su terreno sassoso a due passi dal corso d'acqua. Matura in rovere per oltre un anno e porge profumi intensi di frutto selvatico e pepe, in bocca è asciutto e rivela un profilo agile e succoso. Il Raboso Potestà '17 invece esplora l'animo più leggero e fragrante del ribelle vitigno locale, donando profumi freschi e speziati, mentre in bocca la caratteristica presenza acida risulta fondamentale per allungare e tendere il sorso.

● Piave Carmenere Barabane '17	♥♥ 3
● Piave Malanotte '15	♥♥ 6
● Piave Raboso Potestà '17	♥♥ 3
○ Manzoni Bianco '19	♥ 2
● Piave Merlot Spezza '17	♥ 3
● Ribelle Raboso Frizzante	♥ 2
● Piave Malanotte '14	♀♀ 6
● Piave Malanotte '13	♀♀ 6
● Piave Malanotte '12	♀♀ 6
● Piave Raboso Potestà '15	♀♀ 3
● Raboso Passito '14	♀♀ 5

Borgo Stajnbech

VIA BELFIORE, 109
30020 PRAMAGGIORE [VE]
TEL. 0421799929
www.borgostajnbech.com

VENDITA DIRETTA
VISITA SU PRENOTAZIONE
PRODUZIONE ANNUA 90.000 bottiglie
ETTARI VITATI 15,00

L'azienda di Giuliano Valent si trova nel cuore della pianura racchiusa fra le province di Venezia e Pordenone, in posizione pressoché equidistante dal mare e dalle colline, godendo quindi degli influssi del bacino adriatico e delle fresche correnti che giungono dalle Prealpi. Una quindicina di ettari, dedicati in massima parte alle varietà internazionali che hanno colonizzato questo territorio nel secolo precedente, danno vita a una produzione che si muove seguendo lo spartito dell'eleganza piuttosto che quello della potenza. Il vino che maggiormente ci ha affascinato è stato il Lison 150. Frutto della vendemmia 2018, ha messo in mostra un corredo aromatico fatto di fiori freschi e sfumature vegetali che conducono a una nitida nota di frutta bianca, mentre al palato si distende con grazia e sapidità, allungando il sorso con delicatezza. Sul fronte dei rossi abbiamo invece apprezzato il Rosso Stajnbech '16, un blend di refosco e cabernet sauvignon che si esprime con freschezza e agilità.

○ Bosco della Donna Sauvignon '19	♥♥	4
○ Lison Cl. 150 '18	♥♥	3
○ Stajnbech Bianco '17	♥♥	4
● Stajnbech Rosso '16	♥♥	4
● Cabernet Sauvignon '18	♥	3
○ Chardonnay '19	♥	3
● Lison Pramaggiore Refosco P. R. '18	♥	3
● Malbec '18	♥	3
○ Pinot Grigio delle Venezie '19	♥	3
○ Bosco della Donna Sauvignon '18	♀♀	3
○ Lison Cl. 150 '17	♀♀	3
● Lison-Pramaggiore Refosco P. R. '17	♀♀	3
● Malbech '17	♀♀	2*
● Merlot '17	♀♀	3
● Merlot '16	♀♀	3
● Refosco P. R. '16	♀♀	2*
○ Stajnbech Bianco '16	♀♀	3

Borgoluce

LOC. MUSILE, 2
31058 SUSEGANA [TV]
TEL. 0438435287
www.borgoluce.it

VENDITA DIRETTA
VISITA SU PRENOTAZIONE
OSPITALITÀ E RISTORAZIONE
PRODUZIONE ANNUA 250.000 bottiglie
ETTARI VITATI 70,00

Nel volgere di pochi lustri Borgoluce è diventata una delle aziende più interessanti del comprensorio di Conegliano Valdobbiadene, riuscendo a valorizzare in molti modi l'enorme patrimonio terriero di cui dispone. Moltissimi gli ettari a disposizione nel cuore delle colline di Susegana dedicati alla viticoltura, ma ampio spazio viene lasciato anche al bosco, al pascolo e alle attività legate alla zootecnia. Nella nuova cantina a basso impatto ambientale avvengono tutte le lavorazioni per una produzione di grande rigore e qualità. Rigore e qualità che troviamo perfettamente espresse nel Rive di Collalto Extra Brut '19, un Prosecco che riesce nel difficile compito di coniugare la delicatezza e la semplicità caratteristiche della tipologia con la profondità e la finezza che le vigne di Collalto donano. La versione Extra Dry, arricchita di un minimo residuo zuccherino, risulta invece più espressiva nella nota fruttata e immediata al palato. Segnaliamo infine l'ottima riuscita della versione Sui Lieviti.

○ Valdobbiadene Rive di Collalto Extra Brut '19	♥♥♥	3*
○ Rosariflesso Extra Brut	♥♥	3
○ Valdobbiadene Brut	♥♥	3
○ Valdobbiadene Brut Nature sui Lieviti '19	♥♥	3
○ Valdobbiadene Extra Dry	♥♥	3
○ Valdobbiadene Rive di Collalto Extra Dry '19	♥♥	3
○ Valdobbiadene Rive di Collalto Brut '18	♀♀	3*
○ Valdobbiadene Rive di Collalto Brut '17	♀♀	3*
○ Valdobbiadene Rive di Collalto Extra Dry '18	♀♀	3
○ Valdobbiadene Rive di Collalto Extra Dry '17	♀♀	3

Borin Vini & Vigne

FRAZ. MONTICELLI
VIA DEI COLLI, 5
35043 MONSELICE [PD]
TEL. 042974384
www.viniborin.it

VENDITA DIRETTA
VISITA SU PRENOTAZIONE
PRODUZIONE ANNUA 105.000 bottiglie
ETTARI VITATI 28,00

Monticelli è un piccolo borgo che si trova in un lembo di pianura che si incunea nei Colli Euganei in direzione occidentale. Proprio qui ha sede la cantina di Gianni e Teresa Borin, circondata dai vigneti che trovano completamento con le proprietà nella zona più alta di Arquà Petrarca. L'ingresso a tempo pieno dei figli Francesco e Gianpaolo ha portato nuovo entusiasmo ed energie, indispensabili per gestire un'azienda che ormai sfiora i trenta ettari di vigneto. I vini sono di impeccabile fattura, impreziositi da alcune vere e proprie gemme. E proprio una nuova gemma è il Cabernet Sauvignon Coldivalle '18, un vino che rappresenta un punto di rottura nello stile aziendale. Rispetto alle altre selezioni importanti appare infatti più fresco e dinamico fin dai profumi, dominati da un frutto rosso succoso che trova contrasto nelle note di spezie e grafite. Il sorso è pieno e croccante, sostenuto da una buona acidità e una trama tannica vigorosa e piacevolmente ruvida. Fra i bianchi segnaliamo l'ottima prova del sapido Corte Borin '18.

● Colli Euganei Cabernet Sauvignon Coldivalle '18	♈♈	3*
● Coldivalle Syrah '17	♈♈	3
● Colli Euganei Cabernet Sauvignon Mons Silicis Ris. '17	♈♈	4
● Colli Euganei Cabernet Sauvignon V. Costa '17	♈♈	3
○ Colli Euganei Manzoni Bianco Corte Borin '18	♈♈	3
● Colli Euganei Merlot Rocca Chiara Ris. '17	♈♈	4
○ Colli Euganei Chardonnay V. Bianca '18	♈	3
○ Colli Euganei Fior d'Arancio Fiore di Gaia '19	♈	2
○ Colli Euganei Pinot Bianco Archino '19	♈	2
○ Pinot Grigio delle Venezie '19	♈	2
○ Colli Euganei Chardonnay V. Bianca '17	♈♈	3

Bortolomiol

VIA GARIBALDI, 142
31049 VALDOBBIADENE [TV]
TEL. 04239749
www.bortolomiol.com

VENDITA DIRETTA
VISITA SU PRENOTAZIONE
RISTORAZIONE
PRODUZIONE ANNUA 2.100.000 bottiglie
ETTARI VITATI 5,00
AZIENDA SOSTENIBILE

Maria Elena, Elvira, Luisa e Giuliana Bortolomiol hanno saputo prendere in mano l'azienda fondata da papà Giuliano nell'immediato secondo dopoguerra e trasformarla in una delle griffe più apprezzate nel mondo delle bollicine. Una fitta trama di viticoltori che conferiscono le uve in azienda costituisce un patrimonio di enorme valore, impreziosito dai vigneti di proprietà condotti nel massimo rispetto per l'ambiente. A completamento del progetto ecco la nuova avventura alle porte di Montalcino, vero e proprio coronamento del sogno toscano di Giuliano. Anche quest'anno spetta allo Ius Naturae il compito di guidare la nutrita batteria di bollicine provenienti dai vigneti della zona storica, un Brut che sfrutta l'ottima vendemmia 2019 per esprimersi con nitidi profumi di frutto bianco e fiori, che trovano sviluppo in un palato asciutto e teso, retto prima ancora che dall'acidità e dalle bollicine dalla rinfrescante spinta sapida. Molto interessante il Segreto di Giuliano '17, un Sangiovese rigoroso e solido.

○ Valdobbiadene Brut Ius Naturae '19	♈♈♈	5
● Il Segreto di Giuliano '17	♈♈	6
○ Valdobbiadene Brut Prior '19	♈♈	4
○ Valdobbiadene Rive di Santo Stefano Brut Nature 70th Anniversario '17	♈♈	6
○ Valdobbiadene Rive San Pietro di Barbozza Brut Grande Cuvée del Fondatore Motus Vitae '18	♈♈	5
○ Cartizze '19	♈	5
○ Valdobbiadene Extra Brut Audax 3.0 '19	♈	4
○ Valdobbiadene Extra Dry Banda Rossa Special Reserve '19	♈	4
○ Valdobbiadene Rive San Pietro di Barbozza Brut Grande Cuvée del Fondatore Motus Vitae '16	♈♈♈	5

Carlo Boscaini

VIA SENGIA, 15
37015 SANT'AMBROGIO DI VALPOLICELLA [VR]
TEL. 0457731412
www.boscainicarlo.it

VENDITA DIRETTA
VISITA SU PRENOTAZIONE
OSPITALITÀ
PRODUZIONE ANNUA 60.000 bottiglie
ETTARI VITATI 14,00

All'interno della zona classica della Valpolicella, l'areale di Sant'Ambrogio è quello più vicino al lago di Garda ed è separato dalla Valdadige solo da un ordine di colline. Qui ha sede l'azienda della famiglia Boscaini, una quindicina di ettari dedicati in massima parte alle varietà storiche del territorio, con la presenza di una spruzzata di uve a bacca bianca. In cantina si insegue uno stile strettamente legato alla tradizione, per vini dal carattere energico e di appagante bevibilità. Convincente la prova del Valpolicella Ca' Bussin '18, un vino che dimostra come anche i prodotti più semplici possano avere carattere e reggere l'urto degli anni. I profumi di ciliegia e pepe sono perfettamente riconoscibili anche in bocca dove il sorso è snello, succoso e di buona sapidità. Maggior profondità aromatica per l'Amarone Riserva '12 dove il frutto si fa più dolce e maturo, impreziosito dalle note di erbe officinali. È dotato di un palato di maggior volume ma riesce a distendersi con la medesima grazia, risultando di appagante bevibilità.

● Amarone della Valpolicella Cl. Ris. '12	♟♟ 7
● Valpolicella Cl. Ca' Bussin '18	♟♟ 2*
● Valpolicella Cl. Sup. La Preosa '17	♟♟ 3
● Amarone della Valpolicella Cl. San Giorgio '15	♟♟ 6
● Amarone della Valpolicella Cl. San Giorgio '13	♟♟ 6
● Amarone della Valpolicella Cl. San Giorgio '12	♟♟ 6
● Recioto della Valpolicella Cl. La Sengia '14	♟♟ 4
● Valpolicella Cl. Ca' Bussin '16	♟♟ 2*
● Valpolicella Cl. Sup. La Preosa '14	♟♟ 3
● Valpolicella Cl. Sup. Ripasso Zane '16	♟♟ 4
● Valpolicella Cl. Sup. Ripasso Zane '15	♟♟ 4
● Valpolicella Cl. Sup. Ripasso Zane '13	♟♟ 4

Bosco del Merlo

VIA POSTUMIA, 12
30020 ANNONE VENETO [VE]
TEL. 0422768167
www.boscodelmerlo.it

VENDITA DIRETTA
VISITA SU PRENOTAZIONE
PRODUZIONE ANNUA 950.000 bottiglie
ETTARI VITATI 90,00

L'azienda capitanata da Carlo e Roberto Paladin è uno dei punti fermi dell'enologia veneta, una grande realtà che opera soprattutto nella fascia pianeggiante che lambisce la costa adriatica fra Veneto e Friuli, ma che ha saputo allargare i suoi interessi anche in Franciacorta e nel Chianti Classico. La produzione Veneta è strutturata su due marchi distinti: Paladin, dedicato ai vini di pronta beva, e Bosco del Merlo, che invece esplora le potenzialità di ogni singolo vitigno nel suo vigneto più vocato. Potenzialità che manifesta perfettamente il Roggio dei Roveri, una Riserva frutto della vendemmia 2017 dai profumi di frutto rosso e spezie, impreziositi da sfumature floreali che ne rinfrescano il quadro aromatico. All'assaggio il vino si distende con tensione e sapidità, sostenuto dalla grintosa trama tannica. Sul fronte dei bianchi abbiamo apprezzato il Sauvignon Turranio '19, dominato da note floreali e vegetali che trovano sviluppo in un sorso energico e di grande piacevolezza.

● Lison Pramaggiore Refosco P. R. Roggio dei Roveri Ris. '17	♟♟ 5
○ Friuli Sauvignon Turranio '19	♟♟ 6
● Lison Pramaggiore Merlot Campo Camino Ris. '17	♟♟ 4
● Lison Pramaggiore Rosso Vineargenti Ris. '17	♟♟ 5
○ Pinot Grigio delle Venezie '19	♟ 2
○ Pinot Grigio delle Venezie Tudajo '19	♟ 3
○ Prosecco Brut Paladin '19	♟ 3
○ Ribolla Gialla Iside '19	♟ 3
○ Valdobbiadene Brut	♟ 3
● Lison Pramaggiore Merlot Campo Camino Ris. '16	♟♟ 6
● Lison Pramaggiore Refosco P. R. Roggio dei Roveri Ris. '16	♟♟ 6
○ Lison-Pramaggiore Sauvignon Turranio '18	♟♟ 6

★Brigaldara

FRAZ. SAN FLORIANO
VIA BRIGALDARA, 20
37029 SAN PIETRO IN CARIANO [VR]
TEL. 0457701055
www.brigaldara.it

VENDITA DIRETTA
VISITA SU PRENOTAZIONE
PRODUZIONE ANNUA 300.000 bottiglie
ETTARI VITATI 50,00
AZIENDA SOSTENIBILE

L'azienda capitanata da Stefano Cesari si dipana per una cinquantina di ettari in alcune delle più belle zone della Valpolicella, spaziando dalla zona classica a quella orientale. Vini più sottili e giocati sull'eleganza quelli occidentali, che sfruttano il clima fresco della valle di Marano per cercare tensione e agilità. Più possenti e grintosi quelli di Marcellise e Grezzana che giocano invece su un timbro dove la maturità del frutto è dominante e i vini si muovono con maggior pienezza e calore. L'Amarone Case Vecie sfrutta l'ottima vendemmia 2015 per proporre un corredo aromatico dominato dal frutto rosso maturo, impreziosito da sfumature che oscillano fra le note speziate e i fiori recisi. In bocca impatta con decisione e potenza, per tendersi istante dopo istante in virtù di una grintosa trama tannica. Convincente anche l'omonimo Valpolicella Superiore '18, che esprime aromi di frutto selvatico e sottobosco e che conquista per il dinamismo e la tensione del sorso.

● Amarone della Valpolicella Case Vecie '15	♟♟♟ 8
● Valpolicella Sup. Case Vecie '18	♟♟ 4
● Amarone della Valpolicella Cavolo '15	♟♟ 6
○ Soave '19	♟♟ 3
● Valpolicella Sup. Ripasso Il Vegro '18	♟♟ 4
● Valpolicella '19	♟ 3
● Amarone della Valpolicella Case Vecie '13	♕♕♕ 6
● Amarone della Valpolicella Case Vecie '07	♕♕♕ 7
● Amarone della Valpolicella Cl. '13	♕♕♕ 6
● Amarone della Valpolicella Cl. '10	♕♕♕ 7
● Amarone della Valpolicella Cl. '06	♕♕♕ 6
● Amarone della Valpolicella Ris. '07	♕♕♕ 8

Sorelle Bronca

FRAZ. COLBERTALDO
VIA MARTIRI, 20
31020 VIDOR [TV]
TEL. 0423987201
www.sorellebronca.com

VENDITA DIRETTA
VISITA SU PRENOTAZIONE
OSPITALITÀ
PRODUZIONE ANNUA 350.000 bottiglie
ETTARI VITATI 24,00

Nel comprensorio di Conegliano Valdobbiadene sono poche le aziende che, come questa, hanno saputo resistere alle lusinghe del mercato e hanno mantenuto la produzione legata solo ai vigneti di proprietà, rendendo sempre più evidente il legame che c'è fra vino e vigneto. Antonella e Ersiliana Bronca da molti anni conducono due dozzine di ettari nella fascia collinare che da Valdobbiadene si dipana in direzione di Conegliano, in massima parte dedicate alla glera, ma in cui non mancano piccoli fazzoletti dedicati alle uve a bacca rossa. Ancora una volta spetta ai due Valdobbiadene "single vineyards" guidare la batteria di Antonella e Ersiliana. Il Particella 68 è un Brut che esplora l'animo più ammaliante e delicato della tipologia, con i suoi profumi di frutto giallo e fiori che ritroviamo in un sorso sapido, armonioso ed è trascinante beva. Il 232 invece è più scontroso nell'espressione aromatica, dominato da un frutto più fresco e qualche sfumatura vegetale. All'assaggio rivela un profilo asciutto, grintoso e di notevole lunghezza.

○ Valdobbiadene Brut Particella 68 '19	♟♟♟ 4*
○ Valdobbiadene Extra Brut Particella 232 '19	♟♟ 5
● Ardesco '17	♟♟ 4
○ Colli di Conegliano Bianco Delico '19	♟♟ 3
○ Valdobbiadene Brut	♟♟ 3
○ Valdobbiadene Extra Dry	♟♟ 3
● Colli di Conegliano Rosso Ser Bele '09	♕♕♕ 5
● Colli di Conegliano Rosso Ser Bele '05	♕♕♕ 5
○ Valdobbiadene Brut Nature Particella 232 '18	♕♕♕ 5
○ Valdobbiadene Brut Particella 68 '15	♕♕♕ 4*
○ Valdobbiadene Brut Particella 68 '13	♕♕♕ 4*
○ Colli di Conegliano Bianco Delico '17	♕♕ 3

Luigi Brunelli

VIA CARIANO, 10
37029 SAN PIETRO IN CARIANO [VR]
TEL. 0457701118
www.brunelliwine.com

VENDITA DIRETTA
VISITA SU PRENOTAZIONE
OSPITALITÀ
PRODUZIONE ANNUA 120.000 bottiglie
ETTARI VITATI 14,00

La cantina della famiglia Brunelli si trova nella zona occidentale di San Pietro in Cariano, una sorta di lingua di terra pianeggiante che si insinua in direzione di Fumane. La cantina è circondata dai vigneti, in massima parte dedicati alle tipologie più semplici, mentre per i vini più ambiziosi si risalgono le colline fino a superare i 400 metri di altitudine, dove le vigne dimorano ormai da mezzo secolo. Lo stile alterna vini dallo stile dinamico e scattante ad altri dove la concentrazione è di grande impatto. Proprio ricchezza e concentrazione caratterizzano l'Amarone Campo del Titari '15, che al naso porge i suoi profumi di frutto rosso surmaturo e spezie, mentre in bocca impatta maturo e avvolgente, tratteggiato da tannini dolci e ben levigati. Stile maturo e generoso anche per il Ripasso Pa' Riondo '17, che ad un frutto dolce e suadente fa seguire un sorso di buona concentrazione e agilità. Più fresco, dinamico e scattante il Valpolicella Superiore della vendemmia 2018.

● Amarone della Valpolicella Cl. Campo del Titari Ris. '15	🏆🏆 8
● Amarone della Valpolicella Cl. '16	🏆🏆 8
● Recioto della Valpolicella Cl. '18	🏆🏆 5
● Valpolicella Cl. Sup. '18	🏆🏆 3
● Valpolicella Cl. Sup. Ripasso Pa' Riondo '17	🏆🏆 4
● Corte Cariano '18	🏆 2
● Amarone della Valpolicella Cl. Campo del Titari '97	🏆🏆🏆 8
● Amarone della Valpolicella Cl. Campo del Titari '96	🏆🏆🏆 8
● Amarone della Valpolicella Cl. '15	🏆🏆 8
● Amarone della Valpolicella Cl. Campo del Titari Ris. '13	🏆🏆 8
● Amarone della Valpolicella Cl. Campo Inferi Ris. '13	🏆🏆 8

Buglioni

FRAZ. CORRUBBIO
VIA CAMPAGNOLE, 55
37029 SAN PIETRO IN CARIANO [VR]
TEL. 0456760681
www.buglioni.it

VENDITA DIRETTA
VISITA SU PRENOTAZIONE
OSPITALITÀ
PRODUZIONE ANNUA 170.000 bottiglie
ETTARI VITATI 48,00

Sono quasi trent'anni che la famiglia Buglioni ha iniziato la sua avventura in Valpolicella e oggi quella condotta da Mariano è una delle realtà in rapida ascesa. La piattaforma viticola si sviluppa attorno alla cantina di Corrubbio e nella zona di Sant'Ambrogio per una totale di circa 50 ettari, destinati in massima parte ai tradizionali vitigni della denominazione. In cantina, fin dagli esordi, c'è Diego Bertoni, che in piena sintonia con Mariano ha portato negli ultimi anni un deciso innalzamento del livello qualitativo. Il Valpolicella L'(Im)perfetto '17 gioca con una maturità del frutto nitida e ben definita, imprezlosita dalle sfumature di erbe officinali e pepe che si presentano ancor più evidenti al palato, dove il vino impatta voluminoso e si assottiglia attorno all'acidità e alla trama tannica. Ancora più maturo e generoso nell'espressione aromatica l'Amarone Il Lussurioso '16, che offre un sorso dal profilo sinuoso e di grande morbidezza, per poi chiudere con una bella sensazione asciutta.

● Amarone della Valpolicella Cl. Il Lussurioso '16	🏆🏆 7
● Valpolicella Cl. Sup. L'(Im)perfetto '17	🏆🏆 4
● Valpolicella Cl. Sup. Ripasso Il Bugiardo '17	🏆🏆 5
○ Lugana Musa '19	🏆 2
● Amarone della Valpolicella Cl. Il Lussurioso '15	🏆🏆 7
● Amarone della Valpolicella Cl. Il Lussurioso '13	🏆🏆 7
● Valpolicella Cl. Sup. L'(Im)perfetto '16	🏆🏆 4
● Valpolicella Cl. Sup. L'Imperfetto '15	🏆🏆 4
● Valpolicella Cl. Sup. L'Imperfetto '14	🏆🏆 5
● Valpolicella Cl. Sup. Ripasso Il Bugiardo '16	🏆🏆 5

Ca' La Bionda

FRAZ. VALGATARA
VIA BIONDA, 4
37020 MARANO DI VALPOLICELLA [VR]
TEL. 0456801198
www.calabionda.it

VENDITA DIRETTA
VISITA SU PRENOTAZIONE
OSPITALITÀ
PRODUZIONE ANNUA 150.000 bottiglie
ETTARI VITATI 29,00
VITICOLTURA Biologico Certificato

Alessandro e Nicola Castellani non sono solo dei valenti viticoltori e produttori di vino, ma possiedono anche sensibilità, pacatezza e misura, qualità che gli permettono di avere una visione di cosa sia il vino della Valpolicella e di quali siano le potenzialità di questo territorio. Una trentina di ettari condotti in regime biologico che si dipanano nella vallata di Marano, pressoché in un corpo unico, forniscono le uve destinate a una produzione interamente dedicata alla tradizione, interpretata con tensione ed eleganza. La Riserva '12 Ravazzol presenta un corredo aromatico di grande profondità, dominata da suggestioni di frutto molto maturo, che trovano freschezza nella spinta speziata e nella discreta presenza del rovere. Il palato è solido, avvolgente e caloroso, ma riesce a tendersi con precisione e grinta. Convincente anche l'assaggio del Superiore Casal Vegri '18, un Valpolicella che gioca con la freschezza aromatica dei suoi aromi e che conquista per l'eleganza e l'agilità del sorso.

● Amarone della Valpolicella Cl. Vign. di Ravazzol Ris. '12	♟♟ 8
● Valpolicella Cl. Sup. Campo Casal Vegri '18	♟♟ 6
● Amarone della Valpolicella Cl. '15	♟♟ 8
○ Bianco del Casal '19	♟♟ 3
● Valpolicella Cl. '19	♟♟ 4
● Amarone della Valpolicella Cl. Vign. di Ravazzol '13	♟♟♟ 8
● Amarone della Valpolicella Cl. Vign. di Ravazzol '11	♟♟♟ 8
● Valpolicella Cl. Sup. Campo Casal Vegri '17	♟♟♟ 6
● Valpolicella Cl. Sup. Campo Casal Vegri '15	♟♟♟ 6
● Valpolicella Cl. Sup. Campo Casal Vegri '11	♟♟♟ 5

Ca' Lustra - Zanovello

LOC. FAEDO
VIA SAN PIETRO, 50
35030 CINTO EUGANEO [PD]
TEL. 042994128
www.calustra.it

VENDITA DIRETTA
VISITA SU PRENOTAZIONE
PRODUZIONE ANNUA 160.000 bottiglie
ETTARI VITATI 25,50
VITICOLTURA Biologico Certificato
AZIENDA SOSTENIBILE

L'azienda di Marco e Linda Zanovello è uno dei punti di riferimento della viticoltura euganea, una realtà fondata da papà Franco nel 1977 e che da allora ha sempre inseguito non solo la qualità organolettica nel bicchiere ma soprattutto l'animo di questa meravigliosa terra. Molti gli ettari di proprietà, solo in parte dedicati alla viticoltura, disseminati all'interno del Parco dei Colli Euganei, ora su suolo vulcanico, ora invece su antichi sedimenti marini, per una produzione di grande solidità e carattere. Sasso Nero e Girapoggio, entrambi frutto dell'ottima vendemmia 2016, sono i cavalli di razza di casa Zanovello, un Merlot e un Cabernet che esprimono perfettamente la solarità dei Colli, senza rinunciare a grinta e tensione. Il primo ruota attorno alla centralità del frutto, che lascia gradualmente spazio alle note officinali e di sottobosco, con un palato solido, succoso e di grande finezza. Il secondo invece debutta più chiuso e quasi nascosto, per conquistare invece il palato con sapidità e beva trascinanti.

● Colli Euganei Cabernet Girapoggio '16	♟♟ 3*
● Colli Euganei Merlot Sassonero '16	♟♟ 3*
○ Colli Euganei Bianco '19	♟♟ 3
○ Colli Euganei Fior d'Arancio Spumante Dolce '19	♟♟ 3
● Colli Euganei Merlot Cinto Alto '17	♟♟ 3
● Colli Euganei Rosso Moro Polo '16	♟♟ 2*
● Colli Euganei Rosso Natìo '15	♟♟ 5
○ Il Boschetto '17	♟♟ 3
○ Moscato di Retia Passito	♟♟ 3
○ Roverello Chardonnay '16	♟ 3
● Colli Euganei Cabernet Girapoggio '05	♟♟♟ 3
○ Colli Euganei Fior d'Arancio Passito '07	♟♟♟ 4
● Colli Euganei Merlot Sassonero Villa Alessi '05	♟♟♟ 3
● Colli Euganei Cabernet Girapoggio '15	♟♟ 3*
● Colli Euganei Merlot Sassonero '15	♟♟ 3*

Ca' Orologio

VIA CA' OROLOGIO, 7A
35030 BAONE [PD]
TEL. 042950099
www.caorologio.com

VENDITA DIRETTA
VISITA SU PRENOTAZIONE
OSPITALITÀ
PRODUZIONE ANNUA 30.000 bottiglie
ETTARI VITATI 10,00
VITICOLTURA Biologico Certificato
AZIENDA SOSTENIBILE

La zona meridionale dei Colli Euganei ha in Baone il suo epicentro, un piccolo borgo circondato da alcune delle più belle esposizioni della denominazione. Qui, all'interno della splendida villa Ca' Orologio, Mariagioia Rosellini ha dato vita alla sua azienda, una realtà che ha saputo cogliere il carattere solare e quasi mediterraneo di questo angolo di Veneto, trasformandolo in vini voluttuosi e di grande energia. La conduzione biologica dei 10 ettari di proprietà da vita a una produzione affidabile e di grande personalità. Il Relógio '18 è un blend di carmenère e cabernet franc che conquista fin dalla veste brillante e luminosa. Al naso si colgono nitide le note di frutti di bosco e spezie, che trovano contrasto in una nota di grafite. Il palato è solido e sostenuto da tannini vivaci e croccanti, che donano leggerezza e grinta al sorso che si allunga con eleganza e tensione. Più matura e solare l'espressione aromatica del Calaóne '18, che trova una maggiore spinta acida nel succoso palato.

★★Ca' Rugate

VIA PERGOLA, 36
37030 MONTECCHIA DI CROSARA [VR]
TEL. 0456176328
www.carugate.it

VENDITA DIRETTA
VISITA SU PRENOTAZIONE
OSPITALITÀ
PRODUZIONE ANNUA 700.000 bottiglie
ETTARI VITATI 90,00
AZIENDA SOSTENIBILE

Nata nel secondo dopoguerra per volontà di Fulvio "Beo" Tessari, è nel 1986 che l'azienda compie il primo salto di qualità, con i primi imbottigliamenti a marchio Ca' Rugate. È il nipote Michele all'inizio del millennio a dare una nuova dimensione all'avventura, ampliando la superficie vitata e giungendo a coltivare una novantina di ettari nelle denominazioni più importanti del veronese: Soave, Valpolicella e Lessinia. Oggi le vigne sono in conversione biologica e l'azienda è un vero e proprio traino per il territorio del Soave. Giunge però dalla Lessinia il risultato più convincente, l'Amedeo Pas Dosé '15, uno spumante di raffinata espressione aromatica e grintosa tensione acida. Profilo ben differente per l'Amarone Punta 470 '16, un calice dal profilo aromatico maturo e al tempo stesso straordinariamente fresco, capace di conquistare per la gradualità del palato. Monte Alto '18 e Florentine '18 esplorano l'animo più maturo e suadente della garganega mettendo in luce la grande sensibilità interpretativa in cantina.

● Colli Euganei Rosso Calaóne '18	♟♟ 4
● Relógio '18	♟♟ 5
○ Salaróla '19	♟♟ 3
⊙ Salarosa '19	♟ 3
● Colli Euganei Rosso Calaóne '05	♟♟♟ 3*
● Relógio '09	♟♟♟ 4*
● Relógio '07	♟♟♟ 4
● Relógio '06	♟♟♟ 4
● Relógio '04	♟♟♟ 4*
● Colli Euganei Rosso Calaóne '17	♟♟ 4
● Colli Euganei Rosso Calaóne '16	♟♟ 4
● Lunisóle '16	♟♟ 4
● Relógio '17	♟♟ 5
● Relógio '16	♟♟ 5
● Relógio '15	♟♟ 5
○ Salaróla '18	♟♟ 3
○ Salaróla '17	♟♟ 3

○ Lessini Durello Pas Dosé M. Cl. Amedeo Ris. '15	♟♟♟ 5
● Amarone della Valpolicella Punta 470 '16	♟♟ 7
○ Recioto di Soave La Perlara '16	♟♟ 5
○ Soave Cl. Monte Alto '18	♟♟ 3*
○ Soave Cl. Monte Fiorentine '18	♟♟ 3*
● Recioto della Valpolicella L'Eremita '17	♟♟ 5
○ Soave Cl. San Michele '19	♟♟ 2*
○ Soave Cl. Sup. Bucciato '18	♟♟ 4
○ Studio '18	♟♟ 4
● Valpolicella Rio Albo '19	♟♟ 2*
● Valpolicella Sup. Campo Lavei '18	♟♟ 4
● Valpolicella Sup. Ripasso Campo Bastiglia '18	♟♟ 4
○ Soave Cl. Monte Alto '16	♟♟♟ 3*
○ Soave Cl. Monte Fiorentine '17	♟♟♟ 3*

VENETO

Giuseppe Campagnola

FRAZ. VALGATARA
VIA AGNELLA, 9
37020 MARANO DI VALPOLICELLA [VR]
TEL. 0457703900
www.campagnola.com

VENDITA DIRETTA
VISITA SU PRENOTAZIONE
PRODUZIONE ANNUA 5.000.000 bottiglie
ETTARI VITATI 157,00

La storica azienda di Marano è ormai giunta alla quinta generazione e quella che è nata come un'attività produttiva destinata alla vendita nell'osteria di famiglia in città è diventata una realtà di grandi dimensioni, che sviluppa i suoi vigneti in Valpolicella, a ridosso del Lago di Garda e nella pianura friulana. Per la produzione legata ai vini della Valpolicella oltre ai vigneti di proprietà la cantina usufruisce della collaborazione di una cinquantina di viticoltori, che le conferiscono le loro uve. Giungono dalle più belle vigne del comprensorio di Marano le uve per i due vini bandiera di casa, dedicati alla nonna Caterina Zardini, l'Amarone Ris. '15 e il Valpolicella Superiore '18. Il primo conquista per l'intensità e la nitidezza dei suoi aromi di frutto surmaturo e spezie, che si manifestano ancor più netti in un palato tonico e di buona solidità. Il secondo invece gioca con un frutto più fresco e integro, che ritroviamo in un sorso affusolato e caratterizzato da una chiusura vibrante.

● Amarone della Valpolicella Cl. Caterina Zardini Ris. '15	♟♟ 6
● Recioto della Valpolicella Cl. Casotto del Merlo '17	♟♟ 5
● Valpolicella Cl. Sup. Caterina Zardini '18	♟♟ 4
● Valpolicella Cl. Sup. Ripasso '18	♟♟ 3
● Roccolo del Lago Corvina Veronese V. T. '18	♟ 3
○ Soave Cl. Vign. Monte Foscarino Le Bine '19	♟ 3
● Valpolicella Cl. Le Bine '19	♟ 3
● Amarone della Valpolicella Cl. Caterina Zardini '04	♟♟♟ 6
● Amarone della Valpolicella Cl. Caterina Zardini '01	♟♟♟ 6
● Amarone della Valpolicella Cl. Caterina Zardini '99	♟♟♟ 6
● Valpolicella Cl. Sup. Caterina Zardini '05	♟♟♟ 3*

★I Campi

LOC. ALLODOLA
FRAZ. CELLORE D'ILLASI
VIA DELLE PEZZOLE, 3
37032 ILLASI [VR]
TEL. 0456175915
www.icampi.it

VENDITA DIRETTA
VISITA SU PRENOTAZIONE
PRODUZIONE ANNUA 80.000 bottiglie
ETTARI VITATI 12,00

Nata quasi per gioco una quindicina di anni fa, I Campi è diventata la primaria occupazione di Flavio Prà, che nel frattempo ha notevolmente ridotto la sua attività di consulente. Una decina di ettari fra Soave e Valpolicella sono disseminati interamente in zone collinari, alternando i suoli vulcanici alle marne di origine sottomarina, per una produzione dedicata esclusivamente ai vini della tradizione. Lo stile è ben definito a seconda delle tipologie: eleganza e agilità per i bianchi, pienezza ed energia per i rossi. L'ottima vendemmia 2019 ha consentito la produzione di un Soave Campo Vulcano di grande precisione, un vino intensamente profumato di frutto a polpa bianca e fiori, che conquista il palato con lunghezza ed eleganza. L'Amarone Campi Lunghi '16 rivela invece un corredo aromatico variegato di spezie e frutti di bosco, mentre al palato mette in luce un corpo ben sostenuto dall'acidità che ne allunga e raffina il sorso. Immediato, fragrante e di beva trascinante il Valpolicella Superiore.

○ Soave Cl. Campo Vulcano '19	♟♟♟ 3*
● Amarone della Valpolicella Campi Lunghi '16	♟♟ 6
● Valpolicella Sup. '18	♟♟ 3*
○ Pinot Grigio delle Venezie '19	♟♟ 2*
○ Soave Campo Base '19	♟♟ 2*
● Valpolicella Sup. Bio '18	♟♟ 3
● Valpolicella Sup. Ripasso Bio '18	♟♟ 3
○ Lugana Campo Argilla '19	♟ 2
○ Soave Cl. Campo Vulcano '18	♟♟♟ 3*
○ Soave Cl. Campo Vulcano '15	♟♟♟ 3*
○ Soave Cl. Campo Vulcano '13	♟♟♟ 3*
○ Soave Cl. Campo Vulcano '12	♟♟♟ 3*
○ Soave Cl. Campo Vulcano '11	♟♟♟ 5
○ Soave Cl. Campo Vulcano '10	♟♟♟ 3*
● Valpolicella Sup. Ripasso Campo Ciotoli '13	♟♟♟ 3*

Canevel Spumanti

FRAZ. SACCOL
VIA ROCCAT E FERRARI, 17
31049 VALDOBBIADENE [TV]
TEL. 0423975940
www.canevel.it

VENDITA DIRETTA
VISITA SU PRENOTAZIONE
PRODUZIONE ANNUA 900.000 bottiglie
ETTARI VITATI 26,00
VITICOLTURA Biologico Certificato
AZIENDA SOSTENIBILE

La storica azienda di Saccol da pochi anni
è entrata nella galassia della famiglia
Boscaini, che a sua volta ha portato
innovazione e competenza in un mondo,
quello delle bollicine trevigiane, in continuo
fermento. Oggi la produzione può contare
su un ricco parco viticolo di proprietà in
gestione biologica, completato dai vigneti
coltivati da una fitta schiera di agricoltori
del territorio che, seguiti passo passo dal
gruppo tecnico Masi, fornisce le uve per
una produzione che ha nel Valdobbiadene
docg la punta di diamante. Sugli scudi il
Campofalco '19, un Valdobbiadene Brut
che porge un curioso corredo aromatico
dominato dal frutto esotico e a polpa gialla.
All'assaggio colpisce per la ricchezza delle
sensazioni gustative, donando un profilo
ricco e di buona consistenza. Medesimo
percorso per l'Extra Brut, che in virtù del
minor residuo zuccherino sviluppa un sorso
più asciutto e scattante. Giocato invece su
un timbro aromatico più avvolgente e
maturo il Cartizze, dotato di un palato
cremoso e morbido.

○ Valdobbiadene Brut Campofalco '19	⟡⟡ 3*
○ Cartizze Dry '19	⟡⟡ 5
○ Valdobbiadene Extra Brut Terre Del Faè '19	⟡⟡ 3
○ Valdobbiadene Brut Campofalco Vign. Monfalcon '17	⟡⟡⟡ 5
○ Valdobbiadene Dosaggio Zero Vign. Del Faè '18	⟡⟡⟡ 3*
○ Cartizze '18	⟡⟡ 4
○ Cartizze '17	⟡⟡ 4
○ Valdobbiadene Brut Campofalco '18	⟡⟡ 3
○ Valdobbiadene Brut Setàge '18	⟡⟡ 4
○ Valdobbiadene Dosaggio Zero Vign. del Faè '17	⟡⟡ 4
○ Valdobbiadene Dosaggio Zero Vign. del Faè '16	⟡⟡ 4
○ Valdobbiadene Extra Dry Il Millesimato '18	⟡⟡ 5

La Cappuccina

FRAZ. COSTALUNGA
VIA SAN BRIZIO, 125
37032 MONTEFORTE D'ALPONE [VR]
TEL. 0456175036
www.lacappuccina.it

VENDITA DIRETTA
VISITA SU PRENOTAZIONE
RISTORAZIONE
PRODUZIONE ANNUA 310.000 bottiglie
ETTARI VITATI 42,00
VITICOLTURA Biologico Certificato
AZIENDA SOSTENIBILE

Adesso che la svolta "bio" è quasi
obbligata per moltissime aziende del
comparto viticolo, la scelta fatta ormai più
di trent'anni fa dai fratelli Tessari si rivela a
maggior ragione visionaria e precorritrice.
Oggi sono più di 40 gli ettari condotti da
Elena, Pietro e Sisto, suddivisi in tre corpi:
San Brizio e Monte Stelle a Costalunga e
Pergola in Val d'Alpone, nei pressi di
Montecchia di Crosara. Lo stile aziendale
predilige eleganza e tensione per i bianchi,
ricchezza o potenza per i rossi. Batteria di
grande caratura quella proposta dalla
famiglia Tessari, capitanata da un luminoso
Soave Monte Stelle '19 proveniente dai
vigneti della zona classica. Delicato nel
porgere i suoi profumi floreali e di frutto
bianco, in bocca si muove con grande
tensione e agilità, mettendosi in luce per
eleganza e lunghezza. Giocato invece su
un timbro più maturo e complesso il San
Brizio '18, dominato da suggestioni di
frutto a polpa gialla che si manifestano con
nitidezza in un palato di grande precisione
e morbidezza.

○ Soave Cl. Monte Stelle '19	⟡⟡ 4
● Campo Buri '16	⟡⟡ 5
○ Soave '19	⟡⟡ 3
○ Soave Fontégo '19	⟡⟡ 3
○ Soave San Brizio '18	⟡⟡ 5
○ Filòs Brut	⟡ 2
● Camp Buri Cabernet Sauvignon '95	⟡⟡⟡ 5
○ Basaltik Sauvignon '18	⟡⟡ 2*
● Campo Buri '15	⟡⟡ 4
○ Recioto di Soave Arzimo '16	⟡⟡ 5
○ Recioto di Soave Arzimo '15	⟡⟡ 5
○ Soave '18	⟡⟡ 2*
○ Soave Fontégo '18	⟡⟡ 3
○ Soave Cl. Monte Stelle '18	⟡⟡ 3*
○ Soave San Brizio '17	⟡⟡ 3*
○ Soave San Brizio '16	⟡⟡ 3*
○ Villa Buri Brut M. Cl. '09	⟡⟡ 5

Le Carline

VIA CARLINE, 24
30020 PRAMAGGIORE [VE]
TEL. 0421799741
www.lecarline.com

VENDITA DIRETTA
VISITA SU PRENOTAZIONE
PRODUZIONE ANNUA 400.000 bottiglie
ETTARI VITATI 18,00
VITICOLTURA Biologico Certificato

Daniele Piccinin ha abbracciato i dettami dell'agricoltura biologica per profonda convinzione personale in tempi non sospetti, quando la produzione spesso era più volta ad aumentare le quantità piuttosto che a dare sviluppo al profondo legame che si instaura fra vigneto e territorio. Oggi l'azienda di via Carline è uno dei punti di riferimento per la grande denominazione veneziana Lison Pramaggiore, racchiusa fra le Prealpi e il mare. Accanto alla coltivazione dei vitigni che da decenni caratterizzano la pianura veneta trovano sempre più spazio anche le varietà PIWI - forse la nuova frontiera del biologico. Ottima prova di sé ha dato il Carline Rosso, un taglio bordolese che sfrutta la vendemmia 2015 per donare profumi complessi e un sorso sapido e di pregevole armonia. Il Dogale è il consueto Verduzzo passito delicato nell'espressione aromatica e suadente nel sorso, mentre segnaliamo l'ottima prova del Resiliens bianco, cuvée di tutte le nuove varietà piantate, interpretato con ricchezza, sapidità e tensione.

● Carline Rosso '15	♟♟	3
○ Dogale Passito	♟♟	4
○ Resiliens '19	♟♟	3
○ Diana Brut M. Cl.	♟	4
○ Lison-Pramaggiore Chardonnay '18	♟	3
● Venezia Cabernet Franc '18	♟	3
○ Diana Brut M. Cl. '16	♟♟	4
○ Diana Brut M. Cl. '15	♟♟	4
● Lison-Pramaggiore Merlot '16	♟♟	2*
● Lison-Pramaggiore Refosco P. R. '18	♟♟	2*
○ Resiliens '18	♟♟	3

Carpenè Malvolti

VIA ANTONIO CARPENÈ, 1
31015 CONEGLIANO [TV]
TEL. 0438364611
www.carpene-malvolti.com

VENDITA DIRETTA
VISITA SU PRENOTAZIONE
PRODUZIONE ANNUA 5.300.000 bottiglie
ETTARI VITATI 26,00
AZIENDA SOSTENIBILE

Carpené Malvolti rappresenta una delle aziende più conosciute del comprensorio del Prosecco Superiore, una realtà attiva da oltre un secolo e mezzo e cui il mondo della spumantistica deve moltissimo. Un impegno costantemente rinnovato e che anche oggi vede la famiglia Carpené impegnata in prima persona nella valorizzazione del territorio e del vino che più lo rappresenta. Se poche sono le vigne coltivate direttamente dall'azienda, nutrita è invece la schiera di viticoltori che concorrono a una produzione incentrata sulle bollicine. Il Brut 1924 è un Prosecco Superiore caratterizzato da profumi di mela e pera che trovano freschezza nelle note floreali e che conquista il palato per la delicatezza del sorso e la cremosità delle bollicine. L'etichetta ripropone quella prima versione datata appunto 1924, in cui si legava per la prima volta in modo indissolubile il nome Prosecco alle colline di Conegliano. Più suadente, morbido e avvolgente il sorso del Cartizze.

○ Cartizze 1868	♟♟	5
○ Conegliano Valdobbiadene Brut 1924	♟♟	3
⊙ Brut Rosé	♟	3
○ Conegliano Valdobbiadene Brut 1868	♟	3
○ Conegliano Valdobbiadene Extra Dry 1868	♟	3
○ Tarvisium Brut M. Cl.	♟	5
○ Conegliano Valdobbiadene Dry Cuvée Oro	♟♟	3*
○ Conegliano Valdobbiadene Extra Dry PVXINVM '17	♟♟	8
○ Conegliano Valdobbiadene Extra Dry PVXINVM '14	♟♟	5

Casa Cecchin

VIA AGUGLIANA, 11
36054 MONTEBELLO VICENTINO [VI]
TEL. 0444649610
www.casacecchin.it

VENDITA DIRETTA
VISITA SU PRENOTAZIONE
PRODUZIONE ANNUA 30.000 bottiglie
ETTARI VITATI 3,00
AZIENDA SOSTENIBILE

Il territorio della lessinia si può suddividere in due zone: quella più estesa, che interessa le terre più alte e spesso è ancora dedicata al pascolo e alla produzione di formaggi d'alpeggio, e quella pedecollinare, che si spinge fino ai 5-600 metri di altitudine e vede invece la presenza di vigneti occuparvi le migliori esposizioni. Regina incontrastata di questo territorio è l'uva durella, che la famiglia Cecchin, sfruttandone la grintosa spinta acida, trasforma in spumanti di grande personalità e tensione. La vendemmia 2014 ha permesso la produzione di un'ottima Riserva, un dosaggio zero che porge al naso profumi tenui di fiori, frutti bianchi e accenni minerali. In bocca però il vino cambia passo, tutta la timidezza aromatica viene travolta da un sorso energico, di grande sapidità, e sostenuto da una spina dorsale acida che ne allunga il sorso, risultando una delle migliori versioni assaggiate. Il Nostrum '15 invece si dona più pieno e integro, conquistando il palato con decisione e grinta.

○ Lessini Durello Dosaggio Zero M. Cl. Ris. '14	♟♟♟ 5
○ Lessini Durello Extra Brut M. Cl. Nostrum '15	♟♟ 5
○ Montebello Passito '16	♟♟ 5
○ Durello Passito Montebello '15	♀♀ 5
○ Il Durello '16	♀♀ 2*
○ Lessini Durello Brut M. Cl. Nostrum '14	♀♀ 4
○ Lessini Durello Brut M. Cl. Nostrum '13	♀♀ 4
○ Lessini Durello Dosaggio Zero M. Cl. '11	♀♀ 5
○ Lessini Durello Extra Brut M. Cl. Nostrum '12	♀♀ 4
○ Lessini Durello Il Durello '14	♀♀ 2*
○ Lessini Durello Pietralava '14	♀♀ 2*
○ Pietralava '18	♀♀ 3
○ Pietralava '17	♀♀ 3

Casa Roma

VIA ORMELLE, 19
31020 SAN POLO DI PIAVE [TV]
TEL. 0422855339
www.casaroma.com

VENDITA DIRETTA
VISITA SU PRENOTAZIONE
PRODUZIONE ANNUA 200.000 bottiglie
ETTARI VITATI 15,00

L'azienda di Luigi Peruzzeto si sviluppa nell'area pianeggiante fra le prealpi trevigiane e il mare, a due passi dal corso del Piave. Terreni che alternano la forte presenza dell'argilla a quella ghiaiosa e ciottolosa che caratterizza i terreni più vicini al corso del fiume, dove la vite dimora da tempo immemorabile. Da oltre un secolo hanno trovato dimora in quest'angolo di Veneto molte varietà internazionali che sono state affiancate a quelle autoctone, come il raboso o la marzemina bianca. La produzione spazia all'interno di queste varietà, proponendo spumanti, fragranti vini d'annata che esprimono il carattere varietale dei vitigni e riserve dedicate invece alle uve tradizionali. Re incontrastato della cantina è il raboso, che anche con la vendemmia 2013 non manca di far sentire il suo peso. Al naso si presenta tenue e quasi nascosto, per lasciare emergere poco per volta i suoi profumi di frutto rosso e spezie, mentre al palato conquista per come riesce a gestire il corpo con tensione e leggerezza.

● Peruzzet Cabernet Sauvignon '19	♟♟ 2*
○ Peruzzet Manzoni Bianco '19	♟♟ 2*
● Piave Malanotte '14	♟♟ 6
○ Piave Manzoni Bianco San Dordi '18	♟♟ 3
● Piave Raboso '13	♟♟ 4
● Peruzzet Carmènere '19	♟ 2
○ Peruzzet Chardonnay '19	♟ 2
○ Peruzzet Manzoni Moscato Rosato Dolce	♟ 2
● Peruzzet Merlot	♟ 2
○ Pinot Grigio delle Venezie Peruzzet '19	♟ 2
● Piave Carmènere Peruzzet '18	♀♀ 2*
● Piave Malanotte '12	♀♀ 6
○ Piave Manzoni Bianco Peruzzet '18	♀♀ 2*
○ Piave Manzoni Bianco San Dordi '17	♀♀ 3
● Piave Raboso '12	♀♀ 4
● Piave Raboso Peruzzet '13	♀♀ 4

Case Paolin

VIA MADONNA MERCEDE, 55
31040 VOLPAGO DEL MONTELLO [TV]
TEL. 0423871433
www.casepaolin.it

VENDITA DIRETTA
VISITA SU PRENOTAZIONE
PRODUZIONE ANNUA 145.000 bottiglie
ETTARI VITATI 16,00
VITICOLTURA Biologico Certificato
AZIENDA SOSTENIBILE

L'azienda della famiglia Pozzobon nasce negli anni '70 del secolo scorso, quando Emilio acquista la tenuta dove da generazioni lavoravano in regime di mezzadria. Oggi al timone dell'azienda ci sono i suoi figli, Diego, Adelino e Mirco, che hanno dato sviluppo all'attività viticola abbandonando completamente le altre attività e spostando il baricentro dei vigneti dalla piana in cui si trova la cantina alle pendici del Montello. I vigneti sono gestiti in regime biologico e dedicati a glera, Manzoni bianco e varietà bordolesi. Spetta anche quest'anno al San Carlo il ruolo di capofila nella batteria proposta, un bordolese che gioca con la centralità del frutto, che trova un completamento nelle delicate sfumature del rovere. In bocca il vino si rivela pieno e morbido, per concludere con un finale asciutto e lungo. Interessante l'Asolo Brut, un Prosecco Superiore dominato dalle suggestioni fruttate al naso e dotato di un sorso pieno, maturo e ben accompagnato dalle bollicine.

● Montello e Colli Asolani Rosso San Carlo '16	♟♟ 5
○ Asolo Brut	♟♟ 3
○ Costa degli Angeli Manzoni Bianco '19	♟♟ 3
● Rosso del Milio '18	♟♟ 3
○ Asolo Frizzante Col Fondo	♟ 3
● Cabernet '19	♟ 2
○ Prosecco di Treviso Extra Dry	♟ 2
● Cabernet '17	♟♟ 2*
○ Costa degli Angeli Manzoni '16	♟♟ 3*
○ Costa degli Angeli Manzoni Bianco '18	♟♟ 3
● Montello e Colli Asolani Rosso San Carlo '15	♟♟ 5
● Rosso del Milio '17	♟♟ 3
● Rosso del Milio '16	♟♟ 3
● Rosso del Milio '15	♟♟ 3

Michele Castellani

FRAZ. VALGATARA
VIA GRANDA, 1
37020 MARANO DI VALPOLICELLA [VR]
TEL. 0457701253
www.castellanimichele.it

VENDITA DIRETTA
VISITA SU PRENOTAZIONE
PRODUZIONE ANNUA 300.000 bottiglie
ETTARI VITATI 50,00

La cantina di Sergio Castellani si trova a Valgatara, zona posta all'imbocco della valle di Marano, dove le cantine si mescolano a piccole attività artigianali. Le vigne, estese per una cinquantina di ettari in parte di proprietà e in parte in conduzione diretta, si sviluppano invece lungo le pendici delle colline vicine, dove le tradizionali uve della denominazione si arricchiscono della presenza di fazzoletti di terra destinati alle varietà internazionali. Produzione di grande rigore e concentrazione per tutte le tipologie. Gli Amarone ricercano la piacevolezza del frutto surmaturo anche attraverso un percorso di cantina non particolarmente prolungato, pensato proprio per mantenere centrale l'espressione varietale. Il Cinquestelle Collezione Ca' del Pipa '17 si fa apprezzare per la ricchezza e la tensione del sorso, sostenuto da buona acidità e una grintosa trama tannica. Il Campo Casalin '17 invece esprime maggiormente la nota appassita e al palato appare più morbido e avvolgente.

● Amarone della Valpolicella Cl. Campo Casalin I Castei '17	♟♟ 6
● Amarone della Valpolicella Cl. Cinquestelle Collezione Ca' del Pipa '17	♟♟ 7
● Recioto della Valpolicella Cl. Monte Fasenara I Castei '18	♟♟ 5
● Sergio '16	♟♟ 4
● Valpolicella Cl. Campo del Biotto I Castei '19	♟ 2
● Valpolicella Cl. Sup. Ripasso Costamaran I Castei '18	♟ 3
● Recioto della Valpolicella Cl. Le Vigne Ca' del Pipa '99	♟♟♟ 6
● Amarone della Valpolicella Cl. Cinquestelle Collezione Ca' del Pipa '15	♟♟ 7

Castello di Roncade

VIA ROMA, 141
31056 RONCADE [TV]
TEL. 0422708736
www.castellodironcade.com

VENDITA DIRETTA
VISITA SU PRENOTAZIONE
PRODUZIONE ANNUA 200.000 bottiglie
ETTARI VITATI 45,00

La famiglia Ciani Bassetti acquisisce la proprietà del Castello di Roncade durante il primo dopoguerra e ancora oggi è protagonista dell'attività agricola nella pianura racchiusa fra Venezia e Treviso. La splendida dimora del XVI secolo appare cinta da mura in centro alla cittadina di Roncade, attorniata da oltre cento ettari di vigneto, in cui dimorano principalmente le varietà a bacca rossa del bordolese, ma anche vitigni autoctoni come il raboso o l'immancabile glera. Da qualche anno la cantina è stata spostata in una struttura moderna e funzionale a Mogliano Veneto. Il Bianco dell'Arnasa '18 è uno Chardonnay in purezza che matura in piccoli fusti di rovere. Al naso si coglie un frutto giallo maturo e ancora croccante, con le delicate note speziate che si stagliano sul fondo. Il sorso non vuole stupire per concentrazione e potenza ma si distende con eleganza e tensione. Da uve raboso passite si ricava il Baronessa Ilaria '15, un calice dai profumi di frutto surmaturo e di dolcezza ammaliante.

● Baronessa Ilaria Raboso Passito '15	🏆🏆	5
○ Venezia Chardonnay Bianco dell'Arnasa '18	🏆🏆	3
○ Baronessa Isabella Brut	🏆	3
○ Manzni Bianco '19	🏆	3
○ Patriarca Extra Dry	🏆	3
● Piave Cabernet '18	🏆	3
● Piave Merlot '18	🏆	3
● Piave Raboso dell'Arnasa '16	🏆	3
● Baronessa Ilaria Raboso Passito '13	🏆🏆	5
● Piave Raboso dell'Arnasa '15	🏆🏆	3
● Piave Raboso dell'Arnasa '14	🏆🏆	3
● Piave Raboso dell'Arnasa '12	🏆🏆	2*
○ Venezia Chardonnay dell'Arnasa '17	🏆🏆	2*
● Villa Giustinian '12	🏆🏆	3

★Cavalchina

LOC. CAVALCHINA
FRAZ. CUSTOZA
VIA SOMMACAMPAGNA, 7
37066 SOMMACAMPAGNA [VR]
TEL. 045516002
www.cavalchina.com

VENDITA DIRETTA
VISITA SU PRENOTAZIONE
PRODUZIONE ANNUA 445.000 bottiglie
ETTARI VITATI 50,00

L'azienda di Luciano e Franco Piona è stata fra le prime a rilanciare il territorio che dalla sponda sudorientale del lago di Garda si allarga a comprendere le colline circostanti, dove i vigneti alternano i vitigni destinati al Bardolino con quelli per il Custoza. Con il passare degli anni la proprietà è stata ampliata con le acquisizioni lungo il Mincio, in Valpolicella e infine nella zona del Lugana. Territori fortemente diversi che Luciano e Franco interpretano con una produzione dallo stile composito. Batteria di grande precisione quella proposta quest'anno, capitanata dal campione di casa, il Custoza Amedeo '18. Paglierino scarico alla vista, porge al naso un ventaglio aromatico di grande ampiezza, dove le note di frutto esotico intersecano quelle più fresche di fiori e agrumi. Il sorso riesce nel difficile compito di coniugare solidità e finezza, risultando sempre uno dei bianchi più interessanti della regione. Convincente anche l'Amarone '16, giocato sulla centralità del frutto e la pienezza gustativa.

○ Custoza Sup. Amedeo '18	🏆🏆🏆	3*
● Amarone della Valpolicella Torre D'Orti '16	🏆🏆	6
● Bardolino Casella '17	🏆🏆	5
○ Custoza '19	🏆🏆	2*
● Garda Cabernet Sauvignon Falcone Prendina '17	🏆🏆	4
○ Garda Riesling Prendina '19	🏆🏆	3
● Valpolicella Sup. Ripasso Torre d'Orti '18	🏆🏆	3
● Valpolicella Torre d'Orti '18	🏆🏆	3
⊙ Bardolino Chiaretto '19	🏆	2
○ Lugana L'Lac '19	🏆	3
○ Custoza Sup. Amedeo '17	🏆🏆🏆	3*
○ Custoza Sup. Amedeo '16	🏆🏆🏆	3*
○ Custoza Sup. Amedeo '15	🏆🏆🏆	2*
○ Custoza Sup. Amedeo '14	🏆🏆🏆	3*

Cavazza

C.DA SELVA, 22
36054 MONTEBELLO VICENTINO [VI]
TEL. 0444649166
www.cavazzawine.com

VENDITA DIRETTA
VISITA SU PRENOTAZIONE
OSPITALITÀ
PRODUZIONE ANNUA 860.000 bottiglie
ETTARI VITATI 150,00
AZIENDA SOSTENIBILE

La famiglia Cavazza vanta un legame con il territorio di Gambellara forte e ben radicato, cominciato quasi un secolo fa e mai venuto meno. I pochi ettari di proprietà degli esordi sono rapidamente aumentati, in particolare modo alla fine degli anni '80 con l'acquisizione della tenuta Cicogna sui vicini Colli Berici, diventata oggi un vero e proprio gioiello viticolo. La produzione rimane fedelmente legata a questi due territori, con vini d'ingresso di grande espressività varietale e selezioni dove emerge la forza dei vigneti. Il Cabernet '16 della tenuta Cicogna esprime proprio questo legame che esalta la maturità del frutto, che si staglia nitido su un orizzonte di spezie e macchia mediterranea. In bocca tanta maturità si risolve in un sorso largo e molto ben sostenuto dalla sapidità, con un finale lungo e armonioso. A Gambellara invece emerge la classe del Creari '17, un'interpretazione originale del bianco vicentino giocata sulla complessità aromatica e la potenza del sorso.

Giorgio Cecchetto

FRAZ. TEZZE DI PIAVE
VIA PIAVE, 67
31028 VAZZOLA [TV]
TEL. 043828598
www.rabosopiave.com

VENDITA DIRETTA
VISITA SU PRENOTAZIONE
PRODUZIONE ANNUA 200.000 bottiglie
ETTARI VITATI 73,00
AZIENDA SOSTENIBILE

Dopo un esordio tumultuoso attraverso le dolomiti, il corso del Piave si fa via via più tranquillo e quando giunge a Tezze di Piave il suo greto è largo, disseminato di ciottoli bianchi che gradualmente si vanno a nascondere sotto la campagna trevigiana. Qui ha sede l'azienda di Giorgio Cecchetto, una realtà che in trent'anni è diventata molto grande, ampliata alle zone di Motta di Livenza e Cornuda, per una produzione che esprime un forte legame con l'identità dei vitigni coltivati, a partire dal caratteristico raboso. La vendemmia 2017 ha portato in dote un corredo aromatico dominato dalle sensazioni fruttate, che il Piave Raboso porge con grande intensità e nitidezza, sottolineate dalla discreta e quasi nascosta presenza del rovere. All'assaggio il vino debutta con generosità e pienezza, per assottigliarsi sul finale attorno alla caratteristica acidità. Convincente anche il Sante Rosso '18, un Merlot in purezza dominato dalle suggestioni fruttate e dotato di un sorso pieno, avvolgente e caloroso.

● Colli Berici Cabernet Cicogna '16	♟♟ 5
● Fornetto '17	♟♟ 4
○ Gambellara Cl. Bocara '19	♟♟ 2*
○ Gambellara Cl. Creari '17	♟♟ 3
● Cicogna Syrah '15	♟♟ 5
● Colli Berici Cabernet Cicogna '15	♟♟ 4
● Colli Berici Cabernet Cicogna '13	♟♟ 4
● Colli Berici Merlot Cicogna '16	♟♟ 5
● Colli Berici Tai Rosso Corallo '16	♟♟ 3
● Fornetto '16	♟♟ 3
○ Gambellara Cl. Bocara '17	♟♟ 2*
○ Gambellara Cl. Creari '16	♟♟ 3*
○ Gambellara Cl. La Bocara '16	♟♟ 2*
○ Gambellara Cl. La Bocara '15	♟♟ 2*
● Syrhae Cicogna '16	♟♟ 4

● Piave Raboso '17	♟♟ 3
● RP Passito di Raboso	♟♟ 4
● Sante Rosso '18	♟♟ 4
● Cabernet Sauvignon '19	♟ 2
○ Manzoni Bianco '19	♟ 2
● Carmenère '18	♟♟ 2*
● Malanotte Gelsaia '13	♟♟ 5
○ Manzoni Bianco '15	♟♟ 2*
● Piave Malanotte Gelsaia '16	♟♟ 5
● Piave Raboso '16	♟♟ 3
● Piave Raboso '15	♟♟ 3
● Piave Raboso '13	♟♟ 3
● Piave Raboso '12	♟♟ 3
⊙ Rosa Bruna Cuvée 21 Brut M. Cl. '12	♟♟ 3
● Sante Rosso '16	♟♟ 4

Gerardo Cesari

LOC. SORSEI, 3
37010 CAVAION VERONESE [VR]
TEL. 0456260928
www.cesariverona.it

VENDITA DIRETTA
VISITA SU PRENOTAZIONE
PRODUZIONE ANNUA 1.500.000 bottiglie
ETTARI VITATI 120,00
AZIENDA SOSTENIBILE

La storica azienda della famiglia Cesari si
sviluppa all'interno delle più importanti
denominazioni veronesi, dalla Valpolicella
al Custoza, dal Lugana al Bardolino. Più di
cento ettari di vigneto costituiscono la
piattaforma viticola su cui fanno
affidamento le cantine di Cavaion Veronese
e Fumane, dove i vini sostano per pochi
mesi nel caso delle tipologie più giovanili,
ma anche fino a molti anni per le riserve
più ambiziose di Amarone. Vini mai
finalizzati alla prova di forza, ma che
invece possiedono tensione e eleganza.
Dal vigneto Il Bosco, nella zona di
Castelrotto, provengono le uve per la
produzione dell'omonimo Amarone. Frutto
della vendemmia 2015, è ottenuto in gran
parte da corvina con un saldo di rondinella
e porge al naso intense note di frutto dolce
e surmaturo, che ritroviamo perfettamente
espresse in un palato dove al rovere
spetta il compito di ricompattare le
sensazioni gustative. Più evoluto negli
aromi è invece il Bosan '11, una riserva
avvolgente e calorosa.

● Amarone della Valpolicella Cl. Il Bosco '15	♟♟	7
● Amarone della Valpolicella Cl. Bosan Ris. '11	♟♟	8
● Valpolicella Ripasso Sup. Bosan '17	♟♟	5
● Amarone della Valpolicella Cl. '16	♟	6
○ Lugana Cento Filari '19	♟	3
● Valpolicella Sup. Ripasso Mara '18	♟	3
● Amarone della Valpolicella Cl. '14	♟♟	5
● Amarone della Valpolicella Cl. Bosan Ris. '10	♟♟	8
● Amarone della Valpolicella Cl. Bosan Ris. '09	♟♟	8
● Amarone della Valpolicella Cl. Il Bosco '13	♟♟	6
● Amarone della Valpolicella Cl. Il Bosco '12	♟♟	6
● Valpolicella Sup. Ripasso Bosan '16	♟♟	4

Italo Cescon

FRAZ. RONCADELLE
P.ZZA DEI CADUTI, 3
31024 ORMELLE [TV]
TEL. 0422851033
www.cesconitalo.it

VENDITA DIRETTA
VISITA SU PRENOTAZIONE
PRODUZIONE ANNUA 930.000 bottiglie
ETTARI VITATI 115,00
VITICOLTURA Biologico Certificato
AZIENDA SOSTENIBILE

Il territorio del Piave è disseminato di
aziende che hanno sempre prodotto vini
semplici, immediati, e che oggi si sono
invece buttate a capofitto nel business del
Prosecco. Domenico, Gloria e Graziella
Cescon invece hanno scelto un percorso
differente, fatto di ampliamento del parco
viticolo, dell'adozione del regime biologico,
della valorizzazione dei vigneti attraverso il
vitigno che più si adatta alle condizioni di
suolo. Il risultato è una gamma di vini di
assoluto valore, con un paio di vere e
proprie gemme. Batteria da incorniciare
quella presentata quest'anno dai fratelli
Cescon, con il Madre in cima alle nostre
preferenze. Manzoni Bianco in purezza
frutto della vendemmia 2018, porge al
naso intense note di frutto esotico e fiori
secchi, che ritroviamo in un sorso energico
e di grande sapidità. Grande attenzione al
pinot grigio, declinato in più interpretazioni
che esplorano le potenzialità di un grande
vitigno troppo spesso destinato a una
produzione ordinaria. L'Integro '18 è
complesso al naso e di grande tensione e
grinta al palato.

○ Madre '18	♟♟♟	5
● Amaranto 72 Ris. '15	♟♟	6
● Piave Raboso Rabià Ris. '13	♟♟	7
○ Pinot Grigio delle Venezie Integro Tesirare '18	♟♟	3
○ Pinot Grigio delle Venezie Macerato Tesirare '18	♟♟	5
○ Pinot Grigio delle Venezie Tralcetto '19	♟♟	3
● Tralcetto Merlot '18	♟♟	3
○ Madre '17	♟♟♟	5
○ Madre '16	♟♟♟	5
○ Madre '14	♟♟♟	4*
● Amaranto 72 Ris. '13	♟♟	6
● Chieto '16	♟♟	4
● Tralcetto Merlot '17	♟♟	3
○ Tralcetto Pinot Grigio '18	♟♟	3

Clementi

FRAZ. VALGATARA
VIA GNIREGA, 2
37020 MARANO DI VALPOLICELLA [VR]
TEL. 3472534456
www.vini-clementi.com

VENDITA DIRETTA
VISITA SU PRENOTAZIONE
PRODUZIONE ANNUA 25.000 bottiglie
ETTARI VITATI 12,50
AZIENDA SOSTENIBILE

Alla fine degli anni '60 del secolo scorso la famiglia Clementi acquisisce una storica proprietà nel cuore della Valpolicella Classica, a Gnirega, lungo lo spartiacque calcareo che separa la vallata di Marano da quella di Negrar. I vigneti si estendono in questa zona, ad altitudini racchiuse fra i 300 e i 400 metri, principalmente con esposizione a sud e ovest. In cantina c'è la massima attenzione per i vini della tradizione, interpretati coniugando la concentrazione data dall'appassimento con l'integrità aromatica e la tensione della beva. Dopo una lunga permanenza in cantina, viene presentato l'Amarone '11, un vino dai profumi di frutto surmaturo e spezie, arricchito dalle nuance del rovere ancora leggermente in evidenza. In bocca la pienezza del sorso è ben controllata dai tannini. Più interessante ancora il Ripasso '16, che si presenta con una veste piacevolmente leggera, esprime aromi floreali e in bocca si allunga con grazia e tensione, risultando di grande piacevolezza.

● Amarone della Valpolicella Cl. '11	🏆🏆 8
● Valpolicella Cl. Sup. '17	🏆🏆 4
● Valpolicella Cl. Sup. Ripasso '16	🏆🏆 5

Coffele

VIA ROMA, 5
37038 SOAVE [VR]
TEL. 0457680007
www.coffele.it

VENDITA DIRETTA
VISITA SU PRENOTAZIONE
PRODUZIONE ANNUA 120.000 bottiglie
ETTARI VITATI 25,00
VITICOLTURA Biologico Certificato

La zona del Soave Classico è caratterizzata da una trama di colline molto fitta, con le colline orientali dominate dal basalto lavico, quelle occidentali invece ricche di una presenza calcarea ben espressa. Chiara e Alberto Coffele conducono l'azienda di famiglia a Castelcerino, uno dei punti più alti della denominazione, posto quasi a cavallo fra le due conformazioni di suolo, forti di un vigneto in corpo unico che si distende per molti ettari. La produzione è dedicata quasi completamente alle storiche tipologie del Soave. Produzione che quest'anno non conosce punti deboli, con quattro vini che rappresentano al meglio il territorio e le tradizioni di Soave. L'Alzari '18 è frutto di un mirato blend di garganega fresca e leggermente appassita, matura in botte grande e porge al naso un corredo aromatico articolato e fine, dominato dalle note di frutto. Al palato si muove con leggerezza e sapidità, risultando asciutto e molto lungo. Esplosivo come sempre il Recioto Le Sponde '18, un passito di rara integrità e succo.

○ Recioto di Soave Cl. Le Sponde '18	🏆🏆 5
○ Soave Cl. Alzari '18	🏆🏆 3*
○ Soave Cl. Ca' Visco '19	🏆🏆 3
○ Soave Cl. Castel Cerino '19	🏆🏆 3
○ Recioto di Soave Cl. Le Sponde '09	🏆🏆🏆 5
○ Soave Cl. Ca' Visco '14	🏆🏆🏆 3*
○ Soave Cl. Ca' Visco '05	🏆🏆🏆 3*
○ Soave Cl. Ca' Visco '04	🏆🏆🏆 2
○ Soave Cl. Ca' Visco '03	🏆🏆🏆 2
○ Recioto di Soave Cl. Le Sponde '16	🏆🏆 5
○ Recioto di Soave Cl. Le Sponde '15	🏆🏆 5
○ Recioto di Soave Cl. Le Sponde '14	🏆🏆 5
○ Soave Cl. Alzari '17	🏆🏆 3*
○ Soave Cl. Alzari '16	🏆🏆 3*
○ Soave Cl. Ca' Visco '18	🏆🏆 3*
○ Soave Cl. Ca' Visco '16	🏆🏆 3*
○ Soave Cl. Ca' Visco '15	🏆🏆 3*

Conte Collalto

VIA XXIV MAGGIO, 1
31058 SUSEGANA [TV]
TEL. 0438435811
www.cantine-collalto.it

VENDITA DIRETTA
VISITA SU PRENOTAZIONE
OSPITALITÀ
PRODUZIONE ANNUA 850.000 bottiglie
ETTARI VITATI 164,00
AZIENDA SOSTENIBILE

La storia dell'azienda di Susegana giunge da lontano, da una donazione fatta da Berengario II° ancor prima dell'anno 1000. Oggi alla guida siede Isabella Collalto de Croÿ, che gestisce una grande estensione vitata che si sviluppa alle pendici delle prime colline trevigiane. Massima attenzione alla glera, regina incontrastata di questa porzione di Veneto, anche se non mancano le varietà internazionali o le presenze insolite, come i numerosi incroci realizzati dal professor Manzoni nel primo dopoguerra. Sugli Scudi il Ponte Rosso, un Prosecco Superiore frutto di un vigneto nei pressi del Castello di San Salvatore, caratterizzato da suolo argilloso e una perfetta esposizione a sud. Al naso si colgono nette le sensazioni fruttate di mela verde, mentre il sorso è energico, teso e ben sostenuto dalla spinta acida. Il San Salvatore invece esplora l'animo più suadente e immediato della tiologia, con un frutto maturo al naso che si esalta in un palato sapido, armonioso e accarezzato dalle bollicine.

○ Conegliano Valdobbiadene Extra Brut Ponte Rosso '19	♟♟ 3*
○ Conegliano Valdobbiadene Brut San Salvatore '19	♟ 3
● Incrocio Manzoni 2.15 '18	♟♟ 2*
● Piave Cabernet Torrai Ris. '15	♟♟ 5
○ Rosabianco '19	♟♟ 2*
○ Conegliano Valdobbiadene Dry Dame '19	♟ 3
○ Conegliano Valdobbiadene Extra Dry Gaio '19	♟ 3
○ Conegliano Valdobbiadene Rive di Collalto Brut Isabella '18	♟ 4
○ Manzoni Bianco '19	♟ 2
⊙ Violette Extra Dry Rosé	♟ 2
○ Conegliano Valdobbiadene Extra Dry Gaio '18	♟♟ 3

Le Colture

LOC. SANTO STEFANO
VIA FOLLO, 5
31049 VALDOBBIADENE [TV]
TEL. 0423900192
www.lecolture.com

VENDITA DIRETTA
VISITA SU PRENOTAZIONE
OSPITALITÀ
PRODUZIONE ANNUA 750.000 bottiglie
ETTARI VITATI 40,00

La famiglia Ruggeri ha sempre dato un grande valore alla terra, a quella che si calpesta ma ancor più a quella che si coltiva. In un territorio in cui spesso la terra è coltivata dai contadini e le aziende invece ne trasformano i frutti, i Ruggeri hanno cercato di mantenere unita la filiera, giungendo a coltivare oggi più della metà dei vigneti di cui necessitano per la produzione. Centralità assoluta nel progetto è dedicata alla glera, che dà vita a una gamma completa e affidabile di bollicine. Dalle più belle e scoscese vigne della zona di Santo Stefano provengono le uve per il Gerardo, un brut che al naso alterna le caratteristiche note di mela e fiori di glicine con le più fresche sfumature vegetali. In bocca il vino offre un sorso che ha nella sapidità e nella tensione acida il tratto distintivo, allungandosi con decisione in un finale asciutto e grintoso. Di tutt'altro profilo il Dry Pianer, che gioca con un frutto maturo maggiormente espresso e un profilo suadente e accarezzato dalle bollicine.

○ Valdobbiadene Rive di Santo Stefano Brut Gerardo '19	♟♟ 3*
○ Cartizze	♟♟ 5
○ Valdobbiadene Brut Fagher	♟♟ 3
○ Valdobbiadene Dry Cruner	♟♟ 3
○ Valdobbiadene Extra Dry Pianer	♟♟ 3
○ Valdobbiadene Prosecco Frizzante Mas	♟ 3
○ Valdobbiadene Brut Rive di Santo Stefano Gerardo '16	♟♟ 3
○ Valdobbiadene Rive di Santo Stefano Brut Gerardo '18	♟♟ 3*
○ Valdobbiadene Rive di Santo Stefano Brut Gerardo '15	♟♟ 3

Corte Adami

Circonvallazione Aldo Moro, 32
37038 Soave [VR]
Tel. 0456190218
www.corteadami.it

VENDITA DIRETTA
VISITA SU PRENOTAZIONE
PRODUZIONE ANNUA 170.000 bottiglie
ETTARI VITATI 37,00
AZIENDA SOSTENIBILE

La famiglia Adami, dopo una storia di generazioni dedite alla coltivazione dei vigneti e al conferimento nelle strutture cooperative del paese, qualche anno fa ha deciso di cambiare strada, cominciando una profonda ristrutturazione che l'ha portata a seguire passo passo tutta la filiera del vino. Oggi Giulia, Martina e Andrea seguono tutte le fasi produttive di una realtà che opera all'interno delle denominazioni del Soave e della Valpolicella, per una produzione affidabile e in continua ascesa. Nonostante il cuore pulsante dell'azienda sia fortemente legato al territorio di Soave, i risultati più interessanti quest'anno giungono dalla Valpolicella, con un Superiore che dona al naso intense note di sottobosco e ciliegia, rinfrescate da una vitale sfumatura pepata. Il palato non colpisce tanto per potenza quanto per la tensione e la lunghezza del sorso. Sul fronte bianco segnaliamo invece la consistenza gustativa del Vigna della Corte, una garganega in purezza vendemmiata tardivamente e maturata in acciaio.

● Amarone della Valpolicella '16	🍷🍷	6
○ Soave '19	🍷🍷	2*
○ Soave Sup. V. della Corte '18	🍷🍷	3
● Valpolicella Sup. '17	🍷🍷	3
● Valpolicella Sup. Ripasso '17	🍷🍷	4
○ Recioto di Soave '15	🍷	4
○ Soave Cl. Cimalta '19	🍷	2
● Valpolicella '19	🍷	2
● Amarone della Valpolicella '15	🍷🍷	6
● Amarone della Valpolicella '14	🍷🍷	6
○ Soave '17	🍷🍷	2*
○ Soave Cl. Cimalta '17	🍷🍷	2*
○ Soave Decennale '16	🍷🍷	3
○ Soave Sup. V. della Corte '17	🍷🍷	3
○ Soave Sup. V. della Corte '16	🍷🍷	3
● Valpolicella Sup. Ripasso '16	🍷🍷	4
● Valpolicella Sup. Ripasso '14	🍷🍷	3

Corte Gardoni

loc. Gardoni, 5
37067 Valeggio sul Mincio [VR]
Tel. 0456370270
www.cortegardoni.it

VENDITA DIRETTA
VISITA SU PRENOTAZIONE
PRODUZIONE ANNUA 180.000 bottiglie
ETTARI VITATI 25,00

Mattia, Stefano e Andrea Piccoli conducono l'azienda fondata da papà Gianni nella zona viticola che si sviluppa a sud del lago di Garda e lungo il corso del Mincio. Colline dolci, spesso appena accennate, che originariamente erano coltivate a frutteto e che da molti anni sono state convertite alla viticoltura, gestita nel massimo rispetto per l'ambiente e con un'ottica di produzione qualitativa che giunge da lontano. Vini dedicati in massima parte alle due denominazioni locali, Bardolino e Custoza, interpretati esaltando le doti di finezza che vitigni e territorio possono donare. Ottima la prova del Bardolino Pràdicà '18, un rosso che a dispetto del quadro aromatico, che debutta timido e quasi scontroso, porge un sorso di rara energia, risultando sapido, agile e molto lungo. Il Custoza Mael '18 invece offre un profilo opposto, fatto di una grande spinta aromatica, fine e floreale, e un sorso giocato sul nervo e la tensione. Segnaliamo infine l'ottima prova del Bardolino Le Fontane '19, succoso e di grande piacevolezza.

● Bardolino Sup. Pràdicà '18	🍷🍷🍷	3*
● Bardolino Chiaretto Nichesole '19	🍷🍷	2*
○ Custoza Mael '18	🍷🍷	3*
● Bardolino Le Fontane '19	🍷🍷	2*
● Becco Rosso '18	🍷🍷	3
○ Custoza Greoto '19	🍷	2
● Bardolino Sup. Pràdicà '16	🍷🍷🍷	3*
○ Bianco di Custoza Mael '09	🍷🍷🍷	2*
○ Bianco di Custoza Mael '08	🍷🍷🍷	2*
○ Custoza Mael '13	🍷🍷🍷	3*
○ Custoza Mael '11	🍷🍷🍷	3*
● Bardolino Le Fontane '18	🍷🍷	2*
● Bardolino Le Fontane '16	🍷🍷	2*
● Bardolino Sup. Pradicà '15	🍷🍷	3*
● Becco Rosso '16	🍷🍷	3
○ Custoza '17	🍷🍷	2*
○ Custoza Mael '16	🍷🍷	3*

Corte Moschina

VIA MOSCHINA, 1
37030 RONCÀ [VR]
TEL. 0457460788
www.cortemoschina.it

VENDITA DIRETTA
VISITA SU PRENOTAZIONE
PRODUZIONE ANNUA 95.000 bottiglie
ETTARI VITATI 35,00
AZIENDA SOSTENIBILE

La zona del Soave confina a est con quella del Gambellara, due territori che condivideno la matrice vulcanica dei suoli e il dominio pressoché assoluto della garganega, regina incontrastata di queste colline. L'azienda di Patrizia Niero si sviluppa principalmente nel Soave, con incursioni fra le colline della Lessinia, dove invece è la durella a essere la protagonista. Una produzione strettamente legata a questi vitigni, interpretati esaltandone il legame con i differenti territori e le differenti tradizioni. Ottima la prova del Soave Evaos '18, un calice che porge al naso intense note di frutto bianco maturo e che conquista il palato con il suo incedere continuo, che non conosce debolezze, fino a un lungo finale. Sul fronte degli spumanti a base durella abbiamo apprezzato la Riserva Valgrande '13, un vino che al naso concede delle note fruttate ben integrate con gli aromi di crosta di pane e lievito. In bocca rivela un profilo più ricco e sostanzioso del previsto, risultando sapido, asciutto e di buona pienezza.

○ Soave Evaos '18	▼▼ 3*
○ Lessini Durello Dosaggio Zero Valgrande M. Cl. Ris. '13	▼▼ 5
○ Lessini Durello Extra Brut Valgrande M. Cl.	▼▼ 4
○ Recioto di Soave Incanto '17	▼▼ 4
○ Soave Roncathe '19	▼▼ 3
○ Soave Sup. I Tarai '18	▼▼ 4
○ Lessini Durello Brut M. Cl. '13	♀♀ 4
○ Lessini Durello Brut M. Cl. 60 Mesi Ris. '12	♀♀ 5
○ Lessini Durello Brut Nature M. Cl. Ris. '11	♀♀ 5
○ Recioto di Soave Incanto '15	♀♀ 4
○ Soave Evaos '17	♀♀ 3*
○ Soave Roncathe '18	♀♀ 2*
○ Soave Sup. I Tarai '17	♀♀ 3
○ Soave Sup. I Tarai '16	♀♀ 3*

Corte Rugolin

FRAZ. VALGATARA
VIA RUGOLIN, 1
37020 MARANO DI VALPOLICELLA [VR]
TEL. 0457702153
www.corterugolin.it

VENDITA DIRETTA
VISITA SU PRENOTAZIONE
PRODUZIONE ANNUA 80.000 bottiglie
ETTARI VITATI 13,00
AZIENDA SOSTENIBILE

In un panorama in costante evoluzione come quello della Valpolicella, l'azienda dei fratelli Coati rappresenta un approdo sicuro, dove troverete solo vitigni della tradizione e vini strettamente legati alla storica denominazione veronese. Le vigne si distribuiscono in gran parte attorno alla cantina di Valgatara, all'imbocco della valle di Marano, ma esplorano anche le colline di Castelrotto e San Giorgio. I vini offrono nitidezza aromatica e una ricchezza che trova nella caratteristica spina dorsale acida il giusto contrasto. Sugli scudi l'Amarone Crosara de le Strie, che con la vendemmia 2015 sfodera una prestazione da incorniciare. Al naso si concede immediato e dominato dalle sensazioni di frutto molto maturo, mentre al palato accanto al frutto si esaltano note di cacao amaro e spezie, per un vino dal corpo possente e dalla progressione continua, che si chiude con un finale caloroso e morbido. Molto interessante anche il Ripasso '17, giocato su un frutto più fresco e intogro e dotato di un sorso agile e elegante.

● Amarone della Valpolicella Cl. Crosara de le Strie '15	▼▼ 7
● Valpolicella Cl. Rugolin '19	▼▼ 3
● Valpolicella Cl. Sup. Ripasso '17	▼▼ 5
● Amarone della Valpolicella Cl. Crosara de le Strie '13	♀♀ 7
● Amarone della Valpolicella Cl. Crosara de le Strie '12	♀♀ 7
● Amarone della Valpolicella Cl. Monte Danieli Ris. '12	♀♀ 8
● Recioto della Valpolicella Cl. '17	♀♀ 5
● Recioto della Valpolicella Cl. '15	♀♀ 5
● Valpolicella Cl. Sup. Ripasso '16	♀♀ 5
● Valpolicella Cl. Sup. Ripasso '15	♀♀ 5
● Valpolicella Cl. Sup. San Giorgio '16	♀♀ 5

★Corte Sant'Alda

LOC. FIOI
VIA CAPOVILLA, 28
37030 MEZZANE DI SOTTO [VR]
TEL. 0458880006
www.cortesantalda.it

VENDITA DIRETTA
VISITA SU PRENOTAZIONE
OSPITALITÀ
PRODUZIONE ANNUA 90.000 bottiglie
ETTARI VITATI 19,00
VITICOLTURA Biodinamico Certificato

L'azienda di Marinella Camerani nasce
quasi per caso più di trent'anni fa e quella
che poteva sembrare una fuga alla ricerca
della libertà è diventata anno dopo anno
una delle più belle aziende della
Valpolicella, prima attraverso la qualità dei
vini e poi, lentamente, con una presa di
coscienza sempre più convinta del ruolo
centrale della natura nella vita dell'uomo.
Oggi più che le certificazioni contano i fatti,
quelli che non guidano ma accompagnano
la vite e il vino in un percorso virtuoso che
ne rappresenta la nuova frontiera. Dopo
l'exploit dello scorso anno il Valpolicella Ca'
Fiui '19 conferma di essere uno dei rossi
più interessanti della denominazione, un
calice che profuma intensamente di frutti di
bosco e spezie, con una fresca e invitante
nota floreale sullo sfondo. Il palato è solido
e agile, capace di conquistare anche
l'appassionato più smaliziato. Il Campi
Magri '17 è invece un Ripasso che profuma
di sottobosco e terra umida, dotato di un
sorso energico e di beva trascinante.

● Valpolicella Ca' Fiui '19	♟♟	3*
● Valpolicella Sup. Ripasso Campi Magri '17	♟♟	5
⊙ Agathe '19	♟♟	4
● Amarone della Valpolicella Ruvain/Torrente Adalia '16	♟♟	8
● Recioto della Valpolicella '17	♟♟	6
● Recioto della Valpolicella Roasan/Fiorire Adalia '16	♟♟	6
○ Soave '19	♟♟	3
● Valpolicella Laute/Gente Adalia '19	♟♟	3
● Valpolicella Sup. Ripasso Balt/Bosco Adalia '18	♟♟	4
○ Inti '19	♟	3
○ Soave Singan/Cantare Adalia '19	♟	3
● Valpolicella Ca' Fiui '18	♟♟♟	3*
● Valpolicella Sup. Mithas '12	♟♟♟	8

Costa Arente

LOC. COSTA, 86
37023 GREZZANA [VR]
TEL. 0422864511
www.arente.it

PRODUZIONE ANNUA 46.000 bottiglie
ETTARI VITATI 17,00
AZIENDA SOSTENIBILE

Il grande gruppo che fa capo a Generali ha
acquisito pochi anni fa la splendida tenuta
di Costa Arente, una proprietà che si
estende per molti ettari nella Valpantena,
l'unica sottozona della denominazione
Valpolicella oltre a quella Classica. Una
vallata larga e soleggiata, caratterizzata da
un suolo fortemente ghiaioso, che via via
che si avvicina alle colline aumenta la
presenza di argilla e calcare, risultando
ideale per portare a maturazione le uve
della tradizione. In cantina solo tre vini
prodotti, legati alla denominazione ed
espressione del calore di queste colline.
Sugli scudi il Ripasso '17, un calice che
dona al naso intense suggestioni di frutto
rosso surmaturo, rinfrescate dalla
presenza speziata. In bocca la pienezza del
sorso esprime il carattere mediterraneo di
quest'angolo di Valpolicella e il vino rivela
sapidità e una buona trama tannica.
L'Amarone '16 gioca con un frutto ancor
più protagonista, mentre all'assaggio
emerge il tratto distintivo di questa
vallata, la sapidità, che governa e dà ritmo
alla beva.

● Amarone della Valpolicella Valpantena '16	♟	8
● Valpolicella Valpantena Sup. Ripasso '17	♟♟	4
● Valpolicella Valpantena '18	♟	3
● Amarone della Valpolicella '15	♟♟	7
● Amarone della Valpolicella '13	♟♟	7
● Valpolicella Valpantena '17	♟♟	3

Famiglia Cottini
Monte Zovo

LOC. ZOVO, 23A
37013 CAPRINO VERONESE [VR]
TEL. 0457281301
www.montezovo.com

VENDITA DIRETTA
VISITA SU PRENOTAZIONE
OSPITALITÀ E RISTORAZIONE
PRODUZIONE ANNUA 1.000.000 bottiglie
ETTARI VITATI 140,00
AZIENDA SOSTENIBILE

La cantina di Diego Cottini si trova
all'estremità settentrionale della provincia
di Verona, dove le colline si fanno via via
più erte e compare prepotente la valle
dell'Adige. I vigneti invece si distendono per
molti ettari in questa zona, destinati sia alla
produzione del Bardolino che ai vini di
fantasia, nella Valpolicella orientale, a
Tregnago, a Sirmione, e nella tenuta Civaie,
per la produzione del Lugana. Lo stile,
preciso e ben interpretato dal figlio Michele,
propone vini di nitida espressione varietale
e di ottima solidità. Nell'ampia gamma
aziendale, che spazia dalle storiche
denominazioni veronesi ai vini di fantasia,
emerge la qualità dell'Amarone, un vino
che porge al naso un frutto dolce e molto
maturo, arricchito da sfumature balsamiche
e di rovere. All'assaggio il vino debutta con
calore e morbidezza, trovando sviluppo in
un sorso pieno, possente e ben sostenuto
dai tannini. Il Ripasso '18 invece porge un
frutto più fresco e integro, mentre in bocca
ripercorre il sentiero fatto di calore e
morbidezza.

● Amarone della Valpolicella '16	♈♈♈	8
● Crocevento Pinot Nero '17	♈♈	6
○ Lugana Ca' del Perlago '19	♈♈	3
● Valpolicella Sup. Ripasso '18	♈♈	5
● Calinverno '16	♈	5
○ Oltremonte Sauvignon '19	♈	4
● Amarone della Valpolicella '15	♈♈♈	8
● Amarone della Valpolicella '14	♈♈♈	8
● Amarone della Valpolicella '13	♈♈	7
● Amarone della Valpolicella '12	♈♈	6
● Ca' Linverno '14	♈♈	4
● Calinverno '15	♈♈	5
● Valpolicella Sup. '15	♈♈	4
● Valpolicella Sup. Ripasso '17	♈♈	5
● Valpolicella Sup. Ripasso '16	♈♈	5
● Valpolicella Sup. Ripasso '15	♈♈	4
● Valpolicella Sup. Ripasso '14	♈♈	4

Dal Cero
Tenuta Corte Giacobbe

VIA MOSCHINA, 11
37030 RONCÀ [VR]
TEL. 0457460110
www.dalcerofamily.it

VENDITA DIRETTA
VISITA SU PRENOTAZIONE
PRODUZIONE ANNUA 300.000 bottiglie
ETTARI VITATI 40,00

La zona di Roncà e Terrossa, posta alle
pendici dei vulcani Calvarina, Crocetta e
Duello, rappresenta la nuova frontiera del
Soave, un territorio meno addomesticato e
più selvaggio rispetto alla zona classica,
ancora ricco di boschi e terreni incolti, dove
la vigna è stata letteralmente strappata al
monte e gode di grandi escursioni termiche
e di ventilazione costante. Qui opera la
famiglia Dal Cero, forte di un legame
indissolubile con questa terra e i suoi frutti,
interprete moderna e al tempo stesso
antica della bianca denominazione
scaligera. Il Soave Runcata '18 rappresenta
alla perfezione questo territorio, un calice
dai profumi intensi, freschi e maturi al
tempo stesso, dotato di un sorso che
alterna la compostezza del rovere
all'imprevedibilità della scossa acida. Sul
fronte dei rossi della Valpolicella abbiamo
apprezzato la schiettezza del Ripasso '17,
un vino che porge aromi di frutto e spezie
ancora molto freschi e in bocca conquista
per la sapidità e le tensione del sorso.

○ Soave Sup. Runcata '18	♈♈♈	5
○ Brut M. Cl.	♈♈	4
○ Soave Roncà Monte Clavarina '19	♈♈	2*
● Valpolicella '18	♈♈	3
● Valpolicella Sup. Ripasso '17	♈♈	4
○ Soave Sup. Runcata '17	♈♈♈	3*
○ Soave Sup. Vign. Runcata '14	♈♈♈	2*
○ Lessini Durello Dosaggio Zero Cuvée Augusto M. Cl. '13	♈♈	5
○ Lessini Durello Dosaggio Zero M. Cl. Augusto '12	♈♈	5
○ Soave Sup. Vign. Runcata '16	♈♈	5
○ Soave Sup. Vign. Runcata '15	♈♈	4

Dal Maso

C.DA SELVA, 62
36054 MONTEBELLO VICENTINO [VI]
TEL. 0444649104
www.dalmasovini.com

VENDITA DIRETTA
VISITA SU PRENOTAZIONE
RISTORAZIONE
PRODUZIONE ANNUA 300.000 bottiglie
ETTARI VITATI 30,00
AZIENDA SOSTENIBILE

Nicola Dal Maso guida con piglio sicuro l'azienda fondata da papà Luigino nel 1975, a sua volta partito dall'attività di famiglia nata alla fine dell'800. Accanto a lui le sorelle Silvia e Anna seguono tutta la parte commerciale e amministrativa dell'azienda, per una realtà fra le più interessanti del territorio. Oggi i vigneti si distribuiscono in maniera equivalente fra Gambellara e la Lessinia da una parte e i Colli Berici dall'altra, per una produzione che esalta ricchezza e dinamismo per i rossi, finezza e tensione per i bianchi. Batteria da incorniciare quella presentata quest'anno dai fratelli Dal Maso, con una nostra personalissima predilezione per i rossi dei Colli Berici. A contendersi il ruolo di capofila Terra dei Rovi e Merlot Casara Roveri, entrambi frutto della vendemmia 2017. Il primo è un taglio bordolese intenso nell'espressione aromatica e raffinato in bocca, il secondo invece dona un frutto quasi esplosivo al naso, per ritrovare rigore e tensione in un palato di grande precisione.

Sandro De Bruno

VIA SANTA MARGHERITA, 26
37030 MONTECCHIA DI CROSARA [VR]
TEL. 0456540465
www.sandrodebruno.it

PRODUZIONE ANNUA 80.000 bottiglie
ETTARI VITATI 22,00

La cantina di Sandro De Bruno si trova nel fondovalle che separa l'abitato di Monteforte da quello di Roncà, una larga piana alluvionale che raccoglie i detriti basaltici delle colline circostanti. I vigneti invece si inerpicano su una delle zone più interessanti e meno conosciute della denominazione, i pendii di quel monte Calvarina che ha contribuito in modo determinante alla genesi dell'area del Soave. Nella grande e funzionale cantina i vini sostano a lungo prima della commercializzazione. Interessante il Soave Colli Scaligeri '18, un calice che al naso porge profumi che ricordano il frutto bianco maturo e i fiori secchi, lasciando gradualmente spazio alle sempre più evidenti note minerali. In bocca il vino esprime una buona materia, lasciando emergere il carattere più vibrante e piacevolmente rustico della garganega. Dalla vicina Lessinia invece provengono le uve per l'Extra Brut 60 della vendemmia 2010, uno spumante dai profumi complessi e dal sorso asciutto, energico e grintoso.

● Colli Berici Merlot Casara Roveri '17	♟♟ 5
● Colli Berici Rosso Terra dei Rovi '17	♟♟ 6
● Colli Berici Cabernet Casara Roveri '17	♟♟ 3
● Colli Berici Tai Rosso Colpizzarda '17	♟♟ 5
● Colli Berici Tai Rosso Montemirotio '18	♟♟ 3
○ Gambellara Ca' Fischele '19	♟♟ 3
○ Gambellara Riva del Molino '18	♟♟ 3
○ Lessini Durello Pas Dosé M. Cl. Ris. '16	♟♟ 5
● Montebelvedere Cabernet '18	♟♟ 3
○ Lessini Durello Brut	♟ 3
● Colli Berici Merlot Casara Roveri '15	♟♟♟ 5
○ Gambellara Cl. Riva del Molino '07	♟♟♟ 2*
● Colli Berici Merlot Casara Roveri '16	♟♟ 5
● Colli Berici Tai Rosso Colpizzarda '16	♟♟ 5
○ Lessini Durello Pas Dosé M. Cl. Ris. '15	♟♟ 5
○ Recioto di Gambellara Cl. Riva dei Perari '17	♟♟ 5

○ Lessini Durello Extra Brut M. Cl. 60 '10	♟♟ 5
○ Soave '19	♟♟ 3
○ Soave Colli Scaligeri '18	♟♟ 2*
○ Lessini Durello Extra Brut M. Cl. 100 Ris. '10	♟ 5
○ Lessini Durello Extra Brut M. Cl. 36 '15	♟ 5
○ Soave Sup. Monte San Piero '18	♟ 3
○ Lessini Durello Extra Brut M. Cl. Ris. '10	♟♟ 5
○ Soave '17	♟♟ 3
○ Soave Colli Scaligeri '16	♟♟ 2*
○ Soave Sup. Monte San Piero '16	♟♟ 3

De Faveri

FRAZ. BOSCO
VIA SARTORI, 21
31020 VIDOR [TV]
TEL. 0423987673
www.defaverispumanti.it

VENDITA DIRETTA
VISITA SU PRENOTAZIONE
PRODUZIONE ANNUA 900.000 bottiglie
ETTARI VITATI 31,50

Lucio e Mirella De Faveri hanno fondato la loro azienda alla fine degli anni '70 del secolo scorso e da allora il percorso è sempre stato illuminato dalla volontà di produrre il Prosecco nel miglior modo possibile. Oggi sono affiuancati dai figli Giorgia e Giordano, impegnati rispettivamente nella gestione commerciale e produttiva. I vigneti di proprietà si estendono per una quindicina di ettari nella zona storica, cui vanno aggiunti altri 6 ettari nella zona allargata. Per completare la produzione si ricorre anche all'opera di viticoltori della zona che conferiscono il raccolto in azienda. Ottimo il Brut '19 della linea Etichetta Nera, che fin dal perlage lascia intuire la sua finezza, rilanciata da un quadro aromatico in cui le note floreali accompagnano un frutto bianco maturo e succoso. In bocca la delicatezza del sorso si regge sull'acidità e la presenza delle bollicine, lasciando alla dolcezza il compito di donare armonia. Il Brut G&G invece sembra meno espressivo al naso, salvo conquistare per la delicatezza e la sapidità del palato.

○ Valdobbiadene Brut	🍷🍷 2*
○ Valdobbiadene Brut G&G '19	🍷🍷 3
○ Valdobbiadene Brut Nera '19	🍷🍷 2*
○ Valdobbiadene Extra Dry Nera	🍷🍷 2*
○ Cartizze	🍷 4
⊙ Extra Dry Rosé	🍷 2
○ Valdobbiadene Extra Dry	🍷 2

De Stefani

VIA CADORNA, 92
30020 FOSSALTA DI PIAVE [VE]
TEL. 042167502
www.de-stefani.it

VENDITA DIRETTA
VISITA SU PRENOTAZIONE
PRODUZIONE ANNUA 500.000 bottiglie
ETTARI VITATI 60,00
AZIENDA SOSTENIBILE

Il legame che la famiglia De Stefani ha con il mondo della viticoltura risale alla seconda metà del 1800 ma è con l'ingresso in azienda di Tiziano alla fine del 1950 che l'azienda acquisisce il profilo che conosciamo. Oggi al timone c'è il figlio Alessandro, che conduce una realtà che dagli originari vigneti di Refrontolo ha spostato il baricentro viticolo nella planura del Piave, a Fossalta e a Monastier, dove è stata abbracciata una viticoltura sempre più rispettosa dell'ambiente. I vini hanno uno stile nitido e sono incentrati sull'espressione varietale delle uve. L'Olmera '18 è un blend di tai, leggermente appassito e maturato in rovere, e sauvignon, interamente vinificato in acciaio. Il risultato è un bianco che alterna le note più fresche a quelle di surmaturazione, mentre in bocca impatta pieno e ben sostenuto dalla vena acida e sapida. Fra i rossi abbiamo apprezzato il Venezia '17, un taglio bordolese ampio e fresco nelle sue note aromatiche e dotato di un palato agile e succoso.

○ Olmera '18	🍷🍷 5
● Piave Malanotte '15	🍷🍷 3
● Solèr '17	🍷🍷 4
○ Valdobbiadene Brut Nature Rive di Refrontolo '19	🍷🍷 3
● Venezia Rosso '17	🍷🍷 4
○ Vènis '19	🍷🍷 3
● Kreda '16	🍷 6
○ Pinot Grigio delle Venezie '19	🍷 3
○ Prosecco Frizzante Col Fondo '18	🍷 4
○ Valdobbiadene Brut '19	🍷 3
● Kreda '15	🍷🍷 6
○ Olmera '17	🍷🍷 5
○ Olmera '16	🍷🍷 5
● Solèr '16	🍷🍷 4
○ Valdobbiadene Brut Nature Rive di Refrontolo '18	🍷🍷 2*

Conte Emo Capodilista La Montecchia

VIA MONTECCHIA, 16
35030 SELVAZZANO DENTRO [PD]
TEL. 049637294
www.lamontecchia.it

VENDITA DIRETTA
VISITA SU PRENOTAZIONE
OSPITALITÀ
PRODUZIONE ANNUA 144.000 bottiglie
ETTARI VITATI 30,00
AZIENDA SOSTENIBILE

I Colli Euganei sono costituiti da una fitta trama di coni di origine vulcanica che si distribuiscono su un'area di 15 chilometri per 10 a sud ovest di Padova. Un'area relativamente piccola quindi, che presenta però differenze molto evidenti, con clima e vegetazione decisamente più mediterranei nella zona meridionale. Giordano Emo Capodilista conduce una piattaforma viticola che si estende per una trentina di ettari proprio nelle zone più calde e in quelle più fresche del comprensorio, per una produzione solida e di grande affidabilità. Dalla zona di Selvazzano giungono le uve del Villa Capodilista, un taglio bordolese con uno spruzzo di raboso che presenta aromi di grande freschezza, aromi che ritroviamo in un sorso dinamico e agile. Strepitoso il Cuore di Donna Daria, una sorta di solera di Fior d'Arancio Passito che racchiude in percentuali differenti le vendemmie dalla 2002 alla 2015. Esotico, con note di macchia e nocino, dona un sorso ammaliante con la dolcezza ben contrastata dalla sapidità.

● Colli Euganei Rosso Villa Capodilista '15	♟♟ 5
○ Cuore di Donna Daria	♟♟ 8
● Carmenère Progetto Recupero '16	♟♟ 3
○ Colli Euganei Fiori d'Arancio Spumante Dolce	♟♟ 2*
● Godimondo Cabernet Franc '19	♟♟ 2*
○ Piuchebello Bianco '19	♟♟ 2*
○ Acinidoro '17	♟ 4
○ Colli Euganei Pinot Bianco Rolandino '19	♟ 2
● Forzaté Raboso '15	♟ 2
● Baon '15	♟♟♟ 7
● Colli Euganei Cabernet Sauvignon Ireneo '12	♟♟♟ 4*
○ Colli Euganei Fior d'Arancio Passito Donna Daria '06	♟♟♟ 5

Farina

LOC. PEDEMONTE
VIA BOLLA, 11
37029 SAN PIETRO IN CARIANO [VR]
TEL. 0457701349
www.farinawines.com

VENDITA DIRETTA
VISITA SU PRENOTAZIONE
PRODUZIONE ANNUA 800.000 bottiglie
ETTARI VITATI 45,00

Nonostante sia presente sul mercato da relativamente poco tempo, l'azienda della famiglia Farina vanta una tradizione viticola forte e ben radicata nella Valpolicella. Oggi Claudio, Elena e Alessandro conducono una realtà che per far fronte alla produzione sfrutta appieno i vigneti di proprietà e ricorre alla collaborazione di viticoltori del territorio che, seguiti passo passo durante tutto l'anno, conferiscono il raccolto in via Bolla a Pedemonte. La produzione fa riferimento soprattutto alla Valpolicella, ma non mancano divagazioni all'interno delle altre zone produttive veronesi. Le uve per il Ripasso Montecorna '18 giungono da vecchi vigneti della Masua di San Pietro in Cariano, per un vino che matura in botte grande e barrique e porge al naso intense note di frutto rosso ben maturo, rinfrescate dalla sottile presenza speziata. All'assaggio il vino rivela un registro morbido e avvolgente che conquista con delicatezza il palato. Più immediato al naso e succoso al palato è invece il Ripasso '18.

● Amarone della Valpolicella Cl. '17	♟♟ 5
● Valpolicella Cl. Sup. Ripasso '18	♟♟ 2*
● Valpolicella Cl. Sup. Ripasso Montecorna '18	♟♟ 3
● Corte Conti Cavalli '17	♟ 4
● Nodo d'Amore '18	♟ 3
○ Nodo d'Amore '18	♟ 3
● Amarone della Valpolicella Cl. '16	♟♟ 5
● Amarone della Valpolicella Cl. Montefante Ris. '13	♟♟ 8
● Amarone della Valpolicella Cl. Montefante Ris. '12	♟♟ 8
● Amarone della Valpolicella Cl. Montefante Ris. '11	♟♟ 8
● Valpolicella Cl. Sup. Ripasso '17	♟♟ 2*
● Valpolicella Cl. Sup. Ripasso Montecorna '17	♟♟ 3

Fattori

FRAZ. TERROSSA
VIA OLMO, 4
37030 RONCÀ [VR]
TEL. 0457460041
www.fattoriwines.com

VENDITA DIRETTA
VISITA SU PRENOTAZIONE
PRODUZIONE ANNUA 280.000 bottiglie
ETTARI VITATI 72,00
AZIENDA SOSTENIBILE

L'azienda di Antonio Fattori è forte di una piattaforma viticola di grande estensione che esplora ben tre territori differenti. Se la zona del Soave e in particolare modo quella di Roncà è il punto di partenza di tutta l'avventura, più recenti sono gli sviluppi nelle zone della Lessinia e della Valpolicella. I vini bianchi sono giocati sulla fragranza aromatica, i rossi uniscono alla fragranza la struttura e la longevità, mentre nel territorio spumantistico la proprietà sta muovendo i primi interessanti passi. Il Valpolicella Col de la Bastia '18 porge al naso profumi intensamente fruttati, impreziositi da note balsamiche, di incenso e ciclamino che contribuiscono a donare freschezza e integrità. In bocca il vino si muove su un registro leggero e raffinato, donando sensazioni di grande eleganza e tensione. Il Roncha '17 è invece un trebbiano di Soave che dona al naso profumi tenui e delicatamente floreali, mentre al palato esprime solidità e una beva piacevolmente rustica e dinamica.

○ Lessini Durello Non Dosato M. Cl. 60 '13	▼▼	6
○ Roncha Trebbiano '17	▼▼	3
○ Soave Danieli '19	▼▼	2*
○ Soave Motto Piane '18	▼▼	4
● Valpolicella Sup. Col de la Bastia '18	▼▼	3
● Amarone della Valpolicella Col de La Bastia '16	▼	6
● Amarone della Valpolicella Ris. '15	▼	8
○ Lessini Durello Brut M. Cl. 60 '13	▼	6
○ Soave Cl. Runcaris '19	▼	2
● Amarone della Valpolicella Col de La Bastia '15	♀♀	6
○ Soave Cl. Runcaris '17	♀♀	2*
○ Soave Motto Piane '17	♀♀	4
● Valpolicella Sup. Ripasso Col de la Bastia '17	♀♀	5

Il Filò delle Vigne

VIA TERRALBA, 14
35030 BAONE [PD]
TEL. 042956243
www.ilfilodellevigne.it

VENDITA DIRETTA
VISITA SU PRENOTAZIONE
PRODUZIONE ANNUA 50.000 bottiglie
ETTARI VITATI 22,00

Il Filò delle Vigne è la proprietà di Carlo Giordani che si estende per oltre venti ettari nella zona meridionale dei Colli Euganei, la zona più calda e dal carattere mediterraneo che il Veneto possa offrire. Qui, su pendii dolci e caratterizzati dalla matrice vulcanica, le varietà bordolesi hanno trovato l'habitat ideale per maturare con costanza assumendo un profilo fruttato dove le note vegetali rimangono solo vaghi ricordi. Matteo Zanaica conduce vigneti e cantina per una produzione decisamente contenuta nei numeri, ma di grande fascino e personalità. Difficile scegliere quale sia il vino più riuscito quest'anno, con Borgo delle Casette e Casa del Merlo a contendersi il ruolo. Il primo è una riserva di Cabernet del 2016 dal profilo ricco, compatto e al tempo stesso agile. Il secondo è invece un Merlot del 2017 che dona suggestioni intensamente fruttate in un sorso potente, ma perfettamente sostenuto da acidità e tannini. Concludiamo con il Cecilia di Baone, un Cabernet maturato in cemento dal carattere solare e immediato.

● Colli Euganei Cabernet Borgo delle Casette Ris. '16	▼▼▼	5
● Colli Euganei Merlot Casa del Merlo '17	▼▼	5
● Colli Euganei Cabernet Cecilia di Baone Ris. '17	▼▼	3
● Io di Baone '16	▼▼	3
○ Terralba di Baone '19	▼▼	3
● Volo '19	▼	3
● Colli Euganei Cabernet Borgo delle Casette Ris. '12	♀♀♀	5
● Colli Euganei Cabernet Borgo delle Casette Ris. '10	♀♀♀	5
● Colli Euganei Cabernet Borgo delle Casette Ris. '06	♀♀♀	5
● Colli Euganei Merlot Casa del Merlo '16	♀♀♀	5

Silvano Follador

LOC. FOLLO
FRAZ. SANTO STEFANO
VIA CALLONGA, 11
31040 VALDOBBIADENE [TV]
TEL. 0423900295
www.silvanofollador.it

VENDITA DIRETTA
VISITA SU PRENOTAZIONE
PRODUZIONE ANNUA 20.000 bottiglie
ETTARI VITATI 3,50

Negli ultimi anni il comprensorio di Conegliano Valdobbiadene ha subito importanti trasformazioni, con le grandi aziende imbottigliatrici che hanno infittito il rapporto con i viticoltori del territorio per garantirsi uve di qualità che soddisfino le necessità produttive. Poi ci sono le piccole realtà come quella di Silvano e Alberta Follador, che hanno preferito rimanere legati esclusivamente ai loro vigneti anche a costo di mantenere la produzione su piccoli numeri: una manciata di ettari condotti in regime biodinamico, per una produzione di carattere e finezza. Solo uve della tradizione, principalmente glera con sporadiche presenze di bianchetta, perera e verdiso, costituiscono la base del Valdobbiadene Extra Brut '19, uno spumante dai raffinati aromi di frutto bianco e fiori, che dona un sorso energico e insieme di grande finezza, retto dalla sapidità prima ancora che dall'acidità. Il Metodo Classico, prodotto con le uve del 2018, esplora l'animo più nascosto della denominazione, quello della complessità e della longevità.

○ Valdobbiadene Extra Brut '19	**YY** 5
○ Valdobbiadene Extra Brut M. Cl. '18	**YY** 3
○ Cartizze Brut '08	YYY 4
○ Valdobbiadene Brut Nature '18	YYY 5
○ Valdobbiadene Brut Nature '16	YYY 5
○ Bianco Fermo '18	YY 3
○ Bianco Fermo '17	YY 3
○ Bianco Fermo '16	YY 3
○ Cartizze Brut Nature '13	YY 4
○ Cartizze Brut Nature M. Cl. '16	YY 4
○ Valdobbiadene Brut Nature '17	YY 5
○ Valdobbiadene Brut Nature '15	YY 4
○ Valdobbiadene Brut Nature '14	YY 4
○ Valdobbiadene Brut Nature '13	YY 4
○ Valdobbiadene Brut Nature M. Cl. '17	YY 3
○ Valdobbiadene Sup. Brut Dosaggio Zero M. Cl. '12	YY 3

Le Fraghe

LOC. COLOMBARA, 3
37010 CAVAION VERONESE [VR]
TEL. 0457236832
www.fraghe.it

VENDITA DIRETTA
VISITA SU PRENOTAZIONE
OSPITALITÀ
PRODUZIONE ANNUA 120.000 bottiglie
ETTARI VITATI 28,00
VITICOLTURA Biologico Certificato

La storia d'amore fra Matilde Poggi e Le Fraghe comincia con la vendemmia 1984, ma il corteggiamento racconta di estati e vendemmie seguite fin da bambina, con il naso inebriato dai profumi caldi del Lago di Garda, dalle sferzate alpine che giungono dalla Valdadige, con la presenza rassicurante e protettiva del monte Baldo. Oggi la conduzione dei vigneti è in regime biologico e tutta la produzione ruota attorno alle uve della tradizione, con l'unica eccezione di un po' di cabernet sauvignon e franc destinati al solo Quaiare. Da vigneti della zona classica giungono le uve per il Brol Grande '18, un Bardolino che non si limita al ruolo di vino fresco e di pronta beva ma che ne esplora le potenzialità evolutive. Vinificazione separata per corvina e rondinella, maturazione in botte grande, per un vino dai profumi complessi e articolati, che spaziano dal frutto maturo alle spezie, con un sorso che riesce a essere ricco pur mantenendo agilità e tensione. Molto buono anche il Bardolino '19, che esprime un frutto integro, croccante e succoso.

⊙ Bardolino Chiaretto Rodon '19	**YY** 3*
● Bardolino Cl. Brol Grande '18	**YY** 4
● Bardolino '19	**YY** 3
○ Camporego Garganega '19	**YY** 3
● Bardolino Cl. Brol Grande '15	YYY 3*
● Bardolino Cl. Brol Grande '12	YYY 3*
● Bardolino Cl. Brol Grande '11	YYY 3*
● Bardolino '18	YY 2*
● Bardolino '17	YY 2*
● Bardolino '16	YY 2*
● Bardolino '15	YY 2*
⊙ Bardolino Chiaretto Ròdon '18	YY 2*
⊙ Bardolino Chiaretto Rodon '16	YY 2*
● Bardolino Cl. Brol Grande '16	YY 3*
○ Camporengo Garganega '18	YY 2*
○ Camporengo Garganega '17	YY 2*
⊙ Bardolino Chiaretto Ròdon '17	Y 2

Franchetto

FRAZ. TERROSSA
VIA BINELLI, 2
37030 RONCÀ [VR]
TEL. 0457460287
www.cantinafranchetto.com

PRODUZIONE ANNUA 35.000 bottiglie
ETTARI VITATI 15,00

L'azienda della famiglia Franchetto si
sviluppa su due aree ben distinte. Una
vicino alla cantina, in località Terrossa, dove
si trovano una decina di ettari di garganega
destinati alla produzione del Soave, che
affondano le radici in un suolo rosso e ricco
di minerali frutto della disgregazione di
antichi vulcani. Risalendo la val d'Alpone
invece, dove l'attività viticola comincia a
fondersi con quella alpina, si trovano i 5
ettari dedicati alla durella, per una
produzione ancora contenuta nei numeri
ma di grande forza espressiva. Il Soave La
Capelina '19 oltre a rappresentare il vino
più conosciuto dell'azienda rappresenta al
meglio anche la filosofia produttiva di casa.
Al naso si colgono nette le sensazioni di
frutto bianco maturo e ancora croccante,
con le tenui note floreali che appaiono solo
sullo sfondo. All'assaggio il vino rivela un
corpo asciutto e snello, capace di allungarsi
perfettamente attorno alla sapida vena
acida. Intrigante il Pinot Grigio Val Serina,
immediato e di grande piacevolezza.

○ Pinot Grigio delle Venezie Val Serina '19	🍷🍷	3
○ Soave La Capelina '19	🍷🍷	3
○ Soave Recorbian '17	🍷🍷	3
○ Lessini Durello Brut M.Cl. Ris. '14	🍷🍷	5
○ Soave La Capelina '18	🍷🍷	3
○ Soave Recorbian '16	🍷🍷	3

Gamba

LOC. VALGATARA
VIA GNIREGA, 19
37020 MARANO DI VALPOLICELLA [VR]
TEL. 0456801714
www.vinigamba.it

VENDITA DIRETTA
VISITA SU PRENOTAZIONE
PRODUZIONE ANNUA 90.000 bottiglie
ETTARI VITATI 15,00
AZIENDA SOSTENIBILE

La cantina dei fratelli Aldrighetti si trova
letteralmente immersa nei vigneti, lungo la
dorsale che separa la valle di Marano da
quella di Negrar. Una manciata di ettari di
proprietà coltivati con la tradizionale
pergola veronese sono dedicati
esclusivamente ai vitigni storici, per una
produzione dallo stile classico e retta
soprattutto dall'acidità, vero marchio di
fabbrica della vallata. A completare la
produzione concorrono anche le vigne
coltivate da alcuni viticoltori della stessa
zona. Ottima la batteria proposta
quest'anno, con l'Amarone Campedel '16 in
cima alle nostre preferenze. Il quadro
aromatico appare nascosto e quasi restio a
concedersi, il frutto è dolce e surmaturo, le
erbe aromatiche donano un pizzico di
freschezza e invitano all'assaggio. In bocca
il vino conquista con decisione il palato, è
ricco e di buona concentrazione, retto e
governato da una solida impalcatura
tannica. L'Amarone Le Quare della
medesima vendemmia è invece più fresco
al naso e agile in bocca.

● Amarone della Valpolicella Cl. Campedel '16	🍷🍷	8
● Amarone della Valpolicella Cl. Le Quare '16	🍷🍷	6
● Valpolicella Cl. Sup. Campedel '17	🍷🍷	5
● Valpolicella Cl. Sup. Ripasso Campedel '17	🍷🍷	5
● Valpolicella Cl. Sup. Ripasso Le Quare '17	🍷🍷	3
● Valpolicella Cl. Le Quare '19	🍷	3
● Amarone della Valpolicella Cl. Campedel '15	🍷🍷	7
● Amarone della Valpolicella Cl. Campedel Ris. '12	🍷🍷	8
● Amarone della Valpolicella Cl. Le Quare '15	🍷🍷	6

Giannitessari

VIA PRANDI, 10
37030 RONCÀ [VR]
TEL. 0457460070
www.giannitessari.wine

VENDITA DIRETTA
VISITA SU PRENOTAZIONE
PRODUZIONE ANNUA 350.000 bottiglie
ETTARI VITATI 50,00
AZIENDA SOSTENIBILE

La cantina di Gianni Tessari si trova a Roncà, piccolo borgo del Veronese immerso fra le vigne in prossimità del confine fra le zone del Soave e del Gambellara. I vigneti invece si distribuiscono su ben tre denominazioni differenti, quella del Soave, della Lessinia e dei Colli Berici, ognuna delle quali è interpretata esaltandone le specificità che le rendono uniche. Vini articolati e raffinati in terra di Soave, decisi e quasi taglienti in Lessinia e infine l'anima rossa dell'azienda che fa riferimento ai Berici, dove la produzione è dominata dalla carnosità del frutto. È il territorio dei Monti Lessini a proporre il vino più interessante di casa, un Metodo Classico '13 che sosta per oltre 5 anni sui lieviti e che porge profumi raffinati, dove le note di crosta di pane sono velocemente nascoste dalla prepotente mineralità, lasciando le sfumature floreali solo sullo sfondo. In bocca è deciso, succoso e di bella grinta. Dai Colli Berici invece proviene un Tai Rosso '18 dal frutto fragrante e di dinamica beva.

○ Lessini Durello Extra Brut M. Cl. 60 '13	♟♟	6
● Colli Berici Tai Rosso '18	♟♟	3
● Due Rosso '17	♟♟	2*
○ Lessini Durello Brut M. Cl. 36	♟♟	5
○ Soave Cl. Perinato Pigno '18	♟♟	4
○ Soave Cl. Scalette Tenda '19	♟♟	3
● Colli Berici Rosso Pian Alto '16	♟	5
○ Soave Cl. Pigno Gianni Tessari '13	♟♟♟	3*
● Colli Berici Tai Rosso '17	♟♟	2*
○ Lessini Durello Extra Brut M. Cl. 120 Mesi '08	♟♟	5
○ Lessini Durello Extra Brut M. Cl. 120 Mesi '06	♟♟	5
○ Lessini Durello Extra Brut M. Cl. 60 Mesi '10	♟♟	5
○ Soave Cl. Pigno '17	♟♟	3
○ Soave Cl. Pigno '16	♟♟	3*

★Gini

VIA MATTEOTTI, 42
37032 MONTEFORTE D'ALPONE [VR]
TEL. 0457611908
www.ginivini.com

VENDITA DIRETTA
VISITA SU PRENOTAZIONE
PRODUZIONE ANNUA 200.000 bottiglie
ETTARI VITATI 58,00
VITICOLTURA Biologico Certificato

Quella dei fratelli Gini è una delle realtà che ha contribuito in maniera determinante al successo del Soave negli ultimi decenni. Molti sono gli ettari coltivati nel cuore della zona classica, spesso con vigneti piantati ormai più di un secolo fa, dedicati esclusivamente a garganega e trebbiano di Soave. La nuova sfida però riguarda la Valpolicella, territorio esplorato da Claudio e Sandro sul versante più orientale e che ad oggi è dedicato alla produzione di due soli vini, Amarone e Valpolicella Superiore. Batteria interamente dedicata al Soave quest'anno, con due prestazioni da incorniciare frutto della vendemmia 2018, Salvarenza e Froscà. Il primo esprime una maturità del frutto completa e profonda, impreziosita da note speziate e marine. In bocca è ricco, potente e agile al tempo stesso. Il secondo invece esprime un frutto ancora croccante e vitale, accompagnato da note floreali che lasciano trasparire timide sfumature minerali. Il sorso è asciutto, sapido e di grande progressione e il vino chiude con un finale raffinato.

○ Soave Cl. La Froscà '18	♟♟♟	4*
○ Recioto di Soave Renobilis '13	♟♟	4
○ Soave Cl. Contrada Salvarenza V. V. '18	♟♟	5
○ Recioto di Soave Cl. Col Foscarin '13	♟♟	4
○ Soave Cl. '19	♟♟	3
○ Soave Cl. Contrada Salvarenza V. V. '14	♟♟♟	5
○ Soave Cl. Contrada Salvarenza V. V. '09	♟♟♟	5
○ Soave Cl. Contrada Salvarenza V. V. '08	♟♟♟	5
○ Soave Cl. Contrada Salvarenza V. V. '07	♟♟♟	5
○ Soave Cl. La Froscà '11	♟♟♟	4*
○ Soave Cl. La Froscà '06	♟♟♟	4*
○ Soave Cl. La Froscà '05	♟♟♟	4*
○ Soave Cl. Sup. Contrada Salvarenza V. V. '00	♟♟♟	5
○ Soave Cl. Sup. La Froscà '99	♟♟♟	4
○ Soave Cl. Sup. La Froscà '97	♟♟♟	4

Giusti Wine

VIA DEL VOLANTE, 4
31040 NERVESA DELLA BATTAGLIA [TV]
TEL. 0422720198
www.giustiwine.com

VENDITA DIRETTA
VISITA SU PRENOTAZIONE
OSPITALITÀ
PRODUZIONE ANNUA 200.000 bottiglie
ETTARI VITATI 75,00
AZIENDA SOSTENIBILE

L'azienda di Ermenegildo Giusti si trova nei pressi del Montello, modesto rilievo montuoso di terra rossa che si staglia nitido a nord di Treviso. Molti gli ettari coltivati, in gran parte sulla pianura ai piedi del colle, destinati alla produzione dei vini più semplici, mentre per le etichette più ambiziose si ricorre ai vigneti che si distendono lungo le doline che caratterizzano l'altura. La produzione dedica grande attenzione al mondo del Prosecco, ma non mancano vini ottenuti dalle varietà bordolesi e dalla tradizionale recantina. Ecco allora un'ottima versione dell'Asolo Extra Brut. Al naso si colgono le sensazioni di frutto bianco che intersecano le sfumature floreali e di lievito. In bocca il vino si distende con grazia, rivelando grinta e una beva succosa e appagante. Sul fronte dei vini fermi, mancante il campione di casa Umberto I°, le nostre attenzioni sono state calamitate dallo Chardonnay dei Carni '19, un calice dinamico e di grande piacevolezza.

● Amarone della Valpolicella Cl. '15	♟♟	8
○ Asolo Extra Brut	♟♟	2*
○ Chardonnay dei Carni '19	♟♟	3
○ Asolo Extra Dry	♟	2
● Montello e Colli Asolani Rosso Antonio '17	♟	4
○ Pinot Grigio delle Venezie Longheri '19	♟	3
● Amarone della Valpolicella Cl. '14	♀♀	8
● Antonio '15	♀♀	5
○ Longheri Pinot Grigio '17	♀♀	3
● Montello e Colli Asolani Recantina Augusto '17	♀♀	5
● Montello e Colli Asolani Recantina Augusto '16	♀♀	5
● Montello e Colli Asolani Rosso Umberto I° '15	♀♀	8
● Valpolicella Cl. Sup. '16	♀♀	5

La Giuva

VIA TREZZOLANO, 20c
37141 VERONA
TEL. 3421117089
www.lagiuva.com

VENDITA DIRETTA
VISITA SU PRENOTAZIONE
PRODUZIONE ANNUA 20.000 bottiglie
ETTARI VITATI 9,50
VITICOLTURA Biologico Certificato

Trezzolano è un luogo poco conosciuto anche dagli addetti ai lavori, eppure le condizioni per una viticoltura di qualità ci sono tutte: altitudine, esposizione, luce, un suolo estremamente povero di sostanza organica, ma ricco di minerali, e una costante ventilazione che permette alle uve di maturare con regolarità. Alberto Malesani assieme alle figlie Giulia e Valentina ha dato vita da pochi anni a un'azienda che esplora queste potenzialità, con una produzione che ha nello stile integro e vibrante il suo tratto distintivo. Emblematico è l'assaggio del Valpolicella d'annata, un calice che profuma intensamente di ciliegia, pepe e fiori freschi. In bocca il corpo è snello e il vino si allunga scattante con un finale di piacevolissima beva. Dedicato al papà è il nuovo Amarone Aristide, che sfrutta l'ottima vendemmia 2015 per offrire un corredo aromatico dominato dal frutto rosso surmaturo, che trova sviluppo e amplificazione in un sorso energico, dove la concentrazione è ben sostenuta dalla trama tannica e dalla spina dorsale acida.

● Amarone della Valpolicella L'Aristide '15	♟♟	8
● Recioto della Valpolicella '17	♟♟	6
● Valpolicella Sup. Il Rientro '17	♟♟	5
● Valpolicella Il Valpo '19	♟♟	4
● Amarone della Valpolicella '15	♀♀	7
● Amarone della Valpolicella '13	♀♀	7
● Amarone della Valpolicella '12	♀♀	7
● Recioto della Valpolicella '16	♀♀	6
● Recioto della Valpolicella '15	♀♀	6
● Valpolicella Il Valpo '18	♀♀	3
● Valpolicella Il Valpo '17	♀♀	3
● Valpolicella Il Valpo '16	♀♀	3
● Valpolicella Il Valpo '15	♀♀	3
● Valpolicella Sup. Il Rientro '16	♀♀	5
● Valpolicella Sup. Il Rientro '15	♀♀	5
● Valpolicella Sup. Il Rientro '14	♀♀	5
● Valpolicella Sup. Il Rientro '13	♀♀	5

Gorgo

FRAZ. CUSTOZA
LOC. GORGO
37066 SOMMACAMPAGNA [VR]
TEL. 045516063
www.cantinagorgo.com

PRODUZIONE ANNUA 350.000 bottiglie
ETTARI VITATI 50,00

Le denominazioni di Bardolino e Custoza, lungo le colline moreniche a sud est del bacino gardesano, sono pressoché sovrapponibili. Qui opera da quasi mezzo secolo l'azienda Gorgo, fondata da Roberto Bricolo e oggi gestita con piglio sicuro dalla figlia Roberta, che si avvale di uno staff giovane e competente. Le vigne sono gestite in regime biologico e la produzione è strettamente legata alle due denominazioni, mettendone in luce le doti di finezza e agilità che contraddistinguono da sempre i vini del basso Garda. Quest'anno protagonista assoluto è il Custoza, con ben due versioni che raggiungono le nostre finali. Il Summa '18, frutto di uve surmature, esprime maturità negli aromi fruttati, mentre il palato è solido e lascia trasparire le prime note minerali. Giocato tutto sulla finezza aromatica invece il San Michelin '19, un single vineyard tratteggiato da aromi floreali e di frutto bianco croccante, capace di conquistare il palato con la leggerezza e la sapidità tipiche della tipologia veronese.

○ Custoza San Michelin '19	♟♟ 2*
○ Custoza Sup. Summa '18	♟♟ 2*
⊙ Bardolino Chiaretto '19	♟♟ 2*
● Ca' Nova '16	♟♟ 3
○ Custoza '19	♟♟ 2*
● Bardolino '19	♟ 2
● Bardolino '18	♕♕ 2*
⊙ Bardolino Chiaretto '18	♕♕ 2*
○ Custoza '18	♕♕ 2*
○ Custoza San Michelin '18	♕♕ 2*
○ Custoza San Michelin '17	♕♕ 2*
○ Custoza San Michelin '16	♕♕ 2*
○ Custoza Sup. Summa '17	♕♕ 2*
○ Custoza Sup. Summa '16	♕♕ 2*
○ Custoza Sup. Summa '15	♕♕ 2*

Gregoletto

FRAZ. PREMAOR
VIA SAN MARTINO, 83
31050 MIANE [TV]
TEL. 0438970463
www.gregoletto.com

VENDITÀ DIRETTA
VISITA SU PRENOTAZIONE
PRODUZIONE ANNUA 200.000 bottiglie
ETTARI VITATI 18,00

L'azienda di Luigi Gregoletto fa parte di quelle realtà che prima ancora che produrre vino, raccontano un territorio, i suoi usi e le sue colture. Meno di venti ettari immersi fra le colline che separano le Prealpi dalla pianura Padana, non dedicati solo alla glera, come purtroppo avviene da qualche anno, ma suddivisi fra numerosi protagonisti, ora tradizionali come il verdiso o il Manzoni bianco, ora invece internazionali come le varietà bordolesi, presenti in zona da oltre un secolo. Complici anche le vicissitudini sanitarie della scorsa primavera, molti vini sono stati imbottigliati a giochi ormai conclusi, ma non sono mancate le piacevoli sorprese in casa Gregoletto. Ottimo il Conegliano Valdobbiadene Monte Corbino, un Prosecco Superiore che profuma di mela e pera matura che conquista il palato con l'immediatezza gustativa e la piacevole rusticità del sorso. Sempre fra i più interessanti della zona anche il Prosecco Frizzante Sui Lieviti, un vino delicato e sapido dalla trascinante beva.

● Cabernet '17	♟♟ 3
○ Conegliano Valdobbiadene Extra Dry Monte Corbino	♟♟ 3
○ Prosecco di Treviso Frizzante '19	♟♟ 3
○ Prosecco di Treviso Frizzante sui Lieviti '19	♟♟ 3
● Colli di Conegliano Rosso '15	♕♕ 5
○ Conegliano Valdobbiadene Prosecco Tranquillo '18	♕♕ 2*
○ Conegliano Valdobbiadene Prosecco Tranquillo '16	♕♕ 2*
○ Conegliano Valdobbiadene Prosecco Tranquillo '15	♕♕ 2*
● Merlot '17	♕♕ 3
● Merlot '16	♕♕ 3
○ Pinot Bianco '18	♕♕ 3
○ Verdiso '18	♕♕ 3

★Guerrieri Rizzardi

s.da Campazzi, 2
37011 Bardolino [VR]
Tel. 0457210028
www.guerrieri-rizzardi.it

VENDITA DIRETTA
VISITA SU PRENOTAZIONE
PRODUZIONE ANNUA 700.000 bottiglie
ETTARI VITATI 100,00
AZIENDA SOSTENIBILE

L'indirizzo della cantina indica in Bardolino la sede aziendale, ma stiamo parlando di una delle più belle realtà viticole veronesi, che può contare su una piattaforma viticola di un centinaio di ettari distribuiti nelle più importanti denominazioni della provincia. Bardolino, Soave, Valpolicella e Valdadige sono infatti le quattro aree su cui si sviluppa l'opera di Agostino e Giuseppe Rizzardi, interpreti di vini strettamente legati alla tradizione o che mettono in risalto le doti di eleganza e tensione che i vitigni storici possiedono. Sugli scudi l'Amarone Calcarole '15, dai sentori di grande profondità, dove il frutto surmaturo appare contornato dalle note balsamiche e di spezie. All'assaggio sembra avvolgere con morbidezza il palato, salvo riavviarsi improvvisamente per merito dell'acidità e di una trama tannica piacevolmente ruvida, per un risultato di grande armonia. Il Clos Roareti '17 è invece un Merlot dai profumi stratificati e complessi, che conquista per la solidità e la lunghezza del sorso.

● Amarone della Valpolicella Cl. Calcarole '15	♟♟ 8
● Bardolino Cl. Cuvée XV '19	♟♟ 2*
● Bardolino Cl. Tacchetto '18	♟♟ 2*
● Clos Roareti '17	♟♟ 5
● Munus '18	♟♟ 3
○ Rosa Rosae '19	♟♟ 2*
○ Soave Cl. Cuvée XX '19	♟♟ 2*
○ Soave Cl. Ferra '17	♟♟ 3
⊙ Bardolino Chiaretto Cl. Keya '19	♟ 2
○ Recioto di Soave '18	♟ 4
● Amarone della Valpolicella Cl. Calcarole '13	♟♟♟ 8
● Amarone della Valpolicella Cl. Calcarole '11	♟♟♟ 8
● Amarone della Valpolicella Cl. Villa Rizzardi '13	♟♟♟ 7

★Inama

loc. Biacche, 50
37047 San Bonifacio [VR]
Tel. 0456104343
www.inamaaziendaagricola.it

VENDITA DIRETTA
VISITA SU PRENOTAZIONE
PRODUZIONE ANNUA 450.000 bottiglie
ETTARI VITATI 62,00
VITICOLTURA Biologico Certificato

Stefano Inama ha preso in mano le redini dell'azienda di famiglia all'inizio degli anni '90 del secolo scorso, una realtà incentrata sul Soave e sul suo territorio. Oggi, a distanza di trent'anni, accanto a lui ci sono i figli Matteo, Alessio e Luca e il baricentro dell'azienda si è spostato in direzione dei Colli Berici. Molti gli ettari di proprietà, gestiti nel massimo rispetto dell'ambiente e limitando gli interventi più invasivi, nel tentativo di produrre dei vini che prima ancora degli aspetti varietali sappiano raccontare il territorio. Grande la prestazione del Carminium '16, un vino che porge al naso intense suggestioni di frutto nero che lasciano velocemente il centro del palcoscenico alle spezie e alle erbe officinali. Il sorso, generoso e ricco, non si appesantisce ma rimane ancorato alla spina dorsale acida e tannica, risultando lungo e affascinante. Più discreto per ora il Bradisismo della medesima vendemmia, un taglio bordolese che esalta più la finezza che la potenza.

● Colli Berici Carmenere Carminium '16	♟♟♟ 5
● Bradisismo '16	♟♟ 5
○ Soave Cl. Vign. di Carbonare '17	♟♟ 4
○ Soave Cl. Vign. di Foscarino '17	♟♟ 4
○ Soave Cl. Vign. Du Lot '17	♟ 4
● Bradisismo '08	♟♟♟ 5
● Colli Berici Carmenère Oratorio di San Lorenzo Ris. '09	♟♟♟ 6
○ Sauvignon Vulcaia Fumé '96	♟♟♟ 4
○ Soave Cl. Vign. di Foscarino '08	♟♟♟ 4
○ Soave Cl. Vign. Du Lot '05	♟♟♟ 2*
○ Soave Cl. Vign. Du Lot '01	♟♟♟ 4
○ Soave Cl. Vign. Du Lot '00	♟♟♟ 4
○ Soave Cl. Vign. Du Lot '99	♟♟♟ 4
○ Soave Cl. Vign. Du Lot '96	♟♟♟ 4
● Bradisismo '12	♟♟ 5
○ Soave Cl. Vign. di Foscarino '14	♟♟ 4

Le Morette

FRAZ. SAN BENEDETTO DI LUGANA
V.LE INDIPENDENZA, 19D
37019 PESCHIERA DEL GARDA [VR]
TEL. 0457552724
www.lemorette.it

VENDITA DIRETTA
VISITA SU PRENOTAZIONE
PRODUZIONE ANNUA 450.000 bottiglie
ETTARI VITATI 40,00
AZIENDA SOSTENIBILE

La sponda argillosa che contorna il bacino del Garda meridionale è il teatro della turbiana, l'antico vitigno che dà vita al Lugana, un'uva che ha una vita vegetativa lunga e che quindi ha più tempo a disposizione per assorbire i minerali del suolo, guadagnando così in personalità e sapidità. Fabio e Paolo Zenato conoscono bene il territorio e il suo vitigno principe, forti di un'esperienza frutto del lavoro di vignaioli e di vivaisti che gli permette una produzione di assoluto valore e tipicità. Il Lugana Riserva '17, dopo una lunga sosta in cantina, si presenta con un corredo aromatico di assoluto valore. Tenue e quasi timido nel porgere i suoi aromi, debutta con un frutto giallo maturo che lascia via via spazio alle note tostate, di macchia mediterranea e fiori. In bocca è solido e asciutto, retto alla perfezione da acidità e nota sapida, risultando lungo e coinvolgente. Molto buono anche il Benedictus, frutto di un solo vigneto che porge un frutto maggiormente espresso e un palato dinamico e progressivo.

⊙ Bardolino Chiaretto Cl. '19	♛♛ 2*
○ Lugana Ris. '17	♛♛ 4
● Bardolino Cl. '19	♛♛ 2*
○ Lugana Benedictus '18	♛♛ 3
○ Lugana Mandolara '19	♛♛ 3
○ Brut M. Cl. Trentaseimesi	♛ 4
● Perseo '17	♛ 5
⊙ Bardolino Chiaretto Cl. '18	♕♕ 2*
● Bardolino Cl. '18	♕♕ 2*
○ Lugana Benedictus '17	♕♕ 3
○ Lugana Benedictus '16	♕♕ 3
○ Lugana Mandolara '18	♕♕ 3
○ Lugana Mandolara '17	♕♕ 3
○ Lugana Ris. '16	♕♕ 4
○ Lugana Ris. '15	♕♕ 4
○ Lugana Ris. '13	♕♕ 4

Loredan Gasparini

FRAZ. VENEGAZZÙ
VIA MARTIGNAGO ALTO, 23
31040 VOLPAGO DEL MONTELLO [TV]
TEL. 0423870024
www.loredangasparini.it

VENDITA DIRETTA
VISITA SU PRENOTAZIONE
PRODUZIONE ANNUA 450.000 bottiglie
ETTARI VITATI 60,00
AZIENDA SOSTENIBILE

L'azienda della famiglia Palla si distende lungo le pendici meridionali del Montello, una terra rossa, ricca di detriti del dilavamento delle Alpi portati dal Piave, caratterizzata da doline che si susseguono fra boschi e vigneti. Le tenute aziendali sono molto estese e alternano gli impianti dedicati alle varietà bordolesi a quelli riservati alla glera. Tanta superficie vitata dà vita tuttavia a una ristretta gamma di etichette, frutto di una valorizzazione dei singoli vigneti in grado di esaltarne le differenze. Il vino più importante di casa, il Capo di Stato '16, è frutto di un taglio fra le migliori partite di cabernet sauvignon, franc, merlot e malbec provenienti soprattutto dallo storico vigneto denominato 100 piante messo a dimora nell'immediato dopoguerra. Al naso il vino rivela profumi più immediati e fragranti del solito, mentre all'assaggio si distende con la consueta classe, fatta di tensione nervosa e importante trama tannica. Il Rosso della Casa '16 invece rivela un simile percorso aromatico e una beva più succosa e immediata.

● Montello e Colli Asolani Venegazzù Sup. Capo di Stato '16	♛♛ 8
● Montello e Colli Asolani Cabernet Sauvignon '18	♛♛ 3
● Montello e Colli Asolani Venegazzù Rosso della Casa '16	♛♛ 6
● Malbec '19	♛ 4
● Montello e Colli Asolani C abernet Sauvignon '16	♕♕ 3
● Montello e Colli Asolani Merlot Falconera '16	♕♕ 3
● Montello e Colli Asolani Rosso Capo di Stato '13	♕♕ 7
● Montello e Colli Asolani Venegazzù Rosso della Casa '15	♕♕ 4
● Montello e Colli Asolani Venegazzù Sup. Capo di Stato '15	♕♕ 6

★Maculan

VIA CASTELLETTO, 3
36042 BREGANZE [VI]
TEL. 0445873733
www.maculan.net

VENDITA DIRETTA
VISITA SU PRENOTAZIONE
PRODUZIONE ANNUA 650.000 bottiglie
ETTARI VITATI 50,00

La fascia collinare che da Thiene si allunga verso Bassano del Grappa e la Valsugana costituisce la zona di produzione di Breganze, un susseguirsi ininterrotto di colline che porgono i pendii meridionali al calore della pianura e al tempo stesso sono percorse dalle fresche brezze che scendono da nord. Azienda simbolo di questo territorio è sicuramente quella della famiglia Maculan, forte di un vigneto che si estende per una cinquantina di ettari e una produzione che ha portato lustro o riconoscimenti al territorio e all'intera regione. Mano davvero felice per i vini da uve appassite in casa Maculan, con l'Acininobili '16 che sfodera una prestazione da incorniciare. Le uve, vespaiola in purezza, sono raccolte solo quando completamente colpite dalla muffa nobile, e dopo una lunga maturazione in barrique il vino dona al naso un bouquet complesso e dominato dalle note di frutta candita e spezie. In bocca la dolcezza è perfettamente contrastata dalla sapidità. Ottimo anche il Fratta '16, taglio bordolese di grande ricchezza e armonia.

○ Acininobili '15	♟♟ 8
● Fratta '16	♟♟ 8
○ Breganze Torcolato '16	♟♟ 6
● Cornorotto Marzemino '17	♟♟ 3
○ Ferrata Chardonnay '18	♟♟ 4
○ Ferrata Sauvignon '19	♟♟ 4
○ Pino & Toi '19	♟♟ 2*
● Breganze Pinot Nero '18	♟ 3
● Cabernet '18	♟ 3
⊙ Costadolio '19	♟ 2
○ Dindarello '19	♟ 4
○ Tre Volti Brut M. Cl.	♟ 3
● Breganze Cabernet Fratta '87	♟♟♟ 3
● Breganze Cabernet Sauvignon Palazzotto '05	♟♟♟ 4
● Breganze Cabernet Sauvignon Palazzotto '04	♟♟♟ 4*

Manara

LOC. SAN FLORIANO
VIA DON CESARE BIASI, 53
37029 SAN PIETRO IN CARIANO [VR]
TEL. 0457701086
www.manaravini.it

VENDITA DIRETTA
VISITA SU PRENOTAZIONE
PRODUZIONE ANNUA 150.000 bottiglie
ETTARI VITATI 11,00
AZIENDA SOSTENIBILE

Poche aziende possono vantare un parco viticolo come quello dei fratelli Manara, di piccola estensione ma di grande pregio, poco più di una decina di ettari in alcune delle migliori esposizioni della denominazione Classica. La viticoltura è di impostazione tradizionale, con la pergola che ancora la fa da padrona, una base ampelografica fortemente legata ai vitigni che da tempo dimorano su queste colline e un'attività di cantina poco invasiva e rispettosa dei tempi necessari per permettere ai vini di esprimere al meglio il loro carattere. Il Valpolicella Vecio Belo '17 è frutto di un vigneto a San Pietro in Cariano dove non avviene alcuna selezione per l'Amarone e tutto il raccolto è dedicato a questo vino. Matura unicamente in acciaio e al naso porge un corredo aromatico di frutti di bosco e spezie, con un curioso sottofondo vegetale. In bocca si muove con agilità e tensione risultando piacevole e di grande beva. Più maturo nell'espressione aromatica l'Amarone Corte Manara '16, mentre in bocca è solido e di buona armonia.

● Amarone della Valpolicella Cl. Corte Manara '16	♟♟ 5
● Amarone della Valpolicella Cl. Postera '14	♟♟ 6
● Recioto della Valpolicella Cl. Moronalto '17	♟♟ 5
● Valpolicella Cl. Sup. Vecio Belo '17	♟♟ 2*
● Guido Manara '15	♟ 6
● Valpolicella Cl. Val Polesela '19	♟ 2
● Amarone della Valpolicella Cl. '00	♟♟♟ 5
● Amarone della Valpolicella Cl. Corte Manara '13	♟♟ 5
● Amarone della Valpolicella Cl. Postera '13	♟♟ 6
● Valpolicella Cl. Sup. Ripasso Le Morete '17	♟♟ 3

Le Marognole

LOC. VALGATARA
VIA MAROGNOLE, 7
37020 MARANO DI VALPOLICELLA [VR]
TEL. 0457755114
www.lemarognole.it

VENDITA DIRETTA
VISITA SU PRENOTAZIONE
PRODUZIONE ANNUA 15.000 bottiglie
ETTARI VITATI 5,50

Una quindicina di anni fa, nel 2004, Fabio
Corsi getta il cuore oltre l'ostacolo e prende
in mano le redini dell'azienda di famiglia,
trasformando la sua attività da produttore
di uva a produttore di vino. Le vigne si
estendono per una manciata di ettari nel
territorio di Valgatara, all'imbocco della
valle di Marano, e i migliori vigneti arrivano
a superare i 300 metri di altitudine. Se la
campagna è gestita con la tradizionale
pergola, in cantina invece si insegue uno
stile più attuale, che accanto alla potenza
sappia offrire anche l'integrità del frutto.
Dal vigneto CampoGerico giungono le uve
destinate al Recioto '17, un vino che
presenta aromi curiosamente speziati e
vegetali, lasciando il frutto surmaturo solo
solo sfondo. In bocca la dolcezza ben
presente è contrastata alla perfezione
dall'acidità ed il sorso si allunga e chiude
asciutto. Più fresco, fruttato e speziato il
Ripasso '16, mentre in bocca si allarga
sulle sensazioni più avvolgenti per
stringersi attorno all'acidità in chiusura.

● Recioto della Valpolicella Cl. CampoGerico '17	♟♟ 4
● Valpolicella Cl. '18	♟♟ 3
● Valpolicella Cl. Sup. Ripasso '16	♟♟ 3
☉ El Marascar '19	♟ 2
☉ El Nane '16	♟ 5
● Amarone della Valpolicella Cl. CampoRocco '15	♟♟ 5
● Amarone della Valpolicella Cl. CampoRocco '13	♟♟ 5
● Recioto della Valpolicella Cl. CampoGerico '16	♟♟ 4
● Valpolicella Cl. Sup. Ripasso '14	♟♟ 3

Masari

LOC. MAGLIO DI SOPRA
C.DA BEVILACQUA, 2A
36078 VALDAGNO [VI]
TEL. 0445410780
www.masari.it

VENDITA DIRETTA
VISITA SU PRENOTAZIONE
PRODUZIONE ANNUA 55.000 bottiglie
ETTARI VITATI 10,00
VITICOLTURA Biologico Certificato
AZIENDA SOSTENIBILE

Massimo Dal Lago e Arianna Tessari hanno
dato vita a una delle più belle realtà della
regione, che non guarda solo a come
ottenere il meglio dai propri vigneti, ma che
si pone anche il problema di come gestire
l'agricoltura senza depauperare l'ambiente.
Un'azienda dove la viticoltura è
protagonista ma non egemone, che vede i
vigneti circondati da bosco e pascolo, per
una produzione che ha come obiettivo il
riuscire a esprimere il legame intrinseco fra
i singoli vigneti e il vitigno che meglio gli si
adatta. Non conosce punti di debolezza la
batteria proposta quest'anno da Massimo e
Arianna, capitata da una grande versione di
Monte Pulgo '13. Merlot in purezza
prodotto solo nelle annate in cui le uve
giungono perfettamente a maturazione,
frutto della selezione di un vigneto su suolo
calcareo posto a 400 metri di altitudine,
porge al naso un bouquet ampio e raffinato,
con le note di frutto maturo che intersecano
le spezie e con accenni minerali. In bocca il
vino cambia ulteriormente passo,
coniugando concentrazione ed eleganza.

● Monte Pulgo '13	♟♟ 8
○ Agnobianco '19	♟♟ 3
● Costa Nera Pinot Nero '18	♟♟ 4
● San Lorenzo Pinot Nero '17	♟♟ 7
● Vicenza Rosso San Martino '16	♟♟ 3
○ Agnobianco '18	♟♟ 3
○ Agnobianco '17	♟♟ 3
○ AgnoBianco '15	♟♟ 2*
● Costa Nera Pinot Nero '17	♟♟ 4
○ Doro Passito '15	♟♟ 5
● Masari '16	♟♟ 6
● Masari '15	♟♟ 6
● Masari '13	♟♟ 5
● Monte Pulgo '11	♟♟ 8
● San Lorenzo Pinot Nero '16	♟♟ 7
● Vicenza Rosso San Martino '13	♟♟ 3*

★Masi

FRAZ. GARGAGNAGO
VIA MONTELEONE, 26
37015 SANT'AMBROGIO DI VALPOLICELLA [VR]
TEL. 0456832511
www.masi.it

VENDITA DIRETTA
VISITA SU PRENOTAZIONE
OSPITALITÀ
PRODUZIONE ANNUA 3.950.000 bottiglie
ETTARI VITATI 550,00
AZIENDA SOSTENIBILE

La grande azienda di Gargagnago vede
ancora saldamente al timone Sandro
Boscaini, interprete di un territorio che ha
contribuito a far conoscere in tutto il
mondo. La proprietà si distribuisce su molti
fronti: quello veronese è ovviamente il
principale, ma non mancano le strette
collaborazioni in Toscana, Friuli, Valdadige e
nella zona storica del Prosecco, per
concludere infine con la grande tenuta in
Argentina. A governare la gestione
produttiva un gruppo tecnico di assoluto
valore guidato dal figlio Raffaele. Non
poteva che essere un Amarone il capofila
della batteria presentata quest'anno. Si
tratta del Mazzano '12, un Amarone
proveniente dall'omonima località sulle
colline più alte sopra Negrar, che porge al
naso intense note di frutto surmaturo e
cacao amaro, impreziosite dalla sfumature
balsamiche di erbe officinali. Il palato è di
grande concentrazione e solidità, sostenuto
da un'importante impalcatura tannica. Il
Costasera è una Riserva '15 generosa negli
aromi e di grande forza estrattiva.

● Amarone della Valpolicella Cl. Mazzano '12	�♥♥♥ 8
● Amarone della Valpolicella Cl. Costasera Ris. '15	♥♥ 8
● Valpolicella Cl. Sup. Toar '17	♥♥ 4
● Osar '13	♥ 8
○ Soave Cl. Sup. Colbaraca '18	♥ 3
● Amarone della Valpolicella Cl. Campolongo di Torbe '12	♈♈♈ 8
● Amarone della Valpolicella Cl. Campolongo di Torbe '11	♈♈♈ 8
● Amarone della Valpolicella Cl. Campolongo di Torbe '09	♈♈♈ 8
● Amarone della Valpolicella Cl. Costasera Ris. '13	♈♈♈ 8
● Amarone della Valpolicella Cl. Costasera Ris. '09	♈♈♈ 8

Masottina

LOC. CASTELLO ROGANZUOLO
VIA BRADOLINI, 54
31020 SAN FIOR [TV]
TEL. 0438400775
www.masottina.it

VENDITA DIRETTA
PRODUZIONE ANNUA 1.200.000 bottiglie
ETTARI VITATI 300,00

Quella della famiglia Dal Bianco è una storia
che comincia da lontano, quando
nell'immediato secondo dopoguerra ha dato
vita a Masottina. Una crescita passo dopo
passo che non l'ha mai vista sotto i riflettori,
preoccupata forse più di dare solidità alle
fondamenta che a cavalcare il crescente
successo delle bollicine. Oggi dispone di un
parco viticolo molto esteso, che ha le sue
punte di diamante nel comprensorio di
Ogliano per il mondo del Prosecco e in
Gorgo al Monticano per quello dei vini fermi.
Sempre maggior attenzione è dedicata al
mondo delle bollicine, proprio con i vini
ottenuti sulle più belle esposizioni della
zona di Ogliano a guidare la fila. La versione
Brut '19 si presenta con aromi dominati dal
frutto a polpa bianca, impreziositi dalle
sfumature delicatamente floreali che
ritroviamo in un palato solido, asciutto e di
pregevole tensione. L'omonima versione
Extra Dry invece gioca con un frutto
maggiormente espresso e un sorso sapido
e armonioso, perfettamente accompagnato
dalle bollicine.

○ Conegliano Valdobbiadene Rive di Ogliano Brut R.D.O. '19	♥♥ 4
○ Conegliano Valdobbiadene Brut	♥♥ 4
○ Conegliano Valdobbiadene Extra Dry	♥♥ 4
○ Conegliano Valdobbiadene Rive di Ogliano Extra Dry R.D.O. '19	♥♥ 4
● Aether Ai Palazzi '18	♥ 4
○ Colli di Conegliano Bianco Rizzardo '16	♥ 8
○ Pinot Grigio delle Venezie Dorsoduro '19	♥ 4
○ Prosecco Extra Brut	♥ 2
● Colli di Conegliano Rosso Montesco '15	♈♈ 6
○ Conegliano Valdobbiadene Rive di Ogliano Brut Contrada Granda '18	♈♈ 5
○ Conegliano Valdobbiadene Rive di Ogliano Brut Contrada Granda '17	♈♈ 5
○ Conegliano Valdobbiadene Rive di Ogliano Extra Dry '18	♈♈ 5

Roberto Mazzi e Figli

LOC. SAN PERETTO
VIA CROSETTA, 8
37024 NEGRAR [VR]
TEL. 0457502072
www.robertomazzi.it

VENDITA DIRETTA
VISITA SU PRENOTAZIONE
OSPITALITÀ E RISTORAZIONE
PRODUZIONE ANNUA 50.000 bottiglie
ETTARI VITATI 8,00

All'interno della zona classica della Valpolicella, la vallata di Negrar è forse quella che ha subito più delle altre la violenza dell'urbanizzazione, con la nascita di villette che oggi scorgiamo disseminate lungo le colline. A San Peretto però il tempo sembra essersi fermato, con la cantina di Antonio e Stefano Mazzi che si trova a fianco dell'antico mulino ad acqua, perfettamente inserita nel contesto rurale e circondata dai vigneti. La produzione è contenuta nei numeri, con uno stile in equilibrio fra modernità e tradizione. Grande soddisfazione ha dato l'assaggio dei due Valpolicella Superiore, il Sanperetto e il Poiega, entrambi frutto della vendemmia 2017. Il primo gioca con la freschezza aromatica e con un profilo gustativo che si allunga con agilità attorno alla spinta acida. Il secondo invece porge un frutto più maturo e avvolgente, mentre in bocca rivela buona concentrazione e armonia. Il Recioto Calcarole '17 porge aromi intensamente fruttati e un palato solido e di grande precisione.

● Valpolicella Cl. Sup. Poiega '17	♟♟ 4
● Valpolicella Cl. Sup. Sanperetto '17	♟♟ 3*
● Amarone della Valpolicella Castel '15	♟♟ 7
● Libero '16	♟♟ 5
● Recioto della Valpolicella Cl. Le Calcarole '17	♟♟ 5
● Valpolicella Cl. '19	♟♟ 3
● Amarone della Valpolicella Cl. Punta di Villa '11	♟♟♟ 7
● Valpolicella Cl. Sup. Sanperetto '11	♟♟♟ 3*
● Amarone della Valpolicella Cl. Punta di Villa '13	♟♟ 7
● Amarone della Valpolicella Cl. Punta di Villa '12	♟♟ 7
● Recioto della Valpolicella Cl. Le Calcarole '13	♟♟ 5
● Valpolicella Cl. Sup. Poiega '16	♟♟ 4

Menegotti

LOC. ACQUAROLI, 7
37069 VILLAFRANCA DI VERONA [VR]
TEL. 0457902611
www.menegotticantina.com

VENDITA DIRETTA
VISITA SU PRENOTAZIONE
OSPITALITÀ
PRODUZIONE ANNUA 250.000 bottiglie
ETTARI VITATI 30,00
AZIENDA SOSTENIBILE

Le colline che cingono la sponda meridionale del lago di Garda si distribuiscono come le onde causate da un sasso gettato in acqua, memoria dell'avanzare e del dissolversi di un antico ghiacciaio, e sono terra d'elezione per Bardolino e Custoza, i due vini che rappresentano la storia di questo territorio. Antonio e Andrea Menegotti hanno saputo percorrere una strada nuova, dando grande risalto alla produzione di spumanti Metodo Classico che, a fianco delle tipologie tradizionali, si avvale anche dei vitigni del territorio. Molto interessante il Pas Dosé, una corvina in purezza vinificata in bianco che si avvale di una lunga permanenza sui lieviti prima della sboccatura. Al naso si colgono le note di frutto bianco e brioche che ritroviamo anche sul palato, dove il vino invece si allunga con decisione, perfettamente retto dall'acidità e accompagnato da una delicata e sottile trama di bollicine. Sul fronte dei vini fermi abbiamo apprezzato il Bardolino, un calice di buona freschezza aromatica e di beva spigliata e appagante.

● Bardolino '19	♟♟ 2*
○ Brut M. Cl. '15	♟♟ 4
○ Lugana '19	♟♟ 3
○ Pas Dosé M. Cl. '14	♟♟ 7
◉ Bardolino Chiaretto '19	♟ 2
○ Custoza '19	♟ 2
◉ Extra Brut M. Cl.	♟ 4
○ Extra Dry M. Cl.	♟ 3
◉ Bardolino Chiaretto '18	♟♟ 2*
○ Brut M. Cl. '15	♟♟ 4
○ Brut M. Cl. '14	♟♟ 4
○ Custoza '18	♟♟ 2*
○ Custoza '16	♟♟ 2*
○ Custoza Sup. Elianto '17	♟♟ 3*
○ Custoza Sup. Elianto '16	♟♟ 3*
○ Custoza Sup. Elianto '15	♟♟ 3
● Mezzacosta '15	♟♟ 3

★Merotto

FRAZ. COL SAN MARTINO
VIA SCANDOLERA, 21
31010 FARRA DI SOLIGO [TV]
TEL. 0438989000
www.merotto.it

VENDITA DIRETTA
VISITA SU PRENOTAZIONE
PRODUZIONE ANNUA 610.000 bottiglie
ETTARI VITATI 28,00

Graziano Merotto è un produttore schivo, di poche parole e fortemente legato alla sua terra, capace per di slanci e sensibilità quasi inaspettati. Nel corso degli anni ha saputo far crescere l'azienda a sua immagine, legata a doppio filo al Prosecco di quelle colline, frutto della sola glera coltivata lungo i dolci pendii che improvvisamente si fanno ripidi, così affascinanti da ammirare quanto faticosi da percorrere. In produzione esplora tutte le potenzialità del vitigno trevigiano, declinate mettendone in risalto sapidità e armonia. Percorso pressoché netto quello eseguito dalla cantina di via Scandolera, con Castè e Graziano Merotto a guidare il plotone. Il primo è un Extra Dry profumato di frutto bianco e fiori che conquista per un palato di rara precisione e piacevolezza, armonioso nella fusione fra zuccheri, sapidità e bollicine. Il secondo invece è il consueto cavallo di razza, delicato nel porgere il suo corredo aromatico, per poi esplodere in un sorso sapido, asciutto e di grande finezza.

○ Valdobbiadene Extra Dry Castè '19	♟♟♟	4*
○ Valdobbiadene		
Rive di Col San Martino Brut Cuvée		
del Fondatore Graziano Merotto '19	♟♟	4
○ Cartizze	♟♟	5
● Rosso Dogato '16	♟♟	4
○ Royam Passito di Collina '13	♟♟	5
○ Valdobbiadene Brut Bareta	♟♟	3
○ Valdobbiadene Brut Integral '19	♟♟	3
○ Valdobbiadene Dry		
La Primavera di Barbara '19	♟♟	3
○ Valdobbiadene Extra Dry Colbelo	♟♟	3
⊙ Grani di Nero Brut Rosé	♟	3
○ Valdobbiadene Brut		
Rive di Col San Martino Cuvée		
del Fondatore Graziano Merotto '18	♕♕♕	4*

Ornella Molon

FRAZ. CAMPODIPIETRA
VIA RISORGIMENTO, 40
31040 SALGAREDA [TV]
TEL. 0422804807
www.ornellamolon.it

VENDITA DIRETTA
VISITA SU PRENOTAZIONE
RISTORAZIONE
PRODUZIONE ANNUA 500.000 bottiglie
ETTARI VITATI 42,00
AZIENDA SOSTENIBILE

Quella di Ornella Molon e Giancarlo Traverso è una delle aziende che ha sempre dato lustro al territorio del Piave, una terra generosa dove la vite si estende quasi a perdita d'occhio. Oggi il ruolo da protagonista lo svolge la glera, ma Ornella non ha voluto piegarsi alle mode del momento ed è rimasta fedelmente legata a quelle che sono le varietà che hanno sempre caratterizzato il territorio. La produzione è strutturata su una linea dove il protagonista è l'aroma varietale e su una più ambiziosa, che ricerca complessità e carattere. Il raboso, storico vitigno ben presente in quest'area, è un vitigno difficile da domare, caratterizzato da una maturazione decisamente tardiva e un profilo organolettico estremamente rigido legato all'acidità e al tannino. In casa Molon hanno saputo domarlo e il Malanotte '14 porge profumi di frutto rosso surmaturo e un palato solido e ben retto dall'acidità. Più fresco negli aromi e agile in bocca è invece il Piave Raboso '15, mentre il Vite Rossa '16 è un taglio bordolese elegante e di buona profondità.

○ Bianco di Ornella Passito Selezione '16	♟♟	5
● Piave Malanotte Selezione '14	♟♟	7
● Piave Raboso Selezione '15	♟♟	5
● Venezia Merlot Selezione '16	♟♟	4
● Vite Rossa Selezione '16	♟♟	4
● Èros Selezione '17	♟	3
○ Prosecco di Treviso Brut	♟	2
○ Prosecco Extra Dry	♟	2
○ Traminer Selezione '19	♟	3
○ Bianco di Ornella Passito '15	♕♕	5
○ Bianco di Ornella Passito '14	♕♕	5
● Piave Malanotte '12	♕♕	8
● Piave Merlot Rosso di Villa '15	♕♕	5
● Piave Raboso '13	♕♕	5
○ Traminer '17	♕♕	3
● Venezia Merlot Rosso di Villa '13	♕♕	6

Monte Cillario

FRAZ. PARONA DI VALPOLICELLA
VIA SANTA CRISTINA, 1B
37124 VERONA
TEL. 045941387
www.montecillariovini.com

VENDITA DIRETTA
VISITA SU PRENOTAZIONE
PRODUZIONE ANNUA 65.000 bottiglie
ETTARI VITATI 30,00
AZIENDA SOSTENIBILE

La famiglia Marchesini possiede un parco viticolo piuttosto esteso, in massima parte nella zona della Valpolicella che si avvicina alla città di Verona, arrivando a lambirne i quartieri più settentrionali. Nelle vigne pianeggianti nella zona del Quar si coltivano le uve destinate alla produzione più semplice, mentre per i vini più interessanti la famiglia dispone di vigneti sul Monte Cillario e sui pendii di San Dionigi. Nonostante la produzione sia ancora contenuta nei numeri, è stata suddivisa su due linee con ambizioni differenti. Il Ripasso Excellentia '17 porge al naso intense note di frutto rosso e sottobosco, con la discreta presenza del rovere sullo sfondo. In bocca il vino impatta morbido e avvolgente, per poi distendersi con eleganza attorno all'acidità, risultando lungo e di grande piacevolezza. Fra gli Amarone la nostra predilezione è andata al Casa Erbisti '16, in virtù di una matura espressione fruttata e di un sorso morbido, ma ravvivato in chiusura dalla trama tannica.

● Amarone della Valpolicella Casa Erbisti '16	🍷🍷 6
● Amarone della Valpolicella EgoSum '16	🍷🍷 5
● Valpolicella Essentia '19	🍷🍷 2*
● Valpolicella Sup. Borgo Antico '17	🍷🍷 3
● Valpolicella Sup. Ripasso Excellentia '17	🍷🍷 3
● Valpolicella Marchesini '19	🍷 3
● Valpolicella Sup. Ripasso I Berari '17	🍷 4
● Amarone della Valpolicella Casa Erbisti '15	🍷🍷 6
● Amarone della Valpolicella Casa Erbisti '14	🍷🍷 6
● Amarone della Valpolicella Ego Sum '15	🍷🍷 6
● Valpolicella Essentia '17	🍷🍷 3
● Valpolicella Marchesini '17	🍷🍷 3
● Valpolicella Sup. Euphoria '16	🍷🍷 3
● Valpolicella Sup. Ripasso Excellentia '16	🍷🍷 4

Monte dall'Ora

LOC. CASTELROTTO
VIA MONTE DALL'ORA, 5
37029 SAN PIETRO IN CARIANO [VR]
TEL. 0457704462
www.montedallora.com

VENDITA DIRETTA
VISITA SU PRENOTAZIONE
PRODUZIONE ANNUA 35.000 bottiglie
ETTARI VITATI 6,00
VITICOLTURA Biologico Certificato

La collina di Castelrotto si staglia quasi isolata dalle altre colline, affacciata sul corso dell'Adige e, più in là, sulla città Scaligera. In sommità la piccola chiesa ottocentesca e, poco più sotto, la tenuta di Carlo Venturini, circondata da filari, ville e tenute storiche. Una manciata di ettari coltivati seguendo i dettami dell'agricoltura biologica, strizzando l'occhio alla biodinamica, per uno stile che si colloca perfettamente a metà strada fra la tradizione e la modernità, facendo leva sulle caratteristiche agili e fragranti dei vitigni autoctoni. Grande la prova offerta dallo Stropa, un Amarone affinato a lungo in cantina e che oggi porta in dote il ricordo dei frutti maturati nel 2012. La ciliegia interseca le note di spezie e di fiori macerati, mentre il palato debutta ricco e consistente, guadagnando finezza e tensione in virtù di un corredo tannico levigato e una scattante vena acida. Ottimo anche il Ripasso Sausto '17, con il frutto rosso che trova freschezza nella nota verde e speziata del corvinone.

● Amarone della Valpolicella Cl. Stropa '12	🍷🍷 8
● Valpolicella Cl. Sup. Ripasso Sausto '17	🍷🍷 5
● Valpolicella Cl. Saseti '19	🍷🍷 2*
● Valpolicella Cl. Sup. Camporenzo '17	🍷🍷 4
● Valpolicella Cl. Sup. San Giorgio '16	🍷🍷 5
● Valpolicella Cl. Sup. Camporenzo '15	🍷🍷🍷 4*
● Valpolicella Cl. Sup. Camporenzo '13	🍷🍷🍷 4*
● Valpolicella Cl. Sup. Camporenzo '11	🍷🍷🍷 4*
● Valpolicella Cl. Sup. Camporenzo '10	🍷🍷🍷 4*
● Valpolicella Cl. Sup. Ripasso Saustò '07	🍷🍷🍷 5
● Amarone della Valpolicella Cl. Stropa '11	🍷🍷 8
● Amarone della Valpolicella Cl. Stropa '10	🍷🍷 8
● Recioto della Valpolicella Cl. Sant' Ulderico '12	🍷🍷 6

★Monte del Frà

S.DA PER CUSTOZA, 35
37066 SOMMACAMPAGNA [VR]
TEL. 045510490
www.montedelfra.it

VENDITA DIRETTA
VISITA SU PRENOTAZIONE
PRODUZIONE ANNUA 1.000.000 bottiglie
ETTARI VITATI 197,00
AZIENDA SOSTENIBILE

Immersa letteralmente fra i vigneti che si adagiano sulle dolci colline del Custoza, la cantina dei fratelli Bonomo è uno dei punti di riferimento assoluti dell'enologia veronese. Un legame stretto a doppio filo con la terra, tanto che anche l'avventura in Valpolicella, cominciata pochi anni fa, ha visto la famiglia impegnata ad acquisire le più belle vigne disponibili nella zona classica. Oggi il parco viticolo si estende per circa 200 ettari, destinati a una produzione che ha come faro l'eleganza e la finezza. La vendemmia 2018 ha portato in dote un corredo aromatico dominato dal frutto giallo maturo e polposo, che nel Ca' del Magro trova una spalla nelle note di fiori secchi e agrumi. In bocca il vino si distende con grazia e consistenza, risultando sapido e molto lungo. A un passo dal massimo risultato anche lo Scarnocchio '15, la Riserva di Amarone che presenta profumi intensamente fruttati e speziati, che si esaltano in un sorso dove il volume è perfettamente governato da acidità e tannino.

○ Custoza Sup. Ca' del Magro '18	♈♈♈	3*
● Amarone della Valpolicella Cl. Scarnocchio Tenuta Lena di Mezzo Ris. '15	♈	8
● Amarone della Valpolicella Cl. Tenuta Lena di Mezzo '16	♈♈	8
○ Custoza '19	♈♈	2*
● Valpolicella Cl. Sup. Ripasso Tenuta Lena di Mezzo '18	♈♈	3
● Valpolicella Cl. Sup. Tenuta Lena di Mezzo '18	♈♈	3
● Bardolino '19	♈	2
⊙ Bardolino Chiaretto '19	♈	2
● Valpolicella Cl. Tenuta Lena di Mezzo '19	♈	2
○ Custoza Sup. Ca' del Magro '17	♈♈♈	3*
○ Custoza Sup. Ca' del Magro '16	♈♈♈	3*
○ Custoza Sup. Ca' del Magro '15	♈♈♈	3*

Monte Santoccio

LOC. SANTOCCIO, 6
37022 FUMANE [VR]
TEL. 3496461223
www.montesantoccio.it

VENDITA DIRETTA
PRODUZIONE ANNUA 55.000 bottiglie
ETTARI VITATI 7,00

L'azienda di Nicola Ferrari e della moglie Laura si sviluppa per una manciata di ettari principalmente lungo lo spartiacque che separa la valle di Marano da quella di Fumane, completati da un bell'appezzamento nella parte più interna di quest'ultima, con una viticoltura che alterna l'impostazione tradizionale nelle vigne più vecchie ai filari in quelle più recenti. In cantina invece una bella sintesi stilistica fra attualità e tradizione, con i vini che non ricercano la potenza fine a se stessa quanto invece la complessità aromatica e la tensione gustativa. Esemplare il Ripasso '18, un calice che porge al naso un frutto maturo e integro, sottolineato delle erbe aromatiche e una discreta presenza speziata sullo sfondo. In bocca il vino rivela corpo slanciato e il sorso si allunga con precisione e leggerezza. L'Amarone invece, frutto della vendemmia 2015, ruota la sua espressione aromatica attorno a un frutto maturo e carnoso, mentre in bocca la pienezza non è mai esagerata e il palato risulta tonico e di grande vitalità.

● Amarone della Valpolicella Cl. '15	♈	7
● Valpolicella Cl. Sup. '18	♈♈	2*
● Valpolicella Cl. Sup. Ripasso '18	♈♈	4
● Santoccio '18	♈	4
● Valpolicella Cl. '19	♈	2
● Amarone della Valpolicella Cl. '15	♈	7
● Amarone della Valpolicella Cl. '13	♈	7
● Amarone della Valpolicella Cl. '12	♈	7
● Recioto della Valpolicella Cl. '15	♈	5
● Recioto della Valpolicella Cl. Amandorlato '14	♈	5
● Valpolicella Cl. Sup. '15	♈	2*
● Valpolicella Cl. Sup. '14	♈	2*
● Valpolicella Cl. Sup. Ripasso '15	♈	4
● Valpolicella Cl. Sup. Ripasso '13	♈	4

VENETO

Monte Tondo

LOC. MONTE TONDO
VIA SAN LORENZO, 89
37038 SOAVE [VR]
TEL. 0457680347
www.montetondo.it

VENDITA DIRETTA
VISITA SU PRENOTAZIONE
OSPITALITÀ
PRODUZIONE ANNUA 200.000 bottiglie
ETTARI VITATI 32,00

L'azienda di Gino Magnabosco conta su vigneti situati principalmente nella zona del Soave Classico, per poi ramificarsi nella zona pianeggiante, sul monte Gazzo a Caldiero, e infine a Campiano, dove vengono coltivate le uve per la produzione dei rossi della Valpolicella. Il cuore produttivo rimane però saldamente immerso nel Soave e conta su alcune delle più belle esposizioni del monte Foscarino. Lo stile produttivo prevede leggerezza e fragranza per i vini più semplici, ricchezza e complessità per quelli più ambiziosi. Il Foscarin Slavinus '18 si presenta con una veste paglierino carica che anticipa la maturità dei suoi aromi. Il frutto appare dolce e disponibile, già impreziosito dalla presenza di note che virano verso gli idrocarburi e la ghiaia, che ritroviamo perfettamente espresse in un palato di grande solidità e larghezza, sostenuto da una buona vivacità acida. Sul fronte dei rossi abbiamo invece apprezzato il Valpolicella San Pietro, un superiore della vendemmia '18 che si fa apprezzare per lo stile leggero e dinamico.

○ Soave Cl. Sup. Foscarin Slavinus '18	♀♀	4
○ Soave Cl. Casette Foscarin '18	♀♀	3
○ Soave Cl. Monte Tondo '19	♀♀	2*
● Valpolicella Sup. San Pietro '18	♀♀	2*
○ Soave Brut	♀	3
● Valpolicella Ripasso Campo Grande '17	♀	4
○ Soave Cl. Monte Tondo '06	♀♀♀	2*
● Amarone della Valpolicella '15	♀♀	6
● Amarone della Valpolicella '14	♀♀	6
● Amarone della Valpolicella Ris. '11	♀♀	6
○ Soave Cl. Casette Foscarin '17	♀♀	3*
○ Soave Cl. Casette Foscarin '16	♀♀	3*
○ Soave Cl. Sup. Foscarin Slavinus '17	♀♀	4
○ Soave Cl. Sup. Foscarin Slavinus '16	♀♀	4

Cantina Sociale di Monteforte d'Alpone

VIA XX SETTEMBRE, 24
37032 MONTEFORTE D'ALPONE [VR]
TEL. 0457610110
www.cantinadimonteforte.it

VENDITA DIRETTA
VISITA SU PRENOTAZIONE
PRODUZIONE ANNUA 3.000.000 bottiglie
ETTARI VITATI 1300,00

Lo sviluppo del mondo enologico nel veronese ha fatto sì che il ruolo delle Cantine Sociali venisse profondamente rivisto. Quella condotta con piglio sicuro da Gaetano Tobin invece rimane fedele al suo ruolo storico, coltivando tramite i soci una grandissima superficie vitata e limitando l'imbottigliamento unicamente alle partite migliori, all'incirca il 30% della produzione totale. Soave al centro dell'obbiettivo ovviamente, con una gamma di vini di pregevole fattura proposta a prezzi molto interessanti. Batteria ristretta quella presentata dalla Cantina di via XX Settembre, che presenta però un Soave Foscarino '19 in grande spolvero. Garganega in purezza che matura quasi esclusivamente in acciaio e che porge al naso intense suggestioni di frutto a polpa bianca e fiori, in bocca si distende con grazia e tensione, concludendo asciutto e lungo. Convincente anche il più semplice Vicario '19, giocato sulla fragranza fruttata e su un sorso agile e di grande piacevolezza.

○ Soave Cl. Foscarino '19	♀♀	3*
○ Soave Cl. Clivus '19	♀♀	2*
○ Soave Cl. Il Vicario '19	♀♀	2*
● Prima Pietra '18	♀	3
○ Soave Cl. Sup. Vign. di Castellaro '15	♀♀♀	2*
● Amarone della Valpolicella Tolotti '16	♀♀	5
○ Recioto di Soave Cl. Sigillo '15	♀♀	3
○ Soave Cl. Clivus '17	♀♀	2*
○ Soave Cl. Foscarino '17	♀♀	3
○ Soave Cl. Foscarino '16	♀♀	3*
○ Soave Cl. Il Vicario '18	♀♀	2*
○ Soave Cl. Sup. Castellaro '17	♀♀	2*
○ Soave Cl. Sup. Castellaro '16	♀♀	2*
○ Soave Cl. Vicario '17	♀♀	2*
● Valpolicella Ripasso Clivus '17	♀♀	2*

Montegrande

VIA TORRE, 2
35030 ROVOLON [PD]
TEL. 0495226276
www.vinimontegrande.it

VENDITA DIRETTA
VISITA SU PRENOTAZIONE
PRODUZIONE ANNUA 250.000 bottiglie
ETTARI VITATI 30,00

Pur vantando la presenza della vite da tempo immemore, il comprensorio dei Colli Euganei non si è mai piegato alla sua egemonia e i vigneti sono racchiusi fra boschi, macchia mediterranea e più rare aree prative, in un paesaggio punteggiato da piccoli borghi e ville storiche. Raffaele e Paola Cristofanon gestiscono l'azienda di famiglia, una realtà ben radicata nel territorio che nell'ultimo decennio ha compiuto un importante balzo in avanti, proponendo bianchi dal carattere varietale e rossi che invece esprimono al meglio il legame con un territorio solare e mediterraneo. Prodotto per la prima volta con la vendemmia 2016, il Merlot Luigi Cristofanon ci ha convinto appieno in virtù di un quadro aromatico composto e ancora in via di definizione, dove il frutto si lascia attraversare da più fresche note di erbe officinali e spezie. Al palato invece l'incedere è da vino di categoria superiore: ricco e possente all'impatto, trova dinamismo e continuità sotto la pressione della spinta acida e chiude con un finale piacevolmente ruvido.

● Colli Euganei Merlot Luigi Cristofanon Ris. '16	♟♟ 4
○ Colli Euganei Bianco Erto '19	♟ 2*
○ Colli Euganei Chardonnay San Giorgio '17	♟♟ 4
● Colli Euganei Merlot Corterocco '18	♟♟ 2*
● Colli Euganei Rosso Momi '18	♟♟ 2*
● Colli Euganei Cabernet Borgomoro '18	♟ 2
○ Colli Euganei Pinot Bianco Marani '19	♟ 2
○ Colli Euganei Serprino Brut	♟ 2
● Colli Euganei Cabernet Borgomoro '17	♟♟ 3
● Colli Euganei Cabernet Sereo Ris. '16	♟♟ 3
● Colli Euganei Merlot Corterocco '17	♟♟ 3
● Colli Euganei Rosso Ottomano Ris. '16	♟♟ 4
● Colli Euganei Rosso Ottomano Ris. '15	♟♟ 4
● Colli Euganei Rosso V. delle Roche Ris. '16	♟♟ 3

Monteversa

VIA MONTE VERSA, 1024
35030 VO' [PD]
TEL. 0499941092
www.monteversa.it

VENDITA DIRETTA
VISITA SU PRENOTAZIONE
PRODUZIONE ANNUA 23.000 bottiglie
ETTARI VITATI 17,00
VITICOLTURA Biologico Certificato

L'azienda della famiglia Voltazza è attiva da una manciata di anni nel territorio sud occidentale del Parco Regionale dei Colli Euganei. I vigneti però sono stati messi a dimora decenni prima e solo una piccola parte di essi sono stati sostituiti recentemente. Il quadro generale quindi propone una piattaforma viticola di grande spessore, adagiata su alcune delle migliori esposizioni della denominazione, e una famiglia desiderosa di produrre grandi vini. A tal proposito la presentazione dell'etichetta di punta è stata rimandata per permettere al vino di maturare ancora un po' in cantina. Sugli scudi l'Animaversa Chardonnay '18, un calice di grande espressione fruttata che invoglia la beva, mentre al palato tanta generosità sembra quasi nascondersi per lasciare spazio a un sorso energico, sapido e di grande tensione. Sul fronte dei rossi abbiamo apprezzato il Versacinto '18, un taglio bordolese che si fa apprezzare per la nitidezza del frutto rosso e la croccantezza delle sensazioni gustative.

○ Animaversa Chardonnay '18	♟♟ 4
● Colli Euganei Rosso Versacinto '18	♟♟ 3
○ Primaversa Frizzante '19	♟ 3
● Colli Euganei Cabernet Animaversa '12	♟♟ 4
○ Colli Euganei Fior d'Arancio Spumante '18	♟♟ 4
○ Colli Euganei Fior d'Arancio Spumante '16	♟♟ 4
○ Colli Euganei Manzoni Bianco Animaversa '17	♟♟ 3
● Colli Euganei Rosso Animaversa '16	♟♟ 4
● Colli Euganei Rosso Animaversa '15	♟♟ 4
● Colli Euganei Rosso Animaversa '13	♟♟ 4
● Colli Euganei Rosso Versacinto '16	♟♟ 3
○ Versavò '17	♟♟ 2*
○ Versavò '15	♟♟ 2*

Marco Mosconi

VIA PARADISO, 5
37031 ILLASI [VR]
TEL. 0456529109
www.marcomosconi.it

VENDITA DIRETTA
VISITA SU PRENOTAZIONE
PRODUZIONE ANNUA 25.000 bottiglie
ETTARI VITATI 10,00

Nel corso di questi ultimi anni Marco
Mosconi ha saputo identificare quale fosse
il suo percorso, affrancandosi da uno stile
volto all'esaltazione della concentrazione
dei vini - che soprattutto nella valle d'Illasi
è stato a lungo l'impostazione dominante
- per abbracciarne uno dove la tensione,
l'eleganza e l'agilità sono indispensabili per
contrastarne la ricchezza. Sono una decina
gli ettari aziendali, dedicati in massima
parte alle uve a bacca rossa e con una
piccola presenza di garganega. Batteria
insolita quella presentata quest'anno, con
tutti i vini più importanti rimasti a riposare
in cantina per un altro anno. In compenso,
dalla poca garganega che Marco coltiva è
scaturito un passito di altissima levatura.
Frutto dell'ormai lontana vendemmia 2006
porge profumi complessi che lasciano
trasparire i fichi secchi, il caramello e le
note esotiche e balsamiche. In bocca la
dolcezza è ben presente, ma non
ingombrante, e il vino trova equilibrio
nell'importante presenza sapida.

○ Passito '06	♟♟7
● Corvina '19	♟♟3
○ Soave Corte Paradiso '19	♟♟2*
● Valpolicella Sup. '13	♟♟♟5
● Valpolicella Sup. '12	♟♟♟5
● Amandorlato '15	♟♟3
● Amarone della Valpolicella '13	♟♟8
● Amarone della Valpolicella '12	♟♟8
○ Soave Corte Paradiso '18	♟♟2*
○ Soave Corte Paradiso '17	♟♟2*
○ Soave Rosetta '18	♟♟3
○ Soave Rosetta '15	♟♟3
● Turan '15	♟♟3
● Turan '13	♟♟3
● Valpolicella Montecurto '16	♟♟3
● Valpolicella Sup. '15	♟♟5
● Valpolicella Sup. '14	♟♟5

Mosole

LOC. CORBOLONE
VIA ANNONE VENETO, 60
30029 SANTO STINO DI LIVENZA [VE]
TEL. 0421310404
www.mosole.com

VENDITA DIRETTA
VISITA SU PRENOTAZIONE
PRODUZIONE ANNUA 230.000 bottiglie
ETTARI VITATI 30,00

A prima vista l'ampia pianura che da
Venezia si allunga in direzione del Friuli
appare tutta uguale. Se però andiamo a
scavare oltre i primi 20 centimetri,
scopriamo un mondo estremamente
variegato, dove i suoli ghiaiosi che si
incontrano vicino ai corsi d'acqua principali
si alternano alle argille e alle presenze di
limo. Proprio su un fondo fortemente
argilloso opera Lucio Mosole, interprete
autentico di un territorio da cui riesce con
grande sensibilità a ricavare una
produzione che esalta la freschezza nei vini
più immediati e il carattere e la finezza in
quelli più ambiziosi. Splendido il Cabernet
Hora Sexta '17, un vino che sa raccontare
questo territorio, con un frutto che, a
rivendicare la sua origine, è delimitato dalla
netta presenta vegetale e di erbe officinali,
mentre il sorso rivela buona pienezza e una
dinamica agile e succosa. L'Ad Nonam è
invece un passito che gioca con note
esotiche e agrumate al naso e che in bocca
rivela una prorompente dolcezza, che trova
il suo equilibrio nella componente acida.

○ Ad Nonam Passito '18	♟♟5
● Lison Pramaggiore Cabernet Hora Sexta '17	♟♟5
● Lison Pramaggiore Merlot Ad Nonam '17	♟♟6
○ Tai '19	♟♟3
○ Venezia Pinot Grigio '19	♟♟3
● Lison Pramaggiore Refosco P. R. '19	♟3
○ Sauvignon '19	♟3
○ Venezia Chardonnay '19	♟3
● Ad Nonam Passito '17	♟♟4
○ Hora Prima '17	♟♟4
○ Hora Prima '16	♟♟4
● Lison-Pramaggiore Cabernet Hora Sexta '16	♟♟4
● Lison-Pramaggiore Merlot Ad Nonam '16	♟♟5
○ Venezia Chardonnay '18	♟♟2*
● Venezia Merlot '18	♟♟2*

Il Mottolo

LOC. LE CONTARINE
VIA COMEZZARA, 13
35030 BAONE [PD]
TEL. 3479456155
www.ilmottolo.it

VENDITA DIRETTA
VISITA SU PRENOTAZIONE
PRODUZIONE ANNUA 30.000 bottiglie
ETTARI VITATI 8,00

Sergio Fortin è giunto alla viticoltura in età adulta, mosso da una passione per il vino che non conosce pari. Assieme all'amico Roberto Dalla Libera hanno dato vita a Il Mottolo, una bella realtà posta nella zona meridionale dei Colli Euganei, quella dove il calore si fa sentire maggiormente e il problema non è la maturità del frutto, ma il riuscire a mantenerne freschezza e finezza. Pochi gli ettari coltivati, destinati principalmente alle uve a bacca rossa del bordolese, per una produzione che interpreta al meglio questo angolo mediterraneo del Veneto. Il Serro ancora una volta sfodera una prestazione da incorniciare. La vendemmia '17 ha portato in dote il consueto spettro aromatico, dove il frutto trova completamento nelle note di spezie, fiori e sottobosco. In bocca la pienezza del sorso è perfettamente bilanciata dalla spinta acida e il vino termina con un finale lungo e tratteggiato dai tannini. Il Vignanima '17 invece è più ricco nell'espressione fruttata e dotato di un sorso energico e scalpitante.

● Colli Euganei Carménère Vignànima '17	▼▼ 5
● Colli Euganei Rosso Serro '17	▼▼ 4
● Comezzara Merlot '18	▼▼ 3
○ Le Contarine '19	▼▼ 3
● V. Marè Cabernet '18	▼ 3
● Colli Euganei Rosso Serro '16	▽▽▽ 4*
● Colli Euganei Rosso Serro '11	▽▽▽ 3*
● Colli Euganei Rosso Serro '10	▽▽▽ 3*
● Colli Euganei Rosso Serro '09	▽▽▽ 3*
○ Colli Euganei Fiori d'Arancio Passito Luna del Pozzo '16	▽▽ 3
○ Le Contarine '17	▽▽ 2*
● Merlot Comezzara '17	▽▽ 2*
● Serro '15	▽▽ 4
● V. Marè Cabernet '17	▽▽ 2*
● V. Marè Cabernet '16	▽▽ 2*

Mulin di Mezzo

VIA MOLIN DI MEZZO, 16
30020 ANNONE VENETO [VE]
TEL. 0422 769398
www.mulindimezzo.com

VISITA SU PRENOTAZIONE
PRODUZIONE ANNUA 40.000 bottiglie
ETTARI VITATI 6,00

La denominazione di Lison Pramaggiore si allunga sulla pianura veneziana in direzione di Pordenone, a due passi dal mare e con le Prealpi poco distanti a nord. Terra dedita principalmente alla produzione di vini leggeri e scorrevoli, che Paolo Lazzarin ha voluto fortemente reinterpretare. Le vigne, estese per una manciata di ettari, affondano le loro radici in un suolo dove l'argilla è protagonista e conferisce ai vini una grinta inusuale, e sono lavorate con una viticoltura estremamente selettiva, per una produzione solida e di grande ricchezza. Che il territorio di Annone costituisse una delle culle del tai non lo scopriamo certo oggi, però l'assaggio del Lison '19 ce lo ricorda una volta di più. I profumi sono intensi e dominati dalla presenza di frutto giallo e fiori, mentre il sorso è pieno, energico e di grande sapidità. Intrigante e fresco il Sauvignon'19, mentre sul fronte dei rossi segnaliamo l'ottima riuscita del Cabernet Franc '18, dai profumi freschi e dal sorso succoso, agile e di grande piacevolezza.

○ Lison Cl. '19	▼▼ 2*
● Rosso Molino '18	▼▼ 3
○ Sauvignon '19	▼▼ 2*
● Venezia Cabernet Franc '18	▼▼ 3
● Lison Pramaggiore Merlot '17	▼ 3
● Venezia Cabernet Sauvignon '18	▼ 3
● Il Priore '10	▽▽ 4
○ Lison Cl. '18	▽▽ 2*
○ Lison Cl. '17	▽▽ 2*
○ Lison Cl. '16	▽▽ 2*
○ Lison Cl. Blanc '18	▽▽ 2*
○ Lison Pramaggiore Chardonnay '17	▽▽ 2*
● Lison Pramaggiore Merlot '16	▽▽ 2*
● Rosso Molino '17	▽▽ 2*
● Rosso Molino '15	▽▽ 2*

Musella

LOC. FERRAZZE
VIA FERRAZZETTE, 2
37036 SAN MARTINO BUON ALBERGO [VR]
TEL. 045973385
www.musella.it

VENDITA DIRETTA
VISITA SU PRENOTAZIONE
OSPITALITÀ
PRODUZIONE ANNUA 150.000 bottiglie
ETTARI VITATI 25,00
VITICOLTURA Biodinamico Certificato
AZIENDA SOSTENIBILE

L'azienda di Maddalena Pasqua si sviluppa all'interno dell'antica tenuta Musella, un'area dolcemente collinare racchiusa fra mura, una vera e propria oasi verde a due passi dal centro della città scaligera. Quella che era un'agricoltura rispettosa dell'ambiente con gli anni è sfociata nella conduzione biodinamica di tutta la proprietà, per una produzione in cui ai vini classici della denominazione, interpretati con personalità, fanno eco un paio di etichette di fantasia. Il Ripasso '16 mette in mostra una prestazione da incorniciare, fatta di raffinatezza aromatica e tensione gustativa. Al frutto selvatico maturo fanno eco le note di erbe officinali e pepe, mentre in bocca il sorso è asciutto, succoso e di trascinante beva. Ben tre gli Amarone proposti, con la nostra predilezione per il Senza Titolo '11, un calice dalla veste leggera che anticipa profumi complessi e quasi terziari, con il frutto sotto spirito che lascia trasparire accenni minerali e di liquirizia. In bocca si allarga delicato e sapido, con un finale asciutto e rilassato.

Nardello

VIA IV NOVEMBRE, 56
37032 MONTEFORTE D'ALPONE [VR]
TEL. 0457612116
www.nardellovini.it

VENDITA DIRETTA
VISITA SU PRENOTAZIONE
PRODUZIONE ANNUA 75.000 bottiglie
ETTARI VITATI 16,00
AZIENDA SOSTENIBILE

Federica e Daniele Nardello, passo dopo passo, stanno dando sviluppo all'azienda di famiglia, forti di un vigneto che si estende per oltre 15 ettari e che ha nel monte Tondo e nello Zoppega le sue punte di diamante. Siamo all'estremità meridionale della zona classica, con vigne vecchie allevate a pergola che Daniele ha gradualmente modificato per ridurne la vigoria e preservare la sanità delle uve, mentre le vigne di nuovo impianto sono allevate a guyot. La produzione si avvale solo delle migliori partite di uva ed è destinata in massima parte alla produzione di vini a denominazione. Proprio dal Monte Zoppega provengono le uve per l'omonimo Soave '18, un calice che profuma di frutto a polpa gialla maturo e succoso, con la presenza discreta e quasi nascosta del rovere sullo sfondo. In bocca il sorso si allarga con delicatezza e il vino è avvolgente e morbido. Maggior freschezza aromatica e tensione gustativa nel Turbian '19, che si avvale anche di un'importante presenza di trebbiano di Soave.

● Valpolicella Sup. Ripasso '16	♟♟ 4
● Amarone della Valpolicella '14	♟♟ 6
● Amarone della Valpolicella Ris. '15	♟♟ 6
● Amarone della Valpolicella Senza Titolo '11	♟♟ 8
● Monte del Drago '15	♟♟ 5
● Valpolicella Sup. '18	♟♟ 3
○ Drago Bianco '18	♟ 3
○ Fibio Pinot Bianco '18	♟ 3
● Amarone della Valpolicella Ris. '07	♟♟♟ 6
● Valpolicella Sup. '13	♟♟♟ 3*
● Valpolicella Sup. '12	♟♟♟ 2*
● Amarone della Valpolicella '12	♟♟ 6
○ Drago Bianco '16	♟♟ 3
● Valpolicella Sup. '16	♟♟ 3*
● Valpolicella Sup. '15	♟♟ 3*
● Valpolicella Sup. '14	♟♟ 3*

○ Soave Cl. Meridies '19	♟♟ 2*
○ Soave Cl. Monte Zoppega '18	♟♟ 4
○ Soave Cl. Turbian '19	♟♟ 3
○ Blanc de Fe' '19	♟ 3
○ Recioto di Soave Suavissimus '16	♟♟ 4
○ Recioto di Soave Suavissimus '14	♟♟ 4
○ Soave Cl. Meridies '18	♟♟ 2*
○ Soave Cl. Meridies '17	♟♟ 2*
○ Soave Cl. Monte Zoppega '17	♟♟ 4
○ Soave Cl. Monte Zoppega '16	♟♟ 4
○ Soave Cl. Monte Zoppega '15	♟♟ 3*
○ Soave Cl. Turbian '18	♟♟ 3
○ Soave Cl. V. Turbian '17	♟♟ 3*
○ Soave Cl. V. Turbian '16	♟♟ 2*

Nicolis

VIA VILLA GIRARDI, 29
37029 SAN PIETRO IN CARIANO [VR]
TEL. 0457701261
www.vininicolis.com

VENDITA DIRETTA
VISITA SU PRENOTAZIONE
PRODUZIONE ANNUA 220.000 bottiglie
ETTARI VITATI 42,00
AZIENDA SOSTENIBILE

Quella della famiglia Nicolis è una realtà di
grande tradizione, presente nel territorio
della Valpolicella da generazioni. Oggi la
piattaforma viticola si estende per molti ettari
all'interno della zona classica, per una
produzione dedicata alle tradizionali tipologie
della denominazione con uno stile che fa
riferimento alla tradizione. In cabina di regia i
fratelli Giancarlo e Giuseppe, il primo gestore
attento della campagna, il secondo
interprete sensibile in cantina. Dopo quasi
un decennio dalla vendemmia vede la luce
l'Ambrosan '11, la selezione più ambiziosa
di Amarone. Al naso il frutto appare
surmaturo e quasi in confettura, impreziosito
dalla presenza di erbe officinali e le più
profonde note minerali che ne alleggeriscono
il quadro aromatico. Il palato è di grande
impatto e pienezza, salvo distendersi con
grazia sulla spinta acida. Molto buono anche
il Seccal '17, un Ripasso dal profilo giovanile
e dotato di un sorso agile, dinamico e di
grande piacevolezza.

- Amarone della Valpolicella Cl.
  Ambrosan '11   ♟♟ 8
- Amarone della Valpolicella Cl. '15   ♟♟ 6
- Valpolicella Cl. Sup. Ripasso Seccal '17 ♟♟ 4
- Amarone della Valpolicella Cl.
  Ambrosan '06   ♟♟♟ 7
- Amarone della Valpolicella Cl.
  Ambrosan '98   ♟♟♟ 7
- Amarone della Valpolicella Cl.
  Ambrosan '93   ♟♟♟ 6
- Amarone della Valpolicella Cl. '13   ♟♟ 6
- Amarone della Valpolicella Cl. '12   ♟♟ 6
- Amarone della Valpolicella Cl. '11   ♟♟ 6
- Amarone della Valpolicella Cl.
  Ambrosan '10   ♟♟ 7
- Amarone della Valpolicella Cl.
  Ambrosan '09   ♟♟ 7

Novaia

VIA NOVAIA, 1
37020 MARANO DI VALPOLICELLA [VR]
TEL. 0457755129
www.novaia.it

VENDITA DIRETTA
VISITA SU PRENOTAZIONE
PRODUZIONE ANNUA 50.000 bottiglie
ETTARI VITATI 7,00
VITICOLTURA Biologico Certificato
AZIENDA SOSTENIBILE

Se i fondovalle della Valpolicella Classica
sono caratterizzati dalla forte urbanizzazione,
basta risalire di poche centinaia di metri per
trovarsi come d'incanto in un panorama
dalla forte presenza viticola, con i ciliegi e gli
ulivi che fino a qualche decennio fa
contendevano alla vite le migliori esposizioni
ormai relegati a punteggiare qua e là il
panorama. La famiglia Vaona opera in
regime biologico in uno degli angoli più belli
e integri della Valpolicella, per una
produzione fortemente legata alla tradizione
e che offre vini di grande personalità.
Percorso netto quello realizzato quest'anno
dall'azienda di Marano, con l'Amarone Corte
Vaona '15 in cima alle nostre preferenze. Al
naso approccia timido e decisamente
chiuso, salvo poi aprirsi poco per volta,
rilasciando un frutto surmaturo attraversato
da note di erbe officinali e spezie, con una
timida ma profonda nota minerale sullo
sfondo. In bocca invece rivela una grande
materia e una piacevolissima rusticità
tannica. Intenso, succoso e di grande beva il
Ripasso '17.

- Amarone della Valpolicella Cl.
  Corte Vaona '15   ♟♟ 6
- Recioto della Valpolicella Cl. Le Novaje '18 ♟♟ 5
- Valpolicella Cl. '19   ♟♟ 3
- Valpolicella Cl. Sup. I Cantoni '17 ♟♟ 4
- Valpolicella Cl. Sup. Ripasso '17   ♟♟ 4
- Amarone della Valpolicella Cl.
  Corte Vaona '13   ♟♟ 6
- Amarone della Valpolicella Cl.
  Corte Vaona '12   ♟♟ 6
- Amarone della Valpolicella Cl.
  Le Balze Ris. '13   ♟♟ 7
- Recioto della Valpolicella Cl. Le Novaje '17 ♟♟ 4
- Valpolicella Cl. '18   ♟♟ 3
- Valpolicella Cl. '17   ♟♟ 3
- Valpolicella Cl. Sup. I Cantoni '16 ♟♟ 4
- Valpolicella Cl. Sup. Ripasso '16   ♟♟ 4

VENETO

★Ottella

FRAZ. SAN BENEDETTO DI LUGANA
LOC. OTTELLA
37019 PESCHIERA DEL GARDA [VR]
TEL. 0457551950
www.ottella.it

VENDITA DIRETTA
VISITA SU PRENOTAZIONE
PRODUZIONE ANNUA 350.000 bottiglie
ETTARI VITATI 40,00

L'avventura cominciata molti anni fa da Lodovico Montresor assieme ai figli Francesco e Michele è diventata una delle più belle realtà della Lugana. L'azienda con il passare degli anni ha allargato la piattaforma viticola prima in direzione di Ponti sul Mincio, dove ha collocato i vigneti a bacca rossa, e negli ultimi anni in Valpolicella, a Romagnano, dove coltiva una ventina di ettari esclusivamente con vitigni della tradizione. Il cuore rimane però saldamente legato alla Lugana, interpretata esaltandone le doti varietali e di longevità. Ancora una volta il ruolo di capofila spetta al Lugana Molceo, una Riserva che con la vendemmia 2018 esprime intense suggestioni di frutto maturo rinfrescate da sottili note vegetali e floreali. In bocca la pienezza del sorso è perfettamente contrastata dalla spinta acida e da una vitale e succosa sapidità. Cominciano a trovare la loro strada anche i rossi della Valpolicella, con un ottimo Ripasso Ripa della Volta '18, che conquista per la maturità degli aromi e l'armonia del ricco palato.

○ Lugana Molceo Ris. '18	♔♔♔	4*
● Campo Sireso '17	♔♔	4
○ Lugana '19	♔♔	2*
○ Lugana Le Creete '19	♔♔	3
○ Nasomatto '19	♔♔	2*
○ Prima Luce Passito '14	♔♔	5
⊙ RosesRoses '19	♔♔	2*
● Valpolicella Ripasso Ripa della Volta '17	♔♔	4
● Gemei '19	♔	2
○ Lugana Back to Silence '19	♔	2
○ Lugana Molceo Ris. '17	♕♕♕	4*
○ Lugana Molceo Ris. '16	♕♕♕	4*
○ Lugana Molceo Ris. '15	♕♕♕	4*
○ Lugana Molceo Ris. '14	♕♕♕	4*
○ Lugana Molceo Ris. '13	♕♕♕	4*
○ Lugana Molceo Ris. '12	♕♕♕	4*

Pasqua - Cecilia Beretta

LOC. SAN FELICE EXTRA
VIA BELVEDERE, 135
37131 VERONA
TEL. 0458432111
www.pasqua.it

VENDITA DIRETTA
VISITA SU PRENOTAZIONE
PRODUZIONE ANNUA 15.500.000 bottiglie
ETTARI VITATI 322,00

La griffe veronese oggi si pone come una delle aziende più interessanti del territorio, forte di un vigneto molto esteso e di una gestione che non si limita a produrre vini di buona qualità, ma interpreta con attenzione il profondo legame che lega ogni vigneto alle sue uve. Se l'azienda Pasqua aveva già rivelato l'importante cambio di passo realizzato negli ultimi anni, oggi è il momento di Cecilia Beretta, l'azienda agricola di famiglia, di presentarsi con una rinnovata gamma di vini di grande personalità. Batteria ristretta quella presentata quest'anno dall'azienda di via Belvedere, ma tutti i vini ci hanno convinto appieno. L'Amarone Mai Dire Mai alla vista si presenta rubino compatto, per poi rilasciare poco per volta i suoi aromi fruttati, cui seguono le note minerali e di sottobosco, con le spezie che attendono di guadagnare il centro del palcoscenico. In bocca è ricco, compatto e grintoso, per una beva difficile da dimenticare. Diametralmente opposto il Famiglia Pasqua '16, giocato sull'immediatezza aromatica e l'armonia del sorso.

● Amarone della Valpolicella Mai Dire Mai '13	♔♔♔	8
● Amarone della Valpolicella Famiglia Pasqua '16	♔♔	6
○ Soave Cl. Brognoligo Cecilia Beretta '19	♔♔	3*
● Amarone della Valpolicella Cl. Terre di Cariano Cecilia Beretta Ris. '15	♔♔	8
● Valpolicella Sup. Mai dire Mai '15	♔♔	6
● Amarone della Valpolicella Cl. Terre di Cariano '04	♕♕♕	8
● Amarone della Valpolicella Famiglia Pasqua '13	♕♕♕	6
● Amarone della Valpolicella Mai Dire Mai '12	♕♕♕	8
● Amarone della Valpolicella Pasqua Mai dire Mai '11	♕♕♕	8

★★Leonildo Pieropan

VIA MATTEOTTI
37038 SOAVE [VR]
TEL. 0456190171
www.pieropan.it

VENDITA DIRETTA
VISITA SU PRENOTAZIONE
PRODUZIONE ANNUA 550.000 bottiglie
ETTARI VITATI 70,00
VITICOLTURA Biologico Certificato

Se al Soave oggi viene riconosciuto lo status di vino di qualità, certamente una parte del merito va attribuita all'azienda della famiglia Pieropan, oggi condotta nel solco della tradizione familiare dai fratelli Dario e Andrea, sotto lo sguardo vigile di mamma Teresita. Una grande proprietà, che oggi esplora tanto il Soave classico quanto la Valpolicella orientale, con una settantina di ettari in conduzione biologica che danno vita a una gamma di vini glocali più sull'eleganza e la longevità che sulla ricchezza e l'immediatezza. Batteria interamente dedicata al Soave quella presentata quest'anno dai fratelli Pieropan, con i rossi della Valpolicella rimasti a maturare in cantina. Il Calvarino '18 porge al naso intense suggestioni fruttate, cui fanno eco delle note più fresche e floreali dovute alla presenza del trebbiano di Soave. In bocca si tende agile e nervoso, per poi proporsi con sapidità e armonia. Più ricco, profondo e minerale La Rocca della medesima annata, dotato di un sorso pieno e appagante.

○ Soave Cl. Calvarino '18	♟♟♟	4*
○ Soave Cl. La Rocca '18	♟♟	5
○ Recioto di Soave Cl. Le Colombare '16	♟♟	5
○ Soave Cl. '19	♟♟	3
○ Soave Cl. Calvarino '17	♟♟♟	4*
○ Soave Cl. Calvarino '16	♟♟♟	4*
○ Soave Cl. Calvarino '15	♟♟♟	4*
○ Soave Cl. Calvarino '13	♟♟♟	4*
○ Soave Cl. Calvarino '09	♟♟♟	4*
○ Soave Cl. Calvarino '08	♟♟♟	4
○ Soave Cl. Calvarino '04	♟♟♟	4
○ Soave Cl. La Rocca '14	♟♟♟	5
○ Soave Cl. La Rocca '12	♟♟♟	5
○ Soave Cl. La Rocca '11	♟♟♟	5
○ Soave Cl. La Rocca '10	♟♟♟	5

Piovene Porto Godi

FRAZ. TOARA DI VILLAGA
VIA VILLA, 14
36021 VILLAGA [VI]
TEL. 0444885142
www.piovene.com

VENDITA DIRETTA
VISITA SU PRENOTAZIONE
OSPITALITÀ
PRODUZIONE ANNUA 120.000 bottiglie
ETTARI VITATI 40,00
AZIENDA SOSTENIBILE

L'azienda della famiglia Piovene si sviluppa nell'enclave di Toara, una sorta di grande anfiteatro aperto a sud est nella zona meridionale dei Colli Berici. Attorno alla villa storica, che ospita anche i locali della cantina, boschi e vigneti si alternano a zone prative e seminative, contribuendo a un panorama dove la vite non è che uno dei protagonisti. La produzione, incentrata sui vini rossi, sfrutta il clima particolarmente caldo e asciutto dei mesi estivi per mettere in luce uno stile ricco e dominato dal frutto maturo. Il Merlot Fra I Broli '16 si presenta con un quadro aromatico di straordinaria giovinezza, dominato dal frutto maturo e impreziosito dalle note floreali e di sottobosco. In bocca debutta ancor più giovanile, con il sorso che ruota attorno alle note fruttate e si tende sulla spinta acida fino a un lungo e vibrante finale. Il Thovara '16 appare più chiuso al naso e sviluppa un sorso asciutto, dinamico e piacevolmente ruvido. Segnaliamo infine l'ottima prova del Polveriera Rosso '18, un bordolese fragrante e succoso.

● Colli Berici Merlot Fra i Broli '16	♟♟	4
● Colli Berici Tai Rosso Thovara '16	♟♟	5
○ Colli Berici Garganega '19	♟♟	2*
● Colli Berici Tai Rosso Riveselle '19	♟♟	2*
● Polveriera Rosso '18	♟♟	2*
○ Colli Berici Pinot Bianco Polveriera '19	♟	2
○ Colli Berici Sauvignon Fostine '19	♟	2
● Colli Berici Cabernet Vign. Pozzare '12	♟♟♟	4*
● Colli Berici Cabernet Vign. Pozzare '07	♟♟♟	3
● Colli Berici Cabernet Vign. Pozzare '16	♟♟	4
● Colli Berici Cabernet Vign. Pozzare '15	♟♟	4
○ Colli Berici Pinot Bianco Polveriera '18	♟♟	2*
○ Colli Berici Sauvignon Vign. Fostine '18	♟♟	2*
● Colli Berici Tai Rosso Thovara '15	♟♟	5
● Polveriera Rosso '17	♟♟	2*
○ Sauvignon Campigie '17	♟♟	3

★Graziano Prà

VIA DELLA FONTANA, 31
37032 MONTEFORTE D'ALPONE [VR]
TEL. 0457612125
www.vinipra.it

VENDITA DIRETTA
VISITA SU PRENOTAZIONE
OSPITALITÀ
PRODUZIONE ANNUA 350.000 bottiglie
ETTARI VITATI 35,00
VITICOLTURA Biologico Certificato
AZIENDA SOSTENIBILE

Il suolo scuro, quasi nero, del Monte Grande tradisce immediatamente la sua origine vulcanica. Qui ha origine l'azienda di Graziano Prà, una realtà che oggi è giunta a estendersi per quasi 40 ettari e che esplora anche il calcare della collina che si frappone fra le vallate di Tregnago e Mezzane, dove hanno dimora i vigneti per la produzione dei vini della Valpolicella. Terre molto diverse che Graziano interpreta con sensibilità, esaltando la complessità minerale che caratterizza i bianchi e la fragranza e la finezza che l'altitudine conferisce ai rossi. Difficile scegliere quali siano i vini più riusciti fra quelli presentati quest'anno, con una batteria convincente sotto ogni punto di vista. Il Monte Grande '18 è il consueto bianco di razza, tratteggiato da profumi che accanto al frutto bianco lasciano già trasparire le prime avvisaglie minerali, mentre in bocca è elegante, teso e di grande beva. Lo Staforte '18 si muove invece su un registro più sommesso ma di carattere, con un sorso succoso e molto lungo.

○ Soave Cl. Monte Grande '18	▼▼	4
○ Soave Cl. Staforte '18	▼▼	3*
● Amarone della Valpolicella Morandina '15	▼▼	7
○ Soave Cl. Colle Sant'Antonio '16	▼▼	5
○ Soave Cl. Otto '19	▼▼	3
● Valpolicella Sup. Ripasso Morandina '18	▼▼	4
● Valpolicella Morandina '19	▼	3
○ Soave Cl. Monte Grande '16	♀♀♀	4*
○ Soave Cl. Monte Grande '11	♀♀♀	4*
○ Soave Cl. Monte Grande '08	♀♀♀	4
○ Soave Cl. Staforte '15	♀♀♀	3*
○ Soave Cl. Staforte '14	♀♀♀	4*
○ Soave Cl. Staforte '13	♀♀♀	4*
○ Soave Cl. Staforte '11	♀♀♀	4*
○ Soave Cl. Staforte '08	♀♀♀	4

★★Giuseppe Quintarelli

VIA CERÈ, 1
37024 NEGRAR [VR]
TEL. 0457500016
vini@giuseppequintarelli.it

VENDITA DIRETTA
VISITA SU PRENOTAZIONE
PRODUZIONE ANNUA 60.000 bottiglie
ETTARI VITATI 10,00

Il successo che ha investito la Valpolicella nell'ultimo ventennio ha spinto molti ad ampliare la superficie vitata e la produzione. In casa Quintarelli ciò non è avvenuto, i vigneti si estendono per una decina di ettari come un tempo e la produzione è al di sotto delle 100mila bottiglie anche nelle migliori annate. Oggi Francesco e Lorenzo Quintarelli hanno preso il testimone dai genitori e conducono l'azienda nel solco della tradizione, producendo vini che necessitano di tempo per esprimersi al meglio, caratterizzati dalla straordinaria fusione fra ricchezza, complessità e leggerezza. A oltre un decennio dalla vendemmia la famiglia Quintarelli presenta l'Amarone Riserva '09, un vino di rara precisione stilistica, che al naso propone un corredo fruttato dai confini sfuocati, contaminati dalle note di sottobosco e spezie che si susseguono in un continuo cambiamento. Il palato impatta ricco e deciso, allungandosi e alleggerendosi istante dopo istante, terminando con un lungo e caloroso finale.

● Amarone della Valpolicella Cl. Ris. '09	▼▼▼	8
● Valpolicella Cl. Sup. '13	▼▼	7
● Amarone della Valpolicella Cl. '11	♀♀♀	8
● Amarone della Valpolicella Cl. '09	♀♀♀	8
● Amarone della Valpolicella Cl. '06	♀♀♀	8
● Amarone della Valpolicella Cl. '03	♀♀♀	8
● Amarone della Valpolicella Cl. '98	♀♀♀	8
● Amarone della Valpolicella Cl. '97	♀♀♀	8
● Amarone della Valpolicella Cl. Ris. '07	♀♀♀	8
● Amarone della Valpolicella Cl. Sup. Monte Cà Paletta '00	♀♀♀	8
● Recioto della Valpolicella Cl. '01	♀♀♀	8
● Recioto della Valpolicella Cl. '95	♀♀♀	5
● Recioto della Valpolicella Cl. Monte Ca' Paletta '97	♀♀♀	8
● Valpolicella Cl. Sup. '99	♀♀♀	7

Quota 101

VIA MALTERRENO, 12
35038 TORREGLIA [PD]
TEL. 0495211322
www.quota101.com

VENDITA DIRETTA
VISITA SU PRENOTAZIONE
OSPITALITÀ
PRODUZIONE ANNUA 45.000 bottiglie
ETTARI VITATI 18,00
VITICOLTURA Biologico Certificato
AZIENDA SOSTENIBILE

Il nome dell'azienda è riferito all'altitudine della cantina, una piccola ma funzionale struttura immersa nei colli Euganei, circondata da vigneti e bosco che sembrano proteggerla dall'esterno. Roberto Gardina, assieme alla moglie Natalia e alle figlie Silvia e Roberta, ha acquisito la proprietà da pochi anni, ma già si avverte un deciso cambio di passo rispetto al passato. La gestione biologica del vigneto, il rispetto della biodiversità, gli sforzi per produrre un vino che oltre a essere buono sappia raccontare il luogo in cui nasce, sono i pilastri su cui si fonda la filosofia aziendale. Ottima la prova del Cabernet Sauvignon '16, un calice che profuma di frutto maturo e spezie, con una sottile sfumatura di grafite sullo sfondo. In bocca non vuole stupire per concentrazione e potenza, ma conquista proprio per la sua essenzialità, risultando fine, lungo e succoso. Il Merlot Silvano '18 invece porge un frutto maturo più immediato e goloso, mentre in bocca rivela corpo e un sorso energico e di grande piacevolezza.

● Colli Euganei Cabernet Poggio Ameno '18	♟♟ 2*
● Colli Euganei Cabernet Sauvignon '16	♟♟ 5
○ Colli Euganei Chardonnay '18	♟♟ 3
● Colli Euganei Merlot Silvano '18	♟♟ 2*
○ Colli Euganei Fior d'Arancio Spumante Dolce '19	♟ 3
○ Garganega '18	♟ 2
○ Colli Euganei Fior d'Arancio '16	♟♟ 3
○ Colli Euganei Fior d'Arancio Passito Il Gelso di Lapo '16	♟♟ 5
○ Colli Euganei Fior d'Arancio Passito Il Gelso di Lapo '15	♟♟ 5
○ Colli Euganei Manzoni Bianco '18	♟♟ 3
○ Colli Euganei Manzoni Bianco '16	♟♟ 3
● Colli Euganei Rosso Ortone '16	♟♟ 4
● Colli Euganei Rosso Ortone '15	♟♟ 4

Le Ragose

FRAZ. ARBIZZANO
VIA RAGOSE, 1
37024 NEGRAR [VR]
TEL. 0457513241
www.leragose.com

VENDITA DIRETTA
VISITA SU PRENOTAZIONE
PRODUZIONE ANNUA 130.000 bottiglie
ETTARI VITATI 18,00
AZIENDA SOSTENIBILE

L'azienda dei fratelli Galli si sviluppa lungo lo spartiacque che separa la vallata di Negrar da quella meno nota di Quinzano, con i vigneti che ancora godono della protezione del bosco e che sono costantemente accarezzati dalla brezza. In cantina Paolo e Marco sanno che non si può correre, che i vini hanno bisogno di tempo per raggiungere l'armonia e la piena espressività, in modo da essere narratori di una stagione, di un vigneto e di una tradizione. Poche e strettamente legate alla denominazione le etichette proposte. Emblematico l'assaggio dell'Amarone '10, presentato a un decennio dalla vendemmia. Al naso il frutto si è perfettamente fuso con le note di sottobosco ed erbe officinali, con una sottile nota minerale che scalpita sul fondo. In bocca si distende agile e piacevolmente nervoso, risultando energico e vibrante. Le Sassine '16 invece propone profumi dominati dal frutto rosso surmaturo, mentre in bocca rivela un sorso più dinamico e agile, perfetto esempio di tradizione contemporanea.

● Amarone della Valpolicella Cl. '10	♟♟ 7
● Amarone della Valpolicella Cl. Marta Galli '10	♟♟ 7
● Recioto della Valpolicella Cl. '16	♟♟ 5
● Valpolicella Cl. Sup. Marta Galli '16	♟♟ 5
● Valpolicella Cl. Sup. Ripasso Le Sassine '16	♟♟ 4
● Amarone della Valpolicella Cl. '88	♟♟♟ 7
● Amarone della Valpolicella Cl. '86	♟♟♟ 7
● Amarone della Valpolicella Cl. Caloetto '06	♟♟♟ 7
● Amarone della Valpolicella Cl. Marta Galli '05	♟♟♟ 8
● Amarone della Valpolicella Cl. '08	♟♟ 7
● Amarone della Valpolicella Cl. Caloetto '07	♟♟ 7
● Recioto della Valpolicella Cl. '15	♟♟ 5
● Valpolicella Cl. Sup. Marta Galli '15	♟♟ 5

Roeno

VIA MAMA, 5
37020 BRENTINO BELLUNO [VR]
TEL. 0457230110
www.cantinaroeno.com

VENDITA DIRETTA
VISITA SU PRENOTAZIONE
OSPITALITÀ E RISTORAZIONE
PRODUZIONE ANNUA 400.000 bottiglie
ETTARI VITATI 80,00
AZIENDA SOSTENIBILE

Il panorama che domina la sponda orientale del lago di Garda è costituito da una sequenza di piccole e dolci colline che degradano verso la pianura Padana. Giunti a Rivoli però, nel volgere di un paio di chilometri il paesaggio muta profondamente: si entra in Valdadige e di colpo il panorama si fa quasi alpino, con i vigneti che si distendono sul fondovalle e ne risalgono i primi contrafforti. Qui opera la famiglia Fugatti, interprete attenta e sensibile di questa terra di confine che unisce il Veneto al Trentino, dedita a una produzione che valorizza i vitigni storici della zona. Il Riesling Collezione di Famiglia '16 è sempre uno dei migliori d'Italia, un vino che dopo la lunga maturazione in cantina porge profumi complessi, dove il frutto esotico interseca le note minerali, scatenando un sorso energico, sapido e di trascinante beva. Il Cristina '17 è una vendemmia tardiva raffinata e armoniosa, con la dolcezza misurata e ben contrastata dall'acidità, mentre il Rivoli '17 è un Pinot Grigio di grande solidità e progressione.

○ Riesling Renano		
Collezione di Famiglia '16	▼▼▼	6
○ Cristina V. T. '17	▼▼	5
○ Valdadige Terra dei Forti Pinot Grigio		
Rivoli '17	▼▼	5
● La Rua Marzemino '19	▼▼	2*
○ Praecipuus Riesling Renano '18	▼▼	4
○ Valdadige Pinot Grigio Tera Alta '19	▼▼	2*
● Valdadige Terra dei Forti Enantio '17	▼▼	4
● Valdadige Terra dei Forti		
Enantio 1865 Pre-Fillossera Ris. '15	▼▼	6
○ Cristina V. T. '13	▽▽▽	5
○ Riesling Renano		
Collezione di Famiglia '15	▽▽▽	6
○ Riesling Renano		
Collezione di Famiglia '13	▽▽▽	6
○ Riesling Renano		
Collezione di Famiglia '12	▽▽▽	6

Rubinelli Vajol

LOC. VAJOL
FRAZ. SAN FLORIANO
VIA PALADON, 31
37029 SAN PIETRO IN CARIANO [VR]
TEL. 0456839277
www.rubinellivajol.it

VENDITA DIRETTA
VISITA SU PRENOTAZIONE
OSPITALITÀ
PRODUZIONE ANNUA 70.000 bottiglie
ETTARI VITATI 10,00

L'azienda della famiglia Rubinelli si trova all'interno della conca del Vajol, una piccola depressione fra San Pietro in Cariano e San Floriano che diventa il palcoscenico su cui si sviluppa la cantina. In questo anfiteatro naturale gli spalti di tufo sono gremiti di vigne, con tutti gli spazi disponibili divisi in parti uguali tra le più giovani, allevate a guyot, e le più vecchie, ancora con la tradizionale pergola. La produzione è interamente dedicata ai vini della tradizione, interpretati esaltando le doti di agilità dei vitigni storici. Piccola, ponderata pausa di riflessione in casa Rubinelli, con i vini più importanti rimasti a maturare in cantina alla ricerca di una più espressiva armonia. Le nostre attenzioni si sono così concentrate sul Ripasso '16, un calice che non vuole scimmiottare l'Amarone ma porge la sua identità fatta di profumi raffinati, dove il frutto è impreziosito dalle note floreali e di sottobosco, mentre in bocca rivela un profilo agile e di grande dinamismo. Il Valpolicella '19 invece è fresco, scattante e succoso.

● Valpolicella Cl. '19	▼▼	2*
● Valpolicella Cl. Sup. Ripasso '16	▼▼	4
● Amarone della Valpolicella Cl. '13	▽▽	7
● Amarone della Valpolicella Cl. '12	▽▽	7
● Amarone della Valpolicella Cl. '11	▽▽	7
● Amarone della Valpolicella Cl. '10	▽▽	6
● Recioto della Valpolicella Cl. '13	▽▽	6
● Recioto della Valpolicella Cl. '12	▽▽	6
● Valpolicella Cl. Sup. '15	▽▽	4
● Valpolicella Cl. Sup. '14	▽▽	4
● Valpolicella Cl. Sup. '12	▽▽	4
● Valpolicella Cl. Sup. '11	▽▽	4
● Valpolicella Cl. Sup. Ripasso '15	▽▽	4
● Valpolicella Cl. Sup. Ripasso '14	▽▽	5
● Valpolicella Cl. Sup. Ripasso '12	▽▽	5

★Ruggeri & C.

FRAZ. ZECCHEI
VIA PRÀ FONTANA, 4
31049 VALDOBBIADENE [TV]
TEL. 04239092
www.ruggeri.it

VENDITA DIRETTA
VISITA SU PRENOTAZIONE
PRODUZIONE ANNUA 1.600.000 bottiglie
ETTARI VITATI 28,00
AZIENDA SOSTENIBILE

Nonostante il grande successo che ha travolto il mondo del Prosecco, l'azienda di via Prà Fontana non ha stravolto i suoi ritmi e il suo modo di operare, mantenendo la produzione costante e fedelmente legata al lavoro delle tante famiglie di viticoltori che conferiscono il loro raccolto in azienda. La cantina è dotata di 5 presse e due linee di conferimento completamente separate, che garantiscono anche nei momenti di massima frenesia una gestione ottimale dell'uva in arrivo. La produzione è dedicata quasi esclusivamente al Prosecco Docg. La vendemmia 2019 ha consentito al Giustino B. di portare in dote un corredo aromatico di grande raffinatezza, con un frutto maturo costantemente rinfrescato dalle note di fiori e agrumi. In bocca è il consueto Prosecco di razza, con la dolcezza contrastata più dalla sapidità che dalla spinta acida e sostenuta dalle cremose bollicine. Il Vecchie Viti '19 invece esplora l'animo più nascosto e scontroso della tipologia, rivelando profumi tenui e un sorso energico e quasi affilato.

○ Valdobbiadene Extra Dry Giustino B '19	♟♟♟	5
○ Valdobbiadene Brut Vecchie Viti '19	♟♟	5
○ Cartizze Brut	♟♟	5
○ Cartizze Dry	♟♟	5
○ Valdobbiadene Dry Santo Stefano	♟♟	4
○ Valdobbiadene Extra Dry Giall'Oro	♟♟	4
○ Valdobbiadene L'Extra Brut '19	♟♟	4
○ Valdobbiadene Brut Quartese	♟	4
○ Valdobbiadene Extra Brut Saltèr	♟	4
○ Valdobbiadene Brut Vecchie Viti '14	♟♟♟	4*
○ Valdobbiadene Extra Dry Giustino B. '18	♟♟♟	5
○ Valdobbiadene Extra Dry Giustino B. '17	♟♟♟	5
○ Valdobbiadene Extra Dry Giustino B. '16	♟♟♟	4*
○ Valdobbiadene Extra Dry Giustino B. '15	♟♟♟	4*

Le Salette

VIA PIO BRUGNOLI, 11c
37022 FUMANE [VR]
TEL. 0457701027
www.lesalette.it

VENDITA DIRETTA
VISITA SU PRENOTAZIONE
PRODUZIONE ANNUA 130.000 bottiglie
ETTARI VITATI 20,00

La Cantina di Franco Scamperle si trova nel piccolo borgo di Fumane, quasi dominata dalla collina con il Santuario delle Ragose circondato dai cipressi. Le vigne invece, estese per una ventina di ettari, si sviluppano in quest'area ma anche a Sant'Ambrogio e San Floriano, sempre nella zona classica della Valpolicella. In cantina Franco insegue uno stile che sappia riproporre la tradizione con attualità, dove la ricchezza dovuta all'appassimento delle uve non sia fine a se stessa, ma funzionale all'espressione di un calice ricco, generoso e al tempo stesso agile. L'Amarone Pergole Vece '16 è frutto della selezione delle migliori uve della vendemmia, raccolte su vecchie pergole disseminate sulle più belle esposizioni di cui l'azienda dispone. Matura in barrique per più di due anni e oggi porge al naso note intense di frutto e spezie che ritroviamo in un palato ricco, sapido e di grande vitalità. La Marega invece è frutto di un solo vigneto e porge un sorso più immediato e dinamico.

● Amarone della Valpolicella Cl. Pergole Vece '16	♟♟	8
● Amarone della Valpolicella Cl. La Marega '16	♟♟	6
● Recioto della Valpolicella Cl. Pergole Vece '16	♟♟	6
● Valpolicella Cl. '19	♟	2
● Amarone della Valpolicella Cl. Pergole Vece '05	♟♟♟	8
● Amarone della Valpolicella Cl. Pergole Vece '95	♟♟♟	8
● Amarone della Valpolicella Cl. La Marega '15	♟♟	6
● Amarone della Valpolicella Cl. Pergole Vece '15	♟♟	8
● Valpolicella Cl. Sup. Ripasso I Progni '17	♟♟	3

San Cassiano

VIA SAN CASSIANO, 17
37030 MEZZANE DI SOTTO [VR]
TEL. 0458880665
www.cantinasancassiano.it

VENDITA DIRETTA
VISITA SU PRENOTAZIONE
PRODUZIONE ANNUA 50.000 bottiglie
ETTARI VITATI 14,00
AZIENDA SOSTENIBILE

L'azienda di Mirko Sella si sviluppa nella zona più alta di Mezzane, un territorio in cui i vigneti e gli oliveti si contendono le migliori esposizioni, separati da sparuti boschetti, testimoni di un passato in cui l'agricoltura aveva estensioni più contenute. La massima cura nella gestione dei vigneti, nel tentativo di ottenere frutti di grande sanità e concentrazione, è fondamentale per lo stile di Mirko, che esalta proprio la ricchezza fruttata degli aromi e la concentrazione del palato. Emblematico è l'assaggio del Valpolicella Le Aléne, che viene proposto solo dopo una lunga maturazione in cantina e che al naso dona intense note di frutto in confettura, cioccolato bianco e spezie. Il palato segue il medesimo sentiero stilistico, coinvolgendo con un sorso di grande forza estrattiva, avvolgente e morbido. L'Amarone Riserva, nonostante la complicata vendemmia 2014, esplora ancor più in profondità questo stile, risultando caldo e maturo al naso e possente in bocca.

● Amarone della Valpolicella Ris. '14	♟♟ 6
● Valpolicella Sup. Le Aléne '15	♟♟ 4
● Valpolicella '18	♟ 2
● Amarone della Valpolicella '15	♀♀ 6
● Amarone della Valpolicella '14	♀♀ 6
● Amarone della Valpolicella '13	♀♀ 6
● Amarone della Valpolicella '11	♀♀ 6
● Amarone della Valpolicella Ris. '13	♀♀ 6
● Recioto della Valpolicella '15	♀♀ 5
○ Soave '17	♀♀ 3
● Valpolicella '16	♀♀ 2*
● Valpolicella '15	♀♀ 2*
● Valpolicella Sup. Ripasso '14	♀♀ 3
● Valpolicella Sup. Ripasso '12	♀♀ 2*

La Sansonina

LOC. SANSONINA
37019 PESCHIERA DEL GARDA [VR]
TEL. 0457551905
www.sansonina.it

VENDITA DIRETTA
PRODUZIONE ANNUA 35.000 bottiglie
ETTARI VITATI 13,00

Il progetto di Carla Prospero anno dopo anno si fa più completo: prima la sistemazione viticola, poi l'opera di valorizzazione architettonica di un vecchio rustico diventato la cantina, oggi una produzione che non conosce punti di debolezza, dedicata in massima parte alle varietà, una autoctona, l'altra importata, che rappresentano al meglio il territorio che lambisce la sponda meridionale del Lago di Garda, turbiana e merlot. Vini dallo stile nitido che esaltano l'espressività varietale e il legame con il territorio. Il Fermentazione Spontanea '18 è un Lugana che rinuncia alle smancerie aromatiche o all'eccessiva morbidezza per conquistarci con un corredo aromatico di grande profondità, dove il frutto non è che uno dei protagonisti assieme alle note floreali, minerali e di macchia mediterranea. Il sorso è asciutto, sostenuto da una grande pressione sapida e acida. Sul fronte dei rossi, con il campione di casa rimasto a riposare in cantina, abbiamo apprezzato la fragranza fruttata del Evaluna, un cabernet raffinato e croccante.

○ Lugana Fermentazione Spontanea '18	♟♟ 3*
● Garda Cabernet Evaluna '18	♟♟ 4
● Garda Cabernet Evaluna '16	♀♀ 4
● Garda Cabernet Evaluna '15	♀♀ 4
● Garda Evaluna '14	♀♀ 4
○ Lugana Fermentazione Spontanea '17	♀♀ 3
○ Lugana Fermentazione Spontanea '16	♀♀ 3*
○ Lugana Sansonina '13	♀♀ 3
○ Lugana Sansonina '12	♀♀ 3
○ Lugana V. del Morano Verde '15	♀♀ 4
○ Lugana V. del Morano Verde '14	♀♀ 3
● Sansonina '17	♀♀ 6
● Sansonina '16	♀♀ 6
● Sansonina '14	♀♀ 6
● Sansonina '13	♀♀ 6
● Sansonina '12	♀♀ 6
● Sansonina '10	♀♀ 6

★Tenuta Sant'Antonio

LOC. SAN ZENO
VIA CERIANI, 23
37030 COLOGNOLA AI COLLI [VR]
TEL. 0457650383
www.tenutasantantonio.it

VENDITA DIRETTA
VISITA SU PRENOTAZIONE
PRODUZIONE ANNUA 700.000 bottiglie
ETTARI VITATI 100,00

I fratelli Castagnedi hanno dato vita alla Tenuta Sant'Antonio alla metà degli anni '90, con il chiaro intento di realizzare una produzione che contemplasse solo la massima qualità. Oggi la piattaforma viticola si è allargata notevolmente e anche la gamma proposta spazia un po' in tutte le direzioni, ma il mantra della qualità non è mai venuto meno. Cuore pulsante dell'azienda è sempre la collina di San Briccio, che lascia emergere il biancore della marna che la costituisce. La gestione di campagna e cantina è sempre più attenta a limitare l'impatto ambientale. Il vino più rappresentativo di casa è l'Amarone Campo dei Gigli '16, un vino dalla sontuosa veste rubino, che anticipa profumi dove il frutto è il dominatore assoluto, accompagnato da più timide note speziate e floreali che guadagneranno spazio solo con l'affinamento. In bocca impatta ricco e polposo, allungandosi in virtù della preziosa spinta acida. La Bandina '17 è ricca, compatta e di pregevole armonia.

● Amarone della Valpolicella		
Campo dei Gigli '16	♟♟♟	8
● Valpolicella Sup. La Bandina '17	♟♟	5
● Amarone della Valpolicella		
Antonio Castagnedi '16	♟♟	6
● Amarone della Valpolicella Telos '15	♟♟	6
○ Soave Monte Ceriani '19	♟♟	3
○ Soave V. V. '18	♟♟	3
● Valpolicella Sup. Ripasso		
Monti Garbi '18	♟♟	4
○ Pinot Grigio delle Venezie Telos '19	♟	3
○ Telos Il Bianco '18	♟	3
● Valpolicella Sup. Telos '17	♟	4
● Amarone della Valpolicella		
Campo dei Gigli '15	♙♙♙	8
● Amarone della Valpolicella		
Campo dei Gigli '13	♙♙♙	8

Santa Margherita

VIA ITA MARZOTTO, 8
30025 FOSSALTA DI PORTOGRUARO [VE]
TEL. 0421246111
www.santamargherita.com

VENDITA DIRETTA
VISITA SU PRENOTAZIONE
PRODUZIONE ANNUA 13.000.000 bottiglie
ETTARI VITATI 135,00

La storica azienda della famiglia Marzotto negli anni ha acquisito una serie di aziende di prestigio in Toscana, Alto Adige, Lombardia e Sardegna. In ognuna di queste, come in Santa Margherita, l'obiettivo è la massima qualità nel rispetto di ogni terroir. Per questo motivo abbiamo deciso di assegnare al Gruppo Santa Margherita il riconoscimento di Cantina dell'Anno per questa edizione della Guida. I due cavalli di razza aziendali rimangono il Pinot Grigio e il Prosecco di Valdobbiadene, il primo frutto dei vigneti in Alto Adige, il secondo della tenuta di Refrontolo. Proprio il Pinot Grigio atesino '19 ha colpito nel segno, un bianco di rara precisione e carattere, profumato intensamente di pera, fiori freschi e con una sottile nota affumicata sullo sfondo. Il palato è ricco, retto più dalla sapidità che dall'acidità, e chiude con un lungo e raffinato finale. Ottimo il Rive di Refrontolo '19, un Prosecco Superiore che non fa affidamento sugli zuccheri ma sulla qualità delle uve, per un risultato di grande armonia e piacevolezza.

○ A. A. Pinot Grigio		
Impronta del Fondatore '19	♟♟	4
○ Valdobbiadene Rive di Refrontolo		
Extra Brut '19	♟♟	4
○ Cartizze Extra Dry	♟♟	5
⊙ Riviera del Garda Cl.		
Chiaretto Stilrose '19	♟♟	3
○ Valdobbiadene Brut	♟♟	3
○ Valdobbiadene Brut 52 '19	♟♟	3
⊙ Brut Rosé	♟	3
○ Stilwhite '19	♟	3
○ Valdadige Pinot Grigio '19	♟	3
○ Valdobbiadene Extra Dry	♟	3
○ A. A. Pinot Grigio		
Impronta del Fondatore '18	♙♙	3*
○ Valdobbiadene Brut		
Rive di Refrontolo '18	♙♙	3

Santa Sofia

FRAZ. PEDEMONTE DI VALPOLICELLA
VIA CA' DEDÉ, 61
37029 SAN PIETRO IN CARIANO [VR]
TEL. 0457701074
www.santasofia.com

VENDITA DIRETTA
VISITA SU PRENOTAZIONE
PRODUZIONE ANNUA 550.000 bottiglie
ETTARI VITATI 53,00

La cantina della famiglia Begnoni ha sede all'interno della proprietà di Villa Serego a Santa Sofia, la splendida villa progettata dal Palladio nel 1565, affacciata sulla piana del Quar che conduce alla sponda sinistra dell'Adige. I vigneti sono invece concentrati sulle vallate di Fumane, Marano e San Pietro in Cariano, coltivati da fidati agricoltori che conferiscono il loro raccolto in azienda, accompagnati dalle vigne di proprietà acquisite negli ultimi anni nella Valpolicella orientale finalmente entrate in produzione. Ottima la prova dell'Amarone '15, intensamente profumato di ciliegia matura e che trova freschezza nelle screziature di erbe officinali. All'assaggio il vino rivela corpo pieno e polposo, è retto perfettamente dall'acidità e dai tannini che governano il sorso, lasciando però la morbidezza al centro dell'obbiettivo. Convincente anche il Ripasso, un calice poco appariscente, ma che conquista il palato istante dopo istante in virtù di un profilo gustativo agile e raffinato.

● Amarone della Valpolicella Cl. '15	♔♔♔	7
● Valpolicella Cl. Sup. Montegradella '17	♔♔♔	4
● Valpolicella Sup. Ripasso '17	♔♔♔	4
● Amarone della Valpolicella Cl. '13	♔♔	7
● Amarone della Valpolicella Cl. '12	♔♔	7
● Amarone della Valpolicella Cl. '12	♔♔	7
● Amarone della Valpolicella Cl. '11	♔♔	7
● Recioto della Valpolicella Cl. '11	♔♔	5
● Valpolicella Cl. '16	♔♔	3
● Valpolicella Cl. Sup. Montegradella '16	♔♔	4
● Valpolicella Cl. Sup. Montegradella '15	♔♔	4
● Valpolicella Sup. Ripasso '16	♔♔	4
● Valpolicella Sup. Ripasso '15	♔♔	4
● Valpolicella Sup. Ripasso '14	♔♔	4

Santi

VIA UNGHERIA, 33
37031 ILLASI [VR]
TEL. 0456529068
www.cantinasanti.it

VENDITA DIRETTA
VISITA SU PRENOTAZIONE
PRODUZIONE ANNUA 1.430.000 bottiglie
ETTARI VITATI 53,00

La cantina Santi vede la luce alla metà del XIX secolo e rimane di proprietà e gestita dalla famiglia Santi per oltre un secolo, fino all'acquisizione da parte del Gruppo Italiano Vini che ne ha fatto una delle aziende simbolo della sua attività. Christian Ridolfi ne ha rilanciato le ambizioni cominciando da una gestione più accorta dell'importante patrimonio viticolo e dalla ristrutturazione della cantina, che oggi prevede solo botti di grandi dimensioni, non solo di rovere ma anche, in piccola parte, di altri legni provenienti dal territorio. Grande attenzione è dedicata alla produzione del Ventale, un Valpolicella Superiore da sole uve fresche che con la vendemmia 2018 mette in luce profumi lenti a concedersi, quasi timidi. La visciola appare immediatamente mentre le erbe officinali, i fiori macerati e il sottobosco appaiono solo poco per volta, continuando però ad arricchirne l'espressione aromatica. In bocca il vino è di medio corpo e la piacevolezza è basata sul rigoroso rapporto fra acidità, sapidità e tannino, per una beva succosa e lunga.

● Valpolicella Sup. Ventale '18	♔♔	3*
● Amarone della Valpolicella Cl. Santico '15	♔♔♔	5
○ Lugana Folar '19	♔♔♔	2*
● Valpolicella Cl. Sup. Ripasso Solane '17	♔♔♔	3
○ Soave Cl. '19	♔	2
● Amarone della Valpolicella Proemio '05	♔♔♔	6
● Amarone della Valpolicella Proemio '03	♔♔♔	6
● Amarone della Valpolicella Proemio '00	♔♔♔	5
● Valpolicella Cl. Sup. Ripasso Solane '09	♔♔♔	3*
● Amarone della Valpolicella Cl. Proemio '13	♔♔	7
● Amarone della Valpolicella Cl. Proemio '12	♔♔	7
● Valpolicella Cl. Sup. Ripasso Solane '16	♔♔	3
● Valpolicella Sup. Ventale '17	♔♔	3*
● Valpolicella Sup. Ventale '16	♔♔	3*

Sartori

FRAZ. SANTA MARIA
VIA CASETTE, 4
37024 NEGRAR [VR]
TEL. 0456028011
www.sartorinet.com

VENDITA DIRETTA
VISITA SU PRENOTAZIONE
PRODUZIONE ANNUA 16.000.000 bottiglie
ETTARI VITATI 120,00
AZIENDA SOSTENIBILE

L'azienda della famiglia Sartori è una
presenza ben radicata nella Valpolicella,
forte di un'attività iniziata alla fine del 1800
e giunta oggi a rappresentare una delle più
grandi realtà del territorio. I vigneti solo in
piccola parte sono di proprietà e la
produzione ricorre sia all'attività di viticoltori
della zona che conferiscono le uve in
cantina, sia alla collaborazione con delle
strutture cooperative. La gamma proposta
ha il suo baricentro sulla Valpolicella anche
se non mancano le altre denominazioni
veronesi. Manca solo l'acuto quest'anno in
casa Sartori, con una batteria completa di
vini che rispecchia fedelmente la
Valpolicella. Il Regolo '17 è un Ripasso dal
quadro aromatico fresco e ancora giovanile,
con il frutto nitido che trova spalla nella
componente balsamica. In bocca il sorso è
più ricco del previsto ma sapido, agile e
retto perfettamente dall'acidità. L'Amarone
Reius '15 invece esprime maggior maturità
del frutto e porge un palato pieno e di
buona armonia.

● Amarone della Valpolicella Cl. Reius '15	♟♟	7
● Recioto della Valpolicella Cl. Rerum '17	♟♟	5
● Valpolicella Cl. Sup. Montegradella '16	♟♟	3
● Valpolicella Sup. I Saltari '15	♟♟	4
● Valpolicella Sup. Ripasso Regolo '17	♟♟	4
○ Marani '18	♟	2
○ Recioto di Soave Vernus '17	♟	4
● Amarone della Valpolicella Cl. Corte Brà '12	♟♟	7
● Amarone della Valpolicella Cl. Corte Brà '11	♟♟	7
● Amarone della Valpolicella Cl. Reius '13	♟♟	7
● Amarone della Valpolicella I Saltari '12	♟♟	8
● Amarone della Valpolicella I Saltari '11	♟♟	8
● Valpolicella Cl. Sup. Montegradella '15	♟♟	3
● Valpolicella Sup. I Saltari '14	♟♟	5
● Valpolicella Sup. I Saltari '13	♟♟	5

Secondo Marco

VIA CAMPOLONGO, 9
37022 FUMANE [VR]
TEL. 0456800954
www.secondomarco.it

VENDITA DIRETTA
VISITA SU PRENOTAZIONE
OSPITALITÀ
PRODUZIONE ANNUA 75.000 bottiglie
ETTARI VITATI 15,00

Marco Speri, forte di un passato operativo
all'interno dell'azienda di famiglia, ha dato
vita alla sua azienda poco più di un
decennio fa, costruendo la nuova cantina
sul fondovalle di Fumane e portandosi in
dote più di dieci ettari di vigneto. Se in
campagna non si è voluto derogare
all'utilizzo della pergola poco espansa, in
cantina si è scelta una strada che ha nella
lentezza e nella pazienza una sorta di
mantra. I vini riposano a lungo, sfruttando
contenitori di grande capacità per
acquisire le doti di leggerezza, finezza e
armonia che ritroviamo in tutta la
produzione. L'Amarone '13 è la
quintessenza della raffinatezza, un vino
che non ha nulla a che spartire con le
versioni muscolari che hanno imperversato
per decenni, tratteggiato da un frutto
maturo arricchito da note di macchia
mediterranea, erbe aromatiche e
sottobosco. Il sorso è agile, in perenne
equilibrio fra sapidità e acidità, risultando
lungo e dalla beva affascinante.
Freschissimo nell'espressione aromatica e
contenuto nella dolcezza il Recioto '15.

● Amarone della Valpolicella Cl. '13	♟♟♟	8
● Recioto della Valpolicella Cl. '15	♟♟	6
● Valpolicella Cl. '18	♟♟	3
● Amarone della Valpolicella Cl. '11	♟♟♟	8
● Amarone della Valpolicella Cl. '12	♟♟	8
● Amarone della Valpolicella Cl. '10	♟♟	7
● Recioto della Valpolicella Cl. '13	♟♟	6
● Recioto della Valpolicella Cl. '12	♟♟	6
● Recioto della Valpolicella Cl. '11	♟♟	6
● Recioto della Valpolicella Cl. '10	♟♟	6
● Valpolicella Cl. Sup. Ripasso '15	♟♟	5
● Valpolicella Cl. Sup. Ripasso '14	♟♟	5
● Valpolicella Cl. Sup. Ripasso '13	♟♟	5
● Valpolicella Cl. Sup. Ripasso '12	♟♟	5
● Valpolicella Cl. Sup. Ripasso '11	♟♟	4

★★Serafini & Vidotto

via Luigi Carrer, 8
31040 Nervesa della Battaglia [TV]
Tel. 0422773281
www.serafinividotto.it

VENDITA DIRETTA
VISITA SU PRENOTAZIONE
PRODUZIONE ANNUA 250.000 bottiglie
ETTARI VITATI 23,00
AZIENDA SOSTENIBILE

Francesco Serafini e Antonello Vidotto
hanno dato vita alla loro azienda alla fine
degli anni '80. Un'avventura cominciata
con pochi soldi in tasca e tanta voglia di
mettersi in gioco, che li ha portati a essere
oggi la più importante realtà del territorio e
una delle massime protagoniste del taglio
bordolese in Italia. Le vigne sono situate
lungo il pendio sud orientale del Montello
per oltre 20 ettari, coltivati con oculatezza e
con una grande attenzione alla vitalità del
suolo. La produzione è incentrata sulle uve
a bacca rossa, con un ruolo predominante
del cabernet sauvignon. Rimasto in cantina
a ultimare la maturazione il Rosso
dell'Abazia, il palcoscenico è stato
occupato dal Phigaia con una delle sue
migliori versioni. La vendemmia 2017 ha
conferito una grande generosità di aromi
fruttati, che trova una spalla nell'importante
presenza delle erbe officinali e delle spezie,
mentre in bocca la trama tannica è di rara
precisione e dona al sorso compattezza e
leggerezza al tempo stesso. Molto buono il
Pinot Nero '17, fragrante e raffinato.

● Montello e Colli Asolani Phigaia '17	♟♟ 4
○ Asolo Brut Bollicine di Prosecco	♟♟ 3
○ Montello e Colli Asolani Manzoni Bianco '19	♟♟ 3
● Montello e Colli Asolani Recantina '19	♟♟ 3
○ Phigaia Il Bianco '18	♟♟ 4
● Pinot Nero '17	♟♟ 7
● Montello e Colli Asolani Il Rosso dell'Abazia '16	♟♟♟ 6
● Montello e Colli Asolani Il Rosso dell'Abazia '15	♟♟♟ 6
● Montello e Colli Asolani Il Rosso dell'Abazia '13	♟♟♟ 6
● Montello e Colli Asolani Il Rosso dell'Abazia '12	♟♟♟ 5

★Speri

fraz. Pedemonte
via Fontana
37029 San Pietro in Cariano [VR]
Tel. 0457701154
www.speri.com

VENDITA DIRETTA
VISITA SU PRENOTAZIONE
PRODUZIONE ANNUA 400.000 bottiglie
ETTARI VITATI 60,00
VITICOLTURA Biologico Certificato
AZIENDA SOSTENIBILE

Leggere la storia della famiglia Speri in
Valpolicella significa un po' ripercorrere la
storia di un territorio di grande tradizione
viticola. Oltre un secolo di attività produttiva
e di vendita, proprietari di uno dei più bei
vigneti sul Monte Sant'Urbano da oltre
ottant'anni, fra i primi a legare il vino al suo
vigneto di provenienza. Gli Speri hanno
vissuto i tempi magri e il successo
internazionale, rimanendo fedeli a un'idea
di vino in cui l'elemento distintivo è
costituito dal territorio e limitando la
produzione alle sole tipologie previste dalla
denominazione. Percorso netto quello
realizzato quest'anno, con due vini che
hanno strappato l'applauso. L'Amarone
Sant'Urbano '16 sfrutta l'ottima
vendemmia per donare intense note di
frutto maturo e spezie, capace di
conquistare il palato con decisione e grazia
al tempo stesso, risultando lungo e
armonioso. L'omonimo Valpolicella '17
invece esprime maggior freschezza
aromatica e un sorso agile, sapido e dalla
beva inarrestabile.

● Amarone della Valpolicella Cl. Sant'Urbano '16	♟♟♟ 7
● Valpolicella Cl. Sup. Sant'Urbano '17	♟♟ 4
● Recioto della Valpolicella Cl. La Roggia '17	♟♟ 6
● Valpolicella Cl. '19	♟♟ 3
● Valpolicella Cl. Sup. Ripasso '18	♟♟ 4
● Amarone della Valpolicella Cl. Sant'Urbano '15	♟♟♟ 7
● Amarone della Valpolicella Cl. Vign. Monte Sant'Urbano '12	♟♟♟ 7
● Amarone della Valpolicella Cl. Vign. Monte Sant'Urbano '09	♟♟♟ 7
● Amarone della Valpolicella Cl. Vign. Sant'Urbano '11	♟♟♟ 7
● Amarone della Valpolicella Vign. Monte Sant'Urbano '13	♟♟♟ 7

David Sterza

VIA CASTERNA, 37
37022 FUMANE [VR]
TEL. 3471343121
www.davidsterza.it

VENDITA DIRETTA
VISITA SU PRENOTAZIONE
PRODUZIONE ANNUA 40.000 bottiglie
ETTARI VITATI 4,50

David Sterza e Paolo Mascanzoni
conducono la piccola azienda di famiglia a
Casterna, minuscolo borgo di Fumane
immerso nei vigneti, lontano dai percorsi
principali, ma custode di una viticoltura
fortemente legata alle tradizioni. Un'azienda
costituita da una manciata di ettari di
collina che ospitano i tradizionali vitigni del
territorio, con una cantina piccola ma
funzionale e una smisurata passione per il
vino. Se in campagna la presenza della
pergola manifesta il legame con il passato,
in cantina lo stile produttivo ricerca
l'integrità del frutto e la fragranza degli
aromi. Anno dopo anno aumenta la
consistenza qualitativa dei vini di casa
Sterza, con l'Amarone '16 in cima alle
nostre preferenze. Al naso si coglie un
frutto selvatico maturo e succoso,
attraversato da più fresche note balsamiche
e floreali che ritroviamo brillantemente al
palato, dove il sorso esprime grande
solidità e tensione. Molto interessante il
percorso del Valpolicella Superiore '17, un
vino raffinato che non rinuncia a ricchezza
e potenza.

● Amarone della Valpolicella Cl. '16	♟♟	6
● Recioto della Valpolicella Cl. '17	♟♟	5
● Valpolicella Cl. '19	♟♟	2*
● Valpolicella Cl. Sup. '17	♟♟	3
● Valpolicella Cl. Sup. Ripasso '18	♟	3
● Amarone della Valpolicella Cl. '13	♟♟♟	6
● Amarone della Valpolicella Cl. '12	♟♟♟	6
● Amarone della Valpolicella Cl. '15	♟♟	6
● Amarone della Valpolicella Cl. '14	♟♟	6
● Amarone della Valpolicella Cl. '11	♟♟	6
● Recioto della Valpolicella Cl. '15	♟♟	5
● Recioto della Valpolicella Cl. '14	♟♟	5
● Valpolicella Cl. '17	♟♟	2*
● Valpolicella Cl. Sup. Ripasso '17	♟♟	3
● Valpolicella Cl. Sup. Ripasso '16	♟♟	3
● Valpolicella Cl. Sup. Ripasso '15	♟♟	3
● Valpolicella Cl. Sup. Ripasso '14	♟♟	3

★Suavia

FRAZ. FITTÀ DI SOAVE
VIA CENTRO, 14
37038 SOAVE [VR]
TEL. 0457675089
www.suavia.it

VENDITA DIRETTA
VISITA SU PRENOTAZIONE
PRODUZIONE ANNUA 100.000 bottiglie
ETTARI VITATI 12,00

L'azienda delle sorelle Tessari si sviluppa
nelle zone più alte del Soave Classico, a
Fittà, dove la colorazione scura della terra e
di qualsiasi sasso si scorga tradisce
immediatamente la sua matrice vulcanica. I
vigneti si estendono sulle colline attorno
alla cantina, ora sulla sommità, ora appena
più in basso, sempre alla ricerca di luce,
aria e calore. Solo garganega e trebbiano di
Soave in casa Tessari, per una produzione
che fin dai prodotti più semplici rivendica il
suo legame indissolubile con questo
territorio. Il campione di casa ancora una
volta è il Soave Monte Carbonare, che
anche con la vendemmia 2018 non manca
di far sentire il peso della sua classe. Un
calice raffinato e profondo, dove il frutto si
accompagna alle note dei fiori e delle erbe
fini, insieme a degli accenni minerali. Il
palato coniuga ricchezza e agilità,
allungandosi con sapidità in un finale
asciutto e nitido. Massifitti '17, trebbiano di
Soave in purezza, è più timido
nell'espressione aromatica, ma al palato si
muove con agilità e grinta.

○ Massifitti '17	♟♟	3*
○ Soave Cl. Monte Carbonare '18	♟♟	3*
○ Le Rive '17	♟♟	4
○ Soave Cl. '19	♟♟	2*
○ Soave Cl. Monte Carbonare '17	♟♟♟	3*
○ Soave Cl. Monte Carbonare '16	♟♟♟	3*
○ Soave Cl. Monte Carbonare '15	♟♟♟	3*
○ Soave Cl. Monte Carbonare '14	♟♟♟	3*
○ Soave Cl. Monte Carbonare '12	♟♟♟	3*
○ Soave Cl. Monte Carbonare '11	♟♟♟	3*
○ Soave Cl. Monte Carbonare '10	♟♟♟	3*
○ Soave Cl. Monte Carbonare '09	♟♟♟	3*
○ Soave Cl. Monte Carbonare '08	♟♟♟	3*
○ Soave Cl. Monte Carbonare '07	♟♟♟	3*
○ Soave Cl. Monte Carbonare '06	♟♟♟	3*
○ Soave Cl. Monte Carbonare '05	♟♟♟	3*
○ Soave Cl. Monte Carbonare '04	♟♟♟	3

Sutto

LOC. CAMPODIPIETRA
VIA ARZERI, 34/1
31040 SALGAREDA [TV]
TEL. 0422744063
www.sutto.it

VENDITA DIRETTA
VISITA SU PRENOTAZIONE
OSPITALITÀ E RISTORAZIONE
PRODUZIONE ANNUA 469.000 bottiglie
ETTARI VITATI 75,00

I fratelli Sutto, Stefano e Luigi, percorrono il mondo del vino a due velocità: se in campagna e in cantina il rispetto per i tempi della natura è un fattore imprescindibile, la logistica e tutto ciò che gravita attorno al mondo produttivo è stato affrontato con piglio dinamico e capace di rispondere alle esigenze moderne. La produzione è incentrata sulla grande piattaforma viticola che si sviluppa nella zona di Salgareda, completata dalla disponibilità di vigneti anche all'interno della denominazione di Conegliano Valdobbiadene, per uno stile che coniuga ricchezza ed eleganza. Il Dogma '17 è un taglio bordolese raffinato, dotato di un sorso energico, sapido e piacevolmente ruvido. Grande impressione ha destato alla sua prima uscita il Rosso di Sutto '18, un calice che porge profumi intensamente fruttati e floreali, mentre in bocca è pieno, succoso e di beva trascinante, risultando immediato e appagante al tempo stesso. Sul fronte dei bianchi e dei Prosecco segnaliamo la crescita di tutta la batteria.

● Dogma Rosso '17	♟ 4
○ Bianco di Sutto '19	♟♟ 2*
○ Chardonnay '19	♟♟ 2*
○ Conegliano Valdobbiadene Brut	♟♟ 3
○ Conegliano Valdobbiadene Extra Dry	♟♟ 3
○ Pinot Grigio '19	♟♟ 2*
● Rosso di Sutto '18	♟♟ 4
○ Prosecco Brut	♟ 2
○ Prosecco Extra Dry	♟ 3
● Campo Sella '15	♟♟♟ 5
○ Bianco di Sutto '18	♟♟ 2*
● Cabernet '18	♟♟ 2*
● Campo Sella '16	♟♟ 5
● Dogma Rosso '16	♟♟ 4
● Merlot '18	♟♟ 2*
○ Pinot Grigio '18	♟♟ 2*

Tamellini

FRAZ. COSTEGGIOLA
VIA TAMELLINI, 4
37038 SOAVE [VR]
TEL. 0457675328
piofrancesco.tamellini@tin.it

VENDITA DIRETTA
VISITA SU PRENOTAZIONE
PRODUZIONE ANNUA 250.000 bottiglie
ETTARI VITATI 27,00

Quella dei fratelli Tamellini è un'azienda che vanta ormai una ventina di anni di attività, ma il legame che sussiste fra la famiglia e la terra del Soave parte da ben più lontano. Gaetano e Pio Francesco discendono da generazioni di viticoltori e la volontà di gestire in prima persona tutta la filiera produttiva li ha portati ad abbandonare la cooperativa del paese alla fine degli anni '90 e iniziare una nuova avventura, dedicata a valorizzare tanto il Soave quanto le colline calcaree di Costeggiola. Produzione dedicata pressoché unicamente alla garganega, con due vini che rappresentano perfettamente la tipologia. Fresco, fragrante e succoso nella sua versione più semplice il Soave '19, mentre per Le Bine de Costìola '18 il quadro aromatico si fa più articolato e raffinato, al frutto giallo maturo fanno eco le note floreali e di agrumi, mentre dal fondo emergono timidi accenni minerali che attendono solo il trascorrere del tempo per poter guadagnare spazio. Il sorso è pieno, ma sempre retto da una sapida e grintosa spinta acida.

○ Soave Cl. Le Bine de Costìola '18	♟♟ 3*
○ Soave '19	♟♟ 2*
○ Soave Cl. Le Bine '04	♟♟♟ 3*
○ Soave Cl. Le Bine de Costìola '14	♟♟♟ 3*
○ Soave Cl. Le Bine de Costìola '13	♟♟♟ 3*
○ Soave Cl. Le Bine de Costìola '11	♟♟♟ 3*
○ Soave Cl. Le Bine de Costìola '06	♟♟♟ 3*
○ Soave Cl. Le Bine de Costìola '05	♟♟♟ 3*
○ Soave '18	♟♟ 2*
○ Soave '17	♟♟ 2*
○ Soave '15	♟♟ 2*
○ Soave '14	♟♟ 2*
○ Soave Cl. '16	♟♟ 2*
○ Soave Cl. '13	♟♟ 2*
○ Soave Cl. Le Bine de Costìola '17	♟♟ 3*
○ Soave Cl. Le Bine de Costìola '16	♟♟ 3*
○ Soave Cl. Le Bine de Costìola '15	♟♟ 3*

DO EUROPEO AGRICOLO PER LO SVILUPPO RURALE: L'EUROPA INVESTE NELLE ZONE RURALI

COLLI EUGANEI,
LA SCELTA NATURALE.

CONSORZIO VINI
COLLI EUGANEI

 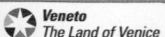

Italy   www.veneto.eu

Iniziativa finanziata dal Programma di Sviluppo Rurale per il Veneto 2014 / 2020. Organismo responsabile dell'informazione: Consorzio Vini Colli Euganei. Autorità di gestione: Regione del Veneto - Direzione AdG FEASR e Foreste

GAMBERO ROSSO
ITALY
FOOD WINE
ACADEMY

Il tuo talento ha bisogno di nuove sfide?

Scopri i nostri corsi professionali
su gamberorosso.it/academy

ROMA | TORINO | NAPOLI | LECCE | PALERMO

PARTNER

SPONSOR

IL PREMIO **È STARE INSIEME.**

La condivisione ha un **nuovo** gusto.

Una ricetta segreta, riscoperta negli archivi storici Ramazzotti dopo oltre un secolo. Un gusto autentico e prezioso. Da assaporare insieme fino all'ultima goccia.

**AMARO RAMAZZOTTI E GRAPPA DI NEBBIOLO
RISERVA INVECCHIATA 36 MESI**

Scopri di più su www.ramazzotti1815.com

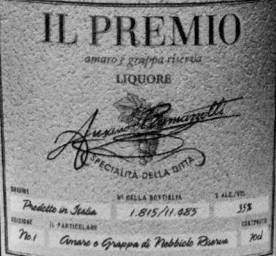

Giovanna Tantini

FRAZ. OLIOSI
LOC. I MISCHI
37014 CASTELNUOVO DEL GARDA [VR]
TEL. 3488717577
www.giovannatantini.it

VENDITA DIRETTA
VISITA SU PRENOTAZIONE
OSPITALITÀ
PRODUZIONE ANNUA 30.000 bottiglie
ETTARI VITATI 11,50

L'azienda di Giovanna Tantini si sviluppa
nella zona a sud del Lago di Garda, terreni
di origine morenica che hanno visto
l'incedere e il ritirarsi dei ghiacciai,
lasciando in dote un suolo ricco di ghiaia e
calcare, perfetto per portare a maturazione
le uve del territorio. Di proprietà della
famiglia da oltre un secolo, l'azienda ha
intrapreso l'attività produttiva con l'ingresso
in azienda di Giovanna nei primi anni del
nuovo millennio e oggi si dedica alla
produzione dei classici vini gardesani con
uno stile che predilige la finezza alla
potenza. La grande cura dedicata alla
campagna e i processi di cantina svolti con
calma e pazienza consentono la produzione
di un Bardolino '18 che porge al naso
profumi di frutti di bosco che lasciano uno
spazio via via più significativo alle note
minerali e di spezie. In bocca impatta
delicato, reggendosi sulla sponda sapida e
acida, per un risultato tutto da bere. Il
Chiaretto '19 invece esprime un frutto più
immediato, mentre il sorso è succoso e di
grande piacevolezza.

● Bardolino '18	♟♟	2*
⊙ Bardolino Chiaretto '19	♟♟	2*
○ Custoza '19	♟	2
● Bardolino '17	♀♀	2*
● Bardolino '15	♀♀	2*
● Bardolino '14	♀♀	2*
⊙ Bardolino Chiaretto '18	♀♀	2*
⊙ Bardolino Chiaretto '16	♀♀	2*
⊙ Bardolino Chiaretto '15	♀♀	2*
○ Custoza '17	♀♀	2*
● Ettore '14	♀♀	4
● Ettore '12	♀♀	4
● Ettore '11	♀♀	4
● Garda Corvina Ma.Gi.Co. '17	♀♀	2*

★F.lli Tedeschi

FRAZ. PEDEMONTE
VIA G. VERDI, 4
37029 SAN PIETRO IN CARIANO [VR]
TEL. 0457701487
www.tedeschiwines.com

VENDITA DIRETTA
VISITA SU PRENOTAZIONE
PRODUZIONE ANNUA 500.000 bottiglie
ETTARI VITATI 48,00
AZIENDA SOSTENIBILE

Se il Monte Olmi, Lucchine e la Fabriseria
costituiscono l'origine viticola dell'azienda
dei fratelli Tedeschi, Maternigo ne
rappresenta invece la modernità. Una
splendida tenuta racchiusa dai boschi, che
si sviluppa per 30 ettari di vigneto e 50 di
bosco a un'altitudine compresa fra i 200 e i
500 metri lungo lo spartiacque che separa
la valle di Mezzane da quella di Tregnago.
La produzione, fortemente radicata nelle
tipologie storiche, mette in luce uno stile
che ha nella ricchezza fruttata e nella
solidità del sorso il suo punto di forza.
L'Amarone Capitel Monte Olmi '15 mette in
luce perfettamente questo stile, con
profumi dominati dal frutto rosso maturo,
impreziosito dalle presenze di erbe officinali
e spezie. Il sorso debutta ricco e possente,
per poi trovare nella spina dorsale acida il
puntello su cui sviluppare il sorso,
allungandone percorso e piacevolezza.
L'Amarone La Fabriseria '15 invece appare
profondo nell'espressione aromatica e
dotato di un palato solido, grintoso e di
luminoso futuro.

● Amarone della Valpolicella Cl. Capitel Monte Olmi Ris. '15	♟♟♟	8
● Amarone della Valpolicella Cl. La Fabriseria Ris. '15	♟♟	8
● Amarone della Valpolicella Ansari '16	♟♟	7
● Valpolicella Cl. Lucchine '19	♟♟	2*
● Valpolicella Sup. Capitel Nicalò '18	♟♟	3
● Amarone della Valpolicella Cl. Capitel Monte Olmi '11	♀♀♀	8
● Amarone della Valpolicella Cl. Capitel Monte Olmi '07	♀♀♀	8
● Amarone della Valpolicella Cl. Capitel Monte Olmi '95	♀♀♀	8
● Amarone della Valpolicella Cl. La Fabriseria Ris. '11	♀♀♀	8
● Valpolicella Sup. Maternigo '16	♀♀♀	5
● Valpolicella Sup. Maternigo '11	♀♀♀	4*

Le Tende

VIA TENDE, 35
37017 LAZISE [VR]
TEL. 0457590748
www.letende.it

VENDITA DIRETTA
VISITA SU PRENOTAZIONE
PRODUZIONE ANNUA 100.000 bottiglie
ETTARI VITATI 12,50
VITICOLTURA Biologico Certificato

Quella delle famiglie Fortuna e Lucillini è
una bellissima proprietà che si sviluppa
lungo le colline che cingono la sponda
orientale del Lago di Garda. I vigneti si
distribuiscono su due appezzamenti, quello
destinato al Bardolino Classico nella zona di
Cavaion e quello a ridosso della villa
ottocentesca a poche centinaia di metri dal
lago dove si coltivano le altre uve. La
gestione biologica unita alla sensibilità di
Mauro Fortuna consente una produzione
dallo stile raffinato, giocato sull'eleganza
del sorso. Il Bardolino Chiaretto '19 rifugge
lo stereotipo di un vino tutto incentrato
sull'immediatezza dei profumi e si concede
poco per volta, prima i frutti di bosco, poi le
note floreali e infine un tenue ricordo di
pepe. In bocca però cambia marcia e, retto
dalla vigorosa spinta sapida, si allunga e
dona un sorso pieno e appagante.
Interessante il Cicisbeo '18, un Cabernet
Sauvignon in purezza dal profilo fresco e
slanciato, dotato di un palato agile e di
buona armonia.

⊙ Bardolino Chiaretto Cl. '19	♥♥ 2*
● Bardolino Cl. Sup. '18	♥♥ 3
● Cicisbeo '18	♥♥ 5
○ Pinot Grigio delle Venezie '19	♥♥ 3
⊙ Bardolino Chiaretto Brut Voluttà '19	♥ 3
● Bardolino Cl. '19	♥ 2
○ Custoza '19	♥ 2
⊙ Bardolino Chiaretto Cl. '18	♀♀ 2*
⊙ Bardolino Chiaretto Cl. '17	♀♀ 2*
● Bardolino Cl. '18	♀♀ 2*
● Bardolino Cl. '17	♀♀ 2*
● Bardolino Cl. Sup. '16	♀♀ 3
● Bardolino Cl. Sup. '15	♀♀ 3
● Corvina '18	♀♀ 3
○ Custoza '18	♀♀ 2*
○ Sabia '16	♀♀ 2*

Terre di Leone

LOC. PORTA
VIA VALPOLICELLA, 6B
37020 MARANO DI VALPOLICELLA [VR]
TEL. 0456895040
www.terredileone.it

VENDITA DIRETTA
VISITA SU PRENOTAZIONE
PRODUZIONE ANNUA 36.000 bottiglie
ETTARI VITATI 10,00

Circa quindici anni fa Federico Pellizzari e
Chiara Turati hanno dato vita a Terre di
Leone, una bellissima realtà nella parte più
alta della valle di Marano, una decina di
ettari adagiati sui suoli tufacei che
raccontano di come questa zona abbia
un'origine vulcanica. In cantina ogni
lavorazione è volta alla tutela dell'integrità
delle uve e dei loro aromi, con una
produzione che fa riferimento ai vini
della tradizione, lasciandoli a lungo in
cantina prima della commercializzazione.
Dopo quasi un decennio vede la luce la
Riserva '11 di Amarone, un calice che si
concede poco per volta, rinunciando
all'espressione fruttata più immediata per
conquistare con le note di fiori secchi, erbe
officinali e sottobosco. Il palato è da
incorniciare: possente e caloroso, sa
distendersi con grazia e leggerezza sul
palato, risultando lungo e molto fine. Il
Valpolicella Superiore '16 invece porge
profumi più freschi e nitidi, mentre il sorso
è agile, succoso e di grande piacevolezza.

● Amarone della Valpolicella Cl. Ris. '11	♥♥ 6
● Amarone della Valpolicella Cl. Il Re Pazzo '15	♥♥ 8
● Dedicatum '15	♥♥ 6
● Valpolicella Cl. Sup. '16	♥♥ 5
● Valpolicella Cl. Il Re Pazzo '18	♥ 3
● Valpolicella Sup. Ripasso Il Re Pazzo '18	♥ 5
● Amarone della Valpolicella Cl. '09	♀♀ 8
● Amarone della Valpolicella Cl. '10	♀♀ 4
● Amarone della Valpolicella Re Pazzo '12	♀♀ 8
● Amarone della Valpolicella Re Pazzo '11	♀♀ 3
● Valpolicella Cl. Sup. '15	♀♀ 5
● Valpolicella Cl. Sup. '14	♀♀ 3
● Valpolicella Cl. Sup. Ripasso '15	♀♀ 4
● Valpolicella Cl. Sup. Ripasso '14	♀♀ 4
● Valpolicella Re Pazzo '13	♀♀ 3
● Valpolicella Sup. Ripasso Re Pazzo '11	♀♀ 4

Tezza

FRAZ. POIANO DI VALPANTENA
VIA STRADELLA MAIOLI, 4
37142 VERONA
TEL. 045550267
www.tezzawines.it

VENDITA DIRETTA
VISITA SU PRENOTAZIONE
PRODUZIONE ANNUA 200.000 bottiglie
ETTARI VITATI 28,00
VITICOLTURA Biologico Certificato

La Valpantena si allarga calda e ghiaiosa
alle porte di Verona, risale dolcemente in
direzione di Grezzana per poi stringersi e
addentrarsi nel cuore della Lessinia. Nella
zona più larga e ciottolosa, all'altezza
dell'abitato di Poiano, si trova la cantina dei
cugini Tezza, perfettamente immersa fra i
vigneti. Una trentina di ettari, che si
estendono sulle frazioni attorno alla cantina,
coltivati in regime biologico da anni e
dedicati in massima parte ai vitigni della
tradizione, che danno vita a una produzione
che alterna prodotti freschi e immediati a
etichette più ambiziose e complesse. Il
Ripasso Ma Roat '18 porge al naso profumi
di sottobosco ed erbe aromatiche, mentre in
bocca rivela corpo slanciato e una grande
bevibilità. Complesso e stratificato
nell'espressione aromatica il Recioto '17
della linea più ambiziosa, un vino dai
profumi complessi di frutto surmaturo, olive
in salamoia e spezie. In bocca la dolcezza è
ben presente, ma il vino riesce a distendersi
grazie alla spinta sapida e acida.

● Amarone della Valpolicella	
Corte Majoli '16	▼▼ 5
● Amarone della Valpolicella	
Valpantena '13	▼▼ 6
● Recioto della Valpolicella Valpantena	
Brolo delle Giare '17	▼▼ 6
● Valpolicella Sup. Brolo delle Giare '16	▼▼ 5
● Valpolicella Sup. Ripasso Ma Roat '18	▼▼ 2*
● Valpolicella Valpantena Sup. Ripasso '17	▼▼ 3
● Amarone della Valpolicella Valpantena	
Brolo delle Giare Ris. '13	▼ 7
● Amarone della Valpolicella	
Corte Majoli '18	♀♀ 5
● Amarone della Valpolicella Valpantena	
Brolo delle Giare Ris. '12	♀♀ 7
● Valpolicella Sup. Ripasso	
Corte Majoli '17	♀♀ 3
● Valpolicella Sup. Ripasso Ma Roat '17	♀♀ 2*

Tommasi Viticoltori

LOC. PEDEMONTE
VIA RONCHETTO, 4
37029 SAN PIETRO IN CARIANO [VR]
TEL. 0457701266
www.tommasi.com

VENDITA DIRETTA
VISITA SU PRENOTAZIONE
OSPITALITÀ E RISTORAZIONE
PRODUZIONE ANNUA 1.500.000 bottiglie
ETTARI VITATI 205,00
AZIENDA SOSTENIBILE

Nessuno poteva immaginare all'inizio del
1900 che la piccola azienda della famiglia
Tommasi a distanza di un secolo sarebbe
diventata la corazzata che oggi
conosciamo. La crescita però è avvenuta
passo dopo passo, generazione dopo
generazione, mantenendo il forte legame
con la terra di origine e senza fare mai il
passo più lungo della gamba. Oggi i
Tommasi gestiscono una delle più grandi
realtà della regione, forti di un parco viticolo
molto esteso e di una produzione che non
ha mai guardato alle mode, quanto
piuttosto alla tradizione. Ottima la prova
dell'Amarone Ca' Florian '12, una riserva
che offre un corredo aromatico di grande
nitidezza e integrità, con il frutto rosso
protagonista accompagnato da note di
spezie e fiori macerati. Il sorso è pieno e
succoso, sostenuto da una pregevole trama
tannica sul finale. Molto buono anche
l'Amarone '16, straordinariamente fresco e
vitale nell'esprimere i suoi aromi, mentre in
bocca si muove con agilità e tensione,
mettendo in luce una vitalità che lo
distingue dalle versioni precedenti.

● Amarone della Valpolicella Cl.	
Ca' Florian Ris. '12	▼▼▼ 8
● Amarone della Valpolicella Cl. '16	▼▼ 7
● Valpolicella Cl. Sup. Rafael '18	▼▼ 3
● Crearo Conca d'Oro '17	▼ 5
○ Lugana Le Fornaci '19	▼ 5
● Amarone della Valpolicella Cl.	
De Buris Ris. '09	♀♀♀ 8
● Amarone della Valpolicella Cl.	
De Buris Ris. '08	♀♀♀ 7
● Amarone della Valpolicella Cl. '15	♀♀ 7
● Amarone della Valpolicella Cl. '13	♀♀ 7
● Amarone della Valpolicella Cl.	
Ca' Florian Ris. '11	♀♀ 7
● Valpolicella Cl. Sup. Ripasso '17	♀♀ 4
● Valpolicella Cl. Sup. Ripasso '15	♀♀ 4

La Tordera

VIA ALNÈ BOSCO, 23
31020 VIDOR [TV]
TEL. 0423985362
www.latordera.it

VENDITA DIRETTA
VISITA SU PRENOTAZIONE
PRODUZIONE ANNUA 1.300.000 bottiglie
ETTARI VITATI 70,00
VITICOLTURA Biologico Certificato
AZIENDA SOSTENIBILE

Il territorio di Valdobbiadene è costituito da una sequenza di colline dal profilo aguzzo e dolce al tempo stesso, fittamente vitate e punteggiate dalla presenza di minuscole costruzioni di ricovero che testimoniano un passato di fatica e sudore. In questo splendido panorama opera la famiglia Vettoretti, proprietaria di alcune bellissime esposizioni e che ricorre alla preziosa opera di viticoltori della zona per approvvigionarsi delle uve necessarie a garantire la produzione. I vini hanno uno stile nitido e fanno riferimento esclusivamente al mondo delle bollicine. Dalle più belle vigne della zona di Guia proviene un Extra Brut '19 dai profumi che ricordano la mela acerba, con tenui sensazioni vegetali che contribuiscono al suo profilo fresco. In bocca l'assenza della dolcezza consegna un sorso sottile, nervoso e quasi tagliente. Diametralmente opposto il Tittoni '19, prodotto con le uve delle rive di Vidor, che offre un profilo solare negli aromi e un palato cremoso e di ammaliante dolcezza.

○ Cartizze	▼▼	5
○ Valdobbiadene Rive di Guia Extra Brut Otreval '19	▼▼	3
○ Valdobbiadene Rive di Vidor Dry Tittoni '19	▼▼	3
○ Valdobbiadene Brut Brunei	▼	3
○ Valdobbiadene Extra Dry Serrai	▼	3
○ Valdobbiadene Brut Brunei '17	♀♀	3
○ Valdobbiadene Rive di Guia Brut Otreval '18	♀♀	3
○ Valdobbiadene Rive di Guia Brut Otreval '17	♀♀	3
○ Valdobbiadene Rive di Guida Brut Otreval '16	♀♀	3
○ Valdobbiadene Brut Brunei '18	♀	3

Trabucchi d'Illasi

LOC. MONTE TENDA
37031 ILLASI [VR]
TEL. 0457833233
www.trabucchidillasi.it

VENDITA DIRETTA
VISITA SU PRENOTAZIONE
PRODUZIONE ANNUA 120.000 bottiglie
ETTARI VITATI 25,00
VITICOLTURA Biologico Certificato

L'azienda della famiglia Trabucchi si sviluppa lungo il crinale che funge da spartiacque fra la vallata di Cazzano a est e quella di Illasi a ovest, una terra generosa e fortunata, dove la vite dà risultati di grande caratura. Al resto ci pensa una gestione oculata tanto in campagna, volta alla ricerca della massima sanità e integrità dei frutti, quanto in fruttaio e in cantina, che si traduce in vini dallo stile ricco, possente e fresco al tempo stesso, proposti solo dopo una lunga e lenta maturazione in cantina. L'Amarone '11 è un vino dalla veste rubino compatta che introduce aromi di straordinaria freschezza, dove il frutto appare carnoso e maturo, rinfrescato da sottili note balsamiche e speziate che riconducono ai vitigni della tradizione. All'assaggio colpisce per ricchezza e pienezza del sorso, trovando però equilibrio e tensione nella spinta dell'acidità e arrivando a chiudere morbido e asciutto. Intrigante il Valpolicella Galante '14, che a dispetto della complicata vendemmia porge un sorso appagante e di grande piacevolezza.

● Amarone della Valpolicella '11	▼▼	8
● Valpolicella Sup. Galante '14	▼▼	4
● Valpolicella Sup. Terre del Cereolo '10	▼▼	5
● Amarone della Valpolicella '06	♀♀♀	8
● Amarone della Valpolicella '04	♀♀♀	8
● Recioto della Valpolicella Cereolo '05	♀♀♀	8
● Valpolicella Sup. Terre di S. Colombano '03	♀♀♀	4*
● Amarone della Valpolicella '10	♀♀	8
● Amarone della Valpolicella '09	♀♀	8
● Amarone della Valpolicella '08	♀♀	8
● Amarone della Valpolicella Cent'Anni Ris. '10	♀♀	8
● Valpolicella Sup. '13	♀♀	3
● Valpolicella Sup. Terre di San Colombano '12	♀♀	3

Valdo Spumanti

VIA FORO BOARIO, 20
31049 VALDOBBIADENE [TV]
TEL. 04239090
www.valdo.com

VENDITA DIRETTA
VISITA SU PRENOTAZIONE
PRODUZIONE ANNUA 9.000.000 bottiglie
ETTARI VITATI 155,00

Il legame fra la famiglia Bolla e il mondo
delle bollicine trevigiane comincia fra i due
conflitti mondiali e nel secondo dopoguerra
l'azienda prenderà il nome che ancora oggi
porta in etichetta. La grande quantità di uve
necessarie a soddisfare il fabbisogno
dell'azienda è garantita dalla nutrita schiera
di viticoltori del territorio che conferiscono
le uve in azienda, dove Gianfranco Zanon e
il suo staff tecnico gestiscono ogni partita
destinandola alla tipologia più adatta. Negli
ultimi anni il mondo del Prosecco è stato
allargato a spumanti ottenuti con altri
vitigni. La Cuvée di Boj è il consueto
Prosecco Superiore dove il frutto si staglia
nitido su un sottofondo floreale e di
confetto. In bocca la piacevolezza si basa
sull'armonia fra dolcezza, acidità e
bollicine, e il vino risulta succoso e lungo. Il
Numero 10 '18 invece è prodotto secondo
il Metodo Classico e porge profumi più
delicati e complessi, mentre in bocca è più
compatto e grintoso.

Cantina Produttori
di Valdobbiadene - Val d'Oca

VIA SAN GIOVANNI, 45
31030 VALDOBBIADENE [TV]
TEL. 0423982070
www.valdoca.com

VENDITA DIRETTA
VISITA SU PRENOTAZIONE
PRODUZIONE ANNUA 13.000.000 bottiglie
ETTARI VITATI 950,00

La Cantina Produttori di Valdobbiadene è
costituita da circa 600 soci che coltivano
poco meno di un migliaio di ettari di vigneti
disseminati in tutta la denominazione, dai
dolci pendii di Conegliano alle rive più erte
e difficili da coltivare di Valdobbiadene. La
quasi totalità della produzione è costituita
dalla glera che la Cantina riceve e che
trasforma in un'ampia gamma di etichette,
dominate dal Prosecco Superiore. Le
migliori partite di uva compongono le
basi per la linea Val d'Oca, la più
ambiziosa della produzione. Il Rive di
Santo Stefano '19 si presenta paglierino
pallido con un fine perlage che risale in
superficie, al naso si colgono le tenui note
di mela verde, fiori di tiglio e glicine. In
bocca la dolcezza è pressoché assente e il
vino si allunga con sapidità e grinta. Più
maturo nell'espressione varietale è il Rive
di San Pietro di Barbozza della medesima
annata, un Prosecco Superiore dal profilo
succoso, ben sostenuto dall'acidità e dalle
briose bollicine.

○ Valdobbiadene Brut Cuvée di Boj	♟♟ 2*
○ Cartizze Cuvée Viviana	♟♟ 5
○ Valdobbiadene Brut Numero 10 M. Cl. '18	♟♟ 4
○ Valdobbiadene Extra Dry Cuvée 1926	♟♟ 2
○ Garda Brut	♟ 2
○ Garda Brut Bio	♟ 2
○ Prosecco di Treviso Extra Dry	♟ 2
○ Valdobbiadene Brut Cuvée del Fondatore '18	♟♟ 3
○ Valdobbiadene Brut Cuvée del Fondatore '17	♟♟ 3*
○ Valdobbiadene Brut Cuvée di Boj '18	♟♟ 2*
○ Valdobbiadene Rive di San Pietro di Barbozza Brut Nature '18	♟♟ 3*
○ Valdobbiadene Rive di San Pietro di Barbozza Brut Nature '17	♟♟ 3

○ Valdobbiadene Rive di Santo Stefano Extra Brut '19	♟♟ 4
○ Valdobbiadene Rive di Col San Martino Brut '19	♟♟ 4
○ Valdobbiadene Rive di San Pietro di Barbozza Brut '19	♟♟ 4
○ Asolo Extra Dry Bioldo	♟ 2
○ Valdobbiadene Brut Ca' Val '19	♟ 2
○ Valdobbiadene Extra Dry	♟ 2
○ Valdobbiadene Rive di Colbertaldo Extra Dry '19	♟ 4
○ Valdobbiadene Extra Dry Jos '18	♟♟ 3
○ Valdobbiadene Rive di San Pietro di Barbozza Brut '18	♟♟ 4
○ Valdobbiadene Rive di Santo Stefano Brut Nature '18	♟♟ 4

Cantina Valpantena Verona

LOC. QUINTO
VIA COLONIA ORFANI DI GUERRA, 5B
37142 VERONA
TEL. 045550032
www.cantinavalpantena.it

VENDITA DIRETTA
VISITA SU PRENOTAZIONE
PRODUZIONE ANNUA 9.000.000 bottiglie
ETTARI VITATI 750,00
AZIENDA SOSTENIBILE

La Valpolicella ha nella Cantina della Valpantena una delle cooperative di riferimento, forte di un tessuto agricolo molto esteso e coltivato da circa 250 soci disseminati soprattutto nella zona orientale e in forma minore all'interno della zona classica. Alla massima cura nella gestione dei vigneti fa eco una grande competenza tecnica in cantina, per una produzione di ottimo livello. Oggi gli sforzi sono volti a valorizzare il legame che lega le etichette più ambiziose al vigneto di provenienza. Emblematico è l'assaggio del Valpolicella Superiore Brolo dei Giusti '15, un vino che esprime tutto il calore della Valpantena, ricco di suggestioni fruttate e spezie, che trovano sviluppo in un sorso concentrato e potente, ma che non perde bevibilità grazie alla preziosa spinta acida. Intrigante l'Amarone più semplice, frutto della vendemmia 2017, che gioca con un frutto con riverberi ancora molto freschi ed è dotato di un sorso succoso, agile e di piacevolezza immediata. Più ricco, profondo e solido il Torre del Falasco '16.

● Valpolicella Sup. Brolo dei Giusti '15	▼▼▼	6
● Amarone della Valpolicella '17	▼▼	6
● Amarone della Valpolicella Torre del Falasco '16	▼▼	7
○ Lugana Torre del Falasco '19	▼▼	3
● Recioto della Valpolicella Tesauro '17	▼▼	5
● Valpolicella Sup. Ripasso Torre del Falasco '18	▼▼	4
● Valpolicella Sup. Torre del Falasco '18	▼▼	3
● Valpolicella Valpantena Ripasso Ritocco '18	▼▼	4
○ Baroncino Chardonnay '19	▼	2
● Torre del Falasco Corvina '19	▼	2
○ Torre del Falasco Garganega '19	▼	2
● Amarone della Valpolicella Torre del Falasco '13	▽▽	6

Cantina Valpolicella Negrar

VIA CA' SALGARI, 2
37024 NEGRAR [VR]
TEL. 0456014300
www.cantinanegrar.it

VENDITA DIRETTA
VISITA SU PRENOTAZIONE
RISTORAZIONE
PRODUZIONE ANNUA 7.000.000 bottiglie
ETTARI VITATI 700,00

La Cantina di Negrar è uno dei pilastri della cooperazione in terra di Valpolicella, una realtà di circa 700 ettari coltivati da 230 soci che occupa principalmente la zona classica. Sono ormai più di vent'anni che è stato avviato il progetto qualità, individuando i migliori appezzamenti dei soci e fornendo loro il supporto tecnico per garantire uve di qualità altissima. Questa produzione confluisce nella linea Domini Veneti, che rappresenta la punta di diamante dell'azienda, volta a valorizzare la tradizione in funzione del singolo vigneto. Dalle colline di Marano vengono selezionate le migliori uve per la produzione del Valpolicella Superiore Pruviniano '17, un vino che non si limita alle note di frutto surmaturo, ma spazia dal sottobosco alle spezie, dalle note minerali ai fiori macerati. In bocca si tende agile e scattante, allungandosi con grazia e decisione. Sul fronte degli Amarone abbiamo apprezzato la complessità aromatica e la ricchezza gustativa avvolgente e morbida del Mater '12.

● Valpolicella Cl. Sup. Pruviniano Domini Veneti '17	▼▼	3*
● Amarone della Valpolicella Cl. Mater Domini Veneti Ris. '12	▼▼	8
● Amarone della Valpolicella Cl. Pruviniano Domini Veneti '15	▼▼	5
● Valpolicella Cl. Sup. Domini Veneti '17	▼▼	3
● Valpolicella Cl. Sup. Ripasso La Casetta Domini Veneti '17	▼▼	4
● Valpolicella Cl. Sup. Verjago Domini Veneti '17	▼▼	4
● Valpolicella Cl. Sup. Ripasso Pruviniano Domini Veneti '17	▼	3
● Valpolicella Cl. Sup. Ripasso Vign. di Torbe Domini Veneti '18	▼	3
● Amarone della Valpolicella Cl. S. Rocco Domini Veneti '08	▽▽▽	8

Odino Vaona

LOC. VALGATARA
VIA PAVERNO, 41
37020 MARANO DI VALPOLICELLA [VR]
TEL. 0457703710
www.vaona.it

VENDITA DIRETTA
VISITA SU PRENOTAZIONE
PRODUZIONE ANNUA 70.000 bottiglie
ETTARI VITATI 10,00
AZIENDA SOSTENIBILE

La cantina di Alberto Vaona si trova nel
cuore della vallata di Marano, circondata
dai vigneti e racchiusa fra le colline. La
proprietà si estende per una decina di ettari
su terreni collinari, ad altitudini comprese
fra i 200 e i 250 metri, che garantiscono
una produzione strettamente legata alla
denominazione. Lo stile che Alberto
conferisce ai suoi vini rappresenta un punto
di equilibrio fra tradizione e modernità, tra
ricchezza e agilità al palato, risultando
spesso in cima alle nostre preferenze. Esce
solo dopo una lunga maturazione in cantina
l'Amarone Pegrandi '13, una riserva che si
presenta con una bella veste rubino
intenso. Al naso si colgono nette le
suggestioni di un frutto dolce e maturo che
mantiene però la sua integrità, rinfrescata
da una curiosa e leggera nota di erbe
aromatiche. Il sorso invece impatta con
decisione, mettendo in luce pienezza,
maturità e morbidezza, e chiudendo sapido
e armonioso. Medesimo percorso stilistico
anche per il Paverno '16, che offre un
sorso un po' più agile e succoso.

● Amarone della Valpolicella Cl. Pegrandi Ris. '13	♟♟ 8
● Amarone della Valpolicella Cl. Paverno '16	♟♟ 5
● Valpolicella Cl. Sup. '18	♟♟ 2*
● Amarone della Valpolicella Cl. Pegrandi '09	♟♟♟ 5
● Amarone della Valpolicella Cl. Pegrandi '08	♟♟♟ 5
● Amarone della Valpolicella Cl. Pegrandi '15	♟♟ 6
● Amarone della Valpolicella Cl. Pegrandi Ris. '12	♟♟ 8
● Recioto della Valpolicella Cl. Le Peagnè '16	♟♟ 4
● Valpolicella Cl. Sup. Ripasso Pegrandi '17	♟♟ 3
● Valpolicella Sup. '17	♟♟ 3

Venturini

FRAZ. SAN FLORIANO
VIA SEMONTE, 20
37029 SAN PIETRO IN CARIANO [VR]
TEL. 0457701331
www.viniventurini.com

VENDITA DIRETTA
VISITA SU PRENOTAZIONE
PRODUZIONE ANNUA 130.000 bottiglie
ETTARI VITATI 15,00
AZIENDA SOSTENIBILE

Il vino appartiene alle nostre tradizioni e
con esse si è evoluto, è l'espressione della
vita quotidiana odierna e passata.
Basterebbero queste due frasi lette
distrattamente sul sito dell'azienda
Venturini per cogliere immediatamente la
profondità del legame con la terra, le sue
tradizioni e i suoi vini che anima
Giuseppina, Daniele e Mirco. Una dozzina
di ettari dedicati unicamente alle uve locali,
coltivati a pergola, adagiati sulle marogne
che sostengono piccoli fazzoletti di terra. In
cantina tutto avviene con lentezza, in
attesa che i vini raggiungano la piena
armonia. Sugli scudi l'Amarone
Campomasua '15, un vino dai profumi
intensi di ciliegia e spezie, con una
piacevolissima nota di fiori macerati sullo
sfondo. In bocca è succoso, coniuga alla
perfezione la ricchezza alcolica e glicerica
con la spinta di acidità e sapidità,
risultando armonioso e promettendo un
fulgido futuro. Il Recioto Le Brugnine '15
offre profumi complessi e un sorso dalla
dolcezza misurata e rassicurante.

● Amarone della Valpolicella Cl. Campomasua '15	♟♟ 6
● Recioto della Valpolicella Cl. Le Brugnine '15	♟♟ 6
○ Il Castelliere Passito '12	♟♟ 5
● Massimino '16	♟♟ 5
● Valpolicella Cl. Sup. Ripasso Semonte Alto '16	♟♟ 4
⊙ E...lisa Brut Rosé	♟ 3
● Valpolicella Cl. '19	♟ 2
● Valpolicella Cl. Sup. Campomasua '17	♟ 2
● Amarone della Valpolicella Cl. Campomasua '07	♟♟♟ 6
● Amarone della Valpolicella Cl. Campomasua '05	♟♟♟ 6
● Recioto della Valpolicella Cl. Le Brugnine '97	♟♟♟ 5

★Agostino Vicentini

FRAZ. SAN ZENO
VIA C. BATTISTI, 62C
37030 COLOGNOLA AI COLLI [VR]
TEL. 0457650539
www.vinivicentini.com

VENDITA DIRETTA
VISITA SU PRENOTAZIONE
PRODUZIONE ANNUA 100.000 bottiglie
ETTARI VITATI 20,00

L'azienda di Agostino Vicentini nasce come produttrice di frutta, in quella splendida terra racchiusa fra le colline che è Colognola ai Colli. Nel 1990 arriva la svolta, con la graduale trasformazione dei frutteti in vigneti e la ferma volontà di seguire tutta la filiera produttiva, fino a giungere all'assetto odierno, fatto di una ventina di ettari vitati dedicati esclusivamente ai bianchi di Soave e ai rossi della Valpolicella. Vini intensi, schietti e profondi, che rivelano un legame forte e indissolubile con la terra di provenienza. Il Casale '18 è un Soave dal carattere solare, giocato sulla maturità del frutto, con note di fiori secchi e macchia mediterranea che ritroviamo in un palato pieno, possente, sostenuto alla perfezione dall'acidità. Importante balzo in avanti del Soave Terrelunghe '19, mai così convincente nel porgere un fresco corredo armatico che si traduce in un sorso agile, sapido e succoso. Convincente anche la batteria dei rossi, capitanati dal Palazzo di Campiano '16, che esprime il profilo più raffinato della Valpolicella.

○ Soave Sup. Il Casale '18	♛♛♛ 3*
○ Exemplum '19	♛♛ 3
○ Recioto di Soave '16	♛♛ 5
○ Soave Vign. Terre Lunghe '19	♛♛ 3
● Valpolicella Sup. '17	♛♛ 3
● Valpolicella Sup. Idea Bacco '15	♛♛ 5
● Valpolicella Sup. Palazzo di Campiano '16	♛♛ 5
● Valpolicella '18	♛ 3
○ Soave Sup. Il Casale '17	♛♛♛ 3*
○ Soave Sup. Il Casale '16	♛♛♛ 3*
○ Soave Sup. Il Casale '15	♛♛♛ 3*
○ Soave Sup. Il Casale '14	♛♛♛ 3*
○ Soave Sup. Il Casale '13	♛♛♛ 3*
○ Soave Sup. Il Casale '12	♛♛♛ 3*
○ Soave Sup. Il Casale '09	♛♛♛ 3*
○ Soave Sup. Il Casale '08	♛♛♛ 3*

Vigna Ròda

LOC. VO'
FRAZ. CORTELÀ
VIA MONTE VERSA, 1569
35030 VO' [PD]
TEL. 0499940228
www.vignaroda.com

VENDITA DIRETTA
VISITA SU PRENOTAZIONE
PRODUZIONE ANNUA 52.000 bottiglie
ETTARI VITATI 17,00

Forse Vò Euganeo oggi è noto per l'emergenza Covid, ma ciò che lo caratterizza è soprattutto la straordinaria vocazione viticola di questo piccolo borgo, adagiato alla base del versante occidentale dei Colli Euganei. Qui Gianni Strazzacappa, assieme alla moglie Elena, conduce l'azienda di famiglia, meno di venti ettari adagiati sulle colline più dolci che contornano la cantina, dove tra i filari si alternano uve della tradizione e varietà bordolesi, presenti ormai da quasi due secoli su questa terra. Il vino più importante di casa, lo Scarlatto, è rimasto a riposare in cantina, così le nostre attenzioni si sono concentrate sui vini più semplici. In cima alle nostre preferenze il Cabernet Espèro '18, un calice che porge intense note di frutto rosso e spezie e che conquista il palato con la sua spontaneità, fatta di immediatezza, tannino vibrante e beva inarrestabile. Giocato invece sulla delicatezza aromatica e sul profilo sottile e succoso il Bianco '19, mentre il Merlot Damerino '18 è sapido e armonioso.

○ Colli Euganei Bianco '19	♛♛ 2*
● Colli Euganei Cabernet Espèro '18	♛♛ 3
● Colli Euganei Merlot Il Damerino '18	♛♛ 2*
○ Aroma 2.0 '19	♛ 2
● Colli Euganei Rosso '19	♛ 2
● Colli Euganei Cabernet Espero '16	♛♛ 2*
○ Colli Euganei Fior d'Arancio Passito Petali d'Ambra '12	♛♛ 4
● Colli Euganei Rosso '17	♛♛ 2*
● Colli Euganei Rosso '16	♛♛ 2*
● Colli Euganei Rosso Scarlatto '16	♛♛ 3
● Colli Euganei Rosso Scarlatto '15	♛♛ 3*
● Colli Euganei Rosso Scarlatto '14	♛♛ 3
● Merlot Il Damerino '17	♛♛ 2*
● Merlot Il Damerino '16	♛♛ 2*

Vignale di Cecilia

LOC. FORNACI
VIA CROCI, 14
35030 BAONE [PD]
TEL. 042951420
www.vignaledicecilia.it

VISITA SU PRENOTAZIONE
PRODUZIONE ANNUA 20.000 bottiglie
ETTARI VITATI 8,00
VITICOLTURA Biologico Certificato

La cantina di Paolo Brunello si trova alle spalle di Baone, quasi nascosta dalla vegetazione e dalla piega delle colline. Ci fosse ancora il mare, come 30 milioni di anni fa, si troverebbe in una sorta di minuscolo fiordo, con la cantina nella zona più bassa e i vigneti lungo i pendii che lo costituiscono. A questa, che è la proprietà originaria, con il tempo sono stati aggiunti altri sei ettari di vigneto collinare fra Arquà Petrarca e Baone, condotti da Paolo in regime biologico e strizzando decisamente l'occhio alla biodinamica. Il Passacaglia '16 è un taglio bordolese a prevalenza merlot che porge al naso un corredo aromatico dominato dalle note di frutto rosso maturo. Timidi sullo sfondo appaiono i richiami di erbe officinali e spezie, che ritroviamo invece maggiormente espressi al palato, dove il sorso è pieno, generoso e di grandissima piacevolezza. Nella produzione dei bianchi la personalità è forte e ben marcata, come facilmente riscontrabile nella grintosa pienezza del Cocai '18 o nella sapida tensione del Poldo.

★Vignalta

VIA SCALETTE
35032 ARQUÀ PETRARCA [PD]
TEL. 0429777305
www.vignalta.it

VENDITA DIRETTA
VISITA SU PRENOTAZIONE
PRODUZIONE ANNUA 230.000 bottiglie
ETTARI VITATI 35,00
AZIENDA SOSTENIBILE

Vignalta ha esplorato a fondo la potenzialità del territorio euganeo fin dai suoi esordi avvenuti alla metà degli anni '80. Oggi le vigne non solo si estendono per molti ettari, ma sono situate su alcune delle più belle esposizioni del comprensorio, ideali per portare a maturazione con regolarità ed equilibrio le varietà a bacca rossa del bordolese che rappresentano il punto di forza della denominazione e che sono interpretate dallo staff tecnico di Vignalta coniugando la solarità del luogo con l'eleganza e l'agilità tipiche della maison. Debutta alla grande il nuovo Merlot Riserva '15, un vino dai profumi profondi di frutto e spezie, con la soffusa presenza del rovere sullo sfondo. In bocca colpisce la sua sapidità che, assieme alla spinta acida, contribuisce ad allungare e alleggerire un sorso di classe. Ancora in una fase giovanile e fragrante il Gemola della medesima vendemmia, che offre un palato solido, asciutto e di grande eleganza.

● Passacaglia '16	♟♟ 4
○ Cocài '18	♟♟ 3
○ Poldo	♟♟ 3
○ Val di Spin Frizzante	♟♟ 2
○ Benavides '18	♟ 2
○ Prosecco Campo Nicoletta	♟ 2
○ Benavides '16	♟♟ 2*
○ Benavides '15	♟♟ 2*
○ Cocài '16	♟♟ 3
● Colli Euganei Rosso Covolo '16	♟♟ 3
● Colli Euganei Rosso Covolo '15	♟♟ 3
● Colli Euganei Rosso Passacaglia '15	♟♟ 4
● Colli Euganei Rosso Passacaglia '13	♟♟ 4
● Colli Euganei Rosso Passacaglia '12	♟♟ 4
● El Moro Cabernet '16	♟♟ 3*
● El Moro Cabernet '15	♟♟ 3

● Colli Euganei Merlot Ris. '15	♟♟♟ 5
● Colli Euganei Rosso Gemola '15	♟♟♟ 6
○ Agno Casto '18	♟♟ 4
● Agno Tinto '16	♟♟ 5
○ Chardonnay '18	♟♟ 4
● Colli Euganei Carmènère Ris. '17	♟♟ 4
○ Colli Euganei Fiori d'Arancio Passito Alpianae '17	♟♟ 8
● Colli Euganei Rosso Ris. '15	♟♟ 3
○ L. H. Moscato '18	♟♟ 3
○ Pinot Bianco '18	♟♟ 3
● Pinot Nero '16	♟♟ 5
○ Colli Euganei Fior d'Arancio Passito Alpianae '12	♟♟♟ 5
○ Colli Euganei Fiori d'Arancio Passito Alpianae '16	♟♟♟ 5
● Colli Euganei Rosso Gemola '13	♟♟♟ 6

Le Vigne di San Pietro

VIA SAN PIETRO, 23
37066 SOMMACAMPAGNA [VR]
TEL. 045510016
www.levignedisanpietro.it

VENDITA DIRETTA
VISITA SU PRENOTAZIONE
PRODUZIONE ANNUA 70.000 bottiglie
ETTARI VITATI 10,00

Quella di Carlo Nerozzi è un'azienda atipica. Inserita a cavallo delle denominazioni gardesane di Bardolino e Custoza non ha mai inseguito il modello che prevede grandi numeri, semplicità e prezzi concorrenziali. A distanza di 40 anni dalla nascita si estende per una decina di ettari e la produzione non raggiunge le 100mila bottiglie neanche nelle migliori annate. Viticoltura responsabile, cura maniacale per i particolari, rispetto per i tempi di maturazione in cantina portano a una gamma di etichette di assoluto valore, caratterizzate dal connubio fra complessità e eleganza. Il Bardolino '18 rifugge dallo stereotipo di rosso beverino e, pur senza rinunciare all'immediatezza della beva, porge profumi profondi e stratificati, mentre in bocca è pieno, sapido e con un finale piacevolmente ruvido. Ricco, armonioso e succoso è il Refolà '15, mentre Come Un Pino Nero '18 porge un profilo articolato, fine negli aromi di sottobosco e fiori, e in bocca si distende con grazia e leggerezza, risultando lungo e di buona tensione.

● Bardolino '18	▼▼	2*
● Come un Pino Nero '18	▼▼	4
○ Custoza '19	▼▼	2*
● Refolà '15	▼▼	6
⊙ Bardolino Chiaretto CorDeRosa '19	▼	2
● Bardolino '14	♈♈♈	2*
● Bardolino '11	♈♈♈	2*
○ Custoza Sanpietro '16	♈♈♈	4*
● Refolà Cabernet Sauvignon '04	♈♈♈	6
○ Sud '95	♈♈♈	6
⊙ Bardolino Chiaretto CorDeRosa '18	♈♈	2*
● Bardolino Sup. '17	♈♈	3*
● Bardolino Sup. '16	♈♈	3*
● Come un Pino Nero '16	♈♈	4
○ Custoza Sup. Sanpietro '18	♈♈	4
○ Custoza Sup. Sanpietro '15	♈♈	3*

Vigneto Due Santi

V.LE ASIAGO, 174
36061 BASSANO DEL GRAPPA [VI]
TEL. 0424502074
www.vignetoduesanti.it

VENDITA DIRETTA
VISITA SU PRENOTAZIONE
PRODUZIONE ANNUA 100.000 bottiglie
ETTARI VITATI 18,00
AZIENDA SOSTENIBILE

Bassano del Grappa è una bella cittadina posta ai piedi dell'altopiano dei Sette Comuni e all'imbocco della Valsugana, vero e proprio corridoio di correnti fresche che giungono dalle Alpi. Adriano e Stefano Zonta conducono l'azienda di famiglia in questo contesto, una ventina di ettari su vigneti collinari per una produzione che ha nelle varietà bordolesi le protagoniste assolute. Vini ricchi, intensamente fruttati e di grande precisione stilistica, frutto del connubio fra il calore della pianura che si estende davanti alla cantina e la freschezza delle colline alle spalle. Il Cabernet Due Santi '17 porge al naso intense suggestioni di frutto selvatico maturo, con le note di erbe officinali e le spezie che spingono dal fondo. In bocca la pienezza del sorso è perfettamente governata dalla spina dorsale acida e da una trama tannica di grande precisione. Il Cavallare '15 ripercorre il medesimo sentiero aromatico, con un palato armonioso e di grande piacevolezza.

● Breganze Cabernet Due Santi '17	▼▼	4
● Breganze Rosso Cavallare '15	▼▼	4
○ Breganze Bianco Rivana '19	▼▼	2*
● Breganze Cabernet '18	▼▼	3
● Breganze Merlot '18	▼▼	2*
○ Breganze Pinot Bianco '19	▼▼	2*
○ Breganze Sauvignon '19	▼▼	3
○ Breganze Torcolato '17	▼▼	5
○ Campo di Fiori Malvasia '19	▼▼	2*
● Breganze Cabernet Due Santi '14	♈♈♈	4*
● Breganze Cabernet Vign. Due Santi '12	♈♈♈	4*
● Breganze Cabernet Vign. Due Santi '08	♈♈♈	4*
● Breganze Cabernet Vign. Due Santi '07	♈♈♈	4
● Breganze Cabernet Vign. Due Santi '05	♈♈♈	4
● Breganze Cabernet Vign. Due Santi '04	♈♈♈	4

★Villa Sandi

VIA ERIZZO, 113A
31035 CROCETTA DEL MONTELLO [TV]
TEL. 04238607
www.villasandi.it

VENDITA DIRETTA
VISITA SU PRENOTAZIONE
OSPITALITÀ E RISTORAZIONE
PRODUZIONE ANNUA 5.600.000 bottiglie
ETTARI VITATI 560,00
VITICOLTURA Biologico Certificato
AZIENDA SOSTENIBILE

Giancarlo Moretti Polegato è a capo di
un'azienda che affronta il mondo delle
bollicine trevigiane a 360 gradi. L'attività
iniziata nella terra di confine fra il Montello
e il Valdobbiadenese è stata gradualmente
ma velocemente ampliata e oggi si estende
per tantissimi ettari all'interno delle
denominazioni del Prosecco, dando vita a
una gamma completa e che esplora a
fondo le potenzialità della glera. A
completare l'offerta una piccola ma
intrigante selezione di vini fermi che ha nel
Corpore la massima espressione
qualitativa. Il Cartizze La Rivetta è il
consueto Prosecco Superiore di classe,
profumato intensamente di frutto bianco e
fiori, con una delicata sfumatura di confetto
sullo sfondo. In bocca la fusione fra
bollicine, acidità e zucchero è pressoché
perfetta e il vino risulta armonioso e molto
piacevole. L'Amalia Moretti Brut, blend di
pinot nero e chardonnay con una netta
prevalenza del primo, esprime profumi
nitidi di crosta di pane e frutto a polpa
gialla, mentre in bocca è cremoso e di
buona tensione.

○ Cartizze Brut La Rivetta	♥♥♥ 6
○ Amalia Moretti Brut M. Cl. Ris.	♥♥ 8
○ Asolo Extra Brut Nero '18	♥♥ 4
● Montello e Colli Asolani Merlot Còrpore '17	♥♥ 5
○ Serenissima Brut Opere M. Cl.	♥♥ 5
○ Valdobbiadene Rive di San Pietro di Barbozza Dry '19	♥♥ 3
○ Asolo Brut	♥ 3
○ Montello e Colli Asolani Manzoni Bianco '19	♥ 3
● Raboso '16	♥ 3
○ Cartizze Brut V. La Rivetta '11	♀♀♀ 4*
○ Cartizze Brut V. La Rivetta '10	♀♀♀ 4
○ Cartizze Brut V. La Rivetta '09	♀♀♀ 4
○ Valdobbiadene Rive di San Pietro di Barbozza Dry '18	♀♀ 3

Villa Spinosa

VIA JAGO DALL'ORA, 14
37024 NEGRAR [VR]
TEL. 0457500093
www.villaspinosa.it

VENDITA DIRETTA
VISITA SU PRENOTAZIONE
OSPITALITÀ
PRODUZIONE ANNUA 45.000 bottiglie
ETTARI VITATI 20,00
AZIENDA SOSTENIBILE

Enrico Cascella vive l'attività di viticoltore
con la tranquillità e la serenità che
possiede chi ha compreso che le lotte
contro il tempo e contro la natura sono
sempre perdenti, che bisogna invece
assecondarle per permettere ai vini di
raccontare una storia. Il suo grande
potenziale viticolo si estende sulle colline
fra le valli di Negrar e Marano ed è
sfruttato solo in piccola parte per la
produzione di casa. Non aspettatevi
potenza o esuberanza, i vini di Villa
Spinosa sono complessi, tratteggiati dalle
spezie e sostenuti dall'acidità. L'Amarone
Albasini '13 è un perfetto punto di sintesi
fra la tradizione e la modernità, un calice
che esprime profumi complessi e
stratificati, ricordo di uve appassite, e al
tempo stesso integro e vitale. Il palato è
ricco ma non si siede sulla concentrazione,
si allunga e affusola sulla spinta acida e
sulla sapidità, risultando lungo e
affascinante. L'Amarone '16 invece gioca
con un frutto più fragrante e immediato e il
sorso è asciutto e succoso.

● Amarone della Valpolicella Cl. Albasini '13	♥♥♥ 8
● Amarone della Valpolicella Cl. '16	♥♥ 7
● Recioto della Valpolicella Cl. Francesca Finato Spinosa '15	♥♥ 6
● Valpolicella Cl. '19	♥ 3
● Amarone della Valpolicella Cl. '08	♀♀♀ 7
● Amarone della Valpolicella Cl. Albasini '11	♀♀♀ 7
● Amarone della Valpolicella Cl. Albasini '10	♀♀♀ 7
● Valpolicella Cl. Sup. Ripasso Jago '11	♀♀♀ 3*
● Amarone della Valpolicella Cl. '15	♀♀ 6
● Amarone della Valpolicella Cl. '14	♀♀ 6
● Amarone della Valpolicella Cl. Guglielmi di Jago 10 Anni '07	♀♀ 8

Vigneti Villabella

FRAZ. CALMASINO
LOC. CANOVA, 2
37011 BARDOLINO [VR]
TEL. 0457236448
www.vignetivillabella.com

VENDITA DIRETTA
VISITA SU PRENOTAZIONE
OSPITALITÀ
PRODUZIONE ANNUA 500.000 bottiglie
ETTARI VITATI 220,00

A distanza di mezzo secolo dalla fondazione l'azienda delle famiglie Cristoforetti e Delibori prosegue il suo percorso nell'enologia veronese, forte di un parco viticolo molto esteso che abbraccia principalmente i territori del Bardolino e della Valpolicella, con una gestione sempre più volta a diminuire l'impatto dell'uomo nell'ambiente, a partire dalla splendida tenuta di Villa Cordevigo. In cantina le migliori partite di uva danno vita a una gamma che ha nell'eleganza e nell'espressione varietale la sua cifra stilistica. Il Bardolino Morlongo '18 esprime tutto il valore che la tipologia gardesana può offrire, un vino che senza rinunciare alla piacevolezza e all'immediatezza della beva dona aromi articolati e un sorso sapido, dinamico e di grande finezza. Il Villa Cordevigo '13 è un rosso da uve raccolte in surmaturazione e leggermente appassite che porge un naso maturo e complesso, mentre il palato è pieno, generoso e di pregevole armonia, sviluppando un sorso giocato sulle note più morbide.

⊙ Bardolino Chiaretto Cl. Villa Cordevigo '19	♟♟	3*
● Bardolino Cl. Morlongo '18	♟♟	2*
● Amarone della Valpolicella Cl. '15	♟♟	6
● Amarone della Valpolicella Cl. Fracastoro Ris. '11	♟♟	7
● Montemazzano Corvina Veronese '18	♟♟♟	3
● Villa Cordevigo Rosso '13	♟♟	5
⊙ Bardolino Chiaretto Cl. '19	♟	2
⊙ Bardolino Chiaretto Cl. Heaven Scent '19	♟	3
○ Lugana '19	♟	3
● Valpolicella Cl. Sup. Ripasso '18	♟	3
● Bardolino Cl. V. Morlongo '14	♟♟♟	2*
● Amarone della Valpolicella Cl. '13	♟♟	5
● Amarone della Valpolicella Cl. Fracastoro Ris. '10	♟♟	7

★Viviani

VIA MAZZANO, 8
37020 NEGRAR [VR]
TEL. 0457500286
www.cantinaviviani.com

VENDITA DIRETTA
VISITA SU PRENOTAZIONE
PRODUZIONE ANNUA 80.000 bottiglie
ETTARI VITATI 10,00
AZIENDA SOSTENIBILE

Claudio Viviani è un viticoltore capace ed esuberante, sempre pronto a rimettere in discussione le scelte fatte, fermamente convinto che le uve e il territorio della Valpolicella non hanno nulla da invidiare alle denominazioni più importanti. Fulcro di questo assioma è la viticoltura, che non può sottostare alle esigenze del mercato, ma deve svilupparsi in armonia con l'ambiente, assecondando l'andamento climatico dell'annata. In cantina i processi sono svolti in modo artigianale e con grande pazienza, nell'attesa che il tempo permetta ai vini di giungere alla piena espressività. I risultati di un percorso iniziato molti anni fa, con l'impianto del vigneto, cominciano a vedersi con continuità, con un Valpolicella Campo Morar '17 da incorniciare. Al naso si coglie un frutto maturo e speziato, impreziosito da sfumature balsamiche ed erbe officinali. In bocca il vino rivela un corpo ricco, ben contrastato dalla spinta acida e da una trama tannica di pregevole fattura. Convincente il Recioto '16, floreale al naso e di raffinata dolcezza in bocca.

● Valpolicella Cl. Sup. Campo Morar '17	♟♟♟	5
● Amarone della Valpolicella Cl. '16	♟♟	6
● Recioto della Valpolicella Cl. '16	♟♟	6
● Amarone della Valpolicella Cl. Casa dei Bepi '13	♟♟♟	8
● Amarone della Valpolicella Cl. Casa dei Bepi '12	♟♟♟	8
● Amarone della Valpolicella Cl. Casa dei Bepi '11	♟♟♟	8
● Amarone della Valpolicella Cl. Casa dei Bepi '10	♟♟♟	8
● Amarone della Valpolicella Cl. Casa dei Bepi '09	♟♟♟	8
● Amarone della Valpolicella Cl. Casa dei Bepi '05	♟♟♟	8
● Valpolicella Cl. Sup. Campo Morar '09	♟♟♟	5

Pietro Zanoni

FRAZ. QUINZANO
VIA ARE ZOVO,16D
37125 VERONA
TEL. 0458343977
www.pietrozanoni.it

VENDITA DIRETTA
VISITA SU PRENOTAZIONE
PRODUZIONE ANNUA 25.000 bottiglie
ETTARI VITATI 7,50

La valle di Quinzano è una piccola e breve vallata che si incunea fra quella di Negrar e la Valpantena, giungendo a lambire la periferia della città Scaligera. Poco urbanizzata, con i vigneti che si alternano con gli oliveti e più sparute macchie boschive, è un luogo di rara bellezza e al civico 16 di via Are Zovo si trova la cantina di Pietro Zanoni. I vigneti, estesi per meno di 10 ettari, si sviluppano principalmente attorno alla cantina e sono allevati non con la tradizionale pergola, ma con più funzionali impianti a guyot. Grande attenzione alla maturazione da parte di Pietro, per una produzione che ha nell'espressione intensamente fruttata e nella solidità del sorso il tratto distintivo, come si può facilmente apprezzare nel Valpolicella Superiore '17. L'Amarone '15 invece esprime un frutto ancor più dolce e maturo, arricchito di note minerali e di sottobosco. In bocca l'impatto è caldo e potente, ma il vino si distende con decisione in virtù di una precisa e ruvida trama tannica.

● Amarone della Valpolicella '15	♛♛	7
● Valpolicella Sup. '17	♛♛	3
● Valpolicella Sup. Campo Denari '17	♛♛	4
● Valpolicella Sup. Ripasso '17	♛♛	4
● Amarone della Valpolicella '14	♕♕	7
● Amarone della Valpolicella Zovo '13	♕♕	7
● Amarone della Valpolicella Zovo '12	♕♕	7
● Amarone della Valpolicella Zovo '11	♕♕	7
● Recioto della Valpolicella '11	♕♕	5
● Valpolicella Sup. '16	♕♕	3
● Valpolicella Sup. '15	♕♕	2*
● Valpolicella Sup. '14	♕♕	2*
● Valpolicella Sup. '13	♕♕	2*
● Valpolicella Sup. Campo Denari '16	♕♕	4
● Valpolicella Sup. Campo Denari '15	♕♕	4
● Valpolicella Sup. Ripasso '15	♕♕	4
● Valpolicella Sup. Ripasso '13	♕♕	4

Pietro Zardini

VIA DON P. FANTONI, 3
37029 SAN PIETRO IN CARIANO [VR]
TEL. 0456800989
www.pietrozardini.it

VENDITA DIRETTA
VISITA SU PRENOTAZIONE
PRODUZIONE ANNUA 60.000 bottiglie
ETTARI VITATI 10,00

Dietro all'aria giovanile e quasi sbarazzina di Pietro Zardini si cela un percorso lungo e approfondito nel mondo dei vini della Valpolicella, prima come consulente e oggi sempre più legato all'azienda di famiglia. Le vigne forniscono le uve per una produzione che è legata a doppio filo con la tradizione: corvina, corvinone e rondinella costituiscono quasi interamente il raccolto, ora vinificate fresche, ora appassite, mettendo al centro del palcoscenico il loro carattere fatto di aromi raffinati e scattante tensione acida. L'Amarone dedicato al nonno Leone Zardini esce solo dopo un lungo affinamento in cantina e la versione 2013 sfodera una prestazione da incorniciare. Al naso il frutto surnaturo conquista immediatamente il centro del palcoscenico, lasciando gradualmente spazio alle note balsamiche e minerali, con il pepe a fare capolino. Il sorso esprime una perfetta armonia fra la ricchezza, l'alcol e la spinta acida, risultando lungo e affascinante. Immediato, fragrante e succoso il Recioto Pietro Junior '18.

● Amarone della Valpolicella Cl. Leone Zardini Ris. '13	♛♛♛	8
● Amarone della Valpolicella Pietro Junior '16	♛♛	6
● Recioto della Valpolicella Pietro Junior '18	♛♛	4
● Valpolicella Sup. Ripasso Pietro Junior '17	♛♛	4
○ Lugana Pietro Junior '19	♛	2
☉ Rosignol Rosato Brut	♛	3
● Amarone della Valpolicella Cl. Leone Zardini Ris. '12	♕♕♕	8
● Amarone della Valpolicella Cl. Leone Zardini Ris. '11	♕♕♕	8
● Amarone della Valpolicella Pietro Junior '13	♕♕	6
● Valpolicella Sup. Ripasso Pietro Junior '16	♕♕	4

★Zenato

VIA SAN BENEDETTO, 8
37019 PESCHIERA DEL GARDA [VR]
TEL. 0457550300
www.zenato.it

VENDITA DIRETTA
VISITA SU PRENOTAZIONE
PRODUZIONE ANNUA 2.000.000 bottiglie
ETTARI VITATI 95,00

Zenato è una delle grandi griffe del panorama veronese, interprete fedele e attuale delle denominazioni del Lugana e della Valpolicella. Quella che era un'avventura cominciata tanti anni fa da papà Sergio con la collaborazione di numerosi viticoltori della zona, è diventata una realtà che conduce direttamente un centinaio di ettari. Nadia e il fratello Alberto guidano l'azienda di famiglia nel solco dello stile impostato dal fondatore, dando vita a una produzione che ha nella ricchezza fruttata il suo leitmotiv. Il Lugana Sergio Zenato '17 è una Riserva che matura in rovere e che porge al naso un corredo aromatico ricco, dominato da un frutto giallo maturo che lascia trasparire timide note agrumate, floreali e delicatamente speziate. In bocca è pieno, sapido e succoso, riuscendo a tendersi con agilità per merito della spinta acida. Solare, avvolgente e caldo l'omonimo Amarone '15, dotato di un sorso che coniuga la potenza con la tensione, per un risultato armonioso e molto lungo.

○ Lugana Sergio Zenato Ris. '17	♟♟♟ 5
● Amarone della Valpolicella Cl. Sergio Zenato Ris. '15	♟♟ 8
○ Lugana Brut M. Cl. '17	♟♟ 4
○ Lugana Massoni S. Cristina '19	♟♟ 3
○ Lugana S. Benedetto '19	♟♟ 2*
● Valpolicella Cl. Sup. '17	♟♟ 3
● Valpolicella Sup. Ripasso Ripassa '16	♟♟ 4
● Cresasso '15	♟ 5
● Amarone della Valpolicella Cl. Sergio Zenato Ris. '11	♟♟♟ 8
● Amarone della Valpolicella Cl. Sergio Zenato Ris. '10	♟♟♟ 8
● Amarone della Valpolicella Cl. Sergio Zenato Ris. '09	♟♟♟ 8
○ Lugana Sergio Zenato Ris. '16	♟♟♟ 5
○ Lugana Sergio Zenato Ris. '15	♟♟♟ 5

Zeni 1870

VIA COSTABELLA, 9
37011 BARDOLINO [VR]
TEL. 0457210022
www.zeni.it

VENDITA DIRETTA
VISITA SU PRENOTAZIONE
PRODUZIONE ANNUA 1.000.000 bottiglie
ETTARI VITATI 25,00

L'azienda dei fratelli Zeni è stata una delle pioniere del comprensorio gardesano, non solo per la qualità dei vini che dal secondo dopoguerra escono dalla cantina, ma per l'intuizione di Nino del potenziale di quell'area e delle sue uve. Oggi, a 150 anni dalla fondazione, Elena, Federica e Fausto conducono l'azienda di famiglia, sempre più volta a valorizzare il territorio del Bardolino e della Valpolicella, proponendo una produzione affidabile, che offre più eleganza e tensione che potenza e volume. Ottima la prova del Bardolino dedicato al papà, I Filari del Nino '19, un vino che non si avvale di aggiunta di solforosa e che esprime un frutto selvatico integro e croccante che anticipa un sorso succoso, teso e di grandissima piacevolezza. Sul fronte dei vini più strutturati abbiamo apprezzato l'Amarone Nino Zeni, che concede i suoi profumi poco per volta, debuttando con il frutto rosso in confettura per lasciar emergere lentamente le note di erbe aromatiche e spezie. Il sorso, generoso e avvolgente, si rinfresca grazie alla spinta acida.

● Amarone della Valpolicella Cl. Nino Zeni '15	♟♟ 8
● Bardolino Cl. I Filari del Nino '19	♟♟ 5
● Amarone della Valpolicella Cl. '17	♟♟ 6
● Amarone della Valpolicella Cl. Vigne Alte '16	♟♟ 6
⊙ Bardolino Chiaretto Cl. Vigne Alte '19	♟♟ 2*
● Bardolino Cl. Vigne Alte '19	♟♟ 2*
● Cruino '15	♟♟ 6
⊙ Bardolino Chiaretto Cl. Inanfora '18	♟ 2
○ Lugana Marogne '19	♟ 3
○ Lugana Vigne Alte '19	♟ 2
● Valpolicella Sup. Ripasso Marogne '18	♟ 3
● Amarone della Valpolicella Cl. '88	♟♟♟ 6
● Amarone della Valpolicella Cl. '16	♟♟ 6
● Amarone della Valpolicella Cl. Vigne Alte '15	♟♟ 6

Zonin

VIA BORGOLECCO, 9
36053 GAMBELLARA [VI]
TEL. 0444640111
www.zonin1821.it

VENDITA DIRETTA
VISITA SU PRENOTAZIONE
PRODUZIONE ANNUA 38.000.000 bottiglie
ETTARI VITATI 2000,00

La grande maison di Gambellara è una delle realtà più grandi d'Italia, con interessi disseminati in tutto lo stivale, anche all'estero, e con una ramificata presenza di aziende territoriali. Negli ultimi anni abbiamo assistito al deciso balzo in avanti proprio della produzione a marchio Zonin, che oggi propone vini dal netto profilo varietale per le tipologie più semplici e più articolato e profondo per le selezioni. Grande attenzione al mondo del Prosecco, di cui Zonin è uno dei protagonisti più importanti. La novità più interessante viene però dal comprensorio euganeo, dove l'azienda di Gambellara ha iniziato una nuova avventura. Si tratta dell'Ètymo '16, un bordolese a prevalenza merlot che al naso affascina per i suoi intensi profumi di frutto rosso e macchia mediterranea, che si esaltano in un sorso di concentrazione e finezza. Convincente anche il Valdobbiadene Extra Dry Prestige 1821, uno spumante dai profumi fruttati che gioca con il contrasto fra dolcezza e acidità ben accompagnato dalle bollicine.

● Amarone della Valpolicella '17	♟♟	7
● Colli Euganei Rosso Ètymo '16	♟♟	7
○ Valdobbiadene Extra Dry Prestige 1821	♟♟	3
○ Lugana '19	♟	4
○ Prosecco Brut Cuvée 1821	♟	4
○ Prosecco Extra Dry Black Cuvée	♟	4
○ Soave Cl. '19	♟	3
● Valpolicella Cl. '19	♟	3
● Amarone della Valpolicella '16	♟♟	6
● Amarone della Valpolicella '14	♟♟	6
○ Friuli Aquileia Pinot Grigio '16	♟♟	2*
○ Gambellara Cl. Il Giangio '17	♟♟	3
● Valpolicella Cl. '18	♟♟	2*
● Valpolicella Sup. Ripasso '17	♟♟	4
● Valpolicella Sup. Ripasso '16	♟♟	3
● Valpolicella Sup. Ripasso '15	♟♟	3

Zymè

LOC. SAN FLORIANO
VIA CA' DEL PIPA, 1
37029 SAN PIETRO IN CARIANO [VR]
TEL. 0457701108
www.zyme.it

VENDITA DIRETTA
VISITA SU PRENOTAZIONE
PRODUZIONE ANNUA 120.000 bottiglie
ETTARI VITATI 30,00
AZIENDA SOSTENIBILE

Celestino Gaspari vanta una profonda conoscenza del territorio e delle tradizioni della Valpolicella, maturata nei tanti anni di vagabondaggio fra vigneti e cantine della denominazione, culminata con la nascita della sua azienda poco più di una ventina di anni fa. Se la gamma di vini che esce dalla cantina di San Floriano è ampia e spazia su molte tipologie, i risultati più convincenti giungono però proprio dalla Valpolicella, con due Amarone di altissimo livello. Il 2015 porge al naso un frutto rosso maturo e speziato, mentre al palato rivela pienezza e armonia, perfetto esempio della classicità di questa tipologia. La Riserva La Mattonara '08 è invece un compendio di tutto ciò che l'Amarone può offrire: profondità degli aromi, maturità del frutto, spezie ed erbe officinali. In bocca poi esce il vero punto di forza di Celestino, la capacità di gestire con leggerezza e tensione anche le strutture più imponenti, con il vino che si distende con agilità e lunghezza, concludendo asciutto e nitido.

● Amarone della Valpolicella Cl. '15	♟♟	8
● Amarone della Valpolicella Cl. La Mattonara Ris. '08	♟♟	8
● Valpolicella Cl. Sup. '17	♟♟	5
○ Il Bianco From Black to White '19	♟	3
● Valpolicella Reverie '19	♟	3
● Amarone della Valpolicella Cl. '13	♟♟♟	8
● Amarone della Valpolicella Cl. '06	♟♟♟	8
● Amarone della Valpolicella Cl. La Mattonara Ris. '03	♟♟♟	8
● Amarone della Valpolicella Cl. La Mattonara Ris. '01	♟♟♟	8
● Amarone della Valpolicella Cl. '11	♟♟	8
● Harlequin '09	♟♟	8
● Valpolicella Cl. Sup. '16	♟♟	5
● Valpolicella Cl. Sup. '15	♟♟	5
● Valpolicella Cl. Sup. '13	♟♟	5

Aldo Adami

FRAZ. CUSTOZA
VIA VALBUSA, 29
37066 SOMMACAMPAGNA [VR]
TEL. 045516105
www.cantinaaldoadami.com

L'azienda della famiglia Adami presenta un'ottima versione di Bardolino targata 2019. La veste scarica e luminosa anticipa un corredo aromatico di fiori freschi e spezie, il sorso è raffinato e conquista poco per volta. Floreale, sapido e asciutto il Bardolino Chiaretto '19.

● Bardolino '19	♟♟ 2*
⊙ Bardolino Chiaretto '19	♟ 2
○ Custoza '19	♟ 2
○ Custoza Sup. Ciampani '18	♟ 3

Ai Galli

VIA LOREDAN, 28
30020 PRAMAGGIORE [VE]
TEL. 0421799314
www.aigalli.it

Ricco di sfumature esotiche e floreali il Verduzzo Passito '15 dell'azienda di Pramaggiore, caratterizzato da un palato dalla dolcezza misurata e ben rinfrescato dalla spinta acida. Lo Chardonnay '18 porge profumi di frutto maturo e un sorso avvolgente e di buona armonia.

○ Lison Pramaggiore Verduzzo Passito '15	♟♟ 4
○ Venezia Chardonnay Et. Sel. '18	♟♟ 3
○ Tai '19	♟ 2
● Venezia Cabernet Franc Et. Sel. '17	♟ 3

Bacio della Luna

VIA ROVEDE, 36
31020 VIDOR [TV]
TEL. 0423983111
www.baciodellaluna.it

Debutto più che convincente per l'ultimo nato dell'azienda, un Extra Brut '19 dal profilo aromatico floreale e di frutto bianco, dotato di un palato asciutto, raffinato e di grande tensione acida. Il Cartizze '19 gioca con un frutto più evidente e una bocca armoniosa e appagante.

Cartizze '19	♟♟ 5
Valdobbiadene Extra Brut '19	♟♟ 3
Valdobbiadene Brut '17	♟ 2
Valdobbiadene Extra Dry '19	♟ 2

Beato Bartolomeo da Breganze

VIA ROMA, 100
36042 BREGANZE [VI]
TEL. 0445873112
www.cantinabreganze.it

La cooperativa di Breganze è una delle interpreti più apprezzate del Torcolato, lo storico passito da uve vespaiola. La versione 2015 si presenta con profumi di albicocca matura, caramello e frutti esotici. In bocca la dolcezza è misurata e il vino chiude asciutto.

○ Breganze Torcolato '15	♟♟ 5
● Breganze Cabernet Bosco Grande Ris. '16	♟ 3
● Breganze Cabernet Kilò Ris. '16	♟ 4
● Breganze Merlot Bosco Grande Ris. '16	♟ 3

Bellaguardia

VIA ZIGGIOTTI
36075 MONTECCHIO MAGGIORE [VI]
TEL. 3480000460
www.bellaguardia.it

Sosta per quasi un decennio sui lieviti l'Extra Brut Romeo, uno spumante dalla veste dorata e dominato da profumi in cui il pane biscottato incrocia note minerali e di fiori secchi. In bocca colpisce per sapidità e grinta, risultando lungo e di beva trascinante.

○ Extra Brut M. Cl.	♟♟ 5
○ Lessini Durello Extra Brut Romeo Ris.	♟♟ 5
○ Lessini Durello Pas Dosè Montecchi	♟ 5
○ Pas Dosè 1920 '16	♟ 5

Bellussi Spumanti

VIA ERIZZO, 215
31049 VALDOBBIADENE [TV]
TEL. 0423983411
www.bellussi.com

L'azienda di via Erizzo propone un Extra Dry Belcanto di grande precisione aromatica, con il frutto bianco e le note floreali che si alternano nel dominare il quadro aromatico. In bocca la dolcezza misurata è perfettamente bilanciata dall'acidità e dalle cremose bollicine.

○ Valdobbiadene Brut	♟♟ 3
○ Valdobbiadene Extra Dry Belcanto	♟♟ 3
○ Valdobbiadene Brut Belcanto	♟ 3
○ Valdobbiadene Extra Dry	♟ 3

Alessandro Benini

VIA SCOLARA, 2
37030 LAVAGNO [VR]
TEL. 3479208584
www.alebenini.it

La piccola azienda di Alessandro Benini si
trova alla confluenza delle valli di Mezzane
e Illasi. Interessante il Soave Balinda, un
calice intensamente fruttato che conquista
per la pienezza del sorso. Il Valpolicella
Mazzacanà '18 è succoso e di buona
tensione gustativa.

○ Soave Balinda '18	♟♟ 2*
○ Valpoliccella Mazzacanà '18	♟♟ 3
○ Soave Le Macette '17	♟ 2
○ Vespro Albino '18	♟ 3

F.lli Bortolin

FRAZ. SANTO STEFANO
VIA MENEGAZZI, 5
31049 VALDOBBIADENE [TV]
TEL. 0423900135
www.bortolin.com

La storica griffe del Prosecco di
Valdobbiadene propone un Cartizze di
grande finezza aromatica, dominato da
note di frutto bianco e agrumi rinfrescate
da toni floreali. Al palato la dolcezza non è
protagonista, ma è funzionale a rendere più
espressivo e carezzevole il sorso.

○ Cartizze	♟♟ 4
○ Valdobbiadene Brut	♟♟ 2*
○ Valdobbiadene Brut Rù	♟♟ 3
○ Valdobbiadene Extra Dry	♟♟ 2*

Umberto Bortolotti

VIA RUIO ARCANE, 6
31049 VALDOBBIADENE [TV]
TEL. 0423975668
www.bortolotti.com

La zona del Cartizze rappresenta il vertice
qualitativo della grande denominazione
trevigiana. La Bortolotti ne propone una
versione di particolare raffinatezza,
dominata dal frutto giallo maturo negli
aromi e dotata di un sorso sapido,
armonioso e di grande piacevolezza.

○ Cartizze	♟♟ 3
○ Valdobbiadene Rive di Santo Stefano Brut Montagnole '18	♟♟ 3
○ Valdobbiadene Brut Altena	♟ 2

Ca' Bianca

LOC. FONTANAFREDDA
VIA CINTO, 5
35030 CINTO EUGANEO [PD]
TEL. 042994288

La famiglia Turetta divide la sua attività fra
la conduzione dell'azienda agricola e quella
dedicata alla ristorazione. Il Rossura dei
Briganti '15 presenta profumi ampi e
stratificati, con il frutto rosso che trova nelle
spezie il giusto equilibrio. Il palato è solido
e succoso.

● Colli Euganei Cabernet Rittocchino 42 '15	♟♟ 3
● Colli Euganei Rosso Rossura dei Briganti Ris. '15	♟♟ 4
● Colli Euganei Merlot Bumagro '15	♟ 3

Ca' dei Maghi

VIA CA' DEI MAGHI, 5
37022 FUMANE [VR]
TEL. 0457702355
www.cadeimaghi.it

L'azienda condotta da Paolo Creazzi si
sviluppa per sette ettari nella vallata di
Fumane. Ottimo l'Amarone Canova
Riserva '13, dai profumi ampi e articolati che
ritroviamo in un palato di grande tensione ed
eleganza. Più fresco, succoso e dinamico il
Superiore Maghi '15.

● Amarone della Valpolicella Cl. Canova Ris. '13	♟♟ 8
● Valpolicella Cl. Sup. Maghi '15	♟♟ 3
● Valpolicella Cl. '19	♟ 2

Canoso

LOC. MONTEFORTE D'ALPONE
VIA ROMA, 97
37032 VERONA
TEL. 0456101981
www.canoso.it

L'azienda di Monteforte d'Alpone propone
vini di grande consistenza e profondità. Il
Verso '17 ai toni di frutto giallo maturo e
fiori secchi fa seguire un palato ricco,
morbido e avvolgente. Maggior vitalità e
nervo nel Fonte '19, un Soave che si fa
apprezzare per la sapidità.

○ Soave Cl. Fonte '19	♟♟ 2*
○ Soave Cl. Sup. Verso '17	♟♟ 3
○ Oltre '17	♟ 4

Cantina del Castello

V.LO CORTE PITTORA, 5
37038 SOAVE [VR]
TEL. 0457680093
www.cantinacastello.it

L'azienda di vicolo Corte Pittora propone un Soave che gioca tutte le sue carte sull'immediatezza aromatica e la semplicità della beva. Si tratta del Castello '19, un Soave dai profumi di mela e fiori freschi, toni che ritroviamo in un sorso snello, agile e asciutto.

○ Soave Cl. Castello '19		♥♥ 2*

Col Sandago

VIA BARRIERA, 41
31058 SUSEGANA [TV]
TEL. 043864468
www.colsandago.it

Ottimo il Rive di Susegana Undici '19, un Prosecco Superiore Dry che esprime la perfetta maturazione del frutto bianco, impreziosito da tenui note floreali e di agrumi. In bocca la dolcezza è perfettamente sostenuta dall'acidità e dalla cremosa presenza delle bollicine.

○ Conegliano Valdobbiadene	
Rive di Susegana Dry Undici '19	♥♥ 3
○ Conegliano Valdobbiadene	
Rive di Susegana Extra Brut Nature '19	♥♥ 3

Cantina Colli Euganei

VIA G. MARCONI, 314
35030 Vo' [PD]
TEL. 0499940011
www.cantinacollieuganei.it

La storica cooperativa di Vò Euganeo propone un Moscato dolce dai profumi profondi e complessi, dove le note di frutto esotico si fondono con gli accenni speziati e minerali. Il sorso è dominato dalla dolcezza e il vino si allarga con decisione, trovando armonia nella spinta sapida.

○ Colli Euganei Moscato Dolce	
Palazzo del Principe '17	♥♥ 2*
● Colli Euganei Rosso	
Notte di Galileo Ris. '17	♥♥ 3

Cirotto

VIA BASSANESE, 51
31011 ASOLO [TV]
TEL. 0423952396
www.cirottovini.com

L'azienda della famiglia Cirotto è operativa nel comprensorio dell'Asolo. Qui produce un Brut di pregevole precisione stilistica, dominato dalle note di mela e fiori che ritroviamo in un sorso asciutto e cremoso. Il Dosaggio Zero '15 è uno spumante raffinato e di buona tensione.

○ Asolo Brut '19	♥♥ 2*
○ Sogno Dosage Zéro M. Cl. '15	♥♥ 7
○ Asolo Extra Dry '19	♥ 4
○ Manzoni Bianco '18	♥ 3

Colli del Soligo

LOC. SOLIGHETTO
VIA L. TOFFOLIN, 6
31050 PIEVE DI SOLIGO [TV]
TEL. 0438840092
www.collisoligo.com

Mano davvero felice per il Prosecco Extra Dry alla Cantina Colli del Soligo. Il Solicum porge al naso profumi di frutto bianco maturo e fiori, in bocca è succoso e agile. La versione Col de Mez è ancor più fruttata nell'espressione aromatica, con un palato morbido e cremoso.

○ Valdobbiadene Extra Dry Col del Mez '19	♥♥ 2*
○ Valdobbiadene Extra Dry Solicum '17	♥♥ 2*
○ Valdobbiadene Brut Solicum '17	♥ 2
○ Valdobbiadene Rive di Soligo Dry '19	♥ 3

La Collina dei Ciliegi

FRAZ. ROMAGNANO
LOC. ERBIN, 36
37023 GREZZANA [VR]
TEL. 0459814900
www.lacollinadeiciliegi.it

Prende forma l'azienda delle famiglie Gianolli e Falla. L'Amarone Ciliegio '15 presenta profumi intensi di ciliegia e spezie, mentre sorprende al palato per l'inaspettata leggerezza. Un vino di carattere che esprime finezza e tensione. Più semplice e morbido il Ripasso Macion '17.

● Amarone della Valpolicella Ciliegio '15	♥♥ 8
● Valpolicella Sup. Ripasso Macion '17	♥♥ 5
● Amarone della Valpolicella '16	♥ 7
● Camponi '18	♥ 2

Collis

VIA CAPPUCCINI, 6
37032 MONTEFORTE D'ALPONE [VR]
TEL. 0456108222
www.collisgroup.it

Il gruppo veronese propone una gamma
ampia che fa riferimento soprattutto alle
storiche denominazioni della provincia.
L'Amarone Castelforte '15 porge al naso un
frutto rosso maturo e dolce, attraversato da
note balsamiche e speziate che ritroviamo
in un palato di buona tensione.

● Amarone della Valpolicella Castelforte '15	▼▼ 5
○ Prosecco Extra Dry Castelforte	▼ 2
○ Soave Castelforte '19	▼ 2
● Valpolicella Ripasso Castelforte '17	▼ 4

Corte Mainente

V.LE DELLA VITTORIA, 45
37038 SOAVE [VR]
TEL. 0457680303
www.cortemainente.com

La piccola azienda di viale della Vittoria
propone Soave di ottima qualità e carattere.
Il Tenda '18 ha profumi di frutto giallo
maturo impreziositi da una stumatura
minerale. Il palato si allunga con decisione
e chiude sulla nota sapida. Fresco,
immediato e fragrante il Pigno '19.

○ Soave Cl. Pigno '19	▼▼ 3
○ Soave Cl. Tenda '18	▼▼ 3
○ Recioto di Soave Luna Nova '18	▼ 4
○ Soave Netrroir '18	▼ 4

Paolo Cottini

FRAZ. CASTELROTTO
VIA BELVEDERE, 29
37029 VERONA
TEL. 0456837293
www.paolocottini.it

Grande precisione e pulizia per i vini di
Paolo Cottini, caratterizzati da un sorso
tonico e di buona progressione. Il Passito
Scriba '17 porge profumi di frutto rosso
surmaturo e un palato dove la dolcezza è
misurata e ben contrastata dalla presenza
sappia. Buono anche il Valpolicella '19.

● Scriba Passito '17	▼▼ 3
● Valpolicella Cl. '19	▼ 2

Vignaioli Contrà Soarda

S.DA SOARDA, 26
36061 BASSANO DEL GRAPPA [VI]
TEL. 0424505562
www.contrasoarda.it

Il Terre di Lava '14 è un merlot in purezza
che si fa apprezzare per la ricchezza fruttata
dei suoi aromi, dove compaiono note
minerali e di sottobosco. Il palato è pieno e
morbido, ravvivato dalla vivace presenza
tannica. Il Pendio '16, blend di garganega e
vespaiola, è complesso e armonico.

● Breganze Rosso Terre di Lava Ris. '14	▼▼ 5
○ Il Pendio '16	▼▼ 3
○ Breganze Vespaiolo Soarda '19	▼ 3
● Vitae Musso '16	▼ 4

Corte Scaletta

FRAZ. MARCELLISE
VIA CAO DI SOPRA, 19
37036 SAN MARTINO BUON ALBERGO [VR]
TEL. 0458740269
www.cortescaletta.it

La giovane azienda di Marcellise propone
un Valpolicella Superiore '14 di buona
maturità aromatica che mette in luce un
sorso dinamico e non giocato solo sulla
potenza. Il Valpolicella '18 a profumi
semplici e freschi fa seguire un palato di
buona tensione e lunghezza.

● Valpolicella '18	▼▼ 3
● Valpolicella Sup. '14	▼▼ 5
● Amarone della Valpolicella '13	▼ 7

Valentina Cubi

VIA CASTERNA, 60
37022 FUMANE [VR]
TEL. 0457701806
www.valentinacubi.it

La piccola azienda di Casterna propone
un'interessante versione di Valpolicella
Ripasso. Si tratta dell'Arusnatico '16, un
vino dalla veste brillante che anticipa
profumi sottili di frutti selvatici ed erbe
officinali. Il sorso è asciutto, scattante e di
piacevole sapidità.

● Amarone della Valpolicella Cl. Morar '10	▼▼ 7
● Valpolicella Cl. Sup. Ripasso Arusnatico '16	▼▼ 4
● Valpolicella Iperico '19	▼ 2

Cantina di Custoza

VIA STAFFALO, 1
37066 SOMMACAMPAGNA [VR]
TEL. 045516200
www.cantinadicustoza.it

La grande cooperativa del Custoza propone un'ampia gamma di etichette che fanno riferimento alle storiche denominazioni gardesane. Il Custoza Custodia '18 si presenta con profumi articolati che spaziano dal frutto maturo ai fiori secchi, per concludere con un sorso sapido e succoso.

○ Custoza Sup. Custodia '18	♟♟ 3*
⊙ Bardolino Chiaretto Cl. Val dei Molini '19	♟ 3
● Bardolino Cl. Val dei Molini '19	♟ 3
○ Custoza Val dei Molini '19	♟ 2

La Dama

FRAZ. SAN VITO
VIA GIOVANNI QUINTARELLI, 39
37024 NEGRAR [VR]
TEL. 0456000728
www.ladamavini.com

Molto interessante il Valpolicella Ca' Besi '17 dell'azienda di Negrar, un Superiore che presenta profumi di ciliegia, pepe e fiori secchi, mentre al palato la pienezza del sorso è ben governata dall'acidità. Ampio negli aromi e di buona ricchezza e armonia l'Amarone '16.

● Amarone della Valpolicella Cl. '16	♟♟ 7
● Valpolicella Cl. Sup. Ca' Besi '17	♟♟ 5
● Recioto della Valpolicella Cl. '17	♟ 6
● Valpolicella Cl. Sup. Ripasso '18	♟ 5

Francesco Drusian

FRAZ. BIGOLINO
VIA ANCHE, 1
31049 VALDOBBIADENE [TV]
TEL. 0423982151
www.drusian.it

L'azienda di Valdobbiadene propone un'ampia gamma di Prosecco Spumante, dallo stile fragrante e di grande precisione. Il Brut presenta profumi intensi di frutto bianco e fiori, in bocca è sapido, dinamico e di buona finezza. Più immediata, matura e morbida la versione Extra Dry.

○ Valdobbiadene Brut	♟♟ 3
○ Valdobbiadene Extra Dry	♟♟ 3
○ Cartizze	♟ 4
○ Valdobbiadene Extra Dry '19	♟ 3

Dal Din

VIA MONTEGRAPPA, 29
31020 VIDOR [TV]
TEL. 0423987295
www.daldin.it

L'azienda di Vidor propone un'ampia gamma di spumanti ottenuti nel territorio di Conegliano Valdobbiadene. Il Valdobbiadene Extra Dry presenta profumi raffinati di frutto maturo e fiori, che ritroviamo in un sorso agile, succoso e di grande armonia fra dolcezza, acidità e bollicine.

○ Valdobbiadene Brut	♟♟ 3
○ Valdobbiadene Extra Dry	♟♟ 3
○ Valdobbiadene Brut Dosaggio Zero Ry	♟ 3
○ Valdobbiadene Extra Dry Vidoro '19	♟ 2

DolceVera

LOC. VILLA
VIA SAN ROCCO, 1
37024 NEGRAR [VR]
TEL. 0457501045
www.dolceveravini.com

La piccola azienda di Villa, sul versante orientale della vallata di Negrar, propone poche etichette dedicate interamente ai classici della Valpolicella. Ottimo il Ripasso '17, un calice dai profumi di frutto rosso e spezie, mentre in bocca è ricco e di buona sapidità.

● Amarone della Valpolicella Cl. '16	♟♟ 6
● Valpolicella Cl. Sup. Ripasso '17	♟♟ 4

Tenute Falezza

VIA BELVEDERE, 35z
37131 VERONA
TEL. 0452221249
www.tenutefalezza.com

La famiglia Falezza possiede vigneti nelle zone di San Felice, Marcellise e in valle di Mezzane. Il loro Amarone '16 si presenta con un aroma chiuso e che ha bisogno di tempo per esprimersi. In bocca la pienezza e la potenza del sorso sono governate da acidità e tannini.

● Amarone della Valpolicella '16	♟♟ 6
● Recioto della Valpolicella '16	♟♟ 6
● Valpolicella Cl. Sup. Ripasso '17	♟ 4

Fraccaroli

FRAZ. SAN BENEDETTO
LOC. BERRA VECCHIA, 1
37019 PESCHIERA DEL GARDA [VR]
TEL. 0457550949
www.fraccarolivini.it

Ottimo il Lugana 1912 Riserva '16 di casa
Fraccaroli, che porge profumi complessi,
dove il frutto giallo si accompagna alle note
minerali e di fiori secchi. In bocca è
morbido e avvolgente, risultando lungo e
armonioso. Il Pansere '19 è invece più
fresco e dinamico.

○ Lugana 1912 Ris. '16	♟♟	4
○ Lugana Pansere '19	♟♟	2*
○ Lugana Sup. Campo Serà '18	♟	2

Cantina Produttori di Fregona

VIA CASTAGNOLA, 50
31010 FREGONA [TV]
TEL. 3402706497
www.torchiato.com

La piccola cooperativa di Fregona lotta per
mantenere viva la tradizione del Torchiato di
Fregona, un passito da uve glera, verdiso e
boschera raccolte nei vigneti che si
inerpicano in direzione del Cansiglio. Il
Piera Dolza '15 dona profumi complessi e
un sorso avvolgente.

○ Colli di Conegliano Torchiato Di Fregona Piera Dolza '15	♟♟	5
○ Boschera '19	♟	3

Garbara

LOC. S.STEFANO
VIA MENEGAZZI, 19
31049 VALDOBBIADENE [TV]
TEL. 0423900155
www.garbara.it

Garbara è la piccola realtà di Mirco Grotto,
adagiata sulle colline del Cartizze. Poche
bottiglie di grande carattere, come
testimonia l'assaggio del Cartizze Extra Dry,
dai profumi raffinati di mela, pera e fiori di
tiglio che si esaltano in un sorso sapido,
succoso e asciutto.

○ Cartizze Brut Zero	♟♟	4
○ Cartizze Extra Dry	♟♟	4
○ Valdobbiadene Extra Brut	♟	4

Fattoria Garbole

LOC. GARBOLE
VIA FRACANZANA, 6
37039 TREGNAGO [VR]
TEL. 0457809020
www.fattoriagarbole.it

L'azienda di Filippo e Ettore Finetto si
sviluppa nella parte più interna della valle di
Tregnago. Vini di grande concentrazione e
potenza, che trovano piena espressione
solo dopo un lungo affinamento. L'Amarone
Hatteso '11 si presenta profondo e ricco di
frutto, concentrato e molto lungo.

● Amarone della Valpolicella Hatteso '11	♟♟	8
● Heletto '12	♟♟	6

Gentili

LOC. PESINA
VIA S. ANTONIO, 271
37013 CAPRINO VERONESE [VR]
TEL. 3391651823
www.cantinagentili.com

L'azienda di Enrico e Elisa Gentili si
sviluppa nella parte più interna e
settentrionale del Bardolino. Molto
interessante il Souvignier Gris '18, un vino
dai profumi delicati che offre un palato
ricco, sapido e di buona tensione. Raffinato
il Bardolino San Verolo '18.

⊙ Bardolino Chiaretto Dosaggio Zero M. Cl. '17	♟♟	5
● Bardolino San Verolo '18	♟♟	3
○ Souvignier Gris '18	♟♟	4

Natalina Grandi

VIA BTG. VICENZA, 8
36053 GAMBELLARA [VI]
TEL. 0444444102
framarin5@interfree.it

Il territorio di Gambellara offre vini di
carattere ancora poco conosciuti. Il Colle di
Mezzo '18 prodotto da Natalina Grandi si
presenta con profumi articolati, dove il
frutto incontra le note minerali e di fiori
secchi. Al palato è sapido, succoso e
promette un grande futuro.

○ Gambellara Cl. Colle di Mezzo '18	♟♟	4
● Azzardo Merlot '18	♟	4
○ Gambellara Solo Lei '19	♟	3
○ Lessini Durello Brut '19	♟	3

La Farra

VIA SAN FRANCESCO, 44
31010 FARRA DI SOLIGO [TV]
TEL. 0438801242
www.lafarra.it

L'azienda della famiglia Nardi si trova a
Farra di Soligo, dove le colline storiche del
Prosecco si fondono con la pianura. Dalle
vigne più scoscese ricavano un Extra Dry di
intensa espressione fruttata, dotato di un
sorso sapido e che esprime grande
armonia fra acidità, dolcezza e bollicine.

○ Valdobbiadene		
Rive di Farra di Soligo Extra Dry '19	♥♥ 3
○ Valdobbiadene		
Rive di Farra di Soligo Extra Brut '19	♥ 3

Latium Morini

VIA FIENILE, 2
37030 MEZZANE DI SOTTO [VR]
TEL. 0457834648
www.latiummorini.it

La famiglia Morini gestisce una grande e
bella realtà nella vallata di Mezzane. Vini
dal profilo ricco e compatto, come
testimonia l'assaggio del Valpolicella
Campo Prognai '16, un calice dominato
dalle sensazioni di frutto maturo e spezie
che dona un sorso energico e fitto.

● Valpolicella Sup. Campo Prognai '16	♥♥ 4
● Amarone della Valpolicella Campo Leon '15	♥ 6
○ Amitor '19	- ♥ 2
○ Soave '19	♥ 2

Lavagnoli

LOC. PIGOZZO
VIA SQUARANTO, 49c
37141 VERONA
TEL. 3492801553
famiglialavagnoli99@gmail.com

Fra le vallate della Valpolicella la val
Squaranto è una delle meno conosciute. Qui
opera la famiglia Lavagnoli, che produce un
Amarone '16 di grande maturità aromatica,
dove il frutto in confettura affianca le spezie
e le note di rovere. Il palato è pieno, morbido
e avvolgente.

● Amarone della Valpolicella '16	♥♥ 6
● Valpolicella Sup. Ripasso '17	♥♥ 3
● Pigosso '17	♥ 4
● Valpolicella '19	♥ 2

Lenotti

VIA SANTA CRISTINA, 1
37011 BARDOLINO [VR]
TEL. 0457210484
www.lenotti.com

La storica azienda della famiglia Lenotti,
oltre a essere attiva sul fronte delle
denominazioni gardesane, esplora i vicini
territori di Lugana, Soave e Valpolicella.
L'Amarone '15 si presenta con profumi
ricchi di frutto ed erbe officinali e porge un
sorso morbido e avvolgente.

● Amarone della Valpolicella Cl. '15	♥♥ 7
⊘ Bardolino Chiaretto Cl. Decus '19	♥ 3
● Bardolino Cl. Sup. Le Olle '18	♥ 3
○ Lugana Decus '19	♥ 3

Le Mandolare

LOC. BROGNOLIGO
VIA SAMBUCO, 180
37032 MONTEFORTE D'ALPONE [VR]
TEL. 0456175083
www.cantinalemandolare.com

Ottenuto da vecchie vigne nel cuore della
zona Classica del Soave, il Monte Sella '16
si presenta con una veste paglierino carico
che anticipa profumi minerali e di frutto
giallo, mentre al palato si afferma per la
pienezza, perfettamente contrastata dalla
spinta acida e sapida.

○ Recioto di Soave Cl. Le Schiavette '17	♥♥ 5
○ Soave Cl. Menini '19	♥♥ 2*
○ Soave Cl. Sup. Monte Sella '16	♥♥ 3
○ 3B Trebbiano	♥ 2

Le Manzane

LOC. BAGNOLO
VIA MASET, 47B
31020 SAN PIETRO DI FELETTO [TV]
TEL. 0438486606
www.lemanzane.com

L'azienda di San Pietro di Feletto è dedita
alla produzione delle storiche bollicine del
territorio, impreziosita da qualche
divagazione legata al marzemino. Il
Conegliano Valdobbiadene Brut è uno
spumante dal profilo aromatico fruttato e dal
sorso energico e piacevolmente morbido.

○ Conegliano Valdobbiadene Brut '19	♥♥ 2*
○ Conegliano Valdobbiadene Extra Dry '19	♥ 3
○ Conegliano Valdobbiadene		
Rive di Manzana Dry Springo Bronze '19	♥ 4

Marsuret

loc. Guia di Valdobbiadene
via Barch, 17
31049 Valdobbiadene [TV]
Tel. 0423900139
www.marsuret.it

La famiglia Marsura opera sul territorio di Valdobbiadene da generazioni. Nella bella cantina di Guia vedono la luce vari spumanti, tra i quali eccelle il Valdobbiadene Extra Brut Amoler. Al naso si colgono note di frutto bianco e fiori, che ritroviamo in un palato asciutto e grintoso.

○ Valdobbiadene Extra Brut Amoler	🍷🍷 3*
○ Cartizze	🍷🍷 4
○ Valdobbiadene Brut San Boldo	🍷 3
○ Valdobbiadene Extra Dry Il Soller	🍷 3

Cantine Maschio

loc. Visnà
via Cadore Mare, 2
31020 Vazzola [TV]
Tel. 0438794115
www.cantinemaschio.it

Dalle più belle vigne del comprensorio di Colbertaldo provengono le uve per il Brut Rive di Colbertaldo. Il fine perlage anticipa profumi di mela e fiori di glicine, che ritroviamo in un palato asciutto e di buona tensione. Più ricco, immediato e succoso l'Extra Dry.

○ Valdobbiadene Extra Dry Maschio dei Cavalieri '19	🍷🍷 3
○ Valdobbiadene Rive di Col Bertaldo Brut Machio dei Cavalieri '19	🍷🍷 4

Meroni

via Roma, 16a
37015 Sant'Ambrogio di Valpolicella [VR]
Tel. 3479186167
www.vinimeroni.com

L'azienda della famiglia Meroni presenta i suoi vini solo dopo lunghi affinamenti in cantina. L'Amarone Il Velluto '12 si presenta con aromi che spaziano dal frutto in confettura alle erbe aromatiche, mentre in bocca convince per la sapidità e la tensione del sorso.

● Amarone della Valpolicella Cl. Il Velluto Ris. '12	🍷🍷 8
● Valpolicella Cl. Sup. Il Velluto '14	🍷🍷 5
● Valpolicella Cl. Sengia '18	🍷 3

Mionetto

via Colderove, 2
31049 Valdobbiadene [TV]
Tel. 04239707
www.mionetto.it

La grande azienda di Valdobbiadene produce una gamma di Spumanti ampia e affidabile. Sugli scudi il Rive di Guia Brut Nature '18, un Prosecco Superiore dai profumi fruttati che ritroviamo in un sorso asciutto, grintoso e di buona finezza. Più immediato e fragrante l'Extra Dry.

○ Valdobbiadene Extra Dry	🍷🍷 3
○ Valdobbiadene Rive di Guia Brut Nature '18	🍷🍷 3
○ Cartizze	🍷 4

Firmino Miotti

via Brogliati Contro, 53
36042 Breganze [VI]
Tel. 0445873006
www.firminomiotti.it

Il Valletta è un taglio bordolese dalla grande espressione fruttata. Ottenuto da merlot e cabernet sauvignon in parti uguali, si presenta con una veste rubino intensa, in bocca la pienezza del sorso è ben sostenuta dall'acidità e una fitta trama tannica dona rigore al sorso.

○ Breganze Torcolato '16	🍷🍷 5
● Valletta '13	🍷🍷 4
○ Breganze Vespaiolo 16.9 '17	🍷 5
○ Sampagna Frizzante	🍷 2

Montelvini

fraz. Venegazzù
via Cal Trevigiana, 51
31040 Volpago del Montello [TV]
Tel. 04238777
www.montelvini.it

Sempre più convincenti gli spumanti di casa Serena, con una nostra predilezione per le versioni più asciutte. Il territorio permette una produzione di grande sapidità e tensione, facilmente leggibile sull'Extra Brut '19, una calice che profuma di fiori freschi e mela.

○ Asolo Brut	🍷🍷 2
○ Asolo Extra Brut '19	🍷🍷 2*
○ Asolo Extra Dry	🍷 2
● Montello e Colli Asolani Rosso Zuitér '16	🍷 3

Walter Nardin

LOC. RONCADELLE
VIA FONTANE, 5
31024 ORMELLE [TV]
TEL. 0422851622
www.vinwalternardin.it

Walter Nardin è uno dei produttori più interessanti del comprensorio trevigiano. Il Rosso della Ghiaia '16 è un taglio bordolese arricchito dalla presenza del raboso che conquista per la finezza degli aromi, con un sorso giocato più sulla tensione e la lunghezza che sulla potenza.

● Refosco P. R. La Zerbaia '17	♟♟ 3
● Rosso della Ghiaia La Zerbaia '16	♟♟ 4
○ Tai La Zerbaia '18	♟♟ 3
● Rosso del Nane La Zerbaia '17	♟ 2

Pegoraro

VIA CALBIN, 24
36048 MOSSANO [VI]
TEL. 0444886461
www.cantinapegoraro.it

Sviluppata nel cuore della zona del tai rosso, Barbarano Vicentino, l'azienda della famiglia Pegoraro propone un interessante Syrah '17, un calice che non spinge sulla concentrazione, ma sulla finezza aromatica e la tensione gustativa. Il Tai Rosso '19 è semplice e fragrante.

● Syrah '17	♟♟ 3
○ Colli Berici Tai '19	♟ 3
● Colli Berici Tai Rosso '19	♟ 3
○ Iose Garganega '18	♟ 3

Pian delle Vette

FRAZ. VIGNUI
VIA TEDA, 11
32032 FELTRE [BL]
TEL. 0439302803
www.piandellevette.it

La piccola realtà che coltiva sparuti vigneti in provincia di Belluno propone uno spumante dal profilo aromatico maturo e di buona complessità. È il Mat '55 della vendemmia 2012 che in bocca si fa apprezzare per la tensione acida che dona lunghezza e grinta al sorso.

● Granpasso '13	♟♟ 5
○ Mat '55 Pas Dosé M.Cl. '12	♟♟ 7
● Gnomè '13	♟ 4

Il Pianzio

VIA PIANZIO, 66
35030 GALZIGNANO TERME [PD]
TEL. 0499130422
www.ilpianzio.it

Il Pianzio è una bella realtà dei Colli Euganei. Il Rosso Eremo '16 si presenta con una veste rubino intensa che anticipa profumi di sottobosco, ciclamino e prugna. In bocca è pieno e solido, trovando nell'acidità e nella trama dei tannini la spinta per allungarsi con finezza.

● Colli Euganei Cabernet Jenio '17	♟♟ 2*
● Colli Euganei Rosso Eremo Ris. '16	♟♟ 4
○ Ca' Nova '17	♟ 3
● Colli Euganei Rosso '18	♟ 3

Albino Piona

FRAZ. CUSTOZA
VIA BELLAVISTA, 48
37060 SOMMACAMPAGNA [VR]
TEL. 045516055
www.albinopiona.it

La storica azienda della famiglia Piona propone un Custoza '19 di nitida espressione floreale e fruttata. Il sorso è asciutto, sapido e di buon dinamismo, risultando agile e lungo. Il Bardolino Chiaretto '19 segue il medesimo percorso stilistico con un pizzico di pienezza in più.

⊙ Bardolino Chiaretto '19	♟♟ 2*
○ Custoza '19	♟♟ 2*
○ Verde Piona Frizzante	♟ 2

Viticoltori Ponte

VIA VERDI, 50
31047 PONTE DI PIAVE [TV]
TEL. 0422858211
www.ponte1948.it

La grande realtà che opera nel Veneto orientale è dedita alla produzione di Prosecco, ma non mancano le attenzioni per gli storici vitigni del territorio. Il Sauvignon Campe Dehi '19 presenta profumi di buona intensità e nitidezza che ritroviamo in un palato succoso.

○ Sauvignon Campe Dhei '19	♟♟ 2*
○ Manzoni Bianco Campe Dhei '19	♟ 2
○ Prosecco Extra Dry '19	♟ 3
○ Prosecco Extra Dry	♟ 2

Umberto Portinari

LOC. BROGNOLIGO
VIA SANTO STEFANO, 2
37032 MONTEFORTE D'ALPONE [VR]
TEL. 0456175087
portinarivini@libero.it

La piccola azienda di Brognoligo propone una gamma di vini dedicati interamente al Soave. Ottimo e di grande carattere il Ronchetto, un Superiore '18 dai profumi profondi e articolati, dotato di un sorso energico che chiude con una sensazione piacevolmente ruvida.

○ Soave Cl. Sup. Ronchetto '18	♚♚	4
○ Soave Albare '18	♚	2
○ Soave U.P. '19	♚	3

Possessioni di Serego Alighieri

VIA STAZIONE VECCHIA, 472
37015 SANT'AMBROGIO DI VALPOLICELLA [VR]
TEL. 0457703622
serego@seregoalighieri.it

L'azienda di Gargagnago ha una gamma limitata di etichette, dedicate in massima parte ai vini della Valpolicella. Il Monte Piazzo '17 è un Valpolicella dai profumi di ciliegia, sottobosco e spezie, con un palato in cui la pienezza è ben contrastata dalla preziosa presenza acida.

● Recioto della Valpolicella Cl. Casal dei Ronchi Serego Alighieri '15	♚♚	7
● Valpolicella Cl. Sup. Monte Piazzo Serego Alighieri '17	♚♚	5

PuntoZero

VIA MONTE PALÙ, 1
36045 LONIGO [VI]
TEL. 049659881
www.puntozerowine.it

Situata lungo il versante occidentale dei Colli Berici, l'azienda Punto Zero propone una gamma di vini dallo stile ricco e potente. Ottimo il Carmenère '17, un calice che alterna profumi fruttati e note di spezie. Il sorso, energico e di grande vitalità, è dotato di un buon allungo.

● Carmenère '17	♚♚	5
● Virgola '15	♚♚	8
● Dimezzo '16	♚	5
● Punto '15	♚	7

Reassi

VIA A. MANZONI, 9
35030 ROVOLON [PD]
TEL. 3475340932
www.reassi.it

L'azienda della famiglia Bonato si sviluppa per una manciata di ettari nel territorio di Rovolon, lungo il versante nord occidentale dei Colli Euganei. Il Rosso Tre Frazioni presenta profumi profondi, dominati dal frutto rosso e dalle spezie. Il sorso è pieno, tonico e di buona armonia.

● Colli Euganei Cabernet Sparviere '17	♚♚	3
● Colli Euganei Rosso Tre Frazioni '16	♚♚	3
● Colli Euganei Merlot Archè '16	♚	3
● Vin Bastardo '17	♚	3

Rechsteiner

FRAZ. PIAVON
VIA FRASSENÈ, 2
31046 ODERZO [TV]
TEL. 0422752074
www.rechsteiner.it

Sempre più convincenti i vini della storica azienda di Piano di Oderzo. In cima alle nostre preferenze un Pinot Nero '17, nitido nell'espressione mentolata e di frutti di bosco che ritroviamo perfettamente espressa in un sorso elegante e sorretto dalla sapida spinta acida.

● Pinot Nero '17	♚♚	2*
○ Venezia Manzoni Bianco '19	♚	2
● Venezia Merlot '17	♚	2
○ Venezia Pinot Grigio '19	♚	2

La Roccola

VIA DIETROMONTE, 10
35030 CINTO EUGANEO [PD]
TEL. 042994298
www.laroccola.it

La famiglia Bellucco è attiva dai primi anni '80 nel territorio di Cinto Euganeo, sul versante occidentale dei Colli padovani. Ottimo il rosso Maroneria '17, un taglio bordolese a prevalenza merlot dai sentori di frutto rosso e spezie, con un palato che coniuga ricchezza e agilità.

● Colli Euganei Cabernet Valcinta '18	♚♚	4
● Colli Euganei Rosso Maroneria '17	♚♚	4
● Colli Euganei Merlot Giaretta '18	♚	4

Salatin

VIA DOGE ALVISE IV MONCENIGO, 57
31016 CORDIGNANO [TV]
TEL. 0438995928
www.salatinvini.com

L'azienda della famiglia Salatin si sviluppa nell'area di confine fra le province di Treviso e Pordenone. Convincente l'assaggio del Colli di Conegliano Rosso Le Conche '16, un calice dai profumi speziati e di frutto rosso che dona al palato un sorso pieno e succoso.

- Colli di Conegliano Rosso Le Conche '16 ♙♙ 3
- Valdobbiadene Extra Dry ♙♙ 3
- Valdobbiadene Brut ♙ 3

Urbano Salvan
Vigne del Pigozzo

LOC. PIGOZZO
VIA MINCANA, 143
35020 DUE CARRARE [PD]
TEL. 049525841
www.salvan.it

Giorgio Salvan, affiancato dalla figlia Francesca, è attento interprete dei vini dei Colli Euganei, con qualche divagazione nella vicina denominazione di Bagnoli. Il San Marco '16 porge al naso intense note di frutto scuro e grafite, in bocca è asciutto, croccante e di buona tensione.

- Bagnoli Friularo '15 ♙♙ 5
- Colli Euganei Cabernet Sauvignon
  San Marco '16 ♙♙ 5
- Bagnoli Extra Dry Summertime Rosé ♙ 3

San Rustico

FRAZ. VALGATARA
VIA POZZO, 2
37020 MARANO DI VALPOLICELLA [VR]
TEL. 0457703348
www.sanrustico.it

Il territorio di Marano permette la produzione di vini di carattere, che alla potenza fanno seguire anche una buona tensione. È il caso dell'Amarone '15 di San Rustico, un calice dagli affascinanti profumi di ciliegia e pepe, che in bocca risulta succoso, pieno e di buona agilità.

- Amarone della Valpolicella Cl. '15 ♙♙ 6
- Amarone della Valpolicella Cl. 150 '15 ♙♙ 7
- Valpolicella Cl. '19 ♙ 2
- Valpolicella Cl. Sup. '18 ♙ 2

Sandre

FRAZ. CAMPODIPIETRA
VIA RISORGIMENTO, 16
31040 SALGAREDA [TV]
TEL. 0422804135
www.sandre.it

La famiglia Sandre conduce questa bella realtà di Campodipietra, una grande piana argillosa che da tempo ospita la vite. Il Cuor di Vigna '16 è un taglio bordolese a prevalenza merlot dagli aromi di frutto ed erbe officinali, che ritroviamo in un palato di buona armonia.

- Cuor di Vigna '16 ♙♙ 4
- Acini Bianchi Traminer '19 ♙ 2
- Piave Merlot '18 ♙ 2
- Raboso '17 ♙ 2

Tenuta Sant'Anna

FRAZ. LONCON
VIA MONSIGNOR P. L. ZOVATTO, 71
30020 ANNONE VENETO [VE]
TEL. 0422864511
www.tenutasantanna.it

Batteria dedicata alle bollicine quella di quest'anno. Ottimo il Cartizze della linea V8+. Al naso si coglie la maturità del frutto bianco, con sfumature che spaziano dai fiori di tiglio a quelli di zagara, mentre in bocca la dolcezza è ben bilanciata dalla spinta acida.

- Cartizze Dry Sior Toni V8+ ♙♙ 6
- Valdobbiadene Extra Dry ♙♙ 3
- Prosecco Brut ♙ 3
- Prosecco Extra Dry ♙ 3

Santa Eurosia

FRAZ. SAN PIETRO DI BARBOZZA
VIA DELLA CIMA, 8
31049 VALDOBBIADENE [TV]
TEL. 0423973236
santaeurosia.it

L'azienda della famiglia Geronazzo propone un'ampia gamma di Prosecco Superiore, contraddistinta da grande precisione stilistica. Il Brut Zerodue '19 porge al naso aromi eleganti di frutto bianco e fiori, mentre in bocca il basso tenore zuccherino allunga il sorso con grinta e finezza.

- Cartizze Dry '19 ♙♙ 5
- Valdobbiadene Extra Brut Zerodue '19 ♙♙ 3
- Valdobbiadene Brut Zerotto '19 ♙ 3
- Valdobbiadene Extra Dry Costante '19 ♙ 4

Cantina di Soave

V.LE DELLA VITTORIA, 128
37038 SOAVE [VR]
TEL. 0456139811
www.cantinasoave.it

La cooperativa di Soave è la protagonista assoluta della viticoltura veronese, una realtà che controlla diverse migliaia di ettari. Interpretazione fragrante e giovanile per l'Amarone Rocca Sveva '15, profumato di frutto selvatico e dotato di un sorso agile e di buona progressione.

● Amarone della Valpolicella Rocca Sveva Ris. '15	♛♛ 8
○ Soave Cl. Castelcerino Rocca Sveva '19	♛ 3
● Valpolicella Sup. Ripasso Rocca Sveva '15	♛ 4

Spada

VIA VILLA GIRARDI, 26
37029 SAN PIETRO IN CARIANO [VR]
TEL. 0456801468
www.cantinaspada.it

L'azienda della famiglia Spada presenta la Riserva '12 di Amarone, che mette in luce un corredo aromatico di grande complessità, dove il frutto appassito abbraccia le note balsamiche e pepate. Al palato evidenzia pienezza e generosità, sostenuto dalla precisa trama tannica.

● Amarone della Valpolicella Cl. Ris. '12	♛♛ 8
● Valpolicella Cl. Sup. El Casotto '17	♛♛ 3
● Valpolicella Cl. Sup. Ripasso '17	♛♛ 3
● Valpolicella Cl. '19	♛ 2

Tanoré

FRAZ. SAN PIETRO DI BARBOZZA
VIA MONT DI CARTIZZE, 3
31040 VALDOBBIADENE [TV]
TEL. 0423975770
www.tanore.it

L'azienda della famiglia Follador si trova in uno dei punti più belli della denominazione trevigiana, letteralmente appesa sulle colline che si affacciano sul Cartizze. Ottimo il Valdobbiadene Extra Dry, uno spumante dalla gioiosa espressione fruttata che dona un sorso raffinato e succoso.

○ Cartizze	♛♛ 4
○ Valdobbiadene Extra Dry	♛♛ 2*
○ Valdobbiadene Brut	♛ 3

Cantina Terra Felice

VIA MARLUNGHE, 19
35032 ARQUÀ PETRARCA [PD]
TEL. 3477025928
www.cantinaterrafelice.it

La piccola azienda della famiglia Cardin si trova nel cuore dei Colli Euganei. Grande attenzione alle varietà bordolesi, ma non mancano divagazioni sia fra le varietà bianche che rosse. L'Altavia '16 è un taglio bordolese di grande profondità aromatica e ricchezza gustativa.

● AltaVia Rosso '16	♛♛ 5
● Cabernet '16	♛♛ 6
○ Chardonnay '18	♛ 3
● Pinot Nero '16	♛ 7

Terre di San Venanzio Fortunato

VIA CAPITELLO FERRARI, 1
31049 VALDOBBIADENE [TV]
TEL. 0423974083
Via Capitello Ferrari, 1

Terre di San Venanzio Fortunato è una bella realtà che opera nel mondo del Prosecco Superiore. Il Fortunato è un Dry che profuma di frutto maturo e agrumi e che in bocca mette in luce una perfetta armonia fra dolcezza, acidità e bollicine. Più asciutto, nervoso e longilineo il Brut.

○ Valdobbiadene Brut '19	♛♛ 2*
○ Valdobbiadene Dry Fortunato '19	♛♛ 2*
○ Cartizze Brut '19	♛ 5
○ Valdobbiadene Extra Dry '19	♛ 3

Davide Vignato

VIA CAPO DI SOPRA, 39
36053 GAMBELLARA [VI]
TEL. 0444 444144
www.davidevignato.it

L'azienda della famiglia Vignato è attiva nel territorio di Gambellara da generazioni. Oggi Davide la conduce in regime biologico e propone un ottimo Col Moenia '17, una garganega in purezza di grande carattere, dalla veste dorata, profumi maturi e palato solido e grintoso.

○ Gambellara Col Moenia '17	♛♛ 3
○ Gambellara El Gian '18	♛ 3

Vigneti di Ettore

VIA CASETTA DI MONTECCHIO, 2
37024 NEGRAR [VR]
TEL. 0457540158
www.vignetidiettore.it

L'azienda di Negrar dispone di un patrimonio viticolo di assoluto valore. Ne ricava una gamma ristretta di etichette dedicate ai classici vini del territorio, interpretati con ricchezza e potenza. Il Valpolicella Cl. '19 ha profumi di frutto fresco e spezie, è robusto e di buona tensione.

● Valpolicella Cl. '19	♟♟	3
● Amarone della Valpolicella Cl. '16	♟	7
● Recioto della Valpolicella Cl. '17	♟	5
● Valpolicella Cl. Sup. Pavaio '18	♟	3

Villa Angarano

VIA CONTRÀ SAN MICHELE 4B
36061 BASSANO DEL GRAPPA [VI]
TEL. 0424503086
www.levieangarano.com

Gamma convincente quella proposta dall'azienda di Bassano, capitanata da una interessante interpretazione di Chardonnay. È il Michiel, un calice dalla veste brillante che anticipa profumi di frutto maturo, sepzie e con una delicata sfumatura di rovere sullo sfondo. Il sorso è di buona tensione.

○ Breganze Torcolato San Bartolo Ris. '17	♟♟	5
○ Michiel Chardonnay '17	♟♟	4
● Breganze Merlot Masiero '17	♟	3
○ Breganze Vespaiolo Brenta '19	♟	3

Villa Canestrari

VIA DANTE BROGLIO, 2
37030 COLOGNOLA AI COLLI [VR]
TEL. 0457650074
www.villacanestrari.com

L'azienda di Colognola propone un'ampia gamma di vini, dedicati alle storiche denominazioni veronesi. Fra i tanti Amarone prodotti abbiamo apprezzato il 2016, un vino dai profumi di frutto scuro e spezie, che conquista per la tensione e la sapidità del sorso.

● Amarone della Valpolicella '16	♟♟	5
● Valpolicella Sup. '16	♟♟	5
● Valpolicella Sup. Ripasso I Lasi '16	♟♟	4
● Valpolicella Terre di Lanoli '19	♟	3

Villa Medici

VIA CAMPAGNOL, 9
37066 SOMMACAMPAGNA [VR]
TEL. 045515147
www.cantinavillamedici.it

Mano molto felice per il Custoza in casa Caprara, con un Superiore '19 di grande carattere. Al naso si colgono nette delle suggestioni fruttate e floreali che invogliano all'assaggio. In bocca è pieno, sapido, succoso e riesce a porgere un sorso dinamico e di buona lunghezza.

○ Custoza '19	♟♟	2*
○ Custoza Sup. '19	♟♟	2*
● Bardolino '19	♟	2
● Bardolino Sup. '17	♟	3

Villa Minelli

VIA POSTIOMA, 66
31020 VILLORBA [TV]
TEL. 0422912355
www.villaminelli.it

L'azienda che fa capo alla famiglia Benetton conduce una manciata di ettari vitati nelle proprietà delle ville Minelli, Pastega e Persico. Ottimo il Merlot Vecchie Vigne '16, un vino dai profumi di frutto fresco e spezie che si esaltano in un sorso di media struttura e grande eleganza.

● Cabernet '17	♟♟	3
● Merlot V. V. '16	♟♟	4
○ Chardonnay '19	♟	3
● Merlot '17	♟	3

Zardetto

VIA MARTIRI DELLE FOIBE, 18
31015 CONEGLIANO [TV]
TEL. 0438394969
www.zardettoprosecco.com

Sempre affidabile la gamma proposta dalla storica azienda di Conegliano. Dai più bei vigneti della zona di Ogliano provengono le uve per l'omonimo Prosecco '19, uno spumante dai raffinati profumi di frutto bianco e fiori, che conquista il palato con delicatezza e sapidità.

○ Conegliano Valdobbiadene Brut Rive di Ogliano Tre Venti '19	♟♟	3
○ Conegliano Valdobbiadene Extra Brut Viti di San Mor	♟♟	5

FRIULI VENEZIA GIULIA

Sembrava che l'exploit della vendemmia 2018 fosse un successo irripetibile ed invece il livello qualitativo si è mantenuto ed ha confermato l'eccellenza di questa regione. Naturalmente la stragrande maggioranza dei riconoscimenti è stata attribuita ai vini di Collio e Colli Orientali, ma alcune splendide eccezioni dimostrano che anche in pianura, in zone vocate, si possono ottenere risultati di prestigio. Quest'anno sono ben 26 i vini che si sono aggiudicati i Tre Bicchieri. Salta all'occhio la performance del Sauvignon che mette sul podio ben sei etichette. Tre 2019: Borgo Conventi, Tiare e Zuc di Volpe di Volpe Pasini. Altri due sono del 2018: il Liende di la Viarte e il Pière di Vie di Romans, mentre uno è un Riserva 2016 di Russiz Superiore. Il Friulano - base di quasi tutti gli uvaggi regionali - anche in purezza si è fatto ben valere: quello di Schiopetto, ormai diventato un'icona, poi il Rassauer del Castello di Spessa e quello di Torre Rosazza, tutti 2019, cui fanno seguito i 2018 i Ferretti della Tenuta Luisa e, per la prima volta, quello della Tenuta Stella. In tema di novità citiamo il Pinot Grigio '19 di Polje che ha sbaragliato la concorrenza. Per quanto riguarda il Pinot Bianco sono le conferme: Doro Princic e Vigneti le Monde, accompagnate da un'ottima versione di Villa Russiz. Chiudono l'elenco dei monovitigni due vini bianchi prodotti con la tecnica ancestrale della lunga macerazione sulle bucce. Sono la Ribolla Gialla Miklus Natural Art '15 di Draga e la Ribolla Gialla '10 di Damijan Podversic. Completano il quadro nove uvaggi. Sono il Braide Alte '18 di Livon, il Capo Martino '18 di Jermann, il Broy '18 di Collavini, il Fosarin '18 di Ronco dei Tassi, il Collio '18 di Edi Kober, il Blanc de Blanchis '17 di Ronco Blanchis, il BiancoSesto '18 di Tunella, l'Eclisse '18 di La Roncaia e I Fiori di Leonie '18 della linea Myò di Zorzettig. Il fatto che i vini premiati con i Tre Bicchieri sono tutti bianchi certifica la particolare vocazione del territorio per questa tipologia ma anche i rossi, i dolci e gli spumanti si sono distinti nelle selezioni e nelle nostre finali. In chiusura citiamo due Premi Speciali: quello per il miglior Rapporto Qualità Prezzo - il Friuli Pinot Bianco '19 di Le Monde - e quello del Progetto Solidale, che va alla Fondazione Villa Russiz, che con i proventi dell'azienda manda avanti da decenni la casa di accoglienza Adele Cerruti per i minori in difficoltà.

Angoris

LOC. ANGORIS, 7
34071 CORMÒNS [GO]
TEL. 048160923
www.angoris.com

VENDITA DIRETTA
VISITA SU PRENOTAZIONE
RISTORAZIONE
PRODUZIONE ANNUA 500.000 bottiglie
ETTARI VITATI 85,00
AZIENDA SOSTENIBILE

Marta Locatelli conduce ormai da molti anni questa storica azienda di Cormòns. La fondazione risale al 1648 ad opera di Locatello Locatelli, che ottenne la proprietà della Tenuta da parte dell'Imperatore d'Austria Ferdinando III quale ricompensa per meriti acquisiti sul campo nella Guerra dei trent'anni. Ebbe poi diversi proprietari, ma il destino volle che, per un curioso caso di omonimia, nel 1968 venisse acquisita da un altro Locatelli, Luciano. I vigneti si estendono nelle più importanti zone vitivinicole del comprensorio regionale e costituiscono una delle più grandi realtà locali. Anche quest'anno i vini di Angoris sono stati protagonisti di un'esibizione corale impeccabile, sia con i vini di annata sia con le Riserve. Come nelle precedenti edizioni, la valutazione migliore è andata al Collio Bianco Giulio Locatelli Riserva '18 (sauvignon, tocai friulano e malvasia istriana). In finale anche il Pignolo Giulio Locatelli Riserva '15, ancora fruttato con intrigante vena minerale e tannino potente.

○ Collio Bianco Giulio Locatelli Ris. '18	♟♟	4
● FCO Pignolo Giulio Locatelli Ris. '15	♟♟	5
○ Collio Pinot Grigio '19	♟♟	3
○ FCO Chardonnay Spìule Giulio Locatelli Ris. '18	♟♟	4
○ FCO Friulano '19	♟♟	3
○ FCO Ribolla Gialla '19	♟♟	3
● FCO Schioppettino '17	♟♟	3
● Friuli Isonzo Pinot Nero Albertina '18	♟♟	4
○ Collio Bianco Giulio Locatelli Ris. '17	♟♟♟	4*
○ Collio Bianco Giulio Locatelli Ris. '16	♟♟♟	4*
○ Collio Bianco Giulio Locatelli Ris. '15	♟♟♟	4*
○ FCO Chardonnay Spìule '13	♟♟♟	4*
○ FCO Friulano '15	♟♟♟	3*

Antonutti

FRAZ. COLLOREDO DI PRATO
VIA D'ANTONI, 21
33037 PASIAN DI PRATO [UD]
TEL. 0432662001
www.antonuttivini.it

VENDITA DIRETTA
VISITA SU PRENOTAZIONE
PRODUZIONE ANNUA 780.000 bottiglie
ETTARI VITATI 51,00
AZIENDA SOSTENIBILE

La Casa Vinicola Antonutti è alla soglia dei cent'anni di vita. È una realtà storica a conduzione familiare: i proprietari, Adriana Antonutti e il marito Lino Durandi, sono supportati dai figli Nicola, Riccardo e Caterina che, con competenze diverse, hanno contribuito a far crescere l'azienda nel tempo. Per scelta stilistica i vini bianchi non vengono sottoposti a passaggio in legno, mentre i vini rossi, corposi e vellutati, maturano in tonneau. L'azienda si sta impegnando nella cura del pinot nero e ha in serbo una grande novità per l'anno prossimo. Il Lindul '16 accarezza il palato con vellutata dolcezza e lo lascia intriso di deliziosi sentori di croccante alle mandorle, fico secco, dattero e burro fuso. Il Pinot Grigio Ramato '19 è intrigante nel colore e anche all'olfatto con sbuffi fruttati di ciliegia, lampone e pescanoce. Il Ròs di Murì '16, blend di merlot, cabernet sauvignon e refosco, regala al naso richiami di inchiostro, tabacco e caffè.

○ Friuli Pinot Grigio Ramato '19	♟♟	2*
○ Lindul '16	♟♟	6
● Ros di Murì '16	♟♟	3
○ Friuli Pinot Grigio '19	♟	2
● Friuli Refosco dal P. R. '18	♟	2
○ Friuli Ribolla Gialla On The Move Brut	♟	3
○ Friuli Sauvignon '19	♟	2
○ Friuli Traminer Aromatico '19	♟	2
○ Friuli Grave Pinot Grigio Ramato '16	♟♟	3
○ Friuli Grave Traminer Aromatico '17	♟♟	3
○ Friuli Pinot Grigio Ramato '18	♟♟	3
○ Friuli Traminer Aromatico '18	♟♟	3
○ Lindul '15	♟♟	6
● Poppone '16	♟♟	5
● Ros di Murì '15	♟♟	5

Attems

FRAZ. CAPRIVA DEL FRIULI
VIA AQUILEIA, 30
34070 GORIZIA
TEL. 0481806098
www.attems.it

VENDITA DIRETTA
VISITA SU PRENOTAZIONE
PRODUZIONE ANNUA 420.000 bottiglie
ETTARI VITATI 44,00

Di proprietà della famiglia Frescobaldi dal
2000, l'azienda Attems vanta un passato
affascinante, legato alla storia del vino in
Friuli Venezia Giulia. Risale infatti all'anno
1106 il primo documento che attesta i
possedimenti di terre vocate alla viticoltura
in Collio da parte della dinastia Attems. Una
tradizione millenaria che ha reso questa
azienda un punto di riferimento e che ha
visto il conte Douglas Attems come
protagonista. a lui va il merito di aver
fondato nel 1964 il Consorzio dei Vini del
Collio, terzo in ordine di tempo in Italia e
primo in Friuli. Il Sauvignon Cicinis '18 per
il secondo anno consecutivo è approdato
alle finali. Per la sua produzione vengono
utilizzati particolari contenitori in cemento
di forma ovoidale. Questi consentono la
formazione di moti convettivi, dovuti alle
differenze di temperatura, i quali creano
correnti che convogliano verso l'alto i lieviti
presenti sul fondo. Ottimo anche il Pinot
Grigio Ramato '19.

○ Collio Sauvignon Cicins '18	♀♀ 5
○ Chardonnay '19	♀♀ 3
○ Collio Ribolla Gialla Trebes '18	♀♀ 4
○ Pinot Grigio delle Venezie Ramato '19	♀♀ 3
○ Pinot Grigio delle Venezie '19	♀ 3
○ Ribolla Gialla '19	♀ 3
○ Sauvignon '19	♀ 3
○ Chardonnay '18	♀♀ 3
○ Chardonnay '17	♀♀ 2
○ Collio Pinot Grigio '18	♀♀ 2*
○ Collio Pinot Grigio Ramato '18	♀♀ 3
○ Collio Ribolla Gialla Trebes '16	♀♀ 4
○ Collio Sauvignon Blanc Cicinis '16	♀♀ 5
○ Collio Sauvignon Cicinis '17	♀♀ 5
○ Pinot Grigio Ramato '16	♀♀ 3*
○ Sauvignon Blanc '17	♀♀ 3

Bastianich

LOC. GAGLIANO
VIA DARNAZZACCO, 44/2
33043 CIVIDALE DEL FRIULI [UD]
TEL. 0432700943
www.bastianich.com

VENDITA DIRETTA
VISITA SU PRENOTAZIONE
OSPITALITÀ E RISTORAZIONE
PRODUZIONE ANNUA 270.000 bottiglie
ETTARI VITATI 35,00

A Joe Bastianich e alla madre Lidia va
attribuito il merito di essere veri
ambasciatori del Made in Italy, esportando
e valorizzando oltreoceano le eccellenze
della gastronomia e del vino italiano. Nel
1997 Joe decise di tornare nel luogo di
origine della sua famiglia, acquistò un
podere sulle colline di Buttrio e
Premariacco e si tuffò nella realtà
regionale, fondando un'azienda vitivinicola.
Nel 2006 completò l'investimento con
l'acquisizione di altri 20 ettari di terreno
con annessa una cantina, attuale sede
aziendale, a Gagliano, nei pressi di Cividale
del Friuli. L'ottima performance dei vini
della vendemmia 2019 non è stata
sufficiente a spodestare l'indiscusso
predominio del Vespa Bianco '17 che,
anche quest'anno, si guadagna l'accesso
alle finali. Frutto di un ormai collaudato mix
di chardonnay, sauvignon e picolit, regala
fragranti sentori di pesca, albicocca e miele
d'acacia ed appaga il palato per la
consistenza e la croccantezza del sorso.

○ Vespa Bianco '17	♀♀ 5
○ FCO Friulano '19	♀♀ 3
○ FCO Pinot Bianco '19	♀♀ 3
○ FCO Pinot Grigio '19	♀♀ 3
● FCO Refosco P. R. '18	♀♀ 3
○ FCO Ribolla Gialla '19	♀♀ 3
○ FCO Sauvignon '19	♀ 3
○ COF Tocai Friulano Plus '02	♀♀♀ 3*
○ Vespa Bianco '04	♀♀♀ 4
○ Vespa Bianco '03	♀♀♀ 4
○ Vespa Bianco '01	♀♀♀ 4
○ Vespa Bianco '00	♀♀♀ 3
○ Vespa Bianco '99	♀♀♀ 3*
○ Vespa Bianco '16	♀♀ 5
○ Vespa Bianco '15	♀♀ 5
● Vespa Rosso '15	♀♀ 5

Tenuta Borgo Conventi

VIA CONTESSA BERETTA
34072 FARRA D'ISONZO [GO]
TEL. 0481888004
www.borgoconventi.it

VENDITA DIRETTA
VISITA SU PRENOTAZIONE
OSPITALITÀ
PRODUZIONE ANNUA 300.000 bottiglie
ETTARI VITATI 35,00
AZIENDA SOSTENIBILE

Fondata nel 1975 da Gianni Vescovo, la
Tenuta Borgo Conventi dall'aprile 2019 è
passata di proprietà dalla famiglia Folonari,
che se ne prese cura nel 2001, alla
famiglia Moretti Polegato, titolare della
prestigiosa Tenuta Villa Sandi, uno dei
gioielli del vicino Veneto. Le pratiche
agronomiche e la responsabilità della
produzione sono state confermate
all'enologo aziendale Paolo Corso, cui i
nuovi proprietari hanno affidato il compito
di perseguire la filosofia aziendale ispirata
alla sostenibilità e al basso impatto
ambientale. Tra i vini presentati quest'anno,
la palma del miglior rosso va al Merlot '16
per la gradevolezza del profumo, ancora
molto fruttato, leggermente speziato. È però
il Sauvignon '19 a sorprendere davvero: sia
all'olfatto sia nell'assaggio ricalca appieno
le caratteristiche aromatiche del vitigno,
l'armonia e l'equilibrio non mancano e il
finale è davvero profondo e pulito. Ottimi
nella propria categoria anche lo
Schioppettino '16 e il Pinot Grigio '19.

○ Collio Sauvignon '19	▼▼▼ 3
● Collio Merlot '16	▼▼ 3*
○ Collio Pinot Grigio '19	▼▼ 3
○ Collio Ribolla Gialla '19	▼▼ 3
● Schioppettino '16	▼▼ 4
○ Collio Friulano '19	▼ 3
● Braida Nuova '91	♔♔♔
● Braida Nuova '13	♔♔ 5
● Braida Nuova '12	♔♔ 5
○ Collio Chardonnay '18	♔♔ 3
○ Collio Friulano '17	♔♔ 3
○ Collio Pinot Grigio '18	♔♔ 3
○ Collio Ribolla Gialla '18	♔♔ 3*
○ Collio Sauvignon '18	♔♔ 3
○ Friuli Isonzo Friulano '18	♔♔ 2*
○ Friuli Isonzo Pinot Grigio '18	♔♔ 3
● Schioppettino '14	♔♔ 4

Borgo delle Oche

VIA BORGO ALPI, 5
33098 VALVASONE ARZENE [PN]
TEL. 0434840640
www.borgodelleoche.it

VENDITA DIRETTA
VISITA SU PRENOTAZIONE
OSPITALITÀ
PRODUZIONE ANNUA 35.000 bottiglie
ETTARI VITATI 7,00
AZIENDA SOSTENIBILE

L'azienda Borgo delle Oche è di proprietà di
Luisa Menini, discendente da una famiglia
che da molte generazioni è dedita alla
coltura della vite. Deve il suo nome al
piccolo borgo in cui si trova, situato nello
splendido centro medievale di Valvasone, in
provincia di Pordenone. Luisa lavora in
perfetta sinergia con il marito Nicola Pittini,
lei in campagna e lui in cantina. Scegliendo
la strada delle basse rese, praticano una
vitivinicoltura di qualità, collocandosi sul
piano delle migliori realtà regionali, alla pari
delle aziende che vantano terreni collinari. Il
livello qualitativo dell'intera gamma, anche
se altalenante in base alle condizioni
stagionali, è decisamente avvalorato
dall'adeguatezza dei prezzi. Quest'anno i
migliori apprezzamenti sono ricaduti sulla
Malvasia '18, che si è distinta per l'intenso
profumo di fieno, frumento e miele di tiglio
e che gratifica il palato con una spiccata
mineralità. Ottimi anche il Traminer Passito
Alba '18 e il Pinot Grigio '19.

○ Friuli Malvasia '18	▼▼ 3
○ Friuli Pinot Grigio '19	▼▼ 2*
○ Terra e Cielo Extra Brut M. Cl. '15	▼▼ 4
○ Traminer Passito Alba '18	▼▼ 5
○ Friuli Friulano '19	▼ 3
○ Friuli Sauvignon '19	▼ 3
● Merlot '17	▼ 2
● Refosco P. R. '16	▼ 3
○ Traminer '19	▼ 3
○ Friuli Friulano '17	♔♔ 2*
○ Friuli Pinot Grigio '17	♔♔ 2*
○ Malvasia '16	♔♔ 2*
● Merlot '16	♔♔ 2*
● Merlot '15	♔♔ 2*
● Refosco P. R. '15	♔♔ 3
○ Traminer Aromatico '18	♔♔ 2*
○ Traminer Passito Alba '17	♔♔ 5

★Borgo San Daniele

VIA SAN DANIELE, 28
34071 CORMÒNS [GO]
TEL. 048160552
www.borgosandaniele.it

VENDITA DIRETTA
VISITA SU PRENOTAZIONE
OSPITALITÀ
PRODUZIONE ANNUA 60.000 bottiglie
ETTARI VITATI 18,75
VITICOLTURA Biologico Certificato
AZIENDA SOSTENIBILE

Pochi ettari di vigna ereditati da nonno Antonio nel 1990 indussero gli allora giovanissimi fratelli Mauro ed Alessandra a cambiare vita, dedicandosi esclusivamente alla cura di quei preziosi filari. Una scelta coraggiosa, che si rivelò subito vincente. Le poche etichette in catalogo curate nei minimi particolari, esprimono appieno le potenzialità del territorio. Gli uvaggi portano il nome Arbis, che significa erbe, a ricordare che nei vigneti vengono lasciate crescere erbe spontanee per mitigare la vigoria della vite e gli effetti negativi della monocoltura. Ottima la prestazione dell'Arbis Blanc '17 (sauvignon, chardonnay, pinot bianco e tocai friulano), che si presenta con un bel bouquet floreale persistente lungo la durata del sorso e anche oltre. Pari elogi per il Pignolo Arbis Ròs '15 e per due vermouth agricoli, uno bianco e uno rosso, denominati Santòn, che non sono recensiti in Guida ma che testimoniano l'apertura aziendale per i prodotti derivati dal vino.

Borgo Savaian

VIA SAVAIAN, 36
34071 CORMÒNS [GO]
TEL. 048160725
Via Savaian

VENDITA DIRETTA
VISITA SU PRENOTAZIONE
PRODUZIONE ANNUA 100.000 bottiglie
ETTARI VITATI 18,00

A Cormons, ai piedi del Monte Quarin, nel piccolo borgo da cui prende il nome, quella dei Bastiani è un esempio classico di azienda a conduzione familiare. Stefano Bastiani, assieme alla sorella Rosanna, nel 2001 raccolse il testimone dalle mani di papà Mario, iniziando un nuovo percorso. Freschi di studi ma già ricchi di esperienze, i due affrontarono con disinvoltura le problematiche dettate dalle pratiche di cantina o dalle variabili stagionali. I vini di Borgo Savaian vantano ormai da tempo uno standard qualitativo di tutto rispetto sia nella versione Collio sia in quella Friuli Isonzo. L'ottima prestazione di tutta la gamma è impreziosita dalla performance del Pinot Grigio '19, che si è fatto apprezzare per il perfetto equilibrio nell'assaggio dopo aver deliziato l'olfatto con decise folate di pera Williams, melone maturo e amaretto. L'Aransat è un orange wine di tutto rispetto, che nella scorsa edizione segnalammo come vino curioso ma che si conferma di grande approccio sia al naso che nella beva.

○ Arbis Blanc '17	♈♈	5
● Friuli Isonzo Pignolo Arbis Ròs '15	♈♈	6
○ Friuli Isonzo Friulano '18	♈♈	4
○ Friuli Isonzo Malvasia '18	♈♈	4
○ Friuli Isonzo Pinot Grigio '18	♈♈	4
○ Arbis Blanc '10	♈♈♈	4*
○ Arbis Blanc '09	♈♈♈	4
○ Arbis Blanc '05	♈♈♈	4
○ Friuli Isonzo Arbis Blanc '02	♈♈♈	4
○ Friuli Isonzo Friulano '08	♈♈♈	4*
○ Friuli Isonzo Friulano '07	♈♈♈	4*
○ Friuli Isonzo Pinot Grigio '04	♈♈♈	4
○ Friuli Isonzo Tocai Friulano '03	♈♈♈	3
● Gortmarin '03	♈♈♈	5

○ Collio Pinot Grigio '19	♈♈	3*
○ Aransat	♈♈	3
○ Collio Ribolla Gialla '19	♈♈	3
● Friuli Isonzo Cabernet Franc '18	♈♈	3
○ Friuli Isonzo Malvasia '19	♈♈	3
● Tolrem Merlot '15	♈♈	5
○ Collio Friulano '19	♈	3
○ Friuli Isonzo Traminer Aromatico '19	♈	3
○ Collio Friulano '18	♈♈	3
○ Collio Friulano '15	♈♈	3*
○ Collio Pinot Grigio '18	♈♈	3
○ Collio Ribolla Gialla '18	♈♈	3
○ Collio Sauvignon '16	♈♈	3*
○ Friuli Isonzo Malvasia '18	♈♈	3*
● Friuli Isonzo Merlot '17	♈♈	3
○ Friuli Isonzo Sauvignon '18	♈♈	3

Cav. Emiro Bortolusso

VIA OLTREGORGO, 10
33050 CARLINO [UD]
TEL. 043167596
www.bortolusso.it

VENDITA DIRETTA
VISITA SU PRENOTAZIONE
OSPITALITÀ
PRODUZIONE ANNUA 120.000 bottiglie
ETTARI VITATI 40,00

L'ambiente in cui si trova la cantina è di
grande suggestione naturalistica. Si
affaccia infatti sullo splendido scenario
della riviera Adriatica, a ridosso dell'oasi
faunistica di Marano Lagunare, e si giova
del benefico influsso delle brezze marine
che, ventilando i vigneti, consentono una
perfetta maturazione delle uve e
contribuiscono a fissarne gli aromi varietali.
Sergio e Clara Bortolusso, mettendo a
frutto gli insegnamenti e il bagaglio di
esperienze ereditati dal padre Emiro,
propongono una vasta gamma di vini di
ottima qualità ad un prezzo decisamente
competitivo. Come di consueto, ci sono
stati presentati vini dell'ultima vendemmia
che si fanno apprezzare e si distinguono
per la marcata espressione delle
caratteristiche varietali di ogni singolo
vitigno. Il filo conduttore che li accomuna è
la mineralità, unita a leggerezza e facilità di
beva. Il Sauvignon '19 richiama la
fragranza degli agrumi, soprattutto del
pompelmo, mentre lo Chardonnay '19
ricorda il gelato malaga.

○ Chardonnay '19	♈♈ 2*
○ Sauvignon '19	♈♈ 2*
○ Friuli Friulano '19	♈ 2
○ Friuli Pinot Grigio '19	♈ 2
○ Malvasia '19	♈ 2
○ Traminer Aromatico '19	♈ 2
○ Friuli Annia Friulano '17	♈♈ 2*
○ Friuli Annia Malvasia '17	♈♈ 2*
○ Friuli Annia Pinot Grigio '17	♈♈ 2*
○ Friuli Friulano '18	♈♈ 2*
○ Friuli Pinot Grigio '18	♈♈ 2*
○ Malvasia '18	♈♈ 2*
○ Malvasia '17	♈♈ 2*
○ Malvasia '16	♈♈ 2*
○ Sauvignon '18	♈♈ 2*
○ Sauvignon '17	♈♈ 2*

Branko

LOC. ZEGLA, 20
34071 CORMÒNS [GO]
TEL. 0481639826
www.brankowines.com

VENDITA DIRETTA
VISITA SU PRENOTAZIONE
PRODUZIONE ANNUA 45.000 bottiglie
ETTARI VITATI 9,00

L'azienda ora gestita da Igor Erzetic porta il
nome del padre Branko, il fondatore, che
nel 1950 ebbe la lungimiranza di credere
nella potenzialità del territorio. Ora quella
piccola realtà è diventata un punto di
riferimento per gli estimatori dei vini bianchi
del Collio. La maggior parte dei vigneti fa
da cornice alla cantina in località Zegla,
nelle vicinanze di Cormòns, e scendono poi
dolcemente dalle colline circostanti. I vini
che Igor propone sono di una pulizia e di
una correttezza esemplari, rispettosi delle
peculiarità varietali e splendidi ambasciatori
del territorio. Unendo uve di malvasia
istriana, tocai friulano e sauvignon, Igor
Branko ha coniato il vino portabandiera
della sua azienda che, con un gioco di
parole, ha chiamato Capo Branko. È un vino
di alto livello che coniuga magistralmente
morbidezza, fragranza ed equilibrio
regalando preziosi effluvi di erbe officinali e
di frutta tropicale. Ottima anche la
performance del Friulano '19.

○ Capo Branko '19	♈♈ 5
○ Collio Friulano '19	♈♈ 4
○ Collio Chardonnay '19	♈♈ 4
○ Collio Pinot Grigio '19	♈♈ 4
● Red Branko '17	♈♈ 5
○ Collio Pinot Grigio '14	♈♈♈ 4*
○ Collio Pinot Grigio '08	♈♈♈ 3*
○ Collio Pinot Grigio '07	♈♈♈ 3
○ Collio Pinot Grigio '06	♈♈♈ 3
○ Collio Pinot Grigio '05	♈♈♈ 3
○ Collio Chardonnay '18	♈♈ 4
○ Collio Chardonnay '17	♈♈ 4
○ Collio Chardonnay '16	♈♈ 4
○ Collio Friulano '18	♈♈ 4
○ Collio Sauvignon '16	♈♈ 4
○ Collio Sauvignon '15	♈♈ 4

La Buse dal Lôf

VIA RONCHI, 90
33040 PREPOTTO [UD]
TEL. 0432701523
www.labusedallof.com

VENDITA DIRETTA
VISITA SU PRENOTAZIONE
PRODUZIONE ANNUA 100.000 bottiglie
ETTARI VITATI 25,00

La Buse dal Lôf è una florida realtà del mondo vitivinicolo regionale, fondata nel 1972 da Giuseppe Pavan. Ora è gestita dal figlio Michele ed è improntata nel pieno rispetto della tradizione vinicola friulana, sia per quanto riguarda il sistema di coltivazione della vite sia per il metodo di vinificazione, sempre rispettoso delle caratteristiche varietali. I vigneti si estendono nel comprensorio di Prepotto, noto per essere la patria dello Schioppettino, una zona che gode di un microclima ideale, con terreni di origine eocenica degradanti verso il piano. Lo Schioppettino di Prepotto '16 e il Cabernet Sauvignon '16, che nella scorsa edizione non ci sono stati presentati, sono la dimostrazione di come un anno di affinamento in più giovi alle caratteristiche organolettiche sia olfattive che gustative. Tra i vini d'annata si distinguono il Friulano '19, per la spiccata corrispondenza varietale, e il Pinot Grigio '19, per le deliziose sfumature di fiori essiccati e di alchermes.

● FCO Cabernet Sauvignon '16	♟♟ 4
○ FCO Friulano '19	♟♟ 3
○ FCO Pinot Grigio '19	♟♟ 3
● FCO Refosco P. R. '16	♟♟ 3
● FCO Schioppettino di Prepotto '16	♟♟ 4
○ FCO Ribolla Gialla '19	♟ 3
○ FCO Sauvignon '19	♟ 3
○ FCO Verduzzo Friulano '17	♟ 3
○ FCO Chardonnay '18	♟♟ 3
○ FCO Chardonnay '16	♟♟ 3
○ FCO Friulano '18	♟♟ 3
● FCO Merlot '17	♟♟ 3
● FCO Merlot '16	♟♟ 3
● FCO Refosco P. R. '15	♟♟ 3
○ FCO Sauvignon '18	♟♟ 3
● FCO Schioppettino di Prepotto '15	♟♟ 4
● FCO Schioppettino di Prepotto '13	♟♟ 4

Valentino Butussi

VIA PRÀ DI CORTE, 1
33040 CORNO DI ROSAZZO [UD]
TEL. 0432759194
www.butussi.it

VENDITA DIRETTA
VISITA SU PRENOTAZIONE
OSPITALITÀ
PRODUZIONE ANNUA 110.000 bottiglie
ETTARI VITATI 20,00
VITICOLTURA Biologico Certificato
AZIENDA SOSTENIBILE

Una vera perla per il comprensorio di Corno di Rosazzo. Valentino Butussi, il fondatore, nel 1910 tracciò il percorso, seguito prima dal figlio Angelo e ora dalla nuova generazione composta da Tobia, Filippo, Mattia ed Erika. Una conduzione familiare di alto livello fondata sul mantenimento dei valori propri della cultura contadina, sullo spirito di gruppo, su un'accurata distribuzione dei compiti e sul senso di responsabilità. La riconversione dei vigneti al biologico certificato è stata la logica conseguenza del rispetto dell'ambiente e della salubrità dei vini. Il Bianco White Angel '18 (chardonnay, sauvignon e pinot bianco) guida una batteria di vini che, soprattutto nelle versioni Riserva, si esprimono ad altissimo livello per la complessità dei profumi e per la concretezza nell'assaggio. Si merita l'accesso alle finali ma precede di una sola incollatura il Rosso Godje Ris. '16, prodotto con uve refosco dal peduncolo rosso, e il Sauvignon Genesis '18, impreziosito da una piacevole sfumatura di anice.

○ FCO Bianco White Angel '18	♟♟ 4
● FCO Pignolo '15	♟♟ 5
○ FCO Pinot Grigio Ramato Madonna d'Aiuto '18	♟♟ 7
○ FCO Ribolla Gialla '19	♟♟ 2*
● FCO Rosso Godje Ris. '16	♟♟ 7
● FCO Rosso Santuari Ris. '18	♟♟ 5
○ FCO Sauvignon Genesis '18	♟♟ 4
○ FCO Verduzzo Friulano '17	♟♟ 3
○ FCO Friulano '19	♟ 2
○ FCO Pinot Grigio '19	♟ 2
○ FCO Sauvignon '19	♟ 3
○ FCO Bianco White Angel '14	♟♟ 4
○ FCO Chardonnay '17	♟♟ 2*
● FCO Rosso Santuari Ris. '13	♟♟ 5
○ FCO Sauvignon Genesis '15	♟♟ 4

Maurizio Buzzinelli

Loc. Pradis, 20
34071 Cormòns [GO]
Tel. 048160902
www.buzzinelli.it

VENDITA DIRETTA
VISITA SU PRENOTAZIONE
OSPITALITÀ
PRODUZIONE ANNUA 120.000 bottiglie
ETTARI VITATI 35,00

L'azienda gestita da Maurizio Buzzinelli
contribuisce, assieme ad altre splendide
realtà locali, a valorizzare un territorio di
vera eccellenza costituito dai dolci declivi
dei colli di Pradis, disposti ad anfiteatro,
baciati dal sole ed esposti alle brezze del
vicino mare Adriatico. Maurizio segue
personalmente l'intera filiera produttiva,
ottenendo risultati lusinghieri sia dalle uve
bianche coltivate sul Collio sia dai vitigni a
bacca rossa; questi ultimi sfruttano le
caratteristiche congenite dei terreni ferrosi
che caratterizzano la denominazione Friuli
Isonzo. Tutti i vini che sono stati presentati
sono dell'ultima vendemmia e tutti hanno
ottenuto pressoché lo stesso punteggio. Ciò
testimonia la pari attenzione attribuita
dall'azienda ad ogni singolo vitigno,
preservando le caratteristiche varietali ed
esaltando le potenzialità del territorio.
Godono tutti di un'ottima bevibilità, sono
snelli, fruttati e fragranti, soprattutto la
Ribolla Gialla '19, che eccelle per
l'eleganza del profumo.

○ Collio Chardonnay '19	♟♟	3
○ Collio Friulano '19	♟♟	3
○ Collio Malvasia '19	♟♟	2*
○ Collio Ribolla Gialla '19	♟♟	3
○ Collio Sauvignon '19	♟♟	3
○ Collio Traminer Aromatico '19	♟♟	3
○ Collio Friulano '18	♟♟	3*
○ Collio Friulano '17	♟♟	3
○ Collio Friulano '16	♟♟	3*
○ Collio Malvasia '18	♟♟	2*
○ Collio Malvasia '16	♟♟	2*
○ Collio Malvasia '15	♟♟	2*
○ Collio Pinot Grigio '17	♟♟	3
○ Collio Ribolla Gialla '18	♟♟	3
○ Collio Sauvignon '17	♟♟	3
○ Collio Sauvignon '16	♟♟	3
○ Collio Traminer Aromatico '17	♟♟	3

Ca' Bolani

via Ca' Bolani, 2
33052 Cervignano del Friuli [UD]
Tel. 043132670
www.cabolani.it

VENDITA DIRETTA
VISITA SU PRENOTAZIONE
PRODUZIONE ANNUA 1.820.500 bottiglie
ETTARI VITATI 570,00

La Tenuta Ca' Bolani, la più grande realtà
enologica regionale, si estende nel cuore
della denominazione Friuli Aquileia. Fu
proprietà dei conti Bolani ma, nel 1970,
venne acquisita dalla famiglia Zonin, che la
riportò all'antico splendore ristrutturando il
centro aziendale ed edificando una cantina
dotata di tecnologie avanzate. L'ottimo
livello qualitativo dell'intera linea produttiva,
oltre all'ormai affermata schiera dei
bianchi, annovera rossi di pregevole fattura,
con particolare riguardo per il refosco dal
peduncolo rosso, vitigno storico di grande
tradizione. Eccellente la prestazione del
Pinot Bianco Opimio '18, vino molto
equilibrato, lineare e simmetrico, con una
perfetta correlazione naso/bocca che
viaggia su sentori fruttati e cremosi. Il
Sauvignon Aquilis '18 primeggia per
fragranza ed esalta note agrumate e
vegetali. Il Refosco P.R. '18 ricorda la
confettura di ciliegie e il tabacco biondo.
Seguono i vini di annata, che ben si
distinguono per rispondenza varietale.

○ Friuli Aquileia Pinot Bianco Opimio '18	♟♟	5
● Friuli Aquileia Refosco P. R. '18	♟♟	3
○ Friuli Aquileia Sauvignon Aquilis '18	♟♟	5
○ Friuli Aquileia Friulano '19	♟	4
○ Friuli Aquileia Pinot Bianco '19	♟	3
○ Friuli Aquileia Pinot Grigio '19	♟	3
○ Friuli Aquileia Sauvignon '19	♟	3
○ Friuli Aquileia Traminer Aromatico '19	♟	3
○ Prosecco Brut	♟	3
○ Friuli Aquileia Pinot Bianco '09	♟♟♟	2*
○ Friuli Aquileia Pinot Grigio '18	♟♟	3*
○ Friuli Aquileia Sauvignon Aquilis '16	♟♟	5
○ Friuli Aquileia Sauvignon Aquilis '14	♟♟	2*

Ca' dei Faggi

FRAZ. RASCHIACCO
VIA CITTÀ DI NAVE, 10
33040 FAEDIS [UD]
TEL. 3207460693
www.cadeifaggi.it

VISITA SU PRENOTAZIONE
OSPITALITÀ
PRODUZIONE ANNUA 100.000 bottiglie
ETTARI VITATI 20,00

L'azienda Ca' dei Faggi ha sede a
Raschiacco di Faedis, nel cuore della
denominazione Friuli Colli Orientali, storica
area di produzione di vini autoctoni grazie
a un terroir particolarmente favorevole.
L'azienda, fondata nel 1912 dalla famiglia
Perabò, mantiene viva una passione per la
viticoltura e l'enologia per merito della
signora Maria e di suo figlio Gianni Berton,
attuale proprietario. La tradizione enoica
della cantina si esprime nella produzione
di vini bianchi e rossi di ottima struttura e,
soprattutto, del Refosco di Faedis, la
varietà autoctona locale più
rappresentativa. Entrata in Guida nella
scorsa edizione quasi in punta di piedi,
quest'anno l'azienda si è riproposta con
una gamma di etichette che comprende
tutte le tipologie di produzione e che ci ha
consentito una panoramica più vasta, con
esiti piuttosto lusinghieri. Un risultato che
colloca questa nuova bella realtà tra le più
interessanti di questa fascia collinare.

○ COF Picolit '17	🏆	7
● FCO Cabernet Franc '19	🏆🏆	2*
○ FCO Friulano '18	🏆🏆	2*
● FCO Merlot '19	🏆🏆	2*
○ FCO Pinot Grigio '19	🏆🏆	2*
● FCO Refosco di Faedis '16	🏆🏆	5
● FCO Refosco P. R. '19	🏆🏆	2*
● FCO Rosso Tre Fadis Neri '17	🏆🏆	5
○ FCO Sauvignon '19	🏆🏆	3
○ FCO Bianco Tre Fradis Blanc '18	🏆	3
○ FCO Ribolla Gialla '19	🏆	2
○ Ribolla Gialla Brut	🏆	2
○ Rosè '19	🏆	2
○ FCO Friulano Perabò '17	🏆🏆	3
● FCO Refosco di Faedis '15	🏆🏆	5
● FCO Rosso Tre Fadis Neri '16	🏆🏆	5
○ FCO Sauvignon Perabò '17	🏆🏆	3

Ca' Tullio

VIA BELIGNA, 41
33051 AQUILEIA [UD]
TEL. 0431919700
www.catullio.it

VENDITA DIRETTA
VISITA SU PRENOTAZIONE
PRODUZIONE ANNUA 200.000 bottiglie
ETTARI VITATI 100,00

L'azienda Ca' Tullio ha sede in un grande
edificio di inizio secolo scorso, in origine
adibito all'essiccazione del tabacco, che nel
1994 venne acquistato da Paolo Calligaris
e trasformato in un'azienda vitivinicola
moderna e funzionale. La maggior parte
delle uve vengono prodotte sulle colline di
Manzano, in località Sdricca, nel
comprensorio Friuli Colli Orientali, mentre
alcuni vigneti si estendono attorno alla
cantina dove, sui terreni sabbiosi della
località Viola, è ancora possibile coltivare il
traminer su piede franco. Il Friulano '19
guida la graduatoria di una serie di vini di
pregevole fattura e rispettosi delle
caratteristiche varietali. Si è aggiudicato la
palma del migliore per intensità,
complessità e gradevolezza del profumo
ma, soprattutto, per la concretezza e la
sapidità del sorso. Stacca di poco lo
Chardonnay '19, che si presenta con
deliziosi sentori floreali di mughetto e
biancospino e con note fruttate che
gratificano l'assaggio.

○ FCO Chardonnay '19	🏆🏆	2*
○ FCO Friulano '19	🏆🏆	2*
● Patriarca Refosco P. R. '18	🏆🏆	3
● FCO Pignolo '16	🏆	3
○ FCO Pinot Grigio '19	🏆	2
○ FCO Ribolla Gialla '19	🏆	3
○ Friuli Aquileia Traminer Viola '19	🏆	2
○ FCO Chardonnay '18	🏆🏆	2*
○ FCO Chardonnay '17	🏆🏆	2*
○ FCO Friulano '18	🏆🏆	2*
○ FCO Friulano '17	🏆🏆	2*
● FCO Pignolo '14	🏆🏆	3
○ FCO Pinot Grigio '18	🏆🏆	2*
○ FCO Pinot Grigio '17	🏆🏆	2*
○ FCO Ribolla Gialla '18	🏆🏆	3
● FCO Schioppettino '15	🏆🏆	3
○ Friuli Aquileia Traminer Viola '18	🏆🏆	2*

Cadibon

LOC. CASALI GALLO, 1
33040 CORNO DI ROSAZZO [UD]
TEL. 0432759316
www.cadibon.com

VENDITA DIRETTA
VISITA SU PRENOTAZIONE
OSPITALITÀ
PRODUZIONE ANNUA 50.000 bottiglie
ETTARI VITATI 14,00
VITICOLTURA Biologico Certificato

Cadibon è un esplicito invito a visitare l'azienda: si tratta infatti di un'espressione dialettale locale che significa "Qui nell'azienda dei Bon". Il nome venne scelto nel 1977 da Gianni Bon per questa fiorente realtà, ora gestita dai giovanissimi Luca e Francesca, che possono contare su ampi spazi e attrezzature all'avanguardia. Dalla coraggiosa scelta di optare per fermentazioni naturali ha tratto vantaggio l'immediatezza dei vini che, pur derivanti da elaborazioni articolate, si distinguono per freschezza e facilità di beva e godono della certificazione biologica. Il Pinot Grigio '19 si è piazzato al vertice delle nostre preferenze per la gradevolezza del profumo e, soprattutto, per la sapidità e la persistenza dell'assaggio. Il bianco Ronco del Nonno '19 (sauvignon, chardonnay e verduzzo friulano) coniuga eleganza e complessità al naso, mentre al palato è avvolgente e vellutato. Il rosso Epoca '17 (merlot e refosco dal peduncolo rosso) è speziato, strutturato e succoso.

○ Collio Chardonnay '19	♟♟ 4
○ Collio Pinot Grigio '19	♟♟ 3
● Epoca '17	♟♟ 5
○ FCO Friulano Bontaj '19	♟♟ 4
● FCO Merlot '18	♟♟ 3
● FCO Schioppettino '18	♟♟ 3
○ Ronco del Nonno Bianco '19	♟♟ 4
○ Collio Sauvignon '19	♟ 4
● FCO Refosco P. R. '18	♟ 3
○ FCO Ribolla Gialla '19	♟ 4
○ Moscato Giallo '19	♟ 3
○ Collio Sauvignon '18	♟♟ 3
○ Collio Sauvignon Lavoron '18	♟♟ 3
○ FCO Friulano '18	♟♟ 3
○ FCO Malvasia '18	♟♟ 3*
● FCO Merlot '17	♟♟ 3
○ FCO Ribolla Gialla '18	♟♟ 3

Canus

LOC. CASALI GALLO
VIA GRAMOGLIANO, 21
33040 CORNO DI ROSAZZO [UD]
TEL. 0432759427
www.canus.it

VENDITA DIRETTA
VISITA SU PRENOTAZIONE
PRODUZIONE ANNUA 60.000 bottiglie
ETTARI VITATI 18,00

L'azienda Canus svetta sul colle di Gramogliano, nel comune di Corno di Rosazzo. Ha origini antiche - difatti nel corso degli anni si sono sussseguite diverse proprietà - e solo nel 2004 le venne attribuito questo nome. Canus è un termine latino che richiama il valore della saggezza e i benefici dell'invecchiare. Dal 2015 è di proprietà di Ottorino Casonato, Otto per gli amici. Il suo è un ritorno alle origini, alla campagna abbandonata da ragazzo all'inseguimento dei propri sogni. In pochissimi anni ha riconvertito l'azienda, collocandola tra le migliori realtà regionali. Quest'anno l'onore di partecipare alle nostre selezioni finali è toccato al Friulano '18, classificatosi tra i migliori della sua categoria, esaltato dal sentore di mandorla amara che lo caratterizza e dalla gradevolezza all'assaggio. Elogi anche per il Bianco Gramogliano '18 (sauvignon, chardonnay e ribolla gialla) e per il Rosso Mezzo Secolo '13 (merlot e refosco dal peduncolo rosso), esotico e raffinato il primo, robusto e rotondo il secondo.

○ FCO Friulano '18	♟♟ 4
○ FCO Bianco Gramogliano '18	♟♟ 4
○ FCO Chardonnay '18	♟♟ 4
● FCO Merlot '13	♟♟ 5
● FCO Pignolo '12	♟♟ 6
○ FCO Pinot Grigio '18	♟♟ 4
○ FCO Ribolla Gialla '18	♟♟ 4
● FCO Rosso Mezzo Secolo '13	♟♟ 6
○ FCO Bianco Gramogliano '16	♟♟ 4
○ FCO Chardonnay '17	♟♟ 4
○ FCO Chardonnay '16	♟♟ 4
○ FCO Friulano '17	♟♟ 4
● FCO Merlot '12	♟♟ 5
● FCO Pignolo '11	♟♟ 6
○ FCO Pinot Grigio '17	♟♟ 4
○ FCO Pinot Grigio '16	♟♟ 4
○ FCO Ribolla Gialla '17	♟♟ 4

Fernanda Cappello

S.DA DI SEQUALS, 15
33090 SEQUALS [PN]
TEL. 042793291
www.fernandacappello.it

VENDITA DIRETTA
VISITA SU PRENOTAZIONE
RISTORAZIONE
PRODUZIONE ANNUA 90.000 bottiglie
ETTARI VITATI 126,00
AZIENDA SOSTENIBILE

Fernanda Cappello, architetto, nel 1988
decise di abbandonare la professione per
potersi dedicare completamente all'attività
vitivinicola intrapresa da suo padre alla fine
degli anni '60. La tenuta si sviluppa su
terreni alluvionali compresi tra i fiumi
Cellina e Meduna, appena sotto le colline di
Sequals, nel pordenonese. Obiettivi sempre
più ambiziosi l'hanno indotta ad avvalersi
della collaborazione enologica di Fabio
Coser, e l'evidente salto qualitativo che ne
è derivato ha proiettato l'azienda ai vertici
delle eccellenze del Friuli occidentale.
Suscita curiosità il Friulano '19 per i delicati
sbuffi di biancospino che deliziano l'olfatto
e, soprattutto, per gli aromi che gratificano
lungamente il palato. Il Traminer Aromatico
Primo '18 ricorda la rosa gialla, la ginestra,
il miele di acacia e la frutta esotica, mentre
in bocca è incisivo e duraturo. Buona anche
la prestazione del resto della gamma con
giudizi che, soprattutto se rapportati al
prezzo, meritano considerazione.

● Friuli Grave Cabernet Franc '18	♟♟	2*
○ Friuli Grave Friulano '19	♟♟	2*
○ Friuli Grave Pinot Grigio '19	♟♟	2*
○ Friuli Grave Sauvignon '19	♟♟	2*
○ Friuli Grave Traminer Aromatico Primo '18	♟♟	3
● Friuli Grave Merlot '16	♟	2
● Friuli Grave Pinot Nero '18	♟	2
○ Friuli Grave Traminer Aromatico '19	♟	2
○ Prosecco Brut	♟	2
○ Prosecco Extra Dry	♟	2
○ Friuli Grave Chardonnay Perla dei Sassi '15	♟♟	3
● Friuli Grave Merlot '14	♟♟	2*
○ Friuli Grave Pinot Bianco '18	♟♟	2*
○ Friuli Grave Pinot Grigio '18	♟♟	2*
○ Friuli Grave Traminer Aromatico '18	♟♟	2*

Il Carpino

LOC. SOVENZA, 14A
34070 SAN FLORIANO DEL COLLIO [GO]
TEL. 0481884097
www.ilcarpino.com

VENDITA DIRETTA
VISITA SU PRENOTAZIONE
PRODUZIONE ANNUA 70.000 bottiglie
ETTARI VITATI 16,00

Anna e Franco Sosol, pur vantando origini
contadine, esercitavano attività lavorative
diverse. Nel 1987, per scelta di vita,
decisero di unire le proprie forze calandosi
nel mondo rurale e fondarono l'azienda,
creando il marchio Il Carpino.
L'impostazione di carattere familiare
permette, e impone, di tenere sotto
controllo tutte le fasi del processo
produttivo, dalla cura dei vigneti alla
vinificazione e all'affinamento. Le etichette
di nicchia sono frutto di lente macerazioni
con tecniche ancestrali, mentre i vini della
linea Vigna Runc vengono prodotti in
acciaio. Reduci da un lungo periodo di
affinamento in bottiglia, i vini della
vendemmia 2016 si presentano in gran
spolvero, aggiudicandosi punteggi altissimi
che li hanno resi protagonisti anche nelle
selezioni finali. La Malvasia '16 al naso è
complessa e accattivante con frequenti
folate di tostatura, ricorda addirittura il
Cognac. Exordium '16 e Vis Uvae '16 sono
interpretazioni uniche di tocai friulano e
pinot grigio

○ Exordium '16	♟♟	5
○ Malvasia '16	♟♟	5
○ Vis Uvae '16	♟♟	5
● Cabernet Sauvignon Special Edition 30 '11	♟♟	7
○ Collio Bianco V. Runc '10	♟♟♟	2*
○ Collio Malvasia V. Runc '11	♟♟♟	3*
○ Malvasia '15	♟♟♟	5
○ Malvasia '11	♟♟♟	5
● Rubrum '99	♟♟♟	3*
○ Chardonnay '12	♟♟	5
○ Collio Friulano V. Runc '17	♟♟	3*
○ Collio Ribolla Gialla V. Runc '12	♟♟	5
○ Exordium '15	♟♟	5
○ Exordium '13	♟♟	5
○ Exordium '12	♟♟	5

Castello di Buttrio

VIA DEL POZZO, 5
33042 BUTTRIO [UD]
TEL. 0432673015
www.castellodibuttrio.it

VENDITA DIRETTA
VISITA SU PRENOTAZIONE
OSPITALITÀ E RISTORAZIONE
PRODUZIONE ANNUA 60.000 bottiglie
ETTARI VITATI 25,00

Le origini della cittadina di Buttrio risalgono
al secolo XI, e le sue principali pagine di
storia sono legate al Castello, che fu più
volte distrutto e riedificato. Nel 1994 la
tenuta venne acquistata da Marco Felluga,
che iniziò la trasformazione in azienda
vitivinicola per poi passare il testimone alla
figlia Alessandra, la quale ha restituito lo
sfarzo del passato a quelle straordinarie
mura. Il cambio stilistico introdotto in
azienda dell'enologo trentino Hartmann
Donà ha generato ulteriore crescita,
premiando le scelte sempre oculate di
Alessandra. La prestazione di squadra
dell'intera batteria dei vini che ci sono stati
presentati è di altissimo livello. La punta di
diamante è il Sauvignon Ettaro Riserva '18,
che ha conquistato l'accesso alle finali. Si
presenta con un marcato sentore di agrumi
seguito da effluvi di magnolia, bosso e
finocchietto selvatico. Ottimo anche il
Rosso Uve Carate Riserva '15, Merlot in
purezza, che profuma di liquirizia, capperi
e tabacco.

○ FCO Sauvignon Ettaro Ris. '18	▼▼ 6
○ FCO Friulano '19	▼▼ 4
○ FCO Ribolla Gialla '19	▼▼ 4
● FCO Rosso Uve Carate Ris. '15	▼▼ 7
○ FCO Sauvignon '19	▼ 3
○ FCO Bianco Mon Blanc '16	♀♀ 3
○ FCO Bianco Mon Blanc '15	♀♀ 3
○ FCO Bianco Torre Butria Ris. '13	♀♀ 5
○ FCO Friulano '18	♀♀ 4
● FCO Merlot '16	♀♀ 4
● FCO Merlot Uve Carate Ris. '13	♀♀ 3*
● FCO Refosco P. R. '16	♀♀ 4
● FCO Rosso Mon Rouge '14	♀♀ 3
○ FCO Sauvignon '18	♀♀ 3
○ FCO Sauvignon '15	♀♀ 3

★Castello di Spessa

VIA SPESSA, 1
34070 CAPRIVA DEL FRIULI [GO]
TEL. 048160445
www.castellodispessa.it

VENDITA DIRETTA
VISITA SU PRENOTAZIONE
OSPITALITÀ E RISTORAZIONE
PRODUZIONE ANNUA 450.000 bottiglie
ETTARI VITATI 90,00

Il Castello di Spessa, immerso nel verde di
un magnifico giardino all'italiana, si erge
elegante nel cuore del Collio. Le origini
risalgono al lontano 1200 e, per secoli, il
maniero fu la dimora dei signori della
nobiltà friulana. Nel 1987 Loretto Pali vi
creò l'azienda vitivinicola, riconvertendo i
vigneti limitrofi ed iniziando un'escalation
che in breve tempo gli ha permesso di
raggiungere l'eccellenza. Da alcuni anni si
giova delle capacità dell'esperto enologo
Enrico Paternoster, cui ha affidato il
compito di donare snellezza ed eleganza
alla potenza intrinseca dei vini. Anche
quest'anno sono ben tre i vini che si sono
conquistati le finali; il Friulano Rassauer '19
ha primeggiato nella sua categoria,
conquistando i Tre Bicchieri. Straordinarie
anche le prestazioni del Pinot Bianco
Santarosa '19 e del Sauvignon Segrè '19.
Entrambi in passate edizioni si sono più
volte aggiudicati il massimo
riconoscimento, e hanno mantenuto nel
tempo un invidiabile livello di eccellenza.

○ Collio Friulano Rassauer '19	▼▼▼ 3*
○ Collio Pinot Bianco Santarosa '19	▼▼ 3*
○ Collio Sauvignon Segrè '19	▼▼ 5
○ Collio Pinot Grigio Joy '19	▼▼ 4
○ Collio Ribolla Gialla Yellow Hills '19	▼▼ 3
● Friuli Isonzo Merlot '17	▼▼ 3
○ Friuli Isonzo Pinot Grigio '19	▼▼ 3
● Friuli Isonzo Cabernet Sauvignon '17	▼ 3
○ Friuli Isonzo Chardonnay '19	▼ 3
○ Friuli Isonzo Friulano '19	▼ 3
○ Collio Pinot Bianco '14	♀♀♀ 3*
○ Collio Pinot Bianco '13	♀♀♀ 3*
○ Collio Pinot Bianco '11	♀♀♀ 3*
○ Collio Pinot Bianco '06	♀♀♀ 3*
○ Collio Pinot Bianco Santarosa '18	♀♀♀ 3*
○ Collio Sauvignon Segrè '03	♀♀♀ 5
○ Collio Tocai Friulano '05	♀♀♀ 3*

Castello Sant'Anna

LOC. SPESSA
VIA SANT'ANNA, 9
33043 CIVIDALE DEL FRIULI [UD]
TEL. 0432716289
www.castellosantanna.it

VENDITA DIRETTA
VISITA SU PRENOTAZIONE
PRODUZIONE ANNUA 25.000 bottiglie
ETTARI VITATI 7,00
VITICOLTURA Biologico Certificato

Andrea Giaiotti si occupa della gestione di
Castello Sant'Anna, a Spessa di Cividale,
un'azienda nata nel 1966 per volontà del
nonno Giuseppe. Un tempo dimora estiva
di nobili famiglie cividalesi, il castello è
circondato da vigneti. Andrea, con una
paziente opera di recupero, ha provveduto
alla riorganizzazione delle vecchie vigne,
per poi costruire una nuova cantina
interrata che garantisce umidità naturale e
temperatura costante, dotandola di tutte le
infrastrutture necessarie per lavorare le
uve con le tecniche più avanzate. Il Pinot
Grigio '18 ripete la splendida prestazione
dello scorso anno e si riguadagna l'accesso
alle selezioni finali. Le sfumature ramate lo
identificano, i profumi lo collocano tra i più
interessanti e originali della sua categoria,
mentre al palato si presenta sapido e
avvolgente. Il lungo affinamento ci regala
uno Schioppettino '13 maturo sia nel ricco
corredo olfattivo sia nelle componenti
gustative, potenti ma addomesticate.

Castelvecchio

VIA CASTELNUOVO, 2
34078 SAGRADO [GO]
TEL. 048199742
www.castelvecchio.com

VENDITA DIRETTA
VISITA SU PRENOTAZIONE
OSPITALITÀ E RISTORAZIONE
PRODUZIONE ANNUA 120.000 bottiglie
ETTARI VITATI 35,00
AZIENDA SOSTENIBILE

Splendori e rovine hanno segnato negli
anni il Carso Goriziano e ancor oggi, tra
angoli di natura intatta e suggestiva, si
ripropone la sfida con un terreno difficile,
arido e roccioso, ma capace di inaspettate
alleanze con l'uomo. In questo ambiente,
appena sopra Sagrado, sorge l'azienda
agricola Castelvecchio, di proprietà della
famiglia Terraneo. La natura intatta di
questi luoghi offre scorci affascinanti che si
fondono con le nobili e antiche origini,
testimoniate ancor oggi dalla villa
rinascimentale e dal parco punteggiato da
cipressi e querce secolari. Il vino bandiera
aziendale è senz'altro la Malvasia Dileo '19.
È un vino solare, che profuma di fienagione
estiva e arbusti di macchia mediterranea e
che in bocca coniuga morbidezza,
fragranza e sapidità. Più o meno a pari
merito tutti gli altri vini, ambasciatori delle
potenzialità del Carso.

○ FCO Pinot Grigio '18	🍷🍷 3*
● FCO Cabernet Franc '17	🍷🍷 4
○ FCO Friulano '18	🍷🍷 3
● FCO Merlot '16	🍷🍷 4
● FCO Refosco P. R. '15	🍷🍷 4
○ FCO Ribolla Gialla '18	🍷🍷 3
○ FCO Sauvignon '18	🍷🍷 3
● FCO Schioppettino '13	🍷🍷 5
○ FCO Friulano '17	🍷🍷 3
○ FCO Friulano '16	🍷🍷 3
● FCO Merlot '15	🍷🍷 4
○ FCO Pinot Grigio '17	🍷🍷 3*
○ FCO Pinot Grigio '16	🍷🍷 3
○ FCO Ribolla Gialla '17	🍷🍷 3
○ FCO Ribolla Gialla '16	🍷🍷 3
○ FCO Sauvignon '17	🍷🍷 3
○ FCO Sauvignon '16	🍷🍷 3

○ Carso Malvasia Dileo '19	🍷🍷 4*
● Carso Cabernet Sauvignon '17	🍷🍷 3
○ Carso Malvasia '19	🍷🍷 3
○ Carso Pinot Grigio '19	🍷🍷 3
● Carso Refosco P. R. '17	🍷🍷 3
● Carso Terrano '18	🍷🍷 3
○ Carso Vitovska '19	🍷🍷 3
● Sagrado Rosso '16	🍷🍷 5
○ Carso Sauvignon '19	🍷 3
○ Carso Malvasia Dileo '15	🍷🍷🍷 4*
○ Carso Malvasia '18	🍷🍷 3
○ Carso Malvasia '17	🍷🍷 3
○ Carso Malvasia Dileo '18	🍷🍷 4
○ Carso Malvasia Dileo '17	🍷🍷 4
○ Carso Malvasia Dileo '16	🍷🍷 4
○ Carso Malvasia Dileo '14	🍷🍷 4

Tenimenti Civa

FRAZ. BELLAZOIA
VIA SUBIDA, 16
33040 POVOLETTO [UD]
TEL. 04321770382
www.tenimenticiva.com

VENDITA DIRETTA
PRODUZIONE ANNUA 1.000.000 bottiglie
ETTARI VITATI 60,00

Nel 2016 Valerio Civa decise di impegnare la sua lunga esperienza nel mondo del vino rilevando una cantina ed un consistente numero di vigneti a Bellazoia di Povoletto e dintorni, nel comprensorio della denominazione Friuli Colli Orientali, dando vita alla Tenimenti Civa. Alla sede aziendale, completamente rinnovata, già nell'agosto 2018 è stata affiancata una nuova struttura di produzione, dotata di impianti tecnologicamente all'avanguardia, che comprende serbatoi per lo stoccaggio e un considerevole numero di autoclavi per la spumantizzazione. La Ribolla Gialla Collezione Privata '19 rispecchia le caratteristiche varietali e si contraddistingue per la facilità di beva, dopo essersi fatta apprezzare per il delicato profumo di fiori di campo, wafer al limone e pesca bianca. Il Refosco P. R. Vigneto Bellazoia '18 profuma di marasche macerate, spezie chiare e china, mentre quello denominato Ronc Zoiis '18 ricorda la radice di liquirizia, il sottobosco e il tabacco da sigaro.

● FCO Merlot Vign. Bellazoia '18	▼▼	5
○ FCO Pinot Grigio Ronc Zoiis '19	▼▼	3
● FCO Refosco P. R. Ronc Zoiis '18	▼▼	3
● FCO Refosco P. R. Vign. Bellazoia '18	▼▼	5
○ FCO Ribolla Gialla Collezione Privata '19	▼▼	4
○ FCO Ribolla Gialla Extra Brut Collezione Privata '19	▼	3
○ FCO Sauvignon Vign. Bellazoia '18	▼	5
○ FCO Friulano '18	♎♎	3
○ FCO Friulano '17	♎♎	3
● FCO Merlot V. Bellazoia '17	♎♎	3
● FCO Refosco P. R. V. Bellazoia '17	♎♎	3
○ FCO Ribolla Gialla '17	♎♎	3*
○ FCO Ribolla Gialla Biele Zôe Cuvée '18	♎♎	3
○ FCO Sauvignon '18	♎♎	3*
○ FCO Sauvignon V. Bellazoia '17	♎♎	3
● FCO Schioppettino '17	♎♎	3

★Eugenio Collavini

LOC. GRAMOGLIANO
VIA DELLA RIBOLLA GIALLA, 2
33040 CORNO DI ROSAZZO [UD]
TEL. 0432753222
www.collavini.it

VENDITA DIRETTA
VISITA SU PRENOTAZIONE
RISTORAZIONE
PRODUZIONE ANNUA 1.200.000 bottiglie
ETTARI VITATI 140,00
AZIENDA SOSTENIBILE

Quella dei Collavini, una delle aziende storiche del territorio regionale, porta il nome del capostipite Eugenio, che la fondò nel 1896. Negli anni 70 le proprietà si arricchirono ad opera di Manlio, con l'acquisizione di un antico maniero del XVI secolo a Corno di Rosazzo, che diventò dimora della famiglia e sede delle cantine. Manlio fu tra i primi a credere nelle potenzialità della ribolla gialla in versione spumantizzata, vino che ora sta vivendo momenti di grande successo e popolarità. A conclusione di un ulteriore anno di affinamento in bottiglia il Collio Bianco Broy '18 si ripresenta in grande spolvero, si riprende lo scettro aziendale e guadagna i Tre Bicchieri. L'ormai collaudato mix di tocai friulano, chardonnay e sauvignon conquista l'olfatto con una miriade di sfumature aromatiche e gratifica l'assaggio con una coinvolgente mineralità. Bella conferma anche per la Ribolla Gialla Brut '15, che rimarca la fragranza del pompelmo e della mela verde.

○ Collio Bianco Broy '18	▼▼▼	6
○ Ribolla Gialla Brut '16	▼▼	5
○ Bianco '19	▼▼	3
○ Collio Friulano T '19	▼▼	3
○ FCO Ribolla Gialla Turian '19	▼▼	5
● FCO Schioppettino Turian '13	▼▼	5
● Friuli Refosco P. R. Pucino '19	▼▼	3
● MoRe '17	▼▼	3
○ Il Grigio Brut	▼	3
○ Collio Bianco Broy '17	♎♎♎	6
○ Collio Bianco Broy '15	♎♎♎	5
○ Collio Bianco Broy '14	♎♎♎	5
○ Collio Bianco Broy '13	♎♎♎	5
○ Collio Bianco Broy '11	♎♎♎	4*
○ Ribolla Gialla Brut '13	♎♎♎	5
○ Ribolla Gialla Dosaggio Zero '15	♎♎♎	5

Colle Duga

LOC. ZEGLA, 10
34071 CORMÒNS [GO]
TEL. 048161177
www.colleduga.com

VENDITA DIRETTA
VISITA SU PRENOTAZIONE
PRODUZIONE ANNUA 50.000 bottiglie
ETTARI VITATI 9,00

Damian Princic, classe '70, nel 1991 si assunse la responsabilità della conduzione aziendale, creò il marchio Colle Duga e impose subito le sue convinzioni. Gli ettari vitati non erano molti e, abbassando drasticamente le rese, naturalmente vi fu anche un calo di produzione. Dovette quindi scontrarsi con la mentalità dei suoi predecessori che però, visti i livelli qualitativi raggiunti, si ricredettero ed avvallarono le sue scelte. I figli Karin e Patrik, ormai da tempo operativi in azienda, rappresentano il presente e sono una garanzia per il futuro. Con ben tre vini in finale Colle Duga si conferma una delle migliori realtà regionali. Poche etichette con un'alternanza ai vertici dell'eccellenza che conferma la qualità assoluta di tutta la gamma. Il Collio Bianco '19 (chardonnay, malvasia istriana, sauvignon e tocai friulano) richiama la fragranza degli agrumi e gratifica il palato. Il Sauvignon '19 si distingue per la grinta, mentre il Friulano '19 per la morbidezza e la pienezza del sorso.

○ Collio Bianco '19	♛♛	4
○ Collio Friulano '19	♛♛	3*
○ Collio Sauvignon '19	♛♛	3*
○ Collio Chardonnay '19	♛♛	3
● Collio Merlot '18	♛♛	4
○ Collio Pinot Grigio '19	♛♛	3
○ Collio Bianco '16	♛♛♛	4*
○ Collio Bianco '11	♛♛♛	4*
○ Collio Bianco '08	♛♛♛	3*
○ Collio Bianco '07	♛♛♛	3
○ Collio Friulano '09	♛♛♛	3*
○ Collio Tocai Friulano '06	♛♛♛	3*
○ Collio Tocai Friulano '05	♛♛♛	3*
○ Collio Bianco '18	♛♛	4
○ Collio Friulano '18	♛♛	3*
○ Collio Friulano '15	♛♛	3*

Colli di Poianis

VIA POIANIS, 23
33040 PREPOTTO [UD]
TEL. 3802925468
www.collidipoianis.it

VENDITA DIRETTA
VISITA SU PRENOTAZIONE
OSPITALITÀ
PRODUZIONE ANNUA 80.000 bottiglie
ETTARI VITATI 11,00
AZIENDA SOSTENIBILE

Colli di Poianis è una delle più belle realtà del comprensorio di Prepotto, perla della denominazione Friuli Colli Orientali. Gabriele Marinig sin dal 1991 si è adoperato nel recupero dei vitigni autoctoni, soprattutto dello schioppettino, ma ha anche rivolto grande attenzione alla salvaguardia del territorio, mantenendo la sua originale e storica configurazione senza mai stravolgere le peculiarità paesaggistiche naturali. Si è prodigato nel proteggere la convivenza di declivi, sentieri e vigneti che, nel tempo, hanno creato microequilibri vitali, generando e custodendo la biodiversità. La Malvasia '19 si è classificata tra le migliori della sua categoria e si è conquistata l'ingresso alle selezioni finali. All'olfatto ricorda pesca gialla, frutta tropicale, alloro e miele d'acacia, mentre il connubio tra fragranza e morbidezza valorizza l'assaggio. Lo Schioppettino di Prepotto '17 si distingue per la fragranza del sorso e per i deliziosi profumi di viola, amarena e anice stellato.

○ FCO Malvasia '19	♛♛	4
○ FCO Chardonnay '19	♛♛	4
○ FCO Friulano '19	♛♛	4
○ FCO Sauvignon '19	♛♛	4
● FCO Schioppettino di Prepotto '17	♛♛	5
○ FCO Chardonnay '18	♛♛	4
○ FCO Chardonnay '17	♛♛	4
○ FCO Friulano '18	♛♛	4
○ FCO Friulano '17	♛♛	4
○ FCO Malvasia '18	♛♛	4
○ FCO Malvasia '17	♛♛	4
○ FCO Ribolla Gialla '17	♛♛	4
● FCO Rosso Ronco della Poiana '16	♛♛	5
● FCO Rosso Ronco della Poiana '15	♛♛	4
○ FCO Sauvignon '18	♛♛	4

Gianpaolo Colutta

VIA ORSARIA, 32A
33044 MANZANO [UD]
TEL. 0432510654
www.coluttagianpaolo.com

VENDITA DIRETTA
VISITA SU PRENOTAZIONE
PRODUZIONE ANNUA 100.000 bottiglie
ETTARI VITATI 30,00

Le colline da cui parte l'anfiteatro naturale che caratterizza la denominazione Friuli Colli Orientali sono quelle del comprensorio di Manzano, le più esposte alle brezze del vicino mare Adriatico. Qui, nel 1999, Gianpaolo Colutta creò la propria realtà produttiva. Ora la figura di riferimento è la figlia Elisabetta che dalla mamma, la contessa Anna di Prampero, ha ereditato un'esperienza agricola documentata di oltre un millennio. Vanto dell'azienda è il reimpianto di alcuni vigneti utilizzando cloni di antiche varietà autoctone quasi dismesse. Quest'anno i vini hanno ottenuto punteggi simili, di assoluto valore, a conferma dell'attenzione riposta sulla preservazione delle caratteristiche peculiari di ogni singolo vitigno. Anche se di poco si sono distinti il Friulano '19 e il Pinot Grigio '19. Il primo per il timbro floreale di acacia e gelsomino e per l'ottima bevibilità. Il secondo per il bel colore ramato e i profumi di fragola, rosa, anice e wafer al limone.

● FCO Cabernet '18	♟♟	3
○ FCO Chardonnay '19	♟♟	3
○ FCO Friulano '19	♟♟	3
○ FCO Pinot Grigio '19	♟♟	3
○ FCO Riesling '19	♟♟	4
● FCO Schioppettino '18	♟♟	5
○ FCO Sauvignon '19	♟	3
● FCO Cabernet '17	♟♟	3
● FCO Cabernet '16	♟♟	3
○ FCO Friulano '18	♟♟	3*
○ FCO Pinot Grigio '18	♟♟	3
○ FCO Pinot Grigio '17	♟♟	3
○ FCO Ribolla Gialla '17	♟♟	4
○ FCO Sauvignon '18	♟♟	3
○ FCO Sauvignon '17	♟♟	3
● FCO Schioppettino '17	♟♟	5

Giorgio Colutta

VIA ORSARIA, 32
33044 MANZANO [UD]
TEL. 0432740315
www.colutta.it

VENDITA DIRETTA
VISITA SU PRENOTAZIONE
OSPITALITÀ
PRODUZIONE ANNUA 140.000 bottiglie
ETTARI VITATI 21,00

Un tempo meglio conosciuta come Bandut, dall'antico toponimo di un fondo di proprietà, l'azienda di Giorgio Colutta si è sempre distinta per l'ottemperanza dei principi di compatibilità e sostenibilità ambientale. Una sensibilità che ha spinto Giorgio a inserire nell'offerta di gamma alcuni vini con certificazione Kosher, destinati al consumo dei fedeli di religione ebraica. I vigneti, sempre gestiti dal maestro di vigna Antonio Maggio, si estendono nel prestigioso Parco della Vite e del Vino compreso nella denominazione Friuli Colli Orientali. I vini bianchi dell'ultima vendemmia hanno come denominatore comune la gradevolezza all'olfatto e la facilità di beva. Il Friulano '19 Vecchie Vigne si presenta con risvolti floreali e fruttati che accompagnano anche l'assaggio. Il Pinot Grigio '19 marca un intenso profumo di pera ruggine, fiori essiccati e miele di tiglio. La Ribolla Gialla '19 riporta alla fragranza di agrumi, resina di pino e mentuccia.

○ FCO Friulano V. V. '19	♟♟	4
● FCO Pignolo '13	♟♟	7
○ FCO Pinot Grigio '19	♟♟	3
● FCO Refosco P. R. '15	♟♟	3
○ FCO Ribolla Gialla '19	♟♟	3
○ FCO Sauvignon V. V. '19	♟	4
● FCO Cabernet '16	♟♟	3
● FCO Cabernet '15	♟♟	3
○ FCO Chardonnay '18	♟♟	3
○ FCO Friulano '18	♟♟	3
○ FCO Friulano '17	♟♟	3*
● FCO Merlot '15	♟♟	3
○ FCO Pinot Grigio '18	♟♟	3*
○ FCO Pinot Grigio '17	♟♟	3
○ FCO Pinot Grigio '16	♟♟	3
○ FCO Ribolla Gialla '17	♟♟	3

Paolino Comelli

B.GO CASE COLLOREDO, 8
33040 FAEDIS [UD]
TEL. 0432711226
www.comelli.it

VENDITA DIRETTA
VISITA SU PRENOTAZIONE
OSPITALITÀ
PRODUZIONE ANNUA 60.000 bottiglie
ETTARI VITATI 12,50
AZIENDA SOSTENIBILE

La solida realtà familiare composta da
Pierluigi Comelli, dalla moglie Daniela e dai
figli Nicola e Filippo si occupa della
conduzione di questa bella azienda situata
a Colloredo di Soffumbergo, un luogo di
rara bellezza dove regnano la pace, la vite e
l'olivo. Un patrimonio frutto della
lungimiranza di nonno Paolino che,
nell'ormai lontano 1946, acquisì un vecchio
borgo abbandonato trasformandolo in
azienda agricola. Ora quei casolari rurali
decadenti sono alloggi agrituristici di raro
fascino, dotati di ogni comfort, arredati con
gusto in stile tipico friulano. Nel periodo in
cui si sono svolte le nostre degustazioni,
l'azienda non aveva ancora imbottigliato i
vini dell'ultima vendemmia ad eccezione
del Pinot Grigio Amplius '19, che ha
ottenuto un'ottima valutazione collocandosi
tra i migliori della sua categoria.
L'attenzione si è quindi concentrata su un
vino rosso, il Soffumbergo '17 (merlot e
refosco), equilibrato e balsamico e su un
ottimo Picolit '17, denso e cremoso.

○ COF Picolit '17	♟♟	5
○ FCO Pinot Grigio Amplius '19	♟♟	3
● Soffumbergo '17	♟♟	4
○ COF Picolit '16	♟♟	5
○ FCO Bianco Soffumbergo '17	♟♟	3
○ FCO Bianco Soffumbergo '16	♟♟	3
○ FCO Friulano '18	♟♟	3
○ FCO Malvasia '17	♟♟	3*
○ FCO Malvasia '16	♟♟	3
● FCO Pignolo '12	♟♟	5
○ FCO Pinot Grigio Amplius '18	♟♟	3
○ FCO Pinot Grigio Amplius '17	♟♟	3
○ FCO Pinot Grigio Amplius '15	♟♟	3
○ FCO Sauvignon '18	♟♟	3*
● Soffumbergo '16	♟♟	4
● Soffumbergo '15	♟♟	4

Dario Coos

LOC. RAMANDOLO, 5
33045 NIMIS [UD]
TEL. 0432790320
www.dariocoos.it

VENDITA DIRETTA
VISITA SU PRENOTAZIONE
PRODUZIONE ANNUA 80.000 bottiglie
ETTARI VITATI 12,00

La Dario Coos è costituita da un piccolo
nucleo di appassionati che si occupa della
gestione di questa bella realtà regionale.
Dario rappresenta la quinta generazione di
esperti vignaioli che producono vino sui
ripidi pendii di Ramandolo. Da sempre in
queste zone, all'estremo Nord dei Colli
Orientali del Friuli, dove le colline diventano
quasi montagna, le notti sono fredde, le
giornate calde e la piovosità è elevata, si
coltiva il verduzzo giallo, una varietà che
produce grappoli piccoli con la buccia
spessa e resistente, ideale per
l'appassimento. Il gran numero di vini che
ci sono stati proposti in degustazione
permettono una veduta a tutto tondo
dell'offerta aziendale. Con uno ottimo sprint
il Picolit '17 si stacca dal gruppo e
conquista l'accesso alle selezioni finali.
Ricorda il succo di pera cotta e l'albicocca
disidratata e conquista per la deliziosa
dolcezza. Ottima anche la prestazione dei
vini rossi e del Ramandolo Vendemmia
Tardiva '17, mentre tra i vini di annata
spicca la Malvasia '19.

○ COF Picolit '17	♟♟	6
○ Blanc de Blanc Extra Brut M. Cl.	♟♟	6
○ Friuli Chardonnay '19	♟♟	3
○ Friuli Friulano '19	♟♟	3
○ Friuli Malvasia '19	♟♟	3
○ Friuli Sauvignon '19	♟♟	3
● Pignolo '16	♟♟	4
○ Ramandolo V.T. '17	♟♟	4
● Refosco P. R. '16	♟♟	4
● Schioppettino '18	♟♟	4
○ Friuli Pinot Grigio '19	♟	3
○ Friuli Riesling '19	♟	3
○ Ramandolo Il Longhino '17	♟	4
○ Ribolla Gialla '19	♟	3
○ Ribolla Gialla Brut	♟	3
○ Rosato '19	♟	3

Cantina Produttori Cormòns

VIA VINO DELLA PACE, 31
34071 CORMÒNS [GO]
TEL. 048162471
www.cormons.com

VENDITA DIRETTA
VISITA SU PRENOTAZIONE
OSPITALITÀ E RISTORAZIONE
PRODUZIONE ANNUA 2.250.000 bottiglie
ETTARI VITATI 400,00
AZIENDA SOSTENIBILE

Questa apprezzata realtà è nata da una bella storia di convivenza e collaborazione che ebbe inizio negli anni '60 del secolo scorso, quando un gruppo di viticoltori cormonesi, impossibilitati a lavorare singolarmente, decisero di unire le proprie forze. L'avvento in azienda di Alessandro dal Zovo nel ruolo di Direttore generale è coinciso con un significativo impulso verso la produzione di qualità. L'offerta si è arricchita di nuove etichette e il famoso "Vino della Pace", cui sono destinate le uve migliori, da messaggio di fratellanza è diventato emblema della Cantina. La bella novità di quest'anno è la prestazione del Collio Bianco Territorio '18 che, al suo primo anno di produzione, si è conquistato l'accesso alle finali. È denominato "Territorio" proprio perché composto da sole uve autoctone (tocai friulano, malvasia istriana e ribolla gialla). All'olfatto è molto fruttato ma ricorda anche nocciole tostate, finocchietto selvatico e zucchero filato.

Crastin

LOC. RUTTARS, 33
34070 DOLEGNA DEL COLLIO [GO]
TEL. 0481630310
www.vinicrastin.it

VENDITA DIRETTA
VISITA SU PRENOTAZIONE
PRODUZIONE ANNUA 35.000 bottiglie
ETTARI VITATI 6,00

Sergio Collarig, intuendo le potenzialità dei due ettari e mezzo piantati a vigneto che nel 1980 ereditò dal papà Olivo, provvide a realizzare nuovi impianti, decise di abbandonare l'agricoltura promiscua e si dedicò alla viticoltura specializzata. Scelse di chiamare Crastin la sua azienda, rendendo onore alla splendida località immersa nel comprensorio delle rinomate colline di Ruttars. Si tratta di una realtà minuscola, che si è imposta all'attenzione dei mercati internazionali per la costanza qualitativa dimostrata di anno in anno con vini sempre più convincenti. Non tutti i vini erano stati imbottigliati al momento delle degustazioni, ma i campioni presentati sono stati sufficienti a confermare la validità della proposta aziendale. In particolare il Friulano '19 si è espresso sulla falsariga delle annate precedenti con profumi solari, che ricordano i fiori di campo essiccati e la mietitura estiva del frumento. Ottima anche la Ribolla Gialla '19, che profuma di mela verde e cedro.

○ Collio Bianco Territorio '18	♟♟	3*
○ Collio Friulano '19	♟♟	3
○ Collio Pinot Bianco '19	♟♟	3
○ Collio Pinot Grigio '19	♟♟	3
○ Collio Sauvignon '19	♟♟	3
○ Friuli Malvasia '19	♟♟	2*
○ Vino della Pace '18	♟♟	5
○ Friuli Pinot Grigio '19	♟	2
○ Friuli Sauvignon '19	♟	2
○ Collio Bianco '18	♟♟	3
○ Collio Bianco Collio & Collio '17	♟♟	3
○ Collio Friuliano '18	♟♟	3
○ Collio Pinot Grigio '18	♟♟	3
○ Collio Sauvignon '18	♟♟	3
○ Friuli Isonzo Malvasia '18	♟♟	2*
○ Friuli Isonzo Malvasia n.68 '16	♟♟	2*
○ Vino della Pace '17	♟♟	5

● Collio Cabernet Franc '18	♟♟	3
○ Collio Friulano '19	♟♟	3
● Collio Merlot '17	♟♟	4
○ Collio Ribolla Gialla '19	♟♟	3
○ Verduzzo Friulano '16	♟♟	3
● Collio Cabernet Franc '17	♟♟	3
○ Collio Friulano '18	♟♟	3
○ Collio Friulano '17	♟♟	3
● Collio Merlot '16	♟♟	4
● Collio Merlot '15	♟♟	4
○ Collio Pinot Grigio '18	♟♟	3
○ Collio Pinot Grigio '17	♟♟	3
○ Collio Ribolla Gialla '18	♟♟	3
○ Collio Ribolla Gialla '17	♟♟	3
○ Collio Sauvignon '18	♟♟	3
○ Collio Sauvignon '17	♟♟	3
○ Verduzzo Friulano '15	♟♟	3

di Lenardo

LOC. ONTAGNANO
P.ZZA BATTISTI, 1
33050 GONARS [UD]
TEL. 0432928633
www.dilenardo.it

VENDITA DIRETTA
VISITA SU PRENOTAZIONE
PRODUZIONE ANNUA 750.000 bottiglie
ETTARI VITATI 60,00
AZIENDA SOSTENIBILE

Massimo di Lenardo ha ereditato dai suoi predecessori l'amore per la terra, aggiungendo innate capacità imprenditoriali. Con la sua gestione l'azienda di famiglia si è collocata tra le più accreditate del panorama vitivinicolo regionale. I vini sono ricchi di sfumature, in quanto i vigneti si estendono nell'assolata pianura triulana suddivisi in zone diverse, con diversi sottosuoli e microclimi. La cantina è situata nel piccolo centro abitato di Ontagnano, a pochi chilometri dai bastioni della città di Palmanova, nota per l'originalità della sua pianta a forma di stella. Il Thanks '19 si conferma vino bandiera aziendale. Per il quarto anno consecutivo partecipa alle finali, classificandosi nelle posizioni di testa della sua categoria. È composto da più vitigni: chardonnay, sauvignon, tocai friulano, malvasia istriana e verduzzo vinificati in botti nuove di rovere americano. Profuma di amaretto, crema pasticcera e miele, mentre all'assaggio è articolato ed avvolgente.

○ Thanks '19	♟♟ 4
○ Father's Eyes Chardonnay '19	♟♟ 3
○ Friuli Friulano Toh! '19	♟♟ 2*
○ Friulia Pinot Grigio Ramato Gossip '19	♟♟ 2*
● Just Me Merlot '17	♟♟ 4
○ Pass The Cookies! '19	♟♟ 3
● Ronco Nolè '18	♟♟ 2*
○ Sarà Brut M. Cl. '14	♟♟ 3
○ Chardonnay '19	♟ 2
○ Friuli Pinot Grigio '19	♟ 2
⊙ Le Nuvole '19	♟ 2
● Merlot '19	♟ 2
○ Ribolla Gialla Brut M. Cl. '18	♟ 3
○ Ribolla Gialla Comemivuoi '19	♟ 2
○ Sauvignon '19	♟ 2

★★Dorigo

S.DA PROV.LE 79
33040 PREMARIACCO [UD]
TEL. 0432634161
www.dorigowines.com

VENDITA DIRETTA
VISITA SU PRENOTAZIONE
PRODUZIONE ANNUA 120.000 bottiglie
ETTARI VITATI 20,00
AZIENDA SOSTENIBILE

La nuova, bella realtà creata da Alessio Dorigo mantiene alto l'indice di gradimento per un marchio che è stato e rimane uno dei capisaldi della viticoltura regionale. Il passaggio generazionale da Girolamo ad Alessio è coinciso con molti cambiamenti, e ha dato una sferzata di freschezza all'intera linea produttiva. È giusto ricordare che, ormai molti anni fa, Dorigo contribuì alla valorizzazione dei vitigni autoctoni regionali, a partire da quella ribolla gialla che ora sta vivendo un periodo di notevole popolarità. Agli ottimi vini di annata si aggiungono le prestazioni delle selezioni Ronc di Juri, degli spumanti Metodo Classico, dei rossi e soprattutto del Picolit '18, che delizia olfatto e palato distinguendosi per finezza e armonia. Il Sauvignon Ronc di Juri '18 regala un gradevole bouquet di pesca bianca, salvia, miele e vaniglia, mentre il Montsclapade '16 si conferma complesso e potente sia al naso che all'assaggio, con tannino vigoroso ma ben gestito.

○ COF Picolit '18	♟♟ 8
● FCO Rosso Montsclapade '16	♟♟ 6
○ FCO Sauvignon Ronc di Juri '18	♟♟ 5
○ Blanc de Blancs Pas Dosé	♟♟ 5
○ Blanc de Noir Dosage Zéro	♟♟ 5
○ Dorigo Brut Cuvée	♟♟ 5
● Dorigo Rosso	♟♟ 4
○ FCO Friulano '19	♟♟ 3
○ FCO Friulano Ronc di Juri '18	♟♟ 5
○ FCO Pinot Grigio '19	♟♟ 3
○ FCO Ribolla Gialla '19	♟♟ 3
○ FCO Sauvignon '19	♟♟ 3
● Pignolo '15	♟♟ 5
● COF Montsclapade '99	♟♟♟ 6
● COF Rosso Montsclapade '06	♟♟♟ 6
● COF Rosso Montsclapade '04	♟♟♟ 6
● COF Rosso Montsclapade '98	♟♟♟ 6

Draga - Miklus

Loc. Scedina, 8
34070 San Floriano del Collio [GO]
Tel. 0481884182
www.draga-miklus.com

VENDITA DIRETTA
VISITA SU PRENOTAZIONE
PRODUZIONE ANNUA 50.000 bottiglie
ETTARI VITATI 14,00
AZIENDA SOSTENIBILE

Draga è una delle classiche aziende a
conduzione familiare che popolano i pendii
di San Floriano del Collio. Milan Miklus
rappresenta la terza generazione di
agricoltori soggetti a mezzadria che qui
misero le radici alla fine dell'Ottocento. I
vigneti sono suddivisi in due appezzamenti:
Draga, che gode di un'ottima esposizione e
di una ventilazione ideale per regalare vini
di grande finezza, e Breg, che invece è
battuto da venti più forti. Qui vengono
coltivate le varietà di uve più resistenti,
sottoposte poi a una vinificazione legata
all'antica tradizione locale. Dalle lunghe
macerazioni cui vengono sottoposte le uve
bianche che compongono la linea Miklus
derivano vini a dir poco singolari e intriganti
sia all'aspetto visivo sia a quello
organolettico. Tra questi c'è di sicuro la
Ribolla Natural Art '15, vino incredibile per
complessità olfattiva (dall'anice al cedro
candito) e dal palato sapido e lunghissimo.
Sorprendente anche il Friulano '19 che già
all'olfatto si distingue per gradevolezza,
tipicità e complessità, confermandosi in
pieno nell'assaggio.

○ Miklus Natural Art Ribolla Gialla '15	▼▼▼ 6
○ Collio Friulano '19	▼▼ 3*
○ Collio Pinot Grigio Miklus '17	▼▼ 6
○ Collio Ribolla Gialla '19	▼▼ 3
○ Collio Sauvignon '19	▼▼ 3
○ Collio Malvasia Miklus '10	♀♀♀ 7
○ Collio Malvasia '18	♀♀ 3
○ Collio Malvasia Miklus '16	♀♀ 5
○ Collio Malvasia Miklus '15	♀♀ 5
○ Collio Malvasia Miklus '14	♀♀ 4
○ Collio Malvasia Miklus '13	♀♀ 4
○ Collio Pinot Grigio Miklus '16	♀♀ 6
○ Collio Ribolla Gialla Miklus Natural Art '14	♀♀ 5
○ Collio Ribolla Gialla Miklus Natural Art '09	♀♀ 5
○ Ribolla Gialla Miklus '12	♀♀ 6

Drius

via Filanda, 100
34071 Cormòns [GO]
Tel. 048160998
www.drius.it

VENDITA DIRETTA
VISITA SU PRENOTAZIONE
PRODUZIONE ANNUA 55.000 bottiglie
ETTARI VITATI 17,00
AZIENDA SOSTENIBILE

Da quasi due secoli la famiglia Drius sta
dando esempio di coesione ed amore per
la terra nel comprensorio di Cormòns, a
cavallo tra le denominazioni Friuli Isonzo e
Collio. La figura di riferimento è sempre
Mauro Drius, vero artigiano del vino, ma la
nuova generazione scalpita ed è già pronta
a raccogliere il testimone. Al figlio Denis già
da alcuni anni è stata affidata la
responsabilità della vinificazione, ma è la
compattezza dell'intero nucleo familiare la
vera forza che mantiene l'azienda al vertice
delle migliori realtà regionali. La novità di
quest'anno è l'uscita di un nuovo vino, il
Friulano Sensar '18, caratterizzato da un
bel bouquet olfattivo e da un sorso
equilibrato, che si è subito messo in
evidenza meritandosi l'accesso alle finali.
Nel linguaggio locale significa "sensale" ed
è un omaggio a nonno Sergio, papà di
Mauro, fino a pochi anni fa parte attiva
dell'azienda, che da sempre ha ricoperto il
ruolo di mediatore nelle contrattazioni di
prodotti agricoli e di bestiame.

○ Friuli Isonzo Friulano Sensar '18	▼▼ 5
○ Collio Sauvignon '19	▼▼ 3
○ Friuli Isonzo Bianco Vignis di Siris '18	▼▼ 4
● Friuli Isonzo Cabernet Sauvignon '18	▼▼ 4
● Friuli Isonzo Merlot '18	▼▼ 4
○ Friuli Isonzo Malvasia '19	▼ 3
○ Collio Tocai Friulano '05	♀♀♀ 3*
○ Collio Tocai Friulano '02	♀♀♀ 2*
○ Friuli Isonzo Bianco Vignis di Siris '02	♀♀♀ 3*
○ Friuli Isonzo Friulano '07	♀♀♀ 3
○ Friuli Isonzo Malvasia '08	♀♀♀ 3*
○ Friuli Isonzo Pinot Bianco '09	♀♀♀ 3*
○ Friuli Isonzo Pinot Bianco '00	♀♀♀ 3*
○ Friuli Isonzo Bianco Vignis di Siris '16	♀♀ 3*
○ Friuli Isonzo Chardonnay '18	♀♀ 3*
○ Friuli Isonzo Pinot Bianco '18	♀♀ 3*

SOSTENIBILITÀ?
LA SOLUZIONE C'È:
I VITIGNI RESISTENTI
A PERONOSPORA
ED OIDIO!

FLEURTAI

NEWS 2020

KERSUS

NEWS 2020

PINOT ISKRA

SAUVIGNON KRETOS

SAUVIGNON NEPIS

SAUVIGNON RYTOS

SORELI

CABERNET EIDOS

CABERNET VOLOS

JULIUS

MERLOT KHANTUS

MERLOT KHORUS

NEWS 2020

PINOT KORS

NEWS 2020

VOLTURNIS

VCR®
VIVAI
COOPERATIVI
RAUSCEDO

L'innovazione in viticoltura

www.vivairauscedo.com

RCR
CRISTALLERIA ITALIANA

LUXION
eco
CRYSTAL GLASS

Il cristallo ecologico RCR è realizzato a zero emissioni, utilizzando energie rinnovabili e materie prime purissime. Un prodotto tutto italiano 100% riciclabile con caratteristiche di brillantezza, trasparenza e resistenza uniche, a prova di lavastoviglie.

- Più brillante e trasparente del normale vetro
- Ultra resistente
- Resiste oltre 4.000 lavaggi in lavastoviglie
- Prodotto in Italia a zero emissioni
- 100% Riciclabile

MADE IN **ITALY**

CONTRIBUTI E FINANZA AGEVOLATA

Un supporto fattivo a servizio delle PMI

COSA FACCIAMO

SUPPORTIAMO le imprese nell'informazione sui bandi attivi in materia di finanziamenti e/o contributi a fondo perduto, misure di finanza agevolata, incentivi alle imprese, fondi europei.

ASSISTIAMO operativamente le imprese nell'attivazione e nella **gestione pratica del processo** di accesso alle opportunità offerte dai bandi, dalla fase della richiesta a quella di liquidazione, curando tutto l'iter istruttorio e le successive fasi di rendicontazione e monitoraggio.

COME OPERIAMO

1
CHECK-UP E VERIFICA OPPORTUNITÀ
Compila il questionario informativo

2
INFORMAZIONE SUI BANDI DI INTERESSE
Ricevi l'elenco dei bandi per la tua impresa

3
SUPPORTO OPERATIVO
Seleziona il bando e ricevi il nostro supporto

GUIDA MONACI 150

1870 · 2020

Ermacora

FRAZ. IPPLIS
VIA SOLZAREDO, 9
33040 PREMARIACCO [UD]
TEL. 0432716250
www.ermacora.it

VENDITA DIRETTA
VISITA SU PRENOTAZIONE
PRODUZIONE ANNUA 230.000 bottiglie
ETTARI VITATI 69,00
AZIENDA SOSTENIBILE

Gli Ermacora, nel 1922, scelsero la collina di Ipplis per piantare le loro vigne, creando i presupposti per la produzione di vini di gran pregio. I fratelli Dario e Luciano gestiscono con successo un'azienda all'avanguardia, solida e affidabile, che negli ultimi anni è stata oggetto di un sensibile ampliamento con l'acquisizione di ulteriori vigneti nei cru di Bostonat (Buttrio) e Montsclapade (Orsaria). Lavorando con impeccabile sinergia, riescono ad imprimere ai propri vini una caratteristica che li rende unici, pur mantenendo la tipicità e le sfumature varietali. Nonostante l'ottima prestazione di tutti i vini di annata, tra i quali segnaliamo il Pinot Bianco '19, le prime posizioni sono occupate da due vini frutto di vendemmie precedenti. Il Picolit '16, fitto e succoso all'assaggio, ricorda la crostata di albicocche, l'uva passa, il cioccolato bianco e il miele. Il Pignolo '14 regala generosi profumi di spezie scure, amarene macerate e polvere di cacao, avvolge il palato e ha lunga persistenza.

○ COF Picolit '16	♟♟	6
● FCO Pignolo '14	♟♟	5
○ FCO Friulano '19	♟♟	3
○ FCO Pinot Bianco '19	♟♟	3
○ FCO Pinot Grigio '19	♟♟	3
○ FCO Ribolla Gialla '19	♟♟	3
● FCO Rosso Rîul '16	♟♟	4
○ FCO Sauvignon '19	♟♟	3
● FCO Schioppettino '18	♟♟	3
● FCO Merlot '18	♟	3
● COF Pignolo '00	♟♟♟	5
○ COF Picolit '14	♟♟	6
○ FCO Friulano '18	♟♟	3
○ FCO Pinot Bianco '18	♟♟	3*
○ FCO Pinot Bianco '17	♟♟	3*
○ FCO Ribolla Gialla '18	♟♟	3
○ FCO Ribolla Gialla '17	♟♟	3

Fantinel

FRAZ. TAURIANO
VIA TESIS, 8
33097 SPILIMBERGO [PN]
TEL. 0427591511
www.fantinel.com

VENDITA DIRETTA
VISITA SU PRENOTAZIONE
RISTORAZIONE
PRODUZIONE ANNUA 5.000.000 bottiglie
ETTARI VITATI 300,00
AZIENDA SOSTENIBILE

La famiglia Fantinel può contare su 300 ettari vitati di proprietà; è quindi una delle più grandi realtà produttive regionali. Mario Fantinel, nel 1969, acquistò alcuni vigneti a Dolegna del Collio per produrre vini destinati a soddisfare le richieste dei clienti dell'albergo-ristorante che gestiva in Carnia. Le generazioni successive ne seguirono l'esempio, ampliando il patrimonio di famiglia che ora è formato da tre realtà ben distinte: la Tenuta Sant'Helena a Vencò, nel Collio, La Roncaia a Nimis, nei Colli Orientali, e Borgo Tesis a Tauriano di Spilimbergo. La ricca gamma composta da vini bianchi, rossi e spumanti permette una panoramica completa sull'offerta, e lo scarto minimo tra i punteggi ne attesta la validità. Anche se di poco, le nostre preferenze sono ricadute sugli uvaggi aziendali: il Venkò Sant'Helena '13 (merlot, cabernet franc e pinot nero) e il Frontiere Sant'Helena '17 (tocai friulano, pinot bianco e chardonnay), entrambi complessi all'olfatto e coinvolgenti al palato.

○ Collio Bianco Frontiere Sant'Helena '17	♟♟	4
● Collio Rosso Venko Sant'Helena '13	♟♟	4
○ Collio Sauvignon Sant'Helena '19	♟♟	3
○ Prosecco Brut One&Only '19	♟♟	3
● Refosco P. R. '14	♟♟	3
○ Sant'Helena Ribolla Gialla '19	♟♟	3
⊙ Brut Rosé One & Only '19	♟	3
○ Collio Pinot Grigio Sant'Helena '19	♟	3
○ Ribolla Gialla Brut	♟	3
● Cabernet Sauvignon '14	♟♟	3
○ Collio Friulano Sant'Helena '18	♟♟	3
○ Collio Friulano Sant'Helena '17	♟♟	3
○ Collio Pinot Grigio Sant'Helena '18	♟♟	3
○ Collio Sauvignon Sant'Helena '18	♟♟	3
○ Ribolla Gialla Sant'Helena '18	♟♟	3

★★Livio Felluga

FRAZ. BRAZZANO
VIA RISORGIMENTO, 1
34071 CORMÒNS [GO]
TEL. 048160052
www.liviofelluga.it

VISITA SU PRENOTAZIONE
PRODUZIONE ANNUA 800.000 bottiglie
ETTARI VITATI 170,00
AZIENDA SOSTENIBILE

Livio Felluga è sempre stato un punto di riferimento nella viticoltura friulana e ha lasciato un'eredità importante ai quattro figli, un'eredità fatta di tradizione, di amore per la terra, di sfide quotidiane. Negli anni '50 del secolo scorso, con felice intuizione, fu il promotore di un'iniziativa impensabile a quei tempi in Italia: produrre grandi vini bianchi. Ora l'azienda vanta un'importante estensione collinare soprattutto nella denominazione Friuli Colli Orientali, arricchita con l'acquisizione della storica Abbazia di Rosazzo. Tra i vini dell'ultima annata, il Sauvignon '19 ha dimostrato uno strapotere sorprendente che lo colloca tra i migliori della sua tipologia. Conquista l'olfatto con note floreali di tiglio e magnolia, oltre che di pompelmo, ananas e papaia, e in bocca è vibrante, quasi esplosivo. L'Abbazia di Rosazzo '17 (tocai friulano, pinot bianco, sauvignon, malvasia e ribolla gialla) al naso è complesso ed elegante, mentre all'assaggio è morbido e agrumato.

Marco Felluga

VIA GORIZIA, 121
34072 GRADISCA D'ISONZO [GO]
TEL. 048199164
www.marcofelluga.it

VENDITA DIRETTA
VISITA SU PRENOTAZIONE
RISTORAZIONE
PRODUZIONE ANNUA 600.000 bottiglie
ETTARI VITATI 100,00
AZIENDA SOSTENIBILE

Marco Felluga, oggi ultranovantenne, nel 1956 fondò l'azienda che ancora porta il suo nome. Oggi l'azienda è gestita dal figlio Roberto, che rappresenta la quinta generazione di una dinastia di viticoltori iniziata in Istria nella seconda metà dell'Ottocento. Marco fu un grande innovatore, per via di tutte le iniziative che intraprese a favore del Collio goriziano. Una reputazione ora condivisa con Roberto che, sempre con maggior impegno, sostiene il progetto di valorizzazione della longevità dei vini bianchi regionali, selezionando alcune partite dedicate alle riserve. Il Pinot Grigio Mongris Riserva '17 marcia in prima fila verso le vette dell'eccellenza. Raffinati cenni di piccola pasticceria impreziosiscono un ventaglio olfattivo che richiama toni di agrumi, burro d'alpeggio, fiori gialli appassiti e miele millefiori. In bocca è morbido, avvolgente e sapido e chiude con un epilogo vibrante. Ottimo anche il Molamatta '17 (pinot bianco, tocai friulano e ribolla gialla), energico e concreto.

○ FCO Sauvignon '19	▽▽ 4
○ Rosazzo Abbazia di Rosazzo '17	▽▽ 6
○ FCO Friulano '19	▽▽ 4
○ FCO Pinot Grigio '19	▽▽ 4
● FCO Refosco P. R. '16	▽▽ 4
○ FCO Ribolla Gialla '19	▽▽ 4
○ COF Bianco Illivio '10	▽▽▽ 5
○ COF Rosazzo Bianco Terre Alte '09	▽▽▽ 7
○ COF Rosazzo Bianco Terre Alte '08	▽▽▽ 7
○ COF Rosazzo Bianco Terre Alte '07	▽▽▽ 7
○ COF Rosazzo Bianco Terre Alte '06	▽▽▽ 6
○ FCO Bianco Illivio '14	▽▽▽ 5
○ Rosazzo Terre Alte '17	▽▽▽ 7
○ Rosazzo Terre Alte '16	▽▽▽ 7
○ Rosazzo Terre Alte '12	▽▽▽ 7
○ Rosazzo Terre Alte '11	▽▽▽ 7
○ Terre Alte '87	▽▽▽ 7

○ Collio Pinot Grigio Mongris Ris. '17	▽▽ 5
○ Collio Bianco Molamatta '17	▽▽ 5
○ Collio Chardonnay '19	▽▽ 3
○ Collio Friulano Amani '19	▽▽ 3
○ Collio Ribolla Gialla Maralba '19	▽▽ 3
● Collio Rosso Carantan '15	▽▽ 5
● Ronco dei Moreri Refosco P. R. '15	▽▽ 4
○ Collio Pinot Grigio Mongris Ris. '16	▽▽▽ 5
○ Collio Bianco Molamatta '15	▽▽▽ 5
○ Collio Friulano '16	▽▽ 3*
○ Collio Friulano Amani '18	▽▽ 3
○ Collio Pinot Grigio Mongris '17	▽▽ 5
○ Collio Pinot Grigio Mongris Ris. '13	▽▽ 5
○ Collio Pinot Grigio Mongris Ris. '12	▽▽ 5
○ Collio Pinot Grigio Mongris Ris. '11	▽▽ 6
○ Collio Ribolla Gialla Maralba '18	▽▽ 3

Feudi di Romans

FRAZ. PIERIS
VIA CÀ DEL BOSCO, 16
34075 SAN CANZIAN D'ISONZO [GO]
TEL. 048176445
www.ifeudidiromans.it

VENDITA DIRETTA
PRODUZIONE ANNUA 500.000 bottiglie
ETTARI VITATI 70,00

I Feudi di Romans, rilevati da Enzo Lorenzon agli inizi degli anni 90, costituiscono una delle più importanti realtà produttive della denominazione Friuli Isonzo. Enzo è una figura carismatica, il fulcro dell'azienda che ancora gestisce assieme ai figli Davide e Nicola. É la classica azienda a conduzione familiare che si basa sul rapporto di rispetto e di fiducia creato negli anni con l'intero entourage dei collaboratori. Una filosofia mirata alla sostenibilità e alla riduzione degli sprechi, che adotta un metodo di viticoltura rispettosa dell'ambiente. Da qualche vendemmia, la palma di vino bandiera dell'azienda è ricaduta sull'uvaggio bianco denominato Sontium, dall'antico nome del fiume Isonzo che scorre ai limiti della tenuta. Anche quest'anno, infatti, il Sontium '18 (pinot bianco, tocai friulano e malvasia istriana con un tocco di traminer aromatico) guadagna i punteggi migliori. Si distingue per l'eleganza del profumo e, soprattutto, per il sorso cremoso e nel contempo snello.

○ Friuli Isonzo Bianco Sontium '18	♈♈	5
○ Friuli Isonzo Malvasia '19	♈♈	3
○ Friuli Isonzo Pinot Grigio '19	♈♈	3
● Friuli Isonzo Pinot Nero '18	♈♈	3
● Friuli Isonzo Refosco P. R. '18	♈♈	3
○ Friuli Isonzo Sauvignon '19	♈♈	3
○ Friuli Isonzo Pinot Bianco '19	♈	3
○ Ribolla Gialla '19	♈	3
○ Friuli Isonzo Bianco Sontium '17	♈♈	5
○ Friuli Isonzo Bianco Sontium '16	♈♈	5
○ Friuli Isonzo Malvasia '18	♈♈	3
○ Friuli Isonzo Pinot Bianco '18	♈♈	3
○ Friuli Isonzo Pinot Bianco '17	♈♈	3
○ Friuli Isonzo Pinot Grigio '18	♈♈	3
○ Friuli Isonzo Sauvignon '18	♈♈	3

Fiegl

FRAZ. OSLAVIA
LOC. LENZUOLO BIANCO, 1
34170 GORIZIA
TEL. 0481547103
www.fieglvini.com

VENDITA DIRETTA
VISITA SU PRENOTAZIONE
PRODUZIONE ANNUA 180.000 bottiglie
ETTARI VITATI 30,00
AZIENDA SOSTENIBILE

Sul Collio goriziano la frazione di Oslavia, in località Lenzuolo Bianco, ospita parecchie aziende prestigiose del panorama vitivinicolo regionale. È zona di confine, martoriata da eventi bellici, che ha forgiato generazioni di contadini orgogliosi della loro terra e dei loro vigneti. Qui vive ed opera da oltre due secoli la famiglia Fiegl. Anche la nuova generazione formata da Martin, Robert e Matej ha sposato la filosofia aziendale, che si basa su basse rese ed uso di prodotti eco-compatibili, nel totale rispetto della natura, riducendo al minimo l'impatto ambientale. La ricca campionatura che ci viene sempre messa a disposizione permette di apprezzare l'intera linea produttiva, sempre molto convincente, ma anche quest'anno i migliori risultati li ha ottenuti il vino della tradizione locale: la Ribolla Gialla Oslavia '18. Intrigante sia nell'aspetto che nel profumo, regala profumi intriganti e all'assaggio è progressiva, con ottima spinta finale.

○ Ribolla Gialla di Oslavia '18	♈♈	5
○ Collio Friulano '19	♈♈	3
○ Collio Malvasia '19	♈♈	3
● Collio Merlot Leopold '13	♈♈	3
○ Collio Pinot Bianco '19	♈♈	3
○ Collio Ribolla Gialla '19	♈♈	3
● Collio Rosso Leopold Cuvée Rouge '14	♈♈	5
○ Collio Sauvignon '19	♈♈	3
○ Fiegl Brut Rosé M. Cl.	♈♈	5
○ Collio Pinot Grigio '19	♈	3
○ Collio Friulano '15	♈♈♈	3*
○ Collio Pinot Grigio '04	♈♈♈	2*
○ Collio Chardonnay '17	♈♈	3*
○ Collio Friulano '16	♈♈	3*
○ Collio Ribolla Gialla Oslavia '14	♈♈	5
○ Ribolla Gialla di Oslavia '17	♈♈	5

Gigante

VIA ROCCA BERNARDA, 3
33040 CORNO DI ROSAZZO [UD]
TEL. 0432755835
www.adrianogigante.it

VENDITA DIRETTA
VISITA SU PRENOTAZIONE
OSPITALITÀ
PRODUZIONE ANNUA 100.000 bottiglie
ETTARI VITATI 25,00

Il nome di Adriano Gigante è legato a quello del suo più noto vigneto, denominato "Storico", piantato a tocai friulano, che dette origine all'azienda e che ancor oggi rappresenta il fiore all'occhiello di questa splendida realtà. La sua bella azienda svetta sulla celeberrima Rocca Bernarda, culla di numerosi nuclei familiari dediti alla vitivinicoltura. Coadiuvato dalla moglie Giuliana nella gestione aziendale e dal cugino Ariedo nei vigneti e nelle pratiche di cantina, Adriano continua la tradizione familiare con una linea di vini di altissima qualità. Quest'anno la proposta dei vini si è limitata a una selezione di bianchi, tutti dell'ultima vendemmia ad eccezione dello Storico & Friends '18, un blend di vitigni autoctoni (tocai friulano, malvasia istriana e ribolla gialla) che vuol essere ambasciatore delle peculiarità del territorio. Ha un sorso pieno e un profumo articolato di fiori gialli, erbe aromatiche, agrumi e ananas.

○ FCO Bianco Storico & Friends '18	♟♟	5
○ FCO Chardonnay '19	♟♟	3
○ FCO Friulano '19	♟♟	3
○ FCO Pinot Grigio '19	♟♟	3
○ FCO Ribolla Gialla '19	♟♟	3
○ FCO Sauvignon '19	♟♟	3
○ Friuli Malvasia '19	♟♟	3
○ COF Tocai Friulano Vign. Storico '06	♟♟♟	4
○ COF Tocai Friulano Vign. Storico '05	♟♟♟	4
○ COF Tocai Friulano Vign. Storico '03	♟♟♟	4
○ FCO Picolit '08	♟♟♟	6
○ FCO Friulano Vign. Storico '17	♟♟	4
● FCO Pignolo Ris. '09	♟♟	5
● FCO Refosco P. R. Ris. '13	♟♟	3*
○ FCO Sauvignon '16	♟♟	3*
○ Friuli Malvasia '18	♟♟	3*

Gori Wines

VIA G.B. GORI, 14
33045 NIMIS [UD]
TEL. 0432878475
www.goriagricola.it

VENDITA DIRETTA
VISITA SU PRENOTAZIONE
PRODUZIONE ANNUA 50.000 bottiglie
ETTARI VITATI 15,00
VITICOLTURA Biologico Certificato

Gianpiero Gori, Piero per gli amici, è l'artefice di questa recente realtà che nobilita il comprensorio di Nimis, nella zona più occidentale della denominazione Friuli Colli Orientali, a ridosso delle Prealpi Carniche. Affidandosi ad uno staff di grande valore, Gori ha bruciato le tappe e ora la sua azienda si colloca tra quelle leader del territorio. La cantina è ospitata in una struttura architettonicamente moderna e ricercata, composta da tre piani interrati che consentono di sfruttare appieno il fattore gravità nella vinificazione. Per scelta aziendale, a tutti i vini bianchi viene concesso un periodo abbastanza lungo di affinamento in bottiglia. Ne traggono giovamento l'aspetto olfattivo, per l'amalgama dei profumi, e soprattutto la pienezza del sorso e l'avvolgenza al palato. Il Pinot Nero Nemas I '16 testimonia la vocazione di questo lembo del Friuli per questo vitigno, mentre il Ramandolo OrodiNemas '17 gioca in casa e sfrutta il fattore campo esaltando le potenzialità del verduzzo giallo.

○ FCO Chardonnay Giù Giù '18	♟♟	3
○ FCO Friulano Bonblanc '18	♟♟	3
● FCO Pinot Nero Nemas I '16	♟♟	3
○ FCO Ribolla Gialla Blanc di Bianca '18	♟♟	3
○ FCO Sauvignon Busseben '18	♟♟	3
○ Ramandolo OrodiNemas '17	♟♟	5
○ FCO Chardonnay Giùgiù '17	♟♟	3
○ FCO Chardonnay Giùgiù '16	♟♟	3
○ FCO Friulano Bonblanc '17	♟♟	3*
○ FCO Friulano Bonblanc '16	♟♟	3
● FCO Pinot Nero Nemas I° '15	♟♟	3
○ FCO Sauvignon Busseben '17	♟♟	3
○ FCO Sauvignon Busseben '16	♟♟	3
● FCO Schioppettino TitaG '16	♟♟	3
○ Ramandolo OrodiNemas '16	♟♟	4
○ Ramandolo OrodiNemas '15	♟♟	4

Gradis'ciutta

Loc. Giasbana, 10
34070 San Floriano del Collio [GO]
Tel. 0481390237
www.gradisciutta.eu

VENDITA DIRETTA
VISITA SU PRENOTAZIONE
PRODUZIONE ANNUA 100.000 bottiglie
ETTARI VITATI 20,00

Robert Princic è il proprietario di questa
bella azienda da lui stesso fondata nel
1997 quando, al termine degli studi
enologici, decise di affiancare il padre
Isidoro nella conduzione dell'azienda
familiare. I Princic producevano vino a
Kosana, nella vicina Slovenia, fin dal 1780.
Il tramonto asburgico, la Grande Guerra e
la mezzadria portarono il bisnonno Filip a
stabilirsi nei dintorni di San Floriano del
Collio. Alcuni vigneti adiacenti alla sede
aziendale ospitano viti di oltre ottant'anni,
un patrimonio unico salvaguardato con
scrupolosità. Quest'anno i punteggi migliori
sono andati al Collio Bianco Riserva '16,
prodotto con i vitigni più rappresentativi del
territorio (tocai friulano, malvasia istriana e
ribolla gialla). Sottoposto a un lungo periodo
di affinamento, si presenta con sfumature
dorate e con profumi evoluti di fiori di
campo, erbe officinali, frutta candita e
miele, per poi accarezzare il palato di sorso
in sorso con gradevoli accenni balsamici.

○ Collio Bianco Ris. '16	♟♟	5
○ Collio Chardonnay '19	♟♟	3
○ Collio Friulano '19	♟♟	3
○ Collio Malvasia '19	♟♟	3
○ Collio Pinot Grigio '19	♟♟	3
○ Collio Sauvignon '19	♟♟	3
● Monsvini '15	♟♟	5
○ Collio Ribolla Gialla '19	♟	3
○ Collio Bianco Bratinis '16	♟♟	3
○ Collio Bianco Ris. '15	♟♟	4
○ Collio Chardonnay '18	♟♟	3*
○ Collio Friulano '18	♟♟	3
○ Collio Friulano '17	♟♟	3
○ Collio Malvasia '18	♟♟	3
○ Collio Malvasia '17	♟♟	3*
○ Collio Pinot Grigio '18	♟♟	3

Iole Grillo

via Albana, 60
33040 Prepotto [UD]
Tel. 0432713201
www.vinigrillo.it

VENDITA DIRETTA
VISITA SU PRENOTAZIONE
OSPITALITÀ
PRODUZIONE ANNUA 40.000 bottiglie
ETTARI VITATI 9,00

Il bel portale di una villa settecentesca fa
da ingresso all'azienda di Iole Grillo, gestita
ormai da molti anni dalla figlia Anna
Muzzolini, energica imprenditrice e donna
del vino. Nata nel segno dello
schioppettino, vitigno principe di questo
territorio, l'azienda ha poi assunto una
propria identità enologica sempre aperta
all'innovazione. Anna ama seguire
personalmente tutte le varie fasi del ciclo
produttivo, potendo contare sulla
collaborazione del marito Andrea e sulle
ormai collaudate capacità di uno staff
tecnico di alto livello professionale. Anche
quest'anno l'intera gamma si è resa
protagonista di un'ottima prestazione di
squadra. Il Sauvignon '18 si è ripetuto sugli
alti livelli della scorsa edizione e si è
riconquistato l'accesso alle selezioni finali.
Si esalta al naso coi sentori varietali di
salvia, ortica, bosso, peperone verde e
litchi, ma è soprattutto l'eleganza
dell'assaggio a sorprendere e conquistare.

○ FCO Il Sauvignon '18	♟♟	4
○ FCO Friulano '19	♟♟	3
● FCO Merlot Ris. '17	♟♟	3
○ FCO Ribolla Gialla '19	♟♟	3
○ FCO Sauvignon '19	♟♟	3
● FCO Schioppettino di Prepotto '17	♟♟	3
○ FCO Verduzzo Friulano '17	♟♟	3
● FCO Cabernet Sauvignon '15	♟♟	3
○ FCO Friulano '18	♟♟	3
○ FCO Friulano '17	♟♟	3
○ FCO Il Sauvignon '17	♟♟	4
● FCO Merlot Ris. '15	♟♟	3
○ FCO Ribolla Gialla '18	♟♟	3
○ FCO Sauvignon '18	♟♟	3
○ FCO Sauvignon '17	♟♟	3
● FCO Schioppettino di Prepotto '16	♟♟	3
● Rosso Duedonne	♟♟	3

Albano Guerra

LOC. MONTINA
V.LE KENNEDY, 39A
33040 TORREANO [UD]
TEL. 0432715479
www.guerraalbano.it

VENDITA DIRETTA
VISITA SU PRENOTAZIONE
PRODUZIONE ANNUA 65.000 bottiglie
ETTARI VITATI 11,00

Da sempre la famiglia Guerra coltiva i terreni collinari di Montina di Torreano, nel settentrione dell'attuale denominazione Friuli Colli Orientali, ma la svolta ebbe inizio nel 1931, quando Albano Guerra formalizzò la fondazione aziendale. Dal 1997 questa bella realtà del panorama vitivinicolo regionale è gestita da Dario Guerra, che si occupa in prima persona sia delle pratiche enologiche sia di quelle agronomiche, praticando una viticoltura convenzionale basata sulla salvaguardia e sulla sostenibilità ambientale, assecondando la natura e riducendo al massimo gli interventi. Il Merlot '18 raggiunge il traguardo delle selezioni finali. Si presenta con note speziate, liquirizia e amarena ben amalgamate, e con un tannino contenuto ma vivido che snellisce l'assaggio. Il Friulano '19 emana un intenso profumo di fiori di campo, camomilla, albicocca e mandorla ed il sorso è pieno e saporito. Ottimo anche il Gritul Ris. '13 (refosco, merlot e pignolo).

● FCO Merlot '18	♟♟	2*
○ FCO Friulano '19	♟♟	2*
○ FCO Malvasia '19	♟♟	2*
○ FCO Pinot Grigio '19	♟♟	2*
○ FCO Ribolla Gialla '19	♟♟	2*
● FCO Rosso Gritul Ris. '13	♟♟	4
○ FCO Sauvignon '19	♟♟	2*
○ FCO Friulano '18	♟♟	2*
● FCO Pignolo Matteo I '10	♟♟	5
● FCO Refosco P. R. Ris. '16	♟♟	3
● FCO Rosso Gritul Ris. '11	♟♟	4
○ FCO Sauvignon '18	♟♟	2*
○ Ribolla Gialla Brut Giuliet M. Cl. '16	♟♟	3*

Jacùss

FRAZ. MONTINA
V.LE KENNEDY, 35A
33040 TORREANO [UD]
TEL. 0432715147
www.jacuss.it

VENDITA DIRETTA
VISITA SU PRENOTAZIONE
PRODUZIONE ANNUA 50.000 bottiglie
ETTARI VITATI 11,00

Jacùss è l'espressione friulana del cognome di Sandro e Andrea Iacuzzi, che nel 1990 fondarono l'azienda sposando la tendenza che in quegli anni indusse molte famiglie contadine a convertire i propri terreni da coltura mista a vigneto specializzato. Ancorati ai dettami dei loro avi, scelsero le varietà più consone alle caratteristiche peculiari di ciascun appezzamento e provvidero ad un sostanziale ammodernamento delle forme si allevamento. I risultati non si fecero attendere, e permisero ai due fratelli di distinguersi nel già affollato comprensorio cividalese. Tra i vini di annata si sono distinti il Sauvignon '19 e il Pinot Bianco '19, naturalmente molto diversi tra di loro ma entrambi molto eleganti al naso. Il primo effonde fresche folate di frutta acerba e mentuccia con accenni floreali di magnolia che accompagnano l'assaggio, mentre il secondo emana un delizioso profumo di gelsomino, cioccolato bianco e fieno maturo, accarezza il palato con note vellutate e chiude delicatamente.

○ COF Picolit '13	♟♟	6
○ FCO Friulano '19	♟♟	3
○ FCO Pinot Bianco '19	♟♟	3
● FCO Refosco P. R. '15	♟♟	3
○ FCO Sauvignon '19	♟♟	3
● FCO Schioppettino Fuc e Flamis '18	♟♟	3
○ FCO Verduzzo Friulano '17	♟♟	3
○ Friulano Forment '18	♟♟	3
○ Bianco Forment '15	♟♟	3*
● FCO Cabernet Sauvignon '16	♟♟	3
○ FCO Friulano '18	♟♟	3
● FCO Merlot '15	♟♟	3
○ FCO Pinot Bianco '18	♟♟	3
○ FCO Sauvignon '18	♟♟	3
● FCO Tazzelenghe '14	♟♟	3

★★★Jermann

FRAZ. RUTTARS
LOC. TRUSSIO, 11
34072 DOLEGNA DEL COLLIO [GO]
TEL. 0481888080
www.jermann.it

VENDITA DIRETTA
PRODUZIONE ANNUA 900.000 bottiglie
ETTARI VITATI 170,00
AZIENDA SOSTENIBILE

Era il XVIII secolo quando Stefanus migrò
dal Burgenland austriaco al villaggio di
Bilijana, ora in Slovenia. Successivamente
nel 1881 Anton Jermann, bisnonno di Silvio,
si trasferì a Villanova e intraprese l'attività
vitivinicola che, negli anni Settanta del
secolo scorso, ebbe una svolta epocale
grazie alla genialità e alla fantasia di Silvio.
È un'azienda che dialoga ogni giorno con il
mondo, ma l'attenzione verso ciò che fa
grande un vino non viene mai a mancare.
Nella nuova cantina l'innovazione
tecnologica è sapientemente integrata con
la tradizione architettonica. Nel testa a
testa tra il Vintage Tunina '18 e il Capo
Martino '18 l'ha spuntata il secondo, che si
è aggiudicato i Ire Bicchieri di quest'anno.
Uvaggio di soli vitigni autoctoni (malvasia
istriana, picolit, ribolla gialla e tocai friulano),
e quindi vera espressione del territorio, si
presenta con un bouquet floreale di rara
eleganza e ricorda pure una macedonia di
frutta fresca ed esotica in splendida
armonia. Chapeau.

○ Capo Martino '18	▼▼▼	7
○ Vintage Tunina '18	▼▼	7
○ W.... Dreams.... '18	▼▼	8
○ Chardonnay '19	▼▼	4
○ Pinot Grigio '19	▼▼	4
● Red Angel Pinot Nero '17	▼▼	4
○ Sauvignon '19	▼▼	4
○ Vinnae Ribolla Gialla '19	▼▼	4
○ Capo Martino '16	♈♈♈	7
○ Capo Martino '10	♈♈♈	7
○ Pinot Grigio '15	♈♈♈	4*
○ Vintage Tunina '17	♈♈♈	7
○ Vintage Tunina '15	♈♈♈	7
○ Vintage Tunina '13	♈♈♈	6
○ Vintage Tunina '12	♈♈♈	6
○ Vintage Tunina '11	♈♈♈	6
○ W... Dreams... ... '12	♈♈♈	8

★Edi Keber

LOC. ZEGLA, 17
34071 CORMÒNS [GO]
TEL. 048161184
www.edikeber.it

VENDITA DIRETTA
VISITA SU PRENOTAZIONE
OSPITALITÀ
PRODUZIONE ANNUA 50.000 bottiglie
ETTARI VITATI 12,00

Keber è sinonimo di Collio. Sono ormai
trascorsi più di dieci anni da quando
rendemmo nota la sua decisione di
produrre un solo vino, un solo vino bianco
che avrebbe chiamato semplicemente
Collio. Il suo non fu che un ritorno alle
origini, in quanto un tempo non vi era la
cultura di produrre vini monovitigno, come
avviene ora. Tocai friulano, malvasia istriana
e ribolla gialla venivano vinificati assieme, e
il risultato ora una complessità stilistica che
sottolineava l'identità territoriale di questa
terra. Nella scorsa edizione definimmo
coraggiosa la scelta aziendale di
posticipare di un anno l'uscita dell'unico
vino bianco prodotto. Coraggiosa ma
ponderata, con evidenti effetti benefici
sull'equilibrio dei profumi e sull'armonia del
sorso. Il Collio '18 sprigiona deliziosi effluvi
floreali di gelsomino e acacia e ricorda lo
sfalcio dell'erba fresca dei prati di
montagna, ricca di fiori e di erbe
spontanee. In bocca è incisivo, fragrante
e progressivo.

○ Collio '18	▼▼▼	3*
○ Collio Bianco '10	♈♈♈	3*
○ Collio Bianco '09	♈♈♈	3
○ Collio Bianco '08	♈♈♈	3*
○ Collio Bianco '04	♈♈♈	3*
○ Collio Bianco '02	♈♈♈	3
○ Collio Tocai Friulano '07	♈♈♈	3
○ Collio Tocai Friulano '06	♈♈♈	3
○ Collio Tocai Friulano '05	♈♈♈	3
○ Collio Tocai Friulano '03	♈♈♈	3*
○ Collio Tocai Friulano '01	♈♈♈	3
○ Collio Tocai Friulano '99	♈♈♈	3*
○ Collio Tocai Friulano '97	♈♈♈	3*
○ Collio Tocai Friulano '95	♈♈♈	3*

Alessio Komjanc

LOC. GIASBANA, 35
34070 SAN FLORIANO DEL COLLIO [GO]
TEL. 0481391228
www.komjancalessio.com

VENDITA DIRETTA
VISITA SU PRENOTAZIONE
PRODUZIONE ANNUA 80.000 bottiglie
ETTARI VITATI 24,00
AZIENDA SOSTENIBILE

L'obiettivo dichiarato da Alessio Komjanc nel 1973, quando fondò l'azienda, era quello di produrre vini e olio di altissima qualità. Lo stesso obiettivo che ora si pongono i suoi quattro figli Beniamin, Roberto, Patrik e Ivani, impegnati con costanza e dedizione nella scalata verso le vette dell'eccellenza. Vette che già si intravedono grazie al balzo qualitativo delle ultime annate, in cui lo zampino di Gianni Menotti è stato determinante. Una consulenza che è un valore aggiunto ad una linea di prodotti sempre all'altezza dei grandi vini del Collio. Il Friulano '19 e il Pinot Nero Dedica '17 hanno ripetuto la splendida prestazione dello scorso anno e si sono aggiudicati l'accesso alle finali in bella compagnia con il Pinot Bianco '19, molto raffinato, floreale, morbido e cremoso. Sono la punta d'iceberg di una serie di vini accomunati da una precisa rispondenza con le caratteristiche varietali, una perfetta nitidezza nel sorso e un equilibrio esemplare.

○ Collio Friulano '19	♟♟	3*
○ Collio Pinot Bianco '19	♟♟	3*
● Pinot Nero Dedica '17	♟♟	4
○ Collio Bianco Bratje '15	♟♟	3
○ Collio Chardonnay '19	♟♟	3
● Collio Merlot '16	♟♟	3
○ Collio Sauvignon '19	♟♟	3
○ Malvasia '19	♟♟	2*
○ Collio Ribolla Gialla '19	♟	3
○ Collio Friulano '18	♟♟	3*
○ Collio Friulano '16	♟♟	3*
○ Collio Pinot Grigio '17	♟♟	2*
○ Malvasia Istriana '15	♟♟	3*
● Pinot Nero Dedica '16	♟♟	4

Kurtin

LOC. NOVALI, 12
34071 CORMÒNS [GO]
TEL. 3488672297
www.kurtin.it

VENDITA DIRETTA
VISITA SU PRENOTAZIONE
PRODUZIONE ANNUA 65.000 bottiglie
ETTARI VITATI 10,00

Il giovanissimo Alessio Kurtin rappresenta la quarta generazione di una famiglia di vignaioli che dal 1906 opera in località Novali, nel cuore del Collio. Sua è la responsabilità della conduzione agronomica dei vigneti, mentre la gestione aziendale è curata da un gruppo societario che si è assunto il compito della valorizzazione del marchio provvedendo al restyling delle etichette e rilanciando l'immagine globale. In cantina le pratiche enologiche sono affidate alla collaudata esperienza di Isacco Curtarello. I vini marcano una profonda espressione territoriale. Il Collio Bianco Opera Prima '17 (pinot bianco, chardonnay e ribolla gialla) si presenta con smaglianti riflessi dorati e profuma di zagara, mela golden, anice, miele d'acacia e amaretto. In bocca è succoso e al tempo stesso fragrante, simmetrico, ben bilanciato. Il Sauvignon '19 marca molto il bosco, il peperone e l'alloro, aromi che si rispecchiano all'assaggio. Il Friulano '19, nella sua semplicità, regala un sorso appagante.

○ Collio Bianco Opera Prima '17	♟♟	3
○ Collio Friulano '19	♟♟	3
● Collio Rosso '16	♟♟	3
○ Collio Sauvignon '19	♟♟	3
● Diamante Nero '17	♟♟	3
○ Risposta 110 Ribolla Gialla Brut	♟♟	3
○ Collio Ribolla Gialla '19	♟	3
○ Collio Bianco Opera Prima '16	♟♟	3
○ Collio Friulano '18	♟♟	3
○ Collio Friulano '17	♟♟	3
○ Collio Ribolla Gialla '18	♟♟	3
● Collio Rosso '15	♟♟	3
● Collio Rosso '08	♟♟	4
○ Collio Sauvignon '18	♟♟	3
● Diamante Nero '16	♟♟	3
○ Opera Prima Bianco '11	♟♟	3*

Vigneti Le Monde

LOC. LE MONDE
VIA GARIBALDI, 2
33080 PRATA DI PORDENONE [PN]
TEL. 0434622087
www.lemondewine.com

VENDITA DIRETTA
VISITA SU PRENOTAZIONE
PRODUZIONE ANNUA 700.000 bottiglie
ETTARI VITATI 85,00
AZIENDA SOSTENIBILE

L'azienda, fondata nel 1970, è stata rilevata da Alex Maccan nel 2008. La località Le Monde, che si colloca tra le sponde dei fiumi Livenza e Meduna, al confine con il Veneto, è considerata un vero e proprio cru dove i terreni perlopiù calcareo-argillosi si differenziano molto da quelli ghiaiosi della pianura friulana. Le rese per ettaro sono bassissime e l'età media delle viti supera i trent'anni. Le capacità imprenditoriali di Alex hanno proiettato l'azienda ai vertici dell'eccellenza regionale. Confrontando le prestazioni delle ultime dieci annate salta subito all'occhio un indiscusso vino leader, che concorre al successo dell'intera compagine aziendale: il Pinot Bianco '19, che fa dell'eleganza la sua miglior virtù e riconquista i nostri Tre Bicchieri. Inoltre, per noi è il Miglior Rapporto Qualità Prezzo di questa edizione della Guida. Potenza e cremosità caratterizzano invece il Pratum '17 (chardonnay, sauvignon e pinot bianco), che regala all'olfatto note dolci di miele e pasticceria.

○ Friuli Pinot Bianco '19	♟♟♟	3*
○ Pratum Ris. '17	♟♟	4
○ Friuli Chardonnay '19	♟♟	3
● Friuli Grave Rosso Inaco Ris. '17	♟♟	4
● Friuli Merlot .73 '18	♟♟	3
○ Friuli Pinot Grigio '19	♟♟	2*
● Friuli Refosco P. R. '18	♟♟	3
○ Friuli Friulano '19	♟	2
○ Friuli Chardonnay '17	♟♟♟	3*
○ Friuli Grave Pinot Bianco '15	♟♟♟	2*
○ Friuli Grave Pinot Bianco '14	♟♟♟	2*
○ Friuli Grave Pinot Bianco '13	♟♟♟	2*
○ Friuli Grave Pinot Bianco '12	♟♟♟	2*
○ Friuli Pinot Bianco '18	♟♟♟	3*
○ Friuli Pinot Bianco '16	♟♟♟	2*

★★Lis Neris

VIA GAVINANA, 5
34070 SAN LORENZO ISONTINO [GO]
TEL. 048180105
www.lisneris.it

VENDITA DIRETTA
VISITA SU PRENOTAZIONE
OSPITALITÀ
PRODUZIONE ANNUA 400.000 bottiglie
ETTARI VITATI 74,00
AZIENDA SOSTENIBILE

Ad Alvaro Pecorari va attribuito il merito di aver trasformato una piccola azienda contadina da agricola a vitivinicola; azienda che, a piccoli passi, ha assunto proporzioni di tutto rispetto e, oggi, rappresenta una delle più importanti realtà regionali e non solo. I vigneti sono dislocati in quattro distinti siti: Gris, Picol, Jurosa e Neris. Alvaro ha saputo valorizzare le peculiarità di ogni singolo territorio, riuscendo ad affermarsi con uno stile del tutto personale giovandosi delle forti escursioni termiche che aiutano la lenta maturazione delle uve, rendendole più solide e meglio bilanciate. Il Pinot Grigio Gris '18 regala accattivanti suggestioni di crema al limone, marzapane, mela golden, frutta tropicale e baccello di vaniglia su uno sfondo di resine e salsedine, mentre in bocca esibisce freschezza e sapidità. Lo Chardonnay Jurosa '17 profuma di agrumi canditi, crema di nocciole, succo di mela cotta e anice stellato. L'assaggio è morbido, vellutato, con piacevole finale iodato e un riverbero fumé.

○ Friuli Isonzo Pinot Grigio Gris '18	♟♟	5
○ Friuli Isonzo Chardonnay Jurosa '17	♟♟	5
○ Friuli Isonzo Friulano La Vila '17	♟♟	5
○ Friuli Isonzo Sauvignon Picol '18	♟♟	5
○ Friuli Isonzo Pinot Grigio Gris '13	♟♟♟	4*
○ Friuli Isonzo Pinot Grigio Gris '12	♟♟♟	4*
○ Friuli Isonzo Pinot Grigio Gris '11	♟♟♟	4*
○ Lis '15	♟♟♟	5
○ Tal Lùc Cuvée .1.2	♟♟♟	8
○ Tal Lùc Cuvée Speciale	♟♟♟	8
○ Friuli Isonzo Pinot Grigio Gris '17	♟♟	5
○ Friuli Isonzo Sauvignon Picol '17	♟♟	5

★★Livon

FRAZ. DOLEGNANO
VIA MONTAREZZA, 33
33048 SAN GIOVANNI AL NATISONE [UD]
TEL. 0432757173
www.livon.it

VENDITA DIRETTA
VISITA SU PRENOTAZIONE
OSPITALITÀ
PRODUZIONE ANNUA 850.000 bottiglie
ETTARI VITATI 180,00

L'azienda Livon, ora gestita da Valneo e
Tonino, va annoverata tra i marchi storici
che hanno contribuito e contribuiscono a
mantenere la realtà regionale ai vertici delle
eccellenze in Italia e nel mondo. Il prossimo
cambio generazionale è garantito dai
rispettivi figli Matteo e Francesca, già
integrati ed operativi in azienda. Al famoso
marchio Livon, con la donna alata che
contraddistingue la Casa madre, si sono
aggiunte altre quattro realtà produttive:
RoncAlto sul Collio, Villa Chiopris nella
pianura friulana, Borgo Salcetino in Toscana
e Colsanto in Umbria. Il Braide Alte '18 si è
ripreso lo scettro e si è riaggiudicato i
nostri Tre Bicchieri. Si tratta di un vino nato
nell'ormai lontano 1996 da una felice
intuizione di Tonino e Valneo, che
piantarono in un unico vigneto le quattro
varietà che sarebbero poi servite a
comporre il blend. È un vino conosciuto ed
apprezzato in tutto il mondo che ha saputo
evolversi nel tempo, adeguandosi alle
richieste del mercato soprattutto per
quanto riguarda l'uso del legno.

○ Braide Alte '18	▼▼▼ 6
○ Collio Friulano Manditocai '18	▼▼ 5
○ Collio Bianco Solarco '19	▼▼ 4
○ Collio Malvasia Soluna '18	▼▼ 3
○ Collio Ribolla Gialla RoncAlto '18	▼▼ 3
● TiareBlù '17	▼▼ 5
○ Braide Alte '13	♈♈♈ 5
○ Braide Alte '11	♈♈♈ 5
○ COF Picolit '12	♈♈♈ 6
○ Collio Bianco Solarco '17	♈♈♈ 3*
○ Collio Bianco Solarco '15	♈♈♈ 3*
○ Collio Friulano Manditocai '17	♈♈♈ 5
○ Collio Friulano Manditocai '12	♈♈♈ 5
○ Collio Friulano Manditocai '10	♈♈♈ 5
○ Braide Alte '17	♈♈ 6
○ Collio Sauvignon Valbuins '18	♈♈ 4

Tenuta Luisa

FRAZ. CORONA
VIA CAMPO SPORTIVO, 13
34070 MARIANO DEL FRIULI [GO]
TEL. 048169680
www.tenutaluisa.it

VENDITA DIRETTA
VISITA SU PRENOTAZIONE
OSPITALITÀ
PRODUZIONE ANNUA 350.000 bottiglie
ETTARI VITATI 100,00
AZIENDA SOSTENIBILE

Tenuta Luisa si è saldamente consolidata
tra le migliori realtà del mondo vitivinicolo
regionale, in particolare della
denominazione Friuli Isonzo. Come ogni
azienda a conduzione familiare, sfoggia con
orgoglio le proprie origini contadine.
All'inizio degli anni 80 del secolo scorso
Eddi Luisa ereditò pochi ettari di terreno e
iniziò a costruire il proprio futuro passando
dall'agricoltura promiscua alla viticoltura
specializzata. Ora gli ettari sono 100 e i figli
Michele e Davide operano in perfetta
sintonia, supportati dall'affiatamento del
gruppo familiare. I vini che compongono la
selezione I Ferretti, bianchi e rossi, hanno
decisamente una marcia in più. Nelle nostre
finali ormai da qualche anno ritroviamo sia il
Desiderium '18 sia il Friulano '18 a
contendersi la prima posizione. Quest'anno
l'ha spuntata il secondo che, con una
prestazione perfetta, ha sbaragliato
l'agguerrita concorrenza della sua categoria
aggiudicandosi i Tre Bicchieri.

○ Friuli Isonzo Friulano I Ferretti '18	▼▼▼ 4*
○ Desiderium I Ferretti '18	▼▼ 4
○ Friuli Isonzo Friulano '19	▼▼ 3
○ Friuli Isonzo Pinot Bianco '19	▼▼ 3
○ Friuli Isonzo Sauvignon '19	▼▼ 3
● I Ferretti Cabernet Sauvignon '16	▼▼ 4
● I Ferretti Refosco P. R. '16	▼▼ 4
● Rôl I Ferretti '16	▼▼ 5
○ Friuli Isonzo Chardonnay '19	▼ 3
○ Ribolla Gialla '19	▼ 3
○ Desiderium I Ferretti '17	♈♈♈ 4*
○ Desiderium I Ferretti '16	♈♈♈ 4*
○ Desiderium I Ferretti '13	♈♈♈ 4*
○ Friuli Isonzo Friulano I Ferretti '15	♈♈♈ 3*

Magnàs

loc. Boatina
via Corona, 47
34071 Cormòns [GO]
Tel. 048160991
www.magnas.it

VENDITA DIRETTA
VISITA SU PRENOTAZIONE
OSPITALITÀ E RISTORAZIONE
PRODUZIONE ANNUA 25.000 bottiglie
ETTARI VITATI 10,00

Il termine Magnàs deriva dal soprannome che da molte generazioni viene attribuito a questo ramo della famiglia Visintin e testimonia lealtà, orgoglio, dignità e spirito di sacrificio. È un'azienda artigiana di piccole dimensioni, oggi condotta da Andrea Visintin, che si giova dell'esperienza centenaria di una famiglia da sempre legata all'agricoltura. Il limitato numero di ettari vitati consente di dedicare la massima attenzione ad ogni singolo vitigno. Le bottiglie prodotte non sono molte, poche le etichette ma la qualità è elevata e i prezzi sono molto competitivi. Quest'anno ci sono stati presentati solo vini bianchi, tutti dell'ultima vendemmia, e il comune denominatore è la nitidezza aromatica che contraddistingue ognuno di loro. Una prestazione di squadra di tutto rispetto con una punta di diamante, il Friulano '19, che ha conquistato l'accesso alle finali per l'elegante timbro varietale che lo lega al territorio ma, soprattutto, per l'energia e la concretezza del sorso.

○ Collio Friulano '19	🍷🍷 3*
○ Collio Chardonnay '19	🍷🍷 3
○ Collio Pinot Grigio '19	🍷🍷 3
○ Malvasia '19	🍷🍷 3
○ Sauvignon '19	🍷 3
○ Chardonnay '16	🍷🍷 3*
○ Collio Bianco '17	🍷🍷 3
○ Collio Friulano '18	🍷🍷 3
○ Malvasia '18	🍷🍷 3*
● Merlot Neri dal Murzùl '16	🍷🍷 3
○ Pinot Grigio '18	🍷🍷 3
○ Pinot Grigio '15	🍷🍷 3*

Marinig

via Brolo, 41
33040 Prepotto [UD]
Tel. 0432713012
www.marinig.it

VENDITA DIRETTA
VISITA SU PRENOTAZIONE
PRODUZIONE ANNUA 25.000 bottiglie
ETTARI VITATI 9,00
AZIENDA SOSTENIBILE

Come spesso accade nelle classiche aziende friulane a gestione familiare, dove le dimensioni e i carichi di lavoro sono a misura d'uomo, c'è un factotum che si occupa della conduzione. Questo ruolo è ora affidato a Valerio Marinig, che si avvale delle esperienze tramandate di generazione in generazione da quando il bisnonno Luigi fondò l'azienda, un secolo fa. I vigneti si estendono sulle colline di Prepotto, dove la particolare conformazione morfologica e climatica ha da sempre creato i presupposti per una coltivazione di qualità. Il Pignolo '15 ha raggiunto un livello di affinamento ottimale e si presenta all'olfatto con un intrigante mix di amarena, carruba, pepe nero e liquirizia, accompagnato da folate balsamiche di resina di pino. Il Sauvignon '19 regala suggestioni di magnolia, salvia e maracuja e all'assaggio è vibrante e vigoroso. Si distingue anche la Ribolla Gialla '19, apparentemente semplice ma dotata di una tensione acida e di una progressione soddisfacente.

● FCO Pignolo '15	🍷🍷 4
● FCO Cabernet Franc '18	🍷🍷 3
○ FCO Friulano '19	🍷🍷 2*
● FCO Merlot '18	🍷🍷 3
○ FCO Pinot Bianco '19	🍷🍷 2*
○ FCO Ribolla Gialla '19	🍷🍷 3
○ FCO Sauvignon '19	🍷🍷 3
○ FCO Verduzzo Friulano '18	🍷 3
○ Ribolla Gialla Brut	🍷 3
● COF Pignolo '08	🍷🍷 4
○ FCO Friulano '18	🍷🍷 2*
○ FCO Pinot Bianco '18	🍷🍷 2*
● FCO Refosco P. R. '16	🍷🍷 3
● FCO Refosco P. R. '12	🍷🍷 3*
● FCO Rosso Biel Cûr '16	🍷🍷 4
○ FCO Sauvignon '18	🍷🍷 3
● FCO Schioppettino di Prepotto '16	🍷🍷 4

Masùt da Rive

VIA MANZONI, 82
34070 MARIANO DEL FRIULI [GO]
TEL. 048169200
www.masutdarive.com

VENDITA DIRETTA
VISITA SU PRENOTAZIONE
PRODUZIONE ANNUA 120.000 bottiglie
ETTARI VITATI 25,00
AZIENDA SOSTENIBILE

Masùt da Rive è il nome che scelse Silvano Gallo quando formalizzò la fondazione dell'azienda. I figli Fabrizio e Marco, che ora la gestiscono, si sono resi protagonisti di una sostanziosa accelerazione che ha proiettato Masùt da Rive a divenire una delle aziende più rappresentative della regione. I vini sono sempre più intriganti e convincenti, con marcate espressioni territoriali che esaltano le potenzialità della denominazione Friuli Isonzo. Particolare attenzione viene dedicata al Pinot Nero, che si è conquistato il ruolo di vino bandiera aziendale. Il Pinot Bianco '18 si conferma capogruppo di una schiera di vini coesa e convincente. Si impone per l'eleganza del corredo aromatico, che inizia con effluvi floreali di mughetto e biancospino per poi sfoggiare sentori di frutta esotica e miele d'acacia. In bocca entra con discrezione ma poi palesa un'importante progressione gustativa. Il Pinot Nero '18 rievoca confettura di ciliegie e un bell'amalgama di spezie che gratifica l'assaggio.

○ Friuli Isonzo Pinot Bianco '18	♟♟	5
○ Friuli Isonzo Chardonnay Maurus '18	♟♟	5
○ Friuli Isonzo Pinot Grigio Jesimis '18	♟♟	5
● Friuli Isonzo Pinot Nero '18	♟♟	5
● Friuli Isonzo Rosso Sassirossi '18	♟♟	3
○ Friuli Isonzo Friulano '19	♟	3
○ Friuli Isonzo Pinot Grigio '19	♟	3
○ Friuli Isonzo Sauvignon '19	♟	3
○ Friuli Isonzo Pinot Bianco '17	♟♟♟	5
○ Friuli Isonzo Pinot Bianco '16	♟♟♟	5
○ Friuli Isonzo Chardonnay Maurus '15	♟♟	5
○ Friuli Isonzo Pinot Grigio '16	♟♟	3*
● Friuli Isonzo Pinot Nero Maurus '12	♟♟	6
● Friuli Isonzo Pinot Nero Maurus '11	♟♟	6

Davino Meroi

VIA STRETTA, 7B
33042 BUTTRIO [UD]
TEL. 0432673369
www.meroi.wine

VENDITA DIRETTA
VISITA SU PRENOTAZIONE
RISTORAZIONE
PRODUZIONE ANNUA 45.000 bottiglie
ETTARI VITATI 19,00
AZIENDA SOSTENIBILE

Paolo Meroi, attuale proprietario, ha proiettato l'azienda fondata da papà Davino al livello delle migliori realtà regionali. Da molti anni sfrutta le potenzialità delle uve provenienti dalla storica Vigna Dominin, piantata da nonno Domenico con esperienza d'altri tempi, ma all'inizio degli anni Duemila ha acquisito anche la Vigna delle Zitelle, sempre nel comprensorio di Buttrio. Paolo si avvale ormai da tempo della preziosa collaborazione di Mirko Degan; dal loro connubio nascono vini esaltanti, ricchi, concentrati, frutto di tecniche ancestrali nell'uso calibrato del legno. I vini bianchi, frutto di accurate selezioni zonali, e anche i rossi, pur se già imbottigliati, sono sottoposti ad un ulteriore periodo di affinamento e, quindi, saranno oggetto di degustazione nella prossima edizione della Guida. Quest'anno ci sono stati proposti solo tre vini della vendemmia 2018 che, comunque, sono stati sufficienti a confermare la mano felice dell'enologo. soprattutto per la complessità e la succosità del Friulano '18.

○ FCO Friulano '18	♟♟	5
○ FCO Chardonnay '18	♟♟	5
○ FCO Ribolla Gialla '18	♟♟	5
○ COF Friulano '11	♟♟♟	5
○ COF Friulano '10	♟♟♟	5
● COF Merlot V. Dominin '11	♟♟	8
○ FCO Chardonnay '16	♟♟	5
○ FCO Chardonnay V. Dominin '16	♟♟	5
○ FCO Malvasia Zitelle Durì '16	♟♟	5
○ FCO Malvasia Zitelle Durì '13	♟♟	6
● FCO Merlot Ros di Burì '13	♟♟	5
● FCO Merlot V. Dominin '12	♟♟	8
○ FCO Sauvignon '16	♟♟	4
○ FCO Sauvignon '15	♟♟	4
○ FCO Verduzzo Friulano '13	♟♟	5

Modeano

FRAZ. MODEANO
VIA CASALI MODEANO, 1
33056 PALAZZOLO DELLO STELLA [UD]
TEL. 043158244
www.modeano.it

VENDITA DIRETTA
VISITA SU PRENOTAZIONE
PRODUZIONE ANNUA 40.000 bottiglie
ETTARI VITATI 32,00
AZIENDA SOSTENIBILE

Era il 1982 quando Emanuela e Gabriele Vialetto, appena sposati, decisero di occuparsi della cura della vigna di Modeano e della cantina aziendale, proseguendo una tradizione che risale all'inizio del secolo scorso. Le viti crescono su terreni forti ma ben drenati e il clima, tra i più asciutti in Friuli, è mitigato dalle brezze del vicino mare Adriatico. Il costante rinnovamento dei vigneti ha portato ad una sostanziale riduzione delle rese, rara nella viticoltura di pianura, e per logica conseguenza i vini ne hanno beneficiato in pregi olfattivi e mineralità. La nutrita schiera dei vini in degustazione, sia bianchi che rossi, ha consentito un'analisi a tutto tondo dell'azienda, con risultati rimarchevoli. I prezzi contenuti non sono certo un aspetto da sottovalutare. Il Pinot Grigio '19 regala suggestioni di pera ruggine e amaretto, mentre in bocca è fragrante e dinamico. Il Cabernet Sauvignon '18 è fitto ed energico.

Monviert

VIA STRADA DI SPESSA, 8
33043 CIVIDALE DEL FRIULI [UD]
TEL. 0432716172
www.monviert.com

VENDITA DIRETTA
VISITA SU PRENOTAZIONE
PRODUZIONE ANNUA 350.000 bottiglie
ETTARI VITATI 87,00
AZIENDA SOSTENIBILE

Tre generazioni di viticoltori e settant'anni di storia hanno disegnato il percorso dell'azienda nota fino al 2018 come Ronchi San Giuseppe. Il rinnovamento ed il cambio di immagine è iniziato con la ristrutturazione della sede, trasformata in un piccolo borgo che richiama gli edifici rurali tipici della zona. Ma la vera svolta si è avuta con il cambio del marchio: così è nata Monviert, che realizza una serie di vini frutto di accurate selezioni mentre il resto della produzione, nel solco della tradizione, viene convogliata nella linea denominata Martagona. Il Picolit '16 si è subito messo in evidenza e con le sue dolci note si è conquistato il biglietto di accesso alle selezioni finali. Profuma di albicocca disidratata, fichi secchi, caramella d'orzo, miele, datteri e cannella. È dolcissimo, succoso ma per niente stucchevole. Il Friulano '18 marca molto la territorialità con sentori di frutta matura, mandorle e crème brûlée, mentre il sorso è avvolgente e saporito.

● Friuli Cabernet Sauvignon '18	♟♟ 2*
○ Friuli Chardonnay '19	♟♟ 2*
○ Friuli Pinot Grigio '19	♟♟ 2*
● Friuli Refosco P. R. '18	♟♟ 2*
● Friulia Merlot '18	♟♟ 2*
○ Friuli Friulano '19	♟ 2
○ Friuli Sauvignon '19	♟ 2
○ Ribolla Gialla '19	♟ 2
● Friuli Cabernet Sauvignon '16	♟♟ 2*
○ Friuli Chardonnay '17	♟♟ 2*
○ Friuli Friulano '18	♟♟ 2*
○ Friuli Malvasia '17	♟♟ 2*
○ Friuli Pinot Grigio '18	♟♟ 2*
○ Friuli Pinot Grigio '17	♟♟ 2*
● Friuli Refosco P. R. '17	♟♟ 2*
● Friulia Merlot '17	♟♟ 2*
○ Ribolla Gialla '17	♟♟ 2*

○ FCO Picolit '16	♟♟ 6
○ FCO Friulano '18	♟♟ 5
○ FCO Friulano Martagona '19	♟♟ 2*
○ FCO Pinot Grigio Martagona '19	♟♟ 2*
● FCO Refosco P. R. '16	♟♟ 5
● FCO Refosco P. R. Martagona '17	♟♟ 2*
○ FCO Sauvignon Martagona '19	♟♟ 3
● FCO Schioppettino '16	♟♟ 5
● FCO Schioppettino Martagona '17	♟♟ 3
○ FCO Ribolla Gialla Martagona '19	♟ 3
○ FCO Ribolla Gialla '18	♟♟ 2*
○ FCO Sauvignon '18	♟♟ 2*

Murva - Renata Pizzulin

VIA CELSO MACOR, 1
34070 MORARO [GO]
TEL. 0432713027
www.murva.it

VENDITA DIRETTA
VISITA SU PRENOTAZIONE
PRODUZIONE ANNUA 15.000 bottiglie
ETTARI VITATI 4,00
AZIENDA SOSTENIBILE

Alberto Pelos e Renata Pizzulin sono una giovane coppia che, una decina di anni fa, decise di creare la propria realtà produttiva sulla riva destra dell'Isonzo. Si trattò di partire da zero, pertanto nell'impostazione dei vigneti vennero scelti i vitigni che meglio si sarebbero adattati alle caratteristiche pedoclimatiche di ogni singolo appezzamento. Le ridotte dimensioni aziendali permisero ad Alberto di scegliere pratiche agronomiche improntate alla sostenibilità ambientale, e la qualità dei suoi vini conquistò da subito le lodi di pubblico e critica. La proposta dei vini è sempre più convincente, e l'annata 2018 si è dimostrata superiore alle aspettative. Quasi tutti i vini si sono piazzati sulla soglia che delimita l'accesso alle finali, comunque superata dallo Chardonnay Monuments '18, nitido al naso e gradevole all'assaggio. Profuma di frutta tropicale, magnolia, zafferano e miele, avvolge il palato e indugia, per poi chiudere con note balsamiche.

○ Friuli Isonzo Chardonnay Monuments '18		♟♟ 4
○ Friuli Isonzo Chardonnay Paladis '18		♟♟ 4
○ Friuli Isonzo Malvasia Melaris '18		♟♟ 4
● Friuli Isonzo Refosco P. R. Murellis '16		♟♟ 4
○ Friuli Isonzo Sauvignon Corvatis '18		♟♟ 4
○ Friuli Isonzo Sauvignon Teolis '18		♟♟ 4
○ Friuli Isonzo Chardonnay Paladis '17		♟♟ 4
○ Friuli Isonzo Chardonnay Paladis '16		♟♟ 4
○ Friuli Isonzo Malvasia Melaris '17		♟♟ 4
○ Friuli Isonzo Sauvignon Corvatis '17		♟♟ 3
○ Friuli Isonzo Sauvignon Teolis '17		♟♟ 4
○ Friuli Isonzo Sauvignon Teolis '16		♟♟ 4

Muzic

LOC. BIVIO, 4
34070 SAN FLORIANO DEL COLLIO [GO]
TEL. 0481884201
www.cantinamuzic.it

VENDITA DIRETTA
VISITA SU PRENOTAZIONE
PRODUZIONE ANNUA 100.000 bottiglie
ETTARI VITATI 23,00
AZIENDA SOSTENIBILE

Per i Muzic l'avventura nel mondo del vino ebbe inizio nei primi anni Sessanta del secolo scorso, quando ebbero l'occasione di acquistare i primi cinque ettari di vigneto che già lavoravano come mezzadri. Ora l'azienda è cresciuta, ma è rimasta nelle dimensioni che consentono una gestione a tutto campo per Giovanni, attuale proprietario, coadiuvato dai figli Elija e Fabijan, già da tempo inseriti nella conduzione. Mamma Orieta è il valore aggiunto di un gruppo familiare molto coeso. Il Collio Bianco Stare Brajde '18 (tocai friulano, malvasia istriana e ribolla gialla) anche quest'anno ha le carte in regola per confermarsi vino bandiera aziendale ed approda alle finali, ma non da solo; lo accompagna infatti uno splendido Friulano Vigna Valeris '19. Il primo si è distinto per l'amalgama dei profumi e per l'armonia al palato, mentre il secondo eccelle per la corrispondenza varietale e per l'eleganza del sorso.

○ Collio Bianco Stare Brajde '18		♟♟ 4
○ Collio Friulano V. Valeris '19		♟♟ 3*
○ Collio Chardonnay '19		♟♟ 3
○ Collio Malvasia '19		♟♟ 3
○ Collio Pinot Grigio '19		♟♟ 3
○ Collio Ribolla Gialla '19		♟♟ 3
○ Collio Sauvignon V. Pàjze '19		♟♟ 3
● Friuli Isonzo Merlot '18		♟♟ 3
○ Collio Bianco Stare Brajde '17		♟♟ 3*
○ Collio Bianco Stare Brajde '16		♟♟ 3*
○ Collio Chardonnay '18		♟♟ 3
○ Collio Chardonnay '17		♟♟ 3*
○ Collio Friulano V. Valeris '18		♟♟ 3
○ Collio Pinot Grigio '18		♟♟ 3
○ Collio Ribolla Gialla '18		♟♟ 3
○ Collio Sauvignon V. Pàjze '18		♟♟ 3

Alessandro Pascolo

LOC. RUTTARS, 1
34070 DOLEGNA DEL COLLIO [GO]
TEL. 048161144
www.vinipascolo.com

VENDITA DIRETTA
VISITA SU PRENOTAZIONE
PRODUZIONE ANNUA 25.000 bottiglie
ETTARI VITATI 7,00
AZIENDA SOSTENIBILE

Incastonata sugli assolati declivi del colle di Ruttars, quella di Alessandro Pascolo è un'azienda a misura d'uomo che gli consente di provvedere in prima persona a tutte le fasi di lavorazione dell'intera filiera produttiva. I vigneti godono di un'esposizione ideale, e permettono ad Alessandro di interpretare magistralmente il territorio realizzando prodotti con spiccata impronta varietale. I bianchi sono vinificati in acciaio, mentre per i rossi vengono utilizzati tonneau a grana estremamente fine. Dell'ultima vendemmia per ora è stato imbottigliato solo il Sauvignon '19, che ha ottenuto un'ottima valutazione. Alessandro ha quindi ritenuto opportuno proporci tre vini della sua collezione, frutto di nuovi esperimenti e soggetti ad un lungo affinamento. Lo Studio di Bianco '16 (tocai friulano, riesling e sauvignon), ancora fruttato e floreale, il Dis '15 (tocai friulano e malvasia istriana) e il Merlot Sveva '16.

○ Collio Bianco Studio di Bianco '16	�♛	5
● Collio Merlot Sveva '16	♛♛	5
○ Collio Sauvignon '19	♛♛	3
○ Dis '15	♛♛	4
○ Collio Bianco Agnul '17	♛♛	4
○ Collio Bianco Agnul '16	♛♛	4
○ Collio Friulano '18	♛♛	3
○ Collio Malvasia '15	♛♛	3*
● Collio Merlot Sel. '15	♛♛	5
○ Collio Pinot Bianco '18	♛♛	3
○ Collio Sauvignon '18	♛♛	3
○ Collio Sauvignon '17	♛♛	3
● Pascal '17	♛♛	4
● Pascal '16	♛♛	4

Pierpaolo Pecorari

VIA TOMMASEO, 56
34070 SAN LORENZO ISONTINO [GO]
TEL. 0481808775
www.pierpaolopecorari.it

VENDITA DIRETTA
VISITA SU PRENOTAZIONE
PRODUZIONE ANNUA 150.000 bottiglie
ETTARI VITATI 30,00

Nell'alta pianura solcata dal fiume Isonzo, il legame dei Pecorari con la terra ed il vino si perde nella notte dei tempi. All'inizio degli anni 70, Pierpaolo decise di creare una propria realtà produttiva che ancora gestisce assieme al figlio Alessandro. Nella vinificazione ha sempre adottato una filosofia molto pragmatica, con l'obiettivo di racchiudere in bottiglia il meglio delle caratteristiche varietali che ogni singolo vitigno, in base alle peculiarità territoriali, può esprimere. La produzione si snoda su tre linee diversificate che tengono conto dell'età delle viti di ogni singola parcella. Sia il Sauvignon Kolaus '18 che il Pinot Grigio Olivers '18 fanno parte della linea cru. Fermentano in botti di rovere con lieviti indigeni e vi rimangono poi a maturare per undici mesi. Il primo si presenta con note fresche di agrumi e kiwi e si conferma al palato con una tensione acida prolungata e suadente. Il secondo gioca invece su note fruttate di pescanoce e pera ruggine, mentre in bocca è morbido ed equilibrato.

○ Pinot Grigio Olivers '18	♛♛	5
● Refosco P. R. Tao '16	♛♛	5
○ Sauvignon Kolaus '18	♛♛	5
○ Friuli Friulano '19	♛	3
○ Friuli Pinot Grigio '19	♛	3
○ Malvasia '19	♛	3
○ Adsum	♛♛	4
○ Malvasia '15	♛♛	3*
● Merlot '16	♛♛	3
● Merlot Baolar '16	♛♛	5
○ Pinot Grigio Olivers '12	♛♛	5
○ Sauvignon '18	♛♛	3
○ Sauvignon Blanc Altis '11	♛♛	4
○ Sauvignon Kolaus '17	♛♛	5

Perusini

LOC. GRAMOGLIANO
VIA DEL TORRIONE, 13
33040 CORNO DI ROSAZZO [UD]
TEL. 0432759151
www.perusini.com

VENDITA DIRETTA
VISITA SU PRENOTAZIONE
OSPITALITÀ E RISTORAZIONE
PRODUZIONE ANNUA 100.000 bottiglie
ETTARI VITATI 15,00
VITICOLTURA Biologico Certificato
AZIENDA SOSTENIBILE

Giacomo Perusini, alla fine dell'Ottocento, quando imperava la moda dei vini francesi, iniziò la selezione di alcuni vitigni autoctoni regionali. A lui viene tuttora riconosciuto il merito di aver riabilitato il Picolit, perla enologica regionale, che sulla Rocca Bernarda ha trovato l'habitat ideale. Anche i suoi successori hanno scritto pagine importanti nel mondo vitivinicolo, traghettando l'azienda all'attuale proprietaria Teresa Perusini la quale, assieme ai figli Carlo, Tommaso e Michele si è assunta l'incarico di valorizzare ulteriormente il prestigioso marchio. In attesa dei vini bianchi dell'ultima vendemmia, che al momento degli assaggi non erano ancora stati imbottigliati, le nostre attenzioni si sono concentrate su un ottimo Rosso del Postiglione '16, composto perlopiù da merlot e cabernet sauvignon con l'aggiunta di un po' di refosco dal peduncolo rosso che gli imprime un tocco di friulanità. Chiodi di garofano e pepe nero aprono l'olfatto, poi piccoli frutti neri, tabacco e accenni balsamici chiudono l'assaggio.

○ COF Picolit '16	♟♟ 8
● FCO Cabernet Franc '17	♟♟ 3
○ FCO Chardonnay '18	♟♟ 3
● FCO Merlot '17	♟♟ 3
● FCO Rosso del Postiglione '16	♟♟ 3
○ COF Picolit '15	♟♟ 8
● FCO Cabernet Franc '16	♟♟ 3
● FCO Cabernet Sauvignon '16	♟♟ 3
○ FCO Chardonnay '16	♟♟ 3
○ FCO Friulano '18	♟♟ 3
● FCO Merlot '16	♟♟ 3
● FCO Merlot '15	♟♟ 3
○ FCO Pinot Grigio '18	♟♟ 3
● FCO Refosco P.R. '16	♟♟ 3
○ FCO Ribolla Gialla '17	♟♟ 3
● FCO Rosso del Postiglione '15	♟♟ 3
○ FCO Sauvignon '18	♟♟ 3

Petrucco

VIA MORPURGO, 12
33042 BUTTRIO [UD]
TEL. 0432674387
www.vinipetrucco.it

VENDITA DIRETTA
VISITA SU PRENOTAZIONE
PRODUZIONE ANNUA 80.000 bottiglie
ETTARI VITATI 25,00

Paolo Petrucco e sua moglie Lina, tuttora coadiuvati dal validissimo enologo Flavio Cabas, nel 1981 rilevarono un'azienda la cui storia è legata a Italo Balbo il quale, prima che il suo aereo nel 1940 venisse abbattuto sui cieli della Libia, piantò alcuni vigneti sugli assolati declivi delle colline di Buttrio. Quelle viti dalla veneranda età, profondamente radicate nel terreno, sono un bene prezioso custodito con cura e le loro uve, accuratamente selezionate, vanno a formare la riserva Ronco del Balbo, fiore all'occhiello aziendale. Il Bianco Cabas Ronco del Balbo '18 (tocai friulano, chardonnay, malvasia istriana e sauvignon) porta il nome dell'enologo aziendale che lo ha ideato; in quest'ultima versione è particolarmente intrigante e raffinato. All'olfatto effonde folate di citronella, salvia, zenzero e scorza di cedro per regalare poi stuzzicanti accenni di salsedine. L'assaggio è morbido e ben bilanciato da freschezza e sapidità.

○ FCO Bianco Cabas Ronco del Balbo '18	♟♟ 4
○ FCO Friulano '19	♟♟ 3
○ FCO Malvasia '19	♟♟ 3
● FCO Merlot Ronco del Balbo '17	♟♟ 4
● FCO Pignolo '15	♟♟ 4
○ FCO Sauvignon '19	♟♟ 3
○ FCO Pinot Bianco '19	♟ 3
● COF Merlot Ronco del Balbo '12	♟♟ 4
○ FCO Bianco Cabas Ronco del Balbo '17	♟♟ 4
○ FCO Bianco Cabas Ronco del Balbo '16	♟♟ 4
● FCO Merlot Ronco del Balbo '16	♟♟ 4
● FCO Pignolo Ronco del Balbo '13	♟♟ 5
● FCO Refosco P. R. Ronco del Balbo '17	♟♟ 4
● FCO Refosco P. R. Ronco del Balbo '15	♟♟ 4

Petrussa

VIA ALBANA, 49
33040 PREPOTTO [UD]
TEL. 0432713192
www.petrussa.it

VENDITA DIRETTA
VISITA SU PRENOTAZIONE
OSPITALITÀ
PRODUZIONE ANNUA 45.000 bottiglie
ETTARI VITATI 10,00

I fratelli Gianni e Paolo Petrussa nel 1986
subentrarono ai genitori nella gestione
dell'azienda di famiglia. Si posero da subito
l'obiettivo di evidenziare le caratteristiche
del proprio territorio di produzione, Albana
di Prepotto, uno stretto lembo di terra
considerato la culla dello Schioppettino. I
vigneti si suddividono in piccoli
appezzamenti dislocati nel settentrione
della denominazione Friuli Colli Orientali, a
ridosso delle Prealpi Giulie, in una vallata
riparata dai forti venti dell'Est che gode di
un microclima ideale per la maturazione
delle uve. Purtroppo registriamo l'assenza
dei vini bianchi dell'ultima annata, non
ancora imbottigliati; in compenso ci sono
state proposte due versioni dello
Schioppettino di Prepotto della vendemmia
2017. Quello denominato S. Elena è cupo
sia nel colore sia all'olfatto con folate di
pepe nero, cacao e ciliegie macerate,
mentre nel secondo frutta e spezie
denotano croccantezza e fragranza e
snelliscono il sorso.

Norina Pez

VIA ZORUTTI, 4
34070 DOLEGNA DEL COLLIO [GO]
TEL. 0481639951
www.norinapez.it

VENDITA DIRETTA
VISITA SU PRENOTAZIONE
PRODUZIONE ANNUA 40.000 bottiglie
ETTARI VITATI 7,00

L'azienda fondata all'inizio degli anni 80
del secolo scorso da Norina Pez è ormai
da tempo condotta dal figlio Stefano
Bernardis, erede di una famiglia da sempre
dedita alla vitivinicoltura sulle colline di
Dolegna del Collio, all'estremo Nord della
provincia di Gorizia. I vigneti di proprietà si
estendono nella fascia collinare compresa
tra i fiumi Isonzo e Judrio, protetta dalle
Alpi Giulie ed esposta alle brezze del mare
Adriatico. Il microclima e la particolarità del
sottosuolo, composto da marne ed
arenarie di origine eocenica, creano le
condizioni per una produzione di alta
qualità. Ottima la prestazione di tutta la
gamma, ma lo Schioppettino '17 ha
decisamente una marcia in più, si piazza
tra i migliori della sua categoria e
conquista l'accesso alle finali. Al naso
regala suggestioni di ciliegie sotto spirito,
radice di liquirizia, pepe nero, cardamomo,
china e caffè in grani; in bocca è dinamico,
con tannino vivace ma maturo e ben
bilanciato da una vellutata morbidezza.

○ FCO Chardonnay S. Elena '18	♟♟ 4
● FCO Rosso Petrussa '17	♟♟ 5
● FCO Schioppettino di Prepotto '17	♟♟ 5
● FCO Schioppettino di Prepotto S. Elena '17	♟♟ 5
● COF Schioppettino di Prepotto '12	♟♟ 5
○ FCO Chardonnay S. Elena '17	♟♟ 4
○ FCO Friulano '18	♟♟ 3
○ FCO Pinot Bianco '18	♟♟ 3
● FCO Rosso Petrussa '16	♟♟ 5
○ FCO Sauvignon '18	♟♟ 3
● FCO Schioppettino di Prepotto '16	♟♟ 5
● FCO Schioppettino di Prepotto '15	♟♟ 5
● FCO Schioppettino di Prepotto '14	♟♟ 5
○ Pensiero '16	♟♟ 5

● Schioppettino '17	♟♟ 3*
○ Collio Friulano '19	♟♟ 2*
● Collio Merlot '17	♟♟ 2*
○ Collio Pinot Grigio '19	♟♟ 2*
○ Collio Ribolla Gialla '19	♟♟ 3
○ Collio Sauvignon '19	♟♟ 2*
● El Neri di Norina '15	♟♟ 5
○ Collio Chardonnay '19	♟ 2
● Collio Cabernet Franc '16	♟♟ 2*
● Collio Merlot '16	♟♟ 2*
○ Collio Pinot Grigio '18	♟♟ 2*
○ Collio Pinot Grigio '17	♟♟ 2*
○ Collio Sauvignon '18	♟♟ 2*
○ Collio Sauvignon '17	♟♟ 2*
● El Neri di Norina '13	♟♟ 5
● Schioppettino '16	♟♟ 3

Roberto Picech

LOC. PRADIS, 11
34071 CORMÒNS [GO]
TEL. 048160347
www.picech.com

VENDITA DIRETTA
VISITA SU PRENOTAZIONE
OSPITALITÀ
PRODUZIONE ANNUA 30.000 bottiglie
ETTARI VITATI 8,00
VITICOLTURA Biologico Certificato
AZIENDA SOSTENIBILE

Roberto Picech è un'icona per il territorio del Collio, un vero artigiano del vino, un indiscusso protagonista. Figlio di Egidio, detto "il ribel", ha ereditato i vigneti ma anche il carattere schietto e caparbio che gli permette di imprimere ai suoi vini un'identità molto personale. Sempre aperto al nuovo ma fortemente rispettoso della tradizione, non si è mai voluto adeguare alle mode. Il suo stile di vinificazione prevede, anche per le uve a bacca bianca, macerazioni prolungate a volte per alcuni giorni, al fine di estrarre la maggior quantità possibile delle componenti aromatiche. I tre vini che ci sono stati presentati sono fondamentalmente diversi, tuttavia sprigionano una comune carica energetica che li caratterizza. Il Friulano Athena '17 è un vino solare che sprigiona un intenso profumo di confettura di albicocche, fieno e miele mentre in bocca è concreto, varietale e chiude piacevolmente amarognolo. È un vino maturo, tra i migliori della sua categoria, che rende onore al vitigno.

Pighin

FRAZ. RISANO
V.LE GRADO, 11/1
33050 PAVIA DI UDINE [UD]
TEL. 0432675444
www.pighin.com

VENDITA DIRETTA
VISITA SU PRENOTAZIONE
PRODUZIONE ANNUA 800.000 bottiglie
ETTARI VITATI 160,00
AZIENDA SOSTENIBILE

Era il 1963 quando i tre fratelli Luigi, Ercole e Fernando Pighin acquisirono 200 ettari di territorio appartenuti a una nobile famiglia friulana, fondarono la loro azienda e costruirono la cantina. A distanza di pochi anni ampliarono i loro possedimenti con l'acquisizione un'altra realtà a Spessa di Capriva, sul Collio goriziano. Dal 2004 l'intera gestione è passata al nucleo familiare di Fernando, che comprende la moglie Danila e i figli Roberto e Raffaela. Una villa veneta seicentesca circondata da un meraviglioso parco ospita la sede aziendale. Il Collio Bianco Soreli '18 fa da apripista a una schiera di vini interpretati in stile moderno per linearità, leggerezza e raffinata struttura gustativa. È composto da ribolla gialla, malvasia istriana e tocai friulano, i vitigni a bacca bianca più rappresentativi del territorio. Soreli nel linguaggio locale significa "sole", e all'olfatto rievoca le fienagioni estive, i fiori di campo, i girasoli, la frutta matura e il gelato malaga.

○ Collio Friulano Athena '17	♟♟ 5
○ Collio Bianco Jelka '15	♟♟ 4
● Collio Rosso Ruben Ris. '16	♟♟ 6
○ Collio Bianco Jelka '11	♟♟♟ 4*
○ Collio Pinot Bianco '13	♟♟♟ 3*
○ Collio Bianco Athena Magnum '16	♟♟ 7
○ Collio Bianco Atto Unico '18	♟♟ 3*
○ Collio Friulano '17	♟♟ 3
○ Collio Malvasia '17	♟♟ 3
○ Collio Malvasia '16	♟♟ 3*
○ Collio Malvasia '14	♟♟ 3*
○ Collio Pinot Bianco '17	♟♟ 3*
○ Collio Pinot Bianco '16	♟♟ 3*
● Collio Rosso '14	♟♟ 3*
● Collio Rosso Ruben Ris. '15	♟♟ 6
● Collio Rosso Ruben Ris. '11	♟♟ 6

○ Collio Bianco Soreli '18	♟♟ 5
○ Collio Friulano '19	♟♟ 3
○ Collio Malvasia '19	♟♟ 3
○ Collio Pinot Grigio '19	♟♟ 3
○ Collio Ribolla Gialla '19	♟♟ 3
○ Collio Sauvignon '19	♟♟ 3
○ Friuli Grave Friulano '19	♟♟ 2*
○ Friuli Grave Pinot Grigio '19	♟ 2
○ Friuli Grave Sauvignon '19	♟ 2
○ Ribolla Gialla '19	♟ 2
○ Collio Chardonnay '18	♟♟ 3
○ Collio Chardonnay '17	♟♟ 5
○ Collio Malvasia '18	♟♟ 3
○ Collio Malvasia '17	♟♟ 5
○ Collio Pinot Grigio '18	♟♟ 3
○ Collio Ribolla Gialla '17	♟♟ 5
○ Friuli Grave Chardonnay '17	♟♟ 4

Pitars

VIA TONELLO, 10
33098 SAN MARTINO AL TAGLIAMENTO [PN]
TEL. 043488078
www.pitars.it

VENDITA DIRETTA
VISITA SU PRENOTAZIONE
PRODUZIONE ANNUA 800.000 bottiglie
ETTARI VITATI 150,00
AZIENDA SOSTENIBILE

I fratelli Loris, Bruno, Mauro e Paolo sono il presente, gli attuali proprietari, mentre Stefano, Nicola, Jessica e Judy rappresentano la quarta generazione, il futuro di questo ormai affermato marchio. Pitars è il termine che nel lessico locale identifica i Pittaro, una famiglia storica che ha legato il suo nome alla produzione del vino nella vasta pianura del comprensorio friulano a cavallo del fiume Tagliamento, tra le province di Udine e Pordenone. La moderna cantina è una sintesi di estetica e funzionalità, realizzata secondo i canoni della bioedilizia. Il Sauvignon '19 conferma la splendida performance della scorsa edizione; è ancora lui a guidare la graduatoria di una schiera di vini di ottima fattura. Conserva la fragranza degli agrumi e della menta che rendono agile l'assaggio. Oltre ad un elevato numero di spumanti, quest'anno ci è stata proposta una serie di uvaggi, sia bianchi che rossi, che certificano la volontà aziendale di accontentare ogni richiesta di mercato.

● Brumal '17	♈♈	4
○ Cuntrevint '19	♈♈	4
● Friuli Refosco P.R. '18	♈♈	5
○ Friuli Sauvignon '19	♈♈	3
○ Friuli Traminer Aromatico '19	♈♈	2*
○ Pas Dosé M. Cl. '17	♈♈	5
○ Sèris '19	♈♈	4
○ Tèis '19	♈♈	3
○ Tureis '17	♈♈	4
● Naos '16	♈	4
○ Prosecco Extra Dry	♈	2
○ Ribolla Gialla Brut	♈	2
● Friuli Rosso Brumal '16	♉♉	3
○ Friuli Sauvignon '18	♉♉	3*
○ Friuli Traminer Aromatico '18	♉♉	2*
○ Malvasia '18	♉♉	2*
○ Tureis '16	♉♉	4

Vigneti Pittaro

VIA UDINE, 67
33033 CODROIPO [UD]
TEL. 0432904726
www.vignetipittaro.com

VENDITA DIRETTA
VISITA SU PRENOTAZIONE
OSPITALITÀ
PRODUZIONE ANNUA 300.000 bottiglie
ETTARI VITATI 90,00
AZIENDA SOSTENIBILE

Piero Pittaro è una persona di spicco nel panorama enologico non solo friulano. Nel suo lungo percorso ha ricoperto molte cariche istituzionali a livello internazionale, senza mai perdere il contatto con le esigenze aziendali che ha sempre gestito in prima persona avvalendosi ormai da decenni della preziosa collaborazione di Stefano Trinco, autentico factotum. La maggior parte dei vigneti circonda la sede storica di Codroipo, mentre da altri cinque ettari vitati, sulle splendide colline scoscese di Ramandolo, provengono le uve autoctone della linea Ronco Vieri. Il nutrito numero di etichette della proposta aziendale è in grado di soddisfare ogni tipo di richiesta, ma ormai da tempo le nostre attenzioni si concentrano sull'offerta degli spumanti, tutti rigorosamente Metodo Classico, e sulla linea Ronco Vieri. L'intera squadra veleggia su valori di ottimo livello, capeggiata dal Pittaro Et. Oro Pas Dosé M. Cl. '13 che, per la sublime eleganza e la croccantezza dell'assaggio, è salito sul gradino più alto del podio aziendale.

○ Pittaro Et. Oro Pas Dosé M. Cl. '13	♈♈	6
○ FCO Friulano Ronco Vieri '18	♈♈	4
○ Pittaro Brut Et. Argento M. Cl.	♈♈	4
○ Pittaro Brut Rosé Pink	♈♈	5
○ Pittaro Et. Oro Brut M. Cl. '13	♈♈	5
○ Ramandolo Ronco Vieri '16	♈♈	3
○ Ribolla Gialla Brut	♈♈	5
● FCO Refosco P. R. Ronco Vieri '17	♈	3
○ FCO Friulano Ronco Vieri '17	♉♉	3
○ Pittaro Brut Et. Argento	♉♉	4
○ Pittaro Brut Et. Oro '10	♉♉	5
○ Pittaro Brut Et. Oro Pas Dosé '09	♉♉	6
⊙ Pittaro Brut Rosé Pink	♉♉	5
○ Pittaro Et. Oro Brut M. Cl. '12	♉♉	5
○ Pittaro Et. Oro Brut M. Cl. '11	♉♉	5
○ Pittaro Et. Oro Pas Dosé '11	♉♉	6
○ Ribolla Gialla Brut	♉♉	5

Denis Pizzulin

VIA BROLO, 43
33040 PREPOTTO [UD]
TEL. 0432713425
www.pizzulin.com

VENDITA DIRETTA
VISITA SU PRENOTAZIONE
PRODUZIONE ANNUA 35.000 bottiglie
ETTARI VITATI 11,00
AZIENDA SOSTENIBILE

Poche etichette, tanta passione ed innate capacità enologiche sono i requisiti che hanno permesso a Denis Pizzulin di affermare la sua azienda tra quelle di riferimento del comprensorio di Prepotto. Una stretta vallata protetta dai venti, confinante con la Slovenia e con il Collio, pullulante di piccole aziende a carattere familiare che mettono a frutto esperienze antiche. È la patria della ribolla nera, l'uva utilizzata per produrre lo Schioppettino, vino di riferimento anche per la cantina di Denis, che ha comunque dimostrato di saper conferire pari dignità a tutta la gamma. Anche quest'anno i punteggi di tutti i vini stazionano in un range molto ristretto di livello assoluto. Lo Schioppettino di Prepotto '17 e il Rarisolchi '18 (pinot bianco e sauvignon) confermano gli apprezzamenti delle scorse edizioni, mentre la novità di quest'anno è rappresentata da due vini della vendemmia 2018 inseriti in una nuova linea, denominata Lastris, che si sono subito messi in evidenza.

○ FCO Bianco Rarisolchi '18	♟♟	4
○ FCO Friulano '19	♟♟	3
○ FCO Pinot Grigio '19	♟♟	3
● FCO Pinot Nero Lastris '18	♟♟	5
○ FCO Sauvignon '19	♟♟	3
○ FCO Sauvignon Lastris '18	♟♟	5
● FCO Schioppettino di Prepotto '17	♟♟	5
○ FCO Bianco Rarisolchi '17	♟	3*
○ FCO Friulano '18	♟	3
○ FCO Friulano '17	♟	3
● FCO Merlot Scaglia Rossa Ris. '16	♟	5
● FCO Merlot Scaglia Rossa Ris. '15	♟	5
○ FCO Pinot Grigio '18	♟	3
● FCO Refosco P. R. Ris '16	♟	5
○ FCO Sauvignon '18	♟	3
● FCO Schioppettino di Prepotto '16	♟	5
○ Pinot Bianco '18	♟	3

Damijan Podversic

VIA BRIGATA PAVIA, 61
34170 GORIZIA
TEL. 048178217
www.damijanpodversic.com

VENDITA DIRETTA
VISITA SU PRENOTAZIONE
PRODUZIONE ANNUA 33.000 bottiglie
ETTARI VITATI 10,00
VITICOLTURA Biologico Certificato
AZIENDA SOSTENIBILE

La filosofia di vita di Damijan Podversic è legata al mestiere del contadino conscio che lavorare con la natura vuol dire rispettarne i tempi ed accettarne le avversità. Fin da giovane si è reso protagonista di scelte coraggiose che ha perseguito e perfezionato nel tempo: rese bassissime in campagna, lunghe fermentazioni sulle bucce, totale rinuncia a lieviti selezionati, niente chiarifiche, niente filtrazioni e nessun controllo della temperatura. Tecniche ancestrali che sembrano fuori dal tempo, ma che tornano attuali nell'ambito del rispetto di natura e ambiente. Quest'anno, oltre alla solita schiera di vini che vengono commercializzati quattro anni dopo la vendemmia, ci è stata proposta una stupefacente Ribolla Gialla '10. Che dire? Sentori insoliti in un vino: caramella mou, torrone, caramello salato, miele di castagno, ma in bocca non ci sono indugi e lo si sorseggia con continuità e leggerezza. Tre Bicchieri. Gli altri vini non gli sono da meno, soprattutto il Nekaj '16, potente e lunghissimo.

○ Ribolla Gialla Selezione '10	♟♟♟	8
○ Kaplja '16	♟♟	6
○ Malvasia '16	♟♟	6
○ Nekaj '16	♟♟	6
● Prelit '16	♟♟	6
○ Ribolla Gialla '16	♟♟	6
○ Kaplja '08	♟♟♟	6
○ Malvasia '15	♟♟♟	8
○ Malvasia '13	♟♟♟	8
○ Malvasia '10	♟♟♟	6
○ Malvasia '09	♟♟♟	6
○ Nekaj '14	♟♟♟	6
○ Ribolla Gialla '12	♟♟♟	8
○ Malvasia '14	♟♟	8
○ Nekaj '15	♟♟	6
○ Ribolla Gialla '15	♟♟	8
○ Ribolla Gialla '14	♟♟	8

Isidoro Polencic

LOC. PLESSIVA, 12
34071 CORMÒNS [GO]
TEL. 048160655
www.polencic.com

VENDITA DIRETTA
VISITA SU PRENOTAZIONE
OSPITALITÀ
PRODUZIONE ANNUA 120.000 bottiglie
ETTARI VITATI 28,00

Isidoro Polencic, gran maestro di vigna e di cantina, nel 1968 fondò l'azienda che poi condusse per molti anni, portandola ad una dimensione di tutto rispetto per una gestione prettamente familiare. La continuità è ora affidata ai tre figli Elisabetta, Michele e Alex, che hanno dimostrato capacità davvero rare se rapportate alla giovane età. La sede della cantina è a Cormòns e alcuni vigneti le fanno da contorno, mentre altri sono dislocati in diverse località limitrofe: fattore questo che permette all'azienda di offrire una panoramica completa delle potenzialità del Collio. Michele ed Alex confermano di possedere una radicata abilità nella vinificazione e, di anno in anno, ci propongono vini sempre più convincenti e raffinati. Il Pinot Bianco '19 eccelle per l'eleganza del profumo, con note floreali di gelsomino e mughetto che precedono folate di cioccolato bianco e burro in un contesto balsamico. Il Friulano Fisc '18 è molto fruttato, anche un po' tropicale, ed in bocca è morbido e suadente.

○ Collio Chardonnay '19	♟♟	3
○ Collio Friulano '19	♟♟	3
○ Collio Friulano Fisc '18	♟♟	4
○ Collio Pinot Bianco '19	♟♟	3
○ Collio Pinot Grigio '19	♟♟	3
○ Oblin Blanc '18	♟♟	4
○ Collio Friulano Fisc '07	♟♟♟	3*
○ Collio Pinot Bianco '07	♟♟♟	3
○ Collio Pinot Grigio '98	♟♟♟	3*
○ Collio Tocai Friulano '04	♟♟♟	3*
○ Collio Chardonnay '18	♟♟	3
○ Collio Friulano '18	♟♟	3
○ Collio Friulano Fisc '16	♟♟	4
○ Collio Pinot Grigio '18	♟♟	3*
○ Collio Pinot Grigio '18	♟♟	3
○ Collio Sauvignon '18	♟♟	3
○ Oblin Blanc '17	♟♟	4

Polje

LOC. NOVALI, 11
34071 CORMÒNS [GO]
TEL. 047160660
www.polje.com

VENDITA DIRETTA
VISITA SU PRENOTAZIONE
PRODUZIONE ANNUA 64.000 bottiglie
ETTARI VITATI 12,00

Polje è il marchio creato dai fratelli Luigi e Stefano Sutto quando ebbero l'occasione di acquisire, a Novali di Cormòns, una cantina la cui fondazione risale al 1926. Nella scelta del nome si ispirarono alle doline che caratterizzano il territorio, chiamate appunto polje, formatesi per effetto dell'erosione delle Prealpi Giulie. Imprenditori di successo nel vicino Veneto, i Sutto agli inizi degli anni 2000 si avventurarono sul Collio goriziano, se ne innamorarono e decisero di lasciare la loro impronta su questa terra. Continua la scalata di questa bella azienda alle vette dell'eccellenza. Quest'anno due vini si sono messi in evidenza e sono approdati alle finali. Il Sauvignon '19 stuzzica l'olfatto con intriganti note di magnolia, salvia, peperone verde, scorza di cedro e frutto della passione, mentre in bocca è nitido e vibrante. Il Pinot Grigio '19 ricorda i fiori di campo e la pesca bianca e all'assaggio è morbido, fresco, sapido e progressivo.

○ Collio Pinot Grigio '19	♟♟♟	4*
○ Collio Sauvignon '19	♟♟	4
○ Collio Bianco Fantazija '19	♟♟	3
○ Collio Friulano '19	♟♟	4
○ Collio Ribolla Gialla '19	♟♟	4
● Collio Rosso '19	♟♟	4
○ Ribolla Gialla Brut	♟♟	4
○ Collio Friulano '18	♟♟	4
○ Collio Friulano '17	♟♟	3
○ Collio Pinot Grigio '18	♟♟	4
○ Collio Pinot Grigio '17	♟♟	3*
○ Collio Ribolla Gialla '18	♟♟	4
● Collio Rosso '17	♟♟	4
○ Collio Sauvignon '18	♟♟	4
○ Collio Sauvignon '17	♟♟	3*
○ Collio Sauvignon '16	♟♟	3*

Pradio

FRAZ. FELETTIS
VIA UDINE, 17
33050 BICINICCO [UD]
TEL. 0432990123
www.pradio.it

VENDITA DIRETTA
VISITA SU PRENOTAZIONE
PRODUZIONE ANNUA 300.000 bottiglie
ETTARI VITATI 33,00

La cantina di Pradio è situata a Felettis, un piccolo centro vicino alla città di Palmanova. È di proprietà della famiglia Cielo e, da oltre un decennio, è condotta in quarta generazione dai cugini Luca e Pierpaolo. La scelta, rara da queste parti, di ridurre drasticamente le rese per ettaro ha incanalato l'azienda in un percorso virtuoso, con l'obiettivo di produrre vini di qualità superiore. Giovandosi della preziosa consulenza enologica di Gianni Menotti, i risultati non si sono fatti attendere. Altra prestazione di gran classe per lo Starz Bianco '19 (chardonnay, sauvignon e tocai friulano), che ha bissato l'exploit della scorsa edizione riconquistando il diritto di accesso alle finali. Una soglia sfiorata anche dallo Starz Rosso '16 (merlot, cabernet e refosco) intrigante al naso e avvolgente al palato. Una bella novità anche i due nuovi uvaggi, uno bianco e uno rosso, entrambi denominati Rok.

○ Friuli Bianco Starz '19	�;♟	5
○ Friuli Chardonnay Teraje '19	♟♟	3
○ Friuli Friulano Gaiare '19	♟♟	3
● Friuli Grave Rosso Starz '16	♟♟	5
○ Friuli Pinot Grigio Priara '19	♟♟	3
○ Friuli Sauvignon Sobaja '19	♟♟	3
○ Rok Bianco '19	♟♟	6
● Rok Rosso '17	♟♟	7
○ Friuli Grave Pinot Grigio Priara '17	♟♟	3
● Friuli Grave Refosco P.R. Tuaro '16	♟♟	3
○ Priara Pinot Grigio '18	♟♟	3
● Roncomoro Merlot '17	♟♟	2*
○ Starz Bianco '18	♟♟	5
○ Teraje Chardonnay '18	♟♟	3
● Tuaro Refosco P. R. '17	♟♟	3

Primosic

FRAZ. OSLAVIA
LOC. MADONNINA DI OSLAVIA, 3
34170 GORIZIA
TEL. 0481535153
www.primosic.com

VENDITA DIRETTA
VISITA SU PRENOTAZIONE
PRODUZIONE ANNUA 210.000 bottiglie
ETTARI VITATI 32,00

I Primosic si stabilirono sul colle di Oslavia alla fine dell'Ottocento. Attualmente, Marko e Boris gestiscono l'azienda fondata nel 1956 da papà Silvestro. Documenti storici attestano che i Primosic fornivano vino ai commercianti che trasportavano il prezioso prodotto dalle colline del Sud dell'Impero austro-ungarico alla capitale Vienna. Una storia di famiglia e di vignaioli che sta vivendo un momento di splendore grazie anche alla diversificazione della gamma, che prevede sia vini moderni e raffinati sia vere chicche prodotte con tecniche ancestrali. Davvero intrigante il Friulano Skin '16 che, per effetto della prolungata macerazione, ha acquisito un colore oro antico con fluorescenze ambrate e regala all'olfatto folate di arancia rossa, fragoline di bosco, melone maturo e nocciole tostate. Caratteristiche simili a quelle della Ribolla Gialla di Oslavia Riserva '17, ancor più ricca di sfaccettature aromatiche.

○ Collio Ribolla Gialla di Oslavia Ris. '17	♟♟	7
○ Collio Friulano Skin '16	♟♟	7
● Collio Merlot '16	♟♟	4
○ Collio Pinot Grigio '19	♟♟	4
○ Malvasia '19	♟♟	3
○ Think Yellow Ribolla Gialla '19	♟♟	3
○ Collio Chardonnay Gmajne '15	♟♟♟	5
○ Collio Ribolla Gialla di Oslavia Ris. '16	♟♟♟	6
○ Collio Ribolla Gialla di Oslavia Ris. '13	♟♟♟	5
○ Collio Ribolla Gialla di Oslavia Ris. '12	♟♟♟	5
○ Collio Ribolla Gialla di Oslavia Ris. '11	♟♟♟	5

★Doro Princic

LOC. PRADIS, 5
34071 CORMÒNS [GO]
TEL. 048160723
doroprincic@virgilio.it

VENDITA DIRETTA
VISITA SU PRENOTAZIONE
PRODUZIONE ANNUA 60.000 bottiglie
ETTARI VITATI 10,00

L'azienda, fondata da Doro Princic nel 1950, per merito del figlio Alessandro è diventata un marchio che garantisce qualità assoluta, un orgoglio per il Collio e per tutta la regione. Alessandro è uomo di vigna, classico artigiano del vino, personaggio imponente sia nell'aspetto sia nel carattere, dotato di uno straordinario equilibrio. Un sorriso sornione traspare sotto i baffoni in stile austro-ungarico; insieme alla moglie Mariagrazia forma una coppia di raffinata simpatia. Il giovane figlio Carlo, enologo, lo affianca sia in vigna che in cantina. Davvero una lotta tra colossi, una sfida entusiasmante per determinare la posizione di vertice di una serie di vini che, ognuno nella sua categoria, esprime i massimi valori della potenzialità dei singoli vitigni. Con uno scarto minimo l'ha spuntata nuovamente il Pinot Bianco '19, che per il quarto anno consecutivo conquista i Tre Bicchieri in virtù dell'intrinseca eleganza e della dinamica sinergia di tutte le componenti.

○ Collio Pinot Bianco '19	♟♟♟ 5
○ Collio Friulano '19	♟♟ 5
○ Collio Malvasia '19	♟♟ 5
○ Collio Pinot Grigio '19	♟♟ 5
○ Collio Ribolla Gialla '19	♟♟ 5
○ Collio Sauvignon '19	♟♟ 5
○ Collio Friulano '15	♟♟♟ 5
○ Collio Malvasia '14	♟♟♟ 5
○ Collio Malvasia '13	♟♟♟ 5
○ Collio Malvasia '12	♟♟♟ 5
○ Collio Malvasia '11	♟♟♟ 5
○ Collio Malvasia '10	♟♟♟ 4
○ Collio Malvasia '09	♟♟♟ 4*
○ Collio Pinot Bianco '18	♟♟♟ 5
○ Collio Pinot Bianco '17	♟♟♟ 5
○ Collio Pinot Bianco '16	♟♟♟ 5

Puiatti

LOC. ZUCCOLE, 4
34076 ROMANS D'ISONZO [GO]
TEL. 0481909608
www.puiatti.com

VENDITA DIRETTA
VISITA SU PRENOTAZIONE
PRODUZIONE ANNUA 450.000 bottiglie
ETTARI VITATI 46,00
AZIENDA SOSTENIBILE

I vini targati Puiatti vantano uno stile inconfondibile, volto a rispettare i caratteri originali e naturali delle uve. Fondata nel 1967 da Vittorio Puiatti, da alcuni anni la cantina è entrata a far parte della Bertani Domains. La nuova proprietà ha sposato appieno la filosofia aziendale, valorizzando i principi di Vittorio e adeguandoli alle esigenze attuali senza recidere, anzi rafforzando, il legame indissolubile tra l'uomo e la terra. Particolare attenzione viene riservata ai vitigni autoctoni, in particolare alla ribolla gialla, prodotta in diverse versioni utilizzando tecnologie innovative. Anche quest'anno ci è stato presentato il Sauvignon in due interpretazioni. Quello della linea Archetipi, della vendemmia 2018, profuma di mela verde e scorza di cedro sotto un velo di salvia e rosmarino, mentre quello della linea base marca con decisione le caratteristiche varietali. Una bella novità è la Ribolla Gialla Extra Brut Metodo Classico, che sprigiona nuance agrumate e fini note iodate.

○ Friuli Sauvignon '19	♟♟ 3
○ Friuli Sauvignon Archetipi '18	♟♟ 5
○ Ribolla Gialla Extra Brut M. Cl.	♟♟ 5
○ Friuli Friulano '19	♟ 3
○ Friuli Pinot Grigio '19	♟ 3
○ Ribolla Gialla '19	♟ 3
○ Collio Sauvignon Archetipi '88	♟♟♟ 5
○ Friuli Isonzo Friulano Vuj '16	♟♟ 3
○ Friuli Pinot Grigio '17	♟♟ 3
○ Friuli Sauvignon '18	♟♟ 3
○ Fun Sauvignon '17	♟♟ 3
○ Ribolla Gialla Archetipi '17	♟♟ 5
○ Ribolla Gialla Archetipi '16	♟♟ 5
○ Ribolla Gialla Archetipi '15	♟♟ 5
○ Sauvignon Archetipi '17	♟♟ 3
○ Sauvignon Archetipi '16	♟♟ 3

Teresa Raiz

LOC. MARSURE DI SOTTO
VIA DELLA ROGGIA, 22
33040 POVOLETTO [UD]
TEL. 0432679556
www.teresaraiz.it

VENDITA DIRETTA
VISITA SU PRENOTAZIONE
PRODUZIONE ANNUA 80.000 bottiglie
ETTARI VITATI 11,50

Teresa Raiz era la nonna materna di Paolo Tosolini, l'attuale proprietario. Viene ricordata come una donna incredibile, grande appassionata di vino, che viveva la terra e la campagna come un dono del cielo, meritevole di gratitudine e instancabile lavoro. L'azienda ha una forte connotazione internazionale; da oltre trent'anni esporta infatti i vini friulani nel mondo. Paolo, fresco di studi in enologia, fondò questa cantina nel 1971 in un momento di grande fermento nel settore vitivinicolo regionale; dal 2003 è coadiuvato dal figlio Alessandro. I vigneti che si estendono a Marsure di Povoletto costituiscono il nucleo storico dell'azienda; racchiude un patrimonio di vigne vecchie che forniscono uve eccezionali. Ed è proprio il Pinot Grigio Le Marsure '19 a varcare la soglia di accesso alle finali. Profumi floreali e fruttati precedono sentori di agrumi e note di vaniglia; l'assaggio si rivela di raffinata piacevolezza.

○ Friuli Pinot Grigio Le Marsure '19	🍷🍷	2*
○ FCO Friulano '19	🍷🍷	2*
○ FCO Pinot Grigio '19	🍷🍷	2*
○ FCO Ribolla Gialla '19	🍷🍷	2*
○ Friuli Sauvignon Le Marsure '19	🍷🍷	2*
● Schioppettino '13	🍷🍷	2*
○ Chardonnay Le Marsure '09	🍷🍷	2*
○ COF Ribolla Gialla '08	🍷🍷	3
○ FCO Pinot Grigio '18	🍷🍷	3
○ FCO Ribolla Gialla '18	🍷🍷	3
● FCO Rosso Decano '16	🍷🍷	5
○ Friuli Chardonnay '18	🍷🍷	3
○ Pinot Grigio Le Marsure '08	🍷🍷	2*
○ Sovrej '08	🍷🍷	4*

La Rajade

LOC. PETRUS, 2
34070 DOLEGNA DEL COLLIO [GO]
TEL. 0481639273
www.larajade.it

VENDITA DIRETTA
VISITA SU PRENOTAZIONE
PRODUZIONE ANNUA 50.000 bottiglie
ETTARI VITATI 6,50

Di proprietà delle famiglie Campeotto e Faurlin, La Rajade è una realtà enologica di gran valore, fiore all'occhiello del comprensorio di Dolegna del Collio. La particolare esposizione dei vigneti, che si estendono sui colli più alti, protetti a nord dalle Alpi Giulie, hanno ispirato il nome aziendale. La Rajade significa infatti raggio di sole, un sole che disegnando il suo arco contrasta le basse temperature notturne creando forti escursioni termiche, ideali per la maturazione dell'uva e per la formazione dei profumi primari. Due ottimi vini rossi, il Cabernet Sauvignon Ris. '17 e il Merlot Ris. '16, si collocano nelle posizioni di testa preceduti di una sola incollatura dal Bianco Caprizi Ris. '17 (malvasia istriana, chardonnay e tocai friulano), che si presenta con eleganti sfumature di erbe officinali, confettura di albicocche, nocciole tostate e anice, mentre al palato è vivido e strutturato. Seguono praticamente a pari merito i vini di annata e lo Schioppettino '18.

○ Collio Bianco Caprizi Ris. '17	🍷🍷	5
● Collio Cabernet Sauvignon Ris. '17	🍷🍷	5
● Collio Merlot Ris. '16	🍷🍷	5
○ Collio Sauvignon '19	🍷🍷	3
● Schioppettino '18	🍷🍷	3
○ Collio Ribolla Gialla '19	🍷	3
○ Collio Bianco Caprizi Ris. '16	🍷🍷	5
○ Collio Bianco Caprizi Ris. '15	🍷🍷	5
● Collio Cabernet Sauvignon Ris. '16	🍷🍷	5
● Collio Cabernet Sauvignon Ris. '15	🍷🍷	5
● Collio Rosso '16	🍷🍷	3
○ Collio Sauvignon '18	🍷🍷	3
○ Collio Sauvignon '17	🍷🍷	3
○ Collio Sauvignon '16	🍷🍷	3

Rocca Bernarda

FRAZ. ÌPPLIS
VIA ROCCA BERNARDA, 27
33040 PREMARIACCO [UD]
TEL. 0432716914
www.sagrivit.it

VENDITA DIRETTA
VISITA SU PRENOTAZIONE
PRODUZIONE ANNUA 100.000 bottiglie
ETTARI VITATI 38,50

L'azienda Rocca Bernarda ha sede in un antico maniero caratterizzato da quattro suggestive torri cilindriche angolari. Sono mura della metà del '500, utilizzate nei secoli come dimora estiva delle famiglie nobili del cividalese. Proprio qui, alla fine dell'800, rinacque il Picolit del Conte Asquini, portato in loco dagli allora proprietari Conti Perusini. Nel 1977 i Perusini devolvettero la proprietà all'Ordine di Malta o, dal 2006, l'azienda è gestita dalla S.Agri.V.It (Società Agricola Vitivinicola Italiana), una delle più grandi realtà agricole nazionali. Il Picolit '17 si esprime sugli alti livelli delle migliori annate e mantiene la leadership aziendale. Pur marcando le note dolci, dimostra un eccellente nerbo acido a vantaggio di simmetria, equilibrio e armonia del sorso. Il Refosco P. R. '18 e il Merlot Centis '17 hanno in comune la facilità della beva ma si differenziano all'olfatto: il primo gioca su note di tabacco e liquirizia, mentre il secondo è molto fruttato.

Paolo Rodaro

LOC. SPESSA
VIA CORMONS, 60
33043 CIVIDALE DEL FRIULI [UD]
TEL. 0432716066
www.rodaropaolo.it

VENDITA DIRETTA
VISITA SU PRENOTAZIONE
PRODUZIONE ANNUA 250.000 bottiglie
ETTARI VITATI 64,00
AZIENDA SOSTENIBILE

L'azienda gestita da Paolo Rodaro in sesta generazione porta lo stesso nome di chi la fondò nel lontano 1846; è quindi un'azienda storica del panorama vitivinicolo regionale. Orgoglioso delle sue origini, Paolo più che un viticoltore ama essere definito un contadino, nel senso nobile della parola. Energico, affabile e loquace, trasmette tutto il suo entusiasmo per il mestiere che esercita e non perde occasione per esaltare l'affascinante mondo del vino. È sempre in prima linea, e vanta un'offerta a tutto tondo, in grado di soddisfare ogni esigenza di mercato. Spesso non è possibile testare le grandi potenzialità di invecchiamento dei vini bianchi regionali solo perché vengono commercializzati e consumati prima che possano arrivare al massimo della maturità. Nella scorsa edizione esaltammo la performance di un Friulano del 2014 e quest'anno facciamo la stessa cosa per il Sauvignon l'Evoluto '13, vino di grande carattere, inaspettata fragranza e pura emozione.

○ COF Picolit '17	♀♀ 8
○ FCO Friulano '19	♀♀ 3
● FCO Merlot Centis '17	♀♀ 6
● FCO Refosco P. R. '18	♀♀ 3
○ FCO Ribolla Gialla '19	♀♀ 3
● FCO Cabernet Franc '18	♀ 3
○ FCO Sauvignon '19	♀ 3
● COF Merlot Centis '99	♀♀♀ 7
○ COF Picolit '03	♀♀♀ 7
○ COF Picolit '98	♀♀♀ 7
○ COF Picolit '97	♀♀♀ 7
○ COF Picolit '16	♀♀ 8
● FCO Cabernet Franc '17	♀♀ 3
○ FCO Friulano '18	♀♀ 3
● FCO Merlot Centis '16	♀♀ 6
● FCO Refosco P. R. '17	♀♀ 3
○ FCO Ribolla Gialla '18	♀♀ 3

● FCO Cabernet Sauvignon Romain '13	♀♀ 5
○ FCO Sauvignon L'Evoluto '13	♀♀ 6
○ COF Picolit '17	♀♀ 5
○ FCO Friulano Fiore '19	♀♀ 4
○ FCO Malvasia Fiore '19	♀♀ 4
○ FCO Ribolla Gialla Fiore '19	♀♀ 4
○ FCO Sauvignon Fiore '19	♀♀ 4
○ Pas Dosé M. Cl. '16	♀♀ 5
● COF Refosco P. R. Romain '03	♀♀♀ 6
○ COF Sauvignon Bosc Romain '96	♀♀♀ 4*
○ FCO Malvasia '16	♀♀♀ 4*
○ Ronc '00	♀♀♀ 3
○ FCO Chardonnay '18	♀♀ 4
○ FCO Malvasia '18	♀♀ 4
○ FCO Pinot Grigio '18	♀♀ 4
⊙ Nature M. Cl. Rosé '14	♀♀ 5

La Roncaia

FRAZ. CERGNEU
VIA VERDI, 26
33045 NIMIS [UD]
TEL. 0432790280
www.laroncaia.it

VENDITA DIRETTA
VISITA SU PRENOTAZIONE
PRODUZIONE ANNUA 60.000 bottiglie
ETTARI VITATI 25,00

La Roncaia, che nel 1998 è entrata a far parte del gruppo Fantinel, ha sede a Cergneu, una piccola frazione di Nimis, zona resa famosa dal Ramandolo, qui prodotto assieme al Picolit. Questa invidiabile coppia di vini dolci, assieme ai rinomati bianchi e rossi prodotti in loco, va ad aggiungersi alla già ricca offerta della famiglia Fantinel, che vanta possedimenti sia sul Collio sia nella distesa delle Grave, proponendosi così sul mercato internazionale con il campionario completo delle peculiarità regionali. Il top di gamma è un vino bianco: Eclisse '18. Composto perlopiù da sauvignon, con una piccola ma significativa aggiunta di picolit, si aggiudica i Tre Bicchieri. Nel bagaglio olfattivo distinguiamo agrumi canditi, ginestra e mela golden, con accenni di salsedine ed erbe aromatiche. Nell'ingresso al palato sprigiona freschezza, per poi espandersi con ripetuti richiami fruttati che accompagnano fino all'elegante chiusura.

O Eclisse '18	▼▼▼	5
O FCO Pinot Grigio '18	▼▼	5
O FCO Friulano '18	▼▼	4
● FCO Merlot Fusco '15	▼▼	5
O FCO Ribolla Gialla '18	▼▼	4
O Eclisse '12	♀♀♀	4*
O Bianco Eclisse '16	♀♀	5
O Bianco Eclisse '15	♀♀	5
O COF Picolit '15	♀♀	5
O COF Picolit '13	♀♀	5
O FCO Friulano '17	♀♀	4
O FCO Friulano '16	♀♀	4
O FCO Friulano '15	♀♀	4
● FCO Merlot Fusco '14	♀♀	5
O FCO Pinot Grigio '17	♀♀	5
● FCO Refosco P.R. '14	♀♀	5
O Ramandolo '15	♀♀	5

Il Roncal

FRAZ. COLLE MONTEBELLO
VIA FORNALIS, 148
33043 CIVIDALE DEL FRIULI [UD]
TEL. 0432730138
www.ilroncal.it

VENDITA DIRETTA
VISITA SU PRENOTAZIONE
PRODUZIONE ANNUA 80.000 bottiglie
ETTARI VITATI 20,00

Il Roncal è l'azienda di Martina Moreale, proprietaria e factotum nell'intera filiera produttiva. Con coraggio e determinazione in breve tempo ha portato a termine il progetto avviato dal marito Roberto Zorzettig, scomparso prematuramente nel 2006, ultimando i lavori di costruzione della nuova cantina che, assieme alla villa padronale, svetta sul colle di Montebello, ricco di vegetazione e di boschi che fanno da contorno alle forme geometriche dei vigneti lungo l'andamento ondulato delle colline. In questa annata anomala abbiamo potuto valutare solo pochi campioni, che sono stati comunque sufficienti per confermare il trend aziendale di alto livello qualitativo. Il Friulano '19, in particolare, regala stuzzicanti sentori di agrumi e di fiori di campo, che si intrecciano con richiami floreali di tiglio e gelsomino per poi chiudere con echi fumé che esaltano le potenzialità del territorio e le caratteristiche varietali del vitigno.

O FCO Friulano '19	▼▼	4
O FCO Malvasia '19	▼▼	4
● FCO Merlot '16	▼▼	4
O FCO Ribolla Gialla '19	▼▼	4
O FCO Bianco Ploe di Stelis '17	♀♀	4
O FCO Bianco Ploe di Stelis '16	♀♀	4
O FCO Friulano '18	♀♀	4
O FCO Friulano '17	♀♀	3*
O FCO Malvasia '18	♀♀	4
● FCO Merlot '15	♀♀	3
● FCO Pignolo '11	♀♀	5
O FCO Pinot Grigio '17	♀♀	3
O FCO Pinot Grigio '16	♀♀	3*
● FCO Refosco P. R. '16	♀♀	4
O FCO Ribolla Gialla '17	♀♀	3
● FCO Schioppettino '16	♀♀	5
● FCO Schioppettino '15	♀♀	4

Il Roncat - Giovanni Dri

FRAZ. RAMANDOLO
VIA PESCIA, 7
33045 NIMIS [UD]
TEL. 0432790260
www.drironcat.com

VENDITA DIRETTA
VISITA SU PRENOTAZIONE
PRODUZIONE ANNUA 40.000 bottiglie
ETTARI VITATI 10,00

Il Roncat: Giovanni Dri scelse questo nome quando, nel 1968, fondò la sua azienda. Nel linguaggio locale identifica un colle scosceso, con ripidi pendii a volte quasi impraticabili, dove la coltivazione della vite è talmente difficoltosa da essere definita eroica. Su questi pendii si è sempre coltivato il verduzzo giallo con cui viene prodotto il Ramandolo, fiore all'occhiello del marchio aziendale. Nell'ampia cantina, accogliente e funzionale, realizzata utilizzando solo materiali naturali antichi, opera ormai da tempo la figlia Stefania, laureata in enologia. Il Ramandolo e il Picolit, con la loro accattivante dolcezza, rappresentano la punta di diamante di un'offerta aziendale che presenta una cospicua flotta di vini, soprattutto rossi, schietti e rappresentativi del territorio. Lo Schioppettino Monte dei Carpini '17 ammalia con un intreccio di spezie e resine ed avvolge il palato con una trama energica. Il Pignolo Monte dei Carpini '15 è incisivo ma composto sia al naso che in bocca.

Ronchi di Manzano

VIA ORSARIA, 42
33044 MANZANO [UD]
TEL. 0432740718
www.ronchidimanzano.com

VENDITA DIRETTA
VISITA SU PRENOTAZIONE
PRODUZIONE ANNUA 200.000 bottiglie
ETTARI VITATI 60,00

Ronchi di Manzano è l'azienda di Roberta Borghese, imprenditrice dal cuore artigiano con un tocco d'innata eleganza. Coadiuvata dalle figlie Lisa e Nicole, sovrintende in prima persona tutta la filiera produttiva, dalla campagna alla cantina, un'impronta di femminilità che si traduce nei vini in raffinatezza e leggiadria. La cantina gioca tra stili di modernità e tradizione, in una costruzione nata dalla roccia che comprende due piani interrati capaci di contenere grandi botti di rovere francese per la maturazione dei vini rossi e la fermentazione di alcuni bianchi. Oltre ai vini monovitigno, le pratiche enologiche consentono di elaborare deliziosi cocktail. Ne è la dimostrazione il Bianco Ellégri (tocai friulano, chardonnay, sauvignon e picolit), che nelle scorse edizioni della Guida è stato più volte menzionato. Quest'anno il Rosazzo Bianco '18 (tocai friulano, sauvignon, chardonnay e ribolla gialla) sbaraglia la concorrenza e si presenta alle finali in compagnia di uno splendido Pignolo '16.

○ COF Picolit '16	♟♟ 7
● FCO Merlot '15	♟♟ 3
● FCO Pignolo Monte dei Carpini '15	♟♟ 5
● FCO Schioppettino Monte dei Carpini '17	♟♟ 4
○ Ramandolo Il Roncat '15	♟♟ 5
○ Sauvignon '18	♟♟ 4
● FCO Cabernet '16	♟ 3
○ Ramandolo '16	♟ 4
○ COF Picolit '15	♟♟ 7
○ COF Picolit '14	♟♟ 7
● FCO Pignolo Monte dei Carpini '14	♟♟ 5
● FCO Pignolo Monte dei Carpini '13	♟♟ 5
○ FCO Sauvignon '17	♟♟ 4
● FCO Schioppettino Monte dei Carpin '13	♟♟ 4
○ Ramandolo Il Roncat '12	♟♟ 5
○ Ramandolo Uve Decembrine '13	♟♟ 5

● FCO Pignolo '16	♟♟ 5
○ Rosazzo Bianco '18	♟♟ 4
○ Bianco Ellégri '19	♟♟ 3
○ FCO Friulano '19	♟♟ 3
● FCO Merlot Ronc di Subule '16	♟♟ 3
● FCO Refosco P. R. '18	♟♟ 3
● FCO Rosso Brauros '16	♟♟ 4
○ COF Ellegri '13	♟♟♟ 3*
○ COF Friulano '10	♟♟♟ 3
○ COF Friulano '09	♟♟♟ 3*
● COF Merlot Ronc di Subule '99	♟♟♟ 3*
● COF Merlot Ronc di Subule '96	♟♟♟ 3*
○ COF Rosazzo Bianco Ellégri '11	♟♟♟ 3*
○ Rosazzo Bianco '13	♟♟♟ 3*

Ronco Blanchis

VIA BLANCHIS, 70
34070 MOSSA [GO]
TEL. 048180519
www.roncoblanchis.it

VENDITA DIRETTA
VISITA SU PRENOTAZIONE
PRODUZIONE ANNUA 60.000 bottiglie
ETTARI VITATI 14,00
AZIENDA SOSTENIBILE

La collina di Blanchis, una delle più alte del comprensorio del Collio, gode di una stupenda esposizione e, come suggerisce il nome, è particolarmente vocata per la produzione di grandi vini bianchi. La cantina, fondata nel 1950, all'inizio del secolo attuale venne acquisita dalla famiglia Palla; la gestione fu affidata a Lorenzo, che si assunse il compito di valorizzarne il marchio. Con felice intuizione scelse di concentrarsi su poche etichette. Anche quest'anno, con due vini in finale, la prestazione dell'intera squadra è da incorniciare. Il Blanc di Blanchis Riserva '17 (chardonnay, tocai friulano e sauvignon) è di un'eleganza estrema, con suggestioni di fiori di tiglio, pesca bianca, mandarino, eucalipto e scorza di cedro, mentre al palato è energico e verticale. Il Sauvignon '19 emana profumi di rosa canina, biancospino, timo e salvia; agile nell'ingresso, in bocca si congeda lentamente con sfumature officinali.

○ Collio Bianco Blanc di Blanchis Ris. '17	▼▼▼	5
○ Collio Chardonnay 3 '18	▼▼	5
○ Collio Friulano '19	▼▼	4
○ Collio Malvasia '19	▼▼	4
○ Collio Pinot Grigio '19	▼▼	4
○ Collio Sauvignon '19	▼▼	4
○ Collio '13	♀♀♀	3*
○ Collio '12	♀♀♀	3*
○ Collio Chardonnay '17	♀♀♀	3*
○ Collio Bianco Ris. '16	♀♀	4
○ Collio Blanc de Blanchis '16	♀♀	3*
○ Collio Blanc de Blanchis '15	♀♀	3*
○ Collio Friulano '18	♀♀	4
○ Collio Friulano '17	♀♀	4
○ Collio Sauvignon '16	♀♀	4

★★Ronco dei Tassi

LOC. MONTONA, 19
34071 CORMÒNS [GO]
TEL. 048160155
www.roncodeitassi.it

VENDITA DIRETTA
VISITA SU PRENOTAZIONE
PRODUZIONE ANNUA 110.000 bottiglie
ETTARI VITATI 18,00

Nata nel 1989 per volontà di Fabio Coser, esperto enologo e gran conoscitore delle potenzialità del Collio, Ronco dei Tassi è una delle più fiorenti cantine del mondo vitivinicolo regionale. Nonostante abbia già centrato innumerevoli obiettivi, mantenendosi costantemente nelle posizioni di testa e conquistando ambiti riconoscimenti, è tutt'oggi in continua espansione, ponendosi traguardi sempre più ambiziosi. Ai figli Matteo ed Enrico, ormai da tempo al fianco del padre, spetta il compito di preservare l'identità dell'azienda. Una formula ormai collaudata e vincente, quella del Collio Bianco Fosarin '18 (pinot bianco, tocai friulano e malvasia istriana): un vino che ha brillato come nelle annate precedenti e ha riconquistato i Tre Bicchieri. È un concentrato di emozioni scandite da richiami di frutta esotica, crema pasticcera, burro, zafferano e cedro candito. Anche la Malvasia '19 si è mantenuta sulle posizioni di testa.

○ Collio Bianco Fosarin '18	▼▼▼	3*
○ Collio Malvasia '19	▼▼	3*
○ Collio Friulano '19	▼▼	3
○ Collio Picolit '15	▼▼	6
○ Collio Pinot Grigio '19	▼▼	3
○ Collio Ribolla Gialla '19	▼▼	3
○ Collio Sauvignon '19	▼▼	3
○ Collio Bianco Fosarin '17	♀♀♀	3*
○ Collio Bianco Fosarin '16	♀♀♀	3*
○ Collio Bianco Fosarin '15	♀♀♀	3*
○ Collio Bianco Fosarin '10	♀♀♀	3
○ Collio Malvasia '15	♀♀♀	3*
○ Collio Malvasia '14	♀♀♀	3*
○ Collio Malvasia '13	♀♀♀	3*
○ Collio Malvasia '12	♀♀♀	3*
○ Collio Malvasia '11	♀♀♀	3*

Ronco delle Betulle

LOC. ROSAZZO
VIA ABATE COLONNA, 24
33044 MANZANO [UD]
TEL. 3474239162
www.roncodellebetulle.it

VENDITA DIRETTA
VISITA SU PRENOTAZIONE
PRODUZIONE ANNUA 50.000 bottiglie
ETTARI VITATI 12,00
VITICOLTURA Biologico Certificato
AZIENDA SOSTENIBILE

L'azienda Ronco delle Betulle, situata a ridosso della famosa Abbazia di Rosazzo, è una vera perla nel mondo vitivinicolo regionale. La proprietaria è Ivana Adami che, nel 1990, ne assunse la gestione sposando una filosofia semplice, incentrata sulla produzione di vini di alta qualità, valorizzando soprattutto le peculiarità espresse dai vitigni autoctoni regionali. Ora ad occuparsene è principalmente il figlio Simone, ma Ivana sovrintende ancora il lavoro, accollandoci soprattutto la responsabilità della conduzione agronomica. Nelle prime posizioni troviamo il Friulano '19, che è sempre stato la specialità della casa. Si presenta con un pot-pourri di erbe officinali, pesca gialla, nespola e agrumi, impreziosito da accenni marini. Sorso equilibrato con morbidezza e nerbo acido in perfetto equilibrio. Non è da meno il Rosazzo '18 (tocai friulano, chardonnay e sauvignon), elegante e composito all'olfatto e morbido al palato, dove si manifesta con un ritmo gustativo incessante.

Ronco Scagnèt

LOC. CIME DI DOLEGNA, 7
34070 DOLEGNA DEL COLLIO [GO]
TEL. 3298536872
www.roncoscagnet.it

VISITA SU PRENOTAZIONE
PRODUZIONE ANNUA 30.000 bottiglie
ETTARI VITATI 12,00

Il marchio Ronco Scagnet, ai più sconosciuto fino a qualche tempo fa, è salito alla ribalta con una serie di vini impeccabili che hanno attirato la nostra attenzione. Il proprietario è Valter Cozzarolo, coadiuvato nella gestione dal figlio Dimitri. I loro vigneti si estendono sui terrazzamenti delle dolci colline del Collio, dove il sottosuolo composto da marne e arenarie, che qui viene chiamato ponca, e le condizioni pedoclimatiche della zona, consentono la produzione di vini di grande struttura, con profumi fruttati, intensi e varietali. La nutrita campionatura che ci è stata messa a disposizione certifica a tutto tondo la validità dell'offerta aziendale che, se rapportata alla concorrenzialità dei prezzi, gioca a favore del consumatore. I vini bianchi sono più o meno tutti sullo stesso livello; si differenziano nei profumi in base alle peculiarità dei vitigni, ma si eguagliano in equilibrio e facilità di beva. I rossi hanno maggior corpo e una discreta tensione gustativa.

● FCO Cabernet Franc '17	♟♟ 4
○ FCO Friulano '19	♟♟ 3
● FCO Merlot '17	♟♟ 4
● FCO Pignolo di Rosazzo '14	♟♟ 6
○ FCO Pinot Grigio '19	♟♟ 3
● FCO Refosco P. R. '17	♟♟ 4
○ FCO Sauvignon '19	♟♟ 3
○ Rosazzo '18	♟♟ 5
○ FCO Ribolla Gialla '19	♟ 3
● Narciso Rosso '94	♟♟♟ 4*
● FCO Cabernet Franc '16	♟♟ 3
○ FCO Friulano '18	♟♟ 3
○ FCO Pinot Grigio '18	♟♟ 3
○ FCO Sauvignon '18	♟♟ 3
○ FCO Sauvignon '17	♟♟ 3*
○ Rosazzo '17	♟♟ 5
○ Rosazzo Bianco '15	♟♟ 5

● Collio Cabernet Franc '18	♟♟ 2*
○ Collio Chardonnay '19	♟♟ 4
○ Collio Friulano '19	♟♟ 4
● Collio Merlot '18	♟♟ 4
○ Collio Pinot Grigio '19	♟♟ 3
○ Collio Sauvignon '19	♟♟ 4
● Schioppettino '17	♟♟ 4
○ Collio Malvasia '18	♟ 2
○ Collio Ribolla Gialla '19	♟ 4
● Collio Cabernet Franc '16	♟♟ 2*
○ Collio Friulano '18	♟♟ 2*
● Collio Merlot '17	♟♟ 2*
○ Collio Pinot Grigio '18	♟♟ 2*
● Collio Refosco P. R. '17	♟♟ 2*
○ Collio Ribolla Gialla '18	♟♟ 2*
○ Collio Sauvignon '18	♟♟ 2*
○ Collio Sauvignon '17	♟♟ 2*

Ronco Severo

VIA RONCHI, 93
33040 PREPOTTO [UD]
TEL. 04337133440
www.roncosevero.it

VENDITA DIRETTA
VISITA SU PRENOTAZIONE
PRODUZIONE ANNUA 22.000 bottiglie
ETTARI VITATI 8,00
VITICOLTURA Biologico Certificato

Nel 1968, Severo Novello ebbe
l'opportunità di acquistare alcuni ettari di
terreno a Prepotto, nei Colli Orientali del
Friuli, ristrutturò un fatiscente casolare e lo
trasformò in cantina-abitazione. Ora
l'azienda a lui intitolata è gestita dal figlio
Stefano. Convinto sostenitore
dell'agricoltura biologica e biodinamica,
vinifica sostanzialmente come si faceva un
tempo, senza l'uso di prodotti chimici, lieviti
selezionati, enzimi, e neppure anidride
solforosa. I mosti, anche quelli bianchi,
rimangono a contatto con le bucce per
settimane, a volte anche per mesi. Il
punteggio più alto è andato al Merlot Artiul
Riserva '16, con liquirizia e chiodi di
garofano in evidenza, potente e vigoroso
all'assaggio. I vini bianchi sono tutti della
vendemmia 2018 e hanno in comune un
caratteristico colore giallo oro antico
tendente all'ambrato. I profumi sono
intensi, di macchia mediterranea, albicocca
disidratata, croccante alle mandorle,
mentre in bocca sono sapidi e asciutti.

● FCO Merlot Artiul Ris. '16	♟♟	5
○ FCO Friulano Ris. '18	♟♟	4
○ FCO Pinot Grigio '18	♟♟	4
● FCO Schioppettino di Prepotto '17	♟♟	4
○ Ribolla Gialla '18	♟♟	4
○ Severo Bianco '12	♟♟♟	4*
○ FCO Friulano Ris. '17	♟♟	4
○ FCO Friulano Ris. '16	♟♟	4
○ FCO Friulano Ris. '15	♟♟	4
● FCO Merlot Artiûl Ris. '13	♟♟	5
○ Ribolla Gialla '17	♟♟	4
○ Ribolla Gialla '16	♟♟	4
○ Ribolla Gialla '14	♟♟	4
○ Severo Bianco '17	♟♟	4
○ Severo Bianco '16	♟♟	4
○ Severo Bianco '13	♟♟	4

Roncùs

VIA MAZZINI, 26
34076 CAPRIVA DEL FRIULI [GO]
TEL. 0481809349
www.roncus.it

VENDITA DIRETTA
VISITA SU PRENOTAZIONE
OSPITALITÀ
PRODUZIONE ANNUA 40.000 bottiglie
ETTARI VITATI 10,00

Da esperto vignaiolo, Marco Perco,
proprietario di Roncús, è riuscito ad
imprimere ai suoi vini uno stile molto
personale, adottando pratiche di cantina
ancestrali abbinate alla vinificazione
moderna. I mosti rimangono a contatto dei
lieviti, rigorosamente indigeni, per molti
mesi, arricchendosi di conservanti naturali
che garantiscono una straordinaria
potenzialità di invecchiamento. Il comparto
vigneti è composto da tanti piccoli
appezzamenti sparsi sui ronchi di Capriva
del Friuli, nel cuore del Collio, molti dei
quali vantano oltre cinquant'anni di età. Il
Collio Bianco Vecchie Vigne '16 (malvasia
istriana, tocai friulano e ribolla gialla),
prodotto unicamente con vitigni autoctoni,
ci viene proposto a quattro anni dalla
vendemmia. In questo lungo periodo di
affinamento si è arricchito di note speziate
di cannella e noce moscata che si
aggiungono al già composto bagaglio
aromatico di frutta candita, fiori essiccati e
zenzero. La concretezza e l'avvolgenza del
sorso completano il quadro.

○ Collio Bianco V. V. '16	♟♟	5
○ Collio Friulano '18	♟♟	4
○ Reversus Malvasia '18	♟♟	5
○ Collio Bianco V. V. '08	♟♟♟	5
○ Roncús Bianco V. V. '01	♟♟♟	5
○ Collio Bianco '17	♟♟	3
○ Collio Bianco '15	♟♟	3*
○ Collio Bianco '14	♟♟	3
○ Collio Bianco V. V. '15	♟♟	5
○ Collio Bianco V. V. '14	♟♟	5
○ Collio Bianco V. V. '13	♟♟	5
○ Collio Bianco V. V. '12	♟♟	5
○ Collio Friulano '16	♟♟	4
○ Malvasia '17	♟♟	3
○ Pinot Bianco '16	♟♟	4
○ Pinot Bianco '15	♟♟	4
○ Ribolla Gialla '18	♟♟	3

★Russiz Superiore

VIA RUSSIZ, 7
34070 CAPRIVA DEL FRIULI [GO]
TEL. 048180328
www.marcofelluga.it

VENDITA DIRETTA
VISITA SU PRENOTAZIONE
OSPITALITÀ
PRODUZIONE ANNUA 180.000 bottiglie
ETTARI VITATI 50,00
AZIENDA SOSTENIBILE

Marco Felluga, uomo lungimirante e
innovatore per eccellenza, intuì le
potenzialità dei vigneti che circondavano
l'antico borgo di Russiz Superiore, risalente
al XIII secolo, ne acquisì la proprietà e si
stabilì tra quelle storiche mura. Roberto
Felluga, figlio d'arte, gestisce ormai da
molti anni la tenuta di 50 ettari che si
estende sugli assolati pendii del Collio
goriziano, nel comune di Capriva del Friuli,
dove la vite trova condizioni ottimali.
Roberto ha saputo dare continuità
all'azienda, raggiungendo traguardi sempre
più importanti. Nelle scorse edizioni della
Guida abbiamo più volte evidenziato
l'impegno aziendale nella produzione di
alcune Riserve allo scopo di valorizzare le
proprietà di invecchiamento dei vini bianchi
regionali. Il premio per averci creduto è uno
splendido Sauvignon Riserva '16, un
concentrato di profumi agrumati e fragranti
che si esalta all'assaggio per croccantezza
e tensione.

Marco Sara

FRAZ. SAVORGNANO DEL TORRE
VIA DEI MONTI, 3A
33040 POVOLETTO [UD]
TEL. 0432666066
www.marcosara.com

VENDITA DIRETTA
VISITA SU PRENOTAZIONE
PRODUZIONE ANNUA 25.000 bottiglie
ETTARI VITATI 8,00
VITICOLTURA Biologico Certificato

Marco Sara, assieme alla moglie Sandra,
dal 2000 gestisce questa nuova perla del
mondo vitivinicolo regionale. Dal 2011 tutti
i vini godono della certificazione biologica. I
vigneti si estendono nella zona collinare di
Povoletto, storicamente composta da tante
piccole realtà produttive, suddivisi in una
decina di appezzamenti. Frammentarietà
che determina una diversa dislocazione per
ogni singolo vigneto, con esposizioni e
microclimi diversi, dove ogni vitigno è stato
selezionato per potersi adattare in modo
ottimale ed esprimersi al meglio. Nella
scorsa edizione esaltammo la prestazione
del Picolit dei Colli Orientali del Friuli '17,
mentre quest'anno ci è stata proposta
un'altra versione della stessa annata ma
con caratteristiche ben distinte. Il Picolit
Mufis '17 è stato prodotto con uve
completamente attaccate dalla botrytis
cinerea; il colore vira sull'ambra, al naso
ricorda miele di castagno, datteri e prugne
secche, mentre in bocca si espande denso
e durevole.

○ Collio Sauvignon Ris. '16	♔♔♔ 5
○ Collio Bianco Col Disôre '17	♔♔ 5
● Collio Rosso Riserva degli Orzoni '13	♔♔ 5
○ Collio Cabernet Franc '17	♔♔ 4
○ Collio Friulano '19	♔♔ 4
○ Collio Pinot Bianco '19	♔♔ 4
○ Collio Pinot Grigio '19	♔♔ 4
○ Collio Sauvignon '19	♔♔ 4
○ Collio Friulano '16	♕♕♕ 4*
○ Collio Friulano '15	♕♕♕ 4*
○ Collio Friulano '14	♕♕♕ 4*
○ Collio Pinot Bianco '18	♕♕♕ 4*
○ Collio Pinot Bianco '07	♕♕♕ 4
○ Collio Pinot Grigio '11	♕♕♕ 4*
○ Collio Sauvignon '05	♕♕♕ 3
○ Collio Sauvignon '04	♕♕♕ 5
○ Collio Sauvignon Ris. '13	♕♕♕ 5

○ COF Picolit Mufis '17	♔♔ 6
○ FCO Bianco Erba Alta '17	♔♔ 5
● FCO Schioppettino '18	♔♔ 4
○ FCO Friulano '19	♔ 3
○ COF Picolit '17	♕♕ 6
○ COF Picolit '16	♕♕ 6
○ COF Picolit '15	♕♕ 6
○ FCO Bianco Erba Alta '16	♕♕ 4
○ FCO Friulano '15	♕♕ 3
○ FCO Friulano Erba Alta '16	♕♕ 4
● FCO Refosco P. R. el Rè '16	♕♕ 4
● FCO Schioppettino '17	♕♕ 4
● FCO Schioppettino '16	♕♕ 4
○ FCO Verduzzo Friulano '17	♕♕ 4
○ FCO Verduzzo Friulano '16	♕♕ 4
○ FCO Verduzzo Friulano '15	♕♕ 4

Sara & Sara

FRAZ. SAVORGNANO DEL TORRE
VIA DEI MONTI, 5
33040 POVOLETTO [UD]
TEL. 3393859042
www.saraesara.com

VENDITA DIRETTA
VISITA SU PRENOTAZIONE
OSPITALITÀ
PRODUZIONE ANNUA 25.000 bottiglie
ETTARI VITATI 7,00
VITICOLTURA Biologico Certificato
AZIENDA SOSTENIBILE

Sara & Sara equivale ad Alessandro & Manuele, due giovanissimi fratelli che hanno creato un marchio di gran lustro per la zona di Savorgnano del Torre, un piccolo centro rurale situato all'estremo occidente della denominazione Friuli Colli Orientali. Qui il territorio è ricco di corsi d'acqua, boschi perenni e scoscesi pendii, costituiti da marne e arenarie a tessuto argilloso e sferzati dai freddi venti del Nord. I vigneti si giovano di un microclima particolare che spesso favorisce sui grappoli la formazione naturale della botrytis cinerea. Anche quest'anno abbiamo potuto testare solo pochi vini, che non rappresentano l'intero corredo aziendale anche se, essendo di tre diverse tipologie, possono fornire indicazioni significative. Il Friulano '18 al naso è molto raffinato, con sentori floreali di mughetto e ginepro, crema al limone e miele millefiori. Il Refosco dal Peduncolo Rosso '18 è molto speziato con trame di sottobosco e grafite. Il Picolit '15 è fitto al naso, dolce e avvolgente al palato.

○ COF Picolit '15	🍷🍷	6
○ FCO Friulano '18	🍷🍷	4
● FCO Refosco P. R. '18	🍷🍷	4
○ COF Verduzzo Friulano Crei '10	🍷🍷🍷	5
○ COF Friulano '12	🍷🍷	3
○ COF Picolit '13	🍷🍷	6
○ COF Picolit '12	🍷🍷	6
○ COF Picolit '10	🍷🍷	5
○ FCO Friulano '17	🍷🍷	6
○ FCO Friulano '16	🍷🍷	6
○ FCO Picolit '11	🍷🍷	6
○ FCO Verduzzo Friulano Crei '13	🍷🍷	5
○ FCO Verduzzo Friulano Crei '12	🍷🍷	5
○ SaraGialla '17	🍷🍷	3
○ Sauvignon '12	🍷🍷	2*

★★Schiopetto

VIA PALAZZO ARCIVESCOVILE, 1
34070 CAPRIVA DEL FRIULI [GO]
TEL. 048180332
www.schiopetto.it

VENDITA DIRETTA
VISITA SU PRENOTAZIONE
PRODUZIONE ANNUA 190.000 bottiglie
ETTARI VITATI 30,00
AZIENDA SOSTENIBILE

All'interno dei mitici vigneti di Capriva è nata l'Osteria dei Pompieri, in ricordo dello storico ritrovo udinese dove Mario Schiopetto incominciò l'avventura 70 anni fa. L'enoturista potrà prendere il sole vicino allo splendido laghetto, leggere un libro o passeggiare nei boschi maniacalmente curati nonché tra le vecchie vigne e, infine, ristorarsi in questo edificio così mirabilmente ristrutturato. Emilio e Alessandro Rotolo, con l'importantissimo aiuto di Lorenzo Landi, portano così avanti la mission di Mario: vini profumati, piacevoli ma con grande struttura e infinita longevità. Nelle finali incontriamo due belle novità: la Ribolla Gialla '19, fresca, fragrante e leggiadra all'assaggio, e il Podere dei Blumeri Rosso '18 (merlot e refosco dal peduncolo rosso), che profuma di piccoli frutti neri, caffè in grani, humus, tabacco, mentre in bocca è vivace e coinvolgente. Ma in testa alla graduatoria c'è sempre lui: il Friulano '19, che per il settimo anno consecutivo si aggiudica i Tre Bicchieri.

○ Collio Friulano '19	🍷🍷🍷	6
○ Collio Pinot Bianco '19	🍷🍷	6
○ Collio Sauvignon '19	🍷🍷	6
● Podere dei Blumeri Rosso '18	🍷🍷	8
○ Ribolla Gialla '19	🍷🍷	5
○ Blanc des Rosis '19	🍷🍷	5
○ Collio Malvasia '19	🍷🍷	6
○ Collio Pinot Grigio '19	🍷🍷	6
● Merlot '19	🍷🍷	5
● Rivarossa '18	🍷🍷	5
○ Collio Friulano '18	🍷🍷🍷	4*
○ Collio Friulano '17	🍷🍷🍷	4*
○ Collio Friulano '16	🍷🍷🍷	4*
○ Collio Friulano '15	🍷🍷🍷	4*
○ Collio Friulano '14	🍷🍷🍷	4*
○ Collio Friulano '13	🍷🍷🍷	4*
○ Mario Schiopetto Bianco '08	🍷🍷🍷	5

La Sclusa

LOC. SPESSA
VIA STRADA DI SANT'ANNA, 7/2
33043 CIVIDALE DEL FRIULI [UD]
TEL. 0432716259
www.lasclusa.it

VENDITA DIRETTA
VISITA SU PRENOTAZIONE
OSPITALITÀ
PRODUZIONE ANNUA 160.000 bottiglie
ETTARI VITATI 30,00

Il tronco dell'albero genealogico della famiglia Zorzettig porta il nome di Giobatta, capostipite di una generazione di viticoltori che dal 1963 opera a Spessa. Ogni ramo si è poi creato una propria realtà produttiva; su uno dei più grossi spicca il nome di Gino. Un tratto del torrente Corno che attraversa i vigneti, denominato La Sclusa, ha ispirato il nome dell'azienda, imprimendole un'identità ben definita. Ora a condurla sono i figli Germano, Maurizio e Luciano in una gestione familiare ben organizzata. Sempre più convincente il Friulano 12 Viti '19, che si stacca dal gruppo e si presenta solitario alla soglia delle degustazioni finali. Il variegato corredo olfattivo ricorda le fienagioni dei prati di montagna, ricchi di fiori ed erbe spontanee, la pesca nettarina, il mango e la salsedine. Il sorso è equilibrato, con un'importante componente glicerica ben contrastata da nerbo acido e spiccata vigoria minerale.

Marco Scolaris

VIA BOSCHETTO, 4
34070 SAN LORENZO ISONTINO [GO]
TEL. 0481809920
www.scolaris.it

VENDITA DIRETTA
VISITA SU PRENOTAZIONE
PRODUZIONE ANNUA 1.100.000 bottiglie
ETTARI VITATI 25,00
AZIENDA SOSTENIBILE

La cantina, fondata nel 1924 da Giovanni Scolaris, ora è gestita da Gianmarco che, alla quarta generazione, ne garantisce la continuità. È ancora intestata a papà Marco, recentemente scomparso, cui va attribuito il merito di aver collocato l'azienda tra le migliori realtà territoriali, costantemente impegnata nella ricerca dell'equilibrio tra l'uomo e la natura. La responsabilità della produzione è affidata a Nevio Fedel il quale, con passione e pluriennale esperienza, riesce a tradurre nel calice la filosofia aziendale. La Malvasia '17 viaggia su binari ben delineati, richiamando il mondo della pasticceria e delle spezie, mentre il sorso è concreto, cremoso e molto scorrevole. Il Sauvignon '19 profuma di magnolia, pesca bianca, kiwi e mentuccia; apre e chiude l'assaggio con fresche note balsamiche. Il Friulano '19 sa di agrumi e fiori di campo, mentre il Merlot '19, pur giovanissimo, ha già raggiunto un equilibrio gustativo di tutto rispetto.

○ FCO Friulano 12 Viti '19	♟♟ 4	
○ FCO Chardonnay '19	♟♟ 3	
○ FCO Friulano '19	♟♟ 3	
● FCO Malvasia '19	♟♟ 3	
● FCO Merlot '18	♟♟ 3	
● FCO Refosco P. R. '18	♟♟ 3	
○ FCO Ribolla Gialla '19	♟♟ 3	
● FCO Rosso del Torrione '17	♟♟ 8	
○ Ribolla Gialla Brut	♟ 4	
○ COF Picolit '15	♀♀ 6	
○ FCO Chardonnay '18	♀♀ 3	
○ FCO Chardonnay '17	♀♀ 3	
○ FCO Friulano 12 Viti '18	♀♀ 4	
○ FCO Pinot Grigio '18	♀♀ 3	
○ FCO Ribolla Gialla '18	♀♀ 3	
○ FCO Sauvignon '18	♀♀ 3	
● FCO Schioppettino '18	♀♀ 3	

● Collio Cabernet Sauvignon '17	♟♟ 4	
○ Collio Friulano '19	♟♟ 4	
○ Collio Malvasia '17	♟♟ 4	
● Collio Merlot '19	♟♟ 4	
○ Collio Sauvignon '19	♟♟ 4	
○ Collio Chardonnay '19	♟ 3	
○ Collio Ribolla Gialla '19	♟ 4	
○ Traminer Aromatico '19	♟ 4	
○ Collio Chardonnay '18	♀♀ 3	
○ Collio Chardonnay '17	♀♀ 3	
○ Collio Friulano '18	♀♀ 3	
○ Collio Malvasia '16	♀♀ 3	
● Collio Merlot '18	♀♀ 3	
● Collio Merlot '16	♀♀ 3	
○ Collio Pinot Grigio '18	♀♀ 3	
○ Collio Ribolla Gialla '18	♀♀ 3	
○ Collio Ribolla Gialla '17	♀♀ 3	

Roberto Scubla

fraz. Ipplis
via Rocca Bernarda, 22
33040 Premariacco [UD]
Tel. 0432716258
www.scubla.com

VENDITA DIRETTA
VISITA SU PRENOTAZIONE
PRODUZIONE ANNUA 50.000 bottiglie
ETTARI VITATI 11,00

Per scelta di vita, nel 1991 Roberto Scubla abbandonò la banca per la quale lavorava e acquistò alcuni ettari di vigna annessi ad un caseggiato rustico sui pendii della Rocca Bernarda. Per quanto riguarda il lato tecnico, si avvale della preziosa consulenza di Gianni Menotti, amico di vecchia data, che nel tempo ha contribuito alla valorizzazione aziendale. I vigneti si giovano della costante ventilazione favorita dalla particolare conformazione delle colline circostanti. Nelle prime posizioni incontriamo il Bianco Pomèdes '18 (pinot bianco, tocai friulano e riesling renano), vino di grande eleganza e personalità. Freschi sentori di melissa, mentuccia e salvia fanno da apripista a note velate di pasticceria e spezie dolci, mentre all'assaggio è succoso ed energico. Tra i migliori anche il Verduzzo Friulano Passito Cràtis '17, che vanta una dolcezza ben bilanciata da una vigorosa spinta acida.

○ FCO Bianco Pomèdes '18	🍷🍷 5
○ FCO Sauvignon '19	🍷🍷 4
○ FCO Verduzzo Friulano Passito Cràtis '17	🍷🍷 6
○ Brut M. Cl.	🍷🍷 7
● FCO Cabernet Sauvignon '18	🍷🍷 4
○ FCO Friulano '19	🍷🍷 4
○ FCO Malvasia Lo Speziale '19	🍷🍷 4
● FCO Merlot '18	🍷🍷 4
○ FCO Pinot Bianco '19	🍷🍷 4
● FCO Refosco P. R. '18	🍷🍷 4
○ FCO Ribolla Gialla '19	🍷🍷 4
● FCO Rosso Scuro '17	🍷🍷 5
○ COF Bianco Pomèdes '04	ΥΥΥ 4
○ COF Verduzzo Friulano Passito Cràtis '09	ΥΥΥ 5
○ COF Verduzzo Friulano Passito Cràtis '06	ΥΥΥ 5
○ COF Verduzzo Friulano Passito Cràtis '04	ΥΥΥ 5

Ferruccio Sgubin

via Mernico, 8
34070 Dolegna del Collio [GO]
Tel. 048160452
www.ferrucciosgubin.it

VENDITA DIRETTA
VISITA SU PRENOTAZIONE
PRODUZIONE ANNUA 100.000 bottiglie
ETTARI VITATI 20,00

La fondazione dell'azienda di Ferruccio Sgubin risale al 1960, periodo in cui molte realtà a conduzione familiare decisero di fare un cambio radicale nella propria attività e di specializzarsi nella coltivazione della vite. Con una crescita costante in termine di espansione territoriale, ha raggiunto dimensioni molto significative. Parallelamente, è avvenuto l'ammodernamento della cantina. Giovandosi della consulenza di tecnici qualificati, il livello qualitativo dei vini è lievitato in modo esponenziale. Il Friulano Petruss '19 si è distinto con una dimostrazione di carattere davvero esemplare. Deciso al naso con marcate espressioni varietali che riconducono allo sfalcio dei prati d'alpeggio, ricchi di fiori e di erbe spontanee, agli agrumi canditi e al mallo delle mandorle, per poi regalare un sorso gustoso e appagante. Il Pinot Bianco '19 all'olfatto è molto floreale e raffinato, mentre il sorso rivela un'energia inaspettata.

○ Collio Friulano Petruss '19	🍷🍷 5
○ Collio Friulano '19	🍷🍷 3
● Collio Merlot Redmont '16	🍷🍷 4
○ Collio Pinot Bianco '19	🍷🍷 3
○ Collio Ribolla Gialla Petruss '19	🍷🍷 4
○ Collio Sauvignon Petruss '19	🍷🍷 4
○ Collio Friulano '18	ΥΥ 3
○ Collio Friulano '17	ΥΥ 3
○ Collio Friulano Petrusa '16	ΥΥ 3
○ Collio Pinot Bianco '18	ΥΥ 3
○ Collio Pinot Bianco '16	ΥΥ 3
○ Collio Ribolla Gialla '18	ΥΥ 3
○ Collio Ribolla Gialla '17	ΥΥ 3
○ Collio Sauvignon '17	ΥΥ 3
○ Collio Sauvignon '16	ΥΥ 3
● Mirnik '16	ΥΥ 4
● Schioppettino '13	ΥΥ 2*

Simon di Brazzan

FRAZ. BRAZZANO
VIA SAN ROCCO, 17
34070 CORMÒNS [GO]
TEL. 048161182
www.simondibrazzan.com

VENDITA DIRETTA
VISITA SU PRENOTAZIONE
PRODUZIONE ANNUA 70.000 bottiglie
ETTARI VITATI 13,00
VITICOLTURA Biologico Certificato

Simon di Brazzan è una splendida realtà gestita autonomamente da oltre un ventennio da Daniele Drius, anche se è ancora intestata a suo nonno, Enrico Veliscig, figura emblematica del territorio, che ha raggiunto e superato il secolo di vita. Convinto sostenitore della viticoltura biodinamica, Daniele ha da tempo abbandonato l'uso di trattamenti chimici. Negli interspazi tra i filari il terreno viene trattato con un mix di erbe seminato a rotazione di anno in anno a file alterne (sovescio) che a fine maggio, dopo la fioritura, vengono tagliate e interrate. Per il quarto anno consecutivo troviamo in finale il Friulano Blanc di Simon '19, che si conferma tra i migliori della sua categoria per la schiettezza dei profumi e la concretezza dell'assaggio. La Malvasia '19 regala all'olfatto una sontuosa passerella di erbe aromatiche, fiori essiccati, agrumi canditi, miele d'acacia, cocco disidratato e spezie dolci, per poi avvolgere il palato con stile, personalità ed eleganza.

Sirch

VIA FORNALIS, 277/1
33043 CIVIDALE DEL FRIULI [UD]
TEL. 0432709835
www.sirchwine.com

VENDITA DIRETTA
VISITA SU PRENOTAZIONE
PRODUZIONE ANNUA 600.000 bottiglie
ETTARI VITATI 100,00

Già nel 2002 Luca Sirch intraprese un percorso incentrato a produrre vini monovarietali classici, al di là di ogni moda o tendenza, vinificati in modo semplice e moderno. Una filosofia aziendale che nasconde in realtà l'ambizione di ottenere una complessità sottile e di poter arrivare a vini sempre più eleganti e ricchi di sfumature. Potendo contare sulla rete distributiva di Feudi di San Gregorio, recentemente l'azienda si è resa partecipe di un sostanzioso processo di ampliamento, puntando soprattutto sull'appeal del Pinot Grigio presso il mercato internazionale. La gamma che ci è stata proposta è rappresentata soprattutto da vini bianchi dell'ultima vendemmia, e ricalca i risultati più che lusinghieri dello scorso anno. Il Friulano '19 si è messo in particolare evidenza per tipicità e gradevolezza nella beva. Per i residenti in zona è il vino della quotidianità, un vino solare, schietto, saporito ed equilibrato come anche il Pinot Grigio '19, che marca molto il fruttato, anche esotico.

○ Friuli Friulano Blanc di Simon '19	♥♥ 3*
○ Malvasia '19	♥♥ 3*
○ Blanc di Simon Tradizion '16	♥♥ 5
○ Friuli Pinot Grigio '19	♥♥ 3
○ Ri.nè Blanc '18	♥♥ 3
○ Sauvignon '19	♥♥ 3
○ Blanc di Simon '15	♀♀ 3*
○ Friuli Friulano Blanc di Simon '18	♀♀ 3*
○ Friuli Friulano Blanc di Simon '17	♀♀ 3*
○ Friuli Friulano Blanc di Simon '16	♀♀ 3*
○ Malvasia '18	♀♀ 3
○ Ri.nè Blanc '17	♀♀ 3
○ Ri.nè Blanc '16	♀♀ 3*
○ Ri.nè Blanc '15	♀♀ 3*
○ Ri.nè Blanc '14	♀♀ 3*
○ Sauvignon '18	♀♀ 3*

○ FCO Chardonnay Cladrecis '18	♥♥ 5
○ FCO Friulano '19	♥♥ 3
○ FCO Pinot Grigio '19	♥♥ 3
○ FCO Ribolla Gialla '19	♥♥ 3
● FCO Rosso Cladrecis '16	♥ 5
○ FCO Sauvignon '19	♥ 3
○ COF Friulano '07	♀♀♀ 2*
○ FCO Bianco Cladrecis '14	♀♀ 3*
○ FCO Chardonnay '18	♀♀ 3
○ FCO Friulano '18	♀♀ 3
○ FCO Friulano '17	♀♀ 3
○ FCO Pinot Grigio '18	♀♀ 3
● FCO Pinot Nero '18	♀♀ 3
○ FCO Ribolla Gialla '17	♀♀ 3
○ FCO Sauvignon '18	♀♀ 3
○ FCO Sauvignon '17	♀♀ 3
○ FCO Traminer Aromatico '18	♀♀ 3

Skerk

FRAZ. SAN PELAGIO
LOC. PREPOTTO, 20
34011 DUINO AURISINA [TS]
TEL. 040200156
www.skerk.com

VENDITA DIRETTA
VISITA SU PRENOTAZIONE
RISTORAZIONE
PRODUZIONE ANNUA 22.000 bottiglie
ETTARI VITATI 7,00
VITICOLTURA Biologico Certificato

Sandi Skerk è ormai un'icona, uno dei
migliori interpreti della viticoltura del Carso
triestino. Qui tutto è fatto a mano, gli spazi
sono limitati e tra la folta vegetazione
spiccano sparuti vigneti in anse assolate
che guardano il mare. Nella splendida
cantina scavata nella dura roccia, vero
capolavoro dell'ingegno umano, misteriosi
spifferi provenienti da insenature
irraggiungibili garantiscono fresca
temperatura e umidità costante per tutto
l'anno. I vini seguono un processo naturale,
subiscono prolungate macerazioni sulle
bucce e non vengono mai chiarificati o
filtrati. Solo quattro etichette, ma tutte di
livello superlativo. I vini di Skerk si ripetono
di anno in anno con una costanza
invidiabile: sembra non risentano
dell'annata, sono sempre dei gioielli.
L'Ograde '18 (malvasia istriana, vitovska,
sauvignon e pinot grigio) annuncia col
colore ramato gli intriganti profumi di
pompelmo rosa, arancia rossa e zafferano.
Accenni balsamici e speziati
accompagnano l'assaggio.

○ Malvasia '18	♟♟	5
○ Ograde '18	♟♟	5
● Terrano '18	♟♟	5
○ Vitovska '18	♟♟	5
○ Carso Malvasia '08	♟♟♟	4
○ Malvasia '13	♟♟♟	5
○ Ograde '17	♟♟♟	5
○ Ograde '16	♟♟♟	5
○ Ograde '15	♟♟♟	5
○ Ograde '12	♟♟♟	5
○ Ograde '11	♟♟♟	5
○ Ograde '10	♟♟♟	4
○ Ograde '09	♟♟♟	4*
○ Malvasia '17	♀♀	5
○ Malvasia '16	♀♀	5
○ Vitovska '17	♀♀	5
○ Vitovska '16	♀♀	5

Edi Skok

LOC. GIASBANA, 15
34070 SAN FLORIANO DEL COLLIO [GO]
TEL. 3408034045
www.skok.it

VENDITA DIRETTA
VISITA SU PRENOTAZIONE
PRODUZIONE ANNUA 38.000 bottiglie
ETTARI VITATI 11,00

I fratelli Edi e Orietta Skok sono vignaioli di
pura razza, fieri delle origini contadine della
loro famiglia e, anche se profondamente
legati alle tradizioni locali, si sono sempre
dimostrati aperti all'innovazione. Da tempo
hanno rinunciato alle lunghe macerazioni
tipiche di questi luoghi, adottando tecniche
più moderne per preservare la fragranza
dei vini. Operano già da alcuni anni nella
nuova cantina, moderna e funzionale,
perfettamente inserita nell'ambiente e
valorizzata dal fascino dell'antica villa
padronale, risalente al XVI secolo, che da
sempre funge da sede aziendale. Il
Sauvignon '19 è una vera chicca; si era
distinto anche nell'annata precedente, ma
questo ha decisamente una marcia in più.
Le note di scorza di limone e mela acerba
denunciano freschezza; si intrecciano con
sferzate floreali di zagara e magnolia
nonché con note aromatiche di salvia e
maggiorana. La tensione sapida
dell'assaggio è ben bilanciata da un
apporto glicerico importante e vellutato.

○ Collio Sauvignon '19	♟♟	3*
○ Collio Bianco Pe Ar '18	♟♟	3
○ Collio Chardonnay '19	♟♟	2*
○ Collio Friulano Zabura '19	♟♟	3
● Collio Merlot Villa Jasbinae '15	♟♟	3
○ Collio Pinot Grigio '19	♟♟	3
○ Collio Bianco Pe Ar '17	♀♀	3
○ Collio Bianco Pe Ar '16	♀♀	3*
○ Collio Bianco Pe Ar '15	♀♀	3*
○ Collio Chardonnay '18	♀♀	2*
○ Collio Chardonnay '17	♀♀	2*
○ Collio Friulano Zabura '18	♀♀	3
○ Collio Friulano Zabura '13	♀♀	3*
○ Collio Friulano Zabura '12	♀♀	3*
○ Collio Friulano Zabura '11	♀♀	3*
○ Collio Pinot Grigio '18	♀♀	3
○ Collio Sauvignon '18	♀♀	3

Specogna

FRAZ. ROCCA BERNARDA, 4
33040 CORNO DI ROSAZZO [UD]
TEL. 0432755840
www.specogna.it

Stanig

VIA ALBANA, 44
33040 PREPOTTO [UD]
TEL. 0432713234
www.stanig.it

VENDITA DIRETTA
VISITA SU PRENOTAZIONE
OSPITALITÀ
PRODUZIONE ANNUA 120.000 bottiglie
ETTARI VITATI 25,00
VITICOLTURA Biologico Certificato
AZIENDA SOSTENIBILE

I due vulcanici fratelli Michele e Cristian, dimostrando grandi capacità in campo enologico e divulgativo, hanno pilotato l'azienda fondata dal nonno Leonardo alle vette dell'eccellenza, tanto che il marchio Specogna è balzato alla ribalta delle più importanti piazze internazionali. Un piccolo territorio come il Friuli Venezia Giulia e le peculiarità della Rocca Bernarda hanno riempito le prime pagine delle più importanti riviste di settore, dando lustro all'intero comparto vitivinicolo regionale. I vini bianchi della linea base meritano grande considerazione per lo stile moderno che premia la purezza e la bevibilità, ma rischiano di rimanere in secondo piano per la potenza e l'esuberanza delle riserve. Su tutti uno straordinario Identità '18 (tocai friulano, malvasia bianca e ribolla gialla), vino di territorio che ricorda la mietitura del frumento, la cera d'api, il cocco e il miele ed in bocca è fragrante e vigoroso.

VENDITA DIRETTA
OSPITALITÀ E RISTORAZIONE
PRODUZIONE ANNUA 45.000 bottiglie
ETTARI VITATI 9,00

Tra le numerose realtà vitivinicole a carattere familiare che caratterizzano il comprensorio di Prepotto spicca quella dei fratelli Federico e Francesco Stanig, che conducono l'azienda fondata esattamente un secolo fa dal nonno Giuseppe. Ridotte dimensioni aziendali e cura maniacale di tutte le fasi della lavorazione sono i loro punti di forza. I vigneti si estendono in una vallata nella quale composizione del terreno e microclima sono ideali per la produzione di vini rossi, a partire dallo Schioppettino. Annata particolarmente fortunata per il Friulano '19, che si è arricchito di un raffinato profumo floreale di sambuco e tarassaco accompagnato da note fruttate di pera e mela cotogna e da aromi di erbe aromatiche che accompagnano l'assaggio. La Malvasia '19 si avvale della fragranza di note iodate che ricordano il respiro del mare. Lo Schioppettino di Prepotto '17 è all'altezza delle migliori annate, vigoroso e concreto.

○ FCO Bianco Identità '18	♀♀	6
● FCO Pignolo '14	♀♀	6
○ FCO Sauvignon Duality '18	♀♀	6
○ FCO Friulano '19	♀♀	3
○ FCO Malvasia '19	♀♀	3
○ FCO Pinot Grigio '19	♀♀	3
○ FCO Pinot Grigio Ramato Ris. '17	♀♀	7
● FCO Rosso Oltre '17	♀♀	6
○ FCO Sauvignon '19	♀♀	3
○ FCO Bianco Identità '15	♀♀♀	7
○ FCO Bianco Identità '16	♀♀	7
○ FCO Identità '13	♀♀	6
○ FCO Malvasia Ris. '16	♀♀	4
○ FCO Sauvignon Blanc Duality '17	♀♀	3*
○ FCO Sauvignon Blanc Duality '16	♀♀	3*
○ FCO Sauvignon Blanc Duality '15	♀♀	3*

○ FCO Friulano '19	♀♀	3
○ FCO Malvasia '19	♀♀	3
○ FCO Ribolla Gialla '19	♀♀	3
● FCO Schioppettino di Prepotto '17	♀♀	5
● FCO Cabernet '18	♀	3
● FCO Merlot '18	♀	3
○ Bianco Del Gelso '16	♀♀	5
○ FCO Friulano '17	♀♀	3
○ FCO Malvasia '18	♀♀	3
○ FCO Malvasia '17	♀♀	3
○ FCO Ribolla Gialla '18	♀♀	3
○ FCO Ribolla Gialla '17	♀♀	3
○ FCO Sauvignon '18	♀♀	3
○ FCO Sauvignon '17	♀♀	3
● FCO Schioppettino di Prepotto '16	♀♀	5
● FCO Schioppettino di Prepotto '15	♀♀	3

Tenuta Stella

LOC. SCRIÒ
VIA SDENCINA, 1
34070 DOLEGNA DEL COLLIO [GO]
TEL. 3387875175
www.tenutastellacollio.it

VENDITA DIRETTA
VISITA SU PRENOTAZIONE
PRODUZIONE ANNUA 35.000 bottiglie
ETTARI VITATI 12,00
VITICOLTURA Biologico Certificato
AZIENDA SOSTENIBILE

La Tenuta Stella, fondata nel 2010 da
Sergio Stevanato, si estende nella parte più
alta del Collio, nel comprensorio di
Dolegna, in località Scriò, dove la forte
pendenza delle colline garantisce un
particolare microclima e un'esposizione
ideale ai raggi del sole. La gestione è
affidata a Erika Barbieri e Alberto Faggiani,
uno staff tecnico di assoluto valore, che
lavora in regime biologico. I terreni sono
costituiti da marne ed arenarie di origine
oceanica, note con il nome di ponca,
portate in superficie in epoca remota dal
sollevamento dei fondali dell'Adriatico. Le
premesse ci sono state, e ora è arrivata la
conferma. Con uno splendido Friulano '18
si sono spalancate le porte delle selezioni
finali e sono arrivati i primi Tre Bicchieri.
Nuance dorate impreziosiscono l'aspetto,
mentre intensi effluvi di frutta gialla e
agrumi appagano l'olfatto. Il sorso è ricco,
avvolgente e vellutato, ben bilanciato da
una vigorosa spinta sapida. Il resto della
gamma conferma la validità dell'intera
offerta aziendale.

○ Collio Friulano '18	♟♟♟ 4*
○ Collio Malvasia '18	♟♟ 4
● Collio Pinot Nero '18	♟♟ 6
○ Collio Ribolla Gialla '18	♟♟ 4
○ Frriuli Ribolla Gialla Brut M. Cl.	♟♟ 5
● Sdencina '17	♟♟ 4
○ Tanni Pas Dosé M. Cl.	♟♟ 5
○ Collio Friulano '17	♟♟ 4
○ Collio Friulano '16	♟♟ 4
○ Collio Friulano '15	♟♟ 3*
○ Collio Malvasia '16	♟♟ 4
○ Collio Malvasia '15	♟♟ 4
○ Collio Ribolla Gialla '17	♟♟ 4
○ Collio Ribolla Gialla '16	♟♟ 4
○ Collio Ribolla Gialla '15	♟♟ 4

Stocco

VIA CASALI STOCCO, 12
33050 BICINICCO [UD]
TEL. 0432934906
www.vinistocco.it

VENDITA DIRETTA
VISITA SU PRENOTAZIONE
RISTORAZIONE
PRODUZIONE ANNUA 250.000 bottiglie
ETTARI VITATI 49,00

All'inizio del secolo scorso, la famiglia
Stocco si insediò nella vasta pianura
friulana, nei pressi di Bicinicco, e si dedicò
all'agricoltura in quelli che
successivamente vennero chiamati Casali
Stocco. Negli anni 60 vi fu la svolta
aziendale, e l'attività da promiscua diventò
vitivinicola. Il capostipite si chiamava
Francesco ma ora spetta ad Andrea,
Daniela e Paola, quarta generazione, tenere
alto il marchio di famiglia, dimostrando che
anche in un territorio pianeggiante, con le
sue ghiaie e la sua terra rossa, si possono
ottenere vini di ottima qualità. Quest'anno
ci è stata proposta una nutrita schiera di
vini di diverse tipologie che ci ha permesso
di valutare a tutto tondo l'offerta aziendale.
Ricordando che i Due Bicchieri vengono
assegnati ai vini "da molto buoni a ottimi",
la prestazione generale è decisamente di
alto livello, soprattutto se rapportata ai
singoli prezzi. Curioso e gradevole il Pinot
Grigio Ramato Settantacinque '19, che
profuma di fragoline e arancia rossa.

○ Braide Chardonnay '19	♟♟ 5
○ Friuli Pinot Grigio Ramato Settantacinque '19	♟♟ 3
○ Friuli Pinot Grigio Selvis '19	♟♟ 3
○ Malvasia Dai Claps '19	♟♟ 2*
● Merlot Motis '18	♟♟ 4
● Refosco P. R. Sant'Antoni '18	♟♟ 3
○ Traminer Aromatico Dal Borc '19	♟♟ 3
○ Ventiduelustri Extra Brut	♟♟ 4
● Dal Morar Cabernet Sauvignon '18	♟ 2
○ Friuli Grave Friulano Glesis '19	♟ 2
○ Ribolla Gialla Brut	♟ 3
● Violis Pinot Nero '18	♟ 3
○ Chardonnay '18	♟♟ 5
○ Malvasia '18	♟♟ 2*
○ Traminer Aromatico '18	♟♟ 5

Subida di Monte

LOC. SUBIDA
VIA SUBIDA, 6
34071 CORMÒNS [GO]
TEL. 048161011
www.subidadimonte.it

VENDITA DIRETTA
VISITA SU PRENOTAZIONE
OSPITALITÀ
PRODUZIONE ANNUA 45.000 bottiglie
ETTARI VITATI 9,00

Subida di Monte svetta sulla cima di un colle e domina la vallata sottostante. È opera di Luigi Antonutti, pioniere della viticoltura regionale di qualità, che nel 1972 riuscì a coronare il sogno di poter vivere a tempo pieno questa realtà. È una cantina di concezione moderna, con ampi spazi sia per la lavorazione sia per l'accoglienza, situata in posizione strategica sul Collio goriziano, circondata dai vigneti e immersa in un contesto di natura incontaminata, protetta dall'abbraccio delle Alpi Giulie e accarezzata dalle brezze salmastre del mare Adriatico. Il Sauvignon '19 ha un impatto aromatico con timbri di lavanda, mughetto, pera abate e kiwi che lasciano spazio a una lieve essenza balsamica. Di buona coerenza al palato, fresco e diretto. Il Pinot Grigio '19 rievoca suggestioni esotiche di mango e papaia, fiori di camomilla e scorza di cedro e all'assaggio si distende su toni freschi e sapidi. Il Friulano '19 è molto raffinato e fa dell'equilibrio la sua maggior virtù.

○ Collio Friulano '19	♟♟	3
○ Collio Malvasia '19	♟♟	3
● Collio Merlot '18	♟♟	3
○ Collio Pinot Grigio '19	♟♟	3
○ Collio Sauvignon '19	♟♟	3
● Collio Cabernet Franc '18	♟	3
● Collio Cabernet '17	♟♟	3
○ Collio Friulano '18	♟♟	3
○ Collio Friulano '17	♟♟	3
○ Collio Malvasia '18	♟♟	3
○ Collio Malvasia '17	♟♟	3*
● Collio Merlot '17	♟♟	3
○ Collio Pinot Grigio '18	♟♟	3
○ Collio Pinot Grigio '17	♟♟	3
● Collio Rosso Poncaia '16	♟♟	4
○ Collio Sauvignon '18	♟♟	3
○ Collio Sauvignon '17	♟♟	3

Matijaz Tercic

LOC. BUCUIE, 4A
34070 SAN FLORIANO DEL COLLIO [GO]
TEL. 0481884920
www.tercic.com

VENDITA DIRETTA
VISITA SU PRENOTAZIONE
PRODUZIONE ANNUA 30.000 bottiglie
ETTARI VITATI 9,50

Matijaz Tercic proviene da una famiglia che si è sempre dedicata alla viticoltura e alla trasformazione dell'uva in vino sulle colline di San Floriano del Collio, in una delle zone più affascinanti di tutta la fascia pedemontana del Friuli orientale. Sui ripidi pendii i filari disegnano ordinate geometrie intervallate da lunghe file di ciliegi, che accompagnano lo sguardo fino alla splendida vallata sottostante. Il primo imbottigliamento di Matijaz risale al 1994 e, con una crescita costante, l'azienda si è affermata tra le migliori del territorio. Tra i pochi vini presentati quest'anno, le preferenze si sono concentrate sul Pinot Bianco '18, che sprigiona profumi di gelsomino, zagara, fienagioni estive, pera abate, uva spina e crema al limone. Il sorso è avvolgente, con una lenta progressione fresca e sapida che conduce ad un epilogo equilibrato. Il Planta '15 è uno chardonnay vinificato in barrique di rovere francese; ricorda il burro d'alpeggio, l'aneto e la crostata di albicocche.

○ Pinot Bianco '18	♟♟	3*
○ Planta '15	♟♟	4
○ Ribolla Gialla '18	♟♟	4
○ Vino degli Orti '17	♟♟	3
○ Collio Pinot Grigio '07	♟♟♟	3*
○ Collio Chardonnay '12	♟♟	3*
● Collio Merlot '15	♟♟	4
○ Collio Pinot Grigio '17	♟♟	3
○ Collio Pinot Grigio '16	♟♟	3
○ Collio Pinot Grigio '12	♟♟	3*
○ Collio Sauvignon '17	♟♟	3
○ Collio Sauvignon '16	♟♟	3*
○ Collio Sauvignon '15	♟♟	3*
○ Planta '14	♟♟	4
○ Ribolla Gialla '17	♟♟	4
○ Vino degli Orti '16	♟♟	3
○ Vino degli Orti '13	♟♟	3*

Tiare - Roberto Snidarcig

FRAZ. VENCÒ
LOC. SANT'ELENA, 3A
34070 DOLEGNA DEL COLLIO [GO]
TEL. 048162491
www.tiaredoc.com

VENDITA DIRETTA
VISITA SU PRENOTAZIONE
RISTORAZIONE
PRODUZIONE ANNUA 90.000 bottiglie
ETTARI VITATI 10,00
AZIENDA SOSTENIBILE

Tiare in friulano significa terra.
L'attaccamento di Roberto Snidarcig alla
terra che coltiva gli ha suggerito il nome
da attribuire alla sua azienda. A piccoli
passi, iniziando con un solo ettaro di
vigneto sulle pendici del Monte Quarin, è
riuscito a far lievitare la sua azienda sia in
numeri sia in qualità, rendendola in breve
tempo tra le più blasonate del panorama
vitivinicolo regionale. Ora la sede aziendale
è a Dolegna del Collio, in una nuova
cantina spaziosa e funzionale, dove
Roberto continua imperterrito nel suo
progetto di potenziamento. Sontuosa
prestazione dei vini dell'ultima vendemmia
ma anche di alcune etichette retrodatate.
Con un cambio di stile evidente, il Pinot
Grigio Masserè '19 si presenta di un bel
colore ramato e nel lungo assaggio
scandisce richiami di pera cotta, mango,
frutta secca e sciroppo d'acero. Ma il
migliore è sempre lui, il vino bandiera della
casa, il Sauvignon '19, vino moderno di
grande impatto che sbaraglia la
concorrenza e si aggiudica i Tre Bicchieri.

○ Collio Sauvignon '19	♟♟♟ 5
○ Collio Friulano '19	♟♟ 4
○ Collio Pinot Grigio Masserè '19	♟♟ 4
○ Collio Sauvignon Empire '17	♟♟ 5
○ Collio Chardonnay '19	♟♟ 3
○ Collio Malvasia '19	♟♟ 3
○ Collio Ribolla Gialla '19	♟♟ 4
○ Il Tiare Sauvignon '19	♟♟ 3
● Pinot Nero Pinuàr '18	♟♟ 5
○ Collio Sauvignon '18	♟♟♟ 5
○ Collio Sauvignon '17	♟♟♟ 5
○ Collio Sauvignon '16	♟♟♟ 5
○ Collio Sauvignon '15	♟♟♟ 5
○ Collio Sauvignon '14	♟♟♟ 5
○ Collio Sauvignon '13	♟♟♟ 3*

★★Franco Toros

LOC. NOVALI, 12
34071 CORMÒNS [GO]
TEL. 048161327
www.vinitoros.com

VENDITA DIRETTA
VISITA SU PRENOTAZIONE
PRODUZIONE ANNUA 60.000 bottiglie
ETTARI VITATI 11,00

Come tutti i grandi, Franco Toros attribuisce
i maggiori meriti della qualità dei suoi vini a
madre natura, ma tutti sappiamo che senza
il giusto interprete i risultati non sarebbero
gli stessi. È un vero artigiano del vino, un
uomo schivo che si muove in silenzio tra i
filari, che evita i clamori. I suoi vini si
distinguono sempre per linearità,
schiettezza, massimo rispetto per le
caratteristiche varietali e, soprattutto, per la
piacevolezza e la facilità di beva. Sono vini
impeccabili, territoriali, veri ambasciatori
delle peculiarità del Collio. Non è certo un
caso se i due vini che hanno fruttato
all'azienda i maggiori allori si ritrovano in
finale a sfidare la concorrenza nelle
rispettive categorie. Il Friulano '19 veleggia
su note fruttate di pesca gialla e mela
golden, con guizzi aromatici di zenzero e
rosmarino su uno sfondo fumé di rara
eleganza. Il Pinot Bianco '19 delizia l'olfatto
con richiami floreali e delicate carezze di
cedro e salicornia.

○ Collio Friulano '19	♟♟ 4
○ Collio Pinot Bianco '19	♟♟ 4
○ Collio Chardonnay '19	♟♟ 4
○ Collio Pinot Grigio '19	♟♟ 4
○ Collio Sauvignon '19	♟♟ 4
○ Collio Friulano '18	♟♟♟ 4*
○ Collio Friulano '12	♟♟♟ 4*
○ Collio Friulano '11	♟♟♟ 4*
○ Collio Friulano '10	♟♟♟ 4
○ Collio Friulano '09	♟♟♟ 4*
○ Collio Friulano '08	♟♟♟ 4*
○ Collio Pinot Bianco '17	♟♟♟ 4*
○ Collio Pinot Bianco '14	♟♟♟ 4*
○ Collio Pinot Bianco '13	♟♟♟ 4*
○ Collio Pinot Bianco '08	♟♟♟ 4*
○ Collio Pinot Bianco '07	♟♟♟ 4
○ Collio Tocai Friulano '06	♟♟♟ 4

Torre Rosazza

FRAZ. OLEIS
LOC. POGGIOBELLO, 12
33044 MANZANO [UD]
TEL. 0422864511
www.torrerosazza.com

VENDITA DIRETTA
VISITA SU PRENOTAZIONE
PRODUZIONE ANNUA 200.000 bottiglie
ETTARI VITATI 90,00
AZIENDA SOSTENIBILE

Torre Rosazza è l'azienda di vertice del solido gruppo societario Le Tenute di Genagricola che, in Friuli, comprendono anche Poggiobello, Borgo Magredo e Tenuta Sant'Anna. È una delle più belle realtà regionali e ha sede nel settecentesco Palazzo De Marchi, che spicca sulla sommità di un colle circondato da vigneti mirabilmente disposti su due splendidi anfiteatri naturali terrazzati e perennemente soleggiati. I traguardi raggiunti sono merito di uno staff efficientissimo di collaudata esperienza, magistralmente orchestrato da Enrico Raddi. Quest'anno abbiamo assaggiato meno vini del solito, ma è stato sufficiente per confermare la costanza qualitativa sia dei bianchi sia dei rossi. Il Pignolo '16 si è piazzato nelle posizioni di vertice. All'olfatto rievoca sentori di piccoli frutti neri, catrame, liquirizia, pomodori secchi e chiodi di garofano, mentre in bocca è sontuoso, imponente. Il Friulano '19 si distingue tra i vini di annata per l'eleganza al naso e per la fragranza dell'assaggio: Tre Bicchieri.

○ FCO Friulano '19	♛♛♛	3*
● FCO Pignolo '16	♛♛	5
○ FCO Pinot Grigio '19	♛♛	3
○ FCO Ribolla Gialla '19	♛♛	3
● FCO Rosso Altromerlot '16	♛♛	5
○ FCO Sauvignon '19	♛♛	3
○ COF Pinot Grigio '13	♛♛♛	3*
○ COF Pinot Grigio '12	♛♛♛	3*
○ FCO Pinot Bianco '17	♛♛♛	3*
○ FCO Pinot Grigio '14	♛♛♛	3*
○ FCO Pinot Grigio '18	♛♛♛	3*
○ FCO Pinot Grigio '16	♛♛♛	3*
○ FCO Pinot Grigio '15	♛♛♛	3*
○ FCO Friulano '16	♛♛	3*
○ FCO Friulano '15	♛♛	3*
○ FCO Ribolla Gialla '18	♛♛	3*

Tunella

FRAZ. IPPLIS
VIA DEL COLLIO, 14
33040 PREMARIACCO [UD]
TEL. 0432716030
www.tunella.it

VENDITA DIRETTA
VISITA SU PRENOTAZIONE
PRODUZIONE ANNUA 400.000 bottiglie
ETTARI VITATI 70,00
AZIENDA SOSTENIBILE

Massimo e Marco Zorzettig, con la madre Gabriella, sono i titolari di questa splendida realtà, orgoglio della denominazione Friuli Colli Orientali. Fin da giovanissimi si sono assunti l'onere della gestione aziendale, mettendo a frutto le esperienze ereditate da tre generazioni di viticoltori. Da sempre si avvalgono delle capacità enologiche di Luigino Zamparo, che è cresciuto assieme a loro e ha contribuito alla creazione e alla valorizzazione del marchio La Tunella. La spaziosa cantina dispone di tecnologie avanzate e di pregevoli soluzioni architettoniche. Ritroviamo in finale gli stessi due vini della scorsa edizione: sono entrambi dei colossi nelle rispettive categorie, veri ambasciatori del territorio in quanto prodotti con un mix di soli vitigni autoctoni. Il BiancoSesto '18 si offre all'olfatto con fresche folate di lime e bergamotto seguite da melissa, pesca bianca e frutta tropicale. L'ingresso in bocca è morbido ed il finale è esaltante. Tre Bicchieri meritatissimi.

○ FCO Biancosesto '18	♛♛♛	5
● Arcione '16	♛♛	5
○ FCO Bianco Noans Dolce '18	♛♛	5
○ FCO Friulano '19	♛♛	3
○ FCO Malvasia Valmasia '19	♛♛	3
○ FCO Pinot Grigio Ramato Col Bajé '18	♛♛	5
○ FCO Ribolla Gialla Col del Bliss '18	♛♛	5
○ FCO Sauvignon Col Matiss '18	♛♛	5
● Pignolo '15	♛♛	5
● Schioppettino '17	♛♛	5
○ COF BiancoSesto '11	♛♛♛	4*
○ COF BiancoSesto '07	♛♛♛	3
○ FCO Bianco LaLinda '14	♛♛♛	4*
○ FCO Biancosesto '17	♛♛♛	5
○ FCO BiancoSesto '16	♛♛♛	4*
○ Noans '12	♛♛♛	5

Valchiarò

FRAZ. TOGLIANO
VIA DEI LAGHI, 4C
33040 TORREANO [UD]
TEL. 0432715502
www.valchiaro.it

VENDITA DIRETTA
VISITA SU PRENOTAZIONE
PRODUZIONE ANNUA 45.000 bottiglie
ETTARI VITATI 14,00
AZIENDA SOSTENIBILE

Era il 1991 quando sei piccoli produttori, impegnati in aree professionali diverse, decisero di creare un sodalizio, conferendo ognuno le proprie uve in un'unica realtà, fondando l'azienda Valchiarò. Un esempio di collaborazione che, a distanza di quasi trent'anni, si giova di questa unione di forze basata su stima reciproca, affiatamento e spirito di gruppo. Tappe importanti hanno suggellato il loro percorso, tra le quali la costruzione di una cantina ampia e moderna, inaugurata nel 2006. L'assenza di vini rossi ha messo in risalto l'ottima prestazione dei bianchi della vendemmia 2019, anche se la palma del miglior assaggio se l'è aggiudicata il Verduzzo Friulano '17. Sfoggia una lucente veste giallo dorato e delizia l'olfatto con suggestioni di agrumi canditi, mela caramellata e crema catalana, cui si aggiungono sentori di pesca sciroppata e albicocca disidratata. Il sorso è molto dolce ma ben bilanciato.

Valpanera

VIA TRIESTE, 5A
33059 VILLA VICENTINA [UD]
TEL. 0431970395
www.valpanera.it

VENDITA DIRETTA
VISITA SU PRENOTAZIONE
PRODUZIONE ANNUA 400.000 bottiglie
ETTARI VITATI 48,00

Valpanera è tra le aziende più significative della denominazione Friuli Aquileia. Nata per volontà di Giampietro Dal Vecchio, ora gestita principalmente dal figlio Giovanni, si è assunta il compito di valorizzare il refosco dal peduncolo rosso, il vitigno autoctono a bacca rossa più rappresentativo della regione. Studi e ricerche documentano la vocazione millenaria per la vitivinicoltura di questo territorio, dove i fondi sono argillosi e la ventilazione è costante per merito della Bora. Ci sono state presentate ben tre versioni di Refosco dal Peduncolo Rosso, di diversa tipologia e di annate differenti. Il più convincente, classificato come Superiore, profuma di viole, liquirizia e grafite; la vivacità del tannino rinfresca l'assaggio. Il Riserva è più cupo sia al naso che in bocca, con ritorni di more di rovo e olive nere. Infine, quello d'annata ricorda le marasche macerate e il tabacco ed è snello al palato.

○ FCO Verduzzo Friulano '17	♔♔ 4
○ FCO Friulano '19	♔♔ 3
○ FCO Friulano Nexus '19	♔♔ 3
○ FCO Pinot Grigio '19	♔♔ 3
○ FCO Sauvignon '19	♔♔ 3
○ FCO Friulano '18	♕♕ 3
○ FCO Friulano Nexus '18	♕♕ 3*
○ FCO Friulano Nexus '17	♕♕ 3*
○ FCO Friulano Nexus '16	♕♕ 3*
● FCO Merlot Ris. '16	♕♕ 3
● FCO Merlot Ris. '15	♕♕ 3
○ FCO Pinot Grigio '18	♕♕ 3
● FCO Refosco P. R. '15	♕♕ 3
● FCO Rosso Torre Qual Ris. '16	♕♕ 3
● FCO Rosso Torre Qual Ris. '15	♕♕ 3
○ FCO Sauvignon '18	♕♕ 3
○ FCO Verduzzo Friulano '16	♕♕ 4

○ Album '19	♔♔ 2*
● Atrum '18	♔♔ 2*
● Friuli Aquileia Refosco P. R. '19	♔♔ 2*
● Friuli Aquileia Refosco P. R. Ris. '15	♔♔ 4
● Friuli Aquileia Refosco P. R. Sup. '17	♔♔ 3
○ Friuli Aquileia Malvasia '19	♔ 2
○ Ribolla Gialla '19	♔ 2
○ Album '18	♕♕ 2*
● Atrum '16	♕♕ 2*
○ Friuli Aquileia Chardonnay '17	♕♕ 3
● Friuli Aquileia Refosco P. R. Ris. '13	♕♕ 5
● Friuli Aquileia Refosco P. R. Sup. '16	♕♕ 3
● Friuli Aquileia Refosco P. R. Sup. '14	♕♕ 3
○ Friuli Aquileia Sauvignon '18	♕♕ 3
○ Friuli Aquileia Sauvignon '17	♕♕ 3

★★Venica & Venica

LOC. CERÒ, 8
34070 DOLEGNA DEL COLLIO [GO]
TEL. 048161264
www.venica.it

VENDITA DIRETTA
VISITA SU PRENOTAZIONE
OSPITALITÀ
PRODUZIONE ANNUA 310.000 bottiglie
ETTARI VITATI 40,00
AZIENDA SOSTENIBILE

La famiglia Venica, con lo spirito di coesione proprio delle famiglie contadine, ha legato il proprio nome al comprensorio del Collio, e il marchio Venica & Venica ha assunto un ruolo di vero protagonista in campo internazionale come ambasciatore di questo territorio. La dinamicità, l'energia e lo spirito imprenditoriale sono il valore aggiunto di questa splendida realtà, che ha saputo capitalizzare il prodotto dei vigneti acquistati novant'anni fa da Daniele, il fondatore, sulla collina di Cerò. Ci sono stati presentati solo vini bianchi, tutti della vendemmia 2019, e gli ottimi risultati mettono in risalto la qualità di questa annata particolarmente felice sotto tutti gli aspetti. Ben tre vini si sono conquistati l'accesso alle finali, ma tutti gli altri si sono fermati a un solo passo dalla soglia. Il Sauvignon Ronco delle Mele '19 occupa la posizione di vertice già da alcuni decenni e merita una citazione per la continuità.

La Viarte

VIA NOVACUZZO, 51
33040 PREPOTTO [UD]
TEL. 0432759458
www.laviarte.it

VENDITA DIRETTA
VISITA SU PRENOTAZIONE
OSPITALITÀ
PRODUZIONE ANNUA 120.000 bottiglie
ETTARI VITATI 22,00
AZIENDA SOSTENIBILE

La Viarte è gestita da una decina d'anni dall'attuale proprietario Alberto Piovan, cui va attribuito il merito di essere riuscito a valorizzare ulteriormente una realtà che già si era distinta tra le aziende di spicco della denominazione Friuli Colli Orientali. Affidata ad uno staff tecnico di collaudata esperienza, La Viarte, che in friulano indica la primavera, ha raggiunto vertici di assoluta eccellenza soprattutto con la linea Liende, leggenda, che identifica le etichette di maggior prestigio. Altra prestazione collettiva da incorniciare per questa bella azienda che sta dimostrando una costanza qualitativa di livello assoluto. Il Sauvignon Liende '18 è un vero fuoriclasse e si aggiudica i Tre Bicchieri. Inebria l'olfatto con raffinati sentori di scorza di limone, fiori di tiglio, melissa, mentuccia e zafferano, mentre al palato è un tripudio di emozioni gustative. La Malvasia '19 è fresca di esordio ed è già sul podio. Chapeau.

○ Collio Pinot Bianco Tàlis '19	♥♥	4
○ Collio Pinot Grigio Jesera '19	♥♥	4
○ Collio Sauvignon Ronco delle Mele '19	♥♥	6
○ Collio Friulano Ronco delle Cime '19	♥♥	5
○ Collio Malvasia Pètris '19	♥♥	4
○ Collio Ribolla Gialla L'Adelchi '19	♥♥	4
○ Collio Sauvignon Ronco del Cerò '19	♥♥	5
○ Collio Sauvignon Ronco delle Mele '16	♥♥♥	6
○ Collio Sauvignon Ronco delle Mele '13	♥♥♥	6
○ Collio Sauvignon Ronco delle Mele '12	♥♥♥	6
○ Collio Sauvignon Ronco delle Mele '11	♥♥♥	6

○ FCO Sauvignon Liende '18	♥♥♥	5
○ FCO Friulano '19	♥♥	4
○ FCO Malvasia '19	♥♥	4
○ FCO Chardonnay '19	♥♥	4
○ FCO Friulano Liende '18	♥♥	5
○ FCO Pinot Bianco '19	♥♥	4
○ FCO Pinot Grigio '19	♥♥	4
○ FCO Ribolla Gialla '19	♥♥	4
○ FCO Sauvignon '19	♥♥	4
○ FCO Friulano Liende '17	♥♥♥	5
○ FCO Friulano Liende '16	♥♥♥	5
○ FCO Sauvignon Liende '15	♥♥♥	5
○ FCO Chardonnay Liende '18	♥♥	4
○ FCO Friulano '18	♥♥	4
○ FCO Pinot Bianco '18	♥♥	4
○ FCO Sauvignon '18	♥♥	4
○ FCO Sauvignon Liende '17	♥♥	5

Vidussi

VIA SPESSA, 18
34071 CAPRIVA DEL FRIULI [GO]
TEL. 048180072
www.vinimontresor.it

VENDITA DIRETTA
VISITA SU PRENOTAZIONE
PRODUZIONE ANNUA 500.000 bottiglie
ETTARI VITATI 30,00

A partire dalla sua fondazione, L'azienda Vidussi ha subito svariati cambi di proprietà; dalla scorsa stagione è entrata a far parte di un gruppo societario di notevole rilievo a livello nazionale. Diretta e gestita da oltre vent'anni dall'enologo Luigino De Giuseppe, ha dunque avviato una nuova ripartenza, potendo contare sul prestigio di un marchio ormai consolidato. I vigneti si estendono per la maggior parte sulle amene colline di Capriva del Friuli, nel cuore del Collio, mentre altri appezzamenti fanno parte delle denominazioni Friuli Colli Orientali e Friuli Isonzo. L'elevato numero di etichette esaminate ha messo in viva luce l'omogeneità dei riscontri, che certifica l'attenzione attribuita ad ogni singolo vino. Se poi rapportiamo il giudizio al prezzo appare evidente la convenienza dell'intera gamma. La Malvasia '19 profuma di timo fresco e di zenzero; la Ribolla Gialla '19 rievoca gli agrumi e la frutta acerba, mentre il Friulano '19 ricorda la fienagione estiva e la lavanda.

● Collio Cabernet Franc '19	♟♟	3
○ Collio Chardonnay '19	♟♟	2*
○ Collio Friulano '19	♟♟	3
○ Collio Malvasia '19	♟♟	2*
○ Collio Pinot Grigio '19	♟♟	2*
○ Collio Ribolla Gialla '19	♟♟	2*
○ Collio Sauvignon '19	♟♟	3
● FCO Refosco P. R. '19	♟♟	3
● Schioppettino '19	♟♟	3
○ Collio Traminer Aromatico '19	♟	2
○ Collio Friulano '18	♀♀	3
○ Collio Malvasia '18	♀♀	2*
○ Collio Pinot Grigio '18	♀♀	2*
○ Collio Ribolla Gialla '18	♀♀	2*
○ Collio Sauvignon '18	♀♀	3*
○ Collio Traminer Aromatico '18	♀♀	2*
● Schioppettino '18	♀♀	3

★★Vie di Romans

LOC. VIE DI ROMANS, 1
34070 MARIANO DEL FRIULI [GO]
TEL. 048169600
www.viediromans.it

VENDITA DIRETTA
VISITA SU PRENOTAZIONE
PRODUZIONE ANNUA 300.000 bottiglie
ETTARI VITATI 60,00
AZIENDA SOSTENIBILE

L'azienda Vie di Romans, fondata nel 1978 da Gianfranco Gallo, è un vero gioiello nel panorama regionale. Il percorso della famiglia Gallo nel mondo della vite e del vino ha già scritto un secolo di storia, ma le pagine migliori sono quelle che oggi ci vengono proposte da Gianfranco. Con scelte viticole rigorose e un'interpretazione enologica personalizzata, Gianfranco imprime ai suoi vini uno stile che contraddistingue l'azienda per la caratterizzazione territoriale dei vigneti compresi nella denominazione Friuli Isonzo. Siamo ormai abituati ai punteggi da capogiro che quasi tutta la gamma riesce ad aggiudicarsi e, come ogni anno, il giudizio finale non è facile. Alla fine la spunta il vero campione, quello che negli anni ha dimostrato tenacità e classe, il Sauvignon Piere '18. Gli ha tenuto testa fino all'ultimo il Flors di Uis '18 (malvasia istriana, riesling renano e tocai friulano), ricco di sfumature aromatiche intriganti e inebrianti.

○ Friuli Isonzo Sauvignon Piere '18	♟♟♟	5
○ Friuli Isonzo Bianco Flors di Uis '18	♟♟	5
○ Friuli Isonzo Chardonnay Vie di Romans '18	♟♟	5
○ Friuli Isonzo Sauvignon Vieris '18	♟♟	5
○ Dut'Un '17	♟♟	7
○ Friuli Isonzo Chardonnay Ciampagnis '18	♟♟	5
○ Friuli Isonzo Pinot Grigio Dessimis '18	♟♟	5
○ Friuli Isonzo Chardonnay Ciampagnis Vieris '13	♀♀♀	4*
○ Friuli Isonzo Friulano Dolée '12	♀♀♀	5
○ Friuli Isonzo Friulano Dolée '11	♀♀♀	4*
○ Friuli Isonzo Sauvignon Piere '17	♀♀♀	5
○ Friuli Isonzo Sauvignon Piere '16	♀♀♀	5
○ Friuli Isonzo Sauvignon Piere '15	♀♀♀	5

Vigna del Lauro

LOC. MONTONA, 19
34071 CORMÒNS [GO]
TEL. 0481629549
www.vignadellauro.it

VENDITA DIRETTA
VISITA SU PRENOTAZIONE
PRODUZIONE ANNUA 60.000 bottiglie
ETTARI VITATI 10,00

L'azienda Vigna del Lauro, gestita da Fabio
Coser, già proprietario di Ronco dei Tassi,
nacque nel 1994 da un progetto di
collaborazione con un importatore tedesco
che propose a Fabio di differenziare la
produzione al fine di soddisfare le esigenze
di un'importante fascia di mercato
d'oltralpe che richiedeva vini lineari, di
buona bevibilità, rispettosi delle
caratteristiche varietali ma soprattutto
contenuti nel prezzo. Obiettivo raggiunto
senza mai ledere la filosofia aziendale
basata sul rispetto della materia prima,
elemento imprescindibile per il risultato
finale. Il Sauvignon '19 marca con
decisione i connotati varietali in una veste
molto raffinata che lo rende piacevole
all'olfatto ma, soprattutto, nel percorso
gustativo. Anche la Ribolla Gialla '19
rievoca i descrittori caratteristici del vitigno
e si distingue per la freschezza e la
scorrevolezza al palato. Il Pinot Grigio '19 è
molto fruttato e ricco di note di salsedine
che, nel sorso, ben bilanciano le
componenti gliceriche.

○ Collio Friulano '19	♟♟	3
○ Collio Pinot Grigio '19	♟♟	3
○ Collio Sauvignon '19	♟♟	3
○ Friuli Isonzo Traminer Aromatico '19	♟♟	2*
○ Ribolla Gialla '19	♟♟	3
● Friuli Isonzo Cabernet Franc '19	♟	2
○ Collio Sauvignon '99	♟♟♟	2*
○ Collio Friulano '18	♕♕	3
○ Collio Friulano '17	♕♕	3
○ Collio Pinot Grigio '18	♕♕	3
○ Collio Pinot Grigio '17	♕♕	3
○ Collio Sauvignon '18	♕♕	3
○ Friuli Isonzo Chardonnay '18	♕♕	2*
● Friuli Isonzo Merlot '17	♕♕	2*
○ Ribolla Gialla '18	♕♕	3
○ Ribolla Gialla '17	♕♕	3

Vigna Petrussa

VIA ALBANA, 47
33040 PREPOTTO [UD]
TEL. 0432713021
www.vignapetrussa.it

VENDITA DIRETTA
VISITA SU PRENOTAZIONE
PRODUZIONE ANNUA 30.000 bottiglie
ETTARI VITATI 7,00

Hilde Petrussa, assieme al marito Renato,
scelse un modo davvero originale per
godersi la pensione quando, nel 1995,
decise di riaccasarsi ad Albana di Prepotto
e di occuparsi della tenuta di famiglia che,
fiorente nei primi anni del Novecento, era
caduta in stato di abbandono. Si trovò a
dover riconvertire i vigneti e cercò di
privilegiare le varietà autoctone, soprattutto
la ribolla nera da cui si ricava lo
Schioppettino, scegliendo la forma di
allevamento a guyot. Aumentò inoltre il
numero di ceppi per ettaro e provvide
all'inerbimento di tutta la superficie vitata.
Lo Schioppettino di Prepotto '17 tinge il
calice di un bel rosso rubino vivace che
prelude a una gamma olfattiva intensa e
variegata in cui si riscontrano note di
tabacco, caffè in grani, cioccolato al latte,
radice di liquirizia e prugne disidratate. Il
sorso è morbido, con tannino vivido ma
smussato. Ottimo anche il Friulano '19,
che alterna sensazioni fruttate di pesca
gialla e nespole a suadenti effluvi di timo
e santoreggia.

○ COF Picolit '16	♟♟	6
○ FCO Friulano '19	♟♟	3
● FCO Schioppettino di Prepotto '17	♟♟	5
● Refosco P. R. '17	♟♟	4
○ Ribolla Gialla '19	♟	3
○ COF Picolit '15	♕♕	6
○ FCO Friulano '18	♕♕	3
○ FCO Friulano '17	♕♕	3
○ FCO Friulano '15	♕♕	3*
● FCO Schioppettino di Prepotto '16	♕♕	5
● FCO Schioppettino di Prepotto '15	♕♕	5
● FCO Schioppettino di Prepotto Ris. '15	♕♕	5
● FCO Schioppettino RiNera '17	♕♕	3
● Refosco P. R. '16	♕♕	4
○ Richenza '17	♕♕	4
○ Richenza '15	♕♕	4

Vigna Traverso

VIA RONCHI, 73
33040 PREPOTTO [UD]
TEL. 0422804807
www.vignatraverso.it

VENDITA DIRETTA
VISITA SU PRENOTAZIONE
RISTORAZIONE
PRODUZIONE ANNUA 100.000 bottiglie
ETTARI VITATI 22,00
AZIENDA SOSTENIBILE

L'azienda Vigna Traverso, un tempo
identificata come Ronco di Castagneto, da
oltre vent'anni è di proprietà della famiglia
Molon Traverso, titolare della famosa
azienda che ha sede nel vicino Veneto. È
gestita da Stefano Traverso che, nel tempo,
ha provveduto alla ristrutturazione
aziendale, salvaguardando i vecchi vigneti e
mettendo a dimora nuovi impianti ad alta
densità. Da alcuni anni opera nella nuova
cantina di Prepotto, dotata delle tecnologie
più moderne ma anche di vasche in
cemento, a conferma del fatto che
innovazione e tradizione possono
coesistere. Il Merlot '16 si è reso artefice di
una notevole prestazione, ottenendo
valutazioni altissime. Si presenta con toni
maturi di confettura di ciliegie, spezie,
cuoio e tabacco e all'assaggio mostra i
muscoli ma senza eccedere. Il Bianco
Sottocastello '17 (chardonnay e sauvignon)
si manifesta coi profumi intriganti di
sempre, ben amalgamati e progressivi, che
accompagnano la lunga e fragrante
permanenza sul palato.

○ FCO Bianco Sottocastello '17	♈♈	5
● FCO Merlot '16	♈♈	3*
○ FCO Friulano '19	♈♈	3
○ FCO Pinot Grigio '19	♈♈	3
● FCO Rosso Troj '17	♈♈	3
● FCO Schioppettino di Prepotto '16	♈♈	5
● FCO Cabernet Franc '16	♈	3
○ FCO Ribolla Gialla '19	♈	3
○ FCO Sauvignon '18	♈	5
○ FCO Bianco Sottocastello '16	♈♈	5
○ FCO Bianco Sottocastello '15	♈♈	5
○ FCO Bianco Sottocastello '13	♈♈	4
● FCO Refosco P. R. '13	♈♈	3*
● FCO Refosco P. R. '12	♈♈	3*
● FCO Rosso Troj '15	♈♈	4
○ FCO Sauvignon '16	♈♈	3*

★Le Vigne di Zamò

LOC. ROSAZZO
VIA ABATE CORRADO, 4
33044 MANZANO [UD]
TEL. 0432759693
www.levignedizamo.com

VENDITA DIRETTA
VISITA SU PRENOTAZIONE
PRODUZIONE ANNUA 280.000 bottiglie
ETTARI VITATI 42,00
AZIENDA SOSTENIBILE

Da sempre punto di riferimento per la
denominazione Friuli Colli Orientali, Le
Vigne di Zamò è ora il fiore all'occhiello
friulano del quotato gruppo Fontanafredda
di Oscar Farinetti, l'ideatore di Eataly.
La sede aziendale spicca sul colle
affacciato alla famosa Abbazia di Rosazzo,
mentre la modernissima cantina è ben
mimetizzata nell'ambiente, completamente
interrata e confusa tra i vigneti. Il
prestigioso marchio è legato al nome di
Tullio Zamò, che fondò l'azienda come
ultima tappa di un percorso che lo ha visto
protagonista fin dagli anni 60 del secolo
scorso. Il Friulano No Name '18 si
ripresenta in una delle sue migliori versioni,
riconducibile a quelle che, nelle annate
precedenti, lo hanno visto conquistare il
massimo riconoscimento. Esibisce un
raffinato bouquet di fiori di campo ed erbe
aromatiche che accompagna l'armonico
sorso. Il Pinot Bianco Tullio Zamò '17,
dedicato al fondatore, profuma di glicine e
pasticceria, con ricche note fumé e sorso
morbido e cremoso.

○ FCO Pinot Bianco Tullio Zamò '17	♈♈	5
○ Friuli Friulano No Name '18	♈♈	5
○ FCO Chardonnay Ronco delle Acacie '17	♈♈	5
○ FCO Friulano V. 50 Anni '18	♈♈	6
○ FCO Ribolla Gialla '19	♈♈	4
● FCO Rosso Ronco dei Roseti '17	♈♈	6
○ COF Friulano V. Cinquant'Anni '09	♈♈♈	5
○ COF Friulano V. Cinquant'Anni '08	♈♈♈	5
● COF Merlot V. Cinquant'Anni '09	♈♈♈	5
● COF Merlot V. Cinquant'Anni '06	♈♈♈	5
○ COF Tocai Friulano V. Cinquant'Anni '06	♈♈♈	5
○ FCO Friulano No Name '15	♈♈♈	5
○ Friuli Friulano No Name '16	♈♈♈	4*

Villa de Puppi

VIA ROMA, 5
33040 MOIMACCO [UD]
TEL. 0432722461
www.depuppi.it

VENDITA DIRETTA
VISITA SU PRENOTAZIONE
PRODUZIONE ANNUA 70.000 bottiglie
ETTARI VITATI 25,00
AZIENDA SOSTENIBILE

Caterina e Valfredo rappresentano l'ultima generazione della nobile famiglia de Puppi che, da tempi immemorabili, si dedica alla coltivazione dei terreni di proprietà. Il merito dell'attuale affermazione nel mondo vitivinicolo regionale va attribuito alla lungimiranza del Conte Luigi de Puppi il quale, intuendone le potenzialità, alla fine del secolo scorso provvide alla riorganizzazione di vecchi vigneti, per poi passare la mano alla cura dei giovani figli. Il successo aziendale si è successivamente consolidato con l'acquisizione di una decina di ettari vitati sui colli di Rosazzo. I vini che si fregiano del prestigioso marchio Rosa Bosco occupano le prime quattro posizioni della graduatoria, e ben due hanno superato la soglia di accesso alle finali. Il Merlot il Boscorosso '15 ricorda confettura di marasche, tabacco scuro, chiodi di garofano e sottobosco, con uno sfondo boisé che si rispecchia al palato. Il Sauvignon '16 gioca su note di pesca gialla matura e avocado; in bocca è cremoso ma molto fragrante.

● Il Boscorosso di Rosa Bosco Merlot '15	♈♈	7
○ Sauvignon di Rosa Bosco '16	♈♈	5
○ Ribolla Gialla di Rosa Bosco '18	♈♈	4
○ Sauvignon '18	♈♈	3
○ Cabernet '16	♈	3
○ Friuli Friulano '18	♈	3
○ Ribolla Gialla '18	♈	3
○ Chardonnay '17	♈♈	3
○ Friuli Friulano '17	♈♈	3
○ Friuli Pinot Grigio '17	♈♈	3
● Il Boscorosso di Rosa Bosco Merlot '13	♈♈	6
● Refosco P. R. '15	♈♈	3
○ Sauvignon '17	♈♈	3
○ Sauvignon '16	♈♈	3
○ Sauvignon di Rosa Bosco '15	♈♈	5
○ Sauvignon di Rosa Bosco '13	♈♈	5

★★Villa Russiz

LOC. ITALIA
VIA RUSSIZ, 4/6
34070 CAPRIVA DEL FRIULI [GO]
TEL. 048180047
www.villarussiz.it

VENDITA DIRETTA
VISITA SU PRENOTAZIONE
PRODUZIONE ANNUA 220.000 bottiglie
ETTARI VITATI 45,00
AZIENDA SOSTENIBILE

La storica cantina di Villa Russiz venne fondata nel 1869 dal Conte francese Teodoro de La Tour, che scelse Capriva del Friuli per trasferirsi con la moglie austriaca Elvine Ritter. A lui vengono tuttora riconosciute doti di abile vignaiolo, in quanto importò barbatelle dal suo paese di origine e le impiantò sulle colline del circondario. Ben presto quei vitigni si adattarono alla perfezione e si diffusero a macchia d'olio su tutto il territorio. Da allora Villa Russiz è gestita da un Ente pubblico, che, attraverso una fondazione, manda avanti una casa di accoglienza per i minori in difficoltà: per questo l'azienda merita il Premio Progetto Solidale. La collaudata concretezza del Cabernet Sauvignon Dèfi de la Tour '15 e del Merlot Graf de La Tour '15 hanno contribuito al successo della prestazione di squadra con ben tre vini in finale. Capitanata dal giovanissimo Pinot Bianco '19, tutta la formazione si è espressa su valori di altissimo livello, dimostrando una continuità qualitativa che conferma l'azienda come protagonista tra le migliori realtà regionali.

○ Collio Pinot Bianco '19	♈♈♈	6
● Collio Cabernet Sauvignon Dèfi de La Tour '15	♈♈	8
● Collio Merlot Gräf de La Tour '15	♈♈	8
○ Collio Friulano '19	♈♈	4
○ Collio Malvasia '19	♈♈	6
○ Collio Pinot Grigio '19	♈♈	6
○ Collio Sauvignon de La Tour '19	♈♈	8
○ Collio Chardonnay Gräfin de La Tour '14	♈♈♈	7
○ Collio Friulano '09	♈♈♈	4*
○ Collio Malvasia '18	♈♈♈	4*
○ Collio Pinot Bianco '16	♈♈♈	4*
○ Collio Pinot Bianco '07	♈♈♈	3
○ Collio Sauvignon de La Tour '08	♈♈♈	5

Tenuta Villanova

FRAZ. VILLANOVA
VIA CONTESSA BERETTA, 29
34072 FARRA D'ISONZO [GO]
TEL. 0481889311
www.tenutavillanova.com

VENDITA DIRETTA
VISITA SU PRENOTAZIONE
PRODUZIONE ANNUA 38.000 bottiglie
ETTARI VITATI 105,00

La Tenuta Villanova, con i suoi oltre cinque secoli di storia, è indubbiamente uno dei capisaldi dell'enologia friulana. Nel 1932 fu acquisita dal lungimirante imprenditore Arnaldo Bennati ed è tuttora gestita dalla moglie Giuseppina Grossi Bennati, coadiuvata dal nipote Alberto Grossi. Recentemente la direzione tecnica e la produzione sono state affidate all'esperienza dell'enologo Giuseppe Lucido e, in contemporanea, ha preso il via un progetto di rebranding completato dalla creazione di un nuovo logotipo aziendale, con conseguente rinnovo delle etichette. Collio e Friuli Isonzo sono le denominazioni delle aree su cui si estendono i vigneti. Naturalmente tra collina e pianura c'è una bella differenza di esposizione solare e sottosuolo, ma i punteggi ottenuti dai vini dimostrano che lo scarto è minimo. Il Pinot Grigio, per esempio, in entrambe le versioni è molto raffinato al naso, fragrante e agrumato, e con bella corrispondenza è scorrevole e concreto nell'assaggio.

○ Collio Friulano '19	♥♥	4
○ Collio Picolit '18	♥♥	5
○ Collio Pinot Grigio '19	♥♥	3
○ Collio Ribolla Gialla '19	♥♥	3
○ Collio Sauvignon '19	♥♥	4
○ Friuli Isonzo Chardonnay '19	♥♥	2*
○ Friuli Isonzo Malvasia '19	♥♥	2*
○ Friuli Isonzo Pinot Grigio '19	♥♥	2*
● Friuli Isonzo Refosco P. R. '18	♥♥	2*
● Friuli Isonzo Merlot '18	♥	2
○ Friuli Isonzo Traminer Aromatico '19	♥	2
○ Collio Chardonnay Monte Cucco '97	♥♥♥	3*
○ Collio Picolit Ronco Cucco '17	♀♀	5
○ Collio Pinot Grigio Ronco Cucco '18	♀♀	3
○ Collio Ribolla Gialla Ronco Cucco '18	♀♀	3
● Fraia '13	♀♀	5

Andrea Visintini

VIA GRAMOGLIANO, 27
33040 CORNO DI ROSAZZO [UD]
TEL. 0432755813
www.vinivisintini.com

VENDITA DIRETTA
VISITA SU PRENOTAZIONE
OSPITALITÀ
PRODUZIONE ANNUA 140.000 bottiglie
ETTARI VITATI 35,00
VITICOLTURA Biologico Certificato
AZIENDA SOSTENIBILE

Sulle colline di Corno di Rosazzo svetta una splendida torre di avvistamento costruita nel 1560. Faceva parte dell'antico Castello feudale di Gramogliano, sulle cui rovine oggi sorge l'azienda Visintini. Naturalmente nei secoli si sono succeduti molti proprietari, fino al 1884, quando dai Conti Zucco di Cuccagna passò alla famiglia Visintini. Per successione generazionale nel 1973 la conduzione fu affidata ad Andrea Visintini ed ora suo figlio Oliviero, assieme alle gemelle Cinzia e Palmira, proseguono con rinnovato entusiasmo nella gestione familiare. Ciò che più salta all'occhio analizzando la scheda aziendale è la competitività dei prezzi rapportata al valore qualitativo di ogni singolo vino. Il Pinot Grigio '19 ha un bel colore ramato e profuma di ciliegia moscatella gialla, ribes, uva spina e pera abate; in bocca è equilibrato, avvolgente e duraturo. Il Friulano Amphora '18 ricorda le nocciole tostate e la mela cotta mentre il sorso è asciutto, sapido e coinvolgente.

○ FCO Friulano '19	♥♥	2*
○ FCO Friulano Amphora '18	♥♥	4
● FCO Merlot '18	♥♥	2*
○ FCO Pinot Bianco '19	♥♥	2*
○ FCO Ribolla Gialla '19	♥♥	2*
○ Friuli Pinot Grigio '19	♥♥	2*
○ Malvasia '19	♥♥	2*
● FCO Merlot Torion Ris. '11	♥	3
● COF Refosco P. R. '13	♀♀	2*
○ FCO Friulano '18	♀♀	2*
○ FCO Friulano Amphora '17	♀♀	4
● FCO Pignolo Amphora '13	♀♀	4
○ FCO Pinot Bianco '18	♀♀	2*
○ FCO Pinot Grigio '16	♀♀	2*
○ FCO Sauvignon '18	♀♀	2*
○ FCO Sauvignon '16	♀♀	2*
○ Friuli Pinot Grigio '18	♀♀	2*

★★Volpe Pasini

FRAZ. TOGLIANO
VIA CIVIDALE, 16
33040 TORREANO [UD]
TEL. 0432715151
www.volpepasini.it

VENDITA DIRETTA
VISITA SU PRENOTAZIONE
OSPITALITÀ
PRODUZIONE ANNUA 400.000 bottiglie
ETTARI VITATI 52,00
AZIENDA SOSTENIBILE

Da anni scriviamo della bellezza di questa
azienda parlando delle sue magnifiche ville
venete (Villa Volpe Pasini e Villa Rosa), del
parco secolare, dei vigneti tenuti come
giardini, nonché dei vini che ogni anno
riescono a sorprenderci. Emilio Rotolo ha
sempre detto che al centro di tutto ciò c'è
l'Uomo e recentemente ci ha raccontato,
con visibile orgoglio, che anche in un anno
difficile come il 2020 l'attività aziendale è
proseguita senza interruzioni. È ormai
consuetudine ritrovarci in finale numerosi
vini della linea Zuc di Volpe; quest'anno,
tuttavia, sono accompagnati da una bella
novità, un bianco denominato Cuvée 15.96,
blend di due vitigni autoctoni, ribolla gialla
e malvasia istriana; un vino di territorio di
notevole impatto. All'interno di una gamma
di qualità media elevatissima, è il
Sauvignon Zuc di Volpe '19 a riconquistare
meritatamente i Tre Bicchieri.

Francesco Vosca

FRAZ. BRAZZANO
VIA SOTTOMONTE, 19
34071 CORMÒNS [GO]
TEL. 048162135
www.voscavini.it

VENDITA DIRETTA
VISITA SU PRENOTAZIONE
PRODUZIONE ANNUA 60.000 bottiglie
ETTARI VITATI 10,00
AZIENDA SOSTENIBILE

Quella di Francesco Vosca è una di quelle
classiche aziende-famiglia di orgogliose
origini contadine che, negli ultimi decenni
del secolo scorso, decisero di abbandonare
progressivamente la coltivazione promiscua
e l'allevamento del bestiame per dedicarsi
esclusivamente alla cura dei vigneti. Un
passo importante per Francesco, non privo
di incognite, conscio delle potenzialità del
territorio ma anche delle difficoltà che
avrebbe incontrato nel lavoro in campagna,
dovute in particolare alla conformazione dei
terreni, non adatti alla lavorazione
meccanizzata. Purtroppo quest'anno ci
sono stati ritardi negli imbottigliamenti e,
quindi, ci sono stati messi a disposizione
solo pochi campioni. Le nostre attenzioni si
sono quindi concentrate sulla Malvasia '19,
il cavallo di battaglia dell'azienda, la quale
esibisce un'accattivante trama olfattiva che
comprende frutta esotica, miele d'agrumi,
alloro, salvia e rabarbaro. Al palato continui
echi di erbe aromatiche appagano la
gustosa beva.

○ FCO Sauvignon Zuc di Volpe '19	♟♟♟ 6
○ 15.96 Cuvée Bianco '19	♟♟ 4
○ FCO Pinot Bianco Zuc di Volpe '19	♟♟ 6
○ FCO Pinot Grigio Zuc di Volpe '19	♟♟ 6
○ FCO Ribolla Gialla delle Mura	
Zuc di Volpe '19	♟♟ 6
○ FCO Chardonnay '19	♟♟ 5
○ FCO Friulano '19	♟♟ 5
● FCO Merlot Togliano '16	♟♟ 5
● FCO Pinot Grigio Grivo '19	♟♟ 5
● FCO Refosco P. R. '18	♟♟ 5
○ COF Sauvignon Zuc di Volpe '13	♟♟♟ 4*
○ FCO Sauvignon Zuc di Volpe '18	♟♟♟ 5
○ FCO Sauvignon Zuc di Volpe '17	♟♟♟ 5
○ FCO Sauvignon Zuc di Volpe '16	♟♟♟ 5
○ FCO Sauvignon Zuc di Volpe '15	♟♟♟ 5
○ FCO Sauvignon Zuc di Volpe '14	♟♟♟ 5

○ Collio Malvasia '19	♟♟ 3
○ Collio Ribolla Gialla '19	♟ 3
○ Friuli Isonzo Sauvignon '19	♟ 3
○ Collio Friulano '18	♟♟ 3
○ Collio Friulano '17	♟♟ 3
○ Collio Friulano '16	♟♟ 3
○ Collio Malvasia '18	♟♟ 3
○ Collio Malvasia '17	♟♟ 3
○ Collio Malvasia '16	♟♟ 3
● Collio Merlot '15	♟♟ 4
○ Collio Ribolla Gialla '18	♟♟ 3
○ Collio Ribolla Gialla '17	♟♟ 3
○ Collio Ribolla Gialla '16	♟♟ 3
○ Friuli Isonzo Chardonnay '17	♟♟ 3
○ Friuli Isonzo Pinot Grigio '18	♟♟ 3
○ Friuli Isonzo Sauvignon '18	♟♟ 3
○ Friuli Isonzo Sauvignon '17	♟♟ 3

Zaglia

LOC. FRASSINUTTI
VIA CRESCENZIA, 10
33050 PRECENICCO [UD]
TEL. 0431510320
www.zaglia.com

VENDITA DIRETTA
VISITA SU PRENOTAZIONE
PRODUZIONE ANNUA 100.000 bottiglie
ETTARI VITATI 15,00

La gestione della tenuta di famiglia fu affidata a Giorgio Zaglia nei primi anni 80 del secolo scorso. Giorgio introdusse subito i suoi convincimenti finalizzati alla produzione di vini che ben interpretassero il territorio ma che, soprattutto, rappresentassero il top a livello qualitativo. I vigneti, compresi nella denominazione Friuli Latisana, caratterizzata da suoli argillosi e ricchi di sali minerali, godono della presenza di benefiche brezze provenienti dal vicino mare Adriatico, che concorrono a determinare un microclima particolarmente favorevole alla coltivazione della vite. I vini hanno una nitida espressione varietale; il fattore che li accomuna è una marcata mineralità, che ne amplifica il sapore e ne vivacizza l'assaggio. Il listino prezzi molto competitivo è un valore aggiunto per tutta la gamma. Il Friulano '19 profuma di glicine, fieno secco e scorza di limone ed il sorso è pieno e soddisfacente. Il Pinot Grigio '19 e lo Chardonnay '19 vanno di pari passo, deliziando l'olfatto e gratificando il palato.

○ Friuli Chardonnay '19	♟♟ 2*
○ Friuli Friulano '19	♟♟ 2*
○ Friuli Pinot Grigio '19	♟♟ 2*
● Friuli Refosco P.R. '19	♟♟ 2*
● Friuli Merlot '19	♟ 2
⊙ Rosato '19	♟ 2
○ Solis Chardonnay Frizzante	♟ 2
● FCO Cabernet Franc Amanti Ris. '15	♟♟ 2*
○ Friuli Chardonnay '16	♟♟ 2*
○ Friuli Friulano '18	♟♟ 2*
○ Friuli Friulano '17	♟♟ 2*
○ Friuli Friulano '16	♟♟ 2*
● Friuli Merlot '18	♟♟ 2*
● Friuli Merlot '17	♟♟ 2*
● Friuli Merlot '16	♟♟ 2*
○ Friuli Pinot Grigio '18	♟♟ 2*
● Friuli Refosco P.R. '18	♟♟ 2*

Zidarich

LOC. PREPOTTO, 23
34011 DUINO AURISINA [TS]
TEL. 040201223
www.zidarich.it

VENDITA DIRETTA
VISITA SU PRENOTAZIONE
PRODUZIONE ANNUA 28.000 bottiglie
ETTARI VITATI 8,00

Benjamin Zidarich è un vignaiolo verace, uno dei migliori interpreti della realtà vitivinicola del Carso triestino. La splendida cantina, scavata nella dura roccia, si sviluppa su cinque piani e arriva a 20 metri di profondità. Temperatura ed umidità rimangono costanti tutto l'anno. I vini, prima in botte e poi in bottiglia, riposano per anni senza risentire del clima stagionale e degli sbalzi di temperatura. Questi vini, nel rispetto della tradizione locale (bianchi inclusi), vengono realizzati con macerazione delle bucce nel mosto, senza controllo delle temperature. I vini di Zidarich sono la precisa interpretazione delle caratteristiche del Carso, iniziando dai colori intensi e sgargianti, dai profumi iodati e salmastri e dalla marcata mineralità terrosa del territorio. Tutti fattori che si esaltano nel Prulke '18 (sauvignon, malvasia istriana e vitovska), che si offre al naso con una miriade di sentori: ginestra, zafferano, mela cotta, mandorle tostate, erbe aromatiche, spezie delicate e salsedine.

○ Kamen Vitovska '18	♟♟ 7
○ Malvasia '18	♟♟ 5
○ Prulke '18	♟♟ 5
○ Vitovska '18	♟♟ 5
● Terrano '18	♟♟ 5
○ Carso Malvasia '09	♟♟♟ 5
○ Carso Malvasia '06	♟♟♟ 5
○ Carso Vitovska V. Collezione '09	♟♟♟ 8
○ Prulke '10	♟♟♟ 5
○ Prulke '08	♟♟♟ 5
○ Kamen Vitovska '17	♟♟ 7
○ Kamen Vitovska '16	♟♟ 7
○ Kamen Vitovska '14	♟♟ 7
○ Malvasia '16	♟♟ 5
○ Malvasia Lehte '15	♟♟ 6
○ Vitovska '17	♟♟ 5
○ Vitovska '16	♟♟ 5

Zorzettig

FRAZ. SPESSA
S.DA SANT'ANNA, 37
33043 CIVIDALE DEL FRIULI [UD]
TEL. 0432716156
www.zorzettigvini.it

VENDITA DIRETTA
VISITA SU PRENOTAZIONE
OSPITALITÀ
PRODUZIONE ANNUA 800.000 bottiglie
ETTARI VITATI 120,00
AZIENDA SOSTENIBILE

Annalisa e Alessandro Zorzettig gestiscono orgogliosamente un'azienda il cui marchio di famiglia, a Spessa di Cividale, ha contraddistinto molte generazioni di viticoltori. Annalisa è una produttrice innovativa e dinamica, un vulcano di idee, mentre Alessandro preferisce occuparsi della conduzione agronomica. Nella continua espansione aziendale non si è mai perso di vista il livello della qualità, accompagnato al contenimento dei prezzi; l'eccellenza è stata raggiunta selezionando le uve destinate alla linea Myò, affidata alla competenza enologica di Fabio Coser. Molti vini della linea Myò sono destinati ad un ulteriore periodo di affinamento in bottiglia; questo ci ha permesso di poter testare un elevato numero di etichette della linea base, con un risultato più che soddisfacente su tutta la gamma. Ci è stato inoltre presentato un nuovo vino: I Fiori di Leonie '18, che esordio migliore non potava fare. Si è piazzato in testa alla graduatoria ed ha conquistato di slancio i Tre Bicchieri.

○ FCO Bianco Myò I Fiori di Leonie '18	♥♥♥ 5
● FCO Rosso Cunfins Segno di Terra '16	♥♥ 5
○ FCO Friulano '19	♥♥ 3
● FCO Pignolo Myò '15	♥♥ 7
○ FCO Ribolla Gialla '19	♥♥ 3
● FCO Schioppettino '18	♥♥ 4
● FCO Schioppettino Myò '17	♥♥ 6
● Friuli Cabernet Sauvignon '19	♥♥ 3
● Friuli Merlot '19	♥♥ 3
○ Friuli Pinot Bianco '19	♥♥ 3
○ Friuli Pinot Grigio '19	♥♥ 3
○ Optimum Ribolla Gialla Brut '19	♥♥ 4
● FCO Refosco P. R. '19	♥ 3
○ FCO Sauvignon '19	♥ 3
○ FCO Pinot Bianco Myò '18	♥♥♥ 5

Zuani

LOC. GIASBANA, 12
34070 SAN FLORIANO DEL COLLIO [GO]
TEL. 0481391432
www.zuanivini.it

VENDITA DIRETTA
VISITA SU PRENOTAZIONE
OSPITALITÀ
PRODUZIONE ANNUA 75.000 bottiglie
ETTARI VITATI 15,00

Zuani è l'espressione della filosofia accumulata attraverso anni di esperienza tra vigneti e cantina da Patrizia Felluga, supportata da non comuni capacità imprenditoriali. Figlia d'arte, Patrizia è riuscita a trasmettere a sua volta ai figli Antonio e Caterina l'amore per la terra e per la viticoltura. L'esordio del Collio Bianco Zuani risale al 2001 e, per molti anni, è rimasto l'unico vino prodotto dall'azienda, pur se nelle due versioni acciaio e legno. Ora è affiancato da altri vini della linea Sodevo che, di anno in anno, si dimostrano sempre più convincenti. Il Collio Bianco Zuani Vigne '19 (chardonnay, pinot grigio, sauvignon e tocai friulano in parti uguali) esibisce un ventaglio olfattivo di rara eleganza, introdotto da un bouquet floreale seguito da note agrumate di cedro e bergamotto, pepe bianco, miele di tiglio e polvere di gesso. Il perfetto equilibrio gustativo lo rende suadente e armonico. Nella versione Riserva è più aristocratico, succoso e di gran classe.

○ Collio Bianco Zuani Vigne '19	♥♥ 4
○ Collio Bianco Zuani Ris. '17	♥♥ 5
○ Collio Ribolla Gialla Sodevo '19	♥♥ 3
○ Friuli Pinot Grigio Sodevo '19	♥♥ 3
○ Collio Bianco Zuani Vigne '10	♥♥♥ 3
○ Collio Bianco Zuani Vigne '07	♥♥♥ 3
○ Collio Bianco Zuani Vigne '18	♥♥ 4
○ Collio Bianco Zuani Vigne '17	♥♥ 4
○ Collio Bianco Zuani Vigne '16	♥♥ 4
○ Collio Bianco Zuani Vigne '15	♥♥ 4
○ Collio Bianco Zuani Vigne '13	♥♥ 4

AD Coos

FRAZ. RAMANDOLO
VIA PESCIA, 3
33045 NIMIS [UD]
TEL. 3356101320
azienda.ad.coos@gmail.com

AD sono le iniziali di Alessandro e Dario. È
una nuova realtà creata da Dario Coos il
quale, reduce da una precedente esperienza,
ha voluto rimettersi in gioco proseguendo
nella secolare tradizione di famiglia e,
assieme al figlio Alessandro, curare i vigneti
del comprensorio di Ramandolo.

○ FCO Friulano '18	♥♥ 3
○ Ramandolo '18	♥♥ 3
● Refosco P. R. '18	♥♥ 3
○ Sauvignon '18	♥ 3

Amandum

VIA F. PETRARCA, 40
34070 MORARO [GO]
TEL. 335242566
www.amandum.it

Enrico e Carlo Alberto Agostinis dal 2013
conducono l'azienda che, nelle due
generazioni precedenti, era stata gestita al
femminile da mamma Anna e nonna
Bianca. Il nome Amandum che
contraddistingue i vini venne scelto proprio
per suggellare gli intimi affetti familiari.

○ Friuli Isonzo Friulano '18	♥♥ 4
○ Friuli Isonzo Pinot Bianco '18	♥♥ 4
○ Friuli Isonzo Pinot Grigio Grey Dop '18	♥♥ 4
● Pinot Nero '16	♥♥ 5

Aquila del Torre

FRAZ. SAVORGNANO DEL TORRE
VIA ATTIMIS, 25
33040 POVOLETTO [UD]
TEL. 0432666428
www.aquiladeltorre.it

L'azienda Aquila del Torre dal 1996 è di
proprietà dalla famiglia Ciani. I vigneti si
estendono sulle scoscese colline più
settentrionali del Friuli e, assieme alla
cantina, sono immersi in un panorama di
rara bellezza, solcato da corsi d'acqua e
circondato da lussureggianti boschi.

○ FCO At Friulano '18	♥♥ 3
○ FCO Bianco Oasi '17	♥♥ 6
● FCO At Refosco P. R. '16	♥ 3
○ FCO At Riesling '16	♥ 3

Maurizio Arzenton

FRAZ. SPESSA
VIA CORMONS, 221
33043 CIVIDALE DEL FRIULI [UD]
TEL. 0432716139
www.arzentonvini.it

Maurizio Arzenton e la moglie Teresa,
entrambi reduci da percorsi diversi, lui
laureato in filosofia e lei in storia dell'arte,
sono gli attuali titolari dell'azienda che
hanno condotto fino a qualche anno fa. Ora
il testimone è nelle mani del figlio Matteo,
che la gestisce in autonomia.

○ FCO Pinot Bianco '19	♥♥ 3
○ FCO Sauvignon '19	♥♥ 3
○ FCO Friulano '19	♥ 3
○ FCO Pinot Grigio '19	♥ 3

Ascevi - Luwa

LOC. UCLANZI, 24
34070 SAN FLORIANO DEL COLLIO [GO]
TEL. 0481884140
www.asceviluwa.it

Ascevi-Luwa è un'azienda a gestione
familiare formata da Marjan Pintar, dalla
moglie Loredana e dai figli Luana e Walter.
È situata a San Floriano del Collio, dove è
ubicata anche la maggior parte dei vigneti,
mentre altri si estendono nella
denominazione Friuli Isonzo, a Farra.

○ Collio Pinot Grigio Grappoli '19	♥♥ 2*
○ Collio Sauvignon Ronco dei Sassi '19	♥♥ 2*
○ Collio Chardonnay Rupis '19	♥ 2
○ Friuli Isonzo Friulano '19	♥ 2

La Bellanotte

S.DA DELLA BELLANOTTE, 3
34072 FARRA D'ISONZO [GO]
TEL. 0481888020
www.labellanotte.it

Due famiglie, Guadagni e Benassi, alla fine
del secolo scorso, fondendo la cultura
toscana con quella friulana, hanno riportato
in auge un'azienda che già vantava oltre tre
secoli di storia, chiamandola La Bellanotte.
Ora è gestita da Paolo Benassi, primogenito
di Giuliana Guadagni.

○ Collio Friulano '19	♥♥ 3
○ Friuli Isonzo Sauvignon L'Umberto '19	♥♥ 3
○ Friuli Pinot Grigio Conte Lucio '17	♥♥ 5
● Friuli Isonzo Merlot Rojadelsonzo '14	♥ 5

Tenuta Beltrame

FRAZ. PRIVANO
LOC. ANTONINI, 4
33050 BAGNARIA ARSA [UD]
TEL. 0432923670
www.tenutabeltrame.it

La famiglia Beltrame, nel 1991, acquistò l'antica Tenuta che fu dei conti Antonini, Tenuta di 40 ettari, di cui 25 a vigneto, nella pianura friulana. I terreni, composti principalmente da argilla, sono particolarmente ideali per la produzione di vini rossi.

● Friuli Cabernet '16	♥♥ 3
● Friuli Refosco P. R. '17	♥♥ 3
● Pinot Nero '18	♥♥ 3
● Tazzelenghe '16	♥♥ 6

Blason

LOC. BRUMA
VIA ROMA, 32
34072 GRADISCA D'ISONZO [GO]
TEL. 048192414
www.blasonwines.com

Quella di Giovanni Blason è un'azienda moderna e razionale, orgoglio della denominazione Friuli Isonzo. I vini di annata sono fragranti, raffinati all'olfatto e disinvolti al palato, mentre il Bruma Bianco '17 esprime un maggior livello di maturità ed un perfetto equilibrio gustativo.

○ Friuli Isonzo Bruma Bianco '17	♥♥ 3
○ Friuli Isonzo Friulano '19	♥♥ 2*
○ Ribolla Gialla '19	♥♥ 2*
● Cabernet Sauvignon '19	♥ 3

Fausta Bolzicco

VIA SAN GIOVANNI, 60
34071 CORMÒNS [GO]
TEL. 335258608
aziendabolzicco@libero.it

Ingresso in Guida per l'azienda di Fausta Bolzicco, piccola realtà familiare che produce vino da oltre cinquant'anni ma che ha iniziato a imbottigliare solo nel 2017. Si trova nel comune di Cormòns, ai piedi del Monte Quarin, a cavallo tra le denominazioni Friuli Isonzo e Collio.

○ Collio Friulano '19	♥♥ 3
○ Malvasia '19	♥♥ 3
○ Collio Bianco Vignedamont '18	♥ 3
○ Collio Ribolla Gialla '19	♥ 3

Borgo dei Sapori

S.DA DI PLANEZ, 60
33043 CIVIDALE DEL FRIULI [UD]
TEL. 0432732477
www.borgodeisapori.net

Irene Cencig è la titolare di questa bella realtà impegnata a tutto tondo nell'offerta di prodotti biologici. Nel 2001 provvide alla riconversione degli ormai abbandonati vigneti di famiglia con il fermo intento di produrre vino biologico certificato, e nel 2012 iniziò ad imbottigliare.

● FCO Cabernet Franc '18	♥♥ 3
○ FCO Friulano '18	♥♥ 2*
● FCO Merlot '18	♥♥ 3
○ FCO Sauvignon '18	♥♥ 3

Borgo Sant'Andrea

FRAZ. BRAZZACCO
VIA SANT'ANDREA
33030 MORUZZO [UD]
TEL. 0432642015
www.borgosantandrea.com

Daniele Berini, entrato in Guida nella scorsa edizione quasi in punta di piedi, quest'anno è artefice di un'ottima conferma. Il Pinot Grigio '18 ricorda pera, banana, fieno secco e miele e gode di un ottimo sorso. Stessa gradevolezza al palato per il Merlot '18 e per il Refosco P. R. '18.

● Friuli Merlot '18	♥♥ 3
○ Friuli Pinot Grigio '18	♥♥ 3
● Friuli Refosco P. R. '18	♥♥ 3
○ Prosecco Brut '18	♥♥ 2*

Tenuta Bosco Albano

FRAZ. CECCHINI
VIA BOSCO DI CECCHINI, 27B
33087 PASIANO DI PORDENONE [PN]
TEL. 0434628678
www.boscoalbano.com

Di proprietà della famiglia Durante, la Tenuta Bosco Albano dispone di circa 40 ettari a vigneto nella pianura del Friuli Occidentale, equidistanti dalle Prealpi e dal mare Adriatico. I terreni, ricchi di marne e argille, godono di un favorevole microclima e di falde acquifere sotterranee.

○ Friuli Friulano '19	♥♥ 3
○ Pinot Grigio delle Venezie Brut '18	♥♥ 3
○ Ribolla Gialla Brut Nature '17	♥♥ 5
○ Friuli Sauvignon '19	♥ 3

Braidot

LOC. VERSA
VIA PALMANOVA, 20 B
34076 ROMANS D'ISONZO [GO]
TEL. 0481908970
www.braidotwines.it

Devozione, passione e amore per la terra è il
motto dei Braidot. Fieri agricoltori fin dal
1870, si sono gradualmente specializzati in
vitivinicoltura e, oggi, dispongono di una
vasta estensione di vigneti nella piana a
destra dell'Isonzo, che consente la
produzione di circa mezzo milione di bottiglie.

○ Friuli Friulano '19	♥♥ 2*
○ Ribolla Gialla '19	♥♥ 2*
○ Friuli Pinot Grigio '19	♥ 2
○ Friuli Sauvignon Blanc '19	♥ 2

Bressani Giuseppe

VIA DEI CONTI, 23
33045 NIMIS [UD]
TEL. 0432790430
www.bressani.net

Gli appassionati del pallone probabilmente
ricordano il passato calcistico di Giuseppe
Bressani nella massima serie. A fine carriera,
nel 1988, decise di investire nella cantina di
famiglia e, oggi, il suo nome è legato al vino
e allo splendido territorio del Ramandolo, nei
pressi di Nimis.

○ FCO Friulano '18	♥♥ 3
● FCO Merlot '16	♥♥ 5
○ Ramandolo '14	♥♥ 5
● FCO Refosco P. R. '15	♥ 5

Paolo Caccese

LOC. PRADIS, 6
34071 CORMÒNS [GO]
TEL. 048161062
www.paolocaccese.com

Paolo Caccese è un nome di spicco tra i
viticoltori del Collio goriziano. Innamorato del
suo territorio e di quello che lui definisce uno
"strano lavoro", tiene nascosta nel cassetto
la laurea in giurisprudenza conseguita in
gioventù e si dedica al vino. Ottima la
prestazione di squadra.

○ Collio Friulano '18	♥♥ 4
○ Collio Malvasia '18	♥♥ 4
○ Collio Sauvignon '18	♥♥ 4
○ La Veronica	♥♥ 5

Casasola

FRAZ. ROSAZZO
VIA ABATE GEROLDO, 7
33044 MANZANO [UD]
TEL. 0432759071
www.vinicasasola.it

Questa bella azienda che ha sede a Rosazzo,
notoriamente riconosciuto come uno dei
migliori terroir italiani, entra per la prima
volta nella nostra Guida e si mette subito in
luce per la linearità dei suoi vini. Fondata
nel 1960 da Nilo Zen, è ora gestita dal
figlio Andrea.

● FCO Merlot '18	♥♥ 3
● Pignolo '14	♥♥ 5
○ Riesling Italico '18	♥♥ 3
● FCO Pinot Nero '18	♥ 3

Nicola e Mauro Cencig

VIA SOTTOMONTE, 171
33044 MANZANO [UD]
TEL. 3475442235
www.cencig.com

Accogliamo con piacere in Guida questa
bella realtà regionale. Nicola e Mauro
Cencig dispongono di una decina di ettari
vitati nell'estremo lembo dell'anfiteatro
naturale che comprende i Colli Orientali del
Friuli, quello più vicino al mare Adriatico.

○ FCO Friulano '19	♥♥ 2*
● FCO Refosco P. R. '18	♥♥ 2*
○ FCO Sauvignon '19	♥♥ 2*
● FCO Cabernet Franc '18	♥ 2

I Clivi

LOC. GRAMOGLIANO, 20
33040 CORNO DI ROSAZZO [UD]
TEL. 3287269979
www.iclivi.wine

Ferdinando e Mario Zanusso quest'anno ci
hanno fornito due vini prodotti con le uve
maturate sulla collina denominata Galea,
che ospita un patrimonio importante di viti
vecchie, con età compresa tra i 60 e gli 80
anni, contorte dal tempo e valorizzate
dall'intervento intelligente dell'uomo.

○ Collio Malvasia '18	♥♥ 5
○ FCO Bianco Galea '18	♥♥ 4
● FCO Merlot Galea '18	♥♥ 5

Conti Formentini

VIA OSLAVIA, 5
34070 SAN FLORIANO DEL COLLIO [GO]
TEL. 0481884131
www.contiformentini.it

La Conti Formentini, fondata nel lontano
1520 a San Floriano del Collio, vanta quasi
cinque secoli di attività nel campo vitivinicolo.
Ora è diventata il fiore all'occhiello del
Gruppo Italiano Vini. Da sempre produce vini
autentici, dalla grande espressione
territoriale legata ai vitigni d'origine.

○ Collio Chardonnay '19	♟♟ 2*
○ Collio Friulano Furlanà '19	♟♟ 2*
○ Collio Pinot Grigio '19	♟♟ 2*
○ Collio Sauvignon Caligo '19	♟♟ 2*

Cornium

VIA AQUILEIA, 79
33040 CORNO DI ROSAZZO [UD]
TEL. 3476010132
ariedogigante@alice.it

Si tratta della nuova realtà creata da Ariedo
Gigante a coronamento del sogno di gestire
un'azienda in prima persona. Il marchio
Cornium è già salito alla ribalta delle etichette
di maggior interesse. Prende il nome da
Corno di Rosazzo, località in cui Ariedo opera
presso la blasonata azienda di famiglia.

○ FCO Pinot Grigio '19	♟♟ 3*
○ FCO Friulano '19	♟♟ 3
● FCO Merlot '16	♟♟ 3
○ FCO Sauvignon '19	♟♟ 3

La Cricca

LOC. CRAORETTO, 2
33040 PREPOTTO [UD]
TEL. 3275618717
www.vinilacricca.it

La Cricca è nata da un incontro di amici che,
forti di diverse esperienze e innamorati del
territorio e dei suoi valori, hanno iniziato a
piccoli passi, con poche bottiglie, tutte
numerate, volte a valorizzare le migliori
espressione del territorio. Per ora sono solo
tre i vini del loro repertorio.

○ Busart '19	♟♟ 4
○ FCO Friulano '19	♟♟ 3
○ FCO Pinot Bianco '19	♟♟ 4

Marina Danieli

FRAZ. CAMINETTO
VIA BELTRAME, 77
33042 BUTTRIO [UD]
TEL. 0432674421
www.marinadanieli.com

Nata nel tardo 1800, l'azienda è sempre
stata guidata da donne. Ora tocca a Marina
Danieli, la quarta generazione, e il futuro è
garantito dai suoi figli. I vigneti si estendono
per 35 ettari sulle colline di Buttrio, le più a
Sud della regione, esposte alle brezze del
mare Adriatico.

● FCO Cabernet '15	♟♟ 3
○ FCO Friulano '18	♟♟ 3
● FCO Merlot Clama '18	♟♟ 5
● FCO Refosco P. R. '16	♟♟ 3

VItIcoltori Friulani La Delizia

VIA UDINE, 24
33072 CASARSA DELLA DELIZIA [PN]
TEL. 0434869564
www.ladelizia.com

Viticoltori Friulani la Delizia, oltre alla storica
cantina di Casarsa, gestisce anche una
nuova area produttiva ad Orcenigo Inferiore
di Zoppola. Le due realtà riunite
costituiscono il più grande polo vitivinicolo
regionale che, con il marchio Naonis,
sforna una nutrita gamma di spumanti.

● Friuli Merlot Sass Ter' '18	♟♟ 4
● Friuli Refosco P. R. Sass Ter' '18	♟♟ 4
○ Jadèr Cuvée Brut	♟♟ 2*
○ Ribolla Gialla Brut Naonis	♟ 2

Le Due Torri

LOC. VICINALE DEL JUDRIO
VIA SAN MARTINO, 19
33040 CORNO DI ROSAZZO [UD]
TEL. 0432759150
www.le2torri.com

L'azienda Le Due Torri è stata
recentemente acquistata da Ermanno
Maniero. I vini che ci sono stati proposti in
degustazione sono la prova concreta della
rivoluzione stilistica immediatamente
impressa dalla nuova proprietà. L'inizio è
promettente, ora attendiamo le conferme.

○ Friuli Bianco Time Machine '18	♟♟ 4
○ Friuli Grave Friulano Sup. '18	♟♟ 2*
● Friuli Grave Rosso Ris. '16	♟♟ 4

Le Favole

LOC. TERRA ROSSA
VIA DIETRO CASTELLO, 7
33070 CANEVA [PN]
TEL. 0434735604
www.lefavole-wines.com

Evio e Angelo Cadorin hanno creduto nella
potenzialità della denominazione Annia e
soprattutto nella località Le Favole,
affacciata sul mare Adriatico e lambita
dall'habitat del Bosco Bando. La bella
cantina è situata in una piccola valle tra le
colline a nord dell'abitato di Caneva.

● Friuli Annia Refosco P. R. '16	♟♟	2*
○ Friuli Friulano '19	♟♟	2*
○ Giallo di Roccia Brut M. Cl.	♟♟	4
● Friuli Cabernet Franc '18	♟	2

Fossa Mala

VIA BASSI, 81
33080 FIUME VENETO [PN]
TEL. 0434957997
www.fossamala.it

L'azienda Fossa Mala è nata nel 2003 per
volontà della famiglia Roncadin. Dai sei
ettari iniziali si è giunti ben presto agli
attuali 36, in una striscia di terra
particolarmente vocata per la presenza di
limo e argilla depositati nei millenni dalle
piene dei fiumi che caratterizzano la zona.

○ Friuli Grave Chardonnay '19	♟♟	2*
○ Friuli Grave Friulano '19	♟♟	2*
○ Vigneti di Famiglia Brut	♟♟	3
○ Friuli Grave Pinot Grigio '19	♟	2

Humar

LOC. VALERISCE, 20
34070 SAN FLORIANO DEL COLLIO [GO]
TEL. 0481884197
www.humar.it

Da oltre mezzo secolo la famiglia Humar,
che ora fa da riferimento a Dario,
imbottiglia i propri vini con passione sulle
dolci colline di San Floriano del Collio. È la
classica azienda a dimensione domestica,
dove tutti fanno tutto per ottenere il
massimo dalla natura.

● Collio Cabernet Franc '18	♟♟	3
○ Collio Chardonnay '19	♟♟	3
○ Collio Friulano '19	♟♟	3
○ Collio Pinot Grigio '19	♟♟	3

Forchir

LOC. CASALI BIANCHINI
33030 CAMINO AL TAGLIAMENTO [UD]
TEL. 0432821525
www.forchir.it

L'azienda, ora di proprietà di Gianfranco
Bianchini, fu fondata Antonio Forchir nel
1900 e rappresenta una delle più antiche
realtà viticole del Friuli. Nata a Felettis di
Bicinicco, si è poi espansa nei magredi di
Camino al Tagliamento e Spilimbergo e, ad
oggi, dispone di 220 ettari vitati.

○ Friuli Grave Chardonnay Claps '19	♟♟	2*
○ Friuli Grave Pinot Bianco Maraveis '19	♟♟	3
● Refoscone Refosco P. R. '16	♟♟	3
○ Ribolla Gialla Brut	♟	3

Graunar

VIA SCEDINA
34070 SAN FLORIANO DEL COLLIO [GO]
TEL. 0481884115
graunarwines@libero.it

I vigneti di Graunar si estendono sugli
splendidi declivi di San Floriano del
Collio. Quest'anno abbiamo avuto modo
di testare un elevato numero di etichette
di più tipologie, con un risultato più
che soddisfacente e una gran messe di
Due Bicchieri.

○ Collio Picolit '17	♟♟	3
○ Collio Pinot Bianco '18	♟♟	2*
● Collio Rosso '16	♟♟	4
○ Collio Sauvignon '18	♟♟	2*

Isola Augusta

VIA CASALI ISOLA AUGUSTA, 4
33056 PALAZZOLO DELLO STELLA [UD]
TEL. 043158046
www.isolaaugusta.com

Buona prestazione quella fornita da questa
storica cantina saldamente guidata dalla
famiglia Bassani. Spicca lo Chardonnay
Les Iles '18, profumato di mela golden e
sambuco, ha fragranza, volume e un finale
lungo e saporito. Intriganti i toni speziati
del Cabernet Augusteo '17.

○ Friuli Chardonnay Les Iles '18	♟♟	3*
● Friuli Cabernet Augusteo '17	♟♟	3
○ Ribolla Gialla '19	♟	2

Lupinc

Fraz. Prepotto, 11b
34011 Duino Aurisina [TS]
Tel. 040200848
www.lupinc.it

Prepotto di Duino Aurisina, paesino
dell'altopiano carsico caratterizzato da
terra, pietra, mare, sole e vento. Qui Matej
Lupinc capì che erano gli ingredienti giusti
per produrre vini di alta qualità e, nel 1970,
fu il primo ad imbottigliare vini genuini,
ricchi di aromi e di sfumature salmastre.

○ Malvasia '18	¶¶	3
○ Stara Brajda '18	¶¶	3
● Terrano '18	¶¶	3
○ Vitovska '18	¶¶	3

La Magnolia

Loc. Spessa
via Cormons
33043 Cividale del Friuli [UD]
Tel. 0432716262
www.vinilamagnolia.it

Esordio in Guida per questa bella azienda di
Spessa di Cividale, ora gestita da Cristina
Cozzarolo. Così si presenta: "Sono cresciuta
all'ombra di una magnolia centenaria e di
un padre capace di infondere a questa
famiglia l'amore profondo per la terra e il
rispetto per le persone".

● FCO Cabernet Sauvignon '19	¶¶	3
● FCO Friulano '19	¶¶	2*
○ FCO Ribolla Gialla '19	¶¶	3
● Ubi Es '16	¶	4

Piera Martellozzo 1899

via Pordenone, 33
33080 San Quirino [PN]
Tel. 0434963100
www.piera1899.com

Piera 1899 è il nuovo logo aziendale ideato
da Piera Martellozzo con lo scopo di
evidenziare la storicità della cantina. Una
tradizione di famiglia dedita alla scoperta di
territori e alla produzione di vini frutto di
accurate selezioni dei terreni più vocati e
delle uve migliori.

○ Friuli Chardonnay Terre Magre '19	¶¶	2*
● Friuli Merlot Terre Magre '19	¶¶	2*
○ Friuli Pinot Grigio Terre Magre '19	¶¶	2*
○ Ribolla Gialla Onedis Sel. '19	¶	3

Vigneti Micossi

Loc. Sedilis
via Nimis, 20
33017 Tarcento [UD]
Tel. 0432783276
www.vignetimicossi.it

A Sedilis, da tre generazioni, la famiglia
Micossi ha legato il suo nome al
Ramandolo e ad altri vitigni autoctoni
tradizionalmente legati al territorio. Siamo
nella zona collinare più settentrionale della
regione, caratterizzata da forti pendenze,
dove la viticoltura viene definita eroica.

○ Ramandolo '16	¶¶	4
● Refosco P. R. '17	¶¶	2*
● Schioppettino '18	¶¶	4

Mulino delle Tolle

Fraz. Sevegliano
via Mulino delle Tolle, 15
33050 Bagnaria Arsa [UD]
Tel. 0432924723
www.mulinodelletolle.it

Giorgio Bertossi è un enologo di grande
prestigio ed esperienza che presta la sua
opera presso molte blasonate cantine della
regione. Assieme al cugino Eliseo gestisce
Mulino delle Tolle, una florida azienda che
estende i vigneti nel comprensorio della
denominazione Friuli Aquileia.

● Friuli Aquilea Merlot '18	¶¶	3
○ Friuli Aquilea Malvasia '19	¶¶	2*
○ Friuli Aquilea Sauvignon '19	¶¶	2*
○ Friuli Pinot Bianco '19	¶	3

Obiz

b.go Gortani, 2
33052 Cervignano del Friuli [UD]
Tel. 043131900
www.obiz.it

Obiz è un piccolo borgo nei pressi di
Aquileia, dov'è situata l'azienda gestita dal
1997 da Yunmani Bergamasco. Venticinque
ettari vitati in corpo unico fanno da
contorno alla storica cantina, che risale al
1718. I vini sono di ottima fattura, con un
interessante rapporto qualità-prezzo.

● Friuli Aquileia Merlot '17	¶¶	2*
● Friuli Aquileia Refosco P. R. '17	¶¶	2*
○ Friuli Friulano '19	¶	2
● Natissa Rosso '17	¶	3

Cantina Odoni

FRAZ. LONGERA
34100 TRIESTE
TEL. 3409317794
www.cantinaodoni.com

Siamo sul Carso triestino, a Longera, a ridosso del confine con l'Istria Slovena. È qui che Daniele Odoni nel 2009 mosse i primi passi avviando l'attività produttiva. È il terzo anno che assaggiamo i suoi vini, iodati e concreti, che già elogiammo quali espressione del territorio.

○ Chardonnay '19	♈♈ 3
○ Sauvignon '19	♈♈ 2*
○ Malvasia '19	♈ 3
○ Vitovska '19	♈ 3

Orzan

VIA G. MAZZINI, 48
34070 CAPRIVA DEL FRIULI [GO]
TEL. 0481809419
www.orzanwines.com

Salutiamo l'ingresso in Guida di questa bella azienda di Capriva del Friuli, fondata da Ivaldo Orzan e ora gestita dal figlio Dario. Classica azienda a gestione familiare, vinifica solo uve di produzione propria e persino l'imbottigliamento viene fatto a mano.

● Cabernet Sauvignon '18	♈♈ 3
○ Collio Pinot Grigio '18	♈♈ 3
○ Collio Ribolla Gialla Zal Scur '16	♈♈ 4
● Merlot Morar '16	♈♈ 4

Ostrouska

LOC. SAGRADO, 1
34010 SGONICO [TS]
TEL. 0402296672
www.ostrouska.it

Sharon Ostrouska gestisce l'azienda di famiglia che, nel 1986, avviò una fiorente attività agrituristica a Sagrado di Sgonico, nel cuore del Carso triestino. Come tante altre piccole realtà locali, produce vini in proprio da vitigni rigorosamente autoctoni.

○ Malvasia '18	♈♈ 5
○ Vitovska '18	♈♈ 5
● Terrano '18	♈ 5

Parovel

LOC. CARESANA, 81
LOC. BAGNOLI DELLA ROSANDRA
34018 SAN DORLIGO DELLA VALLE [TS]
TEL. 040227050
www.parovel.com

Parovel, oggi gestita dai fratelli Elena ed Euro, è un'azienda storica del Carso triestino, che opera sin dalla metà dell'800 nella produzione di vino e olio d'oliva. I vini che di anno in anno ci propongono, rigorosamente autoctoni, sono sempre più intriganti e riconducibili al territorio.

○ Carso Vitovska Onavè '16	♈♈ 5
○ Matos Nonet '15	♈♈ 7
○ Visavì '17	♈♈ 3

Piè di Mont

LOC. PIEDIMONTE DEL CALVARIO
VIA MONTE CALVARIO, 30
34170 GORIZIA
TEL. 0481391338
www.piedimont.it

Piè di Mont è un marchio nato alcuni anni fa con l'intento di produrre spumanti Metodo Classico di alta qualità. Venne realizzato un vigneto composto da varietà in percentuali prestabilite per produrre un unico vino. Il successo fu immediato, e ora la proposta di Roman Rizzi si è allargata.

○ Blanc de Blanc Pas Dosé M. Cl. '16	♈♈ 6
○ Brut Cuvée Mill. '13	♈♈ 6
○ Brut Cuvée Mill. '16	♈♈ 6

Tenuta Pinni

VIA SANT' OSVALDO, 3
33098 SAN MARTINO AL TAGLIAMENTO [PN]
TEL. 0434899464
www.tenutapinni.com

Profonde radici legano Francesco e Roberto Pinni al territorio del Friuli Occidentale. Nelle antiche cantine della Villa padronale, risalenti al 1687, seguono personalmente il processo di vinificazione delle uve provenienti dai vigneti di proprietà, estesi su terreni ricchi di sostanze minerali.

○ Friuli Pinot Grigio '19	♈♈ 2*
○ Ribolla Gialla '19	♈♈ 2*
○ Ribolla Gialla Brut M. Cl.	♈♈ 5
○ Traminer Aromatico '19	♈♈ 2*

Flavio Pontoni

VIA PERUZZI, 8
33042 BUTTRIO [UD]
TEL. 0432674352
www.pontoni.it

Flavio Pontoni vanta con orgoglio le sue
origini contadine e si dedica alla viticoltura
sui colli di Buttrio. Applica ormai da tempo
una filosofia di basso impatto ambientale,
basata sulla sostenibilità, perché dice, "se
rispetti la terra e non la sfrutti, ti restituisce
molto più di quello che le dai".

○ FCO Friulano '19	♀♀	2*
● FCO Merlot '18	♀♀	2*
○ FCO Sauvignon '19	♀♀	2*
● Refosco P. R. '18	♀♀	2*

Reguta

VIA BASSI, 16
33050 POCENIA [UD]
TEL. 0432779157
www. reguta.it

Giuseppe e Luigi Anselmi gestiscono in
terza generazione una fiorente attività
vitivinicola a Pocenia, nella denominazione
Friuli Latisana. Sono inoltre proprietari di
una cantina e di alcuni ettari di vigneto nel
cuore del Collio, dove vinificano in proprio
le uve che producono.

● Altropasso Rosso '18	♀♀	2*
○ Collio Pinot Grigio '19	♀♀	3
○ Collio Ribolla Gialla '19	♀♀	2*
○ Friuli Pinot Grigio '19	♀♀	2*

Ronco dei Pini

VIA RONCHI, 93
33040 PREPOTTO [UD]
TEL. 0432713239
www.roncodeipini.it

Ronco dei Pini, fondata nel 1969 da Vito
Novello, è ora gestita dai figli Giuseppe e
Claudio. Deve il suo nome alla pinetina che
sovrasta la collina su cui si estendono i
vigneti, nel comprensorio di Prepotto. Altri
vigneti a Zegla, sul Collio goriziano,
completano e nobilitano l'offerta dei vini.

○ FCO Friulano '19	♀♀	3
● FCO Limes Rosso '16	♀♀	5
● FCO Schioppettino di Prepotto '17	♀♀	5
○ Ribolla Gialla Brut Tre Lune '19	♀♀	3

Ronco Margherita

VIA XX SETTEMBRE, 106A
33094 PINZANO AL TAGLIAMENTO [PN]
TEL. 0432950845
www.roncomargherita.it

Alessandro Bellio e la sua compagna
Margherita sono i fautori di questa bella
realtà regionale, sempre più convincente
soprattutto per la variegata offerta del
repertorio vini. La sede aziendale è a
Pinzano al Tagliamento, ma i vigneti si
estendono in tre diverse zone produttive.

○ FCO Friulano '19	♀♀	3
● Friuli Pinot Nero Anniversario '17	♀♀	8
● Friuli Refosco P. R. '17	♀♀	3
○ Ribolla Gialla Gerchia Pas Dosè M. Cl. '15	♀♀	5

Russolo

VIA SAN ROCCO, 58A
33080 SAN QUIRINO [PN]
TEL. 0434919577
www.russolo.it

Rino Russolo, quarta generazione, gestisce
l'azienda di famiglia situata a San Quirino,
nell'alto Friuli Occidentale. I vigneti si
distinguono in vari appezzamenti
denominati Ronco Calaj, Zui, Massarac e
Mussignaz. Il motto aziendale è:
piacevolezza, semplicità e immediatezza.

● Borgo di Peuma '16	♀♀	5
○ Doi Raps '18	♀♀	4
○ Friuli Pinot Grigio Ronco Calaj '19	♀♀	3
● Pinot Nero Grifo Nero '17	♀	5

San Simone

LOC. RONDOVER
VIA PRATA, 30
33080 PORCIA [PN]
TEL. 0434578633
www.sansimone.it

Gestita in quarta generazione da Chiara,
Anna e Antonio, la grande azienda di
Porcia, di proprietà della famiglia Brisotto,
vanta una tradizione vitivinicola di oltre un
secolo. I vini di della linea Case Sugan
hanno una marcia in più, soprattutto il Pinot
Grigio in entrambe le versioni.

○ Friuli Grave Friulano Case Sugan '18	♀♀	3
○ Friuli Grave Pinot Grigio Case Sugan '18	♀♀	3
○ Friuli Grave Pinot Grigio Ramato Case Sugan '18	♀♀	3

Scarbolo

FRAZ. LAUZACCO
V.LE GRADO, 4
33050 PAVIA DI UDINE [UD]
TEL. 0432675612
www.scarbolo.com

I giovanissimi Mattia e Lara Scarbolo sono il
presente e il futuro di questa bella azienda
della pianura friulana, che vanta una discreta
estensione sulla riva destra del torrente
Torre. Proseguendo sul percorso tracciato da
papà Valter, producono vini particolarmente
apprezzati dal mercato americano.

○ Friuli Grave Chardonnay		
Lara Sunset Scent '17	♈♈	4
○ Friuli Grave Pinot Grigio		
Mattia Beyond Pinot '16	♈♈	4

Skerlj

VIA SALES, 44
34010 SGONICO [TS]
TEL. 040229253
www.skerlj.it

Matej e Kristina Skerlj sono i titolari di questa
vera perla del Carso triestino. Le ridotte
dimensioni aziendali permettono a Matej di
curare le proprie viti con meticolosità
certosina. Le lavorazioni vengono eseguite
tutte a mano, e nella vinificazione sono
adottate le antiche tecniche ancestrali.

○ Vitovska '17	♈♈	5
○ Malvasia '17	♈♈	5
● Terrano '17	♈♈	5

Tarlao

VIA SAN ZILI, 41
33051 AQUILEIA [UD]
TEL. 043191417
www.tarlao.eu

L'azienda Tarlao sta scrivendo le pagine più
belle della sua storia per merito del
giovanissimo Francesco, che ha ereditato
passione e amore per la terra prima da
nonno Igino e poi da papà Sabino. Passione
volta a valorizzare le potenzialità territoriali
della denominazione Friuli Aquileia.

○ Friuli Aquileia Friulano		
Albero del Noce '18	♈♈	3
○ Friuli Aquileia Malvasia Ninive '19	♈♈	3
○ Friuli Aquileia Sauvignon Giona '19	♈♈	3

Terre del Faet

FRAZ. FAET
V.LE ROMA, 82
34071 CORMÒNS [GO]
TEL. 3470103325
www.terredelfaet.it

Terre del Faet è una piccola realtà vitivinicola
a conduzione familiare nel cuore del Collio
cormonese gestita dal giovanissimo Andrea
Drius. L'azienda, fondata negli anni 50 dai
nonni Mario Bon e Maria Petruz, ha sempre
prodotto vino, ma il primo imbottigliamento è
opera di Andrea.

○ Collio Bianco del Faet '18	♈♈	3*
○ Collio Friulano '19	♈♈	3
○ Collio Malvasia '19	♈♈	3
○ Collio Pinot Bianco '19	♈	3

Valle

VIA NAZIONALE, 3
33042 BUTTRIO [UD]
TEL. 0432674289
www.valle.it

Luigi Valle, per tutti Gigi, nel mondo
vitivinicolo regionale è un'istituzione. Si
diplomò in enologia a Conegliano alla fine
degli anni '40 del secolo scorso, e fu tra i
capifila del progresso tecnologico.
Quest'anno ci è stato proposto un elevato
numero di etichette, con ottimi risultati.

○ FCO Friulano '19	♈♈	3
○ FCO Pinot Grigio '19	♈♈	3
○ FCO Ribolla Gialla '19	♈♈	3
○ FCO Sauvignon '19	♈♈	3

Venchiarezza

VIA UDINE, 100
33043 CIVIDALE DEL FRIULI [UD]
TEL. 3496829576
info@venchiarezza.it

Luca Caporale è un giovane e
intraprendente produttore di vino e di olio
che, dal 2013, vanta la certificazione
biologica su tutti i suoi prodotti. Quest'anno
ci ha proposto uno spumante Blanc de
Blancs Pas Dosé Metodo Classico con 40
mesi di permanenza sui lieviti.

○ Blanc de Blancs Pas Dosè M. Cl.	♈♈	4
○ Chardonnay '18	♈♈	2*
● Refosco P. R. '18	♈♈	3
● Vigna del Tempo '19	♈♈	3

EMILIA ROMAGNA

L'area del Lambrusco, dove sono in corso le grandi manovre verso l'unificazione dei Consorzi prevista per il 2021, si rivela ancora una volta una terra dove il Sorbara fa la parte del leone. Inoltre, è da seguire con interesse lo sviluppo delle varianti "alternative" alla consueta rifermentazione in autoclave, vale a dire Metodo Classico e Ancestrale. Va detto comunque che anche dal mondo del Lambrusco di collina arrivano segnali interessanti, soprattutto dalle parti di Castelvetro e dintorni. Altra realtà molto dinamica è quella del Pignoletto, dove nel ginepraio delle denominazioni e delle tipologie riescono a farsi strada prodotti di un certo interesse, in particolar modo sul piano dei profili aromatici. Risalendo la Via Emilia, a Parma e Piacenza mancano a nostro avviso indicazioni chiare da parte dei rispettivi Consorzi circa i vini su cui puntare con decisione. Sui Colli Piacentini le notizie migliori arrivano dal Metodo Classico, con un premio che vuole far da stimolo per tutta la zona. Questo in attesa di capire cosa voglia fare il Gutturnio da grande, e in attesa soprattutto della Malvasia di Candia Aromatica, vitigno autoctono che ha dimostrato di poter dare risultati di grande interesse anche sui lunghi invecchiamenti. Veniamo alla Romagna. Sempre più consapevole delle proprie potenzialità, ma ancor più delle proprie identità, la parte di Regione che si estende verso l'Adriatico appare come una fucina di progetti interessanti tra conferme, rinnovamenti e nuove imprese. A cominciare dal fronte Sangiovese, ovviamente, sempre più centrato stilisticamente e alla ricerca di declinazioni territoriali ancora più incisive. La strada da fare non manca, ma la voglia di trovare una fisionomia originale e non stereotipata, come a volte in passato è successo, ci pare un segnale molto incoraggiante. E che dire dell'Albana? Che fosse una varietà versatile lo sapevamo, ma ormai gli esperimenti sono tantissimi e le eccellenze non mancano. In generale, c'è da dire che i bianchi non sfigurano al cospetto dei rossi, con tante varietà (come non citare la rebola riminese…) e altrettanti stili. A proposito di uve, molte quelle antiche, autoctone, appartenenti alla più intima tradizione che sono state rispolverate, non solo in senso nostalgico, ma con una precisa visione contemporanea. Chiusura d'obbligo sui vini dolci, tipologia sulla quale la regione primeggia in Italia.

Agrintesa

VIA G. GALILEI, 15
48018 FAENZA [RA]
TEL. 0546941195
www.cantineintesa.it

VENDITA DIRETTA
VISITA SU PRENOTAZIONE
PRODUZIONE ANNUA 350.000 bottiglie
ETTARI VITATI 44,00

Cantine Intesa è una delle più importanti
cooperative della Romagna, grazie al
particolare radicamento territoriale e a
progetti moderni improntati alla qualità. La
piattaforma viticola si concentra sulle
colline di Faenza, da sempre vocate alla
produzione di uve di pregio (partendo dal
sangiovese), mentre la cantina di
trasformazione si trova nella zona di
Modigliana. Qui arrivano le migliori materie
prime vinificate con tecnologia moderna:
maturazioni e affinamenti si svolgono in
un'area sotterranea dedicata, dove non
mancano botti e barrique di rovere. Sugli
scudi l'Albana '19 della linea Poderi delle
Rose. È un vino intenso, dal colore giallo
carico e brillante, con toni aromatici ampi:
si passa agevolmente dalla buccia d'uva ai
ricordi di propoli, chiudendo su rinfrescanti
folate agrumate di cedro. Bocca spessa ma
non statica, rotonda e di ottima beva. Molto
buono anche il Sangiovese Superiore '19,
violaceo nel colore e floreale negli aromi,
capace di un succoso fine bocca.

○ Romagna Albana Secco Poderi delle Rose '19		♥♥ 2*
● Romagna Sangiovese Sup. '19		♥♥ 3
● Romagna Sangiovese '19		♥ 3
○ Albana di Romagna Secco Poderi delle Rose '15		♀♀ 2*
○ Romagna Albana Secco Poderi delle Rose '18		♀♀ 2*
● Romagna Sangiovese Poderi delle Rose '18		♀♀ 2*
● Romagna Sangiovese Poderi delle Rose '17		♀♀ 2*
● Romagna Sangiovese Poderi delle Rose '15		♀♀ 2*
● Romagna Sangiovese Sup. Poderi delle Rose '15		♀♀ 2*

Balìa di Zola

VIA CASALE, 11
47015 MODIGLIANA [FC]
TEL. 0546940577
www.baliadizola.com

VENDITA DIRETTA
VISITA SU PRENOTAZIONE
PRODUZIONE ANNUA 30.000 bottiglie
ETTARI VITATI 5,00

Il progetto Balìa di Zola nasce nel 1999 a
Modigliana, sui colli di Faenza, uno dei
territori più vocati del vino romagnolo. Pare
tuttavia che la Balìa esistesse già nel '700
come importante realtà agricola della zona.
Le vigne dividono lo spazio con gli ulivi, le
ginestre e il bosco, in un contesto naturale
suggestivo e incontaminato. Il suolo ha
scheletro marnoso-arenaceo, dotato di
calcare, a garanzia di vini fini e longevi, ma
anche profumati e saporiti. La cantina ha
costruito negli anni un progetto solido, a
partire dal recupero di vecchie vigne. Il
Sangiovese Modigliana Redinoce '17 ha il
passo del grande vino. Un classico
contemporaneo, potremmo dire: veste
rubino brillante, profumi schietti di frutti di
bosco, ricami delicatamente speziati, bocca
austera ma affatto scontrosa, di magnifica
bevibilità. Più serrato e infiltrante, seppur
altrettanto ricco di sapore e tensione, il
Sangiovese Superiore Balitore '19. Da
riassaggiare, vista l'estrema gioventù,
l'Albana Isola '19.

● Romagna Sangiovese Modigliana Redinoce Ris. '17		♥♥ 4
● Romagna Sangiovese Sup. Balitore '19		♥♥ 3
○ Romagna Albana Secco Isola '19		♥ 3
● Romagna Sangiovese Sup. Balitore '18		♀♀ 3
● Romagna Sangiovese Sup. Balitore '15		♀♀ 2*
● Romagna Sangiovese Sup. Balitore '14		♀♀ 2*
● Romagna Sangiovese Sup. Redinoce Ris. '14		♀♀ 4
● Sangiovese di Romagna Sup. Redinoce Ris. '13		♀♀ 4

Francesco Bellei & C.

FRAZ. CRISTO DI SORBARA
VIA NAZIONALE, 130/132
41030 BOMPORTO [MO]
TEL. 059902009
www.francescobellei.it

VENDITA DIRETTA
VISITA SU PRENOTAZIONE
PRODUZIONE ANNUA 40.000 bottiglie
ETTARI VITATI 80,00
VITICOLTURA Biologico Certificato

L'impostazione peculiare volta alla produzione di vini rifermentati in bottiglia, piantando chardonnay e pinot nero per il metodo classico nella zona di elezione del lambrusco, fu voluta da Giuseppe Bellei, ormai quasi cinquant'anni fa. Nel terzo millennio, uve tipiche della zona come Sorbara e pignoletto sono invece utilizzate per il metodo ancestrale. L'azienda si trova ora nel cuore del Cristo di Sorbara; da qualche anno è proprietà della famiglia Cavicchioli, con Sandro alla guida. Il Blanc de Noirs '13 è un Metodo Classico da sole uve pinot nero che si giova di un lungo affinamento sui lieviti per mostrarsi cremoso, fine nella bolla, profumato di piccoli frutti rossi e mandarino: ha nerbo, struttura e un bel finale ampio. Il Rosé '16 è affilato, nitido, agrumato, con l'apporto dei frutti tropicali dato da un consistente saldo di chardonnay. Ci è particolarmente piaciuto l'Ancestrale '19, un Sorbara molto tipico, fragrante, ben sorretto dalla vena acida.

Stefano Berti

LOC. RAVALDINO IN MONTE
VIA LA SCAGNA, 18
47121 FORLÌ
TEL. 0543488074
www.stefanoberti.it

VENDITA DIRETTA
VISITA SU PRENOTAZIONE
PRODUZIONE ANNUA 40.000 bottiglie
ETTARI VITATI 6,00

Stefano Berti è uno dei personaggi più originali e carismatici del vino romagnolo contemporaneo, anche se le radici della sua cantina risalgono ai primi anni '60. Il terroir è quello di Ravaldino in Monte, nel comprensorio di Predappio, dove Stefano entra in scena all'inizio degli anni '80, avviando un percorso che negli ultimi tempi sta dando i frutti sperati. Le uve bianche sono state progressivamente sostituite da quello a bacca nera, sangiovese in testa, anche se non mancano progetti meno classici ma sempre molto ben studiati. Il Sangiovese Calisto Riserva '16 è un vino scintillante, capace di esaltare la grande annata di cui è figlio. L'uva fermenta in vasche d'acciaio, in maniera spontanea, senza aggiunta di lieviti selezionati. La maturazione avviene in barrique per 12 mesi, prima di finire in bottiglia. Ha profumi complessi e raffinati, palato di bella struttura e dinamismo, finale molto lungo su cenni di sottobosco e liquirizia. Delizioso l'ancestrale Rossetto.

○ Cuvée Blanc de Noirs Brut M. Cl. '13	♟♟ 6
⊙ Cuvée Rosé Brut M. Cl. '16	♟♟ 5
○ Cuvée Speciale Brut M. Cl. '12	♟♟ 6
● Lambrusco Ancestrale '19	♟♟ 3
● Cuvée Rosso Brut M. Cl. '17	♟ 4
○ Pignoletto Ancestrale '18	♟ 3
○ Brut Nature M. Cl. '15	♟♟ 6
⊙ Brut Rosé M. Cl. '15	♟♟ 6
● Brut Rosso M. Cl. '16	♟♟ 4
⊙ Cuvée Brut M. Cl. Rosé '14	♟♟ 5
● Cuvée Brut Rosso M. Cl. '14	♟♟ 3*
○ Cuvée Speciale M. Cl. '12	♟♟ 6
● Lambrusco di Modena Rifermentazione Ancestrale '15	♟♟ 3*
● Modena Lambrusco Rifermentazione Ancestrale '16	♟♟ 3*

● Romagna Sangiovese Predappio Calisto Ris. '16	♟♟♟ 4*
● Romagna Sangiovese Bartimeo '19	♟♟ 2*
⊙ Rossetto Frizzante	♟♟ 3
● Romagna Sangiovese Sup. Bartimeo '16	♟♟♟ 2*
● Sangiovese di Romagna Sup. Calisto '01	♟♟♟ 4
● Romagna Sangiovese Bartimeo '15	♟♟ 2*
● Romagna Sangiovese Predappio Calisto Ris. '15	♟♟ 4

Ca' di Sopra

LOC. MARZENO
VIA FELIGARA, 15
48013 BRISIGHELLA [RA]
TEL. 3284927073
www.cadisopra.com

VENDITA DIRETTA
VISITA SU PRENOTAZIONE
PRODUZIONE ANNUA 30.000 bottiglie
ETTARI VITATI 28,00
AZIENDA SOSTENIBILE

È la famiglia Montanari a guidare questa
interessante cantina, fondata alla fine degli
anni '60 e ammodernata all'inizio del
nuovo millennio. Le vigne si trovano nella
sottozona Marzeno, la più piccola tra
quelle previste per il Romagna Sangiovese,
caratterizzata da terreni argillosi e calcarei,
altitudini variabili dai 120 ai 240 metri e
un microclima eccellente. L'agricoltura
attenta alla natura e le vinificazioni poco
interventiste ci fanno apprezzare vini dal
piglio artigiano, saporiti e ancor più
performanti a tavola. Ottimo il Superiore
Crepe '19, sangiovese in purezza che
fermenta e macera in vasche d'acciaio,
prima della maturazione in cemento, con
una piccola quota che invece finisce in
barrique. Vino serrato e saporito, di buona
ampiezza e maturità tannica, gli aromi
ricordano la prugna e le ciliegie nere, non
senza qualche nota speziata. Buono anche
il Sangiovese Marzeno Riserva '17, più
solare nella trama fruttata e strutturato
al palato.

Calonga

LOC. CASTIGLIONE
VIA CASTEL LEONE, 8
47121 FORLÌ
TEL. 0543753044
www.calonga.it

VENDITA DIRETTA
VISITA SU PRENOTAZIONE
PRODUZIONE ANNUA 30.000 bottiglie
ETTARI VITATI 8,00

Fondata da Maurizio Baravelli alla fine degli
anni '70, Calonga è ancora oggi una realtà
familiare, visto che al fondatore si sono
aggiunti i figli Lorenzo, Matteo e Francesco.
Si trova a Castiglione, sulle prime colline tra
Forlì e Faenza, dove i terreni sono
caratterizzati dalle tipiche sabbie molasse.
L'impianto dei vigneti è in linea con la
tradizione, privilegiando uve quali
sangiovese, albana e pagadebit. Il lavoro
nei campi rispetta la natura e anche in
cantina le pratiche sono equilibrate, tese
alla valorizzazione del territorio in chiave
contemporanea. Il Bruno è un nuovo
progetto della cantina legato al sangiovese,
vinificato e maturato senza l'uso del legno.
In effetti la prima uscita con l'annata 2018
delinea un rosso fragrante, finissimo e
molto delicato, sia negli aromi che in
bocca: dominano le nuance floreali, con un
tocco di rosa ammaliante, ma garantisce
anche tensione e infiltrazione acida.
Davvero buono. Ficcante il Pagadebit '19.

● Romagna Sangiovese Marzeno Cadisopra Ris. '17	♟♟ 4
● Romagna Sangiovese Sup. Crepe '19	♟♟ 2*
● Remel '17	♟ 3
● Romagna Sangiovese Marzeno Cadisopra '18	♟ 3
○ Uait '19	♟ 2
○ Romagna Albana Secco Sandrona '18	♟♟ 3*
○ Romagna Albana Secco Sandrona '17	♟♟ 3
● Romagna Sangiovese Marzeno '15	♟♟ 3
● Romagna Sangiovese Marzeno Cà del Rosso '15	♟♟ 3
● Romagna Sangiovese Sup. Crepe '18	♟♟ 2*
● Romagna Sangiovese Sup. Crepe '17	♟♟ 2*
● Romagna Sangiovese Sup. Crepe '15	♟♟ 2*

● Romagna Sangiovese Sup. Il Bruno '18	♟♟ 2*
○ Romagna Pagadebit '19	♟♟ 2*
● Romagna Sangiovese Sup. Michelangiolo Ris. '16	♟ 5
● Ordelaffo '15	♟♟ 2*
● Ordelaffo '14	♟♟ 2*
● Romagna Sangiovese Sup. Leggiolo '16	♟♟ 3
● Romagna Sangiovese Sup. Leggiolo '15	♟♟ 3
● Romagna Sangiovese Sup. Michelangiolo Ris. '13	♟♟ 5
● Romagna Sangiovese Sup. Michelangiolo Ris. '12	♟♟ 4

Tenute Campana

VIA XXII APRILE 2
41011 CAMPOGALLIANO [MO]
TEL. 059526712
www.tenutecampana.it

VENDITA DIRETTA
VISITA SU PRENOTAZIONE
PRODUZIONE ANNUA 25.000 bottiglie
ETTARI VITATI 28,00

L'azienda è ininterrottamente in mano alla famiglia sin dai primi dell'800, allorché, su questi terreni alluvionali spesso inondati dalle piene del fiume Secchia, la coltivazione della vite rappresentava una delle tante attività agricole assieme alle colture di mais, frumento, barbabietole da zucchero, pere e allevamento bovino. Negli anni '70 arriva il turno di Lauro Campana, che tuttora segue l'azienda assieme ai figli Sergio e Mattia. La tenuta di circa 180 ettari ne vanta 22 a vigneto, seguiti con la collaborazione dell'Università di Padova. I vini Dei Tenori ottengono un'ottima performance in degustazione. Il Sorbara è profumato di agrumi e lamponi, ha sapidità e sostanza, equilibrio integrità, una beva snella e molto fragrante. Bene il Pignoletto, dal colore giallo intenso, denso e ben evoluto, profumato di pesca, albicocca e ananas. Il Lambrusco di Modena sa di mirtillo ed è a sua volta fresco e integro.

Cantina della Volta

VIA PER MODENA, 82
41030 BOMPORTO [MO]
TEL. 0597473312
www.cantinadellavolta.com

VENDITA DIRETTA
VISITA SU PRENOTAZIONE
PRODUZIONE ANNUA 130.000 bottiglie
ETTARI VITATI 16,00

Christian Bellei, discendente di un casato che produce e commercializza lambrusco di Sorbara da cent'anni esatti, nel 2010 ha deciso di fondare questa cantina, con il supporto di alcuni amici, avvalendosi naturalmente dell'esperienza maturata lavorando presso la celebre azienda di famiglia. L'obiettivo primario era quello di produrre Lambrusco Metodo Classico e si può dire che sia stato pienamente centrato, visto il livello medio delle etichette presentate e uno stile sempre più affinato nel corso degli anni. Davvero bella la batteria presentata: cominciamo con un Sorbara Rosé Metodo Classico '15 sapido, ben strutturato, polposo, di spiccata personalità ed eleganza. Il Mattaglio Dosaggio Zero, Chardonnay con un 10% di pinot nero, ha sentori di crosta di pane ed erbe essiccate, mentre il sorso ha nerbo e cremosità. La Prima Volta '16 è un Rosé non dosato, da sole uve Sorbara: colore molto pallido, elegante, molto giocato sulla finezza dei profumi e della bollicina.

● Lambrusco di Modena Dei Tenori	♟♟ 2*
● Lambrusco di Sorbara Dei Tenori	♟♟ 2*
○ Pignoletto Dei Tenori	♟♟ 2*

○ Lambrusco di Sorbara Brut Rosé M. Cl. '15	♟♟♟ 5
○ Il Mattaglio Brut M. Cl.	♟♟ 5
○ Il Mattaglio Dosaggio Zero M. Cl.	♟♟ 5
○ La Prima Volta Dosaggio Zero Rosé M. Cl. '16	♟♟ 5
● Lambrusco di Sorbara Rimosso '19	♟ 3
○ Lambrusco di Modena Brut Rosé M. Cl. '13	♟♟♟ 5
○ Lambrusco di Modena Brut Rosé M. Cl. '12	♟♟♟ 5
● Lambrusco di Sorbara Rimosso '13	♟♟♟ 3*
● Lambrusco di Sorbara Rimosso '12	♟♟♟ 3*
○ La Prima Volta Brut Rosé M. Cl. '15	♟♟ 5
○ Lambrusco di Sorbara Brut Rosé M. Cl. '14	♟♟ 5

Cantina di Santa Croce

FRAZ. SANTA CROCE
S.DA ST.LE 468 DI CORREGGIO, 35
41012 CARPI [MO]
TEL. 059664007
www.cantinasantacroce.it

VENDITA DIRETTA
VISITA SU PRENOTAZIONE
OSPITALITÀ
PRODUZIONE ANNUA 400.000 bottiglie
ETTARI VITATI 600,00

La storia di questa cooperativa risale ai
primi anni del secolo scorso, precisamente
al 1907. Attualmente conta circa 250 soci
che, naturalmente, coltivano in prevalenza
quel lambrusco salamino che proprio da
qui trae le sue origini; il tutto senza
dimenticare le altre varietà, a partire dal
Sorbara. I terreni, prevalentemente argillosi,
permettono al salamino di offrire vini di
vigorosa rusticità. Maurizio Boni è un
enologo che ben conosce le caratteristiche
del vitigno, interpretato in vari modi e
anche spumantizzato. Ovviamente il
Salamino di Santa Croce è protagonista
della Cantina, a partire da uno Spumante
Rosé 100 Vendemmie (con un 10% di
Sorbara) molto piacevole e fragrante, ben
sostenuto dall'acidità. Il Secco (qui il
salamino è in purezza) ha un bel naso con
frutti neri di bosco e una nota speziata,
bello nell'impatto in bocca. Polposo e
profumato di mirtillo il Vigne Vecchie.

⊙ 100 Vendemmie Brut Rosé '19	♟♟ 2*
● Lambrusco Salamino di Santa Croce Secco '19	♟♟ 2*
● Lambrusco di Sorbara '19	♟ 2
● Lambrusco Salamino di Santa Croce V. V. '19	♟ 2
○ Pignoletto Brut 100 Vendemmie '19	♟ 2
● Il Castello Lambrusco Secco '16	♟♟ 1*
● Il Castello Lambrusco Semisecco '17	♟♟ 1*
● Il Castello Rosso Lambrusco '17	♟♟ 1*
● Lambrusco di Sorbara '17	♟♟ 1*
● Lambrusco Salamino di Santa Croce Secco '16	♟♟ 1*
● Lambrusco Salamino di Santa Croce Secco Tradizione '17	♟♟ 1*
● Lambrusco Salamino di Santa Croce Secco Tradizione '16	♟♟ 1*

Cantina di Carpi e Sorbara

VIA CAVATA
41012 CARPI [MO]
TEL. 059 643071
www.cantinadicarpiesorbara.it

VENDITA DIRETTA
PRODUZIONE ANNUA 3.200.000 bottiglie
ETTARI VITATI 2300,00

Nel 2012, le due storiche Cantine di Carpi
(fondata nel 1903) e Sorbara (fondata nel
1923) hanno deciso di unirsi, dando vita ad
una realtà che può contare su circa 1.200
soci e ben sei strutture di vinificazione,
imbottigliamento e stoccaggio. Lambrusco
di Sorbara, ma non solo, tra i vini in
portafoglio. La gamma del più noto tra i
prodotti della zona è esplorata in numerose
declinazioni, spumantizzazione inclusa, con
risultati assolutamente convincenti. Non
può mancare l'etichetta dedicata
all'avvocato Gino Friedmann, figura storica
fondamentale della cooperazione
modenese. Il Sorbara Gino Friedmann
rifermentato in bottiglia è un ancestrale
dagli intriganti sentori di frutti rossi e
agrumi, dal pompelmo al lime; ben
sostenuto dalla vena acida, ha buon corpo
e carattere; vivo e nervoso anche
l'omonimo rifermentato in autoclave,
mentre l'altro Sorbara Terre della Verdeta è
più giocato sulla polpa fruttata. Terre dei
Pio è sempre un Salamino di struttura,
profumato di mora e mirtillo, con un
classico finale di mandorla.

● Lambrusco di Sorbara Omaggio a Gino Friedmann Rifermentazione Naturale in Bottiglia '19	♟♟ 3*
● Lambrusco di Sorbara 923 Terre della Verdeta '19	♟♟ 2*
● Lambrusco di Sorbara Omaggio a Gino Friedmann '19	♟♟ 2*
● Lambrusco Salamino di Santa Croce 903 Terre dei Pio '19	♟♟ 2*
● Lambrusco Mantovano 946 Corte del Poggio '19	♟ 2
● Lambrusco Salamino di Santa Croce Dedicato ad Alfredo Molinari '19	♟ 2
● Lambrusco di Sorbara Secco Omaggio a Gino Friedmann '16	♟♟♟ 3*
● Lambrusco di Sorbara Secco Omaggio a Gino Friedmann FB '14	♟♟♟ 3*

Cavicchioli

VIA CANALETTO, 52
41030 SAN PROSPERO [MO]
TEL. 059812412
www.cavicchioli.it

VENDITA DIRETTA
VISITA SU PRENOTAZIONE
PRODUZIONE ANNUA 7.424.000 bottiglie
ETTARI VITATI 90,00

A San Prospero, il 6 aprile 1928, Umberto Cavicchioli fondò quella che era destinata a divenire una delle realtà più importanti nel mondo del Lambrusco. Dal 2011 l'azienda fa parte del colosso Gruppo Italiano Vini, ma la direzione rimane in mano alla famiglia, rappresentata dai nipoti di Umberto, Sandro e Claudio. Tante le etichette proposte, come è normale attendersi da chi produce dieci milioni di bottiglie l'anno. Il Sorbara, nelle sue varie declinazioni (metodo classico incluso), spicca sempre nelle degustazioni. Vigna del Cristo emerge sempre dal suo territorio d'elezione come un Sorbara nitido, elegante, varietale, fruttato e floreale, equilibrato e ricco. Molto buono anche il Millenovecentoventotto, un Sorbara più fruttato, intenso, corposo e netto nel lungo finale. Stile ancora differente per il Tre Medaglie, nel quale emergono maggiormente toni agrumati, sempre con precisione e nitidezza. In una gamma di alto livello, si fanno notare un Grasparossa Col Sassoso molto carnoso.

- Lambrusco di Sorbara V. del Cristo '19 ♛♛♛ 2*
- Lambrusco di Sorbara Millenovecentoventotto ♛♛ 2
- Lambrusco di Sorbara Tre Medaglie ♛♛ 2
- ⊙ Lambrusco di Sorbara Brut Rosé del Cristo M. Cl. '16 ♛♛ 4
- Lambrusco Grasparossa di Castelvetro Col Sassoso '19 ♛♛ 2*
- Fieronero Lambrusco Frizzante ♛ 2
- Lambrusco di Modena Millenovecentoventotto ♛ 2
- Lambrusco Grasparossa di Castelvetro Millenovecentoventotto ♛ 2
- Robanera Abboccato ♛ 2
- Lambrusco di Sorbara V. del Cristo '18 ♛♛♛ 3*
- Lambrusco di Sorbara V. del Cristo '17 ♛♛♛ 3*
- Lambrusco di Sorbara V. del Cristo '16 ♛♛♛ 2*

Caviro

VIA CONVERTITE, 12
48018 FAENZA [RA]
TEL. 0546629111
www.caviro.it

VENDITA DIRETTA
PRODUZIONE ANNUA 25.000.000 bottiglie
ETTARI VITATI 31,00

Il payoff di Caviro dice già moltissimo sulla sua struttura imprenditoriale: la più grande cantina d'Italia. In effetti le dimensioni inquadrano subito questo gigante del vino, unione di circa trenta cooperative e oltre 12 mila viticoltori, distribuiti tra diverse regioni della Penisola. Tante le linee e i marchi proposti, tra cui quello celeberrimo del Tavernello, forse il vino italiano più noto al grande pubblico. Non mancano tuttavia progetti più circoscritti e particolareggiati, che hanno nelle vigne della Romagna il loro centro propulsivo. Quest'anno abbiamo assaggiato una serie di vini del progetto "Vigneti Romio", portato avanti da alcuni dei viticoltori romagnoli più esperti che lavorano i migliori vigneti sotto il cappello Caviro. Tra questi il Sangiovese Superiore Riserva '19 si rivela vino moderno, con note di caffè in primo piano e una vigorosa componente fruttata. Il Trebbiano '19 ha profumi di ottima intensità e bocca compiuta. Il Famoso '19 è un gradino sotto, ma ha agile beva.

- Romagna Sangiovese Sup. Ris. Vigneti Romio '19 ♛♛ 3
- ○ Trebbiano Vigneti Romio '19 ♛♛ 2*
- ○ Famoso Vigneti Romio '19 ♛ 2
- ○ Romagna Albana Secco Romio '17 ♛♛ 2*
- ○ Romagna Albana Secco Romio '16 ♛♛ 2*
- ○ Romagna Albana Secco Romio '15 ♛♛ 2*
- ⊙ Romagna Sangiovese Rosato Portocanale di Cesenatico '18 ♛♛ 2*
- Romagna Sangiovese Sup. Rocca di Cesena Ris. '16 ♛♛ 4
- ○ Romagna Trebbiano Terre Forti '15 ♛♛ 1*
- ○ Sono Famoso '17 ♛♛ 2*

Celli

V.LE CARDUCCI, 5
47032 BERTINORO [FC]
TEL. 0543445183
www.celli-vini.com

VENDITA DIRETTA
VISITA SU PRENOTAZIONE
PRODUZIONE ANNUA 300.000 bottiglie
ETTARI VITATI 35,00
AZIENDA SOSTENIBILE

Le famiglie Sirri e Casadei hanno progettato e impiantato la loro azienda vitivinicola nel territorio di Bertinoro nel 1963, rinnovandola sostanzialmente a partire dal 1985. Le vigne di proprietà si caratterizzano per i terreni calcarei, con il classico "spungone", e sono dislocate su vari appezzamenti: Tenuta Maestrina, Tenuta La Massa e Campi di Bracciano. Ovviamente le cultivar coltivate sono diverse, tanto tra le autoctone quanto tra quelle internazionali, con una particolare attenzione riservata negli ultimi anni all'albana. La versione 2019 dell'Albana Secco I Croppi si conferma ottima e stilisticamente coerente: profuma di buccia d'uva e agrumi maturi con bocca polposa, molto saporita. Buonissimo anche l'Albana Passito Solara '17, ovviamente più morbido e intenso nei profumi di confettura, frutta secca e spezie. Delizioso il Pagadebit Campi di Fratta '19, per gli amanti dei bianchi estremamente asciutti. Niente male il Sangiovese Bertinoro Bron & Rusèval Riserva '17.

○ Romagna Albana Passito Solara '17	♟♟	4
○ Romagna Albana Secco I Croppi '19	♟♟	2*
○ Romagna Pagadebit Campi di Fratta '19	♟♟	2*
● Romagna Sangiovese Bertinoro Bron & Ruseval Ris '17	♟♟	3
○ Romagna Albana Secco I Croppi '17	♟♟♟	2*
○ Romagna Albana Secco I Croppi '16	♟♟♟	2*
○ Romagna Albana Secco I Croppi '15	♟♟♟	2*
○ Romagna Albana Secco I Croppi '18	♟♟	2*
● Romagna Sangiovese Sup. Le Grillaie Ris. '16	♟♟	2*

Umberto Cesari

VIA STANZANO, 2160
40024 CASTEL SAN PIETRO TERME [BO]
TEL. 0516947811
www.umbertocesari.it

VENDITA DIRETTA
VISITA SU PRENOTAZIONE
PRODUZIONE ANNUA 3.500.000 bottiglie
ETTARI VITATI 355,00
AZIENDA SOSTENIBILE

Umberto Cesari è il nome di un grande imprenditore e, di conseguenza, di una grande azienda del vino romagnola. Le prime bottiglie prodotte hanno impresso l'anno 1965 e da allora non si è smesso di produrre e commercializzare vino, in Italia, ma soprattutto oltre confine. Pian piano diversi target sono stati conquistati, come da sogno e visione di Umbero e ora le etichette a firma Cesari le troviamo in tante zone del mondo. I vini non possono che rappresentare i loro mercati: sono moderni e tecnicamente impeccabili, figli di estrazioni importanti e di lunghi affinamenti in legno. Fitto, corposo e austero il Tauleto '14, ottenuto unicamente da uve sangiovese. Il naso profuma di cuoio, resine e frutto nero, mentre il palato è denso e leggermente frenato dal tannino. Molto buono il Colle del Re, un'Albana di Romagna in versione Passito, dalle intense note di cedro e frutta candita. Semplici ma piacevoli il Liano Bianco '18 (uve chardonnay e sauvignon) e il Liano '17 da sangiovese e cabernet sauvignon.

○ Romagna Albana Passito Colle del Re '12	♟♟	4
● Tauleto '14	♟♟	7
● Liano '17	♟	5
○ Liano Bianco '18	♟	4
● Resultum '13	♟	8
● Romagna Sangiovese Sup. Ris. '13	♟♟	3
● Romagna Sangiovese Sup. Ris. '12	♟♟	3
● Sangiovese di Romagna Laurento Ris. '10	♟♟	3

Floriano Cinti

FRAZ. SAN LORENZO
VIA GAMBERI, 48
40037 SASSO MARCONI [BO]
TEL. 0516751646
www.collibolognesi.com

VENDITA DIRETTA
VISITA SU PRENOTAZIONE
PRODUZIONE ANNUA 95.000 bottiglie
ETTARI VITATI 24,00

Floriano Cinti è un bravo vignaiolo e porta avanti con dedizione un bel lavoro di valorizzazione del territorio bolognese. Lavoro che svolge dai primi anni novanta, con tanta umiltà e passione. I vini prodotti sono specchio delle vigne da cui provengono, il carattere non manca così come pulizia e piacevolezza di beva. Negli anni l'azienda si è ampliata sia per estensione degli ettari vitati, sia nella tecnologia al servizio della cantina. All'interno anche agriturismo con ristorante. Davvero sorprendente quest'anno il Pignoletto Frizzante '19: dai Colli Bolognesi arriva un vino profumato di agrumi e frutti tropicali, polposo, fresco, fragrante. Piacevolissimo nella beva e dal finale profondo e pulitissimo. Per noi è un Tre Bicchieri. Molto buono anche il Bologna Rosso '16, da uve cabernet sauvignon, merlot e barbera: ha note di confettura e buona polpa fruttata, palato fitto, ma molto sapido. Piacevole, per quanto semplice, la Barbera '18.

○ C. B. Pignoletto Frizzante '19	♟♟♟	2*
● C.B. Bologna Rosso '16	♟♟	3
● C. B. Barbera '18	♟	2
● C.B. Cabernet Sauvignon '15	♟♟	2*

★Cleto Chiarli
Tenute Agricole

VIA BELVEDERE, 8
41014 CASTELVETRO DI MODENA [MO]
TEL. 0593163311
www.chiarli.it

VENDITA DIRETTA
VISITA SU PRENOTAZIONE
PRODUZIONE ANNUA 900.000 bottiglie
ETTARI VITATI 100,00

Non si può prescindere da Cleto Chiarli se si vuole raccontare la storia del Lambrusco modenese. Storia che inizia nel 1860, quando il capostipite decise di produrre e imbottigliare vino, invece di servirlo sfuso agli avventori della sua Osteria dell'Artigliere. Quel vino rifermentava in bottiglia, cosa usuale prima dell'avvento della tecnologia in cantina e, nello specifico, delle autoclavi. Oggi la produzione si è affinata con l'individuazione dei cru, da cui ottenere le uve migliori, Sorbara e grasparossa in primis, e la riscoperta del metodo ancestrale. Lambrusco del Fondatore '19 è un Sorbara molto fruttato, più carico di colore del solito, ma sempre ai massimi livelli. Non da meno un'accoppiata di Grasparossa: Vigneto Cialdini lineare, equilibrato, profumato di ciliegia, fragola e lampone; Nivola più rustico, fruttato, carnoso nei toni di piccoli frutti a bacca nera. Una sicurezza il Vecchia Modena Premium, Sorbara agile di buon nerbo.

● Lambrusco di Sorbara del Fondatore '19	♟♟♟	3*
● Lambrusco Grasparossa di Castelvetro Vign. Cialdini '19	♟♟	3*
● Lambrusco di Sorbara Vecchia Modena Premium '19	♟♟	3
● Lambrusco Grasparossa di Castelvetro Nivola '19	♟♟	2*
● Lambrusco Grasparossa di Castelvetro Villa Cialdini '19	♟♟	2*
○ Pignoletto Modena Brut Modén Blanc '19	♟	3
● Pruno Nero Dry	♟	3
☉ Rosé de Noir Brut '19	♟	3
● Lambrusco di Sorbara del Fondatore '18	♟♟♟	3*
● Lambrusco di Sorbara del Fondatore '17	♟♟♟	3*
● Lambrusco di Sorbara del Fondatore '16	♟♟♟	3*

Condé

LOC. FIUMANA DI PREDAPPIO
VIA LUCCHINA, 27
47016 PREDAPPIO [FC]
TEL. 0543940860
www.conde.it

VENDITA DIRETTA
VISITA SU PRENOTAZIONE
OSPITALITÀ E RISTORAZIONE
PRODUZIONE ANNUA 150.000 bottiglie
ETTARI VITATI 77,00
AZIENDA SOSTENIBILE

Francesco Condello ha fondato questa cantina nei primi anni Duemila. Siamo nella sottozona di Predappio, certamente in cima a quelle più vocate in Romagna. Le vigne, ben allevate, si distribuiscono ad altitudini comprese tra i 150 e i 350 metri sul livello del mare. Il sangiovese ha un ruolo ovviamente centrale nel progetto, anche se non mancano esperimenti con altre varietà. Negli ultimi anni si è imboccata un'agricoltura sempre più sostenibile e lo stile dei vini è cresciuto sotto ogni punto di vista. Lo dimostra un super Sangiovese Riserva come il Predappio Raggio Brusa '17. Derivante da una selezione delle uve migliori coltivate nell'omonima vigna, ha profumi raffinati di fiori freschi, piccoli frutti rossi e neri, sottobosco. Un lieve accenno tostato, presente ma non invadente, puntella gli aromi e accompagna il palato, magnifico per tessitura e pulizia tannica. Più immediato ma affatto banale il Sangiovese Superiore '17. Un gradino sotto il Sangiovese Superiore Al Caleri '18.

● Romagna Sangiovese Predappio		
Raggio Brusa Ris. '17	♟♟	8
● Romagna Sangiovese Sup. '17	♟♟	3
● Romagna Sangiovese Sup. Al Caleri '18	♟	2
● Romagna Sangiovese Predappio		
Raggio Brusa Ris. '16	♟♟	8
● Romagna Sangiovese Predappio Ris. '13	♟♟	6
● Romagna Sangiovese Predappio Ris. '12	♟♟	6
● Romagna Sangiovese Predappio Ris. '11	♟♟	2*
● Romagna Sangiovese Sup. '12	♟♟	3
● Sangiovese di Romagna Sup. Ris. '10	♟♟	2*

Chiara Condello

LOC. FIUMANA DI PREDAPPIO
VIA LUCCHINA, 27
47016 PREDAPPIO [FC]
TEL. 0543940860
www.chiaracondello.com

VENDITA DIRETTA
VISITA SU PRENOTAZIONE
PRODUZIONE ANNUA 17.000 bottiglie
ETTARI VITATI 4,80
AZIENDA SOSTENIBILE

Chiara Condello è lo spin off di Condé, la tenuta di famiglia della giovane vignaiola che le dà il nome. Rivelazione della precedente edizione della Guida, i vini di questa cantina sono una delle grandi novità della regione per identità, stile e piglio contemporaneo. Del resto il terroir è di tutto rispetto e una sensibilità di questo tipo poteva solo esaltarlo: siamo a Predappio, dove le vigne a ridosso del bosco si distribuiscono tra i 150 e i 300 metri di altitudine, su terreni piuttosto poveri, calcareo- argillosi, ricchi del classico "spungone". Per molti versi impressionante il modo in cui la cantina ha affrontato la vendemmia 2017, sfornando due Sangiovese scintillanti per purezza, stile ed espressività. Le Lucciole Riserva ha tessitura leggiadra e quadro aromatico fiorito, con deliziosi frutti rossi a fare da base: un valzer di lamponi, ribes e ciliegie a danzare nel sorso agile quanto serrato e profondo. Di tratto simile, anche se più lieve, il Sangiovese Predappio pari annata.

● Romagna Sangiovese Predappio		
Le Lucciole Ris. '17	♟♟♟	7
● Romagna Sangiovese Predappio		
Chiara Condello '17	♟♟	4
● Romagna Sangiovese Predappio		
Le Lucciole Ris. '16	♟♟♟	7
● Romagna Sangiovese Predappio		
Chiara Condello '16	♟♟	4

Costa Archi

LOC. SERRA
VIA RINFOSCO, 1690
48014 CASTEL BOLOGNESE [RA]
TEL. 3384818346
costaarchi.wordpress.com

VENDITA DIRETTA
VISITA SU PRENOTAZIONE
PRODUZIONE ANNUA 16.000 bottiglie
ETTARI VITATI 11,00

Cantina e vigne nel comune di Castel Bolognese, dunque nella menzione Serra: questi i riferimenti geografici di Costa Archi, la piccola e bella realtà guidata da Gabriele Succi, vignaiolo di riferimento nel panorama romagnolo. I filari sono divisi in due parcelle di matrice argillosa, ricche di calcare, posizionate a circa 150 metri di altitudine. I vini appaiono in continuo crescendo sul piano della consapevolezza stilistica: mostrano sapore e umori territoriali, nel solco di un'agricoltura ragionata e di maturazioni rispettose della materia prima. Il GS '15 è un sangiovese di grande carattere e complessità. Fermenta in tini da 7,5 ettolitri e matura in tonneau per almeno un anno, prima di passare in cemento. Ne apprezziamo la pregevole carica fruttata, con richiami speziati evidenti e ricordi del passaggio in legno che anticipano una bocca articolata, di ottima struttura, dal finale tannico incisivo. Ottimo il Monte Brullo Riserva '16, molto gustoso e minerale il bianco Le Barrosche '19.

● GS Sangiovese '15	♟♟ 5
○ Le Barrosche '19	♟♟ 3
● Romagna Sangiovese Serra Monte Brullo Ris. '16	♟♟ 2*
● Romagna Sangiovese Sup. Assiolo '13	♟♟♟ 4*
● GS Sangiovese '14	♟♟ 5
● Romagna Sangiovese Serra Assiolo '17	♟♟ 3
● Romagna Sangiovese Serra Assiolo '16	♟♟ 3*
● Romagna Sangiovese Serra Assiolo '15	♟♟ 2*
● Romagna Sangiovese Serra Monte Brullo Ris. '15	♟♟ 2*

Cantina Divinja

FRAZ. SORBARA
VIA VERDETA 1
41030 MODENA
TEL. 3391801199
www.cantinadivinja.com

VENDITA DIRETTA
VISITA SU PRENOTAZIONE
PRODUZIONE ANNUA 75.000 bottiglie
ETTARI VITATI 9,00

L'Azienda della famiglia Barbanti, attiva sin dai primi del Novecento, è nata - come tante fattorie dell'epoca - per la coltivazione mista di frutta, ortaggi e seminativi. Nel corso degli anni vennero impiantati i primi vigneti di lambrusco di Sorbara, dando vita alla produzione di vino, venduto soprattutto sfuso. La passione crescente per il vino della famiglia e la richiesta del mercato hanno fatto sì che la parte vitata si ampliasse sempre più sino a giungere alla completa conversione aziendale nel 2008, con la costruzione della nuova cantina. I danni causati dal terremoto del 2012 non hanno scoraggiato i Barbanti, che anzi ne hanno approfittato per ampliare e ammodernare la struttura. Il Morro è un Lambrusco paradigmatico della varietà salamino. Profuma di ciliegia, marasca e mandarino e in bocca è ricco e grasso, ha una beva carnosa e polposa capace di dare autentico piacere. Sigillo '15 è un Metodo Classico da uve Sorbara ben riuscito, dal colore rubino brillante, profumato di frutti di bosco ed erbe officinali. Elegante e agrumato l'Unico, Sorbara in purezza.

● Lambrusco di Modena Il Morro	♟♟ 2*
● Lambrusco di Sorbara Brut Unico	♟♟ 2*
● Sigillo Brut M. Cl. '15	♟♟ 4
⊙ Lambrusco di Sorbara Rosé Rosae	♟ 2
● Lambrusco di Sorbara Semisecco Primi Profumi	♟ 2
○ Modena Pignoletto Brut S. Amalia	♟ 2

Drei Donà
Tenuta La Palazza

Loc. Massa di Vecchiazzano
via del Tesoro, 23
47121 Forlì
Tel. 0543769371
www.dreidona.it

VENDITA DIRETTA
VISITA SU PRENOTAZIONE
PRODUZIONE ANNUA 130.000 bottiglie
ETTARI VITATI 27,00
AZIENDA SOSTENIBILE

Realtà storica del vino romagnolo, Drei Donà possiede parcelle di terreno su alcune delle zone collinari più interessanti della regione: Forlì, Castrocaro e Predappio, allo sbocco delle valli dei fiumi Rabbi e Montone. Oggi è gestita da Claudio Drei Donà e dal figlio Enrico, vogliosi di accompagnarla nella sua fase moderna, pur consci del passato e di quello che rappresenta. Grande attenzione è rivolta alla sostenibilità ambientale, mentre i vini hanno taglio moderno ma anche carattere, costanza e grande affidabilità. Buonissimo il Sangiovese Predappio Notturno '18. L'apporto tostato è senza dubbio più convincente rispetto alla versione precedente, così come appaiono più integrati gli apporti di frutto maturo, che spaziano tra mirtilli, more e lamponi, coniugando intensità e sapore nel nitido finale. Anche il Sangiovese Superiore Pruno Riserva '16 fa bella figura, anche se in questa fase le note riconducibili al rovere sono più presenti: vale probabilmente la pena riassaggiarlo più avanti.

● Romagna Sangiovese Predappio Notturno '18	♟♟ 3*
● Romagna Sangiovese Sup. Pruno Ris. '16	♟♟ 7
● Magnificat '16	♟ 5
○ Il Tornese '18	♟♟ 3
● Magnificat '13	♟♟ 5
● Notturno Sangiovese '14	♟♟ 3
● Romagna Sangiovese Predappio Notturno '17	♟♟ 3*
● Romagna Sangiovese Sup. Palazza Ris. '13	♟♟ 5
● Romagna Sangiovese Sup. Pruno Ris. '15	♟♟ 7
● Romagna Sangiovese Sup. Pruno Ris. '13	♟♟ 5

Emilia Wine

via 11 Settembre 2001, 3
42019 Scandiano [RE]
Tel. 0522989107
www.emiliawine.eu

PRODUZIONE ANNUA 300.000 bottiglie
ETTARI VITATI 1900,00

Il sistema cooperativo rappresenta da sempre un punto di forza dell'economia emiliana, soprattutto nel settore agroalimentare. Una spinta di aggregazione che continua a tutt'oggi, come dimostra la nascita nel 2014 di Emilia Wine, realtà che va a potenziare il ruolo delle cantine sociali. Frutto della fusione di tre cooperative (Arceto, Correggio e Prato di Correggio), mette insieme oltre 700 soci con terreni sia in pianura, dove viene coltivato il lambrusco, sia nella prima collina reggiana, tra i fiumi Enza e Secchia; qui maturano, tra le altre, le cultivar per la spumantizzazione. Il Perdono '19 è un Lambrusco a base salamino con un 40% tra maestri e malbo gentile. Ha un bel naso fragrante di mirtillo e ribes, con un sorso tonico e fresco. Cardinale Pighini è un Grasparossa robusto, profumato di piccoli frutti e sottobosco, con tannino presente senza invadenza. Migliolungo, da antiche varietà reggiane, ha lievi note sovramature.

● Reggiano Lambrusco Il Perdono Cantina di Arceto '19	♟ 2*
● Colli di Scandiano e Canossa Lambrusco Grasparossa Cardinale Pighini Cantina di Arceto '19	♟♟ 1*
⊙ 1077 Lambrusco Rosato Brut '19	♟ 2
● Migliolungo Lambrusco Cantina di Arceto '19	♟ 2
⊙ Colli di Scandiano e di Canossa Lambrusco Rosaspino Cantina di Arceto '17	♟♟ 2*
● Colli di Scandiano e di Canossa Lambrusco Rossospino Cantina di Arceto '16	♟♟ 2*
● Reggiano Lambrusco Il Correggio '17	♟♟ 2*

Gallegati

VIA LUGO, 182
48018 FAENZA [RA]
TEL. 0546621149
www.aziendaagricolagallegati.it

VENDITA DIRETTA
VISITA SU PRENOTAZIONE
OSPITALITÀ
PRODUZIONE ANNUA 15.000 bottiglie
ETTARI VITATI 6,00

I fratelli Antonio e Cesare Gallegati nutrono da sempre una grande passione per il vino. Dopo la laurea in agraria, i due hanno deciso di impegnarsi per lanciare questa bella realtà faentina, plasmandola secondo le loro idee con trascinante energia. Le vigne poggiano su terreni argillo-limosi con buona presenza di calcare; in cantina il lavoro mira a preservare l'integrità dei frutti e l'equilibrio complessivo, senza mai forzare la mano, cercando anzi soprattutto finezza e bevibilità. Obiettivi centrati quasi sempre, pur nel rispetto delle annate. Il Corallo Rosso è un Sangiovese delizioso, finemente rifinito da toni fruttati e floreali, senza orpelli né sovrastrutture. Appaga soprattutto grazie al sorso affusolato, dinamico, non senza una certa complessità. Mano felice anche sui bianchi, come dimostrano le splendide interpretazioni di Albana e Trebbiano. Il Corallo Giallo '19 ha i toni opulenti della varietà in una silhouette slanciata e lunga, il Corallo Argento '19 non è da meno.

● Romagna Sangiovese Brisighella Corallo Rosso '18	♟♟ 2*
○ Romagna Albana Secco Corallo Giallo '19	♟♟ 3
○ Romagna Trebbiano Corallo Argento '19	♟♟ 3
○ Colli di Faenza Corallo Bianco '19	♟ 3
● Albana di Romagna Passito Regina di Cuori Ris. '10	♟♟♟ 4*
○ Albana di Romagna Passito Regina di Cuori Ris. '09	♟♟♟ 4*
○ Romagna Albana Passito Regina di Cuori Ris. '12	♟♟♟ 4*
● Romagna Sangiovese Brisighella Corallo Rosso '17	♟♟ 2*

Giovannini

VIA PUNTA, 82
40026 IMOLA [BO]
TEL. 3389763854
www.vinigiovannini.it

VENDITA DIRETTA
VISITA SU PRENOTAZIONE
PRODUZIONE ANNUA 75.000 bottiglie
ETTARI VITATI 15,00
VITICOLTURA Biologico Certificato

Vignaioli da tre generazioni, i Giovannini coltivano le loro terre nella zona di Imola, certamente originale nel contesto del paesaggio agricolo romagnolo. Il fondatore Garibaldo ha ceduto nel tempo il comando al figlio Giorgio e da questi al nipote Jacopo: tutta la filiera produttiva e commerciale è gestita direttamente in famiglia. La coltivazione sostenibile garantisce frutti perfetti che in cantina vengono esaltati da vinificazioni e maturazioni sempre equilibrate; l'affinamento in bottiglia avviene in un tunnel scavato nella collina. Buonissima l'Albana Gioja '19: nonostante un pizzico di dolcezza e un certo tenore alcolico, mantiene un sorprendente bilanciamento che garantisce una beva mai faticosa e un gradevole tratto agrumato. Buccioso e intenso il G.G.G. '18, altra Albana pensata con una macerazione sulle bucce di cinque giorni e 15 mesi di maturazione in tini di cemento. Buona complessità per il Cabernet Sauvignon Giocondo '19.

○ Romagna Albana Gioja '19	♟♟ 3*
○ G.G.G. '18	♟♟ 4
● Giocondo '19	♟♟ 3
● Giogiò '19	♟ 3
○ Oppalà	♟ 3

Isola

FRAZ. MONGIORGIO
VIA G. BERNARDI, 3
40050 MONTE SAN PIETRO [BO]
TEL. 0516768428
info@aziendaagricolaisola.it

VENDITA DIRETTA
VISITA SU PRENOTAZIONE
PRODUZIONE ANNUA 60.000 bottiglie
ETTARI VITATI 12,50

La famiglia Franceschini lavora la terra a
Monte San Pietro sin dal 1898, quando
l'attività vitivinicola era affiancata da quella
di altre coltivazioni, oltre all'allevamento
del bestiame, come era normale all'epoca.
È nel 1957 che Giovanni Franceschini
fonda l'azienda che porta il nome attuale,
dedicandosi ai vitigni della tradizione locale
a partire dal grechetto gentile utilizzato per
vinificare in tutti i modi possibili il
Pignoletto Docg. Ora l'azienda è guidata
da Marco Franceschini con la moglie Paola
ed i figli Gian Luca e Claudia. Il Pignoletto
Frizzante '19 risulta fra i migliori della
denominazione: profuma di frutta bianca e
di fiori di campo, ha notevole fragranza e
una bocca agile, scorrevole, piuttosto
ampia. Il Picrì '19 è la versione spumante,
cui l'aggiunta di piccole percentuali di
chardonnay fermentate in barrique e di
riesling conferiscono complessità. Tra i
tanti Pignoletto, segnaliamo anche un
buon Cabernet: il Monte Gorgii '17 è
varietale e di buona sostanza.

○ C. B. Pignoletto Frizzante '19	🍷🍷	2*
● C. B. Cabernet Sauvignon Monte Gorgii '17	🍷🍷	3
○ C. B. Pignoletto Picrì Brut '19	🍷🍷	2*
○ C. B. Pignoletto Sup. '19	🍷	2
○ C. B. Pignoletto Sup. Cl. V. V. '18	🍷	3
○ C. B. Pignoletto Cl. V. V. '13	🍷🍷	3
○ C. B. Pignoletto Picrì Brut '15	🍷🍷	2*

Tenuta La Viola

VIA COLOMBARONE, 888
47032 BERTINORO [FC]
TEL. 0543445496
www.tenutalaviola.it

VENDITA DIRETTA
VISITA SU PRENOTAZIONE
PRODUZIONE ANNUA 44.000 bottiglie
ETTARI VITATI 11,00
VITICOLTURA Biologico Certificato
AZIENDA SOSTENIBILE

I primi passi di Tenuta La Viola vengono
mossi all'inizio degli anni Sessanta, quando
la famiglia Gabellini si trasferisce a
Bertinoro e acquista la terra con i primi
vigneti. Inizio quanto mai fortunato e
illuminante, visto che parliamo di
sangiovese e albana, riferimenti nel
panorama delle varietà classiche della
zona, per di più coltivate ad alberello. In
tempi non sospetti si decide per
l'agricoltura biologica, mentre dal 2018
inizia l'esperienza con le pratiche
biodinamiche. I vini hanno grande
personalità senza mai perdere di vista
equilibrio e pulizia. In questo round ci ha
particolarmente colpito il Sangiovese
Superiore P. Honorii '16, che celebra il
nome con cui era appellata Bertinoro
durante le guerre gotiche (Petra Honorii). Lo
fa alla grande: colore brillante, profumi
sfumati, sapore e tensione in bocca, chiusa
con grande piglio e verve. Tutti gli altri vini
sono molto buoni, a partire dalle gustose
versioni di Albana Secco, la sapida
Frangipane '19 e la minerale In Terra '18.

● Romagna Sangiovese Bertinoro P. Honorii Ris. '16	🍷🍷	4
○ Romagna Albana Secco Frangipane '19	🍷🍷	2*
○ Romagna Albana Secco In Terra '18	🍷🍷	4
● Romagna Sangiovese Sup. In Terra '18	🍷🍷	4
● Sangiovese di Romagna Sup. Oddone '19	🍷🍷	2*
● Romagna Sangiovese Bertinoro P. Honorii Ris. '15	🍷🍷	4
● Romagna Sangiovese Sup. Il Colombarone '17	🍷🍷	3
● Romagna Sangiovese Sup. In Terra '17	🍷🍷	4

Lini 910

FRAZ. CANOLO
VIA VECCHIA CANOLO, 7
42015 CORREGGIO [RE]
TEL. 0522690162
www.lini910.it

VENDITA DIRETTA
VISITA SU PRENOTAZIONE
PRODUZIONE ANNUA 400.000 bottiglie
ETTARI VITATI 25,00

Torna tra le cantine più importanti della pubblicazione l'azienda Lini. I cugini Alicia e Alberto sono alla guida di un marchio con più di 100 anni di storia, che ha sempre puntato sulla qualità, anche quando il mondo del Lambrusco ragionava di tutt'altre vicende. I Lini hanno infatti sempre avuto il pallino del Metodo Classico e sono stati tra i primi in Emilia a fare esperienza a riguardo. La loro grande attività di consulenti consegna a quecta piccola azienda familiare la grande opportunità di selezionare delle basi di qualità per le produzioni di Metodo Classico. È davvero un bel Metodo Classico Rosé '15, quello di Lini: da sole uve pinot nero, ha profumi di agrumi, frutti di bosco, erbe aromatiche; il perlage è fine, la beva ha nerbo ed eleganza. Labrusca Rosato '19 è un salamino con una quota di Sorbara avvertibile nei profumi floreali: ha carattere e grinta, ma non perde bevibilità e piacevolezza. Il Rosso, infine, ha un 15% di ancellotta e profuma tanto di frutta, soprattutto mirtillo.

⊙ Lini 910 M. Cl. Rosé '15		🍷🍷 5
⊙ Reggiano Lambrusco		
Labrusca Rosato '19		🍷🍷 2*
● Reggiano Lambrusco		
Labrusca Rosso '19		🍷 2

Lombardini

VIA CAVOUR, 15
42017 NOVELLARA [RE]
TEL. 0522654224
www.lombardinivini.it

VENDITA DIRETTA
VISITA SU PRENOTAZIONE
PRODUZIONE ANNUA 800.000 bottiglie

Quasi cent'anni di storia per la famiglia Lombardini, indissolubilmente legata al territorio di Novellara, nel cui centro storico Angelo Lombardini, già titolare del Bar Roma, fondò la cantina che è tuttora ubicata nella sede originaria. Dopo la guerra, l'attività fu rilevata dai cinque figli di Angelo e, successivamente, dai nipoti Marco, Angelo e Riccardo, che provvidero all'ammodernamento delle strutture, sino ad arrivare ai giorni nostri con la quarta generazione e la nuovissima linea di imbottigliamento che lavora sotto azoto per evitare ogni contatto del vino con l'ossigeno. 80% salamino, 20% Sorbara, Il Signor Campanone '19 è un Lambrusco di piena sostanza, profumato di mora e mirtillo, lungo ed equilibrato. Un 10% in più di Sorbara per Il Rosato del Campanone, sapido e ben fatto, profumato di frutti di bosco ed erbe aromatiche. Tra i "C'era una volta", detto di un Sorbara elegante e profumato e di un Reggiano Secco piacevole e fruttato, ci è piaciuta molto la versione Amabile, ben giocata tra polpa, dolcezza e acidità.

● Reggiano Lambrusco		
Il Signor Campanone '19		🍷🍷 2*
⊙ Reggian Lambrusco		
Rosato del Campanone '19		🍷🍷 2*
● Reggiano Lambrusco Amabile		
del C'era una Volta '19		🍷🍷 2*
● Lambrusco di Sorbara		
del C'era Una Volta '19		🍷 2
○ Malvasia Spumante Dolce '19		🍷 2
● Reggiano Lambrusco		
del C'era Una Volta '19		🍷 2
● Reggiano Lambrusco Il Campanone '19		🍷 2
● Reggiano Lambrusco		
Del C'era Una Volta '18		🍷🍷 2*
● Reggiano Lambrusco		
Il Signor Campanone '18		🍷🍷 2*

Luretta

LOC. CASTELLO DI MOMELIANO
29010 GAZZOLA [PC]
TEL. 0523971070
www.luretta.com

VENDITA DIRETTA
VISITA SU PRENOTAZIONE
PRODUZIONE ANNUA 300.000 bottiglie
ETTARI VITATI 50,00
VITICOLTURA Biologico Certificato

Nomi dei vini, etichette, tipologie: Tutto fa intuire che qui in Val Luretta, nel Castello di Momeliano, risalente al XIV secolo, di "normale" ci sia ben poco. In quello che dal 2002 è il regno di Felice Salamini, ex allevatore di bestiame giramondo, sotto le splendide volte delle cantine sotterranee si realizzano vini originali, di spiccata personalità, che Felice con la moglie Carla ed il figlio Lucio ottengono da uve rigorosamente coltivate in regime biologico, con basse rese e tanto estro. Selín d'Armari '18 è uno chardonnay in purezza che fermenta in barrique, interessante nelle note speziate che vanno ad arricchire un naso carico di frutti gialli maturi. Carabas '16 è una Barbera fresca, profuma di visciola e sottobosco, dalla bella vena balsamica. Bel colore ambrato per la Malvasia Passita Le Rane '15, nella quale si rincorrono gli agrumi e sentori più complessi di mallo di noce e frutta candita.

● C. P. Barbera Carabas '16	♔♔	3
○ C. P. Chardonnay Selín d'Armari '18	♔♔	4
○ C. P. Malvasia Passito Le Rane '15	♔♔	6
● C. P. Cabernet Sauvignon Corbeau '15	♔	6
○ C. P. Malvasia Boccadirosa '19	♔	3
● C. P. Pinot Nero Achab '17	♔	5
● Gutturnio Sup. L'Ala del Drago '16	♔	3
○ Principessa Brut M. Cl. '17	♔	4
● C. P. Barbera Carabas '15	♔♔	3
○ C. P. Chardonnay Selín d'Armari '17	♔♔	4
○ C. P. Chardonnay Selín d'Armari '15	♔♔	4
○ C. P. Sauvignon I Nani e le Ballerine '18	♔♔	3
○ C. P. Sauvignon I Nani e le Ballerine '16	♔♔	3
● Gutturnio Sup. '12	♔♔	3
● Pantera '15	♔♔	4
○ Principessa Pas Dosé Brut M. Cl. '09	♔♔	4
○ Principessa Pas Dosé M. Cl. '10	♔♔	4

Manicardi

VIA MASSARONI, 1
41014 CASTELVETRO DI MODENA [MO]
TEL. 059799000
www.manicardi.it

VENDITA DIRETTA
VISITA SU PRENOTAZIONE
PRODUZIONE ANNUA 100.000 bottiglie
ETTARI VITATI 16,90

L'azienda nasce nei primi anni Ottanta grazie a Enzo Manicardi, innamorato di questa terra e delle sue colline ricche di biodiversità. I vigneti si estendono tutti con esposizione a Sud, su terreni argillosi di medio impasto, con ventilazione continua e buone escursioni termiche. L'impostazione in cantina è moderna e punta alla valorizzazione dei vitigni del territorio, a partire da lambrusco grasparossa, grechetto e malbo gentile. Inoltre, all'interno della bellissima tenuta, non poteva mancare l'acetaia. Ca' del Fiore '19 è un Grasparossa ottenuto dall'omonima vigna. È fruttato, profumato di piccoli frutti di bosco e agrumi rossi, di bell'impatto, corposo in bocca, ben sostenuto dall'acidità, equilibrato e fine. Il Secco '19 è un altro Grasparossa, più giocato sui profumi di mora e mirtillo, anch'esso di bel frutto godibile in bocca. Fabula è un curioso Spumante Rosé blend di uve grasparossa e grechetto, profumato di fiori, di buon nerbo.

● Lambrusco Grasparossa di Castelvetro V. Ca' del Fiore '19	♔♔	2*
● Lambrusco Grasparossa di Castelvetro '19	♔♔	2*
⊙ Fabula Rosé Brut '19	♔	3
○ Pignoletto Frizzante '19	♔	2
● Ruby Laury '16	♔♔	3

Tenuta Mara

VIA CA' BACCHINO, 1665
47832 SAN CLEMENTE [RN]
TEL. 0541988870
www.tenutamara.com

VENDITA DIRETTA
VISITA SU PRENOTAZIONE
OSPITALITÀ E RISTORAZIONE
PRODUZIONE ANNUA 35.000 bottiglie
ETTARI VITATI 11,00
VITICOLTURA Biodinamico Certificato

È certamente tra i progetti più originali sorti in Romagna di recente, oltre che tra quelli di maggiore ambizione. È stato pensato e realizzato da Giordano Emendatori, che ha battezzato la tenuta col nome di sua moglie: Mara, appunto. Tutto comincia nel Duemila con l'acquisto dei terreni e l'impianto delle vigne, nella zona di San Clemente, a Rimini. L'uva eletta a simbolo dell'impresa è il sangiovese, lavorato tanto in vigna quanto in cantina con metodi artigianali, decisamente poco interventisti. Maramia '18 è lavorato in tini troncoconici di rovere, senza gestione delle temperature e senza l'aggiunta di lieviti selezionati, con una macerazione sulle bucce di circa un mese. Ha profumi vinosi, di frutta rossa in gelée, radici e spezie orientali; in bocca è vivo e dinamico, vibrante e dalla chiusura viperina. Più scarico l'altro sangiovese Guiry '18: floreale e piccante in bocca, più saporito che materico, si rivela un ideale compagno della buona tavola.

● MaraMia Sangiovese '18	♥♥♥	6
● Guiry Sangiovese '18	♥♥	5
● Guiry '16	♥♥	5
● Guiry Sangiovese '17	♥♥	5
● MaraMia Sangiovese '16	♥♥	6
● Maramia Sangiovese '15	♥♥	7
● Maramia Sangiovese '13	♥♥	7
● Maramia Sangiovese '12	♥♥	4

★Ermete Medici & Figli

LOC. GAIDA
VIA I. NEWTON, 13A
42124 REGGIO EMILIA
TEL. 0522942135
www.medici.it

VENDITA DIRETTA
VISITA SU PRENOTAZIONE
OSPITALITÀ
PRODUZIONE ANNUA 800.000 bottiglie
ETTARI VITATI 75,00
VITICOLTURA Biologico Certificato
AZIENDA SOSTENIBILE

Non è possibile raccontare la storia del Lambrusco Reggiano senza parlare della Medici. Fondata da Remigio alla fine del diciannovesimo secolo, è stato il figlio Ermete a espanderla e modernizzarla, ponendo le basi per la produzione del Lambrusco di qualità che beviamo oggi. La sua opera è proseguita con gli eredi, sino a giungere oggi con la quarta generazione rappresentata da Alberto Medici, alla realtà moderna che conosciamo. Molto del lavoro attuale è dedicato all'identificazione dei cloni e dei terreni più vocati per la produzione delle etichette migliori. Batteria spettacolare, e non è certo una sorpresa. Validissimo Assolo, dai toni di frutti di bosco, integro, vivo al naso e in bocca, pieno e lungo nel finale. Ma è ancora il Concerto con la sua esuberanza di frutto ed il suo perfetto equilibrio a salire ancora sul podio. Delizioso I Quercioli, fruttato di mora e mirtillo, mentre placevolezza e cremosità definiscono il GranConcerto '18. Una garanzia il Phermento '19.

● Reggiano Lambrusco Concerto '19	♥♥♥	2*
● Reggiano Lambrusco Assolo	♥♥	2*
● Reggiano Lambrusco I Quercioli	♥♥	2*
● Granconcerto Brut M. Cl. '18	♥♥	3
● Modena Lambrusco Phermento Metodo Ancestrale '19	♥♥	3
● Reggiano Lambrusco Dolce I Quercioli	♥♥	2
● Lambrusco di Sorbara I Quercioli	♥	2
● Reggiano Lambrusco Concerto '18	♥♥♥	2*
● Reggiano Lambrusco Concerto '17	♥♥♥	2*
● Reggiano Lambrusco Concerto '16	♥♥♥	2*
● Reggiano Lambrusco Concerto '15	♥♥♥	2*
● Reggiano Lambrusco Concerto '14	♥♥♥	2*
● Reggiano Lambrusco Concerto '13	♥♥♥	2*
● Reggiano Lambrusco Concerto '12	♥♥♥	2*
● Reggiano Lambrusco Concerto '11	♥♥♥	2*
● Reggiano Lambrusco Concerto '10	♥♥♥	2*

Monte delle Vigne

LOC. OZZANO TARO
VIA MONTICELLO, 22
43046 COLLECCHIO [PR]
TEL. 0521309704
www.montedellevigne.it

VENDITA DIRETTA
VISITA SU PRENOTAZIONE
OSPITALITÀ
PRODUZIONE ANNUA 350.000 bottiglie
ETTARI VITATI 60,00

È il 1983 quando Andrea Ferrari inizia l'avventura produttiva, partendo da un podere di sette ettari vitati posti a 300 metri di quota. Nel Duemila gli ettari diventano 20, ma la svolta avviene tra il 2003 e il 2004, allorché il costruttore Paolo Pizzarotti, proprietario di oltre 100 ettari confinanti, entra come socio di maggioranza. Alla fine del 2006 viene inaugurata la nuova, bellissima cantina, interrata e alimentata da energia solare. I vigneti sono stati convertiti in regime biologico e, ai vini fermi iniziali, si aggiungono quelli frizzanti della tradizione. Nabucco '18 è un blend di cabernet sauvignon e barbera nel quale la sostanza varietale del primo e l'acidità del secondo si sposano perfettamente per dare vita ad un vino pieno, nervoso, ricco, profumato di fieno maturo e visciola, lungo nel finale. I Calanchi '19, 100% maestri, è un Lambrusco prodotto in regime di agricoltura biologica certificata, denso e profumato di frutti di bosco a bacca scura. Varietale, agile, dal bel sorso energico la Barbera Argille '18.

● Nabucco '18	♼♼ 5
● Argille '15	♼♼ 6
● Colli di Parma Lambrusco I Calanchi '19	♼♼ 5
○ Colli di Parma Malvasia Poem '19	♼♼ 3
○ Colli di Parma Sauvignon Bosco Grande '19	♼ 3
○ Callas Malvasia '17	♼♼♼ 4*
○ Callas Malvasia '15	♼♼♼ 4*
● Colli di Parma Rosso MDV '16	♼♼♼ 3*
● Colli di Parma Rosso MDV '14	♼♼♼ 2*
○ Callas Malvasia '14	♼♼ 4
○ Colli di Parma Malvasia Frizzante '15	♼♼ 2*
○ Colli di Parma Malvasia Frizzante '14	♼♼ 2*
○ Colli di Parma Malvasia Poem '14	♼♼ 2*
● Colli di Parma Rosso MDV '18	♼♼ 3
● Colli di Parma Rosso MDV '17	♼♼ 3

Fattoria Monticino Rosso

VIA MONTECATONE, 7
40026 IMOLA [BO]
TEL. 054240577
www.fattoriadelmonticinorosso.it

VENDITA DIRETTA
VISITA SU PRENOTAZIONE
PRODUZIONE ANNUA 70.000 bottiglie
ETTARI VITATI 18,00

Una bellissima storia che lega imprese memorabili, viaggi, grandi ritorni, visione imprenditoriale e radicamento al territorio di origine. Tutto comincia negli anni Sessanta, quando Antonio Zeoli acquisisce alcune terre sulle colline di Imola, presto seguite da altri poderi. Tra cui quello denominato Monticino Rosso, che dà il nome all'impresa nel 1985 e lancia definitivamente il progetto agricolo, legato alla produzione di uva da vino e frutta. Oggi i figli di Antonio, Luciano e Gianni, conducono un'attività moderna e ben organizzata, capace di proporre bottiglie di qualità su più fronti. Ottime impressioni da quasi tutti i vini, ma non c'è dubbio che la cantina abbia una mano particolarmente felice con l'Albana. Il Codronchio Secco '18 è il gioiello di famiglia, frutto di una vendemmia tardiva che vede la presenza di muffa nobile. Nonostante tutto, gli abbiamo preferito la più immediata Albana Secco A '19: deliziosa, scattante, succosa, un bianco di grande personalità.

○ Romagna Albana Secco A '19	♼♼♼ 2*
○ Romagna Albana Secco Codronchio '18	♼♼ 3*
○ Pas Dosè	♼♼ 4
○ Romagna Albana Passito '16	♼♼ 4
● Romagna Sangiovese Sup. Le Morine Ris. '16	♼♼ 3
○ Romagna Albana Passito '15	♼♼ 4
○ Romagna Albana Secco A '17	♼♼ 2*
○ Romagna Albana Secco A '16	♼♼ 2*
○ Romagna Albana Secco Codronchio Special Edition '16	♼♼ 3
● Romagna Sangiovese Sup. S '18	♼♼ 2*
● Romagna Sangiovese Sup. S '16	♼♼ 2*
● Romagna Sangiovese Sup. S '15	♼♼ 2*

Fattoria Moretto

VIA TIBERIA, 13B
41014 CASTELVETRO DI MODENA [MO]
TEL. 059790183
www.fattoriamoretto.it

VENDITA DIRETTA
VISITA SU PRENOTAZIONE
OSPITALITÀ
PRODUZIONE ANNUA 65.000 bottiglie
ETTARI VITATI 10,00
VITICOLTURA Biologico Certificato
AZIENDA SOSTENIBILE

Piccola azienda a conduzione famigliare, la cantina è stata fondata nel 1971 dopo che, negli anni Sessanta, Antonio Altariva, il capostipite, giunse in zona da Pavullo nel Frignano per stipulare un contratto di mezzadria. Fu il figlio Domenico ad acquistare i primi terreni di proprietà con abitazione e cantina. Ma il passo più importante avvenne nel 1991, allorché la terza generazione, rappresentata da Fausto o Fabio, decise di imbottigliare il vino. Gli Altariva propongono versioni di Grasparossa di spiccata personalità, da vigneti condotti in regime biologico. Canova '19 è un bel Grasparossa che profuma di ciliegia e frutti di bosco, con note di erbe e spiccata acidità. Semprebon tiene fede al nome: un Grasparossa Amabile ricco, opulento, equilibrato. Tasso è carnoso, più orientato verso i frutti di bosco a bacca nera, mentre Monovitigno ha un bell'impatto di marasca, molto gustoso e lineare. Molto agrumato il Pignoletto '19.

Fattoria Nicolucci

FRAZ. PREDAPPIO ALTA
VIA UMBERTO I, 21
47016 PREDAPPIO [FC]
TEL. 0543922361
www.vininicolucci.com

VENDITA DIRETTA
VISITA SU PRENOTAZIONE
PRODUZIONE ANNUA 80.000 bottiglie
ETTARI VITATI 12,00
AZIENDA SOSTENIBILE

Cantina storica con origini che risalgono al lontano 1885, la Fattoria Nicolucci si lega da sempre al vocato terroir di Predappio Alta, caratterizzato da suoli magri, calcarei e ciottolosi, ideali per il sangiovese. Trasversalmente apprezzati fin da tempi non sospetti, i rossi della casa sono oggi un riferimento assoluto in Romagna: maturati in vasche di cemento e in botti di legno di grandi dimensioni, si rivelano più che mai tesi e profondi, riuscendo a coniugare in maniera mirabile intensità ed armonia. Punta di diamante della cantina e costantemente nel lotto dei migliori vini rossi della regione, il Vigna del Generale viene presentato quest'anno anche nell'Edizione Limitata '15. Una specie di riserva della Riserva, che si dimostra all'altezza delle attese: Sangiovese Superiore di razza e complessità, è estremamente sfaccettato sul piano aromatico, ricco di materia ma sempre capace di trovare guizzi e cambi di passo. Più ingabbiato in questa fase la versione 2017 "classica".

● Lambrusco Grasparossa di Castelvetro Canova '19	♟♟ 3*
● Lambrusco Grasparossa di Castelvetro Monovitigno '19	♟♟ 3
● Lambrusco Grasparossa di Castelvetro Amabile Semprebon '19	♟♟ 2*
● Lambrusco Grasparossa di Castelvetro Tasso '19	♟♟ 2*
○ Pignoletto '19	♟ 3
● Lambrusco Grasparossa di Castelvetro Secco Canova '16	♟♟ 3
● Lambrusco Grasparossa di Castelvetro Secco Canova '15	♟♟ 3
● Lambrusco Grasparossa di Castelvetro Secco Monovitigno '16	♟♟ 3
● Lambrusco Grasparossa di Castelvetro Secco Monovitigno '15	♟♟ 3*

● Romagna Sangiovese Sup. Ris. V. del Generale Edizione Limitata '15	♟♟ 8
● Romagna Sangiovese Sup. V. del Generale Ris. '17	♟♟ 6
○ Trebbiano '19	♟♟ 3
● Nero di Predappio '19	♟ 5
● Romagna Sangiovese Sup. Predappio di Predappio V. del Generale Ris. '16	♟♟♟ 5
● Romagna Sangiovese Sup. Predappio di Predappio V. del Generale Ris. '15	♟♟♟ 5
● Romagna Sangiovese Sup. V. del Generale Ris. '13	♟♟♟ 5
● Romagna Sangiovese Sup. Tre Rocche '18	♟♟ 3

Enio Ottaviani

loc. Sant'Andrea in Casale
via Pian di Vaglia, 17
47832 San Clemente [RN]
Tel. 0541952608
www.enioottaviani.it

VENDITA DIRETTA
VISITA SU PRENOTAZIONE
PRODUZIONE ANNUA 130.000 bottiglie
ETTARI VITATI 12,00

Senza dubbio da annoverare tra le rivelazioni degli ultimi anni, almeno sul fronte dei vini riminesi a base sangiovese, Enio Ottaviani non è impresa nuova, ma di certo capace di cambiare passo in tempi recenti, cercando e trovando un modello interpretativo convincente. Al timone Davide e Massimo Lorenzi, con i cugini Marco e Milena Tonelli: a loro il compito di prendersi cura delle vigne ubicate a San Clemente di Rimini, su terreni franco argillosi che godono delle brezze marine. Dicevamo delle stile dei vini: mai forzato, capace di insospettabile finezza e articolazione aromatica. Gli ultimi assaggi ci consegnano un quadro meno nitido del solito, ma di certo non mancano le etichette da consigliare, a partire dal Romagna Sangiovese Superiore Caciara '19: scarico al colore, ha profumi coinvolgenti di frutta rossa e fiori, con cenni agrumati pronunciati. La bocca è sulla stessa lunghezza d'onda, piuttosto slanciata, a tratti ossuta, di fresca beva. Sorprendente il sinuoso Pagadebit '19.

○ Romagna Pagadebit Strati '19	🏆🏆 3
● Romagna Sangiovese Sup. Caciara '19	🏆🏆 3
○ Colli di Rimini Rebola '19	🏆 4
● Romagna Sangiovese Dado '19	🏆 6
○ Romagna Pagadebit Strati '17	🏆🏆 2*
● Romagna Sangiovese Caciara '15	🏆🏆 3
● Romagna Sangiovese Dado '18	🏆🏆 6
● Romagna Sangiovese Primalba Bio '17	🏆🏆 2*
● Romagna Sangiovese Sup. Caciara '18	🏆🏆 3
● Romagna Sangiovese Sup. Caciara '17	🏆🏆 3
● Romagna Sangiovese Sup. Caciara '16	🏆🏆 3
● Romagna Sangiovese Sup. Sole Rosso Ris. '15	🏆🏆 4
● Romagna Sangiovese Sup. Sole Rosso Ris. '13	🏆🏆 4

Alberto Paltrinieri

fraz. Sorbara
via Cristo, 49
41030 Bomporto [MO]
Tel. 059902047
www.cantinapaltrinieri.it

VENDITA DIRETTA
VISITA SU PRENOTAZIONE
PRODUZIONE ANNUA 150.000 bottiglie
ETTARI VITATI 17,00

Prima il nonno Achille, chimico e farmacista appassionato di vino che costruì la parte più vecchia della cantina, poi il padre Gianfranco: su queste basi familiari e generazionali Alberto Paltrinieri ha saputo creare una vera e propria gemma per il vino emiliano, con l'indispensabile supporto della moglie Barbara. Qui, nel pieno del Cristo di Sorbara, sui terreni alluvionali tra i fiumi Secchia e Panaro, nascono dei lambrusco autentici ed eleganti, fedeli al territorio e ai singoli cru, anche in versione spumante. Leclisse è un Sorbara che ci piace sempre tantissimo, ampio com'è nei profumi floreali e fruttati con toni agrumati, elegante e profondo. Piria si avvale di una quota di salamino per avere una bella progressione in bocca, con ritorno di profumi di agrumi ed erbe aromatiche. Lariserva è uno spumante 100% Sorbara dai bei toni leggermente evoluti, armonico e lineare all'assaggio.

⊙ Lambrusco di Sorbara Leclisse '19	🏆🏆🏆 3*
● Lambrusco di Sorbara Piria '19	🏆🏆 2*
⊙ Lambrusco di Sorbara Radice '19	🏆🏆 3*
⊙ Lambrusco di Sorbara Brut Lariserva '18	🏆🏆 3
● Solco '19	🏆🏆 2*
⊙ Lambrusco di Modena Grosso Brut M. Cl. '17	🏆 4
● Lambrusco di Sorbara Sant'Agata '19	🏆 2
⊙ Lambrusco di Sorbara Leclisse '18	🏆🏆🏆 3*
● Lambrusco di Sorbara Leclisse '17	🏆🏆🏆 3*
● Lambrusco di Sorbara Leclisse '16	🏆🏆🏆 2*
● Lambrusco di Sorbara Leclisse '10	🏆🏆🏆 3*
● Lambrusco di Sorbara Radice '13	🏆🏆🏆 2*
⊙ Lambrusco di Sorbara Brut Lariserva '17	🏆🏆 3
● Lambrusco di Sorbara Sant'Agata '18	🏆🏆 2*

Pandolfa

FRAZ. FIUMANA
VIA PANDOLFA, 35
47016 PREDAPPIO [FC]
TEL. 0543940073
www.pandolfa.it

VENDITA DIRETTA
VISITA SU PRENOTAZIONE
OSPITALITÀ
PRODUZIONE ANNUA 120.000 bottiglie
ETTARI VITATI 30,00
VITICOLTURA Biologico Certificato
AZIENDA SOSTENIBILE

Azienda di fondamentale importanza,
storica e agricola, capace di brillare grazie
al progetto attuale della famiglia Cirese.
Anche le dimensioni sono notevoli, visto
che la tenuta comprende oltre cento ettari
sull'Appennino tosco-romagnolo, a
Fiumana di Predappio. Siamo dunque in
una delle culle del sangiovese, coltivato tra
i 150 e i 400 metri di altitudine, su suoli
composti da arenarie e marne calcaree. È
questa la base per vini eleganti, mai forzati,
efficaci nel connubio di sapore, delicatezza
e agilità di sorso: ideali compagni della
buona tavola. Ci è piaciuto il Romagna
Sangiovese Superiore Pandolfo Riserva '17,
baluardo tra le etichette della casa. Ha
profumi intensi, figli dell'annata, buona
spalla e grip tannico: una versione
ovviamente più matura della precedente,
ma capace di mantenere intatta l'idea
stilistica di fondo. Meno convincenti,
almeno al momento dei nostri assaggi, i
Sangiovese più giovani. Gradevole e
delicato il rosato Ginevra '19.

Fattoria Paradiso

FRAZ. CAPOCOLLE
VIA PALMEGGIANA, 285
47032 BERTINORO [FC]
TEL. 0543445044
www.fattoriaparadiso.com

VENDITA DIRETTA
VISITA SU PRENOTAZIONE
OSPITALITÀ E RISTORAZIONE
PRODUZIONE ANNUA 200.000 bottiglie
ETTARI VITATI 150,00
VITICOLTURA Biologico Certificato
AZIENDA SOSTENIBILE

La Fattoria Paradiso è un'azienda storica
che si trova nei pressi di Bertinoro, sui
primi colli dell'Appennino. Una realtà solida,
al passo coi tempi, condotta con bravura e
intuito dalla famiglia Pezzi. Da sempre si è
posto l'accento sulle cultivar della
tradizione, tra cui numerosi biotipi di
sangiovese e il raro vitigno barbarossa: una
scelta più che mai attuale, capace di fornire
una base concreta e affascinante a vini
decisamente contrati, nella fattura e
nell'identità stilistica. Qui si lavorano solo le
uve di proprietà in rappresentanza di ben
dieci menzioni riconosciute. Il Petì Tufi '19
è un Sangiovese Superiore senza orpelli,
tanto piacevole nei profumi di violetta e
frutta rossa quanto fragrante in bocca; non
lontano da questo schema il Sangiovese
Superiore Vigna Molino pari annata. Lo
Spungone '19 ha una delicata aromaticità
florcale che ricorda la rosa; polposo e
agrumato, con sfumature di miele, l'Albana
Vigna dell'Olivo '19. Ottimo il Gradisca
Muffato '19.

⊙ Ginevra '19		♟♟ 2*
● Romagna Sangiovese Sup. Pandolfo '17		♟♟ 2*
● Romagna Sangiovese Federico '19		♟ 2
● Romagna Sangiovese Sup. Pandolfo '19		♟ 2
● Romagna Sangiovese Federico '17		♟♟ 2*
● Romagna Sangiovese Sup. Federico '16		♟♟ 2*
● Romagna Sangiovese Sup. Pandolfo '16		♟♟ 2*
● Romagna Sangiovese Sup. Pandolfo Ris. '18		♟♟ 2*
● Romagna Sangiovese Sup. Pandolfo Ris. '15		♟♟ 3*

● Barbarossa Cuvée Mario Pezzi V. dello Spungone '19		♟♟ 3
⊙ Gradisca Muffato '19		♟♟ 4
○ Romagna Albana Secco V. dell'Olivo '19		♟♟ 2*
● Romagna Sangiovese Sup. Petì Tufi '19		♟♟ 3
● Romagna Sangiovese Sup. V. Molino '19		♟♟ 3
● Lo Spungone '18		♟♟ 3
○ Romagna Albana Dolce V. del Viale '18		♟♟ 3
● Romagna Sangiovese Bertinoro V. delle Lepri Ris. '15		♟♟ 4
● Romagna Sangiovese Sup. Petì Tufi '18		♟♟ 3
● Romagna Sangiovese Sup. V. del Molino Maestri di Vigna '16		♟♟ 2*

Pertinello

VIA ARPINETO PERTINELLO, 2
47010 GALEATA [FC]
TEL. 0543983156
www.tenutapertinello.it

VENDITA DIRETTA
VISITA SU PRENOTAZIONE
PRODUZIONE ANNUA 70.000 bottiglie
ETTARI VITATI 15,00
VITICOLTURA Biologico Certificato

Pertinello è un'idea che ha trovato concretezza, un progetto affascinante sotto ogni punto di vista. Intanto il luogo, non scontato: le colline dell'Alta Val Bidente, di antica tradizione vitivinicola ma bisognosa di nuove energie. L'opera si fonda sul recupero di vecchie viti di sangiovese, ma non solo, attraverso le quali si sono costruiti i nuovi impianti. Il lavoro sul campo è fondamentale e permette di portare in cantina i frutti migliori: dopo qualche annata interlocutoria, i vini sono tornati finalmente a brillare. Sarà anche "il vino quotidiano di Pertinello", come dicono in azienda, ma Il Bosco '19 è anche un sangiovese che sa trovare complessità e classe, pur nel solco di un tratto aggraziato, sussurrato, mai eccessivo. Una delizia, per come la vediamo noi, che merita un posto in prima fila tra i rossi della regione. La Memoria di Pertinello è un sangiovese di stile ossidativo originalissimo e seducente, il Pinot Nero '19 si conferma delizioso.

● La Memoria di Pertinello	♟♟8
● Romagna Sangiovese	
Il Bosco di Pertinello '19	♟♟2*
● Pinot Nero '19	♟♟4
⊙ La Rosa di Pertinello '19	♟5
○ Riesling '19	♟
● Romagna Sangiovese Sup.	
Il Pertinello '19	♟3
● Colli Romagna Centrale Sangiovese	
Pertinello '08	♟♟♟3
● Colli Romagna Centrale Sangiovese	
Pertinello '13	♟♟3*
● Pinot Nero '16	♟♟4
● Romagna Sangiovese	
Il Bosco di Pertinello '17	♟♟2*
● Romagna Sangiovese Modigliana	
Gemme '16	♟♟3

Noelia Ricci

FRAZ. FIUMANA
VIA PANDOLFA, 35
47016 PREDAPPIO [FC]
TEL. 0543940073
www.noeliaricci.it

VENDITA DIRETTA
VISITA SU PRENOTAZIONE
OSPITALITÀ
PRODUZIONE ANNUA 58.000 bottiglie
ETTARI VITATI 9,00
AZIENDA SOSTENIBILE

All'interno della Tenuta Pandolfa, la famiglia Cirese ha avviato da qualche anno un progetto circoscritto, peculiare, focalizzato su un nuovo marchio capace di affermarsi rapidamente. Parliamo di Noelia Ricci, incarnazione di un percorso innovativo per il Sangiovese di Romagna: all'inizio decisamente in sottrazione sul piano stilistico, di rottura rispetto all'esistente, poi via via più autentico e compiuto. In sintesi, i vini degli ultimi anni ci paiono aver trovato la quadratura del cerchio, riuscendo ad assecondare e sentire il terroir con un'idea forte, ma senza troppi schemi predefiniti. Godenza '18 conferma le attese. È un Sangiovese della sottozona Predappio di gran classe, rifinito da aromi intensamente floreali che poggiano su una base di piccoli frutti di bosco. In bocca non ha nulla più e nulla meno di quel che gli necessita per snodarsi saporito, dinamico, affusolato e fresco nel lungo finale. Ottimo anche Il Sangiovese '19 e il bianco Brò '19, profumato e scattante.

● Romagna Sangiovese Predappio	
Godenza '18	♟♟♟4*
● Romagna Sangiovese Predappio	
Il Sangiovese '19	♟♟3*
○ Brò '19	♟♟3
● Romagna Sangiovese Predappio	
Godenza '16	♟♟♟4*
● Romagna Sangiovese Predappio	
Il Sangiovese '18	♟♟♟3*
● Romagna Sangiovese Sup.	
Godenza '14	♟♟♟3*
● Romagna Sangiovese Sup. I	
I Sangiovese '16	♟♟♟3*
● Romagna Sangiovese Sup.	
Il Sangiovese '14	♟♟♟2*

Cantine Riunite & Civ

VIA G. BRODOLINI, 24
42040 CAMPEGINE [RE]
TEL. 0522905711
www.riuniteciv.com

VENDITA DIRETTA
PRODUZIONE ANNUA 130.000.000 bottiglie
ETTARI VITATI 3500,00
AZIENDA SOSTENIBILE

Importantissima realtà emiliana che conta 2.600 soci, 3.500 ettari di vigneto e 16 cantine associate: sono numeri che fanno di questo gruppo il primo in Italia per fatturato e numero di bottiglie prodotte. Un colosso che, al di là delle dimensioni, ha avviato negli ultimi anni un virtuoso lavoro di selezione delle uve migliori per realizzare vini di assoluto livello. Brillano in tal senso alcune selezioni di lambrusco, riferimento varietale in zona, con una parte della produzione in regime di agricoltura biologica. Senzatempo è un salamino in purezza rifermentato in bottiglia di rara finezza. Profumato di mora e violetta, ha una grande integrità e un sorso netto, preciso, appagante. Cuvée 1950 è un taglio di salamino, marani e lancellotta pieno, fruttato, lineare. Ben fatto il Pignoletto Spumante P, dai profumi di ananas e lime, con bollicina fine e piacevolezza complessiva. Fruttati, semplici, beverini i due 1950.

Le Rocche Malatestiane

VIA EMILIA, 104
47900 RIMINI
TEL. 0541743079
www.lerocchemalatestiane.it

VENDITA DIRETTA
VISITA SU PRENOTAZIONE
PRODUZIONE ANNUA 700.000 bottiglie
ETTARI VITATI 800,00

Le Rocche Malatestiane possiede vigneti nell'Alta Val Marecchia e a Cattolica, nel Riminese che guarda alle Marche. Prende il nome da una storica famiglia di condottieri e mecenati, capaci di realizzare numerose opere, tra cui rocche e fortezze. Il progetto agricolo, viticolo ed enologico attuale si basa sul sangiovese e in particolare sulla sua definizione territoriale. Tre le aree di coltivazione: l'entroterra di Rimini, Riccione e Coriano; San Clemente, Gemmano e Montescudo; Verucchio, Torriana e San Paolo. Il vino che più ci ha convinto è il Sangiovese Superiore Sigismondo '19, figlio della zona di Coriano. Ancora molto giovane, è un rosso che gioca sulla delicatezza e le sfumature, oltre che su un sorso piuttosto agile: ha profumi di fiori freschi e frutta matura a bacca rossa, non senza delicati accenni erbacei e speziati. Buono I Diavoli '19, da uve coltivate a San Clemente e Gemmano; meno convincente quest'anno il Tre Miracoli '19, realizzato dalle parcelle di Torriana.

● Senzatempo Lambrusco	♥♥ 2
● Lambrusco Grasparossa di Castelvetro Righi	♥♥ 1
○ Pignoletto Spumante Brut P Righi	♥♥ 2*
● Reggiano Lambrusco 1950 Secco	♥♥ 1
● Reggiano Lambrusco Amabile 1950	♥♥ 1
● Reggiano Lambrusco Cuvée 1950	♥♥ 1
● L'Oscuro Lambrusco Semisecco Gaetano Righi	♥ 2
○ Pignoletto Frizzante Arès Righi	♥ 2
● Colli di Scandiano e di Canossa Cabernet Sauvignon Monteleone Albinea Canali '15	♥♥ 2*
● Lambrusco Grasparossa di Castelvetro Amabile Il Fojonco '17	♥♥ 2*
● Modena Lambrusco Semisecco Righi '17	♥♥ 1*
○ Pignoletto Extra Dry Stellato Albinea Canali '17	♥♥ 2*

● Romagna Sangiovese Sup. Sigismondo '19	♥♥ 2*
● Romagna Sangiovese Sup. I Diavoli '19	♥♥ 2*
● Romagna Sangiovese Sup. Tre Miracoli '19	♥ 2
● Romagna Sangiovese Sup. Sigismondo '17	♥♥♥ 2*
● Romagna Sangiovese Sup. Sigismondo '16	♥♥♥ 2*
● Romagna Sangiovese Sup. Tre Miracoli '18	♥♥♥ 2*
● Romagna Sangiovese Sup. I Diavoli '14	♥♥ 2*
● Romagna Sangiovese Sup. Sigismondo '18	♥♥ 2*

Cantine Romagnoli

LOC. VILLÒ
VIA GENOVA, 20
29020 VIGOLZONE [PC]
TEL. 0523870904
www.cantineromagnoli.it

VENDITA DIRETTA
VISITA SU PRENOTAZIONE
PRODUZIONE ANNUA 300.000 bottiglie
ETTARI VITATI 45,00
AZIENDA SOSTENIBILE

La cascina, originaria dell'Ottocento, nel 1926 è passata alla famiglia Romagnoli, di cui mantiene il nome. Ora, accanto alle vecchie strutture completamente restaurate, troviamo la nuova cantina climatizzata e la barricaia ipogea. Sotto la direzione di Alessandro Perini, l'azienda sta investendo molto sul Metodo Classico, con la creazione di un magazzino a temperatura controllata per lo stoccaggio fino a 300mila bottiglie, e sull'ambiente, con l'installazione di pannelli solari e la redazione del primo bilancio di sostenibilità. Il Pigro Rosé '17 ha bella stoffa elegante, profumi delicati di piccoli frutti di bosco con accenni floreali, bolla fine e un sorso vitale, armonico, disteso. Restando in ambito Metodo Classico, il Dosaggiozero '17 è tagliente, affilato, minerale nei profumi e dinamico in bocca, mentre il Brut '18 è più semplice, armonico e sempre fine di bolla. Ben fatto l'Ortrugo Filanda '18, evoluto, sapido, con un bel corredo di erbette aromatiche; il Cicotto '18 è un Gutturnio in cui prevale il bel frutto aperto della barbera.

○ Il Pigro Dosaggio Zero M. Cl. '17	♟♟	5
○ Il Pigro Rosé Brut M. Cl. '17	♟♟	5
○ Colto Vitato della Filanda n. 3 '18	♟♟	3
● Gutturnio Sup. Colto Vitato del Cicotto n. 21 '18	♟♟	2*
○ Caravaggio Bianco '19	♟	3
● Caravaggio Rosso '18	♟	5
○ Il Pigro Brut Cuvée M. Cl. '18	♟	4
● Caravaggio '17	♟♟	5
○ Colto Vitato della Filanda n. 3 '17	♟♟	3
○ Cuvée Il Pigro Brut M. Cl. '16	♟♟	4
○ Cuvée Il Pigro Brut M. Cl. Rosé '16	♟♟	4
○ Cuvée Il Pigro Dosaggio Zero M. Cl. '16	♟♟	4
● Gutturnio Sup. Colto Vitato del Cicotto '17	♟♟	2*
● Gutturnio Sup. Colto Vitato della Bellaria n. 15 '18	♟♟	2*

★San Patrignano

VIA SAN PATRIGNANO, 53
47853 CORIANO [RN]
TEL. 0541362111
www.spaziosanpa.com

VISITA SU PRENOTAZIONE
RISTORAZIONE
PRODUZIONE ANNUA 500.000 bottiglie
ETTARI VITATI 110,00
VITICOLTURA Biologico Certificato

Progetto complesso e articolato, declinato su vari fronti e ormai storico: San Patrignano unisce e abbraccia davvero tante esperienze, sempre sotto l'idea di un'impresa etica e sociale. Siamo nel Riminese ed è qui che l'azienda agricola e vitivinicola prende forma e consistenza, a partire da varietà a bacca nera come il sangiovese, passando per esperienze con i grandi internazionali, cabernet sauvignon su tutti. I vini realizzati svelano taglio moderno e piglio contemporaneo, coniugando pienezza e tenore mediterraneo. Uvaggio di sangiovese, cabernet e merlot, il Colli di Rimini Rosso Noi matura in barrique per 12 mesi. La versione '18 profuma di frutta a bacca nera, come la mora, quindi di liquirizia e caffè; in bocca è ricco, denso e dai tannini diffusi. Suadente nelle sensazioni di pesca bianca, con folate balsamiche, il Sauvignon '19 si rivela gradevole anche in bocca. Meno convincente Montepirolo '17, blend di cabernet sauvignon, merlot e cabernet franc maturato un anno in barrique.

● Colli di Rimini Rosso Noi '18	♟♟	4
○ Sauvignon '19	♟♟	3
○ Aulente Bianco '19	♟	2
● Montepirolo '17	♟	5
● Colli di Rimini Cabernet Sauvignon Montepirolo '15	♟♟♟	4*
● Colli di Rimini Cabernet Sauvignon Montepirolo '13	♟♟♟	4*
● Romagna Sangiovese Sup. Avi Ris. '16	♟♟♟	4*
○ Aulente Bianco '18	♟♟	2*
● Colli di Rimini Cabernet Sauvignon Montepirolo '16	♟♟	4

San Valentino

FRAZ. SAN MARTINO IN VENTI
VIA TOMASETTA, 13
47900 RIMINI
TEL. 0541752231
www.vinisanvalentino.com

VENDITA DIRETTA
VISITA SU PRENOTAZIONE
PRODUZIONE ANNUA 135.000 bottiglie
ETTARI VITATI 17,00
VITICOLTURA Biologico Certificato

San Valentino è una realtà produttiva
fondata dalla famiglia Mascarin nel 1990.
Si trova in un versante dei colli di Rimini
che beneficia della brezza marina e guarda
l'Appennino ad ovest. Un territorio
interessante che ha portato nel tempo ad
abbracciare metodi agricoli biologici. Sul
piano varietale, si è scommesso su
capisaldi della tradizione come sangiovese
e rebola, senza tralasciare syrah e cabernet
franc. La bontà del progetto ha convinto la
famiglia Aureli ad entrare in società,
permettendo all'impresa di compiere
nuovi passi avanti. Il Sangiovese Superiore
Scabi '18 incide più gustativamente che
aromaticamente: i profumi sono ancora
compressi, bisognosi di bottiglia per
sbocciare del tutto, ma il sorso è già
perfettamente leggibile, gustoso, ampio e
di ottimo carattere. In una fase evolutiva
ovviamente diversa il Sangiovese Superiore
Terra di Covignano Riserva '16, ampio e
speziato con richiami di frutta matura e
foglie autunnali. Piacevolmente immediata
la Rebola Scabi '19.

● Luna Nuova '16		♟♟ 5
● Romagna Sangiovese Sup.		
Terra di Covignano Ris. '16		♟♟ 5
● Sangiovese di Romagna Sup. Scabi '18		♟♟ 2*
○ Colli di Rimini Rebola Scabi Bianco '19		♟ 2
● Romagna Sangiovese Sup.		
Il Conte di Covignano Ris. '16		♟ 6
○ Colli di Rimini Rebola Scabi Bianco '15		♟♟ 2*
○ Due Bianco '15		♟♟ 3
● Luna Nuova '14		♟♟ 5
● Vivian '14		♟♟ 3*

Tenuta Santa Lucia

VIA GIARDINO, 1400
47025 MERCATO SARACENO [FC]
TEL. 054790441
www.santaluciavinery.it

VENDITA DIRETTA
VISITA SU PRENOTAZIONE
OSPITALITÀ
PRODUZIONE ANNUA 90.000 bottiglie
ETTARI VITATI 17,00
VITICOLTURA Biodinamico Certificato
AZIENDA SOSTENIBILE

La Tenuta Santa Lucia si trova a Mercato
Saraceno, nell'Alta Valle del Savio, in una
Romagna laterale, di entroterra, che non
ama mostrarsi troppo. Un contesto naturale
suggestivo, che viene preservato e
valorizzato da una viticoltura estremamente
rispettosa, improntata ai dettami del
biologico e della biodinamica (certificata).
Le uve allevate raccontano le storie più
antiche del luogo: albana, famoso,
centesimino, sangiovese. Nei vini risuona
una timbrica personale, lontana da ogni
omologazione, capace di attrarre fin dal
primo sorso. L'Albarara '19 si conferma
Albana intensa e succosa, godibile e
capace di trascinare una polpa di rilievo
ma mai ingombrante: i 400 metri di
altitudine della vigna giocano certamente
a suo favore. Anche il Sangiovese
Superiore Taibo '18 mantiene le aspettative
col suo corredo fragrante di frutto rosso,
ampliato dai richiami di violetta e frutti di
bosco, solido e dinamico al palato. Matura
in tini troncoconici da 50 ettolitri e
successivamente in bottiglia.

○ Romagna Albana Secco Albarara '19		♟♟ 3
● Romagna Sangiovese Sup. Taibo '18		♟♟ 3
● Romagna Sangiovese Sup.		
Sassignolo Ris. '16		♟ 4
○ Occhio di Starna Passito		♟♟ 4
○ Romagna Albana Passito Albarara '11		♟♟ 4
○ Romagna Albana Secco Alba Rara '17		♟♟ 3
○ Romagna Albana Secco Albarara '18		♟♟ 3*
○ Romagna Albana Secco Albarara '16		♟♟ 3*

Tenuta Santini

FRAZ. PASSANO
VIA CAMPO, 33
47853 CORIANO [RN]
TEL. 0541656527
www.tenutasantini.com

VENDITA DIRETTA
VISITA SU PRENOTAZIONE
PRODUZIONE ANNUA 40.000 bottiglie
ETTARI VITATI 22,00

Tenuta Santini si trova a Coriano, sui colli di Rimini. Fondata negli anni Sessanta dai fratelli Giuseppe e Primo Santini, ha avviato più di recente un progetto di rinnovamento che proietta questa realtà tra quelle più moderne della zona. Le vigne poggiano su suoli argilloso-calcarei, in un contesto climatico mediterraneo. Il sangiovese ha un ruolo da protagonista, tra le varietà allevate, ma non mancano i vitigni bordolesi, fatto usuale in questa parte della regione. I vini sono di bella fattura e rispecchiano un'idea territoriale. Ai vertici della produzione aziendale si piazza il Beato Enrico '18, Sangiovese Superiore che unisce l'intensità dei vini riminesi con una certa grazia espressiva. Profuma di frutti a bacca nera, non senza qualche accenno piacevolmente speziato e di liquirizia; in bocca è solido, di ottima spalla e profondità. Più maturo ma capace di mantenere equilibrio Orione '17. Buona, su toni di ginestra, la Rebola Isotta '19.

● Romagna Sangiovese Sup. Beato Enrico '18	♥♥ 2*
● Romagna Sangiovese Sup. Orione '17	♥♥ 4
● Colli di Rimini Battarreo '17	♥ 3
○ Colli di Rimini Rebola Isotta '19	♥ 2
● Battarreo '14	♀♀ 3*
● Romagna Sangiovese Sup. Beato Enrico '17	♀♀ 2*
● Romagna Sangiovese Sup. Beato Enrico '16	♀♀ 2*
● Romagna Sangiovese Sup. Beato Enrico '15	♀♀ 2*
● Romagna Sangiovese Sup. Cornelianum Ris. '15	♀♀ 4

Cantina Sociale Settecani

VIA MODENA, 184
41014 CASTELVETRO DI MODENA [MO]
TEL. 059702505
www.cantinasettecani.it

VENDITA DIRETTA
PRODUZIONE ANNUA 1.000.000 bottiglie
ETTARI VITATI 530,00

Fondata da 48 soci nel 1923, ora la Cantina Settecani vanta quasi 200 conferitori. La sede è sempre rimasta nella frazione Settecani di Castelvetro, nel cuore del grasparossa, il vitigno principe di queste località sui primi rilievi dell'appennino modenese. Grasparossa e grechetto gentile sono i vitigni più coltivati. Sempre al passo con i tempi, nel 2017 è stato intrapreso un lungo percorso volto alla sostenibilità ambientale, che include ristrutturazione della cantina, formazione dei soci, ridotto consumo idrico in campagna. Due Grasparossa '19 impeccabili, per cominciare: un secco dal frutto integro e dai profumi iodati, salini, molto freschi, e un Amabile tutto basato su profumi di frutto di bosco croccante, sempre con una bella integrità. 7note è un Pignoletto Spumante profumato di pesca e albicocca con bel nerbo e sostanza. Il Pignoletto Frizzante della linea Vini del Re sa di agrumi e ananas, franco e fragrante.

● Lambrusco Grasparossa di Castelvetro Amabile '19	♥♥ 1*
● Lambrusco Grasparossa di Castelvetro Secco '19	♥♥ 1
○ Pignoletto Frizzante Secco Vini del Re	♥♥ 2*
○ Pignoletto Spumante 7note	♥♥ 2*
⊙ Lambrusco di Modena Rosato Vini del Re '19	♥ 2
● Lambrusco Grasparossa di Castelvetro DiVino '19	♥ 2
○ Pignoletto di Modena '19	♥ 1*
● Lambrusco Grasparossa di Castelvetro Secco '15	♀♀ 1*
● Lambrusco Grasparossa di Castelvetro Secco Divino '15	♀♀ 1*
● Lambrusco Grasparossa di Castelvetro Secco Vini del Re '15	♀♀ 1*

Terre Cevico

VIA FIUMAZZO, 72
48022 LUGO [RA]
TEL. 0545284711
www.gruppocevico.com

VENDITA DIRETTA
VISITA SU PRENOTAZIONE
PRODUZIONE ANNUA 50.000.000 bottiglie
ETTARI VITATI 7000,00

Nata nell'ormai lontano 1963, Cevico è una
delle cooperative più importanti della
regione. Oggi tiene insieme qualcosa come
5mila famiglie di viticoltori, che
conferiscono le proprie uve nei centri di
trasformazione e imbottigliamento dislocati
tra Lugo di Romagna, Forlì e Reggio Emilia.
Numeri che hanno naturalmente portato
alla nascita di svariati progetti e marchi,
alcuni dei quali piuttosto limitati nelle
quantità e ricercati nella qualità, come
Galassi, Sancrispino, Ronco, Romandiola,
Bernardi. Tra i vini delle diverse linee,
segnaliamo con convinzione il Novilunio '18
di Romandiola: rosso di fattura moderna,
ma capace di un buon ritmo, ha profumi
che ricordano la violetta e i frutti di bosco,
con sensazioni di prugna a fare pian piano
capolino, amplificando il quadro aromatico.
L'abbraccio tostato è evidente ma non
copre il frutto e saprà amalgamarsi in
bottiglia; bocca polposa, di solida spalla
tannica. Ottima riuscita anche per il
Sangiovese Galassi '19.

● Romagna Sangiovese Sup. Romandiola Novilunio '18	♟♟ 2*
● Romagna Sangiovese Vign. Galassi '19	♟♟ 2*
○ Romagna Albana Secco Massellina '19	♟ 2
● Romagna Sangiovese Sup. Massellina 138 '19	♟ 3
○ Albana di Romagna Secco Nova Luna '18	♟♟ 3
● Romagna Sangiovese La Romandiola Il Malatesta '18	♟♟ 3
● Romagna Sangiovese La Romandiola Nova Luna '18	♟♟ 3
● Romagna Sangiovese Sup. Vign. Galassi '17	♟♟ 2*
● Romagna Sangiovese Sup. Vign. Galassi '16	♟♟ 2*
● Romagna Sangiovese Sup. Vign. Galassi '15	♟♟ 2*

Torre San Martino

VIA MORANA, 14
47015 MODIGLIANA [FC]
TEL. 0546940102
www.torre1922.it

VENDITA DIRETTA
VISITA SU PRENOTAZIONE
PRODUZIONE ANNUA 45.000 bottiglie
ETTARI VITATI 15,00

Siamo in una delle tre valli di Modigliana
che salgono verso l'Appennino, per
l'esattezza quella dell'Acerreta. Qui Torre
San Martino possiede uno straordinario
patrimonio di vecchie viti, alcune delle
quali risalenti agli anni '20 del secolo
scorso. Vigne spettacolari non solo per
l'età, capaci di disegnare veri e propri
anfiteatri naturali. Le altitudini raggiungono
i 300 metri, mentre i suoli sono
classicamente argillosi: ne derivano vini di
stile ben riconoscibile, con rossi intensi e
strutturati, ma sempre di grande equilibrio
e profondità. Al solito molto buono il
Sangiovese Vigna 1922. L'annata 2017 gli
dona inevitabilmente un tratto più maturo,
tanto nei profumi quanto in bocca: si tratta
di un rosso piuttosto intenso, con aromi di
frutta in evidenza (prugna, ciliegia nera e
mirtilli), rifiniti da cenni di torrefazione. Il
sorso è pieno, potente, di ottima struttura e
spalla tannica. Ne seguiremo con interesse
l'evoluzione in bottiglia.

● Romagna Sangiovese Modigliana V. 1922 '17	♟♟ 7
● Flos Arenaria '17	♟ 5
● Romagna Sangiovese Modigliana Gemme '18	♟ 5
● Romagna Sangiovese Modigliana Sup. V. 1922 Ris. '13	♟♟♟ 6
● Romagna Sangiovese Sup. Gemme '14	♟♟♟ 3*
● Sangiovese di Romagna V. 1922 Ris. '11	♟♟♟ 6
● Romagna Sangiovese Modigliana Sup. Gemme '15	♟♟ 3*
● Romagna Sangiovese Modigliana V. 1922 '16	♟♟ 7
● Romagna Sangiovese Modigliana V. 1922 '15	♟♟ 5

La Tosa

LOC. LA TOSA
29020 VIGOLZONE [PC]
TEL. 0523870727
www.latosa.it

VENDITA DIRETTA
VISITA SU PRENOTAZIONE
RISTORAZIONE
PRODUZIONE ANNUA 110.000 bottiglie
ETTARI VITATI 19,00
VITICOLTURA Biologico Certificato

Stefano e Ferruccio Pizzamiglio hanno una
storia particolare. Entrambi lasciano Milano
e le loro precedenti carriere per tornare
sulle colline di origine della madre e
costruire una realtà di riferimento per la
viticoltura della zona. La cascina è stata
acquistata nel 1980, assieme ad alcuni
terreni, inizialmente per rilassarsi nei
weekend. Quattro anni più tardi nasce
l'azienda vinicola e da lì una crescita
sempre più evidente, con un indirizzo di
stile che trova il suo apice
nell'interpretazione dei vitigni tradizionali.
Una sicurezza la Malvasia secca Sorriso di
Cielo: varietale, profumatissima, con sentori
che vanno dal frutto della passione alle
erbe aromatiche, dal cedro all'ananas;
finalista con merito, ha bocca espressiva,
corposa e agile allo stesso tempo, e finale
sapido ed equilibrato. L'Ora Felice '18 è un
passito di Malvasia in cui emergono netti e
fragranti gli agrumi canditi e la scorza
d'arancia. TerredellaTosa '19 è un Gutturnio
giovane, con l'acidità e la ciliegia della
barbera a dare freschezza.

○ C. P. Malvasia Sorriso di Cielo '19	♥♥	4
● Gutturnio Sup. TerredellaTosa '19	♥♥	3
○ L'Ora Felice Malvasia Passito '18	♥♥	5
● C. P. Cabernet Sauvignon Luna Selvatica '18	♥	5
○ C. P. Sauvignon '19	♥	3
● Gutturnio Sup. Vignamorello '18	♥	4
● C. P. Cabernet Sauvignon Luna Selvatica '06	♥♥♥	5
● C. P. Cabernet Sauvignon Luna Selvatica '04	♥♥♥	5
● C. P. Cabernet Sauvignon Luna Selvatica '97	♥♥♥	5
● C. P. Cabernet Sauvignon Luna Selvatica '17	♥♥	5
○ C. P. Malvasia Sorriso di Cielo '18	♥♥	3
● Gutturnio Sup. Vignamorello '17	♥♥	4

Tre Monti

FRAZ. BERGULLO
VIA LOLA, 3
40026 IMOLA [BO]
TEL. 0542657116
www.tremonti.it

VENDITA DIRETTA
VISITA SU PRENOTAZIONE
PRODUZIONE ANNUA 200.000 bottiglie
ETTARI VITATI 40,00
VITICOLTURA Biologico Certificato
AZIENDA SOSTENIBILE

Generazioni a confronto, capaci di
collaborare facendo evolvere il progetto e
lanciandolo nella modernità: Tre Monti
nasce negli anni '70 e mostra una grande
continuità familiare. La piattaforma agricola
si basa sui due poderi di Bergullo (colli di
Imola) e Petrignone (nel Forlivese), mentre
tra le varietà spiccano albana e sangiovese,
insieme ad altre cultivar locali ed
internazionali. Un occhio di riguardo è
comunque riservato al vitigno romagnolo a
bacca bianca per eccellenza, declinato con
versioni stilisticamente eterogenee, davvero
intriganti e riuscite. Spettacolare il bianco
Thea '19, insolito petit manseng in terra di
Romagna. Giallo intenso e luminoso alla
vista, porge profumi espressivi di buccia
d'uva e pesca bianca, con originalissimo
tocco di zafferano. La bocca è carnosa e
cremosa, austera e appagante, chiusa da
sensazioni sassose e agrumate.
Buonissima, con qualcosa in più in termini
di polpa e tannino, l'Albana Vitalba '19;
meno convincente il Vigna Rocca '19.

○ Romagna Albana Secco Vitalba '19	♥♥	4
○ Thea '19	♥♥	4
○ Anablà	♥	3
○ Romagna Albana V. Rocca '19	♥	2
● Colli di Imola Boldo '97	♥♥♥	3*
○ Romagna Albana Secco Vitalba '18	♥♥♥	4*
● Sangiovese di Romagna Sup. Petrignone Ris. '08	♥♥♥	3*
● Sangiovese di Romagna Sup. Petrignone Ris. '07	♥♥♥	4
● Sangiovese di Romagna Sup. Petrignone Ris. '06	♥♥♥	3
○ Romagna Albana V. Rocca '18	♥♥	2*
○ Romagna Albana V. Rocca '17	♥♥	2*
● Romagna Sangiovese Sup. Campo di Mezzo '17	♥♥	2*
● Romagna Sangiovese Sup. Petrignone Ris. '16	♥♥	3

Trerè

LOC. MONTICORALLI
VIA CASALE, 19
48018 FAENZA [RA]
TEL. 054647034
www.trere.com

VENDITA DIRETTA
VISITA SU PRENOTAZIONE
OSPITALITÀ E RISTORAZIONE
PRODUZIONE ANNUA 150.000 bottiglie
ETTARI VITATI 35,00
AZIENDA SOSTENIBILE

Nata nei primi anni '60 per mano di Valeriano Trerè, questa realtà è cresciuta nel tempo anche in termini di consapevolezza. Si trova sui colli di Faenza, dove sono stati acquisiti i primi ettari, implementati nel tempo con altre parcelle vitate. Da sottolineare anche gli investimenti nel settore dell'accoglienza, con la possibilità di vivere un'esperienza a tutto tondo nel cuore vitivinicolo della Romagna. Riguardo lo varietà allevate, da subito si è puntato su quelle autoctone, in funzione di vini che hanno taglio giudiziosamente moderno e non mancano di carattere. Molti i vini assaggiati, tra cui un ottimo Sangiovese Superiore Violeo Riserva '16. Fermenta in vasche d'acciaio e matura in barrique per 18 mesi, ha profumi di frutti neri con tocchi speziati; la bocca è sugosa, di bilanciata spalla tannica, con finale di radici. Un gradino sotto ma sempre buono il Sangiovese Vigna dello Sperone '19, ovviamente più immediato e fresco. Menzione anche per l'ottimo Re Famoso '19.

● Romagna Sangiovese Sup. Violeo Ris. '16	♀♀ 5
○ Re Famoso '19	♀♀ 2*
● Romagna Sangiovese Lôna Bôna '19	♀♀ 2*
● Romagna Sangiovese Sup. Amarcord d'un Ross Ris. '17	♀♀ 3
● Romagna Sangiovese Sup. V. dello Sperone '19	♀♀ 2*
○ Re Famoso '18	♀♀ 2*
○ Romagna Albana Secco Arlùs '17	♀♀ 2*
● Romagna Sangiovese Lona Bona '18	♀♀ 2*
● Romagna Sangiovese Lôna Bôna '17	♀♀ 2*
● Romagna Sangiovese Sup. Sperone '18	♀♀ 2*

Marta Valpiani

VIA BAGNOLO, 158
47011 CASTROCARO TERME E TERRA DEL SOLE [FC]
TEL. 0543769598
www.vinimartavalpiani.it

VENDITA DIRETTA
VISITA SU PRENOTAZIONE
PRODUZIONE ANNUA 19.000 bottiglie
ETTARI VITATI 11,50

Il progetto Marta Valpiani nasce nel 1999 a Castrocaro Terme e mutua il nome della proprietaria e fondatrice. Oggi è la figlia Elisa Mazzavillani in prima linea: è stata soprattutto lei a dare all'azienda una straordinaria spinta propulsiva, modellando il materiale esistente e perfezionando una formula stilistica sempre più convincente. La nuova cantina dimostra come le cose abbiamo preso la giusta piega e si rivela luogo idoneo per la lavorazione delle uve provenienti dalle vigne della menzione geografica di riferimento. I vini sono sfumati, delicati e floreali, di grande bevibilità. Etichetta di riferimento nel panorama del vino romagnolo, il Sangiovese Crete Azzurre '18 ha naso fine, intensamente floreale e delicato nell'apporto fruttato; la bocca è intrigante, golosa, di buona tessitura, un po' frenata solo dal tannino vispo e da una lieve diluizione alcolica finale. Più semplice ma centrato, succoso e stilisticamente coerente, il Sangiovese Superiore '18.

● Romagna Sangiovese Castrocaro e Terra del Sole Crete Azzurre '18	♀♀ 3*
● Romagna Sangiovese Sup. '18	♀♀ 2*
○ Delyus '19	♀ 2
● La Farfalla '19	♀ 2
● Romagna Sangiovese Castrocaro e Terra del Sole Crete Azzurre '15	♀♀♀ 3*
○ Marta Valpiani Bianco '17	♀♀ 3
○ Romagna Albana Secco Madonna dei Fiori '18	♀♀ 3
● Romagna Sangiovese Castrocaro e Terra del Sole Crete Azzurre '16	♀♀ 3*
● Romagna Sangiovese Sup. '17	♀♀ 2*

Cantina Valtidone

VIA MORETTA, 58
29011 BORGONOVO VAL TIDONE [PC]
TEL. 0523846411
www.cantinavaltidone.it

VENDITA DIRETTA
VISITA SU PRENOTAZIONE
PRODUZIONE ANNUA 6.500.000 bottiglie
ETTARI VITATI 1100,00
VITICOLTURA Biologico Certificato
AZIENDA SOSTENIBILE

Fondata nel 1966, questa cantina è
cresciuta nei numeri (da 16 a 220 soci),
nelle dimensioni e, soprattutto negli ultimi
anni, nella voglia di fare di più e meglio,
concentrandosi sulla selezione delle uve
migliori per ottenere vini della tradizione di
solido spessore, racchiusi nella linea 50
Vendemmie, da viti piantate negli anni
Sessanta. La nuova sfida, lanciata anche
grazie all'enologo Francesco Fissore, è
quella del Metodo Classico. La novità di
quest'anno è Arvange, un Pas Dosé a
base pinot nero con 44 mesi di
permanenza sui lieviti di bella evoluzione,
sapido, affilato, potente in bocca, finissimo
nella bollicina: davvero un bel Metodo
Classico che si aggiudica i Tre Bicchieri.
Molto bene anche il Perlage, con una
piccola percentuale di chardonnay in più,
profumato di erbette, pesca e lime, mentre
la versione Magnum con 60 mesi sui lieviti
ha più sentori di pasticceria e crosta di
pane. Bollo Rosso '16 è un Gutturnio
Riserva balsamico e speziato, di gran
corpo. Di livello tutta la gamma, a partire
dalla linea 50 Vendemmie.

○ Arvange Pas Dosé M. Cl.	♛♛♛ 4*
○ Perlage Brut M. Cl.	♛♛ 4
● Gutturnio Bollo Rosso Ris. '16	♛♛ 4
● Gutturnio Cl. Sup. 50 Vendemmie '19	♛♛ 3
○ Perlage Brut M. Cl. Magnum	♛♛ 6
○ C. P. Malvasia 50 Vendemmie '19	♛ 3
○ Colli Piacentini Malvasia Spumante Dolce Venus '19	♛ 3
● Gutturnio Frizzante 50 Vendemmie '19	♛ 3
○ Zefiro Ortrugo '19	♛ 2
● C. P. Barbera Castelli del Duca Ranuccio '11	♛♛ 2*
● C. P. Bonarda Castelli del Duca Ottavio '11	♛♛ 2*
○ C. P. Malvasia 50 Vendemmie '17	♛♛ 2*
● Gutturnio Bollo Rosso Ris. '15	♛♛ 4
● Gutturnio Cl. Sup 50 Vendemmie '18	♛♛ 3

VentiVenti - Il Borghetto

LOC. S.DA PROV.LE 5
VIA DELLA SALICETA, 15
41036 MEDOLLA [MO]
TEL. 3440330771
www.ventiventi.it

VENDITA DIRETTA
VISITA SU PRENOTAZIONE
PRODUZIONE ANNUA 40.000 bottiglie
ETTARI VITATI 30,00
VITICOLTURA Biologico Certificato

VentiVenti è il sogno realizzato della
famiglia Razzaboni. Vittorio, già titolare
dell'azienda agricola Il Borghetto, con i figli
Riccardo, Andrea e Tommaso ha dato vita a
una bella realtà vitivinicola. Il nome è
dedicato all'anno di ultimazione della
cantina e l'inizio di un progetto che vede
protagonisti 18 ettari vitati (l'azienda ne
possiede quasi 50) e altri 11 che verranno
presto messi a dimora. Nell'areale a nord di
Modena si coltivano lambrusco di Sorbara,
salamino di Santa Croce, pignoletto e
ancellotta, così come alcune uve
internazionali. Delizioso nelle note fruttate e
floreali il Ricanto Rosato '18. Mora, ribes,
ciliegia anticipano un palato fresco e
leggiadro, dallo sviluppo verticale e dal
finale pulito e cristallino. Tra gli spumanti
spicca il VentiVenti Rosé Metodo Classico,
un Lambrusco di Modena tipico e fragrante.
Interessante, anche se un pizzico rustico, il
Lambrusco Salamino di Santa Croce Brut,
altro Metodo Classico della maison.

○ Lambrusco di Modena Brut Rosé M. Cl.	♛♛ 4
○ Ricanto Rosato '18	♛♛ 2*
○ Lambrusco Salamino Santa Croce Brut M. Cl.	♛ 4

Venturini Baldini

FRAZ. RONCOLO
VIA TURATI, 42
42020 QUATTRO CASTELLA [RE]
TEL. 0522249011
www.venturinibaldini.it

VENDITA DIRETTA
VISITA SU PRENOTAZIONE
RISTORAZIONE
PRODUZIONE ANNUA 90.000 bottiglie
ETTARI VITATI 35,00
VITICOLTURA Biologico Certificato
AZIENDA SOSTENIBILE

L'azienda attuale è stata fondata nel 1976 dalla famiglia Venturini Baldini attorno alla cinquecentesca Villa Manodori, costruita sulle fondamenta di un edificio risalente ai tempi di Matilde di Canossa. 35 ettari di vigneto coltivati in regime di agricoltura biologica da anni, su colline fino a quasi 400 metri di quota. Oltre al Lambrusco, l'azienda punta sulla valorizzazione di vitigni autoctoni quali malbo gentile, spergola, montericco. La tenuta è ora di proprietà della famiglia Prestia, che si avvale della consulenza di Carlo Ferrini. Cadelvento è un Brut Rosato da uve 70% Sorbara e 30% grasparossa che emerge sempre grazie a franchi profumi di frutti di bosco, mora e mirtillo in particolare, con aggiunta di erbe aromatiche, fiori di campo e agrumi: in bocca è coerente, ampio, fresco e fragrante. Particolarmente riuscito il Marchese Manodori '19, un blend di quattro uve (maestri, marani, grasparossa e salamino, in parti uguali) molto pieno di frutto e ben centrato nel residuo zuccherino.

⊙ Reggiano Lambrusco Brut Rosato Cadelvento	♟♟	3*
● Reggiano Lambrusco Marchese Manodori '19	♟♟	2*
○ Brut M. Cl. '15	♟	4
⊙ Reggiano Lambrusco Brut Cadelvento Rosé '18	♟♟♟	3*
⊙ Reggiano Lambrusco Brut Cadelvento Rosé '17	♟♟♟	3*
● Reggiano Lambrusco Marchese Manodori '16	♟♟♟	3*
● Reggiano Lambrusco Brut Rubino del Cerro '17	♟♟	3
● Reggiano Lambrusco Marchese Manodori '17	♟♟	3*
⊙ Reggiano Lambrusco Rosato Spumante Secco Cadelvento '15	♟♟	3

Villa di Corlo

LOC. BAGGIOVARA
S.DA CAVEZZO, 200
41126 MODENA
TEL. 059510736
www.villadicorlo.com

VENDITA DIRETTA
VISITA SU PRENOTAZIONE
PRODUZIONE ANNUA 100.000 bottiglie
ETTARI VITATI 16,50
VITICOLTURA Biologico Certificato

Maria Antonietta Munari conduce questa bella azienda collocata a sud-ovest di Modena, nella zona più adatta al grasparossa di Castelvetro. Più in alto, a oltre 300 metri di quota, su versanti esposti prevalentemente a sud, sud-est, sono coltivati il pignoletto e alcune uve internazionali, tra le quali lo chardonnay è destinato alla produzione di spumante metodo classico. Nel solaio della splendida villa si trova l'acetaia, dove nascono due versioni di aceto balsamico tradizionale. A partire dal 2012 l'azienda è interamente alimentata da pannelli fotovoltaici. Ottima la batteria dei Grasparossa di Castelvetro. Il Corleto ha naso fragrante, fresco, mentre in bocca si distende con un bell'equilibrio tra tannino e residuo zuccherino. Il Secco propone un bel frutto di bosco maturo, con mora e mirtillo in evidenza, frutto che ritorna in bocca nel lungo finale. Olimpia è la versione dolce, sempre caratterizzata da un bel frutto ampio e maturo.

● Lambrusco Grasparossa di Castelvetro Corleto	♟♟	2*
● Lambrusco Grasparossa di Castelvetro Secco	♟♟	2*
● Lambrusco Grasparossa di Castelvetro Semisecco Olimpia	♟♟	2*
● Lambrusco di Sorbara Primevo	♟	2
● Lambrusco di Sorbara Primevo '18	♟♟	2*
● Lambrusco Grasparossa di Castelvetro Corleto '18	♟♟	2*
● Lambrusco Grasparossa di Castelvetro Corleto '17	♟♟	2*
● Lambrusco Grasparossa di Castelvetro Semisecco Olimpia Bio '18	♟♟	2*
● Lambrusco Grasparossa di Castelvetro Villa di Corlo '18	♟♟	2*

Villa Papiano

VIA IBOLA, 24
47015 MODIGLIANA [FC]
TEL. 3381041271
www.villapapiano.it

VENDITA DIRETTA
VISITA SU PRENOTAZIONE
PRODUZIONE ANNUA 50.000 bottiglie
ETTARI VITATI 10,00
VITICOLTURA Biologico Certificato
AZIENDA SOSTENIBILE

Villa Papiano appartiene alla famiglia
Bordini, nome "pesante" per il vino
romagnolo. A seguire l'impresa sono
Francesco, impegnato soprattutto sul fronte
stilistico e produttivo insieme a Maria Rosa,
Giampaolo ed Enrica. Il territorio racconta
storie appenniniche, a ridosso del Parco
Nazionale delle Foreste Casentinesi, dove i
terreni poveri lambiscono i boschi e le
alture si fanno importanti. Caratteristiche
che donano ai vini sapore, vibrazioni
minerali e profondità espressiva, svelando
perfetta amalgama e felice mano
interpretativa. Il Sangiovese Modigliana
Probi Riserva '17 si prende gioco
dell'annata e spicca il volo, innalzandosi sul
podio dei migliori vini di Romagna. Gli
aromi, molto coerenti sia al naso che in
bocca, danzano tra ricordi di arancia
sanguinella, fiori di campo e piccoli frutti di
bosco; la materia ha tessitura pregevole e il
tannino è deciso quanto saporito. Un
grande vino che crescerà ancora in
bottiglia. Giovane ma prospettico il
Sangiovese Superiore Papesse '19.

● Romagna Sangiovese Modigliana	
I Probi Ris. '17	♟♟♟ 4*
● Romagna Sangiovese Sup.	
Le Papesse '19	♟♟ 3
● Centesimino '16	♟ 4
● Romagna Sangiovese Modigliana	
I Probi di Papiano Ris. '15	♟♟♟ 4*
● Romagna Sangiovese Modigliana	
I Probi di Papiano Ris. '14	♟♟♟ 4*
● Romagna Sangiovese Modigliana	
I Probi di Papiano Ris. '13	♟♟♟ 3*
● Romagna Sangiovese Modigliana	
I Probi Ris. '16	♟♟ 6
● Romagna Sangiovese Sup.	
Le Papesse '18	♟♟ 3

Villa Venti

LOC. VILLAVENTI DI RONCOFREDDO
VIA DOCCIA, 1442
47020 FORLÌ
TEL. 0541949532
www.villaventi.it

VENDITA DIRETTA
VISITA SU PRENOTAZIONE
OSPITALITÀ
PRODUZIONE ANNUA 30.000 bottiglie
ETTARI VITATI 7,00
VITICOLTURA Biologico Certificato

Siamo oltre il Rubicone, alle pendici delle
colline di Roncofreddo e Longiano, nella
provincia di Cesena che guarda il mare. Qui
Mauro Giardini e Davide Castellucci hanno
realizzato il loro progetto, scegliendo di
vivere in armonia con la natura e i ritmi
delle stagioni. La vigna fa parte di un
ecosistema agricolo che trova nei vini il
simbolo della filosofia produttiva: il segreto
è un'agricoltura pulita, abbinata ad uno
stile capace di innovare lo schema del
passato recente, specie nei sangiovese.
Nascono così vini essenziali quanto gustosi,
declinati su diversi fronti e varietà. In cima
ai nostri assaggi si piazza un delizioso
Primo Segno '18, Sangiovese Sup. che
cede qualcosa in termini di fittezza
materica portando però ai massimi livelli la
consueta finezza. In sintesi: profumi ariosi
di fiori freschi e lamponi, sorso slanciato e
succoso, di lungo e sapido finale. Molto
divertente il Centesimino '19, dai profumi di
rosa e dalla bocca freschissima.

● Romagna Sangiovese Sup.	
Primo Segno '18	♟♟♟ 3*
● Centesimino A '19	♟♟ 4
● Romagna Sangiovese Sup.	
Primo Segno '17	♟♟♟ 3*
● Sangiovese di Romagna Longiano	
Primo Segno '11	♟♟♟ 3*
● Romagna Sangiovese	
Longiano Ris. '16	♟♟ 5
● Romagna Sangiovese Sup.	
Primo Segno '16	♟♟ 3*
● Sangiovese di Romagna Sup.	
Primo Segno '13	♟♟ 3*

★Fattoria Zerbina

FRAZ. MARZENO
VIA VICCHIO, 11
48018 FAENZA [RA]
TEL. 054640022
www.zerbina.com

VENDITA DIRETTA
VISITA SU PRENOTAZIONE
PRODUZIONE ANNUA 220.000 bottiglie
ETTARI VITATI 33,00

Cristina Geminiani è il volto, il cuore e le mani di Fattoria Zerbina, tra le realtà classiche del vino romagnolo. Del resto gli inizi sono ormai lontani: nel 1966 viene acquistato il podere, sono piantati i vigneti e pensati i primi vini. La sottozona è quella di Marzeno, con le sue argille rosse e la viticoltura avveniristica ad alberello, dove albana e sangiovese sono diventati sempre più importanti, generando successi Impressionanti soprattutto sul fronte dei vini dolci. Il presente è in evoluzione, come al solito con sguardo al futuro. L'Albana Passito Scaccomatto è uno dei vini dolci italiani di riferimento e la vendemmia 2016 non fa eccezione, anzi esalta il concetto. Semplicemente meraviglioso per come porge toni delicatamente floreali che cuciono una trama elegante, puntellata da sensazioni di pesca bianca, frutta tropicale e mandorle, oltre a qualche accenno speziato. Il tutto con un sottofondo iodato che bilancia il sorso e consegna un capolavoro destinato a durare nel tempo.

○ Romagna Albana Passito Scaccomatto '16	♀♀♀	7
○ Romagna Albana Secco Bianco di Ceparano '19	♀♀	2*
○ Romagna Trebbiano Ceregio Bianco '19	♀♀	2*
○ Tergeno '19	♀♀	3
● Romagna Sangiovese Marzeno Pietramora Ris. '16	♀	5
● Romagna Sangiovese Sup. Ceregio '19	♀	2
○ Albana di Romagna Passito AR Ris. '06	♀♀♀	8
● Marzieno '08	♀♀♀	4*
○ Romagna Albana Passito Scaccomatto '13	♀♀♀	6
● Sangiovese di Romagna Sup. Pietramora Ris. '11	♀♀♀	5
● Sangiovese di Romagna Sup. Pietramora Ris. '08	♀♀♀	6

Zucchi

LOC. SAN LORENZO
VIA VIAZZA, 64
41030 SAN PROSPERO [MO]
TEL. 059908934
www.vinizucchi.it

VENDITA DIRETTA
VISITA SU PRENOTAZIONE
OSPITALITÀ
PRODUZIONE ANNUA 130.000 bottiglie
ETTARI VITATI 10,00
AZIENDA SOSTENIBILE

Siamo in una delle località di elezione del lambrusco di Sorbara, dove il capostipite della famiglia, Bruno Zucchi, a partire dagli anni Cinquanta iniziò a vinificare in proprio le uve di proprietà, seguito dal figlio Davide con la moglie Maura; Silvia Zucchi, enologa, rappresenta la terza generazione. Giovandosi delle conoscenze acquisite in Italia e all'estero, ha saputo innalzare ulteriormente il livello qualitativo dei vini, declinando il Sorbara in varie interpretazioni, molto legata al territorio. Interessanti i prodotti che prevedono la fermentazione in bottiglia. Il Marascone è un Lambrusco modenese da uve salamino di Santa Croce 100%. Ha un bel naso fresco di frutti di bosco come mirtillo e lampone, frutti che ritornano in bocca integri, polposi, e regalano una beva ricca e gustosa. Buono il Rito, un Sorbara spumantizzato in rosa che profuma di rosa canina, mandarino, lime e ha beva elegante e grintosa.

○ Lambrusco di Sorbara Brut Rosé Rito	♀♀	3
● Modena Lambrusco Marascone	♀♀	2*
● Lambrusco di Sorbara Dosaggio Zero M. Cl. '17	♀	2
● Lambrusco di Sorbara Rito '14	♀♀♀	2*
● Lambrusco di Sorbara Secco Rito '15	♀♀♀	2*
● Lambrusco di Modena Marascone '16	♀♀	2*
● Lambrusco di Sorbara Dosaggio Zero M. Cl. '16	♀♀	5
● Lambrusco di Sorbara Dosaggio Zero M. Cl. '13	♀♀	2*
● Lambrusco di Sorbara Et. Bianca '17	♀♀	2*
● Lambrusco di Sorbara Fermentato in Questa Bottiglia '17	♀♀	2*
● Lambrusco di Sorbara Rito '16	♀♀	3
● Lambrusco di Sorbara Secco '15	♀♀	2*
● Modena Lambrusco Marascone '17	♀♀	2*

Albinea Canali

FRAZ. CANALI
VIA TASSONI, 213
42123 REGGIO EMILIA
TEL. 0522569505
www.albineacanali.it

Sempre interessanti i vini di questa costola di Cantine Riunite. Un bel Metodo Classico Rosé da uve lambrusco, profumato di agrumi e crosta di pane, floreale e delicato. Buono anche il Grasparossa Codarossa Amabile.

● Colli di Scandiano e Canossa Lambrusco Grasparossa Amabile Codarossa	🍷🍷 2*
⊙ Rosé Pas Dosé M. Cl.	🍷🍷 5

Vittorio Assirelli

VIA MONTE DEL RE, 31P
40060 DOZZA [BO]
TEL. 0542678303
www.cantinadavittorio.com

Piccola cantina con tante etichette, una gamma organizzata su più livelli (compreso un lavoro rilevante con lo sfuso) e altri prodotti, tra cui frutta, confetture e passate di pomodoro. Tra i vini regna l'Albana in alcune delle sue versioni più classiche, insieme al Sangiovese.

○ Romagna Albana Passito Piccolo Fiore '15	🍷🍷 4
○ Romagna Albana Secco L'Albena d'Doza '19	🍷🍷 2*
● Romagna Sangiovese Sup. Ris. '16	🍷🍷 2*

Riccardo Ballardini

VIA PIDEURA, 50
48013 BRISIGHELLA [RA]
TEL. 0543 700925
www.ballardinivini.it

Nella pregevole gamma firmata Riccardo Ballardini spicca l'Albana Leggiadro '19, dai profumi di propoli e frutta matura. Gran bel ritmo, aromi speziati e finale dal tannino saporito per il Sangiovese Vigna Le Case '19; più ingabbiato dal rovere il Sangiovese Torricello Ris. '17.

○ Romagna Albana Secco Leggiadro '19	🍷🍷 3
● Romagna Sangiovese Sup. V. Le Case '19	🍷🍷 3
● Romagna Sangiovese Sup. Torricello Ris. '17	🍷 3

Conte Otto Barattieri di San Pietro

VIA DEI TIGLI, 100
29020 VIGOLZONE [PC]
TEL. 0523875111
ottobarattieri@libero.it

Il Vin Santo Albarola '09 va provato: da uve malvasia di Candia appassite su graticci di bambù, ha color mogano e profuma di datteri, fichi secchi, miele di castagno. È denso, oleoso, un nettare da meditazione. Molto centrati il La Berganzina '18 e il Cabernet Sauvignon '16.

○ C. P. Vin Santo Albarola '09	🍷🍷 6
● Cabernet Sauvignon '16	🍷🍷 4
○ La Berganzina Sauvignon '19	🍷🍷 3

Tenuta Bonzara

LOC. SANCHIERLO
VIA SANCHIERLO, 37A
40050 MONTE SAN PIETRO [BO]
TEL. 0516768324
www.bonzara.it

Il negretto è l'unica varietà autoctona a bacca nera dei Colli Bolognesi e la storica Tenuta della famiglia Lambertini la vinifica in purezza. #1.0 '18 è un vino di frutto corposo, con trama fitta e beva slanciata. Integro e ben sostenuto il Rosso Bologna '18.

● C. B. Bologna Rosso '18	🍷🍷 3
● Negretto #1.0 '18	🍷🍷 2*
○ Pignoletto Passito U' Pasa '17	🍷 5

Branchini

FRAZ. TOSCANELLA DI DOZZA
VIA MARSIGLIA, 3
40060 DOZZA [BO]
TEL. 054253778
branchini1858@libero.it

Depista il naso, apparentemente maturo, del Sangiovese Sup. Contrà Grande '18 di Branchini: la bocca è tutt'altro che molle, anzi sfoggia una trama fine che guizza in un finale carezzevole e lungo. Intensa al naso e fresca al palato anche l'Albana Secco Dutia '19.

○ Romagna Albana Secco Dutia '19	🍷🍷 2*
● Romagna Sangiovese Sup. Contrà Grande '18	🍷🍷 2*
○ Romagna Albana Passito D'or Luce '16	🍷 3

Ca' de' Medici

LOC. CADÈ
VIA DELLA STAZIONE, 34
42040 REGGIO EMILIA
TEL. 0522942141
www.cademedici.it

Bella performance per la cantina ultracentenaria fondata da Remigio Medici. Il Grasparossa Remigio 100 sa di mora e ha un bel frutto pieno e carnoso. Lo Scuro Piazza San Prospero, da uve salamino con aggiunta di montericco e ancellotta, ha intensi profumi di mirtillo, mora e sottobosco.

- ● Colli di Scandiano e di Canossa
  Lambrusco Grasparossa Remigio 100 ▼▼ 2*
- ● Reggiano Lambrusco
  Scuro Piazza San Prospero ▼▼ 2*

Tenuta Casali

VIA DELLA LIBERAZIONE, 32
47025 MERCATO SARACENO [FC]
TEL. 0547690334
www.tenutacasali.it

Ottime impressioni dai vini di questa cantina di Mercato Saraceno, con particolare riferimento ai Sangiovese. Il Vigna Palazzina '18 ha finezza e tratto verticale, la Riserva '17 Quarto Sole gioca con polpa, tessitura e maturità di frutto.

- ● Romagna Sangiovese
  San Vinicio Quarto Sole Ris '17 ▼▼ 3
- ● Romagna Sangiovese Sup.
  V. Palazzina '18 ▼▼ 2*

Castelluccio

LOC. POGGIOLO DI SOTTO
VIA TRAMONTO, 15
47015 MODIGLIANA [FC]
TEL. 0546942486
www.ronchidicastelluccio.it

Non solo una cantina dalla storia ricca di fascino, ma anche un progetto che promette un futuro di nuovo luminoso, visto il recente passaggio di proprietà. Nell'attesa ci godiamo alcune etichette davvero riuscite, come il carnoso e suadente Sangiovese Sup. Le More '19.

- ● Romagna Sangiovese Sup. Le More '19 ▼▼ 3
- ● Ronco delle Ginestre '15 ▼ 5
- ○ Sauvignon Blanc '19 ▼ 5

Cantina di Soliera

VIA CARPI RAVARINO, 529
41011 SOLIERA [MO]
TEL. 0522942135
www.cantinadisoliera.it

Importante realtà di 422 soci, la Cantina di Soliera presenta un Castelvetro Amabile molto integro nel frutto di bosco, pulito e fragrante. Il Salamino Semisecco è molto diretto con i suoi sentori di mora e lampone, giustamente dolce, polposo e maturo.

- ● Lambrusco Grasparossa di Castelvetro
  Amabile ▼▼ 2*
- ● Lambrusco
  Salamino di Santa Croce Semisecco ▼▼ 2*

Casali Viticultori

FRAZ. PRATISSOLO
VIA DELLE SCUOLE, 7
42019 SCANDIANO [RE]
TEL. 0522855441
www.casalivini.it

Pra di Bosso '19 è un Lambrusco blend di salamino, Maestri e malbo gentile: bel colore rubino brillante con riflessi porpora, ha bei profumi di frutti di bosco, mirtillo e lampone soprattutto: in bocca è polposo ed equilibrato. Il Feudi del Boiardo '19 ha polpa sostanziosa e tannino vivo.

- ● Colli di Scandiano e di Canossa
  Lambrusco Secco Feudi del Boiardo '19 ▼▼ 2*
- ● Reggiano Lambrusco Secco
  Pra di Bosso '19 ▼▼ 2*

Collina del Tesoro

LOC. MASSA DI VECCHIAZZANO
VIA DEL TESORO, 18
47121 FORLÌ
TEL. 3490513709
www.lacollinadeltesoro.it

La famiglia Valentini ha lunghi trascorsi legati all'agricoltura e questa è la sua azienda moderna. Qui si rispetta la natura e le tradizioni varietali della zona, con sangiovese e trebbiano in testa. È senza solfiti aggiunti ma non manca di gusto il Sangiovese Nature SSA '19.

- ● Romagna Sangiovese Predappio
  Nature SSA '19 ▼▼ 3
- ● Romagna Sangiovese Sup.
  Roserosse '16 ▼ 4

Corte d'Aibo

VIA MARZATORE, 15
40050 MONTEVEGLIO [BO]
TEL. 051832583
www.cortedaibo.it

Azienda fondata nel 1989 e basata su produzione da agricoltura biologica. Meriggio '18 è un blend di barbera, cabernet sauvignon e merlot maturato in anfora senza solfiti aggiunti: ha struttura, integrità, bei profumi di fieno e frutti di bosco. La Barbera '19 è molto varietale.

● C. B. Barbera Frizzante '18	🍷🍷 2*
● Meriggio '18	🍷🍷 3
● C. B. Cabernet Sauvignon '15	🍷 4

Ferraia - Roberto Manara

LOC. VICOMARINO, 140
29010 ZIANO PIACENTINO [PC]
TEL. 0523860209
www.ferraiawinery.it

Un Ortrugo '19 ben fatto, quello de La Ferraia: è vivace, profuma di fiori e di frutti tropicali, ha buon nerbo e ottima beva. Le Staffe '19 è un Gutturnio d'annata con la ciliegia della barbera che emerge, mentre in bocca è vivo e scorrevole.

○ C. P. Ortrugo Frizzante '19	🍷🍷 2*
● Gutturnio Cl. Sup. Le Staffe '19	🍷 3
● Gutturnio Frizzante '19	🍷 2

Stefano Ferrucci

VIA CASOLANA, 3045
48014 CASTEL BOLOGNESE [RA]
TEL. 0546651068
www.stefanoferrucci.it

La cantina di vinificazione e affinamento dei Ferrucci è ricavata da una costruzione di epoca romana: ecco spiegati i nomi dei vini. Ottimo con i suoi tocchi di confettura l'Albana Passito Doumus Aurea, della vendemmia 2017 come il saporito Sangiovese Doumus Caia Riserva.

○ Romagna Albana Passito Domus Aurea '18	🍷🍷 5
● Romagna Sangiovese Sup. Domus Caia Ris. '17	🍷🍷 5

Fondo Cà Vecja

LOC. PONTICELLI
VIA MONTANARA, 333
40020 IMOLA [BO]
TEL. 0542665194
www.fondocavecja.com

Buone impressione dai vini del Fondo Cà Vecja, capace di quasi venti ettari di vigna di proprietà nell'imolese. Impressiona l'Albana Querciola '19, tra le migliori dell'anno per la capacità di sintesi tra esuberanza varietale e finezza stilistica. Un bianco delizioso ed espressivo.

○ Romagna Albana Querciola '19	🍷🍷 2*
○ Due Pievi Manzoni Bianco '19	🍷🍷 2*
○ Colvento Sauvignon '19	🍷 3

Paolo Francesconi

LOC. SARNA
VIA TULIERO, 154
48018 FAENZA [RA]
TEL. 054643213
www.francesconipaolo.it

Approccio rispettoso della terra e poco interventista in cantina, a tutto vantaggio di vini dal carattere artigiano. Il Rosso '19 è un sangiovese in purezza immediato e goloso, figlio di una macerazione breve e nessuna sosta in legno. Più denso il Sangiovese Sup. Limbecca '17.

● Romagna Sangiovese Sup. Limbecca '17	🍷🍷 3
● Rosso '19	🍷🍷 2*
● Vite in Fiore '19	🍷 3

Maria Galassi

FRAZ. PADERNO
VIA VIA CASETTA, 688
47522 CESENA [FC]
TEL. 3387230288
www.galassimaria.it

Piccola cantina a conduzione familiare situata sui colli di Cesena, Maria Galassi propone vini ben fatti di impronta artigiana. Quest'anno segnaliamo due bianchi: il classico Albana Secco La Sgnòra '19, dal fruttato intenso, e Fiaba '19, blend di rebola e chardonnay.

○ Romagna Albana Secco La Sgnòra '19	🍷🍷 3
○ Fiaba '19	🍷 3

Garuti

FRAZ. SORBARA
VIA PER SOLARA, 6
41030 BOMPORTO [MO]
TEL. 059902021
www.garutivini.it

Sempre interessanti i Sorbara di Garuti.
Valentina è uno spumante rosé molto
bilanciato, profuma di lampone con belle
note saline, è fruttato con un accenno di
dolcezza. Dante Secco '19 è deciso, pieno,
diretto, fruttato. Garuti Secco '19 ha polpa
fruttata di visciola e amarena.

⊙ Lambrusco di Sorbara Brut Rosato Valentina '19	🏆🏆 3
● Lambrusco di Sorbara Dante Secco '19	🏆🏆 2*
● Lambrusco di Sorbara Garuti Secco '19	🏆 2

La Grotta

LOC. SAIANO
VIA CIMADORI, 621
47023 CESENA [FC]
TEL. 0547326368
www.lagrottavini.it

Giovanni Amadori è il titolare di questa
piccola realtà romagnola e gestisce
direttamente molte delle operazioni
produttive. Dinamico il Sangiovese Sup.
Mazapegul '19, speziato e più complesso il
Sangiovese Sup. Cleto Ris. '16. Ricca
l'Albana Secco Damadora '19.

● Romagna Sangiovese Sup. Cleto Ris. '16	🏆🏆 4
● Romagna Sangiovese Sup. Mazapegul '19	🏆🏆 2*
○ Romagna Albana Secco Damadora '19	🏆 3

Giovanna Madonia

LOC. VILLA MADONIA
VIA DE' CAPPUCCINI, 130
47032 BERTINORO [FC]
TEL. 0543444361
www.giovannamadonia.it

Ancora una volta buonissime impressioni
da questa realtà romagnola situata in
collina, tra Montemaggio e Bertinoro. Il
Sangiovese Ombroso Riserva '17 è ricco
ma non ingombrante, più lieve e slanciato il
Sangiovese Sup. Fermavento '18, goloso e
immediato il rosso Tenentino '19.

● Romagna Sangiovese Bertinoro Ombroso Ris. '17	🏆🏆 5
● Romagna Sangiovese Sup. Fermavento '18	🏆🏆 3
● Tenentino '19	🏆🏆 2*

Manaresi

POD. BELLA VISTA
VIA BERTOLONI, 14/16
40069 ZOLA PREDOSA [BO]
TEL. 3358032189
www.manaresi.net

Controluce '17 è un Cabernet Sauvignon in
purezza molto varietale, profuma di fieno,
mora e mirtillo ed è piuttosto pieno e
generoso, fine nel tannino. Il Merlot '18 è
più semplice, morbido, con sentori di mora
e prugna. Note di ananas e pompelmo per
il Pignoletto Classico Superiore '18.

● C. B. Rosso Controluce '17	🏆🏆 4
● C. B. Merlot '18	🏆 3
○ Colli Bolognesi Pignoletto Cl. Sup. '18	🏆 3

Marchesi di Ravarino

VIA RUGGINENTA, 2107
41017 RAVARINO [MO]
TEL. 3358190101
www.marchesidiravarino.it

Agricoltura biologica, rifermentazione in
bottiglia: l'annata 2019 di Sorbara Baby
Magnum Metodo Ancestrale provenienti da
Castel Crescente, podere quadrato di rara
suggestione, ci ha colpito per la nitidezza
del frutto, le sensazioni saline e minerali, le
note di lime.

● Lambrusco di Sorbara Baby Magnum '19	🏆🏆 3

Merlotta

VIA MERLOTTA, 1
40026 IMOLA [BO]
TEL. 054241740
info@merlotta.com

Merlotta è una bella cantina del
comprensorio di Imola che ci presenta
quest'anno come vino più interessante
l'Albana Vendemmia Tardiva Fondatori
GP '19. Ha profumi intensi e tropicali, con
chiare nuance di ananas; bocca polposa,
abboccata ma di ottima progressione.

● Romagna Albana V.T. Fondatori GP '19	🏆🏆 2*
○ Colli di Imola Chardonnay Grifaia '19	🏆 2
● Romagna Sangiovese Sup. Petali di Viola '19	🏆 3

Cantina Mingazzini

VIA LAMBERTI, 50
40059 MEDICINA [BO]
TEL. 0518513669
www.cantinamingazzini.it

La Cantina Mingazzini nasce a Medicina nel 1964 e grazie al costante impegno è cresciuta rapidamente, sia qualitativamente sia a livello commerciale. Oggi, dopo oltre 40 anni di attività, il testimone è passato nelle mani del figlio Alessandro. Una certezza la gamma presentata.

○ Pignoletto Frizzante Euporja '19	♟♟ 2*
● Romagna Sangiovese Sup. Alcjone '19	♟♟ 2*
○ Pignoletto Dionjso '19	♟ 2

Montevecchio Isolani

VIA SAN MARTINO, 5
MONTE SAN PIETRO [BO]
TEL. 051231434
www.montevecchioisolani.it

Il Rosso Bologna Riserva '12 di Montevecchio Isolani è un vino potente, ben invecchiato, speziato e arioso, profumato di fieno e frutti maturi. Il Rosso Bologna Bio '16 è vinificato in acciaio, ha franchi profumi di erba tagliata, peperone verde, frutti di bosco, e una bella vena acida.

● C. B. Rosso Bologna Ris. '12	♟♟ 3
● C. B. Rosso Bologna Bio '16	♟ 2
○ Pignoletto Sup. '18	♟ 2

Moro - Rinaldini

FRAZ. CALERNO
VIA ANDREA RIVASI, 27
42049 SANT'ILARIO D'ENZA [RE]
TEL. 0522679190
www.rinaldinivini.it

L'azienda di Paola Rinaldini, figlia del fondatore Rinaldo, produce vini di vario genere sulle Terre Matildiche. Segnaliamo un Rosé Secco da uve lambrusco marani e salamino, di bella beva, e il Vigna del Picchio '15, un rosso in legno da uve maestri e ancellotta.

☉ Rosé Lambrusco Secco	♟♟ 2*
● Vigna del Picchio '15	♟ 3

Opera 02 - Ca' Montanari

FRAZ. LEVIZZANO RANGONE
VIA MEDUSIA, 32
41014 CASTELVETRO DI MODENA [MO]
TEL. 059741019
www.opera02.it

Splendido il resort con acetaia a vista, in crescita i vini di Opera 02. Il Demi-Sec '19, grasparossa con piccola quota di salamino, ha un bel naso profumato di frutti di bosco a bacca nera, è misurato nella dolcezza. Affascinante il Brut '19, rustico ma solido e nervoso.

● Lambrusco di Modena Brut '19	♟♟ 3
● Lambrusco di Modena Demi-Sec '19	♟♟ 2*
● Lambrusco Grasparossa di Castelvetro Brut Operapura '19	♟ 3

Tenuta Palazzona di Maggio

VIA PANZACCHI, 16
40064 OZZANO DELL'EMILIA [BO]
TEL. 051798982
www.palazzonadimaggio.it

L'Ulziano '18 è un Sangiovese semplicemente delizioso: ha profumi di frutta a bacca rossa e agrumi, in un valzer di ciliegie e arance sanguinelle; bocca affusolata e reattiva, capace di esprimere freschezza e sapore al tempo stesso. Più carico il Sangiovese Le Armi Ris. '16.

● Romagna Sangiovese Sup. Ulziano '18	♟♟ 2*
● Romagna Sangiovese Sup. Le Armi Ris. '16	♟♟ 5

Pezzuoli

VIA VIGNOLA, 136
41053 MARANELLO [MO]
TEL. 0536948800
www.pezzuoli.it

Pietra Scura '19, ovvero un grasparossa in purezza che esprime appieno il frutto maturo, ampio, generoso del vitigno, abbinato a eleganza e nerbo: uno dei migliori assaggiati quest'anno. Il Sorbara Pietra Rossa '19 non è da meno, con i suoi sentori più gentili e il sorso fine.

● Lambrusco Grasparossa di Castelvetro Pietra Scura '19	♟♟ 1*
● Lambrusco di Sorbara Pietra Rossa '19	♟♟ 1*

Piccolo - Brunelli

S.DA SAN ZENO, 1
47010 GALEATA [FC]
TEL. 3468020206
www.piccolobrunelli.it

Tra i vini da segnalare un splendido
Sangiovese Predappio Cesco 1938 '18:
giocato su toni delicati e quasi sussurrati al
naso, mette in mostra una bocca
affusolata, di splendida grana e finezza
giovanile. Davvero buono e di sicuro
avvenire.

● Romagna Sangiovese Predappio Cesco 1938 '18	♟♟ 3*
● Romagna Sangiovese Sup. Il Conte Pietro '18	♟ 2

Podere dell'Angelo

VIA RODELLA, 38R
47923 VERGIANO
TEL. 3397542711
www.vinidellangelo.it

La realtà della famiglia Bianchi si trova a
Vergiano, sulle prime colline di Rimini. Tra
le etichette da consigliare quest'anno c'è
un Sangiovese Fulgor '19 di ottima trama
fruttata e piacevole sorso. Pimpante,
fresco, di delicato tocco erbaceo il Rosso
dell'Angelo '19.

● Colli di Rimini Sangiovese Fulgor '19	♟♟ 2*
● Romagna Sangiovese Sup. Angelico '18	♟♟ 3
● Rosso dell'Angelo '19	♟♟ 2*

Poderi dal Nespoli 1929

LOC. NESPOLI
VILLA ROSSI, 50
47012 CIVITELLA DI ROMAGNA [FC]
TEL. 0543989911
www.poderidalnespoli.com

Genesi fascinosa per questa cantina che
nel 2010 porta alla partnership tra la
famiglia Ravaioli e il gruppo Mondodelvino.
Oggi i vini hanno taglio marcatamente
moderno, fatto di estrazioni importanti e
generosi richiami tostati, come nel
Sangiovese Sup. Il Nespoli Ris. '17.

● Romagna Sangiovese Sup. Il Nespoli Ris '17	♟♟ 4
● Romagna Borgo dei Guidi '17	♟ 5

Il Poggiarello

LOC. SCRIVELLANO DI STATTO
29020 TRAVO [PC]
TEL. 0523957241
www.ilpoggiarellovini.it

I due Spago d'annata, classici frizzanti della
zona, sono ben fatti e caratteristici. Il
Gutturnio sa di frutti di bosco, ha bocca
gustosa, con residuo zuccherino centrato,
mentre L'Ortrugo ha profumi floreali.
Interessante la Malvasia Secca '18,
profumata di scorza d'agrume.

● Gutturnio Frizzante Lo Spago '19	♟♟ 3
○ Perticato Beatrice Quadri Malvasia '18	♟♟ 4
○ Ortrugo Frizzante Lo Spago '19	♟ 3

QuintoPasso

LOC. SOZZIGALLI
VIA CANALE, 267
41019 SOLIERA [MO]
TEL. 0593163311
www.quintopasso.it

Il Quinto Passo di cinque cugini Chiarli,
quinta generazione di viticoltori. Solo
Metodo Classico, con il Rosé '16 da sole
uve Sorbara elegante e di personalità,
mentre il Pas Dosé '16, con un 20% di
chardonnay, ha netti profumi agrumati.

○ Modena Brut Rosé M. Cl. '16	♟♟ 5
○ Pas Dosè M. Cl. '16	♟ 5

Podere Riosto

VIA DI RIOSTO, 12
40065 PIANORO [BO]
TEL. 051777109
www.podereriosto.it

Grifone '15 è un Cabernet Sauvignon in
purezza con un bel naso elegante, speziato
e di frutto di bosco maturo, integro al sorso,
ben fatto ed armonico. La Barbera '16 ha
anch'essa un frutto molto ben espresso
(ciliegia, visciola), bocca agile con bel piglio
nervoso.

● C. B. Barbera '16	♟♟ 2*
● C. B. Cabernet Sauvignon Grifone '15	♟♟ 2*
○ C. B. Pignoletto Sup. '19	♟ 2

SaDiVino

LOC. TRIVELLA SANT'AGOSTINO
VIA TRIVELLA, 16A
47016 PREDAPPIO [FC]
TEL. 3665949948
www.sadivino.com

SaDiVino è una giovane cantina che inizia a produrre nel 2011, partendo da vigne situate sui colli di Predappio e Predappio Alta. Guarda caso sono i Sangiovese Riserva '16 i vini che più ci hanno colpito: Solfatara sa di arancia ed erbe officinali, Maestroso è più aperto e ampio.

● Romagna Sangiovese Predappio Maestroso Ris. '16	♟♟ 5
● Romagna Sangiovese Sup. Solfatara Ris. '16	♟♟ 4

Spalletti Colonna di Paliano

VIA SOGLIANO, 104
47039 SAVIGNANO SUL RUBICONE [FC]
TEL. 0541945111
www.spallettticolonnadipaliano.com

Ottima prova per Spalletti Colonna di Paliano. Il Principe di Ribano '19 è Sangiovese Sup. elegante, affabile e godibile; il Vigna della Croce '17, sempre da uve sangiovese dell'omonimo vigneto, mostra maggiore dolcezza fruttata e spalla.

● Romagna Sangiovese Sup. Principe di Ribano '19	♟♟ 2*
● Romagna Sangiovese Sup. Rocca di Ribano V. della Croce '17	♟♟ 3

Terraquilia

VIA MARANO, 583
41052 GUIGLIA [MO]
TEL. 059931023
www.terraquilia.it

Metodo ancestrale biologico a 500 metri di quota: questa la sfida della famiglia Mattioli. Falconero Zero '18 è un grasparossa con un 5% di malbo gentile fruttato, profumato di mirtillo. Sanrosé Zero '18 è un sangiovese vinificato in rosa che sa di pesca e fiori, con lieve residuo zuccherino.

● Falconero Zero Metodo Ancestrale '18	♟♟ 3
⊙ Sanrosé Zero Metodo Ancestrale '18	♟♟ 3

Tozzi

VIA RENZUNO, 16
48032 CASOLA VALSENIO [RA]
TEL. 0544525311
www.cantinatozzi.it

Questa realtà ha vigne in tre diversi appezzamenti a Casola Valsenio, protette da una dorsale di solfato di calcio che affiora per una ventina di chilometri e rende il microclima ideale. Ci sono piaciute due Albana: la profumata Tantalilli '18 e la dolce e seducente Ally '17.

○ Romagna Albana Passito Ally '17	♟♟ 3
○ Romagna Albana Secco Tantalilli '18	♟♟ 2*

Consorzio Vini di San Marino

LOC. BORGO MAGGIORE
FRAZ. VALDRAGONE
S.DA SERRABOLINO, 89
47893 SAN MARINO
TEL. 0549903124
www.consorziovini.sm

Il primo documento storico di un vigneto in zona Valdragone è del 1523. Nel 1979 viene fondato il Cconsorzio Vini Tipici San Marino e oggi è una vera e propria cantina, dal buon livello qualitativo. Convincenti il Biancale, il Caldese, la Ribolla e il Sangiovese Superiore.

○ Ribolla di San Marino '19	♟♟ 2*
● Sangiovese Sup. di San Marino '18	♟♟ 2*
○ Biancale di San Marino '19	♟ 2
○ Caldese di San Marino '18	♟ 4

Zanasi

LOC. CAVIDOLE
VIA SETTECANI CAVIDOLE, 53/A
41051 CASTELNUOVO RANGONE [MO]
TEL. 059537052
www.zanasi.net

Quattro generazioni legate all'agricoltura per la famiglia Zanasi di Castelnuovo Rangone. L'azienda, oltre alla cantina, possiede anche un'acetaia. Molto buono il Bruno Zanasi '19, Grasparossa dal frutto nero croccante e nitido. Molto buono anche il Sassostorno, versione 2018 di grande personalità.

● Lambrusco Grasparossa di Castelvetro Sassostorno '18	♟♟ 3
● Lambrusco Grasparossa di Castelvetro Bruno Zanasi '19	♟♟ 2*

TOSCANA

La Toscana fa 90. E conferma il suo stato di grazia: è nuovamente la regione con più Tre Bicchieri nella nostra Guida. Aiutata, certo, dalla coincidenza di alcune ottime annate, come la 2015 e la 2016 per le selezioni e le Riserve, e da millesimi speculari ma di livello come la solare 2017 o la più fresca 2018. In nessun'altra regione, con la sola eccezione forse del Piemonte, i profitti delle aziende vengono continuamente reinvestiti su vigneti, cantine, professionalità. Sul terreno della Toscana si sfidano i migliori talenti enologici del nostro Paese, i grandi gruppi internazionali, le grandi famiglie del vino come Antinori e Frescobaldi che fanno vino dalla fine del 1300. Le magiche colline del Chianti Classico, Montalcino, Bolgheri e la Maremma sono una calamita irresistibile per chi si sente in grado di fare grandi vini. Nelle nostre degustazioni finali sono stati valutati 366 vini, e possiamo assicurarvi che tra i Tre Bicchieri e i 276 vini segnalati con i due bicchieri rossi la differenza è davvero poca. La geografia dei Tre Bicchieri regionali vede Il Chianti Classico in testa, con 22 vini iridati si conferma come il cuore pulsante della regione, insieme a Montalcino che quest'anno vede laurearsi campioni ben 18 Brunello di Montalcino, il miglior risultato di sempre complice l'ottimo millesimo 2015. Ma le altre zone di pregio hanno risposto: Bolgheri con 8, Vino Nobile di Montepulciano con 5, Carmignano con 2, la Rufina con 1, San Gimignano con 3, mentre la pimpantissima Maremma va a segno con ben 7 premi tra 2 Morellino di Scasano e 5 vini IGT, Montecucco con 2, passando per Cortona fino alla Parrina, la piccola denominazione di Orbetello con vista sul promontorio dell'Argentario. Senza contare i Supertuscan e i grandi classici che portano il nome della Toscana all'interno di tutte le collezioni di vino a livello mondiale. A conferma di una vitalità e un fermento regionale, salutiamo tutte le aziende che per la prima volta entrano nel club dei Tre Bicchieri: sono Bertinga, Bibbiano, Caiarossa, Casisano, La Madonnina, San Polo e Ridolfi. Quest'ultima realtà ilcinese, acquistata nel 2011 da Giuseppe Valter Peretti e ben diretta da Gianni Maccari, ci ha sorpreso per suo stile sempre più definito e di raffinato stampo classico: si aggiudica il Premio di Cantina Emergente.

Abbadia Ardenga

FRAZ. TORRENIERI
VIA ROMANA, 139
53028 MONTALCINO [SI]
TEL. 0577834150
www.abbadiardengapoggio.it

VENDITA DIRETTA
VISITA SU PRENOTAZIONE
PRODUZIONE ANNUA 40.000 bottiglie
ETTARI VITATI 10,00

Collocata a Torrenieri, rinomata località del settore nord-orientale di Montalcino, la cantina di Abbadia Ardenga fa parte delle proprietà della Società di Esecutori di Pie Disposizioni di Siena. In passato è stata convento benedettino e stazione di posta della via Francigena, oggi è il quartier generale di un'azienda costantemente ai vertici del comprensorio: merito di Brunello vigorosi, ricchi di fibra, ottenuti da macerazioni modulari e pazienti maturazioni in botti di medie e grandi dimensioni. Ottima prova di sé ha dato il Brunello Vigna Piaggia '15: è un rosso intenso e raffinato, che si apre al naso su note di frutto rosso, tabacco e china. Al palato si distende armonico, progressivo e mostra una bella profondità d'insieme, tannini maturi e solo una leggera dissonanza vegetale. Il Brunello '15 è fine e lungo, piuttosto caldo di alcol, e chiude su note di canfora e liquirizia. Piacevole il Sant'Antimo Vin Santo '07.

● Brunello di Montalcino V. Piaggia '15	♟♟	5
● Brunello di Montalcino '15	♟♟	5
○ Sant'Antimo Vin Santo '07	♟	6
● Brunello di Montalcino '14	♟♟	5
● Brunello di Montalcino Ris. '13	♟♟	6
● Brunello di Montalcino Ris. '12	♟♟	6
● Brunello di Montalcino V. Piaggia '14	♟♟	5
● Brunello di Montalcino V. Piaggia '13	♟♟	5
● Brunello di Montalcino V. Piaggia '12	♟♟	5

Acquabona

LOC. ACQUABONA, 1
57037 PORTOFERRAIO [LI]
TEL. 0565933013
www.acquabonaelba.it

VENDITA DIRETTA
VISITA SU PRENOTAZIONE
PRODUZIONE ANNUA 90.000 bottiglie
ETTARI VITATI 18,00

Già nel 1700 si hanno documenti che testimoniano l'attività della fattoria, il cui nome è dovuto ad una fonte di acqua dolce presente in zona. L'impresa viticola nasce invece negli anni '50 dello scorso secolo e dopo un trentennio si trasforma in coltura specializzata. Il merito si deve alla gestione di tre agronomi lombardi, tutt'ora alla guida dell'azienda, che posizionano Acquabuona tra le realtà più importanti del territorio elbano. Molto intrigante l'Elba Vermentino '19, dalle note fresche ed aromatiche di dragoncello, maggiorana, mela, susina e uva spina; bocca calda e saporita, succosa e invitante, di lungo finale. Piacevole il Voltraio '15, da uve syrah e merlot, ricco nei profumi e solido a livello gustativo. Una conferma l'Elba Aleatico Passito, che nella versione 2016 porge dolci toni di confettura e speziatura di cannella: cremoso e avvolgente l'ingresso al palato, per un finale ricco, gustoso e piuttosto ampio.

● Elba Aleatico Passito '16	♟♟	3
● Elba Rosso Ris. '17	♟♟	4
○ Elba Vermentino '19	♟♟	3
● Voltraio '15	♟♟	4
○ Elba Ansonica '19	♟	3
○ Elba Bianco '19	♟	2
⊙ Elba Rosato	♟	2
● Elba Aleatico Passito '12	♟♟	3
○ Elba Ansonica '18	♟♟	3
○ Elba Bianco '18	♟♟	2*
● Elba Rosso '16	♟♟	2*
○ Elba Vermentino '17	♟♟	3
● Voltraio '14	♟♟	4
● Voltraio '13	♟♟	4

Agricoltori del Chianti Geografico

LOC. MULINACCIO, 10
53013 GAIOLE IN CHIANTI [SI]
TEL. 0577749489
www.chiantigeografico.it

VENDITA DIRETTA
VISITA SU PRENOTAZIONE
OSPITALITÀ
PRODUZIONE ANNUA 1.100.000 bottiglie
ETTARI VITATI 100,00

La nascita dell'azienda è dovuta alla volontà di 17 viticoltori provenienti dai comuni di Radda, Gaiole e Castellina in Chianti, che nel 1961 decidono di unirsi in una cooperativa. Anche se i lavori cominciano immediatamente, con tanto di ideazione della prima etichetta, la prima vendemmia collettiva è del 1965. Il 1972 è invece l'anno di costruzione della cantina, alla quale si aggiunge più di recente (1989) quella di San Gimignano. Dopo momenti di grande successo ed anni meno floridi, la società viene acquistata dalle Tenute Piccini nel 2018. Il vino migliore di questa tornata ci è sembrato il Chianti Classico Montegiachi Ris. '16, gradevole nel bagaglio aromatico di erbe mediterranee, prugne e ciliegie. L'attacco in bocca è caldo, ben strutturato, con tannini decisi e sviluppo progressivo. Gustosa anche l'altra Riserva '16, il Contessa di Radda: ha naso fruttato di ciliegia, corpo slanciato e rilassato, fresca vena acida e finale continuo, dal retrogusto floreale.

Agrisole Podere Pellicciano

LOC. LA SERRA, 64
56028 SAN MINIATO [PI]
TEL. 0571409825
www.agri-sole.it

VENDITA DIRETTA
VISITA SU PRENOTAZIONE
PRODUZIONE ANNUA 30.000 bottiglie
ETTARI VITATI 7,00

La famiglia Caputo è la protagonista di un'avventura partita nel 2003, mossa inizialmente dall'intenzione di Gerardo e Concetta di trovare un posto in campagna dove passare del tempo, trasformata poi in un serio progetto serio produttivo. Quella dell'agricoltura e dell'attività enoica è dunque una passione sbocciata pian piano e divenuta ben presto inarrestabile, tanto da coinvolgere anche i loro figli, che ne hanno fatto la loro occupazione principale. Federico è impegnato sia nel vigneto che in cantina, mentre Fabio si dedica all'accoglienza e alla vendita diretta. Interessante la Malvasia Nera '16, quasi esplosiva al naso con gli intensi profumi di lamponi e more, riproposti in un corpo ben articolato, fresco nella parte acida, dal finale succoso e sapido. Ben riuscito anche il Colorino '16, che mostra aromi intensi di inchiostro, mirtilli e ribes, con cenni vegetali di alloro in chiusura; il sorso evidenzia struttura ricca e scia appetitosa. Su buoni livelli il resto della gamma.

● Chianti Cl. Montegiachi Ris. '16	♟♟ 4
● Chianti Cl. Contessa di Radda Ris. '16	♟♟ 3
● La Pevera '16	♟♟ 5
○ Vernaccia di San Gimignano Borgo alla Terra '19	♟♟ 2*
● Chianti Cl. Montegiachi Ris. '09	♟♟♟ 4*
● Chianti Cl. Montegiachi Ris. '07	♟♟♟ 4
● Chianti Cl. Montegiachi Ris. '05	♟♟♟ 4
● Chianti Cl. '13	♟♟ 3
● Chianti Cl. Contessa di Radda '13	♟♟ 3
● Chianti Cl. Lucignano '12	♟♟ 3
● Chianti Cl. Montegiachi Ris. '12	♟♟ 4
● Chianti Cl. Montegiachi Ris. '11	♟♟ 4
● Chianti Cl. Montegiachi Ris. '10	♟♟ 4
● Ferraiolo '13	♟♟ 5

● Colorino '16	♟♟ 6
● Mafefa '16	♟♟ 2*
○ Mafefa Bianco '19	♟♟ 3
● Malvasia Nera '16	♟♟ 2*
● Chianti Sanminiatello '18	♟ 3
● Chianti San Miniatello '16	♟♟ 3*
● Mafefa '12	♟♟ 2*
○ Mafefa Bianco '18	♟♟ 3
○ Mafefa Bianco '17	♟♟ 3
● Mafefa Rosso '15	♟♟ 4
● Malvasia Nera '12	♟♟ 2*
○ Trebbiano '16	♟♟ 3
○ Trebbiano '15	♟♟ 4
○ Vin Santo del Chianti Griso '10	♟♟ 5
○ Vin Santo Pisano Bianco di San Torpè '09	♟♟ 2*

Maurizio Alongi

LOC. MONTI DI SOTTO, 25
53013 GAIOLE IN CHIANTI [SI]
TEL. 3389878937
www.maurizioalongi.it

PRODUZIONE ANNUA 4.500 bottiglie
ETTARI VITATI 1,30
VITICOLTURA Biologico Certificato

Siamo in un piccolo e remoto angolo della
sottozona di Gaiole in Chianti: Barbischio.
Maurizio Alongi ha deciso di produrre un
vino nato e cresciuto proprio in questo
luogo. Una piccola ma estremamente
vocata superficie vitata, coltivata a
sangiovese, canaiolo, colorino e malvasia
nera, i cui ceppi hanno una quarantina di
anni d'età. Con pazienza, ha riportato quei
filari alla piena efficienza produttiva,
ottenendo le uve per la sua unica etichetta
che, con la dovuta pulizia e precisione
d'esecuzione, non tradisce di un
centimetro le sue origini. Il Chianti Classico
Vigna Barbischio Riserva '17 supera con
brillantezza un'annata complicata, in
perfetto accordo con una sottozona come
quella di Gaiole, capace di non soffrire nei
millesimi più torridi. Ecco allora un profilo
olfattivo fine e delicato, giocato
sull'incrocio tra fiori, frutti e cenni speziati
e terrosi, ad introdurre una progressione
gustativa raffinata e ben scandita, con la
trama tannica comunque a far sentire la
propria incisività.

● Chianti Cl. V. Barbischio Ris. '17	♟♟ 5
● Chianti Cl. V. Barbischio Ris. '16	♟♟♟ 5
● Chianti Cl. V. Barbischio Ris. '15	♟♟ 5

Altesino

LOC. ALTESINO, 54
53024 MONTALCINO [SI]
TEL. 0577806208
www.altesino.it

VENDITA DIRETTA
VISITA SU PRENOTAZIONE
OSPITALITÀ
PRODUZIONE ANNUA 250.000 bottiglie
ETTARI VITATI 49,00

Fondata negli anni '70 dalla famiglia
Consonni, Altesino è una delle aziende che
ha fatto grande il distretto di Montalcino,
segnando un vero e proprio cambio di
passo in termini di consapevolezza
territoriale. Tra le prime realtà a proporre un
cru di Brunello (Montosoli, toponimo di
riferimento del settore nord), all'inizio degli
anni 2000 fu acquisita da Elisabetta Gnudi
Angelini, che l'ha ulteriormente rafforzata
sul piano viticolo e produttivo, rendendola
oggi più che mai un benchmark stilistico
capace di coniugare innovazione e
classicità, non solo sul tema sangiovese. Il
Montosoli '15 è il Brunello che segna il
rientro in guida dell'azienda di Elisabetta, al
cui fianco c'è ormai stabilmente la figlia
Alessandra. Ha struttura, nerbo e finezza
questo rosso, dalle belle note di di ciliegia
matura e di china al naso, che al palato si
apre armonico e chiude persistente
mettendo in mostra ancora frutto ben
maturo e tannini levigati. Di livello anche il
Brunello '15, strutturato e armonico.
Piacevole e piuttosto evoluto il Rosso '18.

● Brunello di Montalcino Montosoli '15	♟♟ 8
● Brunello di Montalcino '15	♟♟ 6
● Rosso di Montalcino '18	♟ 3
● Brunello di Montalcino '13	♟♟ 6
● Brunello di Montalcino '11	♟♟ 6
● Brunello di Montalcino Montosoli '13	♟♟ 8
● Brunello di Montalcino Montosoli '12	♟♟ 8
● Brunello di Montalcino Montosoli '11	♟♟ 8
● Brunello di Montalcino Our 40th Harvest '12	♟♟ 7
● Brunello di Montalcino Ris. '10	♟♟ 8
● Rosso di Montalcino '16	♟♟ 3
● Toscana Rosso '14	♟♟ 3

Fattoria Ambra

VIA LOMBARDA, 85
59015 CARMIGNANO [PO]
TEL. 3358282552
www.fattoriaambra.it

VENDITA DIRETTA
VISITA SU PRENOTAZIONE
PRODUZIONE ANNUA 80.000 bottiglie
ETTARI VITATI 20,00
VITICOLTURA Biologico Certificato

La Fattoria Ambra, di proprietà della famiglia Romei Rigoli fin dalla metà dell'800, estende su queste colline i suoi 20 ettari di vigneti coltivati in gran parte a sangiovese e in misura via via minore a cabernet sauvignon, canaiolo, trebbiano e vermentino. Prende il nome dal poema omonimo scritto da Lorenzo de' Medici. Beppe Rigoli, titolare ed enologo, ha localizzato quattro cru che imbottiglia separatamente, cercando così di ricreare a Carmignano l'idea agronomica francese, della valorizzazione delle singole parcelle. Ottimo il Carmignano Santa Cristina in Pilli '17: ha frutti rossi maturi, cenni di confettura, note lievemente vegetali di tabacco. In bocca è caldo, di buon corpo, con tannini ben definiti, finale fresco e senza eccessive asperità. Piacevoli le due Riserva '16: l'Elzana, dalle note balsamiche intriganti, dotato di buona polpa e potenza; il Montalbiolo, dai richiami fruttati intensi di ciliegia, succoso e caldo. Vellutato e avvolgente il Vin Santo '11.

● Carmignano Santa Cristina in Pilli '17	♟♟ 3*
● Barco Reale '19	♟♟ 2*
● Carmignano Elzana Ris. '16	♟♟ 5
● Carmignano Montalbiolo Ris. '16	♟♟ 5
○ Trebbiano '19	♟♟ 2*
○ Vin Santo di Carmignano '11	♟♟ 5
☉ Barco Reale Rosato '19	♟ 2
● Carmignano Santa Cristina in Pilli '16	♟♟♟ 3*
● Carmignano Santa Cristina in Pilli '15	♟♟♟ 3*
● Carmignano Elzana Ris. '15	♟♟ 5
● Carmignano Elzana Ris. '13	♟♟ 5
● Carmignano Montalbiolo Ris. '15	♟♟ 5
● Carmignano Montalbiolo Ris. '13	♟♟ 5
● Carmignano Montefortini Podere Lombarda '15	♟♟ 3

Stefano Amerighi

LOC. POGGIOBELLO DI FARNETA
52044 CORTONA [AR]
TEL. 0575648340
www.stefanoamerighi.it

VENDITA DIRETTA
VISITA SU PRENOTAZIONE
PRODUZIONE ANNUA 35.000 bottiglie
ETTARI VITATI 8,50
VITICOLTURA Biodinamico Certificato
AZIENDA SOSTENIBILE

Viticoltura sostenibile e agricoltura biodinamica si traducono in potature e lavorazioni del terreno scandite dalle fasi lunari e planetarie; difesa fitosanitaria affidata soltanto a rame e zolfo e uso di macerati e tisane naturali; vinificazione senza correttivi. Stefano Amerighi è un alfiere del settore che, all'intenzione originaria di produrre vino da un unico vitigno, il syrah, capace in queste terre di esprimersi al meglio, ha sommato la voglia di concedersi nuove sperimentazioni, sia con il sangiovese in zona che con il pecorino, stavolta nelle Marche. La novità di quest'anno è la presenza di un nuovo vino, che va a completare la gamma di Syrah, oggi proposti in tre versioni e annate. A convincerci è la 2017, con un bouquet complesso e variegato dove si distinguono note di inchiostro, erbe aromatiche ed officinali, unite a sentori di caffè, cioccolato e frutta nera matura. Bocca morbida e succosa, concentrata ma dal finale fresco, sapido e vitale.

● Cortona Syrah '17	♟♟♟ 5
● Cortona Syrah Apice '16	♟♟ 6
● Cortona Syrah Julie and Julia '18	♟♟ 4
● Cortona Syrah '16	♟♟♟ 5
● Cortona Syrah '15	♟♟♟ 5
● Cortona Syrah '14	♟♟♟ 5
● Cortona Syrah '11	♟♟♟ 5
● Cortona Syrah '10	♟♟♟ 5
● Cortona Syrah '09	♟♟♟ 5
● Cortona Syrah '13	♟♟ 5
● Cortona Syrah '12	♟♟ 5
● Cortona Syrah Apice '15	♟♟ 6
● Cortona Syrah Apice '14	♟♟ 6
● Cortona Syrah Apice '13	♟♟ 6
● Cortona Syrah Apice '11	♟♟ 6
● Cortona Syrah Apice '10	♟♟ 6

★★Marchesi Antinori

VIA CASSIA PER SIENA, 133
50026 SAN CASCIANO IN VAL DI PESA [FI]
TEL. 05523595
www.antinori.it

**VENDITA DIRETTA
VISITA SU PRENOTAZIONE
OSPITALITÀ E RISTORAZIONE
PRODUZIONE ANNUA 1.700.000 bottiglie
ETTARI VITATI 324,00**

È senza dubbio il brand del vino toscano più noto al mondo. Superfluo ricordare la massiccia presenza nella regione della famiglia Antinori, che tuttavia non sembra nascondere una "propensione" predominante verso la denominazione del Chianti Classico, nel cui territorio la griffe fiorentina ha concentrato le sue strategie più importanti, a partire dalla cantina di Bargino. Anche con l'annata '17 il Solaia si conferma come uno dei grandi rossi toscani. È un elegante blend di cabernet sauvignon, franc e sangiovese dalla vigna omonima, porzione del podere Tignanello che da vita all'altro grande rosso della casa. Ha un colore rubino cupo, un naso intenso, ricco e dinamico, all'insegna dei frutti rossi e neri, delle spezie, dalle coloriture balsamiche e mentolate elegantemente fuse con le note boisé. Al palato è succoso, teso, vibrante, dotato di tannini vellutati, persistentissimo. Eccellente anche il Tignanello '17, da non mancare.

Tenuta di Arceno

LOC. ARCENO
FRAZ. SAN GUSMÉ
53010 CASTELNUOVO BERARDENGA [SI]
TEL. 0577359346
www.tenutadiarceno.com

**VENDITA DIRETTA
VISITA SU PRENOTAZIONE
PRODUZIONE ANNUA 250.000 bottiglie
ETTARI VITATI 92,00**

Nei pressi di Castelnuovo Berardenga, "capitale" dell'areale più meridionale del Chianti Classico, si trova la sempre più convincente Tenuta di Arceno, di proprietà americana (Gruppo Kendall-Jackson). Da qui escono etichette decisamente centrate e di inappuntabile fattura: dai sangiovese chiantigiani, declinati con stile sobriamente moderno e con l'obiettivo centrato di non snaturarne personalità e carattere, ai blend di impostazione bordolese, realizzati con altrettanta misura e raffinatezza. Il Chianti Classico Riserva '17 possiede profumi ben centrati che spaziano dai frutti rossi maturi alle spezie, ad anticipare una bocca altrettanto convincente, succoso e continua. Altrettanto ben eseguito il Chianti Classico Gran Selezione Strada al Sasso '17, dai toni aromatici più concentrati e dalla progressione gustativa serrata e consistente. Ineccepibili i due supertuscan: Valadorna (merlot) e Arcanum (cabernet sauvignon, cabernet franc e petit verdot), entrambi 2016.

● Solaia '17	♈♈♈ 8
● Chianti Cl. Gran Selezione Badia a Passignano '17	♈♈ 6
● Chianti Cl. Pèppoli '18	♈♈ 3*
● Tignanello '17	♈♈ 8
● Chianti Cl. Marchese Antinori Ris. '17	♈♈ 6
● Chianti Cl. Villa Antinori Ris. '17	♈♈ 4
● Villa Antinori Rosso '17	♈♈ 4
○ Villa Antinori Tenuta Monteloro Pinot Bianco '19	♈♈ 3
○ Villa Antinori Bianco '19	♈ 2
● Chianti Cl. Marchese Antinori Ris. '15	♈♈♈ 5
● Solaia '16	♈♈♈ 8
● Tignanello '13	♈♈♈ 8
● Tignanello '09	♈♈♈ 8

● Chianti Cl. Ris. '17	♈♈♈ 5
● Chianti Cl. Gran Selezione Strada al Sasso '17	♈♈ 6
● Arcanum '16	♈♈ 8
● Valadorna '16	♈♈ 8
● Chianti Cl. '18	♈ 4
● Chianti Cl. '17	♈♈♈ 4*
● Valadorna '13	♈♈♈ 8
● Arcanum '15	♈♈ 8
● Arcanum '13	♈♈ 8
● Chianti Cl. '16	♈♈ 4
● Chianti Cl. '15	♈♈ 3
● Chianti Cl. Gran Selezione Strada al Sasso '15	♈♈ 6
● Chianti Cl. Ris. '16	♈♈ 5
● Chianti Cl. Ris. '15	♈♈ 5
● Il Fauno di Arcanum '14	♈♈ 6

Tenuta Argentiera

LOC. I PIANALI
FRAZ. DONORATICO
VIA AURELIA, 412A
57022 CASTAGNETO CARDUCCI [LI]
TEL. 0565773176
www.argentiera.eu

VENDITA DIRETTA
VISITA SU PRENOTAZIONE
PRODUZIONE ANNUA 450.000 bottiglie
ETTARI VITATI 76,00

Argentiera è una delle realtà più importanti e prestigiose di Bolgheri. Il nome ricorda le miniere d'argento che un tempo si trovavano in questa zona, mentre la tenuta vanta un parco vigneto con pochi eguali. Oggi la proprietà ha come socio di maggioranza l'industriale austriaco Stanislaus Turnauer, grande appassionato di vino, affiancato da Federico Zileri che garantisce la continuità del progetto. Ovvio che tutto questo, a partire dalle splendide vigne e dalla competenza tecnica in cantina, sia garanzia di bottiglie raffinate, di impareggiabile stile e livello. Così è per il Bolgheri Rosso Villa Donoratico '18, tra i più buoni dell'anno per la denominazione. Un vino giocato sui dettagli e la precisione nell'amalgamare le diverse componenti: la veste aromatica è brillante, l'estrazione fruttata pregevole, capace di legarsi a meraviglia con le componenti tostate e quelle balsamiche. In bocca la polpa è avvolgente e saporita, a garanzia di un sorso dinamico e profondissimo.

● Bolgheri Rosso Villa Donoratico '18	♀♀♀ 5
● Bolgheri Rosso Sup. '17	♀♀ 8
● Bolgheri Rosso Poggio ai Ginepri '18	♀ 4
● Bolgheri Sup. '11	♀♀♀ 8
● Bolgheri Sup. Argentiera '10	♀♀♀ 7
● Bolgheri Sup. Argentiera '06	♀♀♀ 7
● Bolgheri Sup. Argentiera '05	♀♀♀ 7
● Bolgheri Sup. Argentiera '04	♀♀♀ 7
● Bolgheri Rosso Poggio ai Ginepri '17	♀♀ 4
● Bolgheri Rosso Sup. '16	♀♀ 8
● Bolgheri Rosso Sup. '14	♀♀ 8
● Bolgheri Rosso Sup. '13	♀♀ 8
● Bolgheri Rosso Villa Donoratico '17	♀♀ 5
● Bolgheri Rosso Villa Donoratico '15	♀♀ 8
● Bolgheri Sup. Argentiera '15	♀♀ 8
● Bolgheri Villa Donoratico '13	♀♀ 5
○ Poggio ai Ginepri Bianco '17	♀♀ 3

Argiano

LOC. SANT'ANGELO IN COLLE
53024 MONTALCINO [SI]
TEL. 0577844037
www.argiano.net

VENDITA DIRETTA
VISITA SU PRENOTAZIONE
OSPITALITÀ
PRODUZIONE ANNUA 330.000 bottiglie
ETTARI VITATI 55,00

È una storia plurisecolare quella che si racconta ad Argiano, splendida tenuta dislocata sul limite sud-occidentale di Montalcino. Appartenuta a varie famiglie nobiliari toscane fin dal '500, dal 2013 è passata ad un fondo internazionale che l'ha profondamente ristrutturata e affidata a Bernardino Sani, che dal 2015 ne firma anche i vini, sempre legati alle peculiarità di un'area per molti versi mediterranea, caratterizzata da marne calcaree e argillose. I nostri assaggi ci danno un ritratto di Argiano come una delle aziende oggi più performanti di tutta la denominazione. Per rendervene conto assaggiate il Vigna del Suolo '15, e come noi rimarrete incantati dalla sua eleganza e profondità espressiva. È un grande Brunello dalle coloriture di frutto, spezie e fresche note d'agrume che introducono ad una bocca potente ma incredibilmente armonica. Prugna matura, note floreali e speziate per il Brunello '15, note di frutti neri, cacao e spezie per il Solengo '17.

● Brunello di Montalcino V. del Suolo '15	♀♀♀ 8
● Brunello di Montalcino '15	♀♀ 8
● Rosso di Montalcino '18	♀♀ 5
● Solengo '17	♀♀ 8
● Brunello di Montalcino Ris. '88	♀♀♀ 7
● Brunello di Montalcino Ris. '85	♀♀♀ 7
● Solengo '97	♀♀♀ 6
● Solengo '95	♀♀♀ 6
● Brunello di Montalcino '13	♀♀ 7
● Brunello di Montalcino '12	♀♀ 7
● Non Confunditur '13	♀♀ 3
● Rosso di Montalcino '16	♀♀ 4
● Rosso di Montalcino '12	♀♀ 3

Arrighi

LOC. PIAN DEL MONTE, 1
57036 PORTO AZZURRO [LI]
TEL. 3356641793
www.arrighivigneoliviit

VENDITA DIRETTA
VISITA SU PRENOTAZIONE
PRODUZIONE ANNUA 30.000 bottiglie
ETTARI VITATI 6,00

La si può definire un'azienda autoctona, poiché la famiglia Arrighi è elbana da generazioni e la parte viticola è sempre stata una delle produzioni che ha caratterizzato la fattoria. Negli anni Settanta, complice il boom del turismo, si era ridotta la superficie dei vigneti, finché l'attuale titolare Antonio decise di ripartire con entusiasmo nel fare vino, oltre a seguire l'attività alberghiera. È così cominciata una lunga sperimentazione per ritrovare vitigni autoctoni che potessero dare buone soddisfazioni, oltre a testare le grandi varietà internazionali. Tante le etichette proposte, a cominciare dal Tresse '17: da uve syrah, sangiovese e sagrantino, ha bouquet composto di liquirizia e caffè, con sentori di pinoli tostati. Caldo l'attacco in bocca, di buon peso e giusto nerbo acido, per un finale gradevole. Originale l'Hermia '19, Viognier maturato in anfora, dai toni freschi di erbe aromatiche e frutta tropicale, saporito e polposo in bocca, fresco nel finale.

● Elba Aleatico Passito Silosò '19	♥♥	5
○ Elba Ansonica Valerius '19	♥♥	4
○ Elba Bianco Illagiù '19	♥♥	3
● Elba Rosso Centopercento '19	♥♥	5
○ Hermia '19	♥♥	4
● Tresse '17	♥♥	5
○ V.I.P. Anfora Viognier '19	♥♥	4
○ Elba Ansonica Mattanto '19	♥	3
○ Elba Vermentino Arembapampane '19	♥	4
● Elba Aleatico Passito Silosò '18	♀♀	5
● Elba Aleatico Passito Silosò '17	♀♀	5
● Elba Aleatico Passito Silosò '16	♀♀	5
○ Elba Bianco Illagiù '18	♀♀	3
● Tresse '16	♀♀	5
○ Valerium Vinum Anfora '17	♀♀	4

Artimino

FRAZ. ARTIMINO
V.LE PAPA GIOVANNI XXIII, 1
59015 CARMIGNANO [PO]
TEL. 0558751423
www.artimino.com

VENDITA DIRETTA
VISITA SU PRENOTAZIONE
OSPITALITÀ E RISTORAZIONE
PRODUZIONE ANNUA 420.000 bottiglie
ETTARI VITATI 88,00

Artimino è stato prima un insediamento etrusco, poi si è trasformato in borgo medievale e infine terra prediletta dalla famiglia de' Medici, scelta per la costruzione di una delle loro dimore più importanti: la Villa dei Cento Camini, chiamata anche La Ferdinanda, parte integrante dell'azienda. La Tenuta, appartenente dagli anni '80 alla famiglia Olmo, quella delle biciclette, si estende per più di 700 ettari, di cui quasi 90 vitati, che si dividono in due denominazioni: Carmignano e Chianti Montalbano. Presenti, tra l'altro, oltre 17mila piante di olivo. Molto buono il Carmignano Poggilarca '17, dal bagaglio olfattivo ampio, con note fruttate di ciliegia e prugna che ben si fondono a cenni speziati di chiodi di garofano e sensazioni di erbe aromatiche di rosmarino. L'impatto gustativo è centrato, i tannini croccanti, la freschezza bilanciata e il finale progressivo. Sorprende il Chianti Montalbano '18, dal bel naso delicato di frutti rossi, morbido e nitido in bocca.

● Carmignano Poggilarca '17	♥♥	3*
● Carmignano V. Grumarello Ris. '14	♥♥	4
● Chianti Montalbano '18	♥♥	2*
● Iris '16	♥♥	5
● Vin Santo di Carmignano Occhio di Pernice '13	♥♥	5
⊙ Barco Reale Rosato Vin Ruspo '19	♥	2
● Carmignano Poggilarca '15	♀♀	3
● Carmignano V. Grumarello Ris. '13	♀♀	4
● Carmignano V. Grumarello Ris. '12	♀♀	4
● Iris '15	♀♀	5
● Vin Santo di Carmignano Occhio di Pernice '12	♀♀	5
● Vin Santo di Carmignano Occhio di Pernice '10	♀♀	5
● Vin Santo di Carmignano Occhio di Pernice '09	♀♀	5

Assolati

FRAZ. MONTENERO
POD. ASSOLATI, 47
58040 CASTEL DEL PIANO [GR]
TEL. 0564954146
www.assolati.it

VENDITA DIRETTA
VISITA SU PRENOTAZIONE
OSPITALITÀ
PRODUZIONE ANNUA 18.000 bottiglie
ETTARI VITATI 5,00

La cantina di Floriano Giannetti, con sede a
Montenero d'Orcia, è una delle realtà del
Montecucco capace di proporre con
sempre maggiore continuità rossi intriganti
e di buona originalità. Succede soprattutto
quando il carattere terroso del sangiovese
locale, a volte dai tratti fin troppo decisi,
trova un adeguato contrasto in uno sviluppo
gustativo fresco e bilanciato. Condizione
difficile da cogliere regolarmente in una
zona piuttosto calda, che deve spesso fare i
conti con estati torride, ma affrontata con
grande consapevolezza stilistica da questa
cantina. Di bella personalità e dalla beva
immediatamente piacevole il Montecucco
Rosso '18, con tratti aromatici che
ricordano le erbe di campo, la ciliegia, le
spezie e la menta, dall'accordo invitante
con una progressione gustativa succosa e
contrastata, dai tannini incisivi e saporiti e
dalla verve acida continua. Ben fatto anche
il Dionysos '19, Vermentino in purezza, dal
sorso sapido e scorrevole e dai profumi
precisi e fragranti.

● Montecucco Rosso '18	♟♟	2*
○ Dionysos '19	♟♟	2*
● Montecucco Rosso '15	♟♟	2*
● Montecucco Rosso '14	♟♟	2*
● Montecucco Rosso '12	♟♟	2*
● Montecucco Rosso '11	♟♟	2*
● Montecucco Sangiovese '16	♟♟	3
● Montecucco Sangiovese '15	♟♟	3
● Montecucco Sangiovese '14	♟♟	3
● Montecucco Sangiovese '13	♟♟	3
● Montecucco Sangiovese Ris. '16	♟♟	4
● Montecucco Sangiovese Ris. '15	♟♟	4
● Montecucco Sangiovese Ris. '13	♟♟	4
● Montecucco Sangiovese Ris. '12	♟♟	3
● Montecucco Sangiovese Ris. '10	♟♟	3

★Avignonesi

FRAZ. VALIANO
VIA COLONICA, 1
53045 MONTEPULCIANO [SI]
TEL. 0578724304
www.avignonesi.it

VENDITA DIRETTA
VISITA SU PRENOTAZIONE
OSPITALITÀ E RISTORAZIONE
PRODUZIONE ANNUA 500.000 bottiglie
ETTARI VITATI 169,00
VITICOLTURA Biologico Certificato

Appartenente a Virginie Saverys, la storica
azienda oggi battente bandiera belga ha
sede a Valiano, in una delle "sottozone" più
rilevanti di Montepulciano: occupa
saldamente un posto significativo tra i
maggiori protagonisti della denominazione
del Nobile. La produzione attuale propone
un portafoglio di etichette che, in generale,
punta su vini equilibrati e dotati di buon
carattere, frutto di un lavoro rigoroso, prima
di tutto nel vigneto, dove la cantina ha
adottato una dettagliata zonazione interna e
pratiche colturali decisamente rispettose
dell'ambiente. Dai profumi netti di frutta
rossa fragrante e spezie a rifinitura, il
Nobile Poggetto di Sopra '16 sa giovarsi di
un'annata particolarmente interessante
anche a Montepulciano. Altrettanto riuscito
in bocca, dove risulta succoso e continuo
nello sviluppo gustativo. Floreale e
leggiadro il naso del Rosso di
Montepulciano '18: trova in un sorso fresco
e rilassato il suo punto di forza, che ne
decreta una bevibilità golosa e invitante.

● Nobile di Montepulciano Poggetto di Sopra '16	♟♟	7
● Rosso di Montepulciano '18	♟♟	3
● 50 & 50 '16	♟	8
● Da-Di '19	♟	6
● Desiderio '17	♟	6
● Grifi '17	♟	6
● 50 & 50 Avignonesi e Capannelle '99	♟♟♟	8
● 50 & 50 Avignonesi e Capannelle '97	♟♟♟	8
● Nobile di Montepulciano '12	♟♟♟	4*
○ Vin Santo '98	♟♟♟	8
○ Vin Santo '96	♟♟♟	8
○ Vin Santo '95	♟♟♟	8
○ Vin Santo '93	♟♟♟	8
○ Vin Santo Occhio di Pernice '97	♟♟♟	8
● Vin Santo Occhio di Pernice '93	♟♟♟	8
○ Vin Santo Occhio di Pernice '90	♟♟♟	8

★Badia a Coltibuono

LOC. BADIA A COLTIBUONO
53013 GAIOLE IN CHIANTI [SI]
TEL. 0577746110
www.coltibuono.com

VENDITA DIRETTA
VISITA SU PRENOTAZIONE
OSPITALITÀ E RISTORAZIONE
PRODUZIONE ANNUA 240.000 bottiglie
ETTARI VITATI 62,00
VITICOLTURA Biologico Certificato
AZIENDA SOSTENIBILE

Territoriali fino al midollo, i vini di Badia a
Coltibuono costituiscono uno degli esempi
stilisticamente più leggibili della
denominazione Chianti Classico. A dispetto
di mode e cambiamento climatici, hanno
saputo mantenere un carattere unico e
inimitabile, a dimostrazione del fatto che la
potenza del terroir a volte supera ogni
variabile. I vigneti, allevati dal 2000 in
biologico, si trovano per la maggior parte a
Monti in Chianti, propaggine meridionale
della sottozona di Gaiole, al confine con
Castelnuovo Berardenga. Dai tratti aromatici
lievi e precisi, il Chianti Classico '18
profuma di fiori ed erbe di campo con tocchi
speziati a rifinitura. Il vino dà il suo meglio
nell'incedere gustativo, dove il sorso risulta
delizioso e fine, goloso e saporito. Tutto
all'insegna della bevibilità il Colmaia '19,
sangiovese in purezza, dal gusto fragrante
e pieno, dai profumi freschi e fruttati.
Ben fatto il Chianti Classico Cultus Boni
Riserva '16, dai toni più severi e densi.

● Chianti Cl. '18	♟♟♟ 4*
● Chianti Cl. Cultus Boni Ris. '16	♟♟ 5
● Colmaia '19	♟♟ 3
● Chianti Cl. '15	♟♟♟ 4*
● Chianti Cl. '13	♟♟♟ 3*
● Chianti Cl. '12	♟♟♟ 3*
● Chianti Cl. '06	♟♟♟ 3*
● Chianti Cl. Cultus Boni '15	♟♟♟ 4*
● Chianti Cl. Cultus Boni '09	♟♟♟ 4*
● Chianti Cl. Ris. '09	♟♟♟ 5
● Chianti Cl. Ris. '07	♟♟♟ 5
● Chianti Cl. Ris. '04	♟♟♟ 5
● Chianti Cetamura '17	♟♟ 2*
● Chianti Cl. '17	♟♟ 4
● Chianti Cl. '16	♟♟ 4
● Chianti Cl. Ris. '16	♟♟ 5
● Collebello '16	♟♟ 2*

Badia di Morrona

VIA DEL CHIANTI, 6
56030 TERRICCIOLA [PI]
TEL. 0587658505
www.badiadimorrona.it

VENDITA DIRETTA
VISITA SU PRENOTAZIONE
OSPITALITÀ E RISTORAZIONE
PRODUZIONE ANNUA 500.000 bottiglie
ETTARI VITATI 110,00

Quella della famiglia Gaslini Alberti è una
proprietà semplicemente sensazionale, a
partire dalla badia risalente all'anno Mille e
da una superficie sconfinata di terre che
raggiunge i 600 ettari. Ci troviamo a
Terricciola, tra Pisa e Volterra, in una zona
paesaggisticamente molto bella che sta
pian piano trovando una sua definizione
stilistica sul piano vinicolo. Su questo fronte
la batteria di Morrona ha giocato e gioca un
ruolo centrale, con un innalzamento
qualitativo sorprendente fatto registrare
negli ultimi anni. Il VignAlta '17 è molto
buono, anche in considerazione delle
intemperanze dell'annata. Elegante e
fresco, complesso e verticale, ha frutto
maturo, nitido, avvolto da una componente
tostata importante. Polposo e dai tannini
levigati il Taneto di pari annata, al solito
centrato e gustoso I Sodi del Paretaio '19.
Fresco e spensierato il Vermentino
Felciaio '19, dai richiami aromatici
equilibrati su sorso delicato.

● Chianti I Sodi del Paretaio '19	♟♟ 2*
● Terre di Pisa Sangiovese VignAlta '17	♟♟ 5
● N'antia '17	♟♟ 5
● Taneto '17	♟♟ 3
○ Felciaio '19	♟ 2
● Terre di Pisa Sangiovese VignAlta '16	♟♟♟ 5
● Chianti I Sodi del Paretaio '18	♟♟ 2*
● Chianti I Sodi del Paretaio '17	♟♟ 2*
● N'antia '16	♟♟ 5
● N'antia '15	♟♟ 5
● Taneto '16	♟♟ 3*
● Taneto '15	♟♟ 3*
● VignAlta '15	♟♟ 5
○ Vin Santo del Chianti '13	♟♟ 4

Alfonso Baldetti

LOC. PIETRAIA, 71A
52044 CORTONA [AR]
TEL. 057567077
www.baldetti.com

VENDITA DIRETTA
VISITA SU PRENOTAZIONE
PRODUZIONE ANNUA 100.000 bottiglie
ETTARI VITATI 15,00
AZIENDA SOSTENIBILE

Una storia radicata che si rinnova, quella della famiglia Baldetti, che vede Alfonso ancora saldamente al comando della cantina insieme ai figli Daniele e Gianluca. Fu il padre dell'attuale titolare, Mario Baldetti, a dare impulso all'attività vinicola, ma era un'epoca nella quale molte aziende non imbottigliavano. La creazione delle prime Doc del territorio, prima quella del Bianco Vergine della Valdichiana, e più di recente quella del Cortona Syrah, hanno permesso la trasformazione definitiva dell'impresa in chiave moderna. Buona prova per il Crano '16, un syrah dai profumi di lampone e ribes, ingentiliti da note speziate di pepe e cenni di cuoio. Solido l'ingresso in bocca, ricco di materia e freschezza calibrata, per un finale di convincente persistenza. Più tradizionale il bouquet del Marius '17, sangiovese in purezza dominato inizialmente dalle note di prugna e ciliegia, con cenni di erbe aromatiche a completare. Scorrevole al palato, fresco e rilassato sul finale.

● Cortona Sangiovese Marius '17	♟♟ 3
● Cortona Syrah Crano '16	♟♟ 4
Cortona Vin Santo Leopoldo '05	♟♟ 5
○ Brut M. Cl. '16	♟ 4
○ Chagrè '19	♟ 2
⊙ Piet Rosè '19	♟ 3
○ Chagré '18	♟♟ 3
● Cortona Crano '11	♟♟ 3
● Cortona Sangiovese Marius '12	♟♟ 4
● Cortona Syrah Crano '15	♟♟ 5
● Cortona Syrah Crano '12	♟♟ 4
○ Cortona Vin Santo Leopoldo '03	♟♟ 5

Baracchi

LOC. CEGLIOLO, 21
52044 CORTONA [AR]
TEL. 0575612679
www.baracchiwinery.com

VENDITA DIRETTA
VISITA SU PRENOTAZIONE
OSPITALITÀ E RISTORAZIONE
PRODUZIONE ANNUA 140.000 bottiglie
ETTARI VITATI 32,00
AZIENDA SOSTENIBILE

La famiglia Baracchi è impegnata da cinque generazioni nella produzione di vino. Riccardo ha creato, vicino alla cantina, un resort con hotel, ristorante e spa, attorno al quale si sviluppa una parte dei vigneti. Coadiuvato dal figlio Benedetto, pratica una viticoltura moderna ed attenta al territorio, privilegiando un vitigno, il syrah, che ha trovato nella zona il suo habitat ideale. I vitigni della tradizione sono lavorati anche in maniera diversa, come la spumantizzazione di uve di trebbiano e sangiovese. Un'altra novità è stata l'impianto di pinot nero. Risposte positive su tutto il fronte produttivo, a partire dal Cortona Syrah Smeriglio '17. Ha bouquet variegato, con note di ciliegia e tabacco iniziali, fine speziatura di pepe, ginepro e d erbe aromatiche. Piacevole e succoso l'ingresso in bocca, con tannini calibrati e finale vivace. Di grande fascino il Vin Santo '12, dalla gamma di profumi che spazia dalla nocciola al miele, passando per datteri e fichi secchi.

● Cortona Syrah Smeriglio '17	♟♟ 4
● Cortona Sangiovese Smeriglio '18	♟♟ 4
● Cortona Syrah Ris. '16	♟♟ 6
○ Cortona Vin Santo Il Mio Vin Santo '12	♟♟ 6
● O'Lillo '18	♟♟ 2*
● Ardito '16	♟ 6
○ Astore '19	♟ 3
○ O'Lilla '19	♟ 3
● Ardito '15	♟♟ 6
○ Astore '18	♟♟ 3
● Cortona Cabernet Ris. '15	♟♟ 6
● Cortona Cabernet Ris. '13	♟♟ 6
● Cortona Syrah Ris. '15	♟♟ 6
● Cortona Syrah Smeriglio '16	♟♟ 4
● Cortona Syrah Smeriglio '15	♟♟ 4
● Cortona Syrah Smeriglio '14	♟♟ 4

Fattoria dei Barbi

LOC. PODERNOVI, 170
53024 MONTALCINO [SI]
TEL. 0577841111
www.fattoriadeibarbi.it

VENDITA DIRETTA
VISITA SU PRENOTAZIONE
OSPITALITÀ E RISTORAZIONE
PRODUZIONE ANNUA 600.000 bottiglie
ETTARI VITATI 66,00

Guidata oggi da Stefano Cinelli Colombini,
la Fattoria dei Barbi è una delle poche
realtà di Montalcino che può fregiarsi a
pieno titolo dell'etichetta di "storica".
L'importante parco vigne si concentra nel
segmento orientale dell'areale, nei dintorni
della rinomata località di Podernovi, ben
conosciuta da appassionati e viaggiatori
che vi giungono anche per visitare la
cantina-museo o regalarsi una piacevole
sosta nell'omonima Taverna. Il nucleo
progettuale resta comunque ancorato alla
gamma classica di Brunello e Rosso
pensati per lunghe evoluzioni. L'annata
2015 ci regala due etichette davvero
notevoli da questa tenuta. Il Vigna del Fiore
ha tutti i connotati di un classico, dalla
profondità espressiva alla tensione
gustativa, un frutto integro e quelle note
complesse che preludono ad un glorioso
sviluppo negli anni. Gli siede accanto un
armonico Brunello '15 dai bei toni di
tabacco e liquirizia, di classe e carattere.
Delizioso il Rosso '18.

● Brunello di Montalcino '15	♥♥ 5
● Brunello di Montalcino V. del Fiore '15	♥♥ 7
● Rosso di Montalcino '18	♥♥ 3
● Brunello di Montalcino '14	♀♀ 5
● Brunello di Montalcino '13	♀♀ 5
● Brunello di Montalcino Ris. '13	♀♀ 7
● Brunello di Montalcino Ris. '12	♀♀ 7
● Brunello di Montalcino Ris. '11	♀♀ 7
● Brunello di Montalcino V. del Fiore '13	♀♀ 7
● Brunello di Montalcino V. del Fiore '12	♀♀ 7
● Brunello di Montalcino V. del Fiore '11	♀♀ 7
● Rosso di Montalcino '17	♀♀ 3
● Rosso di Montalcino '16	♀♀ 3
● Rosso di Montalcino '15	♀♀ 3

Baricci

LOC. COLOMBAIO DI MONTOSOLI, 13
53024 MONTALCINO [SI]
TEL. 0577848109
www.baricci.it

VENDITA DIRETTA
VISITA SU PRENOTAZIONE
PRODUZIONE ANNUA 30.000 bottiglie
ETTARI VITATI 5,00

Cru per antonomasia del settore nord di
Montalcino, Montosoli fa sentire la sua
voce inconfondibile grazie ai Rosso e i
Brunello plasmati al Podere Colombaio.
Robusti e al contempo slanciati, tesi e
saporiti, sono in tutto e per tutto vini
"intergenerazionali": le lunghe maturazioni
in rovere di Slavonia da 20 e 40 Hl sono
soltanto una piccola parte di una visione
più ampia, che si concentra in primis sulle
specificità delle sei parcelle adiacenti la
cantina, legando il lavoro pionieristico di
Nello Baricci a quello del genero Pietro
Buffi e dei nipoti Federico e Francesco. La
Baricci è una di quelle aziende che rendono
difficile, ogni anno, la scelta tra eccellenti
Brunello e affascinanti Rosso. Quest'anno,
grazie a un millesimo favorevole come il
2015 la spunta più facilmente il primo sul
pur buonissimo secondo. Rubino profondo
e limpido, il Brunello '15 s'apre al naso su
toni di ciliegia matura, ribes e mora, che
sfumano su toni di humus, spezia e note di
china. Al palato è potente, assertivo, ha
tannini elegantissimi e una straordinaria
armonia d'insieme.

● Brunello di Montalcino '15	♥♥♥ 6
● Rosso di Montalcino '18	♥♥ 4
● Brunello di Montalcino '14	♀♀♀ 6
● Brunello di Montalcino '10	♀♀♀ 6
● Brunello di Montalcino '09	♀♀♀ 5
● Brunello di Montalcino '07	♀♀♀ 5
● Brunello di Montalcino '83	♀♀♀ 5
● Brunello di Montalcino Nello Ris. '10	♀♀♀ 6
● Rosso di Montalcino '16	♀♀♀ 4*
● Rosso di Montalcino '15	♀♀♀ 4*
● Brunello di Montalcino '13	♀♀ 6
● Brunello di Montalcino '12	♀♀ 6
● Brunello di Montalcino Nello Ris. '12	♀♀ 6

Basile

POD. MONTE MARIO
58044 CINIGIANO [GR]
TEL. 0564993227
www.basilessa.it

VENDITA DIRETTA
VISITA SU PRENOTAZIONE
PRODUZIONE ANNUA 50.000 bottiglie
ETTARI VITATI 8,00
VITICOLTURA Biologico Certificato
AZIENDA SOSTENIBILE

Fondata nel 1999 e situata nel podere
Monte Mario, la cantina dalla famiglia
Basile ha rapidamente conquistato una
meritata rinomanza grazie ai suoi
sangiovese, proposti in una serie di
declinazioni che dimostrano in pieno la
vocazione dei luoghi in cui è coltivato.
Cinigiano è diventata per questo in un certo
senso la "capitale" della denominazione
maremmana del Montecucco. Niente
segreti aziendali: solo rigoroso lavoro in
vigna, a partire dalla scelta biologica,
accompagnato da operazioni enologiche
senza forzature o scorciatoie. Il Sangiovese
Ad Agio Riserva si conferma tra i migliori
della sua tipologia: la versione '16 possiede
profilo aromatico fragrante sul frutto rosso,
con spezie e cenni balsamici a rifinitura; in
bocca mostra uno sviluppo gustativo
tendenzialmente continuo e ben bilanciato.
Succoso e agile il sorso del Sangiovese
Cartacanta '17, che gioca su un naso caldo
e intenso dal timbro mediterraneo. Su buoni
livelli anche le altre etichette aziendali.

● Montecucco Sangiovese Ad Agio Ris. '16	♟♟5
● Montecucco Sangiovese Cartacanta '17	♟♟3
● Maremma Toscana Rosso	
Comandante '17	♟4
○ Montecucco Vermentino Arteteca '19	♟3
● Montecucco Sangiovese Ad Agio Ris. '15	♟♟♟5
● Montecucco Sangiovese Ad Agio Ris. '14	♟♟♟5
● Montecucco Sangiovese Ad Agio Ris. '12	♟♟♟5
● Maremma Toscana Rosso	
Comandante '16	♟♟4
● Montecucco Sangiovese Ad Agio Ris. '13	♟♟5
● Montecucco Sangiovese Ad Agio Ris. '11	♟♟5
● Montecucco Sangiovese Cartacanta '16	♟♟3
● Montecucco Sangiovese Cartacanta '15	♟♟3
● Montecucco Sangiovese Cartacanta '13	♟♟3
● Montecucco Sangiovese Cartacanta '12	♟♟3

Pietro Beconcini

FRAZ. LA SCALA
VIA MONTORZO, 13A
56028 SAN MINIATO [PI]
TEL. 0571464785
www.pietrobeconcini.com

VENDITA DIRETTA
VISITA SU PRENOTAZIONE
PRODUZIONE ANNUA 110.000 bottiglie
ETTARI VITATI 15,00

A metà degli anni '50, il nonno di Leonardo
Beconcini compra dai marchesi Ridolfi il
podere presso il quale era mezzadro, che
arriva a Leonardo attraverso il padre Pietro.
Nel podere c'era una vigna di tempranillo,
vitigno iberico che potrebbe essere stato
portato a San Miniato dai pellegrini della via
Francigena e da Santiago de Compostela.
Leonardo e la sua compagna Eva lo
lavorano e lo combinano con le uve di
sangiovese, canaiolo, malvasia bianca e
nera, colorino. Loro ed altri vignaioli
contribuiscono a far conoscere la zona,
grazie al Consorzio dei Vignaioli di San
Miniato. Sempre accattivante il Maurleo,
uvaggio paritario di sangiovese e malvasia
nera che nella versione '18 presenta toni di
inchiostro, cuoio e liquirizia, su una base
fruttata di prugna. Al gusto si mostra
potente, deciso nella parte tannica, con
finale balsamico di alloro. Potente al naso
l'IXE '18, tempranillo in purezza dal corpo
succoso e vivace. Dolcemente classico il
Vin Santo Aria '09.

● IXE Tempranillo '18	♟♟3
● Terre di Pisa Maurleo '18	♟♟3
● Vin Santo del Chianti	
Occhio di Pernice Aria '09	♟♟7
○ Bianco Vea '19	♟4
● Chianti '19	♟2
● Reciso '17	♟5
⊙ Rosato Fresco di Nero '19	♟2
● IXE Tempranillo '17	♟♟3
● Ixe Tempranillo '16	♟♟3
● Maurleo '16	♟♟3
● Maurleo '15	♟♟2*
● Reciso '16	♟♟5
○ Vin Santo del Chianti Caratello '09	♟♟6
● Vin Santo del Chianti	
Occhio di Pernice Aria '08	♟♟7

Bertinga

LOC. LE TERRAZZE DI ADINE

53013 GAIOLE IN CHIANTI [SI]
TEL. 0577746218
www.bertinga.it

PRODUZIONE ANNUA 40.000 bottiglie
ETTARI VITATI 23,00

Da una porzione di vigne un tempo
appartenute al Castello di Ama, e
dall'acquisizione de La Porta di Vertine,
sempre a Gaiole, Maksim Kashirin e
Anatoly Korneev hanno dato vita ad
un'azienda che prende il nome dalla vigna
più famosa, Bertinga. La gamma per ora si
articola su quattro etichette, tutte ottenute
dai 23 ettari di vigne di proprietà, che
vedono sangiovese e merlot protagonisti.
Elisa Ascani, agronomo, coordina un team
tecnico di prim'ordine con prestigiose
consulenze internazionali. È in fase di
ultimazione la nuova cantina. Che
l'obbiettivo dell'azienda sia la qualità senza
compromessi e la valorizzazione del terroir
è evidente fin dall'assaggio del secondo
vino, il Sassi Chiusi '16, blend di
sangiovese e merlot delle tre vigne Adine,
Bertinga e Vertine. La grande sorpresa è
arrivata con il Volta di Bertinga '16, che c'è
parso, nella sua fresca e invitante
profondità, semplicemente il miglior Merlot
assaggiato quest'anno in Italia. Eccellenti e
fascinosi il blend Bertinga '16 e Punta di
Adine '16, Sangiovese in purezza.

● Volta di Bertinga '16	♟♟♟	8
● Bertinga '16	♟♟	6
● Punta di Adine '16	♟♟	8
● Sassi Chiusi '16	♟♟	5

Bibbiano

VIA BIBBIANO, 76
53011 CASTELLINA IN CHIANTI [SI]
TEL. 0577743065
www.bibbiano.com

VENDITA DIRETTA
VISITA SU PRENOTAZIONE
OSPITALITÀ
PRODUZIONE ANNUA 140.000 bottiglie
ETTARI VITATI 30,00
VITICOLTURA Biologico Certificato
AZIENDA SOSTENIBILE

L'azienda di Castellina in Chianti, oggi
condotta da Tommaso Marrocchesi, ha
sempre portato avanti un lavoro rispettoso,
sia in cantina che in vigna, della tradizione
e del suo territorio d'appartenenza.
Riuscendo così a costruirsi prima di tutto
uno stile enologico coerente, personale e
non privo di classicità, ancora oggi ben
leggibile. Merito dell'impronta
inconfondibile di Giulio Gambelli, ma anche
della volontà di salvaguardare una precisa
cifra espressiva e un particolare carattere
dei vini, che restano solidamente rivelatori
di una confortante continuità. Il Chianti
Classico Riserva '17 ha profumi fini
dominati da un fruttato rigoglioso,
accompagnato da spezie e tocchi
affumicati. In bocca si propone consistente,
ma al contempo scattante, articolato e
tonico. Qualche chiusura aromatica si
manifesta sulle prime nella Gran Selezione
Vigna del Capannino '16, compensata da
una bocca succosa e sapida. Tripudio di
classicismo enologico per i due Vin Santo
San Lorenzo a Bibbiano '13.

● Chianti Cl. Ris. '17	♟♟♟♟	4*
● Chianti Cl. Gran Selezione V. del Capannino '16	♟♟	5
○ Vin Santo del Chianti Cl. San Lorenzo a Bibbiano '13	♟♟	5
○ Vin Santo del Chianti Cl. San Lorenzo a Bibbiano Occhio di Pernice '13	♟♟	5
● Chianti Cl. '18	♟	3
● Chianti Cl. '17	♟♟	3
● Chianti Cl. '16	♟♟	3*
● Chianti Cl. '15	♟♟	3
● Chianti Cl. '14	♟♟	3
● Chianti Cl. Gran Selezione V. del Capannino '15	♟♟	5
● Chianti Cl. Montornello Ris. '13	♟♟	4
● Chianti Cl. Ris. '16	♟♟	4
● Chianti Cl. Ris. '15	♟♟	4

Bindella

FRAZ. ACQUAVIVA
VIA DELLE TRE BERTE, 10A
53045 MONTEPULCIANO [SI]
TEL. 0578767777
www.bindella.it

VENDITA DIRETTA
VISITA SU PRENOTAZIONE
PRODUZIONE ANNUA 190.000 bottiglie
ETTARI VITATI 52,00

L'azienda di proprietà dello svizzero Rudolf Bindella sembra davvero la realtà poliziana che negli ultimi tempo ha fatto intravedere i passi più significativi verso una dimensione davvero grande per il sangiovese di Montepulciano, valorizzando al contempo alcune sottozone dell'areale come Vallocaia, Santa Maira e Fossolupaio. La cantina di Acquaviva propone sempre più una gamma di solida coerenza e personalità, dalla qualità diffusa e dalla cifra stilistica raffinata e ben definita, oltre che da un'ottima propensione alla tenuta nel tempo. Mette in campo una convincente ricchezza aromatica, fruttata, floreale e speziata, il Nobile di Montepulciano I Quadri '17, annunciandosi come uno dei migliori della tipologia in virtù di uno straordinario sviluppo gustativo, incisivo e ricco di chiaroscuri, davvero da grande vino. Altrettanto ben centrato il Nobile '17, dai profumi netti e dalla beva sapida e gustosa. Molto godibile il Rosso di Montepulciano Fossolupaio '18, fragrante e succoso.

● Nobile di Montepulciano I Quadri '17	♟♟♟ 5
● Nobile di Montepulciano '17	♟♟ 4
⊙ Gemella Rosato '19	♟♟ 3
● Rosso di Montepulciano Fossolupaio '18	♟♟ 3
● Nobile di Montepulciano Vallocaia Ris. '16	♟ 6
● Nobile di Montepulciano I Quadri '16	♟♟♟ 5
● Nobile di Montepulciano I Quadri '13	♟♟♟ 5
● Nobile di Montepulciano I Quadri '12	♟♟♟ 5
● Nobile di Montepulciano '16	♟♟ 4
● Nobile di Montepulciano I Quadri '15	♟♟ 5
● Nobile di Montepulciano Vallocaia Ris. '15	♟♟ 6
● Rosso di Montepulciano Fossolupaio '17	♟♟ 3

★Biondi - Santi Tenuta Greppo

LOC. VILLA GREPPO, 183
53024 MONTALCINO [SI]
TEL. 0577848023
www.biondisanti.it

ETTARI VITATI 26,00

Da lungo tempo protagonista nel mondo del vino con le maison di Champagne Piper e Charles Heidseck e lo Château la Verrerie nel Rodano, la holding francese Epi Group ha da qualche anno aggiunto al suo tesoro una gemma preziosa come il marchio Biondi Santi. Parliamo dell'azienda simbolo di Montalcino, che come nessun'altra ha saputo incarnare lo spirito indomito del Brunello. Al timone c'è oggi Giampiero Bertolini, sempre più determinato nell'obiettivo di legare armonicamente passato e futuro, proteggendo lo stile rigoroso del Greppo e traendo nuova linfa dal lavoro di zonazione interna. La nostra visita in azienda e gli assaggi delle prossime annate in botte ci confermano la straordinaria competenza del team di professionisti che guidano oggi questa storica maison. La Riserva '12, purtroppo, riflette con le sue incertezze questa fase di passaggio. È un grande vino che fatica ancora a trovare la magica armonia delle annate precedenti e - scommettiamo - di quelle che verranno. Ottimo il Rosso di Montalcino con il suo carattere da "piccolo" Brunello.

● Brunello di Montalcino Ris. '12	♟♟ 8
● Rosso di Montalcino '16	♟♟ 7
● Brunello di Montalcino '12	♟♟♟ 8
● Brunello di Montalcino '10	♟♟♟ 8
● Brunello di Montalcino '09	♟♟♟ 8
● Brunello di Montalcino '06	♟♟♟ 7
● Brunello di Montalcino '04	♟♟♟ 8
● Brunello di Montalcino '03	♟♟♟ 8
● Brunello di Montalcino '01	♟♟♟ 8
● Brunello di Montalcino Ris. '10	♟♟♟ 8
● Brunello di Montalcino Ris. '07	♟♟♟ 8
● Brunello di Montalcino Ris. '06	♟♟♟ 8
● Brunello di Montalcino Ris. '04	♟♟♟ 8
● Brunello di Montalcino Ris. '01	♟♟♟ 8
● Brunello di Montalcino Ris. '99	♟♟♟ 8
● Brunello di Montalcino Ris. '95	♟♟♟ 8

Tenuta di Biserno

LOC. PALAZZO GARDINI
P.ZZA GRAMSCI, 9
57020 BIBBONA [LI]
TEL. 0586671099
www.biserno.it

PRODUZIONE ANNUA 160.000 bottiglie
ETTARI VITATI 99,00

Lodovico Antinori coltivava da tempo il sogno di una nuova "scoperta". Così si tuffa, affiancato dalla famiglia e da Umberto Mannoni, alla ricerca di un nuovo grande terroir e lo individua sulle colline di Bibbona. L'azienda è bellissima, puntellata da vigne e da una villa che primeggia sul colle più alto: qui si rinnova la fruttuosa collaborazione con Michel Rolland, capace di scolpire vini di taglio moderno e leggibilità internazionale, in cui estrazione e affinamento in rovere regalano polpa e intensità. Tra gli assaggi primeggia l'Insoglio del Cinghiale '18, blend di syrah, cabernet franc, merlot e petit verdot. Ricorda i piccoli frutti di bosco e in sottofondo porge una sfumatura di caffè; sorso piuttosto libero, gradevole, puntellato da note pepate. Ottimo anche Il Pino '17, più potente e piccante, avvolto da particolari sensazioni affumicate. Non sono da meno il Bianco Occhione '19 e il Rosso Biserno '17.

Borgo Salcetino

LOC. LUCARELLI
53017 RADDA IN CHIANTI [SI]
TEL. 0577733541
www.livon.it

VISITA SU PRENOTAZIONE
PRODUZIONE ANNUA 95.000 bottiglie
ETTARI VITATI 15,00
AZIENDA SOSTENIBILE

L'azienda chiantigiana di proprietà della nota famiglia di produttori friulani Livon, si trova nel cuore della sottozona di Radda in Chianti e i suoi vigneti crescono su una delle colline più vocate di questo particolare areale, accanto ad alcuni appezzamenti tra i più significativi dell'intera denominazione del Chianti Classico. La cifra stilistica è senza dubbio corretta: un approccio sobriamente moderno conserva inalterato tutto il fascino dei vini raddesi, accanto ad una precisione d'esecuzione encomiabile. Il Chianti Classico Gran Selezione I Salci '16 mette in fila intense sensazioni fruttate e speziate, con cenni di grafite e liquirizia a rifinire un quadro aromatico complesso. In bocca è profondo, articolato e succoso, di grande sapore e appagante dolcezza. Più incerto il bagaglio olfattivo del Chianti Classico Lucarello Riserva '16, segnato in buona parte dagli accenti affumicati del rovere che ritroviamo anche in uno sviluppo gustativo serrato e a tratti contratto.

● Insoglio del Cinghiale '18	♟♟ 4
● Biserno '17	♟♟ 8
● Il Pino di Biserno '17	♟♟ 6
○ Occhione '19	♟♟ 4
● Biserno '10	♟♟♟ 8
● Biserno '08	♟♟♟ 6
● Il Pino di Biserno '09	♟♟♟ 6
● Biserno '15	♟♟ 8
● Biserno '13	♟♟ 8
● Biserno '12	♟♟ 8
● Biserno '11	♟♟ 8
● Il Pino di Biserno '16	♟♟ 6
● Il Pino di Biserno '14	♟♟ 6
● Il Pino di Biserno '11	♟♟ 6
● Insoglio del Cinghiale '16	♟♟ 4
● Insoglio del Cinghiale '15	♟♟ 4
⊙ Sof '18	♟♟ 3

● Chianti Cl. Gran Selezione I Salci '16	♟♟ 6
● Chianti Cl. Lucarello Ris. '16	♟ 4
● Chianti Cl. '16	♟♟♟ 3*
● Chianti Cl. '15	♟♟♟ 3*
● Chianti Cl. '14	♟♟♟ 3*
● Chianti Cl. '13	♟♟♟ 3*
● Chianti Cl. '11	♟♟♟ 3*
● Chianti Cl. Lucarello Ris. '15	♟♟♟ 4*
● Rossole '12	♟♟♟ 3*
● Chianti Cl. '17	♟♟ 3
● Chianti Cl. '10	♟♟ 3
● Chianti Cl. Gran Selezione I Salci '15	♟♟ 6
● Chianti Cl. Lucarello Ris. '13	♟♟ 4
● Chianti Cl. Lucarello Ris. '12	♟♟ 4
● Chianti Cl. Lucarello Ris. '11	♟♟ 4
● Chianti Cl. Lucarello Ris. '10	♟♟ 4

Il Borro

FRAZ. SAN GIUSTINO VALDARNO
LOC. IL BORRO, 1
52020 LORO CIUFFENNA [AR]
TEL. 055977053
www.ilborro.it

VENDITA DIRETTA
VISITA SU PRENOTAZIONE
OSPITALITÀ E RISTORAZIONE
PRODUZIONE ANNUA 160.000 bottiglie
ETTARI VITATI 45,00
VITICOLTURA Biologico Certificato

Una tenuta storica, la cui proprietà è passata dalla famiglia dal Borro ad altre tra le più importanti d'Europa. Fino a quando, nel 1993, Ferruccio Ferragamo decide di acquistare l'intera tenuta e di recuperare, tutelare e valorizzare i 700 ettari, il borgo, le ville. La prima annata vinicola prodotta è il 1999, dopo gli anni necessari ad individuare i terreni più adatti per i nuovi vitigni che erano stati scelti. Successivamente viene attrezzata la nuova cantina e sono implementati altri ettari vitati. L'impegno maggiore degli ultimi anni è la conversione biodinamica delle coltivazioni. Alessandro Del Borro '16 è un syrah in purezza prodotto solo in magnum. Al naso ha sentori freschi di sottobosco su una base fruttata di mora e ribes, prima di incrociare cenni speziati di pepe e chiudere su nuance mentolate, lievemente fumé. L'attacco in bocca è polposo ma non pesante, con retrogusto speziato accattivante. Divertente il Bolle di Borro '14, spumante metodo classico da uve sangiovese.

● Alessandro Dal Borro Syrah '16	▼▼▼	8
☉ Brut Bolle di Borro '14	▼▼	8
● Valdarno di Sopra Petruna '18	▼▼	6
● Polissena '17	▼	5
● Il Borro '16	♀♀♀	7
● Alessandro Dal Borro '15	♀♀	8
● Il Borro '15	♀♀	7
● Il Borro '12	♀♀	7
● Petruna Sangiovese in Anfora '17	♀♀	6
● Petruna Sangiovese in Anfora '16	♀♀	6
● Pian di Nova '16	♀♀	3
● Pian di Nova '15	♀♀	3
● Polissena '16	♀♀	5
● Polissena '15	♀♀	5

★Boscarelli

LOC. CERVOGNANO
VIA DI MONTENERO, 28
53045 MONTEPULCIANO [SI]
TEL. 0578767277
www.poderiboscarelli.com

VENDITA DIRETTA
VISITA SU PRENOTAZIONE
PRODUZIONE ANNUA 100.000 bottiglie
ETTARI VITATI 14,00

I De Ferrari arrivano a Montepulciano all'inizio degli anni Sessanta dello scorso secolo e l'azienda, che mutua il nome dal toponimo in cui sorge, trae la materia prima per i suoi vini in maggioranza da Cervognano, sottozona del Nobile fra le più vocate dell'intero areale. Dalla cantina sono sempre uscite etichette autentiche e longeve, frutto di continue riflessioni e miglioramenti progressivi sul tema del sangiovese, che in questa azienda trova una delle migliori declinazioni di tutta la denominazione. Il Nobile di Montepulciano Il Nocio resta un punto di riferimento anche nella versione 2016. Il frutto è in primo piano insieme a cenni leggermente terrosi e speziati, in bocca è succoso e sapido con contrasti dolci-acidi che rilanciano il sorso. Solo un gradino sotto il buonissimo Nobile '17. Una citazione particolare merita ancora una volta il Prugnolo '19, Rosso di Montepulciano a dir poco goloso e dalla bevibilità straordinaria. Più che affidabile il resto della gamma aziendale.

● Nobile di Montepulciano Il Nocio '16	▼▼▼	8
● Nobile di Montepulciano '17	▼▼	5
● Rosso di Montepulciano Prugnolo '19	▼▼	3*
● Nobile di Montepulciano Costa Grande '16	▼▼	5
● Nobile di Montepulciano Et. Bianca Ris. '16	▼▼	6
● De Ferrari '18	▼	3
● Nobile di Montepulciano '16	♀♀♀	5
● Nobile di Montepulciano Il Nocio '13	♀♀♀	8
● Nobile di Montepulciano Il Nocio '12	♀♀♀	8
● Nobile di Montepulciano Il Nocio '11	♀♀♀	8
● Nobile di Montepulciano Nocio dei Boscarelli '10	♀♀♀	8
● Nobile di Montepulciano Nocio dei Boscarelli '09	♀♀♀	8

★Brancaia

LOC. POPPI, 42
53017 RADDA IN CHIANTI [SI]
TEL. 0577742007
www.brancaia.it

VENDITA DIRETTA
VISITA SU PRENOTAZIONE
OSPITALITÀ E RISTORAZIONE
PRODUZIONE ANNUA 550.000 bottiglie
ETTARI VITATI 80,00
VITICOLTURA Biologico Certificato
AZIENDA SOSTENIBILE

Di proprietà della famiglia svizzera Widmer
dal 1981, Brancaia ha salde fondamenta
in fatto di vigneti, distribuiti su due
differenti sottozone della denominazione
Chianti Classico: Castellina e Radda. A
rendere la personalità e il carattere delle
etichette aziendali ben leggibili, tuttavia, è
una cifra stilistica di rara finezza, che
contraddistingue tutta la produzione della
cantina chiantigiana. Benché declinata a
partire da condizioni pedoclimatiche del
tutto diverse, è un fil rouge espressivo che
ritroviamo anche nei vini provenienti dai
vigneti maremmani di proprietà.
Esecuzione impeccabile di stile moderno
per il Chianti Classico Riserva '17, che
evidenzia un quadro aromatico oscillante
tra note fruttate, accenti speziati e timbri
affumicati, con tocchi suggestivi di
cioccolato e grafite. In bocca ha sviluppo
morbido e dolce, articolato su una struttura
densa e avvolgente. Di fattura ineccepibile
anche Il Blu '17: blend di cabernet
sauvignon, sangiovese e merlot, è succoso
e appagante.

Brunelli - Le Chiuse di Sotto

LOC. PODERNOVONE, 157
53024 MONTALCINO [SI]
TEL. 0577849337
www.giannibrunelli.it

VENDITA DIRETTA
VISITA SU PRENOTAZIONE
OSPITALITÀ E RISTORAZIONE
PRODUZIONE ANNUA 30.000 bottiglie
ETTARI VITATI 6,50
AZIENDA SOSTENIBILE

I due ettari di Le Chiuse di Sotto (settore
nord di Montalcino) e i quattro ettari e
mezzo di Podernovone (settore sud-est),
suddivisi nelle parcelle di Olmo, Oliva,
Quercia e Gelso: è sempre uno speciale
sinergico patchwork viticolo e
pedoclimatico a disegnare l'espressività
ariosa ed energica dei sangiovese firmati
da Maria Laura Vacca con l'aiuto di Adriano
Brunelli e di un affiatato team familiare.
Pensati con maturazioni in rovere da 20 e
30 Hl, sono Rossi e Brunello stabilmente
capaci di inserirsi ai piani alti dell'hit
parade montalcinese. Il Brunello '15 si
conferma un vino di grande intensità,
com'è nello stile dei vini de Le Chiuse di
Sotto. È ricco di materia, di frutto, ha un
carattere terroso e rustico, che richiederà
tempo per ingentilirsi, ma ha tanta stoffa.
Nell'attesa berremo l'Amor Costante '16,
un riuscito taglio di merlot e sangiovese dal
carattere ricco di frutto e di buona armonia.

● Brancaia Il Blu '18	♟♟ 7
● Chianti Cl. Ris. '17	♟♟ 5
● Il Blu '17	♟♟ 8
● Tre '18	♟♟ 3
● Chianti Cl. '18	♟ 4
○ Il Bianco '19	♟ 3
● Ilatraia '17	♟ 7
● Brancaia Il Blu '08	♟♟♟ 8
● Brancaia Il Blu '07	♟♟♟ 7
● Brancaia Il Blu '06	♟♟♟ 6
● Chianti Cl. Brancaia '13	♟♟♟ 4*
● Chianti Cl. Ris. '14	♟♟♟ 5
● Chianti Cl. Ris. '13	♟♟♟ 5
● Chianti Cl. Ris. '11	♟♟♟ 5
● Chianti Cl. Ris. '10	♟♟♟ 4*
● Chianti Cl. Ris. '09	♟♟♟ 7

● Brunello di Montalcino '15	♟♟ 6
● Amor Costante '16	♟♟ 5
● Amor Costante '05	♟♟♟ 5
● Brunello di Montalcino '14	♟♟♟ 6
● Brunello di Montalcino '12	♟♟♟ 6
● Brunello di Montalcino '10	♟♟♟ 6
● Amor Costante '15	♟♟ 5
● Brunello di Montalcino '13	♟♟ 6
● Brunello di Montalcino '11	♟♟ 6
● Brunello di Montalcino '09	♟♟ 6
● Brunello di Montalcino Ris. '13	♟♟ 8
● Brunello di Montalcino Ris. '10	♟♟ 8
● Rosso di Montalcino '17	♟♟ 4
● Rosso di Montalcino '16	♟♟ 4
● Rosso di Montalcino '13	♟♟ 4
● Rosso di Montalcino '12	♟♟ 4
● Brunello di Montalcino Ris. '12	♟ 8

Bruni

FRAZ. FONTEBLANDA
S.DA VIC.LE MIGLIORINA, 6
58015 ORBETELLO [GR]
TEL. 0564885445
www.aziendabruni.it

VENDITA DIRETTA
PRODUZIONE ANNUA 500.000 bottiglie
ETTARI VITATI 48,00

La cantina dei fratelli Marco e Moreno
Bruni non solo è significativa per la solida
costanza qualitativa dei suoi vini, declinati
impeccabilmente, ma anche per le scelte
compiute in una prospettiva non banale. La
più rilevante è quella di puntare su un
alicante in purezza, ovvero un grenache o
cannonau o, per riannodare i fili della storia
enologica maremmana, un vino ottenuto da
"uva Spagna". È l'Oltreconfine, esordito con
l'annata 2013 e maturato nelle prime
versioni in barrique: oggi è maturato in
legno grande e mostra sempre più una
cifra stilistica fine e bilanciata. Ormai solido
punto di riferimento per i rossi maremmani,
l'Alicante Oltreconfine raggiunge la vetta
assoluta dell'eccellenza anche con la
versione 2018, dimostrandosi un prodotto
raffinato e dall'esecuzione ineccepibile.
Merita un plauso particolare anche il
Perlaia '19, Vermentino di stile originale e
centrato, a maggior ragione in
considerazione della zona calda.
Pienamente convincente, il Morellino Laire
Riserva '17.

● Maremma Toscana Alicante Oltreconfine '18	♟♟♟ 6
● Morellino Di Scansano Laire Ris. '17	♟♟ 5
○ Perlaia Vermentino '19	♟♟ 4
○ Maremma Toscana Vermentino Plinio '19	♟♟ 3
● Grenache Oltreconfine '13	♟♟♟ 2*
● Maremma Toscana Alicante Oltreconfine '15	♟♟♟ 6
● Maremma Toscana Grenache Oltreconfine '16	♟♟♟ 6
● Maremma Toscana Oltreconfine '17	♟♟♟ 5
● Maremma Toscana Grenache Oltreconfine '14	♟♟ 5
○ Maremma Toscana Vermentino Perlaia V. T. '18	♟♟ 3*
● Morellino di Scansano Laire Ris. '13	♟♟ 4

Alejandro Bulgheroni Family Vineyards

FRAZ. VAGLIAGLI
LOC. DIEVOLE, 6
53019 CASTELNUOVO BERARDENGA [SI]
TEL. 0577322613
www.dievole.it

VENDITA DIRETTA
VISITA SU PRENOTAZIONE
OSPITALITÀ E RISTORAZIONE
PRODUZIONE ANNUA 350.000 bottiglie
ETTARI VITATI 80,00

Sotto il "cappello" della denominazione
Alejandro Bulgheroni Family Vineyards si
articola un vero e proprio mosaico enoico
che il magnate del petrolio argentino, già
presente nel mondo del vino con aziende in
Uruguay e Argentina, ha costruito in un
tempo brevissimo (a partire dal 2012),
aggiudicandosi terreni e cantine in alcuni
dei migliori terroir della Toscana. Puntando,
ça va sans dire, sull'eccellenza: Dievole e
Certosa di Pontignano nella denominazione
del Chianti Classico, Podere Brizio e Poggio
Landi a Montalcino, Tenuta Le Colonne e
Tenuta Meraviglia a Bolgheri. Il Chianti
Classico Novecento Riserva '17, ha profilo
olfattivo che sa di frutti rossi maturi, erbe di
campo, spezie e cenni affumicati e di
sottobosco a fare da rifinitura. In bocca, c'è
buona materia che si distende incisiva e
contrastata, con sorso sapido, continuo e
succoso che termina con ritorni ancora
fruttati. Profumato, saporito e
tendenzialmente fragrante il Chianti
Classico '18, dal bel carattere chiantigiano.
Ottimi anche i vini delle tenute bolgheresi.

● Chianti Cl. Novecento Ris. Dievole '17	♟♟ 5
● Bolgheri Rosso Sup. Maestro di Cava Tenuta Meraviglia '17	♟♟ 7
● Chianti Cl. Dievole '18	♟♟ 4
● Plenum Tenuta Le Colonne '18	♟♟ 4
● Chianti Cl. Novecento Ris. Dievole '14	♟♟♟ 5
● Chianti Cl. '13	♟♟ 4
● Chianti Cl. Dievole '17	♟♟ 4
● Chianti Cl. Dievole '15	♟♟ 4
● Chianti Cl. Gran Selezione V. di Sessina Dievole '16	♟♟ 7
● Chianti Cl. Gran Selezione V. di Sessina Dievole '15	♟♟ 7
● Chianti Cl. La Vendemmia '12	♟♟ 3
● Chianti Cl. Novecento Ris. Dievole '16	♟♟ 5
● Chianti Cl. Ris. '13	♟♟ 5

Bulichella

LOC. BULICHELLA, 131
57028 SUVERETO [LI]
TEL. 0565829892
www.bulichella.it

VENDITA DIRETTA
VISITA SU PRENOTAZIONE
OSPITALITÀ E RISTORAZIONE
PRODUZIONE ANNUA 60.000 bottiglie
ETTARI VITATI 17,00
VITICOLTURA Biologico Certificato

Una storia davvero interessante, quella dell'azienda nata nel 1993 da quattro famiglie che lasciano i rispettivi luoghi di residenza per creare una comunità dove crescere insieme i propri figli e lavorare ad un progetto legato alla terra. Il tutto fino al 1999, quando Marisa e Hideyuki Miyakawa acquistano l'intera proprietà e cominciano un'avventura che arriva fino a oggi: da sottolineare la scelta pionieristica, almeno in zona, di seguire i dettami dell'agricoltura biologica. I vini sono spediti e non privi di una certa originalità. Ottimo il Montecristo '17, blend di cabernet, merlot e petit verdot. Ha bagaglio aromatico variegato di ciliegia e mora con cenni speziati di chiodi di garofano, fino a toni vegetali; in bocca ha buon peso, impatto avvolgente, fresca vena acida, finale dinamico e lungo. Invitante il Syrah Hide '17: il pepe si unisce a briose sfumature balsamiche, quindi a note fruttate di ribes. Al gusto è cremoso e ricco, con tannini sottili e finale gradevolmente sapido.

● Suvereto Montecristo '17	♥♥ 2*
● Suvereto Coldipietre Rosse '17	♥♥ 5
● Syrah Hide '17	♥♥ 5
☉ Rosato Sol Sera '19	♥ 3
○ Vermentino Tuscanio '19	♥ 3
● Hyde '16	♀♀ 5
● Suvereto Cabernet Coldipietrerosse '13	♀♀ 5
● Suvereto Coldipietre Rosse '16	♀♀ 5
● Suvereto Coldipietre Rosse '15	♀♀ 5
● Suvereto Montecristo '16	♀♀ 2*
● Suvereto Montecristo '15	♀♀ 2*

Buondonno
Casavecchia alla Piazza

LOC. LA PIAZZA, 37
53011 CASTELLINA IN CHIANTI [SI]
TEL. 0577749754
www.buondonno.com

VENDITA DIRETTA
VISITA SU PRENOTAZIONE
OSPITALITÀ
PRODUZIONE ANNUA 40.000 bottiglie
ETTARI VITATI 11,00
VITICOLTURA Biologico Certificato
AZIENDA SOSTENIBILE

Casavecchia alla Piazza, che battezza il Chianti Classico Buondonno, è territorio di antica vocazione agricola. Nel 1988 la coppia di agronomi Gabriele Buondonno e Valeria Sodano ne diventano proprietari, avviando il loro progetto enologico. La scelta di allevare i vigneti in regime biologico arriva quasi subito in un periodo pionieristico per questo tipo di approccio; anche in cantina si procede con metodiche poco invasive e le maturazioni avvengono in legno grande. Il risultato è una gamma di vini dal carattere decisamente chiantigiano, piacevoli e allo stesso tempo complessi. Ottenuto da viti ancora maritate a piante di acero di epoca mezzadrile, il Lemme Lemme è quello che si direbbe un Chianti vecchia maniera: uvaggio di sangiovese, canaiolo, malvasia nera, colorino e trebbiano, è maturato però in ceramica per 12 mesi. La versione 2018 ha profilo olfattivo fragrante, mentre in bocca è goloso, dal sorso sapido e succoso. Di medesima piacevolezza il Chianti Classico '18.

● Chianti Cl. '18	♥♥ 4
● Lemme Lemme '18	♥♥ 6
● Cabernet Franc '18	♥♥ 5
● Chianti Cl. Ris. '17	♥♥ 5
● Chianti Cl. Casavecchia alla Piazza '15	♀♀♀ 3*
● Chianti Cl. '09	♀♀ 3
● Chianti Cl. Casavecchia alla Piazza '17	♀♀ 3
● Chianti Cl. Casavecchia alla Piazza '16	♀♀ 3*
● Chianti Cl. Casavecchia alla Piazza Ris. '16	♀♀ 3*
● Chianti Cl. Casavecchia alla Piazza Ris. '15	♀♀ 3
● Chianti Cl. Ris. '13	♀♀ 5
● Chianti Cl. Ris. '08	♀♀ 5
● Chianti Cl. Ris. '07	♀♀ 5
● Lemme Lemme '16	♀♀ 6

Caccia al Piano 1868

LOC. BOLGHERI
VIA BOLGHERESE, 279
57022 CASTAGNETO CARDUCCI [LI]
TEL. 0565763394
www.berlucchi.it

VENDITA DIRETTA
VISITA SU PRENOTAZIONE
PRODUZIONE ANNUA 127.000 bottiglie
ETTARI VITATI 18,00
AZIENDA SOSTENIBILE

Caccia al Piano è l'avventura toscana della franciacortina famiglia Ziliani. Arturo, Paolo e Cristina oltre alla Guido Berlucchi guidano oggi questa bella realtà di circa trenta ettari, di cui 18 vitati, nel cuore della denominazione con la sua nuova e modernissima cantina sulla via Bolgherese, seguendo l'ispirazione del padre Franco che nel 2003 acquista la tenuta dal Della Gherardesca. Dai vigneti dell'azienda, Le Grottine, San Biagio e Caccia al Piano, impiantati ad alta densità, su suoli diversi, provengono le uve di cabernet sauvignon e franc, syrah, merlot, petit verdot e vermentino alla base delle etichette aziendali. Con la maturità delle vigne (le più vecchie sono sui vent'anni) I vini di Caccia al Piano mostrano i segni di una raggiunta maturità stilistica e vantano aderenza al terroir. Ce lo prova il Levia Gravia '16 che raggiunge le nostre finali. Questo elegante blend di cabernet sauvignon, franc e merlot nasce nella vigna di San Biagio, a 210 metri di quota. Ha un frutto rigoglioso e croccante, tannini vellutati e delicate fragranze mediterranee.

● Bolgheri Rosso Sup. Levia Gravia '16	♟♟♟ 7
● Bolgheri Rosso Ruit Hora '17	♟♟ 4
● Grottaia Rosso '19	♟♟ 3
● Bolgheri Levia Gravia '05	♟♟ 7
● Bolgheri Rosso Ruit Hora '16	♟♟ 4
● Bolgheri Ruit Hora '15	♟♟ 4
● Bolgheri Sup. Levia Gravia '13	♟♟ 7
● Bolgheri Sup. Levia Gravia '08	♟♟ 7
● Bolgheri Sup. Levia Gravia '06	♟♟ 7
● Grottaia Rosso '18	♟♟ 3*
● Grottaia Rosso '16	♟♟ 3

Caiarossa

LOC. SERRA ALL'OLIO, 59
56046 RIPARBELLA [PI]
TEL. 0586699016
www.caiarossa.com

VENDITA DIRETTA
VISITA SU PRENOTAZIONE
PRODUZIONE ANNUA 130.000 bottiglie
ETTARI VITATI 32,00
VITICOLTURA Biodinamico Certificato

Un'azienda votata ai principi dell'agricoltura biodinamica, nella parte più meridionale della provincia di Pisa, non lontano dal mare. Qui crescono bene il syrah, i cabernet sauvignon e franc, il sangiovese, il merlot, lo chardonnay e il viognier; nella cantina, strutturata su quattro livelli e progettata secondo i principi del Feng Shui, vengono vinificati a caduta. La cantina, per colori, ubicazione, tecniche di costruzione, è inserita nel progetto Toscana Wine Architecture, promosso dalla Regione, che coinvolge 14 cantine scelte per le loro particolarità. Conquista i Tre Bicchieri l'Aria di Caiarossa '16, uvaggio di cabernet franc, merlot, syrah e petit verdot. Ha bouquet mentolato che traghetta in verticale l'impianto fruttato del vino, fatto di golosi frutti di bosco, mentre al gusto mostra grande equilibrio, con tannini fusi alla componente alcolica, spina acida rinfrescante e finale appetitoso. Più austero ma di grande piacevolezza il Caiarossa '16.

● Aria di Caiarossa '16	♟♟♟ 5
● Caiarossa '17	♟♟ 6
○ Caiarossa Bianco '18	♟♟ 5
● Pergolaia '16	♟♟ 3
● Aria di Caiarossa '15	♟♟ 5
● Aria di Caiarossa '13	♟♟ 5
○ Bianco '17	♟♟ 4
● Caiarossa '16	♟♟ 6
● Caiarossa '13	♟♟ 6
● Caiarossa '12	♟♟ 6
○ Oro di Caiarossa '14	♟♟ 6
● Pergolaia '15	♟♟ 3
● Pergolaia '13	♟♟ 3

Camigliano

LOC. CAMIGLIANO
VIA D'INGRESSO, 2
53024 MONTALCINO [SI]
TEL. 0577844068
www.camigliano.it

VENDITA DIRETTA
VISITA SU PRENOTAZIONE
PRODUZIONE ANNUA 350.000 bottiglie
ETTARI VITATI 92,00
AZIENDA SOSTENIBILE

Era la fine degli anni '50 quando la famiglia Ghezzi decise di ristrutturare il secolare borgo di Camigliano, facendolo poi diventare il cuore pulsante della propria attività produttiva. Un legame testimoniato da una lunga serie di Brunello capaci di restituire chirurgicamente le atmosfere mediterranee di questa enclave posizionata all'estremità occidentale di una Montalcino che è già quasi Maremma. Maturati in rovere francese di medie e grandi dimensioni, sono proposti in tre declinazioni da quando la selezione Paesaggio Inatteso si è affiancata alla versione "annata" e al Gualto Riserva. È il Brunello '15 che si impone nelle nostre finali e porta il secondo alloro a Camigliano. È un Brunello di struttura e pienezza ma che riesce a dissimulare con un'eleganza e un equilibrio - e una pulizia di frutto - di altre latitudini. Bocca armonica, lunga, irresistibile. Più sottile e morbido il Paesaggio inatteso '15, moderno e godibile il Poderuccio '18. Validi gli altri vini.

● Brunello di Montalcino '15	▼▼▼ 6
● Brunello di Montalcino Paesaggio Inatteso '15	▼▼ 7
⊙ Gamal Rosato '19	▼▼ 2*
● Poderuccio '18	▼▼ 2*
○ Gamal '19	▼ 2
● Brunello di Montalcino Gualto Ris. '12	♀♀♀ 8
● Brunello di Montalcino '14	♀♀ 6
● Brunello di Montalcino '13	♀♀ 6
● Brunello di Montalcino '12	♀♀ 6
● Brunello di Montalcino '11	♀♀ 6
● Brunello di Montalcino Gualto Ris. '13	♀♀ 8
● Brunello di Montalcino Paesaggio Inatteso '12	♀♀ 7
● Brunello di Montalcino Ris. '11	♀♀ 6
● Rosso di Montalcino '17	♀♀ 3
● Rosso di Montalcino '15	♀♀ 3

Antonio Camillo

LOC. PIANETTI DI MONTEMERANO
58014 MANCIANO [GR]
TEL. 3391525224
www.antoniocamillo.it

VENDITA DIRETTA
VISITA SU PRENOTAZIONE
PRODUZIONE ANNUA 95.000 bottiglie
ETTARI VITATI 17,00
VITICOLTURA Biologico Certificato

Ad incarnare attualmente l'anima più intima della Maremma enoica c'è senza dubbio il lavoro di Antonio Camillo. E la sua spiccata e franca umanità rende questo merito ancora più significativo. I vini da lui plasmati si sono imposti sottovoce, soprattutto grazie ad un ciliegiolo declinato come nessuno aveva mai pensato di fare nel recente passato, distinguendosi per uno stile ben leggibile, dai tratti originali e dalla personalità acclarata. Resta invece per molti versi un work in progress la sfida con il sangiovese del Morellino, che mostra comunque risultati di buon livello. Dai tratti aromatici che richiamano i piccoli frutti rossi e le erbe, le spezie e la pietra focaia, il Vallerana Alta '18 possiede sorso irresistibile, goloso e saporito: un Ciliegiolo dalla struttura fine e incisiva. Altrettanto riuscito, seppur con un'impostazione più semplice e disinvolta, il Ciliegiolo '19: profumi fragranti e bocca sostanziosa, sembra aprire la strada ad una grande versione del fratello maggiore.

● Ciliegiolo '19	▼▼ 3*
● Vallerana Alta Ciliegiolo '18	▼▼ 5
● Morellino di Scansano '19	▼ 3
● Maremma Toscana Ciliegiolo V. Vallerana Alta '16	♀♀♀ 5
● Maremma Toscana Ciliegiolo V. Vallerana Alta '15	♀♀♀ 6
● Maremma Toscana Ciliegiolo V. Vallerana Alta '14	♀♀♀ 3*
● Ciliegiolo '18	♀♀ 3
● Maremma Toscana Ciliegiolo '17	♀♀ 3
● Maremma Toscana Ciliegiolo V. Vallerana Alta '13	♀♀ 3*
● Maremma Toscana Ciliegiolo V. Vallerana Alta '12	♀♀ 3*
● Maremma Toscana Ciliegiolo V. Vallerana Alta '11	♀♀ 3*

Campo alla Sughera

LOC. CACCIA AL PIANO
S.DA PROV.LE BOLGHERESE, 280
57020 BOLGHERI [LI]
TEL. 0565766936
www.campoallasughera.com

VENDITA DIRETTA
VISITA SU PRENOTAZIONE
OSPITALITÀ
PRODUZIONE ANNUA 110.000 bottiglie
ETTARI VITATI 16,50

La proprietà di questa splendida realtà è in mano alla famiglia tedesca Knauf, imprenditori di successo con esperienze vitivinicole di pregio in Germania. La struttura è molto bella, curata in ogni dettaglio, a cominciare dalla cantina. Anche le vigne sono a dir poco vocate e poggiano su terreni leggeri, accarezzati dalla brezza marina: sono divise in 15 micro-siti e 38 parcelle, in modo da dedicare ad ognuna una cura sartoriale. I vini che ne derivano sono eleganti e gustosi, bolgheresi nel senso migliore del termine. Il più convincente in questa tornata di assaggi è per noi il Bolgheri Rosso Adeo '18. Agevolato da una misurata estrazione fruttata, combina virtuosamente integrità espressiva e maturità aromatica nel sorso nitido e dinamico, fresco quanto profondo, di gran sapore e allungo finale. Davvero una prova da ricordare. Più accaldato e segnato dagli apporti tostati il Bolgheri Superiore Arnione '17, gradevolmente fresco il Bianco Arioso '19.

● Bolgheri Rosso Adeo '18	♥♥	5
○ Arioso '19	♥	5
● Bolgheri Rosso Sup. Arnione '17	♥	6
● Bolgheri Sup. Arnione '06	♥♥♥	6
○ Bolgheri Achenio '12	♥♥	5
● Bolgheri Adeo '12	♥♥	4
○ Bolgheri Bianco Achenio '16	♥♥	5
● Bolgheri Rosso Adeo '17	♥♥	5
● Bolgheri Rosso Adeo '16	♥♥	5
● Bolgheri Rosso Sup. Arnione '15	♥♥	6
● Bolgheri Sup. Arnione '14	♥♥	6
● Bolgheri Sup. Arnione '11	♥♥	6
● Campo alla Sughera Rosso '15	♥♥	8

Canalicchio - Franco Pacenti

LOC. CANALICCHIO DI SOPRA, 6
53024 MONTALCINO [SI]
TEL. 0577849277
www.canalicchiofrancopacenti.it

VENDITA DIRETTA
VISITA SU PRENOTAZIONE
RISTORAZIONE
PRODUZIONE ANNUA 40.000 bottiglie
ETTARI VITATI 10,00

Creata negli anni '60 da papà Rosildo e convertita in realtà imbottigliatrice nel 1988, l'azienda guidata da Franco Pacenti prende il nome da una delle località più reputate del settore nord di Montalcino. Al suo fianco ci sono ormai in pianta stabile i figli Lisa, Serena e Lorenzo, che si dividono i compiti prendendosi cura con lui dei circa dieci ettari coltivati esclusivamente a sangiovese. Dislocati intorno ai 300 metri di altitudine sui tipici terreni argilloso-pietrosi dei Canalicchi, danno forma a Rosso e Brunello di impronta tradizionale, maturati in rovere di Slavonia medio-grande. Ci è piaciuto molto il Brunello '15: è intenso e fitto, ricco di frutto e di equilibrio, sorretto com'è da una brillante vena acida che porta il frutto in un lungo finale, condito da tannini morbidi e da fresche venature d'erbe mediterranee. Ancor di più il Rosso '17, dal bel colore rubino granata, complesso al naso nelle sue note di marasca tabacco e menta, che al palato è armonico fine e persistente. Intensità, complessità e toni evoluti per il Brunello Rosildo 15.

● Brunello di Montalcino '15	♥♥	7
● Brunello di Montalcino Rosildo '15	♥♥	8
● Rosso di Montalcino '17	♥♥	3
● Brunello di Montalcino '04	♥♥♥	5
● Brunello di Montalcino '14	♥♥	7
● Brunello di Montalcino '12	♥♥	5
● Brunello di Montalcino '11	♥♥	5
● Brunello di Montalcino '10	♥♥	5
● Brunello di Montalcino Ris. '10	♥♥	7
● Rosso di Montalcino '16	♥♥	3
● Rosso di Montalcino '15	♥♥	3
● Rosso di Montalcino '13	♥♥	3
● Rosso di Montalcino '10	♥♥	3

Canalicchio di Sopra

LOC. CASACCIA, 73
53024 MONTALCINO [SI]
TEL. 0577848316
www.canalicchiodisopra.com

VENDITA DIRETTA
VISITA SU PRENOTAZIONE
OSPITALITÀ
PRODUZIONE ANNUA 55.000 bottiglie
ETTARI VITATI 15,00

I fratelli Simonetta, Marco e Francesco Ripaccioli hanno raccolto in pieno il testimone produttivo dell'azienda fondata negli anni '60 dal nonno Primo Pacenti e consolidata da papà Pier Luigi. Una realtà capace di valorizzare al meglio le vocazioni dei due toponimi (I Canalicchi e Montosoli) che ospitano le vigne di proprietà, nel settore nord di Montalcino. Con l'annata 2015 ai Brunello "annata" e Riserva si aggiunge La Casaccia, primo cru ufficiale della storia di Canalicchio di Sopra: approdo naturale, considerando il lungo studio di mappatura sulle dieci parcelle lavorate separatamente. Il cru La Casaccia '15 è un vino giocato sul frutto, intenso e nitido, che ha un'esuberanza giovanile condita da note di erbe aromatiche e officinali, spezie e delicate nuance fumé. Bocca morbida e ricca, tannini levigati. Il Brunello '15 ha stampo più classico e una più misurata espressività, ma è nitido, teso e di bella armonia. Finali per il Rosso '18, ricco di toni fruttati, di nerbo e struttura che ne fanno un "piccolo" Brunello. Davvero buono.

● Rosso di Montalcino '18	♟♟ 3*
● Brunello di Montalcino '15	♟♟ 6
● Brunello di Montalcino La Casaccia '15	♟♟ 8
● Brunello di Montalcino '10	♟♟♟ 6
● Brunello di Montalcino '07	♟♟♟ 6
● Brunello di Montalcino '06	♟♟♟ 6
● Brunello di Montalcino '04	♟♟♟ 6
● Brunello di Montalcino Ris. '10	♟♟♟ 8
● Brunello di Montalcino Ris. '07	♟♟♟ 8
● Brunello di Montalcino Ris. '04	♟♟♟ 7
● Brunello di Montalcino Ris. '01	♟♟♟ 7
● Brunello di Montalcino '13	♟♟ 6
● Brunello di Montalcino Ris. '13	♟♟ 8
● Brunello di Montalcino Ris. '12	♟♟ 8
● Rosso di Montalcino '17	♟♟ 3
● Rosso di Montalcino '15	♟♟ 3*

Capanna

LOC. CAPANNA, 333
53024 MONTALCINO [SI]
TEL. 0577848298
www.capannamontalcino.com

VENDITA DIRETTA
VISITA SU PRENOTAZIONE
OSPITALITÀ E RISTORAZIONE
PRODUZIONE ANNUA 80.000 bottiglie
ETTARI VITATI 23,00

Appartenente alla famiglia Cencioni dagli anni '50, il podere Capanna si posiziona nel settore nord di Montalcino su una luminosa collina adiacente al poggio di Montosoli, caratterizzata da altitudini intorno ai 300 metri e dai tenaci terreni galestrosi. Guidata da Patrizio col supporto del figlio Amedeo, l'azienda è trasversalmente apprezzata per i suoi sangiovese da Brunello, regolarmente riconoscibili nell'indole rigogliosa e scalpitante. Una grande storia che si arricchisce con il progetto ricettivo di Capanna Suites (agriturismo, spa e wine club) e del ristorante Il Passaggio. Arriva alle nostre finali il Brunello '15: è un vino intenso, ricco, esuberante nel frutto che riesce a porgere con grazia sorretto da una fresca spina acida e da tannini levigati e carezzevoli. È armonico, caldo, appena sciugato dall'alcol nel finale. Di sicuro sviluppo. Da segnalare la Vendemmia Tardiva '17 di Moscadello, dal bel colore oro antico e dai rimandi ai datteri e ai fichi secchi.

● Brunello di Montalcino '15	♟♟ 7
○ Moscadello di Montalcino '19	♟♟ 3
○ Moscadello di Montalcino V. T. '17	♟♟ 5
● Sant'Antimo Rosso '17	♟♟ 4
● Rosso di Montalcino '18	♟ 3
● Brunello di Montalcino Ris. '10	♟♟♟ 8
● Brunello di Montalcino Ris. '06	♟♟♟ 7
● Brunello di Montalcino Ris. '04	♟♟♟ 7
● Brunello di Montalcino Ris. '90	♟♟♟ 6
● Rosso di Montalcino '15	♟♟♟ 3*
● Brunello di Montalcino '14	♟♟ 6
● Brunello di Montalcino '13	♟♟ 6
● Brunello di Montalcino 50° Vendemmia Ris. '13	♟♟ 8
● Brunello di Montalcino Ris. '12	♟♟ 8
○ Moscadello di Montalcino V. T. '15	♟♟ 4
● Rosso di Montalcino '17	♟♟ 3

★Tenuta di Capezzana

LOC. SEANO
VIA CAPEZZANA, 100
59015 CARMIGNANO [PO]
TEL. 0558706005
www.capezzana.it

VENDITA DIRETTA
VISITA SU PRENOTAZIONE
OSPITALITÀ E RISTORAZIONE
PRODUZIONE ANNUA 400.000 bottiglie
ETTARI VITATI 75,00
VITICOLTURA Biologico Certificato

Capezzana, tra le più antiche aziende
vinicole toscane, produce vino dall'804.
Negli anni Venti del '900 la famiglia Contini
Bonacossi acquistò la proprietà, poi
ampliata con due fattorie confinanti. Nasce
così la Tenuta di Capezzana, che vede in
Ugo Contini Bonacossi il vero fautore della
sua crescita. Oggi sono i figli a portare
avanti l'opera: Beatrice, affiancata dalla
sorella Benedetta, la winemaker, e il fratello
Filippo, responsabile della produzione di
olio e della parte finanziaria. Della
generazione successiva, Serena è
responsabile dell'ospitalità e Gaddo delle
campagne. Ottima prova per l'UCB'16,
sangiovese in purezza: all'esame olfattivo
mostra un bel frutto deciso, con lievi note di
macchia mediterranea, al palato attacca
polposo, sapido, elegante e armonico, per
chiudere lungo e cremoso. Il Carmignano
Trefiano Riserva '16 mostra un naso
evoluto, dove si riconoscono erbe officinali,
confettura e spezie assortite; al gusto è
morbido, succoso e piuttosto aperto.

● UCB Ugo Contini Bonacossi '16	♟♟	7
● Carmignano Trefiano Ris. '16	♟♟	6
● Carmignano Villa di Capezzana 10 Anni '10	♟♟	5
● Carmignano Villa di Capezzana '07	♟♟♟	4
● Carmignano Villa di Capezzana '05	♟♟♟	4
● Carmignano Villa di Capezzana '99	♟♟♟	5
● Ghiaie della Furba '01	♟♟♟	5
● Ghiaie della Furba '98	♟♟♟	5
○ Vin Santo di Carmignano Ris. '12	♟♟♟	6
○ Vin Santo di Carmignano Ris. '10	♟♟♟	6
○ Vin Santo di Carmignano Ris. '09	♟♟♟	6
○ Vin Santo di Carmignano Ris. '08	♟♟♟	6
○ Vin Santo di Carmignano Ris. '07	♟♟♟	6
○ Vin Santo di Carmignano Ris. '05	♟♟♟	5

Caprili

FRAZ. TAVERNELLE
LOC. CAPRILI, 268
53024 MONTALCINO [SI]
TEL. 0577848566
www.caprili.it

VENDITA DIRETTA
VISITA SU PRENOTAZIONE
OSPITALITÀ
PRODUZIONE ANNUA 75.000 bottiglie
ETTARI VITATI 21,00
AZIENDA SOSTENIBILE

L'avventura produttiva della famiglia
Bartolommei inizia negli anni '60 con
l'acquisizione del podere Caprili dalla
famiglia nobiliare Castelli-Martinozzi.
Guidata oggi con grande energia dal
giovane Giacomo, l'azienda è diventata un
irrinunciabile riferimento per chi cerca
sangiovese da Brunello di impronta
radiosa, ma non certo sprovvisti di
chiaroscuri. Interpretazioni coerenti con
le caratteristiche pedoclimatiche della
zona in cui si inseriscono i blocchi vitati,
dislocati sulla direttrice sud-ovest di
Montalcino e suddivisa in varie parcelle
maturate separatamente in botte grande.
Il Brunello '15 è intenso sin dal colore
rubino cupo, si apre poi al naso su toni
di frutto rosso, che virano su china e
liquirizia. Anche la bocca è densa e fitta,
ricca di materia e di frutto, con nuance
boisé e tostate. Ottimo vino ma ancora da
aspettare per ritrovare la magia delle
annate migliori. Ben fatto il Moscadello '19,
dal bel naso floreale, delicatamente dolce e
fresco. Di buon livello - ma ci saremmo
aspettati di più - il Rosso '18.

● Brunello di Montalcino '15	♟♟	6
○ Moscadello di Montalcino '19	♟♟	3
● Rosso di Montalcino '18	♟	3
● Brunello di Montalcino '13	♟♟♟	6
● Brunello di Montalcino '10	♟♟♟	6
● Brunello di Montalcino '06	♟♟♟	7
● Brunello di Montalcino AdAlberto Ris. '10	♟♟♟	8
● Brunello di Montalcino Ris. '08	♟♟♟	7
● Brunello di Montalcino Ris. '06	♟♟♟	7
● Brunello di Montalcino Ris. '04	♟♟♟	5
● Brunello di Montalcino '14	♟♟	6
● Brunello di Montalcino '12	♟♟	6
● Brunello di Montalcino AdAlberto Ris. '12	♟♟	8
● Rosso di Montalcino '16	♟♟	3*
● Rosso di Montalcino '15	♟♟	3

Tenuta Carleone

LOC. CASTIGLIONI
53017 RADDA IN CHIANTI [SI]
TEL. 0577735613
www.carleone.it

VENDITA DIRETTA
VISITA SU PRENOTAZIONE
PRODUZIONE ANNUA 35.000 bottiglie
ETTARI VITATI 15,00
VITICOLTURA Biologico Certificato

Il progetto enologico di Karl Egger,
industriale con la passione per il vino, è
cominciato a partire dal 2012, e gode
senz'altro delle intuizioni del suo enologo,
Sean O'Callaghan, artefice di altrettante
esperienze di successo sulle colline
chiantigiane. La cantina battente bandiera
austriaca si trova nella sottozona di Radda
in Chianti, un elemento decisivo che ha
apportato da subito personalità e carattere
alle etichette aziendali, capaci di parlare la
lingua del sangiovese di altura più raffinato
e coerente. Versione generosa quella
dell'Uno '17, sangiovese in purezza che
mette in fila aromi di frutti rossi maturi,
accompagnati da tocchi speziati ed
affumicati. In bocca è dolce e continuo,
con tannini pieni e saporiti. Buono il
Guercio '17, anch'esso da uve sangiovese,
dal timbro olfattivo fruttato e dalla
progressione gustativa avvolgente. Non
completamente a fuoco il naso del Chianti
Classico '17, che trova il suo punto di
forza in una bocca leggera e saporita.

● Il Guercio '18	♟♟ 7
● Uno '17	♟♟ 8
● Chianti Cl. '17	♟♟ 5
● Chianti Cl. '15	♟♟♟ 5
● Uno '16	♟♟♟ 8
● Chianti Cl. '16	♟♟ 5
● Il Due '15	♟♟ 6
● Il Guercio '17	♟♟ 7
● Il Guercio '16	♟♟ 7
● Il Guercio '15	♟♟ 7

★Fattoria Carpineta Fontalpino

FRAZ. MONTAPERTI
LOC. CARPINETA
53019 CASTELNUOVO BERARDENGA [SI]
TEL. 0577369219
www.carpinetafontalpino.it

VENDITA DIRETTA
VISITA SU PRENOTAZIONE
OSPITALITÀ
PRODUZIONE ANNUA 100.000 bottiglie
ETTARI VITATI 23,00
VITICOLTURA Biologico Certificato

L'azienda dei fratelli Gioia e Filippo Cresti si
trova a due passi da Montaperti, nella
sottozona del Gallo Nero di Castelnuovo
Berardenga. Produce ormai da parecchio
tempo etichette di solida e continuativa
qualità: vini dalla cifra stilistica compatta e
dall'approccio moderno, capaci, di
esprimere i tratti più caratterizzanti del
proprio territorio di provenienza, sia sul
fronte della produzione a denominazione
che su quella ad Igt. Una fattura senza
alcun tipo di esitazione, che si unisce ad
una personalità generosa e ben leggibile.
La crescita dei vini a denominazione Chianti
Classico dell'azienda di Castelnuovo
Berardenga si fa sempre più evidente. Il
Chianti Classico Montaperto '17 si presenta
come uno dei migliori della tipologia, tanto
per precisione d'esecuzione, quanto per
personalità stilistica e coerenza: offre naso
dal fruttato rigoglioso e speziato insieme ad
una progressione gustativa di fragrante
sapidità, a scandire un sorso piacevolmente
appagante, al quale è difficile negare il bis.

● Chianti Cl. Montaperto '17	♟♟♟ 4*
● Chianti Cl. Dofana '17	♟♟ 4
● Chianti Cl. Fontalpino '18	♟♟ 3*
● Chianti Cl. Dofana '16	♟♟♟ 4*
● Chianti Cl. Fontalpino '17	♟♟♟ 3*
● Chianti Cl. Montaperto '15	♟♟♟ 4*
● Do ut des '13	♟♟♟ 5
● Do ut des '12	♟♟♟ 5
● Do ut des '11	♟♟♟ 5
● Do ut des '10	♟♟♟ 5
● Do ut des '09	♟♟♟ 5
● Do ut des '07	♟♟♟ 5
● Dofana '10	♟♟♟ 7
● Dofana '07	♟♟♟ 8
● Chianti Cl. Montaperto '16	♟♟ 4
● Do ut des '16	♟♟ 5
● Do ut des '15	♟♟ 5

Carpineto

LOC. DUDDA
LOC. DUDDA, 17B
50022 GREVE IN CHIANTI [FI]
TEL. 0558549086
www.carpineto.com

VENDITA DIRETTA
VISITA SU PRENOTAZIONE
PRODUZIONE ANNUA 1.500.000 bottiglie
ETTARI VITATI 165,00

Fondata nel 1967 da Giovanni Carlo Sacchet e Antonio Mario Zaccheo, Carpineto vanta oggi diverse proprietà dalla Tenuta di Dudda (Greve in Chianti) a quella di Gaville (Alto Valdarno), da quella di Gavorrano in Maremma a quella di Montepulciano, forse il fulcro produttivo più rilevante del gruppo, passando per Montalcino (Il Forteto del Drago), ultima acquisizione in ordine di tempo. Un percorso ben articolato che ha in Toscana il suo fulcro, collocando questa realtà produttiva al centro di un piccolo "impero" enoico di significativa qualità. Ai vertici del nostri assaggi il Nobile di Montepulciano Riserva '16, rosso di grande carattere e complessità. Note di tabacco, spezie e frutto nero anticipano una bocca profonda ed equilibrata, dal tannino maturo e dal finale pulito. Da Montalcino ci arriva poi un Brunello '15 di gran carattere, dalle note di china e liquirizia e dalla bocca possente e dal finale molto sul frutto. Il Rosso di Montalcino '17 è giovane, ma molto ben fatto e - complice l'annata - mostra la una corposità simile al fratello maggiore.

- ● Nobile di Montepulciano Ris. '16 🍷🍷 5
- ● Brunello di Montalcino '15 🍷🍷 7
- ● Rosso di Montalcino '17 🍷🍷 5

Casa alle Vacche

FRAZ. PANCOLE
LOC. LUCIGNANO, 73A
53037 SAN GIMIGNANO [SI]
TEL. 0577955103
www.casaallevacche.it

VENDITA DIRETTA
VISITA SU PRENOTAZIONE
OSPITALITÀ E RISTORAZIONE
PRODUZIONE ANNUA 120.000 bottiglie
ETTARI VITATI 28,00
AZIENDA SOSTENIBILE

Nel corso del XIX secolo, l'edificio più antico dell'azienda era usato come stalla per le vacche. Da qui il nome della proprietà della famiglia Ciappi, che da generazioni si dedica alla coltivazione della terra e alla produzione di vino e olio; e da una ventina di anni all'accoglienza, negli spazi riservati all'agriturismo. Per la coltivazione della vite e dell'olivo sono ormai da tempo adottate tecniche di agricoltura integrata, che testimoniano l'attenzione dedicata all'ambiente e alla terra, curata ora dai fratelli Fernando e Lorenzo, che rappresentano l'ultima generazione della famiglia. Tra le Vernaccia, la migliore è risultata la Crocus Riserva '17 dove il naso è allietato da sentori di miele ed albicocca, con cenni di vaniglia. Al gusto è morbida, invitante, dalla vena acida bilanciata e il finale lungo e godibile. Piacevole la versione "annata" 2019, più tradizionale nei profumi di mandorla e mela, con qualche cenno floreale; corpo ben strutturato, beva scorrevole e pulita.

- ○ Vernaccia di S. Gimignano '19 🍷🍷 2*
- ○ Vernaccia di S. Gimignano Crocus Ris. '17 🍷🍷 3
- ○ Vernaccia di S. Gimignano I Macchioni '19 🍷🍷 2*
- ● Acantho '16 🍷 3
- ● Chianti Colli Senesi Cinabro '16 🍷 3
- ⊙ Raffy Rosato '19 🍷 2
- ○ Sangiovese Bianco '19 🍷 2
- ● Merlot '16 🍸🍸 2*
- ○ Vernaccia di S. Gimignano Crocus Ris. '16 🍸🍸 3*
- ○ Vernaccia di S. Gimignano Crocus Ris. '14 🍸🍸 3
- ○ Vernaccia di S. Gimignano I Macchioni '18 🍸🍸 2*

★Casanova di Neri

POD. FIESOLE
53024 MONTALCINO [SI]
TEL. 0577834455
www.casanovadineri.com

VISITA SU PRENOTAZIONE
OSPITALITÀ
PRODUZIONE ANNUA 225.000 bottiglie
ETTARI VITATI 63,00

Torrenieri, Sesta, Cava dell'Onice, Podernuovo, Poderuccio, Cerretalto: sono solo alcuni dei principali toponimi dell'areale di Montalcino che fanno da cornice viticola e territoriale nel progetto produttivo dell'azienda guidata da Giacomo Neri insieme ai figli Gianlorenzo e Giovanni. Una versatilità generazionale e stilistica incarnata da Brunello di fama planetaria, capaci di coniugare piacevolezza fruttata, austerità tannica e densità estrattiva, anche grazie alle maturazioni modulari adottate in funzione dell'etichetta e dell'annata. Prova maiuscola anche per quest'annata 2015 del Tenuta Nuova, un vino che conquista per equilibrio, profondità, finezza espressiva e tensione gustativa. La bocca, poderosa e piena, lascia presagire uno sviluppo importante per i prossimi vent'anni... Gli va vicino il Brunello '15 dai toni sgargianti di frutto rosso, solido e sapido, di bella complessità e di grande beva già oggi. E se il Rosso '18 è tra i più interessanti dell'annata, la nuova selezione Giovanni Neri, da un vigneto di 45 anni in zona Sesta, si guadagna imperiosamente le nostre finali.

● Brunello di Montalcino Tenuta Nuova '15	♟♟♟8
● Rosso di Montalcino Giovanni Neri '18	♟♟7
● Brunello di Montalcino '15	♟♟6
● Rosso di Montalcino '18	♟♟5
● Brunello di Montalcino '09	♟♟♟6
● Brunello di Montalcino '06	♟♟♟5
● Brunello di Montalcino Cerretalto '07	♟♟♟8
● Brunello di Montalcino Cerretalto '06	♟♟♟8
● Brunello di Montalcino Cerretalto '04	♟♟♟8
● Brunello di Montalcino Cerretalto '01	♟♟♟8
● Brunello di Montalcino Cerretalto '99	♟♟♟8
● Brunello di Montalcino Tenuta Nuova '13	♟♟♟8
● Brunello di Montalcino Tenuta Nuova '06	♟♟♟8
● Brunello di Montalcino Tenuta Nuova '05	♟♟♟7
● Brunello di Montalcino Tenuta Nuova '01	♟♟♟6
● Pietradonice '05	♟♟♟8

Casisano

LOC. CASISANO
53024 MONTALCINO [SI]
TEL. 0577835540
www.casisano.it

PRODUZIONE ANNUA 11.000 bottiglie
ETTARI VITATI 22,00

Una splendida tenuta affacciata sulla valle del fiume Orcia e dei pendii che degradano verso l'Abbazia di Sant'Antimo: è qui, nel cuore del settore sud-est di Montalcino, che la Tommasi Family Estates ha voluto insediare il nucleo della sua nuova avventura produttiva, acquisendo lo storico podere Casisano. Una zona per molti versi unica da un punto di vista ambientale e pedoclimatico, che si rivela ideale per sangiovese di Brunello carnosi e ricchi di contrasti. Spicca tra questi il Colombaiolo Riserva, vero e proprio cru alto collinare maturato in rovere di Slavonia da 18 e 25 Hl. È un gran bel Brunello la versione 2015 di Casisano: ha un colore rubino intenso, naso complesso e avvincente dove ai toni di ciliegia e marasca mature fanno seguito toni di macchia mediterranea, sottobosco, spezie e un delicato rimando boisé. Al palato è solido, costruito su un frutto integro e tannini levigati che sfumano eleganti nel lungo finale. Molto buono il Rosso '18, che ha carattere, freschezza e bella beva.

● Brunello di Montalcino '15	♟♟♟7
● Rosso di Montalcino '18	♟♟4
● Brunello di Montalcino '12	♟♟7
● Brunello di Montalcino Colombaiolo Ris. '13	♟♟8
● Brunello di Montalcino Colombaiolo Ris. '11	♟♟8
● Rosso di Montalcino '17	♟♟4
● Rosso di Montalcino '16	♟♟4
● Rosso di Montalcino '15	♟♟4

Castelgiocondo

LOC. CASTELGIOCONDO
53024 MONTALCINO [SI]
TEL. 057784131
www.frescobaldi.it

VISITA SU PRENOTAZIONE
PRODUZIONE ANNUA 600.000 bottiglie
ETTARI VITATI 235,00

Dominata dall'antica torre e dal piccolo
borgo medievale, la tenuta di
Castelgiocondo si configura come una vera
e propria cittadella che fa da baricentro
viticolo del settore sud-ovest di Montalcino.
Un territorio di storica vocazione produttiva,
che la famiglia Frescobaldi ha reso sempre
più importante e strategico in funzione di
sangiovese da Brunello (e non solo)
facilmente riconoscibili per il tocco
avvolgente e solare. Regolarmente capaci
di regolare soddisfazioni fin dalle prime
fasi, aggiungono sfumature e complessità
con l'affinamento in bottiglia. La Riserva
Ripe al Convento '14 della storica proprietà
della Frescobaldi si presenta in forma
smagliante e si aggiudica meritatamente i
nostri Tre Bicchieri. Ha un bel colore rubino
intenso e vivo, e a al naso si apre con su
un ricco bouquet dove i frutti rossi e neri
maturi lasciano via via il posto a sentori più
complessi di erbe officinali, cacao e
liquirizia per sfumare su note di spezia e
fumé. Al palato è avvolgente, ricco, ha
tannini setosi e chiude lungo e appagante.

● Brunello di Montalcino		
Ripe al Convento		
di Castelgiocondo Ris. '14	▼▼▼	8
● Brunello di Montalcino '15	▼▼	6
● Brunello di Montalcino '14	♀♀	6
● Brunello di Montalcino '13	♀♀	6
● Brunello di Montalcino '12	♀♀	6
● Brunello di Montalcino		
Ripe al Convento		
di Castelgiocondo Ris. '13	♀♀	8
● Rosso di Montalcino		
Campo ai Sassi '15	♀♀	3

★★Castellare di Castellina

LOC. CASTELLARE
53011 CASTELLINA IN CHIANTI [SI]
TEL. 0577742903
www.castellare.it

VENDITA DIRETTA
VISITA SU PRENOTAZIONE
OSPITALITÀ
PRODUZIONE ANNUA 200.000 bottiglie
ETTARI VITATI 28,00

L'azionista di riferimento di Gambero Rosso
spa è anche proprietario di questa azienda.
Per evitare qualsiasi conflitto di interesse,
Paolo Panerai ha subordinato l'eventuale
assegnazione di Tre Bicchieri, che avviene
peraltro mediante degustazione coperta,
all'ottenimento coevo di rating di eccellenza
(da 90/100 in su) su quel vino di
quell'annata da parte di valutatori
internazionali indipendenti. È questo il caso.

In un'annata da incorniciare per l'areale del
Chianti Classico, non poteva certo mancare
l'acuto de I Sodi di San Niccolò. La versione
2016 propone al naso una base fruttata
rigogliosa, su cui si inseriscono tocchi
speziati e di grafite; in bocca è rotondo,
profondo e succoso, con tannini solidi ma
ben integrati in un finale ampio, ancora su
timbri fruttati. Molto buono anche il Chianti
Classico Riserva '17, preciso e intenso
negli aromi, quanto tonico e ritmato nello
sviluppo gustativo.

● I Sodi di San Niccolò '16	▼▼▼	8
● Chianti Cl. Ris. '17	▼▼	5
● Chianti Cl. '18	▼▼	4
● Poggio ai Merli '18	▼▼	8
● Chianti Cl. Il Poggiale Ris. '17	▼	6
● Coniale '16	▼	8
○ Vin Santo del Chianti Cl.		
San Niccolò '14	▼	5
● I Sodi di S. Niccolò '13	♀♀♀	8
● I Sodi di S. Niccolò '12	♀♀♀	8
● I Sodi di S. Niccolò '11	♀♀♀	8
● I Sodi di S. Niccolò '10	♀♀♀	8
● I Sodi di S. Niccolò '09	♀♀♀	8
● I Sodi di S. Niccolò '08	♀♀♀	7
● I Sodi di S. Niccolò '07	♀♀♀	7
● I Sodi di San Niccolò '15	♀♀♀	8
● I Sodi di San Niccolò '14	♀♀♀	8

★★Castello del Terriccio

LOC. TERRICCIO
VIA BAGNOLI, 16
56040 CASTELLINA MARITTIMA [PI]
TEL. 050699709
www.terriccio.com

VENDITA DIRETTA
VISITA SU PRENOTAZIONE
OSPITALITÀ
PRODUZIONE ANNUA 200.000 bottiglie
ETTARI VITATI 65,00

Importanti novità nell'azienda che ha visto il
successo e la fama grazie a Gian Annibale
Rossi di Medelana. Fu lui che nel 1975
iniziò un percorso di notevole
trasformazione, concentrando l'attenzione
sui vigneti e la cantina. Con la sua
scomparsa, è Vittorio Piozzo di Rosignano
Rossi di Medelana, il nipote, ad occuparsi
dell'impresa. Dopo aver deciso di lasciare il
mondo della finanza per impegnarsi nella
gestione di tutte le attività agricole, è lui
l'attuale volto del progetto. Molto buono il
Lupicaia '16, blend di cabernet sauvignon e
petit verdot dai freschi profumi balsamici al
naso, con tocchi di peperone e frutti rossi
di bella intensità. All'esame gustativo si
presenta con un corpo ben articolato, di
equilibrio invidiabile, finale solido e
gradevole ritorno fruttato. Ottima
impressione ha destato anche il Castello
del Terriccio '16, da uve syrah e petit
verdot: ricco al naso di fresche speziature,
è intenso ed equilibrato al palato.

Castello del Trebbio

VIA SANTA BRIGIDA, 9
50065 PONTASSIEVE [FI]
TEL. 0558304900
www.castellodeltrebbio.it

VENDITA DIRETTA
VISITA SU PRENOTAZIONE
OSPITALITÀ E RISTORAZIONE
PRODUZIONE ANNUA 320.000 bottiglie
ETTARI VITATI 60,00
AZIENDA SOSTENIBILE

Una porzione collinare non lontano da
Firenze, con tanto di castello dove maturò
la congiura dei Pazzi che nel 1478
volevano assassinare Lorenzo de' Medici,
sono il teatro di una articolata produzione
di zafferano, cosmetici, ma soprattutto vino.
I terreni vitati e gli olivi sono a conduzione
bio-integrale, con il sangiovese che rimane
il vitigno principale. Il tutto sotto la regia di
Anna Baj Macario e del marito Stefano
Casadei, che sono anche in Tecnovite,
azienda specializzata nell'impianto e nella
gestione di vigneti e oliveti, nella Tenuta
Casa Dei in Maremma e in Olianas in
Sardegna. Complesso il Chianti Rufina
Lastricato Riserva '16, con note terziarie di
tabacco, cuoio e cenni terrosi. Nonostante
questo un rosso fresco, con qualche
sprazzo mentolato e di erbe aromatiche,
ginepro e frutti di bosco. Al gusto è solido,
teso, polposo, dai tannini sottili. Seducente
il Vin Santo '15, con bouquet classico di
nocciole, mandorle e note agrumate; lungo
e complesso al palato.

● Castello del Terriccio '16	▼▼ 8
● Lupicaia '16	▼▼ 8
● Tassinaia '17	▼▼ 5
○ Con Vento '19	▼ 4
● Castello del Terriccio '11	▼▼▼ 8
● Castello del Terriccio '07	▼▼▼ 8
● Castello del Terriccio '04	▼▼▼ 8
● Lupicaia '13	▼▼▼ 8
● Lupicaia '11	▼▼▼ 8
● Lupicaia '10	▼▼▼ 8
● Lupicaia '07	▼▼▼ 8
● Lupicaia '06	▼▼▼ 8
● Lupicaia '05	▼▼▼ 8
● Lupicaia '04	▼▼▼ 8
● Castello del Terriccio '15	▼▼ 8
● Lupicaia '15	▼▼ 8

● Chianti Rufina Lastricato Ris. '16	▼▼ 5
● De' Pazzi '17	▼▼ 4
Vin Santo del Chianti '15	▼▼ 5
● Chianti Sup. '18	▼ 3
● Chianti Rufina Lastricato Ris. '11	▼▼▼ 4*
● Chianti Rufina Lastricato Ris. '15	▼▼ 5
● Chianti Rufina Lastricato Ris. '14	▼▼ 5
● Chianti Rufina Lastricato Ris. '12	▼▼ 5
● Chianti Sup. '15	▼▼ 3*
○ Congiura '16	▼▼ 4
● De' Pazzi '15	▼▼ 4
● De' Pazzi '14	▼▼ 4
● Pazzesco '16	▼▼ 5
○ Vin Santo del Chianti '12	▼▼ 5
○ Vin Santo del Chianti '11	▼▼ 5

★Castello di Albola

Loc. Pian d'Albola, 31
53017 Radda in Chianti [SI]
Tel. 0577738019
www.albola.it

VENDITA DIRETTA
VISITA SU PRENOTAZIONE
PRODUZIONE ANNUA 750.000 bottiglie
ETTARI VITATI 125,00
VITICOLTURA Biologico Certificato

Il Gruppo Zonin 1821 produce al Castello di Albola dei grandi vini, perfettamente in sintonia con il territorio di appartenenza: lo conferma anche l'assaggio di annate mature e la coerenza espressa da quelle più recenti. La cifra stilistica dell'azienda di Radda in Chianti coglie i tratti salienti di questa sottozona, esprimendo equilibrio, freschezza e una buona dose di personalità. Contribuisce in modo non secondario al risultato un uso oculato dei legni di affinamento, mai prevaricante indipendentemente dal fatto che si tratti di botti grandi o barrique. È senza dubbio una delle migliori versioni in assoluto per la tipologia, il Chianti Classico Riserva '17. I profumi di piccoli frutti rossi, erbe, pietra focaia e spezie sono assai definiti e fragranti, in bocca la trama tannica è solida e incisiva, ben assecondata da una bella freschezza acida, che assicura un sorso profondo e ritmato. Solo un po' più serrato lo sviluppo gustativo del Chianti Classico Gran Selezione Il Solatìo '17.

● Chianti Cl. Ris. '17	♟♟♟6
● Chianti Cl. Gran Selezione Il Solatìo '17	♟♟8
● Chianti Cl. '18	♟♟5
○ Poggio alle Fate '19	♟5
● Acciaiolo '06	♟♟♟6
● Acciaiolo '04	♟♟♟6
● Acciaiolo '01	♟♟♟6
● Chianti Cl. '14	♟♟♟3*
● Chianti Cl. Gran Sel. '13	♟♟♟5
● Chianti Cl. Il Solatìo Gran Sel. '11	♟♟♟5
● Chianti Cl. Il Solatìo Gran Sel. '10	♟♟♟5
● Chianti Cl. Le Ellere '08	♟♟♟3
● Chianti Cl. Ris. '16	♟♟♟5
● Chianti Cl. Ris. '14	♟♟♟4*
● Chianti Cl. Ris. '09	♟♟♟4*
● Chianti Cl. Ris. '08	♟♟♟4*

★★Castello di Ama

Loc. Ama
53013 Gaiole in Chianti [SI]
Tel. 0577746031
www.castellodiama.com

VENDITA DIRETTA
VISITA SU PRENOTAZIONE
PRODUZIONE ANNUA 300.000 bottiglie
ETTARI VITATI 90,00

Di rara bellezza l'operazione che ha reso l'antico borgo di Ama un contesto espositivo di arte contemporanea al massimo livello, facendo da perfetta cornice ad una delle produzioni più prestigiose della denominazione del Chianti Classico. Qui nascono con confortante continuità vini dallo stile inconfondibile che rendono assoluto tributo al loro territorio d'origine, con raffinatezza e toccando non di rado anche la vetta dell'eccellenza. Davvero una perla rara per il distretto, sotto ogni punto di vista. La 2018 è una versione straordinaria del Chianti Classico Ama, una delle più entusiasmanti fra i pari millesimo della denominazione: suggerisce una raffinatezza aromatica e gustativa memorabile, davvero da grande vino. Anche l'Haiku '17, sangiovese, cabernet franc e merlot, convince a pieno, specialmente per l'incedere palatale articolato e succoso. Ben fatto Il Chiuso '18, pinot nero in purezza: profumato, sapido e di bella leggibilità varietale.

● Chianti Cl. Ama '18	♟♟♟4*
● Haiku '17	♟♟6
○ Al Poggio '19	♟♟4
● Il Chiuso '18	♟♟5
● L'Apparita '17	♟♟8
⊙ Purple Rose '19	♟♟4
● Chianti Cl. Ama '11	♟♟♟4*
● Chianti Cl. Bellavista '01	♟♟♟8
● Chianti Cl. Castello di Ama '05	♟♟♟5
● Chianti Cl. Castello di Ama '03	♟♟♟5
● Chianti Cl. Castello di Ama '01	♟♟♟5
● Chianti Cl. Gran Sel. San Lorenzo '13	♟♟♟6
● Chianti Cl. La Casuccia '04	♟♟♟8
● Chianti Cl. La Casuccia '01	♟♟♟8
● Chianti Cl. San Lorenzo '83	♟♟♟8
● L'Apparita '01	♟♟♟8

Castello di Bolgheri

LOC. BOLGHERI
S.DA LAURETTA, 7
57020 CASTAGNETO CARDUCCI [LI]
TEL. 0565762110
www.castellodibolgheri.eu

VENDITA DIRETTA
VISITA SU PRENOTAZIONE
OSPITALITÀ
PRODUZIONE ANNUA 80.000 bottiglie
ETTARI VITATI 50,00

Le origini del Castello di Bolgheri sono antichissime. La proprietà è stata in mano ai Conti della Gherardesca, prima di passare in eredità, con le terre circostanti, alla famiglia Zileri Dal Verme. Alla fine degli anni '90 i vigneti sono stati rinnovati, a partire dalle varietà principali della denominazione Bolgheri. Poggiano su suoli sabbiosi e argillosi, ricchi di scheletro sassoso, a circa 70 metri di altitudine: un patrimonio che garantisce uve di eccezionale qualità, trasformate da vinificazioni rigorose in vini di grande impatto, classe e identità. Entrambi buonissimi i Bolgheri assaggiati quest'anno, con una preferenza accordata al Rosso Varvara '18 rispetto al Superiore '17: complice la vendemmia, certamente, che per quanto ci riguarda sovverte la naturale gerarchia tra le etichette di casa. Più maturo e concentrato il secondo, raffinato nella trama fruttata, giocoso ma affatto semplice il primo. Non c'è, insomma, che l'imbarazzo della scelta.

● Bolgheri Varvàra '18	♟♟♟ 4*
● Bolgheri Sup. Castello di Bolgheri '17	♟♟ 6
● Bolgheri Rosso Sup. '16	♟♟♟ 7
● Bolgheri Sup. Castello di Bolgheri '12	♟♟♟ 6
● Bolgheri Sup. Castello di Bolgheri '10	♟♟♟ 6
● Bolgheri Sup. Castello di Bolgheri '09	♟♟♟ 6
● Bolgheri Sup. Castello di Bolgheri '07	♟♟♟ 6
● Bolgheri Rosso Sup. '15	♟♟ 7
● Bolgheri Varvàra '17	♟♟ 4
● Bolgheri Varvàra '16	♟♟ 4
● Bolgheri Varvàra '15	♟♟ 4
● Bolgheri Varvàra '13	♟♟ 4

★★★Castello di Fonterutoli

LOC. FONTERUTOLI
VIA OTTONE III DI SASSONIA, 5
53011 CASTELLINA IN CHIANTI [SI]
TEL. 057773571
www.mazzei.it

VENDITA DIRETTA
VISITA SU PRENOTAZIONE
OSPITALITÀ E RISTORAZIONE
PRODUZIONE ANNUA 800.000 bottiglie
ETTARI VITATI 117,00
AZIENDA SOSTENIBILE

Il Castello di Fonterutoli è una delle tenute storiche del Chianti Classico, basata su una variegata piattaforma viticola, suddivisa in cinque zone fondamentali: Fonterutoli, Siepi, Badiola, Belvedere e Caggio. Lo stile aziendale privilegia un'impostazione moderna, che dà forma a vini dalle strutture articolate, morbidi e ben sostenuti dalle maturazioni in legno piccolo. Una cifra che ritroviamo anche nella produzione della tenuta maremmana di Belguardo, ma che sembra virare progressivamente verso un'impronta più classica e territoriale, specie nelle etichette dove il sangiovese predomina. Uvaggio di sangiovese e merlot, il Siepi conferma con la versione 2017 il ruolo di vino bandiera. I punti di forza sono profumi intensi ed eleganti, che anticipano uno sviluppo gustativo morbido e ampio, non privo di chiaroscuri. Il Chianti Classico Gran Selezione '17 ha aromi quasi prepotenti di frutti rossi e spezie, con cenni affumicati a rifinitura; bocca avvolgente e serrata, di gran carattere.

● Chianti Cl. Gran Selezione Castello di Fonterutoli '17	♟♟ 7
● Maremma Rosso Tenuta Belguardo Tirrenico '16	♟♟ 4
● Siepi '17	♟♟ 8
● Chianti Cl. Gran Selezione Badiola '17	♟♟ 8
● Chianti Cl. Gran Selezione Vicoregio 36 '17	♟♟ 8
● Chianti Cl. Ris. '17	♟♟ 5
● Concerto '17	♟♟ 8
● Poggio Badiola '18	♟ 3
● Chianti Cl. Castello di Fonterutoli '18	♟ 8
● Mix36 '15	♟♟♟ 8
● Mix36 '11	♟♟♟ 8
● Siepi '15	♟♟♟ 8
● Siepi '13	♟♟♟ 8
● Siepi '11	♟♟♟ 8

Castello di Meleto

LOC. MELETO
53013 GAIOLE IN CHIANTI [SI]
TEL. 0577749217
www.castellomeleto.it

VENDITA DIRETTA
VISITA SU PRENOTAZIONE
OSPITALITÀ E RISTORAZIONE
PRODUZIONE ANNUA 700.000 bottiglie
ETTARI VITATI 144,00
AZIENDA SOSTENIBILE

Risalgono addirittura al tredicesimo secolo
le origini di Castello di Meleto, splendido
avamposto di Gaiole. Oggi è il simbolo di
un'affascinante realtà del Chianti Classico,
in mano a un articolato pool di investitori. I
terreni si estendono per circa mille ettari
complessivi, in uno spaccato naturale
entusiasmante. Negli ultimi anni è stato
avviato un grande progetto, anzitutto
agronomico e quindi enologico, volto alla
crescita della qualità e dello stile dei vini.
Sono state individuate cinque unità
poderali dai caratteri distinti: Meleto,
San Piero, Casi, Poggiarso e Moci. Buoni
e nitidi i profumi di fiori, frutti rossi e
spezie che contraddistinguono il Chianti
Classico '18, vino che trova il suo punto di
forza in una bocca particolarmente
succosa, dalla bevibilità agile e saporita.
Inappuntabile anche il sorso del Chianti
Classico Riserva '17, pur nel solco di
un'annata complicata che regala meno
freschezza nel bicchiere.

● Chianti Cl. '18	♥♥ 3*
● Chianti Cl. Ris. '17	♥♥ 5
● Camboi '18	♥ 6
● Chianti Cl. Gran Selezione '15	♀♀ 6
● Chianti Cl. Meleto '16	♀♀ 3
● Chianti Cl. Meleto '13	♀♀ 3*
● Chianti Cl. V. Casi Ris. '16	♀♀ 5
● Chianti Cl. V. Casi Ris. '12	♀♀ 5
● Chianti Cl. V. Poggiarso Ris. '16	♀♀ 5

★Castello di Monsanto

VIA MONSANTO, 8
50021 BARBERINO VAL D'ELSA [FI]
TEL. 0558059000
www.castellodimonsanto.it

VENDITA DIRETTA
VISITA SU PRENOTAZIONE
PRODUZIONE ANNUA 450.000 bottiglie
ETTARI VITATI 72,00

Quasi sessanta anni di storia, un percorso
fatto di scelte pioneristiche, prima fra tutte
quella di imbottigliare il primo cru prodotto
in Chianti Classico (Il Poggio), coerenza
assoluta del sangiovese coltivato sulle
colline di Barberino Val d'Elsa. Sono i tratti
salienti che disegnano il valore del Castello
di Monsanto, unanimemente riconosciuta
come una delle aziende più significative
dell'intera denominazione. I vini sono un
nitidissimo esempio delle potenzialità di
questo areale: austeri, appena usciti dalla
cantina, ma molto longevi e di raffinata
eleganza stilistica. La versione 2015 del
Chianti Classico Gran Selezione Il Poggio
resterà probabilmente memorabile:
aromaticamente raffinata, con il frutto che
incontra le spezie e i fiori tocchi
leggermente affumicati, ha una strepitosa
energia gustativa, articolando con ritmo la
struttura ricca e polposa. Ottime le
sensazioni complessive provenienti dal
Chianti Classico Riserva '17, profumato e
sapido il Chianti Classico '18.

● Chianti Cl. Gran Selezione	
Il Poggio '15	♥♥♥ 7
● Chianti Cl. '18	♥♥ 3
● Chianti Cl. Ris. '17	♥♥ 3
● Sangioveto '16	♥ 7
● Chianti Cl. '15	♀♀ 3*
● Chianti Cl. '11	♀♀ 3*
● Chianti Cl. Cinquantenario Ris. '08	♀♀ 6
● Chianti Cl. Il Poggio Ris. '13	♀♀ 7
● Chianti Cl. Il Poggio Ris. '10	♀♀ 8
● Chianti Cl. Il Poggio Ris. '06	♀♀ 6
● Chianti Cl. Il Poggio Ris. '88	♀♀ 5
● Chianti Cl. Ris. '11	♀♀ 5
● Nemo '01	♀♀ 6
● Sangioveto '10	♀♀ 7
● Chianti Cl. '17	♀♀ 3*
● Chianti Cl. Ris. '16	♀♀ 3

Castello di Querceto

VIA ALESSANDRO FRANCOIS, 2
50022 GREVE IN CHIANTI [FI]
TEL. 05585921
www.castellodiquerceto.it

VENDITA DIRETTA
VISITA SU PRENOTAZIONE
OSPITALITÀ
PRODUZIONE ANNUA 600.000 bottiglie
ETTARI VITATI 60,00

Il Castello di Querceto è la dimora della famiglia François da oltre un secolo e rappresenta un tassello importante nella storia stessa della denominazione Chianti Classico. Situata nella sottozona di Greve, per estensione vitata e numero di bottiglie prodotte rientra senz'altro tra le cantine più significative dell'area. I vigneti occupano un fronte collinare dal clima che potremmo definire continentale: la freschezza diventa quindi una componente distintiva della cifra stilistica incarnata dai principali vini, che maturano sia in legno piccolo sia in botte grande. Toni particolarmente fragranti e intensi connotano il bagaglio aromatico del Chianti Classico Riserva '17, che trova anche in bocca una convincente declinazione, offrendo un sorso succoso, sapido e di buon ritmo. Il Chianti Classico '18 mostra un bel carattere silvestre nei profumi ben definiti di piccoli frutti rossi e spezie, ad introdurre una progressione gustativa golosa, croccante e di continuo vigore.

● Chianti Cl. '18	♟♟ 3*
● Chianti Cl. Ris. '17	♟♟ 4
● Chianti Cl. Gran Selezione La Corte '17	♟♟ 6
● Il Querciolaia '16	♟♟ 6
● Chianti Cl. Gran Selezione Il Picchio '17	♟ 5
● Chianti Cl. '17	♟♟ 3
● Chianti Cl. '13	♟♟ 3
● Chianti Cl. Gran Selezione Il Picchio '16	♟♟ 5
● Chianti Cl. Il Picchio Gran Sel. '12	♟♟ 6
● Chianti Cl. Il Picchio Gran Sel. '11	♟♟ 6
● Chianti Cl. Ris. '16	♟♟ 4
● Chianti Cl. Ris. '13	♟♟ 4
● Chianti Cl. Ris. '12	♟♟ 4
● Il Sole di Alessandro '09	♟♟ 7
● La Corte '10	♟♟ 5

Castello di Radda

LOC. IL BECCO, 101A
53017 RADDA IN CHIANTI [SI]
TEL. 0577738992
www.castellodiradda.it

VENDITA DIRETTA
VISITA SU PRENOTAZIONE
PRODUZIONE ANNUA 100.000 bottiglie
ETTARI VITATI 33,00

Il gruppo agricolo che fa capo alla famiglia Gussalli Beretta comprende Lo Sparviere in Franciacorta, Orlandi Contucci Ponno in Abruzzo e il Castello di Radda nel Chianti Classico. Quest'ultima realtà produttiva si è particolarmente messa in evidenza in questi anni con vini decisamente interessanti: la combinazione tra vigneti vocati di diverse età e un lavoro minimalista in cantina diventa la premessa di uno stile aziendale dall'impostazione sobriamente moderna, che dà forma a vini fini ed eleganti, fedeli al territorio d'origine. Il 2018 è un Chianti Classico ben fatto, di solida e definita coerenza espressiva, ma non è certo la prima volta che lo constatiamo. I suoi profumi vanno dai fiori ai piccoli frutti rossi, dalle spezie a leggeri rimandi di pietra focaia: corredo che introduce una progressione gustativa fragrante e piena, dal sorso vivace e saporito. Solo un po' più segnato dal rovere, ma altrettanto piacevole, il Granbruno '18, uvaggio di sangiovese e merlot.

● Chianti Cl. '18	♟♟♟ 3*
● Granbruno '18	♟♟ 2*
● Chianti Cl. '15	♟♟♟ 3*
● Chianti Cl. Gran Selezione V. Il Corno '15	♟♟♟ 3*
● Chianti Cl. Gran Selezione V. Il Corno '14	♟♟♟ 6
● Chianti Cl. Ris. '13	♟♟♟ 5
● Chianti Cl. Ris. '12	♟♟♟ 5
● Chianti Cl. Ris. '11	♟♟♟ 6
● Chianti Cl. Ris. '07	♟♟♟ 5
● Chianti Cl. '17	♟♟ 3*
● Chianti Cl. '16	♟♟ 3
● Chianti Cl. Gran Selezione '13	♟♟ 3
● Chianti Cl. Ris. '14	♟♟ 5
● Chianti Cl. Ris. '15	♟ 5
● Guss '14	♟ 6

★Castello di Volpaia

LOC. VOLPAIA
VIA PIER CAPPONI, 2
53017 RADDA IN CHIANTI [SI]
TEL. 0577738066
www.volpaia.com

VENDITA DIRETTA
VISITA SU PRENOTAZIONE
OSPITALITÀ E RISTORAZIONE
PRODUZIONE ANNUA 220.000 bottiglie
ETTARI VITATI 45,00
VITICOLTURA Biologico Certificato
AZIENDA SOSTENIBILE

Alla conduzione dei vigneti in regime biologico, l'azienda di proprietà della famiglia Mascheroni Stianti unisce una precisione d'esecuzione inappuntabile. I vini di Volpaia sono tendenzialmente eleganti e in possesso di un impeccabile tratto stilistico "moderno", ma non per questo in difetto di personalità e carattere. Un equilibrio ormai consolidato che conferma con rassicurante continuità la gamma firmata Castello di Volpaia tra le etichette di riferimento della sottozona di Radda in Chianti. A dir poco autorevole l'interpretazione proposta dal Chianti Classico Riserva '17: aromaticamente definito e intenso sia nel fruttato che nei cenni affumicati, in bocca offre un'articolazione incisiva, solida e di grande sapore. Di struttura assai leggiadra, ma dai profumi fragranti e dal sorso goloso il Chianti Classico '18. Potente e succoso il Chianti Classico Gran Selezione Coltassala '17, caratterizzato da timbri piacevolmente agrumati.

● Chianti Cl. Ris. '17	♥♥♥ 6
● Chianti Cl. '18	♥♥ 4
● Chianti Cl. Gran Selezione	
Coltassala '17	♥♥ 8
○ Vin Santo del Chianti Cl. '15	♥♥ 7
● Balifico '17	♥ 8
● Chianti Cl. Gran Selezione Il Puro	
Vign. Casanova '16	♥ 8
● Chianti Cl. '16	♥♥♥ 4*
● Chianti Cl. '15	♥♥♥ 4*
● Chianti Cl. '13	♥♥♥ 3*
● Chianti Cl. Il Puro	
Vign. Casanova Ris. '08	♥♥♥ 8
● Chianti Cl. Ris. '16	♥♥♥ 5
● Chianti Cl. Ris. '13	♥♥♥ 5
● Chianti Cl. Ris. '10	♥♥♥ 5
● Chianti Cl. Ris. '08	♥♥♥ 5

Castello Romitorio

LOC. ROMITORIO, 279
53024 MONTALCINO [SI]
TEL. 0577847212
www.castelloromitorio.com

VENDITA DIRETTA
VISITA SU PRENOTAZIONE
OSPITALITÀ
PRODUZIONE ANNUA 150.000 bottiglie
ETTARI VITATI 30,00

A Montalcino i poderi Romitorio e Poggio di Sopra, in Maremma la tenuta Ghiaccio Forte, senza dimenticare le parcelle in zona Chianti Senesi: è un progetto viticolo e produttivo a dir poco variegato quello incarnato dal marchio Castello Romitorio. Molto più di un "capriccio", insomma, come spesso è stata descritta la scelta dell'artista Sandro Chia, che acquisì l'azienda negli anni '80 e ha poi passato il testimone al figlio Filippo, supportato da Stefano Martini (figlio dello storico cantiniere, Franco). Una bella storia alimentata da sangiovesi dolcemente vigorosi, di stile contemporaneo. C'è molto piaciuto il Brunello '15, tra i migliori dell'annata. Si presenta fitto e polposo, ricco di toni di frutti rossi e neri maturi, tanto al naso quanto al palato, dove sfodera un'autorevolezza supportata da note complesse di china ed erbe officinali, tabacco e fumé che si rincorrono in un elegante finale. Eccellente anche il Filo di Seta '15, poderoso ma non ancora pronto. Validi il Romitòro '18 e le altre etichette.

● Brunello di Montalcino '15	♥♥ 8
● Brunello di Montalcino Filo di Seta '15	♥♥ 8
● Romitòro '18	♥♥ 4
● Rosso di Montalcino '18	♥ 5
● Sant'Antimo Rosso Romito '16	♥ 5
● Brunello di Montalcino '13	♥♥ 8
● Brunello di Montalcino '12	♥♥ 8
● Brunello di Montalcino Filo di Seta '13	♥♥ 8
● Brunello di Montalcino Filo di Seta '12	♥♥ 8
● Brunello di Montalcino Ris. '13	♥♥ 8
● Brunello di Montalcino Ris. '12	♥♥ 8
● Rosso di Montalcino '16	♥♥ 5
● Rosso di Montalcino '15	♥♥ 5

Castello Vicchiomaggio

LOC. LE BOLLE
VIA VICCHIOMAGGIO, 4
50022 GREVE IN CHIANTI [FI]
TEL. 055854079
www.vicchiomaggio.it

VENDITA DIRETTA
VISITA SU PRENOTAZIONE
OSPITALITÀ E RISTORAZIONE
PRODUZIONE ANNUA 300.000 bottiglie
ETTARI VITATI 38,00
AZIENDA SOSTENIBILE

Di proprietà della famiglia Matta, Castello di
Vicchiomaggio ha saputo conquistare un
posto non secondario nel panorama del
Chianti Classico. I vigneti, posti nel versante
fiorentino della denominazione a Greve in
Chianti, plasmano una materia prima di
qualità, che viene lavorata in cantina senza
inutili forzature. Il risultato è una
confortante continuità qualitativa, declinata
in una gamma di prodotti affidabili e non
privi di carattere, dall'impronta stilistica
moderna ma mai sopra le righe. La
maturazione è effettuata sia in legno
grande che in barrique. Colpisce
l'originalità del nuovo Amphiarao '18, blend
a base di cabernet sauvignon, petit verdot e
sangiovese maturato per 12 mesi in anfora,
da cui il bizzarro nome. Al naso evidenzia
tocchi erbacei, cenni fruttati e una
speziatura di sottofondo; il sorso è succoso
e fragrante, dal finale dolce e rilassato. Il
Chianti Classico Guado Alto '18 è
profumato ed ha gusto definito, di beva
pronta e immediata.

● Amphiarao '18	🏆🏆 6
● Chianti Cl. Agostino Petri Ris. '17	🏆🏆 5
● Chianti Cl. Gran Selezione	
La Prima '16	🏆🏆 7
● Chianti Cl. Guado Alto '18	🏆🏆 3
● FSM '17	🏆🏆 8
● Sangiovese '16	🏆🏆 3
● Ripa delle More '17	🏆 6
● Chianti Cl. Gran Sel.	
Vigna La Prima '10	🏆🏆🏆 7
● FSM '07	🏆🏆🏆 8
● FSM '04	🏆🏆🏆 5
● Ripa delle More '97	🏆🏆🏆 6
● Ripa delle More '94	🏆🏆🏆 7
● Chianti Cl. Agostino Petri Ris. '16	🏆🏆 5
● Chianti Cl. Guado Alto '17	🏆🏆 3*

Castelvecchio

LOC. SAN PANCRAZIO
VIA CERTALDESE, 30
50026 SAN CASCIANO IN VAL DI PESA [FI]
TEL. 0558248032
www.castelvecchio.it

VENDITA DIRETTA
VISITA SU PRENOTAZIONE
OSPITALITÀ
PRODUZIONE ANNUA 100.000 bottiglie
ETTARI VITATI 24,00
VITICOLTURA Biologico Certificato
AZIENDA SOSTENIBILE

I nobili Cavalcanti possedevano un castello
sulle colline tra San Casciano e
Montespertoli. Una sessantina di anni fa
Renzo Rocchi acquisisce la proprietà degli
edifici, costruisce le cantine e impianta i
vigneti. Oggi sono i nipoti Filippo e Stefania
a gestire con moderno spirito
imprenditoriale e passione tutta la tenuta;
nei 30 ettari di vigneto sono stati impiantati
vitigni autoctoni di sangiovese, canaiolo
nero, malvasia del Chianti, trebbiano, così
come uve internazionali di merlot, cabernet
sauvignon e petit verdot. L'azienda è
certificata biologica e offre ospitalità
agrituristica. In finale il Chianti Colli
Fiorentini Il Castelvecchio '18, rubino con
chiari riflessi porpora. Il naso è ricco di
spezie assortite e frutti di bosco; la bocca
ha buon ingresso, tessitura succosa, brio e
scatto finale. Intrigante il Numero Otto '17,
Canaiolo in purezza dai sentori floreali, di
erbe officinali e frutti neri di bosco: tannini
integrati, finale sapido e pulito.

● Chianti Colli Fiorentini	
Il Castelvecchio '18	🏆🏆 2*
● Chianti Colli Fiorentini	
V. La Quercia Ris. '17	🏆🏆 4
● Il Brecciolino '17	🏆🏆 5
● Numero Otto Canaiolo Nero '17	🏆🏆 4
● Chianti Santa Caterina '18	🏆 2
○ San Lorenzo Trebbiano '19	🏆 2
● Il Brecciolino '15	🏆🏆🏆 5
● Il Brecciolino '11	🏆🏆🏆 5
● Chianti Colli Fiorentini	
V. La Quercia Ris. '16	🏆🏆 4
● Chianti S. Caterina '15	🏆🏆 2*
● Il Brecciolino '16	🏆🏆 5
● Il Brecciolino '13	🏆🏆 5
● Orme in Rosso '15	🏆🏆 4

Castiglion del Bosco

LOC. CASTIGLION DEL BOSCO
53024 MONTALCINO [SI]
TEL. 05771913750
www.castigliondelbosco.com

VENDITA DIRETTA
VISITA SU PRENOTAZIONE
OSPITALITÀ E RISTORAZIONE
PRODUZIONE ANNUA 250.000 bottiglie
ETTARI VITATI 62,00
VITICOLTURA Biologico Certificato

È praticamente impossibile condensare in poche righe tutte le declinazioni di Castiglion del Bosco, storica località-tenuta del settore nord-ovest di Montalcino rilevata nel 2003 da Massimo Ferragamo. Da una parte la partnership con Rosewood Hotel & Resort, che dal 2015 co-gestisce il borgo diffuso con suite e ville, spa, ristoranti (Campo del Drago e La Canonica), orto biologico, scuola di cucina e golf club. Dall'altra gli oltre sessanta ettari di vigneto che danno forma ad una gamma in continua crescita, specialmente nella definizione stilistica dei sangiovese da Brunello. I vini, in base ai nostri assaggi, grazie alla bella annata hanno ormai raggiunto una completa espressione stilistica caratteristica del terroir di questo quadrante di Montalcino e dell'esprit della maison. Il Brunello '15 è un vino di equilibrio e d'eleganza, giocato sulle note classiche di frutto, dalle belle coloriture mediterranee e speziate. Il Campo del Drago '15, infine, è un Brunello di profondità e struttura, ampio e verticale, dalla fine componente tannica.

● Brunello di Montalcino Campo del Drago '15	♟♟8
● Brunello di Montalcino '15	♟♟6
● Brunello di Montalcino '14	♟6
● Brunello di Montalcino '12	♟6
● Brunello di Montalcino '11	♟6
● Brunello di Montalcino 1100 Ris. '12	♟6
● Brunello di Montalcino 1100 Ris. '11	♟6
● Brunello di Montalcino Campo del Drago '13	♟8
● Brunello di Montalcino Campo del Drago '12	♟8
● Brunello di Montalcino Campo del Drago '11	♟8
● Brunello di Montalcino Ris. 1100 '10	♟6

Cava d'Onice

POD. COLOMBAIO 105
53024 MONTALCINO [SI]
TEL. 0577848405
www.cavadonice.it

VENDITA DIRETTA
VISITA SU PRENOTAZIONE
OSPITALITÀ
PRODUZIONE ANNUA 22.000 bottiglie
ETTARI VITATI 3,60
VITICOLTURA Biologico Certificato

È un'avventura relativamente recente quella che si concretizza nel marchio Cava d'Onice. Merito di Simone Nannetti, che fin da ragazzo ha cercato di mettere a frutto gli insegnamenti del padre (per molti anni cantiniere in un'azienda di Montalcino), iniziando tuttavia ad imbottigliare solo dopo aver messo insieme un patrimonio di vigne variegato e complementare. La sua è infatti una delle non molte aziende dell'areale che può contare su parcelle dislocate sui quattro principali versanti: scelta fondamentale per inseguire un'idea di Brunello contemporanea, nel senso migliore del termine. È davvero un Brunello fascinoso il Sensis '15: centrato su un frutto ben presente, con note di ciliegia in primo piano, nitido e speziato; al palato è molto giovanile ma già complesso, è potente e denso con tannini eleganti e una bella acidità a donargli armonia. Intenso e ricco anche il Colombaio '15, dalle belle note di china e tabacco. Fine, armonico e molto classico il Rosso '18.

● Brunello di Montalcino Sensis '15	♟♟6
● Brunello di Montalcino Colombaio '15	♟♟7
● Rosso di Montalcino '18	♟♟4
● Brunello di Montalcino '14	♟7
● Brunello di Montalcino '13	♟5
● Brunello di Montalcino Colombaio '13	♟7

★Famiglia Cecchi

LOC. CASINA DEI PONTI, 56
53011 CASTELLINA IN CHIANTI [SI]
TEL. 057754311
www.famigliacecchi.net

VENDITA DIRETTA
VISITA SU PRENOTAZIONE
RISTORAZIONE
PRODUZIONE ANNUA 8.500.000 bottiglie
ETTARI VITATI 385,00
AZIENDA SOSTENIBILE

Il marchio Cecchi rappresenta una realtà imprescindibile in Chianti Classico. Con l'accelerazione impressa alla qualità delle sue etichette, specie nelle selezioni di fattoria, l'azienda di Castellina in Chianti ha ormai compiuto un salto virtuosamente irreversibile. Merito di scelte stilistiche rigorose, prima fra tutte quella di privilegiare una sempre più marcata impronta identitaria. Non secondaria, evidentemente, anche quella di affiancare a Villa Cerna una storica realtà chiantigiana come Villa Rosa, recentemente acquisita nel solco di un interesse crescente verso il Gallo Nero. La versione 2017 del Chianti Classico Gran Selezione Villa Rosa '17 non lascia dubbi sulla sua eccellenza. I profumi sono raffinati e dolci, declinando un fruttato rigoglioso con cenni floreali, rifiniture speziate e incursioni terrose. In bocca si dispiega polposo e ritmato, terminando con un finale intenso. Buona definizione complessiva per il Chianti Classico Riserva di Famiglia '17, incisivo e coerente.

● Chianti Cl. Gran Selezione Villa Rosa '17	♟♟♟	6
● Chianti Cl. Riserva di Famiglia '17	♟♟	5
● Chianti Cl. Villa Cerna Ris. '17	♟	5
● Chianti Cl. Gran Selezione Villa Rosa '16	♟♟♟	6
● Chianti Cl. Riserva di Famiglia '15	♟♟♟	5
● Chianti Cl. Riserva di Famiglia '07	♟♟♟	5
● Chianti Cl. Villa Cerna Ris. '13	♟♟♟	5
● Chianti Cl. Villa Cerna Ris. '12	♟♟♟	5
● Chianti Cl. Villa Cerna Ris. '08	♟♟♟	5
● Coevo '11	♟♟♟	8
● Coevo '10	♟♟♟	7
● Coevo '06	♟♟♟	7
● Chianti Cl. Riserva di Famiglia '16	♟♟	5
● Chianti Cl. Villa Cerna Ris. '16	♟♟	5
● Coevo '16	♟♟	8

La Cerreta

VIA CAMPAGNA SUD, 143
57020 SASSETTA [LI]
TEL. 0565794352
www.lacerreta.it

PRODUZIONE ANNUA 20.000 bottiglie
ETTARI VITATI 8,00
VITICOLTURA Biodinamico Certificato

La Cerreta è una vera e propria fattoria dove tutto viene seguito secondo i dettami dell'agricoltura biodinamica: non solo vino, visto che si allevano cavalli, suini, api e pollame, senza dimenticare la produzione in proprio di formaggi, miele e frutta. La parte viticola inizia a diventare rilevante nel 1999, con i primi sei ettari impiantati, ai quali se ne aggiungono altri due nel 2003. La natura dei terreni è siliceo-argillosa, particolarmente adatta a vitigni come il vermentino, tra le uve a bacca bianca, cabernet sauvignon e sangiovese per le rosse. Vermentino in purezza, il Matis '18 si propone con aromi di erbe officinali che si combinano a note di mela e pesca bianca, oltre a cenni di cannella; in bocca ha peso, freschezza, finale rilassato e godibile. Il Rio de' Messi '17, cabernet sauvignon con saldo di merlot, porge nitidi profumi minerali, note mentolate, cenni di erba cedrina, salvia e frutti neri assortiti. È caldo, avvolgente, succoso e potente al palato.

○ Matis '18	♟♟	3
● Rio de' Messi '17	♟♟	3
● Solatio della Cerreta '16	♟♟	3
● Spargivento '16	♟♟	4
● Stanca Vizi '17	♟	5
○ Matis '15	♀♀	3
● Rio de' Messi '13	♀♀	3
● Sangiovese '13	♀♀	3

Vincenzo Cesani

LOC. PANCOLE, 82D
53037 SAN GIMIGNANO [SI]
TEL. 0577955084
www.cesani.it

VENDITA DIRETTA
VISITA SU PRENOTAZIONE
OSPITALITÀ
PRODUZIONE ANNUA 30.000 bottiglie
ETTARI VITATI 26,00
VITICOLTURA Biologico Certificato

A metà degli anni '50 molte famiglie
migrarono dalle Marche verso la Toscana.
Alcune di queste, tra cui i Cesani,
approdarono a San Gimignano. Vincenzo
diede inizio a un'attività agricola che oggi si
traduce in viticoltura e olivicoltura a
conduzione biologica. L'azienda, ancora a
gestione familiare, con il lavoro di Maria
Luisa e Letizia si è anche dedicata alla
riscoperta di un antico prodotto della zona,
lo zafferano. La vernaccia rimane il vitigno
su cui si basa la maggior parte della
produzione, anche se particolare attenzione
viene riservata ai rossi a base sangiovese.
Conquista le nostre finali la Vernaccia
Sanice Riserva '17. Ha un bagaglio
aromatico stimolante dove si riconoscono
sensazioni agrumate come cedro e lime,
accanto a note vegetali di basilico ed erba
cipollina; il tutto su una base fruttata di
mela e susina. Invitante in ingresso, salina,
appetitosa, dal finale lungo e gradevole la
Vernaccia Clamys '18: attrae per i sentori
di zafferano ed un corpo docile e rilassato.

○ Vernaccia di S. Gimignano	
Sanice Ris. '17	▼▼ 3*
○ Vernaccia di S. Gimignano '19	▼▼ 2*
○ Vernaccia di S. Gimignano Clamys '18	▼▼ 2*
● Chianti Colli Senesi '19	▼ 2
⊙ Rosato '19	▼ 2
● San Gimignano Rosso Cellori '13	▼ 4
○ Vernaccia di S. Gimignano	
Sanice Ris. '15	▽▽▽ 3*
○ Vernaccia di S. Gimignano	
Sanice Ris. '14	▽▽▽ 3*
● Chianti Colli Senesi '18	▽▽ 2*
○ Vernaccia di S. Gimignano Clamys '17	▽▽ 2*
○ Vernaccia di S. Gimignano Clamys '16	▽▽ 2*
○ Vernaccia di S. Gimignano	
Sanice Ris. '16	▽▽ 3*

Giovanni Chiappini

LOC. FELCIAINO
VIA BOLGHERESE, 189C
57020 BOLGHERI [LI]
TEL. 0565765201
www.giovannichiappini.it

VENDITA DIRETTA
VISITA SU PRENOTAZIONE
PRODUZIONE ANNUA 70.000 bottiglie
ETTARI VITATI 23,00
VITICOLTURA Biologico Certificato
AZIENDA SOSTENIBILE

Chissà se i primi Chiappini a emigrare in
Toscana dalle Marche immaginavano quello
che sarebbe accaduto negli anni a venire.
Difficile da ipotizzare. Fatto sta che la
ricerca di un futuro migliore attraverso la
coltivazione della terra ha aperto scenari
impensabili grazie alla vite e al vino, tanto
che oggi l'azienda è un gioiellino della
denominazione Bolgheri e mostra
prospettive sempre più interessanti. Molti i
rinnovamenti nel progetto, a partire dalla
cantina, passando per uno stile
progressivamente più centrato e in
equilibrio. È ancora una volta il Lienà
Cabernet Franc l'etichetta della scuderia
che più ci ha convinto: evidentemente una
varietà nelle corde di questa cantina,
capace anche nella vendemmia 2017 di
esprimere un rosso originale e sfaccettato.
Piuttosto scuro e avvolto da una piacevole
trama tostata, il frutto è ben bilanciato da
richiami erbacei, di chiara impronta
mentolata. Ottima riuscita anche per i
Bolgheri Rosso Felciaino '18 e Superiore
Guado dei Gemoli '17.

● Lienà Cabernet Franc '17	▼▼ 8
● Bolgheri Rosso Felciaino '18	▼▼ 4
● Bolgheri Rosso Sup.	
Guado de' Gemoli '17	▼▼ 8
○ Bolgheri Le Grottine '19	▼ 3
● Bolgheri Rosso Felciaino '17	▽▽ 4
● Bolgheri Rosso Felciaino '16	▽▽ 4
● Bolgheri Rosso Felciaino '15	▽▽ 3
● Bolgheri Rosso Sup.	
Guado de' Gemoli '16	▽▽ 8
● Bolgheri Rosso Sup.	
Guado de' Gemoli '15	▽▽ 8
● Lienà Cabernet Franc '16	▽▽ 8
● Lienà Cabernet Franc '15	▽▽ 8
● Lienà Cabernet Sauvignon '15	▽▽ 7
● Bolgheri Sup. Guado de' Gemoli '14	▽ 8

Podere La Chiesa

VIA DI CASANOVA, 66A
56030 TERRICCIOLA [PI]
TEL. 0587635484
www.poderelachiesa.it

VENDITA DIRETTA
VISITA SU PRENOTAZIONE
PRODUZIONE ANNUA 40.000 bottiglie
ETTARI VITATI 14,00
VITICOLTURA Biologico Certificato
AZIENDA SOSTENIBILE

Coppia nella vita e nel lavoro, Maurizio
Iannantuono e Palma decidono di mettere a
frutto la loro passione per il vino: lasciano
così l'attività nel settore informatico e si
mettono alla ricerca del luogo adatto
all'impresa. La svolta arriva quando
scovano un bel podere sulla strada per
Volterra, dove decidono di costruire anche
la cantina secondo criteri architettonici
moderni, legati alla funzionalità, ma anche
alla bellezza estetica, tanto da farla
diventare una sorta di galleria per mostre ed
eventi. L'Opera in Rosso '15 è un
sangiovese dai profumi terziari che
richiamano un affascinante mix di tabacco,
terra, cuoio e confettura di more. L'attacco
in bocca è morbido, ampio, caldo nella parte
alcolica, con tannino e finale calibrato. Bene
anche il Punto di Vista '19, uvaggio paritario
di trebbiano e vermentino dal naso fresco,
con le nuance di mela ad abbracciare cenni
vegetali di basilico; corpo sottile, di ottima
beva, finale sapido accattivante.

● Opera in Nero '17	♟♟	7
○ Punto di Vista '19	♟♟	3
● Terre di Pisa Rosso Le Redole di Casanova '18	♟♟	2*
● Terre di Pisa Sangiovese Opera in Rosso '15	♟♟	7
● Chianti Terre di Casanova '18	♟	3
● Chianti Terre di Casanova '17	♟♟	2*
● Chianti Terre di Casanova '12	♟♟	2*
● Le Redole di Casanova '12	♟♟	2*
● Le Redole di Casanova '08	♟♟	2*
● Sabiniano di Casanova '11	♟♟	4
● Sabiniano di Casanova '08	♟♟	4
● Sabiniano di Casanova '04	♟♟	4
○ Taigete '17	♟♟	2*
● Terre di Pisa Sangiovese Opera in Rosso '14	♟♟	7

Le Chiuse

LOC. PULLERA, 228
53024 MONTALCINO [SI]
TEL. 055597052
www.lechiuse.com

VENDITA DIRETTA
VISITA SU PRENOTAZIONE
OSPITALITÀ
PRODUZIONE ANNUA 30.000 bottiglie
ETTARI VITATI 8,00
VITICOLTURA Biologico Certificato

Spesso ricordato come uno dei principali
siti utilizzati dalla famiglia Biondi Santi per
le sue mitiche Riserve, il podere Le Chiuse
appartiene da molti anni a Simonetta
Valiani, che lo gestisce insieme al marito
Nicolà Magnelli e al figlio Lorenzo. Siamo
nel cuore del settore nord di Montalcino,
praticamente un corpo unico a sangiovese
avvolto da cru altrettanto rinomati come
Montosoli o I Canalicchi. Pedigree
territoriale indissolubilmente legato ad
interpretazioni scintillanti del sangiovese da
Brunello, esaltate da protocolli
biocompatibili in vigna e da lavorazioni
essenziali in cantina. Elegantissimo,
classico e fine il 2015 de Le Chiuse. Ha un
bouquet sui toni del frutto rosso che vira su
note eleganti di tabacco, liquirizia e spezie.
Al palato l'esuberanza del frutto è
elegantemente temperata dalla perfetta
armonia della trama tannica. La Riserva
Decennale '10 non tradisce l'età, riesce ad
essere complesso e suadente, nitido nel
frutto ed elegantemente evoluto nei toni
speziati e terziari. Delizioso, dinamico e
pieno il Rosso '18.

● Brunello di Montalcino '15	♟♟♟	7
● Brunello di Montalcino Ris. '10	♟♟	8
● Rosso di Montalcino '18	♟♟	4
● Brunello di Montalcino '12	♟♟♟	7
● Brunello di Montalcino '11	♟♟♟	7
● Brunello di Montalcino '10	♟♟♟	7
● Brunello di Montalcino '07	♟♟♟	7
● Brunello di Montalcino Ris. '07	♟♟♟	8
● Brunello di Montalcino '14	♟♟	7
● Brunello di Montalcino '13	♟♟	7
● Rosso di Montalcino '17	♟♟	4

Ciacci Piccolomini D'Aragona

FRAZ. CASTELNUOVO DELL'ABATE
LOC. MOLINELLO
53024 MONTALCINO [SI]
TEL. 0577835616
www.ciaccipiccolomini.com

VENDITA DIRETTA
VISITA SU PRENOTAZIONE
OSPITALITÀ
PRODUZIONE ANNUA 200.000 bottiglie
ETTARI VITATI 40,00

Collocata praticamente a metà strada tra l'Abbazia di Sant'Antimo e la frazione di Castelnuovo dell'Abate, la storica tenuta dei Ciacci Piccolomini è uno degli avamposti più importanti del settore sud-est di Montalcino. A metà degli anni '80 passò a Giuseppe Bianchini e oggi sono i figli Lucia e Paolo ad occuparsene con un lavoro rigoroso incentrato sulle peculiarità viticole ed espressive delle parcelle che danno forma a solidi Rosso e Brunello. Ferraiole, Egle, Contessa e Colombaio: sono vinificate separatamente e assemblate a valle, con l'eccezione del cru Vigna di Pianrosso. È polposo e ricco il Brunello '15 nei suoi toni di ciliegia matura e sotto spirito: erbe officinali, china e spezie rendono il bouquet suadente e complesso; al palato è ricco, polposo, sostenuto da una armonica impalcatura acido-tannica. Il Pianrosso '15 esprime bene la bontà dell'annata, ha bei toni di tabacco al naso e tannini levigati che l'accompagnano in un lungo finale. Elegante e sapido il Rosso '18.

● Brunello di Montalcino '15	♟♟	5
● Brunello di Montalcino Pianrosso '15	♟♟	8
● Rosso di Montalcino '18	♟♟	4
● Brunello di Montalcino '14	♟♟	5
● Brunello di Montalcino '13	♟♟	5
● Brunello di Montalcino V. di Pianrosso Ris. '13	♟♟	7
● Rosso di Montalcino '17	♟♟	4
● Rosso di Montalcino Rossofonte '15	♟♟	4

Cinciano

LOC. CINCIANO, 2
53036 POGGIBONSI [SI]
TEL. 0577936588
www.cinciano.it

VENDITA DIRETTA
VISITA SU PRENOTAZIONE
OSPITALITÀ E RISTORAZIONE
PRODUZIONE ANNUA 140.000 bottiglie
ETTARI VITATI 24,00

La Fattoria di Cinciano conta su vigneti coltivati nella porzione della denominazione del Chianti Classico a ridosso di Poggibonsi e di Barberino Val d'Elsa. La cantina ha imboccato da tempo una strada chiara e definita, non solo dal punto di vista qualitativo, ma anche da quello della coerenza e del legame con il proprio territorio d'origine. La materia prima è solida e in cantina gli interventi sono essenziali con maturazioni effettuate in cemento, legno grande e legno piccolo di secondo passaggio, con il risultato di un rafforzamento della personalità e dello stile aziendale. Il Chianti Classico Riserva '17 gode di aromi intensi e di buona articolazione, ma è in bocca che cambia passo con un sorso succoso e contrastato, dal tratto stilistico coerentemente territoriale. Qualche incertezza olfattiva non penalizza la qualità complessiva del Chianti Classico '18, fresco e saporito; affumicato al naso, robusto e serrato al palato il Chianti Classico Gran Selezione '16.

● Chianti Cl. '18	♟♟	4
● Chianti Cl. Gran Selezione '16	♟♟	6
● Chianti Cl. Ris. '17	♟♟	5
● Pietraforte '16	♟♟	3
● Chianti Cl. '16	♟♟♟	4*
● Chianti Cl. '15	♟♟	3
● Chianti Cl. Gran Sel. '12	♟♟	5
● Chianti Cl. Gran Sel. '11	♟♟	5
● Chianti Cl. Gran Selezione '15	♟♟	6
● Chianti Cl. Gran Selezione '14	♟♟	6
● Chianti Cl. Ris. '16	♟♟	5
● Chianti Cl. Ris. '15	♟♟	5
● Chianti Cl. Ris. '14	♟♟	3
● Chianti Cl. Ris. '13	♟♟	3*
● Chianti Cl. Ris. '12	♟♟	3*
● Chianti Cl. Ris. '11	♟♟	3
● Pietraforte '14	♟♟	3

Le Cinciole

VIA CASE SPARSE, 83
50020 PANZANO [FI]
TEL. 055852636
www.lecinciole.it

VENDITA DIRETTA
VISITA SU PRENOTAZIONE
PRODUZIONE ANNUA 45.000 bottiglie
ETTARI VITATI 11,00
VITICOLTURA Biologico Certificato
AZIENDA SOSTENIBILE

La cantina condotta da Luca e Valeria
Orsini si inserisce a buon diritto nel tessuto
dell'alto artigianato enologico, che
contraddistingue da sempre la
denominazione del Chianti Classico. Siamo
nella sottozona di Panzano, dove l'azienda
coltiva in biologico i suoi vigneti e fa
maturare i vini in legni grandi e piccoli. Ne
risulta una gamma di etichette dallo stile
coerente con il proprio territorio d'origine,
di confortante qualità e dal carattere ben
definito, che mette insieme vivacità e
buona propensione all'invecchiamento. Una
bellissima versione, la 2016 per il Petresco,
sangiovese in purezza che mette in fila uno
spettro olfattivo ampio e definito, diviso tra
frutti rossi fragranti, cenni terrosi e spezie.
In bocca si sviluppa pieno e succoso,
mentre il sorso è continuo e appagante.
Ben riuscito anche il Chianti Classico '17,
che profuma di erba tagliata e frutti rossi,
risultando assai sapido. Bevibilità
accentuata per il Cinciorosso '18, da uve
sangiovese, merlot e syrah.

● Chianti Cl. '17	♟♟ 3*
● Petresco '16	♟♟ 5
● Chianti Cl. A Luigi Ris. '15	♟♟ 3
● Cinciorosso '18	♟♟ 3
☉ Sangiovese Rosato '19	♟ 2
● Camalaione '04	♟♟♟ 7
● Chianti Cl. '14	♟♟♟ 3*
● Chianti Cl. '12	♟♟♟ 3*
● Chianti Cl. Petresco Ris. '01	♟♟♟ 5
● Petresco '12	♟♟♟ 5
● Chianti Cl. '15	♟♟ 3*
● Chianti Cl. A Luigi Ris. '14	♟♟ 3
● Chianti Cl. A Luigi Ris. '12	♟♟ 3
● Cinciorosso '17	♟♟ 3
● Cinciorosso '16	♟♟ 3
● Petresco '15	♟♟ 5
● Petresco '13	♟♟ 5

Donatella Cinelli Colombini

LOC. CASATO, 17
53024 MONTALCINO [SI]
TEL. 0577662108
www.cinellicolombini.it

VENDITA DIRETTA
VISITA SU PRENOTAZIONE
OSPITALITÀ E RISTORAZIONE
PRODUZIONE ANNUA 140.000 bottiglie
ETTARI VITATI 34,00

Fondatrice del Movimento del turismo del
vino, ideatrice di Cantine Aperte, docente
universitaria specializzata in marketing del
vino, nel 1998 Donatella Cinelli Colombini
decise di uscire dall'azienda di famiglia per
creare la sua Fattoria del Colle a Trequanda
e il Casato Prime Donne a Montalcino, tra
le prime realtà produttive declinate al
femminile. Maturati in tonneau e botti più
grandi da 15-40 ettolitri, i suoi Brunello
non sono riconducibili ad una scuola
stilistica predefinita, ma raccontano di volta
in volta l'indole più avvolgente e al
contempo arcigna della denominazione. Se
dovessimo riassumere con un aggettivo il
Brunello '15 di questa maison sarebbe
"affascinante": lo è nel colore, nell'eleganza
e nella ricchezza del frutto, nella finezza
della trama tannica e nel lunghissimo e
fascinoso fine bocca. Prova magistrale. Ha
più spessore e materia il Prime Donne '15
appena segnato dall'alcol in questa fase
evolutiva, ma crescerà. Molto validi i vini
della Doc Orcia.

● Brunello di Montalcino '15	♟♟♟ 6
● Brunello di Montalcino Prime Donne '15	♟♟ 7
● Orcia Il Drago e Le Colombe '16	♟♟ 3
● Orcia Leone Rosso '18	♟♟ 2*
● Rosso di Montalcino '18	♟ 3
● Brunello di Montalcino '14	♟♟ 6
● Brunello di Montalcino Prime Donne '13	♟♟ 7
● Brunello di Montalcino Ris. '13	♟♟ 8
● Brunello di Montalcino Ris. '12	♟♟ 8
● Orcia Rosso Cenerentola '16	♟♟ 5
● Rosso di Montalcino '15	♟♟ 3

Podere della Civettaja

VIA DI CASINA ROSSA, 5A
52100 AREZZO
TEL. 3397098418
www.civettaja.it

VENDITA DIRETTA
VISITA SU PRENOTAZIONE
PRODUZIONE ANNUA 7.000 bottiglie
ETTARI VITATI 3,00
VITICOLTURA Biologico Certificato

Vincenzo Tommasi è l'artefice della riscoperta del Casentino quale territorio del vino, grazie all'intuizione di piantare pinot nero in una zona che aveva visto il vitigno francese protagonista già alla fine del XIX secolo. Una produzione abbandonata vista la scarsità di raccolto, sostituita con vitigni meno interessanti e da lui riproposta con risultati eccellenti. Le condizioni climatiche sono ideali e le altitudini sui 500 metri. In cantina, le fermentazioni spontanee hanno permesso di creare un prodotto unico e ben caratterizzato. Appuntamento con la complicata annata 2017 per il Pinot Nero: gli esiti sono largamente superiori alle aspettative, ulteriore testimonianza di come questo vino e il suo artefice abbiano trovato davvero la quadratura del cerchio. Il bouquet variegato, dove si alternano note di sottobosco e frutti (ribes, mirtilli e ciliegie), è impreziosito da note speziate e di ginepro; in bocca l'ingresso è godibile, lieve, di vena acida bilanciata ed elegante.

● Pinot Nero '17	♟♟♟	6
● Pinot Nero '16	♟♟♟	6
● Pinot Nero '14	♟♟♟	6
● Pinot Nero '13	♟♟♟	6
● Pinot Nero '15	♟♟	6
● Pinot Nero '12	♟♟	3
● Pinot Nero '11	♟♟	3

★Tenuta Col d'Orcia

VIA GIUNCHETI
53024 MONTALCINO [SI]
TEL. 057780891
www.coldorcia.it

VENDITA DIRETTA
VISITA SU PRENOTAZIONE
PRODUZIONE ANNUA 800.000 bottiglie
ETTARI VITATI 142,00
VITICOLTURA Biologico Certificato
AZIENDA SOSTENIBILE

In una Montalcino che punta sempre più sulla valorizzazione di specifici versanti e cru, Col d'Orcia incarna una storia di consapevolezza e lungimiranza. Subito dopo aver acquisito la tenuta negli anni '70, infatti, i Conti Marone Cinzano iniziarono ad immaginare il loro primo "single vineyard": quel Poggio al Vento Riserva che racconta al meglio le peculiarità del settore sud e in particolare della solare ed ariosa zona compresa tra Sant'Angelo in Colle e il fiume Orcia. Oggi come allora fiore all'occhiello di una proposta con tanti punti di forza, non solo tra i sangiovese da Brunello. Ben due etichette di questa classica azienda sono approdate alle nostre finali: il Poggio al Vento '13, elegante, complesso, sfaccettato, profondo, ma con un olfatto appena velato e Brunello '15, un vino suadente speziato, armonico e fine cui possiamo solo rimproverare una bocca troppo sottile per un'annata come questa, ma l'eleganza è lì. Nearco '16, Rosso '18 e il resto della produzione attestano il grande status della maison.

● Brunello di Montalcino '15	♟♟	7
● Brunello di Montalcino Poggio al Vento Ris. '13	♟♟	8
● Rosso di Montalcino '18	♟♟	5
● Sant'Antimo Cabernet Olmaia '15	♟♟	6
○ Sant'Antimo Chardonnay Ghiaie Bianche '18	♟♟	4
● Sant'Antimo Nearco '16	♟♟	5
○ Moscadello di Montalcino V. T. Pascena '15	♟	6
● Spezieri '19	♟	2
○ Vermentino '19	♟	3
● Brunello di Montalcino '14	♟♟	7
● Brunello di Montalcino Nastagio '13	♟♟	8
● Brunello di Montalcino Poggio al Vento Ris. '12	♟♟	8
● Rosso di Montalcino '17	♟♟	5

Col di Bacche

FRAZ. MONTIANO
S.DA DI CUPI
58051 MAGLIANO IN TOSCANA [GR]
TEL. 0564589538
www.coldibacche.com

VENDITA DIRETTA
VISITA SU PRENOTAZIONE
PRODUZIONE ANNUA 80.000 bottiglie
ETTARI VITATI 13,50

Alberto Carnasciali conduce un'azienda modello, capace di imporsi con decisione nel mondo enologico maremmano senza inutili clamori. Il suo percorso è ormai ultraventennale, avendo preso il via nel 1998 e con le prime etichette arrivate sugli scaffali nel 2004. Oggi il posto di rilievo che Col di Bacche è riuscita a raggiungere è a dir poco solido, anzi, diventa sempre più autorevole grazie a vini dallo stile impeccabile e ben definito. Dietro a questo successo non ci sono scorciatoie, ma soltanto un lavoro costante e assiduo da autentico artigiano dell'enologia. Notevole lo spessore strutturale che si percepisce all'assaggio del Poggio alle Viole '16, sangiovese in purezza dal piglio deciso, austero e mediterraneo. Profuma di frutta rossa matura e spezie, con toni affumicati e vanigliati a rifinitura. Fragrante e dalla precisa esecuzione il Vermentino '19: l'impronta aromatica di fiore di tiglio e frutto della passione introduce un sorso saporito, dinamico e contrastato.

● Poggio alle Viole '16	♟♟ 5
● Morellino di Scansano '19	♟♟ 3
○ Vermentino '19	♟♟ 3
● Cupinero '09	♟♟♟ 5
● Morellino di Scansano Rovente '05	♟♟♟ 4
● Morellino di Scansano Rovente Ris. '15	♟♟♟ 5
● Poggio alle Viole '15	♟♟♟ 5
● Cupinero '15	♟♟ 5
● Morellino di Scansano '18	♟♟ 3
● Morellino di Scansano '17	♟♟ 3
● Morellino di Scansano '16	♟♟ 3
● Morellino di Scansano '15	♟♟ 3*
● Morellino di Scansano Rovente Ris. '16	♟♟ 5
● Morellino di Scansano Rovente Ris. '13	♟♟ 5
● Poggio alle Viole '14	♟♟ 5
○ Vermentino '18	♟♟ 3

Fattoria Collazzi

LOC. TAVARNUZZE
VIA COLLERAMOLE, 101
50023 IMPRUNETA [FI]
TEL. 0552374902
www.collazzi.it

VENDITA DIRETTA
VISITA SU PRENOTAZIONE
PRODUZIONE ANNUA 80.000 bottiglie
ETTARI VITATI 32,00

La villa di grande pregio, il cui progetto è attribuito a Michelangelo Buonarroti, si trova nella parte centrale della tenuta di proprietà della famiglia Marchi, che si estende per oltre 400 ettari alle porte di Firenze. Una parte considerevole dei terreni è coperta di olivi, mentre da un curato allevamento di api si ottiene una piccola produzione di miele integrale. Il vino ha assunto importanza soprattutto a partire dagli anni Novanta, da quando cioè si è provveduto ad una risistemazione dei vigneti, all'immissione di nuove cultivar di origine francese e all'ammodernamento delle cantine. Cabernet sauvignon in prevalenza con saldo di franc, merlot e petit verdot, il Collazzi '17 ha note mentolate iniziali, quindi cenni di eucalipto e frutta matura, tra prugna e ciliegia. La bocca è avvolta da una struttura morbida e cremosa, con una vena acida appropriata e un finale persistente. Accattivante il Ferro '17, petit verdot in purezza fresco nei profumi e scattante al gusto.

● Collazzi '17	♟♟ 6
● Ferro '17	♟♟ 5
○ Otto Muri '19	♟♟ 3
● Chianti Cl. I Bastioni '18	♟ 3
● Libertà '18	♟ 3
● Collazzi '16	♟♟ 6
● Collazzi '15	♟♟ 6
● Collazzi '13	♟♟ 6
● Collazzi '11	♟♟ 6
● Ferro '16	♟♟ 5
● Ferro '15	♟♟ 5
● Ferro '12	♟♟ 5
● Libertà '17	♟♟ 3
● Libertà '16	♟♟ 3
○ Otto Muri '18	♟♟ 3
○ Otto Muri '17	♟♟ 3

Colle di Bordocheo

LOC. SEGROMIGNO IN MONTE
VIA DI PIAGGIORI BASSO, 123
55012 CAPANNORI [LU]
TEL. 0583929821
www.colledibordocheo.com

VENDITA DIRETTA
VISITA SU PRENOTAZIONE
OSPITALITÀ
PRODUZIONE ANNUA 30.000 bottiglie
ETTARI VITATI 10,00

Fattoria a conduzione biologica, in pieno stile "distretto" Colline Lucchesi, Colle di Bordocheo si colloca a Segromigno in Monte. Qui vegetano vigneti e oliveti meravigliosi, base fondamentale per la realizzazione di vino e olio extravergine di oliva di alto livello: una posizione invidiabile con vista mozzafiato sulla valle, ideale per l'agriturismo di proprietà. Le uve coltivate sono sangiovese, ciliegiolo e merlot per i rossi, trebbiano, vermentino e chardonnay per i bianchi. Lo stile delle etichette realizzate è personale, capace di dare prodotti saporiti e intriganti. Da uve sangiovese, canaiolo, ciliegiolo e merlot, il Rosso Bordocheo '18 ha colore violaceo e profumi fruttati scuri, decisi, capaci tuttavia di sfumature speziate e richiami terrosi. In bocca è saporito, di buona spalla e profondità, coerente negli aromi. Delizioso il Rosato Sestilla '19, pallido nel colore e iodato nel gusto, senza dimenticare un Vermentino '19 salmastro e di arioso nitore.

● Colline Lucchesi Rosso Bordocheo '18	♟♟	3
○ Colline Lucchesi Vermentino Bordocheo '19	♟♟	2*
⊙ Sestilia '19	♟♟	3
○ Bianco dell'Oca '18	♟	3
● Colline Lucchesi Sangiovese Picchio Rosso '17	♟	4
○ Bianco dell'Oca '17	♀♀	3
○ Colline Lucchesi Bianco Bordocheo '18	♀♀	2*
● Colline Lucchesi Picchio Rosso '13	♀♀	3
● Colline Lucchesi Picchio Rosso '12	♀♀	3
● Colline Lucchesi Rosso Bordocheo '17	♀♀	2*
● Colline Lucchesi Rosso Mille968 '16	♀♀	5
● Colline Lucchesi Rosso Mille968 '15	♀♀	5
● Colline Lucchesi Sangiovese Picchio Rosso '16	♀♀	3*
⊙ Sestilia '18	♀♀	3

★Colle Massari

LOC. POGGI DEL SASSO
58044 CINIGIANO [GR]
TEL. 0564990496
www.collemassari.it

VENDITA DIRETTA
VISITA SU PRENOTAZIONE
OSPITALITÀ
PRODUZIONE ANNUA 500.000 bottiglie
ETTARI VITATI 110,00
VITICOLTURA Biodinamico Certificato

Il progetto di Collemassari nasce nel 1998, quando l'imprenditore Claudio Tipa individua, in una zona poco conosciuta della Maremma, il luogo ideale per realizzare un vecchio sogno. In poco più di due decenni è diventato il quartier generale di un'azienda leader, nell'areale del Montecucco quanto più in generale nello scacchiere enoico del Bel Paese: primo tassello di un vero e proprio gruppo di eccellenza, ampliato con lo acquisizioni a Montalcino (Poggio di Sotto, San Giorgio) e a Bolgheri (Grattamacco). La gamma maremmana resta sempre di fattura ineccepibile e di spiccata personalità. Probabilmente tra le migliori versioni mai prodotte, il Montecucco Lombrone Riserva '16 possiede profumi definiti e stratificati che alternano piccoli frutti rossi a cenni floreali, di pietra focaia e spezie. In bocca la struttura tannica è densa, saporita e articolata, con la componente acida a rendere lo sviluppo tonico e profondo. Il Montecucco Rosso Rigoleto '18 è fragrante negli aromi e gustoso al palato.

● Montecucco Sangiovese Poggio Lombrone Ris. '16	♟♟♟	6
● Montecucco Rosso Rigoleto '18	♟♟	3*
● Montecucco Rosso Ris. '17	♟♟	4
○ Montecucco Vermentino Irisse '19	♟	4
○ Montecucco Vermentino Melacce '18	♟	3
● Montecucco Rosso Ris. '16	♀♀♀	4*
● Montecucco Rosso Ris. '13	♀♀♀	3*
● Montecucco Sangiovese Lombrone Ris. '11	♀♀♀	6
● Montecucco Sangiovese Lombrone Ris. '10	♀♀♀	6
● Montecucco Sangiovese Poggio Lombrone Ris. '14	♀♀♀	6
● Montecucco Sangiovese Poggio Lombrone Ris. '13	♀♀♀	6

Colle Santa Mustiola

VIA DELLE TORRI, 86A
53043 CHIUSI [SI]
TEL. 057820525
www.poggioaichiari.it

VENDITA DIRETTA
VISITA SU PRENOTAZIONE
PRODUZIONE ANNUA 18.000 bottiglie
ETTARI VITATI 5,00
AZIENDA SOSTENIBILE

L'azienda di Fabio Cenni ci ha abituato da tempo a vini straordinari, nel solco dei grandi sangiovese che nascono tra le denominazioni più blasonate delle province di Siena e Firenze. Colle Santa Mustiola fa senz'altro parte di quella schiera di piccole cantine che rappresentano l'ossatura principale del meglio del panorama del vino tricolore. In più è un progetto coraggioso, nato e sviluppato fuori dalle direttrici enoiche principali della Toscana, che conserva caratteristiche uniche: gli appassionati più curiosi ed attenti non possono non passare da queste parti. L'etichetta è stata ammodernata ma la sostanza rimane quella: Poggio ai Chiari è uno dei vini toscani a base sangiovese più originali. La conferma arriva da un 2012 certamente terziario e maturo, con note di erbe essiccate e spezie, ma capace anche di lampi freschi e richiami di frutti di bosco appena colti. Saporito, agrumato e teso con accenni pepati il rosato Kernos '19, sempre da uve sangiovese.

● Poggio ai Chiari '12	♟♟ 6
☉ Kernos Rosato '19	♟♟ 4
● Poggio ai Chiari '07	♟♟♟ 6
● Poggio ai Chiari '06	♟♟♟ 6
☉ Kernos '15	♟♟ 4
☉ Kernos '15	♟♟ 4
● Poggio ai Chiari '11	♟♟ 6
● Poggio ai Chiari '10	♟♟ 6
● Poggio ai Chiari '09	♟♟ 6
● Poggio ai Chiari '08	♟♟ 6
● Vigna Flavia '13	♟♟ 5
● Vigna Flavia '12	♟♟ 5
● Vigna Flavia '11	♟♟ 5
● Vigna Flavia '10	♟♟ 5

Fattoria Colle Verde

LOC. CASTELLO
VIA DI MATRAIA, 8
55012 LUCCA
TEL. 0583402310
www.colleverde.it

VENDITA DIRETTA
VISITA SU PRENOTAZIONE
PRODUZIONE ANNUA 30.000 bottiglie
ETTARI VITATI 7,50
VITICOLTURA Biologico Certificato

Piero Tartagni e Francesca Pardini hanno scelto di vivere in campagna da oltre un trentennio, per poi trasformarsi in produttori di vino. Nasce così la Fattoria Colleverde, con le sue diverse anime: cantina, wine resort, scuola di cucina. Lo scenario che accoglie tutto è quello a dir poco splendido delle Colline Lucchesi di Matraia. Molte cose sono cambiate dagli esordi del progetto, oggi la produzione agricola è certificata biologica e viene praticata la biodinamica. In cantina le vinificazioni sono rispettose dei frutti e plasmano vini nitidi, rigorosi e precisi. Assaggi convincenti su tutto il fronte, con il solito Braia delle Ghiandaie a fare da capofila. La versione 2017 ha maggiore maturità ed estrazione rispetto alla precedente, con richiami tostati in primo piano, ma è un vino da leggere soprattutto in prospettiva. Ottimo anche il Nero della Spinosa '17, carnoso e piacevolmente mediterraneo. Molto originale e divertente il cabernet franc Sinòpia '17.

● Braia delle Ghiandaie '17	♟♟ 5
● Nero della Spinosa '17	♟♟ 5
● Sinòpia '17	♟♟ 8
● Terre di Matraja Rosso '19	♟ 3
● Brania delle Ghiandaie '16	♟♟ 5
● Brania delle Ghiandaie '15	♟♟ 5
● Brania delle Ghiandaie '14	♟♟ 5
● Colline Lucchesi Rosso Brania delle Ghiandaie '13	♟♟ 5
● Colline Lucchesi Rosso Brania delle Ghiandaie '12	♟♟ 5
● Nero della Spinosa '16	♟♟ 5
● Nero della Spinosa '14	♟♟ 5
● Nero della Spinosa '13	♟♟ 5
● Sinòpia '13	♟♟ 8
● Terre di Matraja Rosso '17	♟♟ 3
● Terre di Matraja Rosso '16	♟♟ 3

Collemattoni

FRAZ. SANT'ANGELO IN COLLE
LOC. COLLEMATTONI, 100
53024 MONTALCINO [SI]
TEL. 0577844127
www.collemattoni.it

VENDITA DIRETTA
VISITA SU PRENOTAZIONE
PRODUZIONE ANNUA 60.000 bottiglie
ETTARI VITATI 11,00
VITICOLTURA Biologico Certificato
AZIENDA SOSTENIBILE

È una piattaforma viticola a dir poco
articolata quella che fa da spartito nel
progetto produttivo di Marcello Bucci e
famiglia. Coltivate principalmente a
sangiovese, le vigne di proprietà si
distribuiscono tra Sesta, Cava (a
Castelnuovo dell'Abate), Orcia (a
Sant'Angelo Scalo), Fontelontano e
Collemattoni, la tenuta di Sant'Angelo in
Colle che battezza l'azienda, posizionata nel
settore sud-ovest di Montalcino. Siti che
cooperano virtuosamente in Brunello e
Rosso fascianti e consistenti, di sicuro
affidamento. Ce lo conferma la bella
prestazione del Brunello '15 che approda
alle nostre finali. È un vino moderno per
pulizia stilistica e nitore del frutto, ma senza
eccessi. La bocca è solida ed estrattiva, i
tannini setosi, il finale è lungo e appagante.
Ben fatto, polposo arrembante e appagante
il Rosso dalle nuance agrumate e dalla
solida corposità.

● Brunello di Montalcino '15	♈♈	6
● Rosso di Montalcino '18	♈♈	4
● Adone '18	♈	3
● Brunello di Montalcino '14	♈♈	6
● Brunello di Montalcino '13	♈♈	6
● Brunello di Montalcino V. Fontelontano Ris. '13	♈♈	8
● Rosso di Montalcino '17	♈♈	4
● Rosso di Montalcino '16	♈♈	4
● Rosso di Montalcino '15	♈♈	4
● Rosso di Montalcino '14	♈♈	4
● Rosso di Montalcino '13	♈♈	3*

Colognole

LOC. COLOGNOLE
VIA DEL PALAGIO, 15
50065 PONTASSIEVE [FI]
TEL. 0558319870
www.colognole.it

VENDITA DIRETTA
VISITA SU PRENOTAZIONE
OSPITALITÀ E RISTORAZIONE
PRODUZIONE ANNUA 90.000 bottiglie
ETTARI VITATI 27,00

Cesare e Mario Coda Nunziante, figli della
contessa Gabriella, ultima discendente
degli Spalletti Trivelli, che riprese in mano
l'azienda nel 1990, sono oggi alla testa di
un articolato progetto composto da oliveti,
case coloniche deputate all'accoglienza
con soggiorno, un sistema dedicato alla
scoperta e alla conoscenza della cultura
secolare del patrimonio di questo territorio.
Naturalmente le vigne sono importanti,
sulla riva destra della Sieve, in territorio di
produzione di Chianti Rufina. Qui crescono
uve di sangiovese con piccole percentuali
di colorino, merlot e chardonnay. Arriva per
la prima volta in finale e centra il bersaglio
più importante il Chianti Rufina '17, dai
profumi gentili, freschi e balsamici, con
fruttato vivo (ribes, mirtillo) e cenni
aromatici (salvia, alloro). Ottimo l'attacco
gustativo, succoso e fluido, ha un centro
bocca equilibrato e un finale appetitoso.
Avvincente il Sarà Syrah '18, dalle note
mentolate e speziate, definito e rilassato
nel sorso.

● Chianti Rufina '17	♈♈	3*
● Chianti Rufina Riserva del Don '16	♈♈	5
○ Quattro Chiacchiere a Oltrepoggio '18	♈♈	4
● Sarà Syrah '18	♈♈	4
● Le Lastre '18	♈	4
○ Sinopie Chardonnay '18	♈	2
● Chianti Rufina '15	♈♈	3
● Chianti Rufina Collezione '16	♈♈	3
● Chianti Rufina Riserva del Don '15	♈♈	5
● Chianti Rufina Riserva del Don '12	♈♈	5
● Chianti Rufina Riserva del Don '11	♈♈	5
● Chianti Rufina V. Le Rogaie '15	♈♈	3
○ Quattro Chiacchiere a Oltrepoggio '17	♈♈	4
○ Quattro Chiacchiere a Oltrepoggio '15	♈♈	4

Il Colombaio di Santa Chiara

LOC. RACCIANO
VIA SAN DONATO, 1
53037 SAN GIMIGNANO [SI]
TEL. 0577942004
www.colombaiosantachiara.it

VENDITA DIRETTA
VISITA SU PRENOTAZIONE
OSPITALITÀ
PRODUZIONE ANNUA 98.000 bottiglie
ETTARI VITATI 22,00
VITICOLTURA Biologico Certificato
AZIENDA SOSTENIBILE

Mario Logi, già al lavoro nei campi all'inizio degli anni '50, fa crescere nel territorio di San Gimignano un'azienda dapprima dedita all'allevamento e poi indirizzata alla viticoltura specializzata. Oggi l'impresa conta sull'intraprendenza del figlio Alessio, che ha poi coinvolto i fratelli Giampiero e Stefano. L'idea è che il vino si fa in vigna, mentre in cantina può migliorare ma non trasformarsi; dunque trattamenti adeguati ai terreni senza uso di insetticidi e una cura dei filari maniacale. Nascono così alcuni dei vini top della zona. Si conferma l'appuntamento con i Tre Bicchieri grazie alla Vernaccia L'Albereta Riserva '17. Vino che ammalia con profumi intensi, inizialmente tostati, che poi si aprono e virano su frutta secca (mandorla e nocciola), via via più fresca (pesca), fino a chiudere su nuance floreali. Al gusto si mostra viva, ricca in struttura ma di ottima freschezza, nerbo acido e finale in crescendo. Ottima anche le Vernaccia Campo della Pieve '18 e Selvabianca '19.

○ Vernaccia di San Gimignano L'Albereta Ris. '17		🏆🏆🏆 5
● Chianti Colli Senesi Campale '17		🏆🏆 3
○ Vernaccia di San Gimignano Campo della Pieve '18		🏆🏆 5
○ Vernaccia di San Gimignano Selvabianca '19		🏆🏆 3
⊙ Rosato Cremisi '19		🏆 2
● San Gimignano Rosso '15		🏆 5
○ Vernaccia di S. Gimignano Albereta Ris. '13		🏆🏆🏆 3*
○ Vernaccia di S. Gimignano Albereta Ris. '12		🏆🏆🏆 5
○ Vernaccia di S. Gimignano Selvabianca '17		🏆🏆🏆 3*
○ Vernaccia di San Gimignano L'Albereta Ris. '16		🏆🏆🏆 5

Podere Concori

LOC. FIATTONE
VIA PROVINCIALE, 1
55027 GALLICANO [LU]
TEL. 0583766039
www.podereconcori.com

VENDITA DIRETTA
VISITA SU PRENOTAZIONE
PRODUZIONE ANNUA 1.000 bottiglie
ETTARI VITATI 4,00

Podere Concori è il sogno concreto di Gabriele da Prato che alla fine degli anni '90 decide di proseguire l'opera di suo padre Luigi, cominciando al tempo stesso un percorso molto personale. Del resto non c'è molto spazio per la normalità in Garfagnana, né tantomeno per le scorciatoie o il rispetto delle regole costituite. Ecco allora la biodinamica, la strategia di lungo periodo che soppianta la tattica a corto raggio. Un percorso che vede lo zampino di Saverio Petrilli, tra i grandi protagonisti di questa pratica agricola, ma che pare sempre più camminare sulle proprie gambe. Il Melograno '18, syrah con una piccola percentuale di vitigni tradizionali, è un rosso magnifico per grazia e purezza espressiva. Ha profumi coinvolgenti di piccoli frutti e sottobosco, con una vena speziata delicatissima: sottrae materia e aggiunge sapore in una dinamica golosa ma affatto semplice né scontata. Ottimo il Vigna Piezza '17, Syrah di indole carnosa e iodata, attraversato da un'elegante speziatura.

● Melograno Rosso '18		🏆🏆 4
○ Colline Lucchesi Bianco '19		🏆🏆 4
● Vigna Piezza '17		🏆🏆 5
● Pinot Nero '18		🏆 5

Il Conventino

FRAZ. GRACCIANO
VIA DELLA CIARLIANA, 25B
53040 MONTEPULCIANO [SI]
TEL. 0578715371
www.ilconventino.it

VENDITA DIRETTA
VISITA SU PRENOTAZIONE
PRODUZIONE ANNUA 55.000 bottiglie
ETTARI VITATI 12,00
VITICOLTURA Biologico Certificato

Il Conventino appartiene dal 2003 ai fratelli Brini, che propongono un progetto enologico chiaro e armonico, partendo da una viticoltura biologica e proseguendo con pratiche enologiche assolutamente poco invasive. Tutte le etichette aziendali parlano la lingua del territorio, rispettando in pieno le uve tipiche della zona (sangiovese, colorino, canaiolo) e i metodi di vinificazione più classici, come la maturazione in legno grande. È la ricerca di una cifra stilistica delicata e all'insegna dell'equilibrio, fatta di finezza e bevibilità, sfumature e contrasti. Il Nobile di Montepulciano Riserva '16 porge aromi fragranti di sottobosco e viole che sfumano progressivamente su note di tabacco e spezie. In bocca ha misura e carattere: tannini nervosi, buona profondità, sorso incisivo, saporito e fresco. Gusto sapido e infiltrante per il Rosso di Montepulciano '18, dal naso che sa di ciliegia fresca, fiori e lamponi, ad anticipare una beva piacevolmente scorrevole e rilassata.

● Nobile di Montepulciano Ris. '16	♟♟ 5
● Rosso di Montepulciano '18	♟♟ 2*
● Nobile di Montepulciano '10	♟♟♟ 4*
● Nobile di Montepulciano '16	♟♟ 4
● Nobile di Montepulciano '15	♟♟ 4
● Nobile di Montepulciano '13	♟♟ 4
● Nobile di Montepulciano '12	♟♟ 4
● Nobile di Montepulciano '11	♟♟ 4
● Nobile di Montepulciano Ris. '15	♟♟ 5
● Nobile di Montepulciano Ris. '13	♟♟ 5
● Nobile di Montepulciano Ris. '12	♟♟ 5
● Nobile di Montepulciano Ris. '11	♟♟ 5
● Nobile di Montepulciano Ris. '10	♟♟ 5
● Rosso di Montepulciano '12	♟♟ 2*

Corte dei Venti

LOC. PIANCORNELLO, 35
53024 MONTALCINO [SI]
TEL. 3473653718
www.lacortedeiventi.it

VENDITA DIRETTA
VISITA SU PRENOTAZIONE
PRODUZIONE ANNUA 20.000 bottiglie
ETTARI VITATI 5,00

L'azienda di Clara Monaci e Maurizio Machetti si sviluppa su cinque ettari di vigne in località Piancornello, nel versante sud della denominazione, e nasce nel 2011 per divisioni ereditarie proprio di questo podere, appartenuto al nonno di Clara. Il nome testimonia come queste belle vigne poste tra i 100 e i 300 metri di quota siano carezzate da brezze marine che mitigano il caldo d'estate e scacciano l'umidità in inverno assicurando un processo vegetativo ideale. Questo, unito ai suoli di marne calcaree con componenti ferrose dà vita a Brunello eleganti, dinamici, freschi, complessi. Ottima prova anche quest'anno per i rossi di Corte dei Venti. Il Brunello '15 è ricco al naso di note fruttate, con la fragolina selvatica in primo piano, che virano sui toni speziati e fumé. La bocca è solida, alcolica, il tannino è morbido e la materia ben distribuita. Il Sant'Antimo Rosso Poggio dei Lecci '17 ha frutto succoso e bocca fitta; il Rosso '18 è un "piccolo" Brunello, delicato e armonico.

● Brunello di Montalcino '15	♟♟ 8
● Rosso di Montalcino '18	♟♟ 5
● Sant'Antimo Poggio dei Lecci '17	♟♟ 3
● Brunello di Montalcino '13	♟♟♟ 8
● Brunello di Montalcino '12	♟♟♟ 8
● Brunello di Montalcino '14	♟♟ 8
● Brunello di Montalcino '11	♟♟ 8
● Brunello di Montalcino Donna Elena Ris. '10	♟♟ 8
● Brunello di Montalcino Ris. '12	♟♟ 8
● Rosso di Montalcino '17	♟♟ 5
● Rosso di Montalcino '16	♟♟ 5
● Rosso di Montalcino '15	♟♟ 5
● Sant'Antimo Poggio dei Lecci '16	♟♟ 3*
● Sant'Antimo Poggio dei Lecci '14	♟♟ 3

Cortonesi

LOC. LA MANNELLA, 322
53024 MONTALCINO [SI]
TEL. 0577848268
www.lamannella.it

VISITA SU PRENOTAZIONE
PRODUZIONE ANNUA 35.000 bottiglie
ETTARI VITATI 8,00

Tommaso Cortonesi è sempre più protagonista delle scelte produttive e stilistiche che caratterizzano la gamma curata insieme al padre Marco. Una proposta legata fin dagli esordi agli umori di due zone dell'areale di Montalcino piuttosto diverse: a Castelnuovo dell'Abate (settore sud-est) ci sono le parcelle che danno forma al Brunello I Poggiarelli, mentre quelle attorno la cantina (settore nord) sono utilizzate per le selezioni targate La Mannella, storico marchio con cui ancora oggi l'azienda è conosciuta da una buona fetta di appassionati. Il Poggiarelli '15 è una scommessa: è intenso ricco, concentrato, ancora segnato dal legno, ma ha una materia eccellente che siamo sicuri negli anni lo condurrà verso una brillante e complessa fase matura. Immediatamente godibile e fruibile, invece, è l'ottimo Rosso '18. Anch'esso fitto ma con tutte le componenti al posto giusto, a cominciare da un frutto rosso turgido e croccante e da tannini eleganti che lo rendono straordinariamente intenso e godibile.

● Brunello di Montalcino I Poggiarelli '15	♟♟ 5
● Rosso di Montalcino '18	♟♟ 3*
● Leonus '18	♟♟ 3
● Brunello di Montalcino La Mannella '15	♟ 5
● Brunello di Montalcino I Poggiarelli '13	♟♟ 5
● Brunello di Montalcino I Poggiarelli '12	♟♟ 5
● Brunello di Montalcino La Mannella '14	♟♟ 5
● Brunello di Montalcino La Mannella '13	♟♟ 5
● Brunello di Montalcino La Mannella '12	♟♟ 5
● Rosso di Montalcino '15	♟♟ 3*

Fattoria Corzano e Paterno

LOC. CORZANO
FRAZ. SAN PANCRAZIO
VIA SAN VITO DI SOPRA
50020 SAN CASCIANO IN VAL DI PESA [FI]
TEL. 0558248179
www.corzanoepaterno.com

VENDITA DIRETTA
VISITA SU PRENOTAZIONE
OSPITALITÀ
PRODUZIONE ANNUA 85.000 bottiglie
ETTARI VITATI 19,00
VITICOLTURA Biologico Certificato

La fattoria nasce nel 1971 ad opera di Wendelin Gelpke, che acquistò la tenuta di Corzano per poi aggiungere quella di Paterno nel 1974. Fin dall'inizio il lavoro si è assestato su vino ed olio, senza dimenticare la produzione di formaggi e l'attività agrituristica. La storia dell'azienda è assolutamente appassionante, incentrata sul recupero di casolari e terre abbandonate, tornate a splendere grazie alla passione di due famiglie. Sono i discendenti dei fondatori, oggi, a condurre l'impresa. Il vitigno principale è il sangiovese e i vigneti sono piantati su suoli argilloso-calcarei. Piacevole il Chianti Terre di Corzano '18, dai profumi fruttati di fragole e ciliegie; in bocca ha corpo fluido e delicato, chiuso da tannini pregevoli. Intrigante il Sangiovese I Tre Borri '17: ha toni terziari di tabacco, inseriti in un contesto fruttato maturo. Il Corzano '17, infine, è un blend di sangiovese, cabernet e merlot, intenso negli aromi e rilassato al gusto.

● Chianti Terre di Corzano '18	♟♟ 2*
● Il Corzano '17	♟♟ 5
● Sangiovese I Tre Borri '17	♟♟ 5
○ Il Corzano '19	♟ 2
○ Il Passito di Corzano '15	♟ 6
⊙ Rosato Corzanello '19	♟ 2
● Chianti I Tre Borri Ris. '07	♟♟♟ 5
● Il Corzano '05	♟♟♟ 5
● Chianti I Tre Borri Ris. '14	♟♟ 5
● Chianti I Tre Borri Ris. '13	♟♟ 5
● I Tre Borri '16	♟♟ 5
● Il Corzano '16	♟♟ 5
● Il Corzano '15	♟♟ 5

Andrea Costanti

LOC. COLLE AL MATRICHESE
53024 MONTALCINO [SI]
TEL. 0577848195
www.costanti.it

VENDITA DIRETTA
VISITA SU PRENOTAZIONE
PRODUZIONE ANNUA 60.000 bottiglie
ETTARI VITATI 12,00

Andrea Costanti è autorevole erede di una storica famiglia senese che ha legato il suo nome a Montalcino e ai suoi vini fin dall'800. Da quasi quarant'anni si prende cura delle vigne di Colle al Matrichese, collocate intorno ai 400 metri di altitudine sulla direttrice orientale della collina su cui sorge il borgo. Suddivisi nelle parcelle di Casottino e Calbello, sono siti fortemente caratterizzati anche per le tenaci giaciture galestrose, che contribuiscono a Brunello aristocratici e longevi, maturati in tonneau e rovere da 30 ettolitri. Scommettiamo volentieri sulla positiva evoluzione di questo Brunello '15: gli ingredienti del successo ci sono tutti: Grande materia, concentrazione, esuberanza di frutto, ricchezza del corredo tannico... Solo, crediamo, abbia bisogno di tempo per trovare quell'armonia e quella complessità che sono il tratto stilistico di questa griffe ilcinese. Scommettiamo?

● Brunello di Montalcino '15	♟♟	6
● Brunello di Montalcino '13	♟♟	6
● Brunello di Montalcino '12	♟♟	6
● Brunello di Montalcino Ris. '12	♟♟	8
● Brunello di Montalcino Ris. '10	♟♟	8
● Rosso di Montalcino '17	♟♟	4
● Rosso di Montalcino '15	♟♟	4
● Rosso di Montalcino Vermiglio '14	♟♟	5

La Cura

LOC. CURA NUOVA, 12
58024 MASSA MARITTIMA [GR]
TEL. 0566918094
www.cantinalacura.it

VENDITA DIRETTA
VISITA SU PRENOTAZIONE
PRODUZIONE ANNUA 30.000 bottiglie
ETTARI VITATI 15,00
AZIENDA SOSTENIBILE

Piccola realtà produttiva dell'areale ricompreso tra Massa Marittima e Follonica, La Cura rappresenta in modo emblematico le potenzialità in possesso all'artigianato enologico del Bel Paese. Si tratta della classica cantina a gestione familiare, condotta da Enrico Corsi con "cura", è proprio il caso di dirlo. I vini hanno raggiunto una fisionomia stilistica ben definita dall'approccio moderno e da una solida continuità qualitativa: fattori che, vendemmia dopo vendemmia, confermano e rafforzano l'azienda fra le realtà più interessanti della Maremma enologica. Si conferma uno dei Merlot della costa maremmana più continui per qualità, quello realizzato da Enrico Corsi. La versione 2018 ha profumi caldi ma definiti e non privi di sfumature intriganti, dalle note di mirto a quelle di timo; il sorso è ampio e fragrante, con finale dai ritorni fruttati. Più snello e beverino il Colle Bruno '18, con aromi di spezie e piccoli frutti rossi ad anticipare una bocca scorrevole e contrastata.

● Maremma Toscana Merlot '17	♟♟	5
● Maremma Toscana Rosso Colle Bruno '18	♟♟	3
● Maremma Toscana Cabernet Cabernets '18	♟	5
● Monteregio di Massa Marittima Rosso Breccerosse '18	♟	3
○ Monteregio di Massa Marittima Vermentino Falco Pescatore '19	♟	3
● Cabernets '17	♟♟	5
● Maremma Toscana Rosso Colle Bruno '17	♟♟	3
● Maremma Toscana Sangiovese Cavaliere d'Italia '18	♟♟	2*
● Monteregio di Massa Marittima Rosso Breccerosse '17	♟♟	3

Dal Cero
Tenuta Montecchiesi

LOC. MONTECCHIO
52044 CORTONA [AR]
TEL. 0457460110
www.dalcerofamily.it

VENDITA DIRETTA
VISITA SU PRENOTAZIONE
PRODUZIONE ANNUA 300.000 bottiglie
ETTARI VITATI 65,00

Una storia affascinante, quella della famiglia Dal Cero. Tutto inizia grazie ad Augusto, che nel 1934 fonda la sua prima azienda vinicola in provincia di Verona, tutt'ora di proprietà. Sono stati i figli Dario e Giuseppe a decidere di spostare una parte della produzione in Toscana, attratti dalle potenzialità di fare vini rossi di qualità, scegliendo il territorio di Cortona. Un'avventura cresciuta e consolidata nel tempo. Oggi, a seguire le tenute, che nel frattempo sono diventate tre, sono i discendenti Davide, Nico e Francesca. Buoni risultati per entrambe le versioni di Syrah. Il Klanis '15 ha naso complesso ed ampio, dove il sottobosco incontra mirtillo e ribes, oltre che note speziate di pepe. Al gusto è scattante, nervoso, dai tannini fini e fresco finale. Frutti rossi come lamponi, cenni di vaniglia e note di pepe per il Selverello'17, dalla struttura sottile, agile, bilanciata. Nota di merito per il Versy in Rose '18, rosato dai profumi ampi e golosi.

● Cortona Syrah Klanis '15	♥♥ 5
● Sangiovese Montecchiesi '18	♥♥ 2*
● Selverello '17	♥♥ 3
⊙ Versy in Rose '18	♥♥ 5
⊙ Camely '19	♥ 4
⊙ Miraly '19	♥ 3
○ Vermentino Chardonnay Montecchiesi '19	♥ 2
● Cortona Syrah Klanis '13	♀♀ 5
● Cortona Syrah Selverello '14	♀♀ 3
● Preziosaterra '15	♀♀ 3
● Sangiovese '15	♀♀ 2*
○ Verdonnay '14	♀♀ 5

De' Ricci

FRAZ. S.ALBINO
FRAZ. VIA FONTECORNINO, 15
53045 MONTEPULCIANO [SI]
TEL. 0578798152
www.dericci.it

VENDITA DIRETTA
VISITA SU PRENOTAZIONE
RISTORAZIONE
PRODUZIONE ANNUA 90.000 bottiglie
ETTARI VITATI 32,00
AZIENDA SOSTENIBILE

Avviato nel 2015, il progetto della famiglia Trabalzini si configura tra le novità più convincenti nel panorama del Nobile di Montepulciano. Da un lato la cantina storica del palazzo Ricci, nel centro della città poliziana; dall'altro gli impianti vitati e un moderno opificio concentrati in località Fontecornino. Lo stile privilegia finezza e bevibilità, sfumature e contrasti. L'impostazione è sobriamente moderna e anche in questo caso duplice: i vini a denominazione sono ottenuti da sangiovese e maturati in legno grande, gli Igt da varietà internazionali e lavorati in barrique e tonneau. Ben scanditi i profumi del Nobile di Montepulciano '17, che incrociano frutta rossa matura, cenni di viola e tocchi speziati. L'attacco è dolce, poi il vino trova energia in una bella verve acida, che ne rende il sorso succoso e sapido. Ben fatto il Rosso di Montepulciano '18, pulito aromaticamente e dal palato ritmato e fragrante. Godibile Il Vignone '18, uvaggio di merlot e cabernet sauvignon.

● Nobile di Montepulciano '17	♥♥ 5
● Il Vignone '17	♥♥ 5
● Rosso di Montepulciano '18	♥♥ 3
● Il Severo '16	♀♀ 5
● Nobile di Montepulciano '16	♀♀ 5
● Nobile di Montepulciano '15	♀♀ 5
● Nobile di Montepulciano SorAldo '16	♀♀ 6
● Nobile di Montepulciano SorAldo '15	♀♀ 6
● Rosso di Montepulciano '17	♀♀ 3

Maria Caterina Dei

VIA DI MARTIENA, 35
53045 MONTEPULCIANO [SI]
TEL. 0578716878
www.cantinedei.com

VENDITA DIRETTA
VISITA SU PRENOTAZIONE
OSPITALITÀ
PRODUZIONE ANNUA 230.000 bottiglie
ETTARI VITATI 60,00
AZIENDA SOSTENIBILE

Maria Caterina Dei guida in prima persona
dal 1991 l'azienda di famiglia. Tutto nasce
dall'acquisizione, datata 1964, del vigneto
Bossona, mentre era il 1973 quando
venne rilevata la proprietà di Martiena,
oggi sede del centro aziendale. La prima
produzione imbottigliata giunge nel 1985 e
da qui in poi i vini a marchio Dei
conquistano progressivamente un posto
importante nel panorama del Nobile di
Montepulciano. La gamma proposta è
caratterizzata da strutture solide, ma
sempre capaci di distendersi con equilibrio
e finezza. Il Nobile di Montepulciano
Madonna della Querce '17 colpisce per
intensità fruttata e speziata, con cenni
affumicati a rifinitura. In bocca ha sviluppo
largo ed avvolgente con tannini fitti e
serrati, che conducono ad un finale solido
e altrettanto ampio. Concreto e ben
interpretato il Nobile di Montepulciano '17,
dal fruttato rigoglioso al naso e dal gusto
succoso e incisivo. Fragrante e beverino il
Rosso di Montepulciano '19.

Fabrizio Dionisio

FRAZ. CASE SPARSE OSSAIA, 87
LOC. IL CASTAGNO
52040 CORTONA [AR]
TEL. 063223391
www.fabriziodionisio.it

VENDITA DIRETTA
VISITA SU PRENOTAZIONE
PRODUZIONE ANNUA 45.000 bottiglie
ETTARI VITATI 15,00
AZIENDA SOSTENIBILE

Sergio Dionisio, padre di Fabrizio, negli anni
Settanta scelse un casolare con sette ettari
di vigneto ed oliveto, sui colli che guardano
Cortona. Una ventina di anni dopo,
l'acquisto di un nuovo appezzamento di
terreno dette all'azienda la dimensione
attuale e iniziò una moderna attività di
viticoltura. Fabrizio, con la moglie
Alessandra, decise di reimpiantare le
vecchie vigne inserendo il syrah, che ben si
esprime in questa zona. Il primo vino venne
prodotto nel 2003; da allora sono nati vini
non omologati, di chiara matrice toscana,
con un lavoro assiduo e di grande rigore.
Un appuntamento consueto con la finale
per Il Castagno Syrah, che nella versione
2017 esibisce un bagaglio aromatico
complesso, con note di rosa appassita su
base fruttata, quindi erbe aromatiche
(maggiorana e timo) e cenni balsamici.
Bocca di buon impatto, calda, elegante,
lineare e rotonda. Finale in crescendo. Più
legato ai frutti di bosco (mirtillo) il
Castagnino '19, dal gusto lieve e bilanciato.

● Nobile di Montepulciano Madonna della Querce '17	♟♟ 8
● Nobile di Montepulciano '17	♟♟ 5
● Nobile di Montepulciano Bossona Ris. '15	♟♟ 7
● Rosso di Montepulciano '19	♟♟ 5
● Nobile di Montepulciano '14	♟♟♟ 4*
● Nobile di Montepulciano '13	♟♟♟ 4*
● Nobile di Montepulciano Bossona Ris. '13	♟♟♟ 6
● Nobile di Montepulciano Bossona Ris. '04	♟♟♟ 5
● Nobile di Montepulciano Madonna della Querce '15	♟♟♟ 8
● Nobile di Montepulciano '16	♟♟ 5
● Nobile di Montepulciano '15	♟♟ 4
● Nobile di Montepulciano Bossona Ris. '12	♟♟ 6

● Cortona Syrah Il Castagno '17	♟♟ 5
● Cortona Syrah Cuculaia '16	♟♟ 7
● Cortona Syrah Il Castagnino '19	♟♟ 5
⊙ Rosa del Castagno '19	♟ 3
● Cortona Syrah Il Castagno '12	♟♟♟ 5
● Cortona Syrah Il Castagno '11	♟♟♟ 5
● Cortona Syrah Il Castagno '10	♟♟♟ 5
● Cortona Syrah Castagnino '18	♟♟ 3
● Cortona Syrah Castagnino '17	♟♟ 3
● Cortona Syrah Castagnino '16	♟♟ 3
● Cortona Syrah Castagnino '15	♟♟ 3*
● Cortona Syrah Cuculaia '15	♟♟ 7
● Cortona Syrah Cuculaia '13	♟♟ 7
● Cortona Syrah Il Castagno '16	♟♟ 5
● Cortona Syrah Il Castagno '15	♟♟ 5
● Cortona Syrah Il Castagno '14	♟♟ 5
● Cortona Syrah Il Castagno '13	♟♟ 5

Donna Olimpia 1898

FRAZ. BOLGHERI
LOC. MIGLIARINI, 142
57020 CASTAGNETO CARDUCCI [LI]
TEL. 0302279601
www.donnaolimpia1898.it

VENDITA DIRETTA
OSPITALITÀ E RISTORAZIONE
PRODUZIONE ANNUA 250.000 bottiglie
ETTARI VITATI 45,00
AZIENDA SOSTENIBILE

L'idea di creare Donna Olimpia è stata di
Guido Folonari, deciso a sviluppare
l'importante progetto vinicolo di famiglia
anche a Bolgheri. Oggi il gruppo che porta
il suo nome è un riferimento per il vino
italiano e la tenuta fondata sulla costa
gioca lo stesso ruolo nella denominazione
di appartenenza. Si estende su sessanta
ettari complessivi, molti dei quali vitati. Le
varietà sono cabernet sauvignon, cabernet
franc, merlot, petit verdot, syrah per i vini
rossi; vermentino, viognier e petit manseng
per i bianchi. La cantina è il cuore
dell'azienda, valorizzata da una splendida
barricaia. Il vino che più ci ha convinto è
stato il Bolgheri Rosso '17, a nostro avviso
quello che racconta meglio il territorio e le
varietà della zona. Si presenta con bel
frutto, capace di esprimere sensazioni di
ciliegia matura e mora selvatica, ben
avvolto dalle erbe mediterranee e da tocchi
balsamici. La bocca è in equilibrio tra le
componenti, senza perdere di vista
dolcezza fruttata, sapidità e freschezza.

Duemani

LOC. ORTACAVOLI
56046 RIPARBELLA [PI]
TEL. 0583975048
www.duemani.eu

VENDITA DIRETTA
VISITA SU PRENOTAZIONE
PRODUZIONE ANNUA 50.000 bottiglie
ETTARI VITATI 12,00
VITICOLTURA Biodinamico Certificato
AZIENDA SOSTENIBILE

Luca D'Attoma è un noto enologo e
fondatore di una società che si occupa di
consulenza, attraverso la quale segue e
collabora con cantine in tutta Italia. Sulle
colline di Riparbella, affacciate sul mare, si
sviluppa il progetto ideato con la moglie
Elena Celli: produrre vini secondo i principi
dell'agricoltura biodinamica. Da una
ventina di anni coltivano i vitigni che
amano di più, come cabernet franc, syrah
e merlot, in una terra, per loro stessa
definizione, estrema, scontrosa, selvaggia
e magnetica; uve "profumate e saporite"
da cui nascono vini "puliti, originali,
gustosi". Tre Bicchieri per il Duemani '17,
cabernet franc in purezza dai profumi
ampi, che spaziano dalle note fresche di
peperone ai cenni balsamici, passando per
frutti neri come mirtillo e ginepro. Il corpo
è vivace, con tannini ben integrati, finale
solido e persistente. Molto bene anche
Suisassi '17, syrah che si fa apprezzare
per il bouquet di tabacco e cuoio, ma
anche per il sorso bilanciato e vivo.

● Bolgheri Rosso '17	▼▼ 5
● Bolgheri Rosso Sup. Millepassi '17	▼▼ 7
● Bolgheri Rosso Campo alla Giostra '17	▼ 5
○ Obizzo '17	▼ 2
● Orizzonte '17	▼ 7
● Bolgheri Rosso Sup. Millepassi '15	▼▼▼ 7
● Bolgheri Rosso Sup. Millepassi '13	▼▼▼ 6
● Bolgheri Rosso Sup. Millepassi '11	▼▼▼ 8
● Bolgheri Rosso '15	▼▼ 5
● Bolgheri Rosso Campo alla Giostra '16	▼▼ 5
● Bolgheri Rosso Campo alla Giostra '15	▼▼ 5
● Bolgheri Rosso Sup. Millepassi '16	▼▼ 7
○ Obizzo Vermentino '18	▼▼ 2*
○ Obizzo Vermentino '17	▼▼ 2*
● Tageto '16	▼▼ 2*

● Duemani '17	▼▼▼ 8
● Suisassi '17	▼▼ 8
● Altrovino '17	▼▼ 8
● Cifra '18	▼▼ 5
● G. Punto '18	▼▼ 8
⊙ Sì '19	▼ 6
● Altrovino '15	▼▼▼ 6
● Duemani '15	▼▼▼ 8
● Duemani '13	▼▼▼ 8
● Duemani '12	▼▼▼ 8
● Duemani '09	▼▼▼ 8
● Suisassi '16	▼▼▼ 8
● Suisassi '10	▼▼▼ 8
● Altrovino '16	▼▼ 6
● Duemani '16	▼▼ 8
● Duemani '14	▼▼ 8

I Fabbri

LOC. LAMOLE
VIA CASOLE, 52
50022 GREVE IN CHIANTI [FI]
TEL. 339412622
www.ifabbrichianticlassico.it

VENDITA DIRETTA
VISITA SU PRENOTAZIONE
PRODUZIONE ANNUA 35.000 bottiglie
ETTARI VITATI 11,00
VITICOLTURA Biologico Certificato

Situata sul versante fiorentino di Greve in
Chianti, Lamole è una delle sottozone più
affascinanti e difficili di tutto il territorio del
Chianti Classico: i vigneti dimorano fino a
650 metri di quota, la maturazione è
tardiva e le escursioni termiche talvolta
vertiginose. La cantina delle sorelle Grassi
è tra le realtà più pure e fedeli alle
peculiarità di questo terroir, a partire dai
vini ottenuti nei caratteristici terrazzamenti
dell'areale. Lo stilo è tipico e fascinoso,
segnato da profumi acuti e ferrosi, struttura
snella e una cifra tendenzialmente austera
ma fine. La quintessenza espressiva della
sottozona di Lamole, a nostro modesto
avviso, è idealmente racchiusa nel Chianti
Classico Lamole '18. Un vino dai profumi
sussurrati ed eleganti, che ricordano la
terra e i fiori, con qualche intrigante tocco
ferroso. In bocca si sviluppa sottile ma non
scheletrico, con sorso davvero fresco,
ritmato e invitante. Stessi registri anche
nello spigliato e fragrante Chianti Classico
Olinto '18.

Fabbrica Pienza

LOC. BORGHETTO
53026 PIENZA [SI]
TEL. 0578810030
www.fabbricapienza.com

VENDITA DIRETTA
VISITA SU PRENOTAZIONE
PRODUZIONE ANNUA 40.000 bottiglie
ETTARI VITATI 35,00
VITICOLTURA Biologico Certificato
AZIENDA SOSTENIBILE

Il progetto è stato ideato e realizzato da
Philippe Berthera, che acquista la tenuta
nel 2012, inizialmente per farne un luogo di
relax, in un territorio di grande bellezza
come la val d'Orcia. Presto, però, la
passione per il vino prende il sopravvento,
tanto da spingerlo a impiantare la vigna,
anche grazie al recupero di vecchie viti, e
realizzare una bellissima cantina. Oggi le
uve coltivate sono sangiovese e syrah per i
rossi, vermentino, marsanne e viognier per
i bianchi. Il nome deriva dalla destinazione
d'uso dell'edificio originario: una vecchia
fornace per la produzione del cotto. Desta
una buona impressione il Syrah '17: ha
sentori di ciliegia che incontrano quelli di
fiori essiccati e pepe nero. Gradevole
l'ingresso in bocca, ottima e articolata la
polpa, agile e invitante il finale. Molto
piacevole il Bianco di Fabbrica '18: ricorda
la mandorla, con sfumature di miele,
camomilla e rosmarino; disimpegnato e
fresco al palato. Ottimo anche il Rosso di
Fabbrica '18.

● Chianti Cl. Lamole '18	♥♥♥ 4*
● Chianti Cl. Olinto '18	♥♥ 4
● Chianti Cl. Terra di Lamole '17	♥♥ 3
● Chianti Cl. Lamole '17	♈♈♈ 4*
● Chianti Cl. '16	♈♈ 4
● Chianti Cl. '13	♈♈ 4
● Chianti Cl. Gran Sel. '11	♈♈ 6
● Chianti Cl. Gran Selezione '15	♈♈ 6
● Chianti Cl. Olinto '15	♈♈ 4
● Chianti Cl. Olinto '14	♈♈ 4
● Chianti Cl. Olinto '12	♈♈ 4
● Chianti Cl. Ris. '16	♈♈ 4
● Chianti Cl. Ris. '13	♈♈ 4
● Chianti Cl. Ris. '11	♈♈ 4
● Chianti Cl. Terra di Lamole '16	♈♈ 3
● Chianti Cl. Terra di Lamole '15	♈♈ 3
● Chianti Cl. Terra di Lamole '13	♈♈ 3*

○ Bianco di Fabbrica '18	♥♥ 6
● Rosso di Fabbrica '18	♥♥ 3
● Syrah '17	♥♥ 5
⊙ Rosato di Fabbrica '19	♥ 2
● Sangiovese di Toscana '17	♥ 5
○ Bianco di Fabbrica '17	♈♈ 6
○ Bianco di Fabbrica '16	♈♈ 6
● Prototipo 470.1 '13	♈♈ 5
● Prototipo 470.2 '14	♈♈ 5
● Prototipo 470.3 Sangiovese '15	♈♈ 8
● Sangiovese '16	♈♈ 5
● Syrah '16	♈♈ 5

Il Falcone

LOC. FALCONE, 186
57028 SUVERETO [LI]
TEL. 0565829331
www.ilfalcone.net

VENDITA DIRETTA
VISITA SU PRENOTAZIONE
OSPITALITÀ
PRODUZIONE ANNUA 40.000 bottiglie
ETTARI VITATI 10,00

Di proprietà della famiglia Petri dal 1911, Il
Falcone è una delle aziende storiche del
territorio della Valdicornia. Guidata oggi
dalle sorelle Paola e Rosa, insieme ai mariti
Vittorio e Paolo, deve il suo nome al colle
che accoglie la tenuta da lungo tempo: le
prime tracce sulle mappe catastali
risalgono infatti agli inizi del XIX secolo. Nel
2019 è iniziato il processo di conversione
alla coltivazione biologica e, oltre al vino,
anche l'olio riveste un'importanza
fondamentale, grazie ai 4 mila olivi
presenti. Molto interessante il Vallin dei
Ghiri '18, Syrah dai profumi invitanti di
ciliegia e ribes, con pepe e note balsamiche
a completare il quadro. Ingresso in bocca
suadente, caldo, di buon peso, per un finale
succoso e prolungato. Il Boccalupo '17,
uvaggio di sangiovese, giacomino, cabernet
sauvignon e merlot, ha note ematiche, di
peperone e ciliegia nera; al gusto si
presenta sodo e compatto, levigato nella
componente tannica, per una chiusura di
positiva progressione.

● Suvereto Sangiovese Boccalupo '17	♟♟ 5
● Vallin dei Ghiri Syrah '18	♟♟ 5
○ Falcobianco '18	♟ 3
● Falcorosso '18	♟ 3
● Falcorosso '17	♟♟ 3
● Falcorosso '13	♟♟ 2*
● Suvereto Boccalupo '14	♟♟ 6
● Suvereto Sangiovese Boccalupo '16	♟♟ 5
● Valdicornia Suvereto Boccalupo '12	♟♟ 4
● Vallin dei Ghiri '15	♟♟ 7
● Vallin dei Ghiri '13	♟♟ 5
● Vallin dei Ghiri '12	♟♟ 5
● Vallin dei Ghiri Syrah '17	♟♟ 5

Tenuta Fanti

FRAZ. CASTELNUOVO DELL'ABATE
PODERE PALAZZO, 14
53020 MONTALCINO [SI]
TEL. 0577835795
www.tenutafanti.it

VENDITA DIRETTA
VISITA SU PRENOTAZIONE
PRODUZIONE ANNUA 200.000 bottiglie
ETTARI VITATI 50,00

Posizionata nelle immediate vicinanze del
borgo di Castelnuovo dell'Abate, frazione di
riferimento del settore sud-est di
Montalcino, la tenuta della famiglia Fanti è
un approdo imprescindibile per chi cerca
una lettura non stereotipata del Brunello e
della sua storia recente. Merito di Filippo,
che con la figlia Elisa dà forma a rossi da
sangiovese piacevolmente succosi, come ci
si aspetta da una zona calda ma
continuamente ravvivata dalla ventilazione
e dalle forti escursioni termiche legate
all'influenza del monte Amiata. Una perfetta
espressione dell'annata '15 il Brunello di
Filippo ed Elisa: ha un colore rubino intenso
fitto senza forzature estrattive, al naso è
ricco, ci offre un frutto rosso turgido e
maturo senza cedimenti, sfumature
eleganti di tabacco e fumé che preludono a
una complessa maturità. La bocca è solida,
tonica, ricca e profonda. Bravi. Il Rosso '18
è un "piccolo" Brunello. Assai valido il
Sassomagno '18, un po' meno affascinante
il Brunello Vallocchio '15.

● Brunello di Montalcino '15	♟♟♟ 6
● Rosso di Montalcino '18	♟♟ 3*
● Sant'Antimo Rosso Sassomagno '18	♟♟ 2*
● Brunello di Montalcino Vallocchio '15	♟ 7
● Brunello di Montalcino Vallocchio '13	♟♟♟ 7
● Brunello di Montalcino '13	♟♟ 6
● Brunello di Montalcino '12	♟♟ 6
● Brunello di Montalcino V. Le Macchiarelle Ris. '13	♟♟ 6
● Brunello di Montalcino V. Le Macchiarelle Ris. '11	♟♟ 6
● Rosso di Montalcino '17	♟♟ 3*
● Rosso di Montalcino '16	♟♟ 3
● Rosso di Montalcino '15	♟♟ 3*

Tenuta Le Farnete - Cantagallo

FRAZ. COMEANA
VIA MACIA
59100 CARMIGNANO [PO]
TEL. 0571910078
www.tenutacantagallo.it

VENDITA DIRETTA
VISITA SU PRENOTAZIONE
OSPITALITÀ E RISTORAZIONE
PRODUZIONE ANNUA 65.000 bottiglie
ETTARI VITATI 40,00
AZIENDA SOSTENIBILE

Sono due le porzioni della tenuta della famiglia Pierazzuoli, acquisite a vent'anni di tempo l'una dall'altra. La prima è Cantagallo, di proprietà dal 1970, che si estende per 200 ettari sulle colline di Vinci: qui crescono uve di sangiovese e, in misura minore, di merlot, syrah, trebbiano, malvasia e colorino. Nel centro aziendale sono ospitati il ristorante, l'agriturismo, la cantina e un moderno frantoio. L'altra, le Farnete, è stata acquistata nel 1990: occupa per 50 ettari il cuore della zona di produzione di Carmignano, dove maturano uve di sangiovese, cabernet sauvignon e aleatico. Grande prestazione generale, con tutti i vini presentati alla soglia dell'eccellenza. A risultare il migliore è il Carmignano Riserva '17, dal bagaglio aromatico in cui prevalgono frutti come ciliega e mora, ingentiliti da note speziate leggere di cannella e pepe. Buono l'attacco in bocca, largo, dalla struttura bilanciata, i tannini cremosi e ben inseriti, un finale prolungato e soddisfacente.

Fattoi

LOC. SANTA RESTITUTA
POD. CAPANNA, 101
53024 MONTALCINO [SI]
TEL. 0577848613
www.fattoi.it

VENDITA DIRETTA
VISITA SU PRENOTAZIONE
PRODUZIONE ANNUA 60.000 bottiglie
ETTARI VITATI 11,50

Maturati in rovere di Slavonia medio-grande, i vini della famiglia Fattoi sono un vero e proprio inno all'indole più viscerale e gastronomica del sangiovese di Montalcino. Rosso e Brunello capaci di restituire con grande fedeltà le atmosfere mediterranee e silvestri che incontriamo nell'area di Santa Restituta, toponimo di riferimento del settore sud-occidentale. Uno stile interpretativo che privilegia veracità espressiva e naturalezza di sorso, cesellato negli anni da Ofelio insieme ai figli Lamberto e Leonardo, e la nipote Lucia. Davvero una bella prova quella del Brunello '15, che arriva alle nostre finali: ha un colore rubino profondo, e un frutto integro e turgido che esprime bene tanto al naso, dove è ricco e sfuma su note di tabacco e boisé, quanto al palato, dove una esuberante ma fine tannicità e una fresca vena acida gli regalano armonia e piacevolissima beva. Godibili gli altri vini.

● Carmignano Ris. '17	♛♛♛	4*
● Chianti Montalbano Tenuta Cantagallo Il Fondatore Ris. '17	♛♛	3*
● Barco Reale Le Farnete '19	♛♛	2*
● Carmignano '18	♛♛	3
● Chianti Montalbano Tenuta Cantagallo '19	♛♛	2*
● Chianti Montalbano Tenuta Cantagallo Ris. '17	♛♛	3
● Gioveto Tenuta Cantagallo '17	♛♛	4
○ Vin Santo Chianti Montalbano Millarium '14	♛♛	5
● Carmignano Ris. '16	♛♛♛	4*
● Carmignano Ris. '15	♛♛♛	4*
● Carmignano Ris. '14	♛♛♛	4*
● Chianti Montalbano Tenuta Cantagallo Il Fondatore Ris. '16	♛♛	2*

● Brunello di Montalcino '15	♛♛	5
● Rosso della Toscana '18	♛	4
● Rosso di Montalcino '18	♛	4
● Brunello di Montalcino '10	♛♛♛	5
● Brunello di Montalcino Ris. '12	♛♛♛	7
● Brunello di Montalcino '14	♛♛	5
● Brunello di Montalcino '13	♛♛	5
● Brunello di Montalcino '12	♛♛	5
● Brunello di Montalcino '11	♛♛	5
● Brunello di Montalcino Ris. '10	♛♛	7
● Rosso di Montalcino '17	♛♛	4
● Rosso di Montalcino '16	♛♛	3
● Rosso di Montalcino '15	♛♛	3
● Rosso di Montalcino '14	♛♛	3

Fattoria del Teso

VIA POLTRONIERA
55015 MONTECARLO [LU]
TEL. 0583286288
www.fattoriadelteso.it

VENDITA DIRETTA
VISITA SU PRENOTAZIONE
PRODUZIONE ANNUA 100.000 bottiglie
ETTARI VITATI 15,00

La Fattoria del Teso è tra le realtà storiche di Montecarlo. Ha origini medievali, mentre l'impulso agricolo moderno arriva negli anni Settanta del '900. L'edificio principale della fattoria, davvero bello, ospita la cantina di affinamento, mentre di fronte ci sono i locali per la vinificazione, con tanto di vasche di cemento vetrificato e acciaio. Le vigne si collocano ad un'altitudine media di 70 metri con esposizione da nord-ovest a sud-est e ospitano una serie di varietà autoctone: vermentino, trebbiano toscano e verdea tra quelle a bacca bianca, sangiovese, ciliegiolo, colorino tra quelle nere. Splendido riferimento per la denominazione, Il Montecarlo Rosso '18 ammalia per la veste elegante, armoniosa, puntellata da un corredo di frutti rossi e neri abbracciati a venature balsamiche. Bocca sapida, slanciata, di bella andatura. Non è da meno il Vinsanto '03: ambrato brillante al colore, è caleidoscopico nei profumi di frutta secca, mallo di noce, spezie, miele e arancia candita.

● Montecarlo Rosso '18	🏆🏆	3*
○ Montecarlo Vin Santo '03	🏆🏆	6
● Anfidiamante '16	🏆🏆	5
○ Vermentino del Teso '19	🏆🏆	3
○ Montecarlo Bianco '19	🏆	3
● Montecarlo Rosso '16	🏆🏆	3

Fattoria di Piazzano

VIA DI PIAZZANO, 5
50053 EMPOLI [FI]
TEL. 0571994032
www.fattoriadipiazzano.it

VENDITA DIRETTA
VISITA SU PRENOTAZIONE
OSPITALITÀ
PRODUZIONE ANNUA 150.000 bottiglie
ETTARI VITATI 33,00
AZIENDA SOSTENIBILE

Quella di Piazzano è una storia aziendale che nasce nel dopoguerra. Merito di Otello Bettarini, industriale pratese che ama l'astronomia e individua questo luogo come ideale per dare libero sfogo alla sua passione per il vino. È però il nipote Riccardo a rendere l'idea concreta e sostanziosa, con la ristrutturazione dei terreni e un'organizzazione moderna ed efficiente sul profilo vitivinicolo. La sua opera prosegue oggi coni i figli Ilaria e Riccardo, insieme alla moglie Michela. Tra le ultime novità: la certificazione vegana della produzione. Molto interessante il Ciliegiolo '19, dal bouquet aromatico composto da frutti maturi, come ciliegia e prugna, ingentiliti da note di erbe aromatiche. Calibrato il corpo, di buon equilibrio, succoso e dai tannini delicati; ha quindi fresca vena acida e ottima profondità. Bene anche il Chianti Riserva '17, con note di menta e rosmarino al naso su base fruttata di prugna: in bocca è fresco e di gradevole persistenza.

● Chianti Ris. '17	🏆🏆	3
● Chianti Sup. Rio Camerata '18	🏆🏆	3
● Ciliegiolo '19	🏆🏆	3
○ Pratile '19	🏆	3
● Ventoso '19	🏆	2
● Blend 1 '15	🏆🏆	4
● Colorino '16	🏆🏆	6
● Messidoro '13	🏆🏆	1*
● Syrah '16	🏆🏆	5
● Syrah '15	🏆🏆	4
● Syrah '11	🏆🏆	4
● Ventoso '13	🏆🏆	1*
○ Vin Santo del Chianti '04	🏆🏆	6

Fattoria Fibbiano

VIA FIBBIANO, 2
56030 TERRICCIOLA [PI]
TEL. 0587635677
www.fattoria-fibbiano.it

VENDITA DIRETTA
VISITA SU PRENOTAZIONE
OSPITALITÀ E RISTORAZIONE
PRODUZIONE ANNUA 120.000 bottiglie
ETTARI VITATI 17,00

L'azienda agricola con agriturismo sorge vicino a Terricciola, sulle colline tra Pisa e Volterra; si estende su una superficie di 75 ettari, coltivati a vigneto e oliveto, oltre al bosco. Le origini della fattoria risalgono al dodicesimo secolo; da più di vent'anni è di proprietà di Giuseppe Cantoni, tornato in Italia dopo anni di attività all'estero nel settore industriale, che coronò così il sogno di dedicarsi all'agricoltura, e vede ora impegnati anche i figli Matteo e Nicola. Molta attenzione viene riservata ai vitigni dimenticati come il sanforte, il sangiovese polveroso e la colombana. Attrae il bouquet del Ciliegiolo '18, dove si affacciano sentori di mentuccia e sottobosco, in un contesto fruttato di ciliegie mature e nota speziate. Attacco caldo in bocca, avvolgente, con tannini ben distribuiti e finale asciutto. Particolare il Sanforte '16, dall'omonimo vitigno autoctono: ha sentori legati a prugna ed erbe, corpo robusto e di bella lunghezza.

★Tenute Ambrogio e Giovanni Folonari

LOC. PASSO DEI PECORAI
VIA DI NOZZOLE, 12
50022 GREVE IN CHIANTI [FI]
TEL. 055859811
www.tenutefolonari.com

VENDITA DIRETTA
VISITA SU PRENOTAZIONE
OSPITALITÀ
PRODUZIONE ANNUA 1.400.000 bottiglie
ETTARI VITATI 200,00

I vini della tenuta di Nozzole a Greve in Chianti, sul versante fiorentino del Chianti Classico, sono caratterizzati da uno stile moderno, segnato dalla ricerca della massima maturità del frutto e di strutture importanti, con il rovere piccolo in evidenza: il tutto declinato da una ineccepibile esecuzione tecnica. Ma la personalità stilistica non manca alle etichette di Ambrogio e Giovanni Folonari, che non di rado hanno saputo coprimere l'eccellenza assoluta. La famiglia conta su un articolato sistema di cantine: Campo al Mare a Bolgheri, La Fuga a Montalcino e Vigne a Porrona in Maremma. Cabernet Sauvignon in purezza, uscito per la prima volta nel 1987, Il Pareto continua il suo percorso virtuoso anche con la versione 2017. Monumentale fin dal primo impatto, con profumi avvolgenti che indugiano su un corredo rigoglioso di frutti rossi, spezie, tabacco e grafite, in bocca è possente e maturo, dal tannino ben risolto, con finale largo e dolce. Di beva godibile il Chianti Classico '18.

● Ciliegiolo '18	♟♟ 4
● L'Aspetto '16	♟♟ 5
● Sanforte '16	♟♟ 5
● Terre di Pisa Ceppatella '15	♟♟ 7
○ Fonte delle Donne '19	♟ 3
☉ Sofia Rosato '19	♟ 3
● Chianti Sup. Casalini '15	♟♟ 2*
● Ciliegiolo '17	♟♟ 4
● Ciliegiolo '16	♟♟ 4
● Ciliegiolo '15	♟♟ 3
○ Fonte delle Donne '18	♟♟ 3
● L'Aspetto '15	♟♟ 5
● Le Pianette '16	♟♟ 2*
● Le Pianette '15	♟♟ 2*
● Sanforte '15	♟♟ 5
● Sanforte '14	♟♟ 5
● Terre di Pisa Ceppatella '13	♟♟ 6

● Il Pareto '17	♟♟♟ 8
● Brunello di Montalcino	
Tenuta La Fuga '15	♟♟ 7
● Chianti Cl. '18	♟♟ 3
● Cabreo Il Borgo '17	♟ 6
● Chianti Cl. Gran Selezione '16	♟ 5
● Chianti Cl. La Forra Ris. '16	♟ 4
○ Le Bruniche '19	♟ 3
● Cabreo Il Borgo '16	♟♟♟ 6
● Cabreo Il Borgo '06	♟♟♟ 5
● Il Pareto '15	♟♟♟ 8
● Il Pareto '09	♟♟♟ 7
● Il Pareto '07	♟♟♟ 7
● Il Pareto '04	♟♟♟ 7
● Il Pareto '01	♟♟♟ 7
● Il Pareto '00	♟♟♟ 7
● Il Pareto '98	♟♟♟ 7

★★Fontodi

FRAZ. PANZANO IN CHIANTI
VIA SAN LEOLINO, 89
50020 GREVE IN CHIANTI [FI]
TEL. 055852005
www.fontodi.com

VENDITA DIRETTA
VISITA SU PRENOTAZIONE
OSPITALITÀ
PRODUZIONE ANNUA 300.000 bottiglie
ETTARI VITATI 80,00
VITICOLTURA Biologico Certificato

Una storia iniziata oltre cinquanta anni fa,
quella dell'azienda di proprietà di Giovanni
Manetti, uno dei punti di riferimento del
Chianti Classico. Dalle vigne della "Conca
d'Oro" di Panzano sono usciti e continuano
ad uscire alcuni fra i vini più significativi
della denominazione ed oggi, ad allargare
ulteriormente questo lavoro attorno al Gallo
Nero, ci sono anche i vigneti locati nella
sottozona di Lamole. Per tutti una cifra
stilistica che mette in primo piano
personalità e coerenza, unite alla capacità
di restituire le caratteristiche principali delle
sottozone di produzione. Celeberrimo
Sangiovese in purezza, il Flaccianello della
Pieve nella versione 2017 mostra carattere,
mettendo in evidenza profumi che spaziano
dai frutti rossi alla macchia di bosco, dalle
spezie a incisivi lampi di grafite. Sorso
maturo, succoso e ampio, termina con un
finale intenso ancora sui frutti. Da manuale
l'esecuzione del Chianti Classico '17,
invitante olfattivamente quanto beverino
al gusto.

Fontuccia

VIA PROVINCIALE, 54
58012 ISOLA DEL GIGLIO [GR]
TEL. 0564809576
www.fontuccia.it

PRODUZIONE ANNUA 6.500 bottiglie
ETTARI VITATI 3,00

Un'antica tradizione produttiva interiorizzata
e riproposta con i dovuti aggiustamenti
"moderni", senza prescindere,
evidentemente, dall'approccio eroico che la
viticoltura su un'isola impone e richiede. È
questo il contesto generale da cui nascono
i vini della piccola cantina dell'Isola del
Giglio, di proprietà dei fratelli Rossi.
Interpretazioni a dir poco connotate
nell'impronta espressiva dichiaratamente
mediterranea, cariche di personalità e
fascino, eseguite con precisione, ma senza
ricorrere a scorciatoie di sorta o a forzature
improvvide. Una variazione sul tema
ansonica intrigante, quella proposta da
Fontuccia. Il Caperrosso '19 suggerisce
richiami di iodio e pietra focaia con bocca
rocciosa, ritmata da una continua nota
salina. Il Cocciuto '19, ansonica macerata in
anfora, ha profumi di ginestra e eucalipto ad
anticipare un sorso saporito e quasi tannico.
Senza dimenticare il Senti Oh! '19, ansonica
di beva incalzante, e il Saracio Rosso '18,
mix di varietà in parte sconosciute.

● Chianti Cl. '17	♟♟	4
● Flaccianello della Pieve '17	♟♟	8
○ Vin Santo del Chianti Cl. '10	♟♟	6
● Chianti Cl. Filetta di Lamole '17	♟♟	5
● Pinot Nero '17	♟♟	6
● Chianti Cl. Gran Selezione V. del Sorbo '17	♟	6
● Syrah '17	♟	6
● Chianti Cl. '10	♟♟♟	4*
● Chianti Cl. Gran Sel. V. del Sorbo '14	♟♟♟	6
● Chianti Cl. Gran Selezione V. del Sorbo '16	♟♟♟	6
● Flaccianello della Pieve '12	♟♟♟	8
● Flaccianello della Pieve '09	♟♟♟	8
● Flaccianello della Pieve '08	♟♟♟	8
● Flaccianello della Pieve '07	♟♟♟	6
● Flaccianello della Pieve '05	♟♟♟	6

○ Capperrosso Senti Oh! '19	♟♟	4
○ Cocciuto Senti Oh! '19	♟♟	4
● Saracio '18	♟♟	6
○ Senti Oh! '19	♟♟	4
○ Capperrosso Senti Oh! '18	♀♀	4
○ Capperrosso Senti Oh! '16	♀♀	4
○ Capperrosso Senti Oh! '15	♀♀	4
○ N'antro Po' '13	♀♀	6
○ N'antro Po' Ansonica Passito '18	♀♀	6
● Saracio '16	♀♀	6
○ Senti Oh! '18	♀♀	4
○ Senti Oh! '17	♀♀	4
○ Senti Oh! '16	♀♀	4

La Fornace

POD. FORNACE, 154A
53024 MONTALCINO [SI]
TEL. 0577848465
www.agricola-lafornace.it

VENDITA DIRETTA
VISITA SU PRENOTAZIONE
PRODUZIONE ANNUA 15.000 bottiglie
ETTARI VITATI 4,50

Quella de La Fornace è una storia ricorrente nella filiera produttiva di Montalcino: un'azienda a conduzione familiare che diventa la realizzazione di un sogno, quando i nonni di Fabio Giannetti riescono ad acquistare il podere dove avevano lavorato tutta la vita come mezzadri. I primi imbottigliamenti di Rosso e Brunello iniziano nella seconda metà degli anni '80, ma è soprattutto nell'ultimo periodo che la piccola gamma ha saputo valorizzare con continuità le caratteristiche delle vigne collocate nel settore nord-est, intorno ai 400 metri di altitudine su terreni sabbioso-argillosi. Si conferma ad alti livelli la produzione della famiglia Giannetti che si conquista una scheda grande. Il fil rouge che accomuna i tre vini presentati è la potenza, anche se a volte a scapito dell'eleganza. Approda alle finali il Brunello '15 che si distingue per la bocca poderosa e quasi masticabile e per la sua grande persistenza. Ottimo il Rosso che sembra un piccolo Brunello, mentre appare ancora un po' rigido e austero l'Origini.

Podere Forte

LOC. PETRUCCI, 13
53023 CASTIGLIONE D'ORCIA [SI]
TEL. 05778885100
www.podereforte.it

VENDITA DIRETTA
VISITA SU PRENOTAZIONE
PRODUZIONE ANNUA 12.000 bottiglie
ETTARI VITATI 15,00
VITICOLTURA Biodinamico Certificato
AZIENDA SOSTENIBILE

Alcune aziende andrebbero visitate più che spiegate. Come in questo caso: solo guardando e toccando di persona, si può capire l'incredibile "universo" pensato e realizzato da Pasquale Forte, imprenditore che ha scelto la Val d'Orcia quale posto ideale per il suo sogno agricolo. La coltivazione biodinamica è stata l'opzione fondamentale sulla quale si è poi costruito tutto. Il vino è ovviamente il prodotto di maggior interesse e visibilità, ma anche olio, salumi, farine e miele nascono con gli stessi criteri e raggiungono livelli eccezionali. Sangiovese in purezza, il Guardiavigna '16 è una meraviglia. Ha bouquet originale dove compaiono note floreali di giacinto, erbe aromatiche che richiamano il dragoncello, quindi ciliegia e peperone verde. Al gusto è coerente, ben articolato, calibrato, dal sorso prolungato e gustoso. Stupendo anche l'Anfiteatro '15: ancora un sangiovese, forse dai toni più maturi e rotondi, capace di nuance di confettura e rabarbaro.

● Brunello di Montalcino '15	♟♟ 6
● Brunello di Montalcino Origini '15	♟♟ 6
● Rosso di Montalcino '18	♟♟ 4
● Brunello di Montalcino '14	♟♟ 6
● Brunello di Montalcino '13	♟♟ 6
● Brunello di Montalcino '10	♟♟ 6
● Brunello di Montalcino Origini '13	♟♟ 6
● Brunello di Montalcino Ris. '11	♟♟ 8
● Rosso di Montalcino '17	♟♟ 4
● Rosso di Montalcino '16	♟♟ 4
● Rosso di Montalcino '14	♟♟ 4

● Guardiavigna '16	♟♟♟ 8
● Orcia Anfiteatro '15	♟♟ 8
● Orcia Petrucci Melo '15	♟♟ 8
● Orcia Petruccino '17	♟♟ 7
● Orcia Guardiavigna '01	♟♟♟ 8
● Orcia Petruccino '16	♟♟♟ 7
● Guardiavigna '15	♟♟ 8
● Guardiavigna '14	♟♟ 8
● Guardiavigna '13	♟♟ 8
● Guardiavigna '12	♟♟ 8
● Guardiavigna '11	♟♟ 8
● Guardiavigna '05	♟♟ 8
● Orcia Anfiteatro '16	♟♟ 8
● Orcia Melo '16	♟♟ 8
● Orcia Petrucci '10	♟♟ 8
● Orcia Petruccino '15	♟♟ 6

Fortulla - Agrilandia

LOC. CASTIGLIONCELLO
S.DA VICINALE DELLE SPIANATE
57016 ROSIGNANO MARITTIMO [LI]
TEL. 3404524453
www.fortulla.it

VENDITA DIRETTA
VISITA SU PRENOTAZIONE
OSPITALITÀ E RISTORAZIONE
PRODUZIONE ANNUA 50.000 bottiglie
ETTARI VITATI 7,00
VITICOLTURA Biologico Certificato
AZIENDA SOSTENIBILE

Tutto si deve all'innamoramento per questo territorio da parte del titolare, Fulvio Martini, che decide nel 1994 di ridare vita ad uno spazio agricolo incolto, ma ricco di elementi interessanti per la ricca biodiversità presente. Oltre a preservare il luogo, è stato ovviamente necessario investire nel futuro: ecco allora l'impianto di vigneti e oliveti, oltre alla ristrutturazione di un casale per creare un nucleo di soggiorno ed accoglienza. Le viti sono state innestate a mano in terreni ricchi di scheletro, argille e sali minerali; la conversione biologica di tutta la produzione è certificata dal 2014. Blend di cabernet franc e sauvignon, Fortulla '18 ha aromi di peperone fresco, con richiami di ribes e mirtillo; bocca gradevole, cremosa, invitante, dal finale lungo e piacevole. Il Sorpasso '15, uvaggio similare con aggiunta di merlot, colpisce per i sentori di foglie di pomodoro, quindi si apre su toni di frutti neri, evidenziando corpo saldo, ben definito, fresco sul finale.

Tenuta La Fortuna

LOC. LA FORTUNA, 83
53024 MONTALCINO [SI]
TEL. 0577848308
www.tenutalafortuna.it

VENDITA DIRETTA
VISITA SU PRENOTAZIONE
PRODUZIONE ANNUA 60.000 bottiglie
ETTARI VITATI 18,00

L'azienda della famiglia Zannoni prende il nome da uno storico podere situato nel settore nord-orientale di Montalcino. Guidata dalla sesta generazione (i fratelli Angelo e Romina), propone una gamma estremamente caratterizzata nella quale confluiscono anche le uve coltivate nella tenuta successivamente acquistata nella zona sud-orientale dell'areale, nei pressi di Castelnuovo dell'Abate. Una combinazione per molti versi sinergica di esposizioni, terreni, microclimi, che si palesa nei migliori Rosso e Brunello targati La Fortuna: possenti, saporiti, vitali. La felice vendemmia 2015 ha permesso di proporre due grandi Brunello con caratteristiche di forza e freschezza. Il Brunello '15 con i suoi aromi ricchi di sensazioni fruttate e di liquirizia ha l'allure del fuoriclasse, anche grazie alla succosa acidità che accompagna a lungo un sorso di appagante pienezza. Ottimo compromesso tra modernità e tradizione per il Giobi pari annata che esalta l'aspetto fruttato, senza compromettere la complessità dell'insieme.

● Fortulla '18	♟♟ 4
○ Pelagico '18	♟♟ 5
● Sorpasso '15	♟♟ 6
○ Terratico di Bibbona Serpentino '19	♟♟ 4
⊙ Rosato Epatta '19	♟ 3
○ Pelagico '15	♟♟ 5
○ Serpentino '16	♟♟ 4
● Sorpasso '14	♟♟ 6
● Sorpasso '13	♟♟ 6
● Sorpasso '12	♟♟ 6
○ Terratico di Bibbona Serpentino '17	♟♟ 4

● Brunello di Montalcino '15	♟♟ 6
● Brunello di Montalcino Giobi '15	♟♟ 6
● Rosso di Montalcino '18	♟ 3
● Brunello di Montalcino '14	♟♟ 6
● Brunello di Montalcino '13	♟♟ 6
● Brunello di Montalcino '12	♟♟ 6
● Brunello di Montalcino '10	♟♟ 6
● Brunello di Montalcino Giobi '13	♟♟ 6
● Brunello di Montalcino Giobi '12	♟♟ 6
● Brunello di Montalcino Giobi '10	♟♟ 6
● Brunello di Montalcino Ris. '13	♟♟ 7
● Rosso di Montalcino '17	♟♟ 3
● Rosso di Montalcino '16	♟♟ 3
● Rosso di Montalcino '11	♟♟ 3

La Fralluca

LOC. BARBICONI, 153
57028 SUVERETO [LI]
TEL. 0565829076
www.lafralluca.com

VENDITA DIRETTA
VISITA SU PRENOTAZIONE
PRODUZIONE ANNUA 45.000 bottiglie
ETTARI VITATI 10,00
VITICOLTURA Biologico Certificato
AZIENDA SOSTENIBILE

L'azienda nasce dal sogno di Francesca e
Luca, che lavorano nel mondo della moda e
dell'abbigliamento, ma vogliono vivere in
Toscana e fare vino. In cima a una collina di
Suvereto trovano un casale abbandonato
con magnifica vista su boschi e macchia
mediterranea. Vengono messi a dimora i
vigneti, in mezzo ai quali viene costruita la
cantina. Luca, tenendo ben fermi i principi
della sostenibilità e dell'agricoltura
biologica, si occupa delle viti, dove si
trovano uve di sangiovese, vermentino,
cabernet franc, syrah, viognier, alicante e
alicante bouschet; Francesca segue la
parte commerciale. Raggiunge le finali il
Cabernet Franc '16, caratterizzato da note
vegetali di peperone arrostito che si
combinano ad erbe aromatiche come alloro
e rosmarino, oltre ai frutti di bosco. Godibile
l'ingresso in bocca, caldo, ben articolato,
dalla vena acida integrata e il finale
suadente. Gustoso il Pitis '16, syrah in
purezza dal bouquet legato al pepe, al
cuoio e ai frutti rossi; corpo snello e vivo.

● Cabernet Franc '16	▼▼ 6
○ Bauci Viognier '18	▼▼ 4
● Fillide '16	▼▼ 3
● Pitis Syrah '16	▼▼ 5
○ Filemone Vermentino '19	▼ 3
● Suvereto Sangiovese Ciparisso '16	▼ 5
○ Bauci '15	♈♈ 3
● Cabernet Franc '15	♈♈ 6
○ Elice '16	♈♈ 5
○ Filemone '18	♈♈ 3
● Fillide '15	♈♈ 3
● Fillide '14	♈♈ 3
● Pitis '15	♈♈ 5
● Pitis '14	♈♈ 5

Frascole

LOC. FRASCOLE, 27A
50062 DICOMANO [FI]
TEL. 0558386340
www.frascole.it

VENDITA DIRETTA
VISITA SU PRENOTAZIONE
OSPITALITÀ
PRODUZIONE ANNUA 65.000 bottiglie
ETTARI VITATI 16,00
VITICOLTURA Biologico Certificato

Enrico Lippi e la moglie Elisa sono le menti
e le braccia di questa azienda agricola, che
sorge presso l'omonimo piccolo borgo di
origine medioevali, cresciuto su costruzioni
preesistenti di epoca etrusca e romana,
circondato dai vigneti e dagli oliveti. Tutta la
famiglia è impegnata nella produzione di
vini ed olio. I vigneti sono compresi, in larga
parte, nella denominazione Chianti Rufina:
qui l'altitudine media, piuttosto elevata,
riesce a caratterizzare il sangiovese. La
voglia di sperimentare si è espressa anche
con vitigni quali il merlot, il trebbiano,
proposto in due versioni, e il pinot nero.
Buonissimo il Chianti Rufina Riserva '17,
dagli intensi profumi minerali (pietra focaia),
fruttati (susina) e speziati (chiodi di
garofano). Gustoso all'impatto in bocca,
solido e calibrato nella componente
tannica, ha verve acida pregevole.
Intrigante il Limine '16, Merlot in purezza
dai sentori ematici, con note fresche di
resina e pietra che si legano al sorso
avvolgente, armonioso e lungo.

● Chianti Rufina Ris. '17	▼▼ 3*
● Chianti Rufina '18	▼▼ 3*
● Limine '16	▼▼ 5
● Pinot Nero '17	▼▼ 4
● Chianti Rufina '17	♈♈ 2*
● Chianti Rufina '16	♈♈ 2*
● Chianti Rufina '14	♈♈ 2*
● Chianti Rufina '13	♈♈ 2*
● Chianti Rufina Ris. '16	♈♈ 3*
● Chianti Rufina Ris. '15	♈♈ 3*
● Chianti Rufina Ris. '14	♈♈ 3
● Chianti Rufina Ris. '12	♈♈ 3*
○ In Albis sulle bucce '16	♈♈ 5
○ In Albis sulle bucce '15	♈♈ 5
● Pinot Nero '16	♈♈ 4

Tenuta di Frassineto

FRAZ. FRASSINETO
S.DA VICINALE DEL DUCA, 14
52100 AREZZO
TEL. 0575367033
www.tenutadifrassineto.com

VENDITA DIRETTA
VISITA SU PRENOTAZIONE
PRODUZIONE ANNUA 60.000 bottiglie
ETTARI VITATI 30,69

Oltre a rappresentare un pregevole esempio di architettura seicentesca (pur alla luce delle parziali rielaborazioni risalenti all'Ottocento), la villa monumentale che incontriamo all'interno della Tenuta di Frassineto è molto importante a livello storico: i proprietari che si sono succeduti rispondono a nomi di famiglie importantissime, tra le quali i Vasari. Dedicati perlopiù alle varietà internazionali, i vigneti rappresentano solo una piccola parte dei poderi collegati, in maggioranza utilizzati per la coltivazione di grano duro ed altri cereali. Molto interessante Le Fattorie '17, Cabernet Franc in purezza dal naso fresco, vegetale, con suggestioni di peperone verde abbinate a note mentolate e frutti neri di bosco. Godibile in bocca, è inizialmente rotondo e poi via via più teso, nervoso, di bella e vivace persistenza. Molto intrigante il Rancoli '19, Vermentino in purezza che punta su profumi di tè e miele, quindi litchi e pesca bianca; sorso adeguato, franco e vivido.

○ Frassinoro '19	🍷🍷 2*	
● Le Fattorie '17	🍷🍷 4	
○ Rancoli '19	🍷🍷 2*	
○ Brut M. Cl. '15	🍷 3	
● Fontarronco '09	🍷🍷 2*	
● Le Fattorie '11	🍷🍷 4	
● Maestro della Chiana '11	🍷🍷 4	
○ Rancoli '12	🍷🍷 2*	
○ Rancoli '07	🍷🍷 2*	
○ Vicinale del Duca '07	🍷🍷 4	

★ Frescobaldi

VIA SANTO SPIRITO, 11
50125 FIRENZE
TEL. 05527141
www.frescobaldi.it

VENDITA DIRETTA
VISITA SU PRENOTAZIONE
PRODUZIONE ANNUA 7.500.000 bottiglie
ETTARI VITATI 923,00

Il cammino della famiglia Frescobaldi inizia più di mille anni fa, quello del loro vino verso il 1300. E per limitarci ai tempi più recenti, occorre ricordare che gli antenati della famiglia introdussero nel 1855 vitigni allora sconosciuti in Toscana, tra cui cabernet sauvignon, merlot, pinot nero e chardonnay. Creatività e ricerca continuano anche nei giorni nostri e prendono corpo nelle sette tenute, nel progetto dei vini dell'isola di Gorgona, nei vigneti, nei vini che raccontano la diversità della regione e riflettono ogni singolo terroir. Impressiona la costanza qualitativa di tutti i vini presentati ai nostri assaggi, tanto quelli provenienti dal Castello di Nipozzano quanto dalla denominazione di Pomino e della tenuta di Castiglioni, senza dimenticare la particolarità del vino prodotto nell'isola di Gorgona. Conquista i Tre Bicchieri Il Chianti Rufina Nipozzano Riserva '17: fragrante al naso, elegante, equilibrato e armonico al palato, lunghissimo e persistente.

● Chianti Rufina Nipozzano Ris. '17	🍷🍷🍷 4*	
● Chianti Rufina Nipozzano V. V. Ris. '17	🍷🍷 5	
○ Pomino Bianco Benefizio Ris. '18	🍷🍷 5	
● Giramonte '16	🍷🍷 8	
○ Gorgona '18	🍷🍷 8	
● Mormoreto '17	🍷🍷 8	
○ Pomino Bianco '19	🍷🍷 3	
○ Pomino Brut Leonia '16	🍷🍷 6	
● Chianti Rufina Nipozzano V. V. Ris. '16	🍷🍷🍷 5	
● Chianti Rufina Nipozzano V. V. Ris. '13	🍷🍷🍷 5	
● Chianti Rufina V. V. Ris. '11	🍷🍷🍷 6	
● Montesodi '15	🍷🍷🍷 6	
● Mormoreto '05	🍷🍷🍷 7	
● Mormoreto '01	🍷🍷🍷 7	

Fuligni

VIA SALONI, 33
53024 MONTALCINO [SI]
TEL. 0577848710
www.fuligni.it

VENDITA DIRETTA
VISITA SU PRENOTAZIONE
PRODUZIONE ANNUA 52.000 bottiglie
ETTARI VITATI 12,00

Suddivise in varie parcelle lavorate separatamente (San Giovanni, Piano, Ginestreto, Bandita) le vigne della famiglia Fuligni si concentrano perlopiù nell'enclave dei Cottimelli, storico toponimo che si posiziona sul limite orientale della collina di Montalcino. È un punto di passaggio naturale verso il settore nord, come testimoniano anche le altimetrie che sfiorano quota 450 e i suoli poveri di matrice pietrosa, ma soprattutto i caratteri espressivi di Brunello espansivi e compatti, maturati in tonneau e botti di varie dimensioni. Abbiamo degustato un solo vino di quest'azienda, ma di livello veramente elevato. La versione 2015 del Brunello è esemplare per vigore, freschezza ricchezza di frutto e pulizia stilistica. Ha bei toni di ciliegia e mora matura che virano su tabacco ed erbe officinali, sfumature di humus. È sapido, articolato, persistente e profondo proprio come ci si aspetta da un eccellente Brunello. Bravi.

● Brunello di Montalcino '15	▼▼	6
● Brunello di Montalcino '10	▼▼▼	6
● Brunello di Montalcino '14	▼▼	6
● Brunello di Montalcino '13	▼▼	6
● Brunello di Montalcino '12	▼▼	6
● Brunello di Montalcino '11	▼▼	6
● Brunello di Montalcino Ris. '13	▼▼	8
● Brunello di Montalcino Ris. '12	▼▼	8
● Rosso di Montalcino Ginestreto '15	▼▼	4
● Rosso di Montalcino Ginestreto '13	▼▼	4

La Gerla - Aisna

LOC. CANALICCHIO
POD. COLOMBAIO, 5
53024 MONTALCINO [SI]
TEL. 0577848599
www.lagerla.it

VENDITA DIRETTA
VISITA SU PRENOTAZIONE
PRODUZIONE ANNUA 80.000 bottiglie
ETTARI VITATI 11,50

Letteralmente "divino", Aisna è il termine etrusco che leggiamo in primo piano sulle etichette curate da Alessandro Rossi. Un progetto produttivo relativamente recente, nato nel 2012 dopo la scomparsa del padre Sergio, ben conosciuto dagli appassionati del vino di Montalcino per aver supportato il cugino Giulio Consonno ad Altesino e Caparzo, prima di creare la propria azienda a La Gerla. Realizzata con maturazioni in tonneau e botti di medie dimensioni, la piccola gamma di Rosso e Brunello si basa sulle vigne dislocate tra Castelnuovo dell'Abate, Canalicchio e Altesi. Ingresso meritato in Guida per questo figlio d'arte, che piazza subito un bel colpo omogeneo, con tre ottimi vini. Molto simili nello stile ricco e complesso imposto dal clima della vendemmia 2015, il Camponovo, prodotto ad Altesi, a nord del comune, si fa notare per un'acidità leggermente più sentita e per gli accattivanti aromi di confettura di ciliegia. Ottimo il Rosso '18 che per aromi e struttura può far pensare a un piccolo Brunello.

● Brunello di Montalcino Aisna '15	▼▼	6
● Brunello di Montalcino Camponovo '15	▼▼	6
● Brunello di Montalcino La Gerla '15	▼▼	6
● Poggio gli Angeli La Gerla '18	▼▼	3
● Rosso di Montalcino Aisna '18	▼▼	3
● Rosso di Montalcino La Gerla '18	▼▼	3
● Birba La Gerla '16	▼	4
● Brunello di Montalcino Gli Angeli Ris. '08	▼▼	7
● Brunello di Montalcino La Gerla '13	▼▼	6
● Brunello di Montalcino La Gerla '12	▼▼	6
● Brunello di Montalcino La Gerla '10	▼▼	5
● Brunello di Montalcino La Gerla '09	▼▼	5
● Rosso di Montalcino Aisna '16	▼▼	3
● Rosso di Montalcino La Gerla '15	▼▼	3
● Rosso di Montalcino La Gerla '14	▼▼	3
● Rosso di Montalcino La Gerla '13	▼▼	3

★Tenuta di Ghizzano

FRAZ. GHIZZANO
VIA DELLA CHIESA, 4
56037 PECCIOLI [PI]
TEL. 0587630096
www.tenutadighizzano.com

VENDITA DIRETTA
VISITA SU PRENOTAZIONE
OSPITALITÀ
PRODUZIONE ANNUA 80.000 bottiglie
ETTARI VITATI 20,00
VITICOLTURA Biologico Certificato

Un paradiso naturale di oltre 300 ettari, solo in minima parte vitati, come sintesi di un'azienda intimamente legata al suo territorio e ai principi della sostenibilità. La proprietà è in mano alla famiglia Venerosi Pesciolini, che pare sia arrivata a Ghizzano verso la fine del XIV secolo ed è oggi rappresentata al meglio da Ginevra. È lei a guidare l'azienda, da tempo condotta con protocolli biologici e biodinamici. I risultati parlano chiaro, così come è evidente l'evoluzione stilistica in corso. Torna il Nambrot e lo fa con gli squilli di tromba. La vendemmia 2017 è stata gestita con classe e ha regalato un vino potente quanto equilibrato e fine: naso mediterraneo, con tripudio di frutti di bosco e garrigue, bocca materica ma gentile, di bella spalla e profondità. Anche il finale impressiona per continuità e precisione. Non gli è lontano Il Ghizzano '18, più fluido e scorrevole, immediatamente comprensibile ma davvero gustoso.

Giodo

LOC. PODERINO
53024 MONTALCINO [SI]
TEL. 3892763222
www.giodo.it

VENDITA DIRETTA
PRODUZIONE ANNUA 20.000 bottiglie
ETTARI VITATI 5,50
VITICOLTURA Biologico Certificato
AZIENDA SOSTENIBILE

Totalmente supportato dalla figlia Bianca, Carlo Ferrini è riuscito in pochi anni a rendere la sua personale creatura aziendale una stella di prima grandezza nel firmamento di Montalcino. Nel 2002 ha individuato nel podere Giodo il sito ideale per dare forma a sangiovese tridimensionali: fitti e comunicativi, vigorosi e prospettici. Del resto siamo in una delle zone più vocate del comprensorio, in pieno settore sud tra Sant'Angelo in Colle e Sant'Antimo, tra i 300 e i 400 metri di altitudine: condizioni esaltate in cantina da soluzioni modulari, tanto sul Brunello quanto sul Rosso La Quinta. Bellissima interpretazione dell'annata 2015 quella dei Ferrini. Vino di stile contemporaneo, esprime a pieno il terroir e l'annata. Ha un bel colore rubino intenso, e all'olfatto si apre ricco e rigoglioso su note di frutto rosso e nero ben maturo che virano sui toni boisé e di tabacco. La bocca è ricca, polposa, sorretta da una armonica impalcatura acida e tannini morbidi che lo accompagnano in un finale lungo e fresco.

● Nambrot '17	♟♟♟ 6
● Il Ghizzano Rosso '18	♟♟ 3
● Nambrot '09	♟♟♟ 6
● Nambrot '08	♟♟♟ 6
● Nambrot '06	♟♟♟ 6
● Nambrot '05	♟♟♟ 6
● Nambrot '04	♟♟♟ 6
● Nambrot '03	♟♟♟ 6
● Nambrot '01	♟♟♟ 8
● Nambrot '00	♟♟♟ 7
● Terre di Pisa Nambrot '15	♟♟♟ 6
● Terre di Pisa Nambrot '13	♟♟♟ 6
● Terre di Pisa Nambrot '12	♟♟♟ 6
● Veneroso '10	♟♟♟ 5
● Veneroso '07	♟♟♟ 5
● Veneroso '04	♟♟♟ 5
● Veneroso '01	♟♟♟ 5

● Brunello di Montalcino Giodo '15	♟♟♟ 8
● La Quinta '18	♟♟ 8
● Brunello di Montalcino Giodo '13	♟♟♟ 8
● Brunello di Montalcino Giodo '12	♟♟♟ 8
● Brunello di Montalcino Giodo '11	♟♟♟ 8
● Brunello di Montalcino Giodo '14	♟♟ 8
● Giodo '17	♟♟ 6
● Giodo '16	♟♟ 6
● Giodo '15	♟♟ 6
● Giodo '13	♟♟ 6

I Giusti & Zanza

VIA DEI PUNTONI, 9
56043 FAUGLIA [PI]
TEL. 058544354
www.igiustiezanza.it

VENDITA DIRETTA
VISITA SU PRENOTAZIONE
PRODUZIONE ANNUA 100.000 bottiglie
ETTARI VITATI 17,00
VITICOLTURA Biologico Certificato

Nata nel 1996, la realtà produttiva della famiglia Giusti si trova a Fauglia, sulle Colline Pisane, non lontano dalla costa tirrenica. La zona è nota da secoli per la sua vocazione agricola, i terreni dove insistono le vigne sono argillo-sabbiosi, con presenza di ghiaia. Condizioni che disegnano vini dal taglio moderno, capaci di esprimere le potenzialità della zona sia con rossi immediati che con etichette di maggior complessità estrattiva. Da sottolineare la particolare attenzione dell'azienda verso pratiche agricole sostenibili e rispettose dell'ecosistema. Il Sangiovese VignaVecchia '17 è rosso dal frutto slanciato, maturo, ben amalgamato negli apporti tostati riconducibili alla maturazione in legno. Il Cabernet Dulcamara '17 mostra un tratto aromatico dominato da piccoli frutti neri e note erbacee, rivelandosi di buono spessore e intensità in bocca. Sangiovese in prevalenza con quota di merlot, Belcore '18 è cupo olfattivamente quanto elegante e cremoso al gusto.

● Belcore '18	🏆🏆	3
● Dulcamara '17	🏆🏆	5
● VignaVecchia '17	🏆🏆	8
● Belcore '15	🏆🏆	3
● Belcore '13	🏆🏆	3
● Dulcamara '16	🏆🏆	8
● Dulcamara '15	🏆🏆	5
● Dulcamara '13	🏆🏆	5
● Dulcamara '12	🏆🏆	5
● Nemorino Rosso '18	🏆🏆	5
● Nemorino Rosso '16	🏆🏆	2*
● Nemorino Rosso '15	🏆🏆	2*
● Perbruno '17	🏆🏆	6
● Perbruno '16	🏆🏆	4
● Perbruno '15	🏆🏆	4
● Perbruno '13	🏆🏆	4
● Perbruno '12	🏆🏆	4

Marchesi Gondi
Tenuta Bossi

LOC. BOSSI
VIA DELLO STRACCHINO, 32
50065 PONTASSIEVE [FI]
TEL. 0558317830
www.tenutabossi.com

VENDITA DIRETTA
VISITA SU PRENOTAZIONE
OSPITALITÀ
PRODUZIONE ANNUA 50.000 bottiglie
ETTARI VITATI 19,00

La Tenuta Bossi, che appartiene da secoli alla famiglia Gondi, si sviluppa per 315 ettari nella zona di produzione del Chianti Rufina, sulle colline a nord-est di Firenze. Tra i vitigni coltivati, oltre al sangiovese, un clone autoctono di colorino, qui riprodotto da oltre 100 anni, e poi merlot, cabernet sauvignon, trebbiano toscano, chardonnay e sauvignon blanc. Le uve, coltivate nel rispetto dell'ambiente e raccolte a mano, vengono vinificato nelle antiche cantine a volta che si trovano nel sottosuolo della monumentale villa ed in parte sotto il parco. Delizioso il Vin Santo Cardinal De Retz '07: ha toni fruttati eleganti, di cotognata, nocciole e sorprendenti frutti di bosco; in bocca è setoso, elegante, morbido, di lunga persistenza gustativa. Il Chianti Rufina Vigna Poggio Diamante Riserva '16 ha un bouquet vegetale, con cenni ematici e frutto che ricorda prugna e ciliegia. Solido il corpo e fine la spalla tannica, lungo e pulito il finale.

○ Vin Santo del Chianti Rufina Cardinal de Retz Ris. '07	🏆🏆	5
● Chianti Rufina Villa Bossi V. Poggio Diamante Ris. '16	🏆🏆	4
● Mazzaferrata '15	🏆🏆	4
● Ser Amerigo '15	🏆🏆	4
● Chianti Rufina San Giuliano '18	🏆	3
○ Colli dell'Etruria Centrale Bianco Sassobianco '19	🏆	2
⊙ Violana Rosato '19	🏆	2
● Chianti Rufina San Giuliano '17	🏆🏆	3
● Chianti Rufina San Giuliano '16	🏆🏆	2*
● Chianti Rufina Villa Bossi Ris. '16	🏆🏆	4
● Mazzaferrata '13	🏆🏆	4
○ Vin Santo del Chianti Rufina Cardinal de Rez '06	🏆🏆	5

★Grattamacco

LOC. LUNGAGNANO
57022 CASTAGNETO CARDUCCI [LI]
TEL. 0565765069
www.collemassari.it

VENDITA DIRETTA
VISITA SU PRENOTAZIONE
PRODUZIONE ANNUA 120.000 bottiglie
ETTARI VITATI 16,00
VITICOLTURA Biologico Certificato

La cantina Grattamacco risale al 1977: è dunque tra i pionieri della sua zona e griffe di riferimento per il vino italiano. Sorge tra Castagneto Carducci e Bolgheri, con vigneti collinari posizionati ad un'altitudine di circa 100-150 metri sul livello del mare. La tenuta fa parte dal 2002 del Gruppo Colle Massari, che ne ha valorizzato il patrimonio e la storia, accrescendone di continuo il valore. I vini sono di eccezionale livello, fedeli al loro passato ma sempre in evoluzione, capaci di rappresentare ai massimi livelli il loro territorio. Uno meglio dell'altro, i due Bolgheri Rosso '17 hanno giocato fino alla fine a primeggiare. Decidere non è stato facile, visto che parliamo di due fuoriclasse. Armonioso, cremoso e incredibilmente elegante il Superiore Alberello '17; intenso e progressivo, riuscito nel gioco fruttato, mediterraneo e balsamico, il Superiore Grattamacco. La spunta quest'ultimo di un soffio, ma vi consigliamo di provarli entrambi.

Fattoria di Grignano

VIA DI GRIGNANO, 22
50065 PONTASSIEVE [FI]
TEL. 0558398490
www.fattoriadigrignano.com

VENDITA DIRETTA
VISITA SU PRENOTAZIONE
PRODUZIONE ANNUA 200.000 bottiglie
ETTARI VITATI 53,00
VITICOLTURA Biologico Certificato
AZIENDA SOSTENIBILE

Rappresenta una delle aziende più antiche del territorio della Rufina, con ritrovamenti archeologici che testimoniano come i primi insediamenti risalgano all'età del Bronzo, nel XIII secolo a.C. La prima famiglia a possederla è stata quella dei Conti Guidi, in seguito sono arrivati i Medici e quindi, per più di cinque secoli, i Gondi. È del 1971, invece, l'acquisizione da parte dell'attuale proprietà. Si tratta della famiglia Inghirami, che nel 1999 ha ampliato i possedimenti annettendo la fattoria di Pievecchia. Buon risultato d'insieme per le varie espressioni del Chianti Rufina. La versione 2017 ha note fruttate classiche, di ciliegie e lamponi, oltre a un tocco di mineralità che torna in un corpo solido e bilanciato. Interessante anche Poggio Gualtieri Riserva '16, dal bouquet più complesso, con cenni di tabacco e cuoio, struttura ben articolata e finale sapido. Accattivante il Vin Santo '12, dalle note di frutta secca, morbido e avvolgente.

● Bolgheri Rosso Sup. Grattamacco '17	🏆🏆🏆 8
● Bolgheri Rosso Sup. L'Alberello '17	🏆🏆 8
○ Bolgheri Vermentino '18	🏆🏆 5
● Bolgheri Rosso Sup. Grattamacco '16	🏆🏆🏆 8
● Bolgheri Rosso Sup. Grattamacco '05	🏆🏆🏆 7
● Bolgheri Sup. Grattamacco '15	🏆🏆🏆 8
● Bolgheri Sup. Grattamacco '14	🏆🏆🏆 8
● Bolgheri Sup. Grattamacco '13	🏆🏆🏆 8
● Bolgheri Sup. Grattamacco '12	🏆🏆🏆 8
● Bolgheri Sup. Grattamacco '10	🏆🏆🏆 7
● Bolgheri Sup. Grattamacco '09	🏆🏆🏆 7
● Bolgheri Sup. Grattamacco '07	🏆🏆🏆 7
● Bolgheri Sup. Grattamacco '06	🏆🏆🏆 7
● Bolgheri Sup. L'Alberello '11	🏆🏆🏆 6
● Bolgheri Rosso Sup. L'Alberello '16	🏆🏆 8
● Bolgheri Sup. L'Alberello '15	🏆🏆 8
○ Bolgheri Vermentino '17	🏆🏆 5

● Chianti Rufina '17	🏆🏆 2*
● Chianti Rufina Cardinal Enrico Ris. '15	🏆🏆 3
● Chianti Rufina Poggio Gualtieri Ris. '16	🏆🏆 4
● Chianti Rufina Ritratto del Cardinale '17	🏆🏆 2*
○ Vin Santo del Chianti '12	🏆🏆 4
● Pietramaggio Rosso '17	🏆 3
○ Ricamo '19	🏆 2
● Chianti Rufina '15	🏆🏆 2*
● Chianti Rufina '13	🏆🏆 2*
● Chianti Rufina '12	🏆🏆 2*
● Chianti Rufina Poggio Gualtieri Ris. '15	🏆🏆 4
● Chianti Rufina Poggio Gualtieri Ris. '13	🏆🏆 4
● Chianti Rufina Poggio Gualtieri Ris. '11	🏆🏆 4
○ Vin Santo del Chianti Rufina '09	🏆🏆 4

Guado al Melo

Loc. Murrotto, 130a
57022 Castagneto Carducci [LI]
Tel. 0565763238
www.guadoalmelo.it

VENDITA DIRETTA
VISITA SU PRENOTAZIONE
PRODUZIONE ANNUA 120.000 bottiglie
ETTARI VITATI 15,00
AZIENDA SOSTENIBILE

Guado al Melo è una proprietà della famiglia Scienza, nome di primo piano nel mondo del vino italiano. L'attività è condotta da Michele e vanta vigne in alcune delle zone più interessanti del Bolgherese, sulle prime pendici delle colline, circondate dai boschi della macchia mediterranea e dagli olivi. Molte le varietà allevate, da quelle classiche del territorio alle più antiche del bacino mediterraneo. Grande attenzione è riservata allo uvo o ai vini bianchi, fatto non scontato in zona. La cantina è davvero una meraviglia. Tra gli assaggi dell'anno, impressiona per intensità e stile il Bolgheri Rosso Rute '18. È un vino dagli splendidi profumi mediterranei, col mirto e l'elicriso a puntellare un frutto maturo e piacevole che si snoda con grande coerenza al palato: scorrevole quanto profondo e sapido nel finale, conquista per la lunga persistenza. Ampio e complesso il Bolgheri Bianco Criseo '18.

● Bolgheri Rosso Rute '18	▼▼▼	4*
○ Bolgheri Bianco Criseo '18	▼▼	5
● Jassarte '17	▼	5
○ Bolgheri Bianco Criseo '17	▽▽▽	5
● Bolgheri Rosso Sup. Atis '12	▽▽▽	6
○ Bolgheri Bianco Criseo '16	▽▽	5
● Bolgheri Rosso Antillo '15	▽▽	3
● Bolgheri Rosso Rute '15	▽▽	4
● Bolgheri Rosso Rute '13	▽▽	5
● Bolgheri Rosso Sup. Atis '13	▽▽	6
● Jassarte '15	▽▽	5

Guado al Tasso

Loc. Bolgheri
s.da Bolgherese km 3,9
57020 Castagneto Carducci [LI]
Tel. 0565749735
www.guadoaltasso.it

VENDITA DIRETTA
VISITA SU PRENOTAZIONE
RISTORAZIONE
PRODUZIONE ANNUA 1.700.000 bottiglie
ETTARI VITATI 320,00

Guado al Tasso appartiene alla famiglia Antinori, nome di riferimento del vino italiano, e questo serve subito ad inquadrare il livello del progetto. Potremmo aggiungere le dimensioni, visto che parliamo di una proprietà di circa mille ettari di terreno tra vigne, boschi e macchia mediterranea. La parte che concerne la coltivazione della vite è ovviamente fondamentale, con varietà allevate che rispondono a quelle usuali in zona: merlot, cabernet sauvignon, petit verdot e sangiovese, tra i rossi; vermentino in prevalenza tra i bianchi. I vini sono stilisticamente riconoscibili e ben fatti. Rientra sicuramente nel novero delle migliori versioni "calde" il Bolgheri Superiore Guado al Tasso '17. Lo stile del vino e l'annata consegnano un rosso certamente maturo, ricco di frutto e spezie, rotondo e morbido, ma anche capace di equilibrio e dinamismo. Il Bruciato '18 è più scattante e sanguigno, anche se le timbriche dolcemente fruttate non mancano.

● Bolgheri Rosso Guado al Tasso '17	▼▼	8
● Bolgheri Rosso Il Bruciato '18	▼▼	5
⊙ Bolgheri Rosato Scalabrone '19	▼	3
● Bolgheri Rosso Cont'Ugo '18	▼	6
● Bolgheri Sup. Guado al Tasso '01	▽▽▽	8
● Bolgheri Sup. Guado al Tasso '90	▽▽▽	8
⊙ Bolgheri Rosato Scalabrone '16	▽▽	3
● Bolgheri Rosso Cont'Ugo '16	▽▽	6
● Bolgheri Rosso Guado al Tasso '16	▽▽	8
● Bolgheri Rosso Il Bruciato '16	▽▽	5
● Bolgheri Rosso Il Bruciato '15	▽▽	5
● Bolgheri Rosso Il Bruciato '14	▽▽	5
● Bolgheri Rosso Sup. Guado al Tasso '15	▽▽	8
● Bolgheri Rosso Sup. Guado al Tasso '09	▽▽	8
● Bolgheri Rosso Sup. Guado al Tasso '08	▽▽	8
● Bolgheri Sup. Guado al Tasso '13	▽▽	8

Gualdo del Re

LOC. NOTRI, 77
57028 SUVERETO [LI]
TEL. 0565829888
www.gualdodelre.it

VENDITA DIRETTA
VISITA SU PRENOTAZIONE
OSPITALITÀ E RISTORAZIONE
PRODUZIONE ANNUA 100.000 bottiglie
ETTARI VITATI 20,00
VITICOLTURA Biologico Certificato

Quella di Teresa e Nico Rossi è una storia
fatta di amore e passione. Oggi anche i loro
figli Federico e Valentina sono coinvolti nel
progetto, con spirito in equilibrio tra
giovanile entusiasmo e continuità con
l'opera dei genitori. Oltre alla produzione
vinicola, si è nel tempo aggiunta l'attività
agrituristica. I vitigni a bacca nera spaziano
dal sangiovese al merlot, passando per
cabernet sauvignon, franc e aleatico; per i
bianchi si usa vermentino e pinot bianco. I
vini hanno opulenza e taglio moderno.
Buono il Quinto Re '17, merlot in purezza
dai toni terziari che spaziano dal tabacco al
cuoio, passando per frutti neri assortiti e
cenni tostati. Al gusto si presenta di buon
peso, caldo, con tannini soffici e finale
rilassato. Piacevole il Cabraia '17, cabernet
franc con piccolo saldo di cabernet
sauvignon, capace di lampi balsamici
all'olfatto, mentre in bocca sorprende per la
giusta trama tannica in un corpo bilanciato.
Ottimo riuscita anche per il Suvereto
l'Rennero '17.

● Quintoré '17	♟♟ 8
● Cabraia '17	♟♟ 8
● Suvereto Merlot l'Rennero '17	♟♟ 8
⊙ Shiny Rosato '19	♟ 3
● Suvereto Sangiovese Il Gualdo '17	♟ 6
○ Valentina '19	♟ 3
● Quinto Re '16	♟♟♟ 8
● Cabraia '16	♟♟ 6
○ Eliseo Rosso '16	♟♟ 3
○ Eliseo Rosso '15	♟♟ 3
● Suvereto Merlot l'Rennero '15	♟♟ 7
● Suvereto Sangiovese Gualdo del Re '15	♟♟ 5
● Suvereto Sangiovese Il Guardo '16	♟♟ 5
○ Valentina '18	♟♟ 3

Conte Guicciardini
Castello di Poppiano

LOC. POPPIANO
VIA FEZZANA, 45/49
50025 MONTESPERTOLI [FI]
TEL. 05582315
www.conteguicciardini.it

VENDITA DIRETTA
VISITA SU PRENOTAZIONE
PRODUZIONE ANNUA 270.000 bottiglie
ETTARI VITATI 130,00
AZIENDA SOSTENIBILE

Sono tre le tenute in cui si articolano le
proprietà di Ferdinando e Titti Guicciardini,
ora coadiuvati da Bernardo: Castello di
Poppiano, Massi di Mandorlaia e Belvedere
Campòli. La prima, sulle colline di
Montespertoli, è stata per secoli il centro
delle attività agricole della storica famiglia
ed è ora compresa nella zona di produzione
del Chianti Colli Fiorentini. La seconda è a
Scansano, cuore della produzione del
Morellino; la terza è tra Panzano e
Mercatale, quindi Chianti Classico. Oltre
200 ettari di vigneti che danno vita a
variegate tipologie di vino. Il Syrah '18
suscita belle impressioni: il naso profuma di
frutti di bosco, cuoio e pepe nero; la bocca
è calda, ricca, succosa e potente. Finale di
bella progressione, con tannini carnosi e
ben distribuiti. Invitante la Historia '17,
Merlot in purezza dal bouquet di frutti neri,
note di cioccolato e ciliegia sotto spirito. Al
palato è ampio, caldo, vivo, ben definito,
avvolgente e dai tannini bilanciati.
Classicamente elegante la Riserva
Belvedere Campoli '17.

● Chianti Cl. Ris. Belvedere Campoli '17	♟♟ 5
● Chianti Colli Fiorentini Ris. '17	♟♟ 4
● La Historia '17	♟♟ 5
● Morellino di Scansano Carbonile Massi di Mandorlaia '19	♟♟ 2*
● Syrah '18	♟♟ 4
● Chianti Colli Fiorentini Il Cortile '18	♟ 3
● Scorfano Rosso '19	♟ 3
● Toscoforte '18	♟ 4
● Tricorno '17	♟ 6
○ Vermentino Massi di Mandorlaia '19	♟ 3
● Chianti Cl. Gran Selezione Il Tabernacolo Belvedere Campoli '15	♟♟ 6
● La Historia '16	♟♟ 5
● Toscoforte Castello di Poppiano '16	♟♟ 4

Guicciardini Strozzi

loc. Cusona, 5
53037 San Gimignano [SI]
Tel. 0577950028
www.guicciardinistrozzi.it

VENDITA DIRETTA
VISITA SU PRENOTAZIONE
PRODUZIONE ANNUA 500.000 bottiglie
ETTARI VITATI 100,00

La storia più antica comincia più di mille anni fa nella Tenuta di Cusona a San Gimignano, quella più recente nei primi del '900, quando Francesco Guicciardini, ministro dell'agricoltura e poi sindaco di Firenze, fa della tenuta un'azienda modello. Il padre dell'attuale titolare, Girolamo Strozzi, nel 1933 effettuò il primo imbottigliamento della Vernaccia nella bottiglia bordolese. Negli anni '70 del '900, Girolamo, fondatore e primo presidente del Consorzio della Vernaccia, dà inizio all'attuale fase di crescita dell'azienda che si espande anche in Maremma e a Bolgheri. La Vernaccia di San Gimignano Riserva '17 si presenta al naso con sentori di mela, susina, cenni di mandorla e lievi note di pompelmo. Al gusto è articolata, dalla vena acida invitante, con finale salino e prolungato. Interessante anche la Vernaccia Titolato '19: sulle prime suggestioni di ananas e pompelmo, quindi più freschi timbri di limone. Agile l'ingresso in bocca, nervoso, di buona polpa.

○ Vernaccia di S. Gimignano Titolato Strozzi '19	🍷🍷 2*
○ Vernaccia di San Gimignano Ris. '17	🍷🍷 3
○ Arabesque '19	🍷 3
● Sodole '15	🍷 5
○ Arabesque '17	ΨΨ 2*
● Chianti Colli Senesi Titolato Strozzi '18	ΨΨ 2*
○ San Gimignano Vin Santo '09	ΨΨ 5
○ Vernaccia di S. Gimignano '16	ΨΨ 2*
○ Vernaccia di S. Gimignano Ris. '15	ΨΨ 3
○ Vernaccia di San Gimignano Ris. '16	ΨΨ 3

★★Isole e Olena

loc. Isole, 1
50021 Barberino Val d'Elsa [FI]
Tel. 0558072763
www.isoleolena.it

VENDITA DIRETTA
VISITA SU PRENOTAZIONE
PRODUZIONE ANNUA 250.000 bottiglie
ETTARI VITATI 56,00

Sono oltre quaranta gli anni di lavoro nel Chianti Classico per Paolo De Marchi, piemontese d'origine ma ormai toscano a tutti gli effetti, fra i più rigorosi vignaioli della denominazione del Gallo Nero. Un lavoro tutto teso a cercare il senso più profondo di un territorio, contribuendo non poco al suo attuale successo. Nel portafoglio prodotti di Isole e Olena, oltre ai vini più legati alla tradizione della sottozona di Barberino Val d'Elsa, anche una digressione tra quelli ottenuti da vitigni internazionali, anch'essi di spiccata personalità e pensati fuori da ogni tipo di schematismo. Versione intrigante, quella del Cepparello '17. Sangiovese in purezza, porge profumi complessi che incrociano cenni sanguigni, frutti rossi maturi e ricordi di sottobosco, rifiniti da lampi di grafite e spezie. In bocca è ampio e denso, tanto succoso quanto profondo, e nel finale emerge una piacevolissima nota salina. Esecuzione impeccabile per il Chianti Classico '17, profumato e gustoso.

● Cepparello '17	🍷🍷🍷 8
● Chianti Cl. '17	🍷🍷 5
○ Vin Santo del Chianti Classico '09	🍷🍷 7
● Collezione Privata Cabernet Sauvignon '16	🍷🍷 8
● Collezione Privata Syrah '17	🍷🍷 8
● Cepparello '16	ΨΨΨ 8
● Cepparello '15	ΨΨΨ 8
● Cepparello '13	ΨΨΨ 8
● Cepparello '12	ΨΨΨ 8
● Cepparello '09	ΨΨΨ 8
● Cepparello '07	ΨΨΨ 8
● Cepparello '06	ΨΨΨ 8
● Cepparello '05	ΨΨΨ 8
● Cepparello '03	ΨΨΨ 7
● Cepparello '01	ΨΨΨ 6
● Cepparello '00	ΨΨΨ 6

Istine

LOC. ISTINE
53017 RADDA IN CHIANTI [SI]
TEL. 0577733684
www.istine.it

VENDITA DIRETTA
VISITA SU PRENOTAZIONE
PRODUZIONE ANNUA 45.000 bottiglie
ETTARI VITATI 26,00
VITICOLTURA Biologico Certificato

Istine è una realtà emersa di recente nel panorama del Chianti Classico, con le prime bottiglie arrivate sugli scaffali con l'annata 2009. Poi dalla vendemmia 2012 un importante cambio di passo: il sangiovese viene vinificato separatamente a seconda del sito di provenienza. Forte di una collocazione dei vigneti nelle sottozone di Radda e Gaiole in Chianti, Angela Fronti cura un progetto enologico solido e coerente, confermato da vini (tutti maturati in legno grande), che mostrano un profilo stilistico schietto e autentico, all'insegna dell'agilità di beva e dell'eleganza. Davvero delizioso il Chianti Classico Vigna Istine '18, capace di esprimersi compiutamente sul piano aromatico, con fragranza e articolazione, riuscendo a tenere insieme nel sorso complessità e piacevolezza di beva. Molto buono anche il Chianti Classico Le Vigne Riserva '17, tanto solare nei profumi quanto snello e reattivo al palato. Ben eseguite e dal carattere chiantigiano ben riconoscibile le altre etichette.

● Chianti Cl. V. Istine '18	▼▼▼	5
● Chianti Cl. Le Vigne Ris. '17	▼▼▼	5
● Chianti Cl. '18	▼▼	3
● Chianti Cl. Casanova dell'Aia '18	▼▼	5
● Chianti Cl. V. Cavarchione '18	▼▼	5
● Chianti Cl. Le Vigne Ris. '13	♈♈♈	3*
● Chianti Cl. V. Cavarchione '16	♈♈♈	5
● Chianti Cl. V. Istine '15	♈♈♈	3*
● Chianti Cl. '17	♈♈	3
● Chianti Cl. '16	♈♈	3
● Chianti Cl. Casanova dell'Aia '17	♈♈	4
● Chianti Cl. Le Vigne Ris. '16	♈♈	4
● Chianti Cl. Le Vigne Ris. '15	♈♈	3*
● Chianti Cl. V. Cavarchione '17	♈♈	5
● Chianti Cl. V. Cavarchione '15	♈♈	3*
● Chianti Cl. V. Istine '17	♈♈	3*
● Chianti Cl. V. Istine '16	♈♈	3

Fattoria Kappa

LOC. LE BADIE
VIA ROMA, 118
56040 CASTELLINA MARITTIMA [PI]
TEL. 3346619711
andreadimaio1974@gmail.com

VENDITA DIRETTA
VISITA SU PRENOTAZIONE
PRODUZIONE ANNUA 20.000 bottiglie
ETTARI VITATI 6,00

La fattoria nasce dalla volontà dell'austriaco Stefan Klassman e del tedesco Manfred Klimek, entrambi giornalisti. I due, alla fine degli anni Novanta, acquistano delle parcelle nel territorio pisano, decidendo di avviare una realtà importante e costruendone la fisionomia passo dopo passo. L'enologo consulente Andrea di Maio è in seguito entrato in società: ancora oggi è lui che si occupa della vigna e delle operazioni di cantina, seguendo i dettami della biodinamica. Più di recente il parco vitato è stato allargato con acquisizioni nella zona di Volterra. Molto buono il Kappa '16, blend di merlot, cabernet franc e sauvignon, syrah. Ha profilo aromatico molto fine ed elegante, con nuance di frutti di bosco, cenni di pepe, cannella, chiodi di garofano e lavanda. In bocca è ricco e goloso. Stesso uvaggio, con aggiunta di petit verdot, per il Lambda '17: qui i toni vegetali prevalgono al naso, mentre il palato è solido e continuo. Ottimo anche l'Essenza '16.

● Kappa '16	▼▼	5
● Essenza '16	▼▼	5
● Lambda '17	▼▼	3
○ Etabeta '19	▼	4
○ Etabeta '16	♈♈	4
● Kappa '15	♈♈	5
● Kappa '13	♈♈	5
● Kappa '10	♈♈	3
● Lambda '13	♈♈	3
● Rosso '11	♈♈	3*
● Syrah '12	♈♈	5

Tenuta La Chiusa

LOC. MAGAZZINI, 93
57037 PORTOFERRAIO [LI]
TEL. 0565933046
lachiusa@elbalink.it

VENDITA DIRETTA
VISITA SU PRENOTAZIONE
OSPITALITÀ
PRODUZIONE ANNUA 25.000 bottiglie
ETTARI VITATI 7,50

La Chiusa rappresenta la memoria storica dell'isola d'Elba in campo vinicolo, e non solo, visto che anche Napoleone ha avuto modo di accedervi durante il soggiorno in loco. Un nome intrigante, derivante dal muro che la circonda, per un'avventura che risale al XVI secolo: questa l'epoca in cui hanno origine le cantine, mentre la parte della villa risale all'800. La proprietà oggi è in mano alla famiglia Bertozzi Corradi che l'acquisì nel 2003, innamorata del luogo e spinta dalla voglia di avviare un radicale processo di ristrutturazione e ammodernamento. Molto piacevoli i vini bianchi, a partire dal Vermentino '19. Invitante nelle nuance di frutta bianca, si amplia con cenni vegetali di erba cipollina, alloro e note agrumate di mandarino; in bocca ha pienezza, ben supportata da acidità decisa. Molto buono anche l'Ansonica '19, più intenso nella parte aromatica con timbri di pesca e scorza d'arancia, riproposti in un palato di bella struttura e vena salina, dal finale appetitoso.

● Elba Aleatico Passito '18	♟♟ 6
○ Elba Ansonica '19	♟♟ 2*
○ Elba Bianco '19	♟♟ 2*
○ Elba Vermentino '19	♟♟ 2*
⊙ Elba Rosato '19	♟ 3
● Elba Rosso '19	♟ 2
● Elba Aleatico Passito '17	♟♟ 6
● Elba Aleatico Passito '16	♟♟ 6
○ Elba Ansonica '18	♟♟ 3
○ Elba Ansonica '17	♟♟ 2*
● Elba Rosso Ginevra '17	♟♟ 2*

Lamole di Lamole

LOC. LAMOLE
50022 GREVE IN CHIANTI [FI]
TEL. 0559331256
www.lamole.com

VENDITA DIRETTA
VISITA SU PRENOTAZIONE
RISTORAZIONE
PRODUZIONE ANNUA 294.000 bottiglie
ETTARI VITATI 57,00
AZIENDA SOSTENIBILE

Per il Gruppo veneto Santa Margherita, l'azienda Lamole di Lamole rappresenta senz'altro la realtà più significativa, almeno restando sul piano dell'aderenza al territorio d'appartenenza. Le scelte sia enologiche che agronomiche effettuate in questa azienda sono state compiute all'insegna del rispetto delle peculiarità di una delle sottozone più intriganti e particolari del Chianti Classico. Da qui escono vini improntati a uno stile sobriamente moderno, che non lascia spazio ad alcuna deroga all'impronta territoriale. Gli aromi floreali e gli accenti speziati contraddistinguono in prima battuta il naso del Chianti Classico Gran Selezione Vigneto di Campolungo '16, succoso e articolato al palato, con finale ampio e dolce. Gradevole il Chianti Classico Etichetta Bianca '17: profumi lievi e puliti, progressione gustativa fresca e rilassata. Un po' di rovere frena l'articolazione del Chianti Classico Riserva '16, vino solido e austero.

● Chianti Cl. Gran Selezione Vign. di Campolungo '16	♟♟♟ 5
● Chianti Cl. Lamole di Lamole Et. Bianca '17	♟♟ 3
● Chianti Cl. Ris. '16	♟ 5
● Lam'oro '15	♟ 8
● Chianti Cl. Gran Sel. Vign. di Campolungo '10	♟♟♟ 5
● Chianti Cl. Lamole di Lamole Et. Bianca '16	♟♟♟ 3*
● Chianti Cl. Lamole di Lamole Et. Bianca '13	♟♟♟ 3*
● Chianti Cl. Lamole di Lamole Et. Blu '15	♟♟♟ 3*
● Chianti Cl. Lamole di Lamole Et. Blu '14	♟♟♟ 3*
● Chianti Cl. Lamole di Lamole Et. Blu '12	♟♟♟ 3*
● Chianti Cl. Vign. di Campolungo Ris. '09	♟♟♟ 5

Lanciola

FRAZ. POZZOLATICO
VIA IMPRUNETANA, 210
50023 IMPRUNETA [FI]
TEL. 055208324
www.lanciola.it

VENDITA DIRETTA
VISITA SU PRENOTAZIONE
PRODUZIONE ANNUA 250.000 bottiglie
ETTARI VITATI 40,00

Stessa proprietà per due tenute: la prima, sulle colline di Impruneta, appartiene alla famiglia Guarnieri da pochi decenni. Una volta era dominio dei nobili Ricci che si impegnarono nell'organizzazione agricola dei terreni, dando vita anche alla viticoltura; il processo di modernizzazione è stato poi consolidato e portato a termine dagli attuali proprietari. In anni più vicini a noi l'acquisizione di Villa Le Masse, vicino a Greve. Nella prima, i vitigni tradizionali convivono con quelli internazionali; nella seconda prevale un'ortodossa adesione ai canoni del Chianti Classico. Solo i vini della tenuta imprunetina sono stati presentati in assaggio quest'anno. Buona prova per il Terricci '17, supertuscan storico dell'azienda a base di cabernet sauvignon, merlot e sangiovese. Regala profumi fini e delicati di erbe aromatiche, come dragoncello e alloro, quindi ribes e mirtillo; il corpo è bilanciato, non impetuoso, distinto da una fresca vena acida che rende il sorso invitante.

● Riccionero '18	▼▼ 3
● Ricciotto Sangiovese '17	▼▼ 3
● Terricci '17	▼▼ 5
● Chianti Colli Fiorentini '18	▼ 2
● Chianti Colli Fiorentini Ris. '16	▼ 3
○ Ricciobianco Chardonnay '19	▼ 3
☉ Ricciorosa '19	▼ 2
● Chianti Cl. Le Masse di Greve '16	♀♀ 4
● Chianti Cl. Le Masse di Greve '15	♀♀ 4
● Chianti Cl. Le Masse di Greve Gran Selezione '16	♀♀ 4
● Chianti Cl. Le Masse di Greve Ris. '16	♀♀ 4
● Chianti Colli Fiorentini Lanciola '15	♀♀ 3
● Ricciotto '13	♀♀ 4
● Terricci '15	♀♀ 5
● Terricci '11	♀♀ 5

LaSelva

LOC. PODERONE, 10A
58051 MAGLIANO IN TOSCANA [GR]
TEL. 0564593077
www.laselva.wine

VENDITA DIRETTA
VISITA SU PRENOTAZIONE
OSPITALITÀ
PRODUZIONE ANNUA 200.000 bottiglie
ETTARI VITATI 32,00
VITICOLTURA Biologico Certificato

Nonostante l'azienda di Karl Egger, pioniere del biologico in Maremma, sia relativamente giovane (nel 2000 è stata completata la nuova cantina), la strada che porta ad una confortante costanza qualitativa e talvolta anche nei dintorni dell'eccellenza, è stata ben individuata. Merito di una filosofia produttiva definita e ormai consolidata, che ha scommesso fin da subito sui vitigni locali della zona sia rossi che bianchi, privilegiando vini in grado di esprimersi con naturalezza e senza inutili forzature, inclini più alla godibilità che alla potenza. In possesso di profumi fruttati e speziati caldi ma di buona articolazione, il Morellino Colli dell'Uccellina Riserva '17 trova in bocca il suo punto di forza con un sorso sapido, succoso e continuo. Piacevolmente beverino il Ciliegiolo '17, dagli aromi di ciliegia e prugna, ben rifiniti da accenti pepati. Di beva agile e scorrevole anche il Morellino di Scansano '19, che profuma di bacche di ginepro e piccoli frutti rossi.

● Maremma Toscana Ciliegiolo '17	▼▼ 4
● Morellino di Scansano '19	▼▼ 3
● Morellino di Scansano Colli dell'Uccellina Ris. '17	▼▼ 4
○ Maremma Toscana Vermentino '19	▼ 3
● Maremma Toscana Ciliegiolo '16	♀♀ 4
● Maremma Toscana Ciliegiolo '15	♀♀ 4
● Maremma Toscana Privo '16	♀♀ 2*
● Morellino di Scansano '18	♀♀ 3
● Morellino di Scansano '17	♀♀ 3
● Morellino di Scansano Colli dell' Uccellina Ris. '15	♀♀ 4
● Morellino di Scansano Colli dell'Uccellina Ris. '13	♀♀ 3
● Pugnitello '13	♀♀ 5

La Lastra

FRAZ. SANTA LUCIA
VIA R. DE GRADA, 9
53037 SAN GIMIGNANO [SI]
TEL. 0577941781
www.lalastra.it

VENDITA DIRETTA
VISITA SU PRENOTAZIONE
PRODUZIONE ANNUA 58.000 bottiglie
ETTARI VITATI 7,00
AZIENDA SOSTENIBILE

Imprenditorialità, aziendalismo, profitto sono termini che nel vocabolario di Nadia Betti e dal marito Renato Spanu hanno importanza minore nei confronti di: rispetto per l'ambiente e le persone, territorialità, etica del lavoro. Così, insieme a un piccolo nucleo di parenti e amici, hanno fondato prima La Lastra a San Gimignano, dove si coltivano uve di vernaccia, sangiovese, cabernet sauvignon e merlot; e poi nel 2000 un agriturismo a Marciano, a poca distanza da Siena, dove vengono applicati i metodi dell'agricoltura biologica per la coltivazione di canaiolo nero, merlot e cabernet franc. Molto buona la Vernaccia '19: esprime un bouquet aromatico complesso e insolito dove trovano spazio sentori floreali, di erbe aromatiche (dragoncello e mentuccia), frutti bianchi assortiti. In bocca ha un ingresso lieve, quindi prende forza e si ravviva, chiudendo succosa e coinvolgente. La Riserva '18 vira su freschi toni agrumati al naso (buccia di cedro), esibendo corpo ricco ma agile.

Fattoria Lavacchio

LOC. LAVACCHIO
VIA DI MONTEFIESOLE, 55
50065 PONTASSIEVE [FI]
TEL. 0558317472
www.fattorialavacchio.com

VENDITA DIRETTA
VISITA SU PRENOTAZIONE
OSPITALITÀ E RISTORAZIONE
PRODUZIONE ANNUA 120.000 bottiglie
ETTARI VITATI 25,00
VITICOLTURA Biologico Certificato
AZIENDA SOSTENIBILE

Situata sulla sommità del colle di Montefiesole, a 450 metri di altitudine e a soli 18 Km da Firenze, la Fattoria Lavacchio, di proprietà della famiglia Lottero, è stata la prima tra le aziende della zona di produzione del Chianti Rufina a curare uva, olive, grano e coltivazioni ortofrutticole nel rispetto dei principi dell'agricoltura biologica. Tra i vini, ad esempio, ce n'è uno realizzato senza aggiunta di solfiti (sostituiti con mezzi fisici e non chimici), lieviti e tannini. Anche le strutture ricettive sono gestite generando un basso impatto sull'ambiente. Interessante il Chianti Rufina Cedro '18: profuma di confettura di more e prugne, mentre in bocca è vinoso e decisamente floreale. Più ampia e strutturata, la Riserva Puro '16 ha peso specifico e densità ma non manca di sapore e dinamismo: finale appetitoso e dai richiami fruttati. Menzione anche per il Fontegalli '15, merlot e syrah dalle evidenti note speziate.

○ Vernaccia di S. Gimignano '19	♟♟ 2*
○ Vernaccia di S. Gimignano Ris. '18	♟♟ 3
● Canaiolo '18	♟ 3
● Chianti Colli Senesi '17	♟ 2
● Rovaio '17	♟ 4
● Chianti Colli Senesi '15	♟♟ 2*
● Rovaio '16	♟♟ 4
○ Vernaccia di S. Gimignano '18	♟♟ 2*
○ Vernaccia di S. Gimignano '17	♟♟ 2*
○ Vernaccia di S. Gimignano Ris. '16	♟♟ 3*
○ Vernaccia di S. Gimignano Ris. '15	♟♟ 3*
○ Vernaccia di S. Gimignano Ris. '14	♟♟ 3*

● Chianti Puro Ris. '16	♟♟ 4
● Chianti Rufina Cedro '18	♟♟ 2*
● Fontegalli '15	♟♟ 4
○ Oro del Cedro V. T. '19	♟♟ 4
● Chianti Puro '18	♟ 2
○ Puro Bianco '19	♟ 2
☉ Puro Rosato Frizzante '19	♟ 2
● Chianti Rufina Cedro '17	♟♟ 2*
● Chianti Rufina Cedro '16	♟♟ 2*
● Chianti Rufina Cedro Ris. '16	♟♟ 3
● Chianti Rufina Cedro Ris. '15	♟♟ 3
● Chianti Rufina Ludiè '13	♟♟ 7
● Chianti Rufina Ludiè Bio '11	♟♟ 7
● Fontegalli '14	♟♟ 4
○ Vin Santo del Chianti Rufina '14	♟♟ 4
○ Vin Santo del Chianti Rufina '11	♟♟ 4

Podere Le Bèrne

LOC. CERVOGNANO
VIA POGGIO GOLO, 7
53045 MONTEPULCIANO [SI]
TEL. 0578767328
www.leberne.it

VENDITA DIRETTA
PRODUZIONE ANNUA 25.000 bottiglie
ETTARI VITATI 6,00

Podere Le Berne, di proprietà della famiglia Natalini, è senza dubbio una delle più interessanti di Montepulciano. Siamo a Cervognano, la sottozona probabilmente più rinomata del territorio, in una cantina dove vinificazioni, maturazioni e affinamenti sono pensati con soluzioni classiche, così come tradizionali sono le varietà di uva utilizzate per le etichette a denominazione. Lo stile si muove tra fragranza aromatica e resa gustativa: un mix incisivo, fine e slanciato, oltretutto impreziosito dalle notevoli capacità evolutive. Intrigante fin dai profumi il Nobile di Montepulciano '17, uno dei migliori testati in questa edizione: il frutto incrocia note di fiori freschi, accenni di pietra focaia, ricordi mentolati e tocchi di erba di campo. In bocca non manca certo di struttura, ma il sorso resta continuo ed agile con tannini giustamente nervosi e la verve acida ad allungarlo nel finale croccante e bilanciato. Aromi fragranti e gusto assai godibile per il Rosso di Montepulciano '19.

● Nobile di Montepulciano '17	♟♟3*
● Rosso di Montepulciano '19	♟♟2*
● Nobile di Montepulciano Ris. '16	♟5
● Nobile di Montepulciano '16	♟♟♟3*
● Nobile di Montepulciano '15	♟♟♟3*
● Nobile di Montepulciano '14	♟♟3
● Nobile di Montepulciano '13	♟♟3
● Nobile di Montepulciano '12	♟♟3*
● Nobile di Montepulciano Ris. '12	♟♟5
● Nobile di Montepulciano Ris. '11	♟♟5
● Rosso di Montepulciano '16	♟♟2*
● Rosso di Montepulciano '14	♟♟2*
○ Vin Santo di Montepulciano '10	♟♟6
○ Vin Santo di Montepulciano Occhio di Pernice '07	♟♟7
○ Vin Santo di Montepulciano Occhio di Pernice '06	♟♟7

Tenuta Lenzini

FRAZ. GRAGNANO
VIA DELLA CHIESA, 44
55012 CAPANNORI [LU]
TEL. 0583974037
www.tenutalenzini.it

VENDITA DIRETTA
VISITA SU PRENOTAZIONE
OSPITALITÀ
PRODUZIONE ANNUA 60.000 bottiglie
ETTARI VITATI 14,00
VITICOLTURA Biologico Certificato

Benedetta Tronci e Michele Guarino hanno impiantato il loro progetto agricolo a Gragnano, angolo paradisiaco delle Colline Lucchesi. La filosofia produttiva prevede interventi ridotti al minimo, tanto in cantina quanto in vigna, dove si seguono le pratiche della biodinamica. La villa padronale è al centro del vigneto, anfiteatro che ne disegna i confini, coltivato con vitigni in prevalenza internazionali. Le maturazioni si svolgono in acciaio, cemento o in vecchie botti di legno, a garanzia di una precisa ricerca di purezza fruttata, leggibilità varietale e finezza. Fa un figurone il Poggio de' Paoli '17, blend di merlot, cabernet sauvignon e franc, syrah, alicante bouschet che matura in acciaio, botte grande e tonneau per due anni. È un rosso elegante e polposo, articolato nelle sfumature aromatiche e dinamico nel sorso. Giovane e in divenire La Syrah '18, dalla silhouette verticale, i richiami pepati e di spezie.

● La Syrah '18	♟♟5
● Poggio de' Paoli '17	♟♟4
● La Syrah '16	♟♟5
● La Syrah '15	♟♟5
● La Syrah '13	♟♟5
● Poggio de' Paoli '16	♟♟4
● Poggio de' Paoli '13	♟♟4
● Syrah '12	♟♟5
● Syrah '11	♟♟5
○ Vermignon '18	♟♟4
○ Vermignon '17	♟♟3
○ Vermignon '15	♟♟3
○ Vermignon '14	♟♟3

Leuta

VIA PIETRAIA, 21
52044 CORTONA [AR]
TEL. 3385033560
www.leuta.it

VENDITA DIRETTA
VISITA SU PRENOTAZIONE
PRODUZIONE ANNUA 25.000 bottiglie
ETTARI VITATI 12,60

Denis Zeni, dopo aver abbandonato il mondo della finanza, parte dai pochi ettari posseduti dalla famiglia, in Trentino, per arrivare nel 2004 all'acquisto della tenuta Leuta a Cortona: 21 ettari non ancora vitati, ma che piano piano si riempiono di filari. Ora, in quattro vigneti, trovano posto le varietà internazionali di cabernet franc, merlot, malbec e syrah, in altri due il sangiovese assieme ad una decina di vitigni autoctoni toscani, e in uno vitigni georgiani con cui sperimentare. A capo di ogni vigna vengono piantate rose di colore diverso per distinguerle tra loro. Buona prova per il Sangiovese Solitario '16, dalle note olfattive variegate che richiamano la ciliegia matura e le erbe aromatiche della macchia mediterranea. Corpo solido, teso, dalla giusta vena acida, con finale pulito e lungo. Intrigante il Cabernet Franc Cornelius '16 (solo in magnum): ha cenni di peperone verde, note balsamiche e di frutti di bosco; il tutto in un tessuto gustativo levigato, largo, dal finale fresco e invitante.

● Cornelius '16	▾▾ 8
● Cortona Merlot 1.618 '16	▾▾ 5
● Cortona Sangiovese Solitario di Leuta '16	▾▾ 6
○ Apostata Bianco '19	▾ 7
● Apostata Rosso '19	▾ 7
● Cortona Cabernet Franc 2,618 '17	▾ 6
● Cortona Syrah 0,618 '17	▾ 5
● Malbec '17	▾ 6
● Cortona Cabernet Franc 2,618 '16	♀♀ 6
● Cortona Cabernet Franc 2,618 '15	♀♀ 6
● Cortona Merlot 1.618 '15	♀♀ 5
● Cortona Sangiovese Solitario di Leuta '14	♀♀ 6
○ Cortona Vin Santo '07	♀♀ 8
● Nautilus '15	♀♀ 8
● Tau '14	♀♀ 4

★Tenuta di Lilliano

LOC. LILLIANO, 8
53011 CASTELLINA IN CHIANTI [SI]
TEL. 0577743070
www.lilliano.com

VENDITA DIRETTA
VISITA SU PRENOTAZIONE
OSPITALITÀ
PRODUZIONE ANNUA 150.000 bottiglie
ETTARI VITATI 36,00
VITICOLTURA Biologico Certificato

La Tenuta di Lilliano rappresenta una delle migliori espressioni enoiche della parte meridionale della sottozona di Castellina in Chianti. La famiglia Ruspoli, che ne è proprietaria dal 1920, ha attraversato buona parte della storia del Chianti Classico, conservando nei suoi vini uno stile tradizionale, benché l'azienda abbia operato una rilettura contemporanea della propria produzione. Rimodulazione che ci restituisce etichette in cui si amplifica un'intatta classicità, rendendo sempre più protagoniste le sfumature espressive, insieme all'eleganza e alla finezza. Molto ben riuscito il Chianti Classico Riserva '17. I suoi aromi sono leggermente chiusi, ma basta qualche minuto nel bicchiere perché si sprigioni un insieme di note ferrose, di piccoli frutti rossi e qualche cenno speziato e affumicato. In bocca possiede un attacco dolce e uno sviluppo cremoso, avvolgente e profondo. Buona l'impostazione del Chianti Classico Gran Selezione '17, dai profumi maturi e dal gusto serrato.

● Chianti Cl. Ris. '17	▾▾▾ 5
● Chianti Cl. Gran Selezione '17	▾▾ 5
● Chianti Cl. '18	▾ 3
● Chianti Cl. '10	♀♀♀ 3*
● Chianti Cl. '09	♀♀♀ 3
● Chianti Cl. E. Ruspoli Berlingieri Ris. '85	♀♀♀ 8
● Chianti Cl. Gran Sel. '14	♀♀♀ 6
● Chianti Cl. Gran Sel. '11	♀♀♀ 5
● Chianti Cl. Gran Sel. Ris. '10	♀♀♀ 6
● Chianti Cl. Gran Selezione '16	♀♀♀ 5
● Chianti Cl. Ris. '15	♀♀♀ 5
● Chianti Cl. Ris. '13	♀♀♀ 5
● Chianti Cl. '17	♀♀ 3*
● Chianti Cl. '16	♀♀ 3
● Chianti Cl. Gran Selezione '15	♀♀ 5
● Chianti Cl. Ris. '16	♀♀ 5

Lisini

FRAZ. SANT'ANGELO IN COLLE
POD. CASANOVA
53024 MONTALCINO [SI]
TEL. 0577844040
www.lisini.com

VENDITA DIRETTA
VISITA SU PRENOTAZIONE
PRODUZIONE ANNUA 90.000 bottiglie
ETTARI VITATI 21,00

Il radicato rapporto tra la famiglia
Lisini-Clementi e i vini di Montalcino è
testimoniato dallo splendido caveau dove
sono conservate le bottiglie più longeve.
Un'epopea alimentata dalle vocate vigne
dislocate nel settore sud, in particolare
sulla direttrice che collega Sesta a
Sant'Angelo in Colle, caratterizzata da suoli
poveri, ricchi di ferro nel caso del cru
Ugolaia. Condizioni restituite da Brunello
densi di chiaroscuri, avvolgenti e al
contempo severi, che consigliano soste
pazienti in vetro dopo le lunghe maturazioni
in rovere di medie dimensioni. Orfana delle
abituali punte di diamante rappresentate
dalla Riserva e dall'Ugolaia, non prodotte
nella meno fortunata vendemmia 2013, la
batteria dell'azienda Lisini si limita a tre
etichette. Ovviamente in prima posizione
arriva il Brunello di Montalcino '15 che non
delude le attese: eleganti aromi di tabacco,
erbe secche e spezie abbinate a sentori di
frutta e bocca ricca e calda, dotata di
tannini avvolgenti.

● Brunello di Montalcino '15	▼▼ 6
● Rosso di Montalcino '18	▼ 4
● San Biagio '17	▼ 2
● Brunello di Montalcino '14	♀♀ 6
● Brunello di Montalcino '13	♀♀ 6
● Brunello di Montalcino '12	♀♀ 6
● Brunello di Montalcino Ris. '13	♀♀ 7
● Brunello di Montalcino Ris. '12	♀♀ 7
● Brunello di Montalcino Ugolaia '13	♀♀ 8
● Brunello di Montalcino Ugolaia '12	♀♀ 8
● Brunello di Montalcino Ugolaia '11	♀♀ 8
● Rosso di Montalcino '17	♀♀ 4

Lunadoro

FRAZ. VALIANO
VIA TERRA ROSSA
53045 MONTEPULCIANO [SI]
TEL. 348 2215188
www.nobilelunadoro.it

VENDITA DIRETTA
VISITA SU PRENOTAZIONE
OSPITALITÀ
PRODUZIONE ANNUA 60.000 bottiglie
ETTARI VITATI 12,00
VITICOLTURA Biologico Certificato

Oggi nel mosaico enoico del gruppo
svizzero Schenk Italian Wineries, la tenuta
poliziana Lunadoro si trova a Valiano, una
delle sottozone più significative della
denominazione del Nobile di
Montepulciano. Mantenendo la dimensione
e l'approccio da boutique winery, questa
realtà produttiva incarna uno stile
sobriamente moderno, definito, mai banale,
raccontato da vini coerenti con il proprio
territorio d'origine e dalla costanza
qualitativa ormai consolidata, con etichette
capaci in alcuni casi di raggiungere
l'eccellenza assoluta. Si fa apprezzare
molto al sorso, succoso e contrastato, il
Nobile di Montepulciano Pagliareto '17,
capace però di trovare anche una
bellissima trama aromatica tra cenni floreali
e note fruttate, ben rifinite da ricordi
speziati e a tratti balsamici. Molto
convincente il Rosso di Montepulciano
Prugnanello '18, dai profumi floreali e
agrumati, mentre in bocca possiede
fragranza, sapidità e una struttura lieve,
che ne amplifica l'agilità di beva.

● Nobile di Montepulciano Pagliareto '17	▼▼ 4
● Rosso di Montepulciano Prugnanello '18	▼▼ 3
● Nobile di Montepulciano Gran Pagliareto '16	▼ 6
● Nobile di Montepulciano Quercione Ris. '16	▼ 5
● Nobile di Montepulciano Pagliareto '15	♀♀♀ 3*
● Nobile di Montepulciano Pagliareto '16	♀♀ 4
● Nobile di Montepulciano Pagliareto '14	♀♀ 3*
● Nobile di Montepulciano Pagliareto '13	♀♀ 3
● Nobile di Montepulciano Quercione Ris. '15	♀♀ 4
● Nobile di Montepulciano Quercione Ris. '14	♀♀ 4
● Nobile di Montepulciano Quercione Ris. '12	♀♀ 4

I Luoghi

LOC. CAMPO AL CAPRIOLO, 201
57022 CASTAGNETO CARDUCCI [LI]
TEL. 0565777379
www.iluoghi.it

VENDITA DIRETTA
PRODUZIONE ANNUA 15.000 bottiglie
ETTARI VITATI 3,80
VITICOLTURA Biologico Certificato

Nel panorama della zona di Bolgheri, I Luoghi è progetto che si distingue per la sua impronta spiccatamente artigianale. L'idea, e tutto quanto è servito a darle forma concreta, è merito di Stefano Granata e della moglie Paola: persone e vignaioli sensibili, empatiche, di grande meticolosità. La vigna a cui si ancora la produzione è divisa in due parcelle distinte, allevate senza diserbanti né prodotti chimici. I vini sono in evoluzione stilistica ma sempre buoni, saporiti, davvero originali e fuori da ogni omologazione. Semplicemente delizioso il Bolgheri Superiore Campo al Fico '17, etichetta di riferimento per questa cantina che si prende beffa di una vendemmia non certo facile con un'interpretazione di valore. È un rosso complesso e sfaccettato, selvaggio nei toni e scalpitante nel sorso: ricorda la macchia mediterranea, è sanguigno, saporito e profondo. Ottima riuscita anche per un Bolgheri Superiore Podere Ritorti pari annata avvolgente e carnoso.

● Bolgheri Rosso Sup. Campo al Fico '17	♼♼	7
● Bolgheri Rosso Sup. Podere Ritorti '17	♼♼	5
● Franco '16	♼	6
● Bolgheri Sup. Campo al Fico '10	♼♼♼	7
● Bolgheri Sup. Campo al Fico '09	♼♼♼	7
● Bolgheri Sup. Campo al Fico '08	♼♼♼	7
● Bolgheri Sup. Podere Ritorti '13	♼♼♼	5
● Bolgheri Rosso Sup. Campo al Fico '16	♼♼	7
● Bolgheri Rosso Sup. Podere Ritorti '16	♼♼	5
● Bolgheri Sup. Campo al Fico '15	♼♼	7
● Bolgheri Sup. Campo al Fico '13	♼♼	7
● Bolgheri Sup. Podere Ritorti '15	♼♼	5
● Bolgheri Sup. Podere Ritorti '14	♼♼	5

★★Le Macchiole

LOC. BOLGHERI
VIA BOLGHERESE, 189A
57022 CASTAGNETO CARDUCCI [LI]
TEL. 0565766092
www.lemacchiole.it

VISITA SU PRENOTAZIONE
PRODUZIONE ANNUA 190.000 bottiglie
ETTARI VITATI 28,00

Le Macchiole è una delle cantine storiche di Bolgheri e tra le più prestigiose per qualità, stile ed identità. Non solo: la creazione di vini divenuti simbolo per caratura e personalità, ha contribuito alla definizione della zona come grande terroir del vino italiano. Oggi come ieri al timone c'è Cinzia Merli, sempre più affiancata dai figli Elia e Mattia, oltre che da una squadra di collaboratori di alto livello. L'approccio in vigna convintamente sostenibile, il lavoro in cantina capace di togliere gli orpelli, consegnano anno dopo anno una gamma raffinata e contemporanea. Proposta nella quale svetta di nuovo il Paleo, Cabernet Franc in purezza, autentico gioiello della zona. La vendemmia 2017 regala un vino intenso e potente quanto capace di conservare la sua proverbiale eleganza, le sfumature aromatiche, la classe cristallina del sorso e la magnifica tessitura. A un'incollatura Messorio e Scrio pari annata, molto buono anche il Bolgheri Rosso '18.

● Paleo Rosso '17	♼♼♼	8
● Messorio '17	♼♼	8
● Scrio '17	♼♼	8
● Bolgheri Rosso '18	♼♼	4
● Bolgheri Sup. Paleo '14	♼♼♼	8
● Paleo Rosso '16	♼♼♼	8
● Paleo Rosso '15	♼♼♼	8
● Paleo Rosso '13	♼♼♼	8
● Paleo Rosso '12	♼♼♼	8
● Paleo Rosso '11	♼♼♼	8
● Paleo Rosso '10	♼♼♼	8
○ Bolgheri Bianco Paleo '14	♼♼	6
● Bolgheri Rosso '17	♼♼	4
● Messorio '16	♼♼	8
● Messorio '15	♼♼	8
● Scrio '16	♼♼	8
● Scrio '15	♼♼	8

Le Macioche

S.DA PROV.LE 55 DI SANT'ANTIMO KM 4,850
53024 MONTALCINO [SI]
TEL. 0577849168
www.lemacioche.it

VENDITA DIRETTA
VISITA SU PRENOTAZIONE
OSPITALITÀ
PRODUZIONE ANNUA 18.000 bottiglie
ETTARI VITATI 3,00

Creato nel 2016 da Dominga, Marta ed
Enrica, il marchio Famiglia Cotarella
rappresenta la naturale evoluzione di oltre
40 anni di lavoro nel mondo del vino dei
loro celebri padri, gli enologi Renzo e
Riccardo. Tra le gemme del gruppo c'è Le
Macioche, storica tenuta di Montalcino
acquisita nel 2017 dalla famiglia
Mazzocchi. Adagiata sulle colline di
Sant'Antimo intorno ai 450 metri di
altitudine, su terreni ricchi di galestro, è
un'azienda ben conosciuta dagli
appassionati per rossi da sangiovese
soavemente asciutti, provenienti da quattro
piccoli vigneti impiantati negli anni '80.
Anche se il quadrante sud-est del comune
di Montalcino, ove si trova la frazione di
Sant'Antimo, è protetto dalle brezze marine
dal Monte Amiata e gode quindi di un clima
piuttosto caldo, il Brunello '15 esprime
innegabili doti di freschezza. Agli eleganti
aromi di ciliegia e erbe officinali, arricchiti
da sfaccettate note ematiche, abbina una
fase gustativa di grande classe con tannini
setosi e raffinati e lungo finale fresco.

● Brunello di Montalcino '15	▼▼▼	8
● Brunello di Montalcino '13	♀♀♀	7
● Brunello di Montalcino Ris. '13	♀♀♀	8
● Brunello di Montalcino Ris. '11	♀♀♀	8
● Brunello di Montalcino '11	♀♀	7
● Brunello di Montalcino '10	♀♀	7
● Brunello di Montalcino '09	♀♀	7
● Brunello di Montalcino '08	♀♀	7
● Brunello di Montalcino '07	♀♀	7
● Brunello di Montalcino '06	♀♀	6
● Brunello di Montalcino '04	♀♀	6
● Brunello di Montalcino Ris. '06	♀♀	8
● Brunello di Montalcino Ris. '01	♀♀	6
● Rosso di Montalcino '13	♀♀	4
● Rosso di Montalcino '11	♀♀	4
● Rosso di Montalcino '10	♀♀	4
● Rosso di Montalcino '09	♀♀	4

La Madonnina

FRAZ. BOLGHERI
VIA BOLGHERESE, 193
57022 CASTAGNETO CARDUCCI [LI]
TEL. 0565763357
www.lamadonninabolgheri.it

PRODUZIONE ANNUA 40.000 bottiglie
ETTARI VITATI 7,00

Progetto di straordinario valore, La
Madonnina sta creando la sua storia in un
luogo magico. Si estende sul lato
occidentale della Strada Bolgherese, tra le
colline metallifere e il mare, delimitata dalla
foresta, con la sua particolare flora e fauna.
Le vigne sono state impiantate nel 2002
secondo le varietà ormai classiche della
zona, su suoli variabili, dall'argilloso al
sabbioso. I vini hanno impronta
marcatamente moderna e sono di ottima
fattura. Un casa colonica restaurata spicca
come un gioiello nella tenuta. Tra gli
assaggi, si mostra in tutto il suo autorevole
piglio La Madonnina '17, rosso a base di
cabernet franc, syrah, merlot, cabernet
sauvignon e petit verdot, vinificato in
acciaio prima di passare in barrique di
rovere francese per 16 mesi. Denso e
succoso, gioca con vari dettagli aromatici,
tenendo in bella armonia ricami fruttati e
tostati, mostrandosi equilibrato e lungo nel
sorso. Il finale è avvolgente, setoso, con
tannini levigati e gusto morbido.

● La Madonnina '17	▼▼▼	8
● Bolgheri Sup. Opera Omnia '17	▼▼	8
● Viator '17	▼▼	8
● Bolgheri Sup. Opera Omnia '16	♀♀	8

Fattoria di Magliano

LOC. STERPETI, 10
58051 MAGLIANO IN TOSCANA [GR]
TEL. 0564593040
www.fattoriadimagliano.it

VENDITA DIRETTA
VISITA SU PRENOTAZIONE
OSPITALITÀ E RISTORAZIONE
PRODUZIONE ANNUA 300.000 bottiglie
ETTARI VITATI 50,00
VITICOLTURA Biologico Certificato

Conclusa la sua carriera da imprenditore nel settore calzaturiero, nel 1997 Agostino Lenci ha avviato un progetto enologico nel cuore della Maremma, a pochi passi da Magliano in Toscana. Le prime etichette escono sul mercato nel 2003 e fin da subito colpiscono per cifra moderna, precisione d'esecuzione e personalità. Dopo un periodo di parziale assestamento produttivo, la gamma aziendale ci sembra oggi aver ritrovato smalto, smussando alcuni eccessi espressivi e poggiando su uno stile più sobrio e consapevole, che privilegia l'equilibrio alla potenza. Il Maremma Vermentino Pagliatura '19 abbina un bagaglio aromatico intenso ad una progressione gustativa vivace e continua, ben caratterizzata da una particolare nota salina. Fragrante e incisivo al palato il Morellino Heba '18, che profuma di piccoli frutti rossi e spezie, così come ben centrato appare l'Ansonica Brissi '19 dai bei profumi di mela, timo e macchia mediterranea, ad introdurre una bocca sapida e reattiva.

○ Maremma Toscana Vermentino Pagliatura '19	♟♟ 3*
○ Maremma Toscana Ansonica Brissi '19	♟♟ 4
● Morellino di Scansano Heba '18	♟♟ 3
● Maremma Toscana Rosso Altizi '16	♟♟ 5
● Maremma Toscana Sinarra '16	♟♟ 3
● Morellino di Scansano Heba '15	♟♟ 3
● Perenzo '12	♟♟ 6
● Poggio Bestiale '11	♟♟ 5
● Poggio Bestiale '10	♟♟ 5

Malenchini

LOC. GRASSINA
VIA LILLIANO E MEOLI, 82
50015 BAGNO A RIPOLI [FI]
TEL. 055642602
www.malenchini.it

VENDITA DIRETTA
VISITA SU PRENOTAZIONE
PRODUZIONE ANNUA 120.000 bottiglie
ETTARI VITATI 17,00

L'azienda è di proprietà della famiglia Malenchini fin dal 1836, ma già nell'XI secolo si trovava in loco una torre d'avvistamento, poi trasformata in villa dal granduca Ferdinando II dei Medici. Oggi a condurre la parte agricola è Diletta, che ha curato la conversione biologica della tenuta, avvenuta negli ultimi anni. Oltre al sangiovese, che è il vitigno protagonista assoluto, è stata sviluppata la produzione di canaiolo, un tempo impiegato quale uva complementare o oggi proposto anche in purezza. Ottimo il Bruzzico '17, uvaggio di sangiovese e cabernet sauvignon. Mostra all'olfattivo note di inchiostro e grafite, quindi sentori di pot-pourri e frutti neri. Bocca calda all'impatto, ricca, invitante nel lungo finale. Divertente il Canaiolo '19: ha sentori vegetali al naso, con cenni terrosi e qualche elemento speziato di noce moscata in evidenza. Al palato si presenta sottile, di ottima freschezza, con tannino misurato e gusto di ciliegia.

● Bruzzico '17	♟♟ 4
● Canaiolo '19	♟♟ 3
● Chianti Colli Fiorentini '18	♟♟ 2*
○ Vin Santo del Chianti '15	♟♟ 4
○ Bianco '19	♟ 2
● Chianti '19	♟ 1*
● Chianti Colli Fiorentini Ris. '17	♟ 3
● Chianti Sup. '18	♟ 2
● Bruzzico '16	♟♟ 4
● Bruzzico '15	♟♟ 4
● Bruzzico '14	♟♟ 4
● Chianti '15	♟♟ 1*
● Chianti Colli Fiorentini '14	♟♟ 2*
● Chianti Colli Fiorentini Ris. '16	♟♟ 2*
○ Vin Santo del Chianti '14	♟♟ 4
○ Vin Santo del Chianti '13	♟♟ 4

Malgiacca

Loc. Gragnano
via della Chiesa, 45a
55010 Capannori [LU]
Tel. 3331840208
www.malgiacca.com

VENDITA DIRETTA
VISITA SU PRENOTAZIONE
PRODUZIONE ANNUA 20.000 bottiglie
ETTARI VITATI 8,00

Malgiacca è un progetto recente, nato
sulle Colline Lucchesi grazie all'amicizia
tra Lisandro Carmazzi, Luigi Fenoglio,
Sarah Richards, Brunella Ponzo e Saverio
Petrilli, tra i massimi esperti di biodinamica
in Italia. L'attività agricola si fonda sul
recupero di vecchie vigne, alcune delle
quali abbandonate, e sull'impianto di nuovi
filari. L'impresa fa parte di LDB, una rete di
contadini legati dalle pratiche steineriane
che evita l'uso di pesticidi e diserbanti. I
vini prodotti hanno naturalezza espressiva
e gusto libero, esaltando un deciso
carattere artigiano senza sbavature. Il
Tingolli '18 è un bianco magnetico: le uve
di trebbiano, vermentino, malvasia,
colombana e viognier macerano in parte
sulle bucce per due settimane, quindi il
vino matura per nove mesi in vecchie
botticelle di legno. Arioso, di preziosa
aromaticità floreale e fruttata, mostra
spalla terragna, solare quanto austera nel
sorso saporito, ricco di sfumature,
accogliente per chi lo sa ascoltare.

○ Tingolli '18	🍷🍷 5
○ Malgiacca Bianco '19	🍷🍷 3
● Malgiacca Rosso '18	🍷🍷 4

Fattoria Mantellassi

Loc. Banditaccia, 26
58051 Magliano in Toscana [GR]
Tel. 0564592037
www.fattoriamantellassi.it

VENDITA DIRETTA
VISITA SU PRENOTAZIONE
PRODUZIONE ANNUA 1.000.000 bottiglie
ETTARI VITATI 99,00
AZIENDA SOSTENIBILE

Una storia enologica lunga oltre mezzo
secolo è il biglietto da visita principale di
questa realtà con sede a Magliano in
Toscana, che grazie all'impegno
pioneristico di Ezio Mantellassi ha
contribuito non poco al successo del
Morellino e della Maremma enoica in Italia
e nel mondo. A condurre l'azienda di
famiglia oggi ci sono i figli Aleardo e
Giuseppe, capaci di mantenere inalterato lo
stile dei vini a marchio Mantellassi,
coniugando continuità qualitativa e identità
espressiva in una gamma di etichette
sempre molto riconoscibile. Il Morellino Le
Sentinelle Riserve '16 si apre su profumi
caldi e generosi, dal timbro
prevalentemente speziato con note di
liquirizia fresca e confettura di amarena; al
gusto si svela sapido e dal tannino
leggermente terroso. Beva rilassata per il
Ciliegiolo Maestrale '19, dal corredo
aromatico fresco e fruttato, pieno e
sostenuto da una bella verve acida.
Nitidezza aromatica e facilità di sorso che
contraddistinguono anche il Morellino
Mentore '19.

● Maremma Toscana Ciliegiolo Maestrale '19	🍷🍷 2*
● Morellino di Scansano Sentinelle Ris. '16	🍷🍷 4
○ Maremma Toscana Vermentino Scalandrino '19	🍷 2
● Morellino di Scansano Mentore '19	🍷 2
● Maremma Toscana Ciliegiolo Maestrale '18	🍷🍷 2*
● Maremma Toscana Ciliegiolo Maestrale '16	🍷🍷 2*
○ Maremma Toscana Vermentino Lucumone '18	🍷🍷 2*
○ Maremma Toscana Vermentino Lucumone '17	🍷🍷 2*
○ Maremma Toscana Vermentino Scalandrino '18	🍷🍷 2*

Marchesi Pancrazi Villa di Bagnolo

FRAZ. BAGNOLO
VIA MONTALESE, 156
59013 MONTEMURLO [PO]
TEL. 0574652748
www.pancrazi.it

VENDITA DIRETTA
VISITA SU PRENOTAZIONE
PRODUZIONE ANNUA 12.000 bottiglie
ETTARI VITATI 5,00

Quella di Vittorio Pancrazi è una delle storie più belle del vino toscano. Negli anni Settanta decide di reimpiantare i vigneti della propria tenuta, un'antica fattoria appartenuta alla famiglia Strozzi. La scelta cade sul sangiovese ma il vivaista, per errore, fornì delle barbatelle di pinot nero: solo dopo qualche anno si comprese lo scambio, ma anche le potenzialità di un vitigno fino ad allora mai seriamente testato in Toscana. Da allora sono stati trovati altri territori adatti al vitigno borgognone, grazie a questo provvidenziale "sbaglio". Giunge in finale il Pinot Nero Villa di Bagnolo '18, tipico nel corredo olfattivo di frutti di bosco, unito a note di erbe aromatiche, come timo e origano, e cenni ematici. Al gusto si mostra equilibrato, senza eccessi, fresco e dal finale complesso, profondo del richiami di spezie e liquirizia. Intrigante il Pinot Nero Monte Ferrato '18, dai toni carnosi e vegetali al naso; sorso elegante, reattivo e vivace.

● Pinot Nero Villa di Bagnolo '18	♟♟5
● Monte Ferrato Pinot Nero '18	♟♟3
● Pinot Nero Villa di Bagnolo '16	♟♟5
⊙ Rosé di Pinot Nero '19	♟2
● Pinot Nero '11	♙♙5
● Pinot Nero Villa di Bagnolo '10	♙♙5

Il Marroneto

LOC. MADONNA DELLE GRAZIE, 307
53024 MONTALCINO [SI]
TEL. 0577849382
www.ilmarroneto.it

VENDITA DIRETTA
VISITA SU PRENOTAZIONE
PRODUZIONE ANNUA 30.000 bottiglie
ETTARI VITATI 6,00
AZIENDA SOSTENIBILE

È un valore stilistico che trascende quello strettamente qualitativo, a rendere più che mai centrali i vini della famiglia Mori nel panorama contemporaneo di Montalcino. Vespertini e focosi insieme, fascinosamente retrò e al tempo stesso tremendamente contemporanei nella silhouette espressiva, sintetizzano i caratteri di una zona per molti versi unica come quella di Madonna delle Grazie, cru del settore nord affacciato sulla collina di Montosoli. Ma soprattutto raccontano al meglio da oltre 40 anni la filosofia "garagista" dell'azienda creata da Giuseppe e oggi guidata dal figlio Alessandro. È il Madonna delle Grazie '15 a meritare il nostro massimo riconoscimento. È un vino ricco, armonico, dal frutto nitido ed estroverso che vira poi in complessità sia al naso, dove esprime un elegante boisé, toni terrosi e di tabacco e spezie, sia al palato, dove è polposo, fitto, ma stempera quest'esuberanza con elegante acidità e levigati tannini che l'accompagnano in un lungo appagante finale. Brunello '15 da applauso.

● Brunello di Montalcino Madonna delle Grazie '15	♟♟♟8
● Brunello di Montalcino '15	♟♟7
● Rosso di Montalcino Ignaccio '17	♟♟5
● Brunello di Montalcino '14	♙♙♙7
● Brunello di Montalcino Madonna delle Grazie '11	♙♙♙8
● Brunello di Montalcino Madonna delle Grazie '10	♙♙♙8
● Brunello di Montalcino Madonna delle Grazie '08	♙♙♙8
● Brunello di Montalcino '13	♙♙7
● Brunello di Montalcino Madonna delle Grazie '13	♙♙8
● Rosso di Montalcino Ignaccio '16	♙♙5
● Rosso di Montalcino Ignaccio '15	♙♙5

Marzocco di Poppiano

FRAZ. POPPIANO
VIA FEZZANA, 36-38
50025 MONTESPERTOLI [FI]
TEL. 0555535259
www.marzoccopoppiano.it

VENDITA DIRETTA
PRODUZIONE ANNUA 30.000 bottiglie
ETTARI VITATI 35,00

Tutto parte nel 1975, quando Alberto Chini acquista l'azienda dai Conti Guicciardini ed inizia la produzione, come in uso in quegli anni, di un vino fatto secondo la tradizione, da vendere sfuso. I cambiamenti sostanziali arrivano nel 2014, con il passaggio della conduzione alla figlia Roberta col marito Maurizio. Inizia così la zonazione dei terreni e il censimento dei vitigni presenti: ciò ha permesso di ritrovare vecchi cloni di canaiolo e malvasia lunga del Chianti, oltre a individuare quattro diversi tipi di sangiovese. Buona prestazione per il Vigna del Leone '16, sangiovese in prevalenza con saldo di canaiolo e cabernet sauvignon. Ha naso elegante, vecchio stile, con sentori di prugna, ciliegia e note di canfora e cannella a completare. L'ingresso in bocca è caldo e ben delineato, il finale lungo, con tannini setosi. Intrigante il Chianti Colli Fiorentini '18, fruttato al naso, fresco e godibile al palato, richiama il giaggiolo e le ciliegie mature.

● Chianti Colli Fiorentini '18	♟♟	3
● Pretale '16	♟♟	4
● V. del Leone '16	♟♟	5
● Chianti Ris. '17	♟	4
● Pretale '15	♟♟	4
● Vigna del Leone '15	♟♟	5

Cosimo Maria Masini

VIA POGGIO A PINO, 16
56028 SAN MINIATO [PI]
TEL. 0571465032
www.cosimomariamasini.it

VENDITA DIRETTA
VISITA SU PRENOTAZIONE
PRODUZIONE ANNUA 50.000 bottiglie
ETTARI VITATI 14,00
VITICOLTURA Biodinamico Certificato
AZIENDA SOSTENIBILE

Non lontano dal centro storico di San Minato, ecco la tenuta fondata dalla famiglia Masini dal Duemila. Varie colture vengono applicate, mentre i vigneti occupano circa 13 ettari, in cui sono allevate le varietà viticole più diffuse della tradizione toscana, accanto ad altre poco conosciute come il buonamico, il san colombano e il sanforte. Gli impianti più recenti riguardano anche vitigni internazionali. Più che le uve poco note, tuttavia, è la conversione al biodinamico il tratto caratterizzante dell'azienda. Colpisce il Sanforte '18, dall'omonimo e rarissimo vitigno locale: ha naso che esprime sentori floreali di viola, uniti a cenni fruttati di mora; solido in bocca, ben costruito, ha ventaglio vegetale, molto fresco e diffuso. Una conferma il Daphné '19, trebbiano con quota di malvasia dal profilo maturo, tra scorza di arancia ed erbe officinali. Su ottimi livelli anche l'Annick '19, piacevolmente goloso il Matilde Rosato '19.

○ Annick '19	♟♟	3
○ Daphné '19	♟♟	4
● Sanforte Rosso '18	♟♟	2*
○ Cosimo '16	♟	5
☉ Matilde '19	♟	4
○ Annick '18	♟♟	3
○ Annick '16	♟♟	2*
○ Daphné '18	♟♟	4
○ Daphné '17	♟♟	4
○ Daphné '16	♟♟	4
● Nicole '18	♟♟	3
● Nicole '17	♟♟	3
● Sanforte Rosso '16	♟♟	2*
● Sincero '18	♟♟	3
● Sincero '17	♟♟	3

Masseto

FRAZ. BOLGHERI
57022 CASTAGNETO CARDUCCI [LI]
TEL. 056571811
www.masseto.com

PRODUZIONE ANNUA 33.000 bottiglie
ETTARI VITATI 11,00
AZIENDA SOSTENIBILE

Profuma ancora di nuovo ed è uno
spettacolo di minimalismo, purezza ed
eleganza architettonica: oltre ad essere
bellissima, la nuova cantina di Masseto
segna l'inizio di un percorso individuale per
il cavallo di razza della scuderia Ornellaia. Il
vino, non da oggi, è quanto di più
apprezzato e prestigioso si possa trovare
sui mercati internazionali, almeno riguardo
il made in Italy in bottiglia. Ed è un valore
ulteriormente sottolineato dal progetto
estetico e funzionale che abbraccia la
nascita di ogni nuova versione, a cui si
affianca anche il "second vin" Masselino.
Se le ultime versioni di Masseto stupiscono
per estrazione materica, densità e potenza,
la 2017 esplora ulteriormente il modello
espressivo e stilistico dichiaratamente
ricercato. È un vino incredibilmente intenso
e strutturato, appoggiato su una spalla
fruttata e tannica diffusa, amplificata dai
vigorosi richiami tostati. Un carattere deciso
e tante componenti che la sosta in bottiglia
dovrà amalgamare.

● Masseto '17	♟♟8
● Massetino '17	♟♟8
● Masseto '16	♟♟8

★Mastrojanni

FRAZ. CASTELNUOVO DELL'ABATE
POD. LORETO E SAN PIO
53024 MONTALCINO [SI]
TEL. 0577835681
www.mastrojanni.com

VENDITA DIRETTA
VISITA SU PRENOTAZIONE
OSPITALITÀ
PRODUZIONE ANNUA 110.000 bottiglie
ETTARI VITATI 33,00

Dici Mastrojanni e pensi immediatamente a
due cru speciali che hanno contribuito ad
illuminare le peculiarità del Brunello in una
fase per molti versi di transizione, come
quella che ha preceduto il definitivo boom
internazionale. Vigna Loreto e Vigna
Schiena d'Asino: autentiche punte di
diamante dell'azienda creata da Gabriele
negli anni '70 e rilevata nel 2008 dalla
famiglia Illy, che ha saputo renderli perfino
più autorevoli con opzioni tecniche miranti
ad esaltare gli specifici caratteri del siti di
Castelnuovo dell'Abate, nucleo del settore
sud-est di Montalcino. Rimane una
proposta di altissimo livello generale quella
offerta dalla famiglia Illy per la nostra Vini
d'Italia 2021. Sul gradino più alto si piazza
un meraviglioso Schiena d'Asino '15 che si
erge a prototipo del grande Brunello di
Sant'Antimo. Esprime affascinanti aromi di
ciliegia, tabacco e liquirizia, resi più
complessi da ricordi speziati abbinati a
cenni di fiori secchi: un grande rosso
austero da conservare in cantina.

● Brunello di Montalcino	
V. Schiena d'Asino '15	♟♟♟8
● Brunello di Montalcino '15	♟♟5
● Brunello di Montalcino V. Loreto '15	♟♟7
● Ciliegiolo '18	♟♟6
● San Pio '15	♟♟5
● Rosso di Montalcino '18	♟5
● Brunello di Montalcino '97	♟♟♟7
● Brunello di Montalcino	
Schiena d'Asino '08	♟♟♟8
● Brunello di Montalcino V. Loreto '13	♟♟♟7
● Brunello di Montalcino V. Loreto '10	♟♟♟7
● Brunello di Montalcino V. Loreto '09	♟♟♟7
● Brunello di Montalcino	
V. Schiena d'Asino '12	♟♟♟8
● Brunello di Montalcino	
V. Schiena d'Asino '10	♟♟♟8

Fattorie Melini

LOC. GAGGIANO
53036 POGGIBONSI [SI]
TEL. 0577998511
www.cantinemelini.it

VENDITA DIRETTA
VISITA SU PRENOTAZIONE
PRODUZIONE ANNUA 3.300.000 bottiglie
ETTARI VITATI 136,00

Una parte non secondaria della storia del
Chianti Classico è certamente segnata dal
marchio Melini di Poggibonsi che, insieme
alla Fattoria Machiavelli di San Casciano Val
di Pesa, rappresentano il Gruppo Italiano
Vini nella denominazione del Gallo Nero.
Luoghi di·grande vocazione, come ad
esempio il vigneto Selvanella di Radda in
Chianti, che vanno a comporre un
patrimonio viticolo straordinario, restituito
dal ricco portafoglio di etichette. In
generale, i vini offrono costanza qualitativa
confortante, precisione d'esecuzione
encomiabile e buona personalità. Toni scuri
e maturi caratterizzano il profilo olfattivo del
Chianti Classico La Selvanella Riserva '15,
dal palato solido e articolato e non privo di
allunghi. Profumi di buona complessità
annunciano la Gran Selezione Vigna di
Fontalle '17, che in bocca trova il suo punto
di forza grazie al sorso lungo e continuo.
Pulito e definito I Coltri '19, uvaggio a base
di sangiovese, cabernet sauvignon e
merlot, dalla beva sapida e immediata.

Le Miccine

LOC. LE MICCINE
S.S. TRAVERSA CHIANTIGIANA
53013 GAIOLE IN CHIANTI [SI]
TEL. 0577749526
www.lemiccine.com

VENDITA DIRETTA
VISITA SU PRENOTAZIONE
OSPITALITÀ
PRODUZIONE ANNUA 25.000 bottiglie
ETTARI VITATI 7,00
VITICOLTURA Biologico Certificato

Le Miccine si trova nella sottozona di Gaiole
in Chianti. I vigneti svettano ad altitudini che
sfiorano i 400 metri sul livello del mare,
tipiche di questo areale, e sono coltivati in
biologico senza nessun tipo di forzatura.
Altrettanta essenzialità si ritrova in cantina,
dove le operazioni sono ridotte all'osso e le
maturazioni prevedono l'uso di tonneau. Dal
punto di vista stilistico, prevale un'adesione
chiara delle etichette aziendali ai caratteri
del territorio in cui nascono, presentandosi
aromaticamente fini e schietti, di struttura
snella, talvolta particolarmente sottile. Il
Chianti Classico Riserva '17 porge profumi
che virano su un'intensa quanto leggiadra
floralità, con cenni affumicati e speziati a
rifinitura. In bocca è setoso e affusolato, dal
finale piacevolmente incisivo. Il Chianti
Classico '18 è un vino assolutamente ben
fatto, con profumi lievi e fragranti che
anticipano la progressione gustativa
succosa, ricca di contrasti. Godibile il
Carduus '16, merlot in purezza.

● Chianti Cl. Machiavelli Gran Selezione V. di Fontalle '17	♟♟ 5
● Chianti Cl. Vign. La Selvanella Ris. '15	♟♟ 4
● I Coltri '19	♟♟ 2*
● Chianti Cl. Granaio '18	♟ 2
● Chianti Cl. Machiavelli Solatìo del Tani '17	♟ 4
● Chianti Cl. La Selvanella Ris. '06	♟♟♟ 5
● Chianti Cl. La Selvanella Ris. '03	♟♟♟ 4
● Chianti Cl. La Selvanella Ris. '01	♟♟♟ 4
● Chianti Cl. La Selvanella Ris. '00	♟♟♟ 4
● Chianti Cl. La Selvanella Ris. '99	♟♟♟ 5
● Chianti Cl. La Selvanella Ris. '90	♟♟♟ 3*
● Chianti Cl. La Selvanella Ris. '86	♟♟♟ 4*
● Chianti Cl. Granaio '17	♟♟ 3*
● Chianti Cl. Machiavelli Solatìo del Tani '16	♟♟ 4

● Chianti Cl. Ris. '17	♟♟ 5
● Carduus '16	♟♟ 5
● Chianti Cl. '18	♟♟ 4
● Chianti Cl. Gran Selezione '16	♟ 4
● Chianti Cl. '16	♟♟♟ 4*
● Chianti Cl. '15	♟♟♟ 4*
● Chianti Cl. Ris. '10	♟♟♟ 5
● Carduus '10	♟♟ 5
● Chianti Cl. '17	♟♟ 4
● Chianti Cl. '11	♟♟ 2*
● Chianti Cl. Don Alberto Ris. '07	♟♟ 4
● Chianti Cl. Ris. '16	♟♟ 5
● Chianti Cl. Ris. '15	♟♟ 5
● Chianti Cl. Ris. '13	♟♟ 5
● Chianti Cl. Ris. '12	♟♟ 5
● Chianti Cl. Ris. '09	♟♟ 2*

Monte Solaio

VIA DI VENTURINA, 15
57021 CAMPIGLIA MARITTIMA [LI]
TEL. 0565843291
www.montesolaio.com

VENDITA DIRETTA
VISITA SU PRENOTAZIONE
PRODUZIONE ANNUA 40.000 bottiglie
ETTARI VITATI 8,50

La tenuta di Monte Solaio è di proprietà
dell'imprenditore anglo-italiano Claudio
Guglielmucci e sorge nella zona di
Campiglia Marittima, in Val di Cornia. Il
Castello Bonaria, centro del complesso
aziendale, è stato fondato alla fine del '700
in una antica casa di caccia e oggi svolge le
funzioni di ospitalità turistica, dopo un
attento lavoro di ristrutturazione. I vigneti
sono stati impiantati in terreni ricchi di
minerali e alla vite ci affiancano le
coltivazioni di grano e gli ulivi. Arriva per la
prima volta in finale il Tino Rosso, uvaggio di
cabernet sauvignon, merlot e petit verdot.
La versione 2017 ha bouquet variegato, che
alla parte ematica aggiunge un fruttato
ampio, ingentilito da note fresche di salvia e
alloro. L'attacco in bocca è succoso, di bella
ampiezza, ricco, con allungo finale
appetitoso. Il Re del Castello '17, merlot e
cabernet franc, si fa apprezzare per i toni di
liquirizia e caffè, in un corpo bilanciato e di
lunga persistenza.

● Tino Rosso '17	♟♟	3*
● Re del Castello '17	♟♟	7
☉ Sarosa '19	♟♟	2*
○ Allegro '19	♟	3
○ Boccasanta '19	♟	2
● Collevato '18	♟	5
● Sassinoro '18	♟	5
● Re del Castello '16	♟♟	7
● Re del Castello '15	♟♟	7
● Sassinoro '15	♟♟	5
● Tino Rosso '16	♟♟	3

★Montenidoli

LOC. MONTENIDOLI
53037 SAN GIMIGNANO [SI]
TEL. 0577941565
www.montenidoli.com

VENDITA DIRETTA
OSPITALITÀ
PRODUZIONE ANNUA 100.000 bottiglie
ETTARI VITATI 24,00
VITICOLTURA Biologico Certificato

Elisabetta Fagiuoli si è trasferita in questa
parte di Toscana nel 1966, insieme a Sergio
Muratori. Una scelta fatta per amore verso
la terra e per avviare un progetto che
facilitasse il dialogo e l'incontro
generazionale fra anziani e giovani in
difficoltà. In questo clima si innesta una
filosofia produttiva che sceglie solo vitigni
autoctoni (vernaccia, sangiovese, canaiolo,
trebbiano gentile e malvasia bianca),
coltivazione biodinamica, tutela
dell'ambiente. L'agriturismo è utilizzato
anche come sede per soggiorni dedicati allo
studio dell'educazione e della viticoltura. A
volte assaggiando i grandi vini rossi di
Elisabetta, come Il Sono Montenidoli '15,
profondo, terroso, irresistibile, saremmo
tentati di premiarli. Poi compare nel
bicchiere qualche sua Vernaccia, come la
Carato '17, di eleganza e di complessità
straordinaria, vera figlia del terroir, o la
Tradizionale '19, floreale, materica e
finissima, che la tentazione passa. Quel che
resta è il lavoro di una grande vigneronne
che vive in simbiosi con la sua terra, la
natura e il ritmo delle stagioni. Brava.

○ Vernaccia di S. Gimignano Carato '17	♟♟♟	4*
● Sono Montenidoli '15	♟♟	5
○ Vernaccia di S. Gimignano Tradizionale '19	♟♟	2*
☉ Canaiuolo Rosato '19	♟♟	3
● Chianti Colli Senesi Il Garrulo '18	♟♟	2*
● Colorino '18	♟♟	3
○ Il Templare '15	♟♟	4
● Montenidoli '18	♟♟	4
○ Vernaccia di S. Gimignano Fiore '19	♟♟	3
○ Vernaccia di S. Gimignano Carato '16	♟♟♟	4*
○ Vernaccia di S. Gimignano Carato '13	♟♟♟	4*
○ Vernaccia di S. Gimignano Carato '12	♟♟♟	4*
○ Vernaccia di S. Gimignano Carato '11	♟♟♟	4*
○ Vernaccia di S. Gimignano Tradizionale '15	♟♟♟	2*

Monteraponi

LOC. MONTERAPONI
53017 RADDA IN CHIANTI [SI]
TEL. 0577738208
www.monteraponi.it

VENDITA DIRETTA
VISITA SU PRENOTAZIONE
OSPITALITÀ
PRODUZIONE ANNUA 50.000 bottiglie
ETTARI VITATI 10,00
VITICOLTURA Biologico Certificato

L'azienda di proprietà di Michele Braganti ha fatto il suo ingresso nel panorama enologico del Chianti Classico nel nuovo millennio, mettendosi fin da subito in evidenza per vini dallo stile marcatamente tradizionale, che esprimono al massimo livello le qualità del sangiovese della sottozona di Radda in Chianti. Il loro tratto caratteristico risiede nell'alternanza aromatica tra note più intense e cenni più sfumati, a volte decisamente autunnali, combinata ad una progressione gustativa tonica, saporita e di grande energia. Il Baron'Ugo '16 interpreta un'annata eccezionale a modo suo, confermandosi cioè un grande vino. Uvaggio di sangiovese, canaiolo e colorino, porge profumi floreali, con intriganti ricordi di terra e di sasso a rifinitura, mentre al palato possiede grande sapore e si sviluppa leggiadro, dinamico e sfaccettato. Delizioso il Chianti Classico '18: dal carattere schietto e generoso, mostra un profilo aromatico fragrante e definito, unito a un passo goloso.

● Baron'Ugo '16	🍷🍷🍷	5
● Chianti Cl. '18	🍷🍷	4
● Chianti Cl. Il Campitello Ris. '17	🍷🍷	7
● Baron'Ugo '13	🍷🍷🍷	5
● Baron'Ugo '12	🍷🍷🍷	8
● Chianti Cl. Baron'Ugo Ris. '10	🍷🍷🍷	7
● Chianti Cl. Baron'Ugo Ris. '09	🍷🍷🍷	7
● Chianti Cl. Baron'Ugo Ris. '07	🍷🍷🍷	5
● Chianti Cl. Il Campitello Ris. '16	🍷🍷🍷	7
● Chianti Cl. Il Campitello Ris. '15	🍷🍷🍷	7
● Baron'Ugo '15	🍷🍷	5
● Chianti Cl. '17	🍷🍷	4
● Chianti Cl. '16	🍷🍷	4
● Chianti Cl. '13	🍷🍷	3
● Chianti Cl. Baron'Ugo Ris. '11	🍷🍷	7
● Chianti Cl. Il Campitello Ris. '14	🍷🍷	5
● Chianti Cl. Il Campitello Ris. '13	🍷🍷	5

Monterinaldi

LOC. LUCARELLI
53017 RADDA IN CHIANTI [SI]
TEL. 0577733533
www.monterinaldi.it

PRODUZIONE ANNUA 400.000 bottiglie
ETTARI VITATI 65,00

Il Castello di Monterinaldi si trova nella sottozona di Radda in Chianti e questo basterebbe ad inquadrarne le peculiarità produttive, almeno secondo le tendenze più in voga. I vigneti aziendali si trovano in alcuni appezzamenti sulle colline più vocate dell'areale, mentre in cantina le vinificazioni seguono canoni classici e le maturazioni adottano un variegato mix di scelte: dal legno grande a quello piccolo, dal cemento alla terracotta. Un insieme di elementi che rende l'espressione del sangiovese del luogo libera, autentica e personale. Profumi pronti e di bella intensità, quelli offerti dal Chianti Classico Carpe Testudinem '17, molto centrato anche in fase gustativa, dove fornisce un sorso succoso, sapido e contrastato. Una nota a margine merita il suo nome, alquanto curioso, come quello scelto per l'uvaggio a base di sangiovese e merlot: è il Purple Turtle of Tuscany '18, che evidenzia profumi di buona definizione, con bocca solida e serrata.

● Chianti Cl. Carpe Testudinem '17	🍷🍷	4
● Purple Turtle '18	🍷🍷	3
● Chianti Cl. '16	🍷🍷	3
● Chianti Cl. '15	🍷🍷	3
● Chianti Cl. Campopazzo '13	🍷🍷	3
● Chianti Cl. Ris. '16	🍷🍷	4
● Chianti Cl. Ris. '15	🍷🍷	4
● Chianti Cl. Ris. '14	🍷🍷	4
● Chianti Cl. Ris. '13	🍷🍷	4
● Chianti Cl. Vign. Boscone '16	🍷🍷	4
● Chianti Cl. Vign. Boscone '15	🍷🍷	4

Monterò

LOC. COLLE LUPO
58051 MAGLIANO IN TOSCANA [GR]
TEL. 3396024802
www.monterò.com

VENDITA DIRETTA
VISITA SU PRENOTAZIONE
PRODUZIONE ANNUA 20.000 bottiglie
ETTARI VITATI 6,50
VITICOLTURA Biologico Certificato
AZIENDA SOSTENIBILE

Abbreviazione del toponimo Monterozzino, la Tenuta Monterò sorge nei pressi di Magliano in Toscana ed è condotta con passione ed entusiasmo da Milena Cacurri, che sembra davvero aver imboccato la strada giusta. I suoi vini sono diretti ma mai banali, apprezzabili per come tengono insieme la tipica solarità e piacevolezza che caratterizza la produzione maremmana, con un saldo di finezza ed equilibrio. Per adesso le cose migliori arrivano dal fronte bianchista, ma anche il Morellino di casa ha cifra stilistica e personalità degne di nota. Vermentino e viogner maturato in terracotta, l'Invisibile '17 è annunciato da aromi fruttati intensi e carnosi, con cenni idrocarburici a rifinitura: coerente preludio ad una progressione gustativa densa e salina. Ancora su registri sapidi molto incisivi la trama del Maremma Vermentino '19, di beva agile, scattante e bilanciata, impreziosita dalle nuance di fiori di tiglio e di mandorla fresca. Fragrante e beverino il Morellino di Scansano More '18.

○ Maremma Toscana Bianco L'Invisibile '17	🍷🍷 6
○ Maremma Toscana Vermentino '19	🍷🍷 4
● Morellino di Scansano More '18	🍷🍷 4
○ Maremma Toscana Vermentino '18	🍷🍷 4
● Maremma Toscana Vermentino '17	🍷🍷 3
● Morellino di Scansano More '17	🍷🍷 4
● Morellino di Scansano More '16	🍷🍷 4
☉ Tetè '18	🍷🍷 3

MonteRosola

LOC. PIGNANO
POD. LA ROSOLA
56048 VOLTERRA [PI]
TEL. 058835062
www.monterosola.com

PRODUZIONE ANNUA 8.000 bottiglie
ETTARI VITATI 19,00

In un territorio non particolarmente conosciuto per la viticoltura, Bengt Thomaeus e la moglie Ewa hanno realizzato il perfetto connubio tra tecnologia, rispetto per la natura e pratiche agronomiche di qualità. Dal 2013, da quando cioè hanno rilevato la proprietà della tenuta, è stata ampliata la superficie totale, portandola a 125 ettari, di cui 19 vitati, che si sviluppano intorno alla nuova, avveniristica, cantina. Sangiovese, merlot, cabernet franc e sauvignon, syrah, grechetto, viogner, incrocio Manzoni i vitigni coltivati. Approda per la prima volta alle finali l'Indomito '17, syrah prodotto solo in magnum. Il naso è invitante con le iniziali note di alchermes, seguite da ciliegia sotto spirito, mentuccia e cenni di vaniglia; il corpo è ricco ma fresco, di ottima struttura, con tutte le componenti ben amalgamate, un accenno di pepe e finale in crescendo. Intrigante il Canto della Civetta '17, merlot floreale, morbido e polposo.

● Indomito '17	🍷🍷 4
● Canto della Civetta '17	🍷🍷 5
● Corpo Notte '17	🍷🍷 4
● Crescendo '17	🍷🍷 3
● Mastio '18	🍷🍷 3
○ Cassero '19	🍷 2
○ Primo Passo '18	🍷 3
● Canto della Civetta '16	🍷🍷 5
● Corpo Notte '16	🍷🍷 4
● Crescendo '16	🍷🍷 3
● Indomito '16	🍷🍷 4
○ Primo Passo '17	🍷 3

Tenuta Monteti

S.DA DELLA SGRILLA, 6
58011 CAPALBIO [GR]
TEL. 0564896160
www.tenutamonteti.it

VENDITA DIRETTA
VISITA SU PRENOTAZIONE
PRODUZIONE ANNUA 130.000 bottiglie
ETTARI VITATI 28,00
AZIENDA SOSTENIBILE

Tenuta Monteti è l'azienda della famiglia Baratta e si trova nei pressi di Capalbio, nel lembo più meridionale della Maremma enoica. Le varietà coltivate sono esclusivamente internazionali e vanno dal petit verdot al cabernet franc, dal cabernet sauvignon al merlot, fino all'alicante bouschet. Ovvia la scelta di un approccio produttivo modernista, con le maturazioni dei vini effettuate in legno piccolo di varia età, a seconda della tipologia dell'etichetta. Lo stile è ricco, con sfumature mediterranee che ne amplificano la personalità. Blend di petit verdot, cabernet franc e cabernet sauvignon, il Monteti '16 porge aromi affumicati e speziati su base composta da un rigoglioso fruttato, ben accentato da fragranza ed intensità. In bocca lo sviluppo gustativo è solido, serrato, avvolgente e continuo. Buono anche il Caburnio '16, uvaggio di cabernet sauvignon, alicante bouschet e merlot: leggermente erbaceo e terroso al naso, si snoda morbido e saporito.

● Monteti '16	▼▼▼ 6
● Caburnio '16	▼▼ 4
☉ TM Rosé '19	▼ 3
● Caburnio '15	♀♀♀ 4*
● Caburnio '14	♀♀♀ 3*
● Caburnio '13	♀♀ 3
● Caburnio '12	♀♀ 3
● Caburnio '11	♀♀ 3
● Monteti '15	♀♀ 6
● Monteti '13	♀♀ 6
● Monteti '12	♀♀ 5
● Monteti '11	♀♀ 5
☉ TM Rosé '14	♀♀ 3

Monteverro

S.DA AURELIA CAPALBIO, 11
58011 CAPALBIO [GR]
TEL. 0564890721
www.monteverro.com

VENDITA DIRETTA
VISITA SU PRENOTAZIONE
PRODUZIONE ANNUA 150.000 bottiglie
ETTARI VITATI 40,00
VITICOLTURA Biologico Certificato
AZIENDA SOSTENIBILE

Monteverro si trova nel sud della Toscana, a pochi chilometri dal mare. Sessanta ettari coltivati a vigneti e ulivi, oltre alla presenza di macchia mediterranea e querce da sughero. La cantina, in parte ricavata all'interno del versante, per ottenere una naturale refrigerazione, raccoglie gli esiti di una lavorazione delle uve il più possibile naturale e rispettosa dell'ambiente: nell'azienda si integrano agricoltura sostenibile e tecnologie all'avanguardia per coltivare e vinificare uve di cabernet sauvignon e franc, merlot, petit verdot, syrah, grenache, chardonnay e vermentino. In finale il Monteverro '17, cabernet franc in prevalenza con saldo di cabernet sauvignon. Un rosso certamente intenso, aromaticamente puntellato da timbri ematici, di fiori essiccati di viola, quindi ribes e peperone verde. Avvincente in ingresso, ricco e gustoso al palato, ha bella trama tannica e finale godibile. Burroso, da fruttato tropicale, grasso e fresco lo Chardonnay '17. Non male il Tinata '17, rodaneggiante nell'uvaggio di syrah e grenache.

● Monteverro '17	▼▼ 8
○ Chardonnay Monteverro '17	▼▼ 8
● Tinata '17	▼▼ 8
● Terra di Monteverro '17	▼ 7
○ Chardonnay '16	♀♀ 8
○ Chardonnay '13	♀♀ 8
● Monteverro '16	♀♀ 8
● Monteverro '14	♀♀ 8
● Monteverro '13	♀♀ 8
● Terra di Monteverro '16	♀♀ 7
● Terra di Monteverro '14	♀♀ 7
● Terra di Monteverro '13	♀♀ 7
● Terra di Monteverro '12	♀♀ 7
● Tinata '15	♀♀ 8
● Tinata '14	♀♀ 8
● Tinata '13	♀♀ 8
● Tinata '12	♀♀ 8

★★Montevertine

LOC. MONTEVERTINE
53017 RADDA IN CHIANTI [SI]
TEL. 0577738009
www.montevertine.it

VISITA SU PRENOTAZIONE
PRODUZIONE ANNUA 85.000 bottiglie
ETTARI VITATI 19,00

Il vino toscano e italiano non sarebbe quello che è senza il lavoro di Sergio Manetti e oggi di suo figlio Martino. Quando negli anni settanta del secolo scorso decise di porre mano al suo progetto enologico, la zona era in stato di semi abbandono e pochi credevano in una rinascita dei vini locali. Da allora, a Montevertine sono nate e continuano a nascere alcune delle bottiglie più compiute dell'intero territorio, capaci di un'espressività rara quanto coerente, dal piglio originale eppure nel solco di una tradizione intransigente. Un Pergole Torte intrigante, il 2017, ottenuto per giunta in un'annata complicata da interpretare. Come sempre il vino restituirà i suoi dettagli più scintillanti con il tempo, ma già da ora si può parlare di grande vino. Non è la prima volta che capita di sottolineare la prova entusiasmante del Piano del Ciampolo: la versione 2018 è di una piacevolezza a dir poco strepitosa. Completa il terzetto un succoso e intenso Montervertine '17.

● Le Pergole Torte '17	♔♔♔	8
● Montevertine '17	♔♔	6
● Pian del Ciampolo '18	♔♔	4
● Le Pergole Torte '16	♔♔♔	8
● Le Pergole Torte '15	♔♔♔	8
● Le Pergole Torte '13	♔♔♔	8
● Le Pergole Torte '12	♔♔♔	8
● Le Pergole Torte '11	♔♔♔	8
● Le Pergole Torte '10	♔♔♔	8
● Le Pergole Torte '09	♔♔♔	8
● Le Pergole Torte '07	♔♔♔	8
● Le Pergole Torte '04	♔♔♔	8
● Le Pergole Torte '03	♔♔♔	7
● Le Pergole Torte '01	♔♔♔	8
● Montevertine '14	♔♔♔	6
● Montevertine '04	♔♔♔	5
● Montevertine '01	♔♔♔	5

Vignaioli del Morellino di Scansano

LOC. SARAGIOLO
58054 SCANSANO [GR]
TEL. 0564507288
www.vignaiolidiscansano.it

VENDITA DIRETTA
VISITA SU PRENOTAZIONE
PRODUZIONE ANNUA 2.500.000 bottiglie
ETTARI VITATI 600,00
AZIENDA SOSTENIBILE

Nata nel 1972 come risposta alla crisi del settore minerario e condotta con passionale impegno da esperti e semplici contadini della Maremma, la Cantina Vignaioli del Morellino è ormai avviata sulla strada delle più moderne cooperative vitivinicole. Dimostrando sempre un'ammirevole costanza qualitativa, grazie a vini inappuntabili dal punto di vista realizzativo e pienamente in accordo con la propria tipologia. Il portafoglio etichette è ampio ed articolato, comprendendo anche vini Doc Maremma a completare una proposta tutta all'insegna di questo speciale territorio del sud della Toscana. Una batteria ricca e solida qualitativamente, quella offerta dalla cantina sociale di Scansano. Il Morellino Roggiano Riserva '17 ha profumi chiari e ben delineati che alternano frutti rossi, cenni floreali e ricordi speziati; in bocca è succoso e scorrevole, conservando profondità e allungo. Molto buono anche il Sicomoro Riserva '17, sapido e dall'amalgama tra frutto e apporti del rovere molto ben centrato.

● Morellino di Scansano Roggiano '18	♔♔	2*
● Morellino di Scansano Roggiano Ris. '17	♔♔	4
● Morellino di Scansano Sicomoro Ris. '17	♔♔	4
○ Bianco di Pitigliano Sup. Rasenno '19	♔	2
○ Maremma Toscana Ansonica '19	♔	3
● Maremma Toscana Ciliegiolo Capoccia '19	♔	2
● Scantianum Sangiovese '19	♔	2
○ Scantianum Vermentino '19	♔	2
● Vin del Fattore Governo all'Uso Toscano '19	♔	3
● Morellino di Scansano Roggiano Ris. '15	♔♔	3*
● Morellino di Scansano Sicomoro Ris. '15	♔♔	4
● Morellino di Scansano Vignabenefizio '17	♔♔	3
● Scantianum Sangiovese '18	♔♔	2*

Giacomo Mori

FRAZ. PALAZZONE
P.ZZA SANDRO PERTINI, 8
53040 SAN CASCIANO DEI BAGNI [SI]
TEL. 0578227005
www.giacomomori.it

VENDITA DIRETTA
VISITA SU PRENOTAZIONE
OSPITALITÀ
PRODUZIONE ANNUA 45.000 bottiglie
ETTARI VITATI 12,00
VITICOLTURA Biologico Certificato

Condotta da Giacomo Mori, la cantina di
Palazzone si trova in un areale
storicamente vocato per la coltivazione del
sangiovese, anche se fuori dalle zone
classiche e più blasonate della Toscana
enoica. Siamo non lontani da San Casciano
dei Bagni e dal 1995 escono da questa
piccola realtà con rassicurante costanza
vini dallo stile definito e dallo spiccato
carattere chiantigiano, che puntano sulla
facilità di beva e sull'equilibrio senza inutili
forzature. Giudizioso l'utilizzo del rovere di
maturazione, che mixa barrique e legno
grande. Il Chianti '18 è un vino
immediatamente piacevole, che profuma di
ciliegia fresca, erba appena tagliata e
spezie; in bocca attacca dolce e incisivo,
proseguendo con sapidità diffusa e tannini
croccanti. Proveniente da un'annata più
complicata, anche il Chianti Castelrotto
Riserva '17 convince, mettendo in
evidenza aromi ben centrati e una
progressione gustativa generosa, reattiva e
succosa, dal finale solido e non privo di
ritorni fruttati e speziati.

● Chianti '18	♟♟ 3
● Chianti Castelrotto Ris. '17	♟♟ 4
● Chianti '15	♟♟ 2*
● Chianti '11	♟♟ 2*
● Chianti '10	♟♟ 2*
● Chianti Castelrotto Ris. '16	♟♟ 3
● Chianti Castelrotto Ris. '15	♟♟ 3
● Chianti Castelrotto Ris. '14	♟♟ 3
● Chianti Castelrotto Ris. '13	♟♟ 3
● Chianti Castelrotto Ris. '11	♟♟ 3
○ Vin Santo del Chianti '08	♟♟ 6

Tenuta Moriniello

VIA SANTO STEFANO, 40
50050 MONTAIONE [FI]
TEL. 3483198880
www.tenutamoriniello.com

VENDITA DIRETTA
VISITA SU PRENOTAZIONE
OSPITALITÀ
PRODUZIONE ANNUA 50.000 bottiglie
ETTARI VITATI 20,00
VITICOLTURA Biologico Certificato

Siamo nel cuore della Toscana, sulle
ondulate colline di Montaione. Qui
Beniamino Moriniello ha individuato la
tenuta che poi ha acquistato, avviando
miglioramenti nelle vigne e in cantina. Ora
conduce con i figli Tania e Luigi la
proprietà, con grande puntiglio. Dalle uve di
sangiovese, canaiolo, ciliegiolo e colorino,
cabernet sauvignon, cabernet franc, merlot,
petit verdot, syrah, sauvignon blanc e
gewurztraminer vengono ricavati sia vini
che rimandano alla tradizione regionale più
autentica, sia vini che riecheggiano
sensazioni più internazionali. Sempre
all'altezza delle aspettative Il Gobbo Nero,
Syrah in purezza che nella versione '17
mostra note olfattive invitanti: si muove tra
frutti di bosco, come ribes e lamponi,
fresche sensazioni di mentuccia e
dragoncello, spezie pepate finali. Al gusto è
invitante, dal sorso lineare, semplice ma
non esile, per un finale prolungato.
Espressivo Le Fate Furbe '19, da sauvignon
e traminer aromatico, di grande intensità.

● Chianti Fortebraccio Ris. '17	♟♟ 3
● Il Gobbo Nero '17	♟♟ 4
○ Le Fate Furbe '19	♟♟ 3
● Chianti La Pieve '19	♟ 2
● Chianti Fortebraccio Ris. '16	♟♟ 3
● Chianti Fortebraccio Ris. '15	♟♟ 3
● Chianti La Pieve '18	♟♟ 2*
● Il Gobbo Nero '16	♟♟ 4
● Il Gobbo Nero '15	♟♟ 4
● Il Gobbo Nero '13	♟♟ 4
○ Le Fate Furbe '17	♟♟ 3
● Rosso del Pievano '13	♟♟ 4
● Syrah Gobbo Nero '11	♟♟ 3

Morisfarms

LOC. CURA NUOVA
FATTORIA POGGETTI
58024 MASSA MARITTIMA [GR]
TEL. 0566919135
www.morisfarms.it

VENDITA DIRETTA
VISITA SU PRENOTAZIONE
OSPITALITÀ
PRODUZIONE ANNUA 300.000 bottiglie
ETTARI VITATI 70,00

Morisfarms conta su due appezzamenti
principali a vigneto: quello della Fattoria
Poggetti nel comprensorio del Monteregio
di Massa Marittima e gli impianti di Poggio
la Mozza, all'interno della denominazione
del Morellino di Scansano. Rappresenta,
dunque, una delle realtà produttive più
importanti del panorama enologico
maremmano. La cantina di Massa
Marittima ha sempre proposto vini dalla
costanza qualitativa confortante,
guadagnandosi meritatamente un posto fra
le realtà produttive più affidabili della
Toscana. Dal timbro aromatico segnato da
un rigoglioso ed intenso frutto scuro, il
Morellino di Scansano '19 trova il suo
punto di forza in una bocca scorrevole,
sapida e morbida. Uvaggio composto da
sangiovese, cabernet sauvignon e syrah,
l'Avvoltore '16 offre profumi concentrati e
potenti, guidati dalle speziature del rovere
che ne marcano anche lo sviluppo
gustativo, molto serrato e quasi severo.
Immediatamente piacevole e levigato il
Maremma Rosso Mandriolo '19.

● Avvoltore '16	♟♟ 6
● Morellino di Scansano '19	♟♟ 2*
● Maremma Toscana Rosso Mandriolo '19	♟ 2
○ Vermentino '19	♟ 2
● Avvoltore '06	♟♟♟ 5
● Avvoltore '04	♟♟♟ 5
● Avvoltore '01	♟♟♟ 5
● Avvoltore '00	♟♟♟ 5
● Avvoltore '99	♟♟♟ 5
● Avvoltore '15	♟♟ 6
● Maremma Toscana Mandriolo '15	♟♟ 1*
● Maremma Toscana Rosso Mandriolo '18	♟♟ 2*
● Morellino di Scansano '17	♟♟ 2*
● Morellino di Scansano '16	♟♟ 2*
● Morellino di Scansano Ris. '16	♟♟ 4

Mormoraia

LOC. SANT'ANDREA, 15
53037 SAN GIMIGNANO [SI]
TEL. 0577940096
www.mormoraia.it

VENDITA DIRETTA
VISITA SU PRENOTAZIONE
OSPITALITÀ
PRODUZIONE ANNUA 230.000 bottiglie
ETTARI VITATI 40,00

I Passoni diventano proprietari nel 1980
dell'antico convento La Mormoraia. Dopo la
ristrutturazione di case e vigneti,
l'inaugurazione dell'agriturismo e della
prima cantina, l'ampliamento degli ettari di
vigneti e uliveti e l'introduzione di moderne
attrezzature per la vinificazione e
l'imbottigliamento, la tenuta si estende ora
su una superficie di oltre 100 ettari, di cui
10 sono coltivati ad uliveto. Nei vigneti,
oltre alle uve di vernaccia e sangiovese,
crescono quelle di cabernet sauvignon e
franc, merlot e syrah. Nel 2012 la
produzione agricola viene convertita in
biologica. Ottima la Vernaccia Antalis
Riserva '17, in virtù di un bouquet
divertente dove le note agrumate di limone
e mandarino si sposano a sentori vegetali
di tè, floreali di camomilla, con cenni di
basilico e pesca gialla. Gustoso l'attacco in
bocca, di peso, fresco nella componente
acida, persistente. La Vernaccia Suavis '19
ha profumi tipici di mandorla e mela,
mentre il corpo è equilibrato.

○ Vernaccia di S. Gimignano Antalis Ris. '17	♟♟ 3*
● Chianti Colli Senesi Haurio '18	♟♟ 2*
○ Vernaccia di S. Gimignano Ostrea '18	♟♟ 3
○ Vernaccia di S. Gimignano Suavis '19	♟♟ 3
⊙ Gaudium Rosato '19	♟ 2
○ Vernaccia di S. Gimignano È ReZet Mattia Barzaghi '11	♟♟♟ 3*
○ Vernaccia di S. Gimignano Ostrea '17	♟♟♟ 3*
● Chianti Colli Senesi Haurio '16	♟♟ 2*
● Chianti Colli Senesi Haurio '15	♟♟ 2*
○ Vernaccia di S. Gimignano Antalis Ris. '16	♟♟ 3
○ Vernaccia di S. Gimignano Ostrea '16	♟♟ 3
○ Vernaccia di S. Gimignano Ris. '14	♟♟ 3*
○ Vernaccia di S. Gimignano Suavis '18	♟♟ 3
○ Vernaccia di S. Gimignano Suavis '17	♟♟ 2*

Fabio Motta

Vigna al Cavaliere, 61
57022 Castagneto Carducci [LI]
Tel. 0565773041
www.mottafabio.it

VENDITA DIRETTA
VISITA SU PRENOTAZIONE
PRODUZIONE ANNUA 23.000 bottiglie
ETTARI VITATI 6,50

Conosciuto ormai anche fuori dai confini
nazionali, Fabio Motta è una delle
rivelazioni bolgheresi degli ultimi anni. Dopo
la laurea in agraria e l'esperienza in cantina
da Michele Satta avvia il suo progetto, oggi
solido nella definizione stilistica dei vini e
nell'organizzazione complessiva. Siamo ai
piedi della collina di Castagneto Carducci,
in località Le Pievi, dove vengono coltivate
le varietà a bacca nera, mentre in zona
Fornacelle ci sono quelle bianche, a
cominciare dal vermentino. Lo stile, cui
accennavamo, guarda al territorio con
occhi personali e mano sensibile. Il Bolgheri
Superiore Le Gonnare è ormai un
riferimento per la denominazione. La
difficile annata 2017 è stata gestita con
classe e regala un rosso certamente
intenso e maturo, ma anche raffinato e
ricco di dettagli, capace di un sorso
progressivo, saporito e di bella trama.
Fragrante e salmastro il Bolgheri Bianco
Nova '19, ottime versioni anche per il
Bolgheri Pievi e Lo Scudiere '18.

● Bolgheri Rosso Sup. Le Gonnare '17	♟♟♟	8
○ Bolgheri Bianco Nova '19	♟♟	4
● Bolgheri Rosso Pievi '18	♟♟	4
● Lo Scudiere '18	♟♟	5
● Bolgheri Rosso Sup. Le Gonnare '16	♟♟♟	8
● Bolgheri Rosso Sup. Le Gonnare '15	♟♟♟	8
● Bolgheri Sup. Le Gonnare '13	♟♟♟	8
○ Bolgheri Bianco Nova '17	♟♟	4
○ Bolgheri Bianco Nova '16	♟♟	4
● Bolgheri Rosso Pievi '16	♟♟	4
● Bolgheri Rosso Pievi '15	♟♟	4

Tenute Silvio Nardi

loc. Casale del Bosco
53024 Montalcino [SI]
Tel. 0577808332
www.tenutenardi.com

VENDITA DIRETTA
VISITA SU PRENOTAZIONE
PRODUZIONE ANNUA 250.000 bottiglie
ETTARI VITATI 80,00

Emilia Nardi prosegue senza sosta il
previdente lavoro iniziato dal padre Silvio,
che dopo la seconda guerra mondiale
decise di investire sul vino di Montalcino.
Era un periodo a dir poco antitetico in
rapporto al boom odierno, ma la scelta è
stata totalmente ripagata con la creazione
di una fra le realtà più solide del
comprensorio. Tutto ruota attorno alle circa
trenta parcelle che compongono la
piattaforma viticola, legata soprattutto ai
poderi Casale del Bosco (settore
nord-occidentale) e Manachiara, da cui
proviene l'omonimo cru di Brunello (settore
orientale). Da tempo, la famiglia Nardi
produce a Montalcino tre distinti Brunello:
dopo la prima etichetta storica, nascono nel
1995 la selezione Manachiara e nel 2004 il
Poggio Doria, provenienti da due territori
diametralmente opposti per clima e terreni.
Il Manachiara, proveniente da Castelnuovo
dell'Abate parla la lingua del frutto e della
potenza, mentre si esprime più
timidamente in gioventù; il Poggio Doria è
di stampo decisamente moderno.

● Brunello di Montalcino '15	♟♟	6
● Brunello di Montalcino Poggio Doria '15	♟♟	8
● Brunello di Montalcino V. Manachiara '15	♟♟	8
● Chianti dei Colli Senesi '18	♟♟	2*
● Brunello di Montalcino Manachiara '99	♟♟♟	7
● Brunello di Montalcino Manachiara '97	♟♟♟	7
● Brunello di Montalcino '14	♟♟	6
● Brunello di Montalcino '11	♟♟	6
● Brunello di Montalcino Poggio Doria '12	♟♟	8
● Brunello di Montalcino V. Manachiara '12	♟♟	8
● Rosso di Montalcino '17	♟♟	3
● Rosso di Montalcino '16	♟♟	3
● Rosso di Montalcino '15	♟♟	3

Nittardi

LOC. NITTARDI
53011 CASTELLINA IN CHIANTI [SI]
TEL. 0577740269
www.nittardi.com

VENDITA DIRETTA
VISITA SU PRENOTAZIONE
OSPITALITÀ
PRODUZIONE ANNUA 120.000 bottiglie
ETTARI VITATI 38,00
VITICOLTURA Biologico Certificato

A Castellina, al confine tra le provincie di
Siena e Firenze, circondata da boschi, si
estende la tenuta della famiglia Femfert,
che ha mosso i primi passi all'inizio degli
anni '80, grazie alla passione di Peter e di
sua moglie Stefania Canali. La tenuta, che
si incentra su una torre d'avvistamento
medievale, e che fu di proprietà di
Michelangelo Buonarroti, è stata
perfettamente restaurata nella parte
architettonica o nei vigneti. Grazie alla
passione dei Femfert per l'arte
contemporanea Nittardi offre un affascinate
percorso espositivo. Oggi al timone
dell'azienda, che ha acquisito anche 17
ettari di belle vigne in Maremma c'è Leon
Femfert; i vini di Nittardi hanno un carattere
nitido, territoriale e moderno. È molto
buono il Chianti Classico Riserva '17, che
offre al naso un fruttato rigoglioso e dolce,
ben sostenuto da tocchi speziati e boisé;
anche in bocca è elegante: si snoda
gustoso, ampio e rilassato e chiude nitido e
lungo sul frutto e sulle spezie. Valida la
selezione Casanuova '18 e il maremmano
Nectar Dei '16.

● Chianti Cl. Ris. '17	♟♟	6
● Chianti Cl. Casanuova di Nittardi '18	♟♟	4
● Maremma Toscana Ad Astra '18	♟♟	3
● Nectar Dei '16	♟♟	7
● Chianti Cl. Belcanto '18	♟	4
● Chianti Cl. Belcanto '15	♟♟♟	4*
● Chianti Cl. Ris. '13	♟♟♟	6
● Ad Astra '15	♟♟	3
● Chianti Cl. Casanuova di Nittardi '14	♟♟	4
● Chianti Cl. Ris. '15	♟♟	6
● Chianti Cl. V. Doghessa '17	♟♟	6
● Nectar Dei '14	♟♟	7

★Orma

VIA BOLGHERESE
57022 CASTAGNETO CARDUCCI [LI]
TEL. 0575477857
www.ormawine.it

PRODUZIONE ANNUA 50.000 bottiglie
ETTARI VITATI 5,50
AZIENDA SOSTENIBILE

L'imprenditore aretino Antonio Moretti
Cuseri ha messo in campo diversi progetti
nel mondo del vino. Tra questi, Podere
Orma merita un posto in primo piano: si
tratta della dependance bolgherese del
proprietario di Tenuta Setteponti e Feudo
Maccari, capace di brillare da subito di
luce propria. Appena cinque ettari di vigna,
su terreni argillosi ricchi di ciottoli, ma con
una reputazione che supera di gran lunga
le poche bottiglie prodotte. Lo stile di
questo vino è ispirato alla tradizione della
zona, ma non disdegna di abbracciare
percorsi originali di estremo fascino ed
eleganza. Blend di merlot, cabernet
sauvignon e franc maturato per almeno 12
mesi in barrique, Orma è uno dei grandi
vini di questo territorio. Ricco di frutti rossi
e neri, dalla ciliegia matura ai mirtilli,
mostra apporti tostati ben integrati e di
ottima grana, coniugando sapidità, solida
struttura e finale di gran sapore. Più
semplice ma molto gradevole il Bolgheri
Passi di Orma '18.

● Orma '18	♟♟♟	8
● Bolgheri Rosso Passi di Orma '18	♟♟	5
● Orma '17	♟♟♟	8
● Orma '16	♟♟♟	8
● Orma '14	♟♟♟	8
● Orma '13	♟♟♟	8
● Orma '12	♟♟♟	8
● Orma '11	♟♟♟	8
● Orma '10	♟♟♟	7
● Orma '09	♟♟♟	6
● Orma '08	♟♟♟	6
● Orma '07	♟♟♟	5
● Orma '06	♟♟♟	6
● Bolgheri Rosso '15	♟♟	8
● Bolgheri Rosso Passi di Orma '17	♟♟	5
● Bolgheri Rosso Passi di Orma '16	♟♟	5

★★Ornellaia

FRAZ. BOLGHERI
LOC. ORNELLAIA, 191
57022 CASTAGNETO CARDUCCI [LI]
TEL. 056571811
www.ornellaia.it

VISITA SU PRENOTAZIONE
PRODUZIONE ANNUA 1.000.000 bottiglie
ETTARI VITATI 115,00
AZIENDA SOSTENIBILE

Ornellaia è uno dei brand più prestigiosi del vino italiano, estremamente noto e apprezzato in tutto il mondo. Prende forma negli anni Ottanta e conquista tutti in pochissimo tempo. Ovviamente la base del successo è la vigna, seminascosta ai piedi delle colline di Bolgheri, baciata dalla fresca brezza marina nei mesi estivi, protetta dai venti più freddi in inverno. I suoli sono di origine marina, alluvionale e vulcanica, distinti in molteplici parcelle con caratteristiche peculiari. Oggi i vini sono imperiosi, capaci di parlare una lingua comprensibile a livello internazionale. Così è il Bolgheri Superiore Ornellaia '17, riferimento assoluto tra i vini dell'azienda, del territorio e dell'enologia italiana nel mondo. Rosso di stampo moderno, unisce all'intensità fruttata, che l'annata esalta, una matrice tostata pregevole quanto decisa, capace di accompagnare i profumi e il sorso su ricordi di vaniglia. Molto buona anche la versione bianca di questo brand, sempre versione 2017.

● Bolgheri Rosso Sup. Ornellaia '17	♛♛♛ 8
○ Bolgheri Ornellaia Bianco '17	♛♛ 8
○ Bolgheri Bianco Poggio alle Gazze '18	♛♛ 5
● Bolgheri Rosso Le Serre Nuove '18	♛♛ 6
● Bolgheri Rosso Sup. Ornellaia '16	♛♛♛ 8
● Bolgheri Sup. Ornellaia '14	♛♛♛ 8
● Bolgheri Sup. Ornellaia '13	♛♛♛ 8
● Bolgheri Sup. Ornellaia '07	♛♛♛ 8
● Bolgheri Sup. Ornellaia '05	♛♛♛ 8
● Bolgheri Sup. Ornellaia '04	♛♛♛ 8
● Bolgheri Sup. Ornellaia '02	♛♛♛ 8
● Bolgheri Sup. Ornellaia '01	♛♛♛ 8
● Bolgheri Sup. Ornellaia '99	♛♛♛ 8
● Bolgheri Rosso Le Serre Nuove '17	♛♛ 6
● Bolgheri Rosso Le Serre Nuove '16	♛♛ 6
● Bolgheri Sup. Ornellaia '15	♛♛ 8
○ Ornellaia Bianco '16	♛♛ 8

Siro Pacenti

LOC. PELAGRILLI, 1
53024 MONTALCINO [SI]
TEL. 0577848662
www.siropacenti.it

VENDITA DIRETTA
VISITA SU PRENOTAZIONE
PRODUZIONE ANNUA 60.000 bottiglie
ETTARI VITATI 22,00

Storica famiglia del vino di Montalcino, i Pacenti hanno dato vita con le varie divisioni generazionali a diverse aziende di assoluto riferimento. Tra queste c'è senz'altro la cantina avviata da Siro negli anni '70 e oggi guidata da Giancarlo, sempre più concentrato nel lavoro di valorizzazione degli specifici temperamenti zonali. Alle vigne del blocco originario di Pelagrilli (settore nord) si sono infatti successivamente aggiunte quelle di Piancornello nel settore sud, andando a comporre una rosa di sangiovese da Brunello per molti versi complementari nel connubio di potenza e succo. Gli assaggi degli ultimi anni rappresentano un sunto di quasi trent'anni di ricerca portata avanti da Giancarlo, per smussare in vinificazione i tannini del Brunello. Il Vecchievigne ha grande struttura e polpa fruttata consistente, in grado di bilanciare i tannini, mentre il retrogusto molto lungo lascia intuire la maturazione in legni piccoli. Anche se il Pelagrilli gioca la carta della finezza, tutti i vini della cantina hanno particolare longevità.

● Brunello di Montalcino V. V. '15	♛♛ 8
● Brunello di Montalcino Pelagrilli '15	♛♛ 7
● Rosso di Montalcino '18	♛♛ 5
● Brunello di Montalcino '97	♛♛♛ 7
● Brunello di Montalcino '96	♛♛♛ 7
● Brunello di Montalcino '95	♛♛♛ 7
● Brunello di Montalcino '88	♛♛♛ 7
● Brunello di Montalcino PS Ris. '07	♛♛♛ 8
● Brunello di Montalcino V. V. '10	♛♛♛ 8
● Brunello di Montalcino Pelagrilli '14	♛♛ 6
● Brunello di Montalcino Pelagrilli '13	♛♛ 6
● Brunello di Montalcino Pelagrilli '12	♛♛ 6
● Brunello di Montalcino Pelagrilli '11	♛♛ 6
● Brunello di Montalcino PS Ris. '10	♛♛ 8
● Brunello di Montalcino V. V. '14	♛♛ 8
● Brunello di Montalcino V. V. '11	♛♛ 8
● Rosso di Montalcino '17	♛♛ 5

Pagani de Marchi

LOC. LA NOCERA
VIA DELLA CAMMINATA, 2
56040 CASALE MARITTIMO [PI]
TEL. 0586653016
www.paganidemarchi.com

VENDITA DIRETTA
VISITA SU PRENOTAZIONE
PRODUZIONE ANNUA 35.000 bottiglie
ETTARI VITATI 6,50

Una storia interessante, quella della famiglia Pagani de Marchi: verso la metà degli anni Novanta decise di trasformare i terreni prospicienti la propria casa di campagna in vigneti e le cose andarono piuttosto bene. Il territorio si rivelò particolarmente interessante, del resto anche in antichità era dedito all'agricoltura, come testimoniato dai resti risalenti fino al VII secolo a.C. trovati nelle tombe. In maniera graduale l'azienda è cresciuta, aumentando la superficie vitata e le etichette proposte; dal 2009 è cominciato il percorso agricolo legato al biologico. Sono risultati molto piacevoli i due Casalvecchio '17, entrambi a base di cabernet sauvignon. Nel "tradizionale", le sensazioni olfattive sono legate a frutti di bosco e a cenni di liquirizia, mentre il corpo è bilanciato, sapido e piuttosto lungo. La versione in anfora regala profumi freschi di elicriso, menta e frutti neri; al gusto si presenta sottile, armonico e pulito.

○ Blumea '19	♀♀♀ 3
● Casa Nocera '16	♀♀♀ 5
● Casalvecchio '17	♀♀♀ 5
● Casalvecchio Anfora '17	♀♀♀ 7
● Olmata '17	♀♀ 4
● Montescudaio Montaleo '18	♀ 2
● Montescudaio Principe Guerriero '17	♀ 4
● Casa Nocera '15	♀♀ 5
● Casa Nocera '13	♀♀ 5
● Casa Nocera '10	♀♀ 5
● Casalvecchio '16	♀♀ 5
● Casalvecchio '13	♀♀ 5
● Montescudaio Montaleo '12	♀♀ 2*
● Montescudaio Principe Guerriero '16	♀♀ 4
● Montescudaio Principe Guerriero '13	♀♀ 4
○ Vermentino Blumea '16	♀♀ 3

Pakravan-Papi

LOC. ORTACAVOLI NUOVA
VIA DEL COMMERCIO
56046 RIPARBELLA [PI]
TEL. 0586786076
www.pakravan-papi.it

VENDITA DIRETTA
VISITA SU PRENOTAZIONE
PRODUZIONE ANNUA 40.000 bottiglie
ETTARI VITATI 15,00

Questa bella realtà è merito di Enzo Papi e Amineh Pakravan. I due si sono conosciuti a Firenze, quali angeli del fango durante l'alluvione del 1966, e non si sono più lasciati. Il luogo in cui sorge l'azienda era stato abbandonato per lunghi anni, anche se aveva dei trascorsi agricoli di un certo interesse: dapprima si è provveduto all'acquisizione dei terreni, in modo da avere una superficie sufficiente per iniziare e poi, a partire dagli anni Duemila, sono stati avviati i lavori di impianto dei nuovi vigneti e di costruzione della cantina. Piacevole il Campo del Pari, base merlot con aggiunte variabili di sangiovese e cabernet sauvignon. La versione 2014 ha toni fruttati intensi, di lampone e ribes, quindi cenni speziati; in bocca è gradevole, largo, lineare, piuttosto morbido e pulito. Interessante anche il Cancellaia di Riparbella '14, blend quasi paritario di cabernet franc e cabernet sauvignon: qui sono le note balsamiche a prevalere, mentre al palato è nitido e gustoso.

● Campo del Pari '14	♀♀♀ 6
● Cancellaia '14	♀♀♀ 5
○ Ribellante '18	♀♀♀ 3
○ Serra dei Cocci '18	♀♀♀ 3
○ Malvasia di Riparbella '19	♀ 3
● Beccacciaia '12	♀♀ 5
● Campo del Pari '13	♀♀ 6
● Cancellaia '13	♀♀ 5
● Sangiovese Gabbriccio '12	♀♀ 3
○ Serra dei Cocci '14	♀♀ 3
○ Valdimare Bianco '14	♀♀ 3

Il Palagione

LOC. PALAGIONE
VIA PER CASTEL SAN GIMIGNANO, 36
53037 SAN GIMIGNANO [SI]
TEL. 0577953134
www.ilpalagione.com

VENDITA DIRETTA
VISITA SU PRENOTAZIONE
OSPITALITÀ
PRODUZIONE ANNUA 60.000 bottiglie
ETTARI VITATI 16,00
VITICOLTURA Biologico Certificato

Il podere dal quale prende il nome la tenuta
risale alla fine del XVI secolo. La famiglia
Comotti, lombarda di origine, lo acquista
nel 1995 ed avvia subito i lavori di
ristrutturazione dei fabbricati esistenti, oltre
a provvedere all'impianto dei vigneti,
coltivati in biologico da tempi non sospetti
con la certificazione ottenuta nel 2007. Il
passo successivo è la costruzione di una
cantina secondo criteri moderni,
tecnologicamente all'altezza; la proprietà si
completa nel 2014 con l'acquisizione di
altri terreni. Buona prova d'insieme per
tutta la produzione, ma soprattutto per le
Vernaccia. La Lyra '17, dalle sensazioni
burrose ed avvolgenti al naso, è puntellata
di frutti maturi come il litchi, prima di
chiudere su cenni di pepe bianco: il corpo è
soffice, cremoso, di bella lunghezza
gustativa. Lei '17 ha toni vegetali di tè e
camomilla, quindi mela candita e mandorla
tostata; in bocca ha buon peso, freschezza
e ritorni di erbe aromatiche.

● Chianti Colli Senesi Caelum '18	♟♟ 2*
○ Vernaccia di San Gimignano Lei '17	♟♟ 3
○ Vernaccia di San Gimignano Lyra '17	♟♟ 3
○ Vernaccia di San Gimignano Ori Ris. '18	♟♟ 3
● Chianti CS Drago Ris. '17	♟ 3
⊙ San Gimignano Rosato Sunrosé '19	♟ 2
● San Gimignano Rosso Ares '15	♟ 4
● Trevite '19	♟ 2
○ Vernaccia di S. Gimignano Hydra '19	♟ 2
○ Vernaccia di S. Gimignano Hydra '18	♟♟ 2*
○ Vernaccia di San Gimignano Lyra '16	♟♟ 3
○ Vernaccia di San Gimignano Ori Ris. '17	♟♟ 3
○ Vernaccia di San Gimignano Ori Ris. '15	♟♟ 3

La Palazzetta

LOC. CASTELNUOVO DELL'ABATE
POD. LA PALAZZETTA, 1P
53024 MONTALCINO [SI]
TEL. 0577835531
www.palazzettafanti.com

VENDITA DIRETTA
VISITA SU PRENOTAZIONE
OSPITALITÀ
PRODUZIONE ANNUA 70.000 bottiglie
ETTARI VITATI 28,00
VITICOLTURA Biologico Certificato
AZIENDA SOSTENIBILE

Collocata nel settore sud-est di Montalcino,
nell'enclave di Castelnuovo dell'Abate con
una magnifica vista sull'Abbazia di
Sant'Antimo, La Palazzetta è il quartier
generale della famiglia Fanti. Una realtà
produttiva ormai matura, avviata da Flavio e
Carla con i primi imbottigliamenti di fine
anni '80, consolidata in tempi più recenti
con il coinvolgimento a tempo pieno dei
figli Luca e Tea. L'essenziale batteria
incentrata sul sangiovese locale spicca per
Brunello e Rosso dal tocco sobriamente
innovativo, solitamente ingentilito
dall'affinamento in bottiglia. La famiglia
Fanti torna in scheda grande in virtù di una
produzione senza punti deboli, dove spicca
il Visconti 2015. Ricco di aromi di
confettura di ciliegia e di ricordi di arance
rosse, questo Brunello, voluto da Carla
Visconti, moglie di Flavio, brilla per la
delicatezza dei suoi tannini. Senza
stravolgere lo stile aziendale il Brunello '15
appare più ricco e carnoso. Tra i due Rosso
di Montalcino, spicca per complessità
quello targato Fanti.

● Brunello di Montalcino Visconti '15	♟♟ 5
● Brunello di Montalcino '15	♟♟ 5
● I Bruciati '18	♟♟ 2*
● Rosso di Montalcino '18	♟♟ 3
● Rosso di Montalcino Visconti '18	♟♟ 3
● Sant'Antimo Rosso '16	♟ 2
● Brunello di Montalcino '13	♟♟ 5
● Brunello di Montalcino '11	♟♟ 5
● Brunello di Montalcino '10	♟♟ 5
● Brunello di Montalcino Ris. '13	♟♟ 6
● Rosso di Montalcino '17	♟♟ 3
● Rosso di Montalcino '16	♟♟ 3
● Rosso di Montalcino '12	♟♟ 3

Palazzo

LOC. PALAZZO, 144
53024 MONTALCINO [SI]
TEL. 0577849226
www.aziendapalazzo.it

VENDITA DIRETTA
VISITA SU PRENOTAZIONE
PRODUZIONE ANNUA 21.000 bottiglie
ETTARI VITATI 4,00
VITICOLTURA Biodinamico Certificato

Le vigne di tenuta Palazzo sono facilmente riconoscibili per i tipici suoli sabbioso-galestrosi che contraddistinguono il segmento orientale della collina di Montalcino. Condizioni che da oltre trent'anni ritmano il progetto avviato da Cosimo e Antonietta Loia, poi consolidato dai figli Angelo ed Elia grazie a Brunello e Rosso trasversalmente apprezzati per densità e propensione all'invecchiamento. Maturati sia in barrique che in botte grande, trovano spesso con la sosta in bottiglia una dimensione placida e infiltrante, anche nelle versioni inizialmente più cupe e imbronciate. Pur senza ripetere l'exploit del Rosso di Montalcino '15 che si aggiudicò i Tre Bicchieri a suo tempo, i vini rimangono di ottimo livello qualitativo. In comune il Brunello '15 e il Cosimo della stessa annata mostrano un deciso e avvolgente calore alcolico. Quest'ultimo necessita ancora di tempo per integrare il rovere e amalgamare i tannini al meglio. Da parte sua il Brunello offre armonici aromi di prugna e ciliegia e tannini più docili.

● Brunello di Montalcino '15	♈♈	6
● Brunello di Montalcino Cosimo '15	♈♈	6
● Rosso di Montalcino '15	♈♈♈	3*
● Brunello di Montalcino '14	♈♈	6
● Brunello di Montalcino '13	♈♈	6
● Brunello di Montalcino '10	♈♈	6
● Brunello di Montalcino Ris. '13	♈♈	7
● Brunello di Montalcino Ris. '12	♈♈	7
● Brunello di Montalcino Ris. '10	♈♈	7
● Rosso di Montalcino '17	♈♈	3
● Rosso di Montalcino '16	♈♈	3

Panizzi

LOC. SANTA MARGHERITA, 34
53037 SAN GIMIGNANO [SI]
TEL. 0577941576
www.panizzi.it

VENDITA DIRETTA
VISITA SU PRENOTAZIONE
OSPITALITÀ
PRODUZIONE ANNUA 210.000 bottiglie
ETTARI VITATI 50,00

Un'azienda simbolo a San Gimignano. Fondata da Giovanni Panizzi negli anni '80 e ora di proprietà di Simone Niccolai, è stata sicuramente la prima nella zona a valorizzare la Vernaccia, esaltandone anche le capacità di invecchiamento e spingendo molti altri produttori sulla strada della qualità. Oggi, mentre il bianco del territorio continua ad essere la solida base su cui lavorare, l'azienda è impegnata in nuove direzioni con etichette che sperimentano vinificazioni diverse o che utilizzano vitigni meno consueti per questa zona, come il pinot nero. Torna a conquistare i Tre Bicchieri l'azienda di Simone Niccolai con la Vernaccia Riserva '16. È un vino dal bouquet complesso e articolato, con nuance floreali di ginestra e camomilla, quindi note di albicocca e pesca, cenni freschi di mentuccia e scorze di cedro. Al gusto mostra buon peso, giusta densità, nerbo acido rilevante e finale prolungato, di grande coerenza aromatica. Su alti livelli anche la Vernaccia Vigna Santa Margherita '18.

○ Vernaccia di S. Gimignano Ris. '16	♈♈♈	5
○ Vernaccia di San Gimignano V. Santa Margherita '18	♈♈	3*
● Chianti Colli Senesi Vertunno Ris. '15	♈♈	2*
● San Gimignano Pinot Nero '18	♈♈	2*
⊙ Ceraso Rosato '19	♈	2
○ Vernaccia di S. Gimignano '19	♈	3
○ Vernaccia di S. Gimignano Ris. '07	♈♈♈	5
○ Vernaccia di S. Gimignano Ris. '05	♈♈♈	5
○ Vernaccia di S. Gimignano Ris. '98	♈♈♈	4*
○ Vernaccia di S. Gimignano '18	♈♈	3
○ Vernaccia di S. Gimignano '15	♈♈	5
○ Vernaccia di S. Gimignano Ris. '14	♈♈	5
○ Vernaccia di San Gimignano V. Santa Margherita '17	♈♈	3
○ Vernaccia di San Gimignano V. Santa Margherita '16	♈♈	3

Parmoleto

LOC. MONTENERO D'ORCIA
POD. PARMOLETONE, 44
58040 CASTEL DEL PIANO [GR]
TEL. 0564954131
www.parmoleto.it

VENDITA DIRETTA
VISITA SU PRENOTAZIONE
OSPITALITÀ E RISTORAZIONE
PRODUZIONE ANNUA 22.000 bottiglie
ETTARI VITATI 6,00

Sulle colline di Castel del Piano, a ridosso
del Monte Amiata, la famiglia Sodi dal
1990 coltiva il suo piccolo vigneto,
producendo vini di buona qualità
complessiva. Quando la denominazione del
Montecucco è nata, l'azienda ne ha
assecondato le scelte, dedicandosi con
impegno alla valorizzazione del sangiovese
della zona. I vini della gamma evidenziano
un profilo stilistico interessante,
combinando un approccio tradizionale a
mirate incursioni moderniste, specie per
quanto riguarda l'uso dei legni, che in
qualche caso si pongono in primo piano. Il
Montecucco Rosso '17 ha profumi scuri di
ciliegia e marasca, che trovano rinforzo in
cenni speziati e tenui sensazioni terrose. In
bocca lo sviluppo è continuo e contrastato,
scandito da tannini saporiti e incisivi, che
rendono il vino dinamico e reattivo.
Fragrante e ben fatto Montecucco
Vermentino Carabatto '19: aromi floreali,
agrumati e di macchia mediterranea,
progressione gustativa piacevolmente
fresca, sapida ed equilibrata.

Tenuta La Parrina

FRAZ. ALBINIA
S.DA VICINALE DELLA PARRINA
58015 ORBETELLO [GR]
TEL. 0564862626
www.parrina.it

VENDITA DIRETTA
VISITA SU PRENOTAZIONE
OSPITALITÀ E RISTORAZIONE
PRODUZIONE ANNUA 100.000 bottiglie
ETTARI VITATI 60,00
AZIENDA SOSTENIBILE

Azienda e contemporaneamente essa
stessa denominazione, la Parrina è un
articolato progetto agricolo. La famiglia
Spinola la guida fin dalla fine dell'Ottocento
e, in fatto di produzione viticola,
rappresenta un marchio che ha contribuito
non poco allo sviluppo della Maremma
enoica. Lo stile dei vini è improntato ad un
modernismo sobrio e, soprattutto, privilegia
facilità di beva ed immediatezza aromatica.
Nel popolatissimo portafoglio proposto
non mancano però etichette più ambiziose
che, in qualche caso, raggiungono
l'eccellenza assoluta. Davvero ben riuscita
l'Ansonica '19 con i suoi aromi di pietra
focaia e iodio, amplificati da una bocca
fresca che chiude su una bella nota salina.
Ottimo il Parrina Sangiovese '19, che trova
nel suo bagaglio olfattivo il punto di forza
con suggestioni floreali e fruttate ben coese
con le note di spezie e i cenni affumicati; il
sorso è piacevolmente continuo e denso.
Bene il resto della gamma, specialmente
sul fronte bianchista.

● Montecucco Rosso '17	♟♟ 2*
○ Montecucco Vermentino Carabatto '19	♟♟ 2*
● Maremma Toscana Syrah '18	♟ 3
● Montecucco Sangiovese Ris. '16	♟ 3
● Sormonno '18	♟ 4
● Montecucco Rosso '16	♙♙ 2*
● Montecucco Sangiovese '14	♙♙ 3
● Montecucco Sangiovese '13	♙♙ 3
● Montecucco Sangiovese '12	♙♙ 3
● Montecucco Sangiovese Ris. '15	♙♙ 3*
● Montecucco Sangiovese Ris. '13	♙♙ 3*
● Montecucco Sangiovese Ris. '12	♙♙ 3*
● Montecucco Sangiovese Ris. '11	♙♙ 3*
● Montecucco Sangiovese Ris. '10	♙♙ 3
○ Montecucco Vermentino Carabatto '18	♙♙ 2*

○ Costa dell'Argentario Ansonica '19	♟♟♟ 3*
● Parrina Sangiovese '19	♟♟ 3*
○ Parrina Bianco Vialetto '19	♟ 2
○ Poggio della Fata '19	♟ 3
○ Costa dell'Argentario Ansonica '17	♙♙♙ 3*
● Parrina Sangiovese '18	♙♙♙ 3*
○ Costa dell'Argentario Ansonica '18	♙♙ 3*
○ Costa dell'Argentario Ansonica '16	♙♙ 3
○ Costa dell'Argentario Ansonica '15	♙♙ 3
● Parrina Rosso Muraccio '17	♙♙ 4
● Parrina Rosso Muraccio '16	♙♙ 4
● Parrina Rosso Muraccio '14	♙♙ 3*
● Parrina Sangiovese '16	♙♙ 2*
● Parrina Sangiovese Ris. '16	♙♙ 5
○ Parrina Vermentino '16	♙♙ 3
○ Poggio della Fata '15	♙♙ 3

Tenuta Perano

S.DA DI SAN DONATO IN PERANO
53013 GAIOLE IN CHIANTI [SI]
TEL. 0577749563
www.frescobaldi.com

PRODUZIONE ANNUA 500.000 bottiglie
ETTARI VITATI 52,00

Ha scelto Gaiole in Chianti la famiglia
Frescobaldi per mettere la propria firma
anche nel terroir del Chianti Classico. La
Tenuta di Perano è una bellissima realtà di
250 ettari, di cui 52 a vigneto, che dal
2014 era in affitto e che successivamente
è stata acquisita a titolo definitivo. I vigneti
formano un anfiteatro, circondato dai
boschi, e insistono su un suolo ricco di
scheletro; questo, unito all'altitudine (siamo
tra i 400 e i 600 metri di quota) fa sì che il
sangiovese maturi piuttosto tardi, regalando
vini eleganti e distesi. La Gran Selezione
Rialzi '16, che nasce da una vigna nella
parte alta della tenuta, da cui il nome, ha
ben figurato nelle nostre finali. Ha un taglio
morbido e largo all'attacco, una bella
polposità di frutto, tannini levigati, belle
note di melograno e toni vanigliati e boisé.
Il tannino è elegante ma nel complesso
risulta ancora piuttosto astringente nel
finale. Ci sarà da attenderla ancora un po'.
Nel frattempo vi raccomandiamo l'ottimo
Chianti Classico '17, ricco e polposo,
speziato e immediatamente godibile.

● Chianti Cl. Gran Selezione Rialzi '16	♟♟ 6
● Chianti Cl. '17	♟♟ 3
● Chianti Cl. Gran Selezione Rialzi '15	♟♟♟ 6
● Chianti Cl. '16	♟♟ 3
● Chianti Cl. Ris. '16	♟♟ 5

Perazzeta

FRAZ. MONTENERO D'ORCIA
VIA DELLA PIAZZA
58033 CASTEL DEL PIANO [GR]
TEL. 3803545477
www.perazzeta.it

VENDITA DIRETTA
VISITA SU PRENOTAZIONE
PRODUZIONE ANNUA 100.000 bottiglie
ETTARI VITATI 19,00

Acquistata nel 2016 dalla famiglia
Narducci, la cantina di Montenero d'Orcia
produce vini capaci di proporsi stabilmente
tra i migliori dell'areale. L'azienda comincia
a lavorare nel 1998 e da subito scommette
sulla allora giovane denominazione del
Montecucco, mettendo insieme una gamma
che individua nel sangiovese il protagonista
principale, senza tralasciare cabernet
sauvignon, merlot, syrah e vermentino. Lo
stile enologico concretizza un misurato mix
tra tradizione e modernità, con i legni
adottati per le maturazioni che si dividono
tra barrique e botti grandi. Il Montecucco
Rosso 11 23 '16 possiede aromi fragranti,
che alternano un rigoglioso fruttato a cenni
di spezie e toni più balsamici; in bocca è
succoso, sapido e incisivo. Troviamo una
buona interpretazione del vitigno bianco re
della Maremma nel Montecucco
Vermentino '19, che profuma di erbe
aromatiche e fiori di tiglio con leggeri tocchi
agrumati. Sapido lo sviluppo gustativo, dal
sorso continuo e ritmato.

● Montecucco Rosso 11 23 Ris. '16	♟♟ 4
○ Montecucco Vermentino '19	♟♟ 2*
● Maremma Terre dei Bocci '11	♟♟ 3
● Montecucco Rosso Alfeno '17	♟♟ 2*
● Montecucco Rosso Alfeno '15	♟♟ 2*
● Montecucco Rosso Alfeno '14	♟♟ 2*
● Montecucco Rosso Alfeno '12	♟♟ 2*
● Montecucco Sangiovese Licurgo Ris. '13	♟♟ 5
● Montecucco Sangiovese Licurgo Ris. '12	♟♟ 4
● Montecucco Sangiovese Licurgo Ris. '11	♟♟ 4
● Montecucco Sangiovese Terre dei Bocci '15	♟♟ 3
● Montecucco Sangiovese Terre dei Bocci '14	♟♟ 3

Petra

LOC. SAN LORENZO ALTO, 131
57028 SUVERETO [LI]
TEL. 0565845308
www.petrawine.it

VENDITA DIRETTA
VISITA SU PRENOTAZIONE
PRODUZIONE ANNUA 350.000 bottiglie
ETTARI VITATI 94,00
AZIENDA SOSTENIBILE

Dalla Franciacorta alla Val di Cornia: questo
il percorso della passione di Vittorio Moretti
per il vino. Dopo i successi con gli
spumanti, la curiosità imprenditoriale lo
spinge verso la Toscana. Non lontano da
Suvereto e dal mare sorge la cantina, ideata
e disegnata da Mario Botta: avveniristica,
simbolica, al tempo stesso funzionale,
intorno alla quale si trovano le vigne più
vecchie. Tutto è ora seguito con la stessa
intensa passione del padre da Francesca,
impegnata a far nascere vini che raccontino
il territorio attraverso la combinazione di
vitigni autoctoni e vitigni internazionali.
Raggiunge le finali il Petra '17. Blend di
cabernet sauvignon e merlot, ha profumi
avvincenti, con toni mentolati che fanno
capolino su un fruttato di ribes e lamponi,
non senza sfumature speziate di ginepro. In
bocca ha morbidezza, eleganza e buon
finale. Bene anche il Quercegobbe '17, con
note di mirto e rosmarino in un sorso vitale
e ricco.

★Fattoria Petrolo

FRAZ. MERCATALE VALDARNO
VIA PETROLO, 30
52021 BUCINE [AR]
TEL. 0559911322
www.petrolo.it

VENDITA DIRETTA
VISITA SU PRENOTAZIONE
OSPITALITÀ
PRODUZIONE ANNUA 85.000 bottiglie
ETTARI VITATI 31,00
VITICOLTURA Biologico Certificato

L'azienda è gestita dalla famiglia
Bazzocchi-Sanjust dal 1947, da quando
cioè il nonno dell'attuale proprietario Luca
Sanjust acquistò la tenuta, che in una zona
da sempre segnata dalla produzione di vini
di qualità si estende su 272 ettari. Oltre a
produrre vini ed extravergine offre ora
raffinate possibilità di soggiorno in un
contesto molto curato. La svolta in campo
enologico avviene dalla metà degli anni
Ottanta, con il rinnovo dei vigneti e
l'ammodernamento della cantina. Oggi la
voglia di sperimentazione si manifesta con
la vinificazione e l'affinamento di alcuni vini
in anfora. Merlot in purezza, Galatrona '17
ha sentori intensi, minerali, di inchiostro,
grafite e frutti neri maturi. La bocca è di
buon peso e risulta succosa, elegante e
ampia. Ottimo anche Boggina A '18,
sangiovese maturato in anfore di terracotta:
ha bouquet fresco di erbe aromatiche,
quindi richiami fruttati di ciliegia; finale
caldo, setoso nella trama tannica e
prolungato negli aromi.

● Petra '17	♟♟ 7
● Alto '17	♟♟ 5
● Potenti '17	♟♟ 5
● Quercegobbe '17	♟♟ 5
● Hebo '18	♟ 3
● Petra Rosso '16	♟♟♟ 8
● Petra Rosso '15	♟♟♟ 8
● Petra Rosso '14	♟♟♟ 8
● Petra Rosso '13	♟♟♟ 8
● Petra Rosso '12	♟♟♟ 8
● Alto '16	♟♟ 6
● Colle al Fico '16	♟♟ 6
● Potenti '16	♟♟ 6
● Quercegobbe '16	♟♟ 6
● Suvereto Hebo '17	♟♟ 3

● Valdarno di Sopra Merlot Galatrona '17	♟♟♟ 8
● Valdarno di Sopra Sangiovese Bòggina A '18	♟♟ 6
○ Bòggina B '18	♟♟ 6
● Valdarno di Sopra Sangiovese Bòggina C '18	♟♟ 6
● Valdarno di Sopra Pietraviva Torrione '18	♟ 4
● Galatrona '12	♟♟♟ 8
● Galatrona '11	♟♟♟ 8
● Torrione '11	♟♟♟ 5
● Valdarno di Sopra Galatrona '14	♟♟♟ 8
● Valdarno di Sopra Galatrona '13	♟♟♟ 8
○ Bòggina B '17	♟♟ 6
● Valdarno di Sopra Sangiovese Bòggina A '17	♟♟ 6
● Valdarno di Sopra Sangiovese Bòggina C '17	♟♟ 6

★Piaggia

LOC. POGGETTO
VIA CEGOLI, 47
59016 POGGIO A CAIANO [PO]
TEL. 0558705401
www.piaggia.com

VENDITA DIRETTA
VISITA SU PRENOTAZIONE
PRODUZIONE ANNUA 75.000 bottiglie
ETTARI VITATI 15,00

I vigneti dell'azienda crescono su terreni ubicati in parte nel comune di Poggio a Caiano e in parte nel comune di Carmignano e rientrano nella zona di produzione della Docg Carmignano. Il nucleo originario fu acquistato verso la metà degli anni '70 da Mauro Vannucci, che però solo qualche anno dopo decise di occuparsi dei suoi filari. Oggi, dopo altre acquisizioni, l'estensione attuale della proprietà è di circa 25 ettari, 15 dei quali sono coltivati a vigneto; le uve sono sangiovese, cabernet sauvignon e franc, merlot. Silvia, figlia di Mauro, guida oggi l'azienda. Ormai un appuntamento fisso, quello con i Tre Bicchieri, ed è quasi sempre il Carmignano Riserva a raggiungere il traguardo. L'edizione 2017 ammalia al naso con bouquet assortito di ciliegia e mora, amplificato da una delicata vena balsamica e bilanciato da cenni ematici coinvolgenti. Gradevole al palato, equilibrato negli elementi, prolungato nella persistenza, evidenzia un retrogusto di piacevoli noti speziate.

● Carmignano Ris. '17	♟♟♟	6
● Poggio de' Colli '17	♟♟	8
● Carmignano Il Sasso '18	♟♟	4
● Carmignano Ris. '16	♟♟♟	6
● Carmignano Ris. '15	♟♟♟	6
● Carmignano Ris. '14	♟♟♟	6
● Carmignano Ris. '13	♟♟♟	6
● Carmignano Ris. '12	♟♟♟	6
● Carmignano Ris. '11	♟♟♟	6
● Carmignano Ris. '08	♟♟♟	5
● Carmignano Ris. '07	♟♟♟	5
● Carmignano Ris. '99	♟♟♟	5
● Carmignano Ris. '98	♟♟♟	5
● Carmignano Sasso '07	♟♟♟	4
● Il Sasso '01	♟♟♟	4
● Poggio de' Colli '11	♟♟♟	7
● Poggio de' Colli '10	♟♟♟	6

Piancornello

LOC. PIANCORNELLO
53024 MONTALCINO [SI]
TEL. 0577844105
www.piancornello.it

VENDITA DIRETTA
VISITA SU PRENOTAZIONE
PRODUZIONE ANNUA 50.000 bottiglie
ETTARI VITATI 10,00

Quella di Piancornello è senza dubbio una delle aree più affascinanti di Montalcino, con particolare riferimento all'ampia fascia vitata che si sviluppa nel settore sud. Una collina vulcanica affacciata intorno ai 250 metri sui corsi d'acqua dell'Orcia e dell'Asso, col monte Amiata a proteggere all'orizzonte, caratterizzata da pendii rocciosi e scoscesi, nonché dal clima solare e dal costante arieggiamento. Scenario perfetto per Brunello suadenti e gustosi come quelli a cui si ha abituato da tempo la famiglia Monaci-Pieri, proprietaria della tenuta dagli anni '50. Claudio Monaci conferma, se ancora ve ne fosse bisogno, di avere la mano particolarmente felice per il sangiovese a Montalcino. Sfruttando la fresca vendemmia 2018, Piancornello stupisce tutti proponendo in assaggio un Rosso raffinato e classico che mette il frutto al centro dell'attenzione e che fa della raffinatezza della trama tannica il suo punto di forza. Ancora un po' ruvido appare il potentissimo e caldo Brunello '15, ricco di profumi di canfora e liquirizia.

● Rosso di Montalcino '18	♟♟	4
● Brunello di Montalcino '15	♟♟♟	7
● Brunello di Montalcino '13	♟♟♟	6
● Brunello di Montalcino '10	♟♟♟	6
● Brunello di Montalcino '06	♟♟♟	6
● Brunello di Montalcino '99	♟♟♟	6
● Brunello di Montalcino '12	♟♟	6
● Brunello di Montalcino '11	♟♟	6
● Brunello di Montalcino '09	♟♟	6
● Brunello di Montalcino '08	♟♟	6
● Brunello di Montalcino '07	♟♟	6
● Brunello di Montalcino '04	♟♟	6
● Brunello di Montalcino Ris. '06	♟♟	6
● Brunello di Montalcino Ris. '04	♟♟	6
● Rosso di Montalcino '15	♟♟	3
● Rosso di Montalcino '11	♟♟	3
● Rosso di Montalcino '08	♟♟	3*

Pianirossi

LOC. PORRONA
POD. SANTA GENOVEFFA, 1
58044 CINIGIANO [GR]
TEL. 0564990573
www.pianirossi.it

VENDITA DIRETTA
VISITA SU PRENOTAZIONE
OSPITALITÀ E RISTORAZIONE
PRODUZIONE ANNUA 50.000 bottiglie
ETTARI VITATI 14,00
AZIENDA SOSTENIBILE

Il progetto enologico di Stefano Sincini
sembra aver trovato la strada giusta per la
sua produzione. L'approccio modernista dei
primordi aziendali è stato stemperato e i
vini abbracciano oggi una dimensione più
dinamica e convincente. L'azienda, situata
tra le colline di Porrona nei pressi di
Cinigiano, sta guardando con maggiore
attenzione anche alla produzione di
etichette Doc Montecucco, ad affiancare gli
Igt che hanno contraddistinto fin qui
l'offerta. Una scelta di territorio che non
tarderà a portare i suoi risultati. Il lavoro sul
sangiovese premia il progetto Pianirossi,
come testimoniano i due riusciti
Montecucco, ottenuti dal principe dei vitigni
toscani. Il Rosso Sidus '17 possiede aromi
intensi, che incrociano cenni fruttati, note di
spezie e leggere affumicature, mentre in
bocca si sviluppa bilanciato e continuo con
finale sapido e incisivo. Anche il Sangiovese
La Fonte '17 è ben eseguito, con apporto
del rovere maggiormente in evidenza e un
fruttato più maturo.

● Montecucco Rosso Sidus '17	♛♛♛ 3*
● Montecucco Sangiovese La Fonte '17	♛♛ 5
● Pianirossi '17	♛ 6
● Solus '16	♛♛♛ 4*
● Montecucco Rosso Sidus '16	♛♛ 2*
● Montecucco Rosso Sidus '15	♛♛ 2*
● Montecucco Sangiovese La Fonte '16	♛♛ 5
● Montecucco Sangiovese La Fonte '15	♛♛ 5
● Montecucco Sidus '14	♛♛ 2*
● Montecucco Sidus '13	♛♛ 2*
● Pianirossi '16	♛♛ 6
● Pianirossi '12	♛♛ 6
● Pianirossi '11	♛♛ 6
● Solus '14	♛♛ 3
● Solus '12	♛♛ 3
● Solus '11	♛♛ 4

Tenute Piccini

LOC. PIAZZOLE, 25
53011 CASTELLINA IN CHIANTI [SI]
TEL. 057754011
www.tenutepiccini.it

PRODUZIONE ANNUA 15.000.000 bottiglie
ETTARI VITATI 470,00

Dalla fine dell'800 una famiglia, e quindi
un marchio, presenti con passione nel
mondo del vino. I sette ettari iniziali nel
cuore del Chianti sono oggi compresi in un
insieme di cinque tenute, di cui tre in
Toscana, una in Basilicata e una in Sicilia.
Quasi trenta etichette di diverse tipologie
di vino: i rossi di Toscana svolgono un
ruolo di grande quantità e buona qualità, a
partire da quelli in cui è protagonista il
sangiovese nelle accezioni sì tradizionali,
ma a volte venate da tentativi di
modernizzazione, anche estetica; i bianchi
vanno dalla classica vernaccia al
vermentino. Molto buono il Chianti Classico
GS 6.38 '16. Ha naso intrigante di
peperone, ciliegia e spezie assortite, dalla
cannella ai chiodi di garofano. Al gusto
l'equilibrio è pregevole e tutto appare ben
bilanciato: grande coerenza aromatica e
finale brioso, di buon allungo. Molto
gradevole il Vino in Musica '16, uvaggio
paritario di sangiovese e cabernet
sauvignon, ha fresche note vegetali e di
frutti di bosco.

● Chianti Cl. Gran Selezione	
Valiano 6.38 '18	♛♛♛ 5
● Vino in Musica '16	♛♛ 4
● Chianti Cl. Valiano '17	♛♛ 3
● M.T. Il Pacchia '18	♛♛ 2*
☉ M.T. Rosato Tenuta Moraia '19	♛♛ 2*
○ M.T. Vermentino Tenuta Moraia '19	♛♛ 2*
● Chianti Cl. Valiano Poggio Teo '17	♛ 4
● Chianti Cl. Gran Selezione	
Valiano 6.38 '15	♛♛♛ 5
● Chianti Cl. Montegiachi Ris.	
Geografico '15	♛♛ 4
● Chianti Cl. Valiano '15	♛♛ 3*
● Chianti Cl. Valiano Poggio Teo '16	♛♛ 4
● Chianti Cl. Valiano Poggio Teo '15	♛♛ 4
● Il Pacchia '16	♛♛ 2*
● Sasso al Poggio '16	♛♛ 3

Pietroso

LOC. PIETROSO, 257
53024 MONTALCINO [SI]
TEL. 0577848573
www.pietroso.it

VENDITA DIRETTA
VISITA SU PRENOTAZIONE
PRODUZIONE ANNUA 30.000 bottiglie
ETTARI VITATI 5,00

Quello del vino che assomiglia ai suoi
artefici è un cliché spesso abusato, ma
senz'altro efficace per descrivere il lavoro
di Gianni Pignattai. Coadiuvato dalla moglie
Cecilia insieme ai figli Andrea e Gloria,
sembra trasferire con grande naturalezza la
sua serafica determinazione in una batteria
di Rosso e Brunello costantemente in
crescita per costanza e riconoscibilità. Vi
contribuiscono quattro poderi situati in vari
settori di Montalcino: Colombaiolo a sud,
Fornello e Montosoli a nord, nei pressi della
cantina il blocco che battezza l'azienda (sul
limite ovest della Collina Centrale). Come
tutti i vigneron di Montalcino, anche Gianni
Pignattai si è trovato a dover presentare
quest'anno due vendemmie difficili, per
motivi diversi: la calda 2015 e la fresca e
piovosa 2018. Infatti il Brunello '15
propone un naso opulento con aromi di
confettura e tannini ancora un po' asciutti e
spigolosi al palato. Il Rosso '18 dal suo
canto rimane austero e leggermente verde.
Due vini che non potranno che giovarsi di
una maggiore permanenza in bottiglia.

● Brunello di Montalcino '15	♟♟	6
● Rosso di Montalcino '18	♟	4
● Brunello di Montalcino '14	♟♟♟	6
● Brunello di Montalcino '09	♟♟♟	6
● Brunello di Montalcino '13	♟♟	6
● Brunello di Montalcino '12	♟♟	6
● Brunello di Montalcino '11	♟♟	6
● Brunello di Montalcino '10	♟♟	6
● Brunello di Montalcino '04	♟♟	5
● Brunello di Montalcino Ris. '10	♟♟	6
● Rosso di Montalcino '17	♟♟	4
● Rosso di Montalcino '16	♟♟	4
● Rosso di Montalcino '15	♟♟	4
● Rosso di Montalcino '14	♟♟	4
● Rosso di Montalcino '11	♟♟	3*
● Villa Montosoli '15	♟♟	7
● Villa Montosoli '13	♟	7

Pieve Santo Stefano

LOC. SARDINI
55100 LUCCA
TEL. 0583394115
www.pievedisantostefano.com

VENDITA DIRETTA
VISITA SU PRENOTAZIONE
OSPITALITÀ
PRODUZIONE ANNUA 45.000 bottiglie
ETTARI VITATI 10,60
AZIENDA SOSTENIBILE

Il progetto enologico di Francesca Bogazzi
e Antoine Hiriz persegue nel solco di una
confortante affidabilità qualitativa. La cifra
stilistica aziendale è ormai definita e
propone vini eleganti, bilanciati, dotati di
piacevole beva. I vitigni protagonisti di
questa scelta sono sangiovese e ciliegiolo,
con un mirato supporto da parte di
cabernet franc, merlot e syrah. Accanto a
vinificazioni mai esasperate, seguono
affinamenti in legno grande e piccolo, che
collocano le etichette aziendali nell'alveo di
uno stile enologico contemporaneo e
decisamente lontano dal modernismo
enoico esasperato. Il Villa Sardini '18 ha
naso dalla timbrica erbacea a fare da base
ad un fruttato rosso tenue e fragrante,
con cenni pepati e leggermente balsamici;
in bocca si distende fresco e succoso
con sorso sapido e intenso. Toni più cupi
e boisé per il Ludovico Sardini '16, dallo
sviluppo gustativo serrato e solido. Il
Lippo '17, merlot e cabernet franc, mostra
invece un impatto più caldo e dolce.

● Colline Lucchesi Ludovico Sardini '16	♟♟	4
● Colline Lucchesi Villa Sardini '18	♟♟	2*
● Lippo '17	♟♟	4
● Colline Lucchesi Ludovico Sardini '15	♟♟	4
● Colline Lucchesi Ludovico Sardini '13	♟♟	4
● Colline Lucchesi Ludovico Sardini '12	♟♟	4
● Colline Lucchesi Villa Sardini '17	♟♟	2*
● Colline Lucchesi Villa Sardini '16	♟♟	2*
● Colline Lucchesi Villa Sardini '15	♟♟	2*
● Colline Lucchesi Villa Sardini '13	♟♟	2*
● Lippo '16	♟♟	4
● Lippo '15	♟♟	4
● Lippo '14	♟♟	4
● Ludovico Sardini '12	♟♟	3

Pinino

LOC. PININO, 327
53024 MONTALCINO [SI]
TEL. 0577849381
www.pinino.com

VENDITA DIRETTA
VISITA SU PRENOTAZIONE
PRODUZIONE ANNUA 90.000 bottiglie
ETTARI VITATI 16,00

Uno splendido poggio prospiciente la
collina di Montosoli, cuore del settore nord
di Montalcino: è l'approdo voluto per la
propria avventura produttiva dalla "doppia
coppia" formata dagli austriaci Andrea e
Hannes Gamon con gli spagnoli Max e
Silvia Hernandez. Coadiuvati da Enrico Furi
e Maurizio Bianchini, nel 2003 hanno
acquistato la tenuta creata dal notaio Tito
Costanti alla fine dell'800, aggiungendo poi
i vigneti di Canchi nel settore nord-est. Una
piattaforma viticola messa al servizio di
rossi da sangiovese luminosi e selvaggi,
maturati in barrique e botti di diverse
dimensioni. In assenza del Brunello Riserva,
non prodotto nell'annata 2014, la cantina
ci ha presentato tre diverse etichette di
Brunello. Quest'anno la nostra preferenza
va al Cupio '15, il più moderno e giovanile
dei cru aziendali. Ha sentori fruttati molto
nitidi con tracce speziate e una bocca
elegante e distesa. Sensazioni più severe
caratterizzano invece il Vigna Pinino.
Complesso e potente il Rosso '18, un vero
piccolo Brunello.

● Brunello di Montalcino Cupio '15	🍷🍷 5
● Brunello di Montalcino V. Pinino '15	🍷🍷 6
● Rosso di Montalcino '18	🍷🍷 3
● Brunello di Montalcino '15	🍷 6
● Brunello di Montalcino '14	🍷🍷 6
● Brunello di Montalcino '13	🍷🍷 6
● Brunello di Montalcino '11	🍷🍷 7
● Brunello di Montalcino '10	🍷🍷 6
● Brunello di Montalcino '09	🍷🍷 6
● Brunello di Montalcino Cupio '14	🍷🍷 5
● Brunello di Montalcino Cupio '13	🍷🍷 5
● Brunello di Montalcino Pinino '07	🍷🍷 6
● Brunello di Montalcino Pinone Ris. '12	🍷🍷 7
● Brunello di Montalcino Pinone Ris. '10	🍷🍷 8
● Brunello di Montalcino Pinone Ris. '07	🍷🍷 7
● Rosso di Montalcino '16	🍷🍷 3*
● Rosso di Montalcino '11	🍷🍷 3

Podere dell'Anselmo

LOC. ANSELMO
VIA ANSELMO PANFI, 12
50025 MONTESPERTOLI [FI]
TEL. 0571671951
www.poderedellanselmo.it

VENDITA DIRETTA
VISITA SU PRENOTAZIONE
OSPITALITÀ E RISTORAZIONE
PRODUZIONE ANNUA 40.000 bottiglie
ETTARI VITATI 13,00
VITICOLTURA Biologico Certificato
AZIENDA SOSTENIBILE

La famiglia Forconi è impegnata in
agricoltura dall'inizio dell'800, mentre più
di recente è arrivata la specializzazione nel
settore vitivinicolo. Fabrizio, l'attuale
titolare, ha provveduto al reimpianto dei
vigneti, optando per una maggiore densità
di ceppi per ettaro e dotando la cantina di
strumentazioni moderne. La conversione
biologica è avvenuta già nel 2012, a
testimonianza di un'attenzione di lunga
data per il luogo e la sua salvaguardia.
Oltre al vino, viene prodotto olio
extravergine di oliva ed è particolarmente
sviluppata l'attività di accoglienza
agrituristica. Molto piacevole il Pax '16,
uvaggio di sangiovese, colorino, cabernet
franc e cabernet sauvignon. Ha un bagaglio
aromatico mentolato e balsamico, con
richiami di mora e ribes in aggiunta a
qualche cenno speziato. Cremoso
l'ingresso in bocca, levigato nella parte
tannica, con fresca scia finale. Il Terre di
Bracciatica '17, sangiovese con saldo di
cabernet sauvignon, ha un bouquet
classico di ciliegia e sottobosco.

● Era Ora '16	🍷🍷 4
● Francò '17	🍷🍷 6
● Pax '16	🍷🍷 6
● Terre di Bracciatica '17	🍷🍷 2*
○ Vin Santo del Chianti	
Dedicato alla Gioia Ris. '11	🍷🍷 5
○ Anselmino '19	🍷 2
● Chianti Montespertoli '18	🍷 2
● Chianti Montespertoli	
Ingannamatti Ris. '16	🍷 3
● Chianti Montespertoli	
Ingannamatti Ris. '15	🍷🍷 3
● Era Ora '15	🍷🍷 4
● Pax '12	🍷🍷 6
● Terre di Bracciatica '16	🍷🍷 2*
● Terre di Bracciatica '14	🍷🍷 2*
○ Vin Santo del Chianti Ris. '09	🍷🍷 5

Tenuta Podernovo

VIA PODERNUOVO, 13
56030 TERRICCIOLA [PI]
TEL. 0587655173
www.tenutapodernovo.it

VENDITA DIRETTA
VISITA SU PRENOTAZIONE
OSPITALITÀ
PRODUZIONE ANNUA 140.000 bottiglie
ETTARI VITATI 25,00
VITICOLTURA Biologico Certificato

La Tenuta Podernovo appartiene alla famiglia Lunelli, proprietaria delle cantine Ferrari di Trento e di Castelbuono in Umbria. Si tratta di un'azienda davvero bella, adagiata su un poggio vitato nel comune di Terricciola, nell'areale delle Colline Pisane. Le viti sono piantate su suoli sabbiosi, ricchi di depositi fossili, mentre le vinificazioni si svolgono In una cantina realizzata con particolari attenzioni paesaggistiche. I vini sono in clamorosa crescita qualitativa e stilistica, tanto nelle etichette d'ingresso quanto nel vertice della piramide produttiva. Ancora una volta molto buono il Teuto, anche se con i caratteri di una vendemmia non certo facile come la 2017. Si tratta di un rosso a base sangiovese con aggiunte di merlot e piccolo saldo di cabernet, maturato tra botte grande e tonneau. Ha profumi fruttati intensi, di gelso, con richiami tostati di caffè e rinfrescanti sensazioni erbacee e balsamiche. Sorso serrato, con suggestioni di gelée di lamponi.

● Teuto '17	♟♟	5
● Aliotto '17	♟♟	3
● Auritea '17	♟♟	8
● Auritea '16	♟♟♟	8
● Aliotto '16	♟♟	3
● Aliotto '15	♟♟	3
● Auritea '15	♟♟	8
● Teuto '16	♟♟	5
● Teuto '15	♟♟	5

Podernuovo a Palazzone

LOC. LE VIGNE, 203
53040 SAN CASCIANO DEI BAGNI [SI]
TEL. 057856056
www.podernuovoapalazzone.com

PRODUZIONE ANNUA 130.000 bottiglie
ETTARI VITATI 20,00
AZIENDA SOSTENIBILE

Il titolare di Podernuovo a Palazzone è Giovanni Bulgari, che fonda l'azienda col padre Paolo. Innamorati della vita di campagna, decidono di investire in un territorio non troppo conosciuto ma certamente straordinario, a cavallo tra Lazio, Umbria e Toscana. Il primo passo viene compiuto nel 2004, con l'espianto delle vigne preesistenti, ormai malconce, e la sistemazione di nuovi filari: la scelta cade soprattutto sul sangiovese, ma non mancano varietà internazionali come cabernet e petit verdot, oltre all'italico montepulciano. Le prime etichette sono presentate nel 2012. Molto piacevole l'Argirio '16, cabernet franc in purezza dal naso accattivante. Regala sensazioni di terra, erbe aromatiche (alloro) e spezie, con una punta balsamica di ginepro; il corpo è plastico, equilibrato, dai tannini sottili e ben dosati, con finale rinfrancante e di ottima beva. Attraente il Sotirio '15, sangiovese in purezza minerale e fruttato, dal corpo vivo, sottile e persistente.

● Argirio '16	♟♟	6
● Sotirio '15	♟♟	7
● Therra '15	♟♟	5
○ Bianco Nico Leo '18	♟	2
● Argirio '13	♟♟	6
● Therra '13	♟♟	5

Poggerino

LOC. POGGERINO, 6
53017 RADDA IN CHIANTI [SI]
TEL. 0577738958
www.poggerino.com

VENDITA DIRETTA
VISITA SU PRENOTAZIONE
OSPITALITÀ
PRODUZIONE ANNUA 60.000 bottiglie
ETTARI VITATI 12,20
VITICOLTURA Biologico Certificato

Cantina condotta dai fratelli Piero e
Benedetta Lanza, Poggerino rappresenta
quanto di meglio si possa trovare nella
sottozona di Radda in Chianti, almeno se si
cercano Chianti Classico capaci di unire
materia, densità ed eleganza. Insomma qui
si producono rossi a base sangiovese di
piglio giudiziosamente moderno, capaci di
amalgamare i tipici tratti della zona ad una
certa pienezza e rotondità, senza mai
eccedere e trovando nel loro bilanciamento
complessivo un punto fermo. I vigneti sono
coltivati in biologico, mentre in cantina la
maturazione è svolta in barrique e tonneau.
Il Chianti Classico Bugialla Riserva '17 è
una felice interpretazione di un'annata
critica: mette in evidenza un naso intenso,
contraddistinto da fruttato rigoglioso e note
tostate, mentre in bocca si sviluppa ampio,
con il rovere di maturazione in primo piano,
che ne rende il sorso serrato e incisivo. Toni
cupi nei profumi del Chianti Classico '18,
che al palato trova il suo punto di forza in
una beva docile e fragrante.

Poggio al Tesoro

FRAZ. DONORATICO
VIA DEL FOSSO, 33
57022 CASTAGNETO CARDUCCI [LI]
TEL. 0565773051
www.poggioaltesoro.it

VENDITA DIRETTA
VISITA SU PRENOTAZIONE
PRODUZIONE ANNUA 500.000 bottiglie
ETTARI VITATI 67,50

Il marchio Allegrini è tra i protagonisti
assoluti del vino italiano, a cominciare dalla
casa madre in Valpolicella: dai grandi vini
rossi veronesi, come l'Amarone, ai migliori
Bolgheri, il passo è stato breve. Possiamo
dire, infatti, che oggi l'azienda toscana di
famiglia è tra le più reputate della zona. I
suoli dove sono coltivate le vigne poggiano
su strati eterogenei, da quelli ricchi di
scheletro e argilla ad altri di tipo sabbioso. I
vini sono ormai impeccabili e ricchi di
personalità, a partire da un patrimonio
aromatico davvero affascinante. Davvero
molto buono il Bolgheri Rosso Il Seggio '17:
fresco sia sul piano aromatico che su
quello gustativo, non perde tenore
mediterraneo mentre la polpa si fa
cremosa, ricca di succo e dal tannino
carezzevole. È realizzato con i quattro
vigneti principali dell'azienda e da uve
merlot, cabernet sauvignon e franc, petit
verdot. Note di inchiostro e frutta nera si
stagliano invece un profilo piuttosto
estrattivo nel Superiore Sondraia '17.

● Chianti Cl. Bugialla Ris. '17	♟♟ 6
● Chianti Cl. '18	♟♟ 4
● Chianti Cl. Bugialla Ris. '13	♟♟♟ 5
● Chianti Cl. Bugialla Ris. '12	♟♟♟ 5
● Chianti Cl. Bugialla Ris. '09	♟♟♟ 5
● Chianti Cl. Bugialla Ris. '08	♟♟♟ 5
● Chianti Cl. Ris. '90	♟♟♟ 4*
● Chianti Cl. '16	♟♟ 4
● Chianti Cl. '15	♟♟ 4
● Chianti Cl. '13	♟♟ 4
● Chianti Cl. '12	♟♟ 3*
● Chianti Cl. Bugialla Ris. '16	♟♟ 6
● Chianti Cl. Bugialla Ris. '15	♟♟ 6
● Chianti Cl. Bugialla Ris. '14	♟♟ 6
● Chianti Cl. Bugialla Ris. '10	♟♟ 5

● Bolgheri Rosso Il Seggio '17	♟♟ 4
● Bolgheri Rosso Sup. Sondraia '17	♟♟ 7
○ Bolgheri Vermentino Solosole '19	♟♟ 4
● Mediterra '18	♟♟ 3
⊙ Bolgheri Rosato Cassiopea '19	♟ 3
● Bolgheri Rosso Sup. Dedicato a Walter '16	♟ 7
● Bolgheri Rosso Sup. Sondraia '16	♟♟♟ 7
● Bolgheri Rosso Sup. Sondraia '15	♟♟♟ 7
● Bolgheri Sup. Sondraia '14	♟♟♟ 5
● Bolgheri Sup. Sondraia '13	♟♟♟ 5
● Bolgheri Rosso Sup. Dedicato a Walter '15	♟♟ 7
○ Bolgheri Vermentino Solosole '18	♟♟ 4

★Poggio Antico

LOC. POGGIO ANTICO
53024 MONTALCINO [SI]
TEL. 0577848044
www.poggioantico.com

VENDITA DIRETTA
VISITA SU PRENOTAZIONE
RISTORAZIONE
PRODUZIONE ANNUA 120.000 bottiglie
ETTARI VITATI 32,00

È un'enclave per molti versi unica a
disegnare da decenni l'originale profilo dei
Brunello targati Poggio Antico: da una parte
l'influenza del vicino mar Tirreno e la
posizione assolata sulla direttrice ovest di
Montalcino, dall'altra il microclima ventilato
e le altimetrie che sfiorano quota 500. Uno
speciale mix di dolcezza mediterranea e
finezza altocollinare che ha spinto l'holding
belga AtlasInvest ad acquisire la tenuta da
Paola Gloder e Alberto Montefiori, affidando
a Federico Trost e Pier Giuseppe
D'Alessandro la direzione tecnica del nuovo
corso. Il risultato dei vini di Poggio Antico
può rassicurare tutti: si è trattato di un
cambio di proprietà senza contraccolpi. Il
Brunello '15 si fa apprezzare per la sua
complessità al naso, dove si percepiscono
aromi di bacche rosse e tabacco arricchiti
da ricordi di crema di caffè. Tutti i vini
possono contare su una ricca polpa fruttata
per contrastare i tannini e sulla fresca
acidità del terroir, ma l'Altero è ancora alla
ricerca della migliore armonia olfattiva.

● Brunello di Montalcino '15	♟♟	8
● Brunello di Montalcino Altero '15	♟♟	8
● Rosso di Montalcino '18	♟♟	5
● Brunello di Montalcino '05	♟♟♟	7
● Brunello di Montalcino '88	♟♟♟	7
● Brunello di Montalcino '85	♟♟♟	7
● Brunello di Montalcino Altero '09	♟♟♟	7
● Brunello di Montalcino Altero '07	♟♟♟	8
● Brunello di Montalcino Altero '06	♟♟♟	8
● Brunello di Montalcino Altero '04	♟♟♟	8
● Brunello di Montalcino Altero '99	♟♟♟	8
● Brunello di Montalcino Ris. '01	♟♟♟	7
● Brunello di Montalcino Ris. '85	♟♟♟	7
● Brunello di Montalcino '13	♟♟	8
● Brunello di Montalcino Altero '13	♟♟	8
● Rosso di Montalcino '17	♟♟	5
● Rosso di Montalcino '16	♟♟	5

Poggio Argentiera

FRAZ. ALBERESE
S.DA BANDITELLA DUE
58100 GROSSETO
TEL. 3484952767
www.poggioargentiera.com

VENDITA DIRETTA
VISITA SU PRENOTAZIONE
OSPITALITÀ
PRODUZIONE ANNUA 200.000 bottiglie
ETTARI VITATI 22,00
VITICOLTURA Biologico Certificato

Il progetto aziendale prende il via nel 1997
con l'acquisto del podere Adua, risalente
alla bonifica dei primi del '900. La scelta è
quella di investire sul Morellino di
Scansano, poi la proprietà si amplia a
partire dal 2001 grazie ad un altro
appezzamento denominato Keeling, a cui si
aggiungono altre acquisizioni che hanno
portato Poggio Argentiera alle dimensioni
attuali. Una parte dei vigneti è collocata a
ridosso del mare, su terreni limosi e
sabbiosi, mentre il resto si trova in collina,
su basi decisamente sassose. Giunge in
finale il Capatosta '17, da uve sangiovese e
alicante. Bouquet variegato in cui si
riconoscono macchia mediterranea,
tabacco, caffè e ciliegia matura, esibisce
corpo ben definito, austero, con intrigante
finale balsamico. Ottima riuscita anche per
il Poggio Raso '17, cabernet franc con
profumi di origano, prugna, peperone e
cenni mentolati; il sorso è integro, con
ricordi di liquirizia e frutti di bosco maturi.
Senza dimenticare i riusciti Morellino '19.

● Capatosta '17	♟♟	2*
● Morellino di Scansano '19	♟♟	3
● Morellino di Scansano Bellamarsilia '19	♟♟	4
● Poggio Raso '17	♟♟	5
● Maremmante '19	♟	4
○ Vermentino '19	♟	3
● Finisterre '07	♟♟♟	6
● Maremmante '16	♟♟	4
● Maremmante '15	♟♟	2*
● Morellino di Scansano Bellamarsilia '16	♟♟	4
● Morellino di Scansano Bellamarsilia '13	♟♟	3*
● Morellino di Scansano Capatosta '15	♟♟	6
● Morellino di Scansano Capatosta '13	♟♟	5
● Podere Adua '16	♟♟	5

Fattoria Poggio Capponi

VIA MONTELUPO, 184
50025 MONTESPERTOLI [FI]
TEL. 0571671914
www.poggiocapponi.it

VENDITA DIRETTA
VISITA SU PRENOTAZIONE
OSPITALITÀ
PRODUZIONE ANNUA 200.000 bottiglie
ETTARI VITATI 32,00

Una fattoria da sogno e da film: perché le architetture e il contesto paesaggistico in cui si sviluppa l'azienda sono così belli che l'hanno fatta scegliere come scenario di pellicole di successo. La famiglia Rousseau Colzi la possiede da quasi un secolo, sulle colline vicino a Firenze, nella produzione di vino, olio, grano. Molti i vitigni coltivati, da quelli a bacca rossa più abituali in Toscana (come sangiovese, colorino, canaiolo), a quelli internazionali (merlot, syrah, alicante bouchet), fino alle uve bianche di trebbiano, chardonnay, san colombano, malvasia, vermentino. Sorprende in positivo il Chianti '18. Ha un variegato bagaglio aromatico dove prevale la ciliegia, ben rifinita da sensazioni di erbe aromatiche come timo e mentuccia. Agile l'attacco in bocca, pieno senza eccessi, di vena acida corroborante, con finale pulito e progressivo. Molto valido anche il Sovente '19, chardonnay in purezza dalle note di frutti tropicali, cenni di pepe bianco e succo abbondante.

○ Bianco di Binto '19	🏆🏆	2*
● Chianti '18	🏆🏆	2*
● Chianti Montespertoli Petriccio Ris. '17	🏆🏆	3
○ Sovente Chardonnay '19	🏆🏆	2*
○ Vin Santo del Chianti '12	🏆🏆	6
● Chianti Ris. '17	🏆	3
● Michelangelo '19	🏆	2
⊙ Rosé '19	🏆	2
○ Bianco di Binto '18	🏆🏆	2*
● Chianti Ris. '16	🏆🏆	3
○ Sovente Chardonnay '18	🏆🏆	2*
○ Sovente Chardonnay '16	🏆🏆	2*
● Tinorso '16	🏆🏆	3
● Tinorso '15	🏆🏆	3
○ Vin Santo del Chianti '16	🏆🏆	6

★Poggio di Sotto

FRAZ. CASTELNUOVO DELL'ABATE
LOC. POGGIO DI SOTTO
53024 MONTALCINO [SI]
TEL. 0577835502
www.collemassari.it

VENDITA DIRETTA
VISITA SU PRENOTAZIONE
PRODUZIONE ANNUA 30.000 bottiglie
ETTARI VITATI 16,00
VITICOLTURA Biologico Certificato

Posizionata intorno ai 450 metri di altitudine su terreni tenaci, ricchi di argilla e galestro, la tenuta Poggio di Sotto è uno degli avamposti più importanti di Castelnuovo dell'Abate, capitale umana e produttiva del settore sud-est di Montalcino. Il passaggio dal fondatore Piero Palmucci alla famiglia Tipa ha favorito un ulteriore salto di qualità in termini di consapevolezza stilistica sul magnifico trio con cui viene declinato il tema sangiovese grosso: Rosso, Brunello e Brunello Riserva inconfondibili per nitidezza fruttata, grazia estrattiva e tridimensionalità di sorso. L'azienda si conferma tra i leader assoluti della denominazione con due splendidi Sangiovese di Montalcino. Arriva un meritatissimo Tre Bicchieri per il Brunello '15, che inizia dai toni fruttati della ciliegia, prosegue con aromi di tabacco e liquirizia e chiude su stuzzicanti note ematiche. Impressiona in bocca la sua progressione che culmina in un finale di grande personalità. Fedele alla sua fama il Rosso '17, potente e raffinato, come sempre.

● Brunello di Montalcino '15	🏆🏆🏆	8
● Rosso di Montalcino Ciampoleto Tenuta San Giorgio '18	🏆🏆	3*
● Brunello di Montalcino Ugolforte Tenuta San Giorgio '15	🏆🏆	7
● Rosso di Montalcino '17	🏆🏆	8
● Brunello di Montalcino '14	🏆🏆🏆	8
● Brunello di Montalcino '12	🏆🏆🏆	8
● Brunello di Montalcino '11	🏆🏆🏆	8
● Brunello di Montalcino '10	🏆🏆🏆	8
● Brunello di Montalcino '07	🏆🏆🏆	8
● Brunello di Montalcino '04	🏆🏆🏆	8
● Brunello di Montalcino '99	🏆🏆🏆	8
● Brunello di Montalcino Ris. '12	🏆🏆🏆	8
● Brunello di Montalcino Ris. '07	🏆🏆🏆	8
● Brunello di Montalcino Ris. '99	🏆🏆🏆	8
● Brunello di Montalcino Ris. '95	🏆🏆🏆	8

Poggio La Noce

LOC. ONTIGNANO
VIA PAIATICI, 29
50014 FIESOLE [FI]
TEL. 0556549113
www.poggiolanoce.com

VENDITA DIRETTA
VISITA SU PRENOTAZIONE
PRODUZIONE ANNUA 10.000 bottiglie
ETTARI VITATI 2,50
VITICOLTURA Biologico Certificato

Molti fiorentini non la conoscono, eppure la tenuta di Poggio La Noce si trova nel comune di Fiesole, immersa nel verde a pochi chilometri dalla città. L'azienda rappresenta la realizzazione del sogno di Claire Beliard ed Enzo Schiano, coppia nella vita e nel lavoro, che nel 1999 acquista i terreni per impiantare i vigneti. La filosofia agricola è ben chiara e già nel 2006 la produzione viene certificata biologica. I terreni dove si trovano le viti sono composti principalmente da galestro e alberese, ricchi in scheletro e calcare. Da uve sangiovese e colorino, il Gigetto '17 ha un bouquet variegato dove si trovano sentori di canfora, frutti di bosco rossi e neri. Setoso l'attacco in bocca: scorre fresco, calibrato, con un accattivante retrogusto di ciliegia. Sangiovese in larga maggioranza, il Gigiò '17 porge suggestioni di rosmarino, nocciola e ciliegia matura; al palato mostra bella verve, dinamismo e pulizia finale. Ottimi anche il Paonazzo '16 e il Vin Santo Occhio di Pernice '13.

Poggio Landi

LOC. PODERE BELVEDERE
FRAZ. TORRENIERI
S.DA PROV.LE 71
53024 MONTALCINO [SI]
TEL. 0577042736

PRODUZIONE ANNUA 90.000 bottiglie
ETTARI VITATI 74,00

È uno spartito viticolo e territoriale a dir poco composito a risuonare nella sempre più convincente produzione firmata Poggio Landi, rinomata realtà di Montalcino da qualche anno entrata nella costellazione Alejandro Bulgheroni Family Vineyards Italia. A monte c'è la scelta di diversificare altimetrie, esposizioni, giaciture e microclimi dei vigneti aziendali, non a caso dislocati in vari punti dell'areale: ciò permette di giocare sulle epoche di raccolta e sui caratteri espressivi dei sangiovese destinati al Brunello, derivanti da maturazioni in rovere francese da 30 e 54 ettolitri. Poggio Landi, come Podere Brizio, sempre a Montalcino, è in forte crescita qualitativa. Gli assaggi di quest'anno ci hanno favorevolmente impressionato. Il Brunello '15, ottenuto da una fermentazione spontanea senza lieviti selezionati, è un piccolo fuoriclasse con deliziosi aromi di ciliegia e di prugna, ma anche di erbe officinali e con un palato succoso e profondo, dove la trama tannica è progressiva e raffinata.

● Gigetto '17	♟♟ 4
● Gigiò '16	♟♟ 6
● Paonazzo '16	♟♟ 7
● Vin Santo del Chianti Occhio di Pernice '13	♟♟ 5
⊙ Pinko Pallino '19	♟ 3
○ Spumante Metodo Ancestrale Frizzante Rosato Pet Golò '19	♟ 4
● Gigetto '16	♟♟ 4
● Gigetto '15	♟♟ 4
● Gigino '16	♟♟ 5
● Gigino '15	♟♟ 5
● Gigiò '15	♟♟ 6
● Vin Santo del Chianti Occhio di Pernice Ejià '11	♟♟ 5

● Brunello di Montalcino '15	♟♟ 7
● Brunello di Montalcino Podere Brizio '15	♟♟ 6
● Rosso di Montalcino Podere Brizio '18	♟♟ 4
● Rosso di Montalcino '18	♟ 4
● Brunello di Montalcino '13	♟♟ 7
● Brunello di Montalcino '12	♟♟ 7
● Brunello di Montalcino Ris. '13	♟♟ 7
● Brunello di Montalcino Ris. '12	♟♟ 7
● Rosso di Montalcino '17	♟♟ 4
● Rosso di Montalcino '16	♟♟ 4

Podere Poggio Scalette

LOC. RUFFOLI
VIA BARBIANO, 7
50022 GREVE IN CHIANTI [FI]
TEL. 0558546108
www.poggioscalette.it

VENDITA DIRETTA
VISITA SU PRENOTAZIONE
PRODUZIONE ANNUA 60.000 bottiglie
ETTARI VITATI 13,50

Di proprietà della famiglia Fiore dal 1991, Poggio Scalette si trova sulla collina di Ruffoli nella sottozona di Greve in Chianti, luogo storicamente vocato alla vite, dove l'azienda ha intrapreso la strada di un'agricoltura sostenibile, a bassissimo impatto ambientale. Le etichette prodotte da questa cantina hanno segnato la storia enologica del distretto, specialmente quella targata "Supertuscan". Una traccia ancora ben presente che connota la cifra stilistica aziendale, nonostante oggi sembrino delinearsi nuovi scenari. Il Capogatto, blend a base merlot, cabernet sauvignon, cabernet franc e petit verdot, è un palese omaggio al modello bordolese. La versione 2017 propone aromi riccamente speziati e fruttati, che introducono una progressione gustativa ben bilanciata, dal sorso reattivo e contrastato. Lo storico sangiovese in purezza Il Carbonaione '17 è anch'esso di esecuzione ineccepibile con qualche tocco di rovere in esubero. Avvolgente e gustoso il Piantonaia '17, merlot in purezza.

● Capogatto '17	♥♥ 7
● Il Carbonaione '17	♥♥ 7
● Piantonaia '17	♥♥ 8
● Chianti Cl. '18	♥ 3
● Il Carbonaione '08	♥♥♥ 6
● Il Carbonaione '05	♥♥♥ 6
● Il Carbonaione '03	♥♥♥ 7
● Il Carbonaione '00	♥♥♥ 7
● Il Carbonaione '98	♥♥♥ 6
● Il Carbonaione '96	♥♥♥ 6
● Capogatto '16	♥♥ 7
● Capogatto '15	♥♥ 7
● Capogatto '14	♥♥ 7
● Chianti Cl. '17	♥♥ 3
● Chianti Cl. '15	♥♥ 3
● Il Carbonaione '14	♥♥ 7
● Il Carbonaione '11	♥♥ 6

Poggio Sorbello

FRAZ. CENTOIA
LOC. CASE SPARSE, 168
52044 CORTONA [AR]
TEL. 3395447059
www.poggiosorbello.it

VENDITA DIRETTA
PRODUZIONE ANNUA 10.000 bottiglie
ETTARI VITATI 9,00
AZIENDA SOSTENIBILE

La proprietà è della famiglia di Felice Baldetti, che si insedia all'inizio del XX secolo in questo lembo di terra a cavallo tra le province di Arezzo, Siena e Perugia. A partire dalla metà degli anni Novanta si comincia a creare la base per un lavoro moderno: l'impianto delle nuove viti considera tanto varietà autoctone quanto cultivar internazionali e la svolta successiva avviene nel 2014, con la costruzione dell'attuale cantina. La produzione messa in bottiglia è frutto di un'accurata selezione di tutte le uve vendemmiate, mentre le altre vengono vendute. Interessante il Syrah Gortinaia '17, che sorprende al naso per note vegetali di foglie di pomodoro, quindi ciliegia e cenni speziati di noce moscata. Al gusto risulta lineare, fresco, semplice, di ottima beva. Il Merlot Donetto '17 si apprezza per i profumi speziati di cannella e chiodi di garofano, adagiati su un letto di frutti rossi. Morbido nell'ingresso in bocca, è succoso e caldo, di ottima beva.

● Boschi ai Filari '17	♥♥ 3
● Cortona Merlot Donetto '17	♥♥ 4
● Cortona Syrah Gortinaia '17	♥♥ 4
● Cortona Cabernet Sauvignon Fossa Granaia '17	♥ 4
● Boschi ai Filari '16	♥♥ 3
● Boschi ai Filari '15	♥♥ 3
● Cortona Cabernet Sauvignon Fossa Granaia '16	♥♥ 4
● Cortona Cabernet Sauvignon Fossa Granaia '15	♥♥ 4
● Cortona Syrah Gortinaia '16	♥♥ 4
● Cortona Syrah Gortinaia '15	♥♥ 4

Tenuta Il Poggione

FRAZ. SANT'ANGELO IN COLLE
LOC. MONTEANO
53024 MONTALCINO [SI]
TEL. 0577844029
www.tenutailpoggione.it

VENDITA DIRETTA
VISITA SU PRENOTAZIONE
OSPITALITÀ
PRODUZIONE ANNUA 600.000 bottiglie
ETTARI VITATI 127,00

Appartenente alla famiglia Franceschi da
cinque generazioni, le proprietà de Il
Poggione si concentrano nel settore
meridionale di Montalcino, con particolare
riferimento alla vocata area di Sant'Angelo
in Colle. Cento e più ettari di vigne coltivate
principalmente a sangiovese (con piccole
quote di merlot, vermentino e chardonnay),
che la rendono una delle corazzate agricole
del comprensorio da tempi non sospetti.
Supervisionata con sapiente maestria da
Fabrizio Bindocci, la pregevole gamma è
guidata da Brunello generosi e aitanti,
ottenuti da maturazioni in rovere francese
da 30 e 50 Hl. È un Brunello '15 generoso
ed esuberante quello de Il Poggione: ricco
di toni di frutta rossa e spezie che virano
sul boisé, al palato è intenso, polposo,
caratterizzato da tannini scalpitanti che
ancora faticano a trovare armonia.
Questione di tempo. Piacevolissimo nei toni
di frutto rosso e cioccolato il Rosso '18, e
assai valida tutta la gamma, dalle bollicine
classiche al Vin Santo Riserva.

● Brunello di Montalcino '15	♟♟ 7
⊙ Marchesa Clementina Rosé Pas Dosé M. Cl.	♟♟ 5
○ Moscadello Frizzante '19	♟♟ 4
● Rosso di Montalcino '18	♟♟ 4
○ Sant'Antimo Vin Santo Ris. '07	♟♟ 7
● Il Poggione '18	♟ 2
⊙ Lo Sbrancato '19	♟ 3
● Brunello di Montalcino '14	♟♟ 7
● Brunello di Montalcino '13	♟♟ 7
● Brunello di Montalcino '12	♟♟ 7
● Rosso di Montalcino '17	♟♟ 4
● Rosso di Montalcino '16	♟♟ 4
● Rosso di Montalcino '14	♟♟ 4

★★Poliziano

FRAZ. MONTEPULCIANO STAZIONE
VIA FONTAGO, 1
53045 MONTEPULCIANO [SI]
TEL. 0578738171
www.carlettipoliziano.com

VENDITA DIRETTA
VISITA SU PRENOTAZIONE
PRODUZIONE ANNUA 650.000 bottiglie
ETTARI VITATI 145,00

Nata nel 1961 da un primo nucleo di 22
ettari, l'azienda agricola Poliziano è molto
cresciuta negli anni. Ma non è soltanto il
suo aumento dimensionale a sottolineare
l'importanza acquisita nel tempo da questa
realtà all'interno della denominazione del
Nobile di Montepulciano: Federico Carletti
ha infatti costruito a partire dai primi anni
'80 un vero e proprio top player dell'Italia
enoica tout court. Simbolo, insieme a poche
altre aziende, di quella ascesa del vino
toscano che ha disegnato paradigmi e
scenari del tutto nuovi e altamente
competitivi. Si conferma un vino di
riferimento per l'areale di Montepulciano, il
Nobile Le Caggiole. Anche la versione 2017
si presenta su livelli altissimi, con un
bagaglio aromatico fruttato e speziato di
grande finezza ed intensità, ad anticipare
una progressione gustativa succosa, a tratti
quasi vellutata e di grande piacevolezza.
Non è da meno il Nobile Asinone '17, ma è
la gamma a brillare nel suo insieme per
affidabilità e coerenza espressiva.

● Nobile di Montepulciano Le Caggiole '17	♟♟♟ 4*
● Nobile di Montepulciano Asinone '17	♟♟ 7
● Nobile di Montepulciano '17	♟♟ 5
● Rosso di Montepulciano '19	♟♟ 3
● Cortona Merlot In Violas '16	♟ 5
● Le Stanze '17	♟ 7
● Maremma Toscana Cabernet Mandrone di Lohsa '17	♟ 5
● Nobile di Montepulciano '09	♟♟♟ 4*
● Nobile di Montepulciano Asinone '14	♟♟♟ 7
● Nobile di Montepulciano Asinone '12	♟♟♟ 7
● Nobile di Montepulciano Le Caggiole '16	♟♟♟ 4*
● Nobile di Montepulciano Le Caggiole '15	♟♟♟ 4*

Pomona

LOC. POMONA, 39
S.DA CHIANTIGIANA
53011 CASTELLINA IN CHIANTI [SI]
TEL. 0577740473
www.fattoriapomona.it

VENDITA DIRETTA
VISITA SU PRENOTAZIONE
OSPITALITÀ
PRODUZIONE ANNUA 16.000 bottiglie
ETTARI VITATI 4,70
VITICOLTURA Biologico Certificato

Dove le vigne non sono le sole protagoniste del territorio, ma dividono la scena con gli olivi e le querce: è la cifra costitutiva del paesaggio chiantigiano, quella che gli appassionati più esigenti sperano sempre di incrociare anche nel bicchiere. Villa Pomona riassume un po' tutto questo. L'azienda condotta da Monica Raspi, con protocolli biologici in campagna e con interventi ridotti all'osso in cantina, rappresenta infatti uno dei migliori esempi di artigianato enoico dell'areale di Castellina in Chianti, con stabilmente tra i più coerenti e significativi della denominazione. Benché ottenuto da un'annata a dir poco complicata, il Chianti Classico '17 non mostra certo un profilo scontato. I profumi sono chiari e ben delineati, il frutto risulta intenso e continuo anche al palato, dove si rivela schietto, bilanciato e non privo di contrasti. Gradevole e ben fatto il Cabernet Sauvignon '18, dal sorso generoso e tendenzialmente largo, dal bagaglio aromatico speziato con cenni erbacei.

● Chianti Cl. '17	♟♟ 3*
● Cabernet Sauvignon '18	♟♟ 3
● Piero Rosso '18	♟ 2
● Chianti Cl. '13	♟♟♟ 3*
● Chianti Cl. '12	♟♟♟ 3*
● Chianti Cl. Ris. '16	♟♟♟ 4*
● Chianti Cl. Ris. '14	♟♟♟ 4*
● Chianti Cl. '16	♟♟ 3*
● Chianti Cl. '15	♟♟ 3
● Chianti Cl. '14	♟♟ 3
● Chianti Cl. '11	♟♟ 3
● Chianti Cl. Ris. '15	♟♟ 4
● Chianti Cl. Ris. '13	♟♟ 4
● Chianti Cl. Ris. '12	♟♟ 4
● Chianti Cl. Ris. '11	♟♟ 4
● Chianti Cl. Ris. '10	♟♟ 4
● Piero Rosso '16	♟♟ 3

Tenuta Le Potazzine

LOC. LE PRATA, 262
53024 MONTALCINO [SI]
TEL. 0577846168
www.lepotazzine.it

VENDITA DIRETTA
VISITA SU PRENOTAZIONE
RISTORAZIONE
PRODUZIONE ANNUA 50.000 bottiglie
ETTARI VITATI 4,70

È una storia dalle vivaci tinte pastello a raccontarsi nei sangiovese della Tenuta Le Potazzine, partendo dal marchio che richiama il nome locale delle cinciallegre e il vezzeggiativo con cui venivano coccolate da piccole le giovani Sofia e Viola Gorelli, oggi al timone insieme a mamma Gigliola Giannetti. Ma soprattutto un'identità espressiva, fatta di nitidezza floreale, finezza agrumata e armonia di sorso, che incontriamo regolarmente in Rosso e Brunello derivanti dai siti di Le Prata (dove sorge la cantina, a ridosso dei 500 metri di altitudine) e Sant'Angelo in Colle. A guidare la batteria presentata dall'azienda, quest'anno, troviamo un magnifico Rosso di Montalcino 2018 che ci ha saputo incantare grazie alla peculiarità e alla forte personalità dei profumi e per la spensierata serietà di beva. Al naso si fanno strada affascinanti aromi balsamici e mentolati, mentre la bocca ha una bella sensazione sapida; il Brunello ha un naso intenso e armonico ricco di sentori di frutta e una bocca persistente dove spunta un fondo di alcol.

● Rosso di Montalcino '18	♟♟ 4
● Brunello di Montalcino '15	♟♟ 7
● Brunello di Montalcino '10	♟♟♟ 7
● Brunello di Montalcino '08	♟♟♟ 7
● Brunello di Montalcino Ris. '11	♟♟♟ 8
● Brunello di Montalcino Ris. '06	♟♟♟ 8
● Brunello di Montalcino '14	♟♟ 7
● Brunello di Montalcino '13	♟♟ 7
● Brunello di Montalcino '12	♟♟ 7
● Brunello di Montalcino '11	♟♟ 7
● Brunello di Montalcino '09	♟♟ 7
● Rosso di Montalcino '16	♟♟ 4
● Rosso di Montalcino '15	♟♟ 4
● Rosso di Montalcino '14	♟♟ 4
● Rosso di Montalcino '13	♟♟ 4
● Rosso di Montalcino '12	♟♟ 4

Tenuta Prima Pietra

LOC. I PRATI
56046 RIPARBELLA [PI]
TEL. 05771913750
www.tenutaprimapietra.com

PRODUZIONE ANNUA 40.000 bottiglie
ETTARI VITATI 11,00

Massimo Ferragamo dopo Castiglion del
Bosco ha acquisito un'altra tenuta, sulle
Colline Pisane. È Prima Pietra, che vanta
11 ettari dedicati alle varietà internazionali
in una bellissima posizione: siamo a 450
metri di quota, e le vigne sono rivolte ad est
e guardano il vicino tirreno. Le
caratteristiche dei suoli ricchi di argilla, il
gioco delle correnti e la notevole escursione
termica regalano struttura, profondità e
finezza al Prima Pietra. Recentemente è
stata completata la nuova e bellissima
cantina. Le vigne, ormai entrate nella fase
di maturità, anche in un'annata complessa
come la 2017, hanno fornito ottima
materia. Questo rosso, ottenuto da merlot e
cabernet sauvignon in prevalenza, con
saldo di cabernet franc e petit verdot, si
presenta di un bel colore rubino cupo e
profondo, e al naso è fitto di frutti neri
come prugna, mora e ribes nero, per poi
virare su toni di cioccolato, menta, bôite à
cigares; la bocca è densa e polposa, il
frutto è cremoso e croccante, per un vino
sapido e morbido.

● Prima Pietra '17	🍷🍷 8
● Prima Pietra '16	🍷🍷 8
● Prima Pietra '15	🍷🍷 8

★Fattoria Le Pupille

FRAZ. ISTIA D'OMBRONE
LOC. PIAGGE DEL MAIANO, 92A
58100 GROSSETO
TEL. 0564409517
www.fattorialepupille.it

VENDITA DIRETTA
VISITA SU PRENOTAZIONE
OSPITALITÀ
PRODUZIONE ANNUA 450.000 bottiglie
ETTARI VITATI 80,00

Un'azienda che ha fatto molto per il suo
territorio di appartenenza, al punto da
diventare quasi sinonimo di Morellino. È
questo in sintesi il valore della cantina di
Elisabetta Geppetti, capace di proporre fin
dal 1985 una produzione estremamente
solida e continua. I vini hanno un'impronta
stilistica in cui si riconosce un generoso
apporto del rovere, una ricerca di maturità
fruttata e una decisa tensione verso una
beva docile. Questi vini sono costantemente
in cima all'hit parade dell'enologia
maremmana. Caldo e appagante il sorso
del Saffredi '17, che al naso evidenzia un
fruttato rigoglioso, spezie e cenni
affumicati. Tutto da bere il Morellino di
Scansano '19, tanto fragrante e sapido in
bocca, quanto aperto e incisivo nei profumi.
Il Morellino di Scansano Riserva '17
possiede aromi floreali che si incrociano
con cenni tostati e note di macchia. Di
eccellente livello il nuovo Syrah, un 2015 di
gran carattere e dai bei toni speziati.

● Morellino di Scansano '19	🍷🍷 3*
● Saffredi '17	🍷🍷 8
● Syrah '15	🍷🍷 8
● Morellino di Scansano Ris. '17	🍷🍷 4
● Pelofino '19	🍷 2
● Poggio Valente Sangiovese '17	🍷 6
● Morellino di Scansano Poggio Valente '04	🍷🍷🍷 5
● Morellino di Scansano Poggio Valente '99	🍷🍷🍷 5
● Morellino di Scansano Ris. '15	🍷🍷🍷 4*
● Saffredi '14	🍷🍷🍷 8
● Saffredi '13	🍷🍷🍷 8
● Saffredi '05	🍷🍷🍷 8
● Saffredi '04	🍷🍷🍷 8
● Saffredi '03	🍷🍷🍷 8
● Saffredi '02	🍷🍷🍷 7

La Querce

VIA IMPRUNETANA PER TAVARNUZZE, 41
50023 IMPRUNETA [FI]
TEL. 0552011380
www.laquerce.com

VENDITA DIRETTA
VISITA SU PRENOTAZIONE
OSPITALITÀ
PRODUZIONE ANNUA 35.000 bottiglie
ETTARI VITATI 7,60

Quarantadue ettari con una buona esposizione, in gran parte a mezzogiorno: questa è La Querce, di proprietà della famiglia Marchi, che si estende su una collina affacciata verso Impruneta, nella zona del Chianti Colli Fiorentini. Limitati al massimo gli interventi chimici nei campi, otto ettari di vigneto sono allevati a sangiovese, canaiolo, colorino e merlot, le cui vinificazioni, in alcuni casi, vengono affinate in orcio. Due le cantine, una di vinificazione e affinamento, l'altra di invecchiamento, sotto la villa, con spazi dedicati all'ospitalità. Buonissimo La Querce '16, uvaggio di sangiovese con piccolo saldo di colorino. Ha bouquet aromatico invitante dove le note di elicriso e mirto prevalgono, inizialmente, su una base fruttata calibrata. All'esame gustativo si mostra solido, di trama tannica ben svolta, corpo fluido e finale sostanzioso. Avvincente nei profumi, dotato di ottima beva e sugoso il Canaiolo Belrosso '19.

● La Querce '16	♟♟ 5
● Belrosso '19	♟♟ 2*
● Dama Rosa Canaiolo Passito '18	♟♟ 5
● M Merlot '15	♟♟ 6
● Chianti Colli Fiorentini La Torretta Ris. '17	♟ 3
● Chianti Colli Fiorentini La Torretta Ris. '15	♟♟♟ 3*
● La Querce '11	♟♟♟ 5
● Chianti Colli Fiorentini La Torretta Ris. '16	♟♟ 3
● Chianti Sorrettole '16	♟♟ 2*
● Chianti Sorrettole '15	♟♟ 2*
● La Querce '15	♟♟ 5
● La Querce '12	♟♟ 5
● La Querce '10	♟♟ 5

★Querciabella

VIA DI BARBIANO, 17
50022 GREVE IN CHIANTI [FI]
TEL. 05585927777
www.querciabella.com

VENDITA DIRETTA
VISITA SU PRENOTAZIONE
PRODUZIONE ANNUA 300.000 bottiglie
ETTARI VITATI 112,00
VITICOLTURA Biologico Certificato

Querciabella fa parte di quel gruppo di aziende che hanno scritto l'epopea del Chianti Classico, almeno a partire dal cosiddetto "rinascimento" enologico toscano. Fondata nel 1974 da Giuseppe "Pepito" Castiglioni ed oggi condotta dal figlio Sebastiano, alleva le proprie vigne in biologico dal 1988 e in biodinamica dal 2000. Nel 1997 acquisisce 30 ettari vitati in Maremma, nei pressi del Parco dell'Alberese. Le parcelle storiche si trovano sulla collina di Ruffoli, che svetta fino a 600 metri nel comprensorio di Greve in Chianti e guarda la vocatissima Lamole. Un vino storicamente votato all'eleganza, il Camartina, uvaggio di sangiovese e cabernet sauvignon che nella versione 2016 ritroviamo in ottima forma: i profumi sono diffusi e dolci, con un contributo del rovere sfumato e non invadente. In bocca si distende con morbidezza, rivelandosi persistente e ben ritmato. Piacevolmente gustoso il Mongrana '17, blend di sangiovese, cabernet sauvignon e merlot prodotto in maremma.

● Camartina '16	♟♟ 8
● Mongrana '17	♟♟ 3
○ Batàr '18	♟ 8
● Chianti Cl. '18	♟ 5
● Chianti Cl. Ris. '17	♟ 6
○ Batàr '98	♟♟♟ 8
● Camartina '07	♟♟♟ 8
● Camartina '06	♟♟♟ 7
● Camartina '05	♟♟♟ 7
● Camartina '04	♟♟♟ 7
● Camartina '03	♟♟♟ 8
● Camartina '01	♟♟♟ 8
● Camartina '00	♟♟♟ 8
● Camartina '99	♟♟♟ 8
● Camartina '97	♟♟♟ 8
● Camartina '95	♟♟♟ 8

Le Ragnaie

LOC. LE RAGNAIE
53024 MONTALCINO [SI]
TEL. 0577848639
www.leragnaie.com

VENDITA DIRETTA
VISITA SU PRENOTAZIONE
OSPITALITÀ
PRODUZIONE ANNUA 80.000 bottiglie
ETTARI VITATI 15,50
VITICOLTURA Biologico Certificato

Poche aziende a Montalcino hanno puntato
sul lavoro di studio, mappatura e
valorizzazione delle singole zone vitate con
la determinazione mostrata in questi anni
da Riccardo e Jennifer Campinoti. Un
progetto che va ben oltre i cru finora
proposti in gamma, non solo a tema
Brunello: Fornace (da Loreto di Castelnuovo
dell'Abate, settore sud-est), Petroso (da
Scarnacuoia, ad ovest del Colle Centrale),
Passo del Lume Spento e Ragnaie VV (dai
siti più vicini alla cantina), a cui si aggiunge
con l'annata 2015 il Casanovina Montosoli
(dall'omonima collina del settore nord).
Anche se l'assaggio dei vini targati Le
Ragnaie non è stato scorrevole come al
solito, due vini ci hanno colpito in particolar
modo: il Brunello '15 e il Fornace '15. Si
parte dal primo che gioca la partita
dell'eleganza e della finezza, nonché
dell'armonia tra le varie componenti per
regalarci un Brunello di classe. Il Fornace
parla tutt'altra lingua: ha aromi molto più
complessi, che ricordano i fiori secchi, e un
tannino più asciutto.

● Brunello di Montalcino '15	♟♟ 7
● Brunello di Montalcino Casanovina Montosoli '15	♟♟ 8
● Brunello di Montalcino Fornace '15	♟♟ 8
● Troncone '17	♟♟ 4
○ Bianco '18	♟ 4
○ Civitella '18	♟ 4
○ Rosso di Montalcino '17	♟ 5
● Brunello di Montalcino Fornace '08	♟♟♟ 8
● Brunello di Montalcino V. V. '13	♟♟♟ 8
● Brunello di Montalcino V. V. '11	♟♟♟ 8
● Brunello di Montalcino V. V. '10	♟♟♟ 8
● Brunello di Montalcino V. V. '07	♟♟♟ 5
● Rosso di Montalcino '16	♟♟♟ 5
● Brunello di Montalcino Fornace '13	♟♟ 8
● Passo del Lume Spento '15	♟♟ 4
● Troncone '16	♟♟ 4

Podere La Regola

LOC. ALTAGRANDA
S.DA REG.LE 68 KM 6,400
56046 RIPARBELLA [PI]
TEL. 0586698145
www.laregola.com

VENDITA DIRETTA
VISITA SU PRENOTAZIONE
PRODUZIONE ANNUA 100.000 bottiglie
ETTARI VITATI 25,00
VITICOLTURA Biologico Certificato

I Nuti hanno acquistato il primo
appezzamento nel 1900, in un luogo dove
il vino si fa da almeno duemila anni. Oggi i
fratelli Luca e Flavio sono i protagonisti del
rimodernamento dell'azienda e della sua
conduzione secondo criteri di
managerialità ed efficienza, nel rispetto
degli equilibri ambientali. La loro filosofia è
sintetizzata dalla nuova cantina, una
costruzione suggestiva ed essenziale,
ottimamente insérita nel paesaggio, in cui
vengono vinificate uve di sangiovese,
merlot, cabernet franc e sauvignon, syrah,
vermentino, manseng, chardonnay,
sauvignon blanc e viognier. Ottimo per La
Regola '17, Cabernet Franc in purezza
dalle sensazioni di terra fresca e
sottobosco, peperone arrostito e piccoli
frutti silvestri. In bocca ha calore ma anche
dinamismo, risulta levigato nella parte
tannica ed è ben amalgamato in tutte le
componenti, coniugando sostanza e
carattere. Il Vallino '17, cabernet sauvignon
in prevalenza e sangiovese, ha fresche
note fruttate e beva eccellente.

● La Regola '17	♟♟♟ 8
● Vallino '17	♟♟ 5
○ Lauro '16	♟ 5
○ Spumante Brut M. Cl. '15	♟ 5
○ Steccaia '19	♟ 3
● La Regola '16	♟♟♟ 8
● La Regola '15	♟♟♟ 7
● La Regola '14	♟♟ 7
● Ligustro '17	♟♟ 4
○ Steccaia '17	♟♟ 4
● Strido '15	♟♟ 8
● Strido '12	♟♟ 8
● Vallino '16	♟♟ 5
● Vallino '15	♟♟ 5

★★Barone Ricasoli

LOC. MADONNA A BROLIO
53013 GAIOLE IN CHIANTI [SI]
TEL. 05777301
www.ricasoli.com

VENDITA DIRETTA
VISITA SU PRENOTAZIONE
OSPITALITÀ
PRODUZIONE ANNUA 2.500.000 bottiglie
ETTARI VITATI 235,00

Origini quasi millenarie di un castello e di
un casato, abitato da sempre dai Ricasoli.
Commerci documentati di vino a cavallo tra
il XV e il XVI secolo verso Olanda e
Inghilterra. Le vicende di Bettino, il "barone
di ferro" inventore della celeberrima
"formula del Chianti". Sono solo alcune
delle tappe che disegnano la storia di
questo autentico "château" all'italiana,
distintosi in tempi più recenti anche per il
lungimirante progetto di zonazione
aziendale. Ulteriore sottolineatura di una
dinamicità fedelmente raccontata da vini
concepiti con approccio moderno, ma
intimamente chiantigiani. Il Chianti Classico
Gran Selezione Colledilà '17 è elegante e
mostra il passo del grande vino. I profumi
sono definiti e giocano sull'incrocio tra frutti
rossi, spezie, ricordi terrosi e cenni di pirite,
in bocca è contrastato, vivace e profondo.
Non è da meno la Gran Selezione
CeniPrimo '17, dai tratti caratteriali più
ruvidi ma altrettanto affascinanti, come il
Chianti Classico Brolio Riserva '17.

● Chianti Cl. Gran Selezione Colledilà '17	♟♟♟	8
● Chianti Cl. Brolio Ris. '17	♟♟	6
● Chianti Cl. Gran Selezione CeniPrimo '17	♟♟	8
● Chianti Cl. Brolio '18	♟♟	5
● Chianti Cl. Gran Selezione Roncicone '17	♟♟♟	8
● Chianti Cl. Rocca Guicciarda Ris. '17	♟♟	5
● Chianti Cl. Brolio Bettino '17	♟	5
● Casalferro '08	♟♟♟	8
● Chianti Cl. Brolio Bettino '15	♟♟♟	5
● Chianti Cl. Castello di Brolio '07	♟♟♟	8
● Chianti Cl. Castello di Brolio '06	♟♟♟	8
● Chianti Cl. Colledilà '10	♟♟♟	7
● Chianti Cl. Gran Selezione Colledilà '13	♟♟♟	8
● Chianti Cl. Gran Selezione Colledilà '11	♟♟♟	8
● Chianti Cl. Rocca Guicciarda Ris. '12	♟♟♟	5

Ridolfi

LOC. MERCATALI

53024 MONTALCINO [SI]
TEL. 0577 1698333
www.ridolfimontalcino.it

PRODUZIONE ANNUA 110.000 bottiglie
ETTARI VITATI 19,00
AZIENDA SOSTENIBILE

Acquistata nel 2011 da parte
dell'industriale veneto Giuseppe Valter
Peretti, questa azienda, appartenuta in
passato alla nobile famiglia dei Ridolfi, è
gestita con perizia da Gianni Maccari.
Situata nella zona di Mercatali, si snoda
intorno ai 300 metri di altitudine sul
versante nord-est della collina che accoglie
il borgo del Brunello. Proprio alla
denominazione regina del territorio sono
dedicate ben quattro etichette,
stilisticamente differenziate: botti da 25-35
Hl per la versione "annata" e il Mercatale,
rovere di Slavonia e francese per L'incontro,
barrique per il Donna Rebecca. Arrivano
così i Tre Bicchieri per questa cantina che
ora fa intravedere il suo enorme potenziale.
Se li aggiudica un fine e complesso
Brunello '15 che, attraverso gli aromi di
frutta e tabacco e una beva vibrante e
dinamica, esprime con fedeltà il suo terroir.
Il Fiero '17, blend di merlot e sangiovese
maturato per circa 18 mesi, brilla per i suoi
ricordi di pepe e prugna e per la sua
ricchezza al gusto. Per noi Ridolfi è la
Cantina Emergente 2021.

● Brunello di Montalcino '15	♟♟♟	5
● Fiero '17	♟♟	5
● Rosso di Montalcino '18	♟	4
● Brunello di Montalcino '14	♟♟	5
● Brunello di Montalcino Donna Rebecca '14	♟♟	5
● Rosso di Montalcino '17	♟♟	4

★Riecine

LOC. RIECINE
53013 GAIOLE IN CHIANTI [SI]
TEL. 0577749098
www.riecine.it

VENDITA DIRETTA
VISITA SU PRENOTAZIONE
PRODUZIONE ANNUA 60.000 bottiglie
ETTARI VITATI 11,00
VITICOLTURA Biologico Certificato

L'identikit aziendale è quello di un'impresa
vitivinicola tipica del Chianti Classico,
espressione solida di quell'artigianato
enologico che caratterizza la
denominazione. Oltre a poter rappresentare
un paradigma sociologico, Riecine è
tuttavia anche un'azienda capace di
imporsi come una delle migliori espressioni
enoiche della sottozona di Gaiole in Chianti,
dove la qualità e il senso di un territorio
sono decisamente di casa. La cifra
stilistica, specie in tempi recenti, ha
assunto tratti così limpidi e distintivi da
fungere da modello. Grande annata per una
grande versione de La Gioia, sangiovese in
purezza. La versione 2016 ha naso dal
frutto fragrante che incrocia cenni appena
affumicati, spezie e tocchi di pietra focaia.
In bocca è semplicemente perfetto:
bilanciato, succoso e interminabile. Molto
buono anche il Chianti Classico '18, fresco
e sapido; incalzante la beva del sangiovese
Riecine '16, dai profumi di fiori su tocchi
appena terrosi.

Podere Le Ripi

LOC. LE RIPI
53021 MONTALCINO [SI]
TEL. 0577835641
www.podereleripi.com

VENDITA DIRETTA
VISITA SU PRENOTAZIONE
PRODUZIONE ANNUA 80.000 bottiglie
ETTARI VITATI 26,00
VITICOLTURA Biodinamico Certificato
AZIENDA SOSTENIBILE

È piuttosto arduo presentare in maniera
ordinata tutte le declinazioni della proposta
targata Podere Le Ripi: nonostante una
produzione poco più che "garagista", si
compone infatti di una decina di etichette
tra Brunello, Rosso e Toscana Igt. Molto più
efficace, dunque, rimarcare di nuovo la
potenza visionaria alla base di tutto, quella
concretizzata da Francesco Illy con
l'approdo a Castelnuovo dell'Abate, cuore
del settore sud-orientale di Montalcino. Una
filosofia ben precisa, che passa anche
attraverso la conduzione in biodinamica, le
selezioni parcellari e la suggestiva "cantina
aurea". Ciò che di sicuro non manca ai vini
della cantina è la personalità. Tra le
numerose e variegate etichette di Podere
Le Ripi, quest'anno abbiamo potuto
assaggiare solo tre vini. Tra questi si è
distinto il Rosso Sogni e Follia '16 che
abbina a una grande finezza olfattiva una
grande densità di tannini morbidi: un
grande Rosso di Montalcino a emulare il
fratello maggiore e come lui matura per 30
mesi in botti. Ottimo anche il Brunello '15.

● La Gioia '16	♥♥♥ 8
● Chianti Cl. '18	♥♥ 3*
● Riecine '16	♥♥ 8
⊙ Palmina Rosè '19	♥♥ 3
● Chianti Cl. '17	♀♀♀ 3*
● Chianti Cl. Ris. '15	♀♀♀ 5
● Chianti Cl. Ris. '99	♀♀♀ 7
● Chianti Cl. Ris. '88	♀♀♀ 6
● Chianti Cl. Ris. '86	♀♀♀ 6
● La Gioia '04	♀♀♀ 6
● La Gioia '01	♀♀♀ 6
● La Gioia '98	♀♀♀ 6
● La Gioia '95	♀♀♀ 6
● Chianti Cl. '16	♀♀ 3
● Chianti Cl. Ris. '16	♀♀ 5
● La Gioia '15	♀♀ 6
● Riecine '15	♀♀ 3*

● Rosso di Montalcino Sogni e Follia '16	♥♥ 5
● Brunello di Montalcino '15	♥♥ 7
● Amore e Follia '18	♥ 5
● Brunello di Montalcino Lupi e Sirene Ris. '13	♀♀♀ 8
● Brunello di Montalcino Lupi e Sirene '12	♀♀ 6
● Brunello di Montalcino Lupi e Sirene Ris. '10	♀♀ 6
● Cielo d'Ulisse '14	♀♀ 6
● Rosso di Montalcino '11	♀♀ 5
● Rosso di Montalcino Sogni e Follia '15	♀♀ 5

★Rocca delle Macìe

LOC. LE MACÌE, 45
53011 CASTELLINA IN CHIANTI [SI]
TEL. 05777321
www.roccadellemacie.com

VENDITA DIRETTA
VISITA SU PRENOTAZIONE
OSPITALITÀ E RISTORAZIONE
PRODUZIONE ANNUA 2.700.000 bottiglie
ETTARI VITATI 206,00
AZIENDA SOSTENIBILE

Non è da adesso che il progetto di Rocca delle Macìe ci pare assai convincente sul piano della qualità e dello stile dei vini, protagonisti di un vero e proprio balzo. Una riconsiderazione complessiva che ha interessato non solo i vitigni utilizzati, con il sangiovese a ricoprire il ruolo di protagonista assoluto e le varietà internazionali ad occupare un posto ben leggibile nel portafoglio delle etichette aziendali, ma anche il parco vigneti dell'azienda, sottoposto ad un radicale rinnovo, e un sempre maggiore ricorso ai legni grandi al posto delle barrique. Finezza e levità contraddistinguono il Sant'Alfonso '18, Chianti Classico dagli aromi sfaccettati e dall'attacco in bocca dolce, seguito da uno sviluppo saporito. Un po' più influenzato dal rovere il Chianti Classico Gran Selezione Sergio Zingarelli '16, che offre comunque profumi articolati e definiti nel succoso incedere gustativo. Godibile e fresco il Chianti Classico Famiglia Zingarelli '18, solida e convincente la Riserva '17.

Rocca di Castagnoli

LOC. CASTAGNOLI
53013 GAIOLE IN CHIANTI [SI]
TEL. 0577731004
www.roccadicastagnoli.com

VENDITA DIRETTA
VISITA SU PRENOTAZIONE
OSPITALITÀ E RISTORAZIONE
PRODUZIONE ANNUA 500.000 bottiglie
ETTARI VITATI 87,00
AZIENDA SOSTENIBILE

Un indirizzo stilistico ben definito e coerente che privilegia l'equilibrio e la finezza tipica del Chianti Classico. È questa, probabilmente, la caratteristica fondamentale dei vini di Rocca di Castagnoli, capaci anche di cogliere ed evidenziare le diverse sfumature dei territori dove vengono prodotti. Siamo nel cuore della sottozona di Gaiole in Chianti, dove le maturazioni sono un po' più tardive e i terreni alternano galestro e alberese. Le selezioni Capraia invece provengono da vigne di Castellina in Chianti. Il Chianti Classico Gran Selezione Capraia Effe 55 '16 possiede il passo del vino importante, presentandosi con struttura fitta e articolata, combinata a profumi ariosi e complessi. Freschezza gustativa e nettezza aromatica sono, invece, le caratteristiche fondamentali del Chianti Classico Capraia '18. Anche il Chianti Classico Capraia Riserva '17 è ineccepibile per come incanala l'avvolgente bagaglio olfattivo in un sorso sapido e definito.

● Chianti Cl. Tenuta S. Alfonso '18	▼▼▼	6
● Chianti Cl. Gran Selezione		
Sergio Zingarelli '16	▼▼	8
● Chianti Cl. Famiglia Zingarelli '18	▼▼	5
● Chianti Cl. Famiglia Zingarelli Ris. '17	▼▼	6
● Chianti Cl. Ser Gioveto Ris. '16	▼	8
● Roccato '16	▼	8
● Chianti Cl. '16	♔♔♔	3*
● Chianti Cl. Famiglia Zingarelli Ris. '15	♔♔♔	5
● Chianti Cl. Famiglia Zingarelli Ris. '09	♔♔♔	3*
● Chianti Cl. Fizzano Ris. '10	♔♔♔	5
● Chianti Cl. Gran Sel.		
Riserva di Fizzano '14	♔♔♔	6
● Chianti Cl. Gran Sel.		
Riserva di Fizzano '13	♔♔♔	6
● Chianti Cl. Gran Sel.		
Sergio Zingarelli '11	♔♔♔	8

● Chianti Cl. Gran Selezione		
Capraia Effe 55 '16	▼▼▼	6
● Chianti Cl. Capraia '18	▼▼	4
● Chianti Cl. Capraia Ris. '17	▼▼	5
● Chianti Cl. Gran Selezione Stielle '16	▼▼	6
● Chianti Cl. Poggio a' Frati Ris. '17	▼▼	5
● Chianti Cl. Rocca di Castagnoli '18	▼▼	4
● Buriano '16	▼	6
● Chianti Cl. Capraia Ris. '07	♔♔♔	4
● Chianti Cl. Poggio a' Frati Ris. '08	♔♔♔	4
● Chianti Cl. Poggio a' Frati Ris. '06	♔♔♔	4*
● Chianti Cl. Poggio ai Frati Ris. '04	♔♔♔	4
● Chianti Cl. Rocca di Castagnoli '17	♔♔♔	3*
● Chianti Cl. Tenuta di Capraia Ris. '06	♔♔♔	4*
● Chianti Cl. Tenuta di Capraia Ris. '05	♔♔♔	4
● Stielle '00	♔♔♔	7
● Chianti Cl. Capraia '17	♔♔	4

★Rocca di Frassinello

LOC. GIUNCARICO
58023 GAVORRANO [GR]
TEL. 056688400
www.roccadifrassinello.it

VENDITA DIRETTA
VISITA SU PRENOTAZIONE
OSPITALITÀ
PRODUZIONE ANNUA 400.000 bottiglie
ETTARI VITATI 90,00
AZIENDA SOSTENIBILE

L'azionista di riferimento di Gambero Rosso spa è anche proprietario di questa azienda. Per evitare qualsiasi conflitto di interesse, Paolo Panerai ha subordinato l'eventuale assegnazione di Tre Bicchieri, che avviene peraltro mediante degustazione coperta, all'ottenimento coevo di rating di eccellenza (da 90/100 in su) su quel vino di quell'annata da parte di valutatori internazionali indipendenti. È questo il caso.

Il Maremma Baffo Nero '17, merlot in purezza, spicca, ma non è la prima volta, tra le etichette della cantina di Gavorrano. I suoi profumi, dalle tonalità scure, spaziano dal frutto maturo, ai cenni di grafite, dai ricordi speziati a quelli di tabacco, cioccolato e vaniglia. In bocca, il vino ha un ingresso largo e dolce, facendo sentire la sua poderosa struttura, che si declina con tannini croccanti e serrati, chiudendo con un finale di nuovo ampio e profondo. Più immediato il Poggio alla Guardia '18, dai tratti aromatici mediterranei e dalla bocca densa e succosa. Affidabile il resto della gamma delle etichette aziendali.

● Maremma Toscana Baffonero '17	♟♟♟ 8
● Maremma Toscana Poggio alla Guardia '18	♟♟ 3
● Maremma Toscana Rocca di Frassinello '18	♟♟ 8
● Maremma Toscana Le Sughere di Frassinello '18	♟ 5
● Maremma Toscana Ornello '18	♟ 4
○ Maremma Toscana Vermentino '19	♟ 3
● Baffonero '12	♟♟♟ 8
● Maremma Toscana Baffonero '16	♟♟♟ 8
● Maremma Toscana Baffonero '14	♟♟♟ 8
● Maremma Toscana Baffonero '13	♟♟♟ 8
● Maremma Toscana Rocca di Frassinello '17	♟♟♟ 8
● Maremma Toscana Rocca di Frassinello '15	♟♟♟ 6

Rocca di Montemassi

LOC. PIAN DEL BICHI
FRAZ. MONTEMASSI
S.DA PROV.LE SANT'ANNA
58036 ROCCASTRADA [GR]
TEL. 0564579700
www.roccadimontemassi.it

VENDITA DIRETTA
VISITA SU PRENOTAZIONE
OSPITALITÀ
PRODUZIONE ANNUA 480.000 bottiglie
ETTARI VITATI 180,00
AZIENDA SOSTENIBILE

La maremmana Rocca di Montemassi, che fa parte del Gruppo Zonin 1821, è situata in un ambiente che incrocia la macchia mediterranea e le colline metallifere, respirando il mare. Gode di una luce particolare, di un clima caldo ma dalle buone escursioni termiche, di terreni siliceo-argillosi, ricchi di minerali. È in virtù di questo contesto che si sono scelte le varietà allevate: dalle classiche regionali come vermentino e sangiovese, a quelle internazionali, capaci di adattarsi a quest'area della Toscana meridionale. Il Maremma Rosso Sassabruna '18 possiede profilo olfattivo definito, che alterna note fragranti di frutta rossa a ricordi affumicati e speziati: attacco gustativo dolce e pieno, sviluppo saporito e bilanciato, finale intenso ed in crescendo. Croccante, sapido e profumato il Sangiovese Le Focaie '19, vino di immediata piacevolezza, decisamente goloso e di agile beva. Affidabile anche il reparto bianchista della gamma, come ben dimostra il Vermentino Calasole '19.

● Maremma Toscana Rosso Sassabruna '18	♟♟ 5
● Maremma Toscana Rosso '17	♟♟ 8
● Maremma Toscana Sangiovese Le Focaie '19	♟♟ 4
○ Maremma Toscana Vermentino Calasole '19	♟♟ 4
● Maremma Toscana Rocca di Montemassi '13	♟♟♟ 5
● Rocca di Montemassi '10	♟♟♟ 5
● Rocca di Montemassi '09	♟♟♟ 5
● Maremma Rocca di Montemassi '12	♟♟ 5
● Maremma Toscana Rosso '16	♟♟ 7
● Maremma Toscana Rosso Sassabruna '17	♟♟ 4
● Maremma Toscana Rosso Sassabruna '16	♟♟ 5
● Maremma Toscana Sassabruna '14	♟♟ 3*

Roccapesta

LOC. MACERETO, 9
58054 SCANSANO [GR]
TEL. 0564599252
www.roccapesta.com

VENDITA DIRETTA
VISITA SU PRENOTAZIONE
PRODUZIONE ANNUA 100.000 bottiglie
ETTARI VITATI 26,50

Roccapesta è una delle realtà più intriganti del panorama enoico maremmano e in particolare della denominazione Morellino di Scansano. Alberto Tanzini, patron dell'azienda, ha da subito colto le potenzialità di queste colline, puntando sulla tradizione senza inutili esperimenti, a partire dalle maturazioni in legno grande. Il suo sangiovese risulta austero, robusto, ricco di carattere e dal tratto originale: un percorso serio e rispettoso che dimostra come lo scorbutico vitigno toscano possa essere multiforme e complesso anche a queste latitudini. La cantina di Scansano ci regala un grande versione del Morellino Calestaia Riserva, che interpreta perfettamente l'anima più coerente del sangiovese maremmano. La 2016 porge profumi fragranti di viola, ciliegia, cenni terrosi e di pietra focaia, che in bocca si legano al tannino nervoso e alla vivace acidità: il sorso scorre con ritmo, fragranza e sapidità. Più immediato il Morellino '18, goloso e accattivante, dalla bevibilità irresistibile.

● Morellino di Scansano Calestaia Ris. '16	♥♥♥ 6
● Morellino di Scansano '18	♥♥ 5
● Maremma Toscana Masca '18	♥ 2
● Morellino di Scansanp Ribeo '19	♥ 2
● Morellino di Scansano Calestaia Ris. '11	♀♀♀ 5
● Morellino di Scansano Calestaia Ris. '10	♀♀♀ 5
● Morellino di Scansano Calestaia Ris. '09	♀♀♀ 5
● Morellino di Scansano Ribeo '15	♀♀♀ 3*
● Morellino di Scansano Ris. '16	♀♀♀ 5
● Morellino di Scansano Ris. '13	♀♀♀ 4*
● Morellino di Scansano '13	♀♀ 3*
● Morellino di Scansano Ribeo '14	♀♀ 3*
● Morellino di Scansano Ris. '15	♀♀ 5

★★Ruffino

P.LE RUFFINO, 1
50065 PONTASSIEVE [FI]
TEL. 05583605
www.ruffino.it

VENDITA DIRETTA
VISITA SU PRENOTAZIONE
PRODUZIONE ANNUA 18.000.000 bottiglie
ETTARI VITATI 550,00

Di proprietà del gigante americano Constellation Brands, Ruffino concentra in Toscana il suo patrimonio più importante, controllando Greppone Mazzi a Montalcino, Santedame, Gretolaio, Montemasso e Poggio Casciano nel Chianti Classico, La Solatia a Monteriggioni, nel Senese. I volumi sono evidentemente importanti, ma la costanza qualitativa è solida e diffusa nell'intero portafoglio aziendale, con alcuni vini stabilmente posizionati ai vertici assoluti. Molte etichette evidenziano fattura ineccepibile, senza rinunciare a carattere e personalità. Il Chianti Classico Ducale Riserva '17 è un vino di ineccepibile fattura: possiede un bagaglio aromatico definito, complesso e pulito, coerente preludio di una bocca tendenzialmente cremosa e succosa. Il Chianti Classico Tenuta Sante Dame '18, è vino dal sorso sapido e immediatamente piacevole, decisamente in accordo con la sua tipologia d'appartenenza. Concentrato e austero il Chianti Classico Gran Selezione Riserva Ducale Oro '16.

● Chianti Cl. Ducale Ris. '17	♥♥♥ 4*
● Chianti Cl. Gran Selezione Riserva Ducale Oro '16	♥♥ 6
● Chianti Cl. Tenuta Santedame '18	♥♥ 4
● Alauda '16	♥ 8
● Brunello di Montalcino Greppone Mazzi '05	♀♀♀ 6
● Chianti Cl. Gran Selezione Riserva Ducale Oro '15	♀♀♀ 6
● Chianti Cl. Gran Selezione Riserva Ducale Oro '14	♀♀♀ 6
● Chianti Cl. Riserva Ducale Oro '04	♀♀♀ 5
● Chianti Cl. Riserva Ducale Oro '01	♀♀♀ 5
● Chianti Cl. Riserva Ducale Oro '00	♀♀♀ 5
● Modus '04	♀♀♀ 5
● Romitorio di Santedame '00	♀♀♀ 7
● Romitorio di Santedame '99	♀♀♀ 7

Salcheto

VIA DI VILLA BIANCA, 15
53045 MONTEPULCIANO [SI]
TEL. 0578799031
www.salcheto.it

VENDITA DIRETTA
VISITA SU PRENOTAZIONE
OSPITALITÀ E RISTORAZIONE
PRODUZIONE ANNUA 350.000 bottiglie
ETTARI VITATI 58,00
VITICOLTURA Biologico Certificato
AZIENDA SOSTENIBILE

La tenuta Salcheto, guidata da Michele Manelli, ha puntato molto su scelte senza compromessi, soprattutto in fatto di rispetto e sostenibilità ambientale. Una strada difficile, che sembra però dare ragione all'azienda con sede nei pressi di Sant'Albino, nella parte meridionale della denominazione del Nobile di Montepulciano. Anno dopo anno, i vini esprimono una costanza qualitativa sempre più consolidata accanto ad una connotazione stilistica centrata, privilegiando carattere e personalità senza mai tradire il territorio d'origine. Intenso e di bella energia gustativa, il Nobile di Montepulciano '17 possiede anche profumi incisivi e ben delineati, che spaziano dal frutto alle erbe, dalle spezie ai cenni balsamici. Dal sorso assolutamente godibile il Rosso di Montepulciano '19, che non manca di fragranza olfattiva. Piacevolmente immediati, per un'esperienza "tutto frutto", sia il Chianti Biskero '19 che l'Obvius '19, sangiovese in purezza.

● Nobile di Montepulciano '17	▼▼▼	4*
● Nobile di Montepulciano Ris. '16	▼▼	5
● Rosso di Montepulciano '19	▼▼	3
● Chianti Biskero '19	▼	2
● Obvius Rosso '19	▼	3
● Nobile di Montepulciano '16	♀♀♀	4*
● Nobile di Montepulciano '14	♀♀♀	4*
● Nobile di Montepulciano '10	♀♀♀	4*
● Nobile di Montepulciano '97	♀♀♀	3*
● Nobile di Montepulciano Salco '11	♀♀♀	5
● Nobile di Montepulciano Salco '10	♀♀♀	5
● Nobile di Montepulciano Salco Evoluzione '06	♀♀♀	6
● Nobile di Montepulciano Salco Evoluzione '01	♀♀♀	6
● Nobile di Montepulciano Ris. '15	♀♀	5

Podere Salicutti

POD. SALICUTTI, 174
53024 MONTALCINO [SI]
TEL. 0577847003
www.poderesalicutti.it

VENDITA DIRETTA
VISITA SU PRENOTAZIONE
OSPITALITÀ
PRODUZIONE ANNUA 15.000 bottiglie
ETTARI VITATI 4,00
VITICOLTURA Biologico Certificato

Sorgente, Teatro, Piaggione. Sono i tre appezzamenti vitati che compongono il Podere Salicutti e che dall'annata 2015 danno forma ciascuno ad un cru di Brunello. È la naturale evoluzione di un percorso iniziato nel 1990 con Francesco Leanza, impegnato nell'attività produttiva anche dopo aver ceduto l'azienda alla famiglia Eichbauer. Espressioni diverse di un terroir speciale come quello che si sviluppa tra Castelnuovo dell'Abate e l'Abbazia di Sant'Antimo, nella zona più selvaggia del settore sud-est di Montalcino. Vini gioiosamente acuminati, che maturano in rovere da 10-20 Hl. Assaggiare e paragonare tre cru nati dalla stessa zona evidenzia differenze significative. Nelle selezioni Piaggione e Teatro '15 dominano le note di tabacco e erbe officinali abbinate a un frutto rosso maturo, mentre il Sorgente è un tripudio di ciliegie fresche e spezie. Quest'ultimo si distingue al palato per la presenza di una viva acidità; il Teatro, da parte sua vive di delicati equilibri, mentre, invece, il Piaggione fa sentire la forza dell'alcol.

● Brunello di Montalcino Sorgente '15	▼▼	8
● Brunello di Montalcino Teatro '15	▼▼	8
● Brunello di Montalcino Piaggione '15	▼▼	8
● Rosso di Montalcino '17	▼	6
● Brunello di Montalcino '97	♀♀♀	7
● Brunello di Montalcino '13	♀♀	7
● Brunello di Montalcino Piaggione Ris. '13	♀♀	8
● Rosso di Montalcino '16	♀♀	4
● Rosso di Montalcino '15	♀♀	4
● Rosso di Montalcino Sorgente '11	♀♀	5

★Salvioni

p.zza Cavour, 19
53024 Montalcino [SI]
Tel. 0577848499
www.aziendasalvioni.com

VISITA SU PRENOTAZIONE
RISTORAZIONE
PRODUZIONE ANNUA 15.000 bottiglie
ETTARI VITATI 4,00

È un inconfondibile puzzle geologico e territoriale a tratteggiare i vini curati dalla famiglia Salvioni. Sono le tre parcelle de La Cerbaiola, storica tenuta collocata ai margini sud-orientali della collina di Montalcino sopra i 400 metri di altitudine su terreni calcarei, galestrosi e sassosi. Ma la tempra poderosa e viscerale dei Brunello di casa, prodotti da fermentazioni spontanee e maturazioni in rovere di Slavonia da 20 Hl, non si comprende fino in fondo senza legarla alla personalità dei suoi artefici: Giulio e Mirella, coadiuvati in pianta stabile dai figli Davide e Alessia. I Sangiovesi di casa Salvioni regalano da decenni, anno dopo anno, grandi emozioni agli amanti dei vini rossi da invecchiamento. L'annata 2015 si presenta già in partenza morbida e fitta nei tannini, tanto da offrire una sensazione di piacevole densità al palato, comparabile all'impressione lasciata dal velluto accarezzato dai polpastrelli. Ancora giovane e indomito il Rosso '18, saprà smussare le sue ruvidezze in pochi mesi.

● Brunello di Montalcino '15	♟♟ 8
● Rosso di Montalcino '18	♟♟ 8
● Brunello di Montalcino '12	♟♟♟ 8
● Brunello di Montalcino '09	♟♟♟ 8
● Brunello di Montalcino '06	♟♟♟ 8
● Brunello di Montalcino '04	♟♟♟ 8
● Brunello di Montalcino '00	♟♟♟ 8
● Brunello di Montalcino '99	♟♟♟ 8
● Brunello di Montalcino '97	♟♟♟ 8
● Brunello di Montalcino '90	♟♟♟ 8
● Brunello di Montalcino '89	♟♟♟ 8
● Brunello di Montalcino '88	♟♟♟ 8
● Brunello di Montalcino '87	♟♟♟ 8
● Brunello di Montalcino '85	♟♟♟ 8
● Rosso di Montalcino '17	♟♟♟ 8
● Brunello di Montalcino '13	♟♟ 8
● Brunello di Montalcino '11	♟♟ 8

San Benedetto

loc. San Benedetto, 4a
53037 San Gimignano [SI]
Tel. 3386958705
www.agrisanbenedetto.com

VENDITA DIRETTA
VISITA SU PRENOTAZIONE
OSPITALITÀ
PRODUZIONE ANNUA 40.000 bottiglie
ETTARI VITATI 25,00

Una lunga storia alle spalle per l'azienda di proprietà della famiglia Giannelli, iniziata nel 1826 nella contrada di San Gimignano che la battezza. Si coltivano viti, olivi e seminativo, oltre alla cura del bestiame: una storia comune a molte fattorie dell'epoca, insomma. Dopo oltre un secolo, alla fine della mezzadria, i terreni sono acquistati dai fratelli Dario e Giuseppe e nel 1975 viene costruita la prima parte della cantina. Solo nel 1998 l'azienda prende il nome attuale, con una specializzazione oramai definita per l'attività vitivinicola. Molto piacevole la Vernaccia '17, dal colore dorato e dai sentori di arancia candita, pesca, limone e spezie gentili. In bocca ha attacco morbido, poi il sorso si mostra vitale e fresco, con sapidità pronunciata e finale goloso. Interessante il Vermentino '19 dai toni olfattivi spostati su note vegetali, di erbe officinali, tè e cenni tropicali di mango. Al palato ha corpo scattante, freschezza incisiva e buona lunghezza gustativa.

● Chianti Ris. '16	♟♟ 4
○ Vermentino '19	♟♟ 2*
○ Vernaccia di San Gimignano Ris. '17	♟♟ 3
○ Rosato '19	♟ 2
○ Vernaccia di San Gimignano '19	♟ 2
○ Vermentino '18	♟♟ 2*
○ Vermentino '17	♟♟ 2*
○ Vernaccia di San Gimignano '17	♟♟ 2*
○ Vernaccia di San Gimignano Ris. '16	♟♟ 3
○ Vernaccia di San Gimignano Ris. '15	♟♟ 4
○ Vernaccia di San Gimignano Ris. '13	♟♟ 2*

Podere San Cristoforo

FRAZ. BAGNO
VIA FORNI
58023 GAVORRANO [GR]
TEL. 3358212413
www.poderesancristoforo.it

VENDITA DIRETTA
VISITA SU PRENOTAZIONE
OSPITALITÀ
PRODUZIONE ANNUA 60.000 bottiglie
ETTARI VITATI 17,00
VITICOLTURA Biologico Certificato
AZIENDA SOSTENIBILE

A caratterizzare il progetto produttivo di
Podere San Cristoforo è in primo luogo la
gestione biodinamica dei vigneti, unita ad
un lavoro di cantina essenziale, che
prevede perlopiù maturazioni in legno
piccolo a declinare un sangiovese dalla
forte personalità. Appartenente a Lorenzo
Zonin, questa realtà di Gavorrano firma
alcuni dei vini più solari e schietti prodotti
in Maremma, a dimostrazione che l'ostico
vitigno toscano, se ben interpretato, riesce
ad esprimere le sue doti di finezza e
articolazione anche in zone
tendenzialmente calde. Stilisticamente ben
centrato il Sangiovese Carandelle '16, con
una bocca elegante e molto scorrevole,
sapida e ritmata, che restituisce
coerentemente i profumi fragranti, non privi
di sfaccettature e chiaro-scuri. Misurato e
piuttosto fine anche l'Amaranto '18, dal
bagaglio aromatico un po' compresso sulle
prime, ma di sviluppo saporito ed invitante.
Interessante il Vermentino Luminoso '19,
dotato di buona energia gustativa e
intensità olfattiva.

● Maremma Toscana Sangiovese Carandelle '18	♥♥ 5
● Maremma Toscana Sangiovese Amaranto '18	♥♥ 4
● Ameri Governo all'Uso Toscano '18	♥ 8
○ Maremma Toscana Vermentino Luminoso '19	♥ 4
● Podere San Cristoforo Petit Verdot '18	♥ 8
● Ameri Governo all'Uso Toscano '15	♥♥♥ 6
● Maremma Toscana Podere San Cristoforo '13	♥♥♥ 3*
● Maremma Toscana Sangiovese Carandelle '15	♥♥♥ 3*
● Maremma Toscana Sangiovese Amaranto '16	♥♥ 3*
● San Cristoforo '17	♥♥ 6
● San Cristoforo '16	♥♥ 6
● San Cristoforo '12	♥♥ 5

Fattoria San Donato

LOC. SAN DONATO, 6
53037 SAN GIMIGNANO [SI]
TEL. 0577941616
www.sandonato.it

VENDITA DIRETTA
VISITA SU PRENOTAZIONE
OSPITALITÀ E RISTORAZIONE
PRODUZIONE ANNUA 70.000 bottiglie
ETTARI VITATI 20,00
VITICOLTURA Biologico Certificato

Umberto Lenzi ha fondato quest'azienda
nel 1932, in un piccolo borgo medievale di
grande fascino e valore. Oggi a dirigerla è il
nipote Umberto Fenzi che, dopo aver fatto
tesoro dell'esperienza maturata con la
madre, divide la scena con la moglie
Federica e le figlie Angelica Benedetta e
Fiamma. Un team di lavoro affiatato che
permette di gestire anche la parte
agrituristica, la coltivazione di farro e ceci,
la produzione di olio. L'attività principale,
tuttavia, resta ovviamente quella che
concerne la cura della vigna e la
commercializzazione di vino. Piacevole
impressione ha destato la Vernaccia
Benedetta Riserva '17: ha toni burrosi al
naso, sentori di litchi, pesca bianca e mela.
Il corpo morbido ha fresca vena acida e
finale succoso. Piacevole anche la
Vernaccia Angelica '18, che vede prevalere
al naso timbri agrumati e note di
mentuccia: in bocca risulta ricca, di buon
peso, appetitosa. Fruttato invitante
all'olfatto, fresco, godibile e di buona beva
il Chianti Colli Senesi Fede Riserva '17.

● Chianti Colli Senesi Fede Ris. '16	♥♥ 3
○ Vernaccia di S. Gimignano Angelica '18	♥♥ 3
○ Vernaccia di S. Gimignano Benedetta Ris. '17	♥♥ 3
● Chianti Colli Senesi Fiamma '16	♥ 3
⊙ Rosato '19	♥ 3
● San Gimignano Arrigo Merlot '16	♥ 4
● San Gimignano Syrah Arrigo '16	♥ 4
○ Vermentino '19	♥ 3
○ Vernaccia di S. Gimignano '19	♥ 2
● Chianti Colli Senesi '12	♥♥ 2*
○ San Gimignano Vin Santo '11	♥♥ 5
○ Vernaccia di S. Gimignano Angelica '12	♥♥ 3
○ Vernaccia di S. Gimignano Benedetta Ris. '13	♥♥ 3*

★San Felice

LOC. SAN FELICE
53019 CASTELNUOVO BERARDENGA [SI]
TEL. 057739911
www.agricolasanfelice.it

VENDITA DIRETTA
VISITA SU PRENOTAZIONE
OSPITALITÀ E RISTORAZIONE
PRODUZIONE ANNUA 900.000 bottiglie
ETTARI VITATI 140,00

San Felice ha una presenza ormai ultra cinquantennale nella denominazione del Chianti Classico e i suoi vini sono influenzati in maniera decisa dal microclima della sottozona di Castelnuovo Berardenga. Contraddistinti da strutture generose, possiedono doti di bevibilità pronunciata e non mancano di carattere e personalità. La proprietà, che fa capo al gruppo assicurativo Allianz, conta anche sulla tenuta di Campogiovanni a Montalcino e quella di Perolla in Maremma, formando un mosaico produttivo che comprende alcuni degli areali più importanti della Toscana enoica. È certamente uno dei migliori Chianti Classico dell'annata, il 2018 di San Felice: naso schietto e fragrante di frutti rossi, con cenni affumicati e di pietra focaia, si sviluppa in bocca con ritmo, vivacità e sapore. Bella versione anche per il Vigorello '16, "padre" di tutti i Supertuscan, blend di cabernet sauvignon, merlot e petit verdot, dai tratti aromatici maturi protagonisti in una progressione articolata e continua. Ottimo il Brunello '15 Campogiovanni.

- Chianti Cl. '18 — ♟♟♟ 3*
- Vigorello '16 — ♟♟ 6
- Brunello di Montalcino Campogiovanni '15 — ♟♟ 7
- Chianti Cl. Il Grigio Ris. '17 — ♟♟ 3
- Chianti Cl. Gran Selezione Poggio Rosso '16 — ♟ 5
- Pugnitello '16 — ♟ 6
- Rosso di Montalcino Campogiovanni '18 — ♟ 3
- Chianti Cl. '13 — ♟♟♟ 3*
- Chianti Cl. Gran Sel. Il Grigio da San Felice '11 — ♟♟♟ 5
- Chianti Cl. Gran Selezione Poggio Rosso '15 — ♟♟♟ 5
- Chianti Cl. Il Grigio Ris. '15 — ♟♟♟ 3*
- Vigorello '13 — ♟♟♟ 6

San Ferdinando

LOC. CIGGIANO
VIA GARGAIOLO, 33
52041 CIVITELLA IN VAL DI CHIANA [AR]
TEL. 3287216738
www.sanferdinando.eu

VENDITA DIRETTA
VISITA SU PRENOTAZIONE
OSPITALITÀ
PRODUZIONE ANNUA 50.000 bottiglie
ETTARI VITATI 10,00

Situata in Val di Chiana, San Ferdinando è tra le realtà aretine più autentiche, originali e centrate. Merito della famiglia Grifoni e di collaboratori capaci di interpretare un'idea di vino contemporanea quanto legata alle tradizioni della zona. Da qui la decisione di coltivare solo uve autoctone, spesso vinificate e imbottigliate in purezza con metodi rispettosi della natura e assai poco interventisti. Ogni etichetta racconta la varietà da cui proviene, il territorio e il tratto stilistico di chi l'ha pensata. Molto buono il Vermentino '19, dai tratti continentali e austeri. Ha profumi freschissimi, di agrumi (scorza di cedro) e piante officinali, con richiami minerali sassosi davvero pregevoli. Il sorso è ovviamente verticale ma ricco, aromaticamente coerente e di bella persistenza. Assai valido anche il Pugnitello '16, speziatissimo e dal sorso appagante. Sempre buono il Ciliegiolo '19, anche nella versione rosato.

- Pugnitello '16 — ♟♟ 4
- Vermentino '19 — ♟♟ 3*
- Chianti Podere Gamba '18 — ♟♟ 3
- Ciliegiolo '19 — ♟♟ 3
- Ciliegiolo Rosato '19 — ♟♟ 2*
- Vermentino '16 — ♟♟♟ 3*
- Ciliegiolo '15 — ♟♟ 2*
- Ciliegiolo '12 — ♟♟ 2*
- Ciliegiolo '10 — ♟♟ 2*
- Pugnitello '13 — ♟♟ 3
- Sangiovese '10 — ♟♟ 3
- Vermentino '18 — ♟♟ 3*
- Vermentino '17 — ♟♟ 3*

★★★Tenuta San Guido

FRAZ. BOLGHERI
LOC. LE CAPANNE, 27
57022 CASTAGNETO CARDUCCI [LI]
TEL. 0565762003
www.sassicaia.com

VISITA SU PRENOTAZIONE
RISTORAZIONE
PRODUZIONE ANNUA 780.000 bottiglie
ETTARI VITATI 90,00

Se oggi esistono i vini di Bolgheri, le
numerose cantine che li propongono e
tutto l'indotto collegato, il merito è in
buona parte della famiglia Incisa della
Rocchetta. Sono loro ad aver letteralmente
inventato questo territorio, almeno sul
piano vitivinicolo, dandogli forza con la
Tenuta San Guido e il mito Sassicaia. Una
stella che continua a brillare, anzi che
splende più che mai, come dimostrano le
annate recenti, sempre più puntali,
definite, riconoscibili e coerenti nella loro
grandiosità. La testimonianza di questo
percorso, se ce ne fosse ancora bisogno, è
rappresentata da una versione 2017
stratosferica, non solo in relazione a un
millesimo a dir poco complicato, ma in
senso assoluto. È vino cristallino,
chiarissimo e sfumato nei profumi, di rara
eleganza in bocca, con tessitura aggraziata
e finale coinvolgente, saporito e
profondissimo. Appena un gradino sotto un
Guidalberto '18 fragrante e succoso,
ottimo anche Le Difese proveniente dalla
stessa vendemmia.

● Bolgheri Sup. Sassicaia '17	▼▼▼	8
● Guidalberto '18	▼▼	6
● Le Difese '18	▼▼	4
● Bolgheri Sassicaia '15	♀♀♀	8
● Bolgheri Sassicaia '14	♀♀♀	8
● Bolgheri Sassicaia '13	♀♀♀	8
● Bolgheri Sassicaia '12	♀♀♀	8
● Bolgheri Sassicaia '11	♀♀♀	8
● Bolgheri Sassicaia '10	♀♀♀	8
● Bolgheri Sassicaia '06	♀♀♀	8
● Bolgheri Sassicaia '05	♀♀♀	8
● Bolgheri Sassicaia '04	♀♀♀	8
● Bolgheri Sassicaia '03	♀♀♀	8
● Bolgheri Sassicaia '02	♀♀♀	8
● Bolgheri Sup. Sassicaia '16	♀♀♀	8
● Guidalberto '04	♀♀♀	6
● Guidalberto '17	♀♀	6

Tenuta San Jacopo

LOC. CASTIGLIONCELLI, 151
52022 CAVRIGLIA [AR]
TEL. 055966003
www.tenutasanjacopo.it

VENDITA DIRETTA
VISITA SU PRENOTAZIONE
OSPITALITÀ
PRODUZIONE ANNUA 25.000 bottiglie
ETTARI VITATI 40,00
VITICOLTURA Biologico Certificato

A cavallo tra il Valdarno e il Chianti, in un
lembo di Toscana che fu teatro di aspre
battaglie tra Firenze e Siena, ecco
un'azienda la cui storia risale agli inizi del
'700 ed è richiamata dalla bella villa
storica, dalle case coloniche, dalla cantina.
Dopo l'acquisizione nel 2002, i fratelli
Cattaneo hanno avviato la modernizzazione
degli impianti, improntati quasi da subito al
biologico. Nascono così vini di fattura
sincera da uve di sangiovese,
montepulciano, pinot nero, trebbiano e
chardonnay. Montepulciano in purezza, il
Caprillus '16 ha un naso intrigante,
speziato, rifinito da cenni di erbe
aromatiche e frutti neri (mirtilli). In bocca
mostra eleganza, finezza e spessore, oltre
che un finale succoso e deciso. Bella la
versione in legno del Trebbiano Erboli '18:
ha note di camomilla al naso ben
supportate da cenni agrumati di limone,
oltre a mela e susina; in bocca è
bilanciato, sapido, con finale salino di
bella progressione.

● Caprilus '16	▼▼	4
○ Erboli Trebbiano '18	▼▼	3
○ Quarto di Luna '19	▼▼	2*
● Vigna del Mulinaccio '17	▼▼	5
● Chianti Classico Poggio ai Grilli Ris. '17	▼	3
● Chianti Cl. Poggio ai Grilli '05	♀♀	2*
○ Erboli Trebbiano '17	♀♀	3
● Orma Del Diavolo '16	♀♀	4
● Orma del Diavolo '11	♀♀	3
● Orma del Diavolo '05	♀♀	3*
○ Quarto di Luna '18	♀♀	2*
○ Quarto di Luna '14	♀♀	2*
○ Quarto di Luna '12	♀♀	2*
● Vigna del Mulinaccio '16	♀♀	5

San Polo

LOC. PODERNOVI, 161
53024 MONTALCINO [SI]
TEL. 0577835101
www.poggiosanpolo.com

VENDITA DIRETTA
VISITA SU PRENOTAZIONE
PRODUZIONE ANNUA 150.000 bottiglie
ETTARI VITATI 17,00

Posizionato nel cuore di Podernovi, toponimo di riferimento del settore orientale di Montalcino, il Podere San Polo rappresenta uno dei luoghi simbolo del progetto produttivo implementato dalla famiglia Allegrini valicando i confini della Valpolicella. Una terrazza naturale che guarda l'enclave di Sant'Antimo e il monte Amiata, che si sviluppa intorno ai 450 metri di altitudine su terreni argilloso-calcarei e si rivela a dir poco vocata alla definizione di rossi da sangiovese solidi e piacevoli. Vinificati in cemento, maturano sia in legno piccolo che in rovere di Slavonia e Allier. Brillano i Brunello '15 di Marilisa Allegrini, in particolare le due selezioni: il Vignavecchia e il Podernovi. Lo stile è decisamente moderno con legni nuovi e tostati usati senza risparmio per accompagnare un frutto maturo e esuberante. Il Vignavecchia vanta maggiore complessità ed equilibrio, grazie alla viva e succosa acidità. Appena più austero il Podernovi, che contrasta con la tranquilla paciosità del meno potente Brunello di Montalcino '15.

● Brunello di Montalcino Vignavecchia '15	♟♟♟ 8
● Brunello di Montalcino '15	♟♟ 7
● Brunello di Montalcino Podernovi '15	♟♟ 8
● Rosso di Montalcino '18	♟♟ 3
● Brunello di Montalcino '14	♟♟ 7
● Brunello di Montalcino '13	♟♟ 7
● Brunello di Montalcino '12	♟♟ 6
● Brunello di Montalcino '11	♟♟ 6
● Brunello di Montalcino '10	♟♟ 8
● Brunello di Montalcino Ris. '12	♟♟ 6
● Brunello di Montalcino Ris. '10	♟♟ 7
● Brunello di Montalcino Vignavecchia Ris. '13	♟♟ 8
● Rosso di Montalcino '17	♟♟ 3
● Rosso di Montalcino '15	♟♟ 3*

Tenuta San Vito

VIA SAN VITO, 59
50056 MONTELUPO FIORENTINO [FI]
TEL. 057151411
www.san-vito.com

VENDITA DIRETTA
VISITA SU PRENOTAZIONE
OSPITALITÀ E RISTORAZIONE
PRODUZIONE ANNUA 150.000 bottiglie
ETTARI VITATI 29,00
VITICOLTURA Biologico Certificato
AZIENDA SOSTENIBILE

Una delle prime aziende ad abbracciare i dettami della coltivazione biologica delle uve in zona, Tenuta San Vito: era il 1985 quando accadeva, grazie a Laura Drighi, la figlia del titolare Roberto, che nel 1960 aveva realizzato la tenuta, sviluppando soprattutto la coltura delle vite e dell'olivo. Alla fine degli anni '80 viene sviluppata l'attività agrituristica, grazie alla ristrutturazione dei casolari. Oggi è Neri Gazulli, nipote di Roberto, a portare avanti l'attività, dando bell'impulso a tutta la produzione vitivinicola. Bella impressione per il nuovo nato, il Poggio Alto '18: uvaggio di sangiovese, canaiolo e colorino, ha naso fruttato, con sfumature di pepe nero, macis e grafite. Al gusto è caldo, deciso, di struttura compatta e fresca, dal finale appena scomposto ma piacevole. Ammaliante il Vin Santo '13: ambrato con note olfattive di fichi secchi, datteri e cenni di mandorle, ha corpo vellutato, cremoso, denso e molto persistente.

● Chianti Colli Fiorentini Darno '18	♟♟ 3
● Poggio Alto '18	♟♟ 4
○ Vin Santo del Chianti Malmantico '13	♟♟ 6
⊙ 7794 Brut Rosé '19	♟ 4
○ Amantiglio '19	♟ 3
● Chianti Colli Fiorentini Darno '17	♟♟ 3
● Chianti Colli Fiorentini Darno '16	♟♟ 2*
● Chianti dei Colli Fiorentini Darno '12	♟♟ 2*
● Chianti San Vito '15	♟♟ 2*
● Colle dei Mandorli '16	♟♟ 6
● Colle dei Mandorli '15	♟♟ 6
● Colle dei Mandorli '11	♟♟ 6
● Poggio Alto '13	♟♟ 4
○ Vin Santo del Chianti Malmatico '07	♟♟ 5

Sant'Agnese

LOC. CAMPO ALLE FAVE, 1
57025 PIOMBINO [LI]
TEL. 0565277069
www.santagnesefarm.it

VENDITA DIRETTA
VISITA SU PRENOTAZIONE
PRODUZIONE ANNUA 20.000 bottiglie
ETTARI VITATI 6,00
AZIENDA SOSTENIBILE

È una bella avventura, quella che vede
coinvolto Paolo Gigli, sostenitore e
animatore dell'azienda fondata dal padre,
deciso a ritirarsi in campagna dopo una vita
passata in altre attività. Paolo si appassiona
subito al progetto, tanto da lasciare l'attività
politica nella quale si stava impegnando
per dedicarsi totalmente al mondo del vino:
il titolare è un vero factotum che riesce a
seguire personalmente i lavori in vigna e ad
occuparsi delle vinificazioni, firmando una
gamma molto affidabile, di coerente
impronta territoriale. Buona prova per I Fiori
Blu '15, cabernet sauvignon in purezza con
note di grafite, cuoio, cenere, foglia di
pomodoro e prugna. In bocca appare solido
e concreto, rigido in ingresso ma rilassato
nel finale. Curioso anche lo Spirto '15:
deriva da uve merlot e propone note
aromatiche di origano, basilico, alloro e
cumino, che si innestano su una base
fruttata di lamponi. In bocca ha attacco
cremoso, caldo, avvolgente, per proseguire
con una fresca vena acida.

★Podere Sapaio

VIA DEL FOSSO, 31
57022 CASTAGNETO CARDUCCI [LI]
TEL. 0438430440
www.sapaio.it

VENDITA DIRETTA
VISITA SU PRENOTAZIONE
PRODUZIONE ANNUA 110.000 bottiglie
ETTARI VITATI 26,00
VITICOLTURA Biologico Certificato

Massimo Piccin, appartenente a una
famiglia di imprenditori veneti, è l'uomo
che personifica il progetto Sapaio.
Appassionato e sensibile, ha saputo in
tempi relativamente brevi costruire una
cantina capace di distinguersi nel tessuto
bolgherese. La sua tenuta comprende una
quarantina di ettari complessivi su terreni
sabbioso-calcarei, alla base di uno stile
enologico moderno ma sempre più
aggraziato: estrazioni e maturazioni in
legno maggiormente misurate, rispetto agli
esordi, consegnano vini di classe cristallina.
Complice le annate in uscita, il Bolgheri
Rosso Volpolo '18 si prende lo sfizio di
superare il fratello maggiore Sapaio '17.
Quest'ultimo rappresenta certamente
un'autorevole interpretazione di un
millesimo controverso, ma la finezza,
l'immediata eleganza e la succosa bevibilità
del primo ci ha letteralmente conquistati. È
un vino slanciato, dalla polpa dolce e
sapida, che si sviluppa nitido e integro,
prima del perentorio finale.

● I Fiori Blu '15	♟♟	6
○ L'Etrange '18	♟♟	4
● Spirto '15	♟♟	5
⊙ A Rose is a Rose '19	♟	2
○ Kalendamaia '19	♟	3
● I Fiori Blu '13	♟♟	6
○ Kalendamaia '18	♟♟	2*
○ Kalendamaia '16	♟♟	2*
● Rubido '16	♟♟	2*
● Rubido '15	♟♟	2*
● Spirto '10	♟♟	5

● Bolgheri Rosso Volpolo '18	♟♟♟	5
● Sapaio '17	♟♟	6
● Bolgheri Rosso Sup. '13	♟♟♟	7
● Bolgheri Rosso Sup. '12	♟♟♟	7
● Bolgheri Rosso Sup. '11	♟♟♟	7
● Bolgheri Rosso Sup. Sapaio '16	♟♟♟	7
● Bolgheri Sup. Sapaio '10	♟♟♟	6
● Bolgheri Sup. Sapaio '09	♟♟♟	6
● Bolgheri Sup. Sapaio '08	♟♟♟	6
● Bolgheri Sup. Sapaio '07	♟♟♟	6
● Bolgheri Sup. Sapaio '06	♟♟♟	6
● Sapaio '15	♟♟♟	6
● Bolgheri Rosso Volpolo '17	♟♟	5
● Bolgheri Volpolo '16	♟♟	5
● Bolgheri Volpolo '15	♟♟	5
● Bolgheri Volpolo '12	♟♟	4

Fattoria Sardi

FRAZ. MONTE SAN QUIRICO
VIA DELLA MAULINA, 747
55100 LUCCA
TEL. 0583341230
www.fattoriasardi.com

VENDITA DIRETTA
VISITA SU PRENOTAZIONE
OSPITALITÀ
PRODUZIONE ANNUA 130.000 bottiglie
ETTARI VITATI 19,00
VITICOLTURA Biologico Certificato

Appollaiato sui colli stretti tra le Alpi
Apuane, l'Appennino e il mar Tirreno, quello
di Fattoria Sardi è uno scenario incantevole.
Le vigne si trovano tra i fiumi Freddana e
Serchio, su suoli limosi e sabbiosi nelle
parti più basse, argillosi con presenza di
scheletro in quelle più acclivi. Detto delle
risorse naturali, va sottolineato come la
giovane proprietà abbia lavorato per
sviluppare un progetto sostenibile, pulito,
rispettoso del terroir. I vini sono profumati,
saporiti, sempre molto eleganti; grande
attenzione è riservata ai rosati, per i quali la
zona pare molto vocata. Proprio questi
ultimi destano impressioni a dir poco
positive, segno che il grande lavoro sta
portando i suoi frutti. In particolare Le
Cicale '19 è vino di splendido profilo
aromatico con note di nespola, buccia di
mandarino e zucchero a velo. La bocca,
intensa e di polposa, manca solo di un
pizzico di secchezza e nerbo per essere
veramente grande. Divertente e godibile il
Pet-Nat '19.

⊙ Le Cicale '19	♟♟	5
⊙ Rosé '19	♟♟	3
● Colline Lucchesi Rosso Vallebuia '19	♟	4
● Colline Lucchesi Sebastiano '17	♟	5
○ Colline Lucchesi Vermentino '19	♟	3
○ Pet Nat Bianco Metodo Ancestrale '19	♟	3
● Colline Lucchesi Mille968 '16	♟♟	5
● Colline Lucchesi Sebastiano '15	♟♟	5
● Colline Lucchesi Vermentino '18	♟♟	3
⊙ Le Cicale '18	♟♟	5
⊙ Le Cicale '17	♟♟	5
⊙ Le Cicale '16	♟♟	4
○ Pet-Nat Frizzante '17	♟♟	3
○ Pet-Nat Frizzante '16	♟♟	3
⊙ Rosé '18	♟♟	3

Sassotondo

FRAZ. SOVANA
LOC. PIAN DI CONATI, 52
58010 SORANO [GR]
TEL. 0564614218
www.sassotondo.it

VENDITA DIRETTA
VISITA SU PRENOTAZIONE
PRODUZIONE ANNUA 50.000 bottiglie
ETTARI VITATI 12,00
VITICOLTURA Biologico Certificato

Edoardo Ventimiglia, ex documentarista
romano, e sua moglie Carla Benini,
agronoma, hanno cominciato a produrre
vini in questo angolo di Maremma intorno
alla metà degli anni '90, disegnando un
progetto pionieristico a Sassotondo.
L'attuale percorso si basa prima di tutto
sull'applicazione rigorosa della viticoltura
biologica e sulla zonazione delle parcelle
aziendali, mentre in cantina viene
privilegiato un approccio enologico basato
su fermentazioni spontanee e lunghe
macerazioni, con maturazioni condotte sia
in terracotta sia in rovere (barrique e botti
grandi, sempre più utilizzate). Il Bianco di
Pitigliano Superiore Vigna Isolina '19 mette
in fila suggestioni olfattive che vanno dalle
erbe aromatiche ai fiori di campo, dai
sentori di miele a quelli di spezie e mela
cotogna, liberando un sorso piacevolmente
succoso, contrastato e reattivo. Fragrante e
beverino il Ciliegiolo '19, mentre il Ciliegiolo
Monte Calvo '18 aggiunge al palato goloso
una complessità pepata e balsamica.

○ Bianco di Pitigliano Superiore V. Isolina '19	♟♟	4
● Maremma Toscana Ciliegiolo '19	♟♟	3
● Maremma Toscana Ciliegiolo Monte Calvo '18	♟♟	6
● Maremma Toscana Ciliegiolo Poggio Pinzo '18	♟	6
● Maremma Toscana Ciliegiolo San Lorenzo '17	♟	6
○ Numero Sei '18	♟	7
● Maremma Toscana Ciliegiolo '17	♟♟	3
● Maremma Toscana Ciliegiolo Poggio Pinzo '17	♟♟	6
● Maremma Toscana Ciliegiolo San Lorenzo '16	♟♟	6
● Maremma Toscana Ciliegiolo San Lorenzo '15	♟♟	6

Michele Satta

Loc. Vigna al Cavaliere, 61b
57022 Castagneto Carducci [LI]
Tel. 0565773041
www.michelesatta.com

VENDITA DIRETTA
VISITA SU PRENOTAZIONE
PRODUZIONE ANNUA 150.000 bottiglie
ETTARI VITATI 20,00

Quella di Michele Satta è una delle cantine storiche di Bolgheri e il personaggio che le dà il nome sicuramente tra i pionieri della zona. L'impresa nasce nel 1983 e ha costantemente imboccato strade originali, a partire dalla passione per il sangiovese. Oggi il figlio Giacomo sta assumendo un ruolo via via più centrale, tanto che lo stile della casa appare in decisa evoluzione, con vini sono sempre più personali e saporiti, figli di pratiche attente alla natura e rispettose della materia prima. In cantina gli esperimenti in anfora paiono convincere la proprietà e sono ulteriormente adottati. Il Marianova '17 è un Bolgheri Superiore originale in tutto e per tutto: non presenta uve "bordolesi", ma è figlio di un assemblaggio di syrah e sangiovese. Inoltre è vinificato in botti di legno prima di passare in barrique e successivamente in anfore da 750 litri. Maturo e d'impatto, con note tostate ancora in primo piano, regala una bocca succosa, sapida, un po' frenata da tannini densi e incisivi.

Fattoria Selvapiana

Loc. Selvapiana, 43
50068 Rufina [FI]
Tel. 0558369848
www.selvapiana.it

VENDITA DIRETTA
VISITA SU PRENOTAZIONE
PRODUZIONE ANNUA 220.000 bottiglie
ETTARI VITATI 60,00

Un'azienda tutta a coltivazione biologica certificata, a compimento di un percorso iniziato nel 1990. I terreni, divisi tra vigneti, oliveti e parte boschiva, sono dislocati su tre comuni: Rufina, Pelago e Pontassieve. La maggior parte dei filari, quelli di più antica proprietà, sono attorno alla villa, vicino alla quale sorge la nuova cantina di vinificazione inaugurata con la vendemmia 2005. Assoluto "dominio" del sangiovese, con piccole isole di syrah, merlot e cabernet sauvignon in una tenuta storica tra le più rappresentative della zona Chianti Rufina. Buona prova per un Chianti Rufina '18 dalle nitide note olfattive di ciliegia, con cenni minerali e fresche nuance di erbe aromatiche (salvia e dragoncello); l'attacco in bocca è gradevole, lineare, sapido, mentre il finale ha tannini precisi e saporiti. Prevalgono le note vegetali nel Pomino Rosso '17: il peperone verde apre le danze, quindi arriva la ciliegia e la prugna matura. Al gusto è scorrevole, di buona polpa e scattante.

● Bolgheri Rosso Sup. Marianova '17	♟♟ 8
● Bolgheri Rosso Sup. Piastraia '17	♟♟ 6
● Cavaliere '17	♟ 6
○ Bolgheri Bianco Giovin Re '17	♟♟ 6
● Bolgheri Rosso '15	♟♟ 4
● Bolgheri Rosso '13	♟♟ 3
● Bolgheri Rosso Sup. I Castagni '12	♟♟ 8
● Bolgheri Rosso Sup. Marianova '16	♟♟ 8
● Bolgheri Rosso Sup. Marianova '15	♟♟ 8
● Bolgheri Rosso Sup. Piastraia '15	♟♟ 6
● Bolgheri Sup. Piastraia '14	♟♟ 6
● Cavaliere '15	♟♟ 6
● Syrah '12	♟♟ 5

● Chianti Rufina '18	♟♟ 3
● Fornace '16	♟♟ 5
● Pomino Rosso Villa Petrognano '17	♟♟ 2*
○ Pomino Bianco Villa Petrognano '19	♟ 2
● Chianti Rufina '17	♟♟ 3
● Chianti Rufina '16	♟♟ 2*
● Chianti Rufina '15	♟♟ 2*
● Chianti Rufina Bucerchiale Ris. '13	♟♟ 5
● Chianti Rufina Bucerchiale Ris. '12	♟♟ 5
● Chianti Rufina Vign. Bucerchiale Ris. '16	♟♟ 5
● Chianti Rufina Vign. Bucerchiale Ris. '15	♟♟ 5
● Chianti Rufina Vign. Erci '16	♟♟ 3
● Fornace '15	♟♟ 5

Sensi - Fattoria Calappiano

FRAZ. CERBAIA, 107
51035 LAMPORECCHIO [PT]
TEL. 057382910
www.sensivini.com

VENDITA DIRETTA
VISITA SU PRENOTAZIONE
PRODUZIONE ANNUA 2.000.000 bottiglie
ETTARI VITATI 100,00
VITICOLTURA Biologico Certificato
AZIENDA SOSTENIBILE

Uno dei tesori storico-architettonici dei
Medici è oggi di proprietà della famiglia
Sensi. Da più di 120 anni nel mondo del
vino, prima come commercianti, poi come
produttori, dirigono questa realtà del
Montalbano, tra le province di Firenze,
Prato e Pistoia. I vitigni coltivati nei 60 ettari
a vigneto, secondo i dettami dell'agricoltura
biologica, sono gli autoctoni del Chianti:
sangiovese, canaiolo, colorino, malvasia
bianca e trebbiano, a cui si aggiunge lo
chardonnay. Negli anni più recenti sono
state riscoperte varietà come pugnitello,
ciliegiolo e petit manseng. Piacevole il
Lungarno '17, uvaggio di cabernet
sauvignon, merlot e colorino dal profilo
aromatico disegnato dai frutti di bosco
(ribes e mirtillo), con cenni balsamici e
mentolati a supportare note speziate di
vaniglia, chiodi di garofano e cannella. Al
gusto si presenta morbido, avvolgente, dai
tannini fusi alla componente alcolica, con
un nerbo acido elegante e finale succoso.
Su alti livelli anche il Collegonzi '17.

● Collegonzi Sangiovese Fattoria Calappiano '17	♟♟ 6
● Lungarno '17	♟♟ 7
● Chianti Dalcampo Ris. '17	♟♟ 3
● Chianti Sup. Vegante '18	♟♟ 3
● Rosso di Montalcino Villa al Cortile '18	♟♟ 3
○ Vernaccia di San Gimignano Collegiata '19	♟♟ 2*
● Bolgheri Sabbiato '17	♟ 5
● Chianti Vinciano '19	♟ 5
● Chianti Vinciano Ris. '17	♟ 6
● Governato '18	♟ 7
● Morellino di Scansano Pretorio '19	♟ 3
● Ninfato '19	♟ 3
● Collegonzi Sangiovese Fattoria Calappiano '16	♟♟ 6

Serraiola

FRAZ. FRASSINE
LOC. SERRAIOLA
58025 MONTEROTONDO MARITTIMO [GR]
TEL. 0566910026
www.serraiola.it

VENDITA DIRETTA
VISITA SU PRENOTAZIONE
PRODUZIONE ANNUA 40.000 bottiglie
ETTARI VITATI 12,00

L'azienda di Fiorella Lenzi, donna del vino
che ha vissuto da protagonista lo sviluppo
enologico della Maremma, firma vini di
buon carattere e qualitativamente
significativi. Le etichette aziendali dal punto
di vista stilistico possiedono una cifra solida
e ben bilanciata, con rossi generosi e
mediterranei e bianchi di gradevole
bevibilità. Come accade non di rado in
questo areale di produzione, talvolta
registriamo qualche ridondanza nel
dosaggio dei legni di maturazione, ma il
percorso appare sempre più definito e
consapevole. Il Sassonero '19 possiede un
naso fragrante di frutta rossa, con cenni
speziati a rifinitura, in bocca è scorrevole e
saporito, risultando di beva
tendenzialmente golosa. Ottenuto da
sangiovese in purezza, il Lentisco '18 ha
profumi intensi di marasca sostenuti da
cenni affumicati, con sviluppo gustativo
ampio e succoso. Dai toni aromatici dolci e
pieni il Campo Montecristo '18, merlot in
purezza, che in bocca si snoda con
piacevole morbidezza e buona reattività.

● Maremma Toscana Rosso Sassonero '19	♟♟ 2*
● Campo Montecristo '18	♟♟ 5
● Lentisco '18	♟♟ 3
○ Maremma Toscana Bianco Violina '19	♟ 3
● Shiraz '18	♟ 4
○ Vermentino '19	♟ 3
● Campo Montecristo '16	♟♟ 5
● Campo Montecristo '15	♟♟ 5
● Campo Montecristo '14	♟♟ 5
● Lentisco '17	♟♟ 3
● Lentisco '16	♟♟ 3
● Lentisco '15	♟♟ 3
● Lentisco '14	♟♟ 3
● Shiraz '16	♟♟ 4
○ Vermentino '18	♟♟ 3

Sesti - Castello di Argiano

FRAZ. SANT'ANGELO IN COLLE
LOC. CASTELLO DI ARGIANO
53024 MONTALCINO [SI]
TEL. 0577843921
www.sestiwine.com

VENDITA DIRETTA
VISITA SU PRENOTAZIONE
PRODUZIONE ANNUA 61.000 bottiglie
ETTARI VITATI 9,00

Ci ripetiamo, ma quando c'è di mezzo il Castello di Argiano non si può che partire dalla bellezza incantata, quasi onirica, che accoglie chi si addentra all'estremità sud-occidentale del territorio di Montalcino per esplorare il luogo scelto dalla famiglia Sesti come proprio centro produttivo. Un'area immersa nella macchia mediterranea, influenzata dalle brezze marine e dai suoli tufacei e sabbiosi. Un unicum ambientale che si riflette nella multiforme batteria a tema sangiovese, fornendo la chiave per Brunello dolcemente selvaggi e rendendo ozioso ogni ragionamento sui dettagli enologici. Pur senza l'acuto, l'azienda può contare su una batteria di tutto rispetto con, ovviamente, in primo piano il Brunello. La versione 2015 esalta l'aspetto caldo della zona di Argiano attraverso profumi mediterranei, che ricordano il tabacco e le erbe officinali, arricchiti da note fruttate e speziate del legno, e attraverso una fine tannicità bilanciata dal calore dell'alcol. Da segnalare anche il carezzevole Rosso di Montalcino e l'inatteso Rosato.

● Brunello di Montalcino '15	♟♟ 6
● Grangiovese '18	♟♟ 2*
⊙ Rosato '19	♟♟ 2*
● Rosso di Montalcino '18	♟♟ 4
○ Sauvignon '19	♟ 3
● Brunello di Montalcino '06	♟♟♟ 6
● Brunello di Montalcino Phenomena Ris. '07	♟♟♟ 8
● Brunello di Montalcino Phenomena Ris. '01	♟♟♟ 8
● Brunello di Montalcino Ris. '04	♟♟♟ 8
● Rosso di Montalcino '16	♟♟♟ 4*
● Brunello di Montalcino Phenomena Ris. '13	♟♟ 8
● Brunello di Montalcino Phenomena Ris. '10	♟♟ 8
● Rosso di Montalcino '17	♟♟ 4

★Tenuta Sette Ponti

VIA SETTE PONTI, 71
52029 CASTIGLION FIBOCCHI [AR]
TEL. 0575477857
www.tenutasetteponti.it

VENDITA DIRETTA
VISITA SU PRENOTAZIONE
OSPITALITÀ
PRODUZIONE ANNUA 250.000 bottiglie
ETTARI VITATI 60,00
VITICOLTURA Biologico Certificato
AZIENDA SOSTENIBILE

La tenuta si trova in un suggestivo angolo della Toscana, tra Firenze e Arezzo. Prende il nome dal numero dei ponti sull'Arno che si incontrano sulla via dove si colloca. È una delle proprietà della famiglia Moretti Cuseri fin dagli anni '50, quando l'architetto Alberto l'acquistò da Margherita e Maria Cristina di Savoia. A consolidare la forte vocazione vinicola è stato Antonio, figlio di Alberto, imprenditore della moda. Lo vigne sono gestite in regime di agricoltura biologica: includono non solo sangiovese, ma anche molte varietà internazionali come il cabernet sauvignon e il merlot. Davvero buono Oreno '18, uvaggio di merlot, cabernet sauvignon e petit verdot. Al naso foglia di pomodoro, quindi peperone verde e note minerali, ma anche rafano e maggiorana. La bocca, dal tratto balsamico, è di buon peso, proporzionata nell'apporto tannico, con retrogusto affumicato. Bene anche Crognolo '18, sangiovese con piccolo saldo di merlot: è fresco e dal sorso invitante.

● Oreno '18	♟♟♟ 8
● Chianti V. di Pallino Ris. '18	♟♟ 3
● Crognolo '18	♟♟ 5
● Oreno '17	♟♟♟ 8
● Oreno '16	♟♟♟ 8
● Oreno '15	♟♟♟ 8
● Oreno '12	♟♟♟ 7
● Oreno '11	♟♟♟ 7
● Oreno '10	♟♟♟ 7
● Oreno '09	♟♟♟ 7
● Oreno '05	♟♟♟ 7
● Oreno '00	♟♟♟ 5
● Valdarno di Sopra V. dell'Impero '13	♟♟♟ 8
● Crognolo '15	♟♟ 5
● Oreno '13	♟♟ 8
● Valdarno di Sopra Sangiovese Vigna dell'Impero '16	♟♟ 8

Solaria - Cencioni Patrizia

POD. CAPANNA, 102
53024 MONTALCINO [SI]
TEL. 0577849426
www.solariacencioni.com

VENDITA DIRETTA
VISITA SU PRENOTAZIONE
PRODUZIONE ANNUA 35.500 bottiglie
ETTARI VITATI 9,00

Nata nel 1989 da una costola dell'azienda
fondata da Giuseppe Cencioni negli anni
'50, Solaria è diventata nel tempo una delle
realtà più apprezzate del comprensorio
grazie soprattutto al lavoro della caparbia
Patrizia. Assistita a tempo pieno dalle
nuove generazioni, si prende cura di un
blocco vitato che insiste su una sorta di
altopiano naturale ricavato sul fianco
sud-est del colle di Montalcino, intorno ai
300 metri di altitudine su terreni
argilloso-tufacei. Premesse pedoclimatiche
che aiutano ad inquadrare la fibra energica
di Brunello maturati in rovere di Slavonia da
25 e 40 Hl. Un percorso perfetto quello
compiuto da Patrizia Cencioni, con in primo
piano i due fantastici Brunello '15. In
particolare, la selezione 30 Anni, prodotta
per festeggiare il compleanno dell'azienda,
vinificando i grappoli dei ceppi più vecchi e
affinando il vino per tre anni in botti grandi
di rovere di Slavonia, è un piccolo gioiello di
complessità con aromi di ciliegia, liquirizia
e canfora e sorso persistente dove tannini e
polpa di sposano a meraviglia.

● Brunello di Montalcino '15	♟♟ 6
● Brunello di Montalcino 30 anni '15	♟♟ 8
● Rosso di Montalcino '18	♟♟ 3
● Solarianne '17	♟♟ 5
⊙ Rosato '19	♟ 3
● Brunello di Montalcino '14	♟♟ 6
● Brunello di Montalcino '13	♟♟ 6
● Brunello di Montalcino '12	♟♟ 6
● Brunello di Montalcino '10	♟♟ 5
● Brunello di Montalcino 123 Ris. '13	♟♟ 8
● Brunello di Montalcino 123 Ris. '10	♟♟ 8
● Rosso di Montalcino '17	♟♟ 3*
● Rosso di Montalcino '16	♟♟ 3
● Rosso di Montalcino '15	♟♟ 3
● Rosso di Montalcino '12	♟♟ 4

Fattoria Sorbaiano

LOC. SORBAIANO
56040 MONTECATINI VAL DI CECINA [PI]
TEL. 0588028054
www.fattoriasorbaiano.it

VENDITA DIRETTA
VISITA SU PRENOTAZIONE
OSPITALITÀ
PRODUZIONE ANNUA 60.000 bottiglie
ETTARI VITATI 27,00
VITICOLTURA Biologico Certificato

Sorbaiano è una delle realtà più
significative di una denominazione che a
suo tempo risultava la principale del
territorio pisano e che oggi avrebbe
bisogno di un effettivo rilancio:
Montescudaio. Nella fattoria si coltivano
soprattutto viti, ma esiste una parte adibita
a olivi e seminativi. Un forte impulso
nell'ultimo periodo è stato dato all'attività
agrituristica, anche grazie alla posizione
strategica, vicina alle balze di Volterra, ma
con un'influenza marina che favorisce un
clima particolarmente adatto alla viticoltura
e al buon vivere. Il Pian del Conte '17,
classico uvaggio da sangiovese con saldo
di cabernet sauvignon, dispone di buoni
profumi di terra fresca e sottobosco,
prugna e note balsamiche. Al gusto è sodo,
dinamico nella parte acida, con tannini ben
articolati e finale in progressione. Merlot
in purezza, il Febo '17 si rende godibile
al naso con sentori di mirtilli e peperone,
accanto a note fresche di erba cedrina;
al palato è avvolgente e cremoso, ampio
e potente.

● Febo '17	♟♟ 6
● Montescudaio Rosso delle Miniere '17	♟♟ 5
○ Montescudaio Vin Santo '12	♟♟ 6
● Pian del Conte '17	♟♟ 4
○ Montescudaio Bianco '19	♟ 2
● Montescudaio Rosso '18	♟ 2
○ Montescudaio Bianco '14	♟♟ 2*
● Montescudaio Rosso '13	♟♟ 2*
● Montescudaio Rosso delle Miniere '12	♟♟ 5
○ Montescudaio Vin Santo '08	♟♟ 5

Talenti

FRAZ. SANT'ANGELO IN COLLE
LOC. PIAN DI CONTE
53024 MONTALCINO [SI]
TEL. 0577844064
www.talentimontalcino.it

VENDITA DIRETTA
VISITA SU PRENOTAZIONE
PRODUZIONE ANNUA 100.000 bottiglie
ETTARI VITATI 21,00

Le proprietà vitate della famiglia Talenti si
concentrano nell'enclave di Sant'Angelo in
Colle, centro gravitazionale del settore
sud-ovest di Montalcino. Costituiscono la
tenuta di Pian di Conte, acquistata da
Pierluigi nei primi anni '80 e oggi guidata
dal nipote Riccardo: una terrazza naturale
sull'Orcia caratterizzata da altimetrie
variabili fra quota 200 e 400, nonché dai
terreni compositi di argille, calcari e sabbie
marine. Puzzle pedoclimatico che
ritroviamo in Rosso e Brunello solidi e
sgargianti, ricavati da maturazioni miste in
tonneau e rovere di medie dimensioni.
Questa selezione, creata con la vendemmia
2015, è stata dedicata al fondatore
Pierluigi Talenti. Il vino nasce da un vigneto
di quasi due ettari, ubicato a Sant'Angelo in
Colle a circa 400 metri di altitudine.
Maturato per 24 mesi in tonneau di rovere
francese, il Piero, Brunello di grande
ricchezza estrattiva, non ama nascondersi:
il palato è imponente e tannico, senza
essere privo di freschezza e armonia,
allietato da aromi di bacche nere e cacao.

● Brunello di Montalcino Piero '15	♛♛	8
● Brunello di Montalcino '15	♛♛	8
● Rosso di Montalcino '18	♛♛	4
● Rispollo '17	♛	2
● Trefolo '13	♛	2
● Brunello di Montalcino '04	♛♛♛	8
● Brunello di Montalcino '88	♛♛♛	8
● Brunello di Montalcino Pian di Conte Ris. '13	♛♛♛	7
● Brunello di Montalcino Ris. '99	♛♛♛	6
● Brunello di Montalcino Trentennale '11	♛♛♛	8
● Brunello di Montalcino V. del Paretaio Ris. '01	♛♛♛	6
● Brunello di Montalcino '14	♛♛	6
● Brunello di Montalcino '13	♛♛	6
● Rosso di Montalcino '17	♛♛	3*

★Tenimenti Luigi d'Alessandro

VIA MANZANO, 15
52042 CORTONA [AR]
TEL. 0575618667
www.tenimentidalessandro.it

VENDITA DIRETTA
VISITA SU PRENOTAZIONE
OSPITALITÀ E RISTORAZIONE
PRODUZIONE ANNUA 130.000 bottiglie
ETTARI VITATI 37,00
VITICOLTURA Biologico Certificato

La storia che inizia nel 1967, con l'acquisto
della tenuta da parte della famiglia
D'Alessandro, conosce una svolta nel
2013. E questo il momento in cui la
famiglia Calabresi, divenuta partner del
progetto nel 2007, rileva l'intera proprietà.
Da allora è Filippo Calabresi ad
occuparsene, ottenendo la certificazione
biologica nel 2016 ed applicando le
conoscenze accumulate nei soggiorni in
Francia, California ed Oregon. Le uve su cui
investe sono syrah e viognier, ma è
soprattutto lo stile dei vini a conoscere una
profonda trasformazione. Davvero buono il
Bosco '16, syrah in purezza con note
intriganti di arancia candita, erbe officinali,
frutto vivo di ribes e ciliegia. Al palato
dimostra un energico grip, con tannini
definiti, fresca vena acida, finale di bella e
sapida vitalità. Buono anche il Rosso '18,
dove torna la sensazione agrumata, unita a
cenni di dragoncello e maggiorana, su base
di ciliegia. Sferzante in bocca, di ottima
beva e tensione.

● Cortona Syrah Il Bosco '16	♛♛	6
● Migliara '16	♛♛	8
● Rosso '18	♛♛	3
○ Fontarca '18	♛	5
● Cortona Il Bosco '09	♛♛♛	6
● Cortona Il Bosco '06	♛♛♛	6
● Cortona Il Bosco '04	♛♛♛	5
● Cortona Il Bosco '03	♛♛♛	5
● Cortona Il Bosco '01	♛♛♛	6
● Cortona Syrah Il Bosco '12	♛♛♛	6
● Cortona Syrah Migliara '08	♛♛♛	8
● Cortona Syrah Migliara '07	♛♛♛	8
● Podere Il Bosco '97	♛♛♛	5
● Podere Il Bosco '95	♛♛♛	5
● Cortona Syrah Il Bosco '15	♛♛	6
● Migliara '15	♛♛	8
● Syrah '17	♛♛	3

Tenuta di Canneto

FRAZ. CANNETO
VIA ROMA, 7
56040 MONTEVERDI MARITTIMO [PI]
TEL. 0565784927
www.tenutacanneto.it

VENDITA DIRETTA
VISITA SU PRENOTAZIONE
PRODUZIONE ANNUA 35.000 bottiglie
ETTARI VITATI 30,00

La superficie aziendale è molto ampia: si
estende per circa mille ettari ma solo
trenta, scelti con attenzione per individuare
le parcelle migliori, sono dedicati alla
viticoltura. Il tutto in un borgo di pochi
abitanti e in una zona in cui è facile intuire
l'influenza marina sul clima. La cantina è
stata costruita nel 2009, in maniera tale da
poter lavorare con la massima cura e avere
gli spazi necessari a vinificazioni parcellari.
Completano il paniere di Canneto gli olivi e
l'allevamento di carne chianina. Bella
impressione dal Pian di Contessa '17,
merlot in purezza. Al naso esprime un
bouquet vegetale fatto di mirto, salvia,
alloro, note speziate di pepe e ginepro, con
la frutta nera a fare da base. In bocca ha
corpo bilanciato, nerbo acido rinfrescante e
una struttura cremosa quanto docile.
Ottimo anche il Santabarbara '18, uvaggio
bordolese con aggiunta di syrah: profuma
di ciliegia ed è definito nel sapore. Versione
riuscita per il Pietriccio '18.

● Merlot Pian di Contessa '17	♟♟ 5
● Pietriccio '18	♟♟ 3
● Santabarbara '18	♟♟ 3
○ Lillatro Garbato '19	♟ 3
● Merlot Podere Capannelle '12	♟♟ 5
● Syrah Podere Vizzate '12	♟♟ 3*

Tenuta di Castelfalfi

LOC. CASTELFALFI
50050 MONTAIONE [FI]
TEL. 0571890190
www.castelfalfi.it

VENDITA DIRETTA
VISITA SU PRENOTAZIONE
OSPITALITÀ E RISTORAZIONE
PRODUZIONE ANNUA 50.000 bottiglie
ETTARI VITATI 25,00
VITICOLTURA Biologico Certificato

La tenuta fa parte di un polo di accoglienza
turistica che comprende ristoranti, alberghi,
ville e campi da golf. È inserita in un
territorio equidistante da Firenze, Siena e
Pisa, dove si dedica particolare cura alle
produzioni agricole di qualità: il lavoro dei
campi segue i dettami della coltivazione
biologica, con vini ed oli a rappresentare le
punte d'eccellenza, senza dimenticare i
seminativi utilizzati anche per la
realizzazione di birre artigianali e farine, per
la produzione di pasta. Con la vendemmia
2016 arriva a vette mai toccate in
precedenza il Poggio alla Fame. Sangiovese
in purezza, propone un avvincente bagaglio
olfattivo di terra bagnata, viole e prugne,
abbinato a un corpo succoso, polposo, dai
tannini fini e di sapidità appetitosa. Il
Poggio Nero '16, uvaggio di cabernet
sauvignon, merlot ed alicante, porge un
bouquet aromatico dove more e ciliegie
abbracciano nuance di cioccolato e caffè:
piacevole al gusto, ha trama delicata e
finale gustoso.

● Poggio alla Fame '16	♟♟ 4
● Chianti Cercaia Ris. '16	♟♟ 3
● Chianti Cerchiaia '19	♟♟ 2*
● Poggionero '16	♟♟ 4
● Poggio alla Fame '15	♟♟ 4
● Poggio alla Fame '13	♟♟ 5
○ Poggio I Soli '18	♟♟ 2*
● Poggionero '15	♟♟ 4
● Poggionero '14	♟♟ 3
● Poggionero '11	♟♟ 3
○ Rancoli Vermentino '15	♟♟ 2*
● San Piero '16	♟♟ 2*

Tenuta di Sesta

FRAZ. CASTELNUOVO DELL'ABATE
LOC. SESTA
53024 MONTALCINO [SI]
TEL. 0577835612
www.tenutadisesta.it

VENDITA DIRETTA
VISITA SU PRENOTAZIONE
PRODUZIONE ANNUA 150.000 bottiglie
ETTARI VITATI 30,00

Battezzata da uno dei toponimi storici più reputati del settore meridionale di Montalcino, Tenuta di Sesta nasce negli anni '60 per iniziativa di Giuseppe Ciacci. Una delle poche realtà veterane del distretto, insomma, guidata oggi da Andrea e Francesca col padre Giovanni, che hanno saputo illuminare ulteriormente le peculiari vocazioni delle vigne di famiglia, dislocate intorno ai 350 metri di altitudine su terreni calcarei, ricchi di argilla e ferro. È qui che nascono Brunello insospettabilmente sottrattivi e al contempo longevi, maturati in rovere di medie dimensioni. Anche in assenza della Riserva, la famiglia Ciacci si conferma all'apice della denominazione, centrando il bersaglio più importante. Il Brunello '15 riesce a mettere insieme nella stessa bottiglia due caratteri solitamente opposti: ricchezza e freschezza. Quest'ultima la ritroviamo negli aromi fruttati, mentre la prima nelle note di tabacco e liquirizia. Al palato, la spina dorsale acido-tannica si contrappone perfettamente alla polpa dolce del frutto.

● Brunello di Montalcino '15	♟♟♟	8
● Rosso di Montalcino '18	♟♟	5
● Poggio d'Arna '17	♟♟	4
● Brunello di Montalcino Duelecci Est Ris. '13	♟♟♟	8
● Brunello di Montalcino Duelecci Ovest Ris. '12	♟♟♟	7
● Brunello di Montalcino Ris. '10	♟♟♟	7
● Brunello di Montalcino '14	♟♟	8
● Brunello di Montalcino '13	♟♟	8
● Brunello di Montalcino '10	♟♟	5
● Brunello di Montalcino '09	♟♟	5
● Brunello di Montalcino Ris. '11	♟♟	7
● Brunello di Montalcino Ris. '09	♟♟	7
● Rosso di Montalcino '17	♟♟	5
● Rosso di Montalcino '15	♟♟	3*
● Rosso di Montalcino '13	♟♟	3

Tenuta di Trinoro

VIA VAL D'ORCIA, 15
53047 SARTEANO [SI]
TEL. 0578267110
www.vinifranchetti.com

VISITA SU PRENOTAZIONE
PRODUZIONE ANNUA 90.000 bottiglie
ETTARI VITATI 23,00

Alcuni anni fa Andrea Franchetti si innamorò di quest'angolo della Val d'Orcia vicino al confine con il Lazio. Una terra senza alcuna tradizione vinicola ma di cui Andrea aveva intuito il potenziale. Dopo esperienze formative a Bordeaux in aziende importanti è pronto a dar vita al suo sogno, e decide di impiantare vitigni bordolesi e costruire una cantina. La prima annata prodotta è stata il 1997. I suoi sono vini di carattere ed intensità che si sono ritagliati uno spazio importante tra le etichette di caratura internazionale. I vini di Andrea, con il quale oggi collabora il cugino Carlo, hanno un taglio inconfondibile: sono vini concentrati e ricchi, senza compromessi. Doti queste che non sono disgiunte da un equilibrio e un'eleganza spesso notevoli. È il caso del Campo di Camagi '18, straordinario Cabernet Franc da un singolo vigneto. Rigoglioso, potente, profondo ed equilibrato ci dà la cifra stilistica del domaine. Le altre etichette sono tutte di livello elevatissimo.

● Campo di Camagi Cabernet Franc '18	♟♟♟	8
○ Bianco di Trinoro '18	♟♟	7
● Tenuta di Trinoro '17	♟♟	8
● Campo di Magnacosta Cabernet Franc '18	♟♟	8
● Campo di Tenaglia Cabernet Franc '18	♟♟	8
● Le Cupole '18	♟♟	5
● Sancaba Pinot Nero '18	♟♟	7
● Tenuta di Trinoro '08	♟♟♟	8
● Tenuta di Trinoro '04	♟♟♟	8
● Tenuta di Trinoro '03	♟♟♟	8
● Palazzi '16	♟♟	8
● Tenuta di Trinoro '16	♟♟	8
● Tenuta di Trinoro '15	♟♟	8
● Tenuta di Trinoro '14	♟♟	8

★Tenute del Cerro

FRAZ. ACQUAVIVA
VIA GRAZIANELLA, 5
53045 MONTEPULCIANO [SI]
TEL. 0578767722
www.fattoriadelcerro.it

VENDITA DIRETTA
VISITA SU PRENOTAZIONE
OSPITALITÀ E RISTORAZIONE
PRODUZIONE ANNUA 1.300.000 bottiglie
ETTARI VITATI 181,00

Sotto il "cappello" delle Tenute del Cerro lavorano le aziende vitivinicole toscane di proprietà del Gruppo assicurativo Unipol: La Poderina a Montalcino, Monterufoli a Monteverdi Marittimo nel Pisano e la Fattoria del Cerro a Montepulciano (oltre a Còlpetrone, in Umbria). La realtà poliziana rappresenta senz'altro il simbolo di questo articolato mosaico enoico e da qui escono, ormai da oltre quarant'anni, alcune delle etichette più importanti, che hanno contribuito alla crescita e al successo della denominazione del Nobile in anni a dir poco cruciali dal punto di vista comunicativo. Dai toni aromatici dichiaratamente fruttati, dolci e concentrati, con le suggestioni del rovere a rifinire un naso generoso, il Nobile di Montepulciano '17 innesca una progressione gustativa serrata e continua fino all'ampia chiusura, ancora sul frutto dolce. Più scuri e speziati i timbri olfattivi del Nobile di Montepulciano Riserva '16, che in bocca si offre pieno e con struttura articolata e avvolgente.

● Nobile di Montepulciano '17	♀♀♀ 4*
● Nobile di Montepulciano Ris. '16	♀♀ 5
● Nobile di Montepulciano Antica Chiusina '16	♀ 6
● Rosso di Montepulciano '19	♀ 3
● Nobile di Montepulciano '16	♀♀♀ 4*
● Nobile di Montepulciano '15	♀♀♀ 4*
● Nobile di Montepulciano '14	♀♀♀ 3*
● Nobile di Montepulciano '11	♀♀♀ 3*
● Nobile di Montepulciano '10	♀♀♀ 3*
● Nobile di Montepulciano Ris. '12	♀♀♀ 4*
● Nobile di Montepulciano Ris. '11	♀♀♀ 4*
● Nobile di Montepulciano Ris. '06	♀♀♀ 4
● Nobile di Montepulciano Vign. Antica Chiusina '00	♀♀♀ 6
● Nobile di Montepulciano Vign. Antica Chiusina '99	♀♀♀ 6

Terenzi

LOC. MONTEDONICO
58054 SCANSANO [GR]
TEL. 0564599601
www.terenzi.eu

VENDITA DIRETTA
VISITA SU PRENOTAZIONE
OSPITALITÀ
PRODUZIONE ANNUA 350.000 bottiglie
ETTARI VITATI 60,00

La famiglia milanese Terenzi approda in Maremma all'inizio del nuovo millennio, dando vita ad un progetto enologico solido e convincente che, in qualche misura, ha saputo dare una scossa alla denominazione del Morellino di Scansano. Questa realtà ha proposto un modello di business che ha fatto scuola, caratterizzandosi per scelte sempre centrate sia in cantina che in vigna, così come per uno stile dei vini senza eccessi, ben legato al territorio di appartenenza e frutto di una chiave di lettura capace di incrociare sapientemente tradizione e modernità. È ancora una volta il Morellino Madrechiesa Riserva ad emergere come uno dei migliori nella sua tipologia, grazie alla monumentale versione 2016. I profumi spaziano dalla viola alla ciliegia, dal sottobosco alle spezie, il ritmo del sorso è scandito da una bella verve acida, che si esalta nel finale saporito. Più cupo nei toni aromatici e più sostenuto dal rovere di maturazione al palato il Morellino Purosangue Riserva '17.

● Morellino di Scansano Madrechiesa Ris. '16	♀♀♀ 5
● Morellino di Scansano '19	♀♀ 3
● Morellino di Scansano Purosangue Ris. '17	♀♀ 4
● Francesca Romana '16	♀♀♀ 5
● Morellino di Scansano Madrechiesa Ris. '15	♀♀♀ 5
● Morellino di Scansano Madrechiesa Ris. '14	♀♀♀ 5
● Morellino di Scansano Madrechiesa Ris. '13	♀♀♀ 5
● Morellino di Scansano Madrechiesa Ris. '12	♀♀♀ 5
● Morellino di Scansano Madrechiesa Ris. '11	♀♀♀ 5

Terradonnà

LOC. NOTRI, 78
57028 SUVERETO [LI]
TEL. 0565838702
www.terradonna.it

VENDITA DIRETTA
VISITA SU PRENOTAZIONE
PRODUZIONE ANNUA 26.000 bottiglie
ETTARI VITATI 7,00

Una realtà piccola e ben organizzata tra le colline di Suvereto, con alle spalle più di mezzo secolo di storia. È l'azienda della famiglia Rossi, passata dalla mamma alla figlia Annalisa nel 2000: terra donata da donna a donna, questa l'origine del nome. Il primo vino che vede la luce è del 2002, da allora le etichette sono cresciute e vestono vini diversi fra loro, ognuno dei quali esprime una caratteristica di questo territorio a pochi chilometri dalla costa. Sangiovese, cabernet sauvignon, merlot e syrah le uve per rossi e rosati; vermentino, trebbiano, clarette e ansonica per i bianchi. Buona prova per l'Okenio '17, Cabernet in purezza dalle note di caffè tostato e cenni speziati di chiodi di garofano: il tutto su un complesso di frutti maturi come mora e prugna. Buono l'attacco in bocca, caldo, cremoso, di invitante spina acida e finale prolungato. Il Bixbi '18, da uve syrah e sangiovese, è vinoso al naso e molto divertente al palato, grazie a una pronunciata vitalità.

● Bixbi '18	♥♥	3
● Giaietto '18	♥♥	2*
● Prasio '17	♥♥	3
● Spato '17	♥♥	3
● Val di Cornia Cabernet Sauvignon Okenio '17	♥♥	5
○ Faden '19	♥	2
○ Kalsi '19	♥	2
☉ Sysa '19	♥	3
● Bixbi '15	♥♥	3
● Giaietto '16	♥♥	2*
○ Kalsi '18	♥♥	2*
● Prasio '16	♥♥	3
● Prasio '15	♥♥	3*
● Spato '16	♥♥	3
● Spato '15	♥♥	3

Fattoria Terre del Marchesato

FRAZ. BOLGHERI
LOC. SANT'UBERTO, 164
57022 CASTAGNETO CARDUCCI [LI]
TEL. 0565749752
www.terredelmarchesato.com

VENDITA DIRETTA
VISITA SU PRENOTAZIONE
OSPITALITÀ
PRODUZIONE ANNUA 120.000 bottiglie
ETTARI VITATI 16,00

Terre del Marchesato appartiene alla famiglia Fuselli, che se ne prende cura in prima persona. Tutte orientate da est a ovest e piuttosto fitte come densità, le vigne si estendono intorno all'azienda in una zona estremamente caratterizzata: è quella delle Ferruggini, nella fascia intermedia del territorio di Bolgheri, dove si collocano alcune delle realtà più prestigiose della denominazione. Il nome si lega a doppio filo col carattere peculiare dei suoli, ricchi di argilla a medio impasto, con componenti di sabbia e limo. Quest'anno ci è piaciuto molto un vino giovane: l'Inedito 2019. Un rosso decisamente fresco e succoso, in perfetto equilibrio tra la componente fruttata, le delicate erbe aromatiche e le sensazioni speziate che rifiniscono aromi e sorso. Ottimo anche il Bolgheri Superiore Marchesale '17, ma è l'intera batteria a brillare nel suo insieme: dal Maurizio Fuselli Petit Verdot '17 al Tarabuso pari annata.

● Bolgheri Marchesale Sup. '17	♥♥	6
● Inedito '17	♥♥	2*
● Maurizio Fuselli Petit Verdot '17	♥♥	8
● Tarabuso '17	♥♥	5
● Aldone '17	♥	8
● Bolgheri Rosso Emilio I '18	♥	3
● Aldone '14	♥♥	7
● Aldone '13	♥♥	7
● Bolgheri Rosso Emilio I '13	♥♥	3
● Marchesale '14	♥♥	6
● Marchesale '13	♥♥	6
● Marchesale '12	♥♥	7
○ Nobilis '13	♥♥	5

Terre dell'Etruria
Il Poderone
LOC. PODERONE CÀ DE FRATI
58051 MAGLIANO IN TOSCANA [GR]
TEL. 0564593011
www.terretruria.it

VENDITA DIRETTA
VISITA SU PRENOTAZIONE
PRODUZIONE ANNUA 150.000 bottiglie
ETTARI VITATI 97,00

Nonostante la gioventù del progetto
enologico cooperativo Terre dell'Etruria - Il
Poderone, che ha visto la sua costituzione
a Magliano in Toscana nel 2014, il
percorso intrapreso è stato da subito
decisamente chiaro. Protagonisti assoluti,
senza ricercare chissà quali ambiziosi esiti:
vini essenziali e ben fatti, immediatamente
piacevoli e di facile bevibilità. Etichette
semplice ma non banali, realizzate con
coerenza e in pieno accordo con quanto la
Maremma enoica ha sempre prodotto,
anche storicamente. Frutto rosso fragrante
e leggeri richiami di macchia mediterranea
animano il profilo olfattivo del Morellino
di Scansano Giogo '19, dalla beva saporita
e rilassata. Pieno e succoso il sorso del
Ciliegiolo Briglia '19, dagli aromi che
richiamano i frutti di bosco, ben rifiniti
da accenti pepati e balsamici. Di fattura
ineccepibile anche il Vermentino
Marmato '19, che alterna al naso i fiori
di tiglio e gli agrumi, anticipando una
progressione gustativa fragrante e incisiva.

● Maremma Toscana Ciliegiolo Briglia '19	🍷🍷 2*
○ Maremma Toscana Vermentino Marmato '19	🍷🍷 2*
● Morellino di Scansano Giogo '19	🍷🍷 2*
○ Brumoso Vermentino Ancestrale Frizzante '19	🍷 2
○ Antico Borgo Ansonica '18	🍷🍷 2*
● Briglia Ciliegiolo '14	🍷🍷 2*
● Maremma Toscana Ciliegiolo Briglia '18	🍷🍷 2*
● Morellino di Scansano Giogo '18	🍷🍷 2*

La Togata
FRAZ. SANT'ANGELO IN COLLE
LOC. TAVERNELLE
53024 MONTALCINO [SI]
TEL. 0668803000
www.brunellolatogata.com

VENDITA DIRETTA
VISITA SU PRENOTAZIONE
PRODUZIONE ANNUA 120.000 bottiglie
ETTARI VITATI 19,00
VITICOLTURA Biologico Certificato
AZIENDA SOSTENIBILE

Il progetto agricolo e stilistico cesellato in
questi anni da Jeanneth Angel e famiglia si
lega indissolubilmente alle peculiari
vocazioni delle parcelle coltivate nell'area di
Sant'Angelo in Colle, autentico baricentro
produttivo del settore sud-ovest di
Montalcino. Lavacchio, Montosoli,
Pietrafocaia: siti che dialogano
virtuosamente nella variegata gamma dei
Brunello firmati La Togata, sempre più
convincenti nelle ultime vendemmie per
carattere e riconoscibilità. Maturati sia in
legno piccolo che in rovere di Slavonia da
15-20 Hl, sono accomunati dal medesimo
passo mobile e felpato. È bello perdersi tra
i nomi bizzarri dell'ampia batteria di Rosso
e Brunello di Montalcino presentati dalla
Togata. Quest'anno la nostra preferenza va
al Seconda Stella a Destra '15 e al La
Togata dei Togati della stessa annata. Fine
e complesso con aromi di frutta rossa e
tabacco e grande armonia al palato per
quest'ultimo, mentre il primo si addice agli
amanti dei rossi potenti e piacevolmente
austeri, in grado di sfidare il tempo.

● Brunello di Montalcino La Togata dei Togati '15	🍷🍷 8
● Brunello di Montalcino Seconda Stella a Destra '15	🍷🍷 8
● Barengo '15	🍷🍷 4
● Brunello di Montalcino Carillon '15	🍷🍷 7
● Brunello di Montalcino Jacopus '15	🍷🍷 6
● Brunello di Montalcino La Togata '15	🍷🍷 7
● Rosso di Montalcino Carillon '18	🍷🍷 4
● Rosso di Montalcino Jacopus '18	🍷🍷 3
● Azzurreta '15	🍷 5
● Brunello di Montalcino Notte di Note '15	🍷 6
● Rosso di Montalcino La Togata '18	🍷 4
● Brunello di Montalcino Carillon '14	🍷🍷 6
● Brunello di Montalcino Jacopus '14	🍷🍷 6
● Rosso di Montalcino Carillon '17	🍷🍷 4
● Rosso di Montalcino La Togata '17	🍷🍷 4

Tolaini

LOC. VALLENUOVA
S.DA PROV.LE 9 DI PIEVASCIATA, 28
53019 CASTELNUOVO BERARDENGA [SI]
TEL. 0577356972
www.tolaini.it

VENDITA DIRETTA
VISITA SU PRENOTAZIONE
PRODUZIONE ANNUA 250.000 bottiglie
ETTARI VITATI 50,00
AZIENDA SOSTENIBILE

La cantina chiantigiana che porta il cognome del suo fondatore, quel Pierluigi Tolaini purtroppo recentemente scomparso, produce vini in Chianti Classico da quasi venti anni, riuscendo ad emergere con buona visibilità in uno scenario ad alto tasso competitivo. Situata nella sottozona di Castelnuovo Berardenga, oggi propone una gamma di etichette in cui i vini a denominazione stanno prendendo sempre più spazio accanto ai blend e ai varietali di ispirazione bordolese. Lo stile è di impronta moderna, ma declinato senza eccessi e con misura. Sorso fragrante e aromi ben definiti contraddistinguono il Chianti Classico Vallenuova '18, vino straordinariamente fine e dalla beva vitale, ricca, godibile. Interessante il Chianti Classico Gran Selezione Vigneto Montebello Sette '16, che trova il suo punto di forza nei profumi davvero cristallini. Anche in bocca avrebbe il passo del grande vino, specialmente per il sorso succoso, ma un po' di rovere in esubero ne frena il ritmo in questa fase.

● Chianti Cl. Vallenuova '18	▼▼▼ 3*
● Chianti Cl. Gran Selezione V. Montebello Sette '16	▼▼ 5
● Valdisanti '16	▼▼ 5
● Al Passo '17	▼ 4
● Al Passo '14	♥♥♥ 4*
● Picconero '10	♥♥♥ 8
● Picconero '09	♥♥♥ 8
● Valdisanti '08	♥♥♥ 8
● Al Passo '16	♥♥ 4
● Al Passo '15	♥♥ 4
● Chianti Cl. Gran Selezione V. Montebello Sette '15	♥♥ 5
● Chianti Cl. Gran Selezione V. Montebello Sette '14	♥♥ 5
● Picconero '15	♥♥ 8
● Valdisanti '15	♥♥ 5

Fattoria La Torre

S.DA PROV.LE DI MONTECARLO, 7
55015 MONTECARLO [LU]
TEL. 058322981
www.fattorialatorre.it

VENDITA DIRETTA
VISITA SU PRENOTAZIONE
OSPITALITÀ E RISTORAZIONE
PRODUZIONE ANNUA 43.500 bottiglie
ETTARI VITATI 6,50

Quella del fare vino è una lunga tradizione per la famiglia Celli: risale addirittura al 1887, come testimoniano i documenti ritrovati. In tempi più recenti si è provveduto a recuperare vecchi locali, ricavandone una cantina attrezzata che segue i più moderni dettami enologici. Anche in vigna il rinnovo dei vigneti è avvenuto scegliendo una maggiore fittezza di impianto, per ottenere uve di superiore concentrazione e ricchezza. Oltre al vino, è particolarmente sviluppata l'attività dell'agriturismo. Risulta molto piacevole lo Stringaio '18, uvaggio di syrah e cabernet sauvignon in cui il bagaglio aromatico si divide tra i frutti, che ricordano lamponi e ciliegie, le note speziate di pepe, i cenni di erbe aromatiche. Morbido al gusto, cremoso e dai tannini molto fini, ha infiltrazione acida misurata e finale godibile. Il Vermentino '19 ha fresche note agrumate di limone e pompelmo, con cenni di pesca bianca e nepitella; il corpo avvolgente si dimostra vivo e invitante.

● Esse Syrah '17	▼▼ 5
○ Montecarlo Ison Brut Rosé	▼▼ 3
○ Montecarlo Vermentino '19	▼▼ 2*
● Stringaio '18	▼▼ 3
○ Montecarlo Bianco '19	▼ 2
○ Altair '15	♥♥ 3
● Esse '10	♥♥ 7
● Esse '07	♥♥ 7
● Esse '01	♥♥ 7
● Esse Syrah '13	♥♥ 5
○ Montecarlo Bianco '11	♥♥ 2*
● Stringaio '14	♥♥ 3
● Stringaio '07	♥♥ 3

Torre a Cona

LOC. SAN DONATO IN COLLINA
VIA TORRE A CONA, 49
50067 RIGNANO SULL'ARNO [FI]
TEL. 055699000
www.torreacona.com

VENDITA DIRETTA
VISITA SU PRENOTAZIONE
OSPITALITÀ
PRODUZIONE ANNUA 80.000 bottiglie
ETTARI VITATI 18,00

Una delle più belle ville settecentesche del centro Italia fu acquistata nel 1935 dai Rossi di Montelera. Il lavoro di restauro e di manutenzione, iniziato dopo la seconda guerra mondiale, culmina in questi anni in un complesso progetto di gestione turistica e vitivinicola. Quest'ultima si concretizza nella produzione di vini nel rispetto della tipicità e della valorizzazione del territorio. Quindi produzioni limitate con uve provenienti esclusivamente dai vigneti di proprietà, caratterizzati da un microclima dovuto a un'escursione termica eccezionale con notti fresche e giornate soleggiate. Molto buono il Chianti Colli Fiorentini Badia a Corte Riserva '17. Splendido il bagaglio aromatico dove si riconoscono sambuco, erbette, cenni ferrosi e frutti assortiti. In bocca l'attacco è piacevole, il tannino percettibile ma ben integrato, la vena acida equilibrata e il finale prolungato. Il Terre di Cino '16, sangiovese in purezza, ha sentori di mirtillo, eucalipto e resina.

● Chianti Colli Fiorentini Badia a Corte Ris. '17	♥♥ 5
● Terre di Cino '16	♥♥ 5
● Casamaggio Colorino '18	♥♥ 5
● Il Merlot '17	♥♥ 5
● Chianti Colli Fiorentini '18	♥ 3
● Chianti Colli Fiorentini Badia a Corte Ris. '16	♥♥♥ 4*
● Chianti Colli Fiorentini Badia a Corte Ris. '15	♥♥♥ 4*
● Chianti Colli Fiorentini Badia a Corte Ris. '13	♥♥♥ 4*
● Vin Santo del Chianti Occhio di Pernice Fonti e Lecceta '11	♥♥♥ 6
● Chianti Colli Fiorentini Badia a Corte Ris. '12	♥♥ 4
● Il Merlot '16	♥♥ 4

Oliviero Toscani

VIA PERETA, 10
56040 CASALE MARITTIMO [PI]
TEL. 0586652050
www.otwine.com

VISITA SU PRENOTAZIONE
PRODUZIONE ANNUA 80.000 bottiglie
ETTARI VITATI 15,00

L'artefice del progetto è il fotografo Oliviero Toscani, che acquista la tenuta alla fine degli anni Sessanta e decide di trasferirvisi nel 1980, avviando il progetto agricolo. È il figlio Rocco a condurre oggi l'azienda, piuttosto articolata nelle produzioni (si allevano maiali, cavalli, piccioni viaggiatori), ma con la vite in primo piano. Siamo sulle colline metallifere di Casale Marittimo, ricche di ferro e minerali: è qui che ha trovato dimora una bellissima vigna ad anfiteatro, collocata tra i 220 e i 320 metri d'altezza. La gamma ci pare in decisa crescita di consapevolezza. I Toscani '18 è un vino improntato alla freschezza e alla gioiosa espressività del frutto. Deriva da uve syrah e teroldego che gli conferiscono profumi di mora, mirtillo e pepe, sorso succoso e finale di pregevole grana tannica. L'OT '16 è più complesso ed erbaceo, mentre il Lumeo '18 ha vena vegetale dinamica e scorrevole. Niente male il Vieni via con Me '17, Cabernet Franc in purezza.

● I Toscani '18	♥♥ 3*
● Lumeo '18	♥♥ 5
● OT '16	♥♥ 6
● Vieni Via con Me '17	♥♥ 6
● OT '13	♥♥ 6
● OT '11	♥♥ 6
● Quadrato Rosso '15	♥♥ 5

Travignoli

VIA TRAVIGNOLI, 78
50060 PELAGO [FI]
TEL. 0558361098
www.travignoli.com

VENDITA DIRETTA
VISITA SU PRENOTAZIONE
PRODUZIONE ANNUA 250.000 bottiglie
ETTARI VITATI 70,00

Vino dal 500 avanti Cristo. La data è quella
di una stele etrusca ritrovata sulle terre
della tenuta e raffigurante un banchetto
con vasi di vino. In questi 2500 anni molto
è cambiato e la famiglia Busi, proprietaria
dall'800 di quest'azienda di 90 ettari alla
confluenza dei fiumi Arno e Sieve, è
impegnata oggi nella conduzione moderna
dei vigneti e degli oliveti. Siamo nella zona
di produzione del Chianti Rufina, quindi i
70 ettari di vigneti sono occupati
prevalentemente da sangiovese, ma
trovano spazio anche uve di cabernet
sauvignon, merlot e chardonnay. Il Chianti
Rufina Tegolaia Riserva '17 ha naso di
buona freschezza che spazia dal frutto
maturo (prugna e ciliegia) a qualche cenno
pepato; le note di erbe aromatiche
completano il quadro. Bocca di buon peso,
con tannini misurati e finale appena
compresso. Il Gavignano '19, chardonnay
con saldo di sauvignon, ha profumi di
mela, albicocca e cenni vegetali di timo.
È nervoso, scattante, di fresco nerbo acido
al palato.

● Chianti Rufina Tegolaia Ris. '17		♟♟ 3
○ Gavignano '19		♟♟ 2*
⊙ Rosato '19		♟ 2
● Chianti Rufina '17		♟♟ 2*
● Chianti Rufina '16		♟♟ 2*
● Chianti Rufina Governo '17		♟♟ 3
● Chianti Rufina Governo '16		♟♟ 2*
● Chianti Rufina Tegolaia Ris. '16		♟♟ 3*
● Chianti Rufina Tegolaia Ris. '15		♟♟ 3*
● Chianti Rufina Tegolaia Ris. '13		♟♟ 3*
● Chianti Rufina Tegolaia Ris. '12		♟♟ 3
● Chianti Rufina Tegolaia Ris. '11		♟♟ 3
○ Gavignano '17		♟♟ 2*
○ Gavignano		♟♟ 2*
○ Vin Santo Chianti Rufina '10		♟♟ 4
○ Vin Santo Chianti Rufina '09		♟♟ 4

Tenuta Trerose

FRAZ. VALIANO
VIA DELLA STELLA, 3
53040 MONTEPULCIANO [SI]
TEL. 0577804101
www.tenutatrerose.it

VENDITA DIRETTA
VISITA SU PRENOTAZIONE
PRODUZIONE ANNUA 650.000 bottiglie
ETTARI VITATI 102,00

Parte del Gruppo Bertani Domains, la
Tenuta Trerose propone con crescente
continuità una gamma produttiva
caratterizzata da uno stile solido e definito,
capace di raccontare un incessante lavoro
di ricerca sul sangiovese poliziano. Siamo a
Valiano, una delle sottozone più significative
della denominazione del Nobile di
Montepulciano, dove l'azienda sembra
davvero aver trovato la chiave giusta per
interpretare al meglio questo areale. È
un'interpretazione notevole dell'annata
2017, quella offerta dal Nobile di
Montepulciano Santa Caterina, che mette
in evidenza un bagaglio aromatico
sfaccettato di frutti, fiori e cenni rocciosi,
ben amalgamati a lievi sentori di pepe e
cacao. Anche in bocca si rivela
centratissimo: lo sviluppo è succoso e la
verve acida conduce il sorso con
freschezza e dinamismo. Da finale anche il
Simposio '16.

● Nobile di Montepulciano Santa Caterina '17		♟♟ 5
● Nobile di Montepulciano Simposio Ris. '16		♟♟ 6
● Rosso di Montepulciano Salterio '19		♟♟ 3
● Nobile di Montepulciano Simposio '97		♟♟♟ 5
● Nobile di Montepulciano Simposio Ris. '15		♟♟♟ 6
● Nobile di Montepulciano S. Caterina '14		♟♟ 4
● Nobile di Montepulciano Santa Caterina '16		♟♟ 4
● Nobile di Montepulciano Santa Caterina '15		♟♟ 4
● Nobile di Montepulciano Santa Caterina '12		♟♟ 4

★Tua Rita

LOC. NOTRI, 81
57028 SUVERETO [LI]
TEL. 0565829237
www.tuarita.it

VENDITA DIRETTA
VISITA SU PRENOTAZIONE
PRODUZIONE ANNUA 250.000 bottiglie
ETTARI VITATI 41,00

Rita Tua e Virgilio Bisti negli anni '80 comprano una casa di campagna in Val di Cornia con del terreno intorno per fare vino. Da allora la superficie vitata è aumentata ed è iniziata l'attività di un'azienda agricola ben funzionante, oggi nelle mani della figlia Simena e del marito, Stefano Frascolla, che hanno ultimato la conversione al biologico dei terreni, dove crescono uve di sangiovese, cabernet sauvignon, syrah, merlot, vermentino, traminer, riesling e chardonnay. Alcuni anni fa è stata anche presa in affitto l'azienda Poggio Argentiera, in Maremma. Raggiunge le finali il Giusto di Notri '17, a base cabernet. Molto estratto e compresso nei profumi, libera progressivamente la parte vegetale con nuance di peperone, cenni di conserva e talco mentolato. Buono l'ingresso in bocca, polposo ed estrattivo ma non pesante, con grip deciso e pregevole finale minerale. Ricco ed invitante anche il Rosso dei Notri '19, a base sangiovese, cabernet sauvignon, merlot e syrah.

● Giusto di Notri '17	♟♟ 8
● Perlato del Bosco '18	♟♟ 5
● Rosso dei Notri '19	♟♟ 4
○ Perlato del Bosco Vermentino '19	♟ 3
● Giusto di Notri '16	♟♟ 8
● Giusto di Notri '15	♟♟ 8
● Giusto di Notri '14	♟♟ 8
● Giusto di Notri '13	♟♟ 8
● Perlato del Bosco '17	♟♟ 5
● Perlato del Bosco Rosso '16	♟♟ 5
● Perlato del Bosco Rosso '15	♟♟ 5
○ Perlato del Bosco Vermentino '18	♟♟ 3
○ Perlato del Bosco Vermentino '16	♟♟ 3
● Rosso dei Notri '16	♟♟ 4

Uccelliera

FRAZ. CASTELNUOVO DELL'ABATE
POD. UCCELLIERA, 45
53020 MONTALCINO [SI]
TEL. 0577835729
www.uccelliera-montalcino.it

VENDITA DIRETTA
VISITA SU PRENOTAZIONE
PRODUZIONE ANNUA 60.000 bottiglie
ETTARI VITATI 6,00

Generosi, solari e al contempo dotati di scheletro sapido: i sangiovese firmati Uccelliera aderiscono perfettamente all'identikit espressivo che ci attendiamo dai siti di Castelnuovo dell'Abate, limite sud-orientale del territorio di Montalcino. Il microclima caldo e arieggiato, le altitudini inferiori ai 250 metri di altitudine, i suoli argilloso-sabbiosi: premesse territoriali esaltate nelle sapienti mani di Andrea Cortonesi, da sempre convinto della necessità di non legarsi a procedure fisse, modulando vinificazioni e maturazioni in rapporto alle caratteristiche della vendemmia. Non per nulla, Andrea va tanto fiero dei suoi Rosso di Montalcino quanto dei suoi Brunello; spesso il primo supera il secondo nelle nostre valutazioni. In casa Cortonesi si tratta effettivamente di due vini diversi. Il Rosso maturato per meno di sei mesi in legno cerca di preservare al massimo il frutto, mentre il Brunello che stagiona almeno due anni in rovere ricerca la complessità. Il Rosso '18 appaga la beva per il corpo polposo e carico di aromi di ciliegia.

● Rosso di Montalcino '18	♟♟ 4
● Brunello di Montalcino '15	♟♟ 6
● Brunello di Montalcino Voliero '15	♟♟ 6
● Rosso di Montalcino Voliero '18	♟ 4
● Brunello di Montalcino '10	♟♟♟ 6
● Brunello di Montalcino '08	♟♟♟ 7
● Brunello di Montalcino Ris. '97	♟♟♟ 8
● Rosso di Montalcino '16	♟♟♟ 4*
● Rosso di Montalcino '15	♟♟♟ 4*
● Rosso di Montalcino '14	♟♟♟ 4*
● Brunello di Montalcino '14	♟♟ 6
● Brunello di Montalcino '13	♟♟ 6
● Brunello di Montalcino '12	♟♟ 6
● Brunello di Montalcino Ris. '12	♟♟ 8
● Brunello di Montalcino Voliero '12	♟♟ 6
● Rosso di Montalcino '17	♟♟ 4
● Rosso di Montalcino Voliero '15	♟♟ 4

Val delle Corti

FRAZ. LA CROCE
LOC. VAL DELLE CORTI, 141
53017 RADDA IN CHIANTI [SI]
TEL. 0577738215
www.valdellecorti.it

VENDITA DIRETTA
VISITA SU PRENOTAZIONE
OSPITALITÀ
PRODUZIONE ANNUA 30.000 bottiglie
ETTARI VITATI 6,00
VITICOLTURA Biologico Certificato

L'azienda di proprietà di Roberto Bianchi
non rappresenta soltanto una delle cantine
più intriganti del Chianti Classico, ma è
anche tra le realtà più convincenti della
sottozona di Radda in Chianti. I vini hanno
uno stile inconfondibile: chiaro, essenziale
e senza tentennamenti. Difficile trovare
un'interpretazione del sangiovese così
coerente e capace di proiettare con tanta
forza questo areale del Gallo Nero tra i
luoghi più significativi dell'Italia enoica.
Sono rossi di grande piacevolezza ma, al
contempo, di declinazione articolata e mai
banale, anche nelle espressioni più
immediate. Una sola etichetta presentata
quest'anno da Val delle Corti, ma di grande
livello. Il Chianti Classico '17 è uno dei più
riusciti in assoluto dall'annata, dimostrando
una volta di più la peculiare vocazione della
sottozona di Radda. Il suo bagaglio
aromatico è cristallino: alterna note
agrumate a cenni più scuri di frutto e
ricordi di terra, in bocca possiede sostanza
e ritmo, profondità e sapore.

● Chianti Cl. '17	♟♟♟ 4*
● Chianti Cl. '13	♟♟♟ 4*
● Chianti Cl. '12	♟♟♟ 4*
● Chianti Cl. '11	♟♟♟ 3*
● Chianti Cl. '10	♟♟♟ 3*
● Chianti Cl. '09	♟♟♟ 2*
● Chianti Cl. Ris. '16	♟♟♟ 5
● Chianti Cl. Ris. '14	♟♟♟ 5
● Chianti Cl. '16	♟♟ 4
● Chianti Cl. '15	♟♟ 4
● Chianti Cl. '14	♟♟ 4
● Chianti Cl. '05	♟♟ 2*
● Chianti Cl. Ris. '15	♟♟ 6
● Chianti Cl. Ris. '13	♟♟ 5
● Chianti Cl. Ris. '11	♟♟ 5
● Chianti Cl. Ris. '09	♟♟ 5
● Chianti Cl. Ris. '07	♟♟ 4

Val di Suga

LOC. VAL DI CAVA
53024 MONTALCINO [SI]
TEL. 0577804101
www.valdisuga.it

VENDITA DIRETTA
VISITA SU PRENOTAZIONE
PRODUZIONE ANNUA 270.000 bottiglie
ETTARI VITATI 55,00

Vigna del Lago nel settore nord-est, Vigna
Spuntali a sud-ovest, Poggio al Granchio
sulla direttrice sud-est: sono i tre blocchi
vitati che fanno da cardine nel progetto di
mappatura del territorio di Montalcino
sviluppato dal gruppo Bertani Domains a
Val di Suga. Lavoro che mira ad esaltare le
differenze pedoclimatiche ed espressive,
trovando sintesi nei tre cru di Brunello che
si affiancano alla versione "annata",
ciascuno pensato con opzioni diverse per
quanto concerne le maturazioni in legno
(barrique, tini troncoconici, botti ovali e
rovere di Slavonia da 50-60 hl). Nelle mani
esperte di Andrea Lonardi, i terroir di Val di
Suga raccontano storie tanto diverse
quanto affascinanti. Nella superlativa prova
di quest'anno è stato difficile scegliere. Il
Poggio al Granchio offre aromi di frutta
matura e buona polpa, ma necessita
tempo per aprirsi del tutto. Il Vigna del
Lago brilla per armonia olfattiva e
gustativa. Ha la meglio il Vigna Spuntali,
dagli aromi di tabacco e frutta rossa, ma
anche classe e finezza, con lungo finale
sapido. Tre Bicchieri.

● Brunello di Montalcino V. Spuntali '15	♟♟♟ 8
● Brunello di Montalcino Poggio al Granchio '15	♟♟ 7
● Brunello di Montalcino V. del Lago '15	♟♟ 8
● Brunello di Montalcino '15	♟♟ 6
● Rosso di Montalcino '18	♟♟ 4
● Brunello di Montalcino V. del Lago '95	♟♟ 8
● Brunello di Montalcino V. del Lago '93	♟♟♟ 8
● Brunello di Montalcino V. del Lago '90	♟♟♟ 8
● Brunello di Montalcino V. Spuntali '95	♟♟♟ 8
● Brunello di Montalcino V. Spuntali '93	♟♟♟ 8
● Brunello di Montalcino Val di Suga '07	♟♟♟ 5
● Brunello di Montalcino '14	♟♟ 6
● Brunello di Montalcino Poggio al Granchio '13	♟♟ 7
● Brunello di Montalcino V. del Lago '13	♟♟ 8
● Brunello di Montalcino V. Spuntali '13	♟♟ 8

Tenuta Valdipiatta

VIA DELLA CIARLIANA, 25A
53045 MONTEPULCIANO [SI]
TEL. 0578757930
www.valdipiatta.it

VENDITA DIRETTA
VISITA SU PRENOTAZIONE
OSPITALITÀ
PRODUZIONE ANNUA 100.000 bottiglie
ETTARI VITATI 23,00
VITICOLTURA Biologico Certificato
AZIENDA SOSTENIBILE

Quella di Miriam Caporali è una delle aziende più affascinanti della denominazione del Nobile di Montepulciano, capace di imprimere alle sue etichette uno stile identitario, molto ben riconoscibile, fatto di finezza ed eleganza più che di concentrazione e rotondità. Sono vini talvolta inclini, alle durezze e all'austerità, che il passare del tempo smussa però in maniera felice. I vigneti sono condotti in biologico e in cantina non si adottano forzature o scorciatoie, con maturazioni pensate in funzione di un felice mix tra legni grandi e piccoli. Il Nobile di Montepulciano '17 possiede tratti aromatici floreali, di erbe di campo e cioccolato. La struttura gustativa si articola con tannini di bella grana, ma incisivi e fitti, per un sorso deciso e non privo di carattere, dal finale lungo e succoso. Più concentrato ma saporito il Nobile Vigna d'Alfiero '17, frenato solo da qualche tocco boisé. Piacevolmente varietale il Pinot Nero '18, non molto complesso ma gustoso.

★Tenuta di Valgiano

VIA DI VALGIANO, 7
55015 LUCCA
TEL. 0583402271
www.valgiano.it

VENDITA DIRETTA
VISITA SU PRENOTAZIONE
PRODUZIONE ANNUA 60.000 bottiglie
ETTARI VITATI 15,00
VITICOLTURA Biodinamico Certificato

Valgiano è, anzitutto, un luogo di impareggiabile bellezza: senza dubbio una delle chiavi di lettura per introdurre la storia e i percorsi del sodalizio, privato e professionale, di Moreno Petrini e Laura di Collobiano. Perché qui vita e lavoro hanno confini sfumati, tanto per i proprietari quanto per i collaboratori del progetto agricolo e vitivinicolo. Tra questi va citato Saverio Petrilli, vero e proprio "papa" della biodinamica italiana, certamente decisivo nelle scelte che hanno traghettato nel tempo i grandi vini di Valgiano. Grande annata e grandissima versione del Tenuta di Valgiano '16. È un vino scintillante, dal frutto purissimo che sfuma su sensazioni di sottobosco e spezie raffinate; la bocca è magnetica, tridimensionale, setosa e saporitissima nella trama tannica che allunga il finale. Davvero una delle migliori di sempre per questo gioiello. Giocato in sottrazione sul piano materico, ma ricco di sapore, il Palistorti Bianco '19.

● Nobile di Montepulciano '17	♟♟ 5
● Nobile di Montepulciano V. d'Alfiero '17	♟♟ 6
● Pinot Nero '18	♟♟ 5
● Rosso di Montepulciano '18	♟ 3
● Nobile di Montepulciano Ris. '90	♟♟♟ 5
● Nobile di Montepulciano V. d'Alfiero '99	♟♟♟ 5
● Chianti Colli Senesi Tosca '15	♟♟ 2*
● Nobile di Montepulciano '14	♟♟ 4
● Nobile di Montepulciano Ris. '15	♟♟ 6
● Nobile di Montepulciano Ris. '13	♟♟ 6
● Nobile di Montepulciano V. d'Alfiero '16	♟♟ 6
● Pinot Nero '15	♟♟ 4
● Rosso di Montepulciano '17	♟♟ 3
● Rosso di Montepulciano '16	♟♟ 3

● Colline Lucchesi Tenuta di Valgiano '16	♟♟♟ 8
○ Palistorti Bianco '19	♟♟ 5
● Colline Lucchesi Tenuta di Valgiano '15	♟♟♟ 8
● Colline Lucchesi Tenuta di Valgiano '13	♟♟♟ 8
● Colline Lucchesi Tenuta di Valgiano '12	♟♟♟ 6
● Colline Lucchesi Tenuta di Valgiano '11	♟♟♟ 6
● Colline Lucchesi Tenuta di Valgiano '10	♟♟♟ 6
● Colline Lucchesi Tenuta di Valgiano '09	♟♟♟ 6
● Colline Lucchesi Tenuta di Valgiano '08	♟♟♟ 6
● Colline Lucchesi Tenuta di Valgiano '07	♟♟♟ 6
● Colline Lucchesi Tenuta di Valgiano '06	♟♟♟ 6
● Colline Lucchesi Tenuta di Valgiano '05	♟♟♟ 6
● Colline Lucchesi Tenuta di Valgiano '04	♟♟♟ 6
● Colline Lucchesi Tenuta di Valgiano '03	♟♟♟ 6
● Colline Lucchesi Tenuta di Valgiano '01	♟♟♟ 8
● Colline Lucchesi Palistorti Rosso '15	♟♟ 5

Valle di Lazzaro

LOC. VALLE DI LAZZARO, 103
57037 PORTOFERRAIO [LI]
TEL. 0565916387
www.valledilazzaro.com

VENDITA DIRETTA
VISITA SU PRENOTAZIONE
PRODUZIONE ANNUA 12.000 bottiglie
ETTARI VITATI 4,00

Stefano Farkas è stato per molti anni un appassionato viticoltore in quel di Panzano, nella cosiddetta Conca d'Oro del Chianti Classico. Poi l'incontro con l'isola d'Elba, la voglia di cambiare vita, pur continuando con le sue passioni: da qui la scelta di creare un piccolo agriturismo e una vigna da gestire senza eccessive complicazioni. Siamo a Valle di Lazzaro, nel comune di Portoferraio. Nel rispetto della tradizione elbana ha iniziato con l'aleatico, per poi dare spazio a diversi vitigni a bacca bianca. Appassionante l'Ansonica '19 coi suoi toni di mela, albicocca, pesca e cenni di erbe aromatiche. In bocca ha un buon impatto, polposo e caldo, elegante, vivo, per un finale saporito e in crescendo. Molto gradevole anche il Vermentino '19: porge note minerali, quindi tratti vegetali che proseguono in un sorso fresco e dinamico. Un plauso anche per il Sangiovese '18, dai richiami di ciliegia e macchia mediterranea, dotato di corpo scattante, fresco e sapido in chiusura.

○ Elba Ansonica Lazarus '19	♀♀	3
● Elba Sangiovese Lazarus '18	♀♀	3
○ Elba Vermentino Lazarus '19	♀♀	3
○ Chardonnay Lazarus '18	♀♀	4
○ Elba Ansonica '17	♀♀	3
○ Elba Ansonica '16	♀♀	3
○ Elba Ansonica Lazarus '18	♀♀	3
● Elba Sangiovese Lazarus '16	♀♀	3*
○ Elba Vermentino '17	♀♀	3
○ Elba Vermentino '16	♀♀	3
○ Elba Vermentino Lazarus '18	♀♀	3

Vallepicciola

S.DA PROV.LE 9 DI PIEVASCIATA, 21
53019 CASTELNUOVO BERARDENGA [SI]
TEL. 05771698718
www.vallepicciola.com

VENDITA DIRETTA
VISITA SU PRENOTAZIONE
PRODUZIONE ANNUA 250.000 bottiglie
ETTARI VITATI 95,00

Vallepicciola è l'ambizioso progetto di Bruno Bolfo, imprenditore innamorato della bellezza delle colline toscane. Nel giro di pochi anni Bolfo ha creato una bella e solida realtà che si estende per ben 265 ettari a Castelnuovo Berardenga, di cui un centinaio vitati, dotandola di una modernissima e suggestiva cantina. Nelle sue vigne troverete non solo sangiovese, ma anche una nutrita pattuglia di internazionali per sfruttare ogni particolarità dei diversi terroir. I grandi progetti richiedono tempi importanti, e Vallepicciola quest'anno ha ben figurato anche in un momento di avvicendamento tecnico e ridefinizione stilistica delle sue etichette. In cima alle nostre preferenze la Gran Selezione Lapina '16, che si guadagna le nostre finali. Un rosso articolato, elegante, profondo. Di livello il Chianti Classico '18, polposo speziato e ricco. Il Pievasciata '18 è un blend di sangiovese e internazionali di bella stoffa e dai sentori speziati e boisé.

● Chianti Cl. Gran Selezione Lapina '16	♀♀	6
● Chianti Cl. '18	♀♀	4
● Pievasciata '18	♀♀	3
● Quercegrosse Merlot '17	♀♀	6
● Boscobruno Pinot Nero '17	♀	6
● Chianti Cl. Ris. '17	♀	5
● Chianti Cl. '17	♀♀♀	4*
● Boscobruno Pinot Nero '16	♀♀	6
● Boscobruno Pinot Nero '15	♀♀	6
● Chianti Cl. '16	♀♀	4
● Chianti Cl. '15	♀♀	4
● Chianti Cl. Gran Selezione '15	♀♀	3*
● Chianti Cl. Ris. '16	♀♀	5
● Pievasciata '16	♀♀	3
● Quercegrosse Merlot '15	♀♀	6

Varramista

LOC. VARRAMISTA
VIA RICAVO
56020 MONTOPOLI IN VAL D'ARNO [PI]
TEL. 057144711
www.varramista.it

VENDITA DIRETTA
VISITA SU PRENOTAZIONE
OSPITALITÀ
PRODUZIONE ANNUA 35.000 bottiglie
ETTARI VITATI 13,00

Una tenuta con una storia carica di
avvenimenti che inizia più di 500 anni fa e
arriva ai giorni nostri, fino alla famiglie
Piaggio e Agnelli, che fanno di Varramista
la residenza di campagna. Negli anni '90,
Giovanni Alberto Agnelli, presidente della
Piaggio, sceglie Varramista come propria
residenza e ne cura la riconversione dei
vigneti con la scelta del syrah come vitigno
di riferimento della tenuta. Dopo la
prematura scomparsa di Giovannino, il vino
continua ad essere il simbolo della qualità e
dello stile della tenuta. Nei quattro poderi,
crescono anche uve di sangiovese e
grenache. Quest'anno ci è piaciuto molto lo
Sterpato '17, sangiovese in prevalenza con
quote di merlot e cabernet. Si tratta di un
rosso profumato, di buona struttura,
profondo e sapido: la trama tannica è ben
presente ma non curva mai su note
amarostiche, anzi allunga il sorso e rende il
finale coinvolgente. Sfaccettato il
Montecarlo Varramista '15, nonostante
qualche accenno terziario in evidenza.

Vecchia Cantina di Montepulciano

VIA PROVINCIALE, 7
53045 MONTEPULCIANO [SI]
TEL. 0578716092
www.vecchiacantinadimontepulciano.com

VENDITA DIRETTA
VISITA SU PRENOTAZIONE
PRODUZIONE ANNUA 7.000.000 bottiglie
ETTARI VITATI 1000,00
VITICOLTURA Biologico Certificato

La Vecchia Cantina di Montepulciano è una
delle cooperative più antiche della Toscana
enoica, essendo stata fondata nel 1937.
Oggi conta su 400 soci conferitori che
lavorano un parco vigneti assai composito,
comprendente due regioni (Toscana e
Umbria) e tre province (Siena, Arezzo e
Perugia). Ma è evidentemente il Nobile di
Montepulciano a recitare il ruolo di
protagonista assoluto, facendo di questa
cantina sociale il marchio leader per
bottiglie prodotte annualmente. Una
batteria ricca di buone etichette, quella
incontrata nell'ultima tornata di assaggi. Il
Nobile Cantina del Redi '17 ha un naso
sfumato di frutti rossi e spezie che anticipa
la bocca succosa e rilassata, mentre il
Nobile Poggio Stella '17 è un vino dallo
stile moderno e di inappuntabile fattura. Di
bella beva fragrante il Rosso di
Montepulciano Cantina del Redi '19, che fa
il paio con quello della linea Vecchia
Cantina pari annata, forse un po' più
semplice ma comunque godibile.

● Sterpato '17	🍷🍷 3*
● Varramista '15	🍷🍷 7
● Varramista '00	🍷🍷🍷 6
● Chianti Monsonaccio '15	🍷🍷 3
● Chianti Monsonaccio '12	🍷🍷 2*
● Frasca '15	🍷🍷 5
● Frasca '13	🍷🍷 4
● Frasca Rosso '11	🍷🍷 3
● Sterpato '16	🍷🍷 3
● Sterpato '12	🍷🍷 2*
● Sterpato '11	🍷🍷 2*
● Syrah '11	🍷🍷 6
● Varramista '13	🍷🍷 7

● Nobile di Montepulciano Cantina del Redi '17	🍷🍷 5
● Nobile di Montepulciano Poggio Stella '17	🍷🍷 5
● Rosso di Montepulciano Cantina del Redi '19	🍷🍷 3
● Nobile di Montepulciano '17	🍷 4
● Nobile di Montepulciano Poggio Stella Ris. '15	🍷 5
● Rosso di Montepulciano '19	🍷 2
● Nobile di Montepulciano '14	🍷🍷 3
● Nobile di Montepulciano Briareo Ris. Cantina dei Redi '15	🍷🍷 5
● Nobile di Montepulciano Cantina del Redi '13	🍷🍷 4
● Orbaio Cantina dei Redi '16	🍷🍷 5
● Orbaio Redi '15	🍷🍷 5

I Veroni

VIA TIFARITI, 5
50065 PONTASSIEVE [FI]
TEL. 0558368886
www.iveroni.it

VENDITA DIRETTA
VISITA SU PRENOTAZIONE
OSPITALITÀ
PRODUZIONE ANNUA 110.000 bottiglie
ETTARI VITATI 20,00
VITICOLTURA Biologico Certificato

L'azienda si estende nella zona di
produzione del Chianti Rufina sulle colline
di Pontassieve, con un vigneto
reimpiantato con cloni selezionati di
sangiovese e poi con vitigni internazionali
e a bacca bianca, a cui si aggiungono ben
50 ettari ad oliveto. La vinsantaia è stata
conservata negli storici locali del sottotetto
della villa settecentesca. Ma molto altro sa
di antico, a cominciare dal nome: "verone"
nella Toscana d'altri tempi è la terrazza e
di terrazzamenti era piena la fattoria.
L'attività ricettiva occupa gli spazi di una
bella colonica oggetto di un correttissimo
recupero. In finale il Chianti Rufina Quona
Riserva '17, con note floreali di geranio,
erbe officinali e ciliegia matura. In bocca è
succoso, agile, scattante, di bella
persistenza gustativa. Bene anche la
versione "annata" 2018 e sorprende Alba
di Paola '19, sangiovese vinificato in
bianco con saldo di trebbiano, malvasia e
canaiolo bianco: ha bouquet accattivante e
corpo vivo.

● Chianti Rufina Vign. Quona Ris. '17	♟♟ 5
○ Alba di Paola '19	♟♟ 3
● Chianti Rufina I Domi '18	♟♟ 3
● Rosso Toscana '18	♟♟ 2*
○ Vin Santo del Chianti Rufina '10	♟♟ 5
● Chianti Rufina Vign. Quona Ris. '15	♟♟♟ 5
● Chianti Rufina I Domi '17	♟♟ 3
● Chianti Rufina I Domi '16	♟♟ 3
● Chianti Rufina Quona Ris. '14	♟♟ 5
● Chianti Rufina Ris. '13	♟♟ 5
● Chianti Rufina Ris. '12	♟♟ 4
● Chianti Rufina Vign. Quona Ris. '16	♟♟ 5
● Vin Santo del Chianti Rufina Occhio di Pernice '09	♟♟ 6
○ Vin Santo del Chianti Rufina Occhio di Pernice '08	♟♟ 6

Vignamaggio

VIA PETRIOLO, 5
50022 GREVE IN CHIANTI [FI]
TEL. 055854661
www.vignamaggio.com

VENDITA DIRETTA
VISITA SU PRENOTAZIONE
OSPITALITÀ E RISTORAZIONE
PRODUZIONE ANNUA 250.000 bottiglie
ETTARI VITATI 67,00
VITICOLTURA Biologico Certificato
AZIENDA SOSTENIBILE

Vignamaggio rappresenta una delle
aziende più importanti della sottozona di
Greve in Chianti, occupando da oltre trenta
anni un ruolo significativo all'interno della
denominazione del Chianti Classico. Lo
stile aziendale privilegia la ricerca di
struttura e ricchezza di frutto nei vini,
accompagnate da un giusto apporto del
rovere, sia grande che piccolo. Questa
scelta è tuttavia declinata con garbo e
misura, tanto che l'eleganza non manca
mai nelle etichette di questa realtà
produttiva, capace anche di raggiungere
l'eccellenza assoluta. Snello e reattivo il
Chianti Classico Terre di Prenzano '17: ai
tratti aromatici nitidi e maturi si
accompagna una progressione gustativa
particolarmente golosa e saporita. Il
Chianti Classico Gherardino Riserva '16
possiede profumi di frutti rossi, terra e fiori,
mentre la bocca è succosa e resa nervosa
da alcune piacevoli durezze. Austero e
articolato, con un po' di rovere ancora da
digerire, il Chianti Classico Gran Selezione
Monna Lisa '16.

● Chianti Cl. Terre di Prenzano '17	♟♟ 3*
● Cabernet Franc '16	♟♟ 8
● Chianti Cl. Gherardino Ris. '16	♟♟ 5
● Chianti Cl. Gran Selezione Monna Lisa '16	♟♟ 6
● Chianti Cl. Monna Lisa Ris. '99	♟♟♟ 5
● Chianti Cl. Monna Lisa Ris. '95	♟♟♟ 5
● Cabernet Franc '15	♟♟ 8
● Cabernet Franc '13	♟♟ 8
● Chianti Cl. Gherardino Ris. '15	♟♟ 5
● Chianti Cl. Gran Selezione Monna Lisa '15	♟♟ 6
● Chianti Cl. Gran Selezione Monna Lisa Ris. '13	♟♟ 6
● Chianti Cl. Terre di Prenzano '16	♟♟ 3*
● Chianti Cl. Terre di Prenzano '15	♟♟ 3*
● Chianti Cl. Terre di Prenzano '14	♟♟ 3

Amantis

FRAZ. MONTENERO D'ORCIA
LOC. COLOMBAIO BIRBE
58040 CASTEL DEL PIANO [GR]
TEL. 3461402687
www.agricolaamantis.com

Un solo vino presentato dalla cantina di
Montenero d'Orcia, ma davvero ben
riuscito. È il Montecucco Sangiovese '16:
possiede aromi di fiori e frutti, che
incrociano lievi speziature e toni affumicati;
lo sviluppo gustativo è pieno e succoso, dal
sorso incisivo e contrastato.

● Montecucco Sangiovese '16	♟ 4

Antico Colle

VIA PROVINCIALE, 9
53040 MONTEPULCIANO [SI]
TEL. 0578707828
www.anticocolle.it

I profumi del Nobile di Montepulciano '17
alternano un fruttato rigoglioso a note
speziate e cenni floreali. In bocca si
distende con buona energia e trova il suo
punto di forza in tannini piuttosto saporiti e
incisivi. Più cupo ed austero il Nobile Il
Saggio Riserva'15.

● Nobile di Montepulciano '17	♟♟ 3
● Nobile di Montepulciano Il Saggio Ris. '15	♟ 5

Poderi Arcangelo

LOC. CAPEZZANO
VIA SAN BENEDETTO, 26
53037 SAN GIMIGNANO [SI]
TEL. 0577944404
www.poderiarcangelo.it

Piacevole la Vernaccia Primo Angelo '19,
semplice ma corretta nella parte olfattiva,
con note di mandorla, mela e fiori di
campo; il palato è bilanciato, snello, di
gradevole beva. Gustoso il Chianti Colli
Senesi '18, dal bouquet di ciliegia e viola:
ha corpo integro e gustoso.

● Chianti Colli Senesi '18	♟♟ 2*
○ Vernaccia di San Gimignano Primo Angelo '19	♟♟ 2*
● Chianti Il Cantastorie '17	♟ 2

Armilla

VIA TAVERNELLE, 6
53024 MONTALCINO [SI]
TEL. 0577816012
www.armillawine.com

Dal vigneto di circa due ettari piantato nel
1982 a sud-ovest di Montalcino in frazione
Tavernelle, oggi gli eredi producono un
ottimo Brunello. La versione 2015 ha gran
carattere con ricordi di liquirizia e un gusto
armonico e fresco. Molto gradevole il Rosso
fruttato e acidulo.

● Brunello di Montalcino '15	♟♟ 6
● Rosso di Montalcino '18	♟♟ 4

Fattoria di Bagnolo

LOC. BAGNOLO
VIA IMPRUNETANA PER TAVARNUZZE, 48
50023 IMPRUNETA [FI]
TEL. 0552313403
www.bartolinibaldelli.it

Interessante il Chianti Colli Fiorentini
Riserva '17: naso intrigante tra
maggiorana, timo e frutti di bosco, attacco
in bocca solido, gustoso, morbido, dalla
freschezza bilanciata e con tannini calibrati.
Fresco e di buona beva, il Chianti Colli
Fiorentini '18 è vino godibile e spensierato.

● Chianti Colli Fiorentini '18	♟♟ 2*
● Chianti Colli Fiorentini Ris. '17	♟♟ 4
⊙ Rosato Maralò '19	♟ 2

I Balzini

LOC. PASTINE, 19
50021 BARBERINO VAL D'ELSA [FI]
TEL. 0558075503
www.ibalzini.it

Bella prestazione per il Black Label '17,
uvaggio di cabernet sauvignon e merlot dai
toni di peperone, liquirizia, caffè e frutta in
confettura. Al palato si dimostra ben
strutturato, morbido, con tannini setosi ad
accompagnare un finale profondo, dal
retrogusto speziato.

● I Balzini Black Label '17	♟♟ 6
● I Balzini White Label '17	♟♟ 5
● I Balzini Green Label '18	♟ 3
⊙ I Balzini Pink Label '18	♟ 2

La Banditaccia

FRAZ. MONTICELLO AMIATA
LOC. BANDITACCIA
58044 CINIGIANO [GR]
TEL. 3474167275
www.banditaccia.com

Ingresso in Guida per questa piccola azienda che coltiva poco più di 5 ettari in regime biologico. Dagli assaggi spiccano il Montecucco Sangiovese Vigna Allegra '18, fitto e di buon corpo; semplice, ma molto ben fatto anche il Malandrino '19. Corretto il Polesse '18, da uve merlot.

○ Malandrino Vermentino '19	♟♟ 2*
● Montecucco Sangiovese V. Allegra '18	♟♟ 5
● Polesse Merlot '18	♟ 4

Giacomo Baraldo

P.ZZA MATTEOTTI, 4
53040 SAN CASCIANO DEI BAGNI [SI]

Sangiovese in purezza, Il Bossolo '17 ha naso fresco ed elegante: i profumi di frutta rossa, come ciliegia e prugna, si uniscono a cenni di erbe aromatiche che ricordano l'alloro, la salvia e il rosmarino. L'attacco gustativo è fine e delicato, così come il resto del sorso.

● Il Bossolo '17	♟♟ 5
○ Il Pergola '18	♟♟ 5
○ L'Affacciatoio '18	♟♟ 5

Batzella

LOC. BADIA, 227
57024 CASTAGNETO CARDUCCI [LI]
TEL. 3393975888
www.batzella.com

Fondata nel 2000, l'azienda di Khanh Nguyen e Franco Batzella opera con le vocate vigne di Badia, nella pianura fra Castagneto Carducci e Bolgheri. Ci sorprende con un Peàn '17 cremoso e armonico, scorrevole senza rinunciare al frutto; ottimo anche il Mezzodì '19.

○ Bolgheri Bianco Mezzodì '19	♟♟ 3
● Bolgheri Rosso Peàn '17	♟♟ 4
● Bolgheri Superiore Tam '16	♟ 5

Belpoggio - Bellussi

FRAZ. CASTELNUOVO DELL'ABATE
LOC. BELLARIA
53024 MONTALCINO [SI]
TEL. 0423983411
www.belpoggio.it

Creata a Castelnuovo dell'Abate nel 2005 dalla famiglia Martellozzo, imprenditori vitivinicoli trevigiani, la Belpoggio fa il suo ingresso in Guida, grazie al Brunello '15. Il vino trae la sua complessità dagli aromi di frutta e erbe officinali, mentre il palato ha tannini setosi e buona freschezza.

● Brunello di Montalcino '15	♟♟ 6
● Di Paolo Rosso '19	♟♟ 4

Le Bertille

VIA DELLE COLOMBELLE, 7
53045 MONTEPULCIANO [SI]
TEL. 0578758330
www.lebertille.com

Il Nobile di Montepulciano Riserva '16 possiede un bagaglio aromatico pulito, che passa da un fruttato rigoglioso a note piacevolmente affumicate. In bocca ha spessore, con tannini nervosi e saporiti. Più tendente a toni dolci e morbidi il profumato Nobile di Montepulciano '17.

● Nobile di Montepulciano Ris. '16	♟♟ 5
● Nobile di Montepulciano '17	♟ 4
● Rosso di Montepulciano '17	♟ 2

Villa Bibbiani

LOC. BIBBIANI
50050 CAPRAIA E LIMITE [FI]
TEL. 3383195652
www.villabibbiani.it

Molto interessante il Montereggi '18, cabernet sauvignon in purezza dai profumi di alloro, bacche di ginepro, polvere di caffè e rosmarino. Convincente lo sviluppo in bocca, saporito, di trama tannica ben definita. Ottimo anche il Pulignano '18, setoso e complesso.

● Chianti Montalbano '18	♟♟ 3
● Montereggi '18	♟♟ 6
● Pulignano Sangiovese '18	♟♟ 6
● Treggiaia '18	♟♟ 5

Bindi Sergardi

LOC. POGGIOLO
FATTORIA I COLLI, 2
53035 MONTERIGGIONI [SI]
TEL. 0577309107
www.bindisergardi.it

Una serie di vini ben eseguiti e non privi di
carattere, quelli proposti dall'azienda con
sede nei pressi del piccolo borgo di
Vagliagli. Ad emergere con decisione il
Chianti Cl. Gran Selezione 89 Mocenni '16,
dai profumi raffinati e dallo sviluppo
gustativo solido e saporito.

- Chianti Cl. Gran Selezione Mocenni 89 '16 ♛♛ 6
- Chianti Cl. La Ghirlanda '17 ♛♛ 3
- Chianti Cl. Ser Gardo '16 ♛♛ 4
- Chianti Cl. Calidonia Ris. '16 ♛ 4

Il Borghetto

LOC. MONTEFIRIDOLFI
VIA COLLINA SANT'ANGELO, 21
50026 SAN CASCIANO IN VAL DI PESA [FI]
TEL. 0558244442
www.borghetto.org

Stile raffinato e dalle trame sottili, quello
che contraddistingue i quattro sangiovese
in purezza della piccola azienda di San
Casciano Val di Pesa. Ad emergere
soprattutto il Montigiano '18, dalla bocca
agile e assai gustosa, e il Monte dei
Sassi '16, di bella articolazione.

- Bilaccio '16 ♛♛ 5
- Monte de Sassi '16 ♛♛ 3
- Montigiano '18 ♛♛ 4
- Clante '16 ♛ 6

Borratella

LOC. BORRATELLA
53013 GAIOLE IN CHIANTI [SI]
TEL. 3394107545
www.borratella.com

Buone sensazioni complessive arrivano dai
vini di questa piccola realtà della sottozona
di Gaiole in Chianti, di proprietà di Jaroslav
Putanko. Sia il Chianti Classico che la
Riserva '17 sono ben eseguiti ed hanno
stile sobriamente moderno, dalle movenze
decisamente chiantigiane.

- Chianti Cl. '17 ♛♛ 3
- Chianti Cl. Ris. '17 ♛♛ 5
- Yaro '17 ♛ 5

Brancatelli

LOC. CASA ROSSA, 2
57025 PIOMBINO [LI]
TEL. 056520655
www.brancatelli.eu

Bei profumi per il Sangiovese Mila '16: un
mix di frutti rossi, cacao e spezie che
ritroviamo in una bocca calda, avvolgente,
di trama tannica sottile e piacevole.
Intrigante il Loren '19, rosato da Syrah di
stile provenzale, con sentori di susina e
timo nel sorso sapido.

- ⊙ Loren '19 ♛♛ 2*
- Mila Sangiovese '16 ♛♛ 5
- ○ Ansonica Splendente '19 ♛ 3
- Mila Sangiovese '18 ♛ 5

Ca' Marcanda

LOC. SANTA TERESA, 272
57022 CASTAGNETO CARDUCCI [LI]
TEL. 0565763809
info@camarcanda.com

Ca' Marcanda è il progetto bolgherese di
Angelo Gaja, noto soprattutto per i vini
prodotti in Piemonte. Tra gli ultimi assaggi,
ci è sembrato ottimo il Camarcanda '17,
succoso e fresco, ben rifinito da nuance di
erbe officinali. Più semplice ma molto
gradevole anche il Magari '18.

- Bolgheri Rosso Camarcanda '17 ♛♛ 8
- Bolgheri Rosso Magari '18 ♛♛ 6

Calafata

P.ZZALE ARRIGONI, 2
55100 LUCCA
TEL. 0583 430939
info@calafata.it

Calafata è un progetto molto bello:
cooperativa sociale, punta alla salvaguardia
dei luoghi in cui opera e all'inclusione
lavorativa attraverso l'agricoltura. Con
ottimi risultati anche sul fronte vitivinicolo,
almeno a giudicare dai convincenti assaggi
di quest'anno.

- Chianti Iarsera Sup. '17 ♛♛ 4
- ○ Gronda '18 ♛♛ 4
- Majulina '18 ♛♛ 4

Il Calamaio

via delle Gavine, 1707
55100 Lucca
Tel. 3408503670
www.ilcalamaiovini.it

Questa piccola realtà si trova a San Macario in Monte, sulle Colline Lucchesi, ed è condotta dal "vignaiolo-ingegnere" Samuele Bianchi. Il percorso stilistico si sta facendo sempre più nitido e interessante, come dimostra l'ottima prova del gustoso sangiovese Poiana '17.

- ● Antenato V. V. '18 — 🍷🍷 3
- ● Poiana '17 — 🍷🍷 3
- ● Soffio '19 — 🍷 3

Tenuta Le Calcinaie

loc. Santa Lucia, 36
53037 San Gimignano [SI]
Tel. 0577943007
www.tenutalecalcinaie.it

Nomen omen, almeno a giudicare dagli aromi minerali che dominano la Vernaccia Vigna ai Sassi Riserva '17. Le sensazioni gessose prendono subito la scena, quindi arrivano le note di erbe aromatiche (salvia e alloro) e di frutti maturi (albicocca). Corpo bilanciato e appetitoso.

- ● Chianti Colli Senesi Santa Maria Ris. '15 — 🍷🍷 4
- ○ Vernaccia di S. Gimignano V. ai Sassi Ris. '17 — 🍷🍷 3
- ○ Vernaccia di S. Gimignano '19 — 🍷 2

Le Calle

fraz. Poggi del Sasso
loc. La Cava
58044 Cinigiano [GR]
Tel. 3489307565
www.lecalle.it

Sfruttando a pieno un'annata che potrebbe passare alla storia come memorabile, il Sangiovese Poggio d'Oro Riserva '16 di Le Calle profuma di spezie e fiori, anticipando una bocca articolata e saporita. Piacevole il Montecucco Rosso Campo Rombolo '18, più incerto il Poggio d'Oro '17.

- ● Montecucco Rosso Campo Rombolo '18 — 🍷🍷 3
- ● Montecucco Sangiovese Poggio d'Oro Ris. '16 — 🍷🍷 5
- ● Montecucco Sangiovese Poggio d'Oro '17 — 🍷 3

Campo al Pero

fraz. Donoratico
via del Casone Ugolino, 12
57022 Castagneto Carducci [LI]
Tel. 0565774329
www.campoalpero.it

Suscitano ancora una volta ottime impressioni gli assaggi targati Campo del Pero, cantina nata nel 2006 per mano di Maurizio Piccoli e della moglie Doriana Cerbaro. Molto buoni il Bolgheri Rosso '18 e il fratello Zephyro '18, così come il Superiore Dorianae '17.

- ● Bolgheri Rosso '18 — 🍷🍷 4
- ● Bolgheri Rosso Dorianae '17 — 🍷🍷 4
- ● Bolgheri Rosso Zephyro '18 — 🍷🍷 4

Campo del Monte Eredi Benito Mantellini

via Traiana, 53a
52028 Terranuova Bracciolini [AR]
Tel. 0554684135
www.campodelmonte.it

Piacevole al naso l'Isei '15: sangiovese e syrah si fondono regalando un vino dalle note floreali, di ciliegia matura e balsamiche, e dalla bocca intensa, dalla fitta struttura tannica ma ben articolato. Di ottima beva il Rodos '16, cabernet in purezza dai tannini fini, ben distribuiti.

- ● Valdarno di Sopra Cabernet Sauvignon Rodos '16 — 🍷🍷 4
- ○ Valdarno di Sopra Pratomagno Isei '15 — 🍷🍷 5

Cantina Canaio

loc. Farneta
52044 Cortona [AR]
Tel. 0575604866
cantinacanaio@libero.it

Il Syrah Il Calice '17 desta un'ottima impressione: ha note balsamiche intense di menta e alloro, su base di mirtillo e ribes. L'ingresso in bocca è fluido, scorrevole, con tannini fini e diffusi. Finale in notevole crescendo. Ottimo anche il Syrah Terra Solla '17.

- ● Cortona Syrah Il Calice '17 — 🍷🍷 4
- ● Cortona Syrah Terra Solla '17 — 🍷🍷 5

Cantalici

FRAZ. CASTAGNOLI
VIA DELLA CROCE, 17/19
53013 GAIOLE IN CHIANTI [SI]
TEL. 0577731038
www.cantalici.it

Possiede buon bilanciamento il Chianti Classico '16: naso speziato e fruttato, innesca uno sviluppo gustativo solido e articolato. Ben centrato, interpretando un'annata importante, il Chianti Classico Messer Ridolfo Riserva '16, dai profumi intensi, dalla bocca succosa e dolce.

● Chianti Cl. '16	♙♙ 3
● Chianti Cl. Messer Ridolfo Ris. '16	♙♙ 4
● Chianti Cl. Baruffo '17	♙ 3

Capanne Ricci

FRAZ. SANT'ANGELO IN COLLE
LOC. CASELLO
53024 MONTALCINO [SI]
TEL. 0564902063
www.tenimentiricci.it

Ida e Ferruccio Ricci, eredi di un'antica famiglia ilcinese, continuano ad offrire grandi vini del territorio nel pieno rispetto della tradizione. Frutto esuberante e alcol sono i segni distintivi del Brunello '15 che cede il passo ad un grandissimo Rosso '18: serio, complesso e austero.

● Rosso di Montalcino '18	♙♙ 3*
● Brunello di Montalcino '15	♙♙ 6
● Ricciolo '19	♙ 2

Caparsa

LOC. CASE SPARSE CAPARSA, 47
53017 RADDA IN CHIANTI [SI]
TEL. 0577738174
www.caparsa.it

Profumi fruttati e terrosi, di bella intensità ed energia, caratterizzano il Chianti Classico Caparsino Riserva '17 di Caparsa; in bocca è succoso, sapido e contrastato. Mantiene i medesimi piacevoli contrasti la bocca del Chianti Classico '17, più affusolata ed agile nella beva.

● Chianti Cl. Caparsa '17	♙♙ 5
● Chianti Cl. Caparsino Ris. '17	♙♙ 6

Fattoria Casa di Terra

FRAZ. BOLGHERI
LOC. LE FERRUGGINI, 162A
57022 CASTAGNETO CARDUCCI [LI]
TEL. 0565749810
www.fattoriacasaditerra.com

Continua il trend di crescita qualitativa e stilistica di questa cantina bolgherese. Quattro le parcelle vitate in altrettante zone della denominazione: Sondraie, Ferruggini, Guado de' Gemoli, Tenuta Ladronaia. Il vino migliore ci è sembrato il Bolgheri Superiore Maronea '17.

● Bolgheri Rosso Sup. Maronea '17	♙♙ 6
● Lenaia '18	♙♙ 2*
● Bolgheri Rosso Moreccio '18	♙ 3

Casa Emma

LOC. SAN DONATO IN POGGIO
S.DA PROV.LE DI CASTELLINA IN CHIANTI, 3
50021 BARBERINO VAL D'ELSA [FI]
TEL. 0558072239
www.casaemma.com

Il Chianti Classico Riserva '16 di Casa Emma è decisamente un bel vino. Ha tratti olfattivi generosi e intensi, che vanno dai piccoli frutti rossi ai fiori di campo, con spezie a rifinitura. In bocca ha grinta e ampiezza, che si innestano su un finale lungo e appena increspato.

● Chianti Cl. Ris. '16	♙♙ 5
● Chianti Cl. '18	♙ 3
● Chianti Cl. Gran Selezione '16	♙ 5

Tenuta Casadei

LOC. SAN ROCCO
57028 SUVERETO [LI]
TEL. 05651933605
www.tenutacasadei.it

Bella conferma, il Filare '18 dell'azienda di proprietà di Stefano Casadei, presente con i vini anche in Sardegna e nel territorio della Rufina. È annunciato da profumi invitanti di peperone arrostito e frutti (more e ribes), preludio di un sorso slanciato, vivo, continuo.

● Filare 18 '18	♙♙ 6
○ Incanto '19	♙♙ 3
● Filare 41 '19	♙ 6
● Sogno Mediterraneo '18	♙ 4

Casale Pozzuolo

LOC. BORGO SANTA RITA
58044 CINIGIANO [GR]
TEL. 0564902019
www.casalepozzuolo.it

Daniele Galluzzi e Giuseppe Gorelli
producono vini di bella personalità e
carattere a Casale Pozzuolo, piccola realtà
del comprensorio di Cinigiano. Brillante
prova arriva dal Rosso della Porticcia '18,
Sangiovese dai profumi fragranti e
sfaccettati, dal sorso dinamico e saporito.

● Montecucco Sangiovese
  Rosso della Porticcia '18   ♟♟ 3*

Podere Casanova

S.DA PROV.LE 326 EST, 196
53045 MONTEPULCIANO [SI]
TEL. 0429841418
www.poderecasanovavini.com

Sta lavorando bene la cantina di Isidoro
Rebatto, che l'ha acquistata nel 2015. Il
Nobile di Montepulciano '17 possiede
aromi centrati e una bocca solida. Di stile
moderno, il Nobile di Montepulciano
Settecento '16 possiede aromi ben profilati
e progressione gustativa articolata.

● Nobile di Montepulciano '17   ♟♟ 4
● Nobile di Montepulciano Settecento '16 ♟♟ 5
● Nobile di Montepulciano Ris. '15   ♟ 5
● Rosso di Montepulciano '18   ♟ 2

Podere Casina

FRAZ. ISTIA D'OMBRONE
PIAGGE DEL MAIANO
58040 GROSSETO
TEL. 0564408210
www.poderecasina.com

Avviato nel 1987 dai coniugi Rahel
Kimmich e Marcello Pirisi, il Podere Casina
torna sulle nostre pagine grazie soprattutto
a L'Aione '17, sangiovese in purezza che
sfida un'annata critica esibendo profumi
centrati e gusto invitante. Dal bel carattere
fruttato il Morellino '19.

● Aione '17   ♟♟ 5
● Morellino di Scansano '19   ♟♟ 3
○ Argenteo Vermentino '19   ♟ 3

Castagnoli

LOC. CASTAGNOLI
53011 CASTELLINA IN CHIANTI [SI]
TEL. 0577740446
castagnoli@valdelsa.net

Bella l'interpretazione del Chianti
Classico Terrazze Riserva di questa realtà
posta nella sottozona di Castellina. La
versione 2017 possiede profumi ben
centrati e invitanti abbinati ad una bocca
solida e succosa. Ottimo anche il Chianti
Classico '18, fragrante e di beva agile.

● Chianti Cl. Terrazze Ris. '17   ♟♟ 5
● Chianti Cl. '18   ♟♟ 4
● Salita '16   ♟ 6

Tenuta Casteani

LOC. CASTEANI
POD. FABBRI
58023 GAVORRANO [GR]
TEL. 0566871050
www.casteani.it

Dai tratti olfattivi dominati da cenni fruttati
e agrumati, il Maremma Rosso Turione '18
possiede progressione gustativa solida e
bilanciata, con finale ampio ancora su toni
fruttati. Fragrante e lineare il Vermentino
Serin '19, dal gusto immediatamente
sapido e fresco.

● Maremma Toscana Rosso Turione '18   ♟♟ 3
○ Maremma Toscana Vermentino Serin '19 ♟♟ 2*

Castello della Mugazzena

LOC. FOLA
VIA TRESANA PAESE, 103
54012 TRESANA [MS]
TEL. 3357906553
www.castellodellamugazzena.it

Bella prova per il Pantagruel '18, da
vermentino in prevalenza con aggiunta di
viognier e malvasia. Ha toni fruttati di
mandarino e pompelmo, con sentori lievi di
mentuccia e cenni delicatamente tostati a
completare. In bocca il sorso è pieno e
godibile, con finale prolungato.

○ Pantagruel '18   ♟♟ 4
● Gargantua '18   ♟♟ 5

Castello della Paneretta

LOC. MONSANTO
S.DA DELLA PANERETTA, 35
50021 BARBERINO VAL D'ELSA [FI]
TEL. 0558059003
www.paneretta.it

Davvero godibile il Chianti Classico '17, dai profumi ben espressi di frutti, fiori e spezie che ben accompagnano una progressione gustativa schietta, succosa e dinamica. Più austero, evidentemente, il Chianti Classico Riserva '16, comunque di bella personalità e carattere.

● Chianti Cl. '17	♚♚ 3
● Chianti Cl. Ris. '16	♚♚ 4

Castello di Starda

LOC. STARDA, 1
53013 GAIOLE IN CHIANTI [SI]
TEL. 0577744017
info@castellodistarda.it

Il Chianti Classico Malaspina Riserva '16 ha cifra solida ed elegante, con i profumi ad incrociare fiori e frutti, trovando nelle spezie e nei cenni affumicati dettagli preziosi. In bocca è altrettanto raffinato e di grande bilanciamento. Ben fatto il Chianti Classico '18.

● Chianti Cl. Malaspina Ris. '16	♚♚ 6
● Chianti Cl. Malaspina '18	♚♚ 3

Castello di Vicarello

LOC. VICARELLO, 1
58044 CINIGIANO [GR]
TEL. 0564990718
www.castellodivicarellovini.com

Profilo stilistico moderno per la gamma di questa cantina posta nell'areale del Montecucco. Il Castello di Vicarello '16, blend di cabernet sauvignon, franc e petit verdot, è raffinato e ben profilato. Più immediato e agile il Terre di Vico '16, da uve sangiovese e merlot.

● Castello di Vicarello '16	♚♚ 8
● Terre di Vico '16	♚♚ 7
● Merah '18	♚ 5

Castello La Leccia

LOC. LA LECCIA
53011 CASTELLINA IN CHIANTI [SI]
TEL. 0577743148
www.castellolaleccia.com

Dolci e freschi gli aromi fruttati del Chianti Classico '17 che trovano una pregevole rifinitura nel sottofondo speziato e affumicato. In bocca è contrastato, arioso e docile. Ben eseguito anche il Vivaio del Cavaliere '18, blend a base di sangiovese, syrah e malvasia nera.

● Chianti Cl. '17	♚♚ 3*
● Vivaio del Cavaliere '18	♚♚ 3

Castello Tricerchi

LOC. ALTESI
53024 MONTALCINO [SI]
TEL. 3472501884
www.castellotricerchi.com

Sotto la recente spinta di Tommaso Squarcia, erede dei Tricerchi, famiglia nobiliare che costruì il castello, l'azienda esce dal suo torpore e inizia a vinificare in proprio le sue uve. I risultati arrivano subito con uno splendido Brunello A.D. 1441, raffinato al naso, armonico e persistente al gusto.

● Brunello di Montalcino A.D. 1441 '15	♚♚ 8
● Brunello di Montalcino '15	♚ 6
● Rosso di Montalcino '18	♚ 4

Castelsina

LOC. OSTERIA, 54A
53048 SINALUNGA [SI]
TEL. 0577663595
www.castelsina.it

La Castelsina vinifica uve da alcune cooperative toscane, selezionando tra 400 ettari di vigneti tra Siena, Grosseto e Arezzo. Ottima la Riserva '18, morbida e piena. Profondo, corposo e ricco il Cugnale '18, da uve cabernet, carmenère e merlot, maturato in barrique di rovere francese.

● Chianti '19	♚♚ 2*
● Chianti Ris. '18	♚♚ 2*
● Cugnale '18	♚♚ 3
● Sangiovese '19	♚ 2

I Cavallini

loc. Cavallini
58014 Manciano [GR]
Tel. 0564609008
www.icavallini.it

Sensazioni agrumate, balsamiche e di macchia mediterranea caratterizzano i profumi del Morellino di Scansano '19, di progressione gustativa succosa e saporita. Qualche velatura olfattiva non impedisce di apprezzare il sorso solido, carnoso e beverino del Maremma Ciliegiolo '19.

- ● Maremma Toscana Alicante '18 — 🍷🍷 4
- ● Maremma Toscana Ciliegiolo '18 — 🍷🍷 3
- ● Morellino di Scansano '19 — 🍷🍷 3
- ○ Maremma Toscana Vermentino Diaccio '19 — 🍷 3

Centolani

loc. Friggiali
s.da Maremmana
53024 Montalcino [SI]
Tel. 0577849454
www.tenutafriggialiepietranera.it

Proprietà della famiglia Peluso Centolani dal 1975, questa grande realtà è suddivisa in due tenute con circa 20 ettari vitati per ognuna di loro: Tenuta Friggiali e Pietranera. In assenza dei Brunello, i vini che si distinguono sono Le Cacce '16 e il Rosso di Montalcino '18.

- ● Le Cacce '16 — 🍷🍷 4
- ● Rosso di Montalcino '18 — 🍷🍷 4
- ● Terre di Focaia '16 — 🍷 4

Ceralti

via dei Ceralti, 77
57022 Castagneto Carducci [LI]
Tel. 0565763909
www.ceralti.com

Ceralti è senza dubbio tra le cantine di Bolgheri di provata affidabilità. Quest'anno abbiamo assaggiato un buonissimo Bolgheri Sup. Alfeo '17, fresco e puntellato da aromi di macchia mediterranea, molto fine e profondo in bocca. Più sottile ma succoso e gradevole il Sonoro '17.

- ● Bolgheri Sup. Alfeo '17 — 🍷🍷 5
- ● Bolgheri Sup. Sonoro '17 — 🍷🍷 7

Chiesina di Lacona

fraz. Lacona
via Santa Maria, 209e
57031 Capoliveri [LI]
Tel. 0565964216

Buon esordio per questa cantina elbana, che concentra la sua gamma sui vitigni a bacca bianca di antica produzione dell'isola. L'Ansonica '19, leggermente passata in legno, ha profumi puliti ed intensi che anticipano una bocca succosa e sapida. Ben eseguito anche il Vermentino '19.

- ○ Elba Ansonica '19 — 🍷🍷 3
- ○ Elba Vermentino '19 — 🍷🍷 3
- ○ Elba Bianco '19 — 🍷 3

Fattoria Cigliano di Sopra

via Cigliano, 30
50026 San Casciano dei Bagni [SI]
Tel. 055828861
www.ciglianodisopra.it

Un solo vino ma di bellissima definizione e dal carattere decisamente chiantigiano, per la piccola realtà di San Casciano Val di Pesa: il Chianti Classico '18 ha naso arioso e fragrante di fiori e cenni speziati, che si accorda con uno sviluppo gustativo ritmato, sapido e continuo.

- ● Chianti Cl. '18 — 🍷🍷 4

Cincinelli

p.zza della Vittoria, 11
52010 Capolona [AR]
Tel. 3356913678
www.aziendaagricolacincinelli.it

Il Chianti '18 spicca per un naso speziato con cenni di piccoli frutti rossi ed erbe officinali: molto elegante e vivo al palato, si distingue per l'acidità ben integrata e i tannini leggeri. I Mandorli '17 è un syrah profumato di ribes e vaniglia, dal sorso caldo e armonico.

- ● Chianti '18 — 🍷🍷 3
- ● Mandorli '17 — 🍷🍷 5
- ● Cinci '16 — 🍷 3
- ● Il Legato '16 — 🍷 6

Il Colle

LOC. IL COLLE 102B
53024 MONTALCINO [SI]
TEL. 0577848295
ilcolledicarli@katamail.com

Meriterebbe di essere più conosciuta questa piccola realtà storica di Montalcino, visto che il primo Brunello risale al 1978 e che Caterina Carli sia intrisa degli insegnamenti di Giulio Gambelli. Il Brunello '15 è un piccolo gioiello di eleganza e armonia. Ricco di sentori fruttati.

- Brunello di Montalcino '15 ♟♟ 6
- Rosso di Montalcino '18 ♟ 5

Colle delle 100 bottiglie

LOC. LA MAOLINA
FRAZ. SAN CONCORDIO DI MORIANO
VIA BEVILACQUA, 100
55100 LUCCA
TEL. 3924636248
www.colledelle100bottiglie.com

Voluta da Roberto Giovanni Nannini, questa giovane realtà si conferma piuttosto interessante. Fonda la sua opera sul recupero di un vecchio vigneto abbandonato e confeziona rossi a briglie sciolte, espressivi, stilisticamente convincenti, come il Pigne Bordò '18 e il Segale '17.

- Pigne Bordò '18 ♟♟ 3
- Segale '17 ♟♟ 4

Collelceto

LOC. CAMIGLIANO
POD. LA PISANA
53024 MONTALCINO [SI]
TEL. 0577816606
www.collelceto.it

Questa cantina, brillantemente condotta da Elia Palazzesi, può contare su vigneti molto vocati, posti nelle vicinanze della località Camigliano a sud-ovest della denominazione. Il Brunello '15 ha personalità, tannini eleganti e lunga persistenza. Tipico ma un po' verde il Rosso '18.

- Brunello di Montalcino '15 ♟♟ 6
- Lo Spepo '18 ♟ 2
- Rosso di Montalcino '18 ♟ 4

La Collina dei Lecci

LOC. VALLAFRICO
53024 MONTALCINO [SI]
TEL. 0577849287
collina@pacinimauro.com

Con due vini di buon carattere la Collina dei Lecci si assicura la permanenza in guida. Il Brunello '15 brilla per complessità grazie alle note di tabacco e erbe officinali che accompagnano il nitido frutto, mentre al palato si fa apprezzare per la polpa abbinata ad una vivace acidità.

- Brunello di Montalcino '15 ♟♟ 5
- Rosso di Montalcino '18 ♟ 2

Le Colline di Sopra

VIA DELLE COLLINE, 17
56040 MONTESCUDAIO [PI]
TEL. 0586650377
www.collinedisopra.com

Batteria a dir poco convincente per questa cantina di Montescudaio, piuttosto rilevante sia negli ettari di proprietà che nelle ambizioni. I suoli sono argillosi, ricchi di calcare, minerali e sedimenti marini. Il Petit Verdot Sopra '16 è speziato e molto intrigante nel sorso.

- Chianti Me Ris. '17 ♟♟ 4
- Sopra Cabernet Franc '16 ♟♟ 6
- Sopra Petit Verdot '16 ♟♟ 6

Tenuta di Collosorbo

FRAZ. CASTELNUOVO DELL'ABATE
LOC. VILLA A SESTA, 25
53024 MONTALCINO [SI]
TEL. 0577835534
www.collosorbo.com

Torna in guida l'azienda di Giovanna Ciacci e delle sue figlie con una prestazione maiuscola. Oltre al merito della famiglia, ci piace sottolineare quanto siano importanti i 30 ettari vitati nella zona di Sesta. Naso fine e speziato e bocca possente e ricca di tannini, caratterizzano il Brunello.

- Brunello di Montalcino '15 ♟♟ 6
- Rosso di Montalcino '18 ♟♟ 4
- Sant'Antimo '18 ♟ 3

Contucci

VIA DEL TEATRO, 1
53045 MONTEPULCIANO [SI]
TEL. 0578757006
www.contucci.it

Il Rosso di Montepulciano '19 ha profumi fragranti di ciliegia e mirtilli, davvero invitanti, che ben si armonizzano con una progressione gustativa sapida e incalzante, per un sorso molto godibile. Più contratto in bocca e velato al naso il Nobile Palazzo Contucci '16.

- Rosso di Montepulciano '19   ♥♥ 2*
- Nobile di Montepulciano
  Palazzo Contucci '16   ♥ 6

Corte Pavone

LOC. CORTE PAVONE
53024 MONTALCINO [SI]
TEL. 0577848110
www.loacker.net

Quando nel 1996 la famiglia Loacker comprò l'azienda, decise di usare i metodi utilizzati nella loro cantina atesina: bioarchitettura e coltivazione biodinamica. Tra i quattro Brunello '15, tutti di stampo moderno, la nostra preferenza va al Fiore del Vento e al Fiore di Meliloto.

- Brunello di Montalcino Fiore del Vento '15   ♥♥ 8
- Brunello di montalcino Fiore di Meliloto '15   ♥♥ 8
- Brunello di Montalcino '15   ♥ 8
- Brunello di Montalcino Campo Marzio '15   ♥ 8

Dario Di Vaira

LOC. BOLGHERI
VIA BOLGHERESE, 275A
57022 CASTAGNETO CARDUCCI [LI]
TEL. 0565763511
www.agriturismoeucaliptus.com

Ex Eucaliptus, l'azienda di Dario Di Vaira prende da quest'anno il nome del proprietario. Una realtà solida, come testimonia l'ottima prova del Bolgheri Rosso Clarice '18: ha frutto profondo, perfettamente maturo, capace di dettare i ritmi di una bocca saporita e affusolata.

- ○ Bolgheri Bianco Rapè '19   ♥♥ 3
- ● Bolgheri Rosso Clarice '18   ♥♥ 3
- ○ Bolgheri Vermentino Le Pinete '19   ♥ 3

Diadema

VIA IMPRUNETANA PER TAVARNUZZE, 21
50023 IMPRUNETA [FI]
TEL. 0552313963
www.diadema-wine.com

Il Diadema '18, uvaggio di sangiovese, merlot e petit verdot, dispone di sentori fruttati di ciliegia e frutti di bosco, cenni vegetali di peperone e note fresche di menta. Al gusto appare di tessitura ricca e morbida, per un finale di piacevole persistenza con tannini precisi.

- ● Diadema Rosso '18   ♥♥ 8
- ● Inprunetis '18   ♥♥ 7
- ○ D'Amare Bianco '19   ♥ 4
- ● D'Amare Rosso '18   ♥ 5

Donna Olga

LOC. FRIGGIALI
S.DA MAREMMANA
53024 MONTALCINO [SI]
TEL. 0577849454
www.tenutedonnaolga.it

Già produttrice con la sua famiglia a Montalcino, nel 2000 Olga Peluso avvia la sua nuova avventura. In assenza del Brunello '15, il cui assaggio viene rimandato, abbiamo degustato un grande Rosso '15, che per complessità e potenza ha le sembianze di un piccolo Brunello.

- ● Rosso di Montalcino '18   ♥♥ 3

Donne Fittipaldi

LOC. BOLGHERI
VIA BOLGHERESE, 198
57022 CASTAGNETO CARDUCCI [LI]
TEL. 0565762175
www.donnefittipaldi.it

Bella performance per questa azienda bolgherese tutta gestita al femminile. Ottimo il Bolgheri Sup. '17, già amalgamato nelle componenti tostate e fruttate, rinfrescato da folate di erbe mediterranee. Sapido e dinamico il Bolgheri Rosso '18, gradevole il raro Orpicchio Lady F '18.

- ● Bolgheri Rosso '18   ♥♥ 5
- ● Bolgheri Rosso Sup. '17   ♥♥ 6
- ○ Lady F Orpicchio Bianco '18   ♥ 5

L'Erta di Radda

CASE SPARSE IL CORNO, 25
53017 RADDA IN CHIANTI [SI]
TEL. 3284040500
www.ertadiradda.it

Sono sempre interessanti i vini di Diego
Finocchi, patron di questa piccola realtà
della sottozona di Radda in Chianti. Ben
eseguito e dal carattere verace il Chianti
Classico '18 dai profumi di frutti rossi, terra
ed erbe di campo, dalla progressione
gustativa piena e saporita.

● Chianti Cl. '18	♥♥ 3*
● Chianti Cl. Ris. '17	♥ 5

Le Falene

LOC. IL FONTINO
58023 GAVORRANO [GR]
TEL. 3336533306
valdelbosco@gmail.com

Piacevole il Cabernet Franc '17, con note
lievemente tostate, il fruttato intenso, la
bella struttura, articolata e in equilibrio.
Intrigante il Bianco '17 nei profumi scolpiti
da note di tamarindo ed erbe di macchia
mediterranea; corpo scattante, nervoso, di
ottima beva.

● Cabernet Franc '17	♥♥ 5
○ Le Falene Bianco '18	♥♥ 3
● Le Falene Rosso '17	♥ 5

Falzari

VIA DEL FONDACCIO 19
50059 VINCI [FI]
TEL. 3296354731
www.vini-falzari.it

Davvero particolare il Chianti Selengaia '16,
a partire dall'impatto olfattivo aperto da
note ematiche e di sottobosco che
affiancano suggestioni di pomodoro
concentrato. L'esame gustativo mostra un
sorso caldo e denso, ma di apprezzabile
equilibrio; finale lungo e confortante.

● Chianti Selengaia '16	♥♥ 3
○ Tinnari '17	♥♥ 3
● Pilandra '16	♥ 4

Fattoria di Fiano - Ugo Bing

LOC. FIANO
VIA FIRENZE, 11
50052 CERTALDO [FI]
TEL. 0571669048
www.ugobing.it

Piacevole il risultato d'insieme per l'azienda
di Ugo Bing. Interessante è risultato il
Fianesco '16, un insolito uvaggio di syrah,
abrostine e pugnitello: al naso prevale la
liquirizia, poi note vegetali e frutti di bosco.
Bocca calda e soda, finale saporito e di
buon peso.

● Chianti Colli Fiorentini '18	♥♥ 2*
● Chianti Colli Fiorentini Ris. '17	♥♥ 3
● Fianesco '16	♥♥ 5
● Chianti Ris. '16	♥ 2

Fietri

LOC. FIETRI
53010 GAIOLE IN CHIANTI [SI]
TEL. 0577734048
www.fietri.com

Intrigante il Chianti Classico '18: ha toni
fruttati di ciliegia e prugna, con sentori di
macchia mediterranea e note minerali. La
struttura gustativa è piuttosto ricca e al
contempo fresca, con beva invitante e
tannini ben amalgamati. Finale lungo, su
ricordi di fiori e spezie.

● Chianti Cl. '17	♥♥ 3
● Dedicato a Benedetta '18	♥♥ 4
● Più di 1 Luna '16	♥♥ 5
○ Hic et Nunc '19	♥ 3

La Fiorita

FRAZ. CASTELNUOVO DELL'ABATE
PODERE BELLAVISTA
53024 MONTALCINO [SI]
TEL. 0577835657
www.lafiorita.com

Malgrado una prestazione che non rientra
tra le migliori per questa azienda, la Fiorita
mantiene la sua posizione, grazie ad un
bellissimo Rosso di Montalcino '18, dove
vengono esaltati il frutto, il corpo e la
componente sapida. Il Brunello, estrattivo e
legnoso, necessita tempo per aprirsi.

● Rosso di Montalcino '18	♥♥ 5
● Brunello di Montalcino Fiore di No '15	♥ 7
○ Ninfalia '19	♥ 5

Le Fonti - Panzano

FRAZ. PANZANO IN CHIANTI
LOC. LE FONTI
50022 GREVE IN CHIANTI [FI]
TEL. 055852194
www.fattorialefonti.it

Un Chianti Classico Riserva '16 di bella fattura, quello proposto da questa cantina della zona di Panzano. I profumi comprendono tocchi agrumati su base fruttata e speziata, in accordo con un sorso soffice e succoso. Bene anche il Chianti Classico '17, dalla beva fresca e pulita.

● Chianti Cl. Ris. '16	♟♟ 4
● Chianti Cl. '17	♟♟ 3
● Chianti Cl. Gran Selezione '17	♟ 5
● Fontissimo '16	♟ 5

Podere Fortuna

VIA SAN GIUSTO A FORTUNA, 7
50038 SCARPERIA E SAN PIERO [FI]
TEL. 3714139429
www.poderefortuna.com

Sempre una garanzia il Fortuni. La versione 2016 si mostra ricca nei profumi fruttati di ribes, mirtillo e prugna, abbinati a note di timo e mentuccia: gradevole al palato, lieve ma gustoso, fresco in acidità, si snoda elegante, sapido e rilassato per tutto il sorso.

● Fortuni '16	♟♟ 5
○ Greto alla Macchia '18	♟♟ 5
⊙ Rosé '18	♟ 3

Fattoria di Fugnano

VIA FUGNANO, 52
53037 SAN GIMIGNANO [SI]
TEL. 0577940012
www.fattoriadifugnano.com

Di grande attrattiva il bagaglio aromatico della Vernaccia Donna Gina '18, dove il curry incontra la noce moscata, su una base di albicocca e mela. Vivace e fresco l'attacco in bocca, per poi allargarsi e godere di pienezza e continuità; finale ricco, sapido e prolungato.

○ Vernaccia di San Gimignano Da Fugnano '19	♟♟ 2*
○ Vernaccia di San Gimignano Donna Gina '18	♟♟ 3

Le Fornacelle

LOC. SAN BENEDETTO 46
53037 SAN GIMIGNANO [SI]
TEL. 0577944958
www.fornacelle.com

La Vernaccia Fiora Riserva '18 si presenta al naso con note tostate ed affumicate, quindi vira su cenni vegetali di tè, floreali di camomilla e fruttati di mela. Piacevole l'impatto in bocca, distinta da una bella acidità e un gustoso sottofondo sapido. Finale in crescendo.

● Chianti Colli Senesi '19	♟♟ 2*
○ Vernaccia di San Gimignano Fiore Ris. '18	♟♟ 4
○ Vernaccia di San Gimignano '19	♟ 2

Fossacolle

LOC. TAVERNELLE, 7
53024 MONTALCINO [SI]
TEL. 0577816013
www.fossacolle.it

La famiglia Marchetti, da generazioni dedita a coltivare terre altrui, si mette in proprio nel 1984, con quattro ettari vitati in zona Tavernelle. Il potente Brunello '15 porta brillantemente il calore e l'austerità del millesimo. Da notare il Riesci, riuscito blend bordolese con aggiunte di sangiovese.

● Brunello di Montalcino '15	♟♟ 6
● Riesci '16	♟♟ 3
● Rosso di Montalcino '18	♟ 4

Gagliole

LOC. GAGLIOLE, 42
53011 CASTELLINA IN CHIANTI [SI]
TEL. 0577740369
www.gagliole.com

Ineccepibile l'esecuzione del Chianti Classico Rubiolo '18, che mette in fila profumi di frutti rossi, con cenni di grafite rifiniti da tocchi agrumati. Lo sviluppo gustativo è sapido, succoso e agile. Buono anche il Gagliole Rosso '16, sangiovese e cabernet sauvignon.

● Chianti Cl. Rubiolo '18	♟♟ 3*
● Gagliole Rosso '16	♟♟ 6

Godiolo

VIA DELL'ACQUAPUZZOLA, 13
53045 MONTEPULCIANO [SI]
TEL. 0578757251
www.godiolo.it

Sempre di bella personalità i vini di Franco
Fiorini, patron di questa piccola realtà
del comprensorio di Montepulciano che
conta su poco più di due ettari a vigneto.
Il Nobile '16 è fine, saporito e articolato
in bocca, di bella espressività intensa e
stratificata al naso.

● Nobile di Montepulciano '16	♟♟ 3*

Tenuta di Gracciano della Seta

FRAZ. GRACCIANO
VIA UMBRIA, 59
53045 MONTEPULCIANO [SI]
TEL. 0578708340
www.graccianodellaseta.com

Il Nobile di Montepulciano '17 è davvero
un vino intrigante con i suoi profumi
sfumati di fiori, frutti rossi e spezie, che
anticipano una bocca solida, succosa e
articolata. Altrettanto riuscito il Rosso di
Montepulciano '18, dagli aromi netti e
dalla beva fragrante e saporita.

● Nobile di Montepulciano '17	♟♟ 4
● Rosso di Montepulciano '18	♟♟ 3
● Nobile di Montepulciano Ris. '16	♟ 5

Il Grappolo

LOC. SANT'ANGELO IN COLLE
VIA TRAVERSA DEI MONTI
53020 MONTALCINO [SI]
TEL. 0574813730
www.ilgrappolofortius.it

Fa la sua apparizione in guida l'azienda il
Grappolo, proprietà di una famiglia di
imprenditori toscani. Dai bei vigneti del
versante sud-ovest di Montalcino nasce un
eccellente Brunello '15 di grande carattere,
ricco di aromi di frutta, con trama tannica
potente e lunga persistenza.

● Brunello di Montalcino '15	♟♟ 5
● Rosso di Montalcino '18	♟ 3

Guidi 1929

VIA LIGURIA
53036 POGGIBONSI [SI]
TEL. 0577936356
www.guidi1929.com

La Vernaccia Aurea Riserva '17 si presenta
con sentori di fiori di camomilla essiccati,
quindi note fruttate di mela, con cenni di
mandorla sul finale. Buona impressione in
bocca: attacco morbido e ampio, fresca
vena acida, bella vitalità, finale rilassato e
gustoso.

○ Vernaccia di San Gimignano '19	♟♟ 2*
○ Vernaccia di San Gimignano Aurea Ris. '17	♟♟ 2*
● Chianti '19	♟ 2
⊙ Rosato '19	♟ 2

Icario

VIA DELLE PIETROSE, 2
53045 MONTEPULCIANO [SI]
TEL. 0578758845
www.icario.it

Ha tonalità erbacee il naso del Nobile
Vitaroccia Riserva '15, che integrano un
fruttato rigoglioso ben supportato da ricordi
affumicati. In bocca attacca morbido, per
poi svilupparsi tonico e contrastato. Ben
eseguito il Nobile '16, con qualche tocco
boisé in evidenza.

● Nobile di Montepulciano Vitaroccia Ris. '15	♟♟ 5
● Nobile di Montepulciano '16	♟ 4
● Rosso di Montepulciano '18	♟ 2

La Lupinella

FRAZ. SOVIGLIANA
VIA PIETRAMARINA 53
50053 VINCI [FI]
TEL. 05717091
info@lalupinella.com

Intrigante il Sangiovese '18 de La Lupinella.
Un vino dove i toni aromatici fanno pensare
ad arancia ed orzo, prima di incrociare
cenni fruttati di ciliegia e prugna. Semplice
ma non banale l'ingresso in bocca,
piacevole lo sviluppo gustativo, succoso e
lieve il finale.

● La Lupinella Rossa '18	♟♟ 3
● La Lupinella Sangiovese '18	♟♟ 5
○ La Lupinella Bianca '19	♟ 5
○ La Lupinella Rosa '19	♟ 3

Maurizio Lambardi

LOC. CANALICCHIO DI SOTTO, 8
53024 MONTALCINO [SI]
TEL. 0577848476
www.lambardimontalcino.it

Lambardi è sulla breccia dal 1973, da quando produsse il suo primo Brunello; si tratta quindi di un viticoltore di grande esperienza. Onore al merito: da questa cantina sono usciti negli anni alcuni tra i più grandi vini del territorio, come il potente e polposo Rosso '17.

- Rosso di Montalcino '17   ♟♟ 4
- Brunello di Montalcino '15   ♟♟ 8

La Lecciaia

LOC. VALLAFRICO
53024 MONTALCINO [SI]
TEL. 0583928366
www.lecciaia.it

L'azienda, acquistata nel da Mauro Pacini nel 1983, rimane un indirizzo sicuro del territorio. Anche se i due Brunello della cantina hanno risentito dell'annata molto calda, i due vini della vendemmia 2018 mostrano un frutto fresco e una invidiabile finezza tannica.

- Pugnitello '18   ♟♟ 3
- Rosso di Montalcino '18   ♟♟ 3
- Brunello di Montalcino '15   ♟ 6
- Brunello di Montalcino V. Manapetra '15   ♟ 6

Tenuta Luce

LOC. CASTELGIOCONDO
53024 MONTALCINO [SI]
TEL. 0577 84131
www.lucedellavite.com

Sono già passati 30 anni da quando Vittorio Frescobaldi e Robert Mondavi decisero di lavorare a un progetto comune in Toscana e crearono Luce della Vite. Tra i tre vini assaggiati, la nostra scelta va verso l'autoctono Brunello che sposa perfettamente tradizione e modernità.

- Brunello di Montalcino Luce '15   ♟♟ 8
- Luce '17   ♟♟ 8
- Lucente '17   ♟♟ 6

Podere Il Macchione

FRAZ. GRACCIANO
VIA PROVINCIALE, 18
53045 MONTEPULCIANO [SI]
TEL. 0578 758595
www.podereilmacchione.it

Ha profumi di bella espressività fruttata e speziata il Nobile '16, che accompagnano uno sviluppo gustativo di ottimo ritmo, con finale in crescendo a riproporre un ritorno fragrante del frutto. Ben fatto ma un po' sbrigativo in chiusura il Rosso di Montepulciano '18.

- Nobile di Montepulciano '16   ♟♟ 5
- Rosso di Montepulciano '18   ♟ 4

Maciarine

S.DA PROV.LE DI POGGIOFERRO
58038 SEGGIANO [GR]
TEL. 3487155650
www.maciarine.it

Davvero una bella batteria, quella proposta dalla cantina di Seggiano, da cui emerge un Montecucco Rosso '18 di ineccepibile fattura. Dotato di bagaglio aromatico pulito, fragrante e tendenzialmente fine, è sostenuto da una progressione gustativa docile, saporita e beverina.

- Montecucco Rosso '18   ♟♟ 3*
- Maremma Toscana Rosso Tordaio '18   ♟♟ 2*
- Montecucco Sangiovese Ris. '15   ♟♟ 4

Macinatico

LOC. SAN BENEDETTO 56-58
53037 SAN GIMIGNANO [SI]
TEL. 3388850426
www.macinatico1.it

Buono il Sangiovese '18: un rosso dai profumi nitidi di ciliegia e prugna, corpo bilanciato e fresco, tannini lievi e finale godibile. Ricco nel bouquet il Chianti Massi Riserva '16. Intrigante il Baluan '18, dai toni speziati di cannella e chiodi di garofano.

- Baluan '18   ♟♟ 4
- Chianti Massi Ris. '16   ♟♟ 4
- Sangiovese '18   ♟♟ 1*
- ○ Vernaccia di San Gimignano '18   ♟ 2

La Magia

LOC. LA MAGIA
53024 MONTALCINO [SI]
TEL. 0577835667
www.fattorialamagia.it

I segreti dell'azienda sono due: un magnifico vigneto incontaminato e biologico in un unico appezzamento intorno a 450 metri di quota e una famiglia - gli Schwarz - appassionata e capace. Fabian ci regala vini da invecchiamento, come l'ancora ruvido ma fruttato Brunello '15.

● Brunello di Montalcino '15   ♟♟ 6
● Rosso di Montalcino '18   ♟♟ 3

Podere Marcampo

LOC. SAN CIPRIANO
56048 VOLTERRA [PI]
TEL. 058885393
www.poderemarcampo.com

Molto buono il Giusto alle Balze '17: il naso si apre pian piano trovando aromi definiti, il sorso ha tessitura elegante e saporita, frutto nero e spinta finale. Riusciti anche Marcampo '17, più rustico ma piacevole, e Severus '17: per gli amanti dei vini spensierati.

● Giusto alle Balze '17   ♟♟ 5
● Marcampo '17   ♟♟ 3
● Severus '17   ♟♟ 4

Martoccia

LOC. MARTOCCIA

53024 MONTALCINO [SI]
TEL. 0577 848540
www.poderemartoccia.it

Sebbene la produzione di Brunello nasca con Luca Brunelli nella seconda metà degli anni '80, i genitori Mauro e Anna sono figli di mezzadri ilcinesi. Il Brunello '15, dotato di un bel frutto, ha grande beva. Il Luca '14 è un Sangiovese fresco ed elegante dal carattere fumé.

● Brunello di Montalcino '15   ♟♟ 6
● Luca '14   ♟♟ 6
● Rosso di Montalcino '18   ♟ 3

Máté

LOC. SANTA RESTITUTA
53024 MONTALCINO [SI]
TEL. 0577847215
www.matewine.com

Agli inizi degli anni '90 Ferenc Máté lascio New-York alla volta di Santa Restituta, nel comune di Montalcino, con l'idea di produrre Brunello. Da allora apprezziamo i suoi vini, maturati in legni piccoli, per la loro pienezza di frutta, siano essi prodotti da sangiovese o da vitigni internazionali.

● Banditone Syrah '16   ♟♟ 7
● Brunello di Montalcino '15   ♟♟ 6

Giorgio Meletti Cavallari

VIA CASONE UGOLINO, 12
57022 CASTAGNETO CARDUCCI [LI]
TEL. 0565775620
www.giorgiomeletticavallari.it

I Meletti Cavallari, storica famiglia del vino bolgherese, gestiscono la cantina che porta il loro nome. Fondata nei primi anni Duemila, ha vigne a Piastraia, in cima alla collina di Castagneto, e a Vallone. Ottimo il Bolgheri Rosso Borgeri '18.

○ Bolgheri Bianco Borgeri '19   ♟♟ 3
● Bolgheri Rosso Borgeri '18   ♟♟ 3
● Bolgheri Rosso Sup. Impronte '17   ♟ 5

Metinella

FRAZ. SANT'ALBINO
VIA FONTELELLERA, 21A
53045 MONTEPULCIANO [SI]
TEL. 0305780877
www.metinella.it

Il progetto enologico poliziano di Stefano Sorlini, imprenditore bresciano della moda, sembra procedere nella direzione giusta, come dimostra il Nobile '17: i timbri floreali e terrosi sottolineano l'indole del sangiovese più autentico, la bocca evidenzia energia e carattere.

● Nobile di Montepulciano Burberosso '17   ♟♟ 5

Micheletti

Marcaccio, 58
57022 Castagneto Carducci [LI]
Tel. 3803295193
www.michelettiwine.com

La famiglia Micheletti è dedita all'agricoltura dagli anni '60. Ci presenta un buonissimo Bolgheri Sup. Guardione '17: il tocco tostato in primo piano non occulta la bellezza del frutto e incontra una bocca polposa e sapida, profonda e persistente. Ottimi gli altri vini.

- Bolgheri Sup. Guardione '17   ♟♟ 5
- Bolgheri Rosso Dalleo '18   ♟♟ 4
- Bolgheri Sup. Poggiomatto '17   ♟♟ 5

Mocali

loc. Mocali
53024 Montalcino [SI]
Tel. 0577849485
www.mocali.eu

L'azienda che appartiene dagli anni '50 alla famiglia di Dino Ciacci è stata tra le fondatrici del Consorzio. Dal 2001 il nipote Tiziano Ciacci ha allargato l'investimento alla Maremma, dove è nata l'azienda Suberli. Ottimo risultato generale, a iniziare dallo splendido Vigne delle Raunate '15.

- Brunello di Montalcino '15   ♟♟ 6
- Brunello di Montalcino V. delle Raunate '15   ♟♟ 6
- Maremma Toscana Ciliegiolo
  Alpan Suberli '19   ♟♟ 3

Podere Monastero

loc. Monastero
53011 Castellina in Chianti [SI]
Tel. 0577740436
www.poderemonastero.com

Arriva in finale La Pineta '18, pinot nero in purezza dal bagaglio aromatico classico di frutti di bosco come ribes e mirtillo, con cenni freschi di erbe da cucina, salvia e mentuccia principalmente, e speziati di pepe. Gradevole l'ingresso in bocca, molto vivo il finale.

- La Pineta '18   ♟♟ 6
- Campanaio '18   ♟♟ 6

La Montanina

loc. Monti in Chianti, 25
53020 Gaiole in Chianti [SI]
Tel. 0577280074
www.aziendaagricolalamontanina.it

Tra i vini prodotti da Bruno Mazzuoli spicca il Nebbiano, sangiovese in purezza: i profumi della versione 2018 sono intensi, in bocca è di grande sapidità. Godibile l'Agosto di Monti '16, sangiovese e cabernet sauvignon: si esprime su livelli simili il Chianti Classico '18.

- Agosto di Monti '16   ♟♟ 3
- Nebbiano '18   ♟♟ 3
- Chianti Cl. '18   ♟ 3

Montenero

fraz. Montenero d'Orcia
loc. Podere Marinelli, 74
58033 Castel del Piano [GR]
Tel. 3493701998
www.montenerowinery.com

Ben centrato il Montecucco Sangiovese '16 di Montenero, che propone aromi delicati di frutti rossi, erbe, fiori di campo e spezie a rifinitura. In bocca possiede sostanza e articolazione, sviluppandosi piacevolmente fragrante, fino ad un finale sapido e ancora su toni fruttati.

- Montecucco Sangiovese '16   ♟♟ 3
- Montecucco Rosso '17   ♟ 3
- Pampano Ciliegiolo '16   ♟ 6

Muralia

loc. Il Poggiarello
fraz. Sticciano
via del Sughereto
58036 Roccastrada [GR]
Tel. 0564577223
www.muralia.it

Impatto olfattivo fragrante per il Sangiovese Altana '18, che mette in fila aromi fruttati e speziati; il sorso è fresco, agile e di bella scorrevolezza, con finale sapido. Il Manolibera '18, sangiovese, merlot e cabernet sauvignon, è rosso saporito e ben profilato.

- Manolibera '18   ♟♟ 2*
- Maremma Toscana Sangiovese
  Altana '18   ♟♟ 3

Nardi

LOC. CIGNAN ROSSO
53011 CASTELLINA IN CHIANTI [SI]
TEL. 3315622266
www.nardiviticoltori.it

Buon esordio in guida per questa azienda
della sottozona di Castellina. Il Chianti
Classico '18 è un vino schietto e diretto,
ma per nulla banale: i profumi sono intensi
e vivaci, al gusto la beva è sapida, agile e
succosa. Ben centrato anche il Chianti
Classico Riserva '17.

● Chianti Cl. '18	♟♟ 4
● Baccheri '18	♟♟ 2*
● Chianti Cl. Ris. '17	♟♟ 5

Le Novelire

LOC. CAMPO ALLA CAPANNA, 216
57022 CASTAGNETO CARDUCCI [LI]
TEL. 3479828633
www.lenovelire.it

Avviata negli anni '60 da Bruno Micheletti,
Le Novelire si rivela progetto
contemporaneo grazie a vini fini ed
eleganti, legati in primo luogo ai terreni
sciolti, di matrice alluvionale. Paradigmatici
in questo senso gli ottimi Bolgheri Sup. Re
Diale e Re Vignon '17.

● Bolgheri Sup. Re Diale '17	♟♟ 7
● Bolgheri Sup. Re Vignon '17	♟♟ 7
● Re Stigio '18	♟♟ 4

Oliviera

S.DA PROV.LE 102 DI VAGLIAGLI, 36
53019 CASTELNUOVO BERARDENGA [SI]
TEL. 3498950188
www.oliviera.it

Come capita con rassicurante continuità, il
Chianti Classico Campo Mansueto '18
rimane un vino dal bel carattere territoriale,
tanto schietto e sincero negli aromi, quanto
docile e succoso nel sorso. Ben fatto anche
il Chianti Classico Riserva '17, dal gusto
assai sapido.

● Chianti Cl. Campo di Mansueto '18	♟♟ 3
● Chianti Cl. Settantanove Ris. '17	♟♟ 3
● Chianti Cl. '18	♟ 3

Fattoria Ormanni

LOC. ORMANNI, 1
53036 POGGIBONSI [SI]
TEL. 0577937212
www.ormanni.it

Fragrante nei profumi di piccoli frutti rossi e
reattivo nel sapido sviluppo gustativo, il
Canaiolo '19 è davvero un vino delizioso.
Austero e dal forte carattere il Chianti
Classico Borro del Diavolo Riserva '16, che
trova proprio nelle consuete durezze il suo
punto di forza.

● Canaiolo '19	♟♟ 3
● Chianti Cl. Borro del Diavolo Ris. '16	♟♟ 5
● Chianti Cl. '17	♟ 3

Orsumella

LOC. MONTEFIRIDOLFI
VIA COLLINA 52
50026 SAN CASCIANO IN VAL DI PESA [FI]
TEL. 3395852557
www.orsumella.it

Il Chianti Classico Corte Rinieri Riserva '16
possiede un profilo aromatico netto e
preciso che richiama le erbe aromatiche, i
fiori e le spezie. In bocca ha struttura
articolata, che si declina in un sorso sapido,
succoso e ritmato. Ben eseguito il Chianti
Classico '17.

● Chianti Cl. Corte Rinieri Ris. '16	♟♟ 4
● Chianti Cl. '17	♟♟ 3

Otto Ettari

LOC. MONTENERO D'ORCIA
VIA GIACOMO BRODOLINI
58033 CASTEL DEL PIANO [GR]
TEL. 3939368584
ottoettari@gmail.com

Esordio in guida lusinghiero per questa
nuova realtà del comprensorio del
Montecucco, condotta dalla famiglia Kunert.
Il Sangiovese '16 possiede profilo aromatico
raffinato e fragrante, ad anticipare una
progressione gustativa ritmata e incisiva. Un
po' più rustica la Riserva '16.

● Montecucco Sangiovese '16	♟♟ 3*
● Montecucco Sangiovese Ris. '16	♟ 5

Tenute Palagetto

VIA MONTEOLIVETO, 46
53037 SAN GIMIGNANO [SI]
TEL. 0577943090
www.palagetto.it

Invitante la Vernaccia Riserva '16, dalle note burrose che lasciano presto spazio a quelle agrumate (mandarino), prima di virare su toni fruttati di albicocca. In bocca è calda e di buon spessore, con vena acida rinfrescante e finale molto sapido. Ottimo il Sangiovese '16.

● San Gimignano Sangiovese '16	♀♀	5
○ Vernaccia di S. Gimignano Ris. '16	♀♀	3
○ Vernaccia di S. Gimignano V. Santa Chiara '19	♀	2

Le Palaie

VIA DEL MOLINO, 200-208
56036 PECCIOLI [PI]
TEL. 3473608923
www.lepalaie.it

Progetto ambizioso, quello di Le Palaie: guidato da uno staff di primissimo piano, si sviluppa nello splendido territorio di Peccioli. I risultati si vedono con un filotto di vini davvero buoni, come lo strutturato Sotterfugio '16 e il più goloso ed immediato Gatta ci Cova '17.

● Gatta Ci Cova '18	♀♀	2*
● Sotterfugio '16	♀♀	7

Il Palazzone

LOC. LE DUE PORTE, 245
53024 MONTALCINO [SI]
TEL. 0577846142
www.ilpalazzone.com

Ecco un'altra piccola realtà del territorio in grado di regalare emozioni. Il Brunello proviene da un blend di terroir: due a Castelnuovo dell'Abate e una poco a sud del capoluogo a 540 metri di quota. Il suo segreto: naso sfaccettato (fruttato e floreale), tannini armonici e grande lunghezza.

● Brunello di Montalcino '15	♀♀	6

Paradiso di Cacuci

LOC. PARADISO, 323
53020 MONTALCINO [SI]
TEL. 3519892059
www.paradisodicacuci.com

Da quando nel 2018 Ovidiu-Gogu Cacuci, imprenditore rumeno, comprò la storica proprietà di Mauro Fastelli, egli si è ricavato un angolo di paradiso a Montalcino. Da assaggiare l'avvolgente e caloroso Brunello '15, prodotto dalla squadra tecnica rimasta in carica.

● Brunello di Montalcino '15	♀♀	7
● Pavia '17	♀♀	5
● Rosso di Montalcino '18	♀	5

Piandaccoli

VIA PAGANELLE, 7
50041 CALENZANO [FI]
TEL. 0550750005
www.piandaccoli.it

Sono i vitigni "dimenticati" a caratterizzare la produzione di Piandaccoli, partendo dal Pugnitello. Lineare ma assai godibile, la versione 2017 ha profumi intensamente fruttati (ciliegia e susina) e cenni floreali (violetta); in bocca è misurato, fresco, godibile e persistente.

● Foglia Tonda del Rinascimento '17	♀♀	6
● Pugnitello del Rinascimento '17	♀♀	6
● Chianti Cosmus '17	♀	2

Le Pianore

FRAZ. MONTICELLO AMIATA
LOC. PODERE MALADINA, 1
58044 CINIGIANO [GR]
TEL. 3355371513
www.lepianore.it

Continua ad emergere per carattere e vivacità il Montecucco Rosso prodotto da questa cantina biodinamica di Monticello Amiata. La versione 2018 del Tiniatus conferma il profilo di un vino dalla beva deliziosa, succosa e inarrestabile, che si accompagna a profumi fragranti e ariosi.

● Montecucco Rosso Tiniatus '18	♀♀	3*
● Periodico '18	♀♀	4

Piemaggio

LOC. FIORAIE
53011 CASTELLINA IN CHIANTI [SI]
TEL. 0577740658

Stile di bella impronta tradizionale per i vini
di questa piccola realtà della sottozona di
Castellina. Il Chianti Classico Le Fioraie '16
interpreta bene un'annata da incorniciare
con profumi dal frutto fragrante e dalle
rifiniture affumicate, con bocca incisiva e
sapida.

- ● Chianti Cl. Le Fioraie '16 ▲ 4

Agostina Pieri

FRAZ. SANT'ANGELO SCALO
LOC. PIANCORNELLO
53024 MONTALCINO [SI]
TEL. 0577844163
www.pieriagostina.it

Poco dopo aver ricevuto in eredità dal padre
i vigneti di famiglia in località Piancornello,
Agostina Pieri decise di produrre vino.
Dalle poche bottiglie del 1994 ai ricercati
Rosso '18 e Brunello '15, con l'aiuto dei figli
Jacopo e Francesco, il marchio si è
guadagnato ampia stima sui mercati.

- ● Brunello di Montalcino '15 ▲▲ 6
- ● Rosso di Montalcino '18 ▲▲ 3

Piombaia Rossi Cantini

LOC. PIOMBAIA 230
53024 MONTALCINO [SI]
TEL. 0577847197
www.piombaia.com

Da tempo proprietà della famiglia Rossi
Cantini, Piombaia possiede 12 ettari vitati a
conduzione biodinamica, tutti a quote
elevate. Questo motivo spiega la riuscita
del Brunello '15. Al naso sviluppa armoniosi
aromi fruttati e speziati, mentre al palato ha
tannini equilibrati e freschezza viva.

- ● Brunello di Montalcino '15 ▲▲ 6
- ● Rosso di Montalcino '18 ▲ 3

Podere Conca

FRAZ. BOLGHERI
VIA BOLGHERESE, 196
57022 CASTAGNETO CARDUCCI [LI]
TEL. 3896077754
www.podereconcabolgheri.it

L'impresa si deve alla famiglia Cirri, decisa
a investire nel terroir di Bolgheri. Lo ha
fatto in maniera originale, scegliendo la
coltivazione biologica e vini da
assemblaggio come l'ottimo Agapanto '18,
che vede la presenza del ciliegiolo accanto
a cabernet sauvignon e franc.

- ● Bolgheri Rosso Agapanto '18 ▲▲ 4
- ○ Elleboro '19 ▲▲ 3

Podere Montale

S.DA POGGIOFERRO
58038 SEGGIANO [GR]
TEL. 3471182842
www.poderemontale.it

Il progetto enologico di Silvio Mendini nasce
nel 2014 nei pressi di Seggiano e non
nasconde le sue ambizioni. Ecco allora il
Sangiovese La Casetta Riserva '16, un vino
davvero ben riuscito che propone profumi
definiti e intensi e una bocca succosa,
altrettanto centrata.

- ● Montecucco Sangiovese
  La Casetta Ris. '16 ▲ 8
- ● Montecucco Sangiovese '16 ▲ 6

Podere Sette

LOC. FERRUGGINI, 162
57022 CASTAGNETO CARDUCCI [LI]
TEL. 0565749810
www.poderesette.com

L'azienda di Marisa Chiappini, gestita oggi
dal figlio Giuliano, si affaccia con grinta nel
competitivo panorama bolgherese. La
conduzione biologica è la sintesi di un'idea
che punta a vini genuini e di agile beva:
operazione pienamente riuscita, alla luce
degli ultimi assaggi.

- ● Bolgheri Rosso L'Invidio '18 ▲▲ 4
- ● Bolgheri Sup. Il Superbo '17 ▲▲ 6

Poderi del Paradiso

LOC. STRADA, 21A
53037 SAN GIMIGNANO [SI]
TEL. 0577941500
www.poderidelparadiso.it

Particolare la Vernaccia Biscondola '18, dal bagaglio aromatico ampio: toni vegetali di peperone e menta sulle prime, scorza di limone in seconda istanza e base fruttata di susina che esce alla distanza. Piacevole l'ingresso in bocca, di gradevole densità, succo e persistenza.

● San Gimignano Rosso Bottaccio '17	♟♟	3
○ Vernaccia di S. Gimignano Biscondola '18	♟♟	3
○ Vernaccia di S. Gimignano '19	♟	2

La Poderina

FRAZ. CASTELNUOVO DELL'ABATE
LOC. PODERINA
53020 MONTALCINO [SI]
TEL. 0577835737
www.lapoderina.it

Appartenente dal 1988 alla Fondiaria Sai, ripresa successivamente dal gruppo Unipol, questa bella proprietà di Castelnuovo dell'Abate sforna grandi vini di stile moderno, come il Brunello '15 ricco di aromi di bacche nere e cacao e di imponente struttura.

● Brunello di Montalcino '15	♟♟	7
● Rosso di Montalcino '18	♟	4

Poggio Grande

LOC. POGGIO GRANDE, 11
53023 CASTIGLIONE D'ORCIA [SI]
TEL. 3388677637
www.aziendapoggiogrande.it

Di cifra stilistica modernista e docile, il Sangiovese Sesterzo Riserva '16 di Poggio Grande interpreta al meglio un'annata senz'altro da ricordare. Più caratteriale, come il suo nome peraltro fa intendere, un Orcia Scorbutico '17 dai profumi sanguigni e ferrosi, sapido e succoso.

● Orcia Sangiovese Sesterzo Ris. '16	♟♟	5
● Orcia Scorbutico '17	♟♟	3

Tenuta Poggio Rosso

FRAZ. POPULONIA
LOC. POGGIO ROSSO, 1
57025 PIOMBINO [LI]
TEL. 056529553
www.tenutapoggiorosso.it

Davvero piacevole Velthune '17, Cabernet Sauvignon dalle note fresche, mentolate e balsamiche. Uvaggio quasi paritario di cabernet franc e sauvignon, merlot e syrah, il Fufluna '18 si fa apprezzare per i toni di frutti freschi e pepe nero, riproposti in un palato saporito.

● Fufluna '19	♟♟	3
● Velthune '17	♟♟	6
○ Feronia '19	♟	4
○ Phylika '19	♟	3

Villa Poggio Salvi

LOC. POGGIO SALVI
53024 MONTALCINO [SI]
TEL. 0577847121
www.villapoggiosalvi.it

Acquistata dell'ingegnere Tagliabue nel 1979, l'azienda produce vini armonici e di facile beva. In quest'ottica brilla il Brunello '15, mentre appare ancora imbrigliato dal rovere il Pomona pari annata. Da non perdere l'ottimo Moscadello Vendemmia Tardiva, dalla misurata dolcezza.

● Brunello di Montalcino '15	♟♟	6
○ Moscadello di Montalcino V. T. Aurico '06	♟♟	4
● Tosco '19	♟♟	2*
● Brunello di Montalcino Pomona '15	♟	6

Poggio Stenti

LOC. MONTENERO D'ORCIA
POD. STENTI, 26A
58033 CASTEL DEL PIANO [GR]
TEL. 0564954171
www.poggiostenti.com

Dalla piccola cantina della famiglia Pieri, situata a Montenero, arriva il Sangiovese Pian di Staffa Riserva '16: sfruttando un'annata a cinque stelle, si propone con freschi aromi di frutti rossi e agrumi, accompagnati da una progressione gustativa incalzante per sapore e vivacità.

● Montecucco Sangiovese Pian di Staffa Ris. '16	♟♟	3*
○ Montecucco Vermentino '19	♟	2

Fattoria di Poggiopiano

FRAZ. GIRONE
VIA DEI BASSI, 13
50061 FIESOLE [FI]
TEL. 0556593020
www.poggiopiano.it

Uvaggio insolito per il Vinorange '17, trebbiano e verdicchio macerati sulle bucce. Ne deriva un bouquet ampio e molto intenso, con note terziarie intriganti a ricordare la scorza d'arancia e la pesca, rinfrescate dalle erbe aromatiche della macchia mediterranea.

○ Erta al Mandorlo '19	♟♟	3
● Poggio Galardi in Anfora '16	♟♟	4
○ VinOrange '17	♟♟	6

Fabrizio Pratesi

LOC. SEANO
VIA RIZZELLI, 10
59011 CARMIGNANO [PO]
TEL. 0558704108
www.pratesivini.it

Buona prova per il Carmignano Circo Rosso Riserva 17, dove le note olfattive colpiscono per la ricchezza di elementi fruttati, uniti a cenni speziati di cannella e chiodi di garofano. In bocca l'attacco è cremoso, saldo nella parte tannica, di buona vena acida e finale intenso.

● Carmignano Il Circo Rosso Ris. '17	♟♟	6
● Carmignano Carmione '18	♟	4

Fattoria di Rignana

VIA DI RIGNANA, 15
50022 GREVE IN CHIANTI [FI]
TEL. 055852065
www.rignana.it

Carattere deciso e intrigante per il Chianti Classico '17, che affianca ai profumi di frutti e terra uno sviluppo gustativo incisivo, dal tannino piacevolmente nervoso. Più morbido e avvolgente il sorso del Chianti Classico Riserva '16, dagli aromi tersi di frutti scuri e spezie.

● Chianti Cl. '17	♟♟	3
● Chianti Cl. Ris. '16	♟♟	4
● Il Riccio Rosso '16	♟	5

Tenute delle Ripalte

LOC. RIPALTE
57031 CAPOLIVERI [LI]
TEL. 056594211
www.tenutadelleripalte.it

Una sicurezza l'Aleatico Passito di Piermario Meletti Cavallari. Anche l'edizione 2016 convince per i profumi assortiti di susina, ribes, ciliegia matura, uniti a richiami di cannella e pepe; corpo fresco e suadente, cremoso e caldo, dall'ottima e lunga bevibilità.

● Elba Aleatico Passito Alea Ludendo '16	♟♟	6
○ Le Riparlte Vermentino '19	♟♟	3
○ Bianco Mediterraneo Le Ripalte '17	♟	3
◉ Rosato delle Ripalte '19	♟	3

Tenuta Roccaccia

VIA POGGIO CAVALLUCCIO
58017 PITIGLIANO [GR]
TEL. 0564617020
www.tenutaroccaccia.it

Torna in Guida questa realtà storica dell'areale di Pitigliano, a ribadire la vocazione della zona per i bianchi. Il Vermentino Solechiaro '19 si dimostra un vino fragrante e piacevole, mentre il Bianco di Pitigliano Oroluna '19 evidenzia profumi articolati, invitanti e rocciosi.

○ Bianco di Pitigliano Sup. Oroluna '19	♟♟	2*
○ Solechiaro Vermentino '19	♟♟	3
○ Maremma Toscana Trebbiano Prezioso '19	♟	3

Fattoria San Felo

LOC. PAGLIATELLI DI SOTTO
58051 MAGLIANO IN TOSCANA [GR]
TEL. 05641950121
www.fattoriasanfelo.it

È ancora saldamente il vino bandiera dell'azienda di Magliano in Toscana, il Morellino di Scansano Lampo. La versione 2018 propone profumi di terra, macchia mediterranea, spezie e frutti rossi maturi, ad assecondare una bocca serrata, sapida, con ritorni fruttati nel finale.

● Morellino di Scansano Lampo '18	♟♟	3
● Maremma Toscana Rosso Balla la Vecchia '18	♟	2

San Filippo

LOC. SAN FILIPPO, 134
53024 MONTALCINO [SI]
TEL. 0577847176
www.sanfilippomontalcino.com

Ormai Roberto Giannelli è a capo di San
Filippo e dei suoi magnifici vigneti, posti a
est della denominazione, da quasi vent'anni.
Eppure all'assaggio i Brunello '15 ci hanno
stupito per l'inattesa facilità di beva. Le
Lucére possiede, comunque, la struttura e
la stoffa per durare nel tempo.

- Brunello di Montalcino Le Lucére '15   ♟♟ 6
- Rosso di Montalcino '18   ♟♟ 3
- Brunello di Montalcino '15   ♟ 6

San Luciano Vini

LOC. SAN LUCIANO, 90
52048 MONTE SAN SAVINO [AR]
TEL. 0575848518
www.sanlucianovini.it

Molto intrigante il Luna di Monte '18,
uvaggio di trebbiano, chardonnay e
grechetto. Paglierino abbastanza carico alla
vista, mostra un naso burroso, con decise
note di frutta secca, ananas e mela. Al
gusto è sapido, elegante, morbido, ben
articolato e dotato di buon dinamismo.

- Colle Carpito '17   ♟♟ 3
- Luna di Monte '18   ♟♟ 2*
- Resico '18   ♟♟ 3
- Boschi Salviati '16   ♟ 5

Fabbrica di San Martino

VIA PIEVE SANTO STEFANO, 2511
55100 LUCCA
TEL. 3476247497
www.fabbricadisanmartino.it

Progetto tra i più ispirati e originali delle
Colline Lucchesi, Fabbrica di San Martino
porta avanti un'agricoltura pulita che regala
vini intriganti. Ottimi esempi del percorso
tecnico sono il saporito Montecarlo Rosso
Riserva '16 e il dinamico Arcipressi '17.

- Arcipressi '17   ♟♟ 3
- Montecarlo Rosso Ris. '16   ♟♟ 4

Podere Sanlorenzo

POD. SANLORENZO, 280
53024 MONTALCINO [SI]
TEL. 3396070930
www.poderesanlorenzo.net

Da Renzo Ferretti a Bramante, creatore del
marchio dedicato al nonno, e infine a
Luciano Ciolfi, la terra è sempre rimasta in
famiglia. L'ultima generazione si è
concentrata sulla produzione di vino. Il
Brunello '15 ha corpo e alcol in abbondanza,
pur non mancando di equilibrio.

- Brunello di Montalcino Bramante '15   ♟♟ 6
- Rosso di Montalcino '18   ♟ 3

Tenuta Sanoner

LOC. SANT'ANNA
FRAZ. BAGNO VIGNONI
53027 SAN QUIRICO D'ORCIA [SI]
TEL. 05771698707
www.tenuta-sanoner.it

La Tenuta Sanoner si trova nel cuore della
Val d'Orcia, a due passi da Bagno Vignoni e
conta su cinque ettari di vigneto a
biologico. Sia l'Orcia Sangiovese Aetos '18
sia la versione Riserva '17 si dimostrano
ben centrati, con profumi delicati e
progressioni gustative vivaci.

- Orcia Sangiovese Aetos '18   ♟♟ 5
- Orcia Sangiovese Aetos Ris. '17   ♟♟ 7

Fattoria Santavenere Triacca

S.DA PER PIENZA, 39
53045 MONTEPULCIANO [SI]
TEL. 0578757774
www.triacca.com

Una coppia di Nobile di Montepulciano di
buona fattura, quelli della cantina
Santavenere. Il Nobile '16 ha profilo
aromatico fragrante di frutto e spezie che
introduce una bocca snella e vivace, il
Poderuccio '16 è invece più affumicato,
con sorso morbido e bilanciato.

- Nobile di Montepulciano '16   ♟♟ 4
- Nobile di Montepulciano Poderuccio '16   ♟♟ 5

SassodiSole

FRAZ. TORRENIERI
LOC. SASSO DI SOLE, 85
53024 MONTALCINO [SI]
TEL. 0577834303
www.sassodisole.it

Maturato in legno grande per cinque mesi, l'Orcia Sangiovese '18 possiede profumi fragranti e puliti di frutti e fiori, ad anticipare una bocca succosa e vivace. Molto buoni anche i due Brunello di Montalcino: fruttato e pieno il "base" '15; potente e dal tannino fitto il Bruno pari annata.

● Brunello di Montalcino '15	▼▼ 8
● Brunello di Montalcino Bruno '15	▼▼ 8
● Orcia Sangiovese '18	▼▼ 4
⊙ Rosato Brut	▼ 7

Paolina Savignola

LOC. PETRIOLO
VIA PETRIOLO, 58
50022 GREVE IN CHIANTI [FI]
TEL. 0558546036
www.savignolapaolina.it

Accenti dolci nei profumi di fiori e spezie del Chianti Classico Gran Selezione 360° '17, che si sviluppa morbido e accattivante, con finale ampio e incisivo. Ben fatto il Chianti Classico Ora '18, dal timbro aromatico fragrante e definito su sorso ritmato, succoso e agile.

● Chianti Cl. Gran Selezione 360° '17	▼▼ 3*
● Chianti Cl. Ora '18	▼▼ 4
● Chianti Cl. Ris. '17	▼ 4

Scopetone

LOC. LA MELINA, 285
53024 MONTALCINO [SI]
TEL. 0577848713

L'azienda Scopetone, attiva dal 1979, è stata presa in gestione più di dieci anni fa da Loredana Tanganelli con la sua famiglia. Il sangiovese è entrato presto nei loro geni. Tanta polpa e tannini levigati per il Rosso '17, mentre il Brunello, più austero, darà il meglio tra qualche anno.

● Brunello di Montalcino '15	▼▼ 7
● Rosso di Montalcino '17	▼▼ 4

Signano

LOC. SANTA MARGHERITA, 36
53037 SAN GIMIGNANO [SI]
TEL. 0577941085
www.casolaredibucciano.com

Molto intrigante al naso la Vernaccia La Ginestra Riserva '17, dai profumi inizialmente burrosi, quindi speziati (pepe bianco) e agrumati (mandarino e limone), infine intensamente fruttati (mango). Godibile l'ingresso in bocca, caldo e succoso, per un finale delizioso e lungo.

○ Vernaccia di S. Gimignano La Ginestra Ris. '17	▼▼ 3
○ Vernaccia di S. Gimignano Poggiarelli '19	▼▼ 2*
○ Vernaccia di S. Gimignano '19	▼ 2

Le Sode di Sant'Angelo

LOC. MONTEBAMBOLI
58024 MASSA MARITTIMA [GR]
TEL. 0758358574
www.sodesantangelo.com

Buon esordio in guida per questa cantina di Massa Marittima, con tre vini assolutamente centrati. Saporito e profumato il Sangiovese Sassi Dautore '18; fragrante e incisivo il Vermentino Le Gessaie '19.

● Maremma Toscana Sangiovese Sassi Dautore '18	▼▼ 3
○ Maremma Toscana Vermentino Le Gessaie '19	▼▼ 3

Fattoria Le Spighe

LOC. ALBINIA
FRAZ. SAN DONATO
S.DA PROV.LE 81 OSA
58015 ORBETELLO [GR]
TEL. 0564886325
www.agriturismolespighe.it

Dai toni olfattivi concentrati sul frutto rosso scuro e maturo, con spezie a rifinire: è il Maremma Eccolo '17, che trova ritmo e contrasto in un sorso solido e invitante. Molto godibile anche il fragrante Maremma Bianco Giragira '19, dagli accenti sapidi e salmastri.

○ Maremma Toscana Ansonica Giragira '19	▼▼ 3
● Maremma Toscana Rosso Eccolo '17	▼▼ 4
○ Maremma Toscana Bianco Eraora '19	▼ 3
○ Maremma Toscana Bianco Ullallà '19	▼ 3

Borgo La Stella

LOC. VAGLIAGLI
B.GO LA STELLA, 60
53017 RADDA IN CHIANTI [SI]
TEL. 0577740699
www.borgolastella.com

Molto elegante nella trama aromatica che incrocia frutti, fiori e spezie, il Chianti Classico Gran Selezione '17 ha il suo punto di forza in uno sviluppo gustativo succoso e di bella energia. Ben fatto anche il Chianti Classico '17, solo un po' frenato da qualche esubero tannico.

● Chianti Cl. Gran Selezione '17	♟♟	4
● Chianti Cl. '17	♟♟	3
● Chirone '17	♟	4

Stomennano

LOC. BORGO STOMENNANO
53035 MONTERIGGIONI [SI]
TEL. 0577304033
www.stomennano.it

Un buon Chianti Classico '18, quello prodotto da Stomennano, azienda del comprensorio senese di proprietà di Matteo Lupi Grassi. Il profilo olfattivo è centrato con fruttato rigoglioso e cenni speziati, ad introdurre uno sviluppo gustativo dolce e bilanciato, di beva rilassata.

● Chianti Cl. '18	♟♟	5

Fattoria della Talosa

VIA TALOSA, 8
53045 MONTEPULCIANO [SI]
TEL. 0578758277
www.talosa.it

Complessivamente ben eseguito e dallo stile moderno il Nobile '17, che csibisce un bagaglio aromatico definito e dal buon equilibrio tra la dolcezza del frutto e la sua spina acida. Non è da meno il Nobile Filai Lunghi '17, dal naso più articolato e dalla bocca più serrata.

● Nobile di Montepulciano '17	♟♟	4
● Nobile di Montepulciano Filai Lunghi '17	♟♟	6
● Rosso di Montepulciano '19	♟	2

Agricola Tamburini

VIA CATIGNANO, 106
50050 GAMBASSI TERME [FI]
TEL. 0571680235
www.agricolatamburini.it

Interessante davvero il Moraccio '16, Sangiovese in purezza, che dispone di un bagaglio aromatico composito, dove i profumi di ciliegia si uniscono a quelli di prugna, con lievi sfumature balsamiche e di sottobosco. In bocca ha un buon attacco polposo, tannini fini, bel finale vivo.

● Brunello di Montalcino Sommio '15	♟♟	6
● Il Moraccio '16	♟♟	4
● Chianti The Boss '17	♟	2
● Il Massiccio '15	♟	2

Terra Quercus Francesco D'Alessandro

LOC. IL MANDOLETO
VIA DEL MANDOLETO, 12
53047 SARTEANO [SI]
TEL. 0578265286
www.terraquercus.it

Buona prova per il Quarta Luna '16, uvaggio di cabernet sauvignon, cabernet franc e merlot. Ha bagaglio aromatico in cui si percepiscono cenni ematici, quindi foglia di pomodoro, ciliegia e peperone. Il corpo è fluido e vivo, con tannini fini e fresca vena acida.

● Quarta Luna '16	♟♟	6
● Scherzo '18	♟♟	4

Teruzzi

LOC. CASALE, 19
53037 SAN GIMIGNANO [SI]
TEL. 0577940143
www.teruzzieputhod.it

Buona impressione al naso per la Vernaccia Sant'Elena Riserva '17, dal bagaglio aromatico variegato: frutti tropicali che ricordano il mango, pompelmo, poi cenni di fresche erbe aromatiche. In bocca l'attacco è gustoso, si allarga con piacevole densità salina e chiude succoso.

○ Vernaccia di S. Gimignano Sant'Elena Ris. '17	♟♟	3
○ Vernaccia di San Gimignano Isola Bianca '19	♟	2

La Torre

LOC. LA TORRE
FRAZ. SANT'ANGELO IN COLLE
53020 MONTALCINO [SI]
TEL. 3406765126
www.brunellodimontalcinolatorre.it

Arriva per la prima volta in guida La Torre, azienda di Sant'Angelo in Colle, acquistata nel 1976 da Luigi Anania. I vini di stampo tradizionale, almeno se si considerano i recipienti di maturazione, sono fatti per durare nel tempo, compreso l'aristocratico e austero Rosso di Montalcino.

- Brunello di Montalcino '15 ♟♟ 6
- Rosso di Montalcino '17 ♟♟ 4

Le Torri

VIA SAN LORENZO A VIGLIANO, 31
50021 BARBERINO VAL D'ELSA [FI]
TEL. 0558076161
www.letorri.net

Sangiovese in purezza, il San Lorenzo '17 si presenta all'esame olfattivo con sentori vegetali e floreali di viola, quindi note di spezie (pepe, vaniglia) e frutti di bosco finali. La bocca è carnosa, soda, dai richiami di tabacco e cioccolato. Finale coerente.

- Magliano '17 ♟♟ 5
- San Lorenzo '17 ♟♟ 5
- Chianti Colli Fiorentini '18 ♟ 2
- Chianti Colli Fiorentini Ris. '16 ♟ 3

Trevisan

VIA C. S. PIETRAIA, 182
52044 CORTONA [AR]
TEL. 3343361004
www.ereditrevisan.it

Buone impressioni per entrambe le versioni di Syrah: il SoloSyrah '18 ha bella cromaticità, naso inizialmente burroso, anche di vaniglia, quindi tostato di caffè. All'esame gustativo l'impatto è morbido, rotondo e vellutato. Fresco e godibile il Syrah Candito '17.

- Cortona Syrah Candito '17 ♟♟ 5
- Cortona Syrah SoloSyrah '18 ♟♟ 3
- ⊙ SoloSyrah Rosa '19 ♟ 3

Fattoria Uccelliera

VIA RONCIONE, 9
56042 CRESPINA LORENZANA [PI]
TEL. 050662747
www.uccelliera.com

Bella prova per il 7 Dieci Syrah '16, dal corredo aromatico articolato. Vede frutti rossi, come ciliegia e fragola, abbracciare note speziate di ginepro e cenni di tabacco; bocca rilassata, tannini ben integrati, finale gustoso e speziato. Ottimo il Lupinaio '19.

- 7 Dieci Syrah '16 ♟♟ 4
- ○ Lupinaio '19 ♟♟ 3
- Tyche '19 ♟♟ 2*
- Castellaccio '16 ♟ 5

Usiglian Del Vescovo

VIA USIGLIANO, 26
56036 PALAIA [PI]
TEL. 0587468000
www.usigliandelvescovo.it

La tenuta Usiglian del Vescovo risale al Medioevo. I terreni dove poggiano le viti hanno origine pliocenica e sono ricchi in fossili marini: variano dal sabbioso-limoso al medio impasto. Condizioni ideali per ottime espressioni come il "bordolese" Grullaio '18, fruttato ed erbaceo.

- Il Grullaio '18 ♟♟ 3*
- Il Barbiglione '16 ♟♟ 6
- MilleOttantatre '16 ♟♟ 8

Giovanni Valentini

LOC. VALPIANA
POD. FIORDALISO, 69
58024 MASSA MARITTIMA [GR]
TEL. 0566918058
www.agricolavalentini.it

A dispetto di un'annata calda, di non facile interpretazione nella Toscana meridionale, il Rosso Vivoli '17 di Valentini conserva fragranza aromatica nel suo fruttato intenso e bel dinamismo nel sorso succoso e profondo. Piacevolmente sapido e profumato il Vermentino '19.

- Maremma Toscana Rosso Vivoli '17 ♟♟ 4
- ○ Vermentino '19 ♟♟ 2*

Valvirginio

VIA NUOVA DEL VIRGINIO, 34
50025 MONTESPERTOLI [FI]
TEL. 0571659127
www.collifiorentini.it

Il Vin Santo Santa Pazienza '10 ha sentori
fruttati di nocciola, mandorla e note burrose.
L'ingresso in bocca è largo, di giusto peso,
dolce e suadente nello svolgimento, dal
finale fresco e rilassato. Intenso nel frutto,
solido e gustoso il Chianti Valvirginio
Riserva '15.

● Chianti Valvirginio Ris. '15	🍷🍷 2*
○ Vin Santo del Chianti Santa Pazienza '10	🍷🍷 4
● Chianti Valvirginio '19	🍷 2

I Vicini

FRAZ. PIETRAIA DI CORTONA
LOC. CASE SPARSE 38 A
52044 CORTONA [AR]
TEL. 0575678507
www.ivicinicortona.it

Di stile moderno il Syrah Laudario '16,
con sentori iniziali di vaniglia che si
aprono ad elementi tostati di nocciola,
prima di recuperare la parte fruttata. Al
gusto risulta compatto, cremoso, denso
ma in equilibrio grazie al bilanciato nerbo.
Finale in crescendo.

● Cortona Merlot Laudario '17	🍷🍷 3
● Cortona Syrah Laudario '16	🍷🍷 4

Villa La Ripa

LOC. ANTRIA, 38
52100 AREZZO
TEL. 057523330
www.villalaripa.it

È il Peconio '17 il vino che ci convince di
più. Sangiovese in purezza, presenta note
aromatiche legate a piccoli frutti come
fragola e ciliegia, quindi cenni di rosmarino,
timo e note speziate di pepe. Gradevole
al gusto, abbastanza dinamico, ha finale
bilanciato.

● Peconio '17	🍷🍷 3
● Psyco '17	🍷🍷 5
○ Namastè '19	🍷 2

Vecchie Terre di Montefili

VIA SAN CRESCI, 45
50022 PANZANO [FI]
TEL. 055853739
www.vecchieterredimontefili.com

Questa storica realtà dell'areale di Panzano in
Chianti ci presenta una batteria molto
convincente. Blend a base cabernet
sauvignon e sangiovese, il Bruno di Rocca '16
è succoso e aromaticamente intenso. Assai
centrato anche l'Anfiteatro '16, sangiovese in
purezza.

● Anfiteatro '16	🍷🍷 7
● Bruno di Rocca '16	🍷🍷 6
● Chianti Cl. Gran Selezione '16	🍷🍷 6
● Chianti Cl. '17	🍷 3

Villa al Cortile

LOC. PODERUCCIO
53024 MONTALCINO [SI]
TEL. 057754011
www.tenutepiccini.it

Di Villa al Cortile si parla poco, finché non ci
si imbatte in un grande Brunello come
questo 2015. Frutto di un blend di uve di
Montosoli (nord) e Lavacchio (sud nelle
vicinanze di Carnigliano), ha un naso fresco,
dominato da note di ciliegia, tabacco e
liquirizia, e una grande persistenza al palato.

● Brunello di Montalcino '15	🍷🍷 6

Villa Le Corti

LOC. LE CORTI
VIA SAN PIERO DI SOTTO, 1
50026 SAN CASCIANO IN VAL DI PESA [FI]
TEL. 055829301
www.principecorsini.com

Solo due vini presentati dalla storica
cantina della famiglia Corsini. Il Chianti
Classico Gran Selezione Zac '16 possiede
naso sfumato di frutti maturi e spezie, ad
anticipare una bocca succosa e ben
profilata. Di stile sobriamente tradizionale il
Vin Santo '05.

● Chianti Cl. Gran Selezione Zac '16	🍷🍷 7
○ Vin Santo del Chianti Cl. Sant'Andrea '05	🍷🍷 6

Villa Le Prata

LOC. LE PRATA, 261
53024 MONTALCINO [SI]
TEL. 0577848325
www.villaleprata.com

Anna Vittoria Brookshaw e suo marito
Bernardo Losappio realizzano ottimi
Brunello dalle loro quattro vigne in tre zone
distinte. Eccellente il loro 2015, vino di
finezza e di dettaglio più che di potenza,
che si fa apprezzare per il frutto, le eleganti
note speziate e la finezza tannica.

● Brunello di Montalcino '15	♟♟	6

Villa Sant'Anna

FRAZ. ABBADIA DI MONTEPULCIANO
VIA DELLA RESISTENZA, 143
53045 MONTEPULCIANO [SI]
TEL. 0578708017
www.villasantanna.it

Due ottimi vini dall'azienda tutta al
femminile della famiglia Fabroni. Il
Nobile'16 ha profumi definiti, di bella
vivacità fruttata con cenni di spezie a
rifinitura, che assecondano una bocca fine,
saporita e articolata. Molto buono anche il
Nobile Poldo '16, polposo e intenso.

● Nobile di Montepulciano '16	♟♟	4
● Nobile di Montepulciano Poldo '16	♟♟	5

I Vini di Maremma

LOC. MARINA DI GROSSETO
LOC. PRILE
58046 GROSSETO
TEL. 056434426
www.ivinidimaremma.it

Batteria interessante da questa cantina
sociale posta a due passi dal mare di Marina
di Grosseto. Il Ciliegiolo Alberese '18 è
immediato nei profumi e piacevole al gusto;
nonostante non sia il prototipo del vino tipico
di Maremma, è ben riuscito anche lo
Spumante Brut Marbriò.

○ Maremma Toscana Bianco Brut Marbriò	♟♟	3
● Maremma Toscana Ciliegiolo Alberese '18	♟♟	3
○ Maremma Toscana Ansonica '19	♟	2
○ Maremma Toscana Vermentino '19	♟	2

Fattoria Villa Saletta

LOC. MONTANELLI
VIA E. FERMI, 14
56036 PALAIA [PI]
TEL. 0587628121
www.villasaletta.com

Grande prova per il 980 AD, Cabernet
Franc in purezza, dalle note balsamiche e
mentolate iniziali, poi sentori di peperone
verde uniti ai frutti di bosco e lieve
speziatura. Convincente l'attacco in bocca,
di giusto peso, tannini ben integrati, finale
prolungato e dal sorso godibile.

● 980 AD '16	♟♟	8
● Saletta Giulia '16	♟♟	8
● Saletta Riccardi '16	♟♟	8
● Chiave di Saletta '16	♟	6

Villanoviana

LOC. SANT'UBERTO
FRAZ. BOLGHERI
VIA SANTA MADDALENA, 172B
57022 CASTAGNETO CARDUCCI [LI]
TEL. 05861881227
www.villanoviana.it

Agricoltura biologica e vinificazioni non
troppo interventiste: questi i segreti di
Villanoviana. Anche nella versione '17 si
conferma buonissimo il Cabernet Franc: più
scattante e sinuoso che materico,
divertente nei richiami di edera e
peperoncino, è vino a tratti viperino.

● Cabernet Franc '17	♟♟	6
● Bolgheri Rosso Imeneo '18	♟♟	6
● Bolgheri Rosso Sup. Sant' Uberto '17	♟♟	7

Fattoria Viticcio

VIA SAN CRESCI, 12A
50022 GREVE IN CHIANTI [FI]
TEL. 055854210
www.viticcio.com

Buona qualità complessiva per la produzione
targata Viticcio, cantina con sede nell'areale
di Greve. Il Chianti Classico '17 è un vino
dalla cifra stilistica moderna e ben eseguita,
la Gran Selezione Prunaio '16 possiede
aromi intensi e bocca particolarmente
succosa e sapida.

● Chianti Cl. '17	♟♟	3
● Chianti Cl. Gran Sel. Prunaio '16	♟♟	6
● Chianti Cl. Ris. '16	♟♟	4
● Monile '16	♟	6

MARCHE

Il blocco e i conseguenti devastanti effetti legati alla virulenta pandemia del 2020 hanno fatto vibrare il campanello di allarme in molte aziende marchigiane. L'ossatura del sistema produttivo regionale è fatto di imprese medio-piccole, capitalizzate ma non indebitate o comunque con un debito del tutto sostenibile, ampio ricorso a manodopera famigliare e di cooperative generalmente gestite in modo prudente. Questa struttura ha permesso di regger bene il colpo ma ha posto l'accento su alcune tematiche che vanno affrontate. In primis, la necessità di aumentare il valore aggiunto sulla produzione. È impensabile che anche nelle zone di maggior vocazione come Matelica, Castelli di Jesi, Conero e Piceno le uve siano scarsamente remunerative. Per questo si deve lavorare sulla comunicazione del livello qualitativo raggiunto, simboleggiato anche dai nostri Tre Bicchieri. Inoltre sarà bene implementare nuove forme di vendita che non sia il piccolo cabotaggio dei clienti locali. Commercio elettronico, wine club e GDO sono sbocchi di mercato maturi che non possono esser plù trascurati. L'analisi dei nomi che reggono alto il blasone della Regione vede quest'anno il brillante debutto de La Staffa di Riccardo Baldi e della Cantina Cològnola-Tenuta Musone della famiglia Darini. Tornano al massimo encomio, dopo qualche anno di assenza, Roberto Venturi e Oasi degli Angeli di Marco Casolanetti. Il nostro plauso va ai debuttanti dello scorso anno nel "club dei tribicchierati", vale a dire Vignamato e Pantaleone, capaci di una riconferma mai semplice. Molto bene, ma non si può più parlare di sorpresa tout court davanti ai nomi di Montecappone - Mirizzi, Valter "Roccia" Mattoni, Emanuele Dianetti, Tenuta Santori, Bisci, Collestefano, Marotti Campi. Chiudiamo citando le colonne, veri campioni di costanza nel tempo come Umani Ronchi, Belisario, Fazi Battaglia-Tenute San Sisto, Poderi Mattioli, Velenosi, Le Caniette, Tenuta Spinelli e Leo Felici, già Viticoltore dell'Anno nella passata edizione.

MARCHE

Maria Letizia Allevi

VIA PESCOLLA
63081 CASTORANO [AP]
TEL. 3494063412
www.vinimida.it

VENDITA DIRETTA
VISITA SU PRENOTAZIONE
PRODUZIONE ANNUA 16.000 bottiglie
ETTARI VITATI 5,00
VITICOLTURA Biologico Certificato

Il Piceno è disseminato di piccole realtà familiari, come quella guidata da Maria Letizia Allevi insieme a suo marito Roberto Corradetti. Azienda che può contare su vigneti con diverse esposizioni, dove si allevano le più tipiche varietà locali, lavorate in una cantina piccola ma ben dimensionata e ancor meglio attrezzata. Se ne ricavano vini di saldo aggancio territoriale, nitidi aromaticamente, con bianchi verticali affinati in acciaio e rossi materici maturati in barrique, che dipanano nel tempo un'inesauribile energia fruttata. Clone di alicante conosciuto come "bordò", Arsi '17 è un tripudio di spezie e note iodate, con sfumature floreali e di erbe; in bocca ha corpo aggraziato seppur con tannini appena ispidi. Ottimo anche l'Offida Pecorino '19: erbe di campo e olive verdi riecheggiano in un palato saporito e continuo. Torna a buoni livelli il Mida Rosato che con l'annata 2019 ritrova l'espressività delle migliori versioni. Novità il Mida Passerina '19, piuttosto acidulo e salino.

Aurora

LOC. SANTA MARIA IN CARRO
C.DA CIAFONE, 98
63073 OFFIDA [AP]
TEL. 0736810007
www.viniaurora.it

VENDITA DIRETTA
VISITA SU PRENOTAZIONE
OSPITALITÀ
PRODUZIONE ANNUA 52.000 bottiglie
ETTARI VITATI 10,50
VITICOLTURA Biologico Certificato

Quello che alla fine degli anni '70 sembrava un sogno utopico di ritorno alla terra e a un'economia basata sui principi di sussistenza, oggi ci appare come un tratto di straordinaria modernità. I cinque soci di Aurora hanno sempre perseguito la prassi della semplicità: non inquinare, ispirarsi alle pratiche tradizionali, non perseguire il profitto come fine ultimo. I vini prodotti ne sono lo sbocco naturale: biologici da sempre con forti inflessioni di matrice biodinamica, territoriali, di gran carattere, venduti a un prezzo esemplare. Niente Barricadiero quest'anno, ma le posizioni rossiste del vino simbolo di Aurora sono ben difese dal Rosso Piceno Superiore '18: ruvido nel tessuto tannico, autentico nell'espressione varietale. Stesse caratteristiche, con accenti più selvatici, per il Piceno '19. Sorso lunghissimo e verace e complessità aromatica sono gli elementi di un Fiobbo '18 rigato da gradevoli tratti evoluti. Fiorina '18 è un bucciato da uve malvasia dal palato asciutto e rilassato.

● Arsi '17		♟♟ 8
○ Offida Pecorino Mida '19		♟♟ 3*
☉ Mida Rosato '19		♟♟ 3
○ Mida Passerina '19		♟ 3
○ Mida Pecorino Pas Dosé M. Cl. '18		♟ 4
● Offida Rosso Mida '17		♟ 4
○ Offida Pecorino Mida '16		♟♟♟ 3*
● Arsi '16		♟♟ 8
○ Offida Pecorino Mida '18		♟♟ 3
○ Offida Pecorino Mida '17		♟♟ 3*
○ Offida Pecorino Mida '15		♟♟ 3
● Offida Rosso Mida '16		♟♟ 4
● Offida Rosso Mida '15		♟♟ 4
● Offida Rosso Mida '14		♟♟ 3
● Offida Rosso Mida '13		♟♟ 3
● Offida Rosso Mida '11		♟♟ 4

○ Falerio '19		♟♟ 2*
○ Fiorina '18		♟♟ 3
○ Offida Pecorino Fiobbo '18		♟♟ 3
● Rosso Piceno '19		♟♟ 2*
● Rosso Piceno Sup. '18		♟♟ 3
○ Rosato '19		♟ 2
● Barricadiero '10		♟♟♟ 4*
● Barricadiero '09		♟♟♟ 4
● Barricadiero '06		♟♟♟ 4
● Barricadiero '04		♟♟♟ 3
● Barricadiero '03		♟♟♟ 3*
● Barricadiero '02		♟♟♟ 3
● Barricadiero '01		♟♟♟ 3*
● Offida Rosso Barricadiero '11		♟♟♟ 4*
● Barricadiero '16		♟♟ 4
○ Offida Pecorino Fiobbo '17		♟♟ 3
● Rosso Piceno Sup. '17		♟♟ 3

★Belisario

VIA ARISTIDE MERLONI, 12
62024 MATELICA [MC]
TEL. 0737787247
www.belisario.it

VENDITA DIRETTA
VISITA SU PRENOTAZIONE
PRODUZIONE ANNUA 1.200.000 bottiglie
ETTARI VITATI 300,00

Dietro al nome Belisario opera una cantina sociale che riunisce molti vignaioli dell'alta Vallesina. Come il condottiero, essa coordina e prepara alla battaglia sui mercati una rilevante quantità di etichette le cui uniche armi sono qualità, spirito territoriale, diffusione capillare e prezzi equilibrati. Nella diversificata gamma spiccano le varie interpretazioni del Verdicchio che, grazie alla nota versatilità, permette la produzione di vini d'annata freschi e saporiti, sino ad arrivare a complesse versioni Riserva, non trascurando bollicine e passiti. Il Verdicchio Cambrugiano Riserva '17 è tutto un gioco di chiaroscuri, con note di anice, lievi profilature affumicate, la dolcezza della mandorla e sensazioni minerali sassose; in bocca si porge teso ed elegante, sfumato eppur profondo. Non sono da meno l'energia saporita del consistente Verdicchio Meridia '17 e lo slancio sapido del Verdicchio Del Cerro '19, cristallino nei profumi, ma è l'intera batteria del Matelica a brillare.

○ Verdicchio di Matelica Cambrugiano Ris. '17	♟♟♟ 3*
○ Verdicchio di Matelica Del Cerro '19	♟♟ 2*
○ Verdicchio di Matelica Meridia '17	♟♟ 3*
○ Verdicchio di Matelica Anfora '19	♟♟ 2*
○ Verdicchio di Matelica Valbona '19	♟♟ 2*
○ Verdicchio di Matelica Vign. B. '19	♟♟ 3
● Colli Maceratesi Rosso San Leopardo Ris. '16	♟ 3
○ Esino Bianco '19	♟ 2
○ Verdicchio di Matelica Animologico '19	♟ 4
○ Verdicchio di Matelica Cambrugiano Ris. '16	♟♟♟ 3*
○ Verdicchio di Matelica Cambrugiano Ris. '14	♟♟♟ 3*
○ Verdicchio di Matelica Vign. B. '15	♟♟♟ 3*

Bisci

VIA FOGLIANO, 120
62024 MATELICA [MC]
TEL. 0737787490
www.bisci.it

VENDITA DIRETTA
VISITA SU PRENOTAZIONE
PRODUZIONE ANNUA 90.000 bottiglie
ETTARI VITATI 20,00
VITICOLTURA Biologico Certificato

C'è un forte lavoro di squadra dietro alla rinascita qualitativa di questa cantina: la visione innovativa di Mauro e Tito Bisci, subentrati al timone dell'azienda in luogo dei due fondatori (ossia il padre Giuseppe e lo zio Pierino), la profonda sapienza agronomica ed enologica di Aroldo Bellelli, un team giovane e motivato. Il cru Fogliano e i vigneti posti ai piedi del Monte San Vicino garantiscono una qualità costante dello uva, poi vinificate e maturate in tini di acciaio o cemento. Sangiovese e un po' di merlot contribuiscono a spezzare la monocromia bianchista della gamma. L'assenza del Fogliano non si è fatta sentire alla luce della splendida prova del Verdicchio Senex Riserva '15: incanta con un naso sfaccettato, eleganti stratificazioni di anice, erbe aromatiche, sassi di fiume, fiori di biancospino; in bocca è armonioso nell'incedere e tridimensionale nel finale. Il Matelica '19 è freschissimo, sottile nel sorso, ma di vivida e salina tensione acida.

○ Verdicchio di Matelica Senex Ris. '15	♟♟♟ 6
○ Verdicchio di Matelica '19	♟♟ 3*
● Villa Castiglioni '16	♟♟ 3
○ Verdicchio di Matelica '18	♟♟♟ 3*
○ Verdicchio di Matelica Vign. Fogliano '15	♟♟♟ 4*
○ Verdicchio di Matelica Vign. Fogliano '13	♟♟♟ 3*
○ Verdicchio di Matelica Vign. Fogliano '10	♟♟♟ 3*
○ Verdicchio di Matelica Vign. Fogliano '08	♟♟♟ 3*
○ Verdicchio di Matelica '17	♟♟ 3*
○ Verdicchio di Matelica Senex Ris. '10	♟♟ 4
○ Verdicchio di Matelica Vign. Fogliano '17	♟♟ 4

Boccadigabbia

LOC. FONTESPINA
C.DA CASTELLETTA, 56
62012 CIVITANOVA MARCHE [MC]
TEL. 073370728
www.boccadigabbia.com

VENDITA DIRETTA
VISITA SU PRENOTAZIONE
PRODUZIONE ANNUA 100.000 bottiglie
ETTARI VITATI 25,00
AZIENDA SOSTENIBILE

I vitigni internazionali sono dislocati a pochi chilometri dall'Adriatico, nei pressi della cantina. Cabernet sauvignon, merlot, pinot nero, chardonnay danno un senso alla storia che vede in Boccadigabbia una delle tenute dell'ottocentesca amministrazione napoleonica. Nella Tenuta La Floriana, alle porte di Macerata, allignano i vitigni tradizionali tra cui maceratino, verdicchio, sangiovese e montepulciano. Elvio Alessandri crea vini nitidi e di stile classico, con uso di acciaio per i vini d'annata e piccoli legni di rovere francese per le etichette più ambiziosi e longeve. Montepulciano in purezza, Tenuta La Floriana Rosso '15 è moderno, levigato nel tannino, dal pieno ricordo di amarene ed erbe aromatiche, con tratti affumicati. Tra i due Ribona spicca il Le Grane '19 con la sua mineralità fatta di cenni sulfurei e la decisa sapidità del sorso, mentre il "base" ha un fresco ricordo di menta e accentuata bevibilità. Rosèo '19 è un accattivante rosato da uve pinot nero.

● Tenuta La Floriana Rosso '15	🍷🍷 6
○ Colli Maceratesi Ribona '19	🍷🍷 3
○ Colli Maceratesi Ribona Le Grane '19	🍷🍷 3
● Pix '15	🍷🍷 6
⊙ Rosèo '19	🍷🍷 2*
○ Garbì '19	🍷 2
○ Montalperti '18	🍷 4
● Akronte '98	🍷🍷🍷 7
● Akronte '97	🍷🍷🍷 7
● Akronte '95	🍷🍷🍷 7
● Akronte '94	🍷🍷🍷 7
● Akronte '93	🍷🍷🍷 7
● Akronte Cabernet '92	🍷🍷🍷 7
● Akronte '15	🍷🍷 8
○ Colli Maceratesi Ribona Le Grane '18	🍷🍷 3*
⊙ Rosèo '18	🍷🍷 2*
● Rosso Piceno '16	🍷🍷 3

Borgo Paglianetto

LOC. PAGLIANO, 393
62024 MATELICA [MC]
TEL. 073785465
www.borgopaglianetto.it

VENDITA DIRETTA
VISITA SU PRENOTAZIONE
PRODUZIONE ANNUA 100.000 bottiglie
ETTARI VITATI 29,00
VITICOLTURA Biologico Certificato
AZIENDA SOSTENIBILE

Con una serie di vini sempre più convincenti e una gamma ben diversificata, Borgo Paglianetto si colloca tra le migliori espressioni dell'areale matelicese. I diversi bianchi offrono, in un crescendo di struttura legata alla maturazione delle uve, un'efficace sintesi tra la parte acida e minerale dei Verdicchio più affilati e la solidità delle versioni più potenti e complesse. Alle spalle c'è un serio progetto agronomico di valorizzazione delle cultivar locali e una vinificazione attuata con grande precisione stilistica. I legni, di media dimensione, sono riservati solo al Matesis. Il Matelica Jera Riserva '16 ha una seducente vena fruttata al naso, che si tramuta in un palato piuttosto morbido, saporito e tenace. Il Petrara '19 gioca su toni più freschi e ritmati da guizzi acidi, con tipica salinità matelicese. Vertis '18 ha un ingresso in bocca un po' zuccherino, contrastato da delicato nerbo sapido; Terravignata '19 porge profumi bianchi di fiori e sassi in un sorso fine e scorrevole.

○ Verdicchio di Matelica Jera Ris. '16	🍷🍷 4
○ Verdicchio di Matelica Petrara '19	🍷🍷 3*
○ Verdicchio di Matelica Terravignata '19	🍷🍷 2*
○ Verdicchio di Matelica Vertis '18	🍷🍷 3
○ Verdicchio di Matelica Jera Ris. '15	🍷🍷🍷 4*
○ Verdicchio di Matelica Petrara '16	🍷🍷🍷 2*
○ Verdicchio di Matelica Vertis '16	🍷🍷🍷 3*
○ Verdicchio di Matelica Ergon '18	🍷🍷 3
○ Verdicchio di Matelica Ergon '16	🍷🍷 3*
○ Verdicchio di Matelica Ergon '15	🍷🍷 3
○ Verdicchio di Matelica M. Cl. Brut	🍷🍷 5
○ Verdicchio di Matelica Petrara '18	🍷🍷 3*
○ Verdicchio di Matelica Petrara '17	🍷🍷 2*
○ Verdicchio di Matelica Terravignata '18	🍷🍷 2*
○ Verdicchio di Matelica Terravignata '17	🍷🍷 2*
○ Verdicchio di Matelica Vertis '17	🍷🍷 3*
○ Verdicchio di Matelica Vertis '15	🍷🍷 3

Brunori

V.LE DELLA VITTORIA, 103
60035 JESI [AN]
TEL. 0731207213
www.brunori.it

VENDITA DIRETTA
VISITA SU PRENOTAZIONE
PRODUZIONE ANNUA 50.000 bottiglie
ETTARI VITATI 7,00

La famiglia Brunori occupa un posto
speciale nel cuore di tutti gli amanti del
Verdicchio, in particolare per la tenacia con
cui ha affrontato il lungo percorso, iniziato
nel 1956, che l'ha portata sin qui senza
farsi tentare dalle diverse mode del
momento. Giorgio e suo figlio Carlo hanno
sempre gestito in prima persona il cru San
Nicolò (posto a San Paolo di Jesi), da cui
derivano i due Verdicchio omonimi, figli di
una vinificazione classica in bianco che
precede la maturazione in cemento. Il
Classico San Nicolò Riserva '18 esprime un
naso molto fine, intimamente varietale nel
ricordo di anice, mandorla e fiori di tiglio; la
bocca mantiene freschezza, ha un tonico
nerbo acido e si distende in lunghezza con
movenze agili: la sosta in bottiglia
probabilmente aggiungerà quel saldo di
complessità che sembra oggi mancare. Il
Classico Superiore San Nicolo '19 è più
diretto e immediato nella combinazione
fruttata e iodata. Facile, sapido e beverino,
ma come sempre ben realizzato, il Classico
Le Gemme '19.

○ Castelli di Jesi Verdicchio Cl. San Nicolò Ris. '18	♼♼ 3*
○ Verdicchio dei Castelli di Jesi Cl. Le Gemme '19	♼♼ 2*
○ Verdicchio dei Castelli di Jesi Cl. Sup. San Nicolò '19	♼♼ 2*
○ Castelli di Jesi Verdicchio Cl. San Nicolò Ris. '16	♼♼ 3
○ Verdicchio dei Castelli di Jesi Cl. Le Gemme '18	♼♼ 2*
○ Verdicchio dei Castelli di Jesi Cl. Le Gemme '17	♼♼ 2*
○ Verdicchio dei Castelli di Jesi Cl. Sup. San Nicolò '18	♼♼ 2*
○ Verdicchio dei Castelli di Jesi Cl. Sup. San Nicolò '17	♼♼ 2*

★Bucci

FRAZ. PONGELLI
VIA CONA, 30
60010 OSTRA VETERE [AN]
TEL. 071964179
www.villabucci.com

VENDITA DIRETTA
VISITA SU PRENOTAZIONE
PRODUZIONE ANNUA 120.000 bottiglie
ETTARI VITATI 31,00
VITICOLTURA Biologico Certificato

Giorgio Grai è venuto a mancare alla fine
del 2019. Il sodalizio che per decenni l'ha
legato ad Ampelio Bucci, l'amalgama
tempestoso e creativo delle reciproche
idee, la loro amicizia indissolubile hanno
creato il Villa Bucci Riserva, etichetta
simbolo del Verdicchio e icona inscalfibile
di uno stile sobrio ed elegante. La vita va
comunque avanti a Pongelli: Ampelio e il
suo rodato team faranno di tutto per
mantenerne l'opera con vini all'altezza,
perpetuando tutti i suoi insegnamenti. In
questa tornata di assaggi manca proprio la
punta di diamante, dato che la
presentazione del Villa Bucci Riserva '18 è
stata posticipata alla prossima edizione. Tra
i vini di nuova uscita troviamo il Verdicchio
Classico Bucci '19 dai consueti profumi di
erbe di campo, con sottili accenti
mandorlati e floreali traslati in un palato di
calibrato spessore strutturale. Il Rosso
Piceno Pongelli '18 profuma di fiori e
marasca, offrendo un sorso con qualche
spigolo giovanile ma pieno di
temperamento.

● Rosso Piceno Tenuta Pongelli '18	♼♼ 3
○ Verdicchio dei Castelli di Jesi Cl. Sup. '19	♼♼ 3
○ Castelli di Jesi Verdicchio Cl. Villa Bucci Ris. '17	♼♼♼ 6
○ Castelli di Jesi Verdicchio Cl. Villa Bucci Ris. '14	♼♼♼ 6
○ Castelli di Jesi Verdicchio Cl. Villa Bucci Ris. '13	♼♼♼ 6
○ Castelli di Jesi Verdicchio Cl. Villa Bucci Ris. '12	♼♼♼ 6
○ Castelli di Jesi Verdicchio Cl. Villa Bucci Ris. '10	♼♼♼ 6
○ Verdicchio dei Castelli di Jesi Cl. Sup. '16	♼♼♼ 3*
○ Verdicchio dei Castelli di Jesi Cl. Villa Bucci Ris. '09	♼♼♼ 6

Le Canà

VIA MOLINO VECCHIO, 4
63063 CARASSAI [AP]
TEL. 0734930054
www.lecana.it

PRODUZIONE ANNUA 40.000 bottiglie
ETTARI VITATI 25,00
VITICOLTURA Biologico Certificato

Gabriele Polini è titolare di una grande
azienda vinicola, attiva da oltre un secolo,
che trasforma e commercia grandi volumi
in cisterna. I suoi figli Paola, Luca e
Alessandra hanno voluto diversificare il
business familiare, scegliendo una
dimensione più contenuta e la via della
bottiglia: per il loro scopo hanno a
disposizione oltre 20 ettari, alcuni affacciati
sulla valle dell'Aso e altri verso la Val
Menocchia in territori di alta vocazione. Lo
stile, in via di consolidamento, predilige
nitore olfattivo e una buona generosità
strutturale, non priva di dinamismo
gustativo. Il Pecorino Tornavento '19 ha una
beva coinvolgente fatta di intensi timbri
agrumati e di una bocca molto saporita, con
qualche debito di complessità ma non per
questo meno efficace. Stesso discorso,
traslato su tinte di frutti rossi e leggeri
accenti tostati, per il Rosso Piceno
Superiore Davore '15, ben integro e polposo
al palato. Doravera '19 è un vibrante rosato
da uve merlot e montepulciano.

⊙ Doravera '19	♟♟ 2*
○ Offida Pecorino Tornavento '19	♟♟ 3
● Rosso Piceno Sup. Davore '15	♟♟ 3
○ Offida Pecorino Retemura '18	♟ 4
○ Quies '19	♟ 2
● Rosso Piceno Infernaccio '19	♟ 2
⊙ Doravera '18	♟♟ 2*
○ Offida Pecorino Tornavento '18	♟♟ 3
● Rosso Piceno Sup. Davore '16	♟♟ 3

Le Caniette

C.DA CANALI, 23
63065 RIPATRANSONE [AP]
TEL. 07359200
www.lecaniette.it

VENDITA DIRETTA
VISITA SU PRENOTAZIONE
PRODUZIONE ANNUA 60.000 bottiglie
ETTARI VITATI 16,00
VITICOLTURA Biologico Certificato

Nonostante il travolgente successo dei
propri vini e una media qualitativa
costantemente livellata verso l'alto,
nell'azienda dei fratelli Luigino e Giovanni
Vagnoni non v'è frenesia né smania di
crescere a tutti i costi. Si usano solo uve
autoctone di proprietà allevate in bio da
molti anni e si sfruttano gli spazi adeguati
nella bella cantina immersa tra i vigneti. I
vini hanno un timbro personale di
coinvolgente modernità per come fondono
perfetta simmetria e bevibilità travolgente.
Ennesima conferma per il Piceno Superiore
Morellone: la versione 2016 ha naso
complesso che tocca registri classici, con
un peculiare cenno selvatico presto
inglobato nel bouquet, accompagnati da un
magnifico palato, disteso e armonico. Il
Nero di Vite '12 è molto elegante,
complesso, con una fitta trama tannica del
tutto risolta. Cinabro '16 (alicante 100%)
sembra un po' più evoluto di altre uscite,
ma resta un vino di indubbio fascino.
Menzione d'obbligo per un Rosso Bello '18
mai così gustoso e scorrevole.

● Piceno Sup. Morellone '16	♟♟♟ 4*
● Cinabro '16	♟♟ 8
● Piceno Nero di Vite '12	♟♟ 6
● Piceno Rosso Bello '18	♟♟ 2*
○ Offida Pecorino Iosonogaia Nonsonolucrezia '18	♟♟ 5
○ Offida Pecorino Veronica '19	♟♟ 3
○ Lucrezia '19	♟ 2
⊙ Sinopia Rosato Extra Brut	♟ 3
● Piceno Morellone '10	♟♟♟ 4*
● Piceno Morellone '08	♟♟♟ 4*
● Piceno Sup. Morellone '15	♟♟♟ 4*
● Piceno Sup. Morellone '13	♟♟♟ 4*
● Piceno Sup. Morellone '12	♟♟♟ 4*

Carminucci

VIA SAN LEONARDO, 39
63013 GROTTAMMARE [AP]
TEL. 0735735869
www.carminucci.com

VENDITA DIRETTA
PRODUZIONE ANNUA 350.000 bottiglie
ETTARI VITATI 46,00
VITICOLTURA Biologico Certificato

Una lunghissima esperienza permea la vita
di Piero e Giovanni Carminucci, padre e
figlio, al timone di un'azienda familiare
fondata quasi un secolo fa: professionisti
seri, preparati, con uno staff di prim'ordine
a gestire i tanti ettari vitati sparsi tra Offida
e Grottammare. La grande cantina adagiata
su di un colle all'imbocco della Valtesino è
perfettamente attrezzata per gestire alti
volumi, con tank in acciaio riservati ai
bianchi e piccoli fusti di rovere dedicati ai
rossi di maggior ambizione. Belato '19 si
pone in alto nella tipologia Offida Pecorino.
Ha profumi freschissimi di agrumi ed erbe
di campo ben amalgamati in un sorso
pieno, deciso, capace di allungo nel finale.
Anche Casta '19 (da uve passerina) ha
movenze simili: meno strutturata, ma con
una beva molto fluida. Tra i rossi la palma
del migliore va al Naumakos '17, frutto di
maturazioni accentuate restituite da ampie
sensazioni di visciola e cenni tostati; in
bocca è materico, arrotondato, polposo.

○ Offida Pecorino Belato '19	♟♟	2*
○ Casta '19	♟♟	2*
○ Chardonnay Naumakos '18	♟♟	2*
● Rosso Piceno Sup. Naumakos '17	♟♟	2*
○ Falerio Grotte sul Mare '19	♟	1*
☉ Grotte sul Mare Rosato '19	♟	2
○ Offida Pecorino Il Veglio '19	♟	3
● Paccaosso '16	♟	7
● Rosso Piceno Grotte sul Mare '19	♟	2
○ Falerio Grotte sul Mare '18	♟♟	1*
● Novanta '14	♟♟	7
○ Offida Pecorino Belato '18	♟♟	2*
○ Offida Pecorino Belato '17	♟♟	2*
● Rosso Piceno Grotte sul Mare '17	♟♟	2*
● Rosso Piceno Sup. Naumakos '16	♟♟	2*
● Rosso Piceno Sup. Naumakos '15	♟♟	2*

CasalFarneto

VIA FARNETO, 12
60030 SERRA DE' CONTI [AN]
TEL. 0731889001
www.casalfarneto.it

VENDITA DIRETTA
VISITA SU PRENOTAZIONE
PRODUZIONE ANNUA 80.000 bottiglie
ETTARI VITATI 43,00

Casalfarneto ha posto al centro della propria
attenzione la produzione di Verdicchio di alta
qualità. Le diverse etichette toccano con
efficacia e nitida visione stilistica tutti i
registri espressivi della cultivar jesina. Paolo
Togni e Danilo Solustri, titolare e direttore
della cantina, hanno lunga esperienza in
materia e sono riusciti nell'intento di dare
un'invidiabile costanza qualitativa alla
produzione. In questo sono aiutati da vigneti
messi a dimora in quello che molti
considerano un vero grand cru della riva
sinistra dell'Esino e da una cantina
moderna, perfettamente attrezzata.
Grancasale Superiore '18 si pone in cima
alle nostre preferenze dei Verdicchio di
casa: all'attraente olfatto di frutta a pasta
gialla, uva spina e buccia di bergamotto
segue un palato composto, sostenuto da
solido nerbo. Crisio Riserva '17 ha ampiezza
aromatica ma anche qualche tratto vegetale
accentuato dal finale delicatamente
amarognolo. Cimaio '17 è una suadente
vendemmia tardiva dal ricordo di canditi.

○ Verdicchio dei Castelli di Jesi Cl. Sup. Grancasale '18	♟♟	3*
○ Castelli di Jesi Verdicchio Cl. Crisio Ris. '17	♟♟	4
○ Cimaio '17	♟♟	5
● Rosso Piceno Cimaré '18	♟♟	2*
○ Verdicchio dei Castelli di Jesi Cl. Sup. Fontevecchia '19	♟♟	2*
○ Castelli di Jesi Verdicchio Cl. Crisio Ris. '13	♟♟♟	3*
○ Castelli di Jesi Verdicchio Cl. Crisio Ris. '12	♟♟♟	3*
○ Verdicchio dei Castelli di Jesi Cl. Sup. Grancasale '16	♟♟♟	3*
○ Verdicchio dei Castelli di Jesi Cl. Sup. Grancasale '13	♟♟♟	3*

Castignano
Cantine dal 1960

C.DA SAN VENANZO, 31
63072 CASTIGNANO [AP]
TEL. 0736822216
www.cantinedicastignano.com

VENDITA DIRETTA
VISITA SU PRENOTAZIONE
PRODUZIONE ANNUA 600.000 bottiglie
ETTARI VITATI 500,00
VITICOLTURA Biologico Certificato

Festa grande a San Venanzo di Castignano, sede della locale cooperativa: ci sono da celebrare i 60 anni dalla fondazione. Per un essere umano questo traguardo può rappresentare anche il momento di tirare i remi in barca e pensare al riposo, i soci invece la pensano al contrario: un team giovane, guidato dal presidente Omar Traini, appronta progetti sempre nuovi a tutela del patrimonio vitato. La gamma si affida ai grandi classici della tradizione picena, ottenuti da uve passerina, pecorino e montepulciano, ma nell'ampia gamma trovano spazio anche vitigni alloctoni. Bella e inaspettata sorpresa il Rebo '17, vino celebrativo del sessantesimo anniversario aziendale che offre un vivido fruttato e una bocca controllata, affusolata e ben rifinita nella trama tannica. Sensazioni rosse di fiori e frutti anche nell'Offida Gran Maestro '15, arrotondato e sostenuto nel sorso. Un'affidabile qualità marca i due Pecorino, con Montemisio '19 saporito e definito nei ricordi di pesca bianca, Destriero '19 più agrumato e scattante al palato.

● Offida Rosso Gran Maestro '15	♟♟ 3*
● Rebo Sessantesimo Anniversario '17	♟♟ 5
○ Falerio Pecorino Destriero '19	♟♟ 2*
○ Notturno	♟♟ 2
○ Offida Pecorino Montemisio '19	♟♟ 2*
● Rosso Piceno Sup. Destriero '18	♟♟ 2*
○ Passerina '19	♟ 2
● Rosso Piceno '19	♟ 1*
● Templaria '18	♟ 2
○ Offida Passerina Bio '18	♕♕ 3
○ Offida Pecorino Montemisio '18	♕♕ 2*
● Offida Rosso Gran Maestro '14	♕♕ 3*
● Rosso Piceno Bio '18	♕♕ 3
● Rosso Piceno Sup. Bio '17	♕♕ 3
● Rosso Piceno Sup. Destriero '17	♕♕ 2*
○ Terre di Offida Passerina Brut '18	♕♕ 2*

Castrum Morisci

VIA MOLINO, 16
63826 MORESCO [FM]
TEL. 3400820708
www.castrummorisci.it

VENDITA DIRETTA
VISITA SU PRENOTAZIONE
PRODUZIONE ANNUA 30.000 bottiglie
ETTARI VITATI 7,00
VITICOLTURA Biologico Certificato

Posta a mezza collina sul versante sinistro dell'Aso, l'azienda di David Pettinari conta sulla coltivazione di varietà locali, anche se in fase di impianto è stato aggiunto qualche filare di uve meno tradizionali o rare come la garofanata, usata per la bollicina charmat. Il nome dei vini cita contrade locali e indica l'affinamento di sei mesi in anfore di terracotta; le etichette caratterizzate da numeri segnalano che la maturazione è stata svolta in acciaio. La gamma ha diversi spunti originali. Il miglior esempio sono i Pecorino '19. Gallicano è un po' rustico e cerealicolo ma ha una bocca piena e saporita; 003 rilascia note di erbe aromatiche in un palato fragrante. Padreterno '19 (vermentino e uve aromatiche) fa pensare agli agrumi canditi e questa fresca sensazione innerva l'agevole beva. Testamozza e 237, entrambi 2019 e a base di sangiovese, hanno intensi ricordi speziati e floreali. Un vigoroso carattere fruttato segna il Collefrenato '18, da montepulciano e uve bordolesi.

● 237 '19	♟♟ 3
☉ 326 '19	♟♟ 3
● Collefrenato '18	♟♟ 5
○ Falerio Pecorino 003 '19	♟♟ 3
○ Falerio Pecorino Gallicano '19	♟♟ 4
○ Padreterno '19	♟♟ 4
● Testamozza '19	♟♟ 4
○ 102 Passerina '19	♟ 3
○ Garofanata Extra Dry '19	♟ 3
○ Falerio Pecorino 003 '18	♕♕ 3
○ Falerio Pecorino 003 '17	♕♕ 3
○ Falerio Pecorino 003 '16	♕♕ 3
○ Falerio Pecorino Gallicano '18	♕♕ 5
○ Falerio Pecorino Gallicano '17	♕♕ 5
○ Padreterno '17	♕♕ 5
● Rosso Piceno Sangiovese Testamozza '16	♕♕ 5

Giacomo Centanni

C.DA ASO, 159
63062 MONTEFIORE DELL'ASO [AP]
TEL. 0734938530
www.vinicentanni.it

VENDITA DIRETTA
VISITA SU PRENOTAZIONE
RISTORAZIONE
PRODUZIONE ANNUA 100.000 bottiglie
ETTARI VITATI 40,00
VITICOLTURA Biologico Certificato

La valle del fiume Aso è caratterizzata da una notevole propensione alla frutticoltura data da terreni fertili, ampia insolazione, clima ben ventilato grazie alla presenza del mar Adriatico. La famiglia Centanni, proprietaria di terreni in collina, ha puntato tutto sulla vigna. L'ingresso in azienda di Giacomo dopo gli studi di enologia ha imposto vini di stile piuttosto ricco, dai profumi spiccati e notevole energia gustativa. Il tutto senza mai venir meno all'impegno di aderire ai principi dell'agricoltura biologica. Primodelia '17 è un consistente rosso a base montepulciano con ampi e persistenti profumi fruttati: bocca tutta giocata sulla piacevolezza di un tocco materico e felpato. Bene anche i due Pecorino. L'Offida '19 è immediato e gustoso, mentre Affinato in Legno '18 è più complesso, tra ricordi d'agrumi e un sorso slanciato e succoso. Purocentanni è la linea senza solfiti aggiunti, dove spicca un Rosso '19 segnato da precisi ricordi di amarene nel palato polposo e alcolico.

○ Offida Pecorino '19	♟♟ 3
○ Offida Pecorino Affinato in Legno '18	♟♟ 4
● Primodelia '17	♟♟ 6
● Purocentanni Rosso '19	♟♟ 3
○ Falerio '19	♟ 2
○ Falerio Pecorino Purocentanni '19	♟ 3
○ Passerina Brut	♟ 3
● Monte Floris '15	♀♀ 3
○ Offida Passerina '16	♀♀ 2*
○ Offida Pecorino '18	♀♀ 3
○ Offida Pecorino '17	♀♀ 3
○ Offida Pecorino '16	♀♀ 3
○ Offida Pecorino '15	♀♀ 2*
○ Offida Pecorino Affinato in Legno '17	♀♀ 4
○ Offida Pecorino Affinato in Legno '16	♀♀ 4
○ Offida Pecorino Affinato in Legno '15	♀♀ 4
● Rosso Piceno Rosso di Forca '16	♀♀ 2*

Cignano

LOC. ISOLA DI FANO
VIA ADA NEGRI, 50
61034 FOSSOMBRONE [PU]
TEL. 0721727124
www.cignano.com

VENDITA DIRETTA
VISITA SU PRENOTAZIONE
PRODUZIONE ANNUA 22.000 bottiglie
ETTARI VITATI 15,00
VITICOLTURA Biologico Certificato

Cignano è il nome della collina di arenaria gialla dove sono messi a dimora i vigneti di Fabio Bucchini. In alto il panorama si apre su una campagna integra, poco antropizzata, intervallata da boschetti alternati a terreni seminativi. La cantina è posta sul fondovalle, accanto alla casa di famiglia. Per le operazioni di vinificazione e successivo affinamento ci si affida al talento enologico di Marco Gozzi, che disegna una gamma dagli spunti originali senza rinunciare al legame con tradizione e territorio. In questo si fa aiutare dal tempo: nessuna fretta d'immettere sul mercato i vini, eccezion fatta per Irrequieto '19, gradevole Brut metodo Charmat. Tra i bianchi fermi la nostra preferenza va al Bianchello San Leone '18, suadente ma ritmato nel sorso che rimanda a sensazioni di fiori e anice, arricchite nel finale da una punta di liquirizia. Bianco Assoluto '18 è un altro Bianchello morbido e arrotondato al palato, con ricordi di ginestra e cera d'api d'apprezzabile complessità.

○ Bianchello del Metauro Bianco Assoluto '18	♟♟ 2*
○ Bianchello del Metauro Sup. San Leone '18	♟♟ 3
○ Irrequieto Brut '19	♟♟ 3
○ Bianchello del Metauro Sup. Superbo Ancestrale '16	♟ 6
○ Bianchello del Metauro Sup. San Leone '17	♀♀ 2*
○ Bianchello del Metauro Sup. Superbo Ancestrale '17	♀♀ 6

Tenuta Cocci Grifoni

LOC. SAN SAVINO
C.DA MESSIERI, 12
63038 RIPATRANSONE [AP]
TEL. 073590143
www.tenutacoccigrifoni.it

VENDITA DIRETTA
VISITA SU PRENOTAZIONE
OSPITALITÀ
PRODUZIONE ANNUA 400.000 bottiglie
ETTARI VITATI 50,00
AZIENDA SOSTENIBILE

Guido Cocci Grifoni è stato un personaggio
carismatico, cui si deve la strenua difesa
dei vitigni autoctoni e la coraggiosa opera
di riscoperta del Pecorino, da lui stesso
recuperato ai piedi del Monte Vettore in un
antico vigneto ad Arquata del Tronto e da lì
replicato per via massale. La cantina,
ristrutturata di recente, è oggi un piccolo
gioiello di funzionalità e accoglienza. A
capo del progetto vi sono le figlie: Marilena
è la responsabile dell'amministrazione;
Paola, enologa, coordina l'area
tecnico-viticola. L'assenza dei rossi più
importanti fa risaltare la prestazione del
vino dedicato al patriarca, ottenuto dalla
parcella migliore: la versione 2015 ha un
naso molto fine di anice ed echi balsamici,
riproposto in un sorso integro e complesso,
di lunga scia sapida. Il Colle Vecchio '18
ha cenni di erbe di campo, oliva verde e
una quota floreale di fondo che replica al
palato con apprezzabile intensità. Fresco e
godibile il Tarà '19, segnato da un'acidità
di marca agrumata.

○ Offida Pecorino Guido Cocci Grifoni '15	♟♟ 6
○ Falerio Pecorino Tarà '19	♟♟ 2*
○ Offida Pecorino Colle Vecchio '18	♟♟ 3
○ Passerina Brut Tarà '19	♟ 3
● Rosso Piceno Sup. San Basso '17	♟ 2
● Rosso Piceno Tarà '19	♟ 2
○ San Basso Passerina '19	♟ 2
○ Offida Pecorino Guido Cocci Grifoni '14	♟♟♟ 6
○ Offida Pecorino Guido Cocci Grifoni '13	♟♟♟ 4*
○ Offida Pecorino Colle Vecchio '17	♟♟ 3
○ Offida Pecorino Colle Vecchio '16	♟♟ 3
● Offida Rosso Il Grifone '13	♟♟ 5
● Rosso Piceno Sup. San Basso '15	♟♟ 2*
○ Terre di Offida Passerina Passito San Basso '13	♟♟ 2*

Col di Corte

VIA SAN PIETRO, 19A
60036 MONTECAROTTO [AN]
TEL. 073189435
www.coldicorte.it

VENDITA DIRETTA
VISITA SU PRENOTAZIONE
PRODUZIONE ANNUA 40.000 bottiglie
ETTARI VITATI 11,50
VITICOLTURA Biologico Certificato
AZIENDA SOSTENIBILE

Montecarotto è l'ideale capitale del
Verdicchio sulla sponda sinistra dell'Esino e
tra le aziende che danno lustro al territorio
c'è sicuramente Col di Corte. Una realtà
che ha aderito convintamente ai dettami
dell'agricoltura bio sin dall'inizio del
progetto, datato 2011, arricchendoli via via
con pratiche d'ispirazione biodinamica. In
cantina Giacomo Rossi e Claudio Caldaroni
hanno impresso una libertà espressiva che
dona riconoscibilità a vini dal carattere
autentico. Le etichette presentate in questa
edizione sono tutte ottenute da
fermentazioni spontanee condotte in
acciaio. Primeggiano i due Verdicchio
Classico Superiore: Anno Uno '19 ha
indole sbarazzina, profumi d'anice, sorso
saporito attraversato da una gustosa
fluidità; Tobia '18 restituisce gli evidenti
timbri di mandorla in un palato piuttosto
ricco, soffice, persistente. Lancestrale,
frizzante rosato ottenuto da uve
montepulciano, resta un bicchiere
divertente: sa di melograno, è disinvolto
e salino.

○ Lancestrale	♟♟ 4
○ Verdicchio dei Castelli di Jesi Cl. Anno Uno '19	♟♟ 2*
○ Verdicchio dei Castelli di Jesi Cl. Sup. Vign. di Tobia '18	♟♟ 4
● Esino Rosso '17	♟ 3
○ Sant'Ansovino '18	♟ 5
○ Castelli di Jesi Verdicchio Cl. Sant'Ansovino Ris. '16	♟♟ 5
○ Lancestrale	♟♟ 4
○ Verdicchio dei Castelli di Jesi Cl. Anno Uno '18	♟♟ 2*
○ Verdicchio dei Castelli di Jesi Cl. Anno Uno '17	♟♟ 2*
○ Verdicchio dei Castelli di Jesi Cl. Sup. Vign. di Tobia '17	♟♟ 4

Collestefano

LOC. COLLE STEFANO, 3
62022 CASTELRAIMONDO [MC]
TEL. 0737640439
www.collestefano.com

VENDITA DIRETTA
VISITA SU PRENOTAZIONE
OSPITALITÀ
PRODUZIONE ANNUA 120.000 bottiglie
ETTARI VITATI 17,50
VITICOLTURA Biologico Certificato

Fabio Marchionni dà vita a vini di
scintillante precisione, pienamente
coerenti con l'idea stilistica che lo vuole
capostipite dei Matelica più salini e affilati.
Le fasi di lavorazione, tutte svolte in
acciaio, sono approntate con
un'esperienza oramai ventennale. E se
assaggiamo affiancate due o più bottiglie
di annate diverse del Verdicchio
Collestefano, ritroviamo regolarmente una
perfetta lettura dell'andamento climatico
del millesimo. Un vero vino di vigna,
insomma, biologico da sempre e figlio di
un'agronomia basata su una presenza
costante tra i filari. Le fredde notti che
hanno preceduto la vendemmia hanno
compensato il caldo dell'estate 2019.
Collestefano può così esibire il suo timbro
montano riconoscibile nei profumi di fiori,
sassi e pompelmo, coerentemente presenti
in un palato più pieno del solito, in grado di
fornire un'intensità di sapore straordinaria
senza perdere nulla in scorrevolezza. Una
versione memorabile, destinata a mettere
d'accordo sensibilità diverse.

○ Verdicchio di Matelica Collestefano '19	♈♈♈	2*
○ Verdicchio di Matelica Collestefano '18	♈♈♈	2*
○ Verdicchio di Matelica Collestefano '15	♈♈♈	2*
○ Verdicchio di Matelica Collestefano '14	♈♈♈	2*
○ Verdicchio di Matelica Collestefano '13	♈♈♈	2*
○ Verdicchio di Matelica Collestefano '12	♈♈♈	2*
○ Verdicchio di Matelica Collestefano '10	♈♈♈	2*
○ Verdicchio di Matelica Collestefano '07	♈♈♈	2*
○ Verdicchio di Matelica Collestefano '06	♈♈♈	2*
○ Verdicchio di Matelica Collestefano '17	♈♈	2*
○ Verdicchio di Matelica Collestefano '16	♈♈	2*
○ Verdicchio di Matelica Collestefano '11	♈♈	2*
○ Verdicchio di Matelica Extra Brut M. Cl. '13	♈♈	3*

Collevite

VIA VALLE CECCHINA, 9
63077 MONSAMPOLO DEL TRONTO [AP]
TEL. 0735767050
www.collevite.com

VENDITA DIRETTA
VISITA SU PRENOTAZIONE
PRODUZIONE ANNUA 300.000 bottiglie
ETTARI VITATI 160,00
VITICOLTURA Biologico Certificato

Nata nel 2006 per volontà di alcuni soci già
attivi in locali sodalizi cooperativi, Collevite
può contare su un cospicuo corpo di vigneti
sparsi nelle zone più vocate del Piceno.
Tutte le vinificazioni, approntate con il
supporto tecnico di Fabrizio Ciufoli, sono
eseguite nella cantina di Monsampolo: si
ottengono vini piacevoli, modernamente
territoriali, caratterizzati da buona struttura
al palato e da prezzi favorevoli. Nel 2016
si è dato vita al progetto Ripawine, una
sorta di "luxury brand" che accoglie le
etichette di maggior ambizione. Bella
prova del Trufo '17, Rosso Piceno
Superiore griffato Ripawine: sensazioni
di prugna nera, visciola ed erbe
aromatiche precedono una bocca
succosa, avvolgente eppur capace di
saporito allungo. Consigliabile anche
l'Offida Rosso Klausura '17 della stessa
linea, speziato e piuttosto integro nel
frutto. Tra i vini Collevite spiccano il
Pecorino Villa Piatti '19, l'originale Falerio
Pecorino Nature '19 e il gustoso Offida
Rosso Villa Piatti '17.

● Rosso Piceno Sup. Trufo Ripawine '17	♈♈	5
○ Falerio Pecorino Nature '19	♈♈	3
○ Offida Pecorino Villa Piatti '19	♈♈	2*
● Offida Rosso Klausura Ripawine '16	♈♈	5
● Offida Rosso Villa Piatti '17	♈♈	3
● Rosso Piceno Sup. Il Caimano '16	♈♈	2*
○ Offida Passerina Villa Piatti '19	♈	2
○ Offida Pecorino Geko Ripawine '19	♈	5
○ Falerio Pecorino Nature '18	♈♈	3
○ Offida Pecorino Villa Piatti '18	♈♈	2*
● Offida Rosso Villa Piatti '16	♈♈	3

Cantina dei Colli Ripani

C.DA TOSCIANO, 28
63065 RIPATRANSONE [AP]
TEL. 07359505
www.colliripani.it

VENDITA DIRETTA
VISITA SU PRENOTAZIONE
PRODUZIONE ANNUA 1.300.000 bottiglie
ETTARI VITATI 650,00
VITICOLTURA Biologico Certificato

Colli Ripani è un importante punto di
riferimento per tanti micro vignaioli
disseminati sulle colline picene che sanno
di trovare in questo istituto cooperativo un
valido sbocco per le loro fatiche. L'enologo
aziendale Marco Pignotti tramuta le uve dei
tanti soci in vini di buona aderenza
varietale, abili nell'incrociare le esigenze
gustative di una larga platea di
appassionati senza scadere nella banalità.
Se l'acciaio accoglie bianchi e rosati, i rossi
maturano in botti di diversa capienza.
Buona prova del Castellano '17, Rosso
Piceno Superiore che evoca ricordi di frutti
rossi su cui si innestano sfumature
selvatiche e vegetali; in bocca offre un
sorso sapido e autentico, reso complesso
da incipienti note terziarie. L'Offida Rosso
Leo Ripano '15 ha una concezione più
moderna nell'estrazione e nell'esibizione
del frutto, ben avvertibile nel palato pieno e
asciutto. Complesso e affascinante l'Anima
Mundi '11, Passerina che rinfocola l'antica
tradizione ripana di passiti in stile Vin Santo.

● Offida Rosso Leo Ripano '15	♟♟ 3
● Rosso Piceno Sup. Castellano '17	♟♟ 2*
○ Terre di Offida Passerina Passito Anima Mundi '11	♟♟ 5
⊙ Il Vicolo '19	♟ 2
○ Offida Pecorino Mercantino '19	♟ 2
● Diavolo e Vento '13	♟♟ 5
○ Falerio Pecorino Cap. 9 '17	♟♟ 2*
○ Offida Pecorino Condivio '16	♟♟ 5
○ Offida Pecorino Mercantino '18	♟♟ 2*
● Offida Rosso Leo Ripano '13	♟♟ 3*
● Rosso Piceno Sup. Castellano '13	♟♟ 2*

Cològnola - Tenuta Musone

LOC. COLÒGNOLA, 22A BIS
62011 CINGOLI [MC]
TEL. 0733616438
www.tenutamusone.it

VENDITA DIRETTA
VISITA SU PRENOTAZIONE
PRODUZIONE ANNUA 180.000 bottiglie
ETTARI VITATI 33,00
VITICOLTURA Biologico Certificato

Nella scorsa edizione davamo conto della
crescita dell'azienda di Walter e Serena
Darini per via di alcune scelte centrate,
come quella di allevare solo verdicchio e
montepulciano, da declinare poi in varie
tipologie nella cantina allestita di tutto
punto. Lamentavamo solo la mancanza di
un acuto che potesse ripagare il lavoro
dello staff capitanato dall'enologo Gabriele
Villani, abile nell'approntare vinificazioni di
stampo classico e le rifermentazioni in
bottiglia dei due Metodo Classico. Ebbene,
ecco arrivare il premio più ambito,
conquistato dal loro vino più costante e
iconico: il Verdicchio Classico Superiore
Ghiffa. La versione 2018 esprime i caratteri
varietali con grande finezza, prendendo
forza dal contrasto tra un centro bocca più
soffice e un finale lunghissimo, sapido, che
chiude su richiami di balsami, anice e
liquirizia. Ottima prova anche per il
Cingulum '18, suadente Verdicchio Passito
dal ricordo di confettura di pesca. Nitido e
definito il Montepulciano Buraco '15.

○ Verdicchio dei Castelli di Jesi Cl. Sup. Ghiffa '18	♟♟♟ 3*
○ Verdicchio dei Castelli di Jesi Passito Cingulum '18	♟♟ 5
● Buraco '15	♟♟ 4
○ Verdicchio dei Castelli di Jesi Brut Musa M. Cl. '18	♟♟ 3
○ Verdicchio dei Castelli di Jesi Extra Brut Darini M. Cl. '14	♟♟ 5
○ Verdicchio dei Castelli di Jesi Cl. Sup. Incauto '19	♟ 3
○ Verdicchio dei Castelli di Jesi Cl. Sup. Via Condotto '19	♟ 2
⊙ Via Rosa '19	♟ 2
○ Verdicchio dei Castelli di Jesi Cl. Sup. Ghiffa '17	♟♟ 3
○ Verdicchio dei Castelli di Jesi Cl. Sup. Via Condotto '18	♟♟ 2*

Colonnara

VIA MANDRIOLE, 2
60034 CUPRAMONTANA [AN]
TEL. 0731780273
www.colonnara.it

VENDITA DIRETTA
VISITA SU PRENOTAZIONE
PRODUZIONE ANNUA 1.200.000 bottiglie
ETTARI VITATI 160,00

Da oltre 60 anni Colonnara rappresenta un punto fermo per i vignaioli dell'areale di Cupramontana. La sua presenza ha evitato la tentazione dell'espianto per tante piccole realtà familiari e ha dato un forte impulso alla diffusione dello spumante marchigiano, sia da metodo classico che da autoclave. Al centro di tutto c'è la cultivar autoctona per eccellenza, il verdicchio, che qui è declinata in molteplici tipologie, sfruttando i diversi aspetti pedoclimatici di un territorio vitato di alta collina che giunge a toccare altimetrie considerevoli. Il Metodo Classico Ubaldo Rosi Riserva '14 è nel novero delle migliori bollicine regionali: alla finezza dei profumi di anice, mandorla e balsami segue un palato cremoso, soffice nel tocco ma di profonda sapidità. Grande costanza e propensione a una bevibilità ancor più spiccata per il Luigi Ghislieri Brut, un vero best-buy in fatto spumanti. Il Verdicchio Classico Tufico Riserva '16 è corposo e ha un finale dal ricordo di canfora.

○ Verdicchio dei Castelli di Jesi Brut M. Cl. Ubaldo Rosi Ris. '14		♟♟ 5
○ Castelli di Jesi Verdicchio Cl. Tùfico Ris. '16		♟♟ 3
● Tornamagno '15		♟♟ 3
○ Verdicchio dei Castelli di Jesi Brut M. Cl. Luigi Ghislieri		♟♟ 4
⊙ Figurin Brut Rosé		♟ 3
○ Verdicchio dei Castelli di Jesi Brut Cuvée Tradition		♟ 3
○ Verdicchio dei Castelli di Jesi Cl. Lyricus '19		♟ 2
○ Verdicchio dei Castelli di Jesi Cl. Sup. Cuprese '18		♟ 2
○ Verdicchio dei Castelli di Jesi Brut M. Cl. Ubaldo Rosi Ris. '13		♟♟ 5

Colpaola

LOC. COLPAOLA
FRAZ. BRACCANO
62024 MATELICA [MC]
TEL. 0737768300
www.cantinacolpaola.it

VENDITA DIRETTA
PRODUZIONE ANNUA 50.000 bottiglie
ETTARI VITATI 10,00
VITICOLTURA Biologico Certificato

Non si legga come un vezzo l'indicazione dei 650 metri d'altimetria riportati in etichetta da Francesco Porcarelli e Stefania Peppoloni, marito e moglie titolari della Tenuta Colpaola. Le loro vigne sono le più alte del comprensorio di Matelica, poste in un luogo dal fascino indubitabile, panoramico, circondato da boschetti orlati di ginestre. Ad Aroldo Bellelli è stato dato l'onere di ricavare dai filari di verdicchio che circondano la casa padronale un bianco che ne esalti le peculiarità pedoclimatiche, mentre Laura Migliorelli si occupa degli aspetti legati alla vendita e marketing. L'annata 2019 ha plasmato un Matelica dai profumi chiari, sassosi, con netti accenti agrumati e di fiori di campo esaltati dalla maturazione in acciaio. In bocca mostra acidità pronunciata e grinta salina, ben supportate da adeguata struttura: l'effetto è un sorso fresco, gustoso, non privo di guizzi sapidi in un lungo finale che sfuma su chiari ricordi di pompelmo.

○ Verdicchio di Matelica '19		♟♟ 3*
○ Verdicchio di Matelica '18		♟♟ 3*
○ Verdicchio di Matelica '17		♟♟ 2*
○ Verdicchio di Matelica '15		♟♟ 2*
○ Verdicchio di Matelica '14		♟♟ 2*

Il Conte Villa Prandone

C.DA COLLE NAVICCHIO, 28
63033 MONTEPRANDONE [AP]
TEL. 073562593
www.ilcontevini.it

VENDITA DIRETTA
VISITA SU PRENOTAZIONE
PRODUZIONE ANNUA 250.000 bottiglie
ETTARI VITATI 50,00

Il nome dell'azienda si deve al capostipite Amilcare De Angelis, conosciuto da tutti come "lu kont". Negli anni '80 riscatta con suo figlio Marino i terreni dove avevano lavorato come mezzadri e si mettono in proprio: saranno poi i quattro figli di Marino a dare una moderna organizzazione, aumentando gli ettari vitati sul Colle Navicchio, assolato declivio che volge a sud. La gamma, d'impostazione moderna, predilige una certa intensità materica, soprattutto per i rossi, mentre i bianchi hanno guadagnato quote di freschezza aromatica nelle ultime uscite. Non è dunque un caso che in cima alle preferenze si piazzi l'agrumato Pecorino Navicchio '19, dotato di beva fragrante e coinvolgente. Ma anche il Pecorino Aurato '19 non lesina sapore e scorrevolezza, pur avendo a disposizione una tavolozza olfattiva più semplice. La Passerina Cavaceppo '19 (da non confondere con l'omonimo vino a Igt) è altrettanto accattivante; tra i rossi spicca LuKont '17, montepulciano dal sorso robusto e generoso.

○ Offida Pecorino Navicchio '19	♟♟	3*
○ Falerio Pecorino Aurato '19	♟♟	2*
● LuKont '17	♟♟	6
○ Offida Passerina Cavaceppo '19	♟♟	3
○ Cavaceppo '19	♟	2
● Donello '19	♟	3
● IX Prandone '16	♟	8
⊙ Rosato '19	♟	2
● Rosso Piceno Conte Rosso '19	♟	2
⊙ Venere&Azzurra Brut Rosé	♟	3
● Vizius '19	♟	2
● Zipolo '17	♟	5
● LuKont '15	♟♟	6
○ Offida Pecorino Navicchio '18	♟♟	3
● Piceno Sup. Marinus '17	♟♟	3
● Piceno Sup. Marinus '16	♟♟	3
● Zipolo '16	♟♟	5

Tenuta De Angelis

VIA SAN FRANCESCO, 10
63030 CASTEL DI LAMA [AP]
TEL. 073687429
www.tenutadeangelis.it

VENDITA DIRETTA
VISITA SU PRENOTAZIONE
PRODUZIONE ANNUA 500.000 bottiglie
ETTARI VITATI 50,00
VITICOLTURA Biologico Certificato

I lustri passati a lavorare grandi quantità di uve picene hanno dato alla famiglia Fausti-De Angelis un'esperienza formidabile nella conoscenza di montepulciano e sangiovese con cui realizzano i loro rossi. Oramai tutto l'ingente parco vigneti, compreso il corpo unico che fa da sfondo alla scenografica chiesa Santa Maria della Rocca di Offida, è gestito in bio. In cantina le vinificazioni sono di stampo tradizionale, ma si dà vita a una gamma dal piglio contemporaneo. Il Rosso Anghelos '17 offre buona complessità aromatica tra frutti rossi, tratteggi affumicati e una coda speziata; la bocca ha calibrata densità, serrata nel finale da tannini fitti. Il Rosso Piceno Superiore Oro '17 fa sentire il calore dell'annata nell'intenso ricordo di cassis e nel palato arrotondato, ben dimensionato nella struttura impreziosita da tannini dolci. Il Rosso Piceno Superiore '18 è sapido e speziato. Debutto per Oro Bianco '18, un Pecorino in barrique dinamico e persistente, con qualche ridondanza tostata.

● Offida Rosso Anghelos '17	♟♟	4
● Rosso Piceno '19	♟♟	2*
● Rosso Piceno Sup. '18	♟♟	2*
● Rosso Piceno Sup. Oro '17	♟♟	3
○ Offida Passerina '19	♟	2
○ Offida Pecorino Oro Bianco '18	♟	4
○ Offida Pecorino Quiete '19	♟	3
● Anghelos '01	♟♟♟	4
● Anghelos '99	♟♟♟	4*
● Rosso Piceno Sup. Oro '15	♟♟♟	3*
○ Offida Pecorino '18	♟♟	2*
○ Offida Pecorino Quiete '18	♟♟	3
● Offida Rosso Anghelos '16	♟♟	4
● Offida Rosso Anghelos '15	♟♟	4
● Rosso Piceno Sup. '17	♟♟	2*
● Rosso Piceno Sup. '16	♟♟	2*
● Rosso Piceno Sup. Oro '16	♟♟	3*

Degli Azzoni

VIA DON MINZONI, 26
62010 MONTEFANO [MC]
TEL. 0733850219
www.degliazzoni.it

VENDITA DIRETTA
VISITA SU PRENOTAZIONE
PRODUZIONE ANNUA 100.000 bottiglie
ETTARI VITATI 130,00
AZIENDA SOSTENIBILE

Se in passato il vino era solo un segmento di un progetto agricolo più ampio, negli ultimi tempi la famiglia Degli Azzoni non ha lesinato energie e risorse per farne il punto centrale dei propri possedimenti marchigiani. Uno staff tecnico preparato, capitanato dall'agronomo Gianfranco Canullo e dall'enologo Salvatore Lovo, è al lavoro per implementare i dettami dell'agricoltura bio, selezionando le migliori parcelle del vasto parco vitato al fine di ottenere etichette sempre più riconoscibili nell'impronta territoriale. Il Montepulciano Passatempo '16 resta il portabandiera della gamma: ha spiccate note di amarena e spezie in un palato pieno, dalla trama tannica compatta ma arrotondata. Ha buon gioco anche il San Donato '17, lettura del classico blend tra montepulciano e sangiovese dalla bocca incisiva, con tratti gradevolmente rustici. Per una beva disimpegnata ci affidiamo all'immediato Rosso Evasione '19, docilmente fruttato, mentre Phagalus '17 è un Merlot maturo, di buon spessore.

Fattoria Dezi

C.DA FONTEMAGGIO, 14
63839 SERVIGLIANO [FM]
TEL. 0734710090
www.fattoriadezi.com

VENDITA DIRETTA
VISITA SU PRENOTAZIONE
PRODUZIONE ANNUA 45.000 bottiglie
ETTARI VITATI 15,00

Fondata nel 1975, la Fattoria Dezi non ha mai tradito il suo ruolo di azienda familiare a carattere artigianale. I due attori principali sono i fratelli Davide e Stefano: il primo addetto ai 15 ettari allevati con le più tipiche varietà locali, il secondo responsabile della cantina. Lo stile approntato privilegia maturazioni tirate, densità strutturale e una certa libertà espressiva: forgia rossi lavorati in barrique dal carattere arcigno e bianchi affinati in cemento dal corpo pieno, di grande piacevolezza gustativa. Non è più una sorpresa la bontà del Pecorino Servigliano P. La versione 2018 porge un ricordo olfattivo di prugna gialla e un lungo finale, succoso e avvolgente. Il Solagne '19 (verdicchio) presenta nuance di caramella d'orzo e frutti gialli, impressi su un tonico palato. Tra i rossi vince facile il confronto Regina del Bosco '17, un Montepulciano con tipici timbri di marasca e prugna, venati da tratti affumicati nel sorso denso e austero, da attendere nel tempo.

● Passatempo '16	🍷🍷 4
● Colli Maceratesi Rosso Evasione '19	🍷🍷 2*
● Phagalus '17	🍷🍷 3
● Rosso Piceno San Donato '17	🍷🍷 2*
○ Beldiletto Brut	🍷 2
○ Carrodoro '19	🍷 2
○ Colli Maceratesi Ribona '19	🍷 2
○ Colli Maceratesi Passito Sultano '16	🍷🍷 4
○ Colli Maceratesi Ribona '18	🍷🍷 2*
○ Colli Maceratesi Ribona '17	🍷🍷 2*
● Colli Maceratesi Rosso Evasione '17	🍷🍷 2*
○ Grechetto '18	🍷🍷 2*
○ Grechetto '17	🍷🍷 2*
● Merlot '16	🍷🍷 2*
● Passatempo '15	🍷🍷 4
● Rosso Piceno '15	🍷🍷 2*

○ Falerio Pecorino Servigliano P. '18	🍷🍷 3*
● Dezio '18	🍷🍷 3
● Regina del Bosco '17	🍷🍷 6
○ Solagne '19	🍷🍷 3
● Solo '17	🍷 6
● Regina del Bosco '06	🍷🍷🍷 6
● Regina del Bosco '05	🍷🍷🍷 6
● Regina del Bosco '03	🍷🍷🍷 6
● Solo Sangiovese '05	🍷🍷🍷 6
● Solo Sangiovese '01	🍷🍷🍷 5
● Solo Sangiovese '00	🍷🍷🍷 6
● Dezio '17	🍷🍷 3
○ Falerio Pecorino Servigliano P. '17	🍷🍷 3*
● Regina del Bosco '16	🍷🍷 6
● Regina del Bosco '15	🍷🍷 6
○ Solagne '17	🍷🍷 3

Di Sante

VIA ANTINORI, 28
61032 FANO [PU]
TEL. 0721866212
www.disantevini.it

VENDITA DIRETTA
VISITA SU PRENOTAZIONE
PRODUZIONE ANNUA 80.000 bottiglie
ETTARI VITATI 30,00
VITICOLTURA Biologico Certificato

Nel 1980 Roberto Di Sante tramuta in
professione l'hobby di famiglia: fare vino.
Ci pensa suo figlio Tommaso poi a dare il
cambio di ritmo, impiantando sui colli di
Carignano nuovi ettari e costruendo una
moderna cantina. Tra i filari trovano spazio
soprattutto i vitigni della tradizione
pesarese, ma non si rinuncia ad avere
qualche internazionale. Il microclima
asciutto e ventilato, influenzato
dall'Adriatico, permette l'uso di pratiche
bio senza forzature: in cantina vinificazioni
classiche gestite in acciaio, con legni di
vario volume usati solo nel Sangiovese
Timoteo Riserva. La versione 2017
impasta sensazioni fruttate a tratti più
selvatici per un vino gustoso,
autenticamente ruspante. La sua variante
giovanile, il Sangiovese Gazza '19, è
immediata e godibile nell'esplicita vena
floreale. C'è più raffinatezza nei due
Bianchello '19: in Giglio si avverte la
maggiore maturazione delle uve a
vantaggio dell'intensità di profumi e
sapore; Gazza è agile, acidulo e spigliato.

○ Bianchello del Metauro Gazza '19	♙♙ 2*
○ Bianchello del Metauro Sup. Giglio '19	♙♙ 2*
● Colli Pesaresi Sangiovese Gazza '19	♙♙ 2*
● Colli Pesaresi Sangiovese Timoteo Ris. '17	♙♙ 2*
⊙ Agape Dry Rosé	♙ 2
○ Gemma '19	♙ 2
⊙ Illa '19	♙ 2

Emanuele Dianetti

C.DA VALLEROSA, 25
63063 CARASSAI [AP]
TEL. 3383928439
www.dianettivini.it

VENDITA DIRETTA
VISITA SU PRENOTAZIONE
PRODUZIONE ANNUA 23.000 bottiglie
ETTARI VITATI 5,00

Emanuele Dianetti è un giovane funzionario
di banca che smette giacca e cravatta,
appena può, per indossare la tuta da
lavoro: una sorta di percorso a ritroso
verso le origini contadine della famiglia, cui
è strenuamente attaccato. In poco più di
un decennio ha progressivamente
aumentato gli ettari di vigna che governa
con l'aiuto della madre Giuliana. Il fresco
microclima della Val Menocchia gli
permette d'infondere nei vini un timbro
aromatico cristallino e un dinamico nerbo
acido. Stavolta è il Pecorino Vignagiulia '19
a primeggiare: raffinato nei profumi, offre
una grintosa energia che nel sorso fonde
mirabilmente vibrante tensione e polpa
fruttata. Il Pecorino Luciano '18, al
debutto, matura in tonneau: al naso regala
un complesso impasto di note piriche,
frutta gialla e zenzero, poi replicato in una
bocca tonica e articolata. Ancor più
elegante e flessuoso il Michelangelo '16,
da uve alicante, senza dimenticare un
solido Offida Rosso Vignagiulia '17 dal
profilo fruttato e tostato.

○ Offida Pecorino Vignagiulia '19	♙♙♙ 3*
● Michelangelo '16	♙♙ 8
○ Offida Pecorino Luciano '18	♙♙ 7
● Offida Rosso Vignagiulia '17	♙♙ 6
● Piceno '18	♙ 3
● Offida Rosso Vignagiulia '16	♗♗♗ 5
● Offida Rosso Vignagiulia '14	♗♗♗ 5
● Offida Rosso Vignagiulia '13	♗♗♗ 5
● Michelangelo '15	♗♗ 8
● Michelangelo '14	♗♗ 8
○ Offida Pecorino Vignagiulia '18	♗♗ 3*
○ Offida Pecorino Vignagiulia '16	♗♗ 3*
○ Offida Pecorino Vignagiulia '15	♗♗ 3*
○ Offida Pecorino Vignagiulia '14	♗♗ 3*
● Offida Rosso Vignagiulia '15	♗♗ 5
● Offida Rosso Vignagiulia '12	♗♗ 4

Andrea Felici

C.DA SANT'ISIDORO, 28
62021 APIRO [MC]
TEL. 0733611431
www.andreafelici.it

VENDITA DIRETTA
VISITA SU PRENOTAZIONE
PRODUZIONE ANNUA 74.000 bottiglie
ETTARI VITATI 12,00
VITICOLTURA Biologico Certificato

Leopardo Felici ha dato il giusto significato al premio "Vignaiolo dell'Anno" della Guida 2020: uno stimolo a far meglio, un'assunzione di maggior responsabilità. Consigliato come sempre dal padre Andrea e assistito dalla bravura tecnica di Aroldo Bellelli, fa un passo per volta seguendo lo sviluppo delle nuove parcelle impiantate a Verdicchio accanto allo storico vigneto San Francesco. In cantina tutto gira come di consueto, con le vecchie vasche di cemento custodi del Cantico Riserva e i tank di acciaio per il Superiore. Figlio di una splendida lettura dell'annata, Il Cantico della Figura Riserva non fa trapelare nulla della torrida estate 2017, porgendosi con il consueto fresco profilo che imposta anice, mandorla, menta, bucce di agrumi. Le prime tonalità minerali stratificano un sorso molto succoso, articolato nella dinamica eppur straordinariamente scorrevole. Il Verdicchio Classico Superiore Andrea Felici '19 ha una declinazione aromatica più semplice ma simile crescendo gustativo.

○ Castelli di Jesi Verdicchio Cl. V. Il Cantico della Figura Ris. '17	♟♟♟	6
○ Verdicchio dei Castelli di Jesi Cl. Sup. Andrea Felici '19	♟♟	3*
○ Castelli di Jesi Verdicchio Cl. Il Cantico della Figura Ris. '12	♕♕♕	4*
○ Castelli di Jesi Verdicchio Cl. Il Cantico della Figura Ris. '11	♕♕♕	4*
○ Castelli di Jesi Verdicchio Cl. Il Cantico della Figura Ris. '10	♕♕♕	4*
○ Castelli di Jesi Verdicchio Cl. V. Il Cantico della Figura Ris. '16	♕♕♕	6
○ Castelli di Jesi Verdicchio Cl. V. Il Cantico della Figura Ris. '15	♕♕♕	6
○ Castelli di Jesi Verdicchio Cl. V. Il Cantico della Figura Ris. '13	♕♕♕	6

Filodivino

VIA SERRA, 46
60030 SAN MARCELLO [AN]
TEL. 0731026139
www.filodivino.it

VENDITA DIRETTA
VISITA SU PRENOTAZIONE
OSPITALITÀ E RISTORAZIONE
PRODUZIONE ANNUA 60.000 bottiglie
ETTARI VITATI 19,50
VITICOLTURA Biologico Certificato

Alberto Gandolfi si occupa principalmente del resort, mentre Gian Mario Bongini ha a cuore le sorti della produzione vinicola: sono le due anime che danno forma a Filodivino, progetto immaginato senza risparmiare nulla in termini di bellezza, efficienza, funzionalità. La cantina, piccolo gioiello architettonico, è straordinariamente attrezzata e circondata dai vigneti di verdicchio e lacrima nera che forniscono la materia prima per l'affidabile gamma, supervisionata tecnicamente dall'enologo Matteo Chiucconi. Il Verdicchio Classico Dino Riserva '17 apre con sensazioni di mandorla e mette in evidenza una buona energia al palato, mantenendo con coorenza sensazioni di frutta secca nel duraturo finale. Il Classico Superiore Matto '19 ha timbri agrumati e bocca legata a una sapida, efficace scorrevolezza. Interessante il Coccio '18, prima uscita di un bucciato da uve verdicchio affinato in anfora: ha ricordi di albicocca matura in un sorso consistente ed armonico. Valido il Lacrima di Morro d'Alba Diana '18.

○ Castelli di Jesi Verdicchio Cl. Dino Ris. '17	♟♟	4
○ Coccio '18	♟♟	5
● Lacrima di Morro d'Alba Diana '18	♟♟	3
○ Verdicchio dei Castelli di Jesi Cl. Sup. Matto '19	♟♟	3
○ Verdicchio dei Castelli di Jesi Cl. Serra 46 '19	♟	2
○ Castelli di Jesi Verdicchio Cl. Dino Ris. '15	♕♕	4
⊙ Filodivino Rosato '18	♕♕	2*
○ Verdicchio dei Castelli di Jesi Cl. Sup. Filotto '17	♕♕	3
○ Verdicchio dei Castelli di Jesi Cl. Sup. Matto '18	♕♕	3
○ Verdicchio dei Castelli di Jesi Cl. Sup. Matto '17	♕♕	3

Fiorano

C.DA FIORANO, 19
63067 COSSIGNANO [AP]
TEL. 073598247
www.agrifiorano.it

VENDITA DIRETTA
VISITA SU PRENOTAZIONE
OSPITALITÀ
PRODUZIONE ANNUA 45.000 bottiglie
ETTARI VITATI 8,50
VITICOLTURA Biologico Certificato
AZIENDA SOSTENIBILE

Paolo Beretta e Paola Massi, i coniugi
artefici di Fiorano, credono decisamente
nell'associazionismo. Paolo è una figura di
primo piano del Fivi e tra i fondatori di
Terroir Marche, sorta di consorzio
regionale tra realtà che condividono la
stessa filosofia e modo di lavorare.
L'attivismo fa il paio con l'impegno speso
per l'azienda: vigne ben tenute in un
contesto ambientale di grande bellezza e
integrità, alla base di vini dinamici e
territoriali, approntati senza rinunciare a
brillanti profili aromatici. Torna a splendere
la stella del Donna Orgilla '19, Pecorino
vivido e tornito nel lungo ricordo di agrumi
ed erbe di campo. Giulia Erminia '18 è la
sua versione maturata in tonneau: alterna
tratti boisé a percezioni di pompelmo in un
palato innervato di sapidità. Il Rosso
Piceno Superiore Terre di Giobbe '17 è
deliziosamente fruttato, mentre Gallo
Otto '17 (blend di montepulciano e syrah
lavorato in anfora) esibisce un originale
profilo aromatico restituito da un sorso
teso e austero.

○ Offida Pecorino Donna Orgilla '19	♟♟	3*
● Gallo Otto '17	♟♟	7
⊙ Giulia Erminia '18	♟♟	5
● I Paoli '19	♟♟	2*
⊙ Kami '19	♟♟	2*
● Rosso Piceno Sup. Terre di Giobbe '17	♟♟	3
● Ser Balduzio '15	♟	5
○ Offida Pecorino Donna Orgilla '14	♟♟♟	3*
○ Giulia Erminia '17	♟♟	5
○ Giulia Erminia '14	♟♟	2*
○ Offida Pecorino Donna Orgilla '17	♟♟	3
○ Offida Pecorino Donna Orgilla '16	♟♟	3*
○ Offida Pecorino Giulia Erminia '16	♟♟	5
● Sangiovese '18	♟♟	2*
● Ser Balduzio '13	♟♟	5

Fiorini

FRAZ. BARCHI
VIA GIARDINO CAMPIOLI, 5
61038 TERRE ROVERESCHE
TEL. 072197151
www.fioriniwines.it

VENDITA DIRETTA
VISITA SU PRENOTAZIONE
OSPITALITÀ
PRODUZIONE ANNUA 200.000 bottiglie
ETTARI VITATI 45,00
VITICOLTURA Biologico Certificato

Il confronto tra Carla Fiorini, proprietaria ed
enologa, e il consulente Emiliano Falsini
non ha stravolto la percezione dell'azienda
come custode della tradizione locale.
Semmai l'ha arricchita di nuove idee,
fornendo quel quid in più in termini di
originalità, complessità e costanza
produttiva. Da qualche anno tutte le uve
sono biologiche: tra i filari dominano le
varietà locali, mentre in cantina c'è un uso
più disinvolto, ma ben padroneggiato,
di piccoli legni e tecniche al servizio di un
maggior nerbo gustativo. Tenuta
Campioli '19 è un Bianchello di carattere,
fluido e saporito, con il vezzo di migliorarsi
nel tempo. Maturato in tonneau, il
Bianchello Superiore Andy '18 ha
un'appetitosa ricchezza palatale. Bella prova
del Sangiovese Luigi Fiorini Riserva '16,
complesso e articolato al punto giusto;
Bartis '17 (sangiovese con piccole quote
di montepulciano e cabernet) è scuro
nel frutto, consistente, ma un po' severo
nel tannino. Fascino da vendere nel
Monsavium '12.

○ Bianchello del Metauro Sup. Andy '18	♟♟	3
○ Bianchello del Metauro Sup. Tenuta Campioli '19	♟♟	2*
● Colli Pesaresi Rosso Bartis '17	♟♟	3
● Colli Pesaresi Sangiovese Luigi Fiorini Rls. '16	♟♟	4
○ Monsavium Passito '12	♟♟	5
● Roy '18	♟♟	4
○ Bianchello del Metauro Sup. Andy '16	♟♟	3
○ Bianchello del Metauro Sup. Tenuta Campioli '18	♟♟	2*
○ Bianchello del Metauro Sup. Tenuta Campioli '17	♟♟	2*
● Colli Pesaresi Rosso Bartis '16	♟♟	3
○ Monsavium Passito '11	♟♟	5

Cantine Fontezoppa

C.DA SAN DOMENICO, 38
62012 CIVITANOVA MARCHE [MC]
TEL. 0733790504
www.cantinefontezoppa.com

VENDITA DIRETTA
VISITA SU PRENOTAZIONE
OSPITALITÀ E RISTORAZIONE
PRODUZIONE ANNUA 290.000 bottiglie
ETTARI VITATI 38,00

L'energia straripante di Mosè Ambrosi ha
rivitalizzato Fontezoppa, apportando un
tratto più sbarazzino al catalogo. L'azienda
conta su due anime: quella "montana" è
indotta dalla vernaccia nera e dal pinot
nero di Serrapetrona, quella "mediterranea"
si lega ai filari messi a dimora nel comune
di Civitanova Marche, a pochi chilometri dal
mar Adriatico, dove ha sede anche la
moderna e funzionale cantina. I vini sono
pensati con l'idea di esibire un'immediata
piacevolezza, ma sanno trovare anche
spessore, in particolare nel comparto delle
bollicine Metodo Classico. Il Ribona Metodo
Classico Dosaggio Zero '16 ha adeguata
complessità olfattiva e un sorso asciutto,
filante, impreziosito dal finale salino. Il
Rosato Extra Brut '16 (pinot nero e
vernaccia) ha nerbo pronunciato, sapore
sottile, vibrante sapidità. Meno brillante del
solito il Ribona '19, mentre Cascià '10
(vernaccia) è Passito tra i più originali ed
equilibrati delle Marche con i suoi ricordi di
mirtilli e cioccolato bianco.

● I Terreni di San Severino Passito Cascià '10	♟♟ 6
○ Colli Maceratesi Ribona Dosaggio Zero M. Cl. '16	♟♟ 4
⊙ Extra Brut Rosé M. Cl. '16	♟♟ 5
● Carapetto '16	♟ 5
○ Colli Maceratesi Ribona '19	♟ 3
○ Falerio Pecorino Joco '19	♟ 2
● Serrapetrona Morò '17	♟ 5
● Serrapetrona Pepato '17	♟ 3
○ Colli Maceratesi Ribona '18	♟♟ 3*
○ Colli Maceratesi Ribona '16	♟♟ 3*
○ Colli Maceratesi Ribona Dosaggio Zero M. Cl. '15	♟♟ 4
○ Colli Maceratesi Ribona Dosaggio Zero M. Cl. '14	♟♟ 4
● I Terreni di San Severino Passito Cascià '09	♟♟ 6

★★ Gioacchino Garofoli

VIA CARLO MARX, 123
60022 CASTELFIDARDO [AN]
TEL. 0717820162
www.garofolivini.it

VENDITA DIRETTA
VISITA SU PRENOTAZIONE
PRODUZIONE ANNUA 1.400.000 bottiglie
ETTARI VITATI 50,00

La Garofoli è una delle poche aziende
marchigiane con storia centenaria. La
svolta in senso qualitativo si deve all'azione
dei fratelli Carlo e Gianfranco, che dalla fine
dagli anni '80 sfruttarono l'esperienza
accumulata e le nuove tecnologie di
cantina per valorizzare i vini a base di
verdicchio e montepulciano del Conero.
Oggi la gamma è molto ampia, completa e
variegata, di stile che oramai possiamo
definire classico. Nota di merito per il
comparto del Metodo Classico, tipologia
esplorata sin dalla metà degli anni '70 in
notevole anticipo sui tempi. Il Podium '18
resta la miglior scelta del diversificato
catalogo dei Verdicchio: finezza e
complessità olfattiva riverberano in una
bocca composta, cadenzata e soffice.
Fascino da vendere anche per La Selezione
GG Riserva '10, voluminoso e fruttato, non
scalfito dai tanti anni trascorsi in
affinamento. Validi e convenienti il delizioso
Macrina '19 e lo speziato Piancarda '17. Il
Brut Metodo Classico Riserva '16 ha echi
balsamici e carbonica cremosa.

○ Castelli di Jesi Verdicchio Cl. Selezione Gioacchino Garofoli Ris. '10	♟♟ 7
○ Verdicchio dei Castelli di Jesi Cl. Sup. Podium '18	♟♟ 4
○ Castelli di Jesi Verdicchio Cl. Serra Fiorese Ris. '16	♟♟ 4
● Rosso Conero Piancarda '17	♟♟ 3
○ Verdicchio dei Castelli di Jesi Brut M. Cl. Ris. '16	♟♟ 4
○ Verdicchio dei Castelli di Jesi Cl. Sup. Macrina '19	♟♟ 2*
○ Verdicchio dei Castelli di Jesi Pas Dosé M. Cl. Ris. '11	♟♟ 4
○ Verdicchio dei Castelli di Jesi Passito Brumato '09	♟♟ 4
⊙ Kòmaros '19	♟ 2
○ Verdicchio dei Castelli di Jesi Cl. Sup. Podium '16	♟♟♟ 4*

Guerrieri

VIA SAN FILIPPO, 24
61030 PIAGGE [PU]
TEL. 0721890152
www.aziendaguerrieri.it

VENDITA DIRETTA
VISITA SU PRENOTAZIONE
PRODUZIONE ANNUA 250.000 bottiglie
ETTARI VITATI 50,00

La tenuta dei Conti Guerrieri è tra le più antiche delle Marche. Conta su un cospicuo numero di ettari sparsi sulla destra orografica del fiume Metauro, a disposizione di un vasto progetto agricolo che abbraccia anche seminativi e olio extravergine. Dopo qualche passaggio a vuoto del segmento vino avvertito nel recente passato, Luca e suo figlio Alberto hanno deciso di dare nuova linfa approntando un registro stilistico più moderno, fatto d'immediata piacevolezza gustativa e levigata intensità fruttata. Maturazioni ponderate e utilizzo di legni di vario volume aggiungono complessità e tratti originali. Tra i vini presentati solo il Bianchello Superiore Celso '19 è lavorato in acciaio: ha polpose sensazioni di frutti gialli e una golosa concentrazione di sapore. Guerriero del Mare '18 (bianchello) è una riuscita vendemmia tardiva: cremoso, ricco, con un colpo di coda sapido nel finale a bilanciare sensazioni di miele e purea di pesca. Leggiadro e salino il Sangiovese Galileo Riserva '17.

● Colli Pesaresi Sangiovese Galileo Ris. '17	♟♟ 3*
○ Bianchello del Metauro Sup. Celso '19	♟♟ 3
○ Guerriero Bianco '18	♟♟ 3
○ Guerriero del Mare '18	♟♟ 5
● Guerriero della Terra '17	♟♟ 5
● Guerriero Nero '18	♟♟ 3
○ Bianchello del Metauro Celso '13	♟♟ 2*
○ Bianchello del Metauro Sup. Celso '18	♟♟ 2*
● Colli Pesaresi Sangiovese '16	♟♟ 2*
● Colli Pesaresi Sangiovese Galileo Ris. '16	♟♟ 3
● Colli Pesaresi Sangiovese Galileo Ris. '14	♟♟ 3
● Colli Pesaresi Sangiovese Galileo Ris. '13	♟♟ 3
● Colli Pesaresi Sangiovese Galileo Ris. '11	♟♟ 3
● Guerriero Nero '15	♟♟ 3

Conte Leopardi Dittajuti

VIA MARINA II, 4
60026 NUMANA [AN]
TEL. 0717390116
www.conteleopardi.com

VENDITA DIRETTA
VISITA SU PRENOTAZIONE
PRODUZIONE ANNUA 350.000 bottiglie
ETTARI VITATI 49,00

L'azienda di Piervittorio Leopardi è in conversione biologica dal 2018. Una scelta non facile vista l'estensione degli ettari, ma agevolata dal favorevole microclima che caratterizza i possedimenti nella frazione Coppo di Numana: terreni caldi, asciutti e al tempo stesso temperati dalla brezza che spira costantemente dal vicino Adriatico. Qui il montepulciano non fatica a maturare e rappresenta l'asse portante della gamma aziendale. La grande cantina permette la creazione di più versioni, diversificate per epoca di raccolta e successive maturazioni in legni piccoli di più passaggi. In cima alle preferenze si colloca il Conero Pigmento Riserva '17: l'annata dona un frutto molto maturo ma ben gestito nelle proporzioni, dalla fitta e arrotondata maglia tannica. Convince anche la verve giovanile del Rosso Conero Fructus '19, dal nitido richiamo di ciliegia matura e bocca compatta, di generosa intensità. Antichi Poderi del Conte '18 mantiene una buona freschezza che volge in una beva fruttata.

● Conero Pigmento Ris. '17	♟♟ 5
● Rosso Conero Antichi Poderi del Conte '18	♟♟ 2*
● Rosso Conero Fructus '19	♟♟ 3
○ Bianco del Coppo '19	♟ 3
○ Falerio Risacca '19	♟ 2
○ Lacrima di Morro d'Alba '19	♟ 3
⊙ Rose del Coppo '19	♟ 3
● Rosso Conero Casirano '18	♟ 4
● Rosso Conero Talismano '19	♟ 3
● Rosso Conero Villa Marina '18	♟ 3
○ Verdicchio dei Castelli di Jesi Cl. Castelverde '19	♟ 3
● Conero Pigmento Ris. '16	♟♟ 5
● Rosso Conero Antichi Poderi del Conte '17	♟♟ 2*

Roberto Lucarelli

LOC. RIPALTA
VIA PIANA, 20
61030 CARTOCETO [PU]
TEL. 0721893019
www.robertolucarelli.com

VENDITA DIRETTA
VISITA SU PRENOTAZIONE
PRODUZIONE ANNUA 250.000 bottiglie
ETTARI VITATI 50,00

Roberto Lucarelli ha trovato nel tempo il giusto equilibrio tra la difesa dei vitigni tradizionali della valle del Metauro e l'avanzata degli internazionali. Il lavoro agronomico punta a produrre uve ben mature, senza sacrificare il patrimonio acido; quello enologico a esaltare il carattere fruttato delle diverse cultivar mediante il controllo delle temperature. I vini mostrano reattività, limpida espressione aromatica e buona predisposizione alla complessità gustativa. Il pinot nero è allevato nei vigneti messi a dimora nel promontorio del Monte San Bartolo. Buona prova dei Sangiovese. L'Insieme Riserva '16 ha sensazioni speziate e una scura vena minerale a preludio di una bocca intensa, ampiamente innervata di sapidità.
Goccione '17 assembla ricordi di amarena, suggestioni di terra umida e un sottofondo più selvatico in un palato energico. Raffinato il Pinot Nero Terre di Fuocaia '18, dal sorso disteso; il Bianchello La Ripe '19 ha una beva fluida e gustosa.

○ Bianchello del Metauro La Ripe '19	𝟗𝟗 2*
● Colli Pesaresi Focara Pinot Nero Terre di Fuocaia '18	𝟗𝟗 4
● Colli Pesaresi Sangiovese Goccione '17	𝟗𝟗 3
● Colli Pesaresi Sangiovese Insieme Ris. '16	𝟗𝟗 5
● Colli Pesaresi Focara Pinot Nero Terre di Fuocaia Ris. '16	𝟗 6
● Colli Pesaresi Sangiovese La Ripe '18	𝟗 2
○ Bianchello del Metauro La Ripe '18	𝟗𝟗 2*
○ Bianchello del Metauro Sup. Rocho '18	𝟗𝟗 2*
○ Bianchello del Metauro Sup. Rocho '17	𝟗𝟗 2*

Mario Lucchetti

VIA SANTA MARIA DEL FIORE, 17
60030 MORRO D'ALBA [AN]
TEL. 073163314
www.mariolucchetti.it

VENDITA DIRETTA
VISITA SU PRENOTAZIONE
PRODUZIONE ANNUA 180.000 bottiglie
ETTARI VITATI 30,00
VITICOLTURA Biologico Certificato

Mario Lucchetti è stato certamente tra i primi vignaioli a credere nel potenziale del lacrima nera. La posizione degli impianti in Santa Maria del Fiore, cru di riconosciuta vocazione, ha agevolato la comprensione del vitigno nei tanti anni di lavoro sulla cultivar. Oggi tutte le vigne sono allevate in bio e mantengono la consueta dicotomia locale tra verdicchio e lacrima. L'azienda è condotta stabilmente dal figlio Paolo, fautore di uno stile che esalta i caratteri varietali tramite la conservazione del patrimonio acido delle uve, vinificate in acciaio e cemento nella rinnovata moderna cantina. Gran beva per entrambi i Verdicchio: il Classico Superiore Vigna Vittoria '19 spinge su un'acidità salina e profonda, mentre il Classico Birbacciò '19 è più fruttato, soffice e saporito senza rinunciare alla scorrevolezza. Il Lacrima Superiore Guardengo '18 ha finezza olfattiva e bocca seria, dritta, energica, un po' severa ma caratteriale. Il Lacrima Fiore '19 profuma di fiori e mostra un pronunciato nerbo verticale.

● Lacrima di Morro d'Alba Sup. Guardengo '18	𝟗 3
○ Verdicchio dei Castelli di Jesi Cl. Birbacciò '19	𝟗𝟗 2*
○ Verdicchio dei Castelli di Jesi Cl. Sup. V. Vittoria '19	𝟗𝟗 3
● Lacrima di Morro d'Alba Fiore '19	𝟗 2
● Lacrima di Morro d'Alba Fiore '18	𝟗𝟗 2*
● Lacrima di Morro d'Alba Sup. Guardengo '17	𝟗𝟗 3
● Lacrima di Morro d'Alba Sup. Guardengo '16	𝟗𝟗 3
● Lacrima di Morro d'Alba Sup. Guardengo '15	𝟗𝟗 3
● Lacrima di Morro d'Alba Sup. Guardengo '11	𝟗𝟗 3
○ Verdicchio dei Castelli di Jesi Cl. Sup. V. Vittoria '18	𝟗𝟗 2*

MARCHE

Mancini

FRAZ. MOIE
VIA PIANELLO, 5
60030 MAIOLATI SPONTINI [AN]
TEL. 0731702975
www.manciniwines.it

VENDITA DIRETTA
VISITA SU PRENOTAZIONE
PRODUZIONE ANNUA 130.000 bottiglie
ETTARI VITATI 20,00

Come molte realtà della valle dell'Esino, anche l'impresa di Benito Mancini, attiva sin dal 1960, si basa su un'articolata struttura familiare, con i suoi tre figli impiegati oggi a vario titolo in azienda. Massimo Mancini è il responsabile della produzione ed è la figura che si relaziona con lo storico consulente Sergio Paolucci, tra i maggiori specialisti del Verdicchio. L'uva di Jesi è la protagonista nei vigneti alle spalle della cantina, ma non mancano piccole quote di montepulciano e sangiovese usate per il Rosso Piceno e il metodo italiano Brut Rosè. Il Verdicchio Classico Superiore Villa Talliano '19 si pone con grande intensità sapida e ampio ventaglio aromatico: l'amalgama percepita al palato tra il peculiare tocco soffice e il nerbo acido lo rendono tra i migliori del millesimo. Il Verdicchio Riserva '17 ha accentuati profumi di mandorle e limone in una bocca tonica, affusolata, di lunga e coerente persistenza. Santa Lucia '19 è un fragrante Verdicchio d'annata, dalla beva semplice e rinfrescante.

○ Castelli di Jesi Verdicchio Cl. Ris. '17	♔♔	5
○ Verdicchio dei Castelli di Jesi Cl. Sup. Talliano '19	♔♔	3*
○ Brut	♔	2
⊙ Brut Rosé	♔	2
● Rosso Piceno Panicale '17	♔	3
○ Verdicchio dei Castelli di Jesi Cl. Santa Lucia '19	♔	2
○ Castelli di Jesi Verdicchio Cl. Ris. '16	♕♕	5
○ Castelli di Jesi Verdicchio Cl. Ris. '14	♕♕	5
○ Verdicchio Castelli di Jesi Cl. S. Lucia '17	♕♕	2*
○ Verdicchio Castelli di Jesi Cl. Sup. Villa Talliano '17	♕♕	3
○ Verdicchio dei Castelli di Jesi Cl. Santa Lucia '18	♕♕	2*

Clara Marcelli

VIA FONTE VECCHIA, 8
63081 CASTORANO [AP]
TEL. 073687289
www.claramarcelli.it

VISITA SU PRENOTAZIONE
PRODUZIONE ANNUA 40.000 bottiglie
ETTARI VITATI 10,00
VITICOLTURA Biologico Certificato

Emanuele e Daniele Colletta seguono da diversi anni i consigli di Marco Casolanetti per la vinificazione delle proprie uve allevate in biologico. Ne ottengono interpretazioni materiche del terroir piceno che possono talora palesare qualche piccola chiusura iniziale, facilmente superabile con un po' di ossigenazione. Del resto pazienza e lentezza dei processi sono elementi insiti nel loro modo di lavorare: dalla maturazione in pianta sino agli affinamenti in barrique, in funzione di etichette che non lascino indifferenti. Ruggine '14 (alicante, conosciuto in loco come bordò) non nasconde l'anima vegetale dell'annata fresca, ma la orna con sensazioni di spezie orientali e di macchia mediterranea; la bocca ha fibra e progressione gustativa, in un quadro di gran personalità. K'un '17 (montepulciano) sparge pennellate di marasca, carne fresca e legna arsa, poi ritrovate in un palato estrattivo, un po' austero nella fittezza tannica. Più leggero e caratteriale il coevo Piceno Superiore.

● Ruggine '14	♔♔	8
● K'un '17	♔♔	3
○ Offida Pecorino Irata '18	♔♔	3
● Rosso Piceno Sup. '17	♔♔	3
● K'un '16	♕♕	3
● K'un '13	♕♕	3
● K'un '12	♕♕	3
● K'un '11	♕♕	3
○ Offida Pecorino Irata '17	♕♕	3
● Rosso Piceno Sup. '16	♕♕	3
● Ruggine '13	♕♕	8
● Ruggine '11	♕♕	8

Marotti Campi

VIA SANT'AMICO, 14
60030 MORRO D'ALBA [AN]
TEL. 0731618027
www.marotticampi.it

VENDITA DIRETTA
VISITA SU PRENOTAZIONE
OSPITALITÀ
PRODUZIONE ANNUA 260.000 bottiglie
ETTARI VITATI 70,00

L'azienda di Lorenzo Marotti Campi attraversa un magnifico stato di forma. Merito dell'indubbia abilità nel gestire i vigneti per avere una gamma ben differenziata, contrassegnata da un'impronta moderna dove bevibilità e frutto vanno a braccetto sino a raggiungere lo status di "esempi da seguire" per i vini di vertice, vale a dire Salmariano e Orgiolo. Il tutto non nasce casualmente, ma si deve a un lungo lavoro di cesello svolto dalla proprietà con l'enologo Roberto Potentini, consulente tecnico sin dagli inizi. Il Verdicchio Salmariano Riserva non è mai stato un peso piuma, eppure aggira l'insidia della calda annata 2017 con maestria: naso di grande aderenza varietale, con la mandorla in primo piano ben cesellata da frutti bianchi, anice e balsami, svela un palato armonico e incisivo. Bene anche gli altri Verdicchio: sia il Classico Albiano '19 sia il Classico Superiore Luzano '19 sono intrisi di giocosa fragranza e beva deliziosa. Ottimo il Lacrima Superiore Orgiolo '18, nonostante qualche nota vegetale.

○ Castelli di Jesi Verdicchio Cl. Salmariano Ris. '17	♥♥♥	3*
● Lacrima di Morro d'Alba Rubico '19	♥♥	2*
● Lacrima di Morro d'Alba Sup. Orgiolo '18	♥♥	3
○ Verdicchio dei Castelli di Jesi Cl. Albiano '19	♥♥	1*
○ Verdicchio dei Castelli di Jesi Cl. Sup. Luzano '19	♥♥	2*
○ Verdicchio dei Castelli di Jesi Cl. Sup. Volo d'Autunno '19	♥♥	5
● Xyris	♥♥	2
⊙ Brut Rosé	♥	3
⊙ Hegina d'Inverno '19	♥	5
⊙ Rosato '19	♥	2
● Lacrima di Morro d'Alba Sup. Orgiolo '17	♡♡♡	3*

Poderi Mattioli

VIA FARNETO, 17A
60030 SERRA DE' CONTI [AN]
TEL. 0731878676
www.poderimattioli.it

VENDITA DIRETTA
VISITA SU PRENOTAZIONE
PRODUZIONE ANNUA 40.000 bottiglie
ETTARI VITATI 6,50
VITICOLTURA Biologico Certificato

A un certo punto i giovani fratelli Mattioli hanno considerato l'idea di smettere di vendere uva nonostante la profonda esperienza familiare nel settore. Troppo belli quei grappoli ottenuti da vigne decisamente vocate, come quella impiantata nel 1971. La bravura agronomica di Giordano e la perizia enologica di Giacomo non hanno faticato a ricavarne dei Castelli di Jesi di grande levatura, mantenendo un taglio produttivo di alta fattura artigianale. Unico punto di rottura con la teoria del "tutto verdicchio" in vigna la presenza di un po' di chardonnay usato in blend nel Metodo Classico. Nella griglia manca il Verdicchio Lauro Riserva, non prodotto nel 2017. Ci pensa l'Ylice '18 a non farlo rimpiangere: una versione a dir poco seducente nell'idea di anice e mandorla, ornata da riflessi balsamici e dai primi echi minerali. La bocca ha andamento armonico e rilassato, preludio a un finale tenace. Naso d'agrumi e crosta di pane, bocca salina, asciutta e verticale nel Dosaggio Zero '15.

○ Verdicchio dei Castelli di Jesi Cl. Sup. Ylice '18	♥♥♥	3*
○ M. Cl. Dosaggio Zero '15	♥♥	5
○ Castelli di Jesi Verdicchio Cl. Lauro Ris. '16	♡♡♡	4*
○ Castelli di Jesi Verdicchio Cl. Lauro Ris. '15	♡♡♡	4*
○ Castelli di Jesi Verdicchio Cl. Lauro Ris. '13	♡♡♡	3*
○ Verdicchio dei Castelli di Jesi Cl. Sup. Ylice '16	♡♡♡	3*
○ Verdicchio dei Castelli di Jesi Cl. Sup. Ylice '12	♡♡♡	2*
○ Verdicchio dei Castelli di Jesi Cl. Sup. Ylice '14	♡♡	3

Valter Mattoni

VIA PESCOLLA, 1
63030 CASTORANO [AP]
TEL. 073687329
www.valtermattoni.it

VENDITA DIRETTA
VISITA SU PRENOTAZIONE
PRODUZIONE ANNUA 8.500 bottiglie
ETTARI VITATI 8,50

L'avventura da produttore di Valter "Roccia" Mattoni nasce per un caso. C'è di mezzo una vecchia vigna di famiglia che non si vuol espiantare, una passione bruciante per il vino (da consumatore), l'amicizia e i consigli di Marco Casolanetti di Oasi degli Angeli. Le prime bottiglie sono realizzate con mezzi di fortuna, ma diventano rapidamente di culto: tanto entusiasmo convince Valter ad approntare una piccola struttura dove lavorare senza appoggiarsi in giro. La produzione aumenta, mentre il sostegno dei tanti clienti non è mai venuto meno e il "mito" si alimenta a ogni vendemmia. Ancora una versione monumentale del montepulciano Arshura: la 2017 ha piglio sanguigno, verace, indomabile. Non è seta, semmai lana: scalda e protegge a fondo con il suo tessuto fittissimo, impenetrabile. Rossobordò '16 (alicante, localmente conosciuto come "bordò") è un portento: fruttato, solido, profondo. Trebbien '18 (trebbiano) è il bianco sincero e saporito che si vorrebbe sulla tavola di tutti i giorni.

● Arshura '17	▼▼▼	5
● Rossobordò '16	▼▼	8
○ Trebbien '18	▼▼	4
● Cosecose '19	▼	3
● Arshura '16	♈♈♈	5
● Arshura '11	♈♈♈	3*
● Arshura '14	♈♈	5
● Arshura '13	♈♈	5
● Arshura '12	♈♈	5
● Cosecose '16	♈♈	3
● Rossobordò '15	♈♈	8
● Rossobordò '14	♈♈	8
● Rossobordò '13	♈♈	8
● Rossobordò '12	♈♈	8
○ Trebbien '17	♈♈	4
○ Trebbien '16	♈♈	4
○ Trebbien '15	♈♈	4

★La Monacesca

C.DA MONACESCA
62024 MATELICA [MC]
TEL. 0733672641
www.monacesca.it

VENDITA DIRETTA
VISITA SU PRENOTAZIONE
PRODUZIONE ANNUA 160.000 bottiglie
ETTARI VITATI 33,00

L'azienda di Aldo Cifola regge da molti anni il ruolo di portabandiera del territorio. Con encomiabile costanza qualitativa firma alcuni dei Matelica più identitari, figli di uno stile che ha sempre dato priorità alla piacevolezza espressiva, con profumi tersi e varietali esaltati da maturazioni ponderate e affinamenti in sole vasche d'acciaio. Interpretazioni capaci di affrontare senza timori lo scorrere del tempo, aggiungendo anzi ulteriore stratificazione gustativa dopo prolungate soste in bottiglia. Il Matelica '19 svela nel bicchiere una gradita risolutezza: le sfumature di frutti bianchi e gialli, legati dall'insostituibile presenza della mandorla dolce, si ripetono con nitore al palato, polposo eppur dotato della giusta fluidità. Al contrario, il Mirum Riserva '18 è parso più lineare del solito nei profumi di limone candito, mela e cera d'api, risultando poi leggermente contratto dalla generosa struttura nello sviluppo gustativo: presumibile che possa crescere nei prossimi mesi.

○ Verdicchio di Matelica '19	▼▼	3*
○ Verdicchio di Matelica Mirum Ris. '18	▼▼	5
○ Verdicchio di Matelica Mirum Ris. '16	♈♈♈	5
○ Verdicchio di Matelica Mirum Ris. '15	♈♈♈	5
○ Verdicchio di Matelica Mirum Ris. '14	♈♈♈	5
○ Verdicchio di Matelica Mirum Ris. '12	♈♈♈	5
○ Verdicchio di Matelica Mirum Ris. '11	♈♈♈	5
○ Verdicchio di Matelica Mirum Ris. '10	♈♈♈	4*
○ Verdicchio di Matelica Mirum Ris. '09	♈♈♈	4
○ Verdicchio di Matelica Mirum Ris. '08	♈♈♈	4
○ Verdicchio di Matelica Mirum Ris. '07	♈♈♈	4*
○ Verdicchio di Matelica Mirum Ris. '06	♈♈♈	4
○ Verdicchio di Matelica Mirum Ris. '04	♈♈♈	4
○ Verdicchio di Matelica Mirum Ris. '02	♈♈♈	3

Montecappone - Mirizzi

VIA COLLE OLIVO, 2
60035 JESI [AN]
TEL. 0731205761
www.montecappone.com

VENDITA DIRETTA
VISITA SU PRENOTAZIONE
PRODUZIONE ANNUA 150.000 bottiglie
ETTARI VITATI 42,50

Su alcune etichette troverete la scritta
Mirizzi: è il cognome di Gianluca,
responsabile del progetto vitivinicolo avviato
dalla sua famiglia nel 1968. Nel 2015
decide di acquistare un terreno a
Monteroberto per ricavarne una propria
linea, approntata nella medesima attrezzata
cantina di Jesi: questa scheda unisce
entrambi i cataloghi. La proposta
Montecappone è più ampia ed è pensata
con uno stile che predilige immediatezza e
freschezza aromatica, anche attraverso
raccolte leggermente precoci e
fermentazioni a basse temperature. I vini
Mirizzi sono più strutturati, con una
tematica più libera e personale. Colpaccio
del Verdicchio Ergo Sum Riserva '16 al
debutto: maturato a lungo in cemento sulle
fecce fini, ha naso sussurrato e complesso
d'anice, erbe aromatiche e buccia
d'arancia candita, amplificato poi da un
sorso ritmato, di crescente intensità.
Montecappone sfoggia un Verdicchio
Classico Superiore Federico II 1194 '18
fruttato e gustoso, al pari di un
agrumatissimo e morbido Tabano '19.

○ Castelli di Jesi Verdicchio Cl. Ergo Sum Ris. Mirizzi '16	♟♟♟ 8
○ Verdicchio dei Castelli di Jesi Cl. Sup. Federico II A. D. 1194 '18	♟♟ 5
○ Tabano '19	♟♟ 5
○ Verdicchio dei Castelli di Jesi Cl. Sup. Ergo Mirizzi '18	♟♟ 5
○ Verdicchio dei Castelli di Jesi M. Cl. Extra Brut Mirizzi '17	♟♟ 5
○ La Breccia '19	♟ 4
● Rosso Piceno '19	♟ 2
○ Verdicchio dei Castelli di Jesi Cl. '19	♟ 2
○ Verdicchio dei Castelli di Jesi Cl. Sup. Muntobe '19	♟ 3
○ Castelli di Jesi Verdicchio Cl. Utopia Ris. '16	♟♟♟ 5

Alessandro Moroder

VIA MONTACUTO, 121
60029 ANCONA
TEL. 071898232
www.moroder.wine

VENDITA DIRETTA
VISITA SU PRENOTAZIONE
RISTORAZIONE
PRODUZIONE ANNUA 150.000 bottiglie
ETTARI VITATI 38,00
VITICOLTURA Biologico Certificato
AZIENDA SOSTENIBILE

La storia del Conero passa dall'opera di
quest'azienda posta alle sue pendici.
Alessandro Moroder sa bene come la sola
rendita di posizione indotta dal passato
non basti per esser competitivi e allineati
ai trend moderni: ecco perché con i figli
Marco e Mattia, oggi ben integrati
nell'impresa, ha deciso al momento giusto
di investire nel vigneto riconvertendo tutto
in bio. Il confronto con l'enologo Marco
Gozzi, poi, genera vini che sanno
esprimere uno stretto rapporto con il
territorio, esplorato nei rossi anche tramite
le fermentazioni spontanee. Il Conero
Riserva '16 (da non confondere con la
selezione Dorico, quest'anno non presente
alle nostre degustazioni) offre un
temperamento da Montepulciano autentico
nell'avvincente impasto olfattivo di prugna,
visciola, carne e legna arsa; la bocca ha
energia e spessore affidato a una fitta
coltre di tannini non aggressivi. Il Rosso
Conero '17 apre su un naso di frutti rossi
maturi e li replica in un palato caldo, un
po' rustico, gastronomico.

● Conero Ris. '16	♟♟ 5
⊙ Rosa di Moroder '19	♟♟ 2*
● Rosso Conero '17	♟♟ 2*
● Conero Dorico Ris. '15	♟♟♟ 5
● Conero Dorico Ris. '05	♟♟♟ 5
● Rosso Conero Dorico '93	♟♟♟ 5
● Rosso Conero Dorico '90	♟♟♟ 5
● Rosso Conero Dorico '88	♟♟♟ 5
● Conero Dorico Ris. '16	♟♟ 5
● Conero Dorico Ris. '13	♟♟ 5
● Conero Ris. '15	♟♟ 5
● Conero Ris. '13	♟♟ 5
● Rosso Conero '16	♟♟ 2*
● Rosso Conero Aiòn '18	♟♟ 2*
● Rosso Conero Aiòn '17	♟♟ 2*
● Rosso Conero Zero '17	♟ 2

Fattoria Nannì

C.DA ARSICCI
62021 APIRO [MC]
TEL. 3406225930
www.fattorianannì.it

VENDITA DIRETTA
VISITA SU PRENOTAZIONE
PRODUZIONE ANNUA 30.000 bottiglie
ETTARI VITATI 8,50
VITICOLTURA Biologico Certificato

La cantina è stata costruita laddove sorgeva la casa di Nannì, il vecchio proprietario oramai scomparso. Si affaccia su una tavolozza policroma formata dal Monte San Vicino, svelando un panorama orlato di neve in inverno e di molteplici sfumature verdi in estate. L'altimetro segna quota 450, ma il respiro degli Appennini influenza da presso l'andamento vegetativo e l'epoca di vendemmia. Sta a Roberto Cantori decidere gli interventi sulle vecchie e nuove vigne in cui alleva una sola varietà, protagonista indiscussa: il verdicchio. Una raccolta leggermente anticipata conserva intatto il nerbo salino del Classico Superiore Origini '19, proteggendo quella che è una delle sue peculiarità. Al tempo stesso toglie un po' di peso: ne viene fuori un vino snello e vitale, dai ricordi d'agrumi e sassi, intervallati da affioramenti erbacei. Arsicci '19, secondo vino dal piglio più sbarazzino e scorrevole, ha nitida impronta floreale e sfumature gustative di mandorla fresca in un sorso sottile e vibrante.

○ Verdicchio dei Castelli di Jesi Cl. Sup. Origini '19	♟♟ 3*
○ Verdicchio dei Castelli di Jesi Cl. Sup. Arsicci '19	♟♟ 2*
○ Verdicchio dei Castelli di Jesi Cl. Sup. Origini '18	♟♟♟ 3*
○ Verdicchio dei Castelli di Jesi Cl. Sup. Arsicci '18	♟♟ 2*
○ Verdicchio dei Castelli di Jesi Cl. Sup. Origini '17	♟♟ 3
○ Verdicchio dei Castelli di Jesi Cl. Sup. Origini '16	♟♟ 3

★Oasi degli Angeli

C.DA SANT'EGIDIO, 50
63012 CUPRA MARITTIMA [AP]
TEL. 0735778569
www.kurni.it

VENDITA DIRETTA
VISITA SU PRENOTAZIONE
PRODUZIONE ANNUA 5.000 bottiglie
ETTARI VITATI 16,00

Per capire l'importanza di Marco Casolanetti per il vino marchigiano occorre immaginarsi lo scenario senza di lui e le sua azienda Oasi degli Angeli. Probabilmente non avremmo conosciuto il lato più materico e contemporaneo nelle corde dell'uva montepulciano. Così come con non si sarebbe parlato di "bordò", quel biotipo di alicante (sinonimo di grenache) presente sul territorio da decenni ma il cui uso era caduto nell'oblio. Infine non vi sarebbe stato quel virtuoso movimento denominato "Piceni Invisibili" che ha forgiato il modo di produrre di piccole realtà oggi sulla cresta dell'onda. La 2017 si configura come una grande versione per il Kupra (alicante): esordisce al naso con una vena floreale intrecciata a complesse suggestioni di spezie, erbe aromatiche e incursioni tostate; la bocca è fittissima e setosa. Kurni '18 (montepulciano) è al consueto estremamente fruttato nel dolce attacco al palato, per poi lasciar deflagrare una densa sapidità gustativa.

● Kupra '17	♟♟♟ 8
● Kurni '18	♟♟ 8
● Kupra '13	♟♟♟ 8
● Kupra '12	♟♟♟ 8
● Kupra '10	♟♟♟ 8
● Kurni '10	♟♟♟ 8
● Kurni '09	♟♟♟ 8
● Kurni '08	♟♟♟ 8
● Kurni '07	♟♟♟ 8
● Kurni '04	♟♟♟ 8
● Kurni '03	♟♟♟ 8
● Kurni '02	♟♟♟ 8
● Kurni '01	♟♟♟ 8
● Kurni '00	♟♟♟ 8
● Kurni '98	♟♟♟ 8
● Kurni '97	♟♟♟ 8

Officina del Sole

C.DA MONTEMILONE, 1
63833 MONTEGIORGIO [FM]
TEL. 0734277334
www.officinadelsole.it

VENDITA DIRETTA
VISITA SU PRENOTAZIONE
OSPITALITÀ E RISTORAZIONE
PRODUZIONE ANNUA 75.000 bottiglie
ETTARI VITATI 14,00

Officina del Sole è un incantevole resort circondato da alberi da frutto, vigne e ulivi: tra i diversi manufatti sparsi sul panoramico colle, vi è anche l'ampia cantina interrata. Coadiuvato da Roberto Potentini nel ruolo di consulente esterno, Davide Di Chiara si occupa dei vigneti impiantati con un mix di varietà alloctone ed autoctone, dando forma a una serie di vini facili da bere, nitidi aromaticamente, dal piglio contemporaneo. Tutte le etichette presentate in quest'edizione sono lavorate in acciaio. Buona prova per entrambi i Pecorino, notevolmente diversi nonostante il nome simile. Il Franco '19 punta tutto su nerbo e sapidità agrumata, mentre il Franco Franco '18 è come di consueto caratterizzato da una ragguardevole forza strutturale. Trecentosessanta Brut è uno metodo Martinotti lungo spumantizzato in azienda senza morbidezze eccessive e con una bella vena salina a chiudere. Rosso Frutto '19 (syrah e lacrima) porge ricordi speziati ed erbacei in una bocca sottile e tannica.

○ Falerio Pecorino Franco '19	♟♟	3
○ Falerio Pecorino Franco Franco '18	♟♟	5
○ Trecentosessanta Brut '18	♟♟	3
○ Leiè '19	♟	2
● Rosso Frutto '19	♟	2
○ Falerio Pecorino Franco '18	♟♟	3*
○ Falerio Pecorino Franco '17	♟♟	3
○ Falerio Pecorino Franco Franco '17	♟♟	5
○ Falerio Pecorino Franco Franco '15	♟♟	5
○ Offida Pecorino Franco Franco '16	♟♟	5
● Tignium '16	♟♟	6
● Tignium '15	♟♟	6

Pantaleone

VIA COLONNATA ALTA, 118
63100 ASCOLI PICENO
TEL. 3478757476
www.pantaleonewine.com

VISITA SU PRENOTAZIONE
PRODUZIONE ANNUA 60.000 bottiglie
ETTARI VITATI 19,00
VITICOLTURA Biologico Certificato

Una volta lì, tra ginestre e boschetti, non pare di essere a pochi minuti dal centro storico di Ascoli Piceno. Anzi, la sensazione è quella di immergersi in un'amena località di alta collina: Nazzareno Pantaloni vi piantò pochi filari senza grandi ambizioni e oggi, coadiuvato dalle figlie Francesca e Federica insieme al genero Giuseppe Infriccioli, ha reso Pantaleone un'azienda modello. Impiantati con sole cultivar tradizionali, i vigneti di proprietà danno forma a vini di brillante espressione aromatica, lavorati nella piccola e funzionale cantina. Il Pecorino Onirocep '19 svela senza remore il suo timbro montano nei rimandi erbacei, officinali e agrumati, la bocca ha nerbo vibrante, compostezza e carattere. Molto buono anche La Ribalta '16 (da uve alicante, note come bordò nel Piceno), con il suo corredo di macchia mediterranea e buccia d'arancia in una bocca setosa. Da non sottovalutare l'Atto I '18: è un sangiovese ben disegnato tra freschezza acida, frutto integro e sfumature saline.

○ Falerio Pecorino Onirocep '19	♟♟♟	3*
● La Ribalta '16	♟♟	8
● Atto I '18	♟♟	3
⊘ Pivuàn '19	♟♟	2*
○ Chicca '19	♟	2
○ Falerio Pecorino Onirocep '18	♟♟♟	3*
● Boccascena '15	♟♟	3
● Boccascena '12	♟♟	3
○ Chicca '18	♟♟	2*
○ Chicca '16	♟♟	2*
○ Falerio Pecorino Onirocep '16	♟♟	3*
○ Falerio Pecorino Onirocep '15	♟♟	2*
○ Falerio Pecorino Onirocep '14	♟♟	2*
● La Ribalta '13	♟♟	8
● Ribalta '12	♟♟	8

Tenute Gregu

LOC. GIUNCHEDDU
07023 CALANGIANUS [SS]
TEL. 3480364383
www.tenutegregu.com

Realtà giovane ma da subito capace di farsi notare. Il merito va a una gamma di vini di estrema pulizia e stilisticamente impeccabili. Sono i due Gallura i più convincenti quest'anno: il Rìas è un Vermentino '19 fresco e agrumato; il Selenu è un Superiore '19 complesso e persistente.

○ Vermentino di Gallura Rias '19	♟♟ 3
○ Vermentino di Gallura Sup. Selenu '19	♟♟ 3
⊙ Cannonau di Sardegna Rosato Sirè '19	♟ 3

Cantina Tondini

LOC. SAN LEONARDO
07023 CALANGIANUS [SS]
TEL. 079661359
www.cantinatondini.it

Sempre di alto livello i vini firmati Tondini. I bianchi sono quelli che apprezziamo di più, specie per il Karagnanj, un Vermentino di Gallura Superiore che nell'annata 2019 regala profumi di menta e nespola matura, sapori sapidi e dotati di nuon nerbo acido.

○ Vermentino di Gallura Sup. Karagnanj '19	♟♟ 4
○ Vermentino di Gallura Sup. Katala '19	♟♟ 3
● Amjonis '19	♟ 4

Cantina Trexenta

V.LE PIEMONTE, 40
09040 SENORBÌ [CA]
TEL. 0709808863
www.cantinatrexenta.it

Annata interlocutoria per i vini della cooperativa Trexenta. Vasta la gamma presentata, sia di bianchi sia di rossi. Tra questi ultimi abbiamo particolarmente apprezzato il Cannonau di Sardegna Goimajor, vino giovane, ma agile e scattante. Ottimo anche il bianco Contissa.

● Cannonau di Sardegna Goimajor '19	♟♟ 2*
○ Vermentino di Sardegna Contissa '19	♟♟ 2*
○ Sant'Efis '17	♟ 4
○ Vermentino di Sardegna Monteluna '19	♟ 2

Cantina del Vermentino Monti

VIA SAN PAOLO, 2
07020 MONTI [SS]
TEL. 078944012
www.vermentinomonti.it

Bella e storica realtà cooperativa che propone vini ben fatti tecnicamente e venduti a prezzi più che onesti. Dell'annata 2019 abbiamo particolarmente apprezzato sia il Funtanaliras, sia l'Aghiloja Oro. Il primo è minerale e freschissimo, il secondo più gicato su note iodate.

○ Vermentino di Gallura Funtanaliras '19	♟♟ 3
○ Vermentino di Gallura Sup. Aghiloia Oro '19	♟♟ 2*
○ Vermentino di Gallura Frizzante Balari '19	♟ 2

Vigna du Bertin

C.SO AGOSTINO TAGLIAFICO, 49
09014 CARLOFORTE [SU]
TEL. 3391381464
www.vignadubertincarloforte.com

I vini di Vigna du Bertin si confermano di ottima fattura generale, molto tipici e legati al territorio da cui provengono. Mandediu è la Riserva di Carignano che ha ottenuto maggiori consensi: avvolgente, vellutata, morbida, ma dotata di tanta sapidità ideale per equilibrare il sorso.

● Carignano del Sulcis Mandediu Ris. '16	♟♟ 6
⊙ Rosé du Bertin '19	♟♟ 5
● Carignano del Sulcis Bertin '19	♟ 5
○ Vermentino di Sardegna Ribotta '19	♟ 5

Vigne Rada

FRAZ. MONTE PEDROSU
REG. GUARDIA GRANDE, 12
07041 ALGHERO [SS]
TEL. 3274259136
www.vignerada.com

17 ettari di vigna a Monte Pedrosu, in pieno territorio algherese, per una produzione che si indirizza verso vini autentici e di ottima fattura artigiana. Due le etichette assaggiate, entrambe del 2017: il Cannonau Riviera gioca su toni evoluti, mentre il Cagnulari ha sorso ritmico e fresco.

● Alghero Cagnulari Arsenale '17	♟♟ 6
● Cannonau di Sardegna Riviera '17	♟ 5

INDICE
alfabetico dei produttori

Pievalta

VIA MONTESCHIAVO, 18
60030 MAIOLATI SPONTINI [AN]
TEL. 0731705199
www.pievalta.it

VENDITA DIRETTA
VISITA SU PRENOTAZIONE
PRODUZIONE ANNUA 70.000 bottiglie
ETTARI VITATI 34,00
VITICOLTURA Biodinamico Certificato
AZIENDA SOSTENIBILE

La novità più rilevante nell'azienda di proprietà della Barone Pizzini, diretta da Alessandro Fenino, è l'acquisto di un vigneto in località Le Busche a Montecarotto, considerato uno dei migliori cru sulla sponda sinistra dell'Esino. Andrà ad affiancare i recenti nuovi impianti sul Monte Follonica a San Paolo di Jesi, dando vita a un diversificato parco vigneti allevati a verdicchio. Per il resto prosegue l'impegno nel condurre tutta l'azienda in regime biodinamico: fermentazioni spontanee, interventi ridotti al minimo, tanta attenzione in ogni fase. Ottima prova del Verdicchio Classico Superiore Tre Ripe '19, assemblaggio delle uve allevate nei tre areali vitati di proprietà (Maiolatí, Montecarotto, San Paolo): offre carattere spigliato, succosità agrumata e progressione gustativa incline a un piacevole bevibilità. San Paolo '17 ha tipici ricordi ammandorlati e qualche affioramento vegetale in un palato composto, di apprezzabile sapidità. Perlugo Dosaggio Zero ha acidità spiccata, un po' cruda.

○ Verdicchio dei Castelli di Jesi Cl. Sup. Tre Ripe '19	▼▼ 2*
○ Castelli di Jesi Verdicchio Cl. San Paolo Ris. '17	▼▼ 3
○ Perlugo Dosaggio Zero M. Cl.	▼ 3
○ Verdicchio dei Castelli di Jesi Passito Curina '18	▼ 4
○ Castelli di Jesi Verdicchio Cl. San Paolo Ris. '16	▼▼▼ 3*
○ Castelli di Jesi Verdicchio Cl. San Paolo Ris. '15	▼▼▼ 3*
○ Castelli di Jesi Verdicchio Cl. San Paolo Ris. '13	▼▼▼ 3*
○ Castelli di Jesi Verdicchio Cl. San Paolo Ris. '10	▼▼▼ 3*
○ Verdicchio dei Castelli di Jesi Cl. Sup. Pievalta '09	▼▼▼ 2*

Il Pollenza

C.DA CASONE, 4
62029 TOLENTINO [MC]
TEL. 0733961989
www.ilpollenza.it

VENDITA DIRETTA
VISITA SU PRENOTAZIONE
PRODUZIONE ANNUA 300.000 bottiglie
ETTARI VITATI 80,00
AZIENDA SOSTENIBILE

La meravigliosa tenuta voluta da Aldo Brachetti Peretti, facoltoso imprenditore petrolifero, non si è mai risparmiata nella gestione maniacale del notevole parco vitato, così come nella cura ai processi di vinificazione e invecchiamento in cantina. Lo staff tecnico guidato da Giovanni Campodonico e Carlo Ferrini, in veste di consulente esterno, ha a disposizione un'ampia base ampelografica: se in passato l'interesse era solo per i prodotti da vitigni internazionali, oggi è cresciuta l'attenzione anche per le varietà tradizionali marchigiane. In cima alle preferenze c'è il Cosmino '17, cabernet franc d'ascendenza bordolese nella fittezza tannica del palato ammantata da ricordi di mirtilli, peperone verde e legni speziati. Il Pollenza '17 (blend di uve, con netta prevalenza di cabernet sauvignon) riverbera la potenza e il calore dell'annata in un palato pieno, tostato, dall'avvolgente presenza alcolica e calibrata tessitura polifenolica. Ma è l'intera batteria a brillare nel suo insieme.

● Cosmino '17	▼▼ 5
⊙ ABP Pas Dosé M. Cl Rosé '13	▼▼ 5
● Colli Maceratesi Ribona Angera '19	▼▼ 3
⊙ Didì '19	▼▼ 3
● Il Pollenza '17	▼▼ 8
● Porpora '17	▼▼ 3
● Il Pollenza '15	▼▼▼ 8
● Il Pollenza '12	▼▼▼ 8
● Il Pollenza '11	▼▼▼ 7
● Il Pollenza '10	▼▼▼ 7
● Il Pollenza '09	▼▼▼ 7
● Il Pollenza '07	▼▼▼ 7
● Cosmino '16	▼▼ 5
● Cosmino '15	▼▼ 5
● Il Pollenza '16	▼▼ 8
● Porpora '16	▼▼ 3
● Porpora '15	▼▼ 3

Tenute Priori e Galdelli

VIA FONDIGLIE, 15A
60030 ROSORA [AN]
TEL. 0731813266
www.prioriegaldelli.it

VENDITA DIRETTA
VISITA SU PRENOTAZIONE
PRODUZIONE ANNUA 15.000 bottiglie
ETTARI VITATI 20,00

La strada che da Rosora porta a Tassanare si apre su scorci affascinanti, come il profilo del San Vicino e i contrafforti boscosi della Gola della Rossa. Sale e scende dolcemente costeggiando molti vigneti, tra i quali quelli di Andrea Priori, oggi a capo dell'azienda fondata nel 1974 dal nonno Giuseppe e da Elia Galdelli. Nel tempo non si è smarrita la piccola dimensione artigiana e il supporto dell'esperto enologo Sergio Paolucci permette di dar vita a una gamma completa, che mostra con crescente costanza aderenza varietale e temperamento espressivo. Gran prova per il Castrum Rosorij '18, ma non è una sorpresa per gli amanti più incalliti del Verdicchio che ne apprezzano lo slancio gustativo, l'appagante succosità e il delicato finale di anice. Il Verdicchio Metodo Classico Brut '14 è una lama d'acidità agrumata e salina; il Passito Akmé '15 fonde profumi di confettura di pesca e canfora in un sorso vellutato. Da uve montepulciano, il Cometa '15 ha carica fruttata e vigore di sorso.

○ Verdicchio dei Castelli di Jesi Cl. Sup. Castrum Rosorij '18	♟♟	2*
● Cometa '15	♟♟	5
○ Verdicchio dei Castelli di Jesi Brut M. Cl. '14	♟♟	4
○ Verdicchio dei Castelli di Jesi Passito Akmé '15	♟♟	3

Provima

VIA RAFFAELLO, 1C
62024 MATELICA [MC]
TEL. 073784013
www.cantineprovima.it

VENDITA DIRETTA
VISITA SU PRENOTAZIONE
PRODUZIONE ANNUA 200.000 bottiglie
ETTARI VITATI 120,00

Provima può vantare un paio di primati significativi. Fondata nel 1932, è la cantina più antica di Matelica ed è ricordata al contempo come la prima cooperativa guidata da una donna: Giovanna Censi Mancia, eletta nel 1978. Anche oggi a capo dei 180 soci troviamo una figura femminile, Sabrina Orlandi, mentre Denis Cingolani è il responsabile che funge da raccordo tra gli aspetti produttivi. Insieme stanno contribuendo a un evidente miglioramento della linea sotto il profilo della personalità e dell'aderenza varietale. I quattro diversi Matelica presentati hanno evidenziato una matrice comune nella soffice piacevolezza. L'Egos '19 ha un profilo olfattivo chiaro ed elegante, con palato morbido e sostanzioso. Materga Riserva '18 ha un ricordo di mandorla e fiori, in bocca è avvolgente, di pura sostanza. Tra i rossi la citazione va al Vocabolo Rosso '18, composito blend di merlot, petit verdot e sangiovese dal ricordo speziato ed erbaceo, con palato polposo e tannino appuntito.

○ Verdicchio di Matelica '19	♟♟	2*
○ Verdicchio di Matelica Egos '19	♟♟	2*
○ Verdicchio di Matelica Materga Ris. '18	♟♟	3
○ Verdicchio di Matelica Terramonte '19	♟♟	3
● Vocabolo Rosso '18	♟♟	3
○ Anno Domini 1579	♟	2
● Egos Rosso '17	♟	2

Sabbionare

VIA SABBIONARE, 10
60036 MONTECAROTTO [AN]
TEL. 0731889004
www.sabbionare.it

VENDITA DIRETTA
VISITA SU PRENOTAZIONE
PRODUZIONE ANNUA 70.000 bottiglie
ETTARI VITATI 24,00

Le lingue di sabbia che dominano nel
vigneto principale di Donatella Paoloni
segnano il sottosuolo di tutta la contrada
che da Montecarotto scende verso Serra
De' Conti, dando un timbro caldo e
asciutto. Vi allignano filari di verdicchio che
fanno poca fatica a plasmare grappoli
perfettamente sani e maturi sotto lo
sguardo di Pierluigi Donna, agronomo di
riconosciuta preparazione. Sergio Paolucci
li trasforma in vini di didascalico aggancio
varietale, potenti e saporiti, di nitida
espressione aromatica esaltata dalla
lavorazione in acciaio. Per il montepulciano
e il Passito invece si utilizzano barrique.
Sabbionare '19 è un Verdicchio rigoroso,
lungo, progressivo. Come di consueto è
presentato molto giovane e siamo certi che
migliorerà ancora dopo un ulteriore riposo
in bottiglia. Il Verdicchio Filetto '19, ottenuto
da uve di un altro corpo vitato, è
volutamente più semplice e filante.
Sorprende in positivo l'integrità del frutto
del Cromia '17, da uve montepulciano con
saldo di merlot.

○ Verdicchio dei Castelli di Jesi Cl. Sup. Sabbionare '19	♀♀ 3*
● Cromìa '17	♀♀ 3
○ Verdicchio dei Castelli di Jesi Cl. Il Filetto '19	♀ 1*
○ Verdicchio dei Castelli di Jesi Passito Poesia '18	♀ 4
○ Verdicchio dei Castelli di Jesi Cl. Sup. Sabbionare '15	♀♀♀ 2*
○ Verdicchio dei Castelli di Jesi Cl. Il Filetto '18	♀♀ 1*
○ Verdicchio dei Castelli di Jesi Cl. Sup. Sabbionare '18	♀♀ 3
○ Verdicchio dei Castelli di Jesi Cl. Sup. Sabbionare '17	♀♀ 3
○ Verdicchio dei Castelli di Jesi Cl. Sup. Sabbionare '16	♀♀ 3*

Saladini Pilastri

VIA SALADINI, 5
63078 SPINETOLI [AP]
TEL. 0736899534
www.saladinipilastri.it

VENDITA DIRETTA
VISITA SU PRENOTAZIONE
PRODUZIONE ANNUA 800.000 bottiglie
ETTARI VITATI 150,00
VITICOLTURA Biologico Certificato

Le origini della famiglia del Conte Saladino
Saladini Pilastri risalgono all'anno Mille. La
vastissima proprietà è però consacrata alla
produzione enoica da 35 anni ed è formata
da un sinuoso tappeto vitato, sito senza
soluzione di continuità tra Spinetoli e
Monteprandone. Tra i filari oggi dominano
le varietà bianche come trebbiano, pecorino
e passerina, sebbene l'azienda abbia legato
il suo nome alle etichette composte dal
blend tra sangiovese e montepulciano: i
diversi Rosso Piceno in catalogo sono
maturati nei piccoli legni ospitati nella
grande cantina di recente ristrutturazione. Il
Superiore Vigna Monteprandone '18 apre
con sensazioni floreali per poi virare su
ricordi di marasca e pepe nero; in bocca è
ancora severo nella morsa tannica ma la
materia, matura e robusta, finirà per trovare
la giusta distensione con la sosta in vetro.
Anche il Piediprato '18 non ha smancerie
morbide e si affida a una sapida
progressione. Decisamente valido il
Pecorino '19, dalla tesa beva agrumata.

○ Offida Pecorino '19	♀♀ 3
● Rosso Piceno Piediprato '18	♀♀ 3
● Rosso Piceno Sup. V. Monteprandone '18	♀♀ 5
○ Falerio Pecorino Palazzi '19	♀ 3
● Rosso Piceno '19	♀ 2
● Rosso Piceno Sup. Montetinello '18	♀ 4
● Rosso Piceno Sup. V. Monteprandone '00	♀♀♀ 3
● Pregio del Conte '16	♀♀ 4
● Rosso Piceno Sup. Montetinello '17	♀♀ 4
● Rosso Piceno Sup. Montetinello '16	♀♀ 4
● Rosso Piceno Sup. V. Monteprandone '17	♀♀ 5
● Rosso Piceno Sup. V. Monteprandone '16	♀♀ 5
● Rosso Piceno Sup. V. Monteprandone '15	♀♀ 5

Poderi San Lazzaro

FRAZ. B.GO MIRIAM
C.DA SAN LAZZARO, 88
63073 OFFIDA [AP]
TEL. 0736889189
www.poderisanlazzaro.it

VENDITA DIRETTA
VISITA SU PRENOTAZIONE
PRODUZIONE ANNUA 50.000 bottiglie
ETTARI VITATI 9,00
VITICOLTURA Biologico Certificato

Paolo Capriotti è un "one man band" che si occupa di tutto in prima persona. Nei nove ettari a disposizione in contrada Ciafone ha solo varietà tradizionali gestite da molti anni con le pratiche dell'agricoltura bio. La cantina è di recente costruzione, funzionale, con ampio spazio per legni di piccolo volume: uno strumento piuttosto amato, ma che non marca eccessivamente il profilo aromatico dei vini, i quali tendono a esaltare la piena maturazione del frutto e la poca manipolazione enologica. Temperamento e territorialità sono infatti elementi insiti in ogni bottiglia. Bordò '16 (alicante) propone affascinanti sensazioni di spezie orientali e macchia mediterranea in un palato dal tannino cesellato. L'Offida Rosso Grifola '15 svela ricordi di prugna, visciola e cacao; in bocca è potente, con un finale asciutto. Ben disegnato il Pecorino Pistillo '19 coi suoi cenni di limone candito e anice, al servizio di un palato dotato di gran progressione.

Fattoria San Lorenzo

VIA SAN LORENZO, 6
60036 MONTECAROTTO [AN]
TEL. 073189656
www.fattoriasanlorenzo.com

VENDITA DIRETTA
VISITA SU PRENOTAZIONE
PRODUZIONE ANNUA 80.000 bottiglie
ETTARI VITATI 24,00
VITICOLTURA Biologico Certificato

Tutta la vitalità di cui è capace Natalino Crognaletti, vigneron di travolgente simpatia e passione, viene riverberata in vini dai profili organolettici molto personali, ottenuti da pratiche d'ispirazione biodinamica. Da uve verdicchio con episodiche aggiunte di trebbiano e altri vitigni autoctoni, i bianchi sono affinati in cemento: godono di maturazioni tirate e profili glicerici ravvivati da tratteggi eterei perfettamente integrati. I rossi contano sull'effetto armonizzante del tempo per offrire complessità accentuata e palato pieno. Prodotto solo in magnum, Campo delle Oche Integrale '15 mostra un'energia e un timbro fruttato appassionanti, nonostante la rilevante gradazione alcolica. I tratti salmastri e minerali de Il Solleone '13 (montepulciano) riecheggiano anche nel portentoso Il San Lorenzo '06 (syrah), dotato di un fascinoso ricordo di pepe nero. Ma tutta la gamma mostra un profilo autenticamente contadino e artigianale, sublimato dalla beva coinvolgente del Di Gino '19.

● Bordò '16	♟♟7
○ Offida Pecorino Pistillo '19	♟♟3
● Offida Rosso Grifola '15	♟♟5
● Piceno Sup. Podere 72 '17	♟4
● Offida Rosso Grifola '11	♟♟♟4*
● Bordò '15	♟♟7
● Bordò '13	♟♟7
● Bordò '12	♟♟7
○ Offida Pecorino Pistillo '16	♟♟2*
● Offida Rosso Grifola '12	♟♟4
● Piceno Sup. Podere 72 '13	♟♟2*
● Piceno Sup. Podere 72 '12	♟♟2*
● Rosso Piceno Sup. Podere 72 '16	♟♟3
● Rosso Piceno Sup. Podere 72 '14	♟♟3

○ Campo delle Oche Integrale '15	♟♟8
● Il San Lorenzo '06	♟♟8
● Il Solleone '13	♟♟5
○ Artù '16	♟♟3
○ Bianco Di Gino '19	♟♟2*
○ Campo delle Oche '16	♟♟3
○ Le Oche '18	♟♟3
● La Gattara '15	♟4
○ Artù '15	♟♟3
● Il San Lorenzo '04	♟♟6
● Paradiso '12	♟♟4
○ Verdicchio dei Castelli di Jesi Cl. Le Oche '16	♟♟3
○ Verdicchio dei Castelli di Jesi Cl. Sup. Campo delle Oche '14	♟♟4
● Il Solleone '11	♟5

★Tenute San Sisto Fazi Battaglia

VIA ROMA, 117
60031 CASTELPLANIO [AN]
TEL. 073181591
www.fazibattaglia.it

VENDITA DIRETTA
VISITA SU PRENOTAZIONE
PRODUZIONE ANNUA 1.000.000 bottiglie
ETTARI VITATI 130,00

Nell'acquisire la Fazi Battaglia dalla vecchia proprietà, la Bertani Domains non si è limitata a massimizzare le rendite di posizione che la storicità e la notorietà del marchio potevano garantire. Anzi, con progetti di lungo respiro ha provveduto a riammodernare parti dell'imponente cantina e ristrutturare i vigneti. Il lavoro gira tutto intorno al Verdicchio, la cui produzione di vertice è racchiusa nel progetto Tenute San Sisto, dall'omonimo e bellissimo vigneto da cui si ricavano le uve per il vino simbolo dell'azienda. L'assenza della nuova annata di San Sisto lascia il campo al Verdicchio Massaccio '18, che esprime tutta la sua compiuta ricchezza gustativa e guadagna il massimo encomio. Ottenuto da uve in leggera surmaturazione e affinato in cemento, offre un naso variegato: frutti gialli estivi, timo, buccia d'arancia candita, un'idea speziata intrecciata con mandorle tostate; il palato ha un'energia trascinante e un vivido contrasto tra tocco soffice e vivace sapidità.

Cantina Sant'Isidoro

FRAZ. COLBUCCARO DI CORRIDONIA
C.DA COLLE SANT'ISIDORO, 5
62014 CORRIDONIA [MC]
TEL. 0733201283
www.cantinasantisidoro.it

VENDITA DIRETTA
VISITA SU PRENOTAZIONE
PRODUZIONE ANNUA 25.000 bottiglie
ETTARI VITATI 14,50

L'antica villa signorile ristrutturata dalla famiglia Foresi è orlata da un esteso bosco: un colle che si affaccia sulla valle del Chienti e del torrente Fiastra, dove è posta anche la cantina di recente costruzione. I vigneti nelle vicinanze accolgono una gran quantità di varietà, sia locali (maceratino, sangiovese, pecorino e montepulciano) sia internazionali. Il verdicchio invece proviene da un ettaro in affitto a Matelica. La consulenza tecnica è affidata a Roberto Potentini. La gamma dei bianchi, gli unici presentati in questa edizione, è sempre più affidabile e offre profili originali come nel caso di Isidoro '19 (pecorino), con i suoi profumi che virano da tratti verdi a sensazioni minerali in una bocca ben contrastata. Tra i Ribona convince la complessità del Paucis '18, soffice al palato ma risoluto nell'espressione fruttata. Piuttosto gradevole anche il Metodo Classico Dosaggio Zero '16 dal sorso cremoso, dove spiccano sfumature di buccia d'arancia e salvia.

○ Verdicchio dei Castelli di Jesi Cl. Sup. Massaccio '18	▼▼▼ 4*
○ Verdicchio dei Castelli di Jesi Cl. Sup. Fazi Battaglia '19	▼▼ 2*
○ Verdicchio dei Castelli di Jesi Cl. Titulus Fazi Battaglia '19	▼ 2
○ Castelli di Jesi Verdicchio Cl. San Sisto Ris. '17	♀♀♀ 5
○ Castelli di Jesi Verdicchio Cl. San Sisto Ris. '16	♀♀♀ 5
○ Castelli di Jesi Verdicchio Cl. San Sisto Ris. '15	♀♀♀ 5
○ Castelli di Jesi Verdicchio Cl. San Sisto Ris. '14	♀♀♀ 4*
○ Verdicchio dei Castelli di Jesi Cl. Titulus Fazi Battaglia '18	♀♀ 2*

○ Colli Maceratesi Ribona Dosaggio Zero M. Cl. '16	▼▼ 4
○ Colli Maceratesi Ribona Paucis '18	▼▼ 3
○ Isidoro '19	▼▼ 2*
○ Verdicchio di Matelica Piedicolle '19	▼▼ 2*
○ Colli Maceratesi Ribona Pausula '19	▼ 2
○ Pinotto '18	▼ 3
○ Colli Maceratesi Ribona Paucis '17	♀♀ 3
○ Colli Maceratesi Ribona Pausula '18	♀♀ 2*
○ Verdicchio di Matelica Piedicolle '18	♀♀ 2*

Santa Barbara

B.GO MAZZINI 35
60010 BARBARA [AN]
TEL. 0719674249
www.santabarbara.it

VENDITA DIRETTA
VISITA SU PRENOTAZIONE
PRODUZIONE ANNUA 900.000 bottiglie
ETTARI VITATI 40,00

Stefano Antonucci ha costruito negli anni una gamma aziendale sterminata, capace di coprire buona parte delle denominazioni regionali e tutte le tipologie in materia vinosa. Lo stile è apertamente moderno, votato a una piacevolezza immediata per i vini più semplici mentre le versioni più ambiziose aggiungono materia, complessità e anche un'ottima predisposizione a sfidare il tempo. Stefano sa imprimere la propria visione e affida la realizzazione di vini di indubbio successo a un team di consolidati professionisti, guidati dai fratelli Rotatori e dall'enologo Pierluigi Lorenzetti. Tardivo ma non Tardo Riserva '18 è un Verdicchio che fonde piacevolezza gustativa, freschezza olfattiva e un bel finale sferico, molto lungo. Il Verdicchio Stefano Antonucci '18 porge profumi di anice e pesca bianca in una bocca fragrante, morbida, non troppo complessa. Passi in avanti per il Pathos '18: complesso, progressivo, più sapido che fruttato. Piacevolmente integro il Rosso Piceno Maschio da Monte '18.

○ Castelli di Jesi Verdicchio Cl. Tardivo ma non Tardo Ris. '18	🏆🏆 6
● Pathos '18	🏆🏆 6
○ Verdicchio dei Castelli di Jesi Passito Lina '18	🏆🏆 5
● Mossi '18	🏆🏆 5
● Mossone '18	🏆🏆 8
○ Offida Pecorino '19	🏆🏆 3
● Rosso Piceno Il Maschio da Monte '18	🏆🏆 5
○ Verdicchio dei Castelli di Jesi Arnaldo '15	🏆🏆 5
○ Verdicchio dei Castelli di Jesi Cl. Le Vaglie '19	🏆🏆 3
○ Verdicchio dei Castelli di Jesi Cl. Sup. Stefano Antonucci '18	🏆🏆 4
○ Animale Celeste '19	🏆 3
☉ Sensuade '19	🏆 3
○ Verdicchio dei Castelli di Jesi Ste' '19	🏆 2

Tenuta Santori

C.DA MONTEBOVE, 14
63065 RIPATRANSONE [AP]
TEL. 3469559465
www.tenutasantori.it

VENDITA DIRETTA
VISITA SU PRENOTAZIONE
PRODUZIONE ANNUA 50.000 bottiglie
ETTARI VITATI 17,00
VITICOLTURA Biologico Certificato

Marco Santori è giovane ma ha già dimostrato di avere senso della misura. In testa girano mille progetti, ma sa che realizzarli tutti contemporaneamente porterebbe via molta energia: al momento la priorità è data alla ristrutturazione della casa in cima alla collina, che fungerà da nuovo centro direzionale e d'accoglienza, con una vista baricentrica sulle splendide colline circostanti. Del resto si era già dotato di una moderna ed ampia cantina interrata dove accogliere le uve dei propri vigneti, impiantati in maggior parte con varietà tradizionali picene. L'Offida Pecorino '19 è ancora una volta disegnato da ariose pennellate di fiori, sassi e agrumi impresse su una tela preziosa, intrecciata da un saldo nerbo acido e una perfetta misura alcolica. Un compendio di stile ed eleganza gustativa. Il catalogo aziendale è ben supportato da un Rosso Piceno Superiore '17 appoggiato alla generosità fruttata delle uve montepulciano e da un Offida Passerina '19 guizzante d'agrumi e sale.

○ Offida Pecorino '19	🏆🏆🏆 3*
○ Offida Passerina '19	🏆🏆 2*
● Rosso Piceno Sup. '17	🏆🏆 3
● Offida Rosso '17	🏆 4
○ Offida Pecorino '18	🏆🏆🏆 3*
○ Offida Pecorino '17	🏆🏆🏆 3*
○ Offida Pecorino '16	🏆🏆🏆 3*
○ Offida Passerina '18	🏆🏆 2*
○ Offida Passerina '17	🏆🏆 2*
○ Offida Passerina '16	🏆🏆 2*
● Rosso Piceno Sup. '16	🏆🏆 3*
● Rosso Piceno Sup. '15	🏆🏆 3

Sartarelli

VIA COSTE DEL MOLINO, 24
60030 POGGIO SAN MARCELLO [AN]
TEL. 073189732
www.sartarelli.com

VENDITA DIRETTA
VISITA SU PRENOTAZIONE
PRODUZIONE ANNUA 300.000 bottiglie
ETTARI VITATI 55,00
AZIENDA SOSTENIBILE

Pur non applicando le prassi del bio nei suoi numerosi vigneti, tutti allevati unicamente a verdicchio e sparsi nei migliori areali di produzione, Sartarelli ha implementato nelle proprie pratiche agronomiche un protocollo di lavorazione che garantisce l'assenza di residui di fitofarmaci nei vini. Nella cantina di Coste del Molino, la cui recente ristrutturazione la pone tra le migliori delle Marche, si eseguono vinificazioni di stampo classico con il solo uso di botti in acciaio. Le varie etichette si differenziano in base all'epoca di raccolta. Balciana è l'unico Verdicchio da singolo cru e si ottiene da uve in sovramaturazione: la versione 2018 propone affascinanti ricordi di buccia d'arancia, mandorla tostata ed erbe aromatiche a precedere un palato cremoso, ben contrastato tra centro bocca avvolgente e rigogliosa sapidità finale.
Passi in avanti per il Tralivio '18, maturo nel frutto e morbido; Sartarelli Classico '19 ha un'apprezzabile energia e centrata definizione aromatica.

○ Verdicchio dei Castelli di Jesi Cl. Sup. Balciana '18	♟♟ 5
○ Verdicchio dei Castelli di Jesi Cl. Sartarelli '19	♟♟ 2*
○ Verdicchio dei Castelli di Jesi Cl. Sup. Tralivio '18	♟♟ 3
○ Sartarelli Brut	♟ 3
○ Verdicchio dei Castelli di Jesi Cl. Sup. Balciana '09	♟♟♟ 5
○ Verdicchio dei Castelli di Jesi Cl. Sup. Balciana '04	♟♟♟ 5
○ Verdicchio dei Castelli di Jesi Cl. Sup. Contrada Balciana '98	♟♟♟ 5
○ Verdicchio dei Castelli di Jesi Cl. Sup. Contrada Balciana '97	♟♟♟ 5

Alberto Serenelli

LOC. PIETRALACROCE
VIA BARTOLINI, 2
60129 ANCONA
TEL. 07135505
www.albertoserenelli.com

VENDITA DIRETTA
VISITA SU PRENOTAZIONE
PRODUZIONE ANNUA 27.500 bottiglie
ETTARI VITATI 7,00

Nelle Marche è difficile trovare un addetto ai lavori che non conosca Alberto Serenelli. Personaggio estroverso, guascone, con una propria visione del mondo del vino che affronta dalla sua piccola cantina di stampo garagista posta a Pietralacroce, alle porte di Ancona. Il suo peculiare stile ricco e levigato, cesellato nel tempo anche grazie alla consulenza di Sergio Paolucci, si realizza mediante la vinificazione con uve ben mature ottenute dai filari messi a dimora nei poderi di Varano e Candia, ideali per il montepulciano. Giorgio Alberto '17 apre su note tostate riconducibili ai piccoli fusti di rovere dove sosta, ma basta qualche giro di bicchiere e si palesano il frutto polposo del montepulciano e la speziatura pepata del syrah: la bocca ha densità di sapore senza sproporzione. Il Rosso Conero Marro '16 ha robusta architettura tannica, ma non manca di dinamismo; Alberto Serenelli '17 è un Verdicchio lavorato in anfora con profumi di frutta gialla e palato soffice, molto lungo.

● Giorgio Alberto '17	♟♟ 8
● Rosso Conero Marro '16	♟♟ 4
○ Verdicchio dei Castelli di Jesi Cl. Alberto Serenelli '17	♟♟ 8
○ Biancospino '19	♟ 4
● Rosso Conero Varano '17	♟ 8
○ Biancospino '18	♟♟ 4
● Giorgio Alberto '16	♟♟ 7
● Rosso Conero Marro '15	♟♟ 4
● Rosso Conero Marro '13	♟♟ 4
○ Verdicchio dei Castelli di Jesi Cl. Sora Elvira '18	♟♟ 4
○ Verdicchio dei Castelli di Jesi Cl. Sora Elvira '16	♟♟ 4
○ Verdicchio dei Castelli di Jesi Cl. Sora Elvira '13	♟♟ 3

Fattoria Serra San Martino

VIA SAN MARTINO, 1
60030 SERRA DE' CONTI [AN]
TEL. 0731878025
www.serrasanmartino.eu

VENDITA DIRETTA
VISITA SU PRENOTAZIONE
PRODUZIONE ANNUA 16.000 bottiglie
ETTARI VITATI 3,00
VITICOLTURA Biologico Certificato

Nel 1999 Thomas e Kirsten Weydemann hanno ceduto al fascino della campagna marchigiana, decidendo di trasferirsi dalla Germania dopo aver magnificamente ristrutturato un vecchio casale. Contemporaneamente hanno costruito una cantina lillipuziana e impiantato tre ettari con cultivar a bacca nera. Oggi tutta l'azienda è gestita in regime biodinamico: vi nascono vini maturati in cemento o in piccoli legni, che mostrano carattere, articolazione e rendono una brillante quanto originale lettura della varietà. Il Paonazzo '15 è un syrah affinato in cemento per 21 mesi, che porge nitide suggestioni di tapenade e pepe nero, restituite in un palato aggraziato, solido, la cui profondità è esaltata dal setoso tannino. Costa dei Zoppi '15 è un merlot maturato 22 mesi in legno piccolo, che mostra frutto vivido e integro: non troppo complesso, ma di avvincente progressione gustativa. Blend a maggioranza montepulciano, Roccuccio '16 esprime sensazioni di frutti neri in un sorso pieno.

● Il Paonazzo '15	♟♟ 5
● Costa dei Zoppi '15	♟♟ 4
● Roccuccio '16	♟♟ 3
● Il Paonazzo '13	♟♟ 5
● Il Paonazzo '12	♟♟ 5
● Lysipp '12	♟♟ 5
● Lysipp '11	♟♟ 5
● Lysipp '10	♟♟ 5
● Roccuccio '13	♟♟ 3
● Roccuccio '12	♟♟ 3

Sparapani - Frati Bianchi

VIA BARCHIO, 12
60034 CUPRAMONTANA [AN]
TEL. 0731781216
www.fratibianchi.it

VENDITA DIRETTA
VISITA SU PRENOTAZIONE
RISTORAZIONE
PRODUZIONE ANNUA 60.000 bottiglie
ETTARI VITATI 18,00

La costruzione della bella cantina dalle mura rosse, ben visibile lungo la strada che dal fondovalle di Cupramontana porta verso Apiro, ha permesso di superare il problema legato agli angusti spazi della vecchia sede, posta nello stesso edificio che ospita la trattoria di famiglia. Nulla si è però perso nell'approccio artigianale che vede i tre fratelli Sparapani impegnati nella gestione dell'azienda fondata da loro padre Settimio. Dai vigneti, dislocati su più altimetrie nello stesso versante che accoglie l'Eremo dei Frati Bianchi da cui hanno preso il nome, arrivano vini di spessore, custodi della tradizione locale che vuole Verdicchio sapidi e saporiti. Identikit che calza a pennello per il Classico Superiore Priore '18, non privo di una mobilità gustativa capace di slanciarne la silhouette, agevolando la scorrevolezza di un sorso chiuso da ricordi di pesca e più sottili tratteggi ammandorlati. Salerna '19 svolge il suo compito di Verdicchio "base" offrendo una facile beva.

○ Verdicchio dei Castelli di Jesi Cl. Sup. Il Priore '18	♟♟ 3*
○ Verdicchio dei Castelli di Jesi Cl. Salerna '19	♟ 2
○ Verdicchio dei Castelli di Jesi Cl. Sup. Il Priore '16	♟♟♟ 3*
○ Verdicchio dei Castelli di Jesi Cl. Sup. Il Priore '14	♟♟♟ 2*
○ Verdicchio dei Castelli di Jesi Cl. Sup. Il Priore '13	♟♟♟ 2*
○ Verdicchio dei Castelli di Jesi Cl. Sup. Il Priore '12	♟♟♟ 2*
○ Verdicchio dei Castelli di Jesi Cl. Sup. Il Priore '06	♟♟♟ 2*
○ Castelli di Jesi Verdicchio Cl. Donna Cloe Ris. '16	♟♟ 5

Tenuta Spinelli

VIA LAGO, 2
63032 CASTIGNANO [AP]
TEL. 0736821489
www.tenutaspinelli.it

VENDITA DIRETTA
VISITA SU PRENOTAZIONE
OSPITALITÀ
PRODUZIONE ANNUA 62.000 bottiglie
ETTARI VITATI 14,00

Simone Spinelli non si ferma mai. Spinto da un vivace entusiasmo, ha dato il via a un ambizioso progetto di ristrutturazione dei locali: formeranno un borghetto che includerà cantina e accoglienza per ospiti e turisti. Sul fronte vigneti, oltre ai filari di pecorino da anni in produzione nei pressi del Santuario di Montemisio, stanno entrando a regime anche gli alti impianti posti a Castel di Croce in un clima prettamente montano. Tersi profumi agrumati e profili verticali, non disgiunti da un'importante sapidità, sono elementi fondanti dei vini prodotti. Il Pecorino Artemisia '19 non si lascia scappare l'occasione per piazzare un'altra versione memorabile. Le prerogative sono le stesse: profumi di frutti gialli e agrumi, un cenno d'erbe di campo, gran nerbo acido nel sorso. Il millesimo felice ha aggiunto nitore aromatico e una brillantezza palatale da manuale. Interessante e personale la lettura del Pinot Nero '17, uno svolazzo delicato di frutti rossi in una bocca docile e succosa.

○ Offida Pecorino Artemisia '19	♟♟♟	3*
● Simone Spinelli Pinot Nero '17	♟♟	7
○ Eden '19	♟	2
○ Offida Pecorino Artemisia '18	♟♟♟	3*
○ Offida Pecorino Artemisia '17	♟♟♟	2*
○ Offida Pecorino Artemisia '16	♟♟♟	2*
○ Offida Pecorino Artemisia '15	♟♟♟	2*
○ Offida Pecorino Artemisia '14	♟♟♟	2*
○ Offida Pecorino Artemisia '13	♟♟♟	2*
○ Offida Pecorino Artemisia '12	♟♟♟	2*
○ Eden '18	♟♟	2*
○ Eden '17	♟♟	2*
○ Eden '15	♟♟	2*
○ Eden '13	♟♟	2*
○ Offida Pecorino Artemisia '11	♟♟	2*
● Simone Spinelli Pinot Nero '16	♟♟	7

La Staffa

VIA CASTELLARETTA, 19
60039 STAFFOLO [AN]
TEL. 0731779810
www.vinilastaffa.it

VENDITA DIRETTA
VISITA SU PRENOTAZIONE
PRODUZIONE ANNUA 45.000 bottiglie
ETTARI VITATI 10,00
VITICOLTURA Biologico Certificato

Appassionato, instancabile, giustamente ambizioso. Sono i tratti caratteriali che meglio inquadrano Riccardo Baldi, trentenne ormai stabilmente tra gli interpreti più ispirati dell'universo Verdicchio. La sua già solida preparazione sembra aver trovato una via compiuta con l'esperienza: le fermentazioni spontanee ora hanno quel plus di finezza olfattiva e vivido nerbo sapido, senza le sbavature del passato. Grande cura è riservata agli assemblaggi delle singole parcelle, gestite in acciaio e cemento: l'espressione del territorio di Staffolo è esibita senza mediazioni e lo dimostrano vini in forma smagliante. A partire dall'iconico Rincrocca Riserva '17: nonostante l'annata calda, offre un naso di raffinata intimità varietale e una bocca grintosa, con lunghissimo finale solcato da un'avvincente salinità. Il Verdicchio Selva di Sotto Riserva '17 è perfino più complesso e stratificato, ma ha bisogno di più tempo per amalgamare in pieno tutte le componenti. Notevole anche il Classico Superiore La Staffa '19.

○ Castelli di Jesi Verdicchio Cl. Rincrocca Ris. '17	♟♟♟	4*
○ Castelli di Jesi Verdicchio Cl. Selva di Sotto Ris. '17	♟♟	8
○ Verdicchio dei Castelli di Jesi Cl. Sup. La Staffa '19	♟♟	3*
○ Mai Sentito	♟	2
○ Castelli di Jesi Verdicchio Cl. Rincrocca Ris. '16	♟♟	4
○ Castelli di Jesi Verdicchio Cl. Selva di Sotto Ris. '15	♟♟	8
○ Verdicchio dei Castelli di Jesi Cl. Sup. La Staffa '18	♟♟	3
○ Verdicchio dei Castelli di Jesi Cl. Sup. La Staffa '17	♟♟	3
○ Verdicchio dei Castelli di Jesi Cl. Sup. La Staffa '16	♟♟	2*

Tenuta di Tavignano

LOC. TAVIGNANO
62011 CINGOLI [MC]
TEL. 0733617303
www.tenutaditavignano.it

VENDITA DIRETTA
VISITA SU PRENOTAZIONE
PRODUZIONE ANNUA 100.000 bottiglie
ETTARI VITATI 31,00
AZIENDA SOSTENIBILE

Stefano Aymerich e sua nipote Ondine de la Feld non lesinano sforzi per dar lustro ai Castelli di Jesi con vini cristallini, di moderna espressione varietale e notevole capacità evolutiva, pur partendo da una cifra di assoluta piacevolezza. Per arrivare a questo sfruttano al meglio l'anfiteatro di vigneti messi a dimora alla fine del secolo scorso su di un alto crinale, spartiacque tra i fiumi Musone ed Esino. La cantina, incastonata nella splendida tenuta, è ampia e attrezzata di tutto punto; la barricaia nella casa padronale è dedicata solo ai vini rossi. Il Verdicchio Classico Superiore Misco '19 si concede con la consueta finezza olfattiva, aperta e gradevole nelle percezioni di fiori, frutti bianchi e una delicata nota di anice sullo sfondo; la bocca ha movenze armoniche, al servizio di una bevibilità di alto profilo. Il Verdicchio Villa Torre '19 è più incisivo nel sapore e nella dinamica palatale, ma meno coeso ed elegante. Buon debutto per il nitido Metodo Classico Dosaggio Zero '15.

○ Verdicchio dei Castelli di Jesi Cl. Sup. Misco '19		♀♀ 4
○ Verdicchio dei Castelli di Jesi Cl. Sup. Villa Torre '19		♀♀ 3
⊙ Rosato '19		♀ 3
● Rosso Piceno Cervidoni '18		♀ 3
○ Verdicchio dei Castelli di Jesi Dosaggio Zero M. Cl. '15		♀ 6
○ Verdicchio dei Castelli di Jesi Cl. Sup. Misco '17		♀♀♀ 3*
○ Verdicchio dei Castelli di Jesi Cl. Sup. Misco '16		♀♀♀ 3*
○ Verdicchio dei Castelli di Jesi Cl. Sup. Misco '15		♀♀♀ 3*
○ Verdicchio dei Castelli di Jesi Cl. Sup. Misco '14		♀♀♀ 3*

Tenuta dell'Ugolino

LOC. CASTELPLANIO
VIA COPPARONI, 32
60031 CASTELPLANIO [AN]
TEL. 0731812569
www.tenutaugolino.it

VENDITA DIRETTA
VISITA SU PRENOTAZIONE
PRODUZIONE ANNUA 70.000 bottiglie
ETTARI VITATI 12,00
AZIENDA SOSTENIBILE

Andrea Petrini e Matteo Foroni negli ultimi anni hanno aumentato gli ettari vitati, ma non hanno mai ceduto alla tentazione di allargare la platea ampelografica delle uve bianche e abbandonare la loro totale dedizione al verdicchio. Fa eccezione un unico ettaro dedicato a sangiovese e montepulciano, ma la spina dorsale produttiva, approntata con il supporto tecnico di Aroldo Bellelli, è comunque rappresentata da due bianchi fermi maturati in acciaio, a cui si affiancano un piacevole Spumante metodo Italiano e qualche bottiglia di un passito proposto solo nelle annate favorevoli. Il Verdicchio Classico Le Piaole '19 ha dalla sua un registro stilistico semplice ed efficace, fatto di profumi varietali di mandorla attraversati da riverberi floreali ed erbacei; in bocca mantiene una misurata tensione gustativa. Più fine e consistente il Verdicchio Classico Superiore Balluccio '18: articolato nell'espressione aromatica di anice, nespola e agrumi, regala un sorso pieno, al tempo stesso delizioso e tenace.

○ Verdicchio dei Castelli di Jesi Cl. Sup. Vign. del Balluccio '18		♀♀ 4
○ Maltempo Brut		♀♀ 4
○ Verdicchio dei Castelli di Jesi Cl. Le Piaole '19		♀♀ 3
○ Verdicchio dei Castelli di Jesi Cl. Sup. Vign. del Balluccio '17		♀♀♀ 4*
○ Verdicchio dei Castelli di Jesi Cl. Le Piaole '18		♀♀ 3
○ Verdicchio dei Castelli di Jesi Cl. Le Piaole '17		♀♀ 2*
○ Verdicchio dei Castelli di Jesi Cl. Sup. Vign. del Balluccio '16		♀♀ 3*
○ Verdicchio dei Castelli di Jesi Cl. Sup. Vign. del Balluccio '15		♀♀ 3*
○ Verdicchio dei Castelli di Jesi Cl. Sup. Vign. del Balluccio '12		♀♀ 3*

Terra Fageto

VIA VALDASO, 52
63827 PEDASO [FM]
TEL. 0734931784
www.terrafageto.it

VENDITA DIRETTA
VISITA SU PRENOTAZIONE
PRODUZIONE ANNUA 100.000 bottiglie
ETTARI VITATI 35,00
VITICOLTURA Biologico Certificato

I 35 ettari vitati di Terra Fageto sono sparsi tra i comuni di Campofilone, Pedaso e Altidona. I declivi esposti a nord sono dedicati alle varietà a bacca bianca, che possono così salvaguardare freschezza aromatica, mentre le vigne più calde e assolate, alcune proprio affacciate sull'Adriatico, sono riservate alle bacche nere che non faticano a completare la maturazione, anche per un vitigno tardivo come il montepulciano. La nuova ed efficiente cantina si trova lungo la Valdaso, in posizione baricentrica rispetto ai siti produttivi. Fenèsia '19 rappresenta il lato agrumato, immediato e gustoso del Pecorino, con profumi cristallini e alta idea di bevibilità. Il Pecorino Salsedine '18 (20% maturato in barrique) ha tratti più complessi, un tocco morbido e spiccate sensazioni fruttate. Eva '19 è un Falerio appena erbaceo, ma dal profilo slanciato. Colle del Buffo '18, erroneamente indicato nella scorsa edizione (era il 2017), porge aromi di frutti neri in un palato di calibrata intensità.

○ Falerio Eva '19	♟♟ 2*
○ Offida Pecorino Fenèsia '19	♟♟ 3
○ Offida Pecorino Salsedine '18	♟♟ 4
● Rosso Piceno Colle del Buffo '18	♟♟ 3
○ Letizia Passerina '19	♟ 2
● Rosso Piceno Rusus '17	♟ 3
○ Offida Pecorino Fenèsia '18	♀♀ 3
○ Offida Pecorino Fenèsia '17	♀♀ 3
○ Offida Pecorino Fenèsia '16	♀♀ 3
● Rosso Piceno Rusus '16	♀♀ 3
● Rosso Piceno Rusus '15	♀♀ 3
● Rosso Piceno Rusus '14	♀♀ 3

Fattoria Le Terrazze

VIA MUSONE, 4
60026 NUMANA [AN]
TEL. 0717390352
www.fattorialeterrazze.it

VENDITA DIRETTA
VISITA SU PRENOTAZIONE
PRODUZIONE ANNUA 90.000 bottiglie
ETTARI VITATI 16,00

L'azienda di Antonio Terni è una delle griffe più conosciute dell'areale del Conero: merito di una storia che attraversa tutto il secolo scorso e della bellezza della tenuta. La gamma si appoggia sulla prerogativa dell'uva montepulciano per le sue migliori creazioni, ma non disdegna, da molti anni a questa parte, il ricorso a varietà internazionali quali chardonnay, syrah, merlot. Federico Curtaz è il consulente esterno sia della parte agronomica, sia di quella enologica. Il Conero Sassi Neri Riserva '18 ha intensità fruttata da vendere. Intervallata da cenni tostati, la bocca evita ogni pesantezza o sovraestrazione tannica, evidenziando apprezzabile amalgama. Il Chaos '16 (montepulciano, merlot e syrah) mette in mostra un frutto più maturo e una bocca tonica, leggermente salmastra. Qualche affioramento vegetale non frena il caratteriale Rosso Conero '17. Bene i rosati: Pink Fluid '19 gode di un'equilibrata consistenza gustativa, il Donna Giulia Brut '18 convince con la sua beva golosa.

● Chaos '16	♟♟ 5
● Conero Sassi Neri Ris. '16	♟♟ 5
☉ Donna Giulia Brut Rosé M. Cl. '18	♟♟ 4
☉ Pink Fluid '19	♟♟ 2*
● Rosso Conero Le Terrazze '17	♟♟ 2*
● Rosso Conero Praeludium '19	♟♟ 2*
○ Le Cave Chardonnay '19	♟ 2
● Chaos '04	♀♀♀ 5
● Chaos '01	♀♀♀ 6
● Chaos '97	♀♀♀ 6
● Conero Sassi Neri Ris. '04	♀♀♀ 5
● Rosso Conero Sassi Neri '02	♀♀♀ 5
● Rosso Conero Sassi Neri '99	♀♀♀ 5
● Rosso Conero Sassi Neri '98	♀♀♀ 5
● Rosso Conero Visions of J '01	♀♀♀ 7
● Rosso Conero Visions of J '97	♀♀♀ 7

Terre Cortesi Moncaro

VIA PIANOLE, 7A
63036 MONTECAROTTO [AN]
TEL. 073189245
www.moncaro.com

VENDITA DIRETTA
VISITA SU PRENOTAZIONE
RISTORAZIONE
PRODUZIONE ANNUA 7.500.000 bottiglie
ETTARI VITATI 1200,00
AZIENDA SOSTENIBILE

La presenza contestuale delle migliori denominazioni regionali in catalogo non suoni strano: Moncaro ha sede a Montecarotto, ma assomma le vicende di tre istituti cooperativi dislocati nelle zone più importanti (Castelli di Jesi, Conero e Piceno) poi fusi in un'unica realtà. Doriano Marchetti, presidente da molti anni, confeziona insieme al suo consolidato team una batteria di vini profumati e piacevoli, arrotondati, di facile comprensione, decisamente apprezzati sui mercati internazionali. Il Verdicchio Classico Vigna Novali Riserva '16 è la miglior scelta nella gamma presentata: elegante nei profumi di mandorla e buccia d'agrumi, ha palato cremoso, rilassato, dal finale tenace. Ottima prova anche per i Verdicchio Classico '19: il Le Vele ha spiccata bevibilità, il Superiore Fondiglie è fragrante ed equilibrato, il Superiore Verde Ca' Ruptae coniuga ampiezza e tensione. Dal quadrante sud giungono i Pecorino e Passerina Ofithe '19, abili nel combinare scorrevolezza e sapore.

★★Umani Ronchi

VIA ADRIATICA, 12
60027 OSIMO [AN]
TEL. 0717108019
www.umanironchi.com

VENDITA DIRETTA
VISITA SU PRENOTAZIONE
PRODUZIONE ANNUA 2.900.000 bottiglie
ETTARI VITATI 240,00
VITICOLTURA Biologico Certificato
AZIENDA SOSTENIBILE

Il valore che più balza agli occhi leggendo i dati riguardanti l'azienda guidata da Michele Bernetti è la grande presenza di ettari vitati. Elemento non secondario per un progetto di questa portata e presenza, su tutti i mercati mondiali. Una visione portata avanti fin dai tempi del capostipite Massimo, che ha sempre dato un gran valore all'agronomia vissuta direttamente: dalla vocazione dei diversi vigneti sparsi tra Castelli di Jesi, Conero o Abruzzo, gestiti da prassi agricole sempre più attente e rispettose, si ricava una gamma solida, moderna, sfaccettata. Il Conero Campo San Giorgio Riserva '16 è uno spettacolo: frutti neri, declinazioni ematiche, salmastre e speziate, porge un impasto profondo, progressivo, dal fascino innegabile. Il Verdicchio Classico Superiore Vecchie Vigne '18, pur fine e armonioso, deve stavolta cedere il passo. Molto espressivo anche il Verdicchio Classico Superiore Casal di Serra '19, di salda fibra gustativa. Maximo '18 è un seducente passito da uve sauvignon botritizzate.

○ Castelli di Jesi Verdicchio Cl. V. Novali Ris. '16	♟♟ 4
○ Offida Passerina Ofithe '19	♟♟ 2*
○ Offida Pecorino Ofithe '19	♟♟ 3
○ Verdicchio dei Castelli di Jesi Cl. Le Vele '19	♟♟ 3
○ Verdicchio dei Castelli di Jesi Cl. Sup. Fondiglie '19	♟♟ 3
○ Verdicchio dei Castelli di Jesi Cl. Sup. Verde Ca' Ruptae '19	♟♟ 3
● Conero Vign. del Parco Ris. '12	♟ 4
● Piceno Sup. Terrazzano '16	♟ 3
○ Verdicchio dei Castelli di Jesi Passito Tordiruta '16	♟ 5
○ Castelli di Jesi Verdicchio Cl. V. Novali Ris. '10	♟♟♟ 3*
● Rosso Piceno Sup. Roccaviva '12	♟♟♟ 2*

● Conero Campo San Giorgio Ris. '16	♟♟♟ 7
○ Maximo '18	♟♟ 5
○ Verdicchio dei Castelli di Jesi Cl. Sup. Casal di Serra '19	♟♟ 3*
○ Verdicchio dei Castelli di Jesi Cl. Sup. V. V. '18	♟♟ 5
○ Castelli di Jesi Verdicchio Cl. Plenio Ris. '17	♟♟ 4
● Conero Cumaro Ris. '16	♟♟ 5
○ La Hoz Brut Nature M.Cl. '15	♟♟ 5
⊙ La Hoz Nature M. Cl. Rosé	♟♟ 5
○ LH2 Extra Brut M. Cl.	♟♟ 4
● Pelago '16	♟♟ 5
● Rosso Conero San Lorenzo '18	♟♟ 3
● Rosso Conero Serrano '19	♟♟ 2*
○ Verdicchio dei Castelli di Jesi Cl. Villa Bianchi '19	♟♟ 2*

La Valle del Sole

VIA SAN LAZZARO, 46
63035 OFFIDA [AP]
TEL. 0736889658
www.lavalledelsoleoffida.com

VISITA SU PRENOTAZIONE
OSPITALITÀ E RISTORAZIONE
PRODUZIONE ANNUA 40.000 bottiglie
ETTARI VITATI 11,00
VITICOLTURA Biologico Certificato

Chiamati a stilare una lista delle aziende picene che siano a pieno titolo dei veri artigiani vignaioli, non potremmo certamente esimerci dal citare l'opera dei Di Nicolò, famiglia impegnata a tempo pieno nel progetto di far vino e dar ospitalità nel loro agriturismo. Alessia e Silvano si occupano delle vigne messe a dimora nell'assolato crinale che da Offida scende lentamente verso la vallata del Tronto, dove sono ospitate solo varietà autoctone allevate in bio. La cantina accoglie vasche d'acciaio e cemento, mentre i legni (di grande volume) sono dedicati solo ai rossi. Entrambi i bianchi 2019 sono raccolti in lieve anticipo, fanno breve macerazione pellicolare e sviluppano profumi molto freschi, beva fluida e reattiva. Più incisivo l'agrumato e tonico Pecorino rispetto all'Offida Passerina, segnata da un'ombra vegetale. Ben fatto il Rosato '19, con i suoi ricordi di ciliegie ed erbe aromatiche. Il Rosso Piceno Superiore '17 è un po' surmaturo nei profumi, ma ben robusto di struttura.

○ Offida Pecorino '19	♟♟	3
○ Rosato '19	♟♟	3
● Rosso Piceno Sup. '17	♟♟	3
○ Offida Passerina '19	♟	2
○ Offida Pecorino '18	♟♟	3*
○ Offida Pecorino '17	♟♟	3
○ Offida Pecorino '16	♟♟	3
○ Offida Pecorino '15	♟♟	2*
○ Offida Pecorino '11	♟♟	2*
● Offida Rosso '15	♟♟	4
● Offida Rosso '14	♟♟	4
● Rosso Piceno Sup. '16	♟♟	3*
● Rosso Piceno Sup. '15	♟♟	3

Vigneti Vallorani

C.DA LA ROCCA, 28
63079 COLLI DEL TRONTO [AP]
TEL. 3477305485
www.vignetivallorani.com

VENDITA DIRETTA
VISITA SU PRENOTAZIONE
PRODUZIONE ANNUA 25.000 bottiglie
ETTARI VITATI 6,00
VITICOLTURA Biologico Certificato
AZIENDA SOSTENIBILE

I Vallorani operano sugli stessi terreni da oltre un secolo. Rocco e Stefano prima hanno studiato e poi son tornati tra le loro vecchie vigne come custodi delle proprie tradizioni. Gestiscono i filari in un intransigente regime biologico, nulla è precluso in fase di vinificazione: anfore, macerazioni, barrique usate, lunghi affinamenti sur lie. Nelle loro intenzioni ogni strumento e tecnica enologica adottata non deve sovrastare l'impronta del territorio e della varietà, ma integrarsi armoniosamente. Ne deriva una gamma che non lascia certo indifferenti. Floreale e boisé all'olfatto, il Piceno Superiore Polisia '16 vira su tratti più complessi, preludio di un palato asciutto, nervoso, indomito. Ancor meglio il Koné 16, dove le erbe aromatiche lasciano il campo a sensazioni di spezie orientali e prugna; sorso attraente e severo al tempo stesso. Le Fric '18 (trebbiano e malvasia leggermente macerati) svela attitudine gastronomica in un palato scorrevole, dai netti richiami nocciolati.

○ LeFric '18	♟♟	3
● Piceno Sup. Konè '16	♟♟	4
● Piceno Sup. Polisia '16	♟♟	3
○ Offida Passerina Zaccarì '15	♟	5
○ Falerio Avora '18	♟♟	3
○ Falerio Avora '16	♟♟	3
○ LeFric '16	♟♟	3
○ Offida Passerina Zaccarì '14	♟♟	5
● Rosso Piceno Sup. Polisia '14	♟♟	3

★Velenosi

LOC. MONTICELLI
VIA DEI BIANCOSPINI, 11
63100 ASCOLI PICENO
TEL. 0736341218
www.velenosivini.com

VENDITA DIRETTA
VISITA SU PRENOTAZIONE
PRODUZIONE ANNUA 2.500.000 bottiglie
ETTARI VITATI 192,00

Con l'entrata a pieno regime del nuovo podere di Controguerra, Velenosi offre un catalogo vastissimo di etichette con le migliori denominazioni a nord e sud del Tronto, tra Marche e Abruzzo. Vini levigati, contemporanei, capaci di farsi apprezzare sul territorio e in grado di raggiungere gli scaffali e i ristoranti di mezzo mondo. Quest'espansione, e la nitida visione che sottende, la si deve all'opera decennale di Angela Velenosi, oggi affiancata nel suo duro lavoro dalla figlia Marianna: sempre con le valigie pronte per raggiungere nuove tratte commerciali e consolidare quelle acquisite. Difficile scalzare il Rosso Piceno Superiore Roggio del Filare dal trono: la versione 2017 offre un nitido accento fruttato ornato di sfumature speziate e tratti tostati ben amalgamati; il sorso è rilassato, succoso, pienamente risolto nella trama tannica. Citazione d'obbligo anche per i Pecorino Rêve '18 e Villa Angela '19, con il primo più stratificato e il secondo dotato di elevata piacevolezza.

● Rosso Piceno Sup. Roggio del Filare '17	♟♟♟ 6
○ Offida Pecorino Rêve '18	♟♟ 5
⊙ Cerasuolo d'Abruzzo Prope '19	♟♟ 2*
○ Falerio V. Solaria '19	♟♟ 3
● Lacrima di Morro d'Alba Sup. Querciantica '19	♟♟ 3
● Montepulciano d'Abruzzo Colline Teramane Verso Sera '17	♟♟ 7
● Montepulciano d'Abruzzo Prope '18	♟♟ 3
○ Offida Pecorino Villa Angela '19	♟♟ 3
● Offida Rosso Ludi '17	♟♟ 6
⊙ Rosé '19	♟♟ 2*
● Rosso Piceno Sup. Brecciarolo '18	♟♟ 3
⊙ The Rose Brut M. Cl. '14	♟♟ 5
○ Velenosi Gran Cuvée Brut M. Cl. '14	♟♟ 5
○ Verdicchio dei Castelli di Jesi Cl. Querciantica '19	♟♟ 3

Roberto Venturi

VIA CASE NUOVE, 1A
60010 CASTELLEONE DI SUASA [AN]
TEL. 3381855566
www.viniventuri.it

VENDITA DIRETTA
VISITA SU PRENOTAZIONE
PRODUZIONE ANNUA 60.000 bottiglie
ETTARI VITATI 8,00

Nel 1998 era Filiberto Venturi a far vino in un angusto locale di Castelleone di Suasa, comune spostato più a nord rispetto ai classici areali del Verdicchio. Ma l'uva di Jesi riusciva bene anche lì, tra quei filari che ancora oggi condivide con moscato, aleatico e montepulciano. Solo qualche anno più tardi il figlio Roberto decide per un taglio professionale: costruisce la nuova cantina e aggiunge dei vigneti presi in affitto a Montecarotto, nei pressi del cru Le Busche. Ora l'azienda è una consolidata realtà che produce vini moderni e spigliati. Torna al premio più ambito il Verdicchio Classico Superiore Qudì '18: da non confondere con l'omonima Riserva, anche per via di un'etichetta simile, porge raffinate nuance di anice e mandorla, che si ritrovano in un palato progressivo, ritmato e profondo. Il Qudì Riserva '17 ha echi balsamici e di agrumi gialli in una bocca molto saporita. Il gradevole ricordo di buccia di limone e muschio del Desiderio '19 (moscato) s'intona con il sorso beverino.

○ Verdicchio dei Castelli di Jesi Cl. Sup. Qudì '18	♟♟♟ 3*
○ Castelli di Jesi Verdicchio Qudì Ris. '17	♟♟ 5
○ Desiderio '19	♟♟ 3
● Squarciafico '17	♟♟ 4
● Balsamino '19	♟ 2
○ Verdicchio dei Castelli di Jesi Cl. Sup. Qudì '15	♟♟♟ 3*
○ Verdicchio dei Castelli di Jesi Cl. Sup. Qudì '13	♟♟♟ 2*
○ Castelli di Jesi Verdicchio Qudì Ris. '16	♟♟ 5
● Squarciafico '16	♟♟ 3
○ Verdicchio dei Castelli di Jesi Cl. Sup. Qudì '17	♟♟ 3*
○ Verdicchio dei Castelli di Jesi Cl. Sup. Qudì '16	♟♟ 3*

Vicari

via Pozzo Buono, 3
60030 Morro d'Alba [AN]
Tel. 073163164
www.vicarivini.it

VENDITA DIRETTA
VISITA SU PRENOTAZIONE
PRODUZIONE ANNUA 120.000 bottiglie
ETTARI VITATI 28,00

Tutta l'azienda è impostata sull'instancabile passione di Vico Vicari e la solida esperienza di suo padre Nazzareno. Valentina, sorella di Vico, si occupa delle vendite, rappresentandone l'immagine in giro per il mondo. Le vigne, tra cui i recenti impianti, sono allevate unicamente a verdicchio e lacrima nera; i filari si snodano lungo la contrada Pozzo Buono dove ha sede la rinnovata cantina e il fruttaio dedicato all'appassimento. I vini sono tutti maturati in acciaio e facilmente riconoscibili per la densità strutturale, evidente anche nelle versioni più semplici. L'Insolito '18 è un Verdicchio dai dolci profumi di mandorla e frutti bianchi, ritrovati nella consueta energia gustativa; il Capofila '19 gioca una partita più semplice e immediata, senza rinunciare a un sorso saporito. Oltretempo Riserva '16 ha sfumature di frutta secca in una bocca ricca e avvolgente. Il Lacrima Dasempre '19 svela netti profumi di matrice floreale e di amarena in un palato tondo, ben dimensionato.

○ Castelli di Jesi Verdicchio Cl. Oltretempo del Pozzo Buono Ris. '16	♟♟	5
● Lacrima di Morro d'Alba Dasempre del Pozzo Buono '19	♟♟	2*
○ Verdicchio dei Castelli di Jesi Cl. Capofila del Pozzo Buono '19	♟♟	2*
○ Verdicchio dei Castelli di Jesi Cl. Sup. L'Insolito del Pozzo Buono '18	♟♟	3
● Lacrima di Morro d'Alba Passito Amaranto del Pozzo Buono '18	♟	5
⊙ Sfumature del Pozzo Buono Brut M. Cl. '16	♟	5
○ Verdicchio dei Castelli di Jesi Cl. Sup. Insolito del Pozzo Buono '15	♟♟♟	3*

Vignamato

via Battinebbia, 4
60038 San Paolo di Jesi [AN]
Tel. 0731779197
www.vignamato.com

VENDITA DIRETTA
VISITA SU PRENOTAZIONE
PRODUZIONE ANNUA 100.000 bottiglie
ETTARI VITATI 27,00

Maurizio Ceci ha ereditato l'azienda da papà Amato e ha avuto la forza di traghettarla nella modernità con un credo: l'ordine in vigneto e in cantina è sostanza, non mera apparenza. Suo figlio Andrea, oggi al timone, ne ha fatto tesoro e nella bella tenuta di famiglia tutto fila a meraviglia: le vigne, impiantate per buona parte a verdicchio e altre cultivar locali, sono molto curate, così come tutte le fasi di vinificazione e affinamento, gestite con l'ausilio tecnico di Pierluigi Lorenzetti. Non era facile per il Verdicchio Ambrosia Riserva bissare il premio, specie in un millesimo caldo come il 2017. Eppure il bicchiere non lascia dubbi: complesso, sfaccettato, abile nel giostrare una materia importante senza tradire alcun ingombro strutturale. Valido anche il Verdicchio Classico Superiore Versiano '19, tipico nei sentori di anice, ben dimensionato, un po' giovane al momento dell'assaggio, ma con sicuri margini di crescita. Il gustoso Versus '19 è il miglior Incrocio Bruni 54 delle Marche.

○ Castelli di Jesi Verdicchio Cl. Ambrosia Ris. '17	♟♟♟	4*
○ Verdicchio dei Castelli di Jesi Cl. Sup. Versiano '19	♟♟	3
○ Versus '19	♟♟	2*
● Campalliano '18	♟	3
○ Castelli di Jesi Verdicchio Cl. Ambrosia Ris. '16	♟♟♟	3*
○ Castelli di Jesi Verdicchio Cl. Ambrosia Ris. '15	♟♟	3*
○ Verdicchio dei Castelli di Jesi Cl. Sup. Versiano '18	♟♟	3
○ Verdicchio dei Castelli di Jesi Cl. Sup. Versiano '17	♟♟	3*
○ Verdicchio dei Castelli di Jesi Cl. Valle delle Lame '17	♟♟	2*

Accadia

FRAZ. CASTELLARO
C.DA AMMORTO, 19
60048 SERRA SAN QUIRICO [AN]
TEL. 073185172
www.accadiavini.it

Angelo ed Evelyn Accadia gestiscono la loro azienda con sapienza artigiana. Conscio '18 è un Verdicchio dal profilo aromatico originale e una bocca potente, di lunga tenuta. Riverbero '14 (montepulciano e sangiovese) è un po' evoluto ma con un fascino peculiare.

● Riverbero '14	♟♟ 5
○ Verdicchio dei Castelli di Jesi Cl. Sup. Conscio '18	♟♟ 4
○ Evelyn '18	♟ 4

Stefano Bolognini

C.DA LAURETO, 1A
60030 MORRO D'ALBA [AN]
TEL. 3386412143
www.cantinabolognini.it

Seguiamo con attenzione dagli inizi (2016) la produzione di Stefano Bolognini, ora sempre più precisa e convincente. La buona prova del fruttato e temperamentale Lacrima Sidoro '18 e del composto Verdicchio Ola '19 permette alla sua giovane azienda di debuttare in Guida.

● Lacrima di Morro d'Alba Sup. Sidoro '18	♟♟ 3
○ Verdicchio dei Castelli di Jesi Cl. Olà '18	♟♟ 2*
● Lacrima di Morro d'Alba Osvà '19	♟ 2

Broccanera

FRAZ. MONTALE DI ARCEVIA, 190C
60011 ARCEVIA [AN]
TEL. 0731075144
www.broccanera.it

Giorgio Santini opera appena fuori dalla zona classica di produzione in un territorio con chiare caratteristiche montane. Grintosa acidità e nerbo salino sono gli aspetti più evidenti del suo stile. Il Metodo Classico Dosaggio Zero '14 è complesso, dal sorso sfaccettato e profondo.

○ Verdicchio dei Castelli di Jesi Dosaggio Zero M. Cl. '14	♟♟ 5
○ Verdicchio dei Castelli di Jesi Suprino '18	♟♟ 3

La Calcinara

FRAZ. CANDIA
VIA CALCINARA, 102A
60131 ANCONA
TEL. 3285552643
www.lacalcinara.it

Poche frecce quest'anno nella faretra dei fratelli Berluti, fautori di uno stile sempre più personale e libero per i loro vini dell'area del Conero. Ottimo il Mun '19, fruttato e goloso rosato da montepulciano; il Cacciatore di Sogni '18 ha un timbro verace, polposo e autentico.

⊙ Mun '19	♟♟ 3
● Rosso Conero Il Cacciatore di Sogni '18	♟♟ 3

Campo di Maggio

FRAZ. PAGLIARE DEL TRONTO
VIA FORMALE, 24
63078 SPINETOLI [AP]
TEL. 3493110296
www.cantinacampodimaggio.it

Marco Corradetti ha ristrutturato il catalogo dei suoi prodotti, come sempre formato dalle più tipiche denominazioni picene. L'Offida Pecorino '19 ha preso il nome di Cardofonte (un tempo era una selezione solo in magnum): offre profumi freschissimi e palato vibrante d'acidità.

○ Offida Pecorino Cardofonte '19	♟♟ 3
● Rosso Piceno Masciù '19	♟ 2
● Rosso Piceno Sup. Sorgemoro '16	♟ 3

Cantina di Esanatoglia

LOC. CIMA, 25
62024 ESANATOGLIA [MC]
TEL. 3348239376
www.cantinadiesanatoglia.it

Alessandro Vecchietti realizza una gamma con tratti molto originali dai suoi vigneti a 450 metri di quota. Il Verdicchio Passo Pajano '19 ha nerbo vispo e lunga scia salina. Pinot nero vinificato in bianco, Planck '19 ha palato tonico e un gustoso ricordo di mandorle e lamponi.

○ Planck '19	♟♟ 3
○ Verdicchio di Matelica Passo Pajano '19	♟♟ 3
● Case Quagna '18	♟ 3

Casa Lucciola

VOC. CASALUCCIOLA, 42
62024 MATELICA [MC]
TEL. 3381783572
www.casalucciola.it

Componete subito il numero di Luca
Cruciani per prenotare alcune delle poche
bottiglie del suo Casa Lucciola '19: un
Matelica bio teso e ritmato, capace di
esprimere con sobria convinzione il suo
carattere verticale, fatto d'impronte floreali,
agrumate e sassose.

○ Verdicchio di Matelica '19	♼♼ 3*

Cavalieri

VIA RAFFAELLO, 1
62024 MATELICA [MC]
TEL. 073784859
www.cantinacavalieri.it

Gabriele Benedetti è fautore della vecchia
scuola di taglio ossidativo per i suoi
Matelica, segnati da sensazioni di mandorle
tostate in un palato salmastro: così
Fornacione '18. Il Pinot Nero '18 è sottile,
nervoso e offre citazioni aromatiche di
mirtilli e arancia sanguinella.

● Pinot Nero '18	♼♼ 4
○ Verdicchio di Matelica Fornacione '18	♼ 3

Enrico Ceci

VIA SANTA MARIA D'ARCO, 7
60038 SAN PAOLO DI JESI [AN]
TEL. 0731779033
www.cecienrico.it

Enrico Ceci non ha la continuità dalla sua
parte, ma nelle annate giuste sa plasmare
un Verdicchio di notevole intensità, figlio
legittimo di un territorio caldo che dà uve
ben mature. Il Santa Maria d'Arco '18 ha
naso sfaccettato e suadente, bocca
morbida, fruttata, lunghissima.

● Rosso Piceno Santa Maria d'Arco '16	♼♼ 2*
○ Verdicchio dei Castelli di Jesi Cl. Sup. Santa Maria d'Arco '18	♼♼ 3

Cherri d'Acquaviva

VIA ROMA, 40
63075 ACQUAVIVA PICENA [AP]
TEL. 0735764416
www.vinicherri.it

Paolo Cherri sforna vini dallo stile morbido
e fruttato, di agile comprensione, facili da
bere. Caratteristiche che si attagliano alla
perfezione al Pecorino Altissimo '19,
decisamente soffice, quasi zuccherino. Più
fresco e meglio contrastato l'agrumata
Passerina '19.

○ Offida Pecorino Altissimo '19	♼♼ 3
○ Passerina '19	♼♼ 2*
○ Ancella '19	♼ 2
● Offida Rosso Tumbulus '15	♼ 4

La Collina delle Fate

LOC. SAN VENANZIO, 88
61034 FOSSOMBRONE [PU]
TEL. 0721726334
www.collinadellefate.com

Prima presenza in Guida per quest'azienda
di Fossombrone che ci propone una
batteria di bianchi, tutti da uve chardonnay:
Alfresco, Adagio e Alcaico brillano per
l'utilizzo equilibrato del legno, per eleganza,
fragranza e pulizia gustativa.

○ Adagio '14	♼♼ 5
○ Alcaico '13	♼♼ 5
○ Alfresco '18	♼♼ 4

Crespaia

LOC. PRELATO, 8
61032 FANO [PU]
TEL. 0721862383
www.crespaia.it

Shayle Lambie-Shaw è l'enologa
neozelandese che cura la produzione di
questa bell'azienda biologica sui primi colli
fanesi. Con uve locali dà vita a una gamma
personale di beva deliziosa, a partire
dall'armonico Bianchello Chiaraluce '18 e
dal saporito Sangiovese Nerognolo '17.

○ Bianchello del Metauro Sup. Chiaraluce '18	♼♼ 3
● Colli Pesaresi Sangiovese Nerognolo '17	♼♼ 3
○ Bianchello del Metauro '19	♼ 2

Fioretti Brera

VIA DELLA STAZIONE, 48
60022 CASTELFIDARDO [AN]
TEL. 335373896
www.fiorettibrera.it

Rigo 23 '17 è sul podio dei migliori
Conero Riserva di quest'anno: un portento
composto da precisi rimandi varietali e
speziati, fusi in un notevole spessore
gustativo. L'Arghilos '18 è un singolare
bianco affinato in anfora fruttato e
progressivo.

● Conero Rigo 23 Ris. '17	♟♟	5
○ Arghilos '18	♟♟	3
● Rosso Conero Faustì '18	♟	3

Esther Hauser

C.DA CORONCINO, 1A
60039 STAFFOLO [AN]
TEL. 0731770203
www.estherhauser.it

Esther Hauser ha il grande merito di
rispettare sempre quello che riceve dalla
vigna, anche nelle vendemmie più
complicate. Così i cenni di surmaturazione
che si avvertono nel Cupo '17 sono un po'
le stimmate dell'annata torrida, bilanciati in
bocca da un carattere indomito.

● Il Cupo '17	♟♟	5
● Il Ceppo '17	♟	4

Podere L' Infinito

C.DA SAN MARTINO, 1
60039 STAFFOLO [AN]
TEL. 3391068724
www.poderelinfinito.it

Prima vendemmia e prime soddisfazioni
per l'impresa di Marco Simonetti: sostenuto
dall'enologo Pierluigi Lorenzetti, ha
presentato due Verdicchio di spessore e
personalità. Abbiamo preferito l'Eclissi di
Luglio '19, meno ambizioso ma
estremamente proporzionato e compiuto.

○ Verdicchio dei Castelli di Jesi Cl. Sup. Cor de Leone '19	♟♟	4
○ Verdicchio dei Castelli di Jesi Cl. Sup. Eclissi di Luglio '19	♟♟	2*

Lanari

FRAZ. VARANO
VIA POZZO, 142
60029 ANCONA
TEL. 0712861343
www.lanarivini.it

Luca Lanari sembra aver ritrovato parte
dello smalto che lo rese un importante
interprete dei vini del Conero agli inizi del
secolo. Il suo Rosso Conero '18 ha precise
sensazioni di prugna nera e visciola in un
palato ben dimensionato. Areté Riserva '17
è carnoso e fitto nel tannino.

● Conero Areté Ris. '17	♟♟	6
● Conero Fibbio Ris. '17	♟♟	5
● Rosso Conero '18	♟♟	3

Filippo Maraviglia

LOC. PIANNÉ, 593
62024 MATELICA [MC]
TEL. 0737786340
www.vinimaraviglia.com

Filippo Maraviglia produce Verdicchio da 17
anni e sin dalla prima ora conta sugli
esperti consigli di Roberto Potentini.
Insieme danno vita a un Alarico '19
deliziosamente fruttato, mentre Grappoli
d'Oro Riserva '17 è morbido, avvolgente,
dal finale di albicocca matura.

○ Verdicchio di Matelica Alarico '19	♟♟	2*
○ Verdicchio di Matelica Grappoli d'Oro Ris. '17	♟♟	3
○ Verdicchio di Matelica Archè '18	♟	4

La Marca di San Michele

VIA TORRE, 13
60034 CUPRAMONTANA [AN]
TEL. 0731781183
www.lamarcadisanmichele.com

Un solo vino dell'azienda bio dei bravi
Alessandro Bonci e Daniela Quaresima era
pronto al momento degli assaggi. Il
Verdicchio Capovolto '19 si è comunque
ben comportato grazie a una convincente
versione di carattere agrumato, con bocca
succosa e tesa.

○ Verdicchio dei Castelli di Jesi Cl. Sup. Capovolto '19	♟♟	3

Maurizio Marchetti

FRAZ. PINOCCHIO
VIA DI PONTELUNGO, 166
60131 ANCONA
TEL. 071897386
www.marchettiwines.it

L'inconsueto posizionamento dell'azienda di Maurizio Marchetti si deve all'assenza dei vini migliori, non presentati. Hanno avuto buon gioco il ricco, "tropicale" Verdicchio Tenuta del Cavaliere '19 e il Due Amici '18, un Conero dalla confezione fruttata, ordinata e moderna.

● Rosso Conero Due Amici '18	♔♔ 4
○ Verdicchio dei Castelli di Jesi Cl. Sup. Tenuta del Cavaliere '19	♔♔ 3

Enzo Mecella

VIA DANTE, 112
60044 FABRIANO [AN]
TEL. 073221680
www.enzomecella.com

Enzo Mecella vanta un'invidiabile confidenza con il Verdicchio. Nella sua opera è oggi affiancato dal figlio Michele: insieme danno vita a Matelica soffici, profumati, ottenuti da uve ben mature. Sainale '18 ha sorso denso e rilassato; Godenzia '18 è ancor più glicerico e caldo.

○ Verdicchio di Matelica Godenzia '18	♔♔ 5
○ Verdicchio di Matelica Sainale '18	♔♔ 4

Monte Torto - San Floriano

LOC. CASENUOVE
VIA DI JESI, 343
60027 OSIMO [AN]
TEL. 0731205764
www.montetorto.it

Francesco Ciculi crea delle gemme poco conosciute nella sua cantina lillipuziana. Casone '16 è un raffinato Montepulciano dal frutto scuro venato di cenni affumicati in un palato vigoroso e austero. Floriano '18, stesse uve ma con un 10% di merlot, ha carattere e frutto polposo.

● Casone '16	♔♔ 3
● Floriano '18	♔♔ 2*
● Bartolo '19	♔ 2
○ Monticello '19	♔ 2

Claudio Morelli

V.LE ROMAGNA, 47B
61032 FANO [PU]
TEL. 0721823352
www.claudiomorelli.it

Grande specialista del Bianchello, Claudio Morelli ne produce tre diverse versioni d'annata. La più completa e armonica è il Borgo Torre '19, dai vigneti collinari interni di Fratterosa; La Vigna delle Terrazze '19 ha sensazioni di camomilla e sorso scorrevolmente morbido.

○ Bianchello del Metauro La V. delle Terrazze '19	♔♔ 2*
○ Bianchello del Metauro Sup. Borgo Torre '19	♔♔ 3

Tenuta Piano di Rustano

VIA GIOVANNI XXII, 1
62022 CASTELRAIMONDO [MC]
TEL. 3393217530
www.pianidirustano.it

Debutto in guida per l'azienda di Rustano di Castelraimondo, incantevole angolo dell'alta Vallesina. Protagonista è il Matelica Torre del Parco '19 che, in controtendenza rispetto al passato, si offre con profumi chiari, cristallini e profonda spinta acido-sapida al palato.

○ Verdicchio di Matelica Torre del Parco '19	♔♔ 3*
○ Verdicchio di Matelica Brut M. Cl. Cavalier Vincenzo '17	♔ 5

Tenute Pieralisi Monte Schiavo

FRAZ. MONTESCHIAVO
VIA VIVAIO
60030 MAIOLATI SPONTINI [AN]
TEL. 0731700385
www.monteschiavo.it

Prestazione al di sotto del consueto potenziale per l'azienda della famiglia Pieralisi, presente agli assaggi con una ridotta platea di etichette. Si fa notare il Verdicchio Nativo '18, fruttato e gustoso nella sua semplicità. Fresco e di beva agile il Coste del Molino '19.

○ Verdicchio dei Castelli di Jesi Cl. Nativo '18	♔♔ 2*
○ Verdicchio dei Castelli di Jesi Cl. Coste del Molino '19	♔ 2

Tenute Recchi Franceschini

C.DA VALLE BIANCA
63068 MONTALTO DELLE MARCHE [AP]
TEL. 3662786985
www.riservalamarna.it

Gran temperamento per i bianchi di Mario
Recchi Franceschini, approntati col
supporto tecnico di Rocco Vallorani. Il
Pecorino Petraiae '18 ha intensi timbri di
fiori, erbe aromatiche e agrumi; al palato è
fine e succoso. Vegetale, speziata e acidula
la Passerina Notturno '18.

○ Offida Pecorino Petraiae '18	♥♥ 3*
○ Offida Passerina Notturno '18	♥♥ 3
● Rosso Piceno Donna Eugenia '15	♥ 3

Tenute Rio Maggio

C.DA VALLONE, 41
63014 MONTEGRANARO [FM]
TEL. 0734889587
www.riomaggiovini.it

Torna in guida Simone Santucci: i suoi vini
hanno riguadagnato freschezza e definizione.
Il Pecorino Colle Monteverde '19 fonde
sapidità e complessità nel ricordo di anice
e erbe di campo; il Rosso Piceno Rio '18
porge ricordi di frutti rossi in un palato
saporito e grintoso.

○ Falerio Pecorino Colle Monteverde '19	♥♥ 3
● Rosso Piceno Rio '18	♥♥ 2*
● Rosso Piceno Granarijs '16	♥ 4
○ Telusiano '19	♥ 3

San Filippo

LOC. BORGO MIRIAM
C.DA CIAFONE, 17A
63035 OFFIDA [AP]
TEL. 0736889828
www.vinisanfilippo.it

Prestazioni altalenanti per l'azienda dei
fratelli Stracci. Lupo del Ciafone '16 è un
Offida Rosso leggermente surmaturo, che
offre una buona trama speziata nel vigoroso
palato. Più convincente il Pecorino '19,
schietto negli aromi di pesca bianca e
limone, dal sorso grintoso.

○ Offida Pecorino '19	♥♥ 3
● Offida Rosso Lupo del Ciafone '16	♥♥ 4
○ Offida Passerina '19	♥ 2

Santa Cassella

C.DA SANTA CASSELLA, 7
62018 POTENZA PICENA [MC]
TEL. 0733671507
www.santacassella.it

Sempre più centrati i vini di questo storico
nome dell'area maceratese. La Ribona '19
sfrutta un'abile fluidità agrumata; Conte
Leopoldo '16 è un Cabernet Sauvignon
lineare ma molto efficace al palato; il Rosso
Piceno '17 ha tratti evoluti ma beva
originale e scorrevole.

○ Colli Maceratesi Ribona '19	♥♥ 2*
● Conte Leopoldo '16	♥♥ 3
● Rosso Piceno '17	♥♥ 2*
○ Donna Angela '19	♥ 3

Selvagrossa

FRAZ. BORGO S. MARIA
S.DA SELVAGROSSA, 37
61020 PESARO
TEL. 0721202923
www.selvagrossa.it

Stavolta i fratelli Taddei presentano un
catalogo ridotto. Prevale come da
pronostico la bontà del Trimplìn '16,
sangiovese con saldo di ciliegiolo: è floreale
e speziato, con sorso energico e ritmato.
Semplice ma di apprezzabile dinamica il
Muschén '18, dal naso appena evoluto.

● Trimplìn '16	♥♥ 4
○ Cuchén '19	♥ 2
● Muschén '18	♥ 2

Le Stroppigliose

LOC. STROPPIGLIOSI, 9
62022 CASTELRAIMONDO [MC]
TEL. 3898208660
www.pietramaula.it

Alessandra Venanzoni si è ritagliata una
micro cantina nel contesto dell'agriturismo
di famiglia e strutta gli studi di enologia
ricavando dei Matelica non omologati.
Arpia '19 cita fiori, fieno e mandorla in un
palato dritto; Cavallo '18 ha un intenso
sapore di agrumi canditi.

○ Verdicchio di Matelica Arpia '19	♥♥ 2*
○ Verdicchio di Matelica Cavallo '18	♥♥ 4

Terracruda

VIA SERRE, 28
61040 FRATTE ROSA [PU]
TEL. 0721777412
www.terracruda.it

Ottimi i Bianchello di Zeno Avenanti:
Boccalino '19 convince per la giovanile
fragranza floreale e il palato vitale,
Campodarchi '18 ha frutto più maturo,
palato impegnativo e primi cenni evolutivi.
Giocoso e profumato il Pergola Rosso
Vettina '18, dal sorso sottile e salino.

○ Bianchello del Metauro Boccalino '19	🍷🍷 2*
● Pergola Rosso Vettina '18	🍷🍷 2*
○ Bianchello del Metauro Sup.	
Campodarchi '18	🍷 3

Terre di Serrapetrona

VIA COLLI, 7/8
62020 SERRAPETRONA [MC]
TEL. 0733908329
www.terrediserrapetrona.it

I vini di Terre di Serrapetrona sono tutti
ottenuti da uve vernaccia in purezza e fanno
largo uso dell'appassimento in fruttaio.
Ciò si riflette nei tratti "amaroneggianti"
del Robbione '13, speziato, avvolgente e
zuccherino al palato, ma anche nel
Vernaccianera e nel Sommo '12.

● Serrapetrona Robbione '13	🍷🍷 5
● Vernaccia di Serrapetrona	
Dolce Vernaccianera	🍷🍷 3
● Sommo Passito '12	🍷 3

Le Vigne di Franca

C.DA SANTA PETRONILLA, 69
63900 FERMO
TEL. 3356512938
www.levignedifranca.it

Claudio Paulich ha chiuso i lavori di
ammodernamento in cantina e ora può
concentrarsi meglio sugli aspetti produttivi.
I suoi rossi potenti a base di montepulciano
hanno letto bene la difficile annata 2017, in
particolare il Rubrum, più fragrante e
proporzionato nella struttura.

● Rubrum '17	🍷🍷 3
● Crismon '17	🍷 4
○ Lumes '19	🍷 3

Vignedileo - Tre Castelli

VIA SAN FRANCESCO, 2A
60039 STAFFOLO [AN]
TEL. 0731779283
www.vignedileo.it

I fratelli Palpacelli ci hanno abituato a vini
di grande affidabilità, buon afflato
territoriale e prezzi centrati. Il Verdicchio
Superiore Frocco '18 ha finezza e sorso
asciutto, che non ricorre ad appoggi
zuccherini; Lalocco '15 è un Montepulciano
intenso e levigato nel tannino.

● Lalocco '15	🍷🍷 3
○ Verdicchio di Castelli di Jesi Cl. Sup.	
Frocco '18	🍷🍷 3
○ Verdicchio di Castelli di Jesi Cl. '19	🍷 2

Cantina Volverino

C.DA SANTA CROCE, 11A
62010 MOGLIANO [MC]
TEL. 0733557130
www.cantinavolverino.it

Micro realtà nascosta in un angolo
incantevole della campagna maceratese,
Volverino fa vini dal carattere non allineato
e imprevedibile. La Cavalletta Gialla '17 è
un sangiovese dagli aggraziati ricordi di
fiori e amarene, La Rana Chiazzata '18 un
Rosso Piceno sottile e vitale.

● La Cavalletta Gialla '17	🍷🍷 2*
● Rosso Piceno La Rana Chiazzata '18	🍷🍷 3
● La Civetta Rossa '16	🍷 4

Zaccagnini

VIA SALMAGINA, 9/10
60039 STAFFOLO [AN]
TEL. 0731779892
www.zaccagnini.it

Oggi guidata da Rosella Zaccagnini, la
storica azienda ha vigneti a dir poco vocati
per il Verdicchio. Quindi nessuna sorpresa
per vini come il Classico Superiore Z '19,
finemente varietale e seducente al palato, o
il consistente Salmàgina '19, di sorso
modulato e piacevole intensità.

○ Verdicchio dei Castelli di Jesi Cl. Sup.	
Z '19	🍷🍷 3*
○ Verdicchio dei Castelli di Jesi Cl. Sup.	
Salmàgina '19	🍷🍷 3

UMBRIA

La Regione rimane piccola, ma bellezza e bontà non mancano di certo. L'Umbria che viene fuori da questa edizione della Guida è, a dispetto dei suoi confini, una grande terra dove poter coltivare varietà molto diverse tra loro che danno altrettanta diversità a seconda dei terroir. Nonostante il distretto di Montefalco cresca di anno in anno e sia sempre più importante (anche grazie al lavoro impeccabile portato avanti dal Consorzio), la Regione è tutt'altro che Sagrantino-centrica: prima di tutto da questi parti cresce a vista d'occhio il Montefalco Rosso, che non è il fratellino minore del Sagrantino ma un vino diverso e di carattere, col Sangiovese a primeggiare. Dopodiché le soddisfazioni arrivano da Nord a Sud: si rilanciano alla grande denominazioni storiche come Orvieto e Torgiano, si scommette su alcune sorprendenti varietà (su tutte il trebbiano spoletino nell'areale di Spoleto e il ciliegiolo a Narni) e si nobilita il grechetto, puntando – a ragione - sul suo invecchiamento. Tutto questo si riassume molto bene nei Tre Bicchieri 2021, ben 14, numero uguale allo scorso anno, ma con diverse novità. Briziarelli sorprende la commissione con un grande Trebbiano '19, la cooperativa Tudernum presenta una splendida selezione di Grechetto '18, Castelbuono la spunta per la prima volta con la Riserva di Montefalco Rosso, mentre Romanelli sale sul gradino più alto del podio con Medeo (prima volta per la selezione di Sagrantino). Anche il pluripremiato Antonelli conquista il Premio con una nuova etichetta, il Molino dell'Attone (vero e proprio cru aziendale). Ovviamente non vanno tralasciate le grandi conferme, a partire dal Cervaro della Sala. Il prestigioso bianco di casa Antinori, con l'annata 2018, conquista il suo trentesimo Tre Bicchieri: veramente un bel record per la Regione. Gli fa eco il Vigna Monticchio di Lungarotti, al suo sedicesimo riconoscimento. Tra le aziende più giovani, ma che hanno già impresso un bel segno, segnaliamo Leonardo Bussoletti a Narni, Roccafiore a Todi, Bellafonte a Montefalco, Barberani a Orvieto. Ultima, ma non ultima doverosa citazione per Caprai. Un'azienda esemplare per qualità e sostenibilità, seminale per la rinascita del Sagrantino, che anche in assenza del 25 Anni (il rosso più prestigioso) sale in vetta col Collepiano.

Adanti

via Belvedere, 2
06031 Bevagna [PG]
Tel. 0742360295
www.cantineadanti.com

VENDITA DIRETTA
VISITA SU PRENOTAZIONE
PRODUZIONE ANNUA 160.000 bottiglie
ETTARI VITATI 30,00
AZIENDA SOSTENIBILE

La villa padronale, con attorno i vigneti, è il
simbolo di un'azienda che trasmette
tradizione e classicità, rigore nelle fasi
produttive, ma anche una ragionata libertà
nel far emergere tutta la natura del
territorio che dovrà esprimersi in bottiglia.
La cantina è all'interno della struttura,
ospita legni usati con sapienza e i lieviti
sono solo quelli indigeni. Il risultato si
evince attraverso vini austeri, capaci di
dare il meglio dopo alcuni anni, senza
perdere le tracce di gioventù e l'essenza di
Montefalco. Approda alle nostre finali Il
Domenico, selezione di valore di
Montefalco Sagrantino. A ben 10 anni dalla
vendemmia il vino non mostra minimi
segni di cedimento aromatico, anzi. Il naso
si snoda tra frutto nero e cenni speziati, tra
fiori secchi e sottobosco. La bocca è lunga
e appagante, il tannino è di sicuro
presente, ma mai amaro o ruvido. Più
mediterraneo e giocato su toni freschi il
Sagrantino '14. Piacevole ed equilibrato,
infine, il Passito '11.

● Montefalco Sagrantino Il Domenico '10	🍷🍷 6
● Montefalco Rosso Ris. '15	🍷🍷 4
● Montefalco Sagrantino '14	🍷🍷 5
● Montefalco Sagrantino Passito '11	🍷🍷 6
☉ Amanter '19	🍷 2
○ Montefalco Bianco Arquata '19	🍷 2
○ Montefalco Grechetto '19	🍷 2
● Montefalco Rosso '16	🍷 2
● Montefalco Sagrantino Arquata '08	🍷🍷🍷 6
● Montefalco Sagrantino Arquata '06	🍷🍷🍷 5
● Montefalco Sagrantino Arquata '05	🍷🍷🍷 5
● Montefalco Rosso Arquata '15	🍷🍷 3*
● Montefalco Rosso Ris. '14	🍷🍷 4
● Montefalco Sagrantino '13	🍷🍷 5
● Montefalco Sagrantino Arquata '13	🍷🍷 6

Antonelli - San Marco

loc. San Marco, 60
06036 Montefalco [PG]
Tel. 0742379158
www.antonellisanmarco.it

VENDITA DIRETTA
VISITA SU PRENOTAZIONE
OSPITALITÀ
PRODUZIONE ANNUA 320.000 bottiglie
ETTARI VITATI 52,00
VITICOLTURA Biologico Certificato
AZIENDA SOSTENIBILE

Ben 170 ettari racchiusi in un corpo unico,
di cui 50 impiantati a vigneto con le varietà
della zona e condotti in biologico. Ci
troviamo a San Marco, una delle aree più
vocate di Montefalco: qui la famiglia
Antonelli è riuscita a far emergere tutte le
potenzialità della viticoltura locale
attraverso un grande lavoro portato avanti
col sagrantino e il sangiovese, ma anche
col trebbiano spoletino e il grechetto.
Ricerca e sperimentazioni non mancano,
ma è il rispetto per la natura e la tradizione
a prevalere attraverso vini che coniugano
fattura artigiana e nitida espressione
varietale. Il Molino dell'Attone '15, nuova
etichetta della casa per il Sagrantino,
convince per pulizia e complessità. In
bocca ha da subito la stoffa del fuoriclasse:
il sorso è fluido e dinamico, anche il finale
si distingue per profondità. Altro ottimo vino
è il Trebium '19, Trebbiano Spoletino dalla
spiccata impronta sapida. Succoso e
piacevole il Montefalco Rosso '17, dolce e
salino il Sagrantino Passito '14.

● Montefalco Sagrantino Molino dell'Attone '15	🍷🍷🍷 6
● Montefalco Rosso '17	🍷🍷 3*
● Baiocco Sangiovese '19	🍷🍷 2*
● Contrario '17	🍷🍷 3
● Montefalco Sagrantino Passito '14	🍷🍷 5
○ Spoleto Trebbiano Spoletino Anteprima Tonda '18	🍷🍷 4
○ Trebbiano Spoletino Trebium '19	🍷🍷 3
● Montefalco Rosso Ris. '16	🍷 4
● Montefalco Sagrantino '15	🍷 5
● Montefalco Sagrantino Chiusa di Pannone '15	🍷 6
● Montefalco Rosso Ris. '15	🍷🍷🍷 4*
○ Spoleto Trebbiano Spoletino Anteprima Tonda '16	🍷🍷🍷 4*
● Montefalco Rosso '16	🍷🍷 3*

Argillae

voc. Pomarro, 45
05010 Allerona [TR]
Tel. 0763624604
www.argillae.eu

VENDITA DIRETTA
VISITA SU PRENOTAZIONE
PRODUZIONE ANNUA 70.000 bottiglie
ETTARI VITATI 38,00
AZIENDA SOSTENIBILE

Argillae è una tenuta di ben 220 ettari (di
cui 38 vitati) che si snoda tra le colline a
nord di Orvieto, tra Allerona e Ficulle, su
terreni argillosi e calcarei. Qui vengono
coltivati i vitigni classici della
denominazione e le piante affondano le
proprie radici tra reperti fossili e conchiglie
di epoca pliocenica. L'azienda produce
seguendo criteri di sostenibilità,
concretizzati dall'uso di energie rinnovabili
e da pratiche agricole che vedono il solo
uso di materiale organico in vigna. I vini
rispecchiano il territorio da cui provengono,
sono molto puliti e precisi, non privi di
carattere. Approda alle nostre finali il Primo
d'Anfora, particolare bianco vinificato con
le bucce e maturato in anfora. Frutto del
millesimo 2018, ha naso complesso di
frutta bianca matura e fiori secchi, preludio
di una bocca sapida e leggermente tannica.
Molto buono anche il Grechetto '19, tutto
giocato su toni di camomilla ed erbe
spontanee. Un gradino sotto l'Orvieto
Superiore '19.

○ Primo d'Anfora '18	▼▼	6
○ Grechetto '19	▼▼	3
○ Orvieto Sup. '19	▼	2
○ Grechetto '16	♀♀	2*
○ Grechetto '14	♀♀	2*
○ Grechetto '12	♀♀	2*
○ Orvieto '18	♀♀	2*
○ Orvieto '16	♀♀	2*
○ Orvieto '15	♀♀	2*
○ Orvieto '13	♀♀	2*
○ Orvieto '12	♀♀	2*
○ Orvieto '11	♀♀	2*
○ Orvieto Cl. Panata '14	♀♀	2*
○ Orvieto Cl. Sup. Panata '18	♀♀	4
○ Orvieto Cl. Sup. Panata '17	♀♀	4
● Sinuoso '15	♀♀	2*

Barberani

loc. Vocabolo Mignattaro, 26
fraz. Cerreto
05023 Baschi [TR]
Tel. 0763341820
www.barberani.it

VENDITA DIRETTA
VISITA SU PRENOTAZIONE
OSPITALITÀ
PRODUZIONE ANNUA 300.000 bottiglie
ETTARI VITATI 55,00
VITICOLTURA Biologico Certificato
AZIENDA SOSTENIBILE

Prima che un'azienda vitivinicola, Barberani
è una grande famiglia. È guidata da
Bernardo e Niccolò, affiatati fratelli che si
occupano rispettivamente di mercato e
produzione. Da tempi non sospetti la
conduzione della vigna segue i dettami del
biologico e si lavora tanto tra i filari per
cercare di traghettare le peculiarità di
Orvieto in bottiglia. Da sempre la famiglia
ha creduto in questo comprensorio e le
etichette sono lì a dimostrarlo: finezza ed
eleganza non mancano, la bevibilità
accomuna tutti i vini, alcuni dei quali si
mettono in evidenza per le grandi capacità
d'invecchiamento. Il Luigi e Giovanna si
conferma un grande bianco, sia a livello
locale, sia a livello nazionale. È un Orvieto
Classico Superiore '17 che sorprende per
la complessità olfattiva: frutta fresca e
secca, pasticceria, zafferano e spezie
dolci anticipano un sorso fresco e
fragrante, profondo e di estrema pulizia.
Tre Bicchieri. Semplice, ma di carattere,
l'Orvieto Castagnolo '19. Di ottima fattura
il Foresco '18.

○ Orvieto Cl. Sup. Luigi e Giovanna '17	▼▼▼	5
● Foresco '18	▼▼	3
○ Orvieto Cl. Sup. Castagnolo '19	▼▼	3
● Aleatico Passito '11	▼	6
● Lago di Corbara Rosso Villa Monticelli '04	♀♀♀	4
○ Orvieto Cl. Sup. Luigi e Giovanna '16	♀♀♀	5
○ Orvieto Cl. Sup. Luigi e Giovanna '13	♀♀♀	5
○ Orvieto Cl. Sup. Luigi e Giovanna Villa Monticelli '11	♀♀♀	5
○ Orvieto Cl. Sup. Muffa Nobile Calcaia '10	♀♀♀	5
○ Orvieto Muffa Nobile Calcaia '15	♀♀♀	6
○ Grechetto '18	♀♀	3
○ Moscato Passito '15	♀♀	6
○ Orvieto Cl. Sup. Castagnolo '18	♀♀	3
○ Orvieto Cl. Sup. Luigi e Giovanna '15	♀♀	5

Tenuta Bellafonte

LOC. TORRE DEL COLLE
VIA COLLE NOTTOLO, 2
06031 BEVAGNA [PG]
TEL. 0742710019
www.tenutabellafonte.it

VENDITA DIRETTA
VISITA SU PRENOTAZIONE
OSPITALITÀ
PRODUZIONE ANNUA 35.000 bottiglie
ETTARI VITATI 11,00
AZIENDA SOSTENIBILE

Ha poco più di 10 anni di vita, ma
Bellafonte ha già costruito un bel pezzetto
di storia all'interno della produzione
montefalchese. Il suo artefice è Peter
Heilbron, che si è inserito nel mondo del
vino con idee molto chiare, subito emerse
attraverso le poche etichette prodotte (due
bianchi e due rossi), tutte incentrate sulle
varietà della zona. Viticoltura sostenibile in
vigna, precisione mai invasiva in cantina:
botti grandi, lieviti indigeni ed estrazioni
misurate regalano vini di carattere, sempre
contraddistinti da eleganza e bevibilità,
godibili in gioventù ma prospettici.
Quest'anno manca nella batteria il
Montefalco Sagrantino, ancora in
affinamento, ma lo sostituisce un grande
Montefalco Rosso: il Pomontino '18.
Giovane e leggiadro, ha grande
scorrevolezza e dinamicità, con tannino
perfetto e beva succosa. I profumi sono
deliziosi nei toni di piccoli frutti rossi.
Senza dubbio un Tre Bicchieri. Tra i bianchi
segnaliamo l'Arneto '18, Trebbiano
Spoletino di grande fascino.

Bocale

LOC. MADONNA DELLA STELLA
VIA FRATTA ALZATURA
06036 MONTEFALCO [PG]
TEL. 0742399233
www.bocale.wine

VENDITA DIRETTA
VISITA SU PRENOTAZIONE
PRODUZIONE ANNUA 25.000 bottiglie
ETTARI VITATI 4,20

Bocale è il soprannome della famiglia
Valentini, termine dialettale per indicare il
boccale usato quotidianamente per il vino e
l'olio. Anche da questo si evince la
tradizione agricola che porta avanti una
realtà vitivinicola piccola nei numeri (meno
di cinque ettari vitati), ma grande in termini
di costanza qualitativa ed esaltazione del
territorio. Tre i rossi prodotti (due Sagrantino
e un Montefalco Rosso), a cui si aggiunge il
trebbiano spoletino, uva bianca tradizionale
da queste parti su cui si scommette con
crescente convinzione. Partiamo proprio dal
bianco. Lo Spoletino '19 ha profumi di
nespola, fiori di campo e zagara, la bocca è
sapida, leggermente bucciosa e dal finale
freschissimo. Molto buono il Montefalco
Sagrantino Ennio '16, dai toni di tabacco e
prugna, dal tannino fitto ma mai amaro o
contratto. Concludiamo col Montefalco
Rosso '18, vino scorrevole e succoso, dalla
beva semplice ma mai banale.

● Montefalco Rosso Pomontino '18	♟♟♟	6
○ Trebbiano Spoletino Arnèto '18	♟♟	4
○ Montefalco Bianco Sperella '19	♟	2
● Montefalco Rosso Pomontino '17	♟♟	6
● Montefalco Sagrantino '09	♟♟♟	6
● Montefalco Sagrantino Collenottolo '14	♟♟♟	6
● Montefalco Sagrantino Collenottolo '13	♟♟♟	6
● Montefalco Sagrantino Collenottolo '11	♟♟♟	6
● Montefalco Sagrantino Collenottolo '10	♟♟♟	6
○ Arnèto '17	♟♟	4
○ Arnèto '16	♟♟	4
○ Arnèto '14	♟♟	5
● Montefalco Sagrantino Collenottolo '15	♟♟	6
● Montefalco Sagrantino Collenottolo '12	♟♟	6

● Montefalco Rosso '18	♟♟	3
● Montefalco Sagrantino Ennio '16	♟♟	6
○ Spoleto Trebbiano Spoletino '19	♟♟♟	3
● Montefalco Rosso '17	♟♟	3
● Montefalco Rosso '16	♟♟	3*
● Montefalco Rosso '15	♟♟	3
● Montefalco Rosso '14	♟♟	3
● Montefalco Sagrantino '16	♟♟	5
● Montefalco Sagrantino '15	♟♟	5
● Montefalco Sagrantino '14	♟♟	5
● Montefalco Sagrantino '13	♟♟	5
● Montefalco Sagrantino Ennio '15	♟♟	7
○ Trebbiano Spoletino '15	♟♟	3

Briziarelli

VIA COLLE ALLODOLE, 10
06031 BEVAGNA [PG]
TEL. 0742360036
www.cantinebriziarelli.it

VENDITA DIRETTA
VISITA SU PRENOTAZIONE
OSPITALITÀ E RISTORAZIONE
PRODUZIONE ANNUA 235.000 bottiglie
ETTARI VITATI 30,00

Il legame tra Briziarelli e la produzione agricola risale quantomeno al 1906, anno in cui Pio fondò l'azienda scommettendo sul territorio montefalchese. Il progetto vinicolo è più recente: nasce negli anni 2000 e può contare fin da subito su ben 30 ettari vitati, mentre nel 2012 viene costruita la nuova cantina, all'avanguardia tanto sul piano architettonico quanto su quello enotecnico. I vini proposti in gamma rispettano in pieno il carattere varietale e territoriale, coniugando precisione interpretativa e visione contemporanea, ma sono anch'essi lo specchio della modernità registrata nella struttura. Il Mattone Bianco '19, ottenuto da uve trebbiano spoletino, è nitido ed espressivo al naso: profuma di mandorla fresca e fiori bianchi, frutto giallo ed erbe aromatiche, mentre la bocca scorre bene fino in fondo, tenendo insieme bella freschezza e sapidità. Tre Bicchieri. Piacevole anche il rosso Dunarobba '18, blend paritario di merlot e sangiovese che coniuga agilità, intensità e carattere. Corretti gli altri vini.

Leonardo Bussoletti

LOC. MIRIANO
S.DA DELLE PRETARE, 62
05035 NARNI [TR]
TEL. 0744715687
www.leonardobussoletti.it

VISITA SU PRENOTAZIONE
PRODUZIONE ANNUA 40.000 bottiglie
ETTARI VITATI 9,00
VITICOLTURA Biologico Certificato

Leonardo Bussoletti è un bravo vignaiolo, ma anche un produttore illuminato che ha saputo dare lustro all'intero territorio di Narni attraverso i suoi vini ricavati dalle cultivar di riferimento: ciliegiolo e grechetto. Basta scambiare poche parole con lui per toccarne con mano la bruciante passione viticola e interpretativa, fedelmente restituita da vini fini ed eleganti, dotati di carattere, sapore e persistenza. A dir poco golosi da giovani, si fanno più complessi e austeri con qualche anno sulle spalle: bottiglie da seguire nel tempo anche grazie a prezzi a dir poco amichevoli. Di tutto rispetto, come di consueto, la gamma presentata. A partire dal rosso 05035 '19, Ciliegiolo di Narni giovane e leggiadro, dalla beva succosa e piacevole, appagante e lungo. Il vero fuoriclasse quest'anno è però il Brecciaro '18, rigorosa selezione di ciliegiolo dalle intense note di frutto nero e spezie. Bocca meravigliosa per equilibrio tra acidità, sapidità e tannino. Tre Bicchieri.

○ Mattone Bianco Trebbiano '19	♟♟♟ 3*
● Montefalco Rosso Dunarobba '18	♟♟ 3*
● Montefalco Rosso '17	♟ 3
● UnoNoveZeroSei '15	♟ 5
● Montefalco Rosso Mattone Ris. '16	♟♟♟ 5
● Montefalco Rosso '15	♟♟ 3
● Montefalco Rosso Mattone '12	♟♟ 4
● Montefalco Rosso Mattone Ris. '15	♟♟ 5
● Montefalco Sagrantino '15	♟♟ 5
● Montefalco Sagrantino '14	♟♟ 5

● Brecciaro Ciliegiolo '18	♟♟♟ 3*
● 05035 Ciliegiolo '19	♟♟ 3*
○ Colle Ozio Grechetto '19	♟♟ 3
○ 05035 Bianco '19	♟ 2
● 05035 Rosso '16	♟♟♟ 2*
● Brecciaro Ciliegiolo '14	♟♟♟ 3*
○ Colle Ozio Grechetto '12	♟♟♟ 3*
● Ramìci Ciliegiolo '16	♟♟♟ 5
● 05035 Ciliegiolo '18	♟♟ 3*
● 05035 Ciliegiolo '17	♟♟ 2*
● Brecciaro Ciliegiolo '17	♟♟ 3
○ Colle Murello '18	♟♟ 3
○ Colle Ozio Grechetto '16	♟♟ 3*

★★Arnaldo Caprai

Loc. Torre, 1
06036 Montefalco [PG]
Tel. 0742378802
www.arnaldocaprai.it

VENDITA DIRETTA
VISITA SU PRENOTAZIONE
OSPITALITÀ
PRODUZIONE ANNUA 1.000.000 bottiglie
ETTARI VITATI 136,00
AZIENDA SOSTENIBILE

In oltre trent'anni di Guida abbiamo davvero detto tutto del progetto Caprai, ma quella che è da sempre tra le aziende leader di Montefalco continua ad aggiungere dettagli e sfide. Attualmente diretta da Marco, erede di Arnaldo che la fondò negli anni '70, da qualche tempo ha visto l'ingresso nello staff tecnico di un enologo del calibro di Michel Rolland. L'ampia produzione, derivante da poco meno di 150 ettari vitati, tiene insieme precisione e piglio contemporaneo, senza scardinare i principi varietali che restano fedeli al territorio, specie quando entra in campo il "re" sagrantino. In attesa della nuova versione del Sagrantino 25 Anni, ci "accontentiamo" del Collepiano '16. Un second vin solo sulla carta, considerando complessità e struttura: tabacco, cuoio, radici e frutto nero anticipano un sorso fitto dove il tannino è protagonista, arricchendo un palato di grande energia. Molto buoni anche gli altri rossi della casa, a partire dal Montefalco Rosso Vigna Flaminia Maremmana '18.

La Carraia

Loc. Tordimonte, 56
05018 Orvieto [TR]
Tel. 0763304013
www.lacarraia.it

VENDITA DIRETTA
VISITA SU PRENOTAZIONE
PRODUZIONE ANNUA 700.000 bottiglie
ETTARI VITATI 119,00

Bella e storica realtà dell'Orvietano, La Carraia da molti anni propone vini affidabili, capaci di regalare un quadro sincero del territorio da cui provengono. È stata pensata e realizzata dalla famiglia Gialletti e si avvale di una partnership di valore, quella della famiglia Cotarella, con l'enologo Riccardo a seguire la produzione. Tanti i vini in catalogo, derivanti sia da uve autoctone (con cui si ottengono dei deliziosi Orvieto), sia da uve internazionali, che danno origine a diversi Igt. Quest'anno sono i rossi a distinguersi. Il Querciascura '13 è un sangiovese in purezza, fitto e corposo ma sempre ritmico nella beva: note di frutto nero e cuoio assicurano complessità al naso, mentre la bocca ha tannino avvolgente e acidità ben presente. Il Tizzonero '17 è sempre frutto di sangiovese, ma con saldo di altre uve locali. Più giovane e snello, non perde il carattere del grande rosso. Il Solcato '17, infine, è un interessante taglio bordolese dove il sangiovese è comunque presente.

● Montefalco Sagrantino Collepiano '16	♙♙♙ 7
● Montefalco Rosso V. Flaminia Maremmana '18	♙♙ 4
○ Chardonnay '19	♙♙ 5
○ Colli Martani Grechetto Grecante '19	♙♙ 4
○ Cuvée Secrète '18	♙♙ 7
● Montefalco Rosso '18	♙♙ 4
● Montefalco Sagrantino Valdimaggio '16	♙♙ 7
○ Sauvignon '19	♙ 5
● Montefalco Sagrantino 25 Anni '15	♟♟♟ 8
● Montefalco Sagrantino 25 Anni '14	♟♟♟ 8
● Montefalco Rosso V. Flaminia Maremmana '17	♟♟ 4
● Montefalco Sagrantino Collepiano '14	♟♟ 7
● Montefalco Sagrantino Valdimaggio '15	♟♟ 7

● Querciascura '13	♙♙ 4
● Solcato '17	♙♙ 3
● Tizzonero '17	♙♙ 3
○ Conte Marzio '17	♙ 4
○ Orvieto Cl. Sup. Poggio Calvelli '19	♙ 2
● Fobiano '03	♟♟♟ 4
● Fobiano '99	♟♟♟ 4*
● Fobiano '98	♟♟♟ 4*
○ Le Basque '18	♟♟ 3
○ Le Basque '17	♟♟ 3*
○ Le Basque '16	♟♟ 3
● Merlot '18	♟♟ 2*
○ Orvieto Cl. Sup. Poggio Calvelli '18	♟♟ 2*
○ Orvieto Cl. Sup. Poggio Calvelli '17	♟♟ 2*
○ Orvieto Cl. Sup. Poggio Calvelli '16	♟♟ 2*
● Solcato '16	♟♟ 3
● Solcato '15	♟♟ 3

★★★Castello della Sala

LOC. SALA
05016 FICULLE [TR]
TEL. 076386127
www.antinori.it

VENDITA DIRETTA
PRODUZIONE ANNUA 800.000 bottiglie
ETTARI VITATI 170,00

La valenza del comprensorio vitivinicolo di
Orvieto è sempre stata nota ai Marchesi
Antinori. Quando infatti volle investire su un
territorio bianchista, puntò su Ficulle,
creando il Castello della Sala e facendo
conoscere in pochi anni il Cervaro come
autentica gemma produttiva e grande
bianco nazionale. La storia più recente
racconta di una cantina che ha saputo
mantenere un'invidiabile costanza
qualitativa, ampliando la gamma e
orientandosi sempre più sulla
denominazione Orvieto, con vini capaci di
interpretare in maniera fluida lo spirito dei
tempi. Elegante, fine, leggiadro: complice
un'annata fresca come la 2018, il Cervaro
della Sala si conferma vero cavallo di razza.
Ampio nei toni di albicocca, erbe spontanee
e fiori, ha bocca avvolgente ma sempre
attraversata da bella freschezza acida.
Finale lungo e pulitissimo. Tre Bicchieri.
Molto ben fatto anche il Bramito della
Sala '19, sempre da uve chardonnay. Tra i
rossi spicca quest'anno il Pinot Nero '17,
fresco e leggiadro.

○ Cervaro della Sala '18	♔♔♔ 7
○ Bramìto della Sala '19	♔♔ 4
○ Muffato della Sala '16	♔♔ 6
● Pinot Nero della Sala '17	♔♔ 7
○ Conte della Vipera '19	♔ 5
○ Orvieto Cl. Sup.	
San Giovanni della Sala '19	♔ 3
○ Cervaro della Sala '17	♔♔♔ 7
○ Cervaro della Sala '16	♔♔♔ 6
○ Cervaro della Sala '15	♔♔♔ 6
○ Cervaro della Sala '07	♔♔♔ 6
○ Cervaro della Sala '06	♔♔♔ 6
○ Cervaro della Sala '05	♔♔♔ 6
○ Cervaro della Sala '04	♔♔♔ 6

Cantina Cenci

FRAZ. SAN BIAGIO DELLA VALLE
VOC. ANTICELLO, 50
06072 MARSCIANO [PG]
TEL. 3805198980
www.cantinacenci.it

VENDITA DIRETTA
VISITA SU PRENOTAZIONE
PRODUZIONE ANNUA 30.000 bottiglie
ETTARI VITATI 6,00
VITICOLTURA Biologico Certificato
AZIENDA SOSTENIBILE

Guidata oggi dal vulcanico Giovanni, la
cantina Cenci si trova pochi chilometri a
sud di Perugia, in una zona da sempre
vocata all'agricoltura. Parliamo di circa 40
ettari di proprietà, sei dei quali impiantati a
vigneto su suoli argillosi e sabbiosi, ricchi
di calcare, all'interno di un territorio che
già fu insediamento dei monaci olivetani
alla fine del '600. La produzione si divide
tra varietà tradizionali del centro Italia
(sangiovese, grechetto e trebbiano) e
alcuni vitigni internazionali. I vini hanno
puntualità tecnica e anima artigiana. Sono
un bianco e un rosso i più interessanti
testati in quest'ultima tornata. L'Anticello
Grechetto '19 profuma di albicocca, fiori di
campo, erbe aromatiche e spezie; la bocca
è sapida e leggermente bucciosa, solida e
ricca, ma la freschezza acida equilibra il
tutto. Il Piantata '18 è un sangiovese in
purezza leggiadro e di gran beva: al naso
piccoli frutti di bosco, mentre il sorso è
ritmico e succoso. Ben fatti gli altri vini.

○ Anticello '19	♔♔ 3
● Piantata Sangiovese '18	♔♔ 5
○ Àlago Stellato '19	♔ 3
● Sanbiagio '18	♔ 3
○ Alago Stellato '15	♔♔ 2*
○ Anticello '16	♔♔ 2*
○ Anticello '15	♔♔ 2*
○ Anticello '14	♔♔ 2*
○ Anticello Laghetto '18	♔♔ 3
● Ascheria '16	♔♔ 3
○ Giole '15	♔♔ 2*
● Piantata '17	♔♔ 4
● Piantata '16	♔♔ 4
● Piantata '15	♔♔ 4
● Piantata '14	♔♔ 4
● Piantata R '16	♔♔ 6
● Sanbiagio '17	♔♔ 3

Le Cimate

FRAZ. CASALE
LOC. CECAPECORE, 41
06036 MONTEFALCO [PG]
TEL. 0742290136
www.lecimate.it

VENDITA DIRETTA
VISITA SU PRENOTAZIONE
OSPITALITÀ E RISTORAZIONE
PRODUZIONE ANNUA 900.000 bottiglie
ETTARI VITATI 27,70
AZIENDA SOSTENIBILE

Sono le cime delle colline che caratterizzano Montefalco a dare il nome a questa bella realtà fortemente voluta dalla famiglia Bartoloni, fondata nel 2011 da Paolo, erede di una famiglia che si occupa di agricoltura dal 1800. L'azienda può contare su quasi 28 ettari coltivati sia con i classici vitigni del territorio, sia con alcune varietà internazionali utilizzate soprattutto nei vini a Indicazione Geografica. I terreni sono argillosi, con importanti presenze di calcare: ne derivano interpretazioni moderne, tecnicamente inappuntabili, sempre più tipici e slanciati negli ultimi anni. Davvero convincenti i due bianchi da uve trebbiano spoletino. Il 2019 è senza dubbio il più complesso ed equilibrato: nonostante la giovane età non mancano richiami floreali e di erbe di montagna, il sorso è sapido e fragrante e nel finale riemergono nette le sensazioni olfattive. Molto buono anche La Riserva del Cav. Bartoloni 2018, una selezione che esce a due anni dalla vendemmia.

○ Trebbiano Spoletino '19	♟♟ 3*
○ Spoleto Trebbiano Spoletino Sup. Riserva del Cavalier Bartoloni '18	♟♟ 4
● Montefalco Sagrantino '15	♟ 5
● Montefalco Rosso '15	♟♟ 3
● Montefalco Sagrantino '14	♟♟ 5
● Montefalco Sagrantino '13	♟♟ 5
● Montefalco Sagrantino '12	♟♟ 5
○ Trebbiano Spoletino '18	♟♟ 3
○ Trebbiano Spoletino '17	♟♟ 3
○ Trebbiano Spoletino '15	♟♟ 3

Colle Ciocco

VIA B. GOZZOLI 1/5
06036 MONTEFALCO [PG]
TEL. 0742379859
www.colleciocco.it

VENDITA DIRETTA
VISITA SU PRENOTAZIONE
PRODUZIONE ANNUA 45.000 bottiglie
ETTARI VITATI 15,00

La collina su cui sorge la cantina dà il nome a questa piccola ma interessante realtà di Montefalco. La sua nascita ci fa risalire agli anni '30, quando Settimio Spacchetti fondò l'azienda agricola dedita alla produzione di vino, olio e seminativi. Ora sono gli eredi Lamberto ed Eliseo a portare avanti un lavoro in campagna che conta su 20 ettari, 15 dei quali vitati. Spicca la varietà sagrantino, affiancata dal sangiovese protagonista nella produzione del Montefalco Rosso; spazio anche ai bianchi con Trebbiano Spoletino e Montefalco Bianco, con l'aggiunta di chardonnay e viognier. È proprio il Tempestivo '19, selezione di trebbiano spoletino, a brillare: naso complesso giocato tra erbe secche e scorza d'arancio candita, bocca sapida e ritmica. Ma il vero fuoriclasse quest'anno è il Montefalco Sagrantino '15: nonostante la struttura non manchi, il corpo del vino è equilibrato tra tannino, freschezza acida e sapidità. Ne beneficia il sorso, sempre scorrevole e profondo.

● Montefalco Sagrantino '15	♟♟ 5
● Montefalco Rosso '16	♟♟ 3
○ Spoleto Trebbiano Spoletino Tempestivo '19	♟♟ 3
○ Montefalco Grechetto Clarignano '18	♟ 3
○ Montefalco Bianco '18	♟♟ 3
● Montefalco Rosso '15	♟♟ 3
● Montefalco Sagrantino '14	♟♟ 5
● Montefalco Sagrantino '12	♟♟ 5
● Montefalco Sagrantino '11	♟♟ 5
○ Spoleto Trebbiano Spoletino Tempestivo '18	♟♟ 3
○ Spoleto Trebbiano Spoletino Tempestivo '17	♟♟ 3

Fattoria Colleallodole

VIA COLLEALLODOLE 3
06031 BEVAGNA [PG]
TEL. 0742361897
www.fattoriacolleallodole.com

VENDITA DIRETTA
VISITA SU PRENOTAZIONE
PRODUZIONE ANNUA 70.000 bottiglie
ETTARI VITATI 25,00

Colleallodole è il nome della località e del cru di Bevagna che dà origine al nome della fattoria, anche se la firma che campeggia in etichetta è quella della famiglia Antano. Fu Milziade a credere fortemente nel territorio montefalchese e i suoi eredi continuano il lavoro, curando una produzione di autentica fattura artigiana, fedele alla tradizione sia in vigna (nei terreni collinari ricchi di argilla sono allevati unicamente i vitigni locali), sia in cantina, dove si utilizzano lieviti indigeni e si portano avanti macerazioni e maturazioni ideali soprattutto per le uve rosse. Di alto livello la batteria presentata quest'anno: ai vertici il Colle Allodole '17, selezione di Sagrantino caratterizzata da enorme complessità olfattiva, espressa su toni pimpanti di frutto rosso e spezie dolci. La bocca scorre fluida, nonostante il tannino puntuto, grazie alla freschezza che dà ritmo. Di ottimo livello anche il Montefalco Sagrantino '17 e il Rosso '18. Affascinante, infine, il Passito '17.

Decugnano dei Barbi

LOC. FOSSATELLO, 50
05018 ORVIETO [TR]
TEL. 0763308255
www.decugnano.it

VENDITA DIRETTA
VISITA SU PRENOTAZIONE
PRODUZIONE ANNUA 130.000 bottiglie
ETTARI VITATI 32,00

Quella dei Barbi è un'azienda di riferimento per il distretto orvietano, e non solo, per bellezza, storia e modernità. Partiamo dal territorio: le splendide colline che dominano il lago di Corbara, dove trovano il loro habitat ideale le uve tradizionali della zona, tra fossili e conchiglie. La grotta all'interno della cantina dove riposa il Metodo Classico è a dir poco affascinante, mentre gli impianti più moderni sono dedicati alla linea dei bianchi e rossi. Vini di grande bevibilità e finezza, che incarnano in pieno il terroir d'appartenenza, tra mineralità e impronta sapida. Ottimo il livello generale riscontrato. Primeggiano i Metodo Classico, mentre per l'Orvieto più importante l'assaggio è rimandato al prossimo anno (affinerà qualche mese in più in bottiglia). È stato degnamente sostituito dal Villa Barbi, Orvieto di grande freschezza e complessità aromatica. Tra i rossi Il Decugnano '17 è fitto e di buona trama, con tannino morbido e ben levigato. Molto elegante il Dosaggio Zero, che conferma la maestria crescente dell'azienda sugli spumanti.

● Montefalco Sagrantino Colleallodole '17	🏆🏆	8
● Montefalco Rosso '18	🏆🏆	3
● Montefalco Sagrantino '17	🏆🏆	6
● Montefalco Sagrantino Passito '17	🏆🏆	7
● Montefalco Rosso Ris. '17	🏆	5
● Montefalco Rosso '17	🏆🏆	3
● Montefalco Rosso '16	🏆🏆	3
● Montefalco Sagrantino '16	🏆🏆	6
● Montefalco Sagrantino Passito '16	🏆🏆	7
● Montefalco Sagrantino Passito '15	🏆🏆	7

○ Orvieto Cl. Villa Barbi '19	🏆🏆🏆	3
● Il Decugnano Rosso '17	🏆🏆	3*
○ Brut M. Cl. '15	🏆🏆	5
○ Dosaggio Zero M. Cl.	🏆🏆	5
○ Maris '16	🏆🏆	4
⊙ Tramonto d'Estate '19	🏆	4
○ Orvieto Cl. Sup. Il Bianco '17	🏆🏆🏆	4*
○ Orvieto Cl. Sup. Il Bianco '16	🏆🏆🏆	4*
○ Orvieto Cl. Sup. Il Bianco '15	🏆🏆🏆	4*
○ Orvieto Cl. Sup. Il Bianco '12	🏆🏆🏆	3*
○ Orvieto Cl. Sup. Il Bianco '18	🏆🏆	4
○ Orvieto Cl. Villa Barbi '18	🏆🏆	3

Di Filippo

voc. Conversino, 153
06033 Cannara [PG]
Tel. 0742731242
www.vinidifilippo.com

VENDITA DIRETTA
VISITA SU PRENOTAZIONE
PRODUZIONE ANNUA 227.000 bottiglie
ETTARI VITATI 35,00
VITICOLTURA Biologico Certificato
AZIENDA SOSTENIBILE

È Roberto Di Filippo il corpo e la mente della bellissima realtà che porta il suo nome. Un progetto basato su sostenibilità e biodiversità, che si traduce in vini sinceri e genuini, impeccabili tecnicamente (Roberto è validissimo enologo), capaci di rispettare i territori da cui sono generati. Le vigne insistono su due aree diverse: da una parte quella di Montefalco, capitanata dal sagrantino, dall'altra i Colli Martani, con sangiovese e grechetto ai vertici. In questa stessa scheda recensiamo anche i vini Plani Arche, altra realtà della Di Filippo, stessa filosofia. Ottima performance per i rossi, a partire dai Sagrantino. Molto buono l'Etnico, ma ancora di più la versione classica del 2015: note lievemente affumicate, terrose e di frutto nero; palato fitto dove il tannino è evidente ma non contrae il sorso. Eccellente, tanto da raggiungere le nostre finali, anche il Passito, sempre 2015. A due anni dalla vendemmia spicca poi il Farandola, delizioso Trebbiano Spoletino '18.

● Montefalco Sagrantino Passito '15	🍷🍷	6
● Montefalco Rosso Sallustio '16	🍷🍷	3
● Montefalco Sagrantino '15	🍷🍷	6
● Montefalco Sagrantino Etnico '15	🍷🍷	5
○ Trebbiano Spoletino Farandola '18	🍷🍷	2*
⊙ Villa Conversino Rosato '19	🍷🍷	2*
● Villa Conversino Rosso '19	🍷🍷	2*
● Colli Martani Sangiovese Properzio Ris. '17	🍷	4
○ Grechetto '19	🍷	2
● Montefalco Rosso '18	🍷	3
● Sangiovese '19	🍷	2
○ Villa Conversino Bianco '19	🍷	2
● Colli Martani Vernaccia di Cannara '17	🍷🍷	5
○ Grechetto '18	🍷🍷	2*
● Montefalco Rosso '17	🍷🍷	3*

Cantina Dionigi

voc. Madonna della Pia, 92
06031 Bevagna [PG]
Tel. 0742360395
www.cantinadionigi.it

VENDITA DIRETTA
VISITA SU PRENOTAZIONE
OSPITALITÀ
PRODUZIONE ANNUA 40.000 bottiglie
ETTARI VITATI 6,00

Storica azienda agricola dell'areale del Sagrantino, dedita alla produzione vitivinicola sin dal 1896, Dionigi si trova a Bevagna. Una terrazza che domina le vallate circostanti, tra vigneti e bosco: in questo contesto si porta avanti una viticoltura tradizionale, sia in vigna sia in cantina. Le pratiche semplici regalano interpretazioni sincere e genuine, figlie della natura e vere espressioni della cultura di questi luoghi. Tanti i vini proposti, alcuni secondo le denominazioni dell'areale, altri da uve alloctone. La produzione di extravergine da varietà moraiolo completa la gamma. Sono senza dubbio i bianchi le tipologie più convincenti quest'anno. A partire dal Goccio '19, un Trebbiano Spoletino sapido e dalla beva coinvolgente. Delizioso anche il Vigna del Brillo '19, Grechetto tipico di Montefalco. Ma c'è spazio anche per il Chiarina '19, Chardonnay avvolgente e fruttato. Su buoni livelli anche il resto della batteria.

○ Chiarina Chardonnay '19	🍷🍷	3
○ Colli Martani Grechetto V. del Brillo '19	🍷🍷	3
○ Goccio '19	🍷🍷	3
○ Rosagrà Rosato '19	🍷🍷	4
● Montefalco Rosso '17	🍷	3
● Montefalco Sagrantino '13	🍷	5
● Montefalco Sagrantino Passito '16	🍷	5
○ Sestum Moscato Secco '17	🍷	3
○ Colli Martani Grechetto V. del Brillo '16	🍷🍷	3
● Merlot Passito Civico 92 '11	🍷🍷	3
● Montefalco Rosso '12	🍷🍷	3
● Montefalco Rosso Ris. '11	🍷🍷	3
● Montefalco Sagrantino Passito '12	🍷🍷	5
○ Passo Greco '11	🍷🍷	3
○ Scialo '11	🍷🍷	3

Duca della Corgna

VIA ROMA, 236
06061 CASTIGLIONE DEL LAGO [PG]
TEL. 0759652493
www.ducadellacorgna.it

VENDITA DIRETTA
VISITA SU PRENOTAZIONE
PRODUZIONE ANNUA 280.000 bottiglie
ETTARI VITATI 55,00

Collocata a Castiglion del Lago (sede della cantina e del punto vendita), Duca della Corgna è la cooperativa di riferimento per i vignaioli del Trasimeno. Negli anni è stata capace di mettere a punto una fondamentale politica di valorizzazione qualitativa, grazie ad uno staff manageriale di tutto rispetto, affiancato da tecnici di spessore. Il punto di forza della produzione è il gamay, uva che appartiene alla famiglia delle grenache, ma conosciuto in zona con questo nome. Tante le versioni prodotte, da quelle più golose d'annata alle selezioni con qualche anno sulle spalle. Anche quest'anno non delude la gamma presentata. Diversi i vini molto buoni, a partire dal Baccio del Rosso '19, delizioso nelle note di more e fragolina di bosco; palato fresco e scorrevole, delineato da un tannino delicato. Molto buona anche la Riserva di Gamay '17: l'Etichetta Nera del Divina Villa è succosa e profuma di rosa e ribes. Tra i bianchi spicca infine il nuovo Poggio alla Macchia '18, da uve grechetto.

Goretti

FRAZ. PILA
S.DA DEL PINO, 4
06132 PERUGIA
TEL. 075607316
www.vinigoretti.com

VISITA SU PRENOTAZIONE
PRODUZIONE ANNUA 300.000 bottiglie
ETTARI VITATI 50,00

Azienda familiare giunta alla quarta generazione, Goretti affonda le sue radici nei primi del '900. Si trova alle porte di Perugia e produce vini molto ben fatti tecnicamente, che rispecchiano fedelmente le varietà utilizzate, tra autoctoni e internazionali. La produzione insiste su due areali. Una parte delle vigne è coltivata intorno alla cantina storica, nella Tenuta di Pila, mentre altri filari si collocano nelle denominazioni di Montefalco (linea Le Mura Saracene). In cantina, visti gli spazi dedicati alla ricettività, si organizzano degustazioni, tour guidati e cooking class. Ottimo il Montefalco Rosso Le Mura Saracene '18. Fresco e vibrante, regala profumi di piccoli frutti e toni speziati. Tra i bianchi spicca il Grechetto dei Colli Perugini '19: acidità e sapore fanno da contorno a note di frutto giallo e fiori di campo. Altro vino di livello è l'Arringatore '16, blend di sangiovese, merlot e ciliegiolo. Corretto il resto della produzione.

● C. del Trasimeno Baccio del Rosso '19	♟♟	2*
○ C. del Trasimeno Grechetto Nuricante '19	♟♟	3
○ C. del Trasimeno Grechetto Poggio alla Macchia '18	♟♟	6
○ Colli del Trasimeno Grechetto Ascanio '19	♟♟	2*
● Trasimeno Gamay Divina Villa Ris. '17	♟♟	3
○ C. del Trasimeno Baccio del Bianco '19	♟	2
● C. del Trasimeno Rosso Corniolo Ris. '17	♟	5
● Trasimeno Gamay Divina Villa '19	♟	3
○ Ascanio '18	♟♟	2*
● C. del Trasimeno Baccio del Rosso '18	♟♟	2*
● C. del Trasimeno Rosso Corniolo Ris. '16	♟♟	4
● Trasimeno Gamay Divina Villa Ris. '16	♟♟	3

○ Colli Perugini Grechetto '19	♟♟	2*
● Colli Perugini Rosso L'Arringatore '16	♟♟	5
● Montefalco Rosso Le Mure Saracene '18	♟♟	3
● Fontanella Rosso '18	♟	2
● Montefalco Sagrantino '16	♟	5
● Colli Perugini Rosso L'Arringatore '16	♟♟	5
● Colli Perugini Rosso L'Arringatore '14	♟♟	5
● Colli Perugini Rosso L'Arringatore '09	♟♟	3
○ Il Moggio '14	♟♟	3
● Montefalco Sagrantino '15	♟♟	3*
● Montefalco Sagrantino Le Mure Saracene '14	♟♟	3*
● Montefalco Sagrantino Le Mure Saracene '11	♟♟	3*

Tenute Lunelli - Castelbuono

voc. Castellaccio, 9
06031 Bevagna [PG]
Tel. 0742361670
www.tenutelunelli.it

VENDITA DIRETTA
VISITA SU PRENOTAZIONE
PRODUZIONE ANNUA 134.500 bottiglie
ETTARI VITATI 32,00
VITICOLTURA Biologico Certificato
AZIENDA SOSTENIBILE

Sta per compiere vent'anni la compagine umbra della famiglia Lunelli, storici viticoltori trentini e titolari del grande marchio spumantistico Ferrari. A Bevagna hanno scommesso sul comprensorio di Montefalco, con oltre 30 ettari coltivati in biologico: a dominare la produzione sono le uve locali come sagrantino e sangiovese, con piccole percentuali di cultivar internazionali usate per il Rosso. Splendido progetto architettonico firmato Arnaldo Pomodoro, il Carapace è la struttura che abbraccia la cantina: un concentrato di tecnologia, ma sempre volta al rispetto varietale e territoriale. Tre i rossi presentati quest'anno, tutti di assoluto livello. Sale sul gradino più alto del podio il Lampante '17, Montefalco Rosso Riserva di grande complessità: impossibile non scorgere i profumi di mora, ribes e pepe nero, in perfetta sintonia con un palato fruttato e scorrevole, cremoso e dinamico. Molto buono anche il giovanissimo Ziggurat '18 e il Sagrantino Carapace '16.

● Montefalco Rosso Lampante Ris. '17	♈♈♈ 5
● Montefalco Rosso Ziggurat '18	♈♈ 3*
● Montefalco Sagrantino Carapace '16	♈♈ 6
● Montefalco Rosso Ziggurat '17	♈♈♈ 4*
● Montefalco Rosso Ziggurat '16	♈♈♈ 4*
● Montefalco Rosso Lampante Ris. '16	♈♈ 5
● Montefalco Rosso Lampante Ris. '13	♈♈ 5
● Montefalco Sagrantino Carapace '15	♈♈ 6

★Lungarotti

v.le G. Lungarotti, 2
06089 Torgiano [PG]
Tel. 075988661
www.lungarotti.it

VENDITA DIRETTA
VISITA SU PRENOTAZIONE
OSPITALITÀ E RISTORAZIONE
PRODUZIONE ANNUA 2.500.000 bottiglie
ETTARI VITATI 250,00

Se l'Umbria del vino ha una storia di valore trasversalmente riconosciuta, lo deve anche e soprattutto alla famiglia Lungarotti, capace da sempre di plasmare grandi bottiglie e di interpretare le sfide del comparto enoico. Un'azienda che ha saputo come poche mutare pelle continuamente, senza mai tradire tuttavia le sue vocazioni più radicate. La produzione si lega sia alla secolare tenuta di Torgiano (dove ha sede la cantina madre), sia alle vigne di Montefalco, areale su cui l'azienda ha scommesso in tempi più recenti. Entrambi i vini del 2017 si fanno notare. Il Sagrantino è ricco e appagante sia al naso sia al palato, il Montefalco Rosso ha beva fresca e leggiadra. Il vero cavallo di razza, però, è sempre lo storico Vigna Monticchio: di sicuro la positiva vendemmia 2016 contribuisce a renderlo così elegante e raffinato, con naso a spaziare tra piccoli frutti e spezie, mentre la bocca è fresca e soave, lunghissima, perfettamente integrata negli apporti acidi e tannici.

● Torgiano Rosso Rubesco V. Monticchio Ris. '16	♈♈♈ 6
● Montefalco Sagrantino '17	♈♈ 5
○ M. Cl. Extra Brut 60 Mesi '14	♈♈ 8
● Montefalco Rosso '17	♈♈ 3
● San Giorgio '17	♈♈ 5
○ Torgiano Bianco Torre di Giano '19	♈♈ 2*
● Torgiano Rosso Rubesco '18	♈♈ 3
● Torgiano Rosso Rubesco V. Monticchio Ris. '15	♈♈♈ 6
● Torgiano Rosso Rubesco V. Monticchio Ris. '13	♈♈♈ 6
● San Giorgio '16	♈♈ 6

Madeleine

FRAZ. SCHIFANOIA
S.DA MONTINI, 38
05035 NARNI [TR]
TEL. 0744040427
www.cantinalamadeleine.it

VENDITA DIRETTA
VISITA SU PRENOTAZIONE
PRODUZIONE ANNUA 35.000 bottiglie
ETTARI VITATI 6,40

Come si dice: largo ai giovani. Ed è così
che i fratelli Giulia e Francesco si trovano a
guidare la cantina acquisita dai genitori
Linda e Massimo D'Alema. Il nome è
rimasto quello della vecchia azienda
agricola, per il resto molto è cambiato in
direzione di una consolidata modernità. I
vigneti ospitano perlopiù varietà allottone
ed è lo stile internazionale a prevalere:
ovviamente non si svilisce la piccola
porzione di territorio su cui insistono i sette
ettari vitati, ma lo si valorizza attraverso
pinot nero, cabernet franc e importanti
Metodo Classico. Proprio uno Spumante
approda alle nostre finali: è il Nerosé60,
come i mesi di sosta sui lieviti, che
regalano grande complessità e lunghezza,
innanzitutto nel mix di fragolina di bosco e
cenni di pasticceria evidenziato al naso,
mentre la bocca si mostra equilibrata tra
carbonica e freschezza. Altro vino
interessante è il Pinot Nero '18, leggiadro e
dai profumi mediterranei. Sfide '18, infine,
è goloso e avvolgente.

⊙ Nerosè60 M. Cl.	🏆🏆	7
● Pinot Nero '18	🏆🏆	6
○ Nerosé Brut	🏆🏆	5
● Sfide '18	🏆🏆	3
● NarnOt '15	🏆🏆	6
● Pinot Nero '17	🏆🏆	6
● Pinot Nero '16	🏆🏆	6
● Pinot Nero '15	🏆🏆	6
● Pinot Nero '14	🏆🏆	6
● Sfide '17	🏆🏆	3

Madrevite

LOC. VAIANO
VIA CIMBANO, 36
06061 CASTIGLIONE DEL LAGO [PG]
TEL. 0759527220
www.madrevite.com

VENDITA DIRETTA
VISITA SU PRENOTAZIONE
OSPITALITÀ E RISTORAZIONE
PRODUZIONE ANNUA 25.000 bottiglie
ETTARI VITATI 11,00
AZIENDA SOSTENIBILE

Poco più di 10 ettari coltivati, approccio
artigiano, centralità del territorio del
Trasimeno: sono le fondamenta produttive
del progetto Madrevite, che trovano sintesi
in una variegata gamma di bianchi, rosati e
rossi (più un delizioso Spumante metodo
ancestrale), generata sia da uve tradizionali
che allottone. Si punta soprattutto sul
gamay, vitigno che condivide solo il nome
con quello tipico del Beaujolais e che
appartiene invece alla famiglia delle
grenache. Spazio anche a syrah,
sangiovese, grechetto e trebbiano
spoletino: vini di carattere, strettamente
legati al microclima lacustre. Anche
quest'anno approda alle nostre finali il
C'osa '18, senza dubbio uno dei migliori
Trasimeno Gamay sulla piazza. Sia naso
che bocca sono giocati su toni mediterranei
e tutto è sorretto da una bellissima acidità:
il sorso si protrae in un finale molto sapido,
di magistrale lunghezza. Molto buona
anche la giovanissima versione 2019 di
questa particolare varietà lacustre.

● Trasimeno Gamay C'osa '18	🏆🏆	5
● Trasimeno Gamay '19	🏆🏆	5
○ Futura Metodo Ancestrale '19	🏆	3
● Il Reminore '19	🏆	3
● Trasimeno Rosso Glanio '17	🏆	2
○ Trasimeno Grechetto Èlvé '19	🏆	5
○ Il Reminore '18	🏆🏆	3
● Trasimeno Gamay C'osa '17	🏆🏆	5
○ Trasimeno Grechetto Èlvé '18	🏆🏆	5

Moretti Omero

LOC. SAN SABINO, 20
06030 GIANO DELL'UMBRIA [PG]
TEL. 074290426
www.morettiomero.it

VENDITA DIRETTA
VISITA SU PRENOTAZIONE
OSPITALITÀ E RISTORAZIONE
PRODUZIONE ANNUA 75.000 bottiglie
ETTARI VITATI 13,00
VITICOLTURA Biologico Certificato

Omero Moretti è un bravo e appassionato vignaiolo che, con l'aiuto della famiglia, coltiva circa 13 ettari di vigna secondo i metodi dell'agricoltura biologica. L'azienda ha già superato il quarto di secolo e in questi anni è riuscita a proporre sul mercato vini di chiara impronta artigiana, veri figli del terroir da cui provengono. A volte non mancano le piccole imprecisioni, ma per la filosofia produttiva è preferibile seguire il corso della natura (a partire dall'annata), senza omologarsi. Diversi i vini in catalogo, tutti provenienti dalla denominazione Montefalco. Davvero buono, tra i migliori degli ultimi anni, il Sagrantino '16: il naso è un tripudio di mirtillo e ribes, la bocca è fresca, con l'acidità che regge bene il sorso e lo spinge nel lungo finale. Tra i bianchi apprezziamo particolarmente il Montefalco Bianco '19, dalle note di nespola e dalla sapidità spiccata. Niente male anche "Grechetto e Malvasia" '19, lievemente aromatico ma secco e dalla perfetta tensione.

● Montefalco Sagrantino '16	▼▼	5
○ Grechetto e Malvasia '19	▼▼	3
● Montefalco Bianco '19	▼▼	3
● Montefalco Rosso '17	▼	3
○ Sui Lieviti Frizzante	▼	3
● Argo Passito '12	♀♀	5
○ Montefalco Bianco '17	♀♀	3
○ Montefalco Bianco '15	♀♀	3
● Montefalco Rosso '15	♀♀	3*
● Montefalco Sagrantino '14	♀♀	5
● Montefalco Sagrantino '13	♀♀	5
● Montefalco Sagrantino '12	♀♀	5
● Montefalco Sagrantino Vignalunga '14	♀♀	7
● Montefalco Sagrantino Vignalunga '12	♀♀	7
○ Nessuno '17	♀♀	3

Enrico Neri

LOC. BARDANO, 28
05018 ORVIETO [TR]
TEL. 3933313844
www.neri-vini.it

VENDITA DIRETTA
VISITA SU PRENOTAZIONE
OSPITALITÀ
PRODUZIONE ANNUA 65.000 bottiglie
ETTARI VITATI 50,00
AZIENDA SOSTENIBILE

La famiglia Neri fondò l'azienda negli anni '50 con l'acquisto di circa 50 ettari divisi tra vigneti e uliveti. Ora la cantina è portata avanti da Enrico, che si occupa dell'intera produzione, avviata nel 2000 dopo lunghe stagioni di conferimento delle uve. Si punta tutto sul territorio orvietano e sulle sue uve tradizionali, cercando di far emergere il più possibile i peculiari caratteri espressivi legati ai suoli marini, ricchi di conchiglie, fossili e sali minerali. Premesse geologiche rispettate da vini molto ben eseguiti tecnicamente, autentici e slanciati. Anche quest'anno convince a pieno la proposta targata Neri, sia sul fronte bianchista sia su quello rossista. Americo '18 è un merlot in purezza che cresce sulle argille orvietane: è fitto e di buon corpo, ma non manca di succosità e scorrevolezza. Il Vardano '18 è un Grechetto sapido, dai toni bucciosi e di mela matura. Il Ca' Viti, infine, è un Orvieto '19 tipico, dalla sapidità spiccata e dalle note iodate.

● Americo '18	▼▼	3
○ Orvieto Cl. Sup. Ca' Viti '19	▼▼	3
○ Vardano Grechetto '18	▼▼	4
○ Barrage Extra Brut '16	▼	5
● Rosso dei Neri '19	▼	3
● Americo '16	♀♀	3
○ Bardano '18	♀♀	3
○ Orvieto Cl. Sup. Ca' Viti '18	♀♀	3*
○ Orvieto Cl. Sup. Ca' Viti '17	♀♀	2*

La Palazzola

LOC. VASCIGLIANO
05039 STRONCONE [TR]
TEL. 0744609091
www.lapalazzola.it

VENDITA DIRETTA
PRODUZIONE ANNUA 150.000 bottiglie
ETTARI VITATI 28,00

Stefano Grilli è un carismatico vignaiolo
che ha trasformato l'azienda agricola di
famiglia in una cantina dove si sperimenta
continuamente. La rifermentazione in
bottiglia è la parte su cui ha scommesso
maggiormente e negli anni l'azienda è
diventata un punto di riferimento per la
tipologia. Diversi gli spumanti prodotti, a
cui si aggiungono delle originali
vendemmie tardive e vini fermi da varietà
internazionali. Sono interpretazioni
affascinanti e di gran carattere, non prive
di alcune piacevoli imperfezioni: è proprio
questo il valore aggiunto che la allontana
dalla omologazione. Il Vin Santo Occhio
di Pernice '13 è veramente un gran vino
per la tipologia con i suoi splendidi toni
ossidativi, che accendono il naso in un
tripudio di liquirizia, frutta secca e candita,
cenni di sottobosco e foglie secche.
Bocca dolce, ma mai stucchevole,
interminabile per profondità. Molto buoni i
due spumanti: il Metodo Ancestrale '15
da uve pinot nero e la Gran Cuvée '16, da
pinot nero e chardonnay.

○ Vin Santo Occhio di Pernice Amelia '13	♟♟ 5
○ M. Cl. Gran Cuvée Brut '16	♟♟ 5
⊙ Rosé Brut Metodo Ancestrale '15	♟♟ 4
● Rubino '16	♟ 5
● Merlot '97	♟♟♟ 4*
○ Amelia Vin Santo Caratelli al Pozzo '13	♟♟ 5
○ Amelia Vin Santo Caratelli al Pozzo '11	♟♟ 5
● Amelia Vin Santo Occhio di Pernice '12	♟♟ 5
○ Gran Cuvée Brut '13	♟♟ 4
○ Riesling Brut '15	♟♟ 4
○ Riesling Brut Metodo Ancestrale '12	♟♟ 3*
○ Riesling Brut Metodo Ancestrale '11	♟♟ 3
⊙ Rosé Brut '10	♟♟ 4
● Syrah '14	♟♟ 4
○ Verdello '14	♟♟ 3*

Palazzone

LOC. ROCCA RIPESENA, 68
05019 ORVIETO [TR]
TEL. 0763344921
www.palazzone.com

VENDITA DIRETTA
VISITA SU PRENOTAZIONE
OSPITALITÀ E RISTORAZIONE
PRODUZIONE ANNUA 130.000 bottiglie
ETTARI VITATI 24,00
AZIENDA SOSTENIBILE

Guidata da Giovanni Dubini, Palazzone è
una delle realtà orvietane che più ha
creduto nel territorio in cui opera. La sua
valorizzazione passa attraverso la ricerca di
un'esaltazione massima delle uve
tradizionali del comprensorio, esplorata con
vini stilisticamente centrati e al contempo
fedeli ad un grande terroir bianchista.
Freschezza e sapidità si sommano ad una
notevole capacità evolutiva, regalando
grandi emozioni anche a distanza di anni. Il
tutto portato avanti con quello speciale mix
di umiltà e sensibilità che solo i grandi
vigneron possiedono. Sono i bianchi del
2019 a mettersi in evidenza: assente il
Campo del Guardiano, apprezziamo sia il
Terre Vineate, sia il Grechetto. La vera
sorpresa però arriva dal Musco '17,
ottenuto da procanico, verdello e malvasia
collivate in un'unica vigna. Matura prima in
castagno, poi in damigiane di vetro,
raccontandosi con suggestioni di agrume
candito e spezie, fiori di montagna ed
elicriso; bocca sapida, leggermente
bucciosa e molto lunga.

○ Musco '17	♟♟ 6
○ Grechetto '19	♟♟ 3
○ Orvieto Cl. Sup. Terre Vineate '19	♟♟ 3
○ Orvieto Cl. Sup. Muffa Nobile '17	♟ 5
● Piviere '18	♟ 3
○ Viognier '19	♟ 3
○ Musco '16	♟♟ 6
○ Orvieto Cl. Sup. Campo del Guardiano '17	♟♟ 4
○ Orvieto Cl. Sup. V. T. '17	♟♟ 4
● Piviere '16	♟♟ 3
○ Viognier '18	♟♟ 3

F.lli Pardi

VIA G. PASCOLI, 7/9
06036 MONTEFALCO [PG]
TEL. 0742379023
www.cantinapardi.it

VENDITA DIRETTA
VISITA SU PRENOTAZIONE
PRODUZIONE ANNUA 56.000 bottiglie
ETTARI VITATI 11,00

Storica famiglia attiva da lungo tempo nell'industria tessile, i Pardi hanno investito con altrettanta determinazione nel comparto vinicolo. La loro azienda si trova a Montefalco e porta avanti un lavoro sul sagrantino esemplare per molte aziende del comprensorio: l'idea è quella di andare sempre più a fondo nella produzione di veri e propri cru aziendali, capaci di restituire chirurgicamente le diverse sfumature espressive che si manifestano quando cambiano le tipologie di suoli o le esposizioni. Ottimi risultati arrivano costantemente anche dai Montefalco Rosso e dai bianchi aziendali. Prestazione maiuscola per l'intera gamma firmata Pardi, con ben due vini in finale. Sia il Sagrantino, sia la selezione Sacrantino, entrambi del 2016, convincono per finezza ed eleganza, spessore e profondità. Lo Spoletino '18, poi, è un concentrato di profumi marini e iodati, preludio di una bocca sapida e avvolgente. Più semplici, ma impeccabili il Colle di Giove '19 e il Montefalco Rosso '18.

● Montefalco Sagrantino '16	♥♥	6
● Montefalco Sagrantino Sacrantino '16	♥♥	6
○ Colle di Giove '19	♥♥	2*
● Montefalco Rosso '18	♥♥	3
○ Spoleto Trebbiano Spoletino '18	♥♥	4
● Montefalco Sagrantino Sacrantino '14	♥♥♥	6
○ Montefalco Grechetto '18	♥♥	2*
● Montefalco Rosso Ris. '16	♥♥	4
● Montefalco Sagrantino '15	♥♥	5
○ Spoleto Trebbiano Spoletino '17	♥♥	4

Cantina Peppucci

LOC. SANT'ANTIMO
FRAZ. PETRORO, 4
06059 TODI [PG]
TEL. 0758947439
www.cantinapeppucci.com

VENDITA DIRETTA
VISITA SU PRENOTAZIONE
OSPITALITÀ
PRODUZIONE ANNUA 70.000 bottiglie
ETTARI VITATI 12,50

Tra le colline di Todi, in un contesto paesaggistico di indubbio fascino, troviamo la cantina Peppucci immersa tra le vigne. La villa padronale ospita anche la parte produttiva, che la famiglia porta avanti con determinazione fino a diventare negli ultimi anni un riferimento assoluto per la viticoltura regionale. È il giovane Filippo a gestire la quotidianità dei lavori, puntando soprattutto sul grechetto, protagonista assoluto da queste parti. Tra i rossi spazio invece a diverse varietà, dall'internazionale cabernet sauvignon ad un interessante sagrantino "fuori zona". Molto buono I Rovi '18, Grechetto di Todi che si conferma il grande bianco aziendale. Si concede su toni di fiori bianchi, scorza d'agrume ed erbe aromatiche; il palato è fresco e snello, con la sapidità che spinge il vino in un finale preciso e pulito. Piacevole nella sua sbarazzina semplicità il Grechetto Montorsolo '19, così come si rivela una convincente e personale interpretazione dell'uva sagrantino l'Altro lo '15.

○ Todi Grechetto I Rovi '18	♥♥	5
● Altro lo '15	♥♥	5
○ Todi Grechetto Montorsolo '19	♥♥	2*
● Todi Rosso Petroro 4 '19	♥	2
○ Todi Grechetto I Rovi '16	♥♥♥	5
● Giovanni '13	♥♥	4
● Giovanni '12	♥♥	4
○ Todi Grechetto Sup. I Rovi '17	♥♥	5
● Todi Rosso Petroro 4 '18	♥♥	2*
● Todi Rosso Petroro 4 '17	♥♥	2*

Perticaia

LOC. CASALE
06036 MONTEFALCO [PG]
TEL. 0742379014
www.perticaia.it

VENDITA DIRETTA
VISITA SU PRENOTAZIONE
PRODUZIONE ANNUA 250.000 bottiglie
ETTARI VITATI 50,00
AZIENDA SOSTENIBILE

Sono tante ormai le aziende del comprensorio montefalchese, ma alcune le consideriamo riferimenti imprescindibili. Tra queste sicuramente c'è Perticaia, fondata da Guido Guardigli vent'anni fa e ora in mano ad un gruppo di imprenditori locali. La cantina si trova nella fortunata località di Casale, areale altamente vocato per la produzione dei principali rossi di zona, con le uve sagrantino e sangiovese assolute protagoniste. Suolo e microclima soddisfano anche la varietà trebbiano spoletino ed è proprio da questo vitigno tradizionale che negli ultimi anni sono arrivate le sorprese migliori. In questa edizione emergono tuttavia indicazioni sensibilmente diverse. Alcuni vini presentati sono stati assaggiati lo scorso anno. Abbiamo però apprezzato un Montefalco Rosso Riserva di gran corpo, reso armonioso dalla sapidità e da un tannino mai contratto o amaro. Il naso è un tripudio di frutto nero, spezie e cenni mentolati. Segnaliamo inoltre il Del Posto, uno Spoletino dinamico e di grande sapore.

● Montefalco Rosso Ris. '16	♟♟ 4
○ Spoleto Trebbiano Spoletino Del Posto '18	♟♟ 4
○ Spoleto Trebbiano Spoletino '19	♟ 3
● Montefalco Rosso '15	♟♟ 3
● Montefalco Rosso '14	♟♟ 3
● Montefalco Sagrantino '15	♟♟ 5
● Montefalco Sagrantino '14	♟♟ 5
● Montefalco Sagrantino '13	♟♟ 5
● Montefalco Sagrantino '12	♟♟ 5
⊙ Rosato Cos'é '16	♟♟ 2*
○ Spoleto Trebbiano Spoletino '18	♟♟ 2*
○ Spoleto Trebbiano Spoletino '15	♟♟ 2*
○ Spoleto Trebbiano Spoletino Del Posto '17	♟♟ 2*
● Umbria Rosso '16	♟♟ 2*

Pomario

LOC. POMARIO
06066 PIEGARO [PG]
TEL. 0758358579
www.pomario.it

VENDITA DIRETTA
VISITA SU PRENOTAZIONE
RISTORAZIONE
PRODUZIONE ANNUA 15.000 bottiglie
ETTARI VITATI 8,00
VITICOLTURA Biologico Certificato
AZIENDA SOSTENIBILE

Vendemmia dopo vendemmia Pomario si sta ritagliando un posto di rilievo all'interno della regione. È una piccola realtà fondata 15 anni fa dalla famiglia Spalletti Trivelli, che si posiziona in un contesto paesaggistico di indubbio valore: le vigne principali sono dislocate a circa 500 metri d'altitudine, tra macchia mediterranea e roccia. Siamo al confine con la Toscana, nel comune di Piegaro, dove il microclima, unito ai suoli, caratterizza non poco i vini. In cantina tutto è portato avanti all'insegna della sostenibilità ambientale, nel rispetto dei caratteri varietali e territoriali. Anche stavolta ai vertici dell'affascinante batteria di Pomario c'è il Sariano '17, rosso da sangiovese di grande freschezza: note ferrose, ematiche, di corteccia e resine nobili spiccano al naso, anticipando una bocca avvolgente e austera. Da uve sangiovese con saldo di merlot, il Rubicola '19 è giovane e succoso. L'Arale '19, infine, è un particolare bianco da uve macerate di trebbiano e malvasia.

● Sariano '17	♟♟ 4
○ Arale '19	♟♟ 4
● Rubicola '19	♟♟ 2*
○ Batticoda '19	♟ 2
○ Arale '17	♟♟ 4
○ Arale '15	♟♟ 4
○ Arale '14	♟♟ 4
○ Batticoda '18	♟♟ 2*
○ Muffato delle Streghe '16	♟♟ 6
○ Muffato delle Streghe '15	♟♟ 6
● Rubicola '18	♟♟ 2*
● Rubicola '17	♟♟ 2*
● Sariano '16	♟♟ 3*
● Sariano '15	♟♟ 3
● Sariano '13	♟♟ 3
● Sariano '12	♟♟ 3
● Sariano '11	♟♟ 3

Roccafiore

FRAZ. CHIOANO
VOC. COLLINA, 110A
06059 TODI [PG]
TEL. 0758942746
www.roccafiorewines.com

VENDITA DIRETTA
VISITA SU PRENOTAZIONE
OSPITALITÀ E RISTORAZIONE
PRODUZIONE ANNUA 120.000 bottiglie
ETTARI VITATI 15,00
AZIENDA SOSTENIBILE

Non solo produzione vitivinicola, ma anche resort con ristorante e spa, corredato da bellissimi appartamenti in legno dove soggiornare: da Roccafiore tutto è studiato nei dettagli. Ma soprattutto si porta avanti una politica basata su sostenibilità e rispetto ambientale, perfettamente fotografata della proposta vinicola. Stilisticamente inappuntabili, nitidi ed eleganti, restituiscono il carattere e le peculiarità delle vigne di Todi, con particolare riferimento al grechetto, declinato in diverse versioni e capace di conquistare sia da giovane, sia dopo qualche anno di affinamento. Ancora una volta il Grechetto FiorFiore si rivela un grande vino. La versione '18 riesce a coniugare complessità ed eleganza, profondità e spessore: erbe aromatiche e agrume al naso, bocca fresca e di grande sapidità. Tre Bicchieri confermatissimi. Molto buono anche il Collina d'Oro '19, vino dolce di grande equilibrio ottenuto da uve moscato giallo. Corretti e di buona fattura generale gli altri vini.

○ Fiorfiore Grechetto '18	🍷🍷🍷 4*
○ Collina d'Oro '19	🍷🍷 5
● Il Roccafiore '17	🍷🍷 3
● Prova d'Autore '17	🍷🍷 5
○ Fiordaliso Grechetto '19	🍷 2
● Melograno Sangiovese '18	🍷 2
○ Fiorfiore '16	🍷🍷🍷 4*
● Il Roccafiore '16	🍷🍷🍷 3*
○ Todi Grechetto Sup. Fiorfiore '14	🍷🍷🍷 3*
○ Bianco Fiordaliso '18	🍷🍷 2*
○ Collina d'Oro '18	🍷🍷 5
○ Collina d'Oro '17	🍷🍷 5
○ Fiorfiore '17	🍷🍷 4
● Il Roccafiore '15	🍷🍷 3*
● Prova d'Autore '16	🍷🍷 5
● Prova d'Autore '15	🍷🍷 5
● Rosso Melograno '16	🍷🍷 2*

Romanelli

LOC. COLLE SAN CLEMENTE, 129A
06036 MONTEFALCO [PG]
TEL. 0742371245
www.romanelli.se

VENDITA DIRETTA
VISITA SU PRENOTAZIONE
PRODUZIONE ANNUA 48.000 bottiglie
ETTARI VITATI 7,50
VITICOLTURA Biologico Certificato

Quella della famiglia Romanelli è una solida realtà agricola nata alla fine degli anni settanta, che si è distinta soprattutto nell'ultimo periodo con una gamma a dir poco interessante, capace di trasmettere fedelmente il territorio di Montefalco, specialmente attraverso le uve rosse. La notevole struttura dei vini è sempre attenuata da freschezza e sapidità: il merito è in primo luogo del lavoro condotto sulle vigne dislocate in località Colle San Clemente, tra argille, limo e altitudini intorno ai 350 metri, completato in cantina da macerazioni lunghe, che favoriscono estrazioni equilibrate. Davvero sorprendente la gamma presentata quest'anno, con ben due vini che approdano in finale. Il Medeo '16 è un Sagrantino di grande eleganza e finezza: al naso tutto un tripudio di frutta e spezie, la bocca è avvolgente e setosa, con tannino presente ma ben integrato alla materia. Ai vertici anche il Le Tese '18, Trebbiano Spoletino sapido e di carattere. Molto buoni anche gli altri rossi.

● Montefalco Sagrantino Medeo '16	🍷🍷🍷 8
○ Spoleto Trebbiano Spoletino Le Tese '18	🍷🍷 5
● Montefalco Rosso '17	🍷🍷 3
● Montefalco Rosso Molinetta Ris. '16	🍷🍷 5
● Montefalco Sagrantino '16	🍷🍷 6
○ Colli Martani Grechetto '19	🍷 3
● Montefalco Sagrantino '11	🍷🍷🍷 5
● Montefalco Sagrantino '10	🍷🍷🍷 5
○ Colli Martani Grechetto '18	🍷🍷 2*
● Le Tese Trebbiano Spoletino '17	🍷🍷 4
● Le Tese Trebbiano Spoletino '16	🍷🍷 4
● Montefalco Rosso '16	🍷🍷 3
● Montefalco Rosso Molinetta Ris. '15	🍷🍷 5
● Montefalco Sagrantino '15	🍷🍷 5
● Montefalco Sagrantino '14	🍷🍷 5
● Montefalco Sagrantino Medeo '15	🍷🍷 8

Scacciadiavoli

LOC. CANTINONE, 31
06036 MONTEFALCO [PG]
TEL. 0742371210
www.scacciadiavoli.it

VENDITA DIRETTA
VISITA SU PRENOTAZIONE
PRODUZIONE ANNUA 250.000 bottiglie
ETTARI VITATI 40,00
AZIENDA SOSTENIBILE

Per risalire alla fondazione della Scacciadiavoli dobbiamo tornare indietro di due secoli, quando il Principe Ugo Boncompagni Ludovisi diede vita ad un imponente complesso enologico. Dagli anni '50 la cantina è in mano alla famiglia Panbuffetti e ora è gestita da tre fratelli. La svolta ci fu negli anni 2000 con la modernizzazione della produzione e la voglia di puntare tutto sull'identità territoriale. Le vigne si trovano su terreni argillosi intorno ai 400 metri d'altitudine e insistono su diversi versanti collinari appartenenti ai comuni di Montefalco, Gualdo Cattaneo e Giano dell'Umbria. Ottima prestazione quest'anno, specie per i rossi. Il Sagrantino '16 è il vero cavallo di razza: profuma di pepe nero, prugna e resine, mentre al palato è fitto e austero, con tannini presenti ma non contratti, capaci anzi di dare ritmo e profondità. Molto buono anche il Passito '16, in un'armonia perfetta tra dolcezza e sapidità. Convince anche il Montefalco Rosso '17. Corretti gli altri vini.

● Montefalco Sagrantino '16	♟♟	5
● Montefalco Rosso '17	♟♟	3
● Montefalco Sagrantino Passito '16	♟♟	5
○ Montefalco Bianco '18	♟	3
○ Montefalco Grechetto '19	♟	2
● Montefalco Sagrantino '10	♟♟♟	5
○ Montefalco Bianco '17	♟♟	3
○ Montefalco Bianco '14	♟♟	3
○ Montefalco Bianco '13	♟♟	3
● Montefalco Rosso '15	♟♟	3
● Montefalco Rosso '12	♟♟	3
● Montefalco Sagrantino '15	♟♟	5
● Montefalco Sagrantino '13	♟♟	5
● Montefalco Sagrantino '12	♟♟	5
● Montefalco Sagrantino '11	♟♟	5
● Montefalco Sagrantino '09	♟♟	5
● Montefalco Sagrantino Passito '12	♟♟	5

Sportoletti

VIA LOMBARDIA, 1
06038 SPELLO [PG]
TEL. 0742651461
www.sportoletti.com

VENDITA DIRETTA
VISITA SU PRENOTAZIONE
PRODUZIONE ANNUA 210.000 bottiglie
ETTARI VITATI 25,00
AZIENDA SOSTENIBILE

Sportoletti è stata fondata alla fine degli anni '70 e ha scelto da subito di percorrere la strada della qualità. Per fare questo si è dato spazio a continui ammodernamenti e aggiornamenti, sia nella conduzione della vigna che nelle tecniche di cantina. La base è fornita da vitigni locali e uve internazionali, tutte allevate sulle belle colline di Spello. Nel bicchiere il risultato parla di vini moderni e tecnicamente ben fatti, di impeccabile pulizia, capaci di rispettare le varietà impiegate. Cinque i vini presentati: due bianchi, due rossi e un passito. L'Assisi Rosso '19 è un vino semplice ma non banale: succoso nella beva e dai tratti olfattivi puliti e precisi, vale più di quello che costa. Ottimo poi il Grechetto '19, agrumato e dalle note di erbe aromatiche. Il Villa Fidelia Bianco '18, infine, è un vino che ci sembra non temere l'invecchiamento e a due anni dalla vendemmia è ancora integro e dal sorso dinamico. Su buoni livelli anche il Villa Fidelia Rosso '18.

○ Assisi Grechetto '19	♟♟	2*
● Assisi Rosso '19	♟♟	2*
○ Villa Fidelia Bianco '18	♟♟	3
○ Villa Fidelia Passito '18	♟	4
● Villa Fidelia Rosso '18	♟	4
● Villa Fidelia Rosso '98	♟♟♟	4*
○ Assisi Grechetto '18	♟♟	1*
● Assisi Rosso '15	♟♟	2*
● Assisi Rosso '14	♟♟	2*
○ Villa Fidelia Bianco '17	♟♟	3
○ Villa Fidelia Bianco '16	♟♟	3
○ Villa Fidelia Bianco '15	♟♟	3
○ Villa Fidelia Bianco '14	♟♟	3
● Villa Fidelia Rosso '17	♟♟	4
● Villa Fidelia Rosso '16	♟♟	4
● Villa Fidelia Rosso '15	♟♟	4
● Villa Fidelia Rosso '14	♟♟	4

★Giampaolo Tabarrini

FRAZ. TURRITA
06036 MONTEFALCO [PG]
TEL. 0742379351
www.tabarrini.com

VENDITA DIRETTA
VISITA SU PRENOTAZIONE
PRODUZIONE ANNUA 70.000 bottiglie
ETTARI VITATI 16,00
AZIENDA SOSTENIBILE

Un vulcano in vigna, ancor più in cantina, specie da quando la nuova e grande struttura interrata permette un lavoro a regola d'arte, idoneo a cristallizzare in bottiglia le idee che scaturiscono tra i filari. Da queste parti Giampaolo Tabarrini non ha bisogno di presentazioni: convinto del valore territoriale del vino, propone ben tre Sagrantini diversi, generati dal rispettivo vigneto di provenienza. Coniugano molto bene potenza e bevibilità, hanno carattere da vendere e conquistano anche sui mercati internazionali. Dominano i rossi, ma è imperdibile il bianco da trebbiano spoletino. Proprio questo si conferma il migliore dei vini presentati. Adarmando '18 è davvero paradigmatico per la tipologia: particolarissimo il naso, tutto giocato su note iodate e richiami affumicati che anticipano profumi di erbe e fiori. La bocca è sapidissima, snella, dallo sviluppo verticale. Finale pulito e quasi piccante, lunghissimo. Tra i rossi spiccano il Campo alla Cerqua e il Colle alle Macchie '16.

○ Adarmando Trebbiano Spoletino '18	♙♙♙ 4*	
● Montefalco Sagrantino Campo alla Cerqua '16	♙♙ 7	
● Montefalco Sagrantino Colle alle Macchie '16	♙♙ 7	
⊙ Bocca di Rosa '19	♙♙ 2*	
● Montefalco Rosso Boccatone '17	♙♙ 4	
● Montefalco Sagrantino Colle Grimaldesco '16	♙♙ 5	
● Montefalco Sagrantino Passito '11	♙ 7	
○ Adarmando '16	♙♙♙ 4*	
○ Adarmando '15	♙♙♙ 4*	
○ Adarmando Trebbiano Spoletino '17	♙♙♙ 4*	
● Montefalco Sagrantino Campo alla Cerqua '12	♙♙♙ 6	
● Montefalco Sagrantino Campo alla Cerqua '11	♙♙♙ 6	

Terre de la Custodia

LOC. PALOMBARA
06035 GUALDO CATTANEO [PG]
TEL. 0742929586
www.terredelacustodia.it

VENDITA DIRETTA
VISITA SU PRENOTAZIONE
PRODUZIONE ANNUA 1.000.000 bottiglie
ETTARI VITATI 160,00
AZIENDA SOSTENIBILE

La famiglia Farchioni è a capo di un gruppo agroalimentare importante, in cui la produzione di farine e birre si affianca a quella principale dell'olio, là dove il marchio Terre de la Custodia sintetizza le migliori ambizioni del progetto vinicolo. Incentrato principalmente sui vitigni tradizionali, evidenzia uno stile enologico moderno e preciso, capace di conquistare in maniera egregia alcuni mercati esteri. Le vigne si dividono tra Montefalco (dove si prediligono sagrantino, sangiovese e grechetto) e i Colli Martani, dove viene realizzato anche un Metodo Classico. Approda alle finali il Montefalco Sagrantino '16. Forte di un'ottima annata il grande rosso umbro regala profumi di spezie, resine nobili e frutto nero, la bocca è fitta, il tannino presente, ma mai amaro. Molto buono anche il Grechetto '19, fresco e sapido, dalle note di menta e frutto a pasta bianca. Il Montefalco Rosso Riserva '17, infine, è caldo e avvolgente, cremoso e dalle note di ciliegia, prugna, pepe nero e sottobosco. Piacevole e corretto il Rosato '19.

● Montefalco Sagrantino '16	♙♙ 6	
○ Montefalco Grechetto '19	♙♙ 3	
● Montefalco Rosso Ris. '17	♙♙ 5	
⊙ Rosato '19	♙ 2	
● Montefalco Sagrantino '15	♙♙♙ 6	
○ Colli Martani Grechetto '14	♙♙ 2*	
○ Colli Martani Grechetto Plentis '14	♙♙ 3	
○ Colli Martani Spumante Gladius Sublimis	♙♙ 4	
○ Montefalco Bianco Plentis '17	♙♙ 3	
● Montefalco Rosso '12	♙♙ 4	
● Montefalco Rosso Ris. '13	♙♙ 5	
● Montefalco Rosso Rubium Ris. '16	♙♙ 5	
● Montefalco Rosso Rubium Ris. '15	♙♙ 5	
● Montefalco Rosso Rubium Ris. '14	♙♙ 5	
● Montefalco Sagrantino '11	♙♙ 6	
○ Sublimis Gladius Brut M. Cl. '10	♙♙ 4	

Terre Margaritelli

FRAZ. CHIUSACCIA
LOC. MIRALDUOLO
06089 TORGIANO [PG]
TEL. 0757824668
www.terremargaritelli.com

VENDITA DIRETTA
VISITA SU PRENOTAZIONE
OSPITALITÀ
PRODUZIONE ANNUA 120.000 bottiglie
ETTARI VITATI 52,00
VITICOLTURA Biologico Certificato

La famiglia Margaritelli è impegnata
imprenditorialmente nel mondo del legno,
così come sulla produzione vinicola di
qualità all'interno del distretto di Torgiano.
Soprattutto negli ultimi anni i vini hanno
fatto uno scatto in avanti, evidenziando
maggiormente carattere territoriale e
piacevolezza di beva. Alle uve tipiche della
denominazione (sangiovese e grechetto) si
affiancano varietà tradizionali del centro
Italia e cultivar internazionali. La loro attività
principale, inoltre, ha permesso
un'importante ricerca sul rovere adottato
per la maturazione dei vini più importanti.
Di alto livello la gamma testata quest'anno.
Spicca senza dubbio il Pictoricius '17, un
Torgiano Riserva di grande spessore. Fitto e
corposo al palato, sconta ancora qualche
ruvidità giovanile: il tannino ha bisogno di
amalgamarsi alla ricca materia, ma
freschezza e sapore non mancano di certo.
Molto buono anche il Malot '17, da uve
cabernet sauvignon e merlot. Tra i bianchi
spicca il Greco di Renabianca '19.

Todini

FRAZ. ROSCETO
VOC. COLLINA 29/1
06059 TODI [PG]
TEL. 075887122
www.wearetodini.com

VENDITA DIRETTA
VISITA SU PRENOTAZIONE
OSPITALITÀ E RISTORAZIONE
PRODUZIONE ANNUA 250.000 bottiglie
ETTARI VITATI 70,00

Nata negli anni sessanta per volere
dell'imprenditore Franco Todini, l'azienda
del comprensorio di Todi si è sviluppata con
diverse attività, dalla produzione vinicola
alla ricettività (boutique hotel con spa e
ristorante), senza dimenticare i seminativi e
i terreni dove è stato predisposto uno zoo
naturale, con tante specie che vivono in
libertà. Negli ultimi anni si è puntato ad un
rinnovamento della parte vitivinicola, che
passa per le varietà del comprensorio
(grechetto e sangiovese in testa) e inizia a
dare frutti più che convincenti. Approda alle
nostre finali il Bianco del Cavaliere '19, vino
ottenuto unicamente dalla varietà
grechetto. Profuma di nespola e fiori gialli,
non manca un bel tocco agrumato e di
erbe di montagna, mentre al palato acidità
e sapidità dominano la beva. Fitto e austero
il Consolare '16, rosso ottenuto da
sangiovese, merlot e cabernet sauvignon.
Molto buono anche il Laudato '18, bianco
ricco e avvolgente.

● Malot '17	♟♟ 4
● Torgiano Rosso Pictoricius Ris. '17	♟♟ 8
○ Greco di Renabianca '19	♟♟ 4
● Lab '19	♟♟ 3
○ Pietramala '19	♟ 2
● Roccascossa '18	♟ 2
● Simon de Brion '19	♟ 3
☉ Thadea Brut Rosé	♟ 3
○ Torgiano Bianco Costellato '19	♟ 3
● Torgiano Rosso Freccia degli Scacchi Ris. '17	♟ 5
● Torgiano Rosso Miràntico '18	♟ 3
● Torgiano Rosso Pinturicchio Ris. '16	♟♟♟ 5
● Torgiano Rosso Freccia degli Scacchi Ris. '16	♟♟ 5
● Torgiano Rosso Mirantico '17	♟♟ 2*

○ Bianco del Cavaliere '19	♟♟ 3*
● Consolare '16	♟♟ 6
○ Laudato '18	♟♟ 5
○ Rubro '18	♟ 4
○ Bianco del Cavaliere '18	♟♟ 3
○ Grechetto di Todi Bianco del Cavaliere Sup. '16	♟♟ 3
○ Laudato '17	♟♟ 3*
○ Marte Bianco '15	♟♟ 2*
● Marte Rosso '15	♟♟ 3
● Nero della Cervara '13	♟♟ 5
○ Rubro '16	♟♟ 3
● Sangiovese di Todi '15	♟♟ 1*
○ Todi Grechetto '15	♟♟ 2*
○ Todi Grechetto Sup. Bianco del Cavaliere '14	♟♟ 3
● Todi Sangiovese '14	♟♟ 4

Tudernum

LOC. PIAN DI PORTO, 146
06059 TODI [PG]
TEL. 0758989403
www.tudernum.it

VENDITA DIRETTA
VISITA SU PRENOTAZIONE
OSPITALITÀ E RISTORAZIONE
PRODUZIONE ANNUA 1.000.000 bottiglie
ETTARI VITATI 180,00

Anche in Umbria non mancano pregevoli
cantine cooperative che, attraverso un
lavoro certosino svolto in collaborazione
con i conferitori, plasmano vini di qualità,
capaci di fotografare peculiarità varietali e
dettagli territoriali. Il merito va senza dubbio
all'intero management di Tudernum, che
segue al meglio tanto gli aspetti produttivi
quanto quelli relativi a marketing e
commercializzazione. A tal proposito vale la
pena di sottolineare i prezzi a dir poco
amichevoli che accomunano l'intera
gamma, incentrata perlopiù sulle
denominazioni Montefalco e Todi. Il Colle
Nobile '18 è un grande Grechetto di Todi.
La varietà è pienamente espressa a partire
dal naso, un tripudio di erbe officinali,
scorza d'agrume e fiori gialli; la bocca ha
sapidità da vendere, ma tutto è integrato
alla materia. Tre Bicchieri. Su alti livelli
anche il resto della gamma, a partire dal
Fidenzio, Montefalco Sagrantino della
fortunata annata 2016. Davvero piacevoli
tutti i 2019.

○ Todi Grechetto Sup. Colle Nobile '18	▼▼▼ 2*
● Montefalco Sagrantino Fidenzio '16	▼▼ 5
○ Todi Bianco '18	▼▼ 2*
○ Todi Grechetto '19	▼▼ 2*
● Todi Rosso '19	▼▼ 2*
● Todi Sangiovese '17	▼ 2
● Montefalco Sagrantino Fidenzio '12	♀♀♀ 4*
○ Colli Martani Grechetto di Todi Sup. Colle Nobile '17	♀♀ 2*
● Montefalco Rosso Fidenzo '16	♀♀ 4
● Montefalco Sagrantino Fidenzio '15	♀♀ 4
● Montefalco Sagrantino Fidenzio '14	♀♀ 4
○ Todi Grechetto Sup. Colle Nobile '16	♀♀ 2*
● Todi Rosso '18	♀♀ 2*
● Todi Rosso Sup. Rojano '16	♀♀ 3
○ Todi Bianco '18	♀ 2

Tenuta Le Velette

FRAZ. CANALE DI ORVIETO
LOC. LE VELETTE, 23
05019 ORVIETO [TR]
TEL. 076329090
www.levelette.it

VENDITA DIRETTA
VISITA SU PRENOTAZIONE
PRODUZIONE ANNUA 270.000 bottiglie
ETTARI VITATI 109,00
AZIENDA SOSTENIBILE

Oltre cento ettari di vigneto che insistono
sulla parte vulcanica dell'areale di Orvieto:
è la piattaforma viticola su cui si basa la
produzione di Le Velette. Parliamo di una
realtà che negli anni ha saputo proporre
vini tecnicamente impeccabili, riconducibili
ai terroir di appartenenza ma di specchiata
leggibilità internazionale. La proprietà è
della famiglia Bottai, che ha realizzato una
cantina estremamente funzionale,
impreziosita dalle storiche grotte di
affinamento. Davvero molto affascinanti,
meritano la visita e offrono un luogo ideale
per apprezzare al meglio l'affidabile
batteria. Tra i rossi si mette in evidenza il
Calanco '15: ottenuto da sangiovese e
cabernet, ha profumi erbacei e un palato
fitto e fresco. Ottimo anche il Rosso di
Spicca '18, blend a maggioranza
sangiovese con saldo di canaiolo. Tra i
bianchi abbiamo apprezzato
particolarmente il Sauvignon Traluce '19,
l'Orvieto Lunato '19 e il Sole Uve '17,
Grechetto di gran carattere.

● Calanco '15	▼▼ 4
○ Orvieto Cl. Sup. Lunato '19	▼▼ 2*
● Rosso Orvietano Rosso di Spicca '18	▼▼ 2*
○ Sole Uve '17	▼▼ 3
○ Traluce '19	▼▼ 3
● Accordo Sangiovese '15	▼ 3
○ Orvieto Cl. Berganorio '19	▼ 2
● Calanco '03	♀♀♀ 4
● Calanco '95	♀♀♀ 4*
● Gaudio '03	♀♀♀ 4
● Calanco '13	♀♀ 4
● Gaudio '14	♀♀ 4
○ Orvieto Cl. Berganorio '18	♀♀ 2*
○ Orvieto Cl. Berganorio '17	♀♀ 2*
○ Orvieto Cl. Sup. Lunato '18	♀♀ 2*
○ Orvieto Cl. Sup. Lunato '17	♀♀ 2*
○ Sole Uve '16	♀♀ 3

Villa Mongalli

VIA DELLA CIMA, 52
06031 BEVAGNA [PG]
TEL. 0742360703
www.villamongalli.com

VENDITA DIRETTA
OSPITALITÀ
PRODUZIONE ANNUA 70.000 bottiglie
ETTARI VITATI 15,00

Prima di consigliare i vini di Villa Mongalli, suggeriamo una visita in azienda: è immersa in un posto incantevole, dove la natura è intervallata da vigne ondulate lungo le colline. Il progetto produttivo punta esclusivamente sulla denominazione Montefalco attraverso un lavoro che predilige i lieviti indigeni, dosa le estrazioni c centra i periodi di macerazione. Il risultato garantisce eleganza e bevibilità, anche col robusto Sagrantino, proposto in due interessanti versioni. Il lato blanchista è consacrato al trebbiano spoletino, varietà sempre più protagonista. Gamma davvero di livello per Villa Mongalli. Il Sagrantino Della Cima '16 è armonico ed equilibrato: profuma di tabacco, resine nobili, spezie e sottobosco, mentre il palato ha tannino fitto ma non astringente; l'acidità regala freschezza, il sorso è lungo e pulito. Molto buoni entrambi i Trebbiano Spoletino: più incisivo il Minganna '18 nei toni di agrume candito e eliciriso. Piacevolissimo il Montefalco Rosso Le Grazie '18.

● Montefalco Sagrantino della Cima '16	♟♟	8
○ Calicanto Trebbiano Spoletino '19	♟♟	5
○ Minganna Trebbiano Spoletino '18	♟♟	6
● Montefalco Rosso Le Grazie '18	♟♟	5
● Colcimino '17	♟	7
● Montefalco Sagrantino Pozzo del Curato '16	♟	7
● Montefalco Sagrantino Colcimino '08	♟♟♟	3*
● Montefalco Sagrantino Della Cima '10	♟♟♟	6
● Montefalco Sagrantino Della Cima '06	♟♟♟	6
● Montefalco Sagrantino Pozzo del Curato '09	♟♟♟	6
○ Calicanto '18	♟♟	5
● Montefalco Rosso Le Grazie '17	♟♟	5
● Montefalco Sagrantino Pozzo del Curato '15	♟♟	8
● Montefalco Sagrantino Della Cima '15	♟	8

Zanchi

S.DA PROV.LE AMELIA-ORTE KM 4,610
05022 AMELIA [TR]
TEL. 0744970011
www.cantinezanchi.it

VENDITA DIRETTA
VISITA SU PRENOTAZIONE
PRODUZIONE ANNUA 70.000 bottiglie
ETTARI VITATI 35,00
VITICOLTURA Biologico Certificato
AZIENDA SOSTENIBILE

Sono passati cinquant'anni dalla fondazione e Zanchi continua a firmare vini di gran fascino, al riparo da ogni omologazione, ottenuti con approccio artigiano. Ci troviamo ad Amelia, nel sud dell'Umbria, e qui da tre generazioni si punta sui vitigni autoctoni e qualche internazionale, su una produzione sostenibile e rispettosa dell'ambiente che interessa filari e cantina. Ampia la gamma, equamente divisa tra bianchi e rossi: alcune etichette escono sul mercato dopo diversi anni dalla vendemmia, a dimostrazione delle potenzialità di invecchiamento di certe varietà in questi territori. Sono due vini a mettersi in evidenza in questa tornata. Ciliegiolo di Amelia, il Carmìno '19 è giovane e succoso, con un gran carattere. Poi c'è il Majolo '15, bianco da malvasia: la coraggiosa scelta di farlo uscire a cinque anni dalla vendemmia è premiata da un'espressività originale, con toni varietali intrecciati a sensazioni floreali e fruttate. Palato fresco, leggermente tannico e dal finale sapido.

● Amelia Ciliegiolo Carmìno '19	♟♟	2*
○ Majolo '15	♟♟	5
● Amelia Rosso Sciurio Ris. '12	♟	4
○ Arvore Grechetto '19	♟	2
● Lu Aleatico '17	♟	3
○ Vignavecchia Trebbiano '15	♟	5
● Amelia Ciliegiolo Carmìno '18	♟♟	2*
● Amelia Ciliegiolo Carmìno '17	♟♟	2*
● Amelia Ciliegiolo Carmìno '16	♟♟	2*
○ Amelia Grechetto Arvore '17	♟♟	2*
○ Amelia Grechetto Arvore '16	♟♟	2*
● Amelia Rosso Armané '13	♟♟	2*
● Amelia Rosso Sciurio Ris. '09	♟♟	4
○ Arvore Grechetto '18	♟♟	2*
● Lu Aleatico '16	♟♟	3
○ Majolo '10	♟♟	5
○ Vignavecchia '12	♟♟	5

Cantina Altarocca

LOC. ROCCA RIPESENA, 62
05018 ORVIETO [TR]
TEL. 0763344210
www.cantinaaltarocca.com

Non solo produzione vinicola ma anche wine resort con annessa spa e ristorante. Tra gli assaggi spicca senza dubbio il Lavico '17, blend bordolese di merlot e cabernet, dal frutto rosso interno e dalla beva fitta, ma molto ritmica. Piacevole nella sua rusticità l'Orvieto Superiore.

● Lavico '17	♀♀ 4
○ Orvieto Cl. Sup. Albaco '19	♀♀ 3
○ Orvieto Cl. Arcosesto '19	♀ 2
● Rosso d'Altarocca Merlot '17	♀ 6

Benedetti & Grigi

LOC. LA POLZELLA
06036 MONTEFALCO [PG]
TEL. 0742379136
www.benedettiegrigi.it

Anche quest'anno non delude la gamma dei vini presentata da Benedetti & Grigi. La linea La Gaita del Falco convince, specie per il Bianco '19 e per il Montefalco Sagrantino '15. Il migliore ci sembra comunque il Trebbiano Spoletino '19, sapido, e dai deliziosi toni di agrume.

○ Spoleto Trebbiano Spoletino '19	♀♀ 3
○ La Gaita del Falco Bianco '19	♀♀ 2*
● Montefalco Sagrantino La Gaita del Falco '15	♀♀ 4

Carini

LOC. CANNETO
FRAZ. COLLE UMBERTO
S.DA DEL TEGOLARO, 3
06133 PERUGIA
TEL. 0756059495
www.agrariacarini.it

Azienda agricola che può contare, oltre al vino, sulla produzione di olio e sull'allevamento di maiali di cinta senese, da cui si ottengono pregiati salumi. Molto buono il Tegolaro '16, taglio bordolese classico molto fitto e cremoso. Piacevole nella sua semplicità il Rile '19.

○ C. del Trasimeno Rile '19	♀♀ 2*
● Tegolaro '16	♀♀ 5
⊙ Le Cupe '19	♀ 3
○ Poggio Canneto '19	♀ 3

Bartoloni

LOC. CASE SPARSE
FRAZ. MORIANO
06030 GIANO DELL'UMBRIA [PG]
TEL. 074290286
info@cantinabartoloni.it

Rientra con grande piacere in Guida l'azienda Bartoloni, realtà di Giano dell'Umbria, dislocata in un contesto di rara bellezza ambientale. Molto buono il Montefalco Rosso '17, vino succoso e scorrevole nella beva, dal tannino levigato e armonioso. Giovane e piacevole Il Nobile '19.

● Montefalco Rosso '17	♀♀ 3
● Il Nobile Sangiovese '18	♀ 3

Bigi

LOC. PONTE GIULIO
05018 ORVIETO [TR]
TEL. 0763315888
www.cantinebigi.it

Cantina orvietana che fa parte del Gruppo Italiano Vini che ogni anno presenta vini di buona fattura, fini e di beva piacevole. Molto interessanti i due Orvieto presentati: il Classico '19 è semplice, ma agrumato e floreale; il Vigneto Torricella è sapido, freschissimo e profondo.

○ Orvieto Cl. '19	♀♀ 1*
○ Orvieto Cl. Torricella '19	♀♀ 2*
○ Vipra Bianca '19	♀ 2
● Vipra Rossa '19	♀ 2

Castelgrosso

FRAZ. TORREGROSSO
VIA LEX SPOLETINA, 1
06044 CASTEL RITALDI [PG]
TEL. 3397821406
www.agricolacastelgrosso.com

Due vini si mettono in evidenza durante gli assaggi, un bianco e un rosso. Il primo è un Trebbiano Spoletino Superiore '18, dai toni sapidi e di fiori gialli; il secondo è il Montefalco Rosso '16, vino dalle note autunnali di sottobosco.

● Montefalco Rosso '16	♀♀ 2*
○ Spoleto Trebbiano Spoletino Sup. '18	♀♀ 2*

Castello di Corbara

LOC. CORBARA, 7
05018 ORVIETO [TR]
TEL. 0763304035
www.castellodicorbara.it

Azienda che può vantare ben 100 ettari dislocati in due areali, Orvieto e Lago di Corbara. Veramente apprezzabile la gamma presentata quest'anno, a partire dall'Orvieto Classico Superiore, sapido e iodato. Ottimo poi il Lago di Corbara Cabernet Sauvignon '18.

● Lago di Corbara Cabernet Sauvignon '18	♥♥ 3
○ Orvieto Cl. Sup. '19	♥♥ 2*
○ Orzalume Grechetto Sauvignon '19	♥♥ 3
● Sangiovese Merlot '19	♥♥ 2*

Castello di Magione

V.LE CAVALIERI DI MALTA, 31
06063 MAGIONE [PG]
TEL. 0755057319
www.sagrivit.it

Realtà del Trasimeno che conta su 50 ettari all'interno della Doc Colli del Trasimeno e di proprietà della Sagrivit che comprende diverse aziende agricole. Semplice, ma di grande bevibilità il Sangiovese '19; molto fitto e austero il Morcinaia '17 da uve merlot, cabernet e sangiovese.

● Colli del Trasimeno Morcinaia '17	♥♥ 5
● Sangiovese '19	♥♥ 2*
○ Grechetto '19	♥ 2

Castello di Montegiove

FRAZ. MONTEGIOVE
VIA BEATA ANGELINA, 1
05010 MONTEGABBIONE [TR]
TEL. 0763837473
www.castellomontegiove.com

Complesso storico di assoluto pregio, ospita le cantine ed è circondato dalla natura. Le vigne, impiantate con diverse varietà, poggiano su suoli di varia natura. Torna in guida grazie a vini maturi, ma di valore come l'Elicius '13, rosso orvietano, e il Mi Mo So '12.

● Rosso Orvietano Elicius '13	♥♥ 4
● Rosso Orvietano Mi.Mo.So '12	♥♥ 3
● Rosso Orvietano Gatto Gatto '18	♥ 2
● Rosso Orvietano Mi.Mo.So '13	♥ 3

Chiorri

LOC. SANT'ENEA
VIA TODI, 100
06132 PERUGIA
TEL. 075607141
www.chiorri.it

Storica azienda nata alla fine dell'800 in località Sant'Enea, poco distante dal comune di Perugia. Diversi i vini particolarmente buoni, specie tra i rossi. Il Sangiovese '18 profuma di piccoli frutti rossi che anticipano una beva ritmica. Il Saliato '17 è più corposo e austero.

● Saliato '17	♥♥ 3
● Sangiovese '18	♥♥ 2*
○ Titus '19	♥ 2

Cocco

LOC. POGGETTO, 6c
06036 MONTEFALCO [PG]
TEL. 3471916207
www.coccomontefalco.it

Dopo l'ingresso in guida lo scorso anno, si conferma ad alti livelli la produzione firmata Cocco. Buonissimo il Montefalco Sagrantino '15, fresco e leggiadro nonostante la materia: tannini e acidità si armonizzano e il finale è lungo e pulitissimo. Notevole il Montefalco Rosso '16.

● Montefalco Sagrantino '15	♥♥ 4
● Montefalco Rosso '16	♥♥ 3

Colle Uncinano

LOC. UNCINANO

06049 SPOLETO [PG]
TEL. 3803454401
www.colleuncinano.com

Piccola azienda nata una quindicina di anni fa in località Uncinano, nei pressi di Spoleto. Fa ingresso in Guida grazie a vini interessanti e molto equilibrati. Da assaggiare lo Spumante Brut '18, metodo charmat ottenuto da trebbiano spoletino. Molto buono anche il Sangiovese '16.

○ Brut '18	♥♥ 3
● Sangiovese '16	♥♥ 2*
○ Spoleto Trebbiano Spoletino Sup. '17	♥ 3

★Còlpetrone

FRAZ. MARCELLANO
VIA PONTE LA MANDRIA, 8/1
06035 GUALDO CATTANEO [PG]
TEL. 074299827
www.colpetrone.it

Còlpetrone è la realtà di Montefalco che fa capo a Tenute del Cerro, società vitivinicola facente parte del gruppo Unipol. Convincente quest'anno il Grechetto '19, bianco dalle note di erbe aromatiche e scorza di lime. Il Montefalco Rosso '16 profuma di frutto nero e confettura.

○ Grechetto '19		🍷🍷 2*
● Montefalco Rosso '16		🍷 3

Custodi

LOC. CANALE
V.LE VENERE
05018 ORVIETO [TR]
TEL. 076329053
www.cantinacustodi.com

Bella e importante realtà agricola orvietana che può contare su circa 70 ettari, metà dedicati alla coltivazione della vite, il resto a uliveti e seminativi. Molto buoni entrambi gli Orvieto, specie il Belloro '19, fresco e di grande bevibilità. Piacevole anche il Vigna del Prete '19.

○ Orvieto Cl. Belloro '19		🍷🍷 2*
○ Orvieto Cl. Sup. V. del Prete '19		🍷🍷 3
● Piancoleto '19		🍷 2

Fongoli

LOC. SAN MARCO DI MONTEFALCO
06036 MONTEFALCO [PG]
TEL. 0742378930
www.fongoli.com

Vini autentici, di chiara fattura artigiana, capaci, a seconda del millesimo, di offrire fascino e originalità. Quest'anno abbiamo apprezzato particolarmente due bianchi da uve trebbiano spoletino: il Laetitia Bullarum è un frizzante delizioso, il Biancofongoli è sapido e lievemente tannico.

○ Biancofongoli '19		🍷🍷 4
○ Laetitia Bullarum Trebbiano Spoletino '19		🍷🍷 5
○ Maceratum '19		🍷 6
● Rossofongoli '19		🍷 4

I Girasoli di Sant'Andrea

FRAZ. NICCONE
LOC. MOLINO VITELLI
06019 UMBERTIDE [PG]
TEL. 0759410798
www.igirasolidisantandrea.it

Dopo anni di assenza torna in Guida l'azienda di Umbertide fondata nel 1994 da Ursula Schindler Gritti. Molto buono il Filare 78 '16, rosso sapido e di buon corpo. Prende il nome dalla numerazione del filare da cui partono le uve montepulciano e spicca per profumi di frutti di bosco.

● Filare 78 '16		🍷🍷 4
● Prugnano '15		🍷🍷 2*
● Syrah '19		🍷 3

Cantina Lapone

S.DA DEL LAPONE, 8
05018 ORVIETO [TR]
TEL. 347 5472898
cantinalapone.com

Al secondo anno di assaggio arriva una bella conferma dai vini orvietani di Lapone. Ricco, materico, ma di grande equilibrio il Merlot '19, dai profumi di frutto rosso croccante. Molto buono anche l'Escluso '19, Orvieto sapido e di carattere. Piacevoli gli altri vini.

● Merlot '19		🍷🍷 3
○ Orvieto Cl. L'Escluso '19		🍷🍷 3
● Lo Stregone '18		🍷 4
● Merlot '18		🍷 3

Mevante

VIA MADONNA DELLA NEVE 1
06031 BEVAGNA [PG]
TEL. 3498057501
info@agricolamevante.com

Ingresso in Guida per questa piccola cantina di Bevagna che si avvale di 10 ettari coltivati con i vitigni classici della Doc Montefalco. In evidenza diversi vini soprattutto i due Trebbiano Spoletino: il Birbanteo è fine, elegante e saporito, il Sur Lie è più rustico, ma molto affascinante.

● Montefalco Sagrantino '16		🍷🍷 5
○ Trebbiano Spoletino Birbanteo '19		🍷🍷 3
○ Trebbiano Spoletino Birbanteo Sur Lie '18		🍷🍷 4
● Montefalco Rosso '18		🍷 3

Montioni

VIA LE DELLA VITTORIA, 34
06036 MONTEFALCO [PG]
TEL. 0742379214
www.gabrielemontioni.it

Ottima prestazione per l'azienda Montioni.
Grande bevibilità per i due Sagrantino,
specie per la selezione Ma.Gia che si rivela
anche complesso e profondo. Delizioso il
Montefalco Rosso '18, dalle note di mora e
prugna, sapido e dalla fresca vena acida il
Grechetto '19.

○ Grechetto '19	♟♟ 2*
● Montefalco Rosso '18	♟♟ 3
● Montefalco Sagrantino '16	♟♟ 4
● Montefalco Sagrantino Ma.Gia '16	♟♟ 7

Pucciarella

LOC. VILLA DI MAGIONE
VIA CASE SPARSE, 39
06063 MAGIONE [PG]
TEL. 0758409147
www.pucciarella.it

Azienda che produce rossi e bianchi molto
interessanti, frutto delle vigne che insistono
sul Trasimeno. Abbiamo particolarmente
apprezzato il Sant'Anna, un Trasimeno
Riserva corposo e avvolgente. Delizioso e di
grande armonia il Vin Santo '16. Piacevoli
gli altri vini.

● C. del Trasimeno Rosso Sant'Anna Ris. '16	♟♟ 3
○ C. del Trasimeno Vin Santo '16	♟♟ 4
○ Arsiccio '19	♟ 3

Sasso dei Lupi

VIA CARLO FAINA, 18
06055 MARSCIANO [PG]
TEL. 0758749523
www.sassodeilupi.it

Rientro in Guida per Sasso dei Lupi, storica
cooperativa di Marsciano, in virtù di vini ben
fatti e originali. Molto buono il Sestavia '19,
particolare blend di viognier e chardonnay,
dalle note di frutto a pasta bianca e fiori di
campo. Ottimo anche il Secondoatto '18.

● Colli Perugini Rosso Secondoatto '18	♟♟ 2*
○ Sestavia '19	♟♟ 2*
☉ Epoi '19	♟ 3
● L'Intruso '18	♟ 2

Domenico Pennacchi Terre di Capitani

FRAZ. MARCELLANO
VIA SANT'ANGELO, 10
06035 GUALDO CATTANEO [PG]
TEL. 0742920069
pennacchidomenico@tiscalinet.it

Rientra in Guida l'azienda condotta da
Domenico Pennacchi, a Marcellano di
Gualdo Cattaneo. Le vigne raggiungono i
400 metri di quota su terreni ricchi di
lignite. Molto buoni i rossi presentati a
partire dal Sagrantino '11, vino molto
maturo e di grande equilibrio.

● Colli di Fontivecchie Rosso '16	♟♟ 3
● Montefalco Rosso '18	♟♟ 3
● Montefalco Sagrantino '11	♟♟ 5
● Montefalco Rosso Ris. '17	♟ 4

Sandonna

LOC. SELVE
S.DA DELLA STELLA POLARE
05024 GIOVE [TR]
TEL. 07441926176
www.cantinasandonna.com

Bella realtà che produce vini giovani, molto
piacevoli e dal buon equilibrio generale. La
fattura è artigiana, ma la pulizia non
manca. Succoso e dal frutto rosso
croccante il Ciliegiolo di Narni '19, vino
semplice ma rispettoso del vitigno da cui è
ottenuto. Corretti gli altri vini.

● Ciliegiolo di Narni '19	♟♟ 2*
☉ Gocciola '19	♟ 2
○ Grechetto '19	♟ 2
● Selve di Giove '17	♟ 4

La Spina

FRAZ. SPINA
VIA EMILIO ALESSANDRINI, 1
06072 MARSCIANO [PG]
TEL. 0758738120
www.cantinalaspina.it

Vini artigiani, di chiara impronta territoriale,
affascinanti e dalla beva piacevolissima.
Ecco la gamma di bianchi e rossi firmata
La Spina. Tre ai vertici dei nostri assaggi:
A Fortiori '17, RossoSpina '17 e Filare
Maiore '18, grande bianco mediterraneo
sapido e dai sentori di fiori gialli.

● A Fortiori '17	♟♟ 5
○ Filare Maiore '18	♟♟ 3
● RossoSpina '17	♟♟ 3
○ Eburneo '19	♟ 2

832

Tenuta ColFalco

LOC. BELVEDERE
FRAZ. MONTEPENNINO
VIA VALLE CUPA
06036 MONTEFALCO [PG]
TEL. 0742379679
www.tenutacolfalco.it

I rossi di ColFalco si confermano vini di indubbio valore, specie quelli da uve Sagrantino. Il 2016 ha naso complesso nelle note di prugna e resine nobili, la bocca è cremosa e avvolgente. Molto buono anche il Passito, dalla dolcezza equilibrata e dal finale pungente.

- Montefalco Sagrantino '16 — 5
- Montefalco Sagrantino Passito '14 — 5
- Merlot '18 — 3
- Montefalco Grechetto '19 — 2

Tenute Baldo

VIA DEGLI OLMI, 9
06083 BASTIA UMBRA [PG]
TEL. 0758001501
www.broccatelligalli.it

Già conosciuta come Broccatelli Galli, nomi dei due soci che fondarono l'azienda negli anni cinquanta, ora ha il nome di Tenute Baldo. Prestazione sicuramente degna di nota con i due Sagrantino ai vertici. Molto buono anche il Trebbiano Spoletino Bosso '19.

- Montefalco Sagrantino '15 — 6
- Montefalco Sagrantino La Preda del Falco '15 — 7
- Spoleto Trebbiano Spoletino Bosso '19 — 3

Terre de' Trinci

VIA FIAMENGA, 57
06034 FOLIGNO [PG]
TEL. 0742320165
www.terredetrinci.com

Buona prestazione per cantina di Foligno. Dei vini presentati ben tre hanno stupito la commissione d'assaggio. Uno è il Montefalco Sagrantino Ugolino '15, fitto e corposo ha tannino maturo e profumi di frutti neri. Molto buoni anche il Cajo '16 e il Montefalco Rosso '17.

- Cajo '16 — 3
- Montefalco Rosso '17 — 3
- Montefalco Sagrantino Ugolino '15 — 5
- Trincia Trebbiano Spoletino '19 — 2

Terre di San Felice

VIA ANTILUZZO, 26
06044 CASTEL RITALDI [PG]
TEL. 3386798326
www.terredisanfelice.it

Piccola azienda fondata da Carlo e Douchanka Mancini che può contare di circa 6 ettari. Poco più della metà sono vigne, il resto è uliveto da cui si produce extravergine di qualità. Spiccano sia il Montefalco Rosso Riserva, sia l'Assiolo '17, da uve sangiovese e merlot.

- Assiolo Rosso '17 — 2*
- Montefalco Rosso Ris. '17 — 3
- Montefalco Rosso '17 — 3
- Montefalco Sagrantino '16 — 4

Valdangius

LOC. S. MARCO
VIA CASE SPARSE, 84
06036 MONTEFALCO [PG]
TEL. 3334953595
www.cantinavaldangius.it

Azienda portata avanti da Danilo e Sandra Antonelli e situata in località San Marco, uno dei territori più apprezzati del montefalchese. Per il terzo anno consecutivo sorprendono i vini presentati, per tipicità, finezza e pulizia. Su tutti il Filium '18, da trebbiano spoletino.

- Filium Trebbiano Spoletino '18 — 5
- Spoleto Trebbiano Spoletino Campo de Pico '19 — 3

La Veneranda

LOC. MONTEPENNINO SNC
06036 MONTEFALCO [PG]
TEL. 0742951630
www.laveneranda.com

Piccola cantina di Montefalco che vanta una tradizione antica risalente al 1568. Oltre la produzione vinicola anche un agriturismo immerso nella campagna umbra. Dagli assaggi emerge il Riccardo I, rosso da sangiovese, merlot e sagrantino. Molto buono anche Il Grechetto '19.

- Montefalco Grechetto '19 — 3
- Riccardo I '18 — 2*
- Montefalco Sagrantino '16 — 4

LAZIO

Il Lazio prosegue per la sua strada, tracciata per lo più da aziende e marchi piuttosto che da identità territoriali o denominazioni di origine. Delle trenta Doc o Docg non sono più di due o tre quelle che sembrano avere un senso e una qualità tali da poter essere considerate un punto di riferimento e un approdo più o meno sicuro per il pubblico generico dei consumatori (e forse nessuna per gli appassionati). Non si pretende di avere denominazioni "forti" come quelle toscane o piemontesi, ma va sottolineato come i vicini campani nel giro di una ventina d'anni siano riusciti a passare da zone legate principalmente al nome di singole aziende a territori e denominazioni raccontati, benissimo, al plurale. Nel Lazio invece la direzione sembra rimanere quella intrapresa molti anni fa, quando singole aziende hanno saputo creare un'immagine di qualità, che tuttavia ha finito per sovrastare qualsiasi riferimento ai territori. Colpisce, per esempio, che solo un terzo dei vini che hanno ottenuto almeno Due Bicchieri siano a denominazione di origine. Non vogliamo difendere a tutti i costi il sistema delle denominazioni che, soprattutto in questi ultimi anni, vive delle situazioni piuttosto contraddittorie, ma crediamo che sia giusto segnalare che anche a prescindere da Doc e Docg sono pochissime le zone della regione in cui si è provato a costruire un "circolo virtuoso di emulazione" tra i vari produttori per portare avanti l'idea di un territorio di qualità. Davvero un peccato, soprattutto in tempi difficili come quelli che stiamo vivendo. Per quanto riguarda i Tre Bicchieri abbiamo una novità assoluta, il merlot Sodale della Falesco-Famiglia Cotarella, mentre dopo qualche anno siamo tornati a premiare l'Anthium, che guida la riscossa del bellone, vitigno autoctono che ci sta offrendo vini sempre più interessanti, dalle colline di Cori alle sabbie di Anzio e Nettuno, e il Fiorano Rosso, splendido blend di uve bordolesi realizzato alle porte di Roma. Dopo un anno di assenza torna lo straordinario blend "rodaniano" dell'Habemus di San Giovenale, mentre delle belle conferme arrivano dal Poggio della Costa di Sergio Mottura, sempre alfiere del grechetto nel Lazio, dal Frascati Superiore della Castel de Paolis e dal Roma Rosso Edizione Limitata di Poggio Le Volpi, questi ultimi due unici vini a denominazione presenti in questa lista.

Marco Carpineti

S.DA PROV.LE VELLETRI-ANZIO, 3
04010 CORI [LT]
TEL. 069679860
www.marcocarpineti.com

VENDITA DIRETTA
VISITA SU PRENOTAZIONE
PRODUZIONE ANNUA 300.000 bottiglie
ETTARI VITATI 55,00
VITICOLTURA Biologico Certificato

Marco Carpineti, cui danno sempre più valido aiuto i figli Paolo e Isabella, non sa, per fortuna, riposare sugli allori e propone continue novità. In vigna, con l'introduzione nei vigneti di Bassiano a 550 metri di altitudine dell'abbuoto (l'uva del mitico Cecubo dei Romani), la cui prima vendemmia è prevista nel 2021, e in cantina, con la progressiva eliminazione dei lieviti selezionati a favore di fermentazioni spontanee estese a tutti i vini e l'utilizzo di anfore non solo per il bellone ma anche per il nero buono. Lo Nzù Bellone '17 conferma la bontà della strada intrapresa da Marco riguardo l'uso dell'anfora per questo vitigno. Al naso evidenzia sentori di susina bianca, cedro e mela cotogna, seguiti da un palato ricco e di buona tenuta, con un intenso finale speziato. Ottimo anche il Kius Extra Brut Rosé '16, un Metodo Classico da uve nero buono dai toni di frutti di bosco, ricco di grinta, ma anche elegante e cremoso nella sua effervescenza, lungo e piacevole.

⊙ Kius Extra Brut Rosé '16	♟♟ 5	
○ Nzù Bellone '17	♟♟ 5	
● Capolemole Rosso '17	♟♟ 3	
○ Kius Brut '17	♟♟ 4	
○ Moro '18	♟♟ 4	
○ Capolemole Bianco '19	♟ 2	
● Nzù Nero Buono '17	♟ 5	
● Tufaliccio '19	♟ 2	
○ Capolemole Bianco '18	♟♟ 2*	
● Capolemole Rosso '16	♟♟ 3	
○ Kius Brut '16	♟♟ 4	
⊙ Kius Extra Brut Rosé '15	♟♟ 5	
○ Moro '17	♟♟ 3*	
○ Moro '16	♟♟ 3*	
○ Nzù Bellone '16	♟♟ 5	
○ Nzù Bellone '15	♟♟ 5	

Casale del Giglio

LOC. LE FERRIERE
S.DA CISTERNA-NETTUNO KM 13
04100 LATINA
TEL. 0692902530
www.casaledelgiglio.it

VENDITA DIRETTA
VISITA SU PRENOTAZIONE
PRODUZIONE ANNUA 1.707.000 bottiglie
ETTARI VITATI 164,00
AZIENDA SOSTENIBILE

Da Ponza a Satrico, da Anzio a Olevano e ad Amatrice, l'attenzione di Antonio Santarelli e Paolo Tiefenthaler è sempre più rivolta alla valorizzazione di enclave di territori dove rispetto della natura, qualità dei vitigni e lavoro dell'uomo siano in perfetta sinergia. Un'ottica che abbraccia la salvaguardia del passato, come dimostrano gli scavi nella proprietà delle Ferriere di una villa romana del II secolo, e l'attenzione al nuovo, con la prima vendemmia nel 2020 per il pecorino di Amatrice e l'impianto di nuovi cloni di sauvignon. Torna al vertice il Bellone Anthium. La versione 2019 si presenta con sentori di pesca, melone e cedro candito, per un palato coerente, di bella materia, sapido e di buona lunghezza. Di alto livello anche il Bellone Radix '16, macerato e passato in anfora, dai sentori di pompelmo, fiori gialli e cera d'api, corposo, sapido e di buona profondità, e il Faro della Guardia Biancolella '19, fresco e teso, dai toni di macchia mediterranea e frutta gialla.

○ Anthium '19	♟♟♟ 3*	
○ Faro della Guardia Biancolella '19	♟♟ 5	
○ Radix Bellone '16	♟♟ 7	
○ Albiola '19	♟♟ 2*	
○ Antinoo '18	♟♟ 4	
○ Aphrodisium '19	♟♟ 5	
● Madreselva '17	♟♟ 4	
● Mater Matuta '17	♟♟ 7	
● Petit Manseng '19	♟♟ 3	
● Matidia '18	♟ 3	
● Merlot '18	♟ 2	
○ Viognier '19	♟ 3	
○ Antium Bellone '15	♟♟♟ 4*	
○ Antium Bellone '14	♟♟♟ 4*	
○ Biancolella Faro della Guardia '13	♟♟♟ 5	
○ Faro della Guardia Biancolella '18	♟♟♟ 5	
○ Faro della Guardia Biancolella '16	♟♟♟ 5	

Casale della Ioria

LOC. LA GLORIA
S.DA PROV.LE 118 ANAGNI-PALIANO
03012 ANAGNI [FR]
TEL. 077556031
www.casaledellaioria.com

VENDITA DIRETTA
VISITA SU PRENOTAZIONE
PRODUZIONE ANNUA 75.000 bottiglie
ETTARI VITATI 38,00
VITICOLTURA Biologico Certificato
AZIENDA SOSTENIBILE

Dei meriti di Paolo Perinelli per la valorizzazione del cesanese, sia come vitigno che come Docg, si è già detto, ma giova sottolineare quella che è stata la sua prima intuizione, semplice ma fondamentale, e cioè che la qualità nasce in vigna. Ecco allora posizioni ottimali come esposizione e altitudine (400 metri), impianti a guyot di giusta densità (circa 5000 ceppi per ettaro), vigneti di quasi 40 anni affiancati da altri più giovani, utilizzo di tecniche a basso impatto ambientale: un blend che le pratiche di cantina sanno rispettare per risultati tra i più significativi della zona. Certe volte quello che l'azienda considera il vino di punta risulta meno brillante dei "comprimari". A conquistarci quest'anno è stato il Cesanese del Piglio Superiore Tenuta della Ioria '18, dai toni di rovo e frutti neri, con sfumature di spezie e macchia mediterranea, e dal palato nitido, con un tannino ben gestito e dal finale piacevole. Ben realizzata la Riserva Torre del Piano '18, di buona freschezza e tenuta, ma dal tannino un po' ruvido.

● Cesanese del Piglio Sup. Tenuta della Ioria '18	🍷🍷 3*
● Cesanese del Piglio Sup. Torre del Piano Ris. '18	🍷🍷 4
● Cesanese del Piglio Sup. Campo Novo '19	🍷 2
○ Colle Bianco '19	🍷 2
● Olivella '14	🍷 2
○ Passerina Extra Dry	🍷 2
● Cesanese del Piglio Sup. Tenuta della Ioria '17	🍷🍷 3
● Cesanese del Piglio Sup. Tenuta della Ioria '16	🍷🍷 3
● Cesanese del Piglio Sup. Torre del Piano Ris. '17	🍷🍷 4
● Cesanese del Piglio Sup. Torre del Piano Ris. '16	🍷🍷 4
● Cesanese del Piglio Sup. Torre del Piano Ris. '15	🍷🍷 4

Casale Marchese

VIA DI VERMICINO, 68
00044 FRASCATI [RM]
TEL. 069408932
www.casalemarchese.it

VENDITA DIRETTA
VISITA SU PRENOTAZIONE
PRODUZIONE ANNUA 150.000 bottiglie
ETTARI VITATI 40,00

Da due secoli la famiglia Carletti è proprietaria della Casale Marchese, un'azienda di una sessantina di ettari, coltivati principalmente a oliveti e vigneti, posta nel cuore della denominazione Frascati. I vitigni sono quelli tradizionalmente presenti sul territorio, malvasia puntinata, malvasia di Candia, trebbiano toscano, greco, bombino, bellone, cui si affiancano le varietà bordolesi (merlot, cabernet sauvignon e cabernet franc) per le uve nere e lo chardonnay per quelle bianche. I vini prodotti sono d'impianto moderno e fanno della nitidezza aromatica la loro cifra stilistica. Il Frascati Superiore '19 è un classico: di grande tipicità nei suoi aromi di salvia, agrumi e macchia mediterranea, ha un palato di medio corpo e un finale agile e dai tipici toni ammandorlati. Più ricco e pieno il Clemens '19, blend paritario di chardonnay e malvasia puntinata, dalle note di frutta tropicale, in particolare mango e papaya. Ben realizzato anche il Rosso Eminenza '19, piacevole nei suoi toni di frutti rossi.

○ Frascati Sup. '19	🍷🍷 2*
○ Clemens '19	🍷🍷 3
● Rosso Eminenza '19	🍷🍷 3
○ Frascati Sup. Quarto Marchese '19	🍷 3
● Marchese de' Cavalieri '18	🍷 4
○ Clemens '14	🍷🍷 3
○ Frascati Sup. '18	🍷🍷 2*
○ Frascati Sup. '15	🍷🍷 2*
○ Frascati Sup. '14	🍷🍷 2*
○ Frascati Sup. Quarto Marchese '17	🍷🍷 3

Castel de Paolis

VIA VAL DE PAOLIS
00046 GROTTAFERRATA [RM]
TEL. 069412560
www.casteldepaolis.com

VENDITA DIRETTA
VISITA SU PRENOTAZIONE
RISTORAZIONE
PRODUZIONE ANNUA 90.000 bottiglie
ETTARI VITATI 11,00

L'azienda sorge alle porte di Roma sulle rovine di un castello di epoca medievale, dal quale prende il nome, a sua volta costruito su resti romani -tra cui una cisterna dove oggi riposano i rossi da invecchiamento. È nel 1985 che Giulio Santarelli ha coinvolto il professore Attilio Scienza per realizzare un progetto di riscoperta del territorio, in cui la valorizzazione dei vitigni autoctoni è affiancata alla sperimentazione di varietà internazionali. I vini proposti sono di bella precisione tecnica all'interno di un impianto tradizionale. Anche quest'anno ai vertici troviamo il Frascati Superiore, bandiera del territorio, tipico e ben fatto. Naso profumato di erbe di campo, mandorle e agrume, palato coerente, rotondo e con una sapidità che aiuta il sorso a risultare agile e lungo. Meno profondo ma sempre piacevole il Campo Vecchio '19, con note di frutta matura e accenni di cedro e mandorle. Tutta giocata su toni vegetali di macchia mediterranea invece il Campo Vecchio Rosso '16.

○ Frascati Sup. '19	♛♛♛	3*
○ Campo Vecchio '19	♛♛	3
● Campo Vecchio Rosso '16	♛♛	3
○ Frascati Sup. '18	♕♕♕	3*
○ Donna Adriana '17	♕♕	4
○ Donna Adriana '16	♕♕	4
○ Donna Adriana '15	♕♕	4
○ Frascati Campo Vecchio '18	♕♕	3
○ Frascati Campo Vecchio '16	♕♕	2*
○ Frascati Sup. '17	♕♕	3*
○ Frascati Sup. '16	♕♕	3
○ Frascati Sup. '15	♕♕	3
● I Quattro Mori '15	♕♕	6
● I Quattro Mori '14	♕♕	5
○ Muffa Nobile '16	♕♕	5
○ Muffa Nobile '15	♕♕	5
● Rosathea '16	♕♕	5

Cincinnato

VIA CORI - CISTERNA, KM 2
04010 CORI [LT]
TEL. 069679380
www.cincinnato.it

VENDITA DIRETTA
VISITA SU PRENOTAZIONE
OSPITALITÀ E RISTORAZIONE
PRODUZIONE ANNUA 900.000 bottiglie
ETTARI VITATI 268,00
AZIENDA SOSTENIBILE

Una squadra consolidatasi negli anni (da Nazareno Milita a Carlo Morettini, da Fabio e Mattia Bigolin a Giovanna Trisorio) ha fatto di questa cooperativa un esempio da seguire, anche nel desiderio di continue migliorie. Citiamo, ad esempio, i nuovi impianti di nero buono e bellone, le certificazioni biologiche dal 2018, il nuovo magazzino termocondizionato, la disponibilità delle tecnologie FOSS per analisi in tempo reale di uve, mosti e vini, a tutela sia della qualità che della serietà del lavoro dei soci conferitori. Quest'anno sono stati i prodotti da uve bellone a darci le maggiori soddisfazioni, in particolare i Metodo Classico. Il Brut di Bellone '16 è ricco e di buona materia, con profumi di agrumi e crema pasticceria e una bollicina di notevole eleganza, per un palato che invita alla beva. Piacevole e ben fatto anche il Korì Bellone Pas Dosé '16, cremoso e scorrevole, con un filo di carattere in meno rispetto al Brut. Ben realizzato il Castore '19, sempre più che corretto il resto della gamma.

○ Brut di Bellone M. Cl. '16	♛♛	2*
○ Castore '19	♛♛	2*
○ Cori Bianco Illirio '19	♛♛	2*
○ Korì Bellone Pas Dosé '16	♛♛	4
● Arcatura '18	♛	2
● Ercole Nero Buono '17	♛	3
○ Pantaleo '19	♛	2
● Pollùce '18	♛	2
● Arcatura '17	♕♕	2*
○ Castore '17	♕♕	2*
○ Cori Bianco Illirio '18	♕♕	2*
○ Cori Bianco Illirio '17	♕♕	2*
○ Enyo Bellone '17	♕♕	3
● Kora Nero Buono '15	♕♕	4
○ Pantaleo '18	♕♕	2*

Damiano Ciolli

VIA DEL CORSO
00035 Olevano Romano [RM]
TEL. 069563334
www.damianociolli.it

VENDITA DIRETTA
VISITA SU PRENOTAZIONE
PRODUZIONE ANNUA 25.000 bottiglie
ETTARI VITATI 5,00
AZIENDA SOSTENIBILE

Cresciuto a Olevano Romano tra casa e cantina, in compagnia del nonno Guido e del padre Costantino, Damiano Ciolli ha trasformato l'azienda da una cantina famigliare che produceva vino sfuso a una realtà di punta del territorio. Nel 2001 Damiano ha cominciato a imbottigliare il prodotto della vecchia vigna del nonno, un unico ettaro piantato a cesanese, e oggi, insieme alla compagna ed enologa Letizia Rocchi, propone due versioni di Cesanese, una più fresca e immediata e l'altra di maggiore struttura, coniugando al meglio le caratteristiche del suolo, del microclima e del vitigno. Di grande spessore il Cesanese di Olevano Romano Silene '18: il naso cattura immediatamente con toni di sottobosco e frutti rossi, che ritroviamo poi al palato, accompagnati da note di liquirizia, in un contesto di grande eleganza e piacevolezza, con un sorso fresco, grintoso e di buona lunghezza. Gustoso e profondo il Cirsium '16, con un palato in cui spiccano note di spezie e frutti neri.

● Cesanese di Olevano Romano Silene '18		♟♟ 3*
● Cesanese di Olevano Romano Cirsium Ris. '16		♟♟ 5
● Cesanese di Olevano Romano §Silene '17		♟♟♟ 3*
● Cesanese di Olevano Romano Cirsium Ris. '15		♟♟ 5
● Cesanese di Olevano Romano Cirsium Ris. '14		♟♟ 5
● Cesanese di Olevano Romano Cirsium Ris. '13		♟♟ 5
● Cesanese di Olevano Romano Sup. Silene '16		♟♟ 3*
● Cesanese di Olevano Romano Sup. Silene '15		♟♟ 3

Antonello Coletti Conti

VIA VITTORIO EMANUELE, 116
03012 Anagni [FR]
TEL. 0775728610
www.coletticonti.it

VENDITA DIRETTA
VISITA SU PRENOTAZIONE
PRODUZIONE ANNUA 20.000 bottiglie
ETTARI VITATI 20,00

Scherzando (ma non troppo!), Antonello Coletti Conti ama dire che in certi periodi dell'anno in vigna ci dorme anche. Questo lo ha aiutato a notare, tra i suoi filari, un biotipo di cesanese d'Affile dagli acini molto più piccoli, che ha reimpiantato in un nuovo, piccolo vigneto di 1,20 ettari, e sui quali fa molto affidamento per aprire inedite prospettive a questo storico vitigno laziale. Vigneto che, in attesa di imminenti vinificazioni separate, contribuisce oggi al blend dei due Cesanese aziendali. Come è spesso accaduto in questi ultimi anni, tra i due Cesanese del Piglio Superiore 2018 della Coletti Conti è l'Hernicus ad averci maggiormente convinto. Elegante nei suoi profumi di frutti neri di bosco, con sfumature speziate e di sottobosco, propone un palato levigato e nitido, dal finale succoso e di piacevole beva. Il Romanico è un vino pensato per esprimersi al meglio tra qualche anno, più denso e compatto, ma un po' meno grintoso dell'Hernicus.

● Cesanese del Piglio Sup. Hernicus '18		♟♟ 3*
● Cesanese del Piglio Sup. Romanico '18		♟♟ 5
● Cesanese del Piglio Romanico '11		♟♟♟ 5
● Cesanese del Piglio Romanico '07		♟♟♟ 5
● Cesanese del Piglio Sup. Hernicus '14		♟♟♟ 3*
● Cesanese del Piglio Sup. Hernicus '12		♟♟♟ 3*
● Cesanese del Piglio Sup. Hernicus '17		♟♟ 3
● Cesanese del Piglio Sup. Hernicus '16		♟♟ 3
● Cesanese del Piglio Sup. Hernicus '15		♟♟ 3*
● Cesanese del Piglio Sup. Romanico '17		♟♟ 5
● Cesanese del Piglio Sup. Romanico '16		♟♟ 5
● Cesanese del Piglio Sup. Romanico '14		♟♟ 5
● Cesanese del Piglio Sup. Romanico '13		♟♟ 5
● Cosmato '17		♟♟ 5
● Cosmato '16		♟♟ 5
○ Passerina del Frusinate Hernicus '17		♟♟ 3

★★Falesco
Famiglia Cotarella
s.s. Cassia Nord km 94,155
01027 Montefiascone [VT]
Tel. 07449556
www.falesco.it

VENDITA DIRETTA
VISITA SU PRENOTAZIONE
OSPITALITÀ
PRODUZIONE ANNUA 3.650.000 bottiglie
ETTARI VITATI 330,00

La prima cantina della famiglia nasce negli anni Sessanta nell'alto viterbese con Antonio e Domenico Cotarella e da allora l'impronta familiare, insieme alla volontà di mettere in primo piano il territorio, caratterizza il percorso dell'azienda. Nel 1979 con Renzo e Riccardo nasce ufficialmente la Falesco, con l'obiettivo di dare nuova vita alla produzione della zona. Oggi il passaggio generazionale assegna il ruolo di protagoniste alle rispettive figlie, Dominga, Marta ed Enrica, che hanno mantenuto la filosofia produttiva aziendale, fatta di vini di carattere e tecnicamente impeccabili. Quest'anno la nostra preferenza ricade sul Sodale '18, un Merlot in purezza che convince per il suo grande equilibrio tra frutta rossa e spezie dolci. Il sorso è morbido ma vivace, armonico e persistente. Degno di nota anche il Ferentano, pieno e sapido, centrato sulla frutta bianca. Una certezza il Tellus Syrah, fresco e piacevole nelle sue note di piccoli frutti neri. Stessa linea e stesso approccio per l'immediato Rosè di Syrah.

● Sodale '18	♟♟♟	5
○ Ferentano '18	♟♟	5
● Marciliano '17	♟♟	7
☉ Soré '19	♟♟	4
● Appunto Rosso '19	♟♟	2*
○ Est! Est!! Est!!! di Montefiascone Poggio dei Gelsi '19	♟♟	2*
● I Cento Umbri '19	♟♟	2*
● Messidoro '19	♟♟	2*
○ Soente Viognier '19	♟♟	4
● Tellus Syrah '19	♟♟	3
☉ Tellus Syrah Rosé '19	♟♟	3
● Trentanni '18	♟♟	4
● Vitiano Rosso '19	♟♟	2*
○ Est! Est!! Est!!! di Montefiascone Brut Best	♟	2
○ Tellus Chardonnay '19	♟	3

Fontana Candida
via Fontana Candida, 11
00040 Monte Porzio Catone [RM]
Tel. 069401881
www.fontanacandida.it

VENDITA DIRETTA
VISITA SU PRENOTAZIONE
RISTORAZIONE
PRODUZIONE ANNUA 2.000.000 bottiglie
ETTARI VITATI 221,00

Fontana Candida, oggi proprietà del Gruppo Italiano Vini, è una protagonista dell'enologia dei Castelli Romani da oltre sessant'anni. Accanto ai molti ettari coltivati dagli storici conferitori, sono 25 gli ettari vitati di proprietà nella denominazione Frascati - 13 dei quali costituiti dal Vigneto Santa Teresa, da cui proviene l'etichetta storica dell'azienda - dislocati tra i 200 e i 400 metri su terreni vulcanici, ricchi di minerali e di microelementi. Malvasia puntinata e di Candia, trebbiano toscano, greco sono i vitigni più coltivati, per vini sempre tecnicamente ben realizzati. Torna ai massimi livelli il Frascati Superiore Luna Mater Riserva '19, convincente nei suoi profumi di fiori bianchi, pesca e agrumi, è fresco e con una bella spinta. In buona forma anche il Frascati Superiore Vigneto Santa Teresa, con note di salvia, frutto della passione e cedro. Ben realizzato il Merlot Kron '17 dai toni di ciliegie e spezie dolci, con un palato coerente, morbido, con note di tabacco e fieno.

○ Frascati Sup. Luna Mater Ris. '19	♟♟	4
○ Frascati Secco Terre dei Grifi '19	♟♟	2*
○ Frascati Sup. Secco Vign. Santa Teresa '19	♟♟	2*
● Kron '17	♟♟	4
○ Frascati Secco '19	♟	2
○ Frascati Sup. Luna Mater Ris. '18	♕♟	4
○ Frascati Sup. Luna Mater Ris. '17	♕♟	3*
○ Frascati Sup. Secco Vign. Santa Teresa '18	♕♟	3
○ Frascati Sup. Secco Vign. Santa Teresa '17	♕♟	3
○ Frascati Sup. Vign. Santa Teresa '16	♕♟	2*
● Kron '16	♕♟	4
○ Roma Malvasia Puntinata '17	♕♟	2*

Formiconi

loc. Farinella
00021 Affile [RM]
Tel. 3470934541
www.cantinaformiconi.com

VENDITA DIRETTA
VISITA SU PRENOTAZIONE
PRODUZIONE ANNUA 13.000 bottiglie
ETTARI VITATI 4,00
AZIENDA SOSTENIBILE

Nata meno di vent'anni fa, l'azienda dei fratelli Livio, Walter e Vito Formiconi può contare su una tenuta di famiglia che risale alla fine del XIX secolo, con quattro ettari vitati situati a un'altitudine di oltre 600 metri, su terreni argillosi e calcarei. Il cesanese di Affile ne è il protagonista assoluto, affiancato da una piccola quantità di malvasia, per una produzione che conta tre sole etichette. I vini proposti vogliono unire tipicità, territorialità e precisione di esecuzione. Anche quest'anno tra i due Cesanese di Affile è stato il "base", il Cisianum '19, a convincerci maggiormente: dai profumi di frutti neri e macchia di rovo, ha un palato in cui alla ricchezza tannica tipica del vitigno si affiancano toni di frutti di bosco freschi, per una chiusura grintosa e una piacevole beva. La Riserva Capozzano '18 è invece ancora segnata dal passaggio in barrique, che le conferisce note speziate al naso e un palato ancora chiuso, ruvido e di difficile interpretazione.

● Cesanese di Affile Cisinianum '19	▼▼ 3*
● Cesanese di Affile Capozzano Ris. '18	▼▼ 4
○ Enea Malvasia '19	▼ 3
● Cesanese di Affile Capozzano Ris. '17	▽▽ 4
● Cesanese di Affile Capozzano Ris. '16	▽▽ 4
● Cesanese di Affile Cisinianum '18	▽▽ 3
● Cesanese di Affile Cisinianum '17	▽▽ 3*
● Cesanese di Affile Cisinianum '15	▽▽ 3*

Antiche Cantine Migliaccio

via Pizzicato
04027 Ponza [LT]
Tel. 3392822252
www.antichecantinemigliaccio.it

VENDITA DIRETTA
VISITA SU PRENOTAZIONE
PRODUZIONE ANNUA 10.000 bottiglie
ETTARI VITATI 3,00

Quando nel 1734 Carlo di Borbone colonizza l'isola di Ponza, affida a Pietro Migliaccio la zona di Punta Fieno. Il partenopeo porta da Ischia i vitigni tipici: Biancolella, Forastera, Guarnaccia, Aglianico e Piedirosso, gli stessi che nel 2000 Emanuele Vittorio, insieme alla moglie Luciana, ha riportato a nuova vita. Antichi vitigni rimasti a piede franco e liberi di proliferare lontano da contaminazioni di ogni genere. Un matrimonio fecondo quello tra natura e moderne tecniche enologiche, reso possibile anche grazie al supporto dell'enologo Vincenzo Mercurio. Come al solito di altissimo livello i bianchi di questa cantina. Il Fieno Bianco '19 ci affascina con i suoi profumi agrumati e iodati, le sue note sapide e un sorso che richiama la macchia mediterranea, con toni di mandorla e fiori bianchi. Grande freschezza e sapidità per la Biancolella '19, vivace e immediata, con un finale piacevolmente aromatico. Buono anche il Fieno Rosato '19, grintoso, con note floreali e di piccoli frutti rossi.

○ Biancolella di Ponza '19	▼▼ 5
○ Fieno di Ponza Bianco '19	▼▼ 4
⊙ Fieno di Ponza Rosato '19	▼▼ 4
○ Fieno di Ponza Bianco '17	▽▽▽ 4*
○ Biancolella di Ponza '18	▽▽ 5
○ Biancolella di Ponza '17	▽▽ 5
○ Biancolella di Ponza '16	▽▽ 5
○ Biancolella di Ponza '15	▽▽ 5
○ Biancolella di Ponza '14	▽▽ 5
○ Fieno di Ponza Bianco '18	▽▽ 4
○ Fieno di Ponza Bianco '16	▽▽ 4
○ Fieno di Ponza Bianco '15	▽▽ 4
⊙ Fieno di Ponza Rosato '18	▽▽ 4
⊙ Fieno di Ponza Rosato '17	▽▽ 4
⊙ Fieno di Ponza Rosato '16	▽▽ 4
● Fieno di Ponza Rosso '18	▽▽ 4
● Fieno di Ponza Rosso '13	▽▽ 4

★Sergio Mottura

Loc. Poggio della Costa, 1
01020 Civitella d'Agliano [VT]
Tel. 0761914533
www.motturasergio.it

VENDITA DIRETTA
VISITA SU PRENOTAZIONE
OSPITALITÀ E RISTORAZIONE
PRODUZIONE ANNUA 97.000 bottiglie
ETTARI VITATI 37,00
VITICOLTURA Biologico Certificato

Dedito da sempre alla sperimentazione e alla ricerca, con il desiderio di rivalutare i vitigni autoctoni, Sergio Mottura è un pioniere del biologico. Trapiantato a Civitella d'Agliano dalla sua terra d'origine, il Piemonte, è diventato negli anni una vera e propria icona del grechetto - vitigno emblema del territorio dell'Alta Tuscia - di cui ha individuato e selezionato tre differenti cloni. Diverse le varietà coltivate, dalle locali procanico e verdello alle internazionali chardonnay e pinot nero, per una proposta sempre di grande qualità. In assenza del Latour a Civitella, non prodotto nel 2018, è splendido il Poggio della Costa '19: naso agrumato e leggermente speziato, palato corposo, fruttato, fresco, sapido, con un finale lungo e teso. Di alto livello, nonostante l'apparente semplicità, l'Orvieto Secco '19: frutta gialla, agrumi e una grintosa nota minerale a sorreggere il sorso. Belle conferme anche dall'Orvieto Tragugnano, con le sue note di fiori e bergamotto, e dal Sergio Mottura Brut '11, lungo e complesso.

○ Poggio della Costa '19	♟♟♟ 4*
○ Orvieto Secco '19	♟♟ 3*
○ Orvieto Tragugnano '19	♟♟ 4
○ Sergio Mottura Brut M. Cl. '11	♟♟ 6
⊙ Civitella Rosato '19	♟ 3
● Civitella Rosso '19	♟ 3
○ Grechetto Latour a Civitella '11	♟♟♟ 4*
○ Grechetto Poggio della Costa '14	♟♟♟ 3*
○ Grechetto Poggio della Costa '10	♟♟♟ 3*
○ Grechetto Poggio della Costa '09	♟♟♟ 3*
○ Grechetto Poggio della Costa '08	♟♟♟ 3*
○ Poggio della Costa '18	♟♟♟ 4*
○ Poggio della Costa '17	♟♟♟ 4*
○ Poggio della Costa '16	♟♟♟ 3*
○ Poggio della Costa '15	♟♟♟ 3*
○ Poggio della Costa '12	♟♟♟ 3*
○ Poggio della Costa '11	♟♟♟ 3*

Omina Romana

via Fontana Parata, 75
00049 Velletri [RM]
Tel. 0696430193
www.ominaromana.com

VENDITA DIRETTA
VISITA SU PRENOTAZIONE
PRODUZIONE ANNUA 130.000 bottiglie
ETTARI VITATI 80,00
AZIENDA SOSTENIBILE

La Fenice, l'uccello di fuoco che rinasce dalle sue ceneri a una nuova vita, è il simbolo dell'azienda del tedesco Anton Börner, a simboleggiare il desiderio di rinascita dei vini di qualità della regione. Siamo a Velletri, sulle colline vulcaniche a sud di Roma, terreno studiato dall'Università di Geisenheim e della Facoltà di Agraria ed Enologia di Firenze per raggiungere l'eccellenza qualitativa voluta da Börner che, assistito dagli enologi Simone Sarnà e Claudio Gori, ha scelto di dare ai vini della sua azienda un taglio prettamente internazionale. Bell'impatto per l'Ars Magna Cabernet Franc '17, che quest'anno ci convince particolarmente. Fresco, croccante e di grande piacevolezza, per un sorso interamente giocato su note di piccoli frutti neri e peperone maturo. Di buon livello tutto il resto della linea: tra i rossi bene il Ceres Anesidora I, blend di Cabernet Sauvignon e Franc ricco e piacevole, vegetale e speziato. Tra i bianchi piacevole soprattutto il Viognier, con legno dolce ed erbe aromatiche.

● Ars Magna Cabernet Franc '17	♟♟ 8
○ Ars Magna Viognier '19	♟♟ 8
● Ceres Anesidora I '17	♟♟ 8
● Cesanese '17	♟ 6
○ Hermes Diactoros II '19	♟ 4
● Ars Magna Merlot '15	♟♟ 8
○ Bellone Brut '14	♟♟ 4
● Cabernet Franc Linea Ars Magna '13	♟♟ 8
● Cabernet Sauvignon '11	♟♟ 7
● Ceres Anesidora I '15	♟♟ 8
● Diana Nemorensis I '12	♟♟ 6
● Hermes Diactoros '13	♟♟ 4
● Janus Geminus I '15	♟♟ 8
● Merlot '13	♟♟ 7
● Merlot '12	♟♟ 7

Tenuta La Pazzaglia

LOC. PAZZAGLIA
S.DA DI BAGNOREGIO, 4
01024 CASTIGLIONE IN TEVERINA [VT]
TEL. 3486610038
www.tenutalapazzaglia.it

VENDITA DIRETTA
VISITA SU PRENOTAZIONE
OSPITALITÀ
PRODUZIONE ANNUA 56.000 bottiglie
ETTARI VITATI 12,00

Una tenacia e una grinta fuori dal comune
quella che accomuna i membri della
Famiglia Verdecchia, che nel 1990 decise
di acquistare un casale dismesso al confine
tra Lazio, Umbria e Toscana, intuendone le
potenzialità. Un nuovo progetto di vita
portato avanti dai tre fratelli Laura, Maria
Teresa e Pierfrancesco, aiutati dall'enologo
Daniele Di Mambro, che per crescere,
qualitativamente e quantitativamente,
hanno deciso di concentrare le loro forze
sul Grechetto, di cui ricercano tutte le
potenzialità. Come dimostra la bella
espressione del territorio e del grechetto
che ci offre il Poggio Triale '18: naso con
toni floreali e agrumati, palato che si
presenta di buon succo, sapido e
piacevolmente lungo, con toni di frutto della
passione e pompelmo a rinfrescare il sorso.
La versione 2018 del 109 Grechetto è
lavorata in anfora, per un vino sapido e
succoso, con note di agrumi e fiori bianchi.
Sempre affidabili i rossi presentati.

○ Poggio Triale '18	🍷🍷	3*
○ 109 Grechetto Anfora '18	🍷🍷	3
● Aurelius '18	🍷	2
● Palagio '18	🍷	2
○ 109 Grechetto '18	🍷🍷	3*
○ 109 Grechetto '17	🍷🍷	3*
○ 109 Grechetto '16	🍷🍷	3*
○ Il Corno '16	🍷🍷	2*
○ Miadimia '18	🍷🍷	3
○ Poggio Triale '17	🍷🍷	3
○ Poggio Triale '16	🍷🍷	3
○ Poggio Triale '15	🍷🍷	3

Pietra Pinta

VIA LE PASTINE KM 20,200
04010 CORI [LT]
TEL. 069678001
www.pietrapinta.com

VENDITA DIRETTA
VISITA SU PRENOTAZIONE
OSPITALITÀ E RISTORAZIONE
PRODUZIONE ANNUA 300.000 bottiglie
ETTARI VITATI 33,00
VITICOLTURA Biologico Certificato
AZIENDA SOSTENIBILE

Come recita il motto aziendale, "uno
sguardo al futuro e un territorio nel cuore",
passato, presente e futuro si fondono nella
bella realtà messa su negli anni dalla
famiglia Ferretti, a partire già
dall'Ottocento. Territori ricchi di storia (da
Cori a Ninfa) e di vocazione vitivinicola,
continue ricerche su vitigni autoctoni e
internazionali, un confortevole agriturismo
con comode camere e ampi spazi, anche
all'aperto, di ristorazione. Cantina, e
frantoio, forniscono infine le più moderne
tecnologie per rispettare e valorizzare al
meglio le materie prime. Sempre affidabile
la produzione di questa cantina. Quest'anno
ci è piaciuto soprattutto il Nero Buono '18,
dai profumi speziati con note di frutti neri e
dal palato ricco di polpa e materia, ben
sostenuta dall'acidità che dona al sorso
lunghezza e freschezza. Ben realizzato
anche il Bellone '19, giocato
sull'immediatezza e la piacevolezza, e il
Viognier '19, nei suoi toni di pesca gialla e
melone, di buon corpo e volume.

○ Bellone '19	🍷🍷	2*
● Nero Buono '18	🍷🍷	2*
○ Viognier '19	🍷🍷	2*
○ Chardonnay '19	🍷	2
● Colle Amato Nero Buono '16	🍷	3
○ Costa Vecchia Bianco '19	🍷	2
● Costa Vecchia Rosso '18	🍷	2
○ Malvasia Puntinata '19	🍷	2
○ Sauvignon '19	🍷	2
● Shiraz '18	🍷	2
● Colle Amato Nero Buono '15	🍷🍷	3
● Costa Vecchia Rosso '17	🍷🍷	2*
○ Viognier '18	🍷🍷	2*

★Poggio Le Volpi

VIA COLLE PISANO, 27
00078 MONTE PORZIO CATONE [RM]
TEL. 069426980
www.poggiolevolpi.com

VENDITA DIRETTA
VISITA SU PRENOTAZIONE
RISTORAZIONE
PRODUZIONE ANNUA 300.000 bottiglie
ETTARI VITATI 145,00

La prima pietra dell'azienda fu posta da
Manlio Mergè nel 1920, quando cominciò a
produrre e commerciare vino sfuso. Il
passo, da realtà locale a nazionale, spetta
al figlio Armando, ma il salto qualitativo lo
si deve a Felice, che nel 1996 fa diventare
Poggio Le Volpi una delle realtà più
importanti del Lazio. Siamo a Monte Porzio
Catone, a pochi chilometri da Roma, dove i
35 ettari vitati dell'azienda trovano nel
vecchio vulcano il terreno per dare ottimi
risultati, dando vita a vini di buona
espressione territoriale. Convincente anche
quest'anno il Roma Rosso Edizione
Limitata. La versione 2017 è molto ben
fatta, a partire dalle note di piccoli frutti neri
e spezie dolci, per finire con un palato
ricco, avvolgente e sapido. Una conferma
anche il Baccarossa, Nero buono in
purezza, con un naso accattivante e un
palato dai toni di macchia mediterranea,
chiodi di garofano e china. Tipica e
piacevole, tra i bianchi, la Malvasia
Puntinata '19, dalle note di melone, salvia e
frutta bianca.

Tenuta Ronci di Nepi

VIA RONCI, 2072
01036 NEPI [VT]
TEL. 0761555125
www.roncidinepi.it

VENDITA DIRETTA
VISITA SU PRENOTAZIONE
PRODUZIONE ANNUA 100.000 bottiglie
ETTARI VITATI 30,00

Nata nel 2004, anche se il progetto
vitivinicolo risale agli inizi degli anni '80, la
Tenuta Ronci di Nepi di Arturo Improta si
estende per una trentina di ettari sulle
colline dell'omonima Valle Ronci,
all'estremo sud della Tuscia Viterbese, in
un territorio tra la Riserva Naturale della
Valle del Treja e il comune di Nepi. I vigneti
sono situati su un suolo di origine
vulcanica con spiccate componenti di tufo.
Se nei primi anni la produzione era
centrata sui vitigni internazionali, da
qualche tempo l'attenzione è rivolta ai
vitigni tipici della zona, come grechetto,
montepulciano e sangiovese. Ottimo il
Grechetto '19, dai profumi di agrumi e
frutta bianca, con sfumature speziate, e
dal palato fresco e nitido, lungo, sapido e
di grande piacevolezza. Davvero riusciti poi
il Manti '19, uno Chardonnay di buona
materia e spessore, e il Rosso di Nè '16,
sangiovese con un saldo del 30% diviso
tra cabernet sauvignon e merlot, ricco e
complesso, in cui spiccano dei toni di
sottobosco e frutti neri.

● Roma Rosso Ed. Limitata '17	♟♟♟	5
● Baccarossa '18	♟♟	6
○ Roma Malvasia Puntinata '19	♟♟	5
● Donnaluce '19	♟	5
⊙ Roma Rosato '19	♟	5
● Baccarossa '15	♟♟♟	5
● Baccarossa '13	♟♟♟	4*
● Baccarossa '11	♟♟♟	4*
○ Frascati Sup. Epos '13	♟♟♟	2*
○ Frascati Sup. Epos '11	♟♟♟	2*
○ Frascati Sup. Epos '10	♟♟♟	2*
○ Frascati Sup. Epos '09	♟♟♟	2*
○ Frascati Sup. Epos Ris. '15	♟♟♟	3*
● Roma Rosso Ed. Limitata '16	♟♟♟	5
● Roma Rosso Ed. Limitata '15	♟♟♟	5
● Baccarossa '17	♟♟	6
● Baccarossa '16	♟♟	5

○ Grechetto '19	♟♟	3*
○ Manti '19	♟♟	4
● Rosso di Nè '16	♟♟	3
○ Argento '19	♟	1*
○ O' di Nè '19	♟	3
● Ronci '16	♟	5
● Veste Porpora '17	♟	3
○ Chardonnay Manti '15	♟♟	4
○ Grechetto '18	♟♟	3
○ O' di Nè '17	♟♟	3

San Giovenale

LOC. LA MACCHIA
01010 BLERA [VT]
TEL. 066877877
www.sangiovenale.it

VENDITA DIRETTA
VISITA SU PRENOTAZIONE
OSPITALITÀ E RISTORAZIONE
PRODUZIONE ANNUA 9.000 bottiglie
ETTARI VITATI 10,00
VITICOLTURA Biologico Certificato
AZIENDA SOSTENIBILE

Basse rese per ettaro per realizzare una
produzione limitata e di alta qualità, queste
le linee guida di Emanuele Pangrazi fin
dalla nascita dell'azienda una quindicina di
anni fa. L'obiettivo è sempre stato quello di
realizzare un vino che, a prescindere dal
vitigno utilizzato, fosse in grado di far
emergere il carattere di questa parte della
Tuscia, influenzata dai benefici del vicino
Mar Tirreno. Il vigneto è composto da
vitigni di impronta Internazionale, syrah,
grenache, carignano e cabernet franc, e dà
vita a vini dalle caratteristiche uniche.
Davvero splendido l'Habemus '18, blend
rodaniano a prevalenza grenache,
sorprendente per la sua capacità di
esprimersi allo stesso tempo con
profondità e freschezza, complessità e
immediatezza. Un vino in cui spezie e frutti
neri si alternano a macchia mediterranea e
frutti di bosco, per un finale sapido e dalla
straordinaria beva. Da attendere con
fiducia invece l'Habemus Cabernet '17, da
uve cabernet franc, dai toni di erbe
aromatiche, ancora in pieno sviluppo.

● Habemus '18	♟♟♟	8
● Habemus Cabernet '17	♟♟	8
● Habemus '16	♟♟♟	7
● Habemus '15	♟♟♟	7
● Habemus '14	♟♟♟	7
● Habemus '17	♟♟	7
● Habemus '13	♟♟	7
● Habemus '12	♟♟	7
● Habemus '11	♟♟	7
● Habemus '10	♟♟	4
● Habemus Cabernet '16	♟♟	8
● Habemus Cabernet '15	♟♟	8
● Habemus Cabernet '14	♟♟	8
● Habemus Cabernet '13	♟♟	8

Tenuta di Fiorano

VIA DI FIORANELLO, 19
00134 ROMA
TEL. 0679340093
www.tenutadifiorano.it

VENDITA DIRETTA
VISITA SU PRENOTAZIONE
OSPITALITÀ E RISTORAZIONE
PRODUZIONE ANNUA 40.000 bottiglie
ETTARI VITATI 12,00
VITICOLTURA Biologico Certificato

La Tenuta di Fiorano si estende a ridosso
dell'Appia Antica, in una realtà bucolica e
intrisa di storia oggi gestita da
Alessandrojacopo Boncompagni Ludovisi.
Fu lo zio Alberico che negli anni '40 si
appassionò alla produzione di vino e scelse
di impiantare cabernet sauvignon e merlot
per i vini rossi, malvasia di Candia e
sémillon, oggi sostituiti da grechetto e
viognier, per i bianchi. Un'esperienza che si
concluse nel 1998, ma riproca negli anni
successivi da Alessandrojacopo, per dare
vita a vini che sfidano il tempo, complessi e
affascinanti. Di ottimo livello tutte le
proposte. Quest'anno merita l'eccellenza il
Fiorano Rosso '15, ricco ed elegante, dai
profumi di piccoli frutti neri e ciliegia
matura, con una lieve sfumatura speziata.
Al palato è fresco e complesso insieme, dai
tannini finissimi e di grande lunghezza.
Molto elegante anche il Fiorano Bianco '18,
dai toni floreali, di agrumi e miele d'acacia,
e dal sorso fresco, morbido e lungo. Ben
realizzati infine i due Fioranello, freschi e di
piacevole beva.

● Fiorano Rosso '15	♟♟♟	8
○ Fiorano Bianco '18	♟♟	6
○ Fioranello Bianco '19	♟♟	3
● Fioranello Rosso '18	♟♟	4
○ Fiorano Bianco '17	♟♟♟	6
○ Fiorano Bianco '16	♟♟♟	6
○ Fiorano Bianco '13	♟♟♟	5
○ Fiorano Bianco '12	♟♟♟	4*
○ Fiorano Bianco '10	♟♟♟	5
● Fiorano Rosso '12	♟♟♟	7
● Fiorano Rosso '11	♟♟♟	7
○ Fioranello Bianco '18	♟♟	3
○ Fioranello Bianco '17	♟♟	3
● Fioranello Rosso '17	♟♟	4
● Fioranello Rosso '16	♟♟	4
● Fiorano Rosso '14	♟♟	8
● Fiorano Rosso '13	♟♟	8

Giovanni Terenzi

FRAZ. LA FORMA
VIA FORESE, 13
03010 SERRONE [FR]
TEL. 0775594286
www.viniterenzi.com

VENDITA DIRETTA
VISITA SU PRENOTAZIONE
PRODUZIONE ANNUA 120.000 bottiglie
ETTARI VITATI 12,00

Giovanni Terenzi e sua moglie Santa da oltre mezzo secolo guidano l'azienda di famiglia, oggi affiancati dai loro tre figli. I vigneti, che vedono la presenza di piante di quasi 60 anni, sono situati su terreni vulcanici e calcarei e sono piantati esclusivamente - a parte pochi filari di sangiovese - con i due vitigni che caratterizzano questo territorio: il cesanese, principalmente nel suo biotipo di Affile, e la passerina. I vini proposti sono d'impianto tradizionale, di buona struttura e complessità. Quest'anno il Cesanese del Piglio Superiore Colle Forma '18 è risultato uno dei migliori della denominazione, raggiungendo le nostre finali. Ampio e allo stesso tempo immediato nei suoi profumi di frutti rossi e sottobosco, al palato è coerente, di notevole spessore, con la componente tannica, tipica del vitigno, in primo piano, ma ben gestita, e un finale lungo e convincente. Ben realizzata anche la Riserva Vajoscuro '18, che è risultata piacevole e di buon frutto, ma meno articolata del Colle Forma.

● Cesanese del Piglio Sup. Colle Forma '18	♟♟ 4
● Cesanese del Piglio Sup. Vajoscuro Ris. '18	♟♟ 5
☉ Rosato '19	♟ 2
○ Villa Santa Passerina del Frusinate '19	♟ 2
○ Zerli Passerina del Frusinate '18	♟ 4
● Cesanese del Piglio Sup. Colle Forma '15	♟♟ 3
● Cesanese del Piglio Sup. Vajoscuro Ris. '17	♟♟ 5
● Cesanese del Piglio Sup. Vajoscuro Ris. '16	♟♟ 5
● Cesanese del Piglio Vajoscuro Ris. '15	♟♟ 4
● Cesanese del Piglio Velobra '15	♟♟ 3*
○ Zerli Passerina del Frusinate '17	♟♟ 5

Valle Vermiglia

VIA A. GRAMSCI, 7
00197 ROMA
TEL. 3487221073
www.vallevermiglia.it

VENDITA DIRETTA
PRODUZIONE ANNUA 30.000 bottiglie
ETTARI VITATI 8,00
AZIENDA SOSTENIBILE

Sulle pendici del Monte Tuscolo si trova l'Eremo Tuscolano dei Camaldolesi di Monte Corona, il complesso di clausura che dà il nome all'unico vino prodotto dalla cantina Valle Vermiglia. Dai vigneti immersi tra i boschi che circondano il complesso, Mario Masini ottiene il suo Frascati Superiore, divenuto in pochi anni una bandiera della denominazione, denominazione che proprio alla sua famiglia deve molto del suo percorso: nel 1966 fu lo zio Pietro Campilli a battersi per il riconoscimento della Doc Frascati, mentre è stato Mario nel 2011 a lottare per ottenere la Docg. La versione 2019 del Frascati Superiore Eremo Tuscolano si presenta al naso con profumi di frutta bianca e mandarino cinese, seguiti da sfumature di salvia e rosmarino. Il palato è sapido, di buona materia e freschezza, coerente nelle sue note agrumate e di macchia mediterranea, piuttosto lungo e di bella piacevolezza.

○ Frascati Sup. Eremo Tuscolano '19	♟♟ 3*
○ Frascati Sup. Eremo Tuscolano '17	♟♟♟ 3*
○ Frascati Sup. Eremo Tuscolano '16	♟♟♟ 3*
○ Frascati Sup. Eremo Tuscolano '13	♟♟♟ 3*
○ Frascati Sup. Eremo Tuscolano '18	♟♟ 3*
○ Frascati Sup. Eremo Tuscolano '15	♟♟ 3*
○ Frascati Sup. Eremo Tuscolano '14	♟♟ 3*
○ Frascati Sup. Eremo Tuscolano '12	♟♟ 3*

L'Avventura Produttori di Felicità

LOC. CIVITELLA, 3
03010 PIGLIO [FR]
TEL. 0775503051
www.agriavventura.it

Nata nel 2015 con 3,5 ettari a Piglio, oggi l'azienda conta una ventina d'ettari in varie zone delle "terre del Cesanese". Ci sono piaciuti due Cesanese del Piglio Superiore 2018, il Picchiatello, grintoso nelle sue note di frutti neri maturi e spezie, e l'Amor, fresco e succoso.

● Cesanese del Piglio Sup. Amor '18	♟♟ 5
● Cesanese del Piglio Sup. Picchiatello '18	♟♟ 4
● Cesanese del Piglio Campanino '18	♟ 3
⊙ Rosato del Frusinate '19	♟ 3

CantinAmena

FRAZ. CAMPOLEONE
VIA CISTERNENSE, 17
00075 LANUVIO [RM]
TEL. 0645557063
www.cantinamena.it

Entra in Guida questa cantina biologica situata alle pendici dei Castelli Romani. Ci è davvero piaciuto l'Arcana '18, un Cesanese in purezza dai classici sentori di macchia di rovi, visciola e mora, di buona freschezza, succoso e piacevole. Ben realizzato il resto della gamma.

● Arcana '18	♟♟ 3
○ Divitia '19	♟ 3
● Patientia '18	♟ 5
● Roma Rosso '18	♟ 3

Capizucchi

VIA ARDEATINA
00134 ROMA
www.capizucchi.it

Buona la linea Mater Divini Amoris. Il Merlot '18 si presenta con sentori di ciliegia nera e spezie dolci al naso, mentre il palato è scorrevole e di buon frutto. Il Roma Blanco 753 '19 alle note di salvia fa seguire un palato sapido e in spinta. Ottimo il Roma Rosso 753 '19.

● Mater Divini Amoris Merlot '18	♟♟ 3
○ Roma Bianco 753 A.C. '19	♟♟ 3
● Roma Rosso 753 A.C. '19	♟♟ 3
● Roma Rosso Mater Divini Amoris '17	♟ 3

Capodarco

VIA DEL GROTTINO
00046 GROTTAFERRATA [RM]
TEL. 0694549191
www.agricolturacapodarco.it

La comunità di Capodarco propone una piccola gamma di vini, tra i quali spicca il Frascati Superiore Philein '19 dalle tipiche note aromatiche della malvasia puntinata, accompagnate da sentori di macchia mediterranea. Il palato presenta note di frutta bianca e un piacevole finale.

○ Frascati Sup. Philein '19	♟♟ 2*
● Don Franco Rosso del Fondatore '19	♟ 2
○ San Nilo	♟ 2

Casa Divina Provvidenza

VIA DEI FRATI, 140
00048 NETTUNO [RM]
TEL. 069851366
www.casadivinaprovvidenza.it

L'azienda delle sorelle Cosmi continua a rappresentare più che degnamente la denominazione Nettuno. Il Nettuno Cacchione '19 si presenta con sentori di agrumi e fiori di campo, per un palato coerente, scorrevole e di buona tenuta. Fruttato e grintoso il Roma Rosso '19.

○ Nettuno Cacchione '19	♟♟ 3
● Cesanese '18	♟ 4
○ Nettuno Cacchione Neroniano '19	♟ 2
● Roma Rosso '19	♟ 3

Tenuta Colfiorito

S.DA PROV.LE 40A
00024 CASTEL MADAMA [RM]
TEL. 0774449396
www.colfio.it

Quest'anno ci è piaciuto soprattutto il Sorgente '19, da uve malvasia con un piccolo saldo di greco, dai profumi di frutto della passione, pesca bianca e limone, con un palato fresco e di piacevole beva. Ben realizzati gli altri vini proposti.

○ Sorgente '19	♟♟ 2*
○ Il Trovatore '19	♟ 3
○ Loggia '19	♟ 3
● Masnadiero '17	♟ 4

Corte dei Papi

LOC. COLLETONNO
03012 ANAGNI [FR]
TEL. 0775769271
www.cortedeipapi.it

Buona conferma per quest'azienda
anagnina, in particolare con il Cesanese del
Piglio Colle Ticchio. La versione 2019 al
naso evidenzia profumi di frutti rossi,
macchia di rovo e sottobosco, per un palato
piacevole e ricco di frutto. Ben realizzati la
Passerina e gli altri Cesanese proposti.

● Cesanese del Piglio Colle Ticchio '19	♟♟ 3
● Cesanese del Piglio Ottavo Cielo '18	♟ 5
○ Passerina '19	♟ 3

Paolo e Noemia D'Amico

LOC. PALOMBARO
FRAZ. VAIANO

01024 CASTIGLIONE IN TEVERINA [VT]
TEL. 0761948034
www.paoloenoemiadamico.net

Contrariamente al solito, quest'anno ci sono
piaciuti soprattutto i rossi di casa D'Amico,
in particolare i due Merlot con un 10% di
syrah, il Seiano '19, speziato e floreale al
naso, dal palato di buona materia e tenuta,
e il Villa Tirrena '15, complesso e fruttato.

● Seiano '19	♟♟ 2*
● Villa Tirrena '15	♟♟ 3
● Notturno dei Calanchi '15	♟ 5
○ Orvieto Noe dei Calanchi '19	♟ 2

Doganieri Miyazaki

FRAZ. VAIANO, 3
01024 CASTIGLIONE IN TEVERINA [VT]
TEL. 3332807985
www.doganierimiyazaki.com

Affascinante la vendemmia tardiva Âme '18,
un Petit Manseng raccolto a metà
novembre, dai toni di miele e cannella e dal
palato fine e delicato, con note di datteri e
marmellata di mandarino tardivo. Ben
realizzati l'U '18, un fresco Montepulciano
rosato, e l'agrumato Vermentino Airi '18.

○ Airi '18	♟♟ 3
○ Âme V. T. '18	♟ 5
☉ U '18	♟ 3

Federici

VIA SANTA APOLLARIA VECCHIA, 30
00039 ZAGAROLO [RM]
TEL. 0695461022
www.vinifederici.com

Ben realizzati sia il Roma Malvasia
Puntinata '19, di grande tipicità nelle sue
note di salvia e mandorla, fresco, di buona
grinta e sapidità, che il Le Coste '19, un
Vermentino di bella scorrevolezza, dai
sentori di bergamotto e pepe bianco.

○ Le Coste '19	♟♟ 2*
○ Roma Malvasia Puntinata '19	♟♟ 3
○ Bellone '19	♟ 2
● Roma Rosso '19	♟ 3

Gaffino

VIA ARDEATINA , KM 24.650
00040 ARDEA [RM]
TEL. 0687606038
info@cantinagaffino.it

Entra in Guida quest'azienda famigliare
situata a due passi da Roma, che propone
una piccola gamma di vini monovarietali. Il
Syrah Opimiam '17 ha sentori di pepe nero,
è fruttato e di buona materia, mentre il
Viognier Fojetta '19 ha note di pesca e
salvia e un palato sapido e grintoso.

○ Fojetta '19	♟♟ 3
● Opimiam '17	♟♟ 3
● Cardinale '19	♟ 3
● Roma Rosso '17	♟ 3

Donato Giangirolami

FRAZ. LE FERRIERE
VIA DEL CAVALIERE, 1414
04100 LATINA
TEL. 3358394890
www.donatogiangirolami.it

Sempre interessanti i vini di questa storica
cantina famigliare. Due Grechetto su tutti:
il Propizio '19, dai sentori balsamici e di
agrumi, cui fa seguire un palato sapido, di
buona polpa e grintoso, e il Nymphe
Ancestrale '16, un Metodo Classico di
bella complessità.

○ Cardito '19	♟♟ 2*
○ Nymphe Ancestrale M. Cl. '16	♟♟ 2
○ Propizio '19	♟♟ 2*
○ Regius '19	♟ 2

La Giannettòla

VIA CAMPOLEONE, 104
00049 VELLETRI [RM]
TEL. 0637500300
www.lagiannettola.com

Entra in Guida l'azienda velletrana della famiglia Martella. Il Roma Malvasia Puntinata Il Laschetto '19 si presenta al naso con delle classiche note varietali di salvia e macchia mediterranea, mentre il palato è fresco, lungo e piacevole. Corretti gli altri vini proposti.

○ Roma Malvasia Puntinata Il Laschetto '19	♟♟	3
● Il Frangente '19	♟	3
● L'Ardente '18	♟	3
○ La Brezza '19	♟	2

Marcella Giuliani

LOC. VICO MORICINO
VIA ANTICOLANA
03012 ANAGNI [FR]
TEL. 3913481031
www.marcellagiuliani.com

Torna nella nostra Guida questa storica cantina anagnina. Ai vertici, come di prammatica, il Cesanese del Piglio Superiore Dives. La versione 2017 ai profumi di frutti neri, rovo e spezie fa seguire un palato piacevole, di buon frutto e freschezza. Grintosa e immediata la Passerina Dante '19.

● Cesanese del Piglio Sup. Dives '17	♟♟	4
● Cesanese del Piglio '19	♟	3
○ Passerina del Frusinate Dante '19	♟	2

Cantina Imperatori

VIA PIETRA PORZIA, 14
00044 FRASCATI [RM]
TEL. 3394586822
www.cantinaimperatori.it

Entra in Guida la piccola Cantina Imperatori, grazie soprattutto a un Viognier '19 dai classici sentori di melone e pesca gialla e dal palato coerente, di buon frutto e sapidità. Corretti gli altri vini proposti, dal Cesanese '17 ai due Segreto Verde a base di trebbiano verde.

○ Viognier '19	♟♟	4
● Cesanese '17	♟	5
○ Segreto Verde Anfora Trebbiano Verde '19	♟	5
○ Segreto Verde Trebbiano Verde '19	♟	4

Antica Cantina Leonardi

VIA DEL PINO, 12
01027 MONTEFIASCONE [VT]
TEL. 0761826028
www.cantinaleonardi.it

Davvero ben riusciti sia il Don Carlo '17, blend bordolese a dominante merlot, dai sentori di frutti neri e spezie e dal palato di buona materia e frutto, che il Nero di Lava '18, un Syrah in purezza con note di tabacco, ricco di frutto, di bella piacevolezza.

● Don Carlo '17	♟♟	3
● Nero di Lava '18	♟♟	3
○ Est! Est!! Est!!! di Montefiascone Poggio del Cardinale '19	♟	2

Mazziotti

LOC. MELONA BONVINO
VIA CASSIA, KM 110
01023 BOLSENA [VT]
TEL. 0761799049
www.mazziottiwines.com

Quest'anno ci è molto piaciuto il Volgente '17, blend di merlot, cabernet sauvignon e sangiovese, dai profumi di spezie e frutti rossi, nitido, di buona lunghezza e piacevole beva. Ben realizzati il succoso Merlot '19 e il fresco Est! Est!! Est!!! di Montefiascone Classico '19.

● Volgente '17	♟♟	3
○ Est Est Est di Montefiascone Cl. '19	♟	1*
● Merlot '19	♟	2
○ Terre di Melona V.T. '19	♟	3

Monti Cecubi

C.DA PORCIGNANO, 3
04020 ITRI [LT]
TEL. 3285550198
www.monticecubi.it

Quest'azienda itriana lavora per riproporre al meglio un antico e semi abbandonata vitigno autoctono: l'abbuoto. Il Caecubum '17 è un Abbuoto in purezza dai sentori di frutti neri e goudron, seguiti da un palato fruttato, lungo, di buona polpa e materia.Ben realizzato il resto della gamma.

● Caecubum '17	♟♟	4
● Filari San Raffaele Abbuoto '18	♟	3
● Terrae d'Itrj '18	♟	2
○ Thymos '19	♟	2

Nuova Cantina di Genezzano Martino V

S.S. 155, KM 55,500
00030 Genazzano [RM]
Tel. 069579121
www.martinoquinto.it

Questa storica cantina sociale sta vivendo un momento di rinnovamento. Il Martino V Ottonese '18, da vendemmia leggermente tardiva, è sapido e di buona polpa, giocato su note di frutta bianca matura, mentre il Martino V Cesanese '18 è tannico, con toni affumicati e di buona freschezza.

○ Ottonese '18	🍷🍷	3
○ Bellone '18	🍷	2
● Cesanese '18	🍷	2
○ Passerina '18	🍷	2

Antonella Pacchiarotti

VIA Roma, 14
01024 Grotte di Castro [VT]
Tel. 0763796852
www.vinipacchiarotti.it

Protagonista della riscoperta dell'aleatico, Antonella Pacchiarotti ci ha proposto un ottimo Cavarosso '18: Aleatico in purezza, evidenzia al naso note di resina e frutti rossi, mentre il palato è grintoso, fresco e di agile beva. Piacevole il floreale Aleatico Rosato Ramatico '18.

● Cavarosso '18	🍷🍷	3
⊙ Ramatico '18	🍷	3

I Pampini

LOC. Acciarella
S.DA Foglino, 1126
04100 Latina
Tel. 0773643144
www.ipampini.it

Questa piccola azienda a conduzione biologica ha presentato un delizioso Bellone Non Filtrato '19, ricco di frutto e di buona materia, ma anche grintoso e dal finale piuttosto lungo e molto piacevole. Interessanti e ben realizzati anche gli altri vini bianchi proposti.

○ Bellone Non Filtrato '19	🍷🍷	3
○ Bellone '19	🍷	2
○ Legionarius '19	🍷	2

Pileum

VIA Casalotto
03010 Piglio [FR]
Tel. 3663129910
www.pileum.it

Azienda a conduzione biologica, la Pileum conferma la qualità dei suoi prodotti. Il Cesanese del Piglio Bolla di Urbano Riserva '18 è tipico nelle sue note vegetali e di frutti neri, di buona materia e spiccata tannicità. Interessante Le Fattora, una Passerina di notevole carattere.

● Cesanese del Piglio Sup. Bolla di Urbano Ris. '18	🍷🍷	5
● Cesanese del Piglio Sup. Pilarocca Ris. '16	🍷	4
○ Passerina La Fattoria '18	🍷	2

Le Rose

VIA Ponte Tre Armi, 25
00045 Genzano di Roma [RM]
Tel. 0693709671
www.aziendaagricolalerose.com

Azienda biologica a conduzione famigliare, anche quest'anno Le Rose ha proposto una gamma di vini piccola ma interessante, in particolare la Malvasia Puntinata Artemisia '19, dai classici sentori aromatici di salvia al naso e dal palato sapido e grintoso.

○ Artemisia '19	🍷🍷	4
○ La Faiola Bianco '19	🍷	5
○ Petit Manseng '19	🍷	3
○ Tre Armi '19	🍷	3

Cantine San Marco

LOC. Vermicino
VIA DI Mola Cavona, 26/28
00044 Frascati [RM]
Tel. 069409403
www.sanmarcofrascati.it

Ottimi il Roma Rosso Romae'16, blend di montepulciano (80%) e sangiovese, dai sentori di pepe nero e frutti rossi e dal palato succoso e di piacevole beva, e il Frascati Crio 8 '19, spiccatamente aromatico, ricco e pieno, di buona tenuta e freschezza.

○ Frascati Crio 8 '19	🍷🍷	2*
● Roma Rosso Romae '16	🍷🍷	3
○ Roma Bianco Romae '19	🍷	3
● Solomerlot '19	🍷	2

Sant'Andrea

LOC. BORGO VODICE
VIA RENIBBIO, 1720
04019 TERRACINA [LT]
TEL. 0773755028
www.cantinasantandrea.it

Sempre di buon livello la proposta dell'azienda della famiglia Pandolfo. Un po' a sorpresa quest'anno ci ha conquistato il Sogno '14, merlot con un saldo del 15% di cesanese, dai sentori di ciliegia ed erba appena tagliata, di buona materia, succoso e in spinta.

● Sogno '14	♟♟ 4
○ Circeo Bianco Dune '18	♟ 2
○ Moscato di Terracina Secco Oppidum '19	♟ 2

Sant'Eufemia

VIA ROMA, 97
04012 CISTERNA DI LATINA [LT]
TEL. 069682367
www.aziendaagricolasanteufemia.com

Entra in guida quest'azienda biologica pontina, grazie a un delizioso Syrah, il Nuvola '19, dai profumi di rosa e rosmarino e dal palato fresco, agile e di grande piacevolezza. Allo stesso livello il Ventinove '19, una Malvasia puntinata dai toni agrumati, di buona materia e spessore.

⊙ Nuvola '19	♟♟ 4
○ Ventinove '19	♟♟ 3
○ Chiò '19	♟ 3
○ Ultimo Colle '19	♟ 3

Tenuta Sant'Isidoro

LOC. TARQUINIA
LOC. PORTACCIA
01016 TARQUINIA [VT]
TEL. 0766869716
www.santisidoro.net

Bella conferma per il Tarquinia Rosso Larth. L'annata 2019 si presenta al naso con toni speziati e di agrumi dolci, mentre il palato è di buona materia e con un finale fresco e piacevole. Corretti gli altri vini, con una nota di merito per il grintoso Pinot Bianco Soraluisa '19.

● Tarquinia Rosso Larth '19	♟♟ 1*
○ Soraluisa '19	♟ 3
● Soremidio '18	♟ 4
● Terzolo '19	♟ 2

Tenuta Santa Lucia

VIA SANTA LUCIA
02047 POGGIO MIRTETO [RI]
TEL. 076524616
www.tenutasantalucia.com

La famiglia Colantuono, portabandiera della viticoltura reatina, quest'anno ci ha proposto un delizioso Morrone Syrah '17, al naso giocato su toni di frutti neri, in particolare prugna e susina, mentre al palato si dimostra di buona materia e dal finale piacevole e succoso.

● Morrone Syrah '17	♟♟ 5
○ Falanghina '19	♟ 2
○ Pecorino '19	♟ 2
⊙ Rosamiooo '19	♟ 2

Stefanoni

VIA STEFANONI, 48
01027 MONTEFIASCONE [VT]
TEL. 0761825651
www.cantinestefanoni.it

L'azienda della famiglia Stefanoni è una delle più interessanti del panorama falisco. Il Fanum '17, blend di cabernet, shiraz e merlot, ha profumi di susine nere e un palato complesso, grintoso e di buon spessore, mentre il Brut '17 è un Metodo Classico da uve roscetto fresco e scorrevole.

○ Brut M. Cl. '17	♟♟ 4
● Fanum '17	♟♟ 3
● Colle de Poggeri Aleatico '19	♟ 3
○ Moscato Colle de Poggeri '19	♟ 2

Tenuta Tre Cancelli

FRAZ. DUE CASETTE
VIA DELLA PISCINA, 3
00052 CERVETERI [RM]
TEL. 0639732012
www.tenutatrecancelli.com

Quest'anno ci ha convinto soprattutto il Cerveteri Rosso Pacha '18, dai sentori floreali e di frutti rossi, con un palato fresco e immediato. Buona conferma anche per il Siborio Sangiovese '16, che presenta note di macchia mediterranea, ha corpo e un finale un po' alcolico.

● Cerveteri Rosso Pacha '18	♟♟ 2
● Siborio Sangiovese '16	♟♟ 4
○ Cerveteri Procanico Mastarna '19	♟ 2
● Roma Rosso 753 '18	♟ 2

Trebotti

S.DA DELLA POGGETTA, 9
01024 CASTIGLIONE IN TEVERINA [VT]
TEL. 07611986704
www.trebotti.it

I fratelli Botti quest'anno ci hanno
presentato un ottimo Gocce '17. Da uve
montepulciano, si dimostra elegante ù
nelle sue note floreali e di frutti rossi,
con un palato di buona materia e spessore,
ma allo stesso tempo fresco, lungo e di
grande piacevolezza.

● Gocce '17	♀♀ 4
☉ 3S Aleatico Sostenibile Senza Solfiti '19	♀ 3
● 3S Sangiovese Sostenibile Senza Solfiti '17	♀ 3

Villa Caviciana

LOC. TOJENA CAVICIANA
01025 GROTTE DI CASTRO [VT]
TEL. 0763798212
www.villacaviciana.com

A conferma dell'attenzione sempre più
marcata che questa azienda sta portando
all'aleatico, il vitigno rosso più significativo
del territorio, ci è particolarmente piaciuto il
Tadzio '19, un Aleatico rosato dai sentori di
pesca e albicocca e dal palato fresco, di
buona tenuta e sapidità.

☉ Tadzio '19	♀♀ 2*
○ Filippo '19	♀ 2
● Letizia '16	♀ 3
○ Lorenzo Brut '19	♀ 3

Villa Simone

VIA FRASCATI COLONNA, 29
00078 MONTE PORZIO CATONE [RM]
TEL. 069449717
www.villasimone.it

Il Villa dei Preti '19 è uno dei migliori
Frascati di quest'anno, giustamente
aromatico, dai toni agrumati, sapido e teso.
Ben riuscito il Syrah '18, dai profumi di
frutti di bosco, piacevole e avvolgente.
Nitido e immediato il Frascati '19, fruttato e
complesso il Vigneto Filonardi '18.

○ Frascati Sup. Villa dei Preti '19	♀♀ 3
● Syrah '18	♀♀ 3
○ Frascati Sup. Vign. Filonardi Ris. '18	♀ 4
○ Frascati '19	♀ 2

Casale Vallechiesa

VIA PIETRA PORZIA, 19/23
00044 FRASCATI [RM]
TEL. 069417270
www.casalevallechiesa.it

Bella conferma per quest'azienda. Il
Frascati Superiore Heredio Riserva '18 è
agrumato, di bella acidità e persistenza
aromatica, con un finale fresco e piacevole,
mentre la Malvasia Puntinata Solomia '19 è
grintosa, con note di macchia mediterranea
e arancia sanguinella.

○ Frascati Sup. Heredio Ris. '18	♀♀ 7
○ Solomia '19	♀♀ 3
○ Frascati Sup. Heredio '19	♀ 3
● Soraya '19	♀ 4

Villa Gianna

LOC. BORGO SAN DONATO
S.DA MAREMMANA
04010 SABAUDIA [LT]
TEL. 0773250034
www.villagianna.it

Sempre affidabile la gamma di vini di
quest'azienda pontina. Particolarmente
riuscito il Vigne del Borgo Bellone '19, dai
profumi di agrumi, frutta bianca e cedro e
dal palato di buon frutto, morbido, ma con
un finale agile e grintoso. Fresco e
piacevole il Vigne del Borgo Shiraz '19.

○ Vigne del Borgo Bellone '19	♀♀ 2*
● Vigne del Borgo Shiraz '19	♀♀ 2*
○ Moscato di Terracina Amabile '19	♀ 2
● Rudestro '18	♀ 2

Vinea Domini

LOC. FRATTOCCHIE
VIA DEL DIVINO AMORE, 115
00040 MARINO [RM]
TEL. 0693022211
www.gottodoro.it

Davvero interessanti i vini della linea Vinea
Domini di questa storica cantina
cooperativa, in particolare il Frascati
Superiore '19, nitido e tipico, senza nessun
cedimento a note dolci, anzi di grande
grinta e sapidità, lungo, fresco e dal
classico finale ammandorlato.

○ Frascati Sup. Vinea Domini '19	♀♀ 3
● Cesanese del Piglio Vinea Domini '18	♀ 3
● Roma Rosso Vinea Domini '17	♀ 2
○ Sauvignon Vitae Domini '19	♀ 2

ABRUZZO

Negli occhi l'Adriatico, alle spalle le vette della Majella. È l'immagine che abbiamo ben impressa ogni volta che assaggiamo un vino abruzzese. La geografia regionale è speciale, con le vigne che si estendono in un canale compreso tra bellezze naturali: ci sono vigne che sentono il rumore del mare, altre si godono il silenzio della montagna. In pochi chilometri quadri troviamo mare, ghiacciai, colline, parchi naturali. In questo contesto s'inseriscono i 29.530 ettari vitati regionali, grande protagonista è il Montepulciano d'Abruzzo, un grande rosso capace di leggere e tradurre tutta la complessità di un territorio così vario ed eterogeneo. Sono 14 i Tre Bicchieri in quest'edizione della Guida, 5 i Montepulciano, si va dai vini freschi e fragranti della montagna, modellati dai venti freddi e dalla roccia, a quelli più ricchi e potenti alimentati dalla luce e dall'argilla, fino alle sensazioni più salmastre quando ci avviciniamo alla costa. Valentini va a segno con un'interpretazione di gran carattere, la 2015, accanto a lui troviamo Castorani, Illuminati, Tollo e Valle Reale. Ben tre i Cerasuolo d'Abruzzo premiati, tra questi spicca Cataldi Madonna con il Piè delle Vigne del 2018, che si aggiudica il nostro premio di Rosato dell'Anno in virtù di una prestazione sontuosa: abbina una straordinaria complessità, leggerezza espressiva e bevibilità rara. Una vera gioia per il palato. Si presenta insieme a altre due realtà sane come Terraviva e Pepe, che ritorna al massimo riconoscimento dopo diverso tempo, completando un tris di rosati d'autore. In evidente crescita qualitativa il Pecorino, un bianco che ha giovato del successo di vendite degli ultimi anni virando verso profumi più complessi e minerali, da piccolo Riesling dell'Adriatico. Regala vini sempre più affilati e definiti, capaci di evolvere nel tempo con sorprendente grazia. Quattro i Tre Bicchieri da uve pecorino: Codice Vino , Villa Medoro, Masciarelli e Feudo Antico. Infine, il Trebbiano d'Abruzzo, due i massimi riconoscimenti per la denominazione, con due versioni che godono di un surplus di affinamento in bottiglia. Parliamo del Trebbiano Solàrea di Agriverde e dell'eccellente Bianchi Grilli per la Testa di Torre dei Beati.

Agriverde

LOC. CALDARI
VIA STORTINI, 32A
66026 ORTONA [CH]
TEL. 0859032101
www.agriverde.it

VENDITA DIRETTA
VISITA SU PRENOTAZIONE
RISTORAZIONE
PRODUZIONE ANNUA 900.000 bottiglie
ETTARI VITATI 65,00
VITICOLTURA Biologico Certificato
AZIENDA SOSTENIBILE

Radici che si perdono nel tempo e sguardo fisso verso il futuro: sono le caratteristiche di Agriverde, l'azienda avviata dalla famiglia Di Carlo già nella prima metà dell'Ottocento, portata al successo da Giannicola, che a metà degli anni '80 intravede nella conduzione biologica il futuro della sua cantina. Tra le prime realtà italiane ad adottare protocolli agro-compatibili anche nella progettazione delle strutture, tra le quali anche un relais con spa, i Di Carlo oggi possono contare su un vigneto distribuito tra i comuni di Caldari, Ortona, Rogatti, Frisa e Crecchio, sulle Colline Teatine. Grande prova del Trebbiano Solàrea che nella versione '18 mostra un profilo di frutta gialla con eleganti tratti minerali. La bocca trova sapore in un sorso slanciato e scorrevole, di grande energia. Altrettanto convincente il Montepulciano Caldaria '17: i frutti neri maturi sono incorniciati da una dolce tostatura, al palato è sapido e succoso, con tannini fitti di buona grana.

F.lli Barba

LOC. SCERNE
S.DA ROTABILE PER CASOLI
64025 PINETO [TE]
TEL. 0859461020
www.fratellibarba.it

VENDITA DIRETTA
VISITA SU PRENOTAZIONE
OSPITALITÀ
PRODUZIONE ANNUA 400.000 bottiglie
ETTARI VITATI 62,00
AZIENDA SOSTENIBILE

Scerne di Pineto è la base operativa dell'azienda dei fratelli Barba: Giovanni, Domenico e Vincenzo proseguono il lavoro avviato dal Cavalier Luigi negli anni '50, quando dalla mezzadria decise di intraprendere la via della conduzione diretta. Gli ettari vitati a disposizione della tenuta oggi sono oltre 60 e i vigneti sono dislocati sulle calde Colline Teramane, tra Casal Thaulero, Colle Morino e Vignafranca. I vini, da uve montepulciano, trebbiano e pecorino, sono una lettura contemporanea dei classici autoctoni regionali. Meno brillante dello scorso anno la batteria testata in questa tornata di assaggi. Spiccano però due interessanti versioni di Montepulciano: I Vasari Old Vines '17 amalgama sensazioni floreali a tipici tratti di frutti neri e a sbuffi di spezie dolci, mentre al palato è materico e voluminoso; lo Yang '18 fa emergere alcune sensazioni vegetali su un fondo tostato e rilassato. Più giocato sulla bevibilità e la scorrevolezza il Montepulciano Collemorino '19.

○ Trebbiano d'Abruzzo Solàrea '18	♦♦♦ 4*
● Montepulciano d'Abruzzo Caldaria '17	♦♦ 3*
☉ Cerasuolo d'Abruzzo Natum Biovegan '19	♦♦ 2*
● Montepulciano d'Abruzzo Natum Biologico Vegano '19	♦♦ 3
○ Eikos Pecorino '19	♦ 3
● Montepulciano d'Abruzzo Eikos '17	♦ 3
○ Passerina Riseis '19	♦ 3
● Montepulciano d'Abruzzo Plateo '04	♦♦♦ 6
● Montepulciano d'Abruzzo Plateo '01	♦♦♦ 6
● Montepulciano d'Abruzzo Plateo '00	♦♦♦ 6
● Montepulciano d'Abruzzo Plateo '98	♦♦♦ 5
● Montepulciano d'Abruzzo Plateo Ris. '15	♦♦♦ 6
● Montepulciano d'Abruzzo Solàrea '03	♦♦♦ 4
● Montepulciano d'Abruzzo Riseis '17	♦♦ 3*
● Montepulciano d'Abruzzo Riseis '13	♦♦ 3*

● Montepulciano d'Abruzzo Collemorino '19	♦♦ 2*
● Montepulciano d'Abruzzo Colline Teramane Yang '17	♦♦ 3
● Montepulciano d'Abruzzo I Vasari Old Vines '17	♦♦ 5
● Montepulciano d'Abruzzo I Vasari '10	♦♦♦ 5
● Montepulciano d'Abruzzo I Vasari '09	♦♦♦ 5
● Montepulciano d'Abruzzo I Vasari '08	♦♦♦ 5
● Montepulciano d'Abruzzo Vignafranca '07	♦♦♦ 3*
● Montepulciano d'Abruzzo Vignafranca '06	♦♦♦ 3*
○ Trebbiano d'Abruzzo '06	♦♦♦ 4*
☉ Montepulciano d'Abruzzo Cerasuolo Vignafranca '14	♦♦ 2*
● Montepulciano d'Abruzzo Colle Morino '14	♦♦ 2*

Barone Cornacchia

C.DA TORRI, 19
64010 TORANO NUOVO [TE]
TEL. 0861887412
www.baronecornacchia.it

VENDITA DIRETTA
VISITA SU PRENOTAZIONE
OSPITALITÀ
PRODUZIONE ANNUA 250.000 bottiglie
ETTARI VITATI 50,00
VITICOLTURA Biologico Certificato

Filippo e Caterina Cornacchia, insieme al
padre Piero, sono gli ultimi eredi di una
lunga tradizione risalente al '500, quando
la famiglia ricevette dal Viceré di Napoli il
titolo baronale e l'onere di controllare i
feudi attorno alla Fortezza di Civitella,
cuore delle Colline Teramane. Oggi il
nucleo principale si trova in quella che una
volta era la riserva di caccia, in contrada
Torri di Torano Nuovo, dove si collocano la
cantina e il corpo principale dei 50 ettari
vitati, gestiti in biologico certificato. Tra i
filari i classici autoctoni abruzzesi:
trebbiano, pecorino, passerina e
montepulciano. Manca solo l'acuto, ma la
prestazione d'insieme è tra le migliori in
regione e la gamma risulta solida sotto
tutti i punti di vista. A cominciare dai
Montepulciano: Casanova '18 ha buona
polpa fruttata ed energia; il Vigna Le Coste
Riserva '17 sfoggia un profilo aromatico
integro e una discreta eleganza,
nonostante l'annata calda; il Colline
Teramane Vizzaro Riserva '16 ha volume
e materia.

○ Controguerra Pecorino Casanova '19	♛♛	3
● Montepulciano d'Abruzzo Casanova '18	♛♛	3
● Montepulciano d'Abruzzo V. Le Coste '17	♛♛	5
● Montepulciano d'Abruzzo Colline Teramane Vizzaro '16	♛♛	5
○ Trebbiano d'Abruzzo Sup. Casanova '19	♛♛	3
○ Cerasuolo d'Abruzzo Sup. Casanova '19	♛	3
○ Controguerra Passerina Casanova '19	♛	3
● Controguerra Rosso Colle Cupo '18	♛	5
○ Controguerra Pecorino Casanova '17	♛♛	3
● Controguerra Rosso Colle Cupo '17	♛♛	5
● Controguerra Rosso Colle Lupo '16	♛♛	5
● Montepulciano d'Abruzzo V. Le Coste '16	♛♛	5
● Montepulciano d'Abruzzo V. Le Coste '15	♛♛	5
● Montepulciano d'Abruzzo Colline Teramane Vizzaro '15	♛♛	5

★Castorani

VIA CASTORANI, 5
65020 ALANNO [PE]
TEL. 0852012513
www.castorani.it

VENDITA DIRETTA
VISITA SU PRENOTAZIONE
OSPITALITÀ E RISTORAZIONE
PRODUZIONE ANNUA 600.000 bottiglie
ETTARI VITATI 80,00
VITICOLTURA Biologico Certificato
AZIENDA SOSTENIBILE

Alanno è un piccolo centro sulle Colline
Pescaresi che dall'Adriatico si alzano verso
la Majella. A una manciata di chilometri
fuori dal paese, nel 1793 il chirurgo
Raffaele Castorani costruì il podere che
oggi costituisce il nucleo principale
dell'azienda. Appartenente a una
compagine societaria di cui il volto più
noto è quello dell'ex pilota di Formula 1
Jarno Trulli, è attualmente uno dei nomi
principali della vitienologia regionale,
grazie a una visione moderna che ha
portato le tante etichette prodotte,
soprattutto da vitigni autoctoni, a essere
conosciute in tutto il mondo. Grafite,
prugna, mirtilli e spezie dolci compongono
lo spettro aromatico del Montepulciano
Amorino '16, che in bocca si distende con
ottimo allungo supportato da una fine
trama tannica e da un utilizzo del legno
perfettamente calibrato. Altrettanto
efficace il Trebbiano Cadetto '19, che
profuma di prato fiorito e agrumi gialli,
sviluppandosi elegante e intenso al palato.
Bene l'intera proposta nel suo insieme.

● Montepulciano d'Abruzzo Amorino '16	♛♛♛	3*
○ Trebbiano d'Abruzzo Cadetto '19	♛♛	2*
○ Abruzzo Pecorino Sup. Amorino '19	♛♛	3
● Montepulciano d'Abruzzo Lupaia '17	♛♛	2*
○ Trebbiano d'Abruzzo Podere Castorani Ris. '18	♛♛	3
○ Lupaia Trebbiano Spontaneo '19	♛	2
● Montepulciano d'Abruzzo Cadetto '18	♛	2
● Montepulciano d'Abruzzo Amorino '13	♛♛♛	3*
● Montepulciano d'Abruzzo Amorino '12	♛♛♛	3*
● Montepulciano d'Abruzzo Casauria Podere Castorani Ris. '15	♛♛♛	5
● Montepulciano d'Abruzzo Podere Castorani Ris. '14	♛♛♛	5
● Montepulciano d'Abruzzo Amorino '15	♛♛	3
● Montepulciano d'Abruzzo Cadetto '17	♛♛	2*
● Montepulciano d'Abruzzo Lupaia '16	♛♛	2*

★★Cataldi Madonna

LOC. MADONNA DEL PIANO
67025 OFENA [AQ]
TEL. 0862954252
www.cataldimadonna.com

VENDITA DIRETTA
VISITA SU PRENOTAZIONE
PRODUZIONE ANNUA 230.000 bottiglie
ETTARI VITATI 30,00
VITICOLTURA Biologico Certificato
AZIENDA SOSTENIBILE

Ofena viene comunemente soprannominata
"il forno d'Abruzzo" a causa degli alti picchi
di temperatura raggiunti in estate. Clima
continentale caratterizzato da vertiginose
escursioni termiche, di cui si giovano i
vigneti della Cataldi Madonna, dove
dimorano esclusivamente varietà
autoctone: montepulciano, trebbiano e
pecorino. Il passaggio di consegne tra una
generazione e l'altra è avvenuto senza
scossoni e ora tocca all'entusiasmo della
giovane Giulia traghettare nel futuro la
secolare azienda di famiglia, con il padre
Luigi, "il professore", che continua
comunque a supervisionare i lavori.
Straordinario il Piè delle Vigne '18,
Cerasuolo che dà già molte soddisfazioni
oggi, ma destinato a crescere
esponenzialmente con la sosta in bottiglia.
Alle fresche sensazioni balsamiche si
aggiunge una tipica nota di grafite che
contorna sentori di piccoli frutti di bosco
neri: fragrante, succoso e intenso, ha
carattere e bevibilità da vendere. Per noi è
il Rosato dell'Anno.

⊙ Cerasuolo d'Abruzzo Piè delle Vigne '18	♛♛♛ 5
● Montepulciano d'Abruzzo Malandrino '18	♛♛ 3*
⊙ Cerasuolo d'Abruzzo Malandrino '19	♛♛ 3
○ Giulia Pecorino '19	♛♛ 3
○ Trebbiano d'Abruzzo Malandrino '19	♛♛ 2*
⊙ Cataldino '18	♛ 3
● Montepulciano d'Abruzzo Luì '17	♛
⊙ Cerasuolo d'Abruzzo Piè delle Vigne '16	♛♛♛ 5
⊙ Cerasuolo d'Abruzzo Piè delle Vigne '15	♛♛♛ 5
● Montepulciano d'Abruzzo Malandrino '13	♛♛♛ 3*
● Montepulciano d'Abruzzo Malandrino '12	♛♛♛ 3*
○ Pecorino '11	♛♛♛ 5
○ Pecorino Frontone '13	♛♛♛ 5
○ Supergiulia Pecorino '17	♛♛♛ 5

Cerulli Spinozzi

S.S. 150 DEL VOMANO KM 17,600
64020 CANZANO [TE]
TEL. 086157193
www.cerullispinozzi.it

VENDITA DIRETTA
VISITA SU PRENOTAZIONE
OSPITALITÀ
PRODUZIONE ANNUA 200.000 bottiglie
ETTARI VITATI 53,00

Risale ai primi anni del Novecento l'unione
fra due delle più importanti famiglie
abruzzesi: gli Spinozzi, di origine feudale, e
i Cerulli Irelli di tradizione mercantile. Nel
2003 i fratelli Vincenzo e Francesco Cerulli
Irelli decisero di creare la propria azienda
vitivinicola potendo contare su due corpi
vitati, uno di 35 ettari nel comune di
Canzano, l'altro di 18 sulle colline di
Mosciano, entrambi territori della vallata del
Vomano, nell'areale delle Colline Teramane.
Oggi la conduzione aziendale spetta a
Enrico, figlio di Vincenzo, che con il suo
staff crea vini territoriali e contemporanei.
Quest'anno la palma del miglior vino
aziendale spetta al Pecorino Cortalto '18,
dalle delicate sensazioni salmastre
abbinate a sfumature di lime; bell'attacco
fruttato e sviluppo sapido, con finale in
crescendo. Buone indicazioni anche dal
Colline Teramane Torre Migliori '15: mora e
prugna, nota erbacea quasi balsamica
appena accennata, tannino fitto di buona
grana, volume e intensità.

⊙ Cerasuolo d'Abruzzo Sup. Cortalto '19	♛♛ 2*
○ Cortalto Pecorino '18	♛♛ 2*
● Montepulciano d'Abruzzo Colline Teramane Cortalto '17	♛♛ 2*
● Montepulciano d'Abruzzo Colline Teramane Torre Migliori '15	♛♛ 3
○ Trebbiano d'Abruzzo Gruè '19	♛♛ 1*
⊙ Cerasuolo d'Abruzzo Gruè '19	♛ 1*
● Montepulciano d'Abruzzo Colline Teramane Gruè '18	♛ 2
○ Trebbiano d'Abruzzo Torre Migliori '18	♛ 3
● Montepulciano d'Abruzzo '18	♛♛ 2*
● Montepulciano d'Abruzzo '13	♛♛ 2*
● Montepulciano d'Abruzzo Almorano '18	♛♛ 1*
● Montepulciano d'Abruzzo Colline Teramane Cortalto '15	♛♛ 2*
○ Trebbiano d'Abruzzo '18	♛♛ 2*

Chiusa Grande

C.DA CASALI
65010 NOCCIANO [PE]
TEL. 085847460
www.chiusagrande.com

VENDITA DIRETTA
VISITA SU PRENOTAZIONE
RISTORAZIONE
PRODUZIONE ANNUA 600.000 bottiglie
ETTARI VITATI 70,00
VITICOLTURA Biologico Certificato
AZIENDA SOSTENIBILE

Siamo contenti di ospitare nella sezione principale della nostra Guida la bella realtà vitivinicola creata nel 1994 da Franco D'Eusanio. Condotte in biologico fin da subito, le vigne aziendali si collocano in diversi comuni delle province di Pescara e Chieti (Nocciano, Cugnoli, Civitaquana, Loreto Aprutino e Casacanditella), ad altitudini che variano dal 200 al 350 metri sul livello del mare, su suoli di diversa composizione. La varietà delle situazioni pedoclimatiche e dei vitigni, autoctoni e non, si riflette in una gamma ampia e poliedrica. Il Montepulciano In Petra '17 ci sembra l'etichetta più convincente in questo round. È prodotto rifacendosi all'antica consuetudine di vinificare il mosto in vasche di pietra di varie forme e capacità, dove le uve vengono fatte fermentare dopo la diraspa-pigiatura. Il risultato è un rosso dal bouquet speziato, che profuma di visciola e aghi di pino, dipanandosi al palato progressivo e dinamico, grazie alla fresca beva e al tannino fine e sottile.

● Montepulciano d'Abruzzo In Petra '17	♟♟ 5
● Montepulciano d'Abruzzo Roccosecco '15	♟♟ 3
○ Trebbiano d'Abruzzo Perla Bianca '15	♟♟ 5
⊙ Cerasuolo d'Abruzzo Tatà '19	♟ 3

Cirelli

LOC. TRECIMINIERE
VIA COLLE SAN GIOVANNI, 1
64032 ATRI [TE]
TEL. 0858700106
www.agricolacirelli.com

VENDITA DIRETTA
VISITA SU PRENOTAZIONE
OSPITALITÀ E RISTORAZIONE
PRODUZIONE ANNUA 26.000 bottiglie
ETTARI VITATI 5,00
VITICOLTURA Biologico Certificato

Siamo ad Atri, nel cuore delle Colline Teramane, dove Francesco Cirelli da poco più di quindici anni ha creato una realtà agricola a tutto tondo che punta sul rispetto per il territorio e l'ambiente. Tutte le coltivazioni sono condotte in regime di agricoltura biologica, le vigne sono dedicate alle varietà autoctone, ovvero montepulciano, trebbiano e pecorino. Fermentazioni spontanee, utilizzo di anfore, approccio artigiano: sono questo le caratteristiche dei suoi vini, che trovano sempre più estimatori tra gli appassionati. In questo round di assaggi mancava la linea Anfora, sostituita però da una nuova sperimentazione: gli Amphora 15+16+17, Bianco e Rosa. Si tratta di un blend di tre annate diverse che danno vita a due vini di sicuro fascino. Ma il miglior risultato arriva dal Pecorino La Collina Biologica '19: sensazioni di foglia di tè, erba falciata, tocchi di zenzero e buccia di cedro si amalgamano in un bouquet che anticipa una bocca di gran carattere e freschezza.

○ La Collina Biologica Pecorino '19	♟♟ 3*
○ Amphora Bianco	♟♟ 7
○ Amphora Rosa	♟♟ 7
⊙ Cerasuolo d'Abruzzo La Collina Biologica '19	♟♟ 2*
● Montepulciano d'Abruzzo La Collina Biologica '19	♟♟ 2*
○ Trebbiano d'Abruzzo La Collina Biologica '19	♟♟ 2*
⊙ Cerasuolo d'Abruzzo La Collina Biologica '18	♟♟ 2*
○ La Collina Biologica Pecorino '17	♟♟ 3
● Montepulciano d'Abruzzo La Collina Biologica '18	♟♟ 2*
● Montepulciano d'Abruzzo La Collina Biologica '16	♟♟ 2*
○ Trebbiano d'Abruzzo Amphora '17	♟♟ 5

Codice Vino

LOC. CALDARI

66026 ORTONA [CH]
TEL. 0859031342
www.codicevino.it

PRODUZIONE ANNUA 90.200 bottiglie
ETTARI VITATI
AZIENDA SOSTENIBILE

Costola di Codice Citra, Codice Vino è una nuova sfida voluta da Valentino Di Campli, presidente della possente cooperativa di Ortona. Sviluppato con la consulenza scientifica di Attilio Scienza e quella enologica di Riccardo Cotarella, si tratta di un progetto che si propone di individuare le migliori vigne dei tanti soci con un occhio attento alla zonazione e alla viticoltura di precisione. La gamma si snoda su due linee: la "Monovarietali" per vini leggiadri e dinamici, la "Codice Oro" per le selezioni più ambiziose. Ed è subito Tre Bicchieri per il Tegèo '18, Pecorino Superiore di chiara matrice mediterranea. Dorato al colore, ampio e fragrante nello spettro aromatico che ricorda i frutti gialli, quelli tropicali e i fiori bianchi, ha bocca densa e avvolgente, ma allo stesso tempo fresca e croccante. Molto buono anche il Torre Passo '17, Montepulciano caratterizzato da sentori di confettura di prugne, note tostate, sapientemente materico e speziato.

○ Abruzzo Pecorino Sup. Tegèo '18	♈♈♈ 4*
● Montepulciano d'Abruzzo Teatro Torrepasso '17	♈♈ 6
○ Abruzzo Passerina Sup. Coda d'Oro '18	♈♈ 4
⊙ Cerasuolo d'Abruzzo Solante '19	♈♈ 5
⊙ Cerasuolo d'Abruzzo '18	♈♈ 3
● Montepulciano d'Abruzzo '17	♈♈ 3*

Contesa

S.DA DELLE VIGNE, 28
65010 COLLECORVINO [PE]
TEL. 0858205078
www.contesa.it

VENDITA DIRETTA
VISITA SU PRENOTAZIONE
RISTORAZIONE
PRODUZIONE ANNUA 260.000 bottiglie
ETTARI VITATI 45,00
AZIENDA SOSTENIBILE

Compie vent'anni l'azienda di Rocco Pasetti creata a Collecorvino, nella sottozona Terra dei Vestini, sulle Colline Pescaresi. Nella cantina, circondata dai vigneti di proprietà in cui protagonisti sono i vitigni autoctoni, trovano spazio sia l'acciaio che il legno, barrique e botti grandi con soluzioni versatili per le tre linee in cui si snoda la gamma: Contesa, Collecorvino e Vini d'Autore. L'ingresso in cantina delle nuove generazioni ha portato una ventata di novità senza però snaturare, anzi esaltando, la lettura territoriale della produzione. Stavolta abbiamo apprezzato soprattutto i bianchi: molto buono il Trebbiano d'Abruzzo Fermentazione Spontanea, che nella versione 2019 profuma di fieno, erbe mediterranee e scorza di agrumi. Al palato è scattante e venato da una freschezza acido-sapida che lo rende vitale ed energico. Nel Pecorino '19 invece spetta al basilico, al timo e ai fiori bianchi aprire la strada a un sorso potente, venato da sfumature agrumate.

○ Abruzzo Pecorino '19	♈♈ 3
○ Abruzzo Pecorino Sup. Aspetta Primavera '19	♈♈ 4
○ Trebbiano d'Abruzzo Fermentazione Spontanea '19	♈♈ 3
⊙ Cerasuolo d'Abruzzo '19	♈ 2
● Montepulciano d'Abruzzo Ris. '16	♈ 4
● Montepulciano d'Abruzzo Ris. '08	♈♈♈ 3*
○ Abruzzo Pecorino Sup. Aspetta Primavera '18	♈♈ 5
● Montepulciano d'Abruzzo '17	♈♈ 2*
● Montepulciano d'Abruzzo '16	♈♈ 2*
● Montepulciano d'Abruzzo Ris. '15	♈♈ 4
● Montepulciano d'Abruzzo Ris. '13	♈♈ 4
● Montepulciano d'Abruzzo Terre dei Vestini Chiedi alla Polvere Ris. '13	♈♈ 4

D'Alesio

VIA GAGLIERANO, 73
65013 CITTÀ SANT'ANGELO [PE]
TEL. 08596713
www.sciarr.com

VENDITA DIRETTA
VISITA SU PRENOTAZIONE
RISTORAZIONE
PRODUZIONE ANNUA 70.000 bottiglie
ETTARI VITATI 16,00
VITICOLTURA Biologico Certificato
AZIENDA SOSTENIBILE

Situata nell'entroterra di Città Sant'Angelo, sulle Colline Pescaresi, la cantina nata nel 2007 ha puntato da subito sulla certificazione biologica per l'intera produzione. Una scelta voluta da Mario e Giovanni, oggi al comando dell'azienda di famiglia ed eredi del patrimonio agricolo del nonno Mario. A quest'ultimo è dedicata la linea "Tenuta del Professore", che insieme alla "D'Alesio" e alla "Sciarr" compongono la gamma: una dozzina di etichette dal forte carattere territoriale plasmate con le uve autoctone della regione. In mancanza del Trebbiano Tenuta del Professore, l'apice della proposta è incarnato dal Montepulciano Riserva della stessa linea. Si presenta con belle note boisé e tostate, cui si sommano croccanti frutti neri; al palato è intenso, fitto nella trama tannica e austero. Molto buono anche il Pecorino Superiore '17, elegante già al naso con piacevoli sentori di pietra focaia e sassi bagnati, mentre le note di fiori bianchi anticipano una bocca dinamica, di gran sapore.

○ Abruzzo Pecorino Sup. '17	🏆🏆 2*
● Montepulciano d'Abruzzo	
Tenuta del Professore Ris. '15	🏆🏆 6
○ Abruzzo Montonico	🏆 3
○ Abruzzo Pecorino Sup. '15	🏆🏆 2*
● Montepulciano d'Abruzzo '17	🏆🏆 4
● Montepulciano d'Abruzzo '15	🏆🏆 4
○ Trebbiano d'Abruzzo	
Tenuta del Professore '13	🏆🏆 5

Tenuta I Fauri

VIA FORO, 8
66010 ARI [CH]
TEL. 0871332627
www.tenutaifauri.it

VENDITA DIRETTA
VISITA SU PRENOTAZIONE
OSPITALITÀ
PRODUZIONE ANNUA 150.000 bottiglie
ETTARI VITATI 35,00
AZIENDA SOSTENIBILE

Chieti, Francavilla al Mare, Miglianico, Villamagna, Bucchianico e Ari: sono i comuni che ospitano le vigne, in conversione biologica, curate da Valentina e Luigi Di Camillo, ormai saldamente alla guida dell'azienda creata dal padre Domenico alla fine degli anni Settanta. Se a Valentina spetta il compito di dedicarsi al lato commerciale dell'attività (ultimamente si è adoperata anche alla creazione di due strutture ricettive per accogliere al meglio appassionati ed enoturisti), a Luigi tocca trasformare le uve in vini che fanno dell'espressività e della territorialità la loro arma vincente. Manca di un soffio il bersaglio grosso il Trebbiano Baldovino '19, uno dei più buoni in regione. Alle sensazioni minerali si aggiungono note erbacee che ricordano il prato falciato e sfumature agrumate; attacco quasi balsamico al palato, dove sfoggia ritmo e grande progressione. Goloso il Cerasuolo Baldovino '19: polpa di ciliegie e lamponi stuzzicano il naso, mentre la bocca è succosa e fresca.

○ Cerasuolo d'Abruzzo Baldovino '19	🏆🏆 2*
○ Trebbiano d'Abruzzo Baldovino '19	🏆🏆 2*
○ Abruzzo Pecorino '19	🏆🏆 3
● Montepulciano d'Abruzzo Baldovino '18	🏆🏆 2*
● Montepulciano d'Abruzzo	
Ottobre Rosso '18	🏆🏆 2*
○ Passerina '19	🏆 2
○ Pecorino Brut	🏆 3
○ Abruzzo Pecorino '18	🏆🏆🏆 3*
○ Abruzzo Pecorino '14	🏆🏆🏆 2*
○ Abruzzo Pecorino '13	🏆🏆🏆 2*
● Montepulciano d'Abruzzo Baldovino '17	🏆🏆 2*
● Montepulciano d'Abruzzo Baldovino '15	🏆🏆 2*
● Montepulciano d'Abruzzo	
Rosso dei Fauri '15	🏆🏆 5
○ Trebbiano d'Abruzzo Baldovino '18	🏆🏆 2*

ABRUZZO

Feudo Antico

VIA CROCEVECCHIA, 101
66010 TOLLO [CH]
TEL. 0871969128
www.feudoantico.it

VENDITA DIRETTA
PRODUZIONE ANNUA 80.000 bottiglie
ETTARI VITATI 20,00
VITICOLTURA Biologico Certificato

Nata come Doc nel 2008 e "promossa" a Docg nel 2019, Tullum è la più piccola denominazione italiana per estensione. Ma può contare su un alfiere molto importante: Feudo Antico, azienda che come poche ha puntato e continua a puntare sulle potenzialità di questo territorio. A differenza di molte altre cooperative abruzzesi, qui abbiamo a che fare con dimensioni ridotte: una cinquantina di soci che si prendono cura di circa 20 ettari vitati, dedicandovi un'attenzione maniacale nel rispetto della natura e dell'ambiente, seguendo i criteri dell'agricoltura biologica. Torna ai Tre Bicchieri il Tullum Pecorino Bio, che nella versione 2019 presenta un bouquet all'insegna di fiori gialli, erbe aromatiche e frutti a polpa bianca, restituito in un sorso teso, sapido e lungo, tutto giocato su sfumature agrumate. È una sferzata di sale e limone il Casadonna Pecorino '19, che si scatena elettrico al palato. Tipico nelle note di frutti scuri e camino il Montepulciano d'Abruzzo Bio '19.

○ Tullum Pecorino Biologico '19	♟♟♟	3*
○ Casadonna Pecorino '19	♟♟	7
● Montepulciano d'Abruzzo Organic '19	♟♟	3
○ Tullum Passerina '19	♟♟	3
○ Tullum Pecorino '19	♟♟	3
● Tullum Rosso '16	♟♟	3
● Tullum Rosso Ris. '16	♟	5
○ Casadonna Pecorino '15	♟♟♟	7
● Montepulciano d'Abruzzo Organic '18	♟♟♟	3*
○ Tullum Pecorino Biologico '17	♟♟♟	3*
○ Casadonna Pecorino '18	♟♟	7
○ Casadonna Pecorino '17	♟♟	7
○ Casadonna Pecorino '14	♟♟	7
○ Tullum Pecorino '14	♟♟	3*
○ Tullum Pecorino Biologico '16	♟♟	3*
● Tullum Rosso Ris. '14	♟♟	5

Il Feuduccio di Santa Maria D'Orni

LOC. FEUDUCCIO
66036 ORSOGNA [CH]
TEL. 0871891646
www.ilfeuduccio.it

VENDITA DIRETTA
VISITA SU PRENOTAZIONE
PRODUZIONE ANNUA 150.000 bottiglie
ETTARI VITATI 50,00

Gaetano Lamaletto, imprenditore di successo in Venezuela rientrato in Abruzzo, nel 1995 ha dato il via ai lavori per la creazione di un'azienda modello. Il nome si deve al Feudo di Santa Maria d'Orni su cui insistono i vigneti, nell'areale di Orsogna sulle Colline Teatine. Oggi al timone ci sono il figlio di Gaetano, Camillo, e il nipote Gaetano Junior: insieme a Rocco Cipollone gestiscono la proprietà, tra cui una cantina sotterranea articolata su cinque livelli, che custodisce la variegata produzione organizzata su diverse linee stilistiche. Ottima prestazione per tutti i vini del Feuduccio, tra cui spicca una grande versione del Montepulciano Ursonia. L'annata 2016 regala un rosso in cui le note tostate e speziate del legno si fondono perfettamente a prugna e more mature: è concentrato senza diventare pesante, grazie all'estrazione tannica calibrata e la prorompente sapidità che guida il sorso verso il bel finale di arancia sanguinella. Sfaccettato e verticale il Pecorino Ursonia '19.

● Montepulciano d'Abruzzo Ursonia '16	♟♟	5
⊙ Cerasuolo d'Abruzzo Feuduccio '19	♟♟	3
● Montepulciano d'Abruzzo Il Feuduccio '17	♟♟	3
○ Pecorino '19	♟♟	2*
○ Trebbiano d'Abruzzo Feuduccio '19	♟♟	3
○ Trebbiano d'Abruzzo Ursonia '18	♟♟	5
○ Ursonia Pecorino '18	♟♟	6
● Montepulciano d'Abruzzo Ursonia '13	♟♟♟	4*
○ Fonte Venna Pecorino '17	♟♟	2*
⊙ Fonte Venna Rosato '17	♟♟	2*
● Montepulciano d'Abruzzo '17	♟♟	3
● Montepulciano d'Abruzzo Ursonia '15	♟♟	5
○ Pecorino '18	♟♟	2*
○ Pecorino '16	♟♟	2*
○ Trebbiano d'Abruzzo '18	♟♟	3
○ Ursonia Pecorino '17	♟♟	6

Fontefico

VIA DIFENZA, 38
66054 VASTO [CH]
TEL. 3284113619
www.fontefico.it

VENDITA DIRETTA
VISITA SU PRENOTAZIONE
RISTORAZIONE
PRODUZIONE ANNUA 45.000 bottiglie
ETTARI VITATI 15,00
VITICOLTURA Biologico Certificato
AZIENDA SOSTENIBILE

Gestito dai due fratelli Emanuele e Nicola Alteri, il progetto Fontefico può contare su una quindicina di ettari vitati coltivati in regime biologico. I vigneti sono collocati sul promontorio di Punta Penna, giovandosi dei venti freschi e del microclima del Mar Adriatico, distante pochi chilometri. Ogni vino prodotto è il risultato e l'espressione delle uve provenienti dal quattro siti di proprietà: Vigna Bianca (coltivata a pecorino e trebbiano), Vigna del Pozzo e Il Pàstino (dimore del montepulciano) e Le Coste (dedicata all'aglianico). Le sensazioni migliori arrivano dalla coppia del rosati. Intrigante il profilo aromatico del Cerasuolo Fossimatto '19, che profuma di rosa e aghi di pino, mentre in bocca è succoso e piacevolmente salmastro. Sbuffi balsamici e note di fragoline di bosco caratterizzano il Febbre d'Abruzzo senza annata: carnoso, speziato, rotondo, fragrante e di bella pienezza. La Canaglia '19 ha il tipico profilo di un Pecorino solare, energico e potente.

○ Abruzzo Pecorino Sup. La Canaglia '19	♟♟	3
⊙ Cerasuolo d'Abruzzo Sup. Fossimatto '19	♟♟	3
⊙ Febbre d'Abruzzo	♟♟	5
● Montepulciano d'Abruzzo Cocca di Casa '17	♟	3
● Montepulciano d'Abruzzo Titinge Ris. '15	♟	5
○ Trebbiano d'Abruzzo Sup. Portarispetto '18	♟	2
○ Abruzzo Pecorino Sup. La Canaglia '17	♟♟	3
○ Abruzzo Pecorino Sup. La Canaglia '16	♟♟	2*
○ Abruzzo Pecorino Sup. La Foia '16	♟♟	5
● Montepulciano d'Abruzzo Cocca di Casa '16	♟♟	3
● Montepulciano d'Abruzzo Cocca di Casa '14	♟♟	3
○ Trebbiano d'Abruzzo Sup. Portarispetto '15	♟♟	2*

★Dino Illuminati

C.DA SAN BIAGIO, 18
64010 CONTROGUERRA [TE]
TEL. 0861808008
www.illuminativini.it

VENDITA DIRETTA
VISITA SU PRENOTAZIONE
PRODUZIONE ANNUA 1.150.000 bottiglie
ETTARI VITATI 130,00

Autentici patriarchi della vitienologia abruzzese, gli Illuminati coltivano un vigneto che si estende all'interno delle denominazioni Montepulciano d'Abruzzo Colline Teramane e Controguerra. Il marchio nasce alla fine dell'800 con Nicola, ma la svolta arriva negli anni '70 grazie alla decisione del Cavalier Dino di iniziare gli imbottigliamenti. Al timone ci sono oggi i figli Lorenzo e Stefano, che hanno rafforzato ulteriormente una gamma differenziata per provenienza delle uve e modalità di lavorazione, con i potenti rossi da montepulciano a spiccare all'interno della batteria aziendale. Torna il Colline Teramane Zanna Riserva e agguanta di nuovo i Tre Bicchieri con la versione 2015. Introdotto da un profilo aromatico scuro che ricorda la grafite, le fave di cacao e le bacche di caffè, si sviluppa in un palato denso, con tannino molto fitto. Sempre buono il Riparosso '19, versione più agile di Montepulciano: i timbri di ciliegia matura e amarena anticipano una bocca polposa e fragrante.

● Montepulciano d'Abruzzo Colline Teramane Zanna Ris. '15	♟♟♟	5
● Montepulciano d'Abruzzo Riparosso '19	♟♟	2*
⊙ Cerasuolo d'Abruzzo Lumeggio di Rosa '19	♟♟	2*
○ Controguerra Passerina '19	♟♟	2*
○ Controguerra Bianco Costalupo '19	♟	2
○ Controguerra Bianco Lumeggio di Bianco '19	♟	2
○ Controguerra Pecorino '19	♟	2
● Montepulciano d'Abruzzo Lumeggio di Rosso '19	♟	2
● Montepulciano d'Abruzzo Colline Teramane Zanna Ris. '13	♟♟♟	5
● Montepulciano d'Abruzzo Colline Teramane Zanna Ris. '11	♟♟♟	5
● Montepulciano d'Abruzzo Ilico '17	♟♟♟	2*

Inalto

VIA DEL GIARDINO, 7
67025 OFENA [AQ]
TEL. 0862956618
www.inaltovini.it

PRODUZIONE ANNUA 32.000 bottiglie
ETTARI VITATI 12,50

Già il nome dà le prime indicazioni sulla caratteristica principale del progetto messo in piedi qualche anno fa da Adolfo De Cecco: solo vigne in altura per esaltare l'eleganza dei vitigni autoctoni abruzzesi. La base di partenza sono stati gli otto ettari di vigneto a Ofena, l'intenzione è di ampliare la piattaforma vitivinicola. Dopo l'acquisto di altri quattro ettari nella Valle Subequana, si cercano nuovi appezzamenti nell'Aquilano, sempre tra i 400 e gli 800 metri d'altitudine, nell'obiettivo di creare dei veri e propri cru. Per ora le conferme migliori arrivano dai bianchi, per quanto abbiamo trovato molto interessante anche la lettura ariosa, leggiadra e armonica del Rosso '16. Ottimo il Pecorino '18, che mostra le prime complessità e sfaccettature di una felice evoluzione: cenni di idrocarburi e pietra focaia, è caratterizzato da una bocca sapida, elegante, di grande mineralità. Pieno e intenso il Bianco '18; buona prova anche per il Cerasuolo '18, succoso e di buona polpa.

○ Abruzzo Bianco '18	♛♛	5
○ Pecorino '18	♛♛	5
⊙ Cerasuolo d'Abruzzo '18	♛♛	5
● Inalto Rosso '16	♛♛	5
⊙ Cerasuolo d'Abruzzo Sup. '19	♛	5
● Montepulciano d'Abruzzo '18	♛	5

Tommaso Masciantonio

C.DA CAPRAFICO, 35
66043 CASOLI [CH]
TEL. 0871897457
www.trappetodicaprafico.com

VISITA SU PRENOTAZIONE
OSPITALITÀ
PRODUZIONE ANNUA 8.000 bottiglie
ETTARI VITATI 10,00
VITICOLTURA Biologico Certificato

Confermiamo in pieno le impressioni scaturite dagli assaggi della scorsa edizione: ultimo erede di una lunga tradizione di olivicoltori, Tommaso Masciantonio sta facendo sul serio anche col vino. È così che Trappeto di Caprafico diventa marchio di qualità a tutto tondo, inglobando anche le produzioni a base pecorino e montepulciano derivanti dagli splendidi vigneti collocati ai piedi della Majella, sulle Colline Teatine di Casoli e Guardiagrele. Un'area di secolare vocazione agricola, raccontata da una piccola gamma sempre più interessante per coerenza territoriale ed espressiva. Da vecchi impianti allevati a pergola abruzzesi, il Pecorino Superiore Mantica '17 è un vino che profuma di polpa di limone e erbe di montagna: il tutto venato da una lieve ed elegante traccia floreale che si lega ad un sorso teso, sapido, fresco e scintillante. Molto buono anche il Pecorino Jernare, dal profilo balsamico e agrumato, dalla bocca morbida e salina.

○ Abruzzo Pecorino Sup. Mantica V. Di Caprafico '17	♛♛	4
○ Abruzzo Pecorino Jernare V. di Caprafico '19	♛♛	3
○ Abruzzo Pecorino Sup. Mantica V. Di Caprafico '15	♛♛	4
● Montepulciano d'Abruzzo Sciatò V. Di Caprafico '15	♛♛	3

★★★Masciarelli

VIA GAMBERALE, 2
66010 SAN MARTINO SULLA MARRUCINA [CH]
TEL. 087185241
www.masciarelli.it

VENDITA DIRETTA
VISITA SU PRENOTAZIONE
OSPITALITÀ
PRODUZIONE ANNUA 2.500.000 bottiglie
ETTARI VITATI 300,00

Poche aziende hanno decretato il successo
internazionale del vino abruzzese come
quella creata nel 1981 da Gianni Masciarelli
e oggi guidata dalla moglie Marina insieme
alla figlia Miriam. Un progetto che coinvolge
le quattro province della regione, con una
varietà incredibile di territori e situazioni
pedoclimatiche: vigne che vanno
dall'Adriatico sino alle pendici del Gran
Sasso, plasmando vini potenti e moderni,
articolati su cinque diverse linee produttive
dove, alle ottime etichette pensate per il
consumo quotidiano, si affiancano
ambiziose e austere selezioni. Non stupisce
il fatto che sia un vino della linea Castello di
Semivicoli a ottenere l'ennesimo alloro.
Stavolta è il Pecorino '19: sensazioni di
iodio, scorze di agrumi e fieno ne disegnano
il bouquet aromatico, che si trasforma in
una bocca saporita e nitida. Il
Montepulciano Villa Gemma Ris. '15
corrisponde alla classica lettura moderna
del vitigno: le note boisé incorniciano un
frutto nero maturo, su un palato materico.

○ Abruzzo Pecorino	
Castello di Semivicoli '19	♟♟♟ 3*
● Montepulciano d'Abruzzo	
Villa Gemma Ris. '15	♟♟ 8
○ Chardonnay Marina Cvetic '18	♟♟ 5
● Marina Cvetic Merlot '17	♟♟ 5
○ Abruzzo Malvasia Iskra	
Marina Cvetic '18	♟ 4
● Marina Cvetic Cabernet Sauvignon '15	♟ 6
● Marina Cvetic Syrah '17	♟ 5
● Montepulciano d'Abruzzo	
Marina Cvetic '05	♟♟♟ 4
● Montepulciano d'Abruzzo	
Villa Gemma '06	♟♟♟ 7
○ Trebbiano d'Abruzzo	
Castello di Semivicoli '18	♟♟♟ 5
○ Trebbiano d'Abruzzo	
Castello di Semivicoli '15	♟♟♟ 5

Camillo Montori

LOC. PIANE TRONTO, 80
64010 CONTROGUERRA [TE]
TEL. 0861809900
www.montorivini.it

VENDITA DIRETTA
VISITA SU PRENOTAZIONE
OSPITALITÀ E RISTORAZIONE
PRODUZIONE ANNUA 600.000 bottiglie
ETTARI VITATI 50,00

Se Controguerra è divenuta una delle
capitali del vino abruzzese il merito va
anche a Camillo Montori, epigono di una
tradizione di produttori vinicoli attivi già
nell'800. Sono gli anni Sessanta e Settanta
quelli della svolta, quando il marchio esce
dai confini regionali arrivando sugli scaffali
di tutto il mondo. Merito di una sapiente
gestione di concretezza contadina e di
dosata innovazione tecnica: ricetta che
regala vini dall'interpretazione decisamente
classica soprattutto delle uve tipiche del
territorio come montepulciano, trebbiano e
pecorino. Meno brillante del solito la
batteria presentata quest'anno alle nostre
degustazioni. L'etichetta migliore è senza
dubbio il Trebbiano Fonte Cupa '19: nel
bouquet aromatico suggestioni di paglia e
agrumi gialli si mescolano a cenni minerali,
mentre il sorso si distende in maniera
rilassata. Interessante anche la Passerina
Fonte Cupa '19: timbri iodati e di erbette
aromatiche anticipano una bocca fresca,
saporita, vitale.

○ Fonte Cupa Passerina '19	♟♟ 2*
● Montepulciano d'Abruzzo	
Colline Teramane Fonte Cupa Ris. '13	♟♟ 5
○ Trebbiano d'Abruzzo Fonte Cupa '19	♟♟ 2*
⊙ Cerasuolo d'Abruzzo Fonte Cupa '19	♟ 2
● Montepulciano d'Abruzzo	
Colline Teramane '15	♟ 2
○ Pecorino '19	♟ 2
⊙ Cerasuolo d'Abruzzo Fonte Cupa '16	♟♟♟ 2*
⊙ Cerasuolo d'Abruzzo Fonte Cupa '18	♟♟ 2*
⊙ Cerasuolo d'Abruzzo Fonte Cupa '17	♟♟ 2*
○ Fonte Cupa Pecorino '17	♟♟ 3
● Montepulciano d'Abruzzo	
Fonte Cupa '15	♟♟ 2*
○ Trebbiano d'Abruzzo Fonte Cupa '18	♟♟ 2*

Fattoria Nicodemi

C.DA VENIGLIO, 8
64024 NOTARESCO [TE]
TEL. 085895493
www.nicodemi.com

VENDITA DIRETTA
VISITA SU PRENOTAZIONE
PRODUZIONE ANNUA 200.000 bottiglie
ETTARI VITATI 30,00
VITICOLTURA Biologico Certificato

L'esteso vigneto a corpo unico che si estende sulle colline di Contrada Veniglio, a Notaresco, gode di quanto di meglio il Teramano possa offrire in termini pedoclimatici: un ricco terreno argilloso-calcareo, altitudini che si attestano intorno ai 300 metri, la costa adriatica distante appena una decina di chilometri, il Gran Sasso alle spalle a solleticare le vigne con le sue brezze durante le serate estive. Elena e Alessandro, poi, sono bravi a trasportare tutto questo nelle proprie bottiglie, utilizzando naturalmente i vitigni autoctoni del territorio. A dir poco convincente la prestazione d'insieme, con due Montepulciano Colline Teramane finalisti: il Neromoro Ris. '16 e Le Murate '18. Il primo ci ha colpito per un'intrigante sensazione floreale e speziata che accompagna più tipici sentori di frutto nero e grafite, per una bocca leggiadra ed elegante, precisa nella definizione del tannino. Il secondo si lascia apprezzare prima di tutto per la notevole pulizia olfattiva e gustativa.

● Montepulciano d'Abruzzo Colline Teramane Neromoro Ris. '16	♟♟ 5
● Montepulciano d'Abuzzo Colline Teramane Le Murate '18	♟♟ 3*
⊙ Cerasuolo d'Abruzzo Le Murate '19	♟♟ 2*
● Montepulciano d'Abruzzo Colline Teramane Notàri '18	♟♟ 4
○ Trebbiano d'Abruzzo Le Murate '19	♟♟ 2*
○ Trebbiano d'Abruzzo Sup. Notàri '18	♟♟ 3
○ Trebbiano d'Abruzzo Cocciopesto '18	♟ 3
● Montepulciano d'Abruzzo Colline Teramane Neromoro Ris. '09	♟♟♟ 5
● Montepulciano d'Abruzzo Colline Teramane Neromoro Ris. '03	♟♟♟ 5
● Montepulciano d'Abruzzo Colline Teramane Notàri '17	♟♟♟ 4*
○ Trebbiano d'Abruzzo Sup. Notàri '15	♟♟♟ 3*

Orlandi Contucci Ponno

LOC. PIANA DEGLI ULIVI, 1
64026 ROSETO DEGLI ABRUZZI [TE]
TEL. 0858944049
www.orlandicontucciponno.com

VENDITA DIRETTA
VISITA SU PRENOTAZIONE
PRODUZIONE ANNUA 185.000 bottiglie
ETTARI VITATI 31,00

L'azienda è tra quelle che negli anni '90 hanno dato l'avvio al nuovo corso del vino abruzzese. Forte di questo passato, nel 2007 è entrata sotto i riflettori del gruppo Gussalli Beretta, che dopo aver investito in Franciacorta e Chianti Classico (e poi anche in Langa e Alto Adige), ha deciso di acquisirla e rilanciarla. Siamo a Roseto, sulle prime alture della Valle del Vomano a pochi passi dall'Adriatico, dove i vigneti si giovano di un terreno prevalentemente calcareo: tra i filari incontriamo le varietà territoriali come montepulciano e trebbiano insieme alle uve internazionali. Davvero riusciti i due Montepulciano Colline Teramane testati. Ci mette un po' ad aprirsi nel calice, ma poi la Regia Specula '17 sprigiona le classiche note del vitigno, unendo i timbri di prugna matura a eleganti cenni di grafite; bocca ampia e voluminosa, sostenuta da un tannino abbondante. Più austera la Riserva '15 con le sue note di erbe officinali, riproposte in un palato fitto ma fresco nel finale.

● Montepulciano d'Abruzzo Colline Teramane La Regia Specula '17	♟♟ 3*
● Montepulciano d'Abruzzo Colline Teramane Ris. '15	♟♟ 5
○ Abruzzo Pecorino Sup. '19	♟♟ 2*
○ Trebbiano d'Abruzzo Sup. Colle della Corte '19	♟♟ 2*
⊙ Cerasuolo d'Abruzzo Sup. Vermiglio '19	♟ 3
● Montepulciano d'Abruzzo Colline Teramane La Regia Specula '16	♟♟ 3*
● Montepulciano d'Abruzzo Colline Teramane La Regia Specula '15	♟♟ 3
● Montepulciano d'Abruzzo Colline Teramane Ris. '13	♟♟ 5
○ Trebbiano d'Abruzzo Sup. Colle della Corte '18	♟♟ 2*
○ Trebbiano d'Abruzzo Sup. Colle della Corte '16	♟♟ 2*

Pasetti

LOC. C.DA PRETARO
VIA SAN PAOLO, 21
66023 FRANCAVILLA AL MARE [CH]
TEL. 08561875
www.pasettivini.it

VENDITA DIRETTA
VISITA SU PRENOTAZIONE
OSPITALITÀ
PRODUZIONE ANNUA 600.000 bottiglie
ETTARI VITATI 75,00

La cantina di Francavilla al Mare è il centro nevralgico delle operazioni enologiche della famiglia Pasetti, nome storico della viticoltura abruzzese. Le uve utilizzate arrivano tuttavia dalle aree altocollinari, in particolare dai vigneti di Pescosansonesco e Capestrano ospitati all'interno del Parco Nazionale del Gran Sasso e dei Monti della Laga, il cui logo è riportato anche nelle retroetichette. Oggi a guidare l'azienda troviamo la quarta generazione, che ha apportato una ventata di novità senza snaturare uno stile contemporaneo, giusto compromesso tra innovazione e territorialità. Il Montepulciano d'Abruzzo '17 rappresenta una lettura del vitigno efficace nella sua semplicità: alloro, ginepro, frutti neri maturi e sfumature balsamiche aprono la strada a una bocca saporita, giocata su bevibilità e freschezza, col tannino a scandire il ritmo del sorso, apportando piacevoli contrasti. Erbaceo nelle sensazioni di fieno e prato il Pecorino Collecivetta '17, leggiadro e sapido.

○ Abruzzo Pecorino Sup. Collecivetta '18	▼▼	3
● Montepulciano d'Abruzzo '17	▼▼	2*
○ Testarossa Bianco '18	▼▼	4
○ Abruzzo Pecorino Collecivetta '17	♈♈	3
○ Abruzzo Pecorino Collecivetta '15	♈♈	3
○ Abruzzo Pecorino Collecivetta '14	♈♈	3
● Montepulciano d'Abruzzo '16	♈♈	2*
● Montepulciano d'Abruzzo '12	♈♈	2*
● Montepulciano d'Abruzzo Testarossa '11	♈♈	4
○ Trebbiano d'Abruzzo Madonnella '17	♈♈	3
○ Trebbiano d'Abruzzo Madonnella '15	♈♈	5

Emidio Pepe

VIA CHIESI, 10
64010 TORANO NUOVO [TE]
TEL. 0861856493
www.emidiopepe.com

VENDITA DIRETTA
VISITA SU PRENOTAZIONE
OSPITALITÀ E RISTORAZIONE
PRODUZIONE ANNUA 80.000 bottiglie
ETTARI VITATI 15,00
VITICOLTURA Biodinamico Certificato
AZIENDA SOSTENIBILE

1964: l'anno in cui Emidio Pepe, mettendo a frutto gli insegnamenti del padre e del nonno, già produttori, inizia ad imbottigliare i suoi vini. Torano Nuovo, sulle Colline Teramane, diventa da subito una meta di pellegrinaggio per chi vuole andare a conoscere quel produttore a tratti un po' schivo, ma in grado di domare l'irruenza del montepulciano per trarne un grande rosso di cui il tempo non può che essere un fido alleato. Ancora oggi, Emidio supervisiona tutti i lavori della cantina, portati avanti con determinazione e successo dalle figlie Daniela e Sofia e dalla nipote Chiara. Da incorniciare la prova del Cerasuolo d'Abruzzo '19, uno degli assaggi più affascinanti in regione. Dopo un primo giro su note affumicate e speziate, regala un sorso di vitalità e freschezza scintillanti, è ritmato e vibrante, dal frutto rosso ricco, cremoso e intenso; il finale è agile e ricco di verve e sapore. Ottima prova anche per il Pecorino, vivido nei richiami di erba appena tagliata e zenzero, più maturo nel suo profilo ampio e succoso il Trebbiano d'Abruzzo.

⊙ Cerasuolo d'Abruzzo '19	▼▼▼	5
○ Pecorino '18	▼▼	6
○ Trebbiano d'Abruzzo '18	▼▼	5
● Montepulciano d'Abruzzo '18	▼	6
● Montepulciano d'Abruzzo '17	♈♈	6
● Montepulciano d'Abruzzo '15	♈♈	6
● Montepulciano d'Abruzzo '13	♈♈	6
● Montepulciano d'Abruzzo '12	♈♈	6
○ Pecorino '17	♈♈	6
⊙ Rosato '18	♈♈	5
○ Trebbiano d'Abruzzo '17	♈♈	5
○ Trebbiano d'Abruzzo '14	♈♈	5
○ Trebbiano d'Abruzzo '13	♈♈	5

Tenuta Terraviva

VIA DEL LAGO, 19
64018 TORTORETO [TE]
TEL. 0861786056
www.tenutaterraviva.it

VENDITA DIRETTA
VISITA SU PRENOTAZIONE
PRODUZIONE ANNUA 80.000 bottiglie
ETTARI VITATI 22,00
VITICOLTURA Biologico Certificato

L'azienda nasce negli anni Settanta per
mano di Gabriele Marano, che decide di
affiancare alla sua attività di imprenditore
edile quella di vitivinicoltore. Il giro di boa si
ha nel 2006, quando il timone passa nelle
mani della figlia Pina e del marito Pietro
Topi, che lentamente trasformano la tenuta
virando verso l'agricoltura biologica e
adottando tecniche di vinificazione
consapevolmente artigianali, condotte con
lieviti indigeni e fermentazioni spontanee. Il
quadro odierno racconta di Montepulciano,
Trebbiano, Cerasuolo e Pecorino di
carattere, energici, sinceri. Terraviva torna a
conquistare i Tre Bicchieri con un'esaltante
versione 2019 del Cerasuolo Giusi: pepe
nero appena macinato, fragola matura,
grafite, un intrigante tocco rustico, lo
sfaccettato profilo aromatico anticipa una
bocca spigliata e succosa, ritmata ed
energica. Impressionante anche il Pecorino
'Ekwo '19, che profuma di polpa di limone
e pietre bagnate: ha grande intensità
sapida e sorso ficcante.

⊙ Cerasuolo d'Abruzzo Giusi '19	♟♟♟	2*
○ Abruzzo Pecorino 'Ekwo '19	♟♟	3*
○ Abruzzo Passerina 12.1 '19	♟♟	3
○ Abruzzo Pecorino '19	♟♟	2*
● Montepulciano d'Abruzzo MPH '17	♟♟	5
○ Trebbiano d'Abruzzo '19	♟♟	2*
○ Trebbiano d'Abruzzo Sup. Mario's 46 '18	♟♟	3
● Montepulciano d'Abruzzo Luì '13	♟♟♟	3*
○ Trebbiano d'Abruzzo Sup. Mario's 44 '16	♟♟♟	3*
○ Abruzzo Pecorino 'Ekwo '17	♟♟	3
⊙ Cerasuolo d'Abruzzo Giusi '18	♟♟	2*
⊙ Cerasuolo d'Abruzzo Giusi '16	♟♟	2*
● Montepulciano d'Abruzzo Luì '15	♟♟	3
○ Trebbiano d'Abruzzo Mario's 45 '17	♟♟	3

Tiberio

C.DA LA VOTA
65020 CUGNOLI [PE]
TEL. 0858576744
www.tiberio.it

VENDITA DIRETTA
VISITA SU PRENOTAZIONE
PRODUZIONE ANNUA 90.000 bottiglie
ETTARI VITATI 30,00

Era il 1999 quando Riccardo Tiberio scoprì
una vecchia vigna abbandonata di
trebbiano: se ne innamorò a tal punto da
acquistarla, ponendo le basi per la sua
azienda. Il recupero dei vecchi ceppi,
l'attenta selezione clonale, l'impianto di
nuove parcelle furono i primi passi di una
realtà che oggi è tra le più solide nel
panorama abruzzese, gestita dai fratelli
Cristiana e Antonio a Cugnoli, tra Gran
Sasso e Majella. Un territorio caratterizzato
da suoli calcarei, forti escursioni termiche e
una mite e costante ventilazione, ideale per
la lenta e graduale maturazione delle uve.
Ci è piaciuto davvero tanto il Montepulciano
d'Abruzzo '18: camino spento, pepe, frutto
nero croccante e grafite cesellano una
bocca vitale ed energica, succosa, precisa
nella trama tannica. Buonissimo anche il
Cerasuolo '19, dove i piccoli frutti rossi
maturi e le sfumature minerali aprono la
strada a un sorso polposo, molto fragrante
e piacevole. Da non sottovalutare il
Pecorino '19 e il Trebbiano pari annata.

⊙ Cerasuolo d'Abruzzo '19	♟♟	3*
● Montepulciano d'Abruzzo '18	♟♟	3*
○ Pecorino '19	♟♟	3
○ Trebbiano d'Abruzzo '19	♟♟	3
● Montepulciano d'Abruzzo '13	♟♟♟	2*
○ Pecorino '16	♟♟♟	3*
○ Pecorino '15	♟♟♟	3*
○ Pecorino '13	♟♟♟	3*
○ Pecorino '12	♟♟♟	3*
○ Pecorino '11	♟♟♟	3*
○ Pecorino '10	♟♟♟	3
⊙ Cerasuolo d'Abruzzo '18	♟♟	3
⊙ Cerasuolo d'Abruzzo '17	♟♟	3
○ Pecorino '18	♟♟	3*
○ Pecorino '17	♟♟	3*
○ Trebbiano d'Abruzzo '18	♟♟	3*
○ Trebbiano d'Abruzzo '17	♟♟	3

Cantina Tollo

VIA GARIBALDI, 68
66010 TOLLO [CH]
TEL. 087196251
www.cantinatollo.it

VENDITA DIRETTA
PRODUZIONE ANNUA 13.000.000 bottiglie
ETTARI VITATI 3200,00

Tra le realtà più prestigiose della cooperazione vitivinicola italiana, Tollo nasce nel 1960 dall'iniziativa di un piccolo gruppo animato dalla volontà di portare il vino abruzzese all'apice della qualità produttiva. Oggi le bottiglie prodotte sono 13 milioni, gli ettari vitati oltre 3.200, e dai 19 soci dell'inizio siamo arrivati a poco meno di un migliaio. La direzione tecnica è affidata ormai da tempo a Riccardo Brighigna, a lui spetta il compito di trasformare questo patrimonio in un'ampia e articolata proposta, suddivisa su diverse linee. E con questa diventano sei le annate di Montepulciano Mo che hanno ottenuto i Tre Bicchieri. La versione '16 ha delicati profumi floreali, un tocco di bacca di vaniglia e di ciliegia nera matura, ma anche qualcosa di più austero che ricorda l'oliva nera e la legna arsa. In bocca è solido nella trama tannica, con un piacevole finale in cui tornano le sensazioni fruttate. Finalista anche un Trebbiano Tre '19 saporito, scorrevole e disinvolto.

● Montepulciano d'Abruzzo Mo Ris. '16	♟♟♟	3*
○ Trebbiano d'Abruzzo Tre '19	♟♟	3*
○ Abruzzo Pecorino '19	♟♟	5
☉ Cerasuolo d'Abruzzo Hedòs '19	♟♟	3
● Montepulciano d'Abruzzo Colle Secco Rubì '16	♟♟	2*
○ Peco Pecorino '19	♟♟	3
● Montepulciano d'Abruzzo Bio '19	♟	2
● Montepulciano d'Abruzzo Cagiòlo Ris. '09	♟♟♟	4*
● Montepulciano d'Abruzzo Mo Ris. '15	♟♟♟	3*
● Montepulciano d'Abruzzo Mo Ris. '13	♟♟♟	3*
● Montepulciano d'Abruzzo Mo Ris. '12	♟♟♟	2*
● Montepulciano d'Abruzzo Mo Ris. '11	♟♟♟	2*
● Montepulciano d'Abruzzo Mo' Ris. '14	♟♟♟	3*
○ Trebbiano d'Abruzzo C'Incanta '11	♟♟♟	4*
○ Trebbiano d'Abruzzo C'Incanta '10	♟♟♟	4*

★Torre dei Beati

C.DA POGGIORAGONE, 56
65014 LORETO APRUTINO [PE]
TEL. 0854916069
www.torredeibeati.it

VENDITA DIRETTA
VISITA SU PRENOTAZIONE
PRODUZIONE ANNUA 100.000 bottiglie
ETTARI VITATI 20,00
VITICOLTURA Biologico Certificato
AZIENDA SOSTENIBILE

Loreto Aprutino, contrada Poggioragone: sono le coordinate geografiche per raggiungere la cantina di Adriana Galasso e del marito Fausto Albanesi, che dal 1999 si danno da fare insieme per produrre dalle loro vigne, condotte fin da subito in biologico, dei grandi vini abruzzesi da montepulciano, trebbiano e pecorino. Il mare dista poco più di una ventina di chilometri, i terreni sono argilloso-calcarei, il Gran Sasso domina il paesaggio e rinfresca il clima: sono questi gli ingredienti fondamentali alla base di uve sanissime che si trasformano in prodotti energici, solari, incisivi. Non temiamo di esagerare indicando nei Bianchi Grilli per la Testa '18 come il più esaltante Trebbiano d'Abruzzo testato quest'anno. Ricco e sfaccettato al naso tra scorza di cedro, erbe balsamiche e fiori gialli, ha bocca energica, scattante e al contempo intensa: avvolgente e coinvolgente. Pietra focaia, nespola e fieno disegnano il profilo aromatico dell'omonimo Pecorino '18, dal sorso potente e sapido.

○ Trebbiano d'Abruzzo Bianchi Grilli per la Testa '18	♟♟♟	4*
○ Abruzzo Pecorino Bianchi Grilli per la Testa '18	♟♟	4
○ Abruzzo Pecorino Giocheremo con i Fiori '19	♟♟	3
☉ Cerasuolo d'Abruzzo Rosa-ae '19	♟♟	2*
● Montepulciano d'Abruzzo '18	♟♟	3
● Montepulciano d'Abruzzo Cocciapazza '17	♟	5
○ Abruzzo Pecorino Giocheremo con i Fiori '17	♟♟♟	3*
☉ Cerasuolo d'Abruzzo Rosa-ae '18	♟♟♟	2*
● Montepulciano d'Abruzzo Cocciapazza '10	♟♟♟	4*
○ Trebbiano d'Abruzzo Bianchi Grilli per la Testa '14	♟♟♟	4*

La Valentina

VIA TORRETTA, 52
65010 SPOLTORE [PE]
TEL. 0854478158
www.lavalentina.it

VENDITA DIRETTA
VISITA SU PRENOTAZIONE
PRODUZIONE ANNUA 350.000 bottiglie
ETTARI VITATI 40,00
VITICOLTURA Biologico Certificato
AZIENDA SOSTENIBILE

Da quando hanno iniziato a lavorare alla loro azienda vitivinicola, i fratelli Sabatino, Roberto e Andrea Di Properzio hanno gestito tutte le fasi con dedizione e meticolosità, proiettando La Valentina all'apice del panorama regionale. I vigneti, coltivati da subito in biologico, insistono su territori diversi forgiati da sole, mare e brezze montane: a Spoltore e Cavaticchi, a ridosso della costa adriatica; a Scafa, San Valentino e Alanno, più all'interno verso l'Appennino. A Luca D'Attoma spetta in il compito di trasformare queste uve in vini dal piglio moderno e allo stesso tempo territoriale. In una gamma in cui di solito preferiamo i vini rossi, quest'anno riscontriamo la prestazione maiuscola del Trebbiano d'Abruzzo Spelt '18. Prato di montagna, agrumi, cenni iodati al naso, si sviluppa saporito ed elegante grazie al pregevole nerbo minerale. Molto buono anche il Montepulciano Spelt Riserva '17: profilo olfattivo scuro tra frutti neri e grafite, bocca fitta e materica.

★★★Valentini

VIA DEL BAIO, 2
65014 LORETO APRUTINO [PE]
TEL. 0858291138

PRODUZIONE ANNUA 50.000 bottiglie
ETTARI VITATI 70,00

Nelle lettere che abbiamo ricevuto negli ultimi anni da parte di Francesco Paolo Valentini, vergate rigorosamente a mano, appare sempre più evidente come il cambiamento climatico sia centrale nella sua riflessione e conseguentemente nelle pratiche adottate in vigna e cantina. La pergola abruzzese dei suoi vigneti sembra il modo migliore per proteggere le uve dalle stagioni sempre più calde, mentre la selezione del meglio del raccolto, destinato alle totemiche bottiglie dalle etichette gialle, si fa sempre più stringente. È una delle rare occasioni in cui abbiamo il piacere di assaggiare tutti e tre i vini aziendali: l'ultima volta era accaduto giusto dieci anni fa, per l'edizione 2011 della Guida. La spunta una grande versione di Montepulciano '15, rosso che riesce a coniugare in maniera speciale la carnosità, la complessità e la potenza del vitigno con una sopraffina eleganza, concretizzandosi in un sorso profondo e sapido. Entusiasmanti anche il Cerasuolo '19 e il Trebbiano '16.

● Montepulciano d'Abruzzo Spelt Ris. '17	▼▼ 4
○ Trebbiano d'Abruzzo Spelt '18	▼▼ 4*
● Cerasuolo d'Abruzzo Spelt '19	▼▼ 3
● Montepulciano d'Abruzzo Binomio Ris. '16	▼▼ 5
● Montepulciano d'Abruzzo Terre dei Vestini Bellovedere Ris. '16	▼▼ 6
○ Pecorino '19	▼▼ 2*
○ Cerasuolo d'Abruzzo '19	▼ 2
○ Trebbiano d'Abruzzo '19	▼ 2
● Montepulciano d'Abruzzo Spelt '08	▼▼▼ 3*
● Montepulciano d'Abruzzo Spelt '07	▼▼▼ 3
● Montepulciano d'Abruzzo Spelt '05	▼▼▼ 3
● Montepulciano d'Abruzzo Spelt Ris. '15	▼▼▼ 4*
● Montepulciano d'Abruzzo Spelt Ris. '11	▼▼▼ 4*
● Montepulciano d'Abruzzo Spelt Ris. '10	▼▼▼ 3*

● Montepulciano d'Abruzzo '15	▼▼▼ 8
⊙ Cerasuolo d'Abruzzo '19	▼▼ 7
○ Trebbiano d'Abruzzo '16	▼▼ 8
● Montepulciano d'Abruzzo '13	▼▼▼ 8
● Montepulciano d'Abruzzo '12	▼▼▼ 8
● Montepulciano d'Abruzzo '06	▼▼▼ 8
⊙ Montepulciano d'Abruzzo Cerasuolo '09	▼▼▼ 6
⊙ Montepulciano d'Abruzzo Cerasuolo '08	▼▼▼ 6
○ Trebbiano d'Abruzzo '15	▼▼▼ 8
○ Trebbiano d'Abruzzo '13	▼▼▼ 8
○ Trebbiano d'Abruzzo '12	▼▼▼ 6
○ Trebbiano d'Abruzzo '11	▼▼▼ 6
○ Trebbiano d'Abruzzo '10	▼▼▼ 6
○ Trebbiano d'Abruzzo '09	▼▼▼ 6
○ Trebbiano d'Abruzzo '08	▼▼▼ 6
○ Trebbiano d'Abruzzo '07	▼▼▼ 6

★Valle Reale

LOC. SAN CALISTO
65026 POPOLI [PE]
TEL. 0859871039
www.vallereale.it

VENDITA DIRETTA
VISITA SU PRENOTAZIONE
PRODUZIONE ANNUA 197.000 bottiglie
ETTARI VITATI 46,00
VITICOLTURA Biodinamico Certificato
AZIENDA SOSTENIBILE

Risale alla fine degli anni Novanta il
progetto vinicolo messo su da Leonardo
Pizzolo. Da Verona si trasferisce in una
magica porzione di Abruzzo: uno spazio
incontaminato dove le aree protette di
Gran Sasso, Majella e Sirente-Velino si
sfiorano. Conduzione biodinamica nelle
vigne e vinificazioni di stampo artigianale
in cantina diventano la ricetta per la
creazione di vini caratteriali quanto
territoriali, già a partire dalle etichette
d'entrata, e che nei "cru" (Sant'Eusanio,
San Calisto, Vigna del Convento, Vigneto di
Popoli) guadagnano un plus di
complessità. In una gamma che offre una
prestazione da incorniciare, l'acuto spetta
al promettente Montepulciano Vigneto
Sant'Eusanio '18: qualche genuina
rusticità lascia spazio al frutto nero, a
sbuffi balsamici e pepati, che si tramutano
in una bocca tesa e rocciosa, dalla densa
struttura tannica. Lungo e luminoso al
sorso, il Trebbiano Vigneto di Popoli '18
gioca con suggestioni di fieno e camomilla.

● Montepulciano d'Abruzzo Vign. Sant'Eusanio '18	▾▾▾	6
○ Trebbiano d'Abruzzo Vign. di Popoli '18	▾▾	7
⊙ Cerasuolo d'Abruzzo Vign. Sant'Eusanio Giorno '19	▾▾	6
● Montepulciano d'Abruzzo '19	▾▾	5
● Montepulciano d'Abruzzo Vign. di Popoli '15	▾▾	7
● Montepulciano d'Abruzzo Vign. di Sant'Eusanio '16	▾▾▾	4*
● Montepulciano d'Abruzzo Vign. Sant'Eusanio '17	▾▾▾	4*
○ Trebbiano d'Abruzzo V. del Convento di Capestrano '15	▾▾▾	6
○ Trebbiano d'Abruzzo V. del Convento di Capestrano '14	▾▾▾	5

Valori

VIA TORQUATO AL SALINELLO, 8
64027 SANT'OMERO [TE]
TEL. 087185241
www.vinivalori.it

VISITA SU PRENOTAZIONE
PRODUZIONE ANNUA 150.000 bottiglie
ETTARI VITATI 26,00
VITICOLTURA Biologico Certificato
AZIENDA SOSTENIBILE

I vini di Luigi Valori continuano a essere
una chiara interpretazione del territorio
delle Colline Teramane, area vocata
soprattutto alla produzione del
Montepulciano d'Abruzzo. Fondata nel
1996, l'azienda può contare su una
quindicina di ettari vitati che si estendono
tra i comuni di Sant'Omero e Controguerra,
al confine con le Marche. Dai vigneti,
coltivati ormai da diversi anni in regime
biologico, nascono cinque etichette in cui
prevalgono le uve autoctone con
l'eccezione di una riserva a base di merlot.
Fave di cacao, note tostate, mora e prugna
mature compongono lo spettro olfattivo del
Montepulciano Colline Teramane Chiamami
Quando Piove '15, denso e fitto in bocca,
avvolgente e tuttavia fresco nel lungo
finale di arancia sanguinella. Molto
fragrante il bouquet del Montepulciano
Chiamami Quando Piove '17: a dispetto
dell'annata calda, sa essere scorrevole,
vibrante e succoso. Da segnalare anche
l'ottima prova del Pecorino '19 e del
Cerasuolo pari annata.

○ Abruzzo Pecorino Chiamami Quando Piove '19	▾▾	3
● Montepulciano d'Abruzzo Chiamami Quando Piove '17	▾▾	2*
● Montepulciano d'Abruzzo Colline Teramane Chiamami Quando Piove '15	▾▾	2*
○ Abruzzo Pecorino Octava Dies '18	▾	1*
⊙ Cerasuolo d'Abruzzo Chiamami Quando Piove '19	▾	2
● Montepulciano d'Abruzzo V. Sant'Angelo '03	▾▾▾	4
○ Abruzzo Pecorino Chiamami Quando Piove '18	▾▾	3
⊙ Cerasuolo d'Abruzzo Chiamami Quando Piove '18	▾▾	2*
● Montepulciano d'Abruzzo Colline Teramane V. Sant'Angelo '15	▾▾	4

★Villa Medoro

C.DA MEDORO
64030 ATRI [TE]
TEL. 0858708139
www.villamedoro.it

VENDITA DIRETTA
VISITA SU PRENOTAZIONE
OSPITALITÀ
PRODUZIONE ANNUA 300.000 bottiglie
ETTARI VITATI 100,00

Sono tre (Medoro, Fontanelle e Fonte Corvo) le tenute da cui Federica Morricone, terza generazione di vignaioli, trae le uve per produrre i suoi vini. Siamo sulle colline di Atri, nel Teramano, dove l'Adriatico fa sentire con forza i suoi influssi sui circa 100 ettari coltivati a montepulciano, trebbiano, pecorino, passerina e montonico. Tutto è curato fin nel minimo dettaglio, dalle vigne alla cantina all'avanguardia, dove prendono forma bottiglie dallo stile moderno, sintesi convincente tra tradizione e sguardo contemporaneo. Sfiora il premio il Pecorino 8½ '19, che ricorda le erbe aromatiche, la pesca tabacchiera e il gelsomino al naso, mentre in bocca riesce a conservare una bella fragranza su un sorso elegante, teso, saporito, accattivante. Il Pecorino '19 profuma di fieno e agrumi, ha attacco fruttato e notevole pulizia gustativa. Le combinazioni di frutti neri maturi e spezie caratterizzano il Montepulciano '19, compatto e integro, nitido nella sua potenza varietale.

○ 8½ Pecorino '19	♟♟♟	3*
⊙ Cerasuolo d'Abruzzo '19	♟♟	2*
● Montepulciano d'Abruzzo '19	♟♟	2*
○ Pecorino '19	♟♟	2*
○ Passerina '19	♟	2
○ Trebbiano d'Abruzzo '19	♟	2
● Montepulciano d'Abruzzo '18	♟♟♟	2*
● Montepulciano d'Abruzzo '14	♟♟♟	2*
● Montepulciano d'Abruzzo Colline Teramane Adrano '12	♟♟♟	4*
● Montepulciano d'Abruzzo Colline Teramane Adrano '10	♟♟♟	4*
● Montepulciano d'Abruzzo Colline Teramane Adrano '09	♟♟♟	4*
● Montepulciano d'Abruzzo Rosso del Duca '12	♟♟♟	3*
○ Pecorino '17	♟♟♟	2*

Ciccio Zaccagnini

C.DA POZZO
65020 BOLOGNANO [PE]
TEL. 0858880195
www.cantinazaccagnini.it

VENDITA DIRETTA
VISITA SU PRENOTAZIONE
PRODUZIONE ANNUA 5.000.000 bottiglie
ETTARI VITATI 300,00

Essere sempre sulla cresta dell'onda nel competitivo mondo del vino abruzzese non è semplice. Eppure la Zaccagnini, guidata da Marcello (figlio del fondatore Ciccio) insieme al cugino Concezio Marulli, è tra le aziende che sembra riuscirci meglio: merito di un'ampia piattaforma viticola che si sviluppa tra Majella e Adriatico, sulle Colline Pescaresi, ma soprattutto di una gestione intelligente della gamma. Accanto alle etichette entry level, tanto immediate quanto efficaci, è possibile trovare ambiziose selezioni, senza tralasciare sperimentazioni su spumanti e no-solfiti. Erbe aromatiche, lime e pompelmo disegnano il profilo aromatico del nuovo Pecorino Chronicon, un 2019 che sprigiona tutta la carica nervosa del vitigno in una bocca davvero solida per struttura e sapidità. Altrettanto ben realizzato l'altro Chronicon, Montepulciano '18: ai classici timbri di frutto nero e grafite, si aggiunge un originale accenno floreale di sicuro appeal; bocca speziata, fresca e disinvolta.

○ Abruzzo Pecorino Chronicon '19	♟♟	3*
● Montepulciano d'Abruzzo Chronicon '18	♟♟	3
● Montepulciano d'Abruzzo Il Vino del Tralcetto '18	♟♟	2*
⊙ Cerasuolo d'Abruzzo Il Vino del Tralcetto '19	♟	3
● Clematis Passito Rosso '14	♟	7
● Montepulciano d'Abruzzo Terre di Casauria S. Clemente Ris. '16	♟	5
⊙ Cerasuolo d'Abruzzo Myosotis '16	♟♟♟	3*
● Montepulciano d'Abruzzo Chronicon '13	♟♟♟	3*
● Montepulciano d'Abruzzo S. Clemente Ris. '12	♟♟♟	5
● Montepulciano d'Abruzzo S. Clemente Ris. '11	♟♟♟	5
○ Abruzzo Bianco San Clemente '17	♟♟	4
⊙ Cerasuolo d'Abruzzo Myosotis '18	♟♟	3
● Montepulciano d'Abruzzo Chronicon '16	♟♟	3

Ausonia

C.DA NOCELLA
64032 ATRI [TE]
TEL. 0859071026
www.ausoniawines.com

Genuine imperfezioni nel profilo aromatico del Colline Teramane Nostradamus '15 di Ausonia: è un Montepulciano caldo, dal frutto maturo e dal tannino imponente. Il Cerasuolo Apollo '19 è un po' rustico, ma di incredibile freschezza; buono il Trebbiano Apollo '18.

● Montepulciano d'Abruzzo	
Colline Teramane Nostradamus Ris. '15	♟♟ 5
⊙ Cerasuolo d'Abruzzo Apollo '19	♟♟ 3
○ Trebbiano d'Abruzzo Apollo '18	♟ 3

Tenute Barone di Valforte

C.DA PIOMBA, 11
64028 SILVI MARINA [TE]
TEL. 0859353432
www.baronedivalforte.it

Francesco e Guido Soricchio si prendono cura insieme alla famiglia di una cinquantina di ettari vitati. Leggero e di facile beva il Trebbiano Villa Chiara '19, sorprendente il Cerasuolo Valforte Rosé '19: estrema pulizia ed eleganza al naso, grintoso e ricco di frutto al palato.

⊙ Cerasuolo d'Abruzzo Valforte Rosé '19	♟♟ 2*
○ Trebbiano d'Abruzzo Villa Chiara '19	♟♟ 2*
○ Abruzzo Pecorino '19	♟ 2
● Montepulciano d'Abruzzo Ris. '15	♟ 4

Bove

VIA ROMA, 216
67051 AVEZZANO [AQ]
TEL. 086333133
info@cantinebove.it

Gustosissimo il Montepulciano Feudi d'Albe '18, ampio nei profumi di spezie e alloro, ben disteso in bocca con un ritorno di piccante speziatura. È una bella versione di Cerasuolo il Fiori Chiari '19, fragrante e teso. Indio '19 è una moderna interpretazione del Montepulciano.

⊙ Cerasuolo d'Abruzzo Fiori Chiari '19	♟♟ 1*
● Montepulciano d'Abruzzo Feudi d'Albe '18	♟♟ 1*
● Montepulciano d'Abruzzo Indio '15	♟♟ 3
● Montepulciano d'Abruzzo Poggio d'Albe '16	♟ 2

Casal Thaulero

C.DA CUCULLO, 32
66026 ORTONA [CH]
TEL. 0859032533
www.casalthaulero.it

Brillante coppia di Montepulciano targati Casal Thaulero. La Riserva '15 ha nitidi apporti speziati e fruttati in una bocca succosa ma strutturata. Fiori e frutti rossi maturi in un Orsetto Oro intenso e facile da bere. Non male il Pecorino Duca Thaulero '19.

● Montepulciano d'Abruzzo	
Duca Thaulero Ris. '15	♟♟ 4
● Montepulciano d'Abruzzo Orsetto Oro '17	♟♟ 3
○ Abruzzo Pecorino Sup. Duca Thaulero '19	♟ 4

Casalbordino

C.DA TERMINE, 38
66021 CASALBORDINO [CH]
TEL. 0873918107
www.vinicasalbordino.com

Davvero ben riuscito il Montepulciano d'Abruzzo Collezione Bordino '18 di Casal Bordino, con le sue intriganti note fumé e di frutti neri; bocca fresca, tesa, succosa e ritmica. Frutto molto maturo nel Montepulciano Terre Sabelli '17, leggero e di buona beva.

● Montepulciano d'Abruzzo	
Collezione Bordino '18	♟♟ 2*
● Montepulciano d'Abruzzo Terre Sabelli '17	♟♟ 1*
○ Villa Adami Pecorino '19	♟ 2

Centorame

FRAZ. CASOLI DI ATRI
VIA DELLE FORNACI
64030 ATRI [TE]
TEL. 0858709115
www.centorame.it

Si concentrano nel cuore della Riserva dei Calanchi gli oltre dieci ettari di vigna gestiti da Lamberto Vannucci e famiglia. Nell'ampia batteria emerge il Trebbiano San Michele '19 che profuma di fiori, agrumi gialli e frutti esotici, con bocca energica, fresca e pimpante.

○ Trebbiano d'Abruzzo S. Michele '19	♟♟ 3
● Montepulciano d'Abruzzo	
Castellum Vetus '18	♟ 4

Ciavolich

c.da Salmacina, 11
65014 Loreto Aprutino [PE]
Tel. 0858289002
www.ciavolich.com

Ciavolich è una cantina storica delle Colline Teatine, attiva da oltre un secolo alle pendici della Majella. Frutta tropicale, fiori ed erbe aromatiche compongono il bouquet del Trebbiano Fosso Cancelli '18, fresco e agrumato al palato. Teso e minerale l'omonimo Cerasuolo '19.

- ⊙ Cerasuolo d'Abruzzo Fosso Cancelli '19 — 🍷🍷 5
- ○ Trebbiano d'Abruzzo Fosso Cancelli '18 — 🍷🍷 5
- ○ Aries Pecorino '19 — 🍷 3

Codice Citra

c.da Cucullo
66026 Ortona [CH]
Tel. 0859031342
www.citra.it

Il Pecorino Superiore Ferzo '19 è intenso nel profilo olfattivo di albicocca, polpa di limone e fiori di tiglio, mentre è succoso e denso al palato. Buono anche il Montepulciano Ferzo Riserva '16 della sottozona Teate: more mature e prugne al naso, ha sorso potente e voluminoso.

- ○ Abruzzo Pecorino Sup. Ferzo '19 — 🍷🍷 3*
- ● Montepulciano d'Abruzzo Caroso Ris. '17 — 🍷🍷 4
- ● Montepulciano d'Abruzzo Teate Ferzo Ris. '16 — 🍷🍷 3

Antonio Costantini Fattoria Colline Verdi

s.da Migliori, 20
65013 Città Sant'Angelo [PE]
Tel. 0859699169
www.costantinivini.it

Affondano a inizio '900 le radici produttive della famiglia Costantini a Città Sant'Angelo, sulle Colline Pescaresi. Molto saporito e agrumato il Trebbiano Febe '19, polposo ma al contempo agile grazie al pimpante nerbo sapido. Leggermente evoluto ma tipico il Montepulciano '17.

- ● Montepulciano d'Abruzzo '17 — 🍷🍷 2*
- ○ Trebbiano d'Abruzzo Febe '19 — 🍷🍷 1*
- ⊙ Cerasuolo d'Abruzzo Febe '19 — 🍷 1*

Adele De Antoniis

loc. Garrufo
via Metella Nuova, 56
64027 Sant'Omero [TE]
Tel. 0861887087
www.deantoniisadele.it

Molto fine la complessità olfattiva del Trebbiano Le Coste '19: erba tagliata, fieno e thè anticipano una bocca energica, divertente e ritmata. Il Montepulciano Colline Teramane Himerio '16 sfoggia note balsamiche e pepate in un palato leggero e fresco, di fine trama tannica.

- ● Montepulciano d'Abruzzo Colline Teramane Himerio '16 — 🍷🍷 4
- ○ Trebbiano d'Abruzzo Sup. Le Coste '19 — 🍷🍷 3
- ⊙ Cerasuolo d'Abruzzo Sassello '19 — 🍷 3

F.lli De Luca

c.da Castel di Sette, 33
66030 Mozzagrogna [CH]
Tel. 0872578677
www.cantinedeluca.it

Le sensazioni migliori arrivano dal Montepulciano Dirè '16, ricco e complesso, ma al contempo fresco e di grande precisione con bella persistenza gustativa. Non è da meno il Pecorino Armannia '19: zenzero, agrumi, suggestioni salmastre, bocca tesa e minerale, molto piacevole.

- ○ Armannia Pecorino '19 — 🍷🍷 2*
- ● Montepulciano d'Abruzzo Dirè '16 — 🍷🍷 2*
- ○ Trebbiano d'Abruzzo Sipario '19 — 🍷 2

Lepore

c.da Civita, 29
64010 Colonnella [TE]
Tel. 086170860
www.vinilepore.it

La famiglia Lepore è operativa nell'areale di Colonnella da oltre un ventennio. La gamma è a dir poco amichevole sul fronte prezzi, tanto sui vini di entrata quanto per le selezioni come il Montepulciano Re '15, dal riuscito connubio di frutto nero maturo e palato definito.

- ⊙ Cerasuolo d'Abruzzo Lunadea '19 — 🍷🍷 2*
- ● Montepulciano d'Abruzzo Colline Teramane Re '15 — 🍷🍷 3
- ○ Trebbiano d'Abruzzo Lunadea '19 — 🍷 2

Francesco Massetti

C.DA GIARDINO
64010 COLONNELLA [TE]
TEL. 3297266209
www.vinimassetti.it

Una new entry di cui sentiremo certamente parlare in futuro. Intrigante profilo aromatico quello del trebbiano Mezzo Pieno '19: frutta secca, zafferano e spezie dolci anticipano una bocca materica, ricca e potente senza mai appesantirsi. Molto buono anche il rosato C'è '19.

⊙ C'è '19	🍷🍷 5
○ Mezzo Pieno '19	🍷🍷 5
● Montepulciano d'Abruzzo Quarantacinque '18	🍷🍷 6

Tommaso Olivastri

VIA QUERCIA DEL CORVO, 37
66038 SAN VITO CHIETINO [CH]
TEL. 087261543
www.viniolivastri.com

Quest'anno è il Cerasuolo Marcantonio '19 il vino più riuscito della batteria presentata dalla famiglia Olivastri: belle note di melograno, fragola e mandarino aprono la strada a una bocca coerentemente fresca e fragrante. Un gradino sotto il Montepulciano La Carrata '15.

⊙ Cerasuolo d'Abruzzo Marcantonio '19	🍷🍷 3
● Montepulciano d'Abruzzo La Carrata '15	🍷 5

La Quercia

C.DA COLLE CROCE
64020 MORRO D'ORO [TE]
TEL. 0858959110
www.vinilaquercia.it

Frutti neri, timbri tostati e di cioccolato fondente nel Montepulciano Primamadre '14, che ha bocca succosa con piacevoli ritorni aromatici. Molto bene anche il Montepulciano '16, compatto, preciso ed elegante. Tracce iodate e speziate oltre al frutto nel Cerasuolo Peladi '19.

⊙ Cerasuolo d'Abruzzo Peladi '19	🍷🍷 1*
● Montepulciano d'Abruzzo '16	🍷🍷 2*
● Montepulciano d'Abruzzo Primamadre '14	🍷🍷 2*
○ Santapupa Pecorino '19	🍷 2

Vigneti Radica

VIA PIANA MOZZONE, 4
66010 TOLLO [CH]
TEL. 0871962227
www.vignetiradica.it

Prestazione convincente per Vigneti Radica. Il Tullum Rosso '16 esibisce un profilo tipico e un bel finale speziato. Fragrante e fruttato il Pecorino '19, con una gustosa nota rinfrescante al palato. Il Rosato '19 è sbarazzino e spigliato nel registro marcatamente floreale.

○ Pecorino '19	🍷🍷 3
⊙ Rosato '19	🍷🍷 3
● Tullum Rosso '16	🍷🍷 3
○ Trebbiano d'Abruzzo '19	🍷 4

San Giacomo

C.DA NOVELLA, 51
66020 ROCCA SAN GIOVANNI [CH]
TEL. 0872620504
www.cantinasangiacomo.it

Storica cantina sociale della provincia di Chieti, mette insieme circa 200 conferitori e un rilevante patrimonio di vigne distribuite su vari comuni attorno Rocca San Giovanni. Nell'ampia gamma spicca stavolta il Montepulciano Casino Murri 14° '16, fruttato e preciso nel tannino.

● Montepulciano d'Abruzzo Casino Murri 14° Ris. '16	🍷🍷 3
○ Trebbiano d'Abruzzo Casino Murri 14° '19	🍷🍷 2*
○ Casino Murri Pecorino '19	🍷 2

San Lorenzo Vini

C.DA PLAVIGNANO, 2
64035 CASTILENTI [TE]
TEL. 0861999325
www.sanlorenzovini.com

Prova interlocutoria per l'azienda di Castilenti, guidata dai fratelli Gianluca e Fabrizio Galasso, che insieme allo zio agronomo Gianfranco Borbone si prendono cura della poliedrica piattaforma viticola. Buono il Montepulciano Escol Riserva '15, di bella definizione tannica.

○ Casabianca Pecorino Passerina Fermentazione Spontanea '19	🍷🍷 3
● Montepulciano d'Abruzzo Colline Teramane Escol Ris. '15	🍷🍷 5

Strappelli

VIA TORRI, 16
64010 TORANO NUOVO [TE]
TEL. 0861887402
www.cantinastrappelli.it

La famiglia Strappelli è tra le più conosciute nell'areale delle Colline Teramane. Non è la prima volta che ci convincono più i bianchi dei rossi: il Pecorino Soprano '19 profuma di pesca gialla ed erba falciata; sorso ampio e voluminoso, sostenuto da un equilibrata vena acida.

○ Controguerra Pecorino Soprano '19	♥♥	3
○ Trebbiano d'Abruzzo '19	♥♥	3
⊙ Cerasuolo d'Abruzzo '19	♥	3

Nic Tartaglia

VIA ORATORIO, 28
65020 ALANNO [PE]
TEL. 3339484475
www.nictartaglia.com

Firma la prima presenza in Guida il giovane Nic Tartaglia con i vini prodotti dai suoi circa 12 ettari sulle colline pescaresi di Alanno. Il Montepulciano '17 alterna note di frutti neri maturi a sensazioni balsamiche, mentre la bocca è solida e compatta nella trama tannica.

● Montepulciano d'Abruzzo '17	♥♥	3
○ Trebbiano d'Abruzzo '19	♥♥	3
● Montepulciano d'Abruzzo Selva delle Mura '15	♥	4

Tenuta del Priore Col del Mondo

VIA MASSERIA FLAIANI, 1
65010 COLLECORVINO [PE]
TEL. 0858207162
www.tenutadelpriore.it

Molto centrati i due Montepulciano d'Abruzzo '17 targati Col del Mondo: elegante e speziato, con finale lungo e persistente, il Terre dei Vestini; complesso e sostenuto al palato da un tannino fitto il Kerrias.

● Montepulciano d'Abruzzo Kerrias Col del Mondo '17	♥♥	5
● Montepulciano d'Abruzzo Terre dei Vestini Col del Mondo '17	♥♥	3

Terra d'Aligi - Spinelli

LOC. PIAZZANO
VIA PIANA LA FARA, 90
66041 ATESSA [CH]
TEL. 0872897916
www.terradaligi.it

Tutto giocato sulla bevibilità, il Montepulciano d'Abruzzo '18 di Terra d'Aligi sfoggia un profilo olfattivo di pregevole vigore fruttato e balsamico. Più saporito e speziato il Montepulciano d'Abruzzo Tatone '17; semplice e gradevole il Cerasuolo d'Abruzzo '19.

⊙ Cerasuolo d'Abruzzo '19	♥♥	3
● Montepulciano d'Abruzzo '18	♥♥	2*
● Montepulciano d'Abruzzo Tatone '17	♥♥	3
○ Zite Pecorino '19	♥	2

Terzini

VIA ROMA, 52
65028 TOCCO DA CASAURIA [PE]
TEL. 0859158147
www.cantinaterzini.it

Sono i pendii interni della vallata di Casauria ad accogliere le vigne più vocate su cui si basa da oltre 30 anni la variegata batteria della famiglia Terzini. Spicca un buon Montepulciano Dumì '18: amarena, paprika, polvere di caffè, oliva nera al naso; bocca fitta e sapida.

● Montepulciano d'Abruzzo Dumì '18	♥♥	3
○ Trebbiano d'Abruzzo '19	♥	4

Vigna Madre

LOC. CALDARI
VIA STORTINI 32/A
66026 ORTONA [CH]
TEL. 3405506930
www.vignamadre.it

Gamma interessante quella presentata dall'azienda della famiglia Di Carlo ai nostri banchi d'assaggio. Ci è piaciuto in particolar modo il Montepulciano Capo Le Vigne '17: note tostate incorniciano amarene mature e spezie dolci su un palato denso e solido. Buoni anche gli altri vini.

○ Becco Reale Pecorino '19	♥♥	3
⊙ Cerasuolo d'Abruzzo Capo Le Vigne '19	♥♥	3
● Montepulciano d'Abruzzo Capo Le Vigne '17	♥♥	4

MOLISE

Territorio di frontiera, cerniera tra zone e regioni: sono queste, spesso, le definizioni che vengono date del Molise. Secondo noi un po' superficialmente. Certo è vero che alcune analogie con le aree limitrofe - orografiche o climatiche per esempio, ma anche culturali o relative alle tradizioni gastronomiche - sono incontrovertibili. Ma è altrettanto vero che le comunità molisane riescono a conservare una loro forte identità. E quello che succede sul piano ampelografico è lo specchio di tutto ciò. Se da una parte infatti il montepulciano, l'aglianico, la malvasia, la falanghina, il greco sono vitigni "presi in prestito" da Campania, Abruzzo e Puglia, tuttavia i vini che si ricavano da queste uve in questa regione racchiusa tra i Monti della Meta e del Matese e la Costa Adriatica hanno poco a che vedere con gli omologhi confinanti, e sfoggiano di volta in volta i loro caratteri mediterranei o montani, austeri o leggeri dati dalle diverse aree di produzione. Tutto ciò sotto la bandiera della tintilia, il vero autoctono regionale di cui scoviamo ogni anno versioni più a fuoco e interessanti, sempre più indirizzate verso letture territoriali improntate alla conservazione delle caratteristiche della cultivar: il nostro plauso, in questo senso, va quindi a Claudio Cipressi, ad Antonio Grieco (Tenimenti Grieco) e a Michele Travaglini (Tenute Martarosa) per aver presentato alle nostre degustazioni vini buonissimi che solo per un soffio non hanno ottenuto i Tre Bicchieri. Premio che ancora una volta va esclusivamente all'azienda più storica della regione, la Di Majo Norante, che mette in campo un'altra grande prova del Don Luigi, un rosso dotato di grande struttura tannica e calore mediterraneo. Tutto bene quindi? Non proprio. Già lo scorso anno, lamentavamo il fatto che ancora troppo poche aziende decidono di partecipare alle nostre selezioni. Purtroppo anche quest'anno dobbiamo fare la stessa rimostranza. Ci piacerebbe poter accrescere lo spazio da dedicare alle migliori realtà vitivinicole della regione, ma per farlo dobbiamo avere una maggiore base di aziende con le quali confrontarci. Il nostro impegno nei prossimi anni andrà verso questo obiettivo. Speriamo anche quello dei produttori molisani.

Claudio Cipressi

C.DA MONTAGNA, 11B
86030 SAN FELICE DEL MOLISE [CB]
TEL. 3351244859
www.claudiocipressi.it

VENDITA DIRETTA
VISITA SU PRENOTAZIONE
OSPITALITÀ
PRODUZIONE ANNUA 45.000 bottiglie
ETTARI VITATI 15,00
VITICOLTURA Biologico Certificato
AZIENDA SOSTENIBILE

Claudio Cipressi coltiva le sue vigne sulla fascia collinare più aspra e interna della provincia di Campobasso, a San Felice del Molise. Le vigne dell'azienda, certificate in biologico dal 2014, sono piantate a quasi 600 metri d'altitudine. Dei 15 ettari vitati, 12 sono dedicati alla tintilia, vitigno autoctono protagonista di diverse etichette. La restante porzione di vigneti è suddivisa tra montepulciano, falanghina e trebbiano. In cantina sono diverse le soluzioni impiegate per le vinificazioni, ma tutte, come risultato, puntano a concretezza e territorialità. Raggiunge le nostre finali un'ottima versione del Macchiarossa: l'annata 2016 regala un vino di estrema pulizia aromatica con sentori balsamici e mentolati e un tocco di anice che si amalgamano a fragole mature e ciliegie ferrovia. In bocca ha buona progressione e un tannino rotondo e definito. Succoso e goloso il Collequinto, un Rosato di tintilia giocato su grande fragranza olfattiva e piacevolezza di beva. Ben realizzata anche la Falanghina Voira.

● Molise Tintilia Macchiarossa '16	▼▼ 5
☉ Molise Tintilia Rosato Collequinto '19	▼▼ 5
○ Voira Falanghina '19	▼▼ 4
● Molise Rosso Decimo '18	▼ 4
○ Molise Trebbiano Le Scoste '18	▼ 4
○ Settevigne Falanghina '19	▼ 4
● Molise Tintilia 66 '13	♈♈ 7
● Molise Tintilia 66 '12	♈♈ 7
● Molise Tintilia Macchiarossa '14	♈♈ 5
● Molise Tintilia Macchiarossa '12	♈♈ 4
● Molise Tintilia Macchiarossa '11	♈♈ 4
● Molise Tintilia Settevigne '15	♈♈ 4
● Molise Tintilia Settevigne '14	♈♈ 4
● Molise Tintilia Settevigne '13	♈♈ 4

★Di Majo Norante

FRAZ. NUOVA CLITERNIA
VIA V. RAMITELLO, 4
86042 CAMPOMARINO [CB]
TEL. 087557208
www.dimajonorante.com

VENDITA DIRETTA
VISITA SU PRENOTAZIONE
PRODUZIONE ANNUA 800.000 bottiglie
ETTARI VITATI 140,00
VITICOLTURA Biologico Certificato

Quella della famiglia Di Majo Norante è un'azienda in cui storia e territorio si uniscono sotto l'emblema della produzione di vino. La proprietà viticola insiste sull'antico feudo dei Marchesi di Santa Caterina: siamo nei dintorni di Campomarino, un area che si estende tra il sud dell'Abruzzo, la Daunia e il Sannio. Attualmente è Alessio a gestire i 140 ettari vitati dell'azienda: degno successore del padre, ha portato una ventata di modernità nella produzione della gamma aziendale, basata perlopiù sull'utilizzo di vitigni autoctoni. Il Molise Rosso Don Luigi Riserva, montepulciano in purezza, ha nitidi sentori di marasca matura, di bacche di ginepro, di liquirizia e offre una buona integrazione tra potenza alcolica e fittezza del tannino, su un palato intenso e di notevole lunghezza. La Tintilia '18 porge tratti di erbe officinali e confettura di more mentre in bocca ha sorso carnoso e caratteriale. Il Contado '16 è un Aglianico di grande struttura, volume e potenza.

● Molise Rosso Don Luigi Ris. '16	▼▼▼ 6
● Biferno Rosso Ramitello '16	▼▼ 3
● Molise Aglianico Contado Ris. '16	▼▼ 3
● Molise Tintilia '18	▼▼ 3
○ Molise Greco '19	▼ 2
○ Molise Moscato Bianco Passito Apianae '16	▼ 5
● Sangiovese '19	▼ 2
● Molise Aglianico Biorganic '11	♈♈ 2*
● Molise Aglianico Contado Ris. '14	♈♈ 3*
● Molise Aglianico Contado Ris. '10	♈♈ 3*
● Molise Aglianico Contado Ris. '09	♈♈ 3*
● Molise Rosso Don Luigi Ris. '15	♈♈ 5
● Molise Rosso Don Luigi Ris. '12	♈♈ 5
● Molise Rosso Don Luigi Ris. '11	♈♈ 5
● Molise Tintilia '16	♈♈ 3*
● Molise Tintilia '13	♈♈ 3*

Tenimenti Grieco

C.DA DIFENSOLA
86045 PORTOCANNONE [CB]
TEL. 0875590032
www.tenimentigrieco.it

VENDITA DIRETTA
VISITA SU PRENOTAZIONE
PRODUZIONE ANNUA 700.000 bottiglie
ETTARI VITATI 85,00

L'azienda, vendemmia dopo vendemmia, sta diventando una delle principali realtà vitivinicole regionali. Tenimenti Grieco è frutto di un'importante lavoro di rinnovamento dei vigneti della ex-Masseria Flocco, rilevata nel 2013 da Antonio Grieco. I vitigni messi a dimora spaziano dagli autoctoni falanghina, montepulciano, tintilia agli internazionali sauvignon, pinot bianco, chardonnay, cabernet, merlot e syrah. Sono più di 00 gli ettari vitati disseminati sui pendii di Portocannone e che si affacciano sull'Adriatico che danno vita a una gamma improntata alla spigliatezza e alla facilità di beva. Bella prova d'insieme per la batteria presentata quest'anno al cospetto dei nostri banchi d'assaggio. Sugli scudi la Tintilia 200 Metri: si apre su aromi di bacche di ginepro, pepe nero, macchia mediterranea e ciliege nere per poi concedersi con un sorso succoso, fragrante, disteso, scorrevole e leggiadro. Rosmarino e alloro, poi spezie dolci e frutti neri nel Molise Rosso I Costali, Montepulciano in purezza di buona polpa.

● Molise Tintilia 200 Metri '19	♟♟	3*
● Biferno Rosso Bosco delle Guardie '17	♟♟	3
● Molise Rosso I Costali '18	♟♟	3
● Molise Aglianico Passo alle Tremiti '17	♟	3
○ Molise Falanghina Passo alle Tremiti '19	♟	3
● Lenda Aglianico '15	♟♟	5
⊙ Molise Rosato Passo alle Tremiti '15	♟♟	3
● Molise Rosso I Costali '17	♟♟	3
● Molise Rosso Monterosso I Costali '16	♟♟	3*
● Molise Rosso Passo alle Tremiti '15	♟♟	3*
● Molise Tintilia '14	♟♟	2*
● Molise Tintilia 200 Metri '18	♟♟	2*
● Molise Tintilia 200 Metri '17	♟♟	2*
● Molise Tintilia 200 Metri '16	♟♟	2*
● Molise Tintilia 200 Metri '15	♟♟	2*
● Triassi '15	♟♟	5

Tenute Martarosa

FRAZ. NUOVA CLITERNIA
VIA MADONNA GRANDE, 11
86042 CAMPOMARINO [CB]
TEL. 087557156
www.tenutemartarosa.com

VENDITA DIRETTA
PRODUZIONE ANNUA 50.000 bottiglie
ETTARI VITATI 20,00

Tenute Martarosa è una giovane realtà di Campomarino fondata nel 2016 da Michele Travaglini. Ma la storia dell'azienda affonda le sue radici nel passato e si può far risalire al 1938, anno in cui vengono piantati i primi vigneti ad alberello in Martarosa per avviare la commercializzazione delle uve; due generazioni più tardi, Michele realizzerà il sogno di produrre i suoi vini dai circa venti ettari di proprietà. Tintilia, montepulciano, moscato e fiano sono alla base delle sei etichette prodotte. Per il secondo anno di fila, la Tintilia raggiunge le nostre finali e sfiora il bersaglio più importante: suggestioni di fragole e ciliegie, pepe bianco e rosa rossa aprono la strada a una bocca dal tannino sottile e setoso. Vagamente ferroso nello sviluppo, ha un finale fragrante e trascinante. L'Antico Podere '17 è un Montepulciano in purezza leggiadro nel profilo aromatico floreale, fruttato e speziato, dal tannino molto fitto ma di buona grana.

● Molise Tintilia '18	♟♟	3*
○ Molise Fiano '19	♟♟	3
○ Molise Moscato '19	♟♟	3
● Molise Rosso Antico Podere '17	♟♟	3
○ Due Versure Bianco '19	♟	2
● Due Versure Rosso '18	♟	2
⊙ Molise Tintilia Rosato '19	♟	3
● Molise Tintilia '16	♟♟	3*

Borgo di Colloredo

FRAZ. NUOVA CLITERNIA
VIA COLLOREDO, 15
86042 CAMPOMARINO [CB]
TEL. 087557453
www.borgodicolloredo.com

Di buona piacevolezza il Biferno Bianco
Gironia, con profumi di pesca e fiori bianchi,
mandarino e salvia. Salino, ampio e morbido,
chiude con una nota di miele di acacia.
Buona prestazione anche per l'Aglianico:
speziato e dal frutto maturo, ingresso in
bocca morbido, tannino vigoroso.

● Aglianico '16	♥♥ 3
○ Biferno Bianco Gironia '19	♥♥ 3
○ Molise Falanghina Campo in Mare '19	♥ 3

Cantine Salvatore

C.DA VIGNE
86049 URURI [CB]
TEL. 0874830656
www.cantinesalvatore.it

La Tintilia Rutilia è un rosso con un bel frutto,
speziatissimo. Di buon corpo, ha tannino
composto e un finale piacevolmente
ammandorlato. Fragrante di ciliegia e fiori, il
Rosso Biberius ha una bocca coerente e
succosa, ma dal tannino fitto ancora un po'
da digerire. Buono anche il Ti.A.Mo.

● Molise Rosso Biberius '17	♥♥ 2*
● Molise Tintilia Rutilia '17	♥♥ 3
● Ti.A.Mo. '16	♥♥ 3
○ Molise Falanghina Nysias '19	♥ 3

Terresacre

C.DA MONTEBELLO
86036 MONTENERO DI BISACCIA [CB]
TEL. 0875960191
www.terresacre.net

Note boisé nel profilo aromatico del
Rispetto, a cui si uniscono frutti neri maturi
che poi si ritrovano anche in bocca; buona
freschezza nel finale. Pepe, confettura e
fiori nel Neravite, Montepulciano in purezza
morbido e intenso.

● Molise Rosso Neravite '17	♥♥ 2*
● Molise Rosso Rispetto '16	♥♥ 5

Catabbo

C.DA PETRIERA
86046 SAN MARTINO IN PENSILIS [CB]
TEL. 0875604945
www.catabbo.it

Bella complessità speziata per il I Dieciettari:
succoso e avvolgente al palato, allo stesso
tempo leggero e con un bel finale che vira
verso gli agrumi. Montepulciano in purezza,
il Petriera Rosso si esprime con note di
ciliegia scura; di buona beva, scorrevole e
con un tannino sottile.

● Molise Rosso I Dieciettari '17	♥♥ 3
● Petriera Montepulciano '19	♥♥ 2*
○ Molise Falanghina Colle del Limone '19	♥ 3
● Molise Tintilia Ris. '15	♥ 5

Cantina San Zenone

C.DA PIANA DEI PASTINI
86036 MONTENERO DI BISACCIA [CB]
TEL. 3477998397
www.cantinasanzenone.it

La Tintilia profuma di frutti neri, sottobosco,
funghi e ha una bella bocca succosa. Nitido
Il Viandante: carnoso ma equilibrato nel
tannino. Nonno Matteo ha note di pepe e
paprika, una buona progressione al palato
ed è sapido e gustoso.

● Il Viandante Rosso '17	♥♥ 2*
● Molilse Tintilia '17	♥♥ 5
● Nonno Matteo '17	♥♥ 4

Campi Valerio

LOC. SELVOTTA
86075 MONTERODUNI [IS]
TEL. 0865493043
www.campi-valerio.it

Note di frutta rossa matura e una vena
vegetale per la Tintilia Opalia: frutto croccante
al gusto, succoso e con un tannico delicato. Il
rosso Calidio offre spezie e una lieve
balsamicità; fresco, vivace e piacevolmente
agrumato. Amarena per il Rosso Sannazzaro,
scorrevole e tutto da bere.

● Molise Rosso Calidio '17	♥♥ 2*
● Molise Rosso Sannazzaro '17	♥♥ 3
● Tintilia del Molise Opalia '16	♥♥ 4

CAMPANIA

In Campania si raggiungono picchi di sapore rari.
Li troviamo nei vini quanto nei piatti di una
regione che ha tra le mani un patrimonio di
biodiversità pazzesco. In regione si mangia bene,
si cucina saporito. Tutto questo nel bicchiere si
sente eccome. La superficie vitata? Abbraccia 24.200 ettari,
in Guida vi raccontiamo 106 cantine, con tante new entry, dal più piccolo artigiano
alla grande azienda da milioni di bottiglie. In un panorama a dir poco variegato, le
costanti in bottiglia sono l'impronta marina e le suggestioni mediterranee.
Pensiamo ai vini delle isole, alle viti a piede franco sulle pendici del Vesuvio, le
vigne che guardano il mare nel Cilento o quei meravigliosi fazzoletti di vigne sotto
forma di terrazze della Costiera Amalfitana. Ma anche sulle colline del
Beneventano o dell'Irpinia i suoli presentano alte quote di sedimenti fossili marini,
con strati di tufo e calcare. E nel Casertano ritorna l'influenza vulcanica a conferire
un ritmo sapido più scuro ai vini. Quest'anno la Campania strappa 23 Tre Bicchieri.
Diamo il benvenuto nel club a due cantine: Tenuta Scuotto, grazie al Fiano
d'Avellino del 2019, e Fiorentino in virtù di un ottimo Taurasi del 2015. La
geografia dei Tre Bicchieri vede in testa l'Irpinia con 12 Tre Bicchieri, segue il
Sannio con quattro premi, tre nel Salernitano, due nel Casertano, altrettanti nei
Campi Flegrei, in questo caso in provincia di Napoli. Il Fiano di Avellino conferma il
primato in regione, ma anche Greco di Tufo e Falanghina, tanto nel Sannio quanto
sui territori Flegrei, confermano il momento positivo grazie a una buona annata
come la 2019. Segnali importanti arrivano dal Taurasi, da anni non collezionava
ben 4 premi, grazie a interpretazioni che non giocano solo la carta della potenza.
In chiusura, vi proponiamo alcuni Due Bicchieri Rossi, ottimi vini approdati alle
nostre finali. Partiamo dal Greco di Tufo Le Arcaie di Passo delle Tortore, prima
assoluta in Guida; l'ultimo vino proposto da Nanni Copè, il meraviglioso bianco
Polveri della Scarrupata; poi, il timbro unico, maturo e fumé del Terra di Lavoro di
Galardi; la trama salata, sulfurea e potente del Greco di Tufo Miniere di Angelo
Muto. E, ancora, La Matta Dosaggio Zero di Casebianche, un Fiano spensierato
che rifermenta e danza in bottiglia; il Grecomusc' di Contrade di Taurasi profumato
di erbe di montagna; infine, il Fiano prodotto in uno dei luoghi più suggestivi del
pianeta. Siamo a Punta Tresino, in Cilento: il Fiano di San Giovanni dà del tu al
mare anche nel bicchiere.

Agnanum

VIA VICINALE ABBANDONATA AGLI ASTRONI, 3
80125 NAPOLI
TEL. 3385315272
www.agnanum.it

VENDITA DIRETTA
VISITA SU PRENOTAZIONE
PRODUZIONE ANNUA 25.000 bottiglie
ETTARI VITATI 7,50

Agnanum valorizza le viti collocate sulle colline vulcaniche della riserva naturale Cratere degli Astroni. L'ispirazione arriva da Gennaro Moccia che negli anni '60 decide di dedicare gran parte del suo lavoro a un'areale al tempo quasi sconosciuto dal punto di vista vitivinicolo, quello dei Campi Flegrei. Il testimone passa poi al figlio Raffaele, caparbio vignaiolo, protagonista di questa virtuosa realtà con vigne terrazzate sulle ripide colline del Parco Naturale degli Astroni. Qui la conduzione è esclusivamente manuale e l'approvvigionamento idrico avviene tramite la creazione di piccoli bacini ricavati in prossimità delle viti coltivate a piede franco. Nei nostri assaggi spicca la Campi Flegrei Falanghina '19, deliziosa per intensità sapida e slanci agrumati, vivace nei profumi e dal palato brioso, dall'impronta fumé ben a fuoco. Particolarmente intensa la carica aromatica della Falanghina Sabbia Vulcanica 'a Ren' 'e Lav' '18 dai ricordi di foglia di pomodoro e mentuccia, in chiusura regala una leggera venatura piccante.

○ Campi Flegrei Falanghina '19	♟♟ 3*
● Campi Flegrei Pér 'e Palumm '18	♟♟ 4
○ Falanghina Sabbia Vulcanica 'a Ren' e 'Lav' '18	♟♟ 3
○ Campi Flegrei Falanghina V. delle Volpi '17	♟ 3
○ Campi Flegrei Falanghina '18	♟♟♟ 3*
● Campi Flegrei Piedirosso '16	♟♟♟ 4*
● Campi Flegrei Piedirosso '15	♟♟♟ 4*
○ Campi Flegrei Falanghina '17	♟♟ 3*
○ Campi Flegrei Falanghina V. delle Volpi '16	♟♟ 3
● Campi Flegrei Pér 'e Palumm '18	♟♟ 4
● Campi Flegrei Pér 'e Palumm '17	♟♟ 4

Alois

LOC. AUDELINO
VIA RAGAZZANO
81040 PONTELATONE [CE]
TEL. 0823876710
www.vinialois.it

VENDITA DIRETTA
VISITA SU PRENOTAZIONE
PRODUZIONE ANNUA 300.000 bottiglie
ETTARI VITATI 30,00
AZIENDA SOSTENIBILE

Gli Alois, storicamente legati alla manifattura di tessuti preziosi, sono riusciti negli anni ad associare il loro nome alla produzione di Casavecchia e Pallagrello, i vini storici della tradizione vitivinicola casertana. Alla guida dell'azienda ci sono i fratelli Michele e Massimo che, con il contributo enologico di Carmine Valentino, hanno rivitalizzato la viticoltura dei Monti Caiatini promuovendo questo spicchio di Campania in tutto il mondo. Quest'anno segnaliamo il nuovo nato, il Morrone, un Pallagrello Bianco che porta il nome della vigna di provenienza. Proprio la novità riporta i Tre Bicchieri in casa Alois. Il Morrone '18 offre un profilo molto ampio e articolato tra toni tostati e speziati su un fondo agrumato. Ha polpa, struttura, e un finale sapido di classe. Più giocato sul frutto il Caiatì '19 profumato di pesca e lime, è insieme succoso e agile, per una beva molto piacevole. Di rilievo anche il Trebulanum e i due vini da uve falanghina.

○ Morrone Pallagrello Bianco '18	♟♟♟ 6
○ Caiatì '19	♟♟ 3*
● Campole '18	♟♟ 3
● Casavecchia di Pontelatone Trebulanum Ris. '15	♟♟ 5
○ Fiano di Avellino Donna Paolina '19	♟♟ 4
● Ponte Pellegrino Aglianico '19	♟♟ 5
● Ponte Pellegrino Falanghina '19	♟♟ 3
○ Caulino '19	♟ 3
● Cunto Pallagrello Nero '17	♟ 4
● Settimo '18	♟ 3
○ Caiatì Pallagrello Bianco '17	♟♟ 4*
○ Caulino '18	♟♟ 3
● Cunto Pallagrello Nero '16	♟♟ 4
● Ponte Pellegrino Aglianico '18	♟♟ 5
○ Ponte Pellegrino Falanghina '18	♟♟ 3

Cantine Astroni

VIA SARTANIA, 48
80126 NAPOLI
TEL. 0815884182
www.cantineastroni.com

VENDITA DIRETTA
VISITA SU PRENOTAZIONE
RISTORAZIONE
PRODUZIONE ANNUA 330.000 bottiglie
ETTARI VITATI 25,00
VITICOLTURA Biologico Certificato
AZIENDA SOSTENIBILE

Cantine Astroni valorizza un territorio unico come quello dei Campi Flegrei, grazie a una tradizione secolare e un parco di vigne terrazzate aggrappate alle pendici esterne del Cratere Astroni. In totale sono 25 gli ettari lavorati sotto l'attenta direzione di Gerardo Vernazzaro, la moglie Emanuela Russo e il cugino Vincenzo. Siamo in un paesaggio straordinario, baciato dal mare, costituito da strati di lapilli e cenere, capace di regalare vini di grande autenticità. La gamma dei vini è sempre più articolata e completa e quest'anno oltre alle storiche parcelle segnaliamo una new entry: il Campi Flegrei Tenuta Jossa, una tiratura limitata di bianco da uve falanghina e fiano vinificato in anfora. Strappa i Tre Bicchieri il Piedirosso Colle Rotondella '19, delizioso nei suoi fragranti toni di melograno e sfiziosi toni di pepe e friggitello; al palato è sapido, delicatamente affumicato, dal finale fresco, lungo e agrumato. Profonda l'articolazione gustativa dell'ultimo nato: il Tenuta Jossa ha un profilo sulfureo profondo, è ricco, salato e di gran carattere.

● Campi Flegrei Piedirosso Colle Rotondella '19	♈♈♈	3*
○ Campi Flegrei Bianco Tenuta Jossa '18	♈	5
○ Campi Flegrei Falanghina Colle Imperatrice '19	♈♈	3
○ Lacryma Christi del Vesuvio Bianco Cratere Bianco '19	♈♈	3
● Lacryma Christi del Vesuvio Rosso Cratere Rosso '19	♈♈	3
○ Campi Flegrei Falanghina V. Astroni '15	♈♈♈	3*
○ Campi Flegrei Falanghina Colle Imperatrice '18	♈♈	2*
○ Campi Flegrei Falanghina V. Astroni '17	♈♈	3
● Campi Flegrei Piedirosso Tenuta Camaldoli Ris. '16	♈♈	3*
○ Strione '15	♈♈	4

Bambinuto

VIA CERRO
83030 SANTA PAOLINA [AV]
TEL. 0825964634
www.cantinabambinuto.com

VISITA SU PRENOTAZIONE
PRODUZIONE ANNUA 25.000 bottiglie
ETTARI VITATI 6,00

Gli assaggi portati avanti durante l'anno ci confermano la particolare vocazione dei vini prodotti da Marilena Aufiero a viaggiare con grandissima facilità nel tempo. I suoi Greco di Tufo a distanza di dieci anni denotano ancora un'energia e una fragranza davvero peculiare. Tutto comincia nel 2006 quando Marilena convince i genitori a vinificare in proprio le uve che arrivano da due parcelle di particolare pregio situate nel comune di Santa Paolina, rispettivamente a Paoloni e Picoli, sopra i 500 metri di quota, su terreni ricchi di argilla e strati calcarei. L'aglianico invece arriva dalla parcella Toppole a Montemiletto. Di alto livello i due bianchi proposti in quest'edizione della Guida. Approda in finale il Greco di Tufo Picoli '18 che esprime il meglio della tipologia in quanto a carica sapida, struttura, pienezza di sapore. Ha una matrice sapida e nervosa in rilievo, finale ricco di energia e richiami agrumati. Leggermente più esile e balsamico l'ottimo Greco di Tufo '18, fresco nei profumi di lime e anice, dalla bocca ben profilata e rinfrescante.

○ Greco di Tufo Picoli '18	♈♈	4
● Aglianico 212.4 Toppole '18	♈♈	3
○ Greco di Tufo '18	♈♈	2*
○ Greco di Tufo '15	♈♈	2*
○ Greco di Tufo '14	♈♈	2*
○ Greco di Tufo '13	♈♈	2*
○ Greco di Tufo '12	♈♈	3
○ Greco di Tufo Picoli '17	♈♈	4
○ Greco di Tufo Picoli '16	♈♈	4
○ Greco di Tufo Picoli '15	♈♈	4
○ Greco di Tufo Picoli '13	♈♈	4
○ Greco di Tufo Picoli '11	♈♈	4
○ Greco di Tufo Picoli '10	♈♈	4
○ Irpinia Falanghina Insania '15	♈♈	2*
● Taurasi '07	♈♈	5

Bosco de' Medici

VIA ANTONIO SEGNI, 43
80045 POMPEI [NA]
TEL. 3382828234
www.boscodemedici.com

VENDITA DIRETTA
VISITA SU PRENOTAZIONE
OSPITALITÀ E RISTORAZIONE
PRODUZIONE ANNUA 25.000 bottiglie
ETTARI VITATI 8,00

Sempre più articolato il progetto di questa dinamica cantina situata sulla parte meridionale del Vesuvio, dotata anche di un bel resort. Siamo nel cuore degli scavi archeologici di Pompei dove la storia del vino degli antichi Romani si intreccia con la dinastia fiorentina dei Medici e in particolare con Luigi de' Medici che nel 1567, ai tempi del Regno di Napoli, affidò al nipote prediletto Giuseppe il compito di elevare la qualità dei vini di famiglia. Oggi quella tradizione è ripresa e valorizzata a pieno da Giuseppe Palomba e Antonio Monaco che dal 2014 vinificano in proprio sotto un brand che i pochi anni si è fatto largo tra gli appassionati. Si conferma tra i migliori bianchi della regione il Pompeii Bianco da uve caprettone. La versione 2019 offre un profilo ricco e maturo, ben giocato tra toni delicatamente tostati di mandorla e zenzero e un frutto giallo succoso e fragrante. Ha struttura ed energia sapida per un finale fresco e continuo. Profumi di visciola, tabacco e radice caratterizzano il Pompeii Rosso '19 da uve piedirosso.

○ Pompeii Bianco '19	♟♟ 4
● Pompeii Rosso '19	♟♟ 3
○ Lacryma Christi del Vesuvio Bianco Lavaflava '19	♟ 3
○ Pompeii Bianco '18	♟♟♟ 3*
○ Dressel 19.2 '17	♟♟ 3
○ Lacryma Christi del Vesuvio Bianco Lavaflava '18	♟♟ 3
● Lacryma Christi del Vesuvio Rosso Lavarubra '15	♟♟ 3
○ Pompeii Bianco '15	♟♟ 3*
● Pompeii Rosso '18	♟♟ 3

I Cacciagalli

S.DA PROV.LE 91 - BORGONUOVO- CIPRIANI
81057 TEANO [CE]
TEL. 0823875216
www.icacciagalli.it

VENDITA DIRETTA
VISITA SU PRENOTAZIONE
OSPITALITÀ
PRODUZIONE ANNUA 20.000 bottiglie
ETTARI VITATI 9,00
VITICOLTURA Biologico Certificato

C'è sempre un buon motivo per fermarsi dalle parti di Teano, nell'alto Casertano per far visita a Diana Iannaccone e suo marito Mario Bosco tra ulivi, castagni e un parco di vigne prezioso condotto secondo i principi della biodinamica. Protagonisti i vitigni autoctoni della zona, quindi falanghina, fiano, aglianico, pallagrello nero. Le fermentazioni avvengono con lieviti indigeni, anche i bianchi vanno incontro a macerazioni prolungate, si utilizzano tanto cemento e anfore con chiusura inox. La gamma di vini è ben articolata e spicca per originalità stilistica e aderenza territoriale. Da non perdere il Bistrot 26 aperto in centro a Teano. Lo Zagreo '18 conquista i nostri Tre Bicchieri. Parte velato su toni di lieviti, grano e scorza d'arancia, poi dispiega un'energia rara giocata su toni sapidi, di vibrante freschezza, in una trama aggraziata e saporita. Il risultato è un vino di rara bevibilità e complessità. Buonissimo anche il Pellerosa, un Aglianico in rosa capace di spaziare tra sensazioni fruttate e speziate con grazia e incisività, in un registro molto ben definito ed espressivo.

○ Zagreo '18	♟♟♟ 4*
◉ Pellerosa '18	♟♟ 4
● Phos '18	♟♟ 4
◉ Sphaeranera '18	♟ 4
◉ Zagreo '15	♟♟♟ 4*
○ Aorivola '18	♟♟ 3
○ Aorivola '16	♟♟ 3
● Lucno '13	♟♟ 4
◉ Pellerosa '17	♟♟ 4
◉ Phos '17	♟♟ 4
● Phos '15	♟♟ 4
● Sphaeranera '17	♟♟ 4
● Sphaeranera '15	♟♟ 4
○ Zagreo '17	♟♟ 4
○ Zagreo '14	♟♟ 4
○ Zagreo '13	♟♟ 4

Antonio Caggiano

C.DA SALA
83030 TAURASI [AV]
TEL. 082774723
www.cantinecaggiano.it

VENDITA DIRETTA
VISITA SU PRENOTAZIONE
RISTORAZIONE
PRODUZIONE ANNUA 165.000 bottiglie
ETTARI VITATI 30,00

Incontrare Antonio Caggiano è un'esperienza unica, per la sua affascinante storia personale, l'amore per la terra e per il Taurasi. Ama in modo viscerale la fotografia e i viaggi e nel 1990 decise di lanciarsi nella costruzione della cantina realizzata interamente in pietra locale; quindi iniziò a prendersi cura di vecchi vigneti sotto la supervisione del professor Luigi Moio. Oggi un ruolo fondamentale nella conduzione dell'azienda spetta a suo figlio Giuseppe, per tutti Pino, che si destreggia nella produzione articolata tra Fiano di Avellino, Greco di Tufo e Taurasi. Merita una nota a margine la storica etichetta Vigna Macchia dei Goti, uno dei cru più profondi e longevi della denominazione Taurasi. La versione 2016 conquista i Tre Bicchieri in virtù di una trama gustativa profonda e stratificata in cui i profumi ricordano la terra, le radici, il cuoio; la bocca è possente, voluminosa ma ben sorretta da una vivace quota acida, per un rosso insieme ricco e di bel dinamismo. Molto buono, come di consueto, anche il Salae Domini, un Aglianico più diretto e immediato.

● Taurasi V. Macchia dei Goti '16	♟♟♟	6
○ Fiano di Avellino Béchar '19	♟♟	3
○ Greco di Tufo Devon '19	♟♟	3
● Irpinia Campi Taurasini Salae Domini '17	♟♟	5
○ Mel	♟♟	6
○ Falanghina '19	♟	3
○ Fiano di Avellino Béchar '13	♟♟♟	3*
● Taurasi V. Macchia dei Goti '14	♟♟♟	6
● Taurasi V. Macchia dei Goti '08	♟♟♟	5
● Taurasi V. Macchia dei Goti '04	♟♟♟	5
● Taurasi V. Macchia dei Goti '99	♟♟♟	5
● Taurasi V. Macchia dei Goti Ris. '15	♟♟♟	6
○ Fiano di Avellino Béchar '17	♟♟	3
● Irpinia Aglianico Taurì '18	♟♟	3
● Irpinia Aglianico Taurì '17	♟♟	2*
○ Mel	♟♟	5

Cantine dell'Angelo

VIA SANTA LUCIA, 32
83010 TUFO [AV]
TEL. 3384512965
www.cantinedellangelo.com

VENDITA DIRETTA
VISITA SU PRENOTAZIONE
PRODUZIONE ANNUA 18.000 bottiglie
ETTARI VITATI 5,00

Gli specialisti del Greco. La storia della famiglia Muto è saldamente legata alla produzione esclusiva di Greco di Tufo; il titolare Angelo rappresenta oggi la terza generazione impegnata in vigna, con il prezioso supporto di Maria Nuzzolo. Sono cinque gli ettari vitati dedicati alla denominazione e collocati in parte su antiche miniere di zolfo. Da qui provengono Greco di Tufo tra i più originali e sfaccettati. Parliamo del Torrefavale e del Miniere, lo uniche etichette dell'azienda, capaci di racchiudere nel bicchiere l'anima del luogo: vigorosi ed esuberanti, spinti nella sapidità e nella freschezza, orientati su toni rocciosi che nel Miniere si intensificano in forti note di zolfo. E proprio il Miniere conquista le nostre finali, tra gli assaggi più articolati in regione. I profumi sono come al solito anche un po' irrequieti e scompostI, ma la bocca è semplicemente strepitosa per intensità, distensione, trama salata, per un finale interminabile. Simile profilo gustativo ma toni ancora più maturi nel Torrefavale, dallo sviluppo gustativo orizzontale su toni di pesca, cedro e miele su un bel fondo fumé.

○ Greco di Tufo Miniere '18	♟♟	4
○ Greco di Tufo Torrefavale '18	♟♟	5
○ Greco di Tufo '09	♟♟♟	3*
○ Greco di Tufo Miniere '16	♟♟♟	4*
○ Greco di Tufo '14	♟♟	3
○ Greco di Tufo '13	♟♟	3
○ Greco di Tufo '11	♟♟	3
○ Greco di Tufo '10	♟♟	3
○ Greco di Tufo Miniere '17	♟♟	4
○ Greco di Tufo Torrefavale '17	♟♟	5
○ Greco di Tufo Torrefavale '16	♟♟	5
○ Greco di Tufo Torrefavale '15	♟♟	3
○ Greco di Tufo Torrefavale '14	♟♟	3
○ Greco di Tufo Torrefavale '13	♟♟	3*

Casa Setaro

VIA BOSCO DEL MONACO, 34
80040 TRECASE [NA]
TEL. 0818628956
www.casasetaro.it

VENDITA DIRETTA
VISITA SU PRENOTAZIONE
RISTORAZIONE
PRODUZIONE ANNUA 75.000 bottiglie
ETTARI VITATI 12,00
VITICOLTURA Biologico Certificato
AZIENDA SOSTENIBILE

Casa Setaro rappresenta un luogo di vita e di lavoro per Massimo e la moglie Maria Rosaria. Una vera casa-cantina che testimonia il forte legame che esiste tra la famiglia e la cultura vinicola partenopea. Siamo nel borgo di Trecase, alle pendici del Vesuvio dove le varietà autoctone quali caprettone e piedirosso vengono valorizzate in diverse versioni. Le vigne si collocano fino a 350 metri di quota su terreni vulcanici inseriti all'interno del Parco Nazionale del Vesuvio. Le viti che Massimo segue scrupolosamente sono collocate su due fronti del Parco: Tirrone della Guardia e Bosco del Monaco. Partiamo dalla crescita del Rosato Munazei '19, invitante già dal colore scarico, profumato di melograno e pepe, leggero ma insieme espressivo, di convincente beva. Buono anche il Rosso Munazei del 2019, dai toni di grafite e liquirizia, ha succo e grinta sapida. Originale nella trama e in crescita sul piano della carbonica il Caprettone Metodo Classico Pietrafumante del 2017.

⊙ Lacryma Christi del Vesuvio Rosato Munazei '19	🍷🍷 3
● Lacryma Christi del Vesuvio Rosso Munazei '19	🍷🍷 3
○ Pietrafumante Brut M. Cl. '17	🍷🍷 5
● Lacryma Christi del Vesuvio Rosso Don Vincenzo '15	🍷 4
○ Campanelle '17	🍷🍷 2*
○ Caprettone Brut M. Cl. '14	🍷🍷 4
○ Caprettone Brut M. Cl. '13	🍷🍷 4
○ Falanghina Campanelle '16	🍷🍷 2*
● Lacryma Christi del Vesuvio Rosso Don Vincenzo '14	🍷🍷 4
● Lacryma Christi del Vesuvio Rosso Don Vincenzo Ris. '14	🍷🍷 4
○ Pietrafumante Brut '16	🍷🍷 5
● Vesuvio Piedirosso Fuocoallegro '17	🍷🍷 3

Casebianche

C.DA CASE BIANCHE, 8
84076 TORCHIARA [SA]
TEL. 0974843244
www.casebianche.eu

VENDITA DIRETTA
VISITA SU PRENOTAZIONE
PRODUZIONE ANNUA 35.000 bottiglie
ETTARI VITATI 5,50
VITICOLTURA Biologico Certificato
AZIENDA SOSTENIBILE

Scapigliati, fragranti, tutti da bere. Betty Iurio e Pasquale Amitrano hanno dato il via a una piccola rivoluzione stilistica in Campania, giocando su vini dotati di una beva fuori dal comune, ma al contempo espressione di una fedele aderenza territoriale. Architetti di professione, hanno iniziato a curare le vigne di famiglia a Torchiara, in Cilento, a partire dal 2000 mettendo a frutto i terreni ricchi di scheletro e argilla compresi tra il Monte Stella, il torrente Acquasanta e il mare. Qui, in conduzione biologica, respirano filari di aglianico, barbera, piedirosso, fiano, trebbiano e malvasia. Fiore all'occhiello sono i rifermentati in bottiglia, dotati di energia e precisa definizione stilistica. Parliamo, ad esempio, da La Matta '19, un Fiano che profuma di cedro, di zenzero e fieno; la bocca è succosa, sapida, fumé, la progressione briosa e di gran carattere. Il Fric non è un vino ma una filosofia di vita: toni di melograno e arancia sanguinella scoprono il carattere allegro e scanzonato dell'aglianico.

○ La Matta Dosaggio Zero '19	🍷🍷 4
○ Cilento Fiano Cumalè '19	🍷🍷 3
○ Il Fric '19	🍷🍷 4
○ Iscadoro '18	🍷 4
○ Il Fric '16	🍷🍷🍷 3*
● Pashka' '17	🍷🍷🍷 4*
○ Cilento Fiano Cumalè '12	🍷🍷 2*
● Cilento Rosso Dellemore '17	🍷🍷 3
● Cilento Rosso Dellemore '16	🍷🍷 3
● Cilento Rosso Dellemore '15	🍷🍷 3
○ Il Fric '18	🍷🍷 4
○ Il Fric '17	🍷🍷 4
○ Il Fric '15	🍷🍷 3
○ La Matta Dosaggio Zero '16	🍷🍷 3
○ La Matta Dosaggio Zero '15	🍷🍷 3*
● Pashkà '18	🍷🍷 4
● Pashkà '16	🍷🍷 3

Tenuta Cavalier Pepe

VIA SANTA VARA
83050 SANT'ANGELO ALL'ESCA [AV]
TEL. 082773766
www.tenutapepe.it

VENDITA DIRETTA
VISITA SU PRENOTAZIONE
OSPITALITÀ E RISTORAZIONE
PRODUZIONE ANNUA 450.000 bottiglie
ETTARI VITATI 60,00
AZIENDA SOSTENIBILE

Angelo Pepe, forte dei suoi successi
imprenditoriali in Belgio, ha deciso di
reinvestire nella sua terra di origine, l'Irpinia.
In pochi anni ha ridisegnato il futuro della
sua famiglia mettendo in piedi una cantina
dotata di una bella struttura ricettiva che è
saldamente guidata dalla figlia Milena,
diplomata in enologia e con diverse
esperienze nel Rodano e in Borgogna. Oggi i
vini della famiglia Pepe sono distribuiti sia in
Italia che all'estero e abbracciano le
denominazioni più blasonate del territorio
irpino grazie a un parco vigneti che conta
60 ettari. Le vigne si estendono tra i territori
di Sant'Angelo all'Esca, Montefusco, Torrioni
e Luogosano. Approda in finale il Fiano di
Avellino Refiano '19 in virtù di un fraseggio
aromatico raffinato giocato tra sensazioni di
frutta gialla, la mandorla tostata, e una
struttura sicura che tratteggia una parabola
gustativa articolata e di carattere. Freschi
toni di mandarino e salvia caratterizzano il
Greco di Tufo di pari annata, dallo sviluppo
tonico e brioso, il finale è nettamente di
marca sapida.

○ Fiano di Avellino Refiano '19	♟♟ 3*
○ Greco di Tufo Nestor '19	♟♟ 3
● Irpinia Aglianico Terra del Varo '16	♟♟ 2*
○ Irpinia Coda di Volpe Bianco di Bellona '19	♟ 3
○ Irpinia Falanghina Santa Vara '18	♟ 4
○ Fiano di Avellino Brancato '17	♟♟ 5
○ Fiano di Avellino Brancato '16	♟♟ 3
○ Fiano di Avellino Refiano '16	♟♟ 3
○ Fiano di Avellino Refiano '15	♟♟ 3
○ Greco di Tufo Grancare '15	♟♟ 5
○ Greco di Tufo Grancare Sel. '16	♟♟ 7
○ Greco di Tufo Nestor '18	♟♟ 5
○ Greco di Tufo Nestor '17	♟♟ 5
○ Greco di Tufo Nestor '16	♟♟ 3
● Taurasi Opera Mia '13	♟♟ 8
● Taurasi Opera Mia '12	♟♟ 5

★Colli di Lapio

VIA ARIANIELLO, 47
83030 LAPIO [AV]
TEL. 0825982184
www.collidilapio.it

VENDITA DIRETTA
VISITA SU PRENOTAZIONE
PRODUZIONE ANNUA 60.000 bottiglie
ETTARI VITATI 12,00

La Signora del Fiano ha casa nella frazione
di Arianello. Siamo nel comune di Lapio, la
culla di uno dei più grandi bianchi d'Italia: il
Fiano di Avellino, che dal 2003 può
fregiarsi della Docg. Insieme ai figli,
Carmela e Federico, dà vita a un vino che
sente tutti i 600 metri di quota nei profumi
puri e freschi che ricordano le erbe di
montagna, dall'acidità scintillante che
regala progressioni lunghe e affilate. Il fiano
e il greco sono lavorati solo in acciaio,
mentre l'aglianico matura in botti di rovere.
Ricordiamo che tutti i vini sono prodotti da
vigneti di proprietà. I Tre Bicchieri vanno al
Fiano di Avellino '19 che ha tante frecce
nel suo arco. I profumi ricordano la
freschezza dell'anice e la nocciola appena
tostata, il frutto è insieme maturo e
fragrante, il palato cremoso e ben ravvivato
da una tensione acida nitida che prolunga il
sapore verso un finale davvero lungo e
balsamico. In crescita l'Irpinia Campi
Taurasini Donna Chiara: il 2018 è
piacevole, dinamico e succoso.

○ Fiano di Avellino '19	♟♟♟ 4*
● Irpinia Campi Taurasini Donna Chiara '18	♟♟ 3
○ Greco di Tufo Alèxandros '19	♟ 3
● Taurasi Andrea '15	♟ 5
○ Fiano di Avellino '18	♟♟ 4*
○ Fiano di Avellino '16	♟♟ 4*
○ Fiano di Avellino '15	♟♟ 4*
○ Fiano di Avellino '14	♟♟ 4*
○ Fiano di Avellino '13	♟♟ 4*
○ Fiano di Avellino '10	♟♟ 4
○ Fiano di Avellino '09	♟♟ 4
○ Fiano di Avellino '08	♟♟ 4*
○ Fiano di Avellino '07	♟♟ 4
○ Fiano di Avellino '05	♟♟ 4
○ Fiano di Avellino '04	♟♟ 4
○ Fiano di Avellino '17	♟♟ 4

Contrade di Taurasi

via Municipio, 41
83030 Taurasi [AV]
Tel. 082774483
www.cantinelonardo.it

VENDITA DIRETTA
VISITA SU PRENOTAZIONE
PRODUZIONE ANNUA 15.000 bottiglie
ETTARI VITATI 5,00
VITICOLTURA Biologico Certificato

La famiglia Di Lonardo ha lunghissime tradizioni agricole, ma fu nel 1998 che Alessandro decise di dare un cambio di passo all'attività vitivinicola, creando un proprio marchio. Insieme alla figlia Antonella e al marito di quest'ultima Flavio Castaldo, conduce pochi ettari vitati sulle colline di Taurasi, Bonito e Mirabella Eclano dove, ovviamente, il vero protagonista è l'aglianico. L'azienda crea prodotti d'impronta territoriale, realizzati a partire da vinificazioni condotte con lieviti indigeni. Approda in finale alla sua prima uscita il Taurasi t31. Il millesimo 2012 offre un Taurasi maturo e molto articolato nei suoi richiami di sottobosco e resina, ricco nel frutto, dai tannini fitti e ben estratti. Il finale è balsamico e prolungato. Si conferma tra gli assaggi più appassionanti il Grecomusc '18, un bianco finissimo nei profumi di erbe di montagna, fresco nel registro di anice e menta, dalla bocca misurata, eterea, di gran classe.

○ Grecomusc' '18	▼▼ 4
● Taurasi t31 '12	▼▼ 8
○ Grecomusc' '15	▽▽▽ 5
○ Grecomusc' '12	▽▽▽ 4*
○ Grecomusc' '10	▽▽▽ 4*
● Taurasi '10	▽▽▽ 6
● Taurasi '04	▽▽▽ 6
● Taurasi Coste '11	▽▽▽ 8
● Taurasi Coste '08	▽▽▽ 7
● Taurasi Vigne d'Alto '12	▽▽▽ 8
○ Grecomusc' '17	▽▽ 5
○ Grecomusc' '16	▽▽ 5
○ Grecomusc' '14	▽▽ 5
● Irpinia Aglianico '16	▽▽ 4
● Taurasi '15	▽▽ 6
● Taurasi '12	▽▽ 6
● Taurasi Coste '12	▽▽ 8

★Marisa Cuomo

via G. B. Lama, 16/18
84010 Furore [SA]
Tel. 089830348
www.marisacuomo.com

VENDITA DIRETTA
VISITA SU PRENOTAZIONE
RISTORAZIONE
PRODUZIONE ANNUA 109.000 bottiglie
ETTARI VITATI 18,00

I vigneti di Marisa Cuomo e suo marito Andrea Ferraioli si estendono in un luogo di rara bellezza, sopra i tornanti della Costiera Amalfitana. Le varietà coltivate sono tutte autoctone: piedirosso e sciascinoso, per i rossi, ripoli, fenile e ginestra, adottate per il bianco di punta Fiorduva, l'unico maturato in barrique per circa tre mesi. Al fianco dei coniugi Cuomo troviamo i figli Dora e Raffaele: gli ettari totali sono 18, lavorati senza diserbanti. Ottima la prova del Fiorduva. Il millesimo 2019 ci riporta un bianco ampio nei richiami di macchia mediterranea, solare nei profumi soffusi e nitidi, dal frutto perfettamente succoso, con un sottofondo speziato appena accennato. Il finale è lunghissimo e di elegantissima articolazione. Delizioso nell'intreccio di sensazioni agrumate ed erbacee il Ravello Bianco '19, fragrante e complesso; molto invitante nell'impronta di fiori gialli il Furore Bianco di pari annata, di piacevolissima beva.

○ Costa d'Amalfi Furore Bianco Fiorduva '19	▼▼▼ 7
○ Costa d'Amalfi Ravello Bianco '19	▼▼ 3*
○ Costa d'Amalfi Furore Bianco '19	▼▼ 4
● Costa d'Amalfi Ravello Rosso Ris. '17	▼▼ 5
○ Costa d'Amalfi Furore Bianco '15	▽▽▽ 4*
○ Costa d'Amalfi Furore Bianco '10	▽▽▽ 4
○ Costa d'Amalfi Furore Bianco Fiorduva '18	▽▽▽ 7
○ Costa d'Amalfi Furore Bianco Fiorduva '17	▽▽▽ 7
○ Costa d'Amalfi Furore Bianco Fiorduva '16	▽▽▽ 7
○ Costa d'Amalfi Furore Bianco F iorduva '14	▽▽▽ 7
○ Costa d'Amalfi Furore Bianco Fiorduva '10	▽▽▽ 6

Cantine di Marzo

VIA GAETANO DI MARZO, 2
83010 TUFO [AV]
TEL. 0825998022
www.cantinedimarzo.it

VENDITA DIRETTA
VISITA SU PRENOTAZIONE
PRODUZIONE ANNUA 120.000 bottiglie
ETTARI VITATI 20,00

Facciamo un passo temporale indietro: è il 1647. Scipione Di Marzo abbandona Nola, dove imperversa la peste, e si trasferisce a Tufo per dare il via alla produzione di vino. Basta visitare le cantine seicentesche scavate nel tufo per farsi un'idea di questo straordinario patrimonio storico rilanciato dalla famiglia Di Somma. Alla guida troviamo Ferrante, capace di dare lustro ai 20 ettari di proprietà, dedicati soprattutto al greco, che si estendono nelle frazioni di Santa Lucia, San Paolo di Tufo e Santa Paolina. Si spazia da versioni più immediate a fruttate a selezioni parcellari, sempre lavorate in acciaio, e non manca anche un Metodo Classico, sempre da uve greco. Da finale il Greco di Tufo '19, piacevolmente rustico nei suoi toni di mandorla e salvia, tipico nell'impronta sapida pronunciata, dal frutto succoso e reattivo; in bocca ha grinta da vendere. Molto buono anche il Vigna Ortale '18, dai richiami marini pronunciati, ha carattere gastronomico e futuro certo. Note vegetali più intense caratterizzano Vigna Serrone '18, più morbido e cremoso il Vigna Laure della stessa annata.

○ Greco di Tufo '19	♛♛ 2*
○ Greco di Tufo V. Ortale '18	♛♛ 3*
○ Greco di Tufo V. Laure '18	♛♛ 3
○ Greco di Tufo V. Serrone '18	♛♛ 4
○ 1930 Extra Brut M. Cl.	♛ 4
● Taurasi '16	♛ 4
○ Greco di Tufo '16	♟♟♟ 2*
○ Fiano di Avellino Donatus '13	♟♟ 3*
○ Greco di Tufo '18	♟♟ 2*
○ Greco di Tufo '15	♟♟ 2*
○ Greco di Tufo Colle Serrone '16	♟♟ 3*
○ Greco di Tufo Somnium Scipionis '13	♟♟ 5
○ Greco di Tufo Somnium Scipionis '12	♟♟ 5
○ Greco di Tufo V. Laure '17	♟♟ 3
○ Greco di Tufo V. Laure '16	♟♟ 3*
○ Greco di Tufo V. Ortale '17	♟♟ 3
○ Greco di Tufo V. Ortale '16	♟♟ 3*

Di Meo

C.DA COCCOVONI, 1
83050 SALZA IRPINA [AV]
TEL. 0825981419
www.dimeo.it

VENDITA DIRETTA
VISITA SU PRENOTAZIONE
RISTORAZIONE
PRODUZIONE ANNUA 380.000 bottiglie
ETTARI VITATI 30,00
AZIENDA SOSTENIBILE

L'azienda della famiglia Di Meo, attiva già negli anni '80, è stata una delle prime cantine in Irpinia a produrre vino in bottiglia e a scommettere sulla longevità dei bianchi irpini. Roberto, enologo della famiglia, nonché presidente di Assoenologi Campania, li ha proposti sul mercato anche a 15 anni dalla vendemmia per dimostrare il carattere indomito di queste terre. Oggi la gamma si propone ampia e molto affidabile, spazia tra bianchi e rossi con costanti standard qualitativi. Le vigne di fiano si estendono su terreni argilloso-calcarei a circa 550 metri di quota, mentre quelli di greco rientrano nei comuni di Santa Paolina e Tufo; infine l'aglianico trova casa nella zona più alta di Montemarano a 650 metri. Molto buono il Greco di Tufo G '19, ricco e salato come ci si aspetta, dalle delicate sensazioni di fiori gialli, ben disteso e lungo al palato. Delizioso il Fiano di Avellino nel suo tono piccantino di zenzero e pepe bianco, dai ricordi di grano, succoso e ben affilato. Estrattivo e articolato il Taurasi Vigna Olmo Riserva '13.

○ Greco di Tufo G '19	♛♛♛ 3*
○ Fiano di Avellino F '19	♛♛ 3*
● Taurasi V. Olmo Ris. '13	♛♛ 6
● Irpinia Aglianico '17	♛ 3
○ Fiano di Avellino Alessandra '12	♟♟♟ 3*
● Taurasi Ris. '06	♟♟♟ 5
● Aglianico A '16	♟♟ 3
○ Coda di Volpe C '17	♟♟ 2*
○ Coda di Volpe C '16	♟♟ 2*
○ Fiano di Avellino F '18	♟♟ 3
○ Fiano di Avellino F '15	♟♟ 3*
○ Greco di Tufo G '18	♟♟ 3
○ Greco di Tufo G '17	♟♟ 3
○ Greco di Tufo G '07	♟♟ 3
○ Greco di Tufo Vittoria '07	♟♟ 4
● Taurasi Sel. Hamilton Ris. '09	♟♟ 7
● Taurasi V. Olmo Ris. '10	♟♟ 5

Donnachiara

LOC. PIETRACUPA
VIA STAZIONE
83030 MONTEFALCIONE [AV]
TEL. 0825977135
www.donnachiara.com

VENDITA DIRETTA
VISITA SU PRENOTAZIONE
OSPITALITÀ
PRODUZIONE ANNUA 200.000 bottiglie
ETTARI VITATI 27,00
VITICOLTURA Biologico Certificato
AZIENDA SOSTENIBILE

Ilaria Petitto ha dimostrato di saper traghettare al meglio questa cantina irpina che deve il suo nome a Chiara Mazzoleni, nobildonna campana, che andando in sposa al medico chirurgo Antonio Petitto aggiunse alla dote del marito una bella tenuta a Torre Le Nocelle in Irpinia. Ilaria, con il supporto enologico di Riccardo Cotarella, produce una curata gamma di vini che abbraccia le principali denominazioni irpine, sfruttando le potenzialità dell'aglianico, del greco e del fiano, promosse con professionalità e determinazione sui principali mercati mondiali. Il Taurasi '16 offre profumi maturi di ciliegie e more, su un bel fondo di spezie. In bocca ha tannini cremosi, un'impronta fumé piuttosto pronunciata e un allungo sicuro grazie a una vena acida vivida, il finale è ricco di frutto e nuovamente spezie. Tra i bianchi, quest'anno, spicca il Fiano di Avellino '19 nei suoi richiami delicatamente erbacei e dal palato sapido e polposo.

● Taurasi '16	▼▼▼ 6
○ Fiano di Avellino '19	▼▼ 3
○ Aglianico '19	▼ 2
○ Fiano di Avellino Empatia '19	▼ 4
○ Greco di Tufo '19	▼ 3
○ Resilienza Falanghina '18	▼ 3
● Aglianico '16	♈♈♈ 3*
○ Fiano di Avellino Empatia '18	♈♈♈ 4*
○ Greco di Tufo '16	♈♈♈ 3*
● Aglianico '15	♈♈ 3
○ Falanghina '15	♈♈ 2*
○ Falanghina Resilienza '17	♈♈ 2*
○ Greco di Tufo '15	♈♈ 3
● Irpinia Aglianico '17	♈♈ 3
○ Irpinia Coda di Volpe '15	♈♈ 3
● Taurasi Ris. '12	♈♈ 7

I Favati

P.ZZA BARONE DI DONATO
83020 CESINALI [AV]
TEL. 0825666898
www.cantineifavati.it

VENDITA DIRETTA
VISITA SU PRENOTAZIONE
PRODUZIONE ANNUA 100.000 bottiglie
ETTARI VITATI 21,00

Troviamo Rosanna Petrozziello al timone dell'azienda di Cesinali, insieme a Piersabino e Giancarlo Favati. Donna fiera e dall'animo irpino, cura le vigne che si estendono sul versante meridionale del fiume Sabato, lì dove i terreni di natura calcareo-argillosa regalano vini corposi ed espressivi. La fama enologica si è consolidata negli anni con il Pietramara, cru di Fiano coltivato ad Atripalda dove il clima fresco incontra un terreno ricchi di minerali e sostanze sulfuree; il Greco Terrantica proviene invece da Montefusco, mentre il Cretarossa, rosso da aglianico, è prodotto con le uve di San Mango sul Calore. La famiglia si avvale del prezioso contributo di Vincenzo Mercurio, enologo capace di leggere gli umori del territorio irpino. Tre Bicchieri al Fiano di Avellino Pietramara '19, bianco completo grazie a un perfetto equilibrio tra struttura e acidità; ha la consueta grinta sapida, un frutto giallo succoso e una distensione di classe e finezza. Molto buono anche il Greco di Tufo Terrantica '19: affascina nei suoi richiami di camomilla e pesca; al palato ha sale e tensione.

○ Fiano di Avellino Pietramara '19	▼▼▼ 5
○ Greco di Tufo Terrantica '19	▼▼ 4
● Irpinia Campi Taurasini Cretarossa '17	▼▼ 3
○ Cabrì Fiano Extra Brut	▼ 3
● Taurasi TerzoTratto '15	▼ 5
○ Fiano di Avellino Pietramara '18	♈♈♈ 5
○ Fiano di Avellino Pietramara '17	♈♈♈ 5
○ Fiano di Avellino Pietramara '16	♈♈♈ 5
○ Fiano di Avellino Pietramara '15	♈♈♈ 5
○ Fiano di Avellino Pietramara '13	♈♈♈ 3*
○ Fiano di Avellino Pietramara '12	♈♈♈ 3*
○ Fiano di Avellino Pietramara '14	♈♈ 3*
○ Greco di Tufo Terrantica '17	♈♈ 3*
○ Greco di Tufo Terrantica '16	♈♈ 3*
● Taurasi TerzoTratto Et. Bianca Ris. '10	♈♈ 7

Benito Ferrara

FRAZ. SAN PAOLO, 14A
83010 TUFO [AV]
TEL. 0825998194
www.benitoferrara.it

VENDITA DIRETTA
VISITA SU PRENOTAZIONE
PRODUZIONE ANNUA 55.000 bottiglie
ETTARI VITATI 13,00

Le vigne si estendono nella frazione di San Paolo, nel comune di Tufo, area celebre per la produzione di alcuni tra i più intensi e articolati Greco. Benito Ferrara comprese ben presto le potenzialità del territorio e l'importanza di vinificare greco e aglianico in purezza, quest'ultimo proveniente da Montemiletto. A guidare l'azienda troviamo Gabriella Ferrara e il marito Sergio Ambrosino: in tutto sono 13 gli ettari curati. Fiore all'occhiello aziendale è il cru di Greco Vigna Cicogna, posizionato a 500 metri di quota su terreni ricchi di argilla e pietre, con una quota importante di zolfo, pensato per il lungo invecchiamento in bottiglia. Pregevole la versione 2019. I profumi ci riconducono alle erbe officinali, con un'impronta di mandorla e frutti bianchi ben in luce. La bocca è raffinata, cremosa, ricca di sapore, di buon allungo finale. Di buon livello lanche il Greco di Tufo Terra d'Uva di pari annata, più immediato nei richiami agrumati, vibrante e fresco in una chiusura dal respiro balsamico.

○ Greco di Tufo V. Cicogna '19	♥♥	4
○ Fiano d'Avellino Sequenzha '19	♥♥	4
○ Greco di Tufo Terra d'Uva '19	♥♥	4
● Irpinia Aglianico V. Quattro Confini '17	♥♥	3
● Taurasi V. Quattro Confini '15	♥	6
○ Greco di Tufo V. Cicogna '15	♥♥♥	4*
○ Greco di Tufo V. Cicogna '14	♥♥♥	4*
○ Greco di Tufo V. Cicogna '13	♥♥♥	5
○ Greco di Tufo V. Cicogna '12	♥♥♥	4*
○ Greco di Tufo V. Cicogna '10	♥♥♥	4
○ Greco di Tufo V. Cicogna '09	♥♥♥	4
○ Fiano d'Avellino Sequenzha '17	♥♥	4
○ Greco di Tufo Terra d'Uva '18	♥♥	4
○ Greco di Tufo Terra d'Uva '17	♥♥	4
○ Greco di Tufo V. Cicogna '18	♥♥	4
○ Greco di Tufo V. Cicogna '17	♥♥	4

★★Feudi di San Gregorio

LOC. CERZA GROSSA
83050 SORBO SERPICO [AV]
TEL. 0825986683
www.feudi.it

VENDITA DIRETTA
VISITA SU PRENOTAZIONE
RISTORAZIONE
PRODUZIONE ANNUA 3.500.000 bottiglie
ETTARI VITATI 300,00
VITICOLTURA Biologico Certificato

L'avventura produttiva di Feudi di San Gregorio comincia nel 1986 a Sorbo Serpico. In pochi anni arrivano i primi successi, diventando un modello di riferimento a livello regionale e nazionale. A condurla troviamo Antonio Capaldo, con il supporto del lavoro di Pierpaolo Sirch per quanto riguarda la gestione dell'ampio ventaglio di vigneti. La produzione abbraccia tutte le principali denominazioni regionali, mentre il marchio Dubl racconta il filone spumantistico che ha ormai raggiunto una sua maturità. Negli anni, lo ricordiamo, Feudi ha allargato i suoi confini, acquistando il marchio Basilisco in Basilicata e Campo alle Comete in Toscana. Molto buono il Taurasi, dalla trama tannica raffinata: è cremoso e intenso nei suoi toni di piccoli frutti rossi, il sottofondo speziato è ben calibrato, il finale lungo e di buona freschezza aromatica. Di buon carattere e sfiziosa impronta piccante la bocca del Serpico '15, un Aglianico di bella fattura e persistenza. In crescita il Rosato Visione; conferme dal Dubl Esse Dosaggio Zero.

● Taurasi Piano di Montevergine Ris. '15	♥♥	6
○ Dubl Esse M. Cl. Dosaggio Zero	♥♥	6
○ Fiano di Avellino Pietracalda '19	♥♥	4
○ Greco di Tufo Cutizzi '19	♥♥	4
● Irpinia Aglianico Serpico '15	♥♥	8
○ Irpinia Rosato Visione '19	♥♥	3
● Taurasi '16	♥♥	5
○ Dubl Esse Rosé M. Cl. Dosaggio Zero	♥	6
○ Fiano di Avellino Pietracalda '09	♥♥♥	3
○ Greco di Tufo Cutizzi '12	♥♥♥	3*
○ Greco di Tufo Cutizzi '10	♥♥♥	3
○ Greco di Tufo Cutizzi '07	♥♥♥	3*
● Taurasi '13	♥♥♥	5
● Taurasi Piano di Montevergine Ris. '14	♥♥♥	6
● Taurasi Piano di Montevergine Ris. '13	♥♥♥	6
● Taurasi Piano di Montevergine Ris. '07	♥♥♥	6

Fiorentino

C.DA BARBASSANO
83052 PATERNOPOLI [AV]
TEL. 082771463
www.fiorentinovini.it

VENDITA DIRETTA
VISITA SU PRENOTAZIONE
PRODUZIONE ANNUA 15.000 bottiglie
ETTARI VITATI 5,00
AZIENDA SOSTENIBILE

Gianni Fiorentino ha costruito una cantina modelllo, realizzata interamente in legno, nel pieno rispetto delle tecniche della bioarchitettura. Lo ha fatto sulla scia della tradizione di famiglia: fu infatti il nonno Luigi, di ritorno dagli Stati Uniti, ad acquistare con i frutti del suo lavoro i terreni dalle parti di Paternopoli, oggi ben condotti da Gianni. Grande protagonista è l'aglianico, una scelta che non solo fa parte della tradizione familiare, ma che risponde alle esigenze produttive del vitigno: è qui, su suoli vulcanici, che nasce il Taurasi più autentico, capace di esprimere il suo vero carattere. Il Taurasi '15 sfrutta a pieno la bontà del millesimo. Si offre su eleganti note tostate tra caffè, pepe e sensazioni terrose; al palato si rivela ricco e maturo, molto ben sorretto da acidità e freschezza, per una trama gustativa lunga e articolata. Corretto il resto della gamma, in particolare il rosato Flavia è sfizioso nei suoi toni di frutti rossi e arancia sanguinella.

Fontanavecchia

VIA FONTANAVECCHIA, 7
82030 TORRECUSO [BN]
TEL. 0824876275
www.fontanavecchia.info

VENDITA DIRETTA
VISITA SU PRENOTAZIONE
OSPITALITÀ E RISTORAZIONE
PRODUZIONE ANNUA 175.000 bottiglie
ETTARI VITATI 20,00

Libero Rillo ha dato un grande impulso alla cantina avviata dal papà Orazio nel 1990 alle falde del Monte Taburno. Una ventina gli ettari vitati curati in cui la grande protagonista è la falanghina, proposta anche a diversi anni dalla vendemmia, ben accompagnata da aglianico, piedirosso, fiano e greco. I bianchi denotano un'ottima gestione dei tempi di raccolta e sono lavorati in acciaio, mentre i rossi sono caratterizzati da estrazioni centrate, con dosaggio corretto dei legni e buoni apporti acidi a supporto. Tre Bicchieri alla Falanghina del Sannio Taburno '19 profumata di foglie di tè verde e lime. Mette in mostra un frutto pieno e succoso in un registro di grande freschezza e bevibilità, il finale è un lungo respiro di anice e mentuccia. La Falanghina Libero '14 dimostra ancora una volta il buon potenziale evolutivo della varietà; alterna toni di mela matura a un sottofondo speziato intrigante, di buona spalla acida e finale articolato e profondo.

● Taurasi '15	▼▼▼	5
● Irpinia Aglianico Celsì '15	▼	3
○ Irpinia Coda di Volpe Zirpoli '19	▼	2
☉ Irpinia Rosato Flavia '19	▼	3
● Irpinia Aglianico Celsì '14	♈♈	3
● Irpinia Aglianico Celsì '12	♈♈	3
● Taurasi '14	♈♈	5
● Taurasi '13	♈♈	5
● Taurasi '12	♈♈	5

○ Falanghina del Sannio Taburno '19	▼▼▼	3*
○ Falanghina del Sannio Libero '14	▼▼	5
● Aglianico del Taburno '15	▼▼	3
○ Sannio Fiano '19	▼▼	3
● Aglianico del Taburno '18	▼	3
○ Sannio Greco '19	▼	3
○ Falanghina del Sannio Taburno '18	♈♈♈	3*
○ Falanghina del Sannio Taburno '16	♈♈♈	3*
○ Falanghina del Sannio Taburno '15	♈♈♈	2*
○ Falanghina del Sannio Taburno '14	♈♈♈	2*
○ Falanghina del Sannio Taburno '13	♈♈♈	2*
○ Falanghina del Sannio Taburno '12	♈♈♈	2*
○ Sannio Taburno Falanghina Libero '07	♈♈♈	5
● Aglianico del Taburno V. Cataratte Ris. '10	♈♈	5
○ Falanghina del Sannio Facetus V. T. '12	♈♈	3*
○ Falanghina del Sannio Taburno '17	♈♈	3*

Fonzone

LOC. SCORZAGALLINE
83052 PATERNOPOLI [AV]
TEL. 08271730100
www.fonzone.it

VENDITA DIRETTA
VISITA SU PRENOTAZIONE
PRODUZIONE ANNUA 57.000 bottiglie
ETTARI VITATI 22,00
AZIENDA SOSTENIBILE

Sempre più articolato il progetto vitivinicolo di Lorenzo Fonzone Caccese, chirurgo di professione, che nel 2005 ha fondato questa cantina situata a Paternopoli, nel cuore della denominazione Taurasi. La cantina è all'avanguardia dal punto di vista tecnologico, ipogea, perfettamente integrata con il territorio circostante, mentre in vigna non si usano diserbanti: l'inerbimento è perenne, si seminano erbacee per custodire la biodiversità di suoli e piante. La produzione abbraccia tutte le principali denominazioni irpine, passando da Taurasi ricchi di frutto e concentrazione a bianchi slanciati e di vibrante freschezza. Tornano i Tre Bicchieri in casa Fonzone grazie al Greco di Tufo '19, molto fragrante nei suoi toni di mandorla e macchia mediterranea; al palato dimostra una solidissima struttura, è insieme salato e agrumato, di sicura progressione e lungo finale. Approda in finale anche il Taurasi Scorzagalline Riserva '13, dal frutto maturo, intenso nei toni di cacao e radice, dalla bocca potente ma anche cremosa e ben bilanciata. Di buona fattura il resto della gamma.

○ Greco di Tufo '19	♟♟♟	3*
● Taurasi Scorzagalline Ris. '13	♟♟	5
○ Fiano di Avellino '19	♟♟	3
○ Irpinia Fiano Sequoia '18	♟♟	5
○ Irpinia Rosato '19	♟♟	3
○ Fiano di Avellino '16	♟♟♟	3*
○ Greco di Tufo '13	♟♟♟	3*
○ Fiano di Avellino '18	♟♟	3*
○ Fiano di Avellino '17	♟♟	3
○ Greco di Tufo '18	♟♟	3
○ Greco di Tufo '17	♟♟	3*
● Irpina Aglianico '14	♟♟	3
● Irpinia Campi Taurasini '15	♟♟	3
○ Irpinia Fiano Sequoia '17	♟♟	5

La Fortezza

LOC. TORA II, 20
82030 TORRECUSO [BN]
TEL. 0824886155
www.lafortezzasrl.it

VENDITA DIRETTA
VISITA SU PRENOTAZIONE
PRODUZIONE ANNUA 900.000 bottiglie
ETTARI VITATI 65,00

L'azienda vitivinicola di Enzo Rillo nasce nel 2006, quando l'imprenditore decide di acquistare una trentina di ettari vitati sul versante orientale del Parco Regionale del Taburno Camposauro, nel distretto della sua Torrecuso. Inizia col coltivare fiano e falanghina ma la passione (e il successo) lo spinge ad ampliare il vigneto, che oggi si attesta sui 65 ettari, e la tavolozza ampelografica, con greco e aglianico. La gamma risulta come sempre affidabile, sia nella linea Classica, più legata alla tradizione, sia in quella Noi Beviamo Con La Testa, più spigliata e immediata. Abbiamo apprezzato l'Aglianico del Taburno del 2016 in virtù di una struttura solida giocata su un frutto scuro maturo e fragrante, l'apporto speziato è ben calibrato, il tannino morbido. La chiusura è netta, continua e di buona articolare. Di carattere anche il Greco del 2019, dai profumi di fiori gialli e la bocca di corpo e sapore come ci si aspetta dalla tipologia. Piacevoli e fragranti il Piedirosso e la Falanghina.

● Aglianico del Taburno Enzo Rillo '16	♟♟	3
○ Sannio Greco '19	♟♟	3
○ Sannio Piedirosso '19	♟♟	3
● Aglianico del Taburno Enzo Rillo Ris. '12	♟	6
○ Falanghina Brut Maleventum	♟	3
○ Falanghina del Sannio Taburno '19	♟	3
○ Sannio Fiano '19	♟	3
● Aglianico del Taburno '14	♟♟	3
● Aglianico del Taburno '12	♟♟	3
● Aglianico del Taburno Ris. '11	♟♟	4
● Aglianico del Taburno Ris. '07	♟♟	4
○ Sannio Fiano '17	♟♟	2*
○ Sannio Fiano '15	♟♟	2*
○ Sannio Greco '17	♟♟	2*
○ Sannio Greco '16	♟♟	2*
○ Sannio Greco '15	♟♟	2*

Masseria Frattasi

FRAZ. VARONI
VIA FRATTASI, 1
82016 MONTESARCHIO [BN]
TEL. 0824834392
www.masseriafrattasi.it

VENDITA DIRETTA
VISITA SU PRENOTAZIONE
PRODUZIONE ANNUA 120.000 bottiglie
ETTARI VITATI 30,00

Possiamo sicuramente annoverare la
famiglia Cecere Clemente tra quelle che
hanno fatto la storia della vitivinicoltura
campana: nell'agro di Montesarchio, nella
parte meridionale del massiccio calcareo
del Taburno, fanno vino dal 1576, mentre la
struttura che ospita attualmente la cantina,
è un antico edificio risalente al 1779. Non
solo: spetta a don Antonio la riscoperta e la
valorizzazione della falanghina di Bonea,
vitigno tutt'ora protagonista di alcune delle
più rappresentative etichette aziendali. Si è
ben destreggiata nei nostri assaggi la
Falanghina del Sannio Taburno Donnalaura
del 2019. Si offre fragrante nei toni di
agrume e roccia, la bocca mette in mostra
una trama agile e lineare, ben ritmata da
una quota sapida. Maturo e piccante nelle
sensazioni finali il Kapnios, un Aglianico di
struttura. Sensazioni di olive nere e richiami
marini nel Capri Rosso del 2018.

● Capri Rosso '18	▼▼ 8
○ Falanghina del Sannio Taburno V. T. Donnalaura '19	▼▼ 5
● Kapnios Aglianico '17	▼▼ 8
○ Chy Chardonnay 890 '19	▼ 5
○ Coda di Volpe '19	▼ 5
● Aglianico del Taburno Iovi Tonant '16	♀♀ 6
● Aglianico del Taburno Iovi Tonant '15	♀♀ 6
○ Falanghina del Sannio Bonea '18	♀♀ 2*
○ Falanghina del Sannio Taburno Bonea '16	♀♀ 3
○ Falanghina del Sannio Taburno Donnalaura '18	♀♀ 5
○ Taburno Falanghina '12	♀♀ 2*
○ Taburno Falanghina di Bonea '12	♀♀ 3
○ Taburno Falanghina di Bonea '11	♀♀ 2*
● Taburno Iovi Tonant '09	♀♀ 6

★Galardi

FRAZ. SAN CARLO
S.DA PROV.LE SESSA-MIGNANO
81037 SESSA AURUNCA [CE]
TEL. 08231440003
www.terradilavoro.it

VENDITA DIRETTA
VISITA SU PRENOTAZIONE
PRODUZIONE ANNUA 30.000 bottiglie
ETTARI VITATI 10,00
VITICOLTURA Biologico Certificato

Frazione San Carlo di Sessa Aurunca: sono
queste le coordinate geografiche
necessarie per giungere alla tenuta
Fontana Galardi dove dal 1994 viene
prodotto uno dei rossi più iconici della
regione: il Terre di Lavoro, blend di
aglianico e piedirosso che nasce sui terreni
vulcanici e alluvionali della zona,
caratterizzati da una significativa presenza
di calcare. Ne sono artefici Luisa Murena,
Arturo Celentato e Francesco e Dora
Catello, che appena tre vendemmie fa,
hanno pensato di affiancargli un'altra
etichetta, stavolta piedirosso in purezza: il
Terre di Rosso. Ampio e maturo il carattere
del Terra di Lavoro nel millesimo 2018. I
profumi riconducono al caffè appena
macinato, il pepe, una ciliegia ferrovia ben
matura. La bocca è ricca, lo sviluppo
gustativo orizzontale, con una impronta
fumé intensa. Il finale è ancora in
evoluzione, con le spezie a dominare. Più
immediato il Terra di Rosso '18, un
Pieridorosso particolarmente succoso, dai
tannini dolci e cremosi.

● Terra di Lavoro '18	▼▼ 7
● Terra di Rosso '18	▼▼ 5
● Terra di Lavoro '13	♀♀♀ 7
● Terra di Lavoro '11	♀♀♀ 7
● Terra di Lavoro '10	♀♀♀ 7
● Terra di Lavoro '09	♀♀♀ 7
● Terra di Lavoro '08	♀♀♀ 7
● Terra di Lavoro '07	♀♀♀ 7
● Terra di Lavoro '06	♀♀♀ 7
● Terra di Lavoro '05	♀♀♀ 7
● Terra di Lavoro '04	♀♀♀ 7
● Terra di Lavoro '03	♀♀♀ 6
● Terra di Lavoro '02	♀♀♀ 6
● Terra di Lavoro '99	♀♀♀ 6
● Terra di Rosso '17	♀♀♀ 5

La Guardiense

C.DA SANTA LUCIA, 104/106
82034 GUARDIA SANFRAMONDI [BN]
TEL. 0824864034
www.laguardiense.it

VENDITA DIRETTA
VISITA SU PRENOTAZIONE
RISTORAZIONE
PRODUZIONE ANNUA 5.000.000 bottiglie
ETTARI VITATI 1500,00

Quando si a a che fare con realtà di queste dimensioni è importante partire dai numeri. La Guardiense oggi può contare su 1500 ettari vitati, 600 dei quali coltivati a falanghina - vera bandiera aziendale - e sul lavoro di un migliaio di soci, cifre impressionanti se le rapportiamo a quelle degli anni '60, quando i conferitori fondatori erano appena 33. Le operazioni di cantina si svolgono sotto la direzione di Riccardo Cotarella, che detta anche le linee guida dei protocolli di produzione dei viticoltori. Tre Bicchieri alla Falanghina Janare Senete '19 che sprigiona profumi di agrume, pesca e menta. In bocca è succosa, piena, di piacevole bevibilità. Profumi di gelsomino e una beva agile e dinamica caratterizzano il Fiano Janare di pari annata. Di livello i vini della linea Aicon: la Falanghina è intensa e carnosa, l'Aglianico è ricco di sensazioni balsamiche e puntellato da tannini aggraziati.

○ Falanghina del Sannio Janare Senete '19	♛♛♛ 3*
○ Falanghina del Sannio Aicon '19	♛♛ 2*
● Sannio Aglianico Aicon '18	♛♛ 2*
● Sannio Aglianico Janare Lucchero '17	♛♛ 3
○ Sannio Fiano Janare '19	♛♛ 2*
○ Falanghina del Sannio Brut Aicon '18	♛ 3
⊙ Sannio Aglianico Rosato Ambra Rosa '19	♛ 3
● Sannio Guardia Sanframondi Aglianico Cantari Janare Ris. '15	♛ 4
○ Falanghina del Sannio Janare '15	♛♛♛ 2*
○ Falanghina del Sannio Janare Senete '18	♛♛♛ 3*
○ Falanghina del Sannio Janare Senete '17	♛♛♛ 3*

Salvatore Molettieri

C.DA MUSANNI, 19B
83040 MONTEMARANO [AV]
TEL. 082763722
www.salvatoremolettieri.com

VENDITA DIRETTA
VISITA SU PRENOTAZIONE
PRODUZIONE ANNUA 65.000 bottiglie
ETTARI VITATI 13,00

La famiglia Molettieri ha una lunga tradizione viticola alle spalle: sono quattro le generazioni di vignaioli che si sono succedute finché Salvatore, nel 1983, non ha deciso di trasformare in proprio le uve dei suoi vigneti, fino a quel momento vendute a terzi. Siamo tra Montemarano e Castelfranci, nel cuore dell'Irpinia a circa 600 metri di altitudine dove fiano, greco e soprattutto aglianico si trasformano in vini potenti e ricchi, indomiti nei primi anni di vita, ma di sicura soddisfazione se pazientemente aspettati. Strappa i Tre Bicchieri il Taurasi Vigna Cinque Querce del 2013, profondo nei tipici richiami terrosi e speziati, ha forza e grinta sapida in quantità in una trama gustativa ben distribuita, forte di un finale di gran carattere e lunghezza. Molto buono anche il Taurasi Vigna Cinque Querce Riserva del 2012, ancora più intenso nei suoi tratti fumé e di fittissima struttura tannica. In netta crescita il Greco di Tufo, il 2018 ha sapore e articolazione.

● Taurasi V. Cinque Querce '13	♛♛♛ 6
○ Greco di Tufo '18	♛♛ 3
● Taurasi V. Cinque Querce Ris. '12	♛♛ 7
○ Fiano d'Avellino Apianum '18	♛ 3
● Irpinia Rosso Ischia Piana '17	♛ 3
● Taurasi Renonno '14	♛ 5
● Taurasi Renonno '08	♛♛♛ 5
● Taurasi V. Cinque Querce '05	♛♛♛ 6
● Taurasi V. Cinque Querce '04	♛♛♛ 6
● Taurasi V. Cinque Querce '01	♛♛♛ 5
● Taurasi V. Cinque Querce Ris. '05	♛♛♛ 7
● Taurasi V. Cinque Querce Ris. '04	♛♛♛ 7
● Taurasi V. Cinque Querce Ris. '01	♛♛♛ 7
● Aglianico Cinque Querce '10	♛♛ 4
● Taurasi V. Cinque Querce '09	♛♛ 6
● Taurasi V. Cinque Querce Ris. '11	♛♛ 7
● Taurasi V. Cinque Querce Ris. '08	♛♛ 7

892

CAMPANIA

★★Montevetrano

FRAZ. CAMPIGLIANO
VIA MONTEVETRANO, 3
84099 SAN CIPRIANO PICENTINO [SA]
TEL. 089882285
www.montevetrano.it

VENDITA DIRETTA
VISITA SU PRENOTAZIONE
OSPITALITÀ
PRODUZIONE ANNUA 70.000 bottiglie
ETTARI VITATI 5,00

Coniugare una prospettiva e un'impostazione internazionale a una salda base territoriale: a pochi vignaioli è riuscito così bene come a Silvia Imparato che a San Cipriano Picentino, dal 1991, unisce aglianico, cabernet sauvignon e merlot per creare uno dei vini simbolo del panorama vitivinicolo meridionale e non solo, il Montevetrano. Insieme a Riccardo Cotarella, che segue l'azienda dai primordi, Silvia, durante le ultime vendemmie, ha deciso di ampliare la gamma; così oggi i vini aziendali sono tre: si sono aggiunti il Core Rosso, aglianico, e il Core Bianco, fiano e greco. Per la prima volta è proprio il Core Bianco ad aggiudicarsi i nostri Tre Bicchieri. Il millesimo 2019 ci riporta un vino dal frutto fresco e fragrante, articolato nei suoi toni agrumati e affumicati, dal sorso teso e saporito. Il finale è preciso ed equilibrato. Montevetrano '18 sfoggia un profilo balsamico e dal passo gustativo sicuro, l'estrazione con il legno è bel calibrata, il finale è ricco di succo e spezie fini.

○ Core Bianco '19	♟♟♟	4*
● Montevetrano '18	♟♟	8
● Core Rosso '17	♟♟	4
● Montevetrano '17	♟♟♟	8
● Montevetrano '14	♟♟♟	7
● Montevetrano '12	♟♟♟	7
● Montevetrano '11	♟♟♟	7
● Montevetrano '10	♟♟♟	7
● Montevetrano '09	♟♟♟	7
● Montevetrano '08	♟♟♟	7
● Montevetrano '07	♟♟♟	7
● Montevetrano '06	♟♟♟	7
● Montevetrano '05	♟♟♟	7
● Montevetrano '04	♟♟♟	7
● Montevetrano '03	♟♟♟	7
● Montevetrano '02	♟♟♟	7
● Montevetrano '01	♟♟♟	7

Mustilli

VIA CAUDINA, 10
82019 SANT'AGATA DE' GOTI [BN]
TEL. 0823718142
www.mustilli.com

VENDITA DIRETTA
VISITA SU PRENOTAZIONE
OSPITALITÀ E RISTORAZIONE
PRODUZIONE ANNUA 100.000 bottiglie
ETTARI VITATI 15,00

La storia produttiva dell'azienda si lega in maniera indissolubile alla produzione della Falanghina nell'areale di Sant'Agata dei Goti. È merito dell'ingegnere Leonardo Mustilli averne compreso le potenzialità, tanto da imbottigliarla per primo nel lontano 1979. La bottiglia d'esordio è oggi custodita nelle cantine ipogee dello storico palazzo Rainone, scavate nella roccia collegate da una impressionante rete di cunicoli tufacei sotterranei. La conduzione attuale della cantina è affidata alle figlie Paola e Anna Chiara che si avvalgono della consulenza enologica di Fortunato Sebastiano che è riuscito a interpretare in maniera autoriale la Falanghina e il Piedirosso di questo spicchio di Campania. Conquista i Tre Bicchieri la Falanghina Vigna Segreta '18 che si fa apprezzare per una scansione gustativa perfettamente ritmata dall'impronta sapida, il timbro agrumato, i ricordi di fiori gialli. Tutto è in equilibrio tra freschezza, struttura e acidità; la chiusura è lunga e continua. Da finale il Piedirosso Artus di pari annata che appare appena più maturo rispetto alle passate edizioni.

○ Falanghina del Sannio Sant'Agata dei Goti V. Segreta '18	♟♟♟	4*
● Sannio Sant'Agata dei Goti Piedirosso Artus '18	♟♟	4
○ Sannio Greco '19	♟♟	3
○ Falanghina del Sannio '19	♟	3
○ Falanghina Frizzante Regina Isabella '19	♟	3
● Sannio Aglianico '18	♟	3
● Sannio Piedirosso '19	♟	3
● Sannio Sant'Agata dei Goti Aglianico Cesco di Nece '17	♟	4
● Sannio Sant'Agata dei Goti Piedirosso Artus '17	♟♟♟	5
● Sannio Sant'Agata dei Goti Piedirosso Artus '16	♟♟♟	5
● Sannio Sant'Agata dei Goti P iedirosso Artus '15	♟♟♟	4*

Nanni Cope'

VIA TUFO, 3
81041 VITULAZIO [CE]
TEL. 3487478459
www.nannicope.it

VENDITA DIRETTA
PRODUZIONE ANNUA 10.000 bottiglie
ETTARI VITATI 3,50
VITICOLTURA Biologico Certificato
AZIENDA SOSTENIBILE

Giovanni Ascione ha fatto quello che avrebbero voluto fare tanti di noi. Ha messo da parte la penna e la sua vocazione di giornalista per mettere le mani in vigna, per testare il suo intuito e le sue qualità di assaggiatore nell'atto pratico. I risultati sono stati fuori dall'ordinario, il suo Sabbie di Sopra il Bosco è diventato in pochissimi anni un modello di eccellenza a livello nazionale, esportato con successo in tutto il mondo nonostante la tiratura limitata. La sua favola è diventata una pagina significativa del vino campano, ma dall'anno scorso ha venduto le vigne e ora è pronto per altre sfide. L'ultimo vino che ci propone è struggente: il Polveri della Scarrupata '18, blend di fiano, falanghina e asprinio, è uno dei migliori bianchi d'Italia. Parte delicato su toni di basilico, anice e cedro. La bocca è portentosa, l'attacco preciso e cremoso, poi dispiega una matrice sapida profonda, di peculiare energia e articolazione. Il finale è muschiato, appena piccante, di particolare lunghezza e complessità.

○ Polveri della Scarrupata '18	♔♔♔	6
● Sabbie di Sopra il Bosco '17	♔♔♔	6
● Sabbie di Sopra il Bosco '16	♔♔♔	6
● Sabbie di Sopra il Bosco '15	♔♔♔	5
● Sabbie di Sopra il Bosco '14	♔♔♔	5
● Sabbie di Sopra il Bosco '12	♔♔♔	5
● Sabbie di Sopra il Bosco '11	♔♔♔	5
● Sabbie di Sopra il Bosco '10	♔♔♔	5
● Sabbie di Sopra il Bosco '09	♔♔♔	5
○ Polveri della Scarrupata '16	♔♔	6
● Sabbie di Sopra il Bosco '13	♔♔	5
● Sabbie di Sopra il Bosco '08	♔♔	5
● Sabbie di Sopra il Bosco r12 '12	♔♔	6

Cantine Olivella

VIA ZAZZERA, 28
80048 SANT'ANASTASIA [NA]
TEL. 0815311388
www.cantineolivella.com

VENDITA DIRETTA
PRODUZIONE ANNUA 86.400 bottiglie
ETTARI VITATI 12,00
AZIENDA SOSTENIBILE

Andrea Cozzolino, Ciro Giordano e Domenico Ceriello hanno puntato fortemente sui territori del Vesuvio e in particolare sulle potenzialità di un vitigno a bacca bianca poco conosciuto: la catalanesca. La cantina si trova a Sant'Anastasia, ai piedi del Monte Somma all'interno nel parco Nazionale del Vesuvio, e prende il nome da un'antica sorgente dell'Olivella che riforniva l'acqua al Palazzo Reale di Carlo di Borbone di Portici. Non solo catalanesca: qui si producono vini da uve piedirosso e caprettone utilizzando antiche tecniche agronomiche come la moltiplicazione per propaggine, localmente chiamata pass annanz. Spicca il carattere aromatico del Katà '19 che regala una versione più intensa del solito nei profumi, tra toni di lime, frutta esotica ed erbe mediterranee; in bocca è sapido e polposo. Intenso e ben profilato il Lacryma Christi Bianco '19, più largo che verticale. Sfaccettato nei suoi toni affumicati il Vesuvio Rosso '17, tra sbuffi di cenere, grafite e foglia di pomodoro; ha carattere e materia generosa.

○ Katà Catalanesca '19	♔♔	3
○ Lacryma Christi del Vesuvio Bianco Lacrimabianco '19	♔♔	3
● Vesuvio Rosso '17	♔♔	5
○ Vesuvio Bianco Emblema '19	♔	3
⊙ Vesuvio Rosato Ereo '19	♔	4
● Vesuvio Piedirosso Vipt '17	♔	3
○ Catalanesca Kata '16	♔♔	3
○ Katà Catalanesca '17	♔♔	3
○ Lacryma Christi del Vesuvio Bianco Emblema '16	♔♔	3

Ciro Picariello

VIA MARRONI, 18A
83010 SUMMONTE [AV]
TEL. 3478885625
www.ciropicariello.it

VISITA SU PRENOTAZIONE
PRODUZIONE ANNUA 55.000 bottiglie
ETTARI VITATI 15,00
AZIENDA SOSTENIBILE

Dici "Ciro Picariello" e subito pensi al Fiano di Avellino, un'associazione di idee spontanea e immediata come capita poche volte nel mondo del vino. Eppure la storia dell'azienda è abbastanza recente: si parte nel 2004 con i vigneti di Montefredane e Summonte, una quindicina di ettari, tra i 500 e i 650 metri di altitudine. Ma questo legame indissolubile tra uomo e vitigno è dato non solo dalle vendemmie che si succedono nel tempo, quanto piuttosto dall'impostazione che il vignaiolo ha dato al suo lavoro: pratiche sostenibili e rispettose dell'ambiente in vigna; sensibilità artigiana in cantina. Approda in finale l'unico vino presentato in quest'edizione della Guida. Parliamo del Fiano di Avellino '19, profumato di erbe di campo, di mandorla fresca e anice. La bocca offre un frutto bianco fragrante e di buona intensità, è insieme polposo e di bella distensione sapida. Il finale è lineare e continuo, con un respiro finale fresco e mentolato.

○ Fiano di Avellino '19	♀♀ 4
○ Fiano di Avellino '14	♀♀♀ 4*
○ Fiano di Avellino '10	♀♀♀ 3*
○ Fiano di Avellino '08	♀♀♀ 3*
○ Brut Contadino	♀♀ 4
○ Fiano di Avellino '18	♀♀ 4
○ Fiano di Avellino '17	♀♀ 4
○ Fiano di Avellino '15	♀♀ 4
○ Fiano di Avellino Ciro 906 '13	♀♀ 4
○ Fiano di Avellino Ciro 906 '12	♀♀ 4

La Pietra di Tommasone

S.DA PROV.LE FANGO, 98
80076 LACCO AMENO [NA]
TEL. 0813330330
www.tommasonevini.it

VENDITA DIRETTA
VISITA SU PRENOTAZIONE
PRODUZIONE ANNUA 100.000 bottiglie
ETTARI VITATI 16,50

Antonio Monti e la figlia Lucia, enologa della cantina di Lacco Ameno, sul versante nord d'Ischia, sono tra i custodi della viticoltura dell'isola, che può vantare una tradizione secolare e un bagaglio unico di varietà autoctone e paesaggi dal fascino magnetico. I loro vigneti compongono un mosaico di tanti piccoli appezzamenti sparsi, frutto di un lavoro costante di salvaguardia del territorio: nell'arco degli anni sono stati recuperati molti terreni abbandonati e oggi la superficie vitata si aggira sui 17 ettari, suddivisi in 14 piccole tenute. Raggiune le nostre finali il Per'e Palummo Tenuta Monte Zunta del 2018, proveniente da una vigna a 450 metri di quota. Affascina per i suoi toni floreali, i profumi di viola e ciliegia, il passo maturo e sicuro, forte di un dosaggio del legno aggraziato. Il finale è leggermente piccante nei richiami pepati. Intreccio di toni terrosi e di mare nel Pithecusa Rosso, blend di aglianico e piedirosso. Toni freschi d'agrume e di risacca nella Biancolella Tenuta dei Preti '19.

● Ischia Per'e Palummo Tenuta Monte Zunta '18	♀♀ 5
○ Ischia Biancolella '19	♀♀ 3
○ Ischia Biancolella Tenuta dei Preti '19	♀♀ 4
● Pithecusa Rosso '17	♀♀ 4
● Pignanera '16	♀ 5
⊙ Rosamonti '19	♀ 3
○ Ischia Biancolella '17	♀♀♀ 2*
○ Epomeo Bianco Pithecusa '18	♀♀ 3
● Epomeo Rosso '14	♀♀ 3
○ Ischia Biancolella '18	♀♀ 2*
○ Ischia Biancolella Tenuta dei Preti '18	♀♀ 4
○ Ischia Biancolella Tenuta dei Preti '17	♀♀ 4
● Ischia Per' e Palummo '17	♀♀ 3
● Ischia Per'e Palummo Tenuta Monte Zunta '17	♀♀ 5
⊙ Rosamonti '18	♀♀ 2*

★Pietracupa

C.DA VADIAPERTI, 17
83030 MONTEFREDANE [AV]
TEL. 0825607418
pietracupa@email.it

VENDITA DIRETTA
VISITA SU PRENOTAZIONE
PRODUZIONE ANNUA 50.000 bottiglie
ETTARI VITATI 7,50

Sabino Loffredo ha tutti i tratti dell'artista. Non eccelle in organizzazione, è istintivo, creativo, passionale e decisamente talentuoso. Nell'ultimo decennio si è confermato tra più virtuosi e costanti produttori di bianchi in Italia, grazie a vini capaci di viaggiare con straordinaria disinvoltura nel tempo, mettendo a segno cambi di passo davvero peculiari. I suoi Greco e Fiano sono affilati e profilati, dalla vena acida sulle punte ma mai fuori luogo, profumano di alta montagna. In assenza del Fiano e del Greco '19 che verranno proposti l'anno prossimo, segnaliamo il Taurasi '15 che approda alle nostre finali in virtù di un frutto rosso maturo e carnoso; sensazioni di ciliegia e arancia sanguinella si rincorrono in un palato puntellato da tannini cremosi in un quadro armonico e articolato. Da finale anche il Cupo, delicato nei sentori di camomilla e mandorla, di vibrante freschezza al palato: chiude su una lunga scia di agrumi e anice. Di ottima bevibilità la Falanghina '19, spigliata nel suo timbro di pompelmo ed erba appena tagliata.

○ Cupo '18	♥♥ 5
● Taurasi '15	♥♥ 5
○ Falanghina '19	♥♥ 3
○ Cupo '10	♥♥♥ 5
○ Cupo '08	♥♥♥ 5
○ Fiano di Avellino '13	♥♥♥ 3*
○ Fiano di Avellino '12	♥♥♥ 3*
○ Greco '18	♥♥♥ 4*
○ Greco di Tufo '17	♥♥♥ 3*
○ Greco di Tufo '15	♥♥♥ 3*
○ Greco di Tufo '14	♥♥♥ 3*
○ Greco di Tufo '10	♥♥♥ 3*
○ Greco di Tufo '09	♥♥♥ 3*
○ Greco di Tufo '08	♥♥♥ 3*
○ Greco di Tufo '07	♥♥♥ 3*
● Taurasi '10	♥♥♥ 5

Fattoria La Rivolta

C.DA CONTRADA RIVOLTA
82030 TORRECUSO [BN]
TEL. 0824872921
www.fattorialarivolta.com

VENDITA DIRETTA
VISITA SU PRENOTAZIONE
OSPITALITÀ
PRODUZIONE ANNUA 180.000 bottiglie
ETTARI VITATI 29,00
VITICOLTURA Biologico Certificato

Troviamo la famiglia Cotroneo alla guida di una delle più belle realtà del Beneventano, attiva dal 1997, forte di una batteria di vini ampia, costante e molto ben segmentata. Gli ettari vitati, condotti in regime biologico certificato, sono 29 e abbracciano le principali denominazioni della viticoltura sannita. La cantina ha uno stile ben definito: i bianchi sono fragranti e intensi, lavorati in acciaio, mentre i rossi dimostrano un profilo più ricco, capaci di coniugare spezie, concentrazione Batteria solida e convincente. Davvero pregevole l'Aglianico del Taburno '18 capace di abbinare un'impronta speziata di caffè e tabacco a un frutto maturo e succoso; il palato è pieno, dinamico e di bell'energia sapida. Profumato di zagara e cedro il Sannio Greco '19, sapido e fragrante; di livello anche la Coda di Volpe pari annata. Tra le Riserve, quest'anno segnaliamo il Terra di Rivolta '17, dai toni molto maturi di frutto e dalla bocca densa, ricca e potente.

● Aglianico del Taburno '18	♥♥ 3*
● Aglianico del Taburno Terra di Rivolta Ris. '17	♥♥ 6
○ Sannio Coda di Volpe '19	♥♥ 3
○ Sannio Greco '19	♥♥ 3
○ Falanghina del Sannio Taburno '19	♥ 3
○ Sannio Fiano '19	♥ 3
● Simbiosi Rosso '17	♥ 5
● Aglianico del Taburno '10	♥♥♥ 3*
● Aglianico del Taburno Terra di Rivolta Ris. '08	♥♥♥ 5
○ Falanghina del Sannio Taburno '16	♥♥♥ 2*
● Aglianico del Taburno Terra di Rivolta Ris. '12	♥♥ 5
● Aglianico del Taburno Terra di Rivolta Ris. '11	♥♥ 5

Rocca del Principe

VIA ARIANIELLO, 9
83030 LAPIO [AV]
TEL. 08251728013
www.roccadelprincipe.it

VENDITA DIRETTA
VISITA SU PRENOTAZIONE
PRODUZIONE ANNUA 40.000 bottiglie
ETTARI VITATI 7,00

L'azienda nasce nel 2004 per mano dei coniugi Ercole Zarella e Aurelia Fabrizio e si trova a Lapio, un piccolo paese sulle colline irpine, riconosciuto come uno dei cru per il Fiano d'Avellino. Il clima del territorio è scandito dalla vicina presenza dei monti Picentini che accentuano le escursioni termiche tra le stagioni e tra il giorno e la notte; in più i terreni sono di matrice vulcanica, ricca di pomice, condizioni pedoclimatiche perfette per la maturazione del fiano, cavallo di battaglia aziendale, declinato in più versioni; una di queste proviene da una parcella selezionatissima, il Tognano, un vero e proprio cru nel cru. Tre Bicchieri di slancio proprio al Fiano di Avellino Tognano '17, incantevole per la sua purezza aromatica giocata tra toni mentolati, di nocciola fresca, la mandorla, un giro di spezie. La bocca è un guanto in quanto a sensazioni tattili e di una persistenza lunga e sfacciatamente elegante. Buonissimo anche il Fiano di Avellino '18 nei suoi richiami marini e di erbe spontanee, ben profilato da una vivida verve acida e una punta finale di zenzero.

○ Fiano di Avellino Tognano '17	♟♟♟	5
○ Fiano di Avellino '18	♟♟	4
● Taurasi Aurelia '16	♟♟	5
○ Fiano di Avellino '14	♟♟♟	3*
○ Fiano di Avellino '13	♟♟♟	3*
○ Fiano di Avellino '12	♟♟♟	3*
○ Fiano di Avellino '10	♟♟♟	3*
○ Fiano di Avellino '08	♟♟♟	2*
○ Fiano di Avellino '07	♟♟♟	2*
○ Fiano di Avellino Tognano '16	♟♟♟	5
○ Fiano di Avellino Tognano '15	♟♟♟	5
○ Fiano di Avellino '17	♟♟	4
○ Fiano di Avellino '16	♟♟	4
○ Fiano di Avellino '15	♟♟	3*
○ Fiano di Avellino Tognano '14	♟♟	3*

Ettore Sammarco

VIA CIVITA, 9
84010 RAVELLO [SA]
TEL. 089872774
www.ettoresammarco.it

VENDITA DIRETTA
VISITA SU PRENOTAZIONE
PRODUZIONE ANNUA 66.000 bottiglie
ETTARI VITATI 13,00

Oggi che la viticoltura eroica è al centro di molte discussioni enoiche, sarebbe opportuno farsi una chiacchierata con Ettore Sammarco che coltivava le sue impervie vigne terrazzate di Ravello già negli anni '60. Attualmente nel lavoro è affiancato dal figlio Bartolo e insieme si prendono cura di un vigneto di 13 ettari, suddiviso in molte piccole parcelle, che arrivano a toccare quota 500 metri con la vigna del Monte Brusara. L'Appennino campano dei Monti Lattari e le brezze marine disegnano vini di stampo mediterraneo che prendono vita esclusivamente da uve autoctone. Approda in finale il Ravello Bianco Selva delle Monache '19, dai dolci profumi di frutta gialla e macchia mediterranea; in bocca è cremoso, lungo e disteso nei richiami di cedro. Il Ravello Rosso Riserva '16 è di notevole persistenza aromatica, tipico nei richiami di piccoli frutti rossi e neri, di buona concentrazione. Si conferma il Rosato Selva delle Monache, uno dei migliori nella sua tipologia in regione.

○ Costa d'Amalfi Ravello Bianco Selva delle Monache '19	♟♟	3*
⊙ Costa d'Amalfi Ravello Rosato Selva delle Monache '19	♟♟	3
● Costa d'Amalfi Ravello Rosso Selva delle Monache Ris. '16	♟♟	3
○ Costa d'Amalfi Bianco Terre Saracene '19	♟	3
⊙ Costa d'Amalfi Rosato Terre Saracene '19	♟	3
○ Costa d'Amalfi Ravello Bianco Selva delle Monache '17	♟♟♟	3*
○ Costa d'Amalfi Ravello Bianco V. Grotta Piana '15	♟♟♟	4*
○ Costa d'Amalfi Ravello Bianco Selva delle Monache '18	♟♟	3*

Tenuta San Francesco

FRAZ. CORSANO
VIA SOFILCIANO, 18
84010 TRAMONTI [SA]
TEL. 089876748
www.vinitenutasanfrancesco.com

VENDITA DIRETTA
VISITA SU PRENOTAZIONE
OSPITALITÀ
PRODUZIONE ANNUA 40.000 bottiglie
ETTARI VITATI 10,00

Il progetto vitivinicolo delle famiglie Bove,
D'Avino e Giordano nasce in una delle
zone più affascinanti della Costiera
Amalfitana, ma allo stesso tempo tra le più
dure e impervie. Infatti la miriade di
microappezzamenti vitati dell'azienda,
quasi una cinquantina, insiste su
terrazzamenti caratterizzati da feroci
pendenze con quote altimetriche che
vanno dai 300 ai 700 metri. Allevati con
ultracentenarie pergole a piede franco,
troviamo i vitigni tipici della zona: aglianico,
tintore e piedirosso per i rossi; pepella,
falanghina e ginestra per i bianchi.
Approda in finale il Costa d'Amalfi Bianco
Per Eva '18, raffinato nel suo timbro
mediterraneo con ricordi di muschio, di
brezza marina e timo. La bocca è articolata,
profonda, dal passo elegante, saporito nel
finale delicatamente affumicato. Più ricco
ed estrattivo del solito l'affascinante È Iss,
un Tintore che profuma di radici e liquirizia;
più immediato nell'impronta fruttata il
Rosso 4 Spine del 2016.

○ Costa d'Amalfi Bianco Per Eva '18	♥♥	4
○ Costa d'Amalfi Tramonti Bianco '19	♥♥	2*
○ Costa d'Amalfi Tramonti Rosso Quattrospine Ris. '16	♥♥	5
● È Iss Tintore Prephilloxera '17	♥♥	5
● Costa d'Amalfi Tramonti Rosso '17	♥	3
● È Iss Tintore Prephilloxera '16	♥♥♥	5
○ Costa d'Amalfi Bianco Per Eva '17	♥♥	4
○ Costa d'Amalfi Tramonti Bianco '17	♥♥	2*
○ Costa d'Amalfi Tramonti Bianco Per Eva '16	♥♥	4
● Costa d'Amalfi Tramonti Rosso '16	♥♥	3
● Costa d'Amalfi Tramonti Rosso Quattrospine Ris. '15	♥♥	5
● È Iss Tintore Prephilloxera '14	♥♥	5

San Giovanni

C.DA TRESINO
84048 CASTELLABATE [SA]
TEL. 0974965136
www.agricolasangiovanni.it

VENDITA DIRETTA
VISITA SU PRENOTAZIONE
OSPITALITÀ
PRODUZIONE ANNUA 20.000 bottiglie
ETTARI VITATI 4,00

L'azienda di Mario Corrado e Ida Budetta
sorge in un luogo dall'abbacinante bellezza:
la casa-cantina è frutto del recupero a
basso impatto ambientale di un casale
immerso nel Parco Naturale del Cilento, a
Punta Tresino nel comune di Castellabate. I
vigneti, appena quattro ettari sono divisi in
due appezzamenti: mentre uno e
completamente circondato dal classico
bosco della macchia mediterranea, l'altro,
proprio davanti alla cantina, guarda il mare
giovandosi delle sue brezze saline. Tra i
filari, solo autoctoni: fiano, greco, aglianico
e piedirosso. I quattro vini presentati
strappano punteggi di tutto rispetto, a
partire dai due ottimi bianchi a base fiano.
Il Tresinus profuma di fieno, nel tratto
affumicato ricorda un'ottima mozzarella di
bufala e il grano; in bocca è sapido, ricco,
ben disteso al palato. Delizioso anche il
Paestum '19, un Fiano solare e luminoso,
squisitamente mediterraneo nelle
suggestioni e nell'andamento al palato. Di
buon livello i rossi sia il Maroccia, succoso
e speziato, sia il Ficonera, Piedirosso agile
e snello.

○ Paestum Bianco '19	♥♥	3*
○ Tresinus Fiano '19	♥♥	4
● Maroccia '15	♥♥	5
● Ficonera '17	♥	5
○ Paestum Bianco '15	♀♀♀	2*
○ Tresinus Fiano '12	♀♀♀	3*
○ Aureus '15	♀♀	5
● Castellabate '16	♀♀	3
● Ficonera '14	♀♀	5
○ Paestum Bianco '17	♀♀	3
○ Paestum Bianco '16	♀♀	3*
○ Paestum Bianco '14	♀♀	2*
○ Tresinus Fiano '18	♀♀	4
○ Tresinus Fiano '17	♀♀	4
○ Tresinus Fiano '16	♀♀	4
○ Tresinus Fiano '15	♀♀	3

San Salvatore 1988

VIA DIONISO
84050 GIUNGANO [SA]
TEL. 08281990900
www.sansalvatore1988.it

VENDITA DIRETTA
OSPITALITÀ E RISTORAZIONE
PRODUZIONE ANNUA 160.000 bottiglie
ETTARI VITATI 23,00
VITICOLTURA Biodinamico Certificato

Il progetto è ampio, di quelli che partono dal vino ma poi abbracciano un'intera filiera agronomica e gastronomica: a farsene promotore è stato Giuseppe Pagano, che accanto all'attività di imprenditore alberghiero, ha deciso di incanalare le sue energie, la sua esperienza e la sua passione in San Salvatore. Vino sì, dunque, ma non solo: allevamento di bufale e produzione di mozzarelle, uliveti, cerealicoltura fino ad arrivare alla ristorazione, il tutto in un un microcosmo dove il rispetto per l'ambiente è il faro che guida le varie attività. Il Pian di Stio '19 conquista i Tre Bicchieri in virtù di una scia marina nitida, i profumi ricordano il fieno e la scorza del limone. In bocca sfoggia un profilo affilato, dall'acidità sferzante, il finale richiama le erbe mediterranee. Di livello anche il Trentenare, anche'esso da uve fiano, dal frutto succoso e dalla beva piacevole e distesa. Tra i rossi a uve aglianico, l'Omaggio a Gillo Dorfles '16 spicca per intensità e ampiezza aromatica, fresco e immediato il Ceraso '19.

○ Pian di Stio '19	♟♟♟	4*
○ Trentenare '19	♟♟	3*
● Ceraso '19	♟♟	3
♀ Falanghina '19	♟♟	3
● Omaggio a Gillo Dorfles '16	♟♟	6
● Jungano '18	♟	3
☉ Vetere Rosato '19	♟	3
○ Pian di Stio '18	♟♟♟	4*
○ Pian di Stio '17	♟♟♟	4*
○ Pian di Stio '14	♟♟♟	4*
○ Pian di Stio '13	♟♟♟	4*
○ Pian di Stio '12	♟♟♟	3*
○ Trentenare '16	♟♟♟	3*
○ Trentenare '15	♟♟♟	3*
○ Calpazio '18	♟♟	3
● Jungano '17	♟♟	3
○ Trentenare '18	♟♟	3*

Sanpaolo di Claudio Quarta

FRAZ. C.DA SAN PAOLO
VIA AUFIERI, 25
83010 TORRIONI [AV]
TEL. 0832704398
www.claudioquarta.it

VENDITA DIRETTA
VISITA SU PRENOTAZIONE
PRODUZIONE ANNUA 250.000 bottiglie
ETTARI VITATI 20,00
AZIENDA SOSTENIBILE

Dopo una vita passata a sperimentare biotecnologie in giro per il mondo, Claudio Quarta nel 2005 decide di tornare in Italia e iniziare una seconda vita, da vignaiolo. Acquista tre aziende, due in Puglia e una in Irpinia in Contrada San Paolo di Torrioni. Con al fianco la figlia Alessandra, giovane appassionata e fonte inesauribile di nuove idee, produce i vini tipici del territorio raccogliendo le uve nei vigneti di proprietà e in quelli di fidati conferitori: il fiano da Lapio e Candida, l'aglianico da Castelfranci e Taurasi, e infine il greco, bandiera aziendale, da Tufo. Tornano i Tre Bicchieri in casa Quarta. Il Greco di Tufo che porta il nome del fondatore della cantina affascina. Il 2019 offre un profilo di erbe di montagna, un giro di pepe bianco e zenzero; in bocca è cremoso, con un frutto bianco succoso e un finale morbido, sfaccettato e lungo. Molto buono anche il Greco di Tufo '19, profumato di salvia e alloro, molto fragrante e teso al palato dove mette in mostra una progressione di vibrante freschezza.

○ Greco di Tufo Claudio Quarta Special Edition '19	♟♟♟	4*
○ Greco di Tufo '19	♟♟	3*
○ Fiano di Avellino '19	♟♟	3
○ Toto Bianco '19	♟♟	3
○ Falanghina '19	♟	2
○ Foxtail Coda di Volpe Passito '18	♟	5
● Toto Rosso '18	♟	3
○ Greco di Tufo Claudio Quarta '13	♟♟♟	6
○ Greco di Tufo Claudio Quarta '12	♟♟♟	6
○ Falanghina '18	♟♟	2*
○ Greco di Tufo '17	♟♟	3
○ Greco di Tufo Claudio Quarta '18	♟♟	4
○ Greco di Tufo Claudio Quarta '17	♟♟	6
○ Totò Bianco '18	♟♟	5
● Totò Rosso '17	♟♟	5

Sclavia

LOC. MARIANELLO
VIA CASE SPARSE
81040 LIBERI [CE]
TEL. 3357406773
www.sclavia.com

VENDITA DIRETTA
VISITA SU PRENOTAZIONE
PRODUZIONE ANNUA 50.000 bottiglie
ETTARI VITATI 13,00
VITICOLTURA Biologico Certificato
AZIENDA SOSTENIBILE

Pallagrello, bianco e nero, e casavecchia: sono questi gli ingredienti che danno vita ai vini dell'azienda di Andrea Granito e Lello Ferrara. È il 2003 l'anno in cui viene avviato il progetto nell'agro di Liberi, sui Monti Trebulani, in uno spicchio dell'Alto Casertano dove i terreni risentono degli antichi influssi vulcanici. L'attenzione per l'ambiente e per la tutela del territorio ha portato l'azienda a certificare in biologico l'intero vigneto costituito da 13 ettari vitati a circa 500 metri di altitudine. Batteria ridotta quella presentata in quest'edizione della Guida. Il Granito del 2019 è un Casavecchia che mostra una trama fruttata davvero piacevole, succosa, con il classico timbro di pepe in sottofondo e una distensione al palato sicura e godibile. Affidabile il Montecardillo, un Pallagrello Nero dal timbro fumé leggermente più accentuato e una trama tannica fitta, è un rosso polposo e materico.

● Granito '19	♟♟	3
● Pallagrello Nero Montecardillo '19	♟♟	3
○ Calù Pallagrello Bianco '18	♟♟	3
○ Calù Pallagrello Bianco '17	♟♟	3*
○ Calù Pallagrello Bianco '16	♟♟	3*
○ Calù Pallagrello Bianco '15	♟♟	3*
● Casavecchia di Pontelatone Liberi '15	♟♟	5
○ Don Ferdinando '15	♟♟	5
● Granito '12	♟♟	3
● Granito Casavecchia '15	♟♟	3
● Liberi '14	♟♟	5
● Liberi '12	♟♟	5
○ Pallarè '15	♟♟	5

Tenuta Scuotto

C.DA CAMPOMARINO, 2/3
83030 LAPIO [AV]
TEL. 08251851965
www.tenutascuotto.it

VENDITA DIRETTA
VISITA SU PRENOTAZIONE
PRODUZIONE ANNUA 40.000 bottiglie
ETTARI VITATI 3,00

Dopo il successo ottenuto come imprenditore del settore grafico, Eduardo Scuotto ha deciso di seguire una sua mai sopita passione e di dedicarsi alla vitivinicoltura. Così nel 2009 acquista una cantina e i suoi vigneti a Lapio, sul Monte Tuoro, nel cuore della denominazione del Fiano di Avellino e inizia a produrre i vini tipici della zona; vendemmia dopo vendemmia, i risultati sono sempre più precisi e calibrati e l'azienda si fa strada nel competitivo distretto campano. La gamma prevede, oltre al già citato Fiano, anche etichette da greco, aglianico e falanghina. Scocca l'ora dei Tre Bicchieri in casa Scuotto. Il merito è del Fiano di Avellino del 2019 profumato di erbe di campo e vivido nei richiami marini. Al palato mette in mostra un frutto pieno e fragrante, con un sottofondo delicatamente affumicato a impreziosire il quadro. Buono anche il Greco di Tufo, più ricco e grasso, dai toni di olive e di cedro, ben supportato da una spalla acida vivace e un leggero tocco tannico tipico della varietà.

○ Fiano di Avellino '19	♟♟♟	3*
○ Greco di Tufo '19	♟♟	3
⊙ Rosato Malgrè '19	♟	3
○ Falanghina '16	♟♟	3
○ Fiano di Avellino '18	♟♟	3*
○ Fiano di Avellino '16	♟♟	2*
○ Greco di Tufo '18	♟♟	3
○ Greco di Tufo '17	♟♟	3*
○ Greco di Tufo '16	♟♟	3*
○ Oi Nì '17	♟♟	5
● Taurasi '12	♟♟	5

La Sibilla

FRAZ. BAIA
VIA OTTAVIANO AUGUSTO, 19
80070 BACOLI [NA]
TEL. 0818688778
www.sibillavini.com

VENDITA DIRETTA
VISITA SU PRENOTAZIONE
PRODUZIONE ANNUA 70.000 bottiglie
ETTARI VITATI 9,50

I Campi Flegrei sono un luogo che ha affascinato l'uomo fin da tempi antichissimi e tutt'ora non smettono di incuriosire e attirare l'attenzione, anche dal punto di vista vitivinicolo. Qui, tra suoli di origne vulcanica, amalgama atavica di ceneri e lapilli, tra le brezze del vicino Mar Tirreno e tra vigneti a piede franco, nasce l'azienda di Vincenzo Di Meo. Territorio, stile personale basato su poche operazioni di cantina, esaltazione dei caratteri varietali delle uve autoctone: è questa la ricetta di Vincenzo per la creazione dei suoi vini. I Tre Bicchieri alla Falangina Cruna DeLago suggellano una batteria molto positiva e convincente. La versione 2018 offre un vino dai richiami intensi di fieno e torba, un giro di spezie e un frutto maturo e articolato. In bocca è grassa, ricca, ma resa dinamica da una trama salata molto intensa e profonda. La Falanghina base si conferma un vino più agile e ben profilato, mentre i due Piedirosso completano una gamma solida e completa con il Vigna Madre in crescita sul piano della definizione.

○ Campi Flegrei Falanghina Cruna deLago '18	♙♙♙	5
○ Campi Flegrei Falanghina '19	♙♙	4
● Campi Flegrei Piedirosso '19	♙♙	3
● Campi Flegrei Piedirosso V. Madre '18	♙♙	4
○ Campi Flegrei Falanghina '13	♟♟♟	2*
○ Campi Flegrei Falanghina Cruna deLago '15	♟♟♟	4*
○ Campi Flegrei Falanghina Cruna deLago '17	♟♟	5
○ Campi Flegrei Falanghina Cruna deLago '16	♟♟	5
● Campi Flegrei Piedirosso '18	♟♟	4

Luigi Tecce

C.DA TRINITÀ, 6
83052 PATERNOPOLI [AV]
TEL. 3492957565
ltecce@libero.it

VISITA SU PRENOTAZIONE
PRODUZIONE ANNUA 10.000 bottiglie
ETTARI VITATI 5,50

Simbiosi: è la prima parola che ci viene in mente se pensiamo a Luigi Tecce e al suo aglianico. Siamo sulle alte colline tra Paternopoli e Castelfranci, zona d'elezione del vitigno rosso irpino; Luigi si prende cura di un vigneto di poco più di cinque ettari che gli regala uve che, a seconda dell'andamento vendemmiale, vengono sottoposte a maturazioni, macerazioni e affinamenti differenti: cambiano i materiali, le grandezze dei legni, i tempi. Ciò che non cambia mai è il carattere delle sue etichette: bizzose e irrequiete all'inizio, di sicura soddisfazione per chi sa fare esercizio di pazienza. Approda in finale il Taurasi Puro Sangue Riserva '15, un rosso maturo e complesso, ricco di sensazioni di cuoio e liquirizia, vivace nella quota sapida, complesso e stratificato nel frutto carnoso. Ancora più serrato ma affascinante il Taurasi Poliphemo Riserva '15, dal tannino appuntito, severo e profondo. Ottimo il Rosato La Cyclope che sorprende con un profilo maturo ed espressivo tra toni di arancia sanguinella e spezie e un finale di carattere.

☉ Irpinia Rosato La Cyclope '18	♙♙	3*
● Taurasi Puro Sangue Ris. '15	♙♙	8
● Taurasi Poliphemo V. V. Ris. '15	♙♙	8
● Taurasi Poliphemo '08	♟♟♟	6
● Taurasi Poliphemo '07	♟♟♟	6
● Taurasi Puro Sangue Ris. '14	♟♟♟	6
● Irpinia Campi Taurasini Satyricon '15	♟♟	4
● Irpinia Campi Taurasini Satyricon '14	♟♟	4
● Irpinia Campi Taurasini Satyricon '13	♟♟	4
● Irpinia Campi Taurasini Satyricon '12	♟♟	5
● Taurasi Poliphemo '13	♟♟	6
● Taurasi Poliphemo '12	♟♟	6
● Taurasi Poliphemo '11	♟♟	6
● Taurasi Poliphemo V. V. Ris. '14	♟♟	6

Tenuta del Meriggio

C.DA SERRA, 79/81A
83038 MONTEMILETTO [AV]
TEL. 0825962282
www.tenutadelmeriggio.it

VENDITA DIRETTA
VISITA SU PRENOTAZIONE
PRODUZIONE ANNUA 65.000 bottiglie
ETTARI VITATI 23,00
AZIENDA SOSTENIBILE

È un parco vigneti indiscutibilmente invidiabile quello di Bruno Pizza, oltre 20 ettari vitati nelle migliori aree irpine: se il fiano proviene da Lapio, l'aglianico è quello di Montemiletto, Paternopoli e Castelfranci, mentre il greco non può che giungere da Tufo e da Santa Paolina. L'azienda nasce poco più di dieci anni fa ma ha già saputo farsi strada nel competitivo distretto irpino grazie a vini di grande pulizia, fragranza, e riconoscibilità, sia varietale, sia territoriale. Raffinato nel suo profilo aromatico di camomilla e ginestra il Fiano di Avellino Colle delle Ginestre '18, è articolato nella trama sapida, di sicura progressione e ampio respiro finale. Profumi intensi di rosmarino e tè verde caratterizzano il Fiano di Avellino '19; al palato ha frutto generoso e una quota acida capace di rilanciare fragranza e freschezza.

Terre Stregate

LOC. SANTA LUCIA
82034 GUARDIA SANFRAMONDI [BN]
TEL. 0824817857
www.terrestregate.it

VENDITA DIRETTA
VISITA SU PRENOTAZIONE
PRODUZIONE ANNUA 130.000 bottiglie
ETTARI VITATI 22,00

Armando Iacobucci, per ridare vita a un'antica tradizione di famiglia, nel 2004, decide di affiancare al suo frantoio l'attività vitivinicola. Rimette a nuovo la cantina appartenuta a suo nonno e crea Terre Stregate. A guidare l'azienda oggi troviamo i suoi figli: Carlo, che si occupa dei lavori in vigna, e Filomena, che invece si dedica al reparto commerciale. Il vigneto insiste sull'areale di Guardia Sanframondi e tra i filari conserva i vitigni autoctoni della zona: insieme a fiano e greco, l'aglianico, per rossi potenti e strutturati, e, ovviamente, la falanghina, vera e propria ambasciatrice del territorio. Tre Bicchieri alla Falanghina del Sannio Svelato del 2019. I profumi ricordano l'erba appena tagliata e l'agrume, la bocca è succosa, piena, articolata e ben distesa. Convince anche il Sannio Aglianico Manent '17 dai toni di frutto bosco e pepe, di solida struttura e finale saporito e sfizioso nell'impronta delicatamente piccante.

○ Fiano di Avellino Colle delle Ginestre '18	♟♟♟ 4
○ Fiano di Avellino '19	♟♟ 3
● Irpinia Campi Taurasini '17	♟♟ 2*
○ Falanghina '19	♟ 3
○ Greco di Tufo Colle dei Lauri '19	♟ 4
● Irpinia Aglianico '16	♟ 3
○ Fiano di Avellino '17	♟♟♟ 3*
○ Fiano di Avellino '18	♟♟ 3*
○ Greco di Tufo '18	♟♟ 3
○ Greco di Tufo '17	♟♟ 3
● Taurasi '14	♟♟ 5

○ Falanghina del Sannio Svelato '19	♟♟♟ 3*
● Sannio Aglianico Manent '17	♟♟ 2*
○ Cara Cara Falanghina '17	♟ 6
⊙ Rosato Attimo '19	♟ 2
○ Sannio Fiano Genius Loci '19	♟ 3
○ Sannio Greco Aurora '19	♟ 2
○ Falanghina del Sannio Svelato '18	♟♟♟ 3*
○ Falanghina del Sannio Svelato '17	♟♟♟ 2*
○ Falanghina del Sannio Svelato '16	♟♟♟ 2*
○ Falanghina del Sannio Svelato '15	♟♟♟ 2*
○ Falanghina del Sannio Svelato '14	♟♟♟ 2*
○ Falanghina del Sannio Svelato '13	♟♟♟ 2*
○ Caracara Falanghina '16	♟♟ 6
● Costa del Duca Aglianico '15	♟♟ 7
○ Falanghina Trama '18	♟♟ 2*

Terredora Di Paolo

VIA SERRA
83030 MONTEFUSCO [AV]
TEL. 0825968215
www.terredora.com

VENDITA DIRETTA
VISITA SU PRENOTAZIONE
OSPITALITÀ
PRODUZIONE ANNUA 700.000 bottiglie
ETTARI VITATI 200,00

L'avventura imprenditoriale di Walter Mastroberardino, nata nel 1994, è oggi portata avanti con caparbietà dai figli Daniela e Paolo. Insieme gestiscono un parco vigneti tra i più estesi del meridione, ben 200 ettari nelle migliori sottozone dell'Irpinia: Lapio, Montemiletto, Montefalcione, Santa Paolina, Montefusco, Pietradefusi, territori tra i più vocati della regione da cui provengono aglianico, fiano, greco, falanghina e coda di volpe. La gamma, suddivisa in tre linee - Le Grandi Riserve, Le Selezioni, I Classici - comprende vini ineccepibili dal punto di vista tecnico, di grande pulizia e definizione. Nella batteria spicca la proposta di Taurasi. In particolare, il Taurasi Pago dei Fusi, annata 2012, che regala toni fumé, eleganti nei sentori di caffè e pepe. Al palato è fitto e succoso, sfuma su sensazioni sapide. Evoluto nei profumi ma ancora vivo ed energico il Taurasi CampoRe del 2009, intensi i richiami balsamici del Taurasi Fatica Contadina '14. Netto nelle sensazione di piccoli frutti di bosco il Corte di Giso; la bocca è severa e polposa.

● Irpinia Aglianico Corte di Giso '17	♀♀	3
● Taurasi CampoRe Ris. '09	♀♀	7
● Taurasi Fatica Contadina '14	♀♀	5
● Taurasi Pago dei Fusi '12	♀♀	5
○ Fiano di Avellino Campore '16	♀	5
○ Greco di Tufo Loggia della Serra '19	♀	3
● Corte di Giso Aglianico '15	♀♀	2*
○ Fiano di Avellino '17	♀♀	5
○ Greco di Tufo Loggia della Serra '17	♀♀	3
● Taurasi Fatica Contadina '12	♀♀	5
● Taurasi Pago dei Fusi '11	♀♀	5
● Taurasi Pago dei Fusi '10	♀♀	5

Traerte

C.DA VADIAPERTI
83030 MONTEFREDANE [AV]
TEL. 0825607270
info@traerte.it

VENDITA DIRETTA
VISITA SU PRENOTAZIONE
PRODUZIONE ANNUA 81.000 bottiglie
ETTARI VITATI 6,00

Raffaele Troisi, vignaiolo vero, ha ereditato l'azienda dal padre Antonio, tra i primi viticoltori di Montefredane a mettersi in proprio per vinificare le proprie uve. In questa porzione di Irpinia il fiano la fa da padrone, ma i Troisi, già anni fa, decisero di restituire dignità anche a un altro vitigno, fino ad allora considerato uva da taglio, il coda di volpe. La loro selezione, Torama, è costantemente tra le migliore letture regionali; carattere, impronta sapida, spiccata acidità, caratteristiche che peraltro si ritrovano in tutta la gamma dei vini aziendali. Batteria decisamente convincente a conferma dell'ottimo lavoro svolto. Il Greco di Tufo Tornante '19 è ancora indietro sul piano dei profumi ma cela una bocca di particolare energia sapida, sicura struttura acida e lunga distensione finale. Il Fiano di Avellino Aiperti '19 offre profumi di zagara e anice stellata, si distende sicuro, ritmato da un frutto fragrante e una chiusura balsamica. L'Irpinia Coda di Volpe Torama '19 è la migliore nella sua tipologia, suggestiva nei richiami di nocciola.

○ Fiano di Avellino Aipierti '19	♀♀	5
○ Greco di Tufo Tornante '19	♀♀	5
○ Fiano di Avellino '19	♀♀	3
○ Greco di Tufo '19	♀♀	3
○ Irpinia Coda di Volpe '19	♀♀	2*
○ Irpinia Coda di Volpe Torama '19	♀♀	5
○ Greco di Tufo Tornante '18	♀♀♀	5
○ Fiano di Avellino Aipierti '17	♀♀	5
○ Fiano di Avellino Aipierti '16	♀♀	5
○ Greco di Tufo '17	♀♀	3
○ Greco di Tufo Tornante '17	♀♀	5
○ Irpinia Coda di Volpe '17	♀♀	2*
○ Irpinia Coda di Volpe Torama '18	♀♀	5
○ Irpinia Coda di Volpe Torama '17	♀♀	5
○ Irpinia Coda di Volpe Torama '16	♀♀	5

★Villa Matilde Avallone

S.DA ST.LE DOMITIANA, 18
81030 CELLOLE [CE]
TEL. 0823932088
www.villamatilde.it

VENDITA DIRETTA
VISITA SU PRENOTAZIONE
OSPITALITÀ E RISTORAZIONE
PRODUZIONE ANNUA 700.000 bottiglie
ETTARI VITATI 130,00
AZIENDA SOSTENIBILE

La storia di Villa Matilde si lega a quella del
vino delle colline massicane, cuore
dell'antico vino Falerno. Tutto parte negli
anni '60 con l'avvocato Francesco Paolo
Avallone, fondatore dell'azienda che, in
collaborazione con la Facoltà di Agraria
dell'Università di Napoli, mise a punto un
complesso lavoro archeologico per
individuare le uve utilizzate dai Romani per
produrre in loco. Oggi al timone della
cantina ci sono Salvatore e Maria Ida che,
oltre a portare avanti il pensiero enoico di
papà Francesco, hanno ampliato la
produzione che abbraccia le principali
denominazioni anche dei territori irpini e del
beneventano. Sono le due Riserve di
Falerno del Massico a strappare i punteggi
più alti. Il Vigna Caracci '17 è un bianco
affascinante capace di abbinare intensità,
potenza e struttura in una trama fruttata
matura, sapida, con una chiusura
delicatamente tostata ricca di sapore.
Intenso nel suo timbro fumé il Falerno Vigna
Camarato dal frutto carnoso e maturo.

○ Falerno del Massico Bianco		
V. Caracci '17	♟♟	5
○ Falanghina Sinuessa '19	♟♟	2*
○ Falerno del Massico Bianco '19	♟♟	3
● Falerno del Massico Rosso		
V. Camarato Ris. '15	♟♟	8
○ Mata Extra Brut M. Cl.	♟♟	5
● Roccaleoni Aglianico '17	♟♟	3
● Stregamora Piedirosso '19	♟♟	3
● Cecubo '15	♟	5
○ Fiano di Avellino Montelapio '19	♟	3
○ Greco di Tufo Daltavilla '19	♟	3
☉ Mata Brut M. Cl. Rosé	♟	5
● Taurasi Fusonero '16	♟	6
● Taurasi Pietrafusa '16	♟	5
☉ Terre Cerase '19	♟	3
● Falerno del Massico Camarato '05	♟♟♟	6

Villa Raiano

LOC. CERRETO
VIA BOSCO SATRANO, 1
83020 SAN MICHELE DI SERINO [AV]
TEL. 0825595663
www.villaraiano.com

VENDITA DIRETTA
VISITA SU PRENOTAZIONE
RISTORAZIONE
PRODUZIONE ANNUA 270.000 bottiglie
ETTARI VITATI 27,00
VITICOLTURA Biologico Certificato

Nata nel 1996, l'azienda si è rinnovata a
partire dal 2009 con la costruzione di una
cantina perfettamente integrata con il
paesaggio circostante, tra i vigneti e i
boschi, su una collina che domina la valle
del fiume Sabato. Questa importante realtà
irpina è condotta dai fratelli Sabino e
Simone Basso, insieme al cognato Paolo
Sibillo, che curano i vigneti attraverso
metodologie biologiche certificate. I quasi
30 ettari di proprietà sono suddivisi tra i
vitigni autoctoni per dare vita alle classiche
denominazioni del territorio, vini sempre
affidabili e di grande impatto. Altra batteria
da incorniciare quella presentata in
quest'edizione. I Tre Bicchieri vanno al
Fiano di Avellino Alimata '18, classico nei
suoi freschi profumi di erba appena tagliata
e mandorla, dal tratto agrumato e fumé
decisamente aggraziato. Ha equilibrio e
spiccata fragranza aromatica. Ottimo anche
il Fiano di Avellino Bosco Satrano '18,
luminoso e cristallino nell'impronta fruttata,
dal finale balsamico. Timbro di tè verde e
nocciola fresca nel Fiano di Avellino
Ventidue di pari annata.

○ Fiano di Avellino Alimata '18	♟♟♟	5
○ Fiano di Avellino Bosco Satrano '18	♟♟	5
○ Fiano di Avellino Ventidue '18	♟♟	5
○ Greco di Tufo '19	♟♟	4
○ Greco di Tufo Ponte dei Santi '18	♟♟	5
● Taurasi '15	♟♟	5
● Irpinia Campi Taurasini		
Costa Baiano '16	♟	4
○ Fiano di Avellino 22 '13	♟♟♟	4*
○ Fiano di Avellino Alimata '15	♟♟♟	4*
○ Fiano di Avellino Alimata '10	♟♟♟	4
○ Fiano di Avellino Bosco Satrano '17	♟♟♟	4*
○ Fiano di Avellino Ventidue '16	♟♟♟	4*
○ Fiano di Avellino Alimata '17	♟♟	4
○ Fiano di Avellino Ventidue '17	♟♟	4

Abbazia di Crapolla

LOC. AVIGLIANO
VIA SAN FILIPPO, 2
80069 VICO EQUENSE [NA]
TEL. 3383517280
www.abbaziadicrapolla.it

Delicato il profilo tostato del Sabato, un Pinot Nero che spazia tra note speziate e floreali che ritroviamo in una trama ariosa e fresca. Il finale è equilibrato, quasi sussurrato. Note di canfora e mentuccia introducono il Sireo Bianco '18, dal sorso agrumato e progressivo.

● Sabato	♛♛ 5
○ Sireo Bianco '18	♛♛ 5
○ Poizzo '18	♛ 5

Aia delle Monache

S.DA PROV.LE 327 KM 1,700
81010 CASTEL CAMPAGNANO [CE]
TEL. 3339843706
www.aiadellemonache.it

Si conferma la giovane realtà condotta da Michele e Vittorio Verzillo. I tre ettari vitati si estendono nell'aerale di Castel Campagnano: protagonisti pallagrello e casavecchia. Spicca il Radegonda '17, un Pallagrello Bianco elegante nei toni di bergamotto e pepe, maturo e delicatamente fumé.

○ Radegonda '17	♛♛ 5
○ Intruso Brillo col Naso All'insù Asprinio '19	♛ 3

Antico Castello

C.DA POPPANO, 11BIS
83050 SAN MANGO SUL CALORE [AV]
TEL. 3408062830
www.anticocastello.com

Molto buono il Taurasi '15 che rilancia profumi di sottobosco, per un profilo terroso sfaccettato, ravvivato da sensazione speziate di buona freschezza. In bocca è succoso e dinamico grazie a una vena acida vivida. Tra i bianchi spicca l'Irpinia Fiano Orfeo '19.

○ Irpinia Fiano Orfeo '19	♛♛ 3
● Taurasi '15	♛♛ 5
○ Irpinia Falanghina Demetra '19	♛ 2
○ Irpinia Greco Ermes '19	♛ 3

Cantine Barone

VIA GIARDINO, 2
84070 RUTINO [SA]
TEL. 0974830463
www.cantinebarone.it

Nasce nel 2004 la cantina dei tre soci Barone, Di Fiore e Perrella con lo scopo di valorizzare e rendere onore a un territorio vocato come quello cilentano. Richiami di agrumi, camomilla e respiro iodato per Una Mattina, un Fiano dall'andamento sicuro: la beva è profonda e dal ritmo rilassato.

○ Cilento Fiano Una Mattina '19	♛♛ 2*
⊙ Primula Rosa '19	♛ 2

Boccella

VIA SANT'EUSTACHIO
83040 CASTELFRANCI [AV]
TEL. 082772574
www.boccellavini.it

Sempre originali i vini proposti da Raffaele Boccella, un vero artigiano del vino. Abbiamo apprezzato una bella versione di Rasott, un Aglianico profondo e succoso, ricco di verve sapida. Il Casefatte è un Fiano affascinante, evoluto, sapido e di carattere; maturo e speziato il Taurasi.

○ Casefatte Fiano '18	♛♛ 2*
● Irpinia Campi Taurasini Rasott '17	♛♛ 3
● Taurasi Sant'Eustachio '15	♛ 5

Borgodangelo

C.DA BOSCO SELVA
S.DA 52 KM 10,00
83050 SANT'ANGELO ALL'ESCA [AV]
TEL. 082773027
www.borgodangelo.it

Nuova conferma per l'azienda di Sant'Angelo all'Esca. Il Taurasi Riserva '13 propone sentori di frutti di bosco e spezie, ha un tratto ematico ravvivato da fresche sensazioni balsamiche. Molto piacevole il Rosato '19 da uve aglianico, ha tanta struttura e netti toni di cerasa.

⊙ Irpinia Rosato '19	♛♛ 2*
● Taurasi Ris. '13	♛♛ 4
○ Fiano di Avellino '19	♛ 2
● Taurasi '14	♛ 4

Cantina dei Monaci

FRAZ. SANTA LUCIA, 80
83030 SANTA PAOLINA [AV]
TEL. 0825964350
www.cantinadeimonaci.it

Rientra in Guida la cantina irpina di Angelo
Carpenito e Maria Coppola. Siamo a Santa
Paolina e nella produzione spiccano il
Greco di Tufo Decimo Sesto '18 profumato
di mandorla, noce e basilico; al sorso è
sapido e succoso. Equilibrato e ben
profilato l'Aglianico Santa Lucia '17.

○ Greco di Tufo Decimo Sesto '18	♟♟ 4
● Irpinia Aglianico Santa Lucia '17	♟♟ 4
○ Greco di Tufo '19	♟ 3
● Taurasi Monaco Rosso '15	♟ 5

Cantine del Mare

VIA CAPPELLA IV, TRAV. 6
80070 MONTE DI PROCIDA [NA]
TEL. 0815233040
www.cantinedelmare.it

Sullo spettacolare Monte di Procida
dimorano vigne centenarie di piedirosso e
falanghina, minuziosamente curate da
Gennaro Schiano. Il Piedirosso Terrazze
Romane '18 profuma di fragoline di bosco
e mirto, iodato nel finale. Intensa nei suoi
toni fumé e di agrumi la Falanghina '19.

○ Campi Flegrei Falanghina '18	♟♟ 2*
● Campi Flegrei Piedirosso Terrazze Romane '18	♟♟ 3
○ Campi Flegrei Falanghina Torrefumo '18	♟ 3

Case d'Alto

VIA PIAVE, 1
83035 GROTTAMINARDA [AV]
TEL. 3397000779
info@casedalto.it

La cantina della famiglia De Luca avvia la sua
esperienza enologica nel 2011 nei territori
delle principali denominazioni: Taurasi e Fiano
di Avellino. Il passaggio del testimone è oggi
nelle mani di Claudio che ci presenta un
Irpinia Aglianico speziato e ricco di frutto,
piacevole, immediato e tutto da bere.

● Irpinia Aglianico Eclissi '15	♟♟ 3
○ Fiano di Avellino Eclissi '18	♟ 3
○ Fiano Rifermentato in Bottiglia '15	♟ 3

Cantina del Barone

VIA NOCELLETO, 21
83020 CESINALI [AV]
TEL. 0825666751
www.cantinadelbarone.it

Abbiamo riassaggiato il Particella '18 e ci
ha regalato uno degli assaggi più profondi
e originali in regione: molto affascinante nei
suoi toni affumicati di torba e fieno, la
bocca è matura e salata, il finale
lunghissimo; un grande Fiano e un'ulteriore
prova della tenuta di questo bianco.

○ Particella 928 '18	♟♟ 3

Casa di Baal

FRAZ. MACCHIA
VIA TIZIANO, 14
84096 MONTECORVINO ROVELLA [SA]
TEL. 089981143
www.casadibaal.it

Non manca il gusto della sorpresa nei vini
prodotti dalla cantina della famiglia Salerno,
che lavora secondo i dettami della
biodinamica. Il Fiano di Baal '18 profuma di
crema pasticcera e fiori gialli, dalla bocca
sinuosa e sapida. Di vibrante freschezza il
Tocco di Baal '19 da uve aglianico.

○ Fiano di Baal '18	♟♟ 4
○ Il Tocco di Baal '19	♟♟ 3
○ Bianco di Baal '19	♟ 3

Tenute Casoli

VIA ROMA, 28
83040 CANDIDA [AV]
TEL. 082522433
www.tenutecasoli.it

I 13 ettari lavorati si estendono tra i comuni
di Candida, Montefusco, Santa Paolina e
Tufo. Quest'anno abbiamo apprezzato in
modo particolare l'elegante Greco di Tufo Le
Crete '19, profumato di pesca gialla e
idrocarburi, delicatamente tostato, di vivace
freschezza. Il finale è sapido e incisivo.

○ Greco di Tufo Le Crete '19	♟♟ 3
○ Fiano di Avellino Kryos '19	♟ 3
● Irpinia Aglianico Kataros '18	♟ 3
● Taurasi Armonia '14	♟ 6

Castelle

S.DA NAZIONALE SANNITICA, 48
82037 CASTELVENERE [BN]
TEL. 0824940232
www.castelle.it

Continua a pieno ritmo il lavoro della cantina della famiglia Assini. Quest'anno abbiamo apprezzato la Falanghina del Sannio '19, profumata di tiglio e mandorla, lineare e scorrevole al palato, e la Camaiola '19, originale nei suoi toni di melograno, arancia rossa e dal palato succoso.

○ Falanghina del Sannio '19		♈♈ 4
● Camaiola '19		♈ 2
● Sannio Barbera '16		♈ 2

Elena Catalano

C.DA MONTE PINO
82100 BENEVENTO
TEL. 082444318
www.elenacatalano.it

La gamma dei vini proposta evidenzia il buono stato di salute e maturità di questa cantina del beneventano, forte di dieci ettari vitati. Deliziosa nei profumi di lime e zagara la Falanghina del Sannio Taburno '19, sapida e polposa, di vibrante freschezza. Più che affidabile il resto della gamma.

○ Falanghina del Sannio Taburno '19		♈♈ 3
● Sannio Aglianico '18		♈♈ 3
● Aglianico del Taburno Monte Pino '16		♈ 4
○ Sannio Taburno Coda di volpe '19		♈ 3

Cautiero

C.DA ARBUSTI
82030 FRASSO TELESINO [BN]
TEL. 3387640641
www.cautiero.it

La Falanghina del Sannio Fois '19 si conferma tra le migliori in regione in virtù di un profilo olfattivo molto riconoscibile ed espressivo: spiga di grano, frutto giallo maturo e carnoso; la bocca è piena e appagante, ben distesa e progressiva nella scansione gustativa.

○ Falanghina del Sannio Fois '19		♈♈ 2*
○ Erba Bianca '18		♈ 2
● Fois Rosso Sannio '17		♈ 3
⊙ Vita Nuova '19		♈ 2

Cenatiempo Vini d'Ischia

VIA BALDASSARRE COSSA, 84
80077 ISCHIA [NA]
TEL. 081981107
www.vinicenatiempo.it

Da non perdere la Biancolella '19, sicuramente una delle migliori assaggiate per la sua impronta marina, i profumi di ginestra e lime: la beva è agile e distesa. Delicatamente speziata di pepe bianco e zenzero la Biancolella Kalimera '18, di buon livello il resto della produzione.

○ Ischia Biancolella '19		♈♈ 3*
○ Ischia Biancolella Kalimera '18		♈♈ 4
○ Ischia Forastera '19		♈ 4
● Ischia Per' 'e Palummo '19		♈ 3

Rossella Cicalese

VIA PAPALEONE, 575
84025 EBOLI [SA]
TEL. 3663645380
info@aziendaagricolacicalese.it

Esordio in Guida per questa piccola realtà del Salernitano. Abbiamo assaggiato l'Aglianico Evoli '18, ricco di sensazioni tostate, di resina e caffè: ha materia e buona persistenza. Mediterraneo nelle sensazioni di alloro e basilico il Fiano Fluminè '19.

● Aglianico Evoli '18		♈♈ 3
○ Cilento Fiano Fluminè '19		♈♈ 3

Colli di Castelfranci

C.DA BRAUDIANO
83040 CASTELFRANCI [AV]
TEL. 082772392
www.collidicastelfranci.com

Si conferma su buoni livelli la cantina di Luciano Gregorio e Gerardo Colucci. I due Fiano rappresentano la doppia faccia del vitigno, fresco e balsamico il Pendino '19, speziato e articolato nell'anima sapida e matura il Paladino '15. Sfaccettato e complesso il Vadantico '15.

● Irpinia Campi Taurasini Vadantico '15		♈♈ 4
○ Irpinia Fiano Paladino '15		♈♈ 6
○ Fiano di Avellino Pendino '19		♈ 4
● Taurasi Alta Valle '13		♈ 7

Contrada Salandra

FRAZ. COSTE DI CUMA
VIA TRE PICCIUOLI, 40
80078 POZZUOLI [NA]
TEL. 0815265258
contradasalandra@gmail.com

Giuseppe Fortunato si conferma come uno dei più ispirati interpreti dei Campi Flegrei. Quest'anno abbiamo apprezzato una Falanghina di vibrante intensità e freschezza, dal passo muschiato, delicatamente fumé, lunga e polposa. Poi, un Piedirosso arioso e delizioso.

○ Campi Flegrei Falanghina '18	♟♟ 3*
● Campi Flegrei Piedirosso '17	♟♟ 3

Cuomo - I Vini del Cavaliere

VIA FEUDO LA PILA, 16
84047 CAPACCIO PAESTUM [SA]
TEL. 0828725376
www.vinicuomo.com

Altra prova convincente per la cantina di Capaccio Paestum che sfoggia una gamma di vini di alto profilo. Spicca il Leukòs '19, un Fiano di carattere nei suoi toni di fiori gialli e dall'impronta sapida molto a fuoco. Tra i rossi il Granatum è un Aglianico solare, carnoso, di bell'impatto.

● Cilento Aglianico Granatum '18	♟♟ 3
○ Leukòs Fiano '19	♟♟ 3
● Poseidon Primitivo '19	♟♟ 3
⊙ Rosato Paistom '19	♟♟ 3

Viticoltori De Conciliis

LOC. QUERCE, 1
84060 PRIGNANO CILENTO [SA]
TEL. 0974831090
www.viticoltorideconciliis.it

La famiglia De Conciliis ha saputo valorizzare la tradizione vitivinicola cilentana nel massimo rispetto dell'ambiente e delle sue varietà autoctone. Abbiamo apprezzato i due rossi a base aglianico, maturi e carnosi, e il Fiano Donnaluna '19, invitante nei suoi richiami di ginestra e camomilla.

● Bacioilcielo Rosso '18	♟♟ 2*
○ Cilento Fiano Donnaluna '19	♟♟ 3
● Donnaluna Aglianico '17	♟♟ 3
○ Fiano Perella '16	♟ 3

Dryas

VIA TOPPOLE, 10
83030 MONTEFREDANE [AV]
TEL. 3472392634
www.cantinadryas.it

Stefano e Rossella Loffredo confermano di avere una mano davvero felice sulla spumantizzazione del fiano. Partiti nel 2011 hanno raggiunto ottimi livelli, come conferma il Brut '15: cremoso nei suoi sentori di pasticceria, la verve agrumata, l'acidità sulle punte ma ben integrata.

○ Brut M. Cl. '15	♟♟ 5
○ Brut M. Cl.	♟♟ 5
○ Griseo '19	♟♟ 3

Farro

LOC. FUSARO
VIA VIRGILIO, 16/24
80070 BACOLI [NA]
TEL. 0818545555
www.cantinefarro.it

Più che valida la proposta di Michele Farro, portavoce della viticoltura dei Campi Flegrei. La Falanghina '19 profuma di fiori di campo e pietra focaia, sapida e polposa. Sfizioso il Piedirosso '19 dai richiami di melograno e cenere.

○ Campi Flegrei Falanghina '19	♟♟ 2*
● Campi Flegrei Piedirosso '18	♟♟ 2*
⊙ Campi Flegrei Piedirosso Depiè Rosé '19	♟ 2

Cantine Federiciane Monteleone

FRAZ. SAN ROCCO
VIA ANTICA CONSOLARE CAMPANA, 34
80016 MARANO DI NAPOLI [NA]
TEL. 0815765294
www.federiciane.it

I fratelli Palumbo valorizzano la tradizione vitivinicola della Penisola Sorrentina. Quest'anno abbiamo apprezzato un Gragnano generoso nel frutto rosso, morbido e invitante, un Primitivo ricco di sensazioni fumé e di frutti rossi e un Brut sapido e fine.

● Penisola Sorrentina Gragnano '19	♟♟ 2*
● Penisola Sorrentina Lettere '19	♟ 2
● Roccia Madre '17	♟ 4

Francesca Fiasco

LOC. CAMPANARO KM 32, 100
84055 FELITTO [SA]
TEL. 3381563628
info@francescafiasco.com

Esordio in Guida molto promettente per la giovane realtà di Francesca Fiasco, che cura sette ettari vitati nei comuni di Castel San Lorenzo, Felitto e Roccadaspide. Abbiamo apprezzato il Difesa '16 dai profumi scuri di mora e cacao, polposo e sapido. Ancor più intenso e profondo il Mèrcuri '16.

● Difesa Rosso '16	♟♟	5
● Ersa Rosso '17	♟♟	4
● Mèrcuri Rosso '16	♟♟	8
● Lapazio '19	♟	5

Raffaele Guastaferro

VIA A. GRAMSCI
83030 TAURASI [AV]
TEL. 3341551543
info@guastaferro.it

Approda alle nostre finali il Taurasi Primum Riserva del 2015. Offre toni di terra bagnata, radice e pepe. In bocca dimostra una struttura importante, il tannino è fitto ma di buona qualità, il finale ancora severo ma energico. Il Fulgeo '19 è un Grecomusc' dal frutto maturo.

● Taurasi Primum Ris. '15	♟♟	7
○ Fulgeo Grecomusc' '19	♟	4

Cantine Iorio

VIA SCAUZONE, 2
82030 TORRECUSO [BN]
TEL. 3483772727
www.cantineiorio.it

Esordio in Guida per la cantina di Torrecuso fondata nel 2004. Abbiamo apprezzato il Sannio Aglianico Iorio '18, ben delineato nei sentori di sottobosco e prugna; in bocca è armonico e di buona progressione. Fragrante il Sannio Barbera '19.

● Sannio Aglianico '18	♟♟	2*
○ Falanghina del Sannio Spumante Extra Dry	♟	2
● Sannio Barbera '19	♟	2

Filadoro

C.DA CERRETO, 19
83030 LAPIO [AV]
TEL. 0825982536
www.filadoro.it

Il Fiano di Avellino del 2019 approda in finale grazie a un bagaglio olfattivo ampio e sfaccettato. Si propone luminoso nei toni di fiori gialli e nocciola; al palato è pieno, saporito, di ottima distensione sapida. Il finale è lungo e ficcante.

○ Fiano di Avellino '19	♟♟	3*
○ Santàri Fiano '18	♟	5
● Taurasi '13	♟	5

Historia Antiqua

VIA VARIANTE EST S.S 7BIS, 75
83030 MANOCALZATI [AV]
TEL. 0825675240
www.historiaantiqua.it

Sono il Greco di Tufo e l'Irpinia Falanghina del 2019 a strappare i punteggi più alti. Il primo si propone nel suo bouquet di ginestra, rosmarino e buccia di limone; il palato è vivace e persistente. La seconda è agile e beverina, dai toni di buccia di limone e pompelmo.

○ Greco di Tufo '19	♟♟	4
○ Irpinia Falanghina '19	♟♟	3
○ Fiano di Avellino '19	♟	4
● Taurasi '15	♟	6

Lunarossavini

VIA V. FORTUNATO, P.I.P. LOTTO 10
84095 GIFFONI VALLE PIANA [SA]
TEL. 3286232323
www.viniepassione.it

Sempre originali nella cifra stilistica i vini proposti da Mario Mazzitelli, titolare e agronomo della cantina Lunarossa. Il Borgomastro '16 offre un frutto croccante di ciliegia e ribes, in bocca è molto fresco e vivo. Molto agrumato il Quartara '17 da uve fiano.

● Borgomastro Aglianico '16	♟♟	2*
○ Quartara '17	♟♟	5

Salvatore Martusciello

VIA SPINELLI, 4
80010 QUARTO [NA]
TEL. 0818766123
www.salvatoremartusciello.it

Ricco di sensazioni di ciliegia e fragoline mature, il Gragnano della Penisola Sorrentina Ottouve, si fa apprezzare per la pienezza del sorso e il finale brioso. Leggermente evoluto il profilo del Lettere; tipico nella sua bocca affilata e astringente l'Asprinio d'Aversa Trentapioli.

○ Asprinio d'Aversa Trentapioli Brut '19	♈♈ 3
● Campi Flegrei Piedirosso Settevulcani '19	♈ 3
● Penisola Sorrentina Gragnano Ottouve '19	♈ 3
● Penisola Sorrentina Lettere Ottouve '19	♈ 3

Cantina Mito

C.DA MITO
83051 NUSCO [AV]
TEL. 3488069745
www.cantinamito.it

Un esordio in Guida promettente per la cantina di Nusco di proprietà della famiglia Della Vecchia. Il Dunsogno '16 è un Aglianico affascinante nei toni di carruba e pepe, la bocca è profonda e sapida. Maturo e aggraziato nell'estrazione tannica il Taurasi Amato del 2016.

● Dunsogno Aglianico '16	♈♈ 5
● Taurasi Amato '16	♈♈ 7

Fattoria Monserrato 1973

C.DA LA FRANCESCA
BENEVENTO
TEL. 0864565041
www.monserrato1973.lt

Esordio in Guida per questa cantina del Beneventano, forte di 12 ettari di proprietà. La Barbera '19 è tipica nei suoi tratti vinosi, floreali, nella bocca succosa, nel frutto scuro, di buona concentrazione. Di ragguardevole persistenza il fragrante Aglianico Rintocco '19.

● Rintocco Aglianico '19	♈♈ 3
● Sannio Barbera '19	♈♈ 4

Montesole

FRAZ. SERRA
83030 MONTEFUSCO [AV]
TEL. 0825963972
www.montesole.lt

Batteria di buon livello quella fornita in quest'edizione della Guida. L'Irpinia Aglianico '15 si offre nei toni balsamici, sapido e disteso al palato, di buona concentrazione e persistenza. Sullo stesso piano l'Aglianico Sairus '15, dal frutto rosso più accentuato, dal finale tostato.

○ Greco di Tufo '19	♈♈ 3
● Irpinia Aglianico '15	♈♈ 2*
● Sairus Aglianico '15	♈♈ 4
○ Irpinia Falanghina '19	♈ 2

Raffaele Palma

LOC. SAN VITO
VIA ARSENALE, 8
84010 MAIORI [SA]
TEL. 3357601858
www.raffaelepalma.it

Dalle bellissime vigne a strapiombo sul mare, sulle colline di Maiori, Raffaele Palma elabora un paio di etichette di grande carattere. Su tutte, il Costa d'Amalfi Bianco Puntacroce '18 dotato di un spiccatissima fragranza aromatica nei suoi toni di cedro e basilico, fresco e saporito.

○ Costa d'Amalfi Bianco Puntacroce '18	♈♈ 5
● Costa d'Amalfi Rosso Montecorvo '16	♈ 5

Gennaro Papa

P.ZZA LIMATA, 2
81030 FALCIANO DEL MASSICO [CE]
TEL. 0823931267
www.gennaropapa.it

Sono sei gli ettari curati da Gennaro Papa e suo figlio Antonio a Falciano del Massico. Protagonista è il primitivo, declinato in due etichette. Spicca il Campantuono '17, dall'omonima vigna: offre note fumé intense e profumi di visciola e ciliegia. La bocca è cremosa, polposa e molto lunga.

● Falerno del Massico Primitivo Campantuono '17	♈♈ 6
● Falerno del Massico Primitivo Conclave '18	♈ 4

Passo delle Tortore

C.DA VERTECCHIA
83030 PIETRADEFUSI [AV]
TEL. 3355946330
www.passodelletortore.it

L'annoveriamo tra le più belle novità di quest'anno in regione: più che convincente la gamma dei vini, l'esordio è molto promettente. Spicca l'ottimo Greco di Tufo Le Arcaie, cristallino nei suoi toni di fiori gialli e dalla bocca sapida ed elegante. Piacevolissima la beva della Falanghina.

○ Greco di Tufo Le Arcaie '19	♟♟ 4
○ Fiano di Avellino Bacio delle Tortore '19	♟♟ 4
○ Irpinia Falanghina Piano del Cardo '19	♟♟ 4

Perillo

C.DA VALLE, 19
83040 CASTELFRANCI [AV]
TEL. 082772252
cantinaperillo@libero.it

Un artigiano nel nome del Taurasi: ecco Michele Perillo, un vignaiolo che ha sempre creduto nelle potenzialità e nella straordinaria longevità del grande vino rosso di queste terre. Il 2010 si presenta evoluto, ricco di sensazioni terrose, con un tocco di volatile e una bocca larga e densa.

● Taurasi '10	♟♟ 6

Porto di Mola

S.S. 430, KM 16,200
81050 ROCCA D'EVANDRO [CE]
TEL. 0823925801
www.portodimola.it

La cantina di Antimo Esposito si trova alle pendici del vulcano spento di Roccamonfina, forte di un patrimonio vitato di 50 ettari, protagonisti falanghina e aglianico. Suggeriamo il Galluccio Bianco Pietratonda '19 nel suo registro di melone e pietra focaia, e l'Aglianico Peppì '17.

○ Galluccio Bianco Petratonda '19	♟♟ 3
● Peppì '17	♟♟ 3
○ Collelepre '19	♟ 3
● Galluccio Rosso Camporoccio '17	♟ 3

Andrea Reale

FRAZ. GETE
VIA CARDAMONE, 75
84010 TRAMONTI [SA]
TEL. 089856144
www.aziendaagricolarealeandrea.it

Hanno uno stile peculiare e fortemente identitario i vini di Andrea Reale prodotti dai vitigni autoctoni tipici della Costiera Amalfitana. In questa edizione abbiamo apprezzato l'intensità speziata del Tramonti Rosso Borgo di Gete e l'indole marina e rilassata del Tramonti Bianco Aliseo.

○ Costa d'Amalfi Tramonti Bianco Aliseo '19	♟♟ 4
● Costa d'Amalfi Tramonti Rosso Borgo di Gete '16	♟♟ 7

Regina Viarum

VIA VELLARIA
81030 FALCIANO DEL MASSICO [CE]
TEL. 0823931299
www.reginaviarum.com

Regina Viarum si conferma tra le realtà virtuose del comprensorio del Falerno del Massico. Il Primitivo Zer05 del 2016 (erroneamente riportato nella precedente edizione) propone un frutto fragrante, note di ribes e scorza d'arancia, dal palato ricco ma anche dinamico.

● Falerno del Massico Primitivo Zer05 '16	♟♟ 3*

Tenuta Sarno 1860

C.DA SERRONI, 4B
83100 AVELLINO
TEL. 082526161
www.tenutasarno1860.it

Il Fiano di Avellino '18 è complesso e articolato, dalla vena acida tonica. Il profilo olfattivo è giocato su toni di fiori, in primo piano la camomilla e la ginestra; al palato dimostra un andamento sicuro; è cremoso e pieno nel frutto, ma anche lungo e balsamico nelle suggestioni finali.

○ Fiano di Avellino '18	♟♟ 4

Lorenzo Nifo Sarrapochiello

VIA PIANA, 62
82030 PONTE [BN]
TEL. 0824876450
www.nifo.eu

Lorenzo Nifo Serrapochiello conduce in regime di viticoltura biologica 18 ettari vitati adibiti alle principali varietà del Sannio: falanghina, aglianico, fiano e greco. In quest'edizione segnaliamo il Sannio Taburno Greco '19 persistente nei richiami finali di erba fresca.

○ Sannio Taburno Greco '19		♟♟ 2*
○ Falanghina del Sannio Taburno '19		♟ 2

Cantina di Solopaca

VIA BEBIANA, 44
82036 SOLOPACA [BN]
TEL. 0824977921
www.cantinasolopaca.it

Continua a pieno ritmo il lavoro di questa cantina sociale forte di 600 soci che lavorano 1300 ettari. Quest'anno abbiamo apprezzato in modo particolare la nuova Falanghina Identitas '19, che si propone floreale, sapida, dalla bocca leggera e continua, di lunga persistenza aromatica.

○ Falanghina del Sannio Identitas '19		♟♟ 3
○ Falanghina del Sannio '19		♟ 2
○ Falanghina del Sannio Brut		♟ 2

Sorrentino Vini

VIA RIO, 26
80042 BOSCOTRECASE [NA]
TEL. 0818584963
www.sorrentinovini.com

La famiglia Sorrentino lavora 30 ettari di vigne sui fianchi terrazzati del Vesuvio. Prova pimpante quella fornita quest'anno: sugli scudi i bianchi. Ottimo il Vigna Lapillo '18, intenso, profondo e articolato; fragrante nei toni di mandorla e vivace al palato il Caprettone Benita '31 del 2019.

○ Lacryma Christi del Vesuvio Bianco		
V. Lapillo '18		♟♟ 3
○ Vesuvio Caprettone Benita '31 '19		♟♟ 3
● Don Paolo '16		♟ 5

Telaro

LOC. CALABRITTO
VIA CINQUE PIETRE, 2
81044 GALLUCCIO [CE]
TEL. 0823925841
www.vinitelaro.it

La Falanghina Ripa Bianca '19 ha nette sensazioni fumé e una chiusura sapida e floreale; il Bariletta Rosso '19, da primitivo, profuma di pepe e anguria e ha palato polposo e tonico. Sfizioso nelle sfumature piccanti il Calivierno Rosso '17, a base di aglianico.

● Bariletta '19		♟♟ 3
● Calivierno '17		♟♟ 5
○ Galluccio Bianco Ripa Bianca '19		♟♟ 3
● Galluccio Rosso Ara Mundi Ris. '16		♟ 5

Tempere

VIA SAN SEBASTIANO
84037 SANT'ARSENIO [SA]
TEL. 0975396202
www.vino-tempere.it

Segnaliamo questa piccola realtà cilentana dei fratelli Giuseppe e Arsenio Pica, che hanno anche aperto due graziosi wine bar a Roma. L'Aglianico '15 si presenta ricco, estrattivo e carnoso nel frutto; molto originale il profilo del Monteroro, un Fiano dagli echi salmastri e delicatamente tostati.

● Aglianico Tempere '15		♟♟ 6
● Aglianico Tempere '16		♟ 6
○ Monteroro Fiano '19		♟ 4

Terre del Principe

P.ZZA MUNICIPIO, 4
81010 CASTEL CAMPAGNANO [CE]
TEL. 0823867126
www.terredelprincipe.com

Batteria solida quella proposta da Peppe Mancini e Manuela Piancastelli, che dal 2003 producono Pallagrello e Casavecchia di carattere, figli di una viticoltura biologica. L'Ambruco è un Pallagrello Nero scuro nei profumi di radice e liquizia, succoso e maturo.

● Ambruco '16		♟♟ 5
○ Fontanavigna '19		♟♟ 3
○ Le Serole '18		♟ 5

Terre di Tora

VIA ROMA, 8
81044 TORA E PICCILLI [CE]
TEL. 3396615759
www.terreditora.com

Troviamo Antonia d'Amore alla guida della cantina di Tora e Piccilli, sul versante occidentale del vulcano Roccamonfina. Abbiamo apprezzato l'Adalaris '17, un Aglianico dal frutto rosso fragrante, sfizioso nella trama sapida; il finale richiama la scorza d'arancia e la grafite.

● Adalaris '17	🏆 6
● Rebalto '17	🏆 7

Torelle

LOC. TORELLE
VIA NAZIONALE APPIA, 1
81037 SESSA AURUNCA [CE]
TEL. 392185208
www.vinitorelle.com

Molto pimpante la gamma dei vini proposta in questa tornata di assaggi da parte di Giuliana Guarnascione e l'enologo Gennaro Reale. Segnaliamo il Falerno '15 che offre toni sulfurei affascinanti e che ha materia e tanta freschezza aromatica. Buona anche la Falanghina '19.

○ Falanghina '19	🏆 2*
● Falerno del Massico Rosso '15	🏆 3

Torricino

LOC. TORRICINO, 5
VIA NAZIONALE
83010 TUFO [AV]
TEL. 0825998119
www.torricino.it

Una valida serie di etichette irpine quelle fornite da Stefano Di Marzo. Abbiamo apprezzato il Taurasi Cevotiempo '16, fragrante nel frutto, succoso, di calibrata estrazione tannica e lungo finale. In evidenza anche il Greco di Tufo '19, potente e salato nei toni di mela matura e zenzero.

○ Fiano di Avellino '19	🏆 4
○ Greco di Tufo '19	🏆 4
● Taurasi Cevotiempo '16	🏆 6
○ Fiano di Avellino Serrapiano '19	🏆 5

Vestini Campagnano Poderi Foglia

VIA COSTA DELL'AIA, 9
81044 CONCA DELLA CAMPANIA [CE]
TEL. 0823679087
www.vestinicampagnano.it

Le cantine di Caiazzo e di Conca lavorano nell'alto Casertano per dare lustro alle varietà autoctone come pallagrello e casavecchia. Il Kajanero '19, dal frutto rosso croccante, note di china e liquirizia, è piacevole e succoso; tra i bianchi, Le Ortole regala profumi morbidi e tropicali.

● Kajanero '19	🏆 2*
○ Pallagrello Bianco '19	🏆 3
○ Pallagrello Bianco Le Òrtole '19	🏆 4
● Pallagrello Nero '18	🏆 5

Villa Diamante

VIA TOPPOLE, 16
83030 MONTEFREDANE [AV]
TEL. 3476791469
villadiamante1996@gmail.com

Nel corso di quest'anno abbiamo avuto modo di riapprezzare un monumentale Fiano Clos d'Haut del 2013, valutato diversi anni fa. In quest'edizione segnaliamo il Fiano di Avellino Vigna della Congregazione '18, dai richiami di erba appena tagliata, dal sorso lineare e continuo.

○ Fiano di Avellino	
V. della Congregazione '18	🏆 5

Villa Dora

S.DA PROV.LE ZABATTA, 252
80040 TERZIGNO [NA]
TEL. 0815295016
www.cantinevilladora.it

Approda alle nostre finali il Lacryma Christi Bianco Vigna del Vulcano '18 in virtù di una complessità gustativa originale e sfaccettata. I profumi sono particolarmente intensi, il frutto evoluto, con suggestioni di fieno e torba; in bocca trova forza ed energia sapida. Invecchierà con grazia.

○ Lacryma Christi del Vesuvio Bianco	
V. del Vulcano '18	🏆 5

BASILICATA

Tra i territori emergenti dell'enologia italiana va sicuramente ascritto quello della Basilicata, una regione dove si produce vino, e di qualità elevatissima, da almeno due millenni.

Probabilmente l'aglianico, il grande vitigno rosso dell'Italia Meridionale nasce proprio tra queste colline ai piedi del Monte Vulture, dove in epoca romana la gens Allia aveva estesi possedimenti viticoli e commercializzava il suo vino (Allianicum) in tutto l'impero. Nonostante questo la posizione della regione, e l'intraprendenza dei vicini che hanno saputo padroneggiare meglio le vie commerciali, ha fatto sì che queste terre rimanessero in qualche modo appartate, ancora tutte da scoprire, anche se un evento come Matera Capitale Europea della Cultura nel 2019 ha portato milioni di visitatori ad apprezzare i suoi tesori artistici, paesaggistici e i suoi giacimenti di cultura materiale come il comparto enologico. Quest'anno abbiamo assaggiato molti eccellenti vini lucani, e ne premiamo ben sei, tutti Aglianico del Vulture. Il Materano è in veloce crescita e siamo facili profeti se affermiamo che presto vedremo altre etichette affiancare il grande rosso che nasce ai piedi del vulcano. Nomi come Elena Fucci, Re Manfredi, Grifalco e Cantine del Notaio sono già noti al pubblico degli appassionati. Salutiamo quindi l'ingresso nell'esclusivo club dei Tre bicchieri di Terra dei Re con un eccellente Aglianico del Vulture Nocte '16 e di Donato D'Angelo, figura emblematica della denominazione, con un raffinato Aglianico del Vulture '17.

Basilisco

VIA DELLE CANTINE
85022 BARILE [PZ]
TEL. 0972771033
www.basiliscovini.it

VENDITA DIRETTA
VISITA SU PRENOTAZIONE
PRODUZIONE ANNUA 55.000 bottiglie
ETTARI VITATI 25,00
VITICOLTURA Biologico Certificato
AZIENDA SOSTENIBILE

Troviamo Viviana Malafarina al timone di queste solida realtà lucana, proprietà del gruppo Feudi di San Gregorio dal 2011. La cantina è in un antico palazzo nel cuore di Barile e vanta 25 ettari vitati condotti in regime biologico dislocati nei cru di Macarico e Gelosia, tra i 450 e i 600 metri di quota, su suoli originati dalle colate laviche dell'ormai inattivo vulcano Vulture. Responsabile della gestione dei vigneti è Pierpaolo Sirch, che vuol dire viticoltura d'avanguardia, raccolta manuale delle uve, accurata vinificazione separata di ogni parcella. Teodosio, la storica etichetta di Basilisco si presenta in ottima forma con l'annata 2017. È un rosso concentrato e ricco, dagli intensi profumi di ciliegia e marasca matura, ravvivato da venature vegetali e nuance speziate, che al palato si fa apprezzare per struttura, eleganza e morbidi tannini. Danno buona prova anche i Superiore Cruà '16, dalle nitide coloriture mediterranee, e il Fontanelle '16 dal carattere più rustico e ancora scontroso.

● Aglianico del Vulture Teodosio '17	▼▼ 3*
● Aglianico del Vulture Sup. Cruà '16	▼▼ 5
● Aglianico del Vulture Sup. Fontanelle '16	▼▼ 5
○ Sophia '19	▼ 3
● Aglianico del Vulture Basilisco '09	♀♀♀ 5
● Aglianico del Vulture Basilisco '08	♀♀♀ 5
● Aglianico del Vulture Basilisco '07	♀♀♀ 5
● Aglianico del Vulture Basilisco '06	♀♀♀ 5
● Aglianico del Vulture Basilisco '04	♀♀♀ 5
● Aglianico del Vulture Basilisco '01	♀♀♀ 5
● Aglianico del Vulture Sup. Cruà '13	♀♀♀ 5
● Aglianico del Vulture Sup. Cruà '15	♀♀ 5
● Aglianico del Vulture Sup. Fontanelle '13	♀♀ 5
● Aglianico del Vulture Teodosio '16	♀♀ 3*

Battifarano

C.DA CERROLONGO, 1
75020 NOVA SIRI [MT]
TEL. 0835536174
www.battifarano.com

VENDITA DIRETTA
VISITA SU PRENOTAZIONE
OSPITALITÀ
PRODUZIONE ANNUA 70.000 bottiglie
ETTARI VITATI 33,00
AZIENDA SOSTENIBILE

La famiglia Battifarano è proprietaria di questa splendida masseria a Nova Siri da oltre cinque secoli. Oggi alla guida troviamo Vincenzo e suo figlio Francesco Paolo, entrambi agronomi, che curano ogni aspetto dell'azienda agricola, che propone anche una curata ospitalità rurale. Le vigne si estendono sulla costa ionica della Basilicata, toccando quasi il confine con la Calabria, per un totale di 33 ettari ben esposti che affondano su suoli ricchi di argilla e sabbia. Tralasciando facili commenti sul nome, che è quello del locale torrente che attraversa la tenuta, il Toccaculo '17, complesso uvaggio dove figurano cabernet, primitivo e merlot, guadagna l'ingresso alle nostre finali in virtù della bella concentrazione, della ricchezza di aromi di frutto rosso, per l'equilibrio e la finezza della componente tannica. Stesso positivo giudizio per l'intenso e speziato Akratos '18. Ma tutta la gamma merita l'assaggio.

● Matera Primitivo Akratos '18	▼▼ 2*
● Toccaculo '17	▼▼ 2*
○ Matera Greco Le Paglie '19	▼ 2
◉ Matera Rosato Akratos '19	▼ 2
● Matera Moro Curaffanni Ris. '16	♀♀ 3*
● Matera Moro Torre Bollita '17	♀♀ 3*
● Matera Moro Torre Bollita '07	♀♀ 2
● Matera Primitivo Akratos '17	♀♀ 2*
● Matera Primitivo Akratos '15	♀♀ 2*
● Matera Primitivo Akratos '14	♀♀ 2*
● Matera Primitivo Akratos '11	♀♀ 2*
● Toccaculo '16	♀♀ 2*
○ Matera Greco Le Paglie '18	♀ 2

Cantine del Notaio

VIA ROMA, 159
85028 RIONERO IN VULTURE [PZ]
TEL. 0972723689
www.cantinedelnotaio.it

VENDITA DIRETTA
VISITA SU PRENOTAZIONE
PRODUZIONE ANNUA 470.000 bottiglie
ETTARI VITATI 40,00

Tutto nasce alla fine degli anni Novanta, quando Gerardo Giuratrabocchetti e la moglie Marcella decidono di riprendere l'attività vinicola di famiglia, coltivando un patrimonio che si articola oggi su 40 ettari di vigne tra Rionero, Barile, Ripacandida, Maschito e Ginestra. I nomi dei vini sono molto originali: l'ispirazione arriva dall'attività notarile paterna. Suggestiva la moderna cantina di Ripacandida, ma le barrique riposano nelle seicentesche grotte scavate dai frati francescani nel tufo del sottosuolo di Rionero, dove umidità e temperatura sono costanti tutto l'anno. Nelle nostre degustazioni spicca tra le numerose etichette anche quest'anno il Repertorio, versione 2018, un vino che ci mostra il lato più seduttivo e scorrevole dell'Aglianico. Ricco di toni di frutto rosso ha corpo pieno ma snello, tannini levigati, è sospinto in un lungo armonico finale da una fresca vena acida che ne esalta la beva. Più profondo e complesso, ricco di tonalità più cupe e sovramature l'altro grand vin della maison, un'ottima versione 2015 de La Firma.

● Aglianico del Vulture Il Repertorio '18	♟♟♟	6
● Aglianico del Vulture Sup. La Firma '15	♟♟	8
● Aglianico del Vulture Macarico '18	♟♟	3
○ Il Preliminare '19	♟♟	5
○ L'Autentica '18	♟♟	7
● La Scrittura '19	♟♟	5
○ Xjnestra Macarico '19	♟♟	2*
⊙ Il Rogito '19	♟	5
● L'Atto '19	♟	5
● Aglianico del Vulture Il Repertorio '17	♟♟♟	4*
● Aglianico del Vulture Il Repertorio '16	♟♟♟	4*
● Aglianico del Vulture Il Repertorio '15	♟♟♟	4*
● Aglianico del Vulture Il Repertorio '14	♟♟♟	4*
● Aglianico del Vulture Il Repertorio '13	♟♟♟	4*
● Aglianico del Vulture Il Repertorio '12	♟♟♟	4*
● Aglianico del Vulture La Firma '10	♟♟♟	6

Masseria Cardillo

LOC. CARDILLO
S.S. 407 BASENTANA, KM 97,5
75012 BERNALDA [MT]
TEL. 0835748992
www.masseriacardillo.it

VENDITA DIRETTA
OSPITALITÀ E RISTORAZIONE
PRODUZIONE ANNUA 50.000 bottiglie
ETTARI VITATI 20,00

Il Metaponto è una terra da sempre vocata a un'agricoltura e a una viticoltura di qualità. Qui si estende la tenuta dei fratelli Rocco e Giovanni Graziadei, eredi di una tradizione familiare che risale al XVII secolo. Oltre ad una serie di ottime produzioni che spaziano dall'olio ai cereali e al bestiame, i Graziadei coltivano venti ettari di vigne che affondano le radici nei terreni calcarei che climaticamente risentono della benefica vicinanza dello Ionio, il che arricchisce questi vini di piacevoli sapidità mediterranee. Il Rubra '17 è una delle migliori versioni di sempre di questa etichetta. Ha un bel colore rubino cupo e un naso intenso che parla di ciliegia e marasca mature, spezia ed erbe mediterranee. È rotondo, corposo e caldo al palato. Speziato, equilibrato e fresco il Primitivo Vigna Giadì '19, valide le altre etichette.

● Aglianico del Vulture Rubra '17	♟♟	3*
○ Ovo Di Elena '19	♟♟	2*
● Vigna Giadì '19	♟♟	2*
⊙ Bacche Rosa '19	♟	2
● Aglianico del Vulture Rubra '15	♟♟	3*
● Aglianico del Vulture Rubra '06	♟♟	3
● Baruch Primitivo '15	♟♟	5
● Matera Moro Malandrina '15	♟♟	3
● Matera Moro Malandrina '06	♟♟	3
● Tittà '15	♟♟	2*
● Tittà '10	♟♟	2*
● Vigna Giadì '08	♟♟	2

Donato D'Angelo di Filomena Ruppi

VIA PADRE PIO, 10
85028 RIONERO IN VULTURE [PZ]
TEL. 0972724602
www.donatodangelo.it

VENDITA DIRETTA
VISITA SU PRENOTAZIONE
PRODUZIONE ANNUA 150.000 bottiglie
ETTARI VITATI 20,00

Nata nel 2001, con l'acquisizione di una ventina di ettari tra Barile, Ripacandida e Maschito, piantati perlopiù ad aglianico, l'azienda è condotta da Filomena Ruppi e dal marito Donato D'Angelo, protagonista della storia recente dell'Aglianico del Vulture grazie all'esperienza pluridecennale nell'azienda di famiglia. La produzione ha numeri artigianali, oggi si aggira intorno alle 150mila bottiglie annue, ed è focalizzata sul vitigno principe del territorio, ben declinato secondo uno stile nitidamente classico per vini strutturati, pieni e longevi. Lo stile dei rossi di Donato D'Angelo è al di là delle mode e delle tendenze. Lo dimostra con una splendida versione del Donato D'Angelo, la 2017, di raro nitore ed eleganza. Non è un vino cupo ed estrattivo: è tutto giocato sulla finezza, l'eleganza e la pulizia del frutto. Ha tannini levigatissimi e lunghissima persistenza aromatica. Borgogna, insomma...

● Aglianico del Vulture Donato D'Angelo '17	♟♟♟ 4*
● Aglianico del Vulture Calice '18	♟♟ 3
● Balconara '17	♟ 4
● Balconara '09	♟♟♟ 4*
● Aglianico del Vulture '16	♟♟ 4
● Aglianico del Vulture Donato D'Angelo '14	♟♟ 3*
● Aglianico del Vulture Donato D'Angelo '13	♟♟ 3*
● Aglianico del Vulture Donato D'Angelo '12	♟♟ 3*
● Aglianico del Vulture Donato D'Angelo '11	♟♟ 4
● Balconara '15	♟♟ 4

★Elena Fucci

C.DA SOLAGNA DEL TITOLO
85022 BARILE [PZ]
TEL. 3204879945
www.elenafuccivini.com

VENDITA DIRETTA
VISITA SU PRENOTAZIONE
PRODUZIONE ANNUA 28.000 bottiglie
ETTARI VITATI 7,00
VITICOLTURA Biologico Certificato
AZIENDA SOSTENIBILE

Elena Fucci, enologo, è una protagonista della moderna scena enologica lucana. Dopo la laurea ha dato grande slancio all'attività avviata a livello artigianale dal nonno Generoso nella Valle del Titolo di Barile negli anni '60. In azienda collaborano anche il marito di Elena, Andrea Manzani, che segue anche il settore commerciale, e il papà Salvatore. Alla base troviamo una cantina all'avanguardia dal punto di vista tecnico, progettata secondo i dettami della bioarchitettura, e sette ettari di vigneti con un'elevata età media collocati nella parte più alta della contrada Solagna del Titolo, ai piedi del Vulture. Anche con l'annata '18 Elena Fucci porta a casa il nostro massimo punteggio. Il Titolo '18 si presenta in forma smagliante: ha un bel colore rosso rubino intenso senza cedimenti, e al naso si apre su una paletta di profumi di piccoli frutti, ciliegia e prugna mature, ravvivati e resi complessi da eleganti nuance di macchia mediterranea, caffè e sfumature delicatamente balsamiche. La bocca è ricca, strutturata e progressiva senza essere pesante. Grande persistenza di frutto.

● Aglianico del Vulture Titolo '18	♟♟♟ 8
● Aglianico del Vulture Titolo '17	♟♟♟ 8
● Aglianico del Vulture Titolo '16	♟♟♟ 6
● Aglianico del Vulture Titolo '15	♟♟♟ 6
● Aglianico del Vulture Titolo '14	♟♟♟ 6
● Aglianico del Vulture Titolo '13	♟♟♟ 6
● Aglianico del Vulture Titolo '12	♟♟♟ 5
● Aglianico del Vulture Titolo '11	♟♟♟ 5
● Aglianico del Vulture Titolo '10	♟♟♟ 5
● Aglianico del Vulture Titolo '09	♟♟♟ 6
● Aglianico del Vulture Titolo '08	♟♟♟ 6
● Aglianico del Vulture Titolo '07	♟♟♟ 6
● Aglianico del Vulture Titolo '06	♟♟♟ 5
● Aglianico del Vulture Titolo '05	♟♟♟ 5

Grifalco

LOC. PIAN DI CAMERA
85029 VENOSA [PZ]
TEL. 097231002
www.grifalcovini.com

VENDITA DIRETTA
VISITA SU PRENOTAZIONE
PRODUZIONE ANNUA 70.000 bottiglie
ETTARI VITATI 15,00
VITICOLTURA Biologico Certificato
AZIENDA SOSTENIBILE

Il timone di questa bella realtà fondata da
Fabrizio Piccin è passato nelle mani dei figli
Lorenzo e Andrea: il primo, enologo, a
seguire la parte produttiva, il secondo
quella commerciale, con il supporto della
sempre presente madre Cecilia. Una storia
d'amore tramandata da genitori ai figli,
dediti alla coltivazione di un'uva
affascinante e complessa come l'aglianico.
Le vigne si estendono tra Ginestra,
Maschito, Rapolla e Venosa, ognuna con
caratteristiche pedoclimatiche diverse che
vengono esaltate grazie a vinificazioni
separate, tutte in conduzione biologica, per
vini ricchi di fascino e personalità. Anche
quest'anno il Gricos non delude: il 2018 ci
regala un'altra grande versione di Aglianico:
Ha un naso complesso dove al frutto rosso
si intessono note di grafite e inchiostro,
delicate nuance fumé. Al palato è ampio,
polposo, morbido e chiude sulle note del
frutto. Assai valide le altre etichette.

Michele Laluce

VIA ROMA, 21
85020 GINESTRA [PZ]
TEL. 0972646145
www.vinilaluce.com

VENDITA DIRETTA
VISITA SU PRENOTAZIONE
PRODUZIONE ANNUA 40.000 bottiglie
ETTARI VITATI 7,00
AZIENDA SOSTENIBILE

Michele Laluce è il perfetto prototipo di
vignaiolo appassionato. Dal 2001 conduce
con sapienza antica i vigneti di famiglia,
circa sei ettari a 400 metri di quota alle
pendici del Vulture, e ne ricava
un'interessante gamma di etichette dove
ovviamente l'Aglianico è il protagonista. Il
recente innesto della figlia Maddalena,
enologo, senza inquinare l'alone di
autenticità di queste produzioni, anno dopo
anno conferisce un tono di eleganza e
nitidezza espressiva a questa curata
produzione squisitamente artigianale.
L'Aglianico S'Adatt è forse quello che
meglio oggi rappresenta l'azienda. È un
rosso di struttura e di carattere, vinificato e
maturato in acciaio, che preserva la pulizia
del frutto e gli dona una straordinaria
freschezza e piacevolezza di beva. Tannini
morbidi e una bella grinta sostengono un
tono fruttato di bella persistenza. Il
Superiore Le Drude '14, maturato in botte
grande, è elegante e armonico.

● Aglianico del Vulture Gricos '18	♟♟♟ 3*
● Aglianico del Vulture Sup. DaGinestra '16	♟♟ 6
● Aglianico del Vulture Sup. DaMaschito '16	♟♟ 6
● Aglianico del Vulture '18	♟ 5
● Aglianico del Vulture Gricos '17	♟♟♟ 3*
● Aglianico del Vulture Gricos '14	♟♟♟ 3*
● Aglianico del Vulture Gricos '16	♕♕ 3*
● Aglianico del Vulture Gricos '15	♕♕ 3*
● Aglianico del Vulture Gricos '13	♕♕ 3*
● Aglianico del Vulture Gricos '11	♕♕ 2*
● Aglianico del Vulture Grifalco '17	♕♕ 4
● Aglianico del Vulture Grifalco '12	♕♕ 3*
● Aglianico del Vulture Grifalco '09	♕♕ 3

● Aglianico del Vulture Le Drude '14	♟♟ 5
● Aglianico del Vulture S'Adatt '14	♟♟ 2*
○ Morbino Bianco '18	♟♟ 3
● Aglianico del Vulture Le Drude '13	♕♕ 5
● Aglianico del Vulture Le Drude '12	♕♕ 5
● Aglianico del Vulture Le Drude '08	♕♕ 5
● Aglianico del Vulture Le Drude '07	♕♕ 6
● Aglianico del Vulture Le Drude '06	♕♕ 4
● Aglianico del Vulture Zimberno '12	♕♕ 3
● Aglianico del Vulture Zimberno '08	♕♕ 3
● Aglianico del Vulture Zimberno '06	♕♕ 4

Martino

VIA LA VISTA, 2A
85028 RIONERO IN VULTURE [PZ]
TEL. 0972721422
www.martinovini.com

VENDITA DIRETTA
VISITA SU PRENOTAZIONE
PRODUZIONE ANNUA 250.000 bottiglie
ETTARI VITATI 30,00

È un percorso lungo e articolato quello
della famiglia Martino nel mondo del vino.
Comincia a fine Ottocento e si consolida
con Donato Martino, che inizia a vinificare e
imbottigliare con il proprio marchio negli
anni '40. La svolta qualitativa arriva con
l'attuale proprietario, Armando, oggi
validamente affiancato dalla figlia Carolin.
La sede attuale mette a frutto moderne
tecnologie per la produzione e una cantina
sotterranea in tufo per la maturazione dei
vini. Le vigne si estendono anche nel
Materano e oltre all'aglianico, declinato in
rosso, rosato e bianco, troviamo bianchi
come greco, malvasia, moscato e
chardonnay. È l'Aglianico del Vulture
Superiore Riserva '14 l'etichetta che
quest'anno ha rappresentato questa storica
maison nelle nostre finali. Un rosso di
classe che testimonia l'impegno crescente
dei Martino nel raggiungere l'eccellenza. È
un rosso vellutato, fresco, elegante, sapido
e armonico. Assai validi l'Oraziano '15 e le
altre etichette.

★Paternoster

C.DA VALLE DEL TITOLO
85022 BARILE [PZ]
TEL. 0972770224
www.paternostervini.it

VENDITA DIRETTA
VISITA SU PRENOTAZIONE
PRODUZIONE ANNUA 150.000 bottiglie
ETTARI VITATI 20,00
VITICOLTURA Biologico Certificato

La storica cantina fondata nel 1925 da
Anselmo Paternoster è oggi di proprietà del
gruppo Tommasi che ha voluto dare un
forte segnale di continuità confermando
professionisti come Vito Paternoster e Fabio
Mecca per dare coerenza e nuovo slancio
al progetto. Le vigne si estendono nelle
diverse contrade vinicole di Barile e
Macarico, per uno stile che fa della
ricchezza e dell'intensità dell'Aglianico un
vero marchio di fabbrica, conosciuto e
apprezzato a livello mondiale. Le due
etichette di punta, Don Anselmo e Rotondo,
confermano il lungo potenziale evolutivo in
bottiglia dei rossi di queste terre. In
mancanza del Don Anselmo, che si affinerà
per un altro anno in cantina, è l'Aglianico
del cru Rotondo, annata 2017, a tenere alto
il blasone della storica azienda di Barile. È
un rosso di struttura, concentrato e ricco di
frutto, che si è fatto apprezzare nelle nostre
finali. Il Synthesi '18 rappresenta assai bene
il territorio: un rosso generoso e di
carattere, dalla ricca componente tannica,
di bell'equilibrio.

● Aglianico del Vulture Sup. Ris. '14	♟♟ 7
● Aglianico del Vulture Bel Poggio '15	♟♟ 2*
● Aglianico del Vulture Oraziano '15	♟♟ 5
● Aglianico del Vulture Pretoriano '15	♟ 5
○ Sincerità '19	♟ 2
● Aglianico del Vulture '14	♟♟ 3*
● Aglianico del Vulture Bel Poggio '10	♟♟ 2*
● Aglianico del Vulture Oraziano '13	♟♟ 5
● Aglianico del Vulture Oraziano '12	♟♟ 5
● Aglianico del Vulture Oraziano '10	♟♟ 5
● Aglianico del Vulture Pretoriano '09	♟♟ 5
● Aglianico del Vulture Sup. Ris. '13	♟♟ 7

● Aglianico del Vulture Rotondo '17	♟♟ 5
● Aglianico del Vulture Synthesi '18	♟♟ 3
● Aglianico del Vulture Giuv '17	♟ 2
○ Vulcanico '19	♟ 3
● Aglianico del Vulture Don Anselmo '16	♟♟♟ 6
● Aglianico del Vulture Don Anselmo '15	♟♟♟ 6
● Aglianico del Vulture Don Anselmo '13	♟♟♟ 6
● Aglianico del Vulture Don Anselmo '09	♟♟♟ 6
● Aglianico del Vulture Don Anselmo Ris. '05	♟♟♟ 6
● Aglianico del Vulture Rotondo '11	♟♟♟ 5
● Aglianico del Vulture Rotondo '01	♟♟♟ 5
● Aglianico del Vulture Rotondo '00	♟♟♟ 5
● Aglianico del Vulture Rotondo '15	♟♟ 5
● Aglianico del Vulture Rotondo '13	♟♟ 5
● Aglianico del Vulture Rotondo '12	♟♟ 5
● Aglianico del Vulture Synthesi '17	♟♟ 3*

★Re Manfredi
Cantina Terre degli Svevi

LOC. PIAN DI CAMERA
85029 VENOSA [PZ]
TEL. 097231263
www.cantineremanfredi.it

VENDITA DIRETTA
VISITA SU PRENOTAZIONE
RISTORAZIONE
PRODUZIONE ANNUA 235.000 bottiglie
ETTARI VITATI 110,00

Prende vita nel 1998 il progetto vitivinicolo di questa cantina di proprietà del Gruppo Italiani Vini, ben guidata da Paolo Montrone. Il nome aziendale è una dedica a Re Manfredi, figlio di Federico II, un tempo signore di queste terre. Le vigne - 110 gli ettari totali - si estendono tra Venosa, Maschito e Barile con quote altimetriche comprese tra i 400 e i 550 metri di quota. L'aglianico è sicuramente il protagonista indiscusso della casa, insieme a piccole quantità di müller thurgau e traminer aromatico a completare la gamma di etichette proposte. Nasce da una selezione delle migliori uve del vigneto Serpara a Maschito, grande cru del Vulture, il vino che quest'anno inanella l'ennesimo riconoscimento per questa prestigiosa cantina. Ha un colore rubino brillante e profondo, un naso complesso e affascinante dominato dai piccoli frutti e dalle essenze mediterranee, un palato assertivo, morbido ed equilibrato e una lunghissima persistenza. Chapeau.

● Aglianico del Vulture Sup. Serpara '16	♛♛♛ 5
● Aglianico del Vulture Taglio del Tralcio '18	♛♛ 3*
● Aglianico del Vulture Re Manfredi '17	♛♛ 5
● Aglianico del Vulture Re Manfredi '16	♛♛♛ 5
● Aglianico del Vulture Re Manfredi '15	♛♛♛ 5
● Aglianico del Vulture Re Manfredi '13	♛♛♛ 6
● Aglianico del Vulture Re Manfredi '11	♛♛♛ 4*
● Aglianico del Vulture Re Manfredi '10	♛♛♛ 4*
● Aglianico del Vulture Re Manfredi '05	♛♛♛ 4
● Aglianico del Vulture Re Manfredi '99	♛♛♛ 4*
● Aglianico del Vulture Serpara '10	♛♛♛ 5
● Aglianico del Vulture Sup. Serpara '12	♛♛♛ 5
● Aglianico del Vulture Vign. Serpara '03	♛♛♛ 4*
● Aglianico del Vulture Sup. Serpara '15	♛♛ 5

Taverna

C.DA TRATTURO REGIO
75020 NOVA SIRI [MT]
TEL. 0835877310
www.cantinetaverna.wine

VENDITA DIRETTA
VISITA SU PRENOTAZIONE
OSPITALITÀ E RISTORAZIONE
PRODUZIONE ANNUA 50.000 bottiglie
ETTARI VITATI 20,00

Pasquale Lunati è al timone dell'azienda di famiglia che si estende su una superficie di 250 ettari e oltre alla viticoltura, cui sono dedicati 20 ettari in posizione vocata tra il massiccio del Pollino e lo Jonio, si occupa anche di zootecnia ed altre produzioni agrarie. Dalla fine degli anni Ottanta un ambizioso programma di sviluppo ha portato accanto alle varietà autoctone quali greco e primitivo anche i vitigni internazionali più noti. La costruzione di una moderna cantina e l'arrivo di Emiliano Falsini come consulente enologico hanno dato risultati tangibili nelle ultime vendemmie. Ottima la versione 2018 del Matera Primitivo I Sassi, ha un bel colore cupo, corpo e la giusta concentrazione, ed è asciutto, secco e sapido e di bella beva. C'è piaciuto molto anche il Greco San Basile '19, asciutto nervoso e sapido ma al contempo ricco di note fruttate. Interessante anche il bianco SensO2 '19, senza solfiti.

○ Matera Greco San Basile '19	♛♛ 3
● Matera Primitivo I Sassi '18	♛♛♛ 3
● Il Lagarino '18	♛ 4
⊙ Primitivo Rosato Maddalena '19	♛ 2
○ SenSO2 Bianco '19	♛ 2
● Aglianico del Vulture Loukania '11	♛♛ 4
● Il Lucano '16	♛♛ 4
● Matera I Sassi '15	♛♛ 3
● Matera Moro I Sassi '14	♛♛ 3
● Matera Moro I Sassi '11	♛♛ 3*
● Matera Primitivo I Sassi '17	♛♛ 3
● Matera Primitivo I Sassi '16	♛♛ 3*
● Primitivo '12	♛♛ 3*
⊙ Primitivo Rosato Maddalena '17	♛♛ 2*
● Senso2 Rosso '18	♛♛ 3

Terra dei Re

VIA MONTICCHIO KM 2,700
85028 RIONERO IN VULTURE [PZ]
TEL. 0972725116
www.terradeire.com

VENDITA DIRETTA
VISITA SU PRENOTAZIONE
OSPITALITÀ E RISTORAZIONE
PRODUZIONE ANNUA 70.000 bottiglie
ETTARI VITATI 11,00
AZIENDA SOSTENIBILE

Procede a vele spiegate questa bella realtà vitivinicola avviata nel 2000, oggi joint-venture delle famiglie Leone e Rabasco. La moderna cantina ha sede nel comune di Rionero in Vulture, dove il vino matura tra grotte vulcaniche sotterranee, mentre gli ettari vitati sono interamente in conduzione biologica certificata e si estendono tra Rionero, Barile, Melfi e Rapolla. Tra gli ultimi progetti, segnaliamo anche una vigna di pinot nero a 800 metri di quota, che regala espressioni di estrema piacevolezza. La cifra aziendale si caratterizza per vini ricchi, intensi e potenti: grande protagonista l'Aglianico del Vulture. Il lavoro di riorganizzazione di questi ultimi anni e l'avvicendamento alla guida tecnica dell'azienda hanno dato i loro frutti. L'Aglianico Nocte '16 si presenta elegante, profondo, complesso e strutturato e guadagna il primo Tre Bicchieri della maison. Mentre affinano in cantina le nuove annate delle altre selezioni vi raccomandiamo il fruttato e fresco rosso Lerà '19 e la sua controparte bianco.

● Aglianico del Vulture Nocte '16	▼▼▼ 4*
● Lerà '19	▼▼ 2*
○ Lerà Malvasia '19	▼ 2
● Aglianico del Vulture Divinus '04	♀♀ 4
● Aglianico del Vulture Divinus '03	♀♀ 4
● Aglianico del Vulture Divinus '01	♀♀ 4
● Aglianico del Vulture Nocte '15	♀♀ 4
● Aglianico del Vulture Nocte '10	♀♀ 4
● Aglianico del Vulture Sup. Divinus '13	♀♀ 4
● Aglianico del Vulture Sup. Divinus '12	♀♀ 4
☉ Lerà Rosato '18	♀♀ 2*
● Vulcano 800 '15	♀♀ 4
● Vulcano 800 Pinot Nero '17	♀♀ 5

Cantina di Venosa

LOC. VIGNALI
VIA APPIA
85029 VENOSA [PZ]
TEL. 097236702
www.cantinadivenosa.it

VENDITA DIRETTA
VISITA SU PRENOTAZIONE
PRODUZIONE ANNUA 1.000.000 bottiglie
ETTARI VITATI 800,00
AZIENDA SOSTENIBILE

Sono 400 i soci conferitori dietro a questa storica cooperativa fondata nel 1957, per un totale di 800 ettari vitati dislocati tra Venosa, Ripacandida, Maschito e Ginestra. Il quartier generale si trova a Venosa, il comune maggiormente vitato della regione; qui l'aglianico recita un ruolo dominante, con moscato e malvasia a completare il quadro per i bianchi. Tra le etichette di punta che valorizzano le parcelle con le migliori esposizioni, ricordiamo gli Aglianico del Vulture Terre di Orazio, Carato Venusio e Verbo: vini ricchi, intensi, dotati di sapida energia. L'Aglianico del Vulture Verbo'18 si è guadagnato l'accesso alle nostre finali in virtù di un frutto integro, una stoffa ricca, tannini vellutati e una bella persistenza. Accanto a lui una riuscitissima versione del Baliaggio, la '18, rosso polposo e morbido balle belle nuance di erbe aromatiche della macchia mediterranea, e una Malvasia Verbo '19 dalle intense venature aromatiche.

● Aglianico del Vulture Verbo '18	▼▼ 3*
● Aglianico del Vulture Baliaggio '18	▼▼ 2*
● Aglianico del Vulture Terre di Orazio '18	▼▼ 4
○ Verbo Malvasia '19	▼▼ 3
☉ Terre di Orazio Rosé '19	▼ 3
☉ Verbo Rosé '19	▼ 3
● Aglianico del Vulture Carato Venusio '12	♀♀ 6
● Aglianico del Vulture Gesualdo da Venosa '13	♀♀ 5
● Aglianico del Vulture Gesualdo da Venosa '11	♀♀ 5
● Aglianico del Vulture Sup. Carato Venusio '12	♀♀ 6
● Aglianico del Vulture Terre di Orazio '17	♀♀ 4
● Aglianico del Vulture Verbo '17	♀♀ 3*

Alovini

S.DA PROV.LE 123 BIS KM 7,350
85013 GENZANO DI LUCANIA [PZ]
TEL. 0971776372
www.alovini.it

Oronzo Alò, enologo di origine pugliese, anni fa si è trasferito in Basilicata dove collabora con numerose aziende, oltre ad aver costituito la propria cantina. È tra i più attenti interpreti dell'Aglianico del Vulture, come l'assaggio dell'Alvolo e dell'Armand vi confermeranno.

● Aglianico del Vulture Alvolo '17   ♟♟ 4
● Aglianico del Vulture Armand '17   ♟♟ 3
● Cabànico '17   ♟♟ 3

Cantina Di Barile

S.DA ST.LE 93
85022 BARILE [PZ]
TEL. 0972770386
www.coviv.it

Nota in passato come Consorzio dei Viticoltori del Vulture la Cantina di Barile, guidata dal presidente Rocco Grimolizzi, enologo, è uno dei marchi storici della cooperazione lucana, e propone una curata gamma di Aglianico del Vulture e vini del territorio.

● Aglianico del Vulture Vetusto '16   ♟♟ 7
● Aglianico del Vulture '16   ♟ 3

Cantine Strapellum

C.DA SCAVONE LOTTI. 14/15
85028 RIONERO IN VULTURE [PZ]
TEL. 0972083446
www.cantinestrapellum.com

Giuseppe Cuseo e Michele Turtora a Rionero proseguono con entusiasmo la tradizione di famiglia e realizzano numerose etichette da vigneti di proprietà e da selezionati confcritori. Abbiamo apprezzato il Superiore '16, dai bei tannini maturi e dalle complesse note di cioccolato e fumé.

● Aglianico del Vulture Fosso del Tiglio '16   ♟♟ 2*
○ Fiano Klinc '19   ♟ 2
○ Il Nibbio Bianco '17   ♟ 3

Eleano

FRAZ. PIAN DELL'ALTARE
S.DA PROV.LE 8
85028 RIPACANDIDA [PZ]
TEL. 0972722273
www.eleano.it

Alfredo Cordisco e Francesca Grieco a Ripacandida coltivano sette ettari di vigne con eccellenti risultati. L'Eleano, stavolta con l'annata '17, si aggiudica le nostre finali con autorevolezza. È intenso e di bella struttura, offre naso elegante, morbidi tannini e fine complessità.

● Aglianico del Vulture Eleano '17   ♟♟ 5

Eubea

S.DA PROV.LE 8
85020 RIPACANDIDA [PZ]
TEL. 3284312789
www.agricolaeubea.com

Eugenia Sasso conduce questa bella azienda, forte di 16 ettari di vigne dislocati tra Barile e Ripacandida. L'azienda ha sede in un antico casale. L'Aglianico Covo dei Briganti '18 è un vino intenso nei toni di frutto rosso e macchia mediterranea, sapido e sorretto da una bella vena acida.

● Aglianico del Vulture
   Covo dei Briganti '18   ♟♟ 6
● Aglianico del Vulture Ròinos '18   ♟ 8

Masseria Lanzolla

LOC. MASSERIA LANZOLLA
75023 MONTALBANO JONICO [MT]
TEL. 0835691197
www.masserialanzolla.it

Sono oggi Isabella, Teresa ed Enrica Mininni a condurre l'azienda di famiglia, che ha mosso i primi passi a metà degli anni Cinquanta. Dai 25 ettari di vigne in contrada Luce a Montalbano Jonico viene elaborata una curata e vasta gamma di vini incentrata sulle varietà del territorio, ma non solo.

● Matera Moro Mons Albius '16   ♟♟ 2*
● Matera Primitivo Primebacche '16   ♟♟ 2*
● Monade '16   ♟ 2

Cantine Madonna delle Grazie

LOC. VIGNALI
VIA APPIA
85029 VENOSA [PZ]
TEL. 097235704
www.cantinemadonnadellegrazie.it

Non lontano dal Monastero Madonna delle Grazie, a Venosa, sorge la cantina di Giuseppe Latorraca, che nel 2003 inizia a vinificare le uve degli 8 ettari delle vigne di famiglia, dislocati in quattro contrade del comune di Venosa.

● Aglianico del Vulture Bauccio '15   ♀♀ 4
● Aglianico del Vulture Liscone '15   ♀♀ 3

Musto Carmelitano

VIA PIETRO NENNI, 23
85020 MASCHITO [PZ]
TEL. 097233312
www.mustocarmelitano.it

Dal 2006 Elisabetta Carmelitano con il fratello Luigi è al timone della cantina di Maschito. L'azienda vanta quattordici ettari, di cui quattro vitati, distribuiti in tre cru diversi: Pian del Moro, Serra del Prete e Vernavà. I vini vengono prodotti in maniera artigianale.

● Aglianico del Vulture Serra del Prete '17   ♀♀ 4
● Aglianico del Vulture '17   ♀♀ 6
● Aglianico del Vulture Pian del Moro '16   ♀ 4

Tenuta Parco dei Monaci

C.DA PARCO DEI MONACI
75100 MATERA
TEL. 0835259546
www.tenutaparcodeimonaci.it

Rosa Padula e suo marito Matteo Trabocca coltivano con passione i loro cinque ettari di vigneto, parte di una più ampia tenuta, gestita con criteri di sostenibilità, nei pressi di Matera. Con la collaborazione dell'enologo Vincenzo Mercurio realizzano etichette di sicuro interesse.

● Matera Moro Spaccasassi '17   ♀♀ 5
● Matera Primitivo Monacello '18   ♀♀ 4
☉ Matera Rosato Rosapersempre '19   ♀ 3

Quarta Generazione

C.DA MACARICO
85022 BARILE [PZ]
TEL. 3342039805
www.quartagenerazione.com

Giovanna Paternoster, cresciuta in cantina e tra le vigne di aglianico, rappresenta la quarta generazione della famiglia impegnata nella viticoltura. Rosso strutturato e di bella profondità l'Aglianico del Vulture '18 dalle belle note di amarena e vaniglia.

● Aglianico del Vulture '18   ♀♀ 4

Regio Cantina

LOC. PIANO REGIO
85029 VENOSA [PZ]
TEL. 057754011
www.tenutepiccini.it

La Regio Cantina è una delle ultime acquisizioni della famiglia toscana Piccini. L'azienda vanta 15 ettari di vigneti in ottime esposizioni nei comuni di Maschito e di Venosa. Quest'anno segnaliamo un Genesi '18 di carattere e pienezza e un Donpà '17 dai toni più evoluti e maturi.

● Aglianico del Vulture Donpà '17   ♀♀ 4
● Aglianico del Vulture Genesi '18   ♀♀ 2*

Vitis in Vulture

C.SO GIUSTINO FORTUNATO, 159
85024 LAVELLO [PZ]
TEL. 097283983
www.vitisinvulture.com

Lavello ospita la sede operativa della Vitis in Vulture, che raggruppa 15 viticoltori riuniti in cooperativa, e controlla 250 ettari di vigne nelle migliori esposizioni del Vulture. Alla guida della produzione c'è l'agronomo Giuseppe Avigliano. Valido il Superiore Forentum '16.

● Aglianico del Vulture Forentum '17   ♀♀ 3
● Aglianico del Vulture Sup. Forentum '16   ♀♀ 3
○ Labellum Chardonnay '19   ♀♀ 2*

PUGLIA

Da anni ormai parliamo di una crescita costante e continua della produzione della regione, e anche quest'anno non possiamo che confermare questa tendenza. Le aziende nella nostra sezione principale infatti sono diventate 44, rispetto alle 36 dell'anno scorso, grazie a una produzione di qualità che ormai possiamo riscontrare in tutte le zone viticole della regione, anche se in alcune realtà questa crescita è più evidente che in altre, come si può facilmente verificare a Gioia del Colle o a Manduria. Un contesto sostanzialmente positivo quindi, nonostante i tempi difficili che stiamo vivendo, sul quale influiscono a nostro parere un paio di elementi. Il primo è che è cresciuta l'attenzione al modo di coltivare e di lavorare il primitivo, sempre di più vitigno di riferimento della regione per le sue caratteristiche qualitative, la capacità di esprimere al meglio i territori di provenienza e la sua versatilità espressiva, una versatilità che permette ai produttori di realizzare vini di grande qualità sia quando l'uva utilizzata proviene da vecchie vigne ad alberello, che quando invece proviene da vigne giovani, per vini ovviamente diversi ma che possono essere ottimi nelle loro rispettive tipologie. Il secondo è la crescita dell'importanza e della qualità dei vini a denominazioni di origine, a dare risalto non solo al vitigno, ma anche al territorio, quando fino a poco tempo fa la maggior parte dei produttori puntava soprattutto sul marchio. Per quanto riguarda i Tre Bicchieri, c'è da segnalare un "absolute beginner": la cantina Terre dei Vaaz, azienda giovanissima della zona di Gioia del Colle, alla sua seconda annata di produzione, che li conquista con l'Onirico '18, ovviamente un Primitivo in purezza (anche se non a denominazione di origine). Chiudiamo con la solita, inascoltata, considerazione: in Puglia c'è ormai una "invasione degli ultracorpi", o meglio, delle bottiglie "ultrapesanti", cioè del peso di oltre un chilo, nell'erronea convinzione che una bottiglia del genere sia "prestigiosa". Il risultato è quello di far viaggiare per il mondo bottiglie di quasi due chili, in spregio a qualsiasi idea di sostenibilità, in primis del "carbon footprint". Una pratica inaccettabile, in particolare per le aziende che rivendicano con orgoglio, e relativo logo europeo, la produzione biologica.

Amastuola

VIA APPIA KM 632,200
74016 MASSAFRA [TA]
TEL. 0998805668
www.amastuola.it

VENDITA DIRETTA
VISITA SU PRENOTAZIONE
OSPITALITÀ E RISTORAZIONE
PRODUZIONE ANNUA 360.000 bottiglie
ETTARI VITATI 109,00
VITICOLTURA Biologico Certificato
AZIENDA SOSTENIBILE

Situata nel cuore del Parco Regionale
Naturale Terra delle Gravine, l'azienda della
famiglia Montanaro si trova in un'ampia
masseria a corte chiusa del XV secolo ed è
circondata da oltre 100 ettari di vigneto
condotti in regime biologico. Il parco vitigni
è piuttosto ampio, dalle uve tipiche di
questo territorio, come primitivo o malvasia,
a quelle internazionali, come merlot o
chardonnay. Tutti i vini proposti sono
tecnicamente ben realizzati, con una
particolare attenzione alla piacevolezza e
alla ricchezza di frutto. Il Primitivo
Lamarossa '17 si presenta con note floreali
e di frutti rossi, è di bella tipicità, nitido e
grintoso. Giocato maggiormente su toni
vegetali e di frutti neri il Capocanale '17, un
Merlot sapido, di buona tenuta e
freschezza, mentre ci ha sorpreso per
gradevolezza e brillantezza aromatica il
Calaprice '19, blend di sauvignon,
chardonnay e fiano tutto da bere. Ben
realizzato infine il rosato da uve aglianico
Ondarosa '19, sapido e speziato.

○ Calaprice '19	♟♟	2*
● Capocanale '17	♟♟	3
● Lamarossa '17	♟♟	3
☉ Ondarosa '19	♟♟	2*
● L'Onda del Tempo '17	♟	3
● Primitivo '18	♟	3
○ Salento Bianco '19	♟	2
● Aglianico '13	♟♟	3
● Centosassi '15	♟♟	5
● Lamarossa '15	♟♟	2*
● Lamarossa '14	♟♟	2*
● Onda del Tempo '16	♟♟	3
● Vignatorta '13	♟♟	2*

Giuseppe Attanasio

VIA PER ORIA, 13
74024 MANDURIA [TA]
TEL. 0999737121
www.primitivo-attanasio.com

PRODUZIONE ANNUA 15.000 bottiglie
ETTARI VITATI 7,00

La piccola azienda della famiglia Attanasio
imbottiglia da ormai vent'anni i propri
prodotti e va considerata come una delle
cantine stabilmente ai vertici della
denominazione Primitivo di Manduria. Pochi
ettari vitati coltivati ad alberello pugliese,
situati su di un substrato di roccia calcarea
tufacea, e una produzione tutta a base di
primitivo - l'unica uva coltivata nei vigneti
di proprietà - danno vita a un pugno di
etichette dall'impostazione tradizionale in
cui tipicità e aderenza al territorio fanno il
paio con grinta e complessità. Sempre al
vertice della tipologia il Primitivo di
Manduria Dolce Naturale. La versione 2015
è ricchissima al naso, con le sue note di
erbe aromatiche, pan pepato, cannella,
ciliegia sotto spirito e cioccolato, mentre il
palato è in spinta, di buona tenuta, lungo e
piacevole. Di grande fascino anche il
Primitivo di Manduria Riserva Ventesima
Vendemmia '14, dai sentori di cannella e
macchia mediterranea al naso e dal palato
di notevole spessore, con un finale fruttato,
lungo e succoso.

● Primitivo di Manduria Dolce Naturale '15	♟♟	5
● Primitivo di Manduria Ventesima Vendemmia Ris. '14	♟♟	6
● Primitivo di Manduria '14	♟♟	5
☉ Primitivo Rosato '19	♟♟	3
● Primitivo di Manduria '15	♟♟	5
● Primitivo di Manduria '13	♟♟	5
● Primitivo di Manduria Dolce Naturale '18	♟♟	5
● Primitivo di Manduria Dolce Naturale '14	♟♟	5
● Primitivo di Manduria Dolce Naturale '12	♟♟	5
● Primitivo di Manduria Ris. '13	♟♟	6
☉ Primitivo Rosato '18	♟♟	3
☉ Primitivo Rosato '16	♟♟	3

Cantele

S.DA PROV.LE SALICE SALENTINO-SAN DONACI KM 35,600
73010 GUAGNANO [LE]
TEL. 0832705010
www.cantele.it

VENDITA DIRETTA
VISITA SU PRENOTAZIONE
PRODUZIONE ANNUA 1.500.000 bottiglie
ETTARI VITATI 48,00

Da oltre quarant'anni l'azienda della famiglia Cantele, gestita dai cugini Luisa, Gianni, Paolo e Umberto, è tra le più conosciute aziende del panorama pugliese. Oggi propone un'ampia gamma di etichette dallo stile moderno, ben realizzate tecnicamente, cui non mancano né la tipicità né la piacevolezza. I vigneti aziendali sono situati fra Guagnano, Montemesola e San Pietro Vernotico su una predominanza di terre rosse. A parte lo chardonnay, da cui d'altronde nascono alcuni vini storici dell'azienda, i protagonisti sono i vitigni della tradizione. Torna ai vertici della produzione aziendale il Salice Salentino Rosso Riserva. La versione 2017 al naso si presenta con spiccati sentori di more e mirtilli, mentre il palato ha grinta e tensione, con un lungo finale nitido e ricco di frutto. Piacevole e fresco nelle sue note floreali e di frutti rossi di bosco il Negroamaro Rosato '19, interessante e complesso il Teresa Manara Chardonnay Cinque Settembre '18, ben riusciti il classico Amativo '17 e il grintoso Rohesia Malvasia Bianca '19.

● Salice Salentino Rosso Ris. '17	♟♟ 2*
● Amativo '17	♟♟ 4
⊙ Negroamaro Rosato '19	♟♟ 2*
○ Rohesia Malvasia Bianca '19	♟♟ 2*
○ Teresa Manara Chardonnay Cinque Settembre '18	♟♟ 4
● Fanòi Negroamaro '15	♟ 6
● Fanòi Primitivo '15	♟ 6
⊙ Rohesia Negroamaro Rosato '19	♟ 3
● Rohesia Susumaniello '18	♟ 2
○ Teresa Manara Chardonnay '19	♟ 3
● Teresa Manara Negroamaro '17	♟ 3
○ Verdeca '19	♟ 2
● Amativo '07	♟♟♟ 4*
● Amativo '03	♟♟♟ 3*
● Salice Salentino Rosso Ris. '09	♟♟♟ 2*

★Carvinea

LOC. PEZZA D'ARENA
VIA PER SERRANOVA
72012 CAROVIGNO [BR]
TEL. 3483738581
www.carvinea.com

VENDITA DIRETTA
VISITA SU PRENOTAZIONE
OSPITALITÀ E RISTORAZIONE
PRODUZIONE ANNUA 70.000 bottiglie
ETTARI VITATI 10,00
VITICOLTURA Biologico Certificato

Beppe di Maria in meno di vent'anni ha saputo costruire un'azienda d'indubbio successo. La piccola gamma di vini proposti dalla Carvinea, di grande nitidezza aromatica e tecnicamente ben realizzati, piacevoli e ricchi di frutto, proviene dai vigneti aziendali che circondano la cantina nell'agro di Carovigno, dove godono dell'aria salmastra e ricca di iodio che proviene dai due mari, lo Jonio e l'Adriatico, che abbracciano il Salento. Le principali uve coltivate sono quelle della tradizione: negroamaro, ottavianello, primitivo. L'Otto '18, ottavianello in purezza, si conferma di notevole fascino, giocato soprattutto su note floreali e di frutti di bosco, con un palato allo stesso tempo di buona materia e freschezza. Frutti neri e sottobosco caratterizzano il ben realizzato Negroamaro '18, mentre è piacevole e giocato sul frutto il Primitivo della stessa annata. Sempre di bella immediatezza il Merularosa '19, nei suoi toni di melograno e ribes.

● Otto '18	♟♟♟ 5
⊙ Merularosa '19	♟♟ 3
● Negroamaro '18	♟♟ 3
● Primitivo '18	♟♟ 3
○ Lucerna '19	♟ 3
⊙ Ottorosa '19	♟ 3
● Frauma '08	♟♟♟ 4
● Merula '11	♟♟♟ 3*
● Negroamaro '17	♟♟♟ 5
● Negroamaro '14	♟♟♟ 5
● Negroamaro '13	♟♟♟ 5
● Negroamaro '11	♟♟♟ 3*
● Otto '16	♟♟♟ 4*
● Primitivo '15	♟♟♟ 5
● Sierma '09	♟♟♟ 5

Castello Monaci

VIA CASE SPARSE
73015 SALICE SALENTINO [LE]
TEL. 0831665700
www.castellomonaci.it

VENDITA DIRETTA
VISITA SU PRENOTAZIONE
RISTORAZIONE
PRODUZIONE ANNUA 1.900.000 bottiglie
ETTARI VITATI 210,00

La famiglia Memmo da ormai quattro generazioni gestisce Castello Monaci, l'azienda alle porte di Salice Salentino, oggi del Gruppo Italiano Vini. Gli oltre 200 ettari vitati che compongono il parco vigneti aziendale sono divisi in tre tenute, situate su terreni diversi: sabbioso a ridosso del mare, dove sono coltivati i vitigni bianchi, di terra rossa ferrosa, dove viene coltivato il primitivo, e argilloso e tufaceo, dove vengono coltivati vari vitigni rossi autoctoni. Ben realizzata e d'impostazione moderna l'ampia gamma di vini proposta. Particolarmente riuscito quest'anno il Petraluce Verdeca '19, dai toni di agrumi verdi al naso, teso, grintoso e piacevole al palato. Buoni risultati per il Salice Salentino Liante '19, dai sentori di spezie e macchia mediterranea, sapido e di buon frutto; per il classico Kreos, un rosato da uve negroamaro scorrevole e immediato; e per il Primitivo Pilùna '19, fresco e fruttato. Sempre corretto il resto della produzione.

⊙ Kreos '19		🍷🍷 2*
○ Petraluce '19		🍷🍷 2*
● Pilùna '19		🍷🍷 2*
● Salice Salentino Rosso Liante '19		🍷🍷 2*
○ Acante '19		🍷 2
● Coribante '18		🍷 2
○ Heos '19		🍷 2
● Maru '19		🍷 2
○ Moscatello Selvatico Passito '19		🍷 3
⊙ Artas '07		🍷🍷🍷 5
● Artas '06		🍷🍷🍷 4
● Artas '05		🍷🍷🍷 4*
● Artas '04		🍷🍷🍷 3*
⊙ Kreos '18		♀♀ 2*
● Maru '18		♀♀ 2*
● Pilùna '18		♀♀ 2*
○ Simera '18		♀♀ 2*

Giancarlo Ceci

C.DA SANT'AGOSTINO
76123 ANDRIA [BT]
TEL. 0883565220
www.giancarloceci.com

VISITA SU PRENOTAZIONE
PRODUZIONE ANNUA 350.000 bottiglie
ETTARI VITATI 60,00
VITICOLTURA Biodinamico Certificato
AZIENDA SOSTENIBILE

Una tenuta di oltre 200 ettari a 250 metri di altitudine, tra Andria e Castel del Monte, nella quale è situato un grande vigneto in un corpo unico che sente gli influssi del mare distante solo una ventina di chilometri: è qui che da otto generazioni la famiglia Ceci produce il suo vino. Oggi in quel vigneto, lavorato in regime biologico dal 1988 e biodinamico dal 2011, sono presenti le classiche uve del territorio, a partire dal nero di Troia. I vini proposti sono d'impianto moderno e fanno della freschezza e della precisione aromatica la loro cifra stilistica. Il Castel del Monte Rosso Parco Grande '19 si presenta con profumi di visciole e frutti neri, accompagnati da note speziate, mentre il palato ha grinta, immediatezza e una buona lunghezza. Piacevole e floreale il rosato Castel del Monte Bombino Nero Parchitello '19, mentre si esprime su toni agrumati al naso e con un palato disteso il Castel del Monte Chardonnay Pozzo Sorgente '19. Corretto il resto della gamma proposto.

● Castel del Monte Rosso Parco Grande '19		🍷🍷 2*
⊙ Castel del Monte Bombino Nero Parchitello '19		🍷🍷 2*
○ Castel del Monte Chardonnay Pozzo Sorgente '19		🍷🍷 3
● Almagia Zero Solfiti Aggiunti '19		🍷 2
○ Castel del Monte Bombino Bianco Panascio '19		🍷 2
○ Clara Fiano '18		🍷 4
○ Castel del Monte Bombino Bianco Panascio '17		♀♀ 2*
⊙ Castel del Monte Bombino Nero Rosato Parchitello '17		♀♀ 2*
● Castel del Monte Rosso Parco Grande '18		♀♀ 2*
○ Moscato di Trani Dolce Rosalia '18		♀♀ 4

★Tenute Chiaromonte

B.GO ANNUNZIATA
70021 ACQUAVIVA DELLE FONTI [BA]
TEL. 080768156
www.tenutechiaromonte.com

VENDITA DIRETTA
VISITA SU PRENOTAZIONE
PRODUZIONE ANNUA 150.000 bottiglie
ETTARI VITATI 45,00

La Tenute Chiaromonte è tra le protagoniste della rinascita della denominazione Gioia del Colle e del suo Primitivo. I vigneti aziendali sono situati a oltre 300 metri di altitudine a Gioia del Colle, principalmente su terreni calcarei ricchi di minerali. L'attenzione verso le vecchie viti ad alberello ha portato Nicola Chiaromonte e Paolo Montanaro a gestire circa 10 ettari di piante di primitivo di oltre 60 anni. I vini prodotti sono tra i più affascinanti e complessi che si possano trovare sul mercato. L'ennesima conferma viene dalla versione 2017 del Contrada Barbatto: ai sentori di frutti di bosco e gelso bianco fa seguito un palato ricco di frutto, fresco e teso, dal finale di grande sapidità e lunghezza. Altrettanto riuscita ma diversa nello stile la Riserva '15, più ricca e piena, distesa e grintosa insieme. Ben realizzati l'Elè '18, fresco e immediato, e il vino dolce Donna Carlotta '17, ricco ma anche equilibrato. Da segnalare poi l'esordio del Chiaromonte Ancestrale Rosé '17, un Metodo Classico da pinot nero davvero molto promettente.

● Gioia del Colle Primitivo		
Muro Sant'Angelo Contrada Barbatto '17	♟♟♟	5
● Gioia del Colle Primitivo Ris. '15	♟♟	8
☉ Chiaromonte Ancestrale M. Cl. Rosé '17	♟♟	6
● Donna Carlotta '17	♟♟	4
● Elè '18	♟♟	3
○ Kimìa Fiano '19	♟♟	3
☉ Kimìa Pinot Nero Rosato '19	♟♟	3
● Le Maschere Primitivo '18	♟♟	2*
☉ Kimìa Primitivo Rosato '19	♟	3
● Gioia del Colle Primitivo		
Muro Sant'Angelo Contrada Barbatto '16	♛♛♛	5
● Gioia del Colle Primitivo		
Muro Sant'Angelo Contrada Barbatto '15	♛♛♛	5
● Gioia del Colle Primitivo		
Muro Sant'Angelo Contrada Barbatto '14	♛♛♛	5

Coppi

S.DA PROV.LE TURI - GIOIA DEL COLLE
70010 TURI [BA]
TEL. 0808915049
www.vinicoppi.it

VENDITA DIRETTA
VISITA SU PRENOTAZIONE
RISTORAZIONE
PRODUZIONE ANNUA 900.000 bottiglie
ETTARI VITATI 100,00
VITICOLTURA Biologico Certificato

Lisia, Miriam e Doni Coppi gestiscono l'azienda di famiglia creata nel 1976 dal padre Antonio, che rilevò una cantina fondata nel 1882. I vigneti aziendali sono tutti situati tra Turi e Gioia del Colle e sono composti per circa la metà da viti ad alberello. Tutti i vini prodotti, d'impianto moderno e di buona territorialità e precisione aromatica, sono realizzati con vitigni autoctoni: in primis primitivo, e poi aleatico, malvasia nera e negroamaro per i rossi, falanghina, malvasia bianca e verdeca per i bianchi. Torna ai vertici aziendali con la versione 2017 il Gioia del Colle Primitivo Senatore, sapido e grintoso, di buon corpo e volume, dalle note speziate e di frutti neri. Sempre ben realizzati, anche se con stili diversi, gli altri Primitivo: se il Don Antonio '18 è ricco e con toni di frutta matura, il Siniscalco '18 è di buona freschezza, lungo e piuttosto agile. Di grande piacevolezza e bevibilità infine il Negroamaro Rosato Coré '19, dalle note floreali e di fragoline di bosco.

● Gioia del Colle Primitivo Senatore '17	♟♟♟	5
☉ Coré '19	♟♟	2*
● Don Antonio Primitivo '18	♟♟	3
● Siniscalco Primitivo '18	♟♟	2*
● Vinaccero Aleatico '16	♟♟	3
● Cantonovo Primitivo '19	♟	3
○ Guiscardo Falanghina '19	♟	3
● Pellirosso Negroamaro '19	♟	2
● Sannace Malvasia Nera '18	♟	2
○ Serralto Malvasia Bianca '19	♟	2
● Don Antonio Primitivo '17	♛♛♛	3*
● Gioia del Colle Primitivo Senatore '15	♛♛♛	5
● Gioia del Colle Primitivo Senatore '11	♛♛♛	5
● Gioia del Colle Primitivo Senatore '10	♛♛♛	3*

Crifo
Cantina di Ruvo di Puglia

VIA MADONNA DELLE GRAZIE, 8A
70037 RUVO DI PUGLIA [BA]
TEL. 0803601611
www.cantinacrifo.it

VENDITA DIRETTA
VISITA SU PRENOTAZIONE
PRODUZIONE ANNUA 2.000.000 bottiglie
ETTARI VITATI 1500,00

Nata nel 1960 da 27 soci fondatori, questa cantina cooperativa conta oggi circa 1100 soci per 1500 ettari vitati. I vigneti sono situati nella Murgia barese, in zona collinare, in particolare nella denominazione Castel del Monte, e sono coltivati esclusivamente con vitigni autoctoni. Tra le uve di riferimento, oltre ovviamente al nero di Troia, spiccano il bombino bianco, il bombino nero e il quasi scomparso moscatello selvatico. I vini prodotti sono di stampo moderno, con una particolare attenzione alla ricchezza di frutto e alla bevibilità. Splendido il Castel del Monte Nero di Troia Augustale Riserva '15, dai profumi di frutti neri di bosco con sfumature floreali e dal palato di buon frutto e spessore, con un finale lungo e succoso. Ben realizzato anche il Castel del Monte Rosato Terre del Crifo '19, con note di fragoline di bosco, sapido e scorrevole, e il Bellagriffi Moscatello Selvatico '19, dalle varietali note di salvia, con sentori di frutta tropicale, fresco e immediato.

- Castel del Monte Nero di Troia Augustale Ris. '15 ▼▼ 5
- Bellagriffi '19 ▼▼ 3
- Castel del Monte Rosato Terre del Crifo '19 ▼▼ 3
- Castel del Monte Bombino Nero Augustale '19 ▼ 3
- Squarcione '19 ▼ 4
- Terre del Crifo Nero di Troia '19 ▼ 3
- Castel del Monte Rosato '18 ▽▽ 1*
- Nero di Troia '18 ▽▽ 3

★Cantine Due Palme

VIA SAN MARCO, 130
72020 CELLINO SAN MARCO [BR]
TEL. 0831617865
www.cantineduepalme.it

VENDITA DIRETTA
VISITA SU PRENOTAZIONE
OSPITALITÀ E RISTORAZIONE
PRODUZIONE ANNUA 17.000.000 bottiglie
ETTARI VITATI 2500,00

La Cantina Due Palme è stata fondata da Angelo Maci nel 1989. I conferitori di questa grande cooperativa sono oltre mille, e controllano 2500 ettari di vigneto, una parte dei quali sono gestiti direttamente dall'azienda e dal suo grande team di professionisti. La produzione abbraccia tutte le denominazioni più importanti della regione, e viene esportata con successo in tutto il mondo. Recentemente Due Palme ha acquisito il Castello di Cellino San Marco e il parco circostante per riaprirlo al pubblico e trasformarlo in sede di rappresentanza. Nella gamma di Due Palme il Salice Salentino Selvarossa ha da sempre un posto d'onore. Quest'anno resistiamo alla tentazione di premiarlo per fare spazio ad un'etichetta di grande spessore: si tratta della selezione 1943 del Presidente, un blend di primitivo e aglianico da uno storico vigneto ad alberello di oltre cinquant'anni. Ha concentrazione, eleganza, frutto, tannini levigati e una lunghissima persistenza aromatica. Ma dalla nuova linea Seraia alle etichette più classiche tutta la gamma aziendale merita un applauso.

- 1943 del Presidente '18 ▼▼▼ 8
- Salice Salentino Rosso Selvarossa Ris. '17 ▼▼ 6
- Selvamara Negroamaro '17 ▼▼ 4
- Ettamiano Primitivo '18 ▼▼ 3
- Salice Salentino Rosso Selvarossa Terra Ris. '12 ▼▼ 5
- Seraia Negroamaro e Cabernet Sauvignon '19 ▼▼ 3
- Seraia Negroamaro e Malvasia Nera '19 ▼▼ 3
- Seraia Negroamaro e Merlot '19 ▼▼ 3
- Seraia Negroamaro e Primitivo '19 ▼▼ 3
- Seraia Negroamaro e Syrah '19 ▼▼ 3
- Serre Susumaniello '19 ▼▼ 4
- Salice Salentino Rosso Selvarossa Ris. '16 ▽▽ 4*

Tenute Eméra
di Claudio Quarta

FRAZ. MARINA DI LIZZANO
C.DA PORVICA, SDA. PROV.LE 124
74020 LIZZANO [TA]
TEL. 0832704398
www.claudioquarta.it

VENDITA DIRETTA
VISITA SU PRENOTAZIONE
RISTORAZIONE
PRODUZIONE ANNUA 400.000 bottiglie
ETTARI VITATI 55,00
AZIENDA SOSTENIBILE

Sono passati 15 anni da quando Claudio Quarta decise di scambiare il camice di ricercatore e la carriera di imprenditore nella biotecnologia con gli strumenti della vendemmia e della vinificazione. Oggi, insieme a sua figlia Alessandra gestisce, oltre alla cantina Sanpaolo in Irpinia, due cantine in Puglia: Tenute Eméra, 50 ettari vitati vicino Lizzano, e Cantina Moros, poco più di un ettaro a Guagnano. I vini prodotti sono d'impianto tradizionale e ricercano soprattutto la piacevolezza e la ricchezza di frutto. In primo piano quest'anno troviamo proprio il Salice Salentino Rosso Riserva Moros '17, che nasce da quell'ettaro a Guagnano dove sono presenti vecchie vigne ad alberello. Al naso evidenzia sentori di frutti neri freschi, seguiti da leggere note speziate, mentre il palato è coerente, grintoso e sapido, con un finale lungo e piacevole. Molto interessante anche l'Anima di Chardonnay R Révolution '18, che ai toni burrosi e balsamici affianca un palato grintoso e dal fresco finale agrumato.

Felline

S.DA COMUNALE SANTO STASI I, 4B
74024 MANDURIA [TA]
TEL. 0999711660
www.agricolafelline.it

VENDITA DIRETTA
VISITA SU PRENOTAZIONE
PRODUZIONE ANNUA 1.000.000 bottiglie
ETTARI VITATI 120,00
VITICOLTURA Biologico Certificato
AZIENDA SOSTENIBILE

Da oltre un quarto di secolo Gregory Perrucci è uno dei protagonisti del rilancio delle tradizioni vitivinicole del territorio salentino, soprattutto attraverso il recupero e la valorizzazione delle vecchie vigne impiantate ad alberello pugliese. I vigneti aziendali sono situati in diverse zone della denominazione Primitivo di Manduria e su differenti tipi di suolo, da quelli sabbiosi vicino al mare a quelli rocciosi, dalla terra rossa a quella nera. I vini sono d'impianto moderno, eleganti, ricchi di frutto e di grande nitidezza aromatica. Il Primitivo di Manduria Sinfarosa Zinfandel anche con il millesimo 2018 si conferma uno dei vini di punta di questa storica denominazione e uno dei migliori della regione. Sentori di macchia mediterranea e frutti neri, palato allo stesso tempo complesso e piacevole, per un vino che riesce ad abbinare pienezza e facilità di beva. Fresco e immediato, con leggere note vegetali, il Nero di Troia Trullari '19 e come sempre succoso, fruttato e tutto da bere l'Alberello '19.

● Salice Salentino Rosso Moros Ris. '17	♟♟ 4
○ Anima di Chardonnay R Revolution '18	♟♟ 3
● Sud del Sud '18	♟♟ 3
○ Amure '19	♟ 3
○ Bianco di Negroamaro '19	♟ 3
⊙ La Vigne en Rose '19	♟ 3
● Lizzano Negroamaro Sup. Anima di Negroamaro '17	♟♟ 2*
● Lizzano Negroamaro Sup. Anima di Negroamaro '16	♟♟ 2*
● Primitivo di Manduria Anima di Primitivo '16	♟♟ 3*
⊙ Rose '18	♟♟ 3
● Salice Salentino Rosso Moros Ris. '16	♟♟ 4
● Sud del Sud '17	♟♟ 3
● Sud del Sud '16	♟♟ 3

● Primitivo di Manduria Sinfarosa Zinfandel '18	♟♟♟ 4*
● Alberello '19	♟♟ 2*
● Alcione '19	♟♟ 2*
⊙ Cicala Rosé '19	♟♟ 2*
● Malvasia Nera '19	♟♟ 2*
● Sangiovese Primitivo '19	♟♟ 2*
● Segnavento '19	♟♟ 2*
● Trullari Nero di Troia '19	♟♟ 2*
● I Monili '19	♟ 2
● Primitivo di Manduria Terra Rossa '19	♟ 3
○ Verdeca '19	♟ 2
● Primitivo di Manduria Sinfarosa Zinfandel '15	♟♟♟ 3*
● Primitivo di Manduria Zinfandel Sinfarosa Terra Nera '17	♟♟♟ 4*

Gianfranco Fino

VIA PIAVE, 12
74028 SAVA [TA]
TEL. 0997773970
www.gianfrancofino.it

VISITA SU PRENOTAZIONE
PRODUZIONE ANNUA 20.000 bottiglie
ETTARI VITATI 21,00
AZIENDA SOSTENIBILE

Nata circa 15 anni fa con una vecchia vigna di poco più di un ettaro, l'azienda di Gianfranco Fino e Simona Natale oggi gestisce, tra vigneti di proprietà e vigneti in affitto, 21 ettari vitati, tutti ad alberello e in buona parte costituiti da piante di oltre 50 anni, dove domina il primitivo con una piccola quantità di negroamaro. I vini prodotti sono allo stesso tempo fortemente ancorati alla tradizione per quanto riguarda il lavoro in vigna e, in particolare l'Es, rivoluzionari per impostazione e realizzazione. Come al solito Simona e Gianfranco hanno presentato solo l'Es, Primitivo in purezza da vigne di circa 60 anni situate su terre rosse, con una resa di circa 20 quintali per ettaro e una maturazione per nove mesi in botti piccole, per metà nuove. La versione 2018 presenta i classici sentori di frutti neri e macchia mediterranea, mentre il palato, fitto ma anche equilibrato, è sorprendentemente fresco, con un finale sapido, lungo e di grande piacevolezza.

● Es '18	♟♟ 7
● Primitivo di Manduria Es '12	♟♟♟ 7
● Primitivo di Manduria Es '11	♟♟♟ 7
● Primitivo di Manduria Es '10	♟♟♟ 6
● Primitivo di Manduria Es '09	♟♟♟ 6
● Primitivo di Manduria Es '08	♟♟♟ 6
● Primitivo di Manduria Es '07	♟♟♟ 6
● Primitivo di Manduria Es '06	♟♟♟ 5
● Es '17	♟♟ 7
● Es '16	♟♟ 7
● Es '15	♟♟ 7
● Primitivo di Manduria Dolce Naturale Es + Sole '12	♟♟ 7
● Primitivo di Manduria Es '14	♟♟ 7
● Primitivo di Manduria Es '13	♟♟ 7

Vito Donato Giuliani

VIA GIOIA CANALE, 18
70010 TURI [BA]
TEL. 0808915335
www.vitivinicolagiuliani.com

PRODUZIONE ANNUA 100.000 bottiglie
ETTARI VITATI 40,00

Nata ormai più di ottant'anni fa, l'azienda della famiglia Giuliani è una delle protagoniste del grande successo della denominazione Gioia del Colle, grazie a una produzione di stampo moderno, attenta allo stesso tempo alla precisione tecnica e all'espressione delle caratteristiche del territorio. I vigneti aziendali sono situati tra Turi e Gioia del Colle, nel cuore della Murgia Barese, su suoli di tipo carsico, ricchi di sali minerali, costituiti da un sottile strato di terre rosse che si stende sopra una base rocciosa. Sempre ai vertici della denominazione il Gioia del Colle Primitivo Baronaggio Riserva. Il millesimo 2017 si esprime al naso con note di frutti neri e curiose sfumature di curry, mentre il palato è di buona polpa e freschezza, succoso e sapido. Ben riuscito anche il Gioia del Colle Primitivo Lavarossa della stessa annata, giocato più su toni di frutti di bosco e china, grintoso e con un piacevole finale leggermente amarognolo.

● Gioia del Colle Primitivo Baronaggio Ris. '17	♟♟ 5
● Gioia del Colle Primitivo Lavarossa '17	♟♟ 3
● Trelamie '19	♟ 3
● Gioia del Colle Primitivo Baronaggio Ris. '15	♟♟♟ 5
○ Chiancaia '18	♟♟ 3
○ Chiancaia '17	♟♟ 3
● Gioia del Colle Aleatico Cantone di Cristo '15	♟♟ 4
● Gioia del Colle Baronaggio Ris. '13	♟♟ 5
● Gioia del Colle Primitivo Baronaggio Ris. '16	♟♟ 5
● Gioia del Colle Primitivo Lavarossa '14	♟♟ 3
● Gioia del Colle Primitivo Lavarossa '13	♟♟ 3
● Gioia del Colle Primitivo Lavarossa '12	♟♟ 3*

Cantine Paolo Leo

VIA TUTURANO, 21
72025 SAN DONACI [BR]
TEL. 0831635073
www.paololeo.it

VENDITA DIRETTA
VISITA SU PRENOTAZIONE
OSPITALITÀ
PRODUZIONE ANNUA 3.000.000 bottiglie
ETTARI VITATI 45,00
VITICOLTURA Biologico Certificato

L'azienda della famiglia Leo propone
un'ampia gamma di etichette, oltre una
quarantina, elaborate da uve provenienti da
vigneti di proprietà, tutti situati nel comune
di San Donaci, su terreni tufacei e calcarei,
per la maggior parte con impianti ad
alberello, e da tenute da diversi anni gestite
in collaborazione con vignaioli di fiducia. I
vini proposti sono d'impianto moderno,
tecnicamente ineccepibili, spesso di grande
ricchezza di frutto e con una particolare
attenzione all'espressione delle
caratteristiche varietali. Torna ai vertici con
il millesimo 2018 l'Orfeo Negroamaro: al
naso emergono sentori di frutti neri, porcini
e macchia mediterranea, mentre il palato
mette in luce buona materia, tenuta e
sapidità, con un lungo finale in cui si
riaffermano le note di frutti neri. Ben
realizzati il 350 Alture Verdeca '18, dai toni
di arancia sanguinella, di buona polpa e
acidità, e il Primitivo di Manduria Passo del
Cardinale '19, speziato e ricco di frutto.

★Leone de Castris

VIA SENATORE DE CASTRIS, 26
73015 SALICE SALENTINO [LE]
TEL. 0832731112
www.leonedecastris.com

VISITA SU PRENOTAZIONE
OSPITALITÀ E RISTORAZIONE
PRODUZIONE ANNUA 2.500.000 bottiglie
ETTARI VITATI 300,00
AZIENDA SOSTENIBILE

Azienda simbolo della vitivinicoltura
salentina, la Leone de Castris conta su
svariate tenute di proprietà, situate nei
comuni di Salice Salentino, Campi e
Guagnano. Coltivate per una buona metà
con vigne ad alberello, con vitigni sia
autoctoni che internazionali, danno vita a
un'ampia gamma aziendale - sono oltre
quaranta le etichette prodotte - ben
realizzata tecnicamente, che gioca su
di un'impostazione moderna e in grado
di spaziare da vini immediati e ricchi di
frutto a prodotti più complessi e di buona
longevità. Splendido il Five Roses 76°
Anniversario '19, elegante al naso, con note
floreali e di piccoli frutti, e dal palato lungo,
fine e fresco, di grande beva e piacevolezza.
Molto convincenti anche il Five Roses '19,
un po' più morbido del fratello maggiore; il
Il Lemos Susumaniello '19, dai toni speziati
con sentori di frutti neri, fresco e di buona
polpa; e il Salice Salentino Rosso Riserva
Donna Lisa '17, giocato più su toni di frutta
matura, ricco e strutturato.

● Orfeo Negroamaro '18	♔♔♔ 5
○ 350 Alture Minutolo '18	♔♔ 3
○ 350 Alture Verdeca '18	♔♔ 3
● Primitivo di Manduria Passo del Cardinale '19	♔♔ 3
○ Alture Bianco d'Alessano '18	♔ 3
○ Numen '19	♔ 4
● Orfeo Negroamaro '16	♔♔♔ 5
● Orfeo Negroamaro '15	♔♔♔ 4*
● Primitivo di Manduria Passo del Cardinale '14	♔♔♔ 3*
● Taccorosso Negroamaro '15	♔♔♔ 6
● Orfeo Negroamaro '17	♔♔ 5
● Primitivo di Manduria Passo del Cardinale '18	♔♔ 3
● Primitivo di Manduria Passo del Cardinale '17	♔♔ 3

⊙ Five Roses 76° Anniversario '19	♔♔ 3*
● Salice Salentino Rosso Donna Lisa Ris. '17	♔♔ 5
⊙ Five Roses '19	♔♔ 2*
● Il Lemos Susumaniello '19	♔♔ 2*
⊙ Salice Salentino Brut Rosé M.Cl. Five Roses '17	♔♔ 4
⊙ Salice Salentino Brut Rosé M.Cl. Five Roses Anniversario '15	♔♔ 4
● Elo Veni '19	♔ 2
● Primitivo di Manduria Villa Santera '19	♔ 2
⊙ Villa Santera '17	♔ 3
⊙ Five Roses 74° Anniversario '17	♔♔♔ 3*
● Salice Salentino Rosso Donna Lisa Ris. '16	♔♔♔ 5
● Salice Salentino Rosso Per Lui Ris. '15	♔♔♔ 6

Masseria Li Veli

S.DA PROV.LE CELLINO-CAMPI, KM 1
72020 CELLINO SAN MARCO [BR]
TEL. 0831618259
www.liveli.it

VENDITA DIRETTA
VISITA SU PRENOTAZIONE
PRODUZIONE ANNUA 500.000 bottiglie
ETTARI VITATI 36,00
AZIENDA SOSTENIBILE

I vigneti della Masseria Li Veli, proprietà della famiglia Falvo, si dividono tra la tenuta accanto alla cantina, alle porte di Cellino San Marco, situata su terre rosse e sabbiose, dedicata principalmente alle uve rosse e costituita in gran parte da impianti ad alberello pugliese, e la Valle d'Itria, dove sono coltivate uve bianche. I vini prodotti sono d'impianto moderno, con una particolare attenzione all'espressione delle caratteristiche varietali dei vari vitigni autoctoni, spesso proposti in purezza. L'Askos Verdeca anche nella versione 2019 si conferma ai vertici della produzione bianchista di Puglia: un vino che ai freschi profumi di agrumi, macchia mediterranea e lavanda, fa seguire un palato ricco, grintoso, sapido e lungo. Di grande piacevolezza l'Askos Malvasia Nera '18, dai toni leggermente aromatici, ricco di frutto e di facile beva, mentre il Salice Salentino Riserva Pezzo Morgana '17 al naso gioca più sulle note speziate, per un palato di buona spinta e solida struttura.

Cantina Sociale di Lizzano

C.SO EUROPA, 34/39
74020 LIZZANO [TA]
TEL. 0999552013
www.cantinelizzano.it

VENDITA DIRETTA
VISITA SU PRENOTAZIONE
PRODUZIONE ANNUA 1.000.000 bottiglie
ETTARI VITATI 500,00

Nata nel 1959, questa cantina sociale oggi conta oltre 400 soci conferitori che coltivano circa 500 ettari vitati, situati per la maggior parte sulle terre rosse tipiche di queste zone e nei quali troviamo principalmente i classici vitigni del territorio - primitivo, negroamaro, malvasia nera, moscato - con un'importante presenza di viti ad alberello. L'impostazione delle molte etichette aziendali è di stampo moderno, attenta alla ricchezza del frutto e alla piacevolezza. Una batteria di grande qualità quella presentata quest'anno da questa cantina. Il Lizzano Negroamaro Manorossa '18 evidenzia sentori di frutti di bosco neri, spezie e grafite al naso, mentre al palato è ricco di frutto e di buon equilibrio tra componente tannica e acidità, con un finale lungo e succoso. Allo stesso livello troviamo il Primitivo di Manduria Manonera '17, dai toni di frutti rossi con sfumature di curry, fresco, grintoso, di buona lunghezza e sapidità.

○ Askos Verdeca '19	♛♛♛ 4*
● Salice Salentino Rosso Pezzo Morgana Ris. '17	♛♛ 4
● Askos Malvasia Nera '18	♛♛ 4
● Askos Primitivo '18	♛♛ 4
● Askos Susumaniello '19	♛ 4
⊙ Askos Susumaniello Rosato '19	♛ 4
○ Askos Verdeca '18	♛♛♛ 4*
○ Askos Verdeca '17	♛♛♛ 3*
● Masseria Li Veli '10	♛♛♛ 5
● Aleatico Passito '10	♛♛ 8
● Askos Susumaniello '18	♛♛ 4
⊙ Askos Susumaniello Rosato '18	♛♛ 3
⊙ Askos Susumaniello Rosato '17	♛♛ 2*
● Masseria Li Veli '17	♛♛ 7
● Salice Salentino Rosso Pezzo Morgana Ris. '16	♛♛ 4

● Lizzano Negroamaro Manorossa '18	♛♛ 6
● Primitivo di Manduria Manonera '17	♛♛ 6
● Primitivo di Manduria Dolce Naturale Mandoro '17	♛♛ 6
● Primitivo di Manduria Macchia '17	♛ 2

Masca del Tacco

VIA TRIPOLI, 5/7
72020 ERCHIE [BR]
TEL. 0831759786
www.mascadeltacco.com

PRODUZIONE ANNUA 300.000 bottiglie
ETTARI VITATI 140,00

Masca del Tacco, la cantina pugliese di
Felice Mergè, proprietario nei Castelli
Romani dell'azienda Poggio Le Volpi, conta
su di un ampio parco vigneti situato nel
triangolo tra i comuni di Erchie, Veglie e
Torricella. Le tradizionali uve di questo
territorio, come primitivo, negroamaro o
susumaniello, sono accompagnate da
alcune uve internazionali, come il cabernet
sauvignon, il pinot nero o lo chardonnay. I
vini proposti ricorcano frutto o pienezza,
sono d'impianto moderno e tecnicamente
ben realizzati. Il Primitivo di Manduria Piano
Chiuso 26 27 63 Riserva anche con la
versione 2017 si conferma il vino di punta
dell'azienda, con i suoi profumi di frutti neri
accompagnati da note speziate e con un
palato aromaticamente coerente, fitto,
dall'insospettabile vena tannica, che chiude
con una buona tenuta e lunghezza.
Piacevole il Ro'si Pinot Nero Rosato '19, dai
toni floreali e di agrumi dolci al naso, con
un palato fresco e di facile beva.

Morella

VIA PER UGGIANO, 147
74024 MANDURIA [TA]
TEL. 0999791482
www.morellavini.com

VENDITA DIRETTA
VISITA SU PRENOTAZIONE
PRODUZIONE ANNUA 30.000 bottiglie
ETTARI VITATI 20,00
VITICOLTURA Biodinamico Certificato

L'azienda di Lisa Gilbee e Gaetano Morella è
nata vent'anni fa con l'obiettivo di
valorizzare lo straordinario patrimonio di
vecchie vigne che caratterizza il territorio di
Manduria. Lisa e Gaetano hanno così
acquisito cinque ettari di primitivo a circa
due chilometri dal mare, situati su terra
rossa e allevati ad alberello, di età
compresa tra i 35 e 80 anni. Oggi gli ettari
aziendali sono quadruplicati, ma l'attenzione
alla qualità e la cura in vigna e in cantina
sono rimaste immutate, come testimonia la
decisione di lavorare in regime biodinamico.
Sempre di alto livello i due vini di punta
dell'azienda. Il Primitivo La Signora '17 si
presenta con sentori di frutti neri, spezie e
radici, mentre il palato è succoso, pieno e
sapido. Il Primitivo Old Vines '17 invece ai
toni di macchia mediterranea e ribes nero fa
seguire un palato di buona tenuta e
spessore, lungo e grintoso. Ben realizzati
anche il Negroamaro Primitivo '18,
piacevole e fruttato, e il Mezzarosa '19,
fresco e immediato.

● Primitivo di Manduria	
Piano Chiuso 26 27 63 Ris. '17	▼▼▼ 5
⊙ Ro'Si '19	▼▼ 5
○ L'Uetta '19	▼ 4
● Primitivo di Manduria	
Piano Chiuso 26 27 63 Ris. '16	♉♉♉ 5
○ L'Uetta '18	♉♉ 4
● Primitivo di Manduria Li Filitti Ris. '15	♉♉ 4
● Primitivo di Manduria Li Filitti Ris. '11	♉♉ 4
● Primitivo di Manduria Lu Rappaio '17	♉♉ 4
● Primitivo di Manduria Lu Rappaio '15	♉♉ 4
● Primitivo di Manduria	
Piano Chiuso 26 27 63 Ris. '15	♉♉ 4
⊙ Ro'si '17	♉♉ 3

● La Signora Primitivo '17	▼▼ 6
● Old Vines Primitivo '17	▼▼ 6
⊙ Mezzarosa Rosato '19	▼▼ 3
● Negroamaro Primitivo '18	▼▼ 4
● Malbek Primitivo '17	▼ 4
○ Mezzogiorno '19	▼ 3
● La Signora Primitivo '10	♉♉♉ 6
● La Signora Primitivo '07	♉♉♉ 5
● Old Vines Primitivo '09	♉♉♉ 5
● Old Vines Primitivo '08	♉♉♉ 5
● Old Vines Primitivo '07	♉♉♉ 5
● La Signora Primitivo '15	♉♉ 6
● La Signora Primitivo '13	♉♉ 6
● Old Vines Primitivo '16	♉♉ 6
● Old Vines Primitivo '15	♉♉ 6
● Old Vines Primitivo '14	♉♉ 6
● Old Vines Primitivo '13	♉♉ 6

Mottura Vini del Salento

P.ZZA MELICA, 4
73058 TUGLIE [LE]
TEL. 0833596601
www.motturavini.it

VISITA SU PRENOTAZIONE
PRODUZIONE ANNUA 2.500.000 bottiglie
ETTARI VITATI 120,00

Fondata nel 1927 da Pasquale Mottura, oggi quest'azienda famigliare è guidata da Barbara, la quarta generazione. La sede aziendale si trova a Tuglie, in una tenuta di fine Ottocento, mentre i vigneti sono situati in un'ampia zona delimitata dai paesi di Cellino San Marco, Campi Salentina, Salice Salentino e Squinzano, principalmente su terre rosse appoggiate su strati calcarei e argillosi, con impianti a spalliera e vecchie viti ad alberello di circa 60 anni. Le uve coltivate sono quelle tipiche del territorio, i vini proposti, articolati in diverse linee, sono d'impianto tradizionale. L'azienda di Barbara Mottura entra nella sezione principale della Guida grazie all'ottima prestazione complessiva delle varie etichette, a cominciare dal Primitivo di Manduria Le Pitre '18, dai profumi di macchia mediterranea con note di frutti neri, di buon corpo e struttura. Nella linea I Classici spiccano il Rosato '19, da negroamaro con un saldo di malvasia nera, sapido, lungo e teso, e il Negroamaro '19, dai toni di sottobosco ed erbe aromatiche, grintoso e dinamico.

● I Classici Negroamaro '19	♙♙ 2*
○ I Classici Rosato '19	♙♙ 2*
● Primitivo di Manduria Le Pitre '18	♙♙ 3
● Primitivo di Manduria Stilio '18	♙♙ 3
○ I Classici Fiano '19	♙ 2
● I Classici Primitivo '19	♙ 3
● I Classici Negroamaro '16	♙♙ 2*
● Negroamaro Le Pitre '13	♙♙ 5
● Negroamaro Le Pitre '11	♙♙ 5
● Negroamaro Villa Mottura '15	♙♙ 3
● Primitivo '18	♙♙ 3
● Primitivo di Manduria Le Pitre '15	♙♙ 6
● Primitivo Le Pitre '14	♙♙ 6
● Primitivo Le Pitre '13	♙♙ 6
● Salice Salentino Rosso Le Pitre '17	♙♙ 4

Palamà

VIA A. DIAZ, 6
73020 CUTROFIANO [LE]
TEL. 0836542865
www.vinicolapalama.com

VENDITA DIRETTA
VISITA SU PRENOTAZIONE
PRODUZIONE ANNUA 200.000 bottiglie
ETTARI VITATI 15,00
VITICOLTURA Biologico Certificato
AZIENDA SOSTENIBILE

La famiglia Palamà da ormai oltre ottant'anni lavora dei vigneti di proprietà nel Salento, tra Cutrofiano e Matino, per buona parte impiantati ad alberello pugliese, in cui sono presenti esclusivamente vitigni autoctoni: negroamaro, primitivo, malvasia nera, malvasia bianca e verdeca. I vini - una gamma che in questi ultimi anni è cresciuta fino a comprendere una ventina di etichette - sono realizzati con lo scopo di evidenziare al meglio la qualità e le caratteristiche sia delle uve che dei territori di origine. È ormai una certezza il Metiusco Rosato, da anni uno dei migliori vini rosa di Puglia, che anche nella versione 2019 si conferma ai vertici della produzione regionale, grazie a sentori di rosa, ribes rosso e ciliegia e a un palato dal giusto volume, con un lungo finale di grande freschezza e piacevolezza. Una bella sorpresa invece il Patrunale '16, un Primitivo in purezza dall'impianto tradizionale, di buona materia e con note di fichi secchi e cannella. Ben realizzati gli altri vini proposti.

○ Metiusco Rosato '19	♙♙ 3*
● Patrunale '16	♙♙ 5
● Metiusco Rosso '19	♙♙ 3
○ Ninì Rosato '19	♙♙ 2*
● Salice Salentino Rosso Albarossa '18	♙♙ 2*
● Albarossa '18	♙ 2
○ Metiusco Aleatico '19	♙ 4
○ Metiusco Bianco '19	♙ 3
● Ninì Rosso '19	♙ 2
○ Ninì Verdeca '19	♙ 2
● 75 Vendemmie '11	♙♙♙ 4*
● 75 Vendemmie '17	♙♙ 5
○ Bianco Evoluto '17	♙♙ 5
● Mavro '17	♙♙ 4
● Mavro '15	♙♙ 3*
○ Metiusco Rosato '18	♙♙ 3*
○ Metiusco Rosato '17	♙♙ 3*

Pietraventosa

LOC. PARCO LARGO
S.DA VIC.LE LATTA LATTA
70023 GIOIA DEL COLLE [BA]
TEL. 3355730274
www.pietraventosa.it

PRODUZIONE ANNUA 30.000 bottiglie
ETTARI VITATI 5,40
VITICOLTURA Biologico Certificato
AZIENDA SOSTENIBILE

La piccola azienda di Marianna Annio e di
Raffaele Leo, nata nel 2005, ha saputo in
questi anni imporsi come una delle più
interessanti realtà del comprensorio
gioiese. I vigneti di proprietà si dividono in
due corpi, a poca distanza l'uno dall'altro e
tutt'e due a circa 380 metri di altitudine:
quattro ettari e mezzo di viti a spalliera e un
ettaro di vecchie viti ad alberello. Il vitigno
principe è qui ovviamente il primitivo,
accompagnato da piccole quantità di
aglianico e malvasia di Candia. I vini
proposti sono d'impianto moderno, ma di
affascinante espressività. Il Gioia del Colle
Primitivo Riserva '15 si propone al naso
con delle note di frutta nera matura e fichi,
mentre il palato risulta fresco e in buona
spinta, con un finale lungo e piacevole.
Ben realizzato il resto della gamma,
dall'EstRosa '19, un rosato da uve primitivo
floreale e di buona materia, al Gioia del
Colle Primitivo Allegoria '17, succoso e
grintoso, all'Ossimoro '17, blend di
primitivo e aglianico lungo e fresco.

● Gioia del Colle Primitivo Ris. '15	♟♟ 5
⊙ EstRosa '19	♟♟ 3
● Gioia del Colle Primitivo Allegoria '17	♟♟ 3
● Ossimoro '17	♟♟ 4
○ Apriti Cielo! '19	♟ 4
● Gioia del Colle Primitivo Ris. '06	♟♟♟ 4
○ Apriti Cielo! '18	♟♟ 5
⊙ EstRosa '17	♟♟ 3*
⊙ EstRosa '16	♟♟ 3
● Gioia del Colle Primitivo Allegoria '16	♟♟ 4
● Gioia del Colle Primitivo Ris. '13	♟♟ 6
● Gioia del Colle Primitivo Ris. '12	♟♟ 5
● Ossimoro '13	♟♟ 3
● Volere Volare '17	♟♟ 3
● Volere Volare '15	♟♟ 2*

Plantamura

VIA V. BODINI, 9A
70023 GIOIA DEL COLLE [BA]
TEL. 3474711027
www.viniplantamura.it

VENDITA DIRETTA
VISITA SU PRENOTAZIONE
PRODUZIONE ANNUA 50.000 bottiglie
ETTARI VITATI 10,00
VITICOLTURA Biologico Certificato
AZIENDA SOSTENIBILE

L'azienda di Mariangela Plantamura e di
suo marito Vincenzo, a conduzione
biologica fin dalla sua fondazione nel 2002,
è completamente dedicata alla produzione
di Gioia del Colle Primitivo. Sono solo tre i
vini prodotti e tutti provengono da vigneti
- costituiti sia da vecchie vigne ad alberello
che da impianti a spalliera - situati nella
campagna gioiese, a circa 350 metri di
altitudine su terreno calcareo e argilloso,
coperto da un cottio strato di terra rossa.
Davvero splendido il Gioia del Colle
Primitivo Riserva '17, dai sentori al naso di
frutti di bosco, con sfumature di macchia
mediterranea, e dal palato succoso e sul
frutto, dinamico, di bella tensione e
lunghezza. Sempre ben realizzati anche il
Gioia del Colle Primitivo Contrada San
Pietro '18, speziato, nitido e con un finale
di grande freschezza, e il Gioia del Colle
Primitivo Parco Largo '18, che al naso si
presenta con note di olive nere e
cioccolato, mentre il palato è fresco,
fruttato e piacevole.

● Gioia del Colle Primitivo Ris. '17	♟♟♟ 4*
● Gioia del Colle Primitivo Contrada San Pietro '18	♟♟ 3
● Gioia del Colle Primitivo P arco Largo '18	♟♟ 3
● Gioia del Colle Primitivo Et. Nera Contrada San Pietro '13	♟♟♟ 3*
● Gioia del Colle Primitivo Et. Nera Contrada San Pietro '12	♟♟♟ 3*
● Gioia del Colle Primitivo El. Rossa '11	♟♟♟ 4*
● Gioia del Colle Primitivo Contrada San Pietro '17	♟♟ 3
● Gioia del Colle Primitivo Et. Rossa Parco Largo '13	♟♟ 3*
● Gioia del Colle Primitivo Parco Largo '17	♟♟ 3*
● Gioia del Colle Primitivo Ris. '15	♟♟ 4
● Gioia del Colle Primitivo Ris. '13	♟♟ 3*

Podere 29

LOC. BORGO TRESSANTI
S.DA PROV.LE 544
76016 CERIGNOLA [FG]
TEL. 3471917291
www.podere29.it

VENDITA DIRETTA
VISITA SU PRENOTAZIONE
OSPITALITÀ
PRODUZIONE ANNUA 130.000 bottiglie
ETTARI VITATI 17,00
VITICOLTURA Biologico Certificato

La Podere 29 nasce nel 2003 per opera di
Giuseppe Marrano, che ha rilevato una
proprietà dal nome Podere 29 assegnata
dall'Opera Nazionale Combattenti. La
particolarità di questa tenuta era che, pur
essendo su un terreno particolarmente
adatto alla viticoltura, non era mai stato
piantato a vite. Oggi i vigneti sono a circa
10 chilometri dalle saline di Margherita di
Savoia e vedono la presenza principalmente
di vitigni autoctoni, in primis il nero di Troia. I
vini proposti sono d'impianto moderno, con
una particolare attenzione alla ricchezza
del frutto e alla nitidezza aromatica.
Conquista le nostre finali il Nero di Troia
Gelso d'oro '18, che evidenzia note speziate
e di frutti neri di bosco e un palato coerente,
di buona tenuta e spalla, con un finale
succoso e convincente. Ottimi anche l'Avia
Pervia '18, un Primitivo tutto giocato sul
frutto, agile, piacevole e fresco, e l'Unio '19,
un blend di nero di Troia e primitivo con toni
di frutti rossi, scorrevole e immediato.

● Gelso d'Oro '18	♟♟ 5
● Avia Pervia '18	♟♟ 2*
● Gelso Nero '19	♟♟ 2*
⊙ Unio '19	♟♟ 3
○ Gelso Bianco '19	♟ 3
⊙ Gelso Rosa '19	♟ 2
○ Salina '19	♟ 2
● Avia Pervia '17	♟♟ 2*
● Gelso d'Oro '16	♟♟ 5
● Gelso d'Oro '15	♟♟ 5
● Gelso d'Oro '14	♟♟ 5
● Gelso D'Oro '11	♟♟ 4
● Gelso Nero '18	♟♟ 2*
● Gelso Nero '16	♟♟ 2*
● Gelso Nero '12	♟♟ 2*
⊙ Gelso Rosa '17	♟♟ 2*

★Polvanera

S.DA VICINALE LAMIE MARCHESANA, 601
70023 GIOIA DEL COLLE [BA]
TEL. 080758900
www.cantinepolvanera.it

VENDITA DIRETTA
RISTORAZIONE
PRODUZIONE ANNUA 650.000 bottiglie
ETTARI VITATI 120,00
VITICOLTURA Biologico Certificato

L'ampio parco vigneti della cantina
Polvanera, proprietà della famiglia Cassano,
si distende tra Gioia del Colle e Acquaviva
delle Fonti, dai 300 ai 450 metri
d'altitudine, principalmente su terreni
carsici, in cui un sottile strato di terra si
appoggia direttamente sulla roccia viva. Le
uve coltivate sono esclusivamente quelle
autoctone - la più importante è ovviamente
il primitivo - per una serie di vini di grande
personalità e allo stesso tempo in grado di
esprimere al meglio le caratteristiche del
territorio. Un'ennesima conferma della
grande qualità della produzione di
quest'azienda arriva dal Gioia del Colle
Primitivo 17 Vigneto Montevella. La
versione 2017 ai sentori di frutti di bosco e
macchia mediterranea fa seguire un palato
coerente, fresco, sapido e lungo, davvero
splendido. Ottimo anche il Gioia del Colle
Primitivo 16 Vigneto San Benedetto '17,
dalla sottile speziatura al naso, ricco di
frutto e di buona tenuta.

● Gioia del Colle Primitivo 17 Vign. Montevella '17	♟♟♟ 6
● Gioia del Colle Primitivo 16 Vign. San Benedetto '17	♟♟ 5
○ Bianco d'Alessano '19	♟♟ 3
● Gioia del Colle Primitivo 14 Vign. Marchesana '17	♟♟ 3
○ Minutolo '19	♟ 3
⊙ Rosato '19	♟ 2
● Gioia del Colle Primitivo 16 Vign. San Benedetto '15	♟♟♟ 5
● Gioia del Colle Primitivo 17 '13	♟♟♟ 5
● Gioia del Colle Primitivo 17 Vign. Montevella '16	♟♟♟ 6
● Gioia del Colle Primitivo 17 Vign. Montevella '14	♟♟♟ 6

Produttori di Manduria

VIA FABIO MASSIMO, 19
74024 MANDURIA [TA]
TEL. 0999735332
www.produttoridimanduria.it

VENDITA DIRETTA
VISITA SU PRENOTAZIONE
PRODUZIONE ANNUA 1.400.000 bottiglie
ETTARI VITATI 900,00
AZIENDA SOSTENIBILE

La Produttori di Manduria è arrivata a quasi 90 anni di vita e continua a essere una protagonista della produzione della denominazione di Manduria e non solo. Sono 400 i soci conferitori, per circa 900 ettari vitati, di cui quasi la metà è allevata ad alberello. Il vitigno di riferimento è ovviamente il primitivo, che è presente in oltre la metà del vigneto, seguito dal negroamaro e da altre uve, come fiano e malvasia. I vini proposti sono ben realizzati tecnicamente, per una produzione che unisce integrità e tradizione. Si conferma al vertice il Primitivo di Manduria Lirica con il millesimo 2018, dai profumi di frutti neri, cannella e rosmarino, mentre il palato ha corpo e volume, ma è anche scorrevole, fresco e lungo. Affascinante il Primitivo di Manduria Dolce Naturale Il Madrigale '17, che si esprime con note di fichi secchi, crema di caffè e confettura di prugna, e mostra un notevole equilibrio tra i toni dolci e la freschezza acida.

Rivera

S.DA PROV.LE 231 KM 60,500
76123 ANDRIA [BT]
TEL. 0883569510
www.rivera.it

VENDITA DIRETTA
VISITA SU PRENOTAZIONE
PRODUZIONE ANNUA 1.100.000 bottiglie
ETTARI VITATI 75,00

Compie 70 anni la Rivera della famiglia De Corato, una delle aziende più significative del territorio di Castel del Monte. I vigneti di proprietà sono situati su due suoli differenti: le tenute Coppa, Rivera e Torre di Bocca su terreni calcareo-tufacei, tra i 200 e i 230 metri d'altitudine, e la Lama di Corvo su terreni calcareo-rocciosi dell'Alta Murgia, a 350 metri sul livello del mare. Le varie etichette proposte sono di grande solidità e carattere, con una particolare attitudine alla longevità per quanto riguarda i più importanti vini rossi. Storico vino dell'azienda, il Castel del Monte Aglianico Cappellaccio Riserva nella versione 2015 ai sentori di frutti rossi freschi fa seguire un palato grintoso, fresco, dai tannini presenti ma di grana fine. Ben realizzati altri classici, dal Castel del Monte Rosso Il Falcone Riserva '15, floreale, disteso, dai toni speziati e di frutti neri, al Moscato di Trani Dolce Naturale Piani di Tufara '18, in bell'equilibrio tra le note di marmellata d'arancia e la componente acida.

● Primitivo di Manduria Lirica '18	♟♟♟ 2*
● Primitivo di Manduria Dolce Naturale Madrigale '17	♟♟ 3*
● Primitivo di Manduria Elegia Ris. '17	♟♟ 4
● Abatemasi '17	♟♟ 4
○ Alice '19	♟♟ 2*
● Primitivo di Manduria Memoria '19	♟♟ 2*
○ Zin '19	♟♟ 2*
● Primitivo di Manduria Lirica '17	♟♟♟ 2*
⊙ Aka '18	♟♟ 2*
⊙ Amoroso '15	♟♟ 2*
● Primitivo di Manduria Dolce Naturale Madrigale '16	♟♟ 4
● Primitivo di Manduria Elegia Ris. '15	♟♟ 5
● Primitivo di Manduria Lirica '16	♟♟ 2*

● Castel del Monte Aglianico Cappellaccio Ris. '15	♟♟ 3*
● Castel del Monte Nero di Troia Puer Apuliae Ris. '15	♟♟ 5
● Castel del Monte Rosso Il Falcone Ris. '15	♟♟ 4
○ Moscato di Trani Dolce Naturale Piani di Tufara '18	♟♟ 2*
○ Castel del Monte Bombino Bianco Marese '19	♟ 2
⊙ Castel del Monte Bombino Nero Pungirosa '19	♟ 2
○ Castel del Monte Chardonnay Lama del Corvi '19	♟ 3
○ Castel del Monte Chardonnay Preludio n°1 '19	♟ 2
● Castel del Monte Nero di Troia Violante '18	♟ 2

★Tenute Rubino

VIA E. FERMI, 50
72100 BRINDISI
TEL. 0831571955
www.tenuterubino.com

VENDITA DIRETTA
VISITA SU PRENOTAZIONE
PRODUZIONE ANNUA 1.200.000 bottiglie
ETTARI VITATI 290,00

L'azienda della famiglia Rubino è ormai un vero e proprio punto di riferimento per la vitivinicoltura brindisina, grazie a una costante spinta a esprimere allo stesso tempo qualità e tradizione. Alle quattro tenute sul territorio, dislocate tra la dorsale adriatica e l'entroterra della provincia di Brindisi, è stato recentemente aggiunto un vigneto a Lizzano, all'interno della denominazione Primitivo di Manduria. Le uve coltivate sono per la maggior parte autoctone, con una particolare attenzione per il susumaniello e il primitivo. Il Brindisi Rosso Susumaniello Oltremé '18 si presenta al naso con profumi di frutti neri maturi, accompagnati da sfumature vegetali, mentre il palato evidenzia un buon corpo e un finale tutto giocato sul frutto. Ben realizzati il Punta Aquila Primitivo '18, varietale, di buon volume e ricchezza, e il Brindisi Negroamaro Rosato Saturnino '19, fresco e piacevole nelle sue note di frutti rossi e agrumi dolci, immediato e tutto da bere.

● Brindisi Rosso Susumaniello Oltremé '18	▼▼▼ 4*
⊙ Brindisi Negroamaro Rosato Saturnino '19	▼▼ 3
● Punta Aquila Primitivo '18	▼▼ 3
○ Giancòla '19	▼ 3
○ Salende '19	▼ 3
⊙ Torre Testa Susumaniello Rosato '19	▼ 3
● Oltremé '17	▼▼▼ 4*
● Oltremé '16	▼▼▼ 4*
● Oltremé Susumaniello '15	▼▼▼ 4*
● Torre Testa '13	▼▼▼ 6
● Torre Testa '12	▼▼▼ 6
● Torre Testa '11	▼▼▼ 6
● Torre Testa '02	▼▼▼ 5
● Torre Testa '01	▼▼▼ 5
● Visellio '10	▼▼▼ 4*

Cantina San Donaci

VIA MESAGNE, 62
72025 SAN DONACI [BR]
TEL. 0831681085
www.cantinasandonaci.eu

VENDITA DIRETTA
VISITA SU PRENOTAZIONE
PRODUZIONE ANNUA 800.000 bottiglie
ETTARI VITATI 543,00

Nata nel 1933 da un gruppo di 12 agricoltori, oggi questa cantina sociale ne conta oltre 300. I vigneti dei soci sono situati principalmente nella zona storica del Salice Salentino, su terreni calcareo-argillosi, per la quasi totalità con impianti ad alberello pugliese. Le uve coltivate sono per la maggior parte quelle classiche del territorio, come negroamaro, primitivo e malvasia nera, la produzione è di stampo moderno, ma anche attenta a esprimere al meglio tipicità e territorialità. Ottima la prestazione complessiva dei vini proposti. Il Salice Salentino Anticaia Riserva '17 ai toni di macchia mediterranea fa seguire un palato tannico e di buona intensità. Il Contrada del Falco '17, blend di negroamaro, primitivo e malvasia nera, è fresco nei suoi toni speziati; il Negroamaro Fulgeo '17 ha note di erbe aromatiche, è di buona grinta e tensione mentre il Salice Salentino Rosato Anticaia '19 sfoggia sentori di frutti rossi che anticipano un palato di buona tenuta con un finale che ricorda la scorza di arancia.

● Contrada del Falco '17	▼▼ 3
● Fulgeo '17	▼▼ 5
⊙ Salice Salentino Rosato Anticaia '19	▼▼ 2*
● Salice Salentino Rosso Anticaia Ris. '17	▼▼ 3
● Anticaia Negroamaro '19	▼ 2
● Anticaia Primitivo '19	▼ 2
○ Pietra Cava Malvasia '18	▼ 2
● Primitivo di Manduria Primius '18	▼ 3
● Anticaia Negroamaro '14	♀♀ 2*
● Fulgeo '16	♀♀ 5
○ Pietra Cava Malvasia '17	♀♀ 2*
● Posta Vecchia '14	♀♀ 2*
● Salice Salentino Rosso Anticaia '16	♀♀ 3

Cantine San Marzano

VIA MONSIGNOR BELLO, 9
74020 SAN MARZANO DI SAN GIUSEPPE [TA]
TEL. 0999574181
www.sanmarzanowines.com

VENDITA DIRETTA
PRODUZIONE ANNUA 10.000.000 bottiglie
ETTARI VITATI 1500,00
VITICOLTURA Biologico Certificato
AZIENDA SOSTENIBILE

Sono 1200 i vignaioli che conferiscono alla
San Marzano le uve coltivate in circa 1500
ettari, dislocati principalmente su terreni
calcarei con una forte presenza di ossidi di
ferro nei comuni di San Marzano, Sava e
Francavilla Fontana. A una viticoltura
tradizionale, con vigneti in cui è presente
una grande quantità di vecchie viti ad
alberello, fa seguito un'impostazione in
cantina di stampo risolutamente moderno,
che dà vita a un'ampia gamma di etichette
in cui si ricerca il giusto equilibrio tra
ricchezza alcolica, piacevolezza e
freschezza di frutto. Il Primitivo di Manduria
Sessantanni '17 ai classici toni di ciliegia
sotto spirito e confettura di frutti neri fa
seguire un palato di notevole complessità,
pieno e rotondo e di bella lunghezza. Di
ottimo livello anche il Primitivo di Manduria
Anniversario 62° Riserva '17, dai sentori di
susina, prugna, liquirizia e macchia
mediterranea e dal palato di grande
materia, ma anche lungo e piacevole. Ben
realizzato il resto della gamma.

● Primitivo di Manduria Sessantanni '17	♟♟♟ 5
● Primitivo di Manduria Anniversario 62° Ris. '17	♟♟ 6
○ Talò Verdeca '19	♟♟ 3
○ Timo Vermentino '19	♟♟ 2*
☉ Tramari Rosé di Primitivo '19	♟♟ 3
○ Edda '19	♟ 4
● F Negroamaro '17	♟ 5
● Primitivo di Manduria Talò '19	♟ 3
● Talò Malvasia Nera '19	♟ 3
● Talò Negroamaro '19	♟ 3
● Primitivo di Manduria Sessantanni '16	♟♟♟ 5
● Primitivo di Manduria Sessantanni '15	♟♟♟ 5
● Primitivo di Manduria Talò '13	♟♟♟ 3*

Conte Spagnoletti Zeuli

FRAZ. SAN DOMENICO
S.DA PROV.LE 231 KM 60,000
70031 ANDRIA [BT]
TEL. 0883569511
www.contespagnolettizeuli.it

VENDITA DIRETTA
VISITA SU PRENOTAZIONE
PRODUZIONE ANNUA 600.000 bottiglie
ETTARI VITATI 150,00

La storica azienda della famiglia
Spagnoletti Zeuli è da tempo una delle
protagoniste della scena di Castel del
Monte. La proprietà si articola su due
tenute, San Domenico e Zagaria, di
complessivamente 400 ettari, 120 dei quali
vitati. I vitigni più coltivati sono quelli tipici
di questo territorio, a cominciare dal nero di
Troia, per proseguire con bombino, sia
bianco che nero, montepulciano, aglianico
e fiano. I vini proposti sono d'impostazione
risolutamente moderna, alla ricerca della
freschezza del frutto e della piacevolezza di
beva. La serie di Castel del Monte
presentata quest'anno è davvero notevole.
Spicca il Terranera Riserva '16, dai sentori
di frutti neri con leggere note di erbe
aromatiche, fresco, piacevole e ricco di
frutto. Il Pezzalaruca '17 si esprime su toni
di frutti rossi e macchia mediterranea, il
Nero di Troia 23 Settembre Riserva '15 è
speziato e succoso, mentre il Nero di Troia
Il Rinzacco Riserva '17 è floreale, di
notevole equilibrio e lunghezza.

● Castel del Monte Rosso Terranera Ris. '16	♟♟ 3*
● Castel del Monte Aglianico Ghiandara V. San Domenico '16	♟♟ 2*
● Castel del Monte Nero di Troia 23 settembre Ris. '15	♟♟ 6
● Castel del Monte Nero di Troia Il Rinzacco Ris. '17	♟♟ 3
● Castel del Monte Rosso '19	♟♟ 2*
● Castel del Monte Rosso Pezzalaruca '17	♟♟ 2*
● Castel del Monte Bombino Nero Concadoro '19	♟ 2
☉ Castel del Monte Bombino Nero Rosato Colombaio '19	♟ 2
● Castel del Monte Nero di Troia Vignagrande '17	♟ 2
○ Nevaia Fiano Tenuta Zagaria '18	♟ 2

Cosimo Taurino

S.DA PROV.LE 365 KM 1,400
73010 GUAGNANO [LE]
TEL. 0832706490
www.taurinovini.it

VENDITA DIRETTA
VISITA SU PRENOTAZIONE
PRODUZIONE ANNUA 900.000 bottiglie
ETTARI VITATI 90,00

Ha raggiunto il mezzo secolo l'azienda
fondata da Cosimo Taurino nel 1970, pietra
miliare della vitivinicoltura pugliese e della
sua affermazione in Italia e nel mondo
grazie al Patriglione, che ha letteralmente
ridisegnato l'idea dei vini prodotti con uve
negroamaro. Oggi sono 90 gli ettari vitati di
proprietà, tra Guagnano, Salice Salentino e
San Donaci, per l'80% coltivati ad alberello
e principalmente impiantati a negroamaro e
malvasia nera. I vini proposti sono impostati
per essere longevi e per esprimere al
meglio le potenzialità del territorio. Tra i vari
Negroamaro proposti quest'anno è salito
alla ribalta il Notarpanaro '15, ricco di
carattere, dai toni di erbe aromatiche
secche, torba, spezie e con un finale lungo
e succoso. Sempre affascinante il
Patriglione '15, speziato e con note di fichi
secchi al naso, disteso e piacevole al
palato, e ben realizzato il Kompà '17,
fruttato e di buona tenuta. Interessante il
Primitivo 7° Ceppo '19, con note di frutti
rossi freschi e macchia mediterranea.

● Notarpanaro '15	♀♀	3*
● 7° Ceppo '19	♀♀	3
● Kompà '17	♀♀	2*
● Patriglione '15	♀♀	7
● A64 Cosimo Taurino '14	♀	4
● Salice Salentino Rosso Ris. '15	♀	3
● Patriglione '94	♀♀♀	7
● Patriglione '88	♀♀♀	7
● Patriglione '85	♀♀♀	5
● A64 Cosimo Taurino '13	♀♀	4
● Kompà '16	♀♀	2*
● Notarpanaro '12	♀♀	3*
● Patriglione '14	♀♀	7
● Patriglione '13	♀♀	7
● Salice Salentino Rosso Ris. '14	♀♀	3
⊙ Scaloti '17	♀♀	2*

Terre dei Vaaz

VIA AGOSTINO DE PRETIS, 9
70100 SAMMICHELE DI BARI [BA]
TEL. 3488013644
www.terredeivaaz.it

PRODUZIONE ANNUA 33.000 bottiglie
ETTARI VITATI 8,00

Qualche anno fa cinque amici decisero di
creare insieme un'azienda vitivinicola nel
cuore della Murgia, in una delle zone più
vocate per il primitivo, Sanmichele di Bari,
chiamandola col nome dell'antica famiglia
che ha fondato quella cittadina, i Vaaz.
L'obiettivo è stato fin dall'inizio quello di
produrre poche migliaia di bottiglie di alta
qualità. I primi risultati sono arrivati l'anno
scorso, con l'uscita della prima annata
prodotta e l'entrata in Guida. Con la
seconda annata la Terre dei Vaaz ha
conquistato l'ingresso nella nostra sezione
principale. Davvero affascinanti entrambe
le etichette proposte. L'Onirico '18 si
presenta al naso con profumi di erbe
aromatiche, seguite da sfumature
balsamiche, di prugna e di pepe bianco,
mentre il palato è di notevole fittezza, ma
anche lungo e di piacevole beva. L'Ipnotico,
della medesima annata, è più giocato su
toni di frutti neri maturi, per un palato di
grande materia e spessore, con un finale
ricco e quasi "masticabile".

● Onirico '18	♀♀♀	6
● Ipnotico '18	♀♀	8
● Ipnotico '17	♀♀	7
● Onirico '17	♀♀	6

Terrecarsiche 1939

VIA MAESTRI DEL LAVORO 6/8
70013 CASTELLANA GROTTE [BA]
TEL. 0804962309
www.terrecarsiche.it

VISITA SU PRENOTAZIONE
PRODUZIONE ANNUA 600.000 bottiglie
ETTARI VITATI 30,00

È da quattro generazioni che la famiglia
Insalata lavora nel mondo del vino, ma è
da soli dieci anni che ha fondato l'azienda.
La Terrecarsiche 1939 ha il suo centro
operativo, e le sue vigne di proprietà, nelle
zone della denominazione di Gioia del Colle
e in Valle d'Itria, ma propone anche
etichette da altri territori, grazie alla
collaborazione con dei fidati conferitori
assistiti tutto l'anno dall'azienda. I vini
sono d'impostazione schiettamente
moderna, con una particolare attenzione a
esprimere la ricchezza del frutto. Anche
quest'anno il Gioia del Colle Primitivo
Fanova è tra i migliori vini della
Denominazione e conquista le nostre finali.
La versione 2018 ai profumi di frutti rossi
e spezie dolci fa seguire un palato
piacevole, di bella lunghezza e tenuta,
giocato soprattutto su note di frutta
matura. Ben realizzati il Gioia Rosa '19,
floreale, grintoso, di grande piacevolezza e
ben scandito nel suo sviluppo, e il
Passaturi Minutolo '19, dai gradevoli toni
aromatici di salvia e rosmarino.

● Gioia del Colle Primitivo Fanova '18	♥♥	3*
⊙ Gioia Rosa '19	♥♥	3
○ Passaturi Minutolo '19	♥♥	2*
● Telamone '16	♥	3
○ Verdeca '19	♥	2
● Gioia del Colle Primitivo Fanova '17	♀♀	3
● Gioia del Colle Primitivo Fanova '16	♀♀	3*
● Gioia del Colle Primitivo Fanova Ris. '16	♀♀	3*
● Gioia del Colle Primitivo Fanova Ris. '15	♀♀	3
● Nero di Troia '15	♀♀	3
○ Passaturi '18	♀♀	2*
○ Verdeca '18	♀♀	2*

★Tormaresca

LOC. TOFANO
C.DA TORRE D'ISOLA
76013 MINERVINO MURGE [BT]
TEL. 0883692631
www.tormaresca.it

VENDITA DIRETTA
VISITA SU PRENOTAZIONE
OSPITALITÀ
PRODUZIONE ANNUA 3.200.000 bottiglie
ETTARI VITATI 380,00
VITICOLTURA Biologico Certificato
AZIENDA SOSTENIBILE

L'azienda fondata nel 1998 dalla famiglia
Antinori è diventata in questa ventina
d'anni una delle protagoniste del
panorama vitivinicolo pugliese. Articolata
su due ampie tenute - la Bocca di Lupo,
all'interno della denominazione Castel del
Monte, dove i principali vitigni coltivati
sono il nero di Troia e l'aglianico, e la
Masseria Maìme, nell'Alto Salento, dove
invece le uve protagoniste sono il
negroamaro e il primitivo - propone vini in
cui alla precisone tecnica si uniscono
piacevolezza e carattere. Annata in tono
minore per i vini di Tormaresca. Molto
piacevole il Fichimori '19, negroamaro con
un piccolo saldo di syrah, un rosso da bere
freddo tutto giocato su note di frutti di
bosco, grintoso, immediato e di grande
piacevolezza. Ben realizzato, ma da
attendere, il Castel del Monte Aglianico
Bocca di Lupo '16, dai sentori di frutti neri
e liquirizia, dal palato di notevole pienezza,
ma con tannini ancora in primo piano.
Corretto il resto della produzione proposta.

● Castel del Monte Aglianico		
Bocca di Lupo '16	♥♥	6
● Fichimori '19	♥♥	2*
⊙ Calafuria '19	♥	3
○ Chardonnay '19	♥	2
● Masseria Maìme '16	♥	4
○ Moscato di Trani Kaloro '18	♥	3
○ Roycello '18	♥	3
● Castel del Monte Rosso Trentangeli '11	♀♀	3*
● Masseria Maìme '12	♀♀	5
● Masseria Maìme '08	♀♀	5
● Masseria Maìme '07	♀♀	4
● Masseria Maìme '06	♀♀	4
● Masseria Maìme '05	♀♀	4*
● Torcicoda '11	♀♀	4*
● Torcicoda '10	♀♀	3*
● Torcicoda '09	♀♀	3

PUGLIA

★Torrevento

S.DA PROV.LE 234 KM 10.600
70033 CORATO [BA]
TEL. 0808980923
www.torrevento.it

VENDITA DIRETTA
VISITA SU PRENOTAZIONE
OSPITALITÀ E RISTORAZIONE
PRODUZIONE ANNUA 2.500.000 bottiglie
ETTARI VITATI 450,00
AZIENDA SOSTENIBILE

L'azienda vinicola di Francesco Liantonio è diventata in questi ultimi anni il riferimento stilistico della denominazione Castel del Monte, grazie a una serie di etichette in cui complessità, freschezza ed eleganza si uniscono a un impianto tradizionale e di grande aderenza al territorio. La maggior parte dei vigneti di proprietà sono situati nel Parco Nazionale dell'Alta Murgia, situati su suolo roccioso calcareo di tipo carsico, mentre quelli in affitto sono dislocati tra la Valle d'Itria e il Salento. In assenza dei vini più famosi, come le Riserve Vigna Pedale e Ottagono, salgono alla ribalta due vini d'annata: il Torre del Falco Nero di Troia, dai profumi di bacche nere con note di macchia mediterranea e dal palato di buon frutto e immediatezza, con tannini in evidenza ma non aggressivi, e un ottimo Castel del Monte Rosso Bolonero, balsamico e con sentori di melograno e frutti neri di bosco al naso, scorrevole e di buona tenuta acida al palato. Come al solito ben realizzato il resto della gamma.

Cantine Tre Pini

VIA VECCHIA PER ALTAMURA, S.DA PROV.LE 79 KM 16
70020 CASSANO DELLE MURGE [BA]
TEL. 080764911
www.cantinetrepini.com

VENDITA DIRETTA
VISITA SU PRENOTAZIONE
OSPITALITÀ E RISTORAZIONE
PRODUZIONE ANNUA 70.000 bottiglie
ETTARI VITATI 10,00
VITICOLTURA Biologico Certificato
AZIENDA SOSTENIBILE

Nata nel 2012, la Cantine Tre Pini della famiglia Plantamura è diventata nel giro di questi pochi anni una delle migliori aziende del territorio gioiese. I vigneti di proprietà sono posti tra i 400 e i 450 metri di altitudine, nei comuni di Cassano delle Murge e di Acquaviva delle Fonti. Il vitigno di riferimento qui è ovviamente il primitivo, affiancato da poche altre uve, come il fiano, la malvasia bianca e il bombino nero. I vini prodotti sono giocati principalmente sulla tensione, la freschezza del frutto e la piacevolezza. Sempre di ottimo livello i vini proposti da questa piccola cantina. Il Gioia del Colle Primitivo Piscina delle Monache '18 ai profumi di mirtilli e susine nere fa seguire un palato fresco, di bella tensione e lunghezza, dalla setosa trama tannica, allo stesso tempo complesso e piacevole, mentre il Gioia del Colle Primitivo Riserva '17 evidenzia note di frutti neri e macchia mediterranea, è succoso e dal finale lungo e ricco di frutto.

● Castel del Monte Rosso Bolonero '19	▼▼▼ 2*
● Torre del Falco Nero di Troia '19	▼▼ 2*
○ Castel del Monte Bianco Pezzapiana '19	▼▼ 2
⊙ Castel del Monte Rosato Primaronda '19	▼▼ 2
● Primitivo di Manduria Ghenos '18	▼▼ 3
● Salice Salentino Faneros '18	▼▼ 2*
● Salice Salentino Rosso Sine Nomine Ris. '17	▼▼ 3
● Matervitae Negroamaro '19	▼ 2
● Passione Reale '19	▼ 2
● Since 1913 Primitivo '18	▼ 5
● Castel del Monte Rosso V. Pedale Ris. '16	♈♈♈ 3*
● Castel del Monte Rosso V. Pedale Ris. '15	♈♈♈ 3*

● Gioia del Colle Primitivo Piscina delle Monache '18	▼▼ 3*
● Gioia del Colle Primitivo Ris. '17	▼▼ 5
● Crae '19	▼▼ 2*
○ Donna Johanna '19	▼▼ 2*
○ Fajano Brut M. Cl. '14	▼ 4
⊙ Ventifile Rosé '19	▼ 2
● Gioia del Colle Primitivo Ris. '14	♈♈♈ 5
● Gioia del Colle Primitivo Ris. '13	♈♈♈ 4*
● Gioia del Colle Primitivo Piscina delle Monache '17	♈♈ 3
● Gioia del Colle Primitivo Piscina delle Monache '16	♈♈ 3*
● Gioia del Colle Primitivo Piscina delle Monache '13	♈♈ 3
● Gioia del Colle Primitivo Ris. '16	♈♈ 5
● Gioia del Colle Primitivo Ris. '15	♈♈ 5

Masseria Trullo di Pezza

C.DA TRULLO DI PEZZA
74020 TORRICELLA [TA]
TEL. 0999872011
www.trullodipezza.com

VENDITA DIRETTA
VISITA SU PRENOTAZIONE
OSPITALITÀ E RISTORAZIONE
PRODUZIONE ANNUA 100.000 bottiglie
ETTARI VITATI 40,00
VITICOLTURA Biologico Certificato

Le sorelle Simona e Marika Lacaita hanno fondato la loro azienda nel 2012, rinnovando una tenuta, ereditata dai genitori, di oltre 100 ettari, 32 dei quali oggi sono destinati a vigneto e sono situati su terre rosse calcaree tra Torricella, Maruggio, Lizzano e Manduria. Il primitivo è il vitigno di riferimento, affiancato da altre uve storicamente presenti sul territorio, come negroamaro, fiano, aglianico, e pochi ettari destinati a vitigni internazionali come syrah e cabernet sauvignon. I vini proposti sono d'impianto moderno, con una particolare attenzione alla nitidezza aromatica. Conquista le nostre finali lo Scarfoglio '17, un Aglianico in purezza dai toni speziati e di frutti neri maturi e dal palato di buon frutto e tenuta, grintoso, con un finale lungo e sapido. Davvero ben realizzati anche il Primitivo di Manduria Licurti '17, con profumi di prugna e terra bagnata, di buona materia e freschezza, e il Primitivo Mezzapezza '18, fruttato, scorrevole di bella immediatezza.

● Scarfoglio '17	🏆 3*
● Mezzapezza '18	🏆 2*
● Primitivo di Manduria Licurti '17	🏆 3
● Artati '19	🏆 2
○ Dieci Grana '19	🏆 2
● Primitivo di Manduria Pezzale Ris. '15	🏆 5
⊙ Speciale '19	🏆 2

Agricole Vallone

VIA XXV LUGLIO, 7
73100 LECCE
TEL. 0832308041
www.agricolevallone.it

VISITA SU PRENOTAZIONE
PRODUZIONE ANNUA 490.000 bottiglie
ETTARI VITATI 170,00
VITICOLTURA Biologico Certificato
AZIENDA SOSTENIBILE

L'azienda della famiglia Vallone, nata nel 1934 e oggi guidata da Francesco Vallone, si articola in tre grandi tenute: la Iore, nell'agro di San Pancrazio Salentino, nella denominazione Salice Salentino, la Flaminio, all'interno della denominazione Brindisi, dove si trova la moderna cantina, e quella che ha la sede nello storico Castello di Serranova, nella riserva naturale di Torre Guaceto, dove è situato il fruttaio per l'appassimento delle uve. I vini prodotti sono espressione autentica dei vitigni e del territorio da cui nascono. In assenza del Graticciaia, il vino più famoso e prestigioso dell'azienda, quest'anno a fare da portabandiera sono il Salice Salentino Negroamaro Vereto Riserva '17, dai sentori di erbe aromatiche secche e dal palato succoso, di buona tenuta, con un finale fresco e piacevole, e il Tenuta Serranova Susumaniello Rosé '19, dove si affermano note di frutti rossi di bosco, per un vino lungo e gradevole, di buona materia, ma anche scorrevole e immediato.

● Salice Salentino Rosso Vereto Ris. '17	🏆 2*
⊙ Tenuta Serranova Susumaniello Rosé '19	🏆 3
⊙ Brindisi Rosato V. Flaminio '19	🏆 2
● Susumaniello '18	🏆 2
○ Tenuta Serranova Fiano '19	🏆 3
● Graticciaia '03	🏆🏆🏆 6
● Graticciaia '01	🏆🏆🏆 6
● Brindisi Rosato V. Flaminio '13	🏆🏆 2*
● Brindisi Rosso V. Flaminio Ris. '12	🏆🏆 3
● Castelserranova '14	🏆🏆 4
● Castelserranova '13	🏆🏆 4
● Graticciaia '15	🏆🏆 7
● Graticciaia '13	🏆🏆 7
● Graticciaia '12	🏆🏆 7
● Susumaniello '17	🏆🏆 2*
● Vigna Castello '11	🏆🏆 5

Varvaglione 1921

C.DA SANTA LUCIA
74020 LEPORANO [TA]
TEL. 0995315370
www.varvaglione.com

VENDITA DIRETTA
VISITA SU PRENOTAZIONE
OSPITALITÀ
PRODUZIONE ANNUA 4.000.000 bottiglie
ETTARI VITATI 400,00
AZIENDA SOSTENIBILE

Nata ormai cento anni fa, l'azienda della famiglia Varvaglione, oggi guidata dalla quarta generazione, si propone come una delle più significative del Tarantino. La cantina lavora sia sulle uve, principalmente autoctone, che provengono dai vigneti di proprietà, che su quelle conferite dai viticoltori associati, per produrre oltre trenta differenti etichette, suddivise in svariate linee produttive. I vini proposti cercano di esprimere al meglio sia le caratteristiche varietali sia quelle del territorio di provenienza. Nella gamma presentata quest'anno dalla famiglia Varvaglione i protagonisti sono i due vini della Collezione Privata Cosimo Varvaglione Old Vines. Il Negroamaro '17 si presenta con profumi di frutti rossi maturi e spezie dolci, cui fa seguito un palato ricco, giocato più su toni di frutti neri, di buona tenuta e lunghezza, mentre il Primitivo di Manduria '17 ha toni di confettura di susina nera al naso e un palato succoso e sapido, con un finale in cui spiccano note di macchia mediterranea.

● Collezione Privata Cosimo Varvaglione Old Vines Negroamaro '17	▼▼▼ 6
● Primitivo di Manduria Collezione Privata Cosimo Varvaglione Old Vines '17	▼▼ 6
⊙ Idea Rosa di Primitivo '19	▼▼ 3
○ 12 e Mezzo Malvasia Bianca '19	▼ 2
● 12 e Mezzo Primitivo '19	▼ 2
⊙ Idea '18	▽▽▽ 3*
● Negroamaro di Terra d'Otranto Varvaglione Collezione Privata Old Vines '16	▽▽ 6
● Primitivo di Manduria Papale Linea Oro '17	▽▽ 5
● Primitivo di Manduria Papale Linea Oro '15	▽▽ 5
● Primitivo di Manduria Papale Oro '15	▽▽ 5

Vespa - Vignaioli per Passione

FRAZ. C.DA RENI
VIA MANDURIA - AVETRANA KM 3,8
74024 MANDURIA [TA]
TEL. 063722120
www.vespavignaioli.it

VENDITA DIRETTA
PRODUZIONE ANNUA 165.000 bottiglie
ETTARI VITATI 30,00
AZIENDA SOSTENIBILE

Situata nella Masseria Li Reni, l'azienda di Bruno Vespa e dei suoi figli Alessandro e Federico conta su dei vigneti di proprietà, che si appoggiano su terreni argillosi e argilloso-sabbiosi, principalmente nell'aria della denominazione Primitivo di Manduria. L'uva di riferimento è ovviamente il primitivo, ma non mancano altri vitigni, come aleatico, fiano e negroamaro, da cui nasce una piccola gamma di etichette tecnicamente impeccabili, in cui unire pienezza di frutto, buona materia e piacevolezza di beva. Il Primitivo di Manduria Raccontami si conferma come vino di riferimento anche con la versione 2018: ai profumi di frutti neri e spezie fa seguito un palato di bell'equilibrio, che mette in luce buona materia e volume, freschezza e piacevolezza. Ben realizzato Il Bruno dei Vespa '19, un Primitivo in purezza di grande precisione e nitidezza aromatica, ricco di note fruttate, piacevole e immediato. Come al solito inappuntabile il resto della produzione proposta.

● Primitivo di Manduria Raccontami '18	▼▼▼ 5
● Il Bruno dei Vespa '19	▼▼ 2*
⊙ Flarò '19	▼ 2
○ Il Bianco dei Vespa '19	▼ 2
● Il Fedale '17	▼ 3
● Primitivo di Manduria Il Rosso dei Vespa '19	▼ 3
● Primitivo di Manduria Raccontami '17	▽▽▽ 5
● Primitivo di Manduria Raccontami '16	▽▽▽ 5
● Primitivo di Manduria Raccontami '15	▽▽▽ 5
● Primitivo di Manduria Raccontami '14	▽▽▽ 5
● Primitivo di Manduria Raccontami '13	▽▽▽ 5
● Il Bruno dei Vespa '18	▽▽ 2*
● Il Bruno dei Vespa '17	▽▽ 2*
● Primitivo di Manduria Il Rosso dei Vespa '16	▽▽ 3
● Primitivo di Manduria Raccontami '12	▽▽ 5

Tenuta Viglione

S.DA PROV.LE 140 KM 4,500
70029 SANTERAMO IN COLLE [BA]
TEL. 0802123661
www.tenutaviglione.com

VENDITA DIRETTA
VISITA SU PRENOTAZIONE
OSPITALITÀ E RISTORAZIONE
PRODUZIONE ANNUA 400.000 bottiglie
ETTARI VITATI 60,00
VITICOLTURA Biologico Certificato

L'azienda della famiglia Zullo sorge ai confini tra le province di Bari e Taranto, lungo l'asse viario dell'antica Via Appia. I vigneti di proprietà sono situati sui tipici suoli della Murgia, argillosi, calcarei e ricchi di minerali, tra Gioia del Colle e Santeramo in Colle. Le uve coltivate spaziano da quelle più tradizionali, a cominciare ovviamente dal primitivo, a quelle internazionali, per una produzione di buona aderenza territoriale, con un'attenzione particolare alla pienezza del frutto e alla freschezza acida. Quest'anno ci è piaciuto soprattutto il Gioia del Colle Primitivo Sellato '18, ampio nei suoi profumi di fichi secchi, frutti neri maturi e spezie, di buona materia e tensione, fresco e piacevole. Sempre affascinante il Gioia del Colle Primitivo Marpione Riserva '17, giocato più su toni di ciliegia nera, ricco di polpa e succoso, ma un po' meno brillante di altre versioni, mentre sono ben realizzati alcuni vini della linea Maioliche, come il fruttato Nero di Troia o il grintoso Negroamaro.

● Gioia del Colle Primitivo Sellato '18	♟♟♟ 3*
● Gioia del Colle Primitivo Marpione Ris. '17	♟♟ 5
● Maioliche Negroamaro '19	♟♟ 2*
● Maioliche Nero di Troia '19	♟♟ 2*
● Susumaniello '19	♟♟ 3
⊙ Maioliche Rosato Primitivo '19	♟ 2
○ Maioliche Verdeca Brut '19	♟ 2
● Gioia del Colle Primitivo Marpione Ris. '15	♟♟♟ 3*
● Gioia del Colle Primitivo Marpione Ris. '13	♟♟♟ 3*
● Gioia del Colle Primitivo Marpione Ris. '11	♟♟♟ 3*
● Gioia del Colle Primitivo Marpione Ris. '10	♟♟♟ 3*

★Conti Zecca

VIA CESAREA
73045 LEVERANO [LE]
TEL. 0832925613
www.contizecca.it

VENDITA DIRETTA
VISITA SU PRENOTAZIONE
PRODUZIONE ANNUA 2.800.000 bottiglie
ETTARI VITATI 320,00
AZIENDA SOSTENIBILE

La famiglia dei Conti Zecca da oltre 400 anni coltiva le terre di Leverano. Oggi sono quattro le tenute di proprietà, tre a Leverano (Donna Marzia, Santo Stefano e Saraceno) e una a Salice Salentino (Cantalupi), in cui trovano spazio sia i più classici vitigni autoctoni che svariati vitigni internazionali. Le molte etichette prodotte sono d'impostazione moderna, ma con un forte legame all'identità territoriale, e sempre alla ricerca di nitidezza, precisione aromatica e integrità di frutto. Il Nero si conferma anche quest'anno il vino di punta dell'azienda. La versione 2017 di questo storico blend di negroamaro (70%) e cabernet sauvignon ha toni speziati e di frutti neri al naso, cui fa seguito un palato dalla notevole struttura tannica e dal finale di buona lunghezza. Fresca e piacevole nelle sue note di agrumi e di macchia mediterranea la Malvasia Calavento '19, immediato e dai toni varietali il Cantalupi Negroamaro '19, mentre è scorrevole e ricco di frutto il Leverano Negroamaro Rosso Riserva Liranu '17.

○ Calavento '19	♟♟ 3
● Cantalupi Negroamaro '19	♟♟ 2*
● Leverano Negroamaro Liranu Ris. '17	♟♟ 3
● Nero '17	♟♟ 6
○ Luna '19	♟ 4
○ Mendola '19	♟ 3
● Rifugio Primitivo '18	♟ 3
● Salice Salentino Rosso Cantalupi Ris. '17	♟ 3
● Terra '17	♟ 4
⊙ Venus '19	♟ 3
● Nero '09	♟♟♟ 5
● Nero '08	♟♟♟ 5
● Nero '07	♟♟♟ 5
● Nero '06	♟♟♟ 5
● Nero '03	♟♟♟ 5
● Nero '02	♟♟♟ 5

A Mano

VIA SAN GIOVANNI, 41
70015 NOCI [BA]
TEL. 0803434872
www.amanowine.it

Piacevole e riuscito il Primitivo '17, ampio e dagli insoliti toni di curry al naso, con un palato di buon frutto in cui tornano le note di spezie orientali. Ben realizzati gli altri vini, con una menzione speciale per il Fiano-Greco '19, agrumato e floreale.

○ Fiano Greco '19	♀♀	2*
● Primitivo '17	♀♀	2*
● Imprint of Mark Shannon Primitivo '17	♀	2

Cantina Albea

VIA DUE MACELLI, 8
70011 ALBEROBELLO [BA]
TEL. 0804323548
www.albeavini.com

Buona la proposta complessiva di questa storica cantina. Ci sono particolarmente piaciuti il Lui '18, un Nero di Troia dai toni di frutti neri e spezie, di buona tenuta e materia, e il Petrarosa Special Cuvée '19, un Primitivo piacevole e floreale, fresco e grintoso.

● Lui '18	♀♀	5
⊙ Petrarosa Special Cuvée '19	♀♀	3
○ Locorotondo Sup. Il Selva '19	♀	2
● Sol '17	♀	4

Donato Angiuli

FRAZ. MONTRONE
VIA PRINCIPE UMBERTO, 27
70010 ADELFIA [BA]
TEL. 0804597130
www.angiulidonato.com

Davvero piacevole il Maccone Primitivo '18, ricco e polposo, dai toni di frutti rossi di bosco. Di buona fattura anche il resto della gamma, dal Maccone Primitivo Rosato '19, fresco e dai tipici sentori di rosa e fragolina di bosco, al Nero di Troia '18, fruttato e grintoso.

● Maccone Primitivo '18	♀♀	4
○ Maccone Moscato Secco '19	♀	1*
⊙ Maccone Primitivo Rosato '19	♀	6
● Nero di Troia '18	♀	4

Antica Enotria

LOC. RISICATA
S.DA PROV.LE 65, KM 7
71042 CERIGNOLA [FG]
TEL. 0885418462
www.anticaenotria.it

Di quest'azienda biologica ci ha convinto soprattutto il Nero di Troia '17, dai profumi di frutti neri maturi e dal palato tannico e grintoso: un vino promettente e da attendere. Piacevole e immediato l'altro Nero di Troia, il Puragioia '18, mentre è tutto giocato sul frutto il Fiano '19.

● Nero di Troia '17	♀♀	3
○ Fiano '19	♀	3
● Il Sale della Terra Nero di Troia '16	♀	5
● Puragioia Nero di Troia '18	♀	3

Antica Masseria Jorche

C.DA PALERMO
74020 TORRICELLA [TA]
TEL. 0999573232
www.jorche.it

Torna in Guida questa storica azienda famigliare, grazie a due ottimi Primitivo di Manduria, la Riserva '16, dai profumi speziati e di fiori secchi, e dal palato coerente, disteso ed elegante, e il 2017, classico nelle sue note di frutta nera matura, pieno e piacevole.

● Primitivo di Manduria '17	♀♀	4
● Primitivo di Manduria Ris. '16	♀♀	5
● Primitivo di Manduria Dolce Naturale Lo Apu '19	♀	5

Barsento

S.DA VICINALE SAN GIACOMO
70015 NOCI [BA]
TEL. 0804979657
www.cantinebarsento.com

Ottimi il Gioia del Colle Primitivo Casaboli Riserva '16, dai profumi di frutti neri a nocciolo e dal palato ricco di frutto, fitto, di bella tenuta, e il Ladislao '16 un Negroamaro dal frutto croccante, fresco e sapido, dai toni di ciliegia ferrovia con leggere note vegetali.

● Gioia del Colle Primitivo Casaboli Ris. '16	♀♀	5
● Ladislao '16	♀♀	4
● Il Paturno '18	♀	3

Cantine Bonsegna

VIA A. VOLTA, 17
73048 NARDÒ [LE]
TEL. 0833561483
www.vinibonsegna.it

Alfiere della denominazione Nardò, quest'anno la Bonsegna ci ha convinto soprattutto con il Terra d'Otranto Negroamaro Baia di Uluzzo '18, dai profumi di frutti neri e spezie, piacevole e ricco di frutto. Ben realizzato anche il rosato Nardò Narthos '19, floreale e succoso.

● Terra d'Otranto Negroamaro	
Baia di Uluzzo '18	♟♟ 2*
⊙ Nardò Rosato Narthos '19	♟ 2
● Nardò Rosso Danze della Contessa '18	♟ 2

Borgo Turrito

LOC. INCORONATA
71122 FOGGIA
TEL. 0881810141
www.borgoturrito.it

Tra i vini proposti dall'azienda di Luca Scapola quest'anno spicca il Lingue di Terra '15, un Nero di Troia fresco ed elegante, dagli spiccati toni di frutto di bosco neri. Della linea Terra Cretosa piacevoli il fruttato Nero di Troia '18 e la Falanghina '19, in cui spiccano note agrumate.

● Lingue di Terra '15	♟♟ 7
⊙ CalaRosa '19	♟ 2
○ Terra Cretosa Falanghina '19	♟ 2
● Terra Cretosa Nero di Troia '18	♟ 2

I Buongiorno

C.SO VITTORIO EMANUELE, 73
72012 CAROVIGNO [BR]
TEL. 0831996286
www.ibuongiorno.com

In una gamma un po' meno brillante rispetto a quanto ci ha abituato l'azienda della famiglia Buongiorno, spicca comunque uno dei loro vini di punta, il Nicolaus '17, classico blend di primitivo e negroamaro speziato e ricco di frutto, avvolgente e di buona tenuta.

● Nicolaus '17	♟♟ 4
○ Fiano '19	♟ 3
● Nerisco '17	♟ 4

Caiaffa

S.DA VICINALE LE TORRI
71042 CERIGNOLA [FG]
TEL. 3293449555
www.caiaffavini.it

Bella prova per quest'azienda biologica, sia con i vini d'annata che con quelli più ambiziosi. Il Primitivo '19 ai profumi di frutti rossi fa seguire un palato fresco, nitido e di piacevole beva, mentre il Nero di Troia Lampyris '15 propone note di spezie e caffè e un palato ricco e maturo.

● Lampyris '15	♟♟ 5
● Primitivo '19	♟♟ 3
⊙ Acheta '19	♟ 3
⊙ Troia Rosato '19	♟ 2

Vigneti Calitro

C.DA PAPACANIELLO, 18/19
74028 SAVA [TA]
TEL. 0999721127
www.vigneticalitro.it

La famiglia Lonoce da quattro generazioni gestisce un parco vigneti situati su terra rossa tra Sava e San Marzano. Il Primitivo di Manduria Ausilio '17 evidenzia sentori di spezie e susina nera, con un palato è disteso e di buon frutto, mentre il Negroamaro '17 è grintoso e in spinta.

● Negroamaro '17	♟♟ 6
● Primitivo di Manduria Ausilio '17	♟♟ 5
● Ausilio Negroamaro '18	♟ 5
● Primitivo di Manduria Ris. '16	♟ 6

Cannito

C.DA PARCO BIZZARRO
70025 GRUMO APPULA [BA]
TEL. 080623529
www.agricolacannito.it

Quest'anno ci è piaciuto soprattutto il vino "base" della gamma di Gioia del Colle Primitivo di quest'azienda. Il Drùmon '16 al naso mette in luce ricche note di frutti neri maturi, mentre il palato è di buona freschezza, di medio corpo, e con un finale lungo e piacevole.

● Gioia del Colle Primitivo Drùmon '16	♟♟ 5
○ Drùmon Fiano '19	♟ 5
● Gioia del Colle Primitivo Drùmon Ris. '15	♟ 7
● Gioia del Colle Primitivo Drùmon S '16	♟ 6

Cantolio Manduria

VIA PER LECCE KM 2,5
74024 MANDURIA [TA]
TEL. 0999796045
www.cantolio.it

Bella batteria di Primitivo di Manduria quella presentata dalla Cantolio. In primo piano troviamo il Tema Riserva '16, dai profumi di fiori secchi con sfumature speziate e dal palato classico e disteso, e il Di Terra '18, con note affumicate, di buon frutto e in spinta.

● Primitivo di Manduria Primitivo Di Terra '18	♟♟ 3
● Primitivo di Manduria Tema Ris. '16	♟♟ 4
○ Cleonymus '19	♟ 2

Centovignali

P.ZZA ALDO MORO, 10
70010 SAMMICHELE DI BARI [BA]
TEL. 0805768215
www.centovignali.it

Ottimi i Gioia del Colle Primitivo presentati da quest'azienda. Il Pentimone Riserva '18 evidenzia profumi di frutti neri e ciliegia e un palato succoso, di buona grinta e freschezza, mentre l'Indellicato '18 è più giocato su note di tapenade di olive nere, per un palato di grande fittezza.

● Gioia del Colle Primitivo Indellicato '18	♟♟ 5
● Gioia del Colle Primitivo Pentimone Ris. '18	♟♟ 6
○ Albiore Fiano '19	♟ 3

Masseria Cuturi

S.DA PROV.LE 137
74024 MANDURIA [TA]
TEL. 0999711660
www.masseriacuturi.it

Nonostante sia situata a Manduria, quest'anno il vino che più ci è piaciuto di questa azienda biologica è stato un Negroamaro, il rosato Rosa dei Cuturi '19, dai sentori floreali accompagnati da note di melograno e dal palato coerente, fresco e scorrevole, di grande piacevolezza.

⊙ Rosa dei Cuturi '19	♟♟ 3
● Chidro '17	♟ 4
○ Segreto di Bianca '19	♟ 3
● Tumà Primitivo '19	♟ 3

Casa Primis

VIA ORTANOVA, KM 0,500
71048 STORNARELLA [FG]
TEL. 0885433333
www.casaprimis.com

Sempre di buona fattura l'ampia gamma di vini prodotta da quest'azienda. Ci sono piaciuti soprattutto i due Nero di Troia: l'annata 2018, giocata tutta sul frutto, grintosa e di piacevole beva, e il Crusta '16, dai sentori di frutti bosco e note tostate, di buona spinta e materia.

● Crusta '16	♟♟ 3
● Nero di Troia '18	♟♟ 2*
○ Bombino Bianco '19	♟ 2
● Ciliegiolo '19	♟ 2

Tenuta Cerfeda

C.DA PORVICA, 29000
74123 TARANTO
TEL. 3428798195
www.tenutacerfeda.it

Entra in Guida quest'azienda biologica, grazie a una serie di Primitivo di Manduria di ottima fattura, come il Mandurino '13, dai profumi di fichi secchi e spezie e dal palato teso, di buona materia, lungo e sapido, e il Don Filippo Riserva '12, dai toni di frutti neri e macchia mediterranea.

● Primitivo di Manduria Don Filippo Ris. '12	♟♟ 5
● Primitivo di Manduria Mandurino '13	♟♟ 5
● Primitivo di Manduria Masseria Vecchia '15	♟ 4

D'Alfonso Del Sordo

C.DA SANT'ANTONINO
71016 SAN SEVERO [FG]
TEL. 0882221444
www.dalfonsodelsordo.it

Il Bombino Bianco Catapanus '19 è quello che in francese viene detto "vin de soif": ai profumi di frutta bianca ed erbe aromatiche fa seguito un palato piacevole, fresco e di facile beva. Ben realizzato il Guado San Leo '17, Nero di Troia dai toni di tapenade di olive nere, tannico e grintoso.

○ Catapanus '19	♟♟ 3
● Guado San Leo '17	♟♟ 5
○ Cortecampana '19	♟ 3
○ Dammisole '19	♟ 3

De Falco

VIA MILANO, 25
73051 NOVOLI [LE]
TEL. 0832711597
www.cantinedefalco.it

Ottimo lo Squinzano Negroamaro Serre di
Sant'Elia '18, dai sentori di spezie e frutti
neri e dal palato di buona materia e
volume, dal piacevole finale di susina nera
matura, così come il Rosato '19, da uve
negroamaro e malvasia nera, teso, sapido e
tutto da bere.

⊙ Rosato '19	♙♙ 1*
● Squinzano Negroamaro Serre di Sant'Elia '18	♙♙ 2*
● Salice Salentino Negroamaro Salore '17	♙ 2

Ferri

VIA BARI, 347
70010 VALENZANO [BA]
TEL. 0804671753
www.cantineferri.it

Originale blend di primitivo e syrah, il Mora
di Cuti '16 si presenta con profumi di pepe
nero e frutti di bosco, mentre il palato è
grintoso, succoso e piacevole. davvero
interessante poi il Purpureus '16, un
Primitivo disteso e dalle note di frutta
rossa matura.

● Mora di Cuti '16	♙♙ 2*
● Purpureus '16	♙♙ 3
⊙ Rosa di Cuti '19	♙ 2
○ Sol di Cuti '19	♙ 2

Tenute Girolamo

VIA NOCI, 314
74015 MARTINA FRANCA [TA]
TEL. 0804402141
www.tenutegirolamo.it

Meno brillante quest'anno la selezione
proposta dalla Tenute Girolamo. Il Conte
Giangirolamo '17, blend di primitivo e
negroamaro, è strutturato, con note
balsamiche, ma un po' asciugato dal legno.
Il Primitivo Pizzo Rosso '17 è semplice, di
buon frutto e succoso.

● Conte Giangirolamo '17	♙♙ 6
● Monte dei Cocci Primitivo V. T. '18	♙ 3
● Pizzo Rosso '17	♙ 5

Hiso Telaray
Libera Terra Puglia

VICO DEI CANTELMO, 1
72023 MESAGNE [BR]
TEL. 0831775981
www.hisotelaray.it

Davvero ben realizzati i vini proposti dalla
cooperativa che gestisce in regime
biologico le terre confiscate alla criminalità
organizzata. Ci è piaciuto soprattutto
l'Antò '19, un primitivo in purezza fresco
nelle sue note di frutti rossi, di notevole
grinta e spinta.

● Antò Primitivo '19	♙♙ 5
⊙ Emmedielle '19	♙ 3
● Renata Fonte '19	♙ 5

Franco Ladogana

LOC. ORTA NOVA
FRAZ. LOC. PASSO D'ORTA
S.S. 16 KM 699+500
71045 ORTA NOVA [FG]
TEL. 0885784335
www.ladoganavini.it

Piacevole e fresco, tutto da bere con le
sue note floreali e di frutti di bosco, il
Versura '19 è un Nero di Troia rosato come
ne vorremmo trovare spesso. Ben realizzato
poi l'Orta Nova Rosso Tarù '16, dai toni di
frutti rossi e anice stellato, cui manca
giusto un pizzico di complessità.

⊙ Versura Rosato '19	♙♙ 2*
● Ghort Nero di Troia '19	♙ 3
● Orta Nova Rosso Tarù '16	♙ 3

Cantine Massimo Leone

FRAZ. POSTA SAN NICOLA D'ARPI
VIA SPRECACENERE
71122 FOGGIA
TEL. 0881723674
www.cantinemassimoleone.it

Torna in primo piano tra i prodotti
dell'azienda di Massimo Leone il Nero di
Troia. L'annata 2018 evidenzia profumi di
liquirizia e frutti neri, per un palato
piacevole e ricco di frutto, grazie all'attenta
gestione dei tannini tipici di questo vitigno.

● Nero di Troia '18	♙♙ 2*
○ Falanghina '19	♙ 2
⊙ Forme Rosato '19	♙ 2
● Primitivo '18	♙ 3

Alberto Longo

S.DA PROV.LE 5 LUCERA-PIETRAMONTECORVINO KM 4
71036 LUCERA [FG]
TEL. 0881539057
www.albertolongo.it

L'azienda di Alberto Longo è da anni uno dei riferimenti principali del territorio di Lucera. Ne è testimonianza anche quest'anno l'ottimo Cacc'e Mmitte di Lucera '17, dai sentori di susina nera e maro, con sfumature vegetali, e dal palato grintoso e verticale.

● Cacc'e Mmitte di Lucera '17	♟♟ 3
☉ Donnadele '19	♟ 3
● Le Cruste '17	♟ 4
○ Le Fossette '19	♟ 3

Menhir Salento

VIA SALVATORE NEGRO
73020 BAGNOLO DEL SALENTO [LE]
TEL. 0836818199
www.menhirsalento.it

Si conferma di ottimo livello anche con la versione 2019 il Pietra Susumaniello, classico vino d'annata giocato tutto sulla freschezza e sulla ricchezza del frutto, con un finale grintoso e di grande piacevolezza. Sempre ben realizzati anche gli altri vini presentati.

● Pietra Susumaniello '19	♟♟ 2*
● Calamuri Primitivo '17	♟ 3
● Filo '17	♟ 3
☉ N°Zero Rosato '19	♟ 2

Cantine Miali

VIA MADONNINA, 11
74015 MARTINA FRANCA [TA]
TEL. 0804303222
www.cantinemiali.com

La Miali quest'anno ha presentato il Campirossi '15, un Primitivo dai toni di frutto maturo, con note di fichi secchi e spezie dolci, di buona complessità e lunghezza. Ben ralizzato anche l'Ametys rosé '19, da uve primitivo e syrah, floreale e scorrevole.

● Campirossi '15	♟♟ 2*
☉ Ametys Rosato '19	♟ 3
○ Chardonnay Single Vineyard '19	♟ 2
○ Martina Franca Dolcimèlo '19	♟ 2

Cantine Paradiso

VIA MANFREDONIA, 39
71042 CERIGNOLA [FG]
TEL. 0885428720
www.cantineparadiso.it

L'azienda di Angelo Paradiso ha proposto una gamma di Primivo di ottima fattura. Il Darione Podere Belmantello '19 ai toni speziati con note di susina nera matura fa seguire un palato lungo e grintoso, mentre il Posta Piana '18 è fresco e giocato soprattutto su toni di frutti di bosco.

● Darione Podere Belmantello Primitivo '19	♟♟ 2*
● Posta Piana Primitivo '18	♟♟ 2*
● 1954 Primitivo '18	♟ 4
● Sant'Andrea Primitivo '19	♟ 2

Tenuta Patruno Perniola

C.DA MARZAGAGLIA
70023 GIOIA DEL COLLE [BA]
TEL. 3383940830
www.tenutapatrunoperniola.it

Il Primitivo Lenos '18 al naso si esprime con i classici sentori di ciliegia ferrovia e prugna, mentre il palato è coerente, nitido e di buona freschezza. Ben realizzati anche lo Striale '19, una Verdeca sapida e agrumata, e il Ghirigori '19, un rosato da uve primitivo piacevole e grintoso.

● Lenos '18	♟♟ 3
☉ Ghirigori '19	♟ 3
○ Striale '19	♟ 2

Petra Nevara

VIA MADONNA DELL'ARCO, 180
74015 MARTINA FRANCA [TA]
TEL. 3358379386
www.petranevara.com

Entra in Guida quest'azienda situata in una neviera del Seicento, trasformata in una cantina negli anni '20 del secolo scorso e rinnovata nel 2017. Tra le tre etichette prodotte spicca il Pavone Rosso Primitivo '18, dai profumi fruttati, succoso, sapido e di buona tenuta.

● Pavone Rosso Primitivo '18	♟♟ 4
● Nevaja Negroamaro '18	♟ 5
☉ Rosanevara '19	♟ 3

Placido Volpone

C.DA MONTEROZZI
71040 ORDONA [FG]
TEL. 3395847668
www.placidovolpone.it

Entra in Guida l'azienda di Michele Placido
e Domenico Volpone. Davvero piacevoli e
ben realizzati due rosati, il Faragola '19, da
uve nero di Troia, fresco nei suoi toni di
fragoline di bosco, e il Rosàntica '19, blend
di sangiovese e aglianico, floreale, di buona
grinta e materia.

⊙ Faragola '19	♥♥ 3	
⊙ Rosàntica '19	♥♥ 3	
● Beniamino '16	♥ 5	
● Rosone '17	♥ 4	

Rosa del Golfo

VIA GARIBALDI, 18
73011 ALEZIO [LE]
TEL. 0833281045
www.rosadelgolfo.com

Floreale e con note di frutti rossi il
Negramaro Rosato '19, dal palato sapido e
grintoso, in spinta e di bella lunghezza,
mentre il Quarantale Mino Calò '17, blend
a dominante negroamaro, evidenzia note di
china e macchia mediterranea, è succoso e
di buona tenuta.

⊙ Negroamaro Rosato '19	♥♥ 3	
● Quarantale Mino Calò '17	♥♥ 5	
○ Bolina '19	♥ 2	
● Portulano '17	♥ 2	

Cantine Santa Barbara

VIA MATERNITÀ E INFANZIA, 23
72027 SAN PIETRO VERNOTICO [BR]
TEL. 0831652749
www.cantinesantabarbara.it

Davvero piacevole e tutto da bere il
Capirussu Primitivo '19, un tipico vino
d'annata fresco e ricco di frutto. Ben
realizzato anche il Sumanero '18, blend di
susumaniello, negroamaro e malvasia nera,
di buona grinta e tenuta, giocato tutto su
toni di frutti neri.

● Capirussu Primitivo '19	♥♥ 3	
● Sumanero '18	♥♥ 3	
● Salice Salentino Capirussu '18	♥ 3	
● Ursa Major '16	♥ 4	

Risveglio Agricolo

C.DA TORRE MOZZA
72100 BRINDISI
TEL. 0831519948
www.cantinerisveglio.it

Bella conferma per il 72100 Negroamaro.
La versione 2018 è di grande classicità nei
suoi toni di tapenade di olive nere con
sfumature di terra bagnata e un palato ricco
di frutto nero e dai tannini ben gestiti. Ottimo
anche l'Eneo '18, blend di susumaniello e
negroamaro, lungo e succoso.

● 72100 '18	♥♥ 2*	
● Eneo '18	♥♥ 3	
● Pecora Nera Nero di Troia '18	♥ 4	
● Susu' '18	♥ 3	

Cantina Sociale Sampietrana

VIA MARE, 38
72027 SAN PIETRO VERNOTICO [BR]
TEL. 0831671120
www.cantinasampietrana.com

La Sampietrana ha presentato una batteria
di vini di ottima qualità. Il Brindisi Rosso
Since 1952 Riserva '17 evidenzia sentori di
susine nere e prugne e palato fresco,
grintoso e piacevole. Il Settebraccia '17,
negroamaro con un saldo di susumaniello,
è speziato e giocato sul frutto.

● Brindisi Rosso Since 1952 Ris. '17	♥♥ 3	
● Settebraccia '17	♥♥ 3	
⊙ Primitivo Rosato '19	♥ 2	
● Salice Salentino Le Monache Ris. '15	♥ 4	

Schola Sarmenti

VIA GENERALE CANTORE, 37
73048 NARDÒ [LE]
TEL. 0833567247
www.scholasarmenti.it

Buona la prestazione di quest'azienda di
Nardò, che rientra in Guida dopo un anno di
assenza. Ci hanno convinto soprattutto il
Cubardi '17, un Primitivo dai profumi di
frutti neri freschi, succoso e di buon frutto,
e il Nardò Nerìo Riserva '17, dai sentori di
erbe aromatiche, lungo e grintoso.

● Cubardi '17	♥♥ 4	
● Nardò Rosso Nerìo Ris. '17	♥♥ 3	
○ Cillenza '17	♥ 4	
○ Fiano '19	♥ 3	

Tagaro

C.DA S. ANGELO, ZONA INDUSTRIALE SUD
70015 FASANO [BR]
TEL. 0804316323
www.tagaro.it

Davvero riuscito il Salice Salentino Negroamaro Seicaselle '18, dai profumi di frutti neri con sfumature di liquirizia e dal palato ricco di frutto, fresco e piacevole. Ben realizzato anche U'Cucci Susumaniello '18, agile, tutto giocato sul frutto, di buona sapidità e lunghezza.

● Salice Salentino Sei Caselle '19	♟♟ 3
● U'Cucci Susumaniello '18	♟♟ 4
● Passo del Sud '19	♟ 3
● Primitivo di Manduria Muso Rosso '19	♟ 4

Torrequarto

C.DA QUARTO, 5
71042 CERIGNOLA [FG]
TEL. 0885418453
www.torrequarto.com

Quest'anno torna in primo piano il Primitivo Tarabuso. La versione 2018 ai profumi di frutti rossi freschi fa seguire un palato coerente, fresco e di buona beva. Affascinante e succoso il Passione '17, un blend da uve primitivo e nero di Troia leggermente appassite.

● Passione Rosso '17	♟♟ 3
● Tarabuso '18	♟♟ 3
● Tavoliere delle Puglie Nero di Troia Bottaccia '18	♟ 3

Vetrere

FRAZ. VETRÈRE
S.DA PROV.LE 80 MONTEIASI - MONTEMESOLA KM 16
74123 TARANTO
TEL. 3402977870
www.vetrere.it

Il Negroamaro Lago della Pergola '18 al naso evidenzia profumi di frutti neri e spezie, mentre il palato è ricco di frutto, dai tannini presenti, ma ben gestiti, con un finale succoso e piacevole. Il rosato Taranta '19, blend di negroamaro e malvasia nera è scorrevole e immediato.

● Lago della Pergola '18	♟♟ 4
☉ Taranta '19	♟♟ 3
○ Cré '19	♟ 4
● Livruni '19	♟ 3

Teanum

VIA CROCE SANTA, 48
71016 SAN SEVERO [FG]
TEL. 0882336332
www.teanum.it

Davvero interessante e ben riuscito il Favùgnë Rosato '19, un Nero di Troia in purezza dai sentori di frutti rossi di bosco e dal palato agile, fresco, tutto sul frutto, con un finale piacevolmente amarognolo. Sempre corretti gli altri vini proposti.

☉ Favùgnë Rosato '19	♟♟ 2*
● Òtre Primitivo '18	♟ 3
● San Severo Rosso Gran Tiati Gold Vintage Ris. '15	♟ 5

La Vecchia Torre

VIA MARCHE, 1
73045 LEVERANO [LE]
TEL. 0832925053
www.cantinavecchiatorre.it

Questa cantina sociale ha proposto diversi vini di qualità, a cominciare dal Syrah Primitivo '18, dai profumi di confettura frutti neri e pepe e dal palato con note di frutto fresco, scorrevole e di buona lunghezza. Il Roccia Rosso '17, blend a base negroamaro, è succoso e corposo.

● Roccia Rosso '17	♟♟ 2*
● Syrah Primitivo '18	♟♟ 2*
● Barocco Reale '16	♟ 3
● Primitivo '17	♟ 2

Vigneti Reale

VIA REALE, 55
73100 LECCE
TEL. 0832248433
www.vignetireale.it

L'azienda della famiglia Reale propone una gamma di vini affidabile e di buona fattura, nella quale spiccano il Rudiae Primitivo '19, dai profumi di tapenade di olive nere e gelso bianco, dal palato fresco e dal finale piacevole, e il Norie Negroamaro '18, agile e grintoso.

● Norie Negroamaro '18	♟♟ 2*
● Rudiae Primitivo '19	♟♟ 3
○ Blasi Chardonnay '19	♟ 2
☉ Malvasia Rosato '19	♟ 2

CALABRIA

La Calabria è sicuramente dal punto di vista pedoclimatico una delle regioni a più alta vocazione vitivinicola d'Italia, grazie alla sua caratteristica forma stretta e lunga che parte a nord con una serie di ventilati altopiani tra i due mari, protetti dai venti freddi del nord dal massiccio del Pollino, per poi restringersi drasticamente scendendo verso sud, dove le ripide colline che si specchiano sul mare sia sul versante jonico sia tirrenico e sono protette in alto dalla dorsale appenninica. Anche storicamente questa regione può dar punti a ben più blasonati territori italiani: ci limiteremo a ricordare che la storia vitivinicola calabrese inizia ben prima dell'VIII secolo a.C. quando arrivarono i primi colonizzatori greci sulla sponda jonica portando con loro l'alberello, l'uso dei vasi vinari e più raffinate tecniche di vinificazione di quelle dell'epoca, peraltro ampiamente documentate da centinaia di palmenti rupestri ritrovati in tutto il territorio calabro. Dopo anni di buio, di abbandono dei vigneti e di un drastico abbassamento della produzione, da qualche anno abbiamo registrato invece un progressivo ritorno alla viticultura: si tratta soprattutto di giovani (donne in particolare) quelli che più stanno agitando il sonnocchioso mondo del vino calabrese. Dalle nostre degustazioni appare evidente che il 2020, nonostante quello che è successo nel mondo, potrà essere ricordato come l'anno del nuovo inizio della viticultura calabrese. Mai come quest'anno tanti vini hanno conquistato i nostri Tre Bicchieri, ma mai come quest'anno tanti vini avrebbero potuto conquistarli. Un vero e proprio cambio di passo che vede come protagonisti aziende nuove di uomini e donne motivati, preparati, entusiasti del progetto di vita abbracciato: produrre vino nella loro terra, rispettandola praticando agricoltura biologica e biodinamica, gratificandola coltivando vitigni autoctoni. In questo momento la Calabria è un vero e proprio laboratorio enologico a cielo aperto dove si incrociano storia, tradizione, voglia di riscatto e la ferma volontà di chi si sta cimentando nell'impresa di vincere la scommessa con la critica e il mercato con i propri mezzi. Esemplare in questo senso il Premio Speciale di Vignaiolo dell'Anno ad Antonella Lombardo, che ci ha incantato con il suo PiGreco '19. Noi per parte nostra invitiamo invece tutti coloro che pensano che in Italia, dopo l'Etna, non ci siano altri terroir da scoprire a tenere d'occhio questa regione. Potrebbero a breve ricredersi.

Cantine Benvenuto

C.DA ZIOPÀ
89815 FRANCAVILLA ANGITOLA [VV]
TEL. 331729 2517
info@cantinebenvenuto.it

VENDITA DIRETTA
VISITA SU PRENOTAZIONE
PRODUZIONE ANNUA 40.000 bottiglie
ETTARI VITATI 6,00
VITICOLTURA Biologico Certificato

A volte non bastano mezzi, determinazione
e competenza per fare grandi vini: lo
sapeva bene Giovanni Benvenuto, quando
decise di trasformare in lavoro la sua
passione per il vino. Nonostante ciò ha
avuto il coraggio di provarci, riuscendoci
bene a giudicare dal suo esordio sulla
nostra Guida. Il suo progetto di produrre
vini di qualità in una zona ancora poco
conosciuta della Calabria, coltivando uve
autoctone in modo biologico e vinificando
in maniera naturale, ci ha regalato una
batteria di vini emozionanti, che ci sono
piaciuti moltissimo per la nitidezza e la
coerenza rispetto alla varietà di base Come
nel caso del Benvenuto Orange '19, un
capolavoro di Zibibbo macerato, un vino
fuori dagli schemi anche della categoria
"orange". Profumatissimo e netto al naso
tra note di agrumi canditi, pesca, fichi ed
erbe mediche, il sorso si sviluppa attorno a
una vorticosa spirale di sapida acidità che
ne esalta il frutto e la monumentale
persistenza aromatica.

○ Benvenuto Orange Zibibbo '19	♟♟	3*
○ Benvenuto Zibibbo '19	♟♟	3
○ Mare '19	♟♟	3
● Terra '19	♟♟	3
☉ Celeste Rosato '19	♟	3

Roberto Ceraudo

LOC. MARINA DI STRONGOLI
C.DA DATTILO
88815 CROTONE
TEL. 0962865613
www.dattilo.it

VENDITA DIRETTA
VISITA SU PRENOTAZIONE
OSPITALITÀ E RISTORAZIONE
PRODUZIONE ANNUA 70.000 bottiglie
ETTARI VITATI 20,00
VITICOLTURA Biologico Certificato

Quando Roberto Ceraudo ha cominciato a
lavorare tutta la sua azienda agricola, dove
oltre alla vigna tuttora si coltivano anche
ulivo e agrumi, seguendo i dettami
dell'agricoltura biologica, in Italia non
esisteva ancora neanche l'ente
certificatore. Adesso, a più di quarant'anni
da allora, in quel gioiellino che è divenuta la
tenuta di Dattilo con lui lavorano anche i
figli, Susy che segue il reparto
commerciale, Antonio, agronomo, e la
giovane Caterina, studi in enologia, ma
soprattutto cuoca eccelsa, tanto che
Dattilo, l'omonimo ristorante, è considerato
uno dei migliori del Meridione d'Italia. Tre
Bicchieri al Pecorello Grisara '19,
complesso ed elegante al naso tra nuance
iodate, menta, agrumi, frutti esotici e
camomilla, sapido e teso il sorso dove la
fresca progressione acida supporta un bel
frutto succoso per tutto il lunghissimo
finale. Ottima prova anche per il rosso
Petraro '16, nitido nell'espressione del
frutto sia al naso che in bocca, dove è ben
sorretto da una sapida spina acida.

○ Grisara Pecorello '19	♟♟♟	5
● Petraro '16	♟♟	5
○ Petelia '19	♟♟	4
○ Imyr '19	♟	5
● Nanà '18	♟	4
○ Grisara '17	♟♟♟	4*
○ Grisara '16	♟♟♟	4*
○ Grisara '15	♟♟♟	4*
○ Grisara '14	♟♟♟	3*
○ Grisara '13	♟♟♟	3*
○ Grisara '12	♟♟♟	3*
○ Grisara Pecorello '18	♟♟♟	4*
● Dattilo '16	♟♟	4
● Dattilo '15	♟♟	4
● Dattilo '14	♟♟	4
● Petraro '15	♟♟	5

Ippolito 1845

VIA TIRONE, 118
88811 CIRÒ MARINA [KR]
TEL. 096231106
www.ippolito1845.it

VENDITA DIRETTA
VISITA SU PRENOTAZIONE
PRODUZIONE ANNUA 1.000.000 bottiglie
ETTARI VITATI 100,00

Il salto generazionale vissuto da questa storica azienda cirotana non ha interessato solo la governance aziendale, ma anche la filosofia di questa grande cantina. Vincenzo e Gianluca, con il cugino Paolo, hanno in pochi anni effettuato una rivoluzione, cominciando col rimodernare legni e tecnologia in cantina; lavorando in vigna su potature e rese per riuscire a vinificare uve perfettamente mature da cui ottenere vini di piacevole beva e facilmente riconducibili al terroir, ottenuti da varietà tradizionali; e infine intervenendo anche sul packaging, oggi molto più accattivante. Bella performance per il Mare Chiaro '19, il primo Cirò Bianco a raggiungere le nostre finali. Pulito e fine al naso tra rimandi agrumati, di frutta a polpa bianca e di erbe aromatiche. Sapida e di bella persistenza aromatica la beva, fresca e appagante. Molto buono anche il Gaglioppo 160 Anni, dai nitidi sentori balsamici e di piccoli frutti rossi e neri al naso, sapido e succoso al palato.

○ Ciro Bianco Mare Chiaro '19	♟♟	2*
● 160 Anni Gaglioppo '17	♟♟	5
● Cirò Rosso Cl. Sup. Colli del Mancuso Ris. '17	♟♟	3
● Cirò Rosso Cl. Sup. Liber Pater '18	♟♟	2*
● Cirò Rosso Cl. Sup. Ripe del Falco Ris. '12	♟♟	5
● I Mori '18	♟♟	2*
○ Pecorello '19	♟♟	2*
○ Pescanera Rosé '19	♟♟	2*
● Calabrise '19	♟	2
⊙ Cirò Rosato Mabilia '19	♟	2
○ Pecorello '17	♟♟♟	2*
● 160 Anni '13	♟♟	5
● Cirò Rosso Cl. Sup. Colli del Mancuso Ris. '16	♟♟	3*
○ Pecorello '16	♟♟	2*

Cantine Lento

VIA DEL PROGRESSO, 1
88040 AMATO [CZ]
TEL. 096828028
www.cantinelento.it

VENDITA DIRETTA
VISITA SU PRENOTAZIONE
PRODUZIONE ANNUA 500.000 bottiglie
ETTARI VITATI 70,00

In una zona come il lametino, dove sono davvero poche le realtà vitivinicole di livello, spicca la cantina che Salvatore Lento conduce con il valido aiuto delle figlie Danila e Manuela. Si tratta di una solida e consolidata realtà con ben tre ambiti produttivi e una cantina realizzata qualche anno fa che, oltre a spazi più che sufficienti per il doppio dei 70 ettari di vigneto di proprietà, è dotata anche della tecnologia più all'avanguardia. Per tutta una serie di problemi logistici conseguenti alla pandemia che quest'anno ha sconvolto tutte le attività, comprese quelle legate alla viticoltura, Danila, che si occupa in prima persona della cantina, non ha fatto in tempo a imbottigliare i suoi vini di punta. Fatta eccezione per il bianco Emburga '19, chardonnay e malvasia, profumato di erbe aromatiche, pesca e susina, vitale e grintoso al palato. Si sono distinti per qualità e piacevolezza di beva anche i vini della linea Dragone, gli entry level aziendali.

○ Contessa Emburga '19	♟♟	3
○ Dragone Bianco '19	♟♟	3
○ Dragone Rosato '19	♟♟	3
○ Lamezia Greco '19	♟♟	3
○ Contessa Emburga '17	♟♟	3
● Dragone Rosso '17	♟♟	3
● Federico II '15	♟♟	4
● Federico II '14	♟♟	4
○ Lamezia Greco '18	♟♟	3
● Lamezia Rosso Salvatore Lento Ris. '15	♟♟	4
● Lamezia Rosso Salvatore Lento Ris. '14	♟♟	4
● Lamezia Rosso Salvatore Lento Ris. '13	♟♟	4
● Magliocco '15	♟♟	5
● Magliocco '13	♟♟	5

★Librandi

LOC. SAN GENNARO
S.S. JONICA, 106
88811 CIRÒ MARINA [KR]
TEL. 096231518
www.librandi.it

VENDITA DIRETTA
VISITA SU PRENOTAZIONE
PRODUZIONE ANNUA 2.200.000 bottiglie
ETTARI VITATI 232,00

La seconda generazione dei Librandi ha ereditato dai genitori Antonio e Nicodemo un'azienda in grande salute, leader regionale, ma anche una delle punte di diamante dell'enologia meridionale. E noi siamo molto felici di constatare che anche quest'anno il livello qualitativo dei vini continua a crescere, non solo sui top di gamma, sempre più che affidabili, ma anche e soprattutto sui cosiddetti "entry level", prodotti in numeri molto consistenti, che sempre di più sono non solo il biglietto da visita di una cantina che si rispetti, ma anche il suo polmone economico. Molto buoni e affidabili: questo il quadro che viene fuori dai vini di questa cantina dopo i nostri assaggi annuali. Tre Bicchieri al Cirò Rosso Duca Sanfelice '18, ormai un archetipo della denominazione. Nitido e fitto il naso profumato di piccoli frutti rossi, spezie e macchia mediterranea, fine e ricco di tannini fitti ed eleganti il sorso con il suo bel finale di ciliegia scura.

● Cirò Rosso Cl. Sup. Duca San Felice Ris. '18	♟♟♟ 3*
● Gravello '18	♟♟ 5
○ Cirò Bianco Segno '19	♟♟ 2*
⊙ Cirò Rosato Segno '19	♟♟ 2*
○ Critone '19	♟♟ 2*
○ Efeso '19	♟♟ 4
○ Le Passule '19	♟♟ 5
● Megonio '18	♟♟ 4
⊙ Terre Lontane '19	♟♟ 2*
● Cirò Rosso Cl. Sup. Duca San Felice Ris. '17	♟♟♟ 3*
● Gravello '16	♟♟♟ 5
● Gravello '14	♟♟♟ 5
● Magno Megonio '13	♟♟♟ 4*
● Magno Megonio '12	♟♟♟ 4*

Antonella Lombardo

C.DA CHIUSI SNC
89032 BIANCO [RC]
TEL. 09641901835
www.antonellalombardo.com

PRODUZIONE ANNUA 5.220 bottiglie
ETTARI VITATI 5,00

Esordio in guida con i fuochi d'artificio quello di Antonella Lombardo, appassionata vignaiola a Bianco sulla costa jonica meridionale della Calabria, territorio dove si coltivava la vite da ben prima dell'VIII secolo a.C. quando arrivarono i primi colonizzatori greci portando con loro insieme ai loro vitigni anche il sistema di allevamento ad alberello che ancor oggi è il più usato in zona. La cantina di Antonella, che segue personalmente sia la vigna che la cantina, al momento conta cinque ettari di vigna coltivati biologicamente, utilizzando il metodo del sovescio per l'arricchimento dei suoli composti perlopiù da marne argillose e calcaree. La sua determinazione e i risultati del suo lavoro le valgono il Premio di Viticoltore dell'Anno. Tre Bicchieri al Greco di Bianco secco Pi Greco '19, vino dall'esuberante bouquet che spazia dagli aromi di pesca, ananas, albicocca e mentuccia a nuance minerali e più dolci rimandi floreali di rosa bianca. Cristallino il sorso, fresco, dinamico e di grande persistenza aromatica per un finale profondo ed agrumato.

○ Pi Greco '19	♟♟♟ 5
⊙ Charà '19	♟♟ 5

Russo & Longo

LOC. SERPITO
88816 STRONGOLI [KR]
TEL. 09621905782
www.russoelongo.it

VENDITA DIRETTA
VISITA SU PRENOTAZIONE
PRODUZIONE ANNUA 100.000 bottiglie
ETTARI VITATI 16,00

Questa piccola cantina è una delle più antiche realtà vitivinicole del crotonese. Fondata sul finire dell'Ottocento e condotta sino a metà del secolo successivo da Felice Russo, ha sempre mantenuto un vincolo fortissimo con il territorio di Strongoli, riconosciuto come uno dei più vocati alla viticultura dell'intera Calabria. I 20 ettari di vigna di proprietà si trovano su dei ripidi terrazzamenti in una zona collinare particolarmente soleggiata ed esposta ai benefici influssi del mare; le particelle più alte vengono solitamente riservate alla produzione dei vini di punta aziendali. Le nostre degustazioni hanno confermato un deciso cambio di marcia per i vini di questa dinamica realtà: adesso pulizia, affidabilità e coerenza sono ancora più evidenti dello scorso anno. Bene il Rosso Jachello '17, azzeccato uvaggio di gaglioppo, greco nero e sangiovese, vino che nonostante muscoli e tanto frutto risulta equilibrato ed elegante sia al naso sia soprattutto in bocca.

● Jachello '17	♟♟ 5
⊙ Colli di Ginestra '19	♟♟ 2*
● Pietra di Tesauro '18	♟♟ 3
○ Terre di Trezzi '19	♟♟ 2*
⊙ Alma Risa '19	♟ 3
● Decennio '17	♟ 3
○ Malvasia e Sauvignon '19	♟ 3
○ Passo del Gelso '19	♟ 2
● Decennio '16	♟♟ 3
● Jachello '15	♟♟ 5
○ Ois '18	♟♟ 3*
○ Passo del Gelso '18	♟♟ 2*
○ Terre di Trezzi '18	♟♟ 2*

Santa Venere

LOC. TENUTA VOLTA GRANDE
S.DA PROV.LE 04, KM 10.00
88813 CIRÒ [KR]
TEL. 096238519
www.santavenere.com

VENDITA DIRETTA
VISITA SU PRENOTAZIONE
PRODUZIONE ANNUA 150.000 bottiglie
ETTARI VITATI 25,00
VITICOLTURA Biologico Certificato

Cirò vanta tra le cantine più antiche del sud Italia, retaggio millenario di un territorio che ha vissuto per primo nella penisola italica la colonizzazione greca che ha portato con sé non solo la sua civiltà, ma anche vitigni e avanzate tecniche di produzione del vino. Questa cantina, fondata nel XVI secolo, è arrivata sino ai giorni nostri sempre saldamente in mano alla famiglia Scala, adesso rappresentata da Giuseppe, che in questi ultimi anni ha completato il passaggio di tutta l'azienda dal biologico al biodinamico. Assolutamente positivo il nostro giudizio sui vini di questa cantina: ben fatti, nitidi, ma soprattutto varietali e di territorio. Manca purtroppo solo il campione capace dell'affondo decisivo: infatti non va oltre le nostre finali il Cirò Riserva Federico Scala '17, vino dal naso intrigante di frutti rossi, balsami e spezie, dal sorso raffinato e succoso ben sostenuto da acidità e tannini.

● Cirò Rosso Cl. Sup. Federico Scala Ris. '18	♟♟ 5
○ Cirò Bianco '19	♟♟ 2*
⊙ Cirò Rosato '19	♟♟ 2*
● Cirò Rosso Cl. Sup. '19	♟♟ 2*
⊙ SP1 Brut M. Cl. Rosé '18	♟♟ 5
● Speziale '19	♟♟ 3
⊙ Scassabarile '19	♟ 3
⊙ Vescovado '19	♟ 3
● Vurgadà '18	♟ 4
● Cirò Cl. Sup. Federico Scala Ris. '16	♟♟ 5
● Cirò Cl. Sup. Federico Scala Ris. '12	♟♟ 5
● Cirò Rosso Cl. Sup. '18	♟♟ 2*
● Cirò Rosso Federico Scala Ris. '14	♟♟ 5
● Speziale '18	♟♟ 3
● Vurgadà '16	♟♟ 4

CALABRIA

Spiriti Ebbri

VIA ROMA, 96
87050 SPEZZANO PICCOLO [CS]
TEL. 0984408992
www.spiritiebbri.com

VENDITA DIRETTA
VISITA SU PRENOTAZIONE
PRODUZIONE ANNUA 20.000 bottiglie
ETTARI VITATI 2,50

Pierpaolo Greco, Damiano Mele e Michele Scrivano dieci anni fa, quando seppero di una vecchio vigneto messo in locazione da un anziano contadino, decisero di andarlo a vedere con l'idea di produrre un vino tutto loro. Grande fu la sorpresa nello scoprire che più che di una vigna si trattava di un reliquiario di antiche varietà autoctone calabresi, messe a dimora tutte insieme, come si faceva un tempo. Nacque così il loro primo vino, l'Appianum; oggi i vini prodotti sono sette, tutti da varietà autoctone, magliocco, gaglioppo e greco, coltivati naturalmente e senza l'ausilio di sostanze chimiche. Ed è proprio del portabandiera aziendale il miglior piazzamento in una batteria di vini in verità anche quest'anno di tutto rispetto. Pieno, estrattivo e fitto ma con garbo, l'Appianum '18 si apre al naso con aromi fruttati intensi di gelsi e mirtilli, la bocca è setosa ma non manca del giusto tocco di sapidità e freschezza, mentre in chiusura ritorna prepotentemente il frutto.

● Appianum Rosso '18	♟♟ 5
● Cotidie Rosato '19	♟♟ 3
● Cotidie Rosso '18	♟♟ 3
○ Neostòs Bianco '19	♟♟ 4
● Neostòs Rosso '18	♟♟ 4
⊙ Appianum Rosato '19	♟ 5
○ Cotidie Bianco '19	♟ 3
⊙ Neostòs Rosato '19	♟ 4
○ Neostòs Bianco '17	♟♟♟ 4*
○ Neostòs Bianco '16	♟♟♟ 4*
● Appianum Rosso '17	♟♟ 5
● Appianum Rosso La Vigna di Alberto '15	♟♟ 5
● Neostòs Rosso '17	♟♟ 4
● Neostòs Rosso '16	♟♟ 4
● Neostòs Rosso '15	♟♟ 4

Statti

C.DA LENTI
88046 LAMEZIA TERME [CZ]
TEL. 0968456138
www.statti.com

VENDITA DIRETTA
VISITA SU PRENOTAZIONE
RISTORAZIONE
PRODUZIONE ANNUA 500.000 bottiglie
ETTARI VITATI 100,00

Nella bella azienda agricola dei Baroni Statti, oltre 500 ettari di azienda agricola nel lametino, insieme al vino si produce anche olio, ma non solo: infatti gli ampi terreni fungono da pascolo per i bovini di razza che qui vengono allevati. Tutto questo nel massimo rispetto dell'ambiente e utilizzando energia verde autoprodotta grazie a un grande impianto che produce biogas. In costante crescita il livello qualitativo dei vini: in particolar modo i rossi, che quest'anno ci sono sembrati ben fatti, puliti e finalmente in grado di competere per il gradino più alto del podio. Da qualche anno i fratelli Statti stanno ben lavorando alla valorizzazione dei vitigni autoctoni del territorio; non a caso a raggiungere le nostre finali è stato il Batasarro '17, elegante Gaglioppo in purezza dai profumi di ciliegia, viola e spezie rosse, cremoso ma sapido e ben disteso al palato, giocato bene tra frutto e tannini.

● Lamezia Batasarro Ris. '17	♟♟ 4
● Cauro '17	♟♟ 4
⊙ Greco Nero '19	♟♟ 3
○ Lamezia Bianco '19	♟♟ 2*
⊙ Lamezia Rosato '19	♟♟ 2*
● Gaglioppo '19	♟ 3
○ Greco '19	♟ 3
● Lamezia Rosso '19	♟ 2
● Batasarro '13	♟♟ 4
● Batasarro '12	♟♟ 4
● Gaglioppo '18	♟♟ 3
● Gaglioppo '17	♟♟ 3
● Gaglioppo '15	♟♟ 2*
● Gaglioppo '14	♟♟ 2*
○ Greco '18	♟♟ 3
● Lamezia Batasarro Ris. '15	♟♟ 4
● Lamezia Rosso '18	♟♟ 2*

Tenuta del Travale

VIA TRAVALE, 13
87050 ROVITO [CS]
TEL. 3937150240
www.tenutadeltravale.it

VENDITA DIRETTA
VISITA SU PRENOTAZIONE
PRODUZIONE ANNUA 14.000 bottiglie
ETTARI VITATI 2,00
AZIENDA SOSTENIBILE

La Tenuta del Travale nasce come un buen retiro per Raffaella Ciaurdullo che la acquistò nel 1993 per passarci le vacanze con la famiglia. All'interno della tenuta esisteva anche una vecchissima vigna di nerello mascalese e cappuccio con diversi ceppi a piede franco. Nel 2007, rendendosi conto che ormai l'antica vigna andava a esaurirsi, Raffaella, per preservarne la memoria, decise di reimpiantarla usando proprio quei cloni centenari. Così il primo vino della nuova vigna, battezzato Eleuteria, dal greco libertà, venne commercializzato per la prima volta nel 2014 quando il nuovo impianto, ormai a regime, garantiva una produzione qualitativamente valida. A conquistare i Tre Bicchieri al suo esordio è invece l'Esmen Tetra '18, nerello mascalese e cappuccio, dai nitidi profumi di bacche rosse e nere, erbe officinali e violetta candita; elegantissima la bocca segnata da tannini fitti ed eleganti che in concorso con lo spunto acido gli garantiranno ancora molti anni di longevità.

● Esmen Tetra '18	♥♥♥ 4*
● Eleuteria '17	♥♥ 6
● Eleuteria '16	♀♥ 6
● Eleuteria '15	♀♥ 6
● Eleuteria '14	♀♥ 6

★Luigi Viola

VIA ROMA, 18
87010 SARACENA [CS]
TEL. 098134722
www.cantineviola.it

VENDITA DIRETTA
VISITA SU PRENOTAZIONE
PRODUZIONE ANNUA 15.000 bottiglie
ETTARI VITATI 3,00
VITICOLTURA Biologico Certificato

Luigi Viola, maestro elementare, un giorno si mise in testa di salvare un vino antico che si produceva nel suo paese e che stava lentamente scomparendo, il Moscato di Saracena. Così comprò dei vigneti, attrezzò una cantina e dagli anziani del paese si fece spiegare gli arcaici metodi di produzione di quel vino semi-sconosciuto. Qualche anno fa, il Moscato di Luigi ha conquistato i Tre Bicchieri e la meritata notorietà; ora a Saracena sono una decina i produttori di questa tipologia e Luigi è un uomo felice per aver restituito dignità al vino della sua terra. Il Moscato Passito '19 è probabilmente il migliore che sia mai uscito da questa cantina. Un capolavoro di equilibrio e complessità dall'armonico bouquet di frutta esotica, spezie gialle, fiori di lavanda, camomilla, in un ventaglio di aromi molto più ampio. Elegantissimo il sorso dolce e vellutato, ma dall'acidità grintosa ben sposata ad un frutto maturo appena virato da un accenno salino.

○ Moscato Passito '19	♥♥♥ 6
○ Bianco Margherita '18	♥♥ 3
● Rosso Viola '16	♥♥ 3
○ Moscato Passito '18	♀♀♥ 6
○ Moscato Passito '17	♀♀♥ 6
○ Moscato Passito '14	♀♀♥ 6
○ Moscato Passito '13	♀♀♥ 6
○ Moscato Passito '12	♀♀♥ 6
○ Moscato Passito '11	♀♀♥ 6
○ Moscato Passito '10	♀♀♥ 6
○ Moscato Passito '09	♀♀♥ 6
○ Moscato Passito '08	♀♀♥ 6
○ Moscato Passito '07	♀♀♥ 6
○ Moscato Passito '16	♀♥ 6
○ Moscato Passito '15	♀♥ 6
● Rosso Viola '15	♀♥ 3

'A Vita

s.s. 106 km 279,800
88811 Cirò Marina [KR]
Tel. 3290732473
www.avitavini.it

Sempre di alto livello i vini di Francesco De Franco, padre nobile della viticultura ecosostenibile nel comprensorio cirotano. Il suo Cirò Riserva '16 è un vino di carattere, che si presenta con profumi intensi di frutti rossi e spezie, e un bel sorso grintoso, compatto e solido.

● Cirò Rosso Cl. Sup. Ris. '16	♟♟ 6
⊙ 'A Vita Rosato '19	♟ 3

Antiche Vigne

via Regina Elena, 110
87054 Rogliano [CS]
Tel. 3208194246
www.antichevigne.com

La cantina di Gianfranco Pironti può contare su circa dieci ettari vitati, perlopiù con varietà autoctone calabresi. In bella evidenza il Savuto Superiore '14 rosso da magliocco e greco nero solido e tannico in bocca dove tornano puntuali le note fruttate e balsamiche del ricco bouquet.

● Savuto Rosso Sup. '14	♟♟ 3
○ Savuto Bianco Terra di Ginestre '19	♟ 2
⊙ Savuto Rosato Gida '19	♟ 2
● Savuto Rosso Cl. '18	♟ 2

Baccellieri

via Concordia, 4
89032 Bianco [RC]
Tel. 3355244570
www.baccellieri.net

La cantina di Mariolina Baccellieri si trova a Bianco sulla costa jonica nell'estremo sud della Calabria, zona da sempre famosa per la produzione di vini passiti da uve greco e mantonico. Molto buono il Mantonico '13 profumato di mela cotogna, fichi e agrumi canditi e ancora freschissimo al palato.

○ Mantonico Passito '13	♟♟ 5
● Piroci '17	♟♟ 3

Brigante

via Sant'Elia, 31
88813 Cirò [KR]
Tel. 3334135843
www.vinocirobrigante.it

Dalle nostre degustazioni viene fuori un quadro molto positivo per questa giovane e dinamica realtà. I nostri assaggi hanno confermato la coerenza dei vini alla filosofia di produzione che questa cantina si è data, ovvero la ricerca della migliore espressione tra varietà e territorio

○ Cirò Bianco Phemina '19	♟♟ 3
● Cirò Rosso Cl. Sup. 0727 Ris. '17	♟♟ 6
⊙ Zero Rosato '19	♟♟ 6
⊙ Cirò Rosato Manyarì '19	♟ 3

Caparra & Siciliani

s.s. 106
88811 Cirò Marina [KR]
Tel. 0962373319
www.caparraesiciliani.com

Questa storica cantina anno dopo anno si conferma come una delle più fedeli interpreti della tradizione vitivinicola cirotana. Vini che non inseguono le mode, territoriali, piacevolmente tannici, austeri, mai troppo estrattivi o legnosi, ma ben aderenti al vitigno d'origine.

⊙ Cirò Rosato Le Formelle '19	♟♟ 2*
● Cirò Rosso Cl. Sup. Volvito Ris. '17	♟♟ 2*
● Cirò Rosso Cl. Solagi '18	♟ 2
○ Curiale '19	♟ 2

Casa Comerci

fraz. Badia di Nicotera
c.da Comerci, 6
89844 Nicotera [VV]
Tel. 09631976077
www.casacomerci.it

Ottimo il Greco Jancu '19, fine e non estrattivo, nonostante l'evidente macerazione sulle bucce, il sorso sapido e teso è reso ancora più piacevole dai eleganti e fitti tannini da buccia, mentre il naso offre profumi di mela verde, erbe officiali ed agrumi quali limone e bergamotto.

○ Jancu Greco Bianco '19	♟♟ 3
○ Rèfulu '19	♟♟ 3
● 'A Batia '17	♟ 4
● Libìci '18	♟ 4

Tenuta Celimarro

C.DA CELIMARRO
87012 CASTROVILLARI [CS]
TEL. 09811926111
www.celimarro.it

Questa giovane e dinamica cantina fondata nel 2006, conta su 20 ettari di vigna in contrada Celimarro, nell'agro di Castrovillari, una zona collinare a circa 400 metri di quota ai piedi del Pollino che durante l'inverno funge da isolante termico proteggendola dai freddi venti del nord.

○ Terre di Cosenza Pollino Bianco Greco Bianco '19	♀♀ 3
⊙ Terre di Cosenza Pollino Rosato Oltre Tempo '19	♀ 3

Cantine De Mare

VIA SAFFO
88811 CIRÒ MARINA [KR]
TH. 3393760053
www.cantinedemare.it

Molto piacevole il Pecorello Matto '19 dall'originale bouquet dai profumi che spaziano dalla frutta esotica al basilico a più pungenti note aromatiche di pepe bianco, fresca e dinamica la beva dotata anche di una buona persistenza gustativa e un bel finale agrumato.

○ Cirò Bianco Sant'Angelo '19	♀♀ 3
● Cirò Rosso Cl. Sup. Altura '18	♀♀ 3
○ Pecorello Matto '19	♀♀ 3
⊙ Cirò Rosato Prima Luce '19	♀ 3

Cantine Elisium

FRAZ. BORGO PARTENOPE
C.DA SERRE, 8
87100 COSENZA
TEL. 3281143418
www.cantineelisium.it

Quella di Andrea e Marco Caputo è una piccola realtà di quattordici ettari vitati, che si è caratterizzata sin dal suo esordio per la produzione di vini schietti e territoriali. Come il Magliocco Capumasca '18 rubino impenetrabile, ancora segnato dal legno al naso, fitto e succoso nel bicchiere.

○ Petrara '19	♀♀ 3
● Terre di Cosenza Donnici Capumasca '18	♀♀ 6
⊙ Ispico '19	♀ 3

Colacino Wines

VIA COLLE MANCO
87054 ROGLIANO [CS]
TEL. 09841900252
www.colacino.it

Fondata dal padre Vittorio, l'azienda di Mauro e Maria Teresa Colacino produceva vini di qualità già negli anni Settanta, tanto da essere citata da Mario Soldati nel suo celeberrimo "Vino al Vino" del 1975: ancora adesso i vini di questa cantina sono buoni, territoriali e affidabili.

○ Quarto '19	♀♀ 2*
○ Savuto Bianco '19	♀♀ 2*
● Savuto Sup. Britto '17	♀♀ 4
● Savuto Cl. Colle Barabba '19	♀ 3

Diana

C.DA MILEO SNC
SARACENA [CS]
TEL. 3473892928
www.aziendaagricoladiana.it

Straordinario per nitidezza e complessità olfattiva e gustativa il Mileo Bianco '19, blend quasi paritario di malvasia e guarnaccia dai profumi intensi di frutta esotica, buccia di agrumi e fiori secchi; interessante il sorso che conquista per pienezza, tensione sapida e persistenza.

○ Mileo '19	♀♀ 3*
○ Moscato Passito '16	♀♀ 6

Enotria

LOC. SAN GENNARO
S.DA ST.LE JONICA, 106
88811 CIRÒ MARINA [KR]
TEL. 0962371181
www.cantinaenotria.wine

La cantina Enotria è una solida cooperativa con 60 ettari di vigna tra Cirò e Melissa. Trova finalmente riscontro anche sui rossi il lavoro intrapreso dal nuovo team tecnico capitanato da Tonino Guzzo, tutti i vini che abbiamo degustato infatti brillano per definizione e territorialità.

● Cirò Rosso Cl. '18	♀♀ 2*
○ 91 '19	♀♀ 3
⊙ Punta dei 20 '19	♀♀ 3
○ Cirò Bianco '19	♀ 2

Ferrocinto

FRAZ. VIGNE
C.DA FERROCINTO
87012 CASTROVILLARI [CS]
TEL. 0981415122
www.ferrocinto.it

La tenuta Ferrocinto si estende per più di 130 ettari intorno alla bellissima masseria fortificata che appartenne ai baroni Salituri. In evidenza il Pollino Bianco '19, Mantonico dai profumi di lavanda e frutta a polpa bianca, dinamico, fresco e di lunga persistenza al palato.

○ Terre di Cosenza Pollino Bianco '19	🍷🍷 3
● Terre di Cosenza Pollino Magliocco '18	🍷 4
● Terre di Cosenza Pollino Rosato '19	🍷 4

Barone Macrì

C.DA MODI
89040 GERACE [RC]
TEL. 0964356497
www.baronemacri.it

Anche questa dinamica cantina di Gerace nel reggino, che tanto ci aveva stupito lo scorso anno per la qualità di tutta le sue etichette, quest'anno ha mandato alle nostre degustazioni regionali soltanto i vini entry level che peraltro non hanno per nulla sfigurato..

● Terre di Gerace Rosso '19	🍷🍷 2*
○ Terre di Gerace Bianco '19	🍷 2
⊙ Terre di Gerace Rosato '19	🍷 2

Poderi Marini

LOC. SANT'AGATA
87069 SAN DEMETRIO CORONE [CS]
TEL. 3683525028
www.poderimarini.it

La grande tenuta di Maria Paola e Salvatore Marini si estende per centinaia di ettari sulle colline di San Demetrio Corone nell'alto cosentino. Da qualche anno oltre agli agrumi e all'olio, i due si dedicano con passione anche alla produzione di vini di taglio moderno, ben fatti e affidabili.

⊙ Koronè Rosato '19	🍷🍷 2*
● Koronè Rosso '18	🍷🍷 2*
○ Koronè Bianco '19	🍷 2

Tenuta Iuzzolini

LOC. FRASSÀ
88811 CIRÒ MARINA [KR]
TEL. 0962373893
www.tenutaiuzzolini.it

Piacevoli e ben realizzati i vini di questa dinamica realtà che possiede oltre 100 ettari di vigneto tra le zone meglio esposte di Cirò e Cirò Marina. Balsamico e ricco di frutto al naso il Gaglioppo Belfresco '19 a cui fa seguito un beva piacevole, tonica e di bella freschezza.

● Belfresco '19	🍷🍷 3
● Muranera '18	🍷🍷 4
○ Prima Fila '18	🍷🍷 3
● Principe Spinelli '19	🍷 3

Malena

LOC. PETRARO
S.S. JONICA 106
88811 CIRÒ MARINA [KR]
TEL. 096231758
www.malena.it

Inserita nel comprensorio storico del Cirò la cantina di Antonio e Cataldo Malena, terza generazione di vignaioli, offre una gamma completa di vini di territorio, ma anche etichette innovative quale il Demetra Rosso '19 nitido e fruttato sia al naso che in bocca.

○ Demetra Bianco '19	🍷🍷 2*
● Demetra Rosso '19	🍷🍷 2*
○ Cirò Bianco '19	🍷 2
● Cirò Rosso Cl. Sup. Pian della Corte Ris. '17	🍷 3

Marrelli Wines

LOC. SANT'ANDREA
VIA DELL'ERICA, 28
88841 ISOLA DI CAPO RIZZUTO [KR]
TEL. 0962930276
www.marrelliwines.it

Sempre di buon livello i vini di questa cantina la cui produzione è incentrata quasi totalmente sui vitigni autoctoni calabresi. Buono il Greco Bianco Donna Dora '19 dai nitidi profumi agrumati e di frutta gialla, fresco, sapido e fruttato nel bicchiere.

⊙ Don Lorenzo '19	🍷🍷 3
○ Donna Dora '19	🍷🍷 3
● Lakinio '18	🍷🍷 4
○ Liberty '19	🍷 2

Masseria Falvo 1727

LOC. GARGA
S.DA PROV.LE PIANA
87010 SARACENA [CS]
TEL. 098138127
www.masseriafalvo.com

A tenere alto il livello qualitativo dei vini di questa bella e ben strutturata cantina di Saracena sono quest'anno soprattutto i bianchi, tra cui l'ottimo Ejà '13 guarnaccia in prevalenza, vino ancora di buona vitalità, profumato di susina, loto e datteri per un sorso austero e complesso.

○ Terre di Cosenza Bianco Ejà '13	♟♟	5
○ Terre di Cosenza Bianco Pircoca '18	♟♟	3
○ Terre di Cosenza Bianco Spart '18	♟♟	3
⊙ Terre di Cosenza Pollino Rosato Cjviz '19	♟	3

Tenute Pacelli

C.DA ROSE
87010 MALVITO [CS]
TEL. 09841634348
www.tenutepacelli.it

Laura e Carla Pacelli seguono con passione e competenza l'azienda agricola di famiglia a Malvito nell'alto cosentino, fondata nel lontano Settecento da un loro avo, il Barone La Costa. Piacevolissimo il rosato Malvarosa '18 fruttato al naso, fresco e scorrevole al palato.

○ Barone Bianco '18	♟♟	2*
⊙ Malvarosa '18	♟♟	2*

La Pizzuta del Principe

C.DA PIZZUTA
88816 STRONGOLI [KR]
TEL. 096200252
www.lapizzutadelprincipe.it

La cantina della famiglia Bianchi vanta una produzione che spazia dai vitigni autoctoni di territorio, come gaglioppo, greco e pecorello, ai cosiddetti internazionali, quali chardonnay e cabernet sauvignon. In costante aumento il livello qualitativo della gamma produttiva.

● Scavello Cabernet Sauvignon '18	♟♟	2*
● Zingamaro '16	♟♟	3
○ Scavello Chardonnay '19	♟	2

Rocca Brettia

FRAZ. DONNICI INFERIORE
C.DA VERZANO SNC
87100 COSENZA
TEL. 09841524393
www.roccabrettia.com

Ottimo esordio in guida per questa cantina di Donnici nel cosentino dove si trovano anche tutti i vigneti aziendali. Finali per l'Aglianico '17 vino dal bouquet elegante e complesso di frutti neri ed erbe aromatiche, sapido e polputo nel bicchiere, dotato di un lungo finale balsamico.

● Terre di Cosenza Aglianico '17	♟♟	3*
○ Svevo Bianco '19	♟♟	3
● Barbera '17	♟	3
● Terre di Cosenza Merlot '17	♟	3

Fattoria San Francesco

LOC. QUATTROMANI
88813 CIRÒ [KR]
TEL. 096232228
www.fattoriasanfrancesco.it

Dalle nostre degustazioni regionali emerge un quadro tutto sommato positivo per questa storica cantina che dispone di circa 40 ettari di vigneto tutte nell'area del Cirò Classico. Di piacevole beva il Cirò Rosso '18, vino dai dolci aromi fruttati ben bilanciati dall'acidità.

⊙ Cirò Rosato '19	♟♟	2*
● Cirò Rosso Cl. '18	♟♟	2*
⊙ Donna Rosa '19	♟	3
● Ronco Dei Quattroventi Gaglioppo '17	♟	3

Senatore Vini

LOC. SAN LORENZO
88811 CIRÒ MARINA [KR]
TEL. 096232350
www.senatorevini.com

Vignaioli da quattro generazioni i fratelli Senatore possono contare su una moderna cantina a servizio di una quarantina di ettari di vigna coltivata in biologico. Di buon livello tutta la gamma aziendale equamente distribuita tra vini della tradizione cirotana e prodotti più innovativi.

⊙ Cirò Rosato Puntalice '19	♟♟	3
● Unico Senator '12	♟♟	7
○ Cirò Bianco Alaei '19	♟	2
○ Silò '19	♟	3

Serracavallo

C.DA SERRACAVALLO
87043 BISIGNANO [CS]
TEL. 098421144
www.viniserracavallo.com

Ottima performance per la bella cantina di
Demetrio Stancati, nonostante l'assenza di
quasi tutti i suoi vini di punta. Finali per il
Petramola '19 bianco da uve pecorello in
prevalenza, di bella complessità olfattiva,
minerale, agrumi ed erbe officiali,
croccante e sapido nel bicchiere.

○ Petramola '19	♥♥ 3*
● Terre di Cosenza Colline del Crati	
Quattro Lustri '19	♥♥ 3
☉ Terre di Cosenza Rosato Don Filì '19	♥♥ 3

Terre del Gufo - Muzzillo

C.DA ALBO SAN MARTINO, 22A
87100 COSENZA
TEL. 0984780364
www.terredelgufo.it

L'architetto Muzzillo, una quindicina di anni
fa quasi per gioco iniziò a produrre vino in
quella che era la sua dimora di campagna.
Oggi Terre del Gufo è una piccola ma ben
organizzata realtà che ormai da anni ha
intrapreso un percorso verso la produzione
di vini di taglio moderno e buona qualità.

● Terre di Cosenza Portapiana '18	♥♥ 4
● Timpamara '18	♥♥ 5

Val di Neto

LOC. MARGHERITA
VIA DELLE MAGNOLIE, 71
88900 CROTONE
TEL. 0962930185
www.cantinavaldineto.com

Sempre di buona qualità la produzione di
questa cantina sociale fondata nel 1967,
nonostante manchino all'appello i suoi due
rossi di punta. Non hanno però sfigurato gli
entry level, il Gaglioppo Rosato Amistà '19
in particolare, fruttato ed erbaceo al naso,
fresco e scorrevole in bocca.

○ Amistà '19	♥♥ 2*
○ Kalypso '19	♥♥ 2*
● Arkè '18	♥ 3

Spadafora Wines 1915

ZONA IND. PIANO LAGO, 18
87050 MANGONE [CS]
TEL. 0984969080
www.spadafora1915.it

Ottima performance quella della storica
cantina cosentina di Ippolito Spadafora che
quest'anno ha inviato alle nostre
degustazioni una bella batteria di vini tutti
affidabili e ben fatti. Bene il Greco Bianco
Dolcemare '19 dai profumi di frutta esotica
ed erbe aromatiche.

○ Rosaspina '19	♥♥ 3
○ Terre di Cosenza Donnici Dolcemare '19	♥♥ 2*
● Terre di Cosenza Magliocco 1915	
Anno Domini '17	♥♥ 4

Terre di Balbia

C.DA MONTINO
87042 ALTOMONTE [CS]
TEL. 098435359
www.terredibalbia.it

Quest'anno Giuseppe Chiappetta ha deciso
di lasciare in cantina ad affinare ancora per
un po' il magliocco Fervore '18 vino di
punta della sua bella cantina di Altomonte
nel cosentino. Molto piacevole il rosato di
gaglioppo Ligrezza '19, fruttato al naso,
grintoso e vitale in bocca.

☉ Ligrezza '19	♥♥ 3
● Blandus '18	♥ 4

Zito

LOC. PUNTA ALICE
VIA SCALARETTO
88811 CIRÒ MARINA [KR]
TEL. 096231853
www.zito.it

Una buona serie di vini sinceramente
territoriali quelli che questa solida realtà,
tra le più antiche del comprensorio del Cirò
Classico, ha inviato quest'anno alle nostre
degustazioni regionali; mancano invero i
fuoriclasse ma comunque il livello è
senz'altro più che valido.

☉ Cirò Rosato Casale Difesa '19	♥♥ 3
● Cirò Rosso Cl. Sup. Lilio Ris. '13	♥♥ 3
○ Cirò Bianco '19	♥ 1
☉ Cirò Rosato Imerio '19	♥ 2

SICILIA

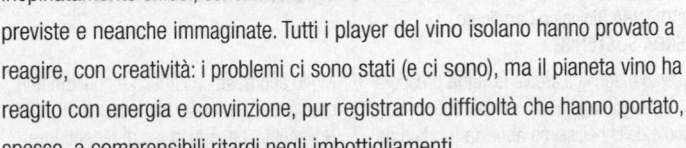

Tutto sembrava andare a gonfie vele all'inizio del 2020, con prospettive ragionevolmente esaltanti. Invece, all'improvviso, lo scenario, anche in Sicilia, ha mutato segno: si sono bloccati i circuiti commerciali, i mercati esteri si sono inopinatamente chiusi, sono intervenute difficoltà né previste e neanche immaginate. Tutti i player del vino isolano hanno provato a reagire, con creatività: i problemi ci sono stati (e ci sono), ma il pianeta vino ha reagito con energia e convinzione, pur registrando difficoltà che hanno portato, spesso, a comprensibili ritardi negli imbottigliamenti.

Ma dal nostro osservatorio lo scenario resta comunque entusiasmante, per la qualità media costantemente in crescita, la vivacità, l'evoluzione tecnico-culturale del comparto, il sempre più evidente (e vincente) connubio terroir-vitigni autoctoni. In filigrana leggiamo anche qualcos'altro di importante e incisivo, che apre nuovi orizzonti. Molte aziende hanno realizzato (o sono nel pieno del processo) il passaggio generazionale: sono alla barra di comando nuovi soggetti, giovani, quasi tutti con esperienze e una visione internazionale, dinamici e motivati, che stanno imprimendo nuova linfa ed energia, forti di studi significativi, di lunghe e importanti esperienze fuori regione, di nuove sensibilità. Un altro tassello, un'ulteriore acquisizione si aggiunge, poi, a questo panorama esaltante: catarratto, grillo, insolia, zibibbo, carricante sono ormai, finalmente - nei fatti e nell'immaginario collettivo - grandi cultivar autoctone alla base di grandi vini. Sono 26 i Tre Bicchieri di quest'anno, che confermano lo stato di salute di questa terra meravigliosa, un continente che sorprendentemente ne comprende un altro, l'Etna. Evidenziamo solo le novità: il Cerasuolo di Vittoria Il Para Para '17 di Poggio di Bortolone, felice mariage fra terroir e vitigni autoctoni. Tre Bicchieri, per la prima volta, anche al sorprendente Etna Bianco Trainara '18 di Generazione Alessandro; infine, sale sul gradino più alto del podio l'Etna Rosso Qubba '18 di Monteleone, di Giulia Monteleone e Benedetto Alessandro. Un Premio Speciale arricchisce questo quadro: la Firriato, da sempre impegnata in questo settore, è l'Azienda Sostenibile dell'Anno.

Abbazia Santa Anastasia

LOC. CASTELBUONO
C.DA SANTA ANASTASIA
90013 CASTELBUONO [PA]
TEL. 0921671959
www.abbaziasantanastasia.com

VENDITA DIRETTA
VISITA SU PRENOTAZIONE
OSPITALITÀ E RISTORAZIONE
PRODUZIONE ANNUA 400.000 bottiglie
ETTARI VITATI 67,50
VITICOLTURA Biologico Certificato
AZIENDA SOSTENIBILE

In questo magnifico areale la vigna prospera dal XII secolo, legata alle attività culturali e agricole della bellissima abbazia fondata da Ruggero d'Altavilla (oggi fascinoso relais di campagna). Poi si alterneranno nella conduzione Teatini e Benedettini, che daranno grande sviluppo alla viticoltura e al vino, essenziale nella liturgia in quanto "sangue di Cristo". Nel 1982 una parte dell'immensa realtà - 300 ettari, 70 vitati - viene acquistata dall'ingegnere Franco Lena, sedotto dalla bellezza dei luoghi, che riammodernerà tutto nel segno della migliore agricoltura biologica e biodinamica. Sfiora i Tre Bicchieri Litra '17, cabernet sauvignon in purezza di grande e decisa personalità: il colore cupo violaceo introduce nuance intense di frutti di bosco, alloro, mallo di noce e conifere; in bocca è dinamico, impreziosito da tannini morbidi, incredibilmente persistente. Di rilievo la prestazione del Santa Anastasia Zibibbo '19, che sa di pesca, lavanda e agrumi, di bella bevibilità.

● Sicilia Cabernet Sauvignon Litra '17	♟♟	6
○ Sicilia Baccante '17	♟♟	4
● Sicilia Montenero '17	♟♟	4
● Sicilia Passomaggio '17	♟♟	4
○ Sicilia Zibibbo '19	♟♟	4
● Sens(i)nverso Nero d'Avola '17	♟	6
● Sens(i)nverso Syrah '17	♟	6
○ Sicilia Sauvignon Sinestesia '19	♟	4
● Litra '04	♟♟♟	6
● Litra '01	♟♟♟	7
● Litra '00	♟♟♟	7
● Litra '99	♟♟♟	7
● Litra '97	♟♟♟	7
● Litra '96	♟♟♟	6
● Montenero '04	♟♟♟	4

Alessandro di Camporeale

C.DA MANDRANOVA
90043 CAMPOREALE [PA]
TEL. 092437038
www.alessandrodicamporeale.it

VENDITA DIRETTA
VISITA SU PRENOTAZIONE
PRODUZIONE ANNUA 240.000 bottiglie
ETTARI VITATI 40,00
VITICOLTURA Biologico Certificato

Molto apprezzata da critica e consumatori, questa bella azienda, fondata agli inizi del Novecento, ha visto in tempi recenti i tre fratelli Alessandro, Natale, Nino e Rosolino, imprimere una significativa svolta qualitativa all'attività nel segno dell'eleganza e della bontà dei singoli vini, piena espressione del terroir e dei vitigni. L'ingresso in campo dei rispettivi giovani figli, forti di significativi studi, anche internazionali, di diritto, enologia e marketing ha accentuato la felice impronta familiare della maison, preparando nel migliore dei modi pure l'avvicendamento generazionale. Sul podio più alto lo straordinario Catarratto Vigna di Mandranova '18, vino di territorio di cristallina bellezza sin dai profumi di agrumi, glicine, erbe medicinali e ardesia, affascinante nel suo perfetto rapporto frutto-acidità, elegantissimo e appagante. Finale pure per il Grillo Vigna di Mandranova '19, squisito per le sue nuance di pesca, iris e pompelmo, polputo, grintoso e raffinato.

○ Sicilia Catarrato V. di Mandranova '18	♟♟♟	4*
○ Sicilia Grillo V. di Mandranova '19	♟♟	3*
○ Extra Brut M. Cl. '16	♟♟	6
○ Sicilia Catarratto Benedè '19	♟♟	2*
● Sicilia MNRL V. di Mandranova '17	♟♟	6
● Sicilia Nero d'Avola Donnatà '19	♟♟	2*
○ Sicilia Sauvignon V. di Mandranova '19	♟♟	3
● Sicilia Syrah Kaid '18	♟♟	4
● Sicilia Syrah Kaid V. T. '19	♟♟	5
○ Sicilia Catarratto V. di Mandranova '16	♟♟♟	4*
○ Sicilia Grillo V. di Mandranova '18	♟♟♟	3*
● Sicilia Syrah Kaid '16	♟♟♟	4*
● Sicilia Syrah Kaid '17	♟♟	4
● Sicilia Syrah Kaid '15	♟♟	4

Alta Mora

FRAZ. PIETRAMARINA
C.DA VERZELLA
95012 CASTIGLIONE DI SICILIA [CT]
TEL. 0918908713
www.altamora.it

VISITA SU PRENOTAZIONE
PRODUZIONE ANNUA 100.000 bottiglie
ETTARI VITATI 44,00
AZIENDA SOSTENIBILE

Iniziata nell'aprile del 2013, l'avventura
etnea di Alberto e Diego Cusumano è oggi
la realtà di un sogno covato da tempo. La
visione dei due fratelli era meditata e ben
definita: individuare alcune contrade e
produrre dei vini corrispondenti, tutti figli
del vulcano ma nello stesso tempo
differenti, con caratteri diversi e personalità
ben distinte. E quindi Alta Mora è il progetto
vincente che mette assieme, fra 500 e
1000 metri d'altitudine, le contrade,
Guardiola, Feudo di Mezzo, Pietramarina,
Solicchiata, Santo Spirito e Verzella,
quest'ultima pure sede della cantina, ben
integrata con il paesaggio. Alta Mora
Bianco '19 è un vino singolare: timido e
gentile con il suo colore paglierino delicato
e brillante venato da lampi verdolini, si apre
poi maestoso e complesso, con nuance
elegantissime di susine e pesca bianca,
erbe medicinali, fiori e agrumi, che
fraseggiano con un fine substrato minerale,
il quale lo rende di grande bevibilità e
infinita persistenza. E guadagna di nuovo i
Tre Bicchieri.

○ Etna Bianco Alta Mora '19	♥♥♥ 4*
● Etna Rosso Alta Mora Feudo di Mezzo '16	♥♥ 7
● Etna Rosso Alta Mora Guardiola '16	♥♥ 7
☉ Etna Rosato Alta Mora '19	♥♥ 4
○ Etna Bianco Alta Mora '18	♥♥♥ 4*
○ Etna Bianco Alta Mora '17	♥♥♥ 4*
○ Etna Bianco Alta Mora '16	♥♥♥ 4*
○ Etna Bianco Alta Mora '14	♥♥♥ 3*
☉ Etna Rosato Alta Mora '18	♥♥ 3
☉ Etna Rosato Alta Mora '17	♥♥ 3
● Etna Rosso Alta Mora '17	♥♥ 4
● Etna Rosso Alta Mora '16	♥♥ 4
● Etna Rosso Alta Mora Feudo di Mezzo '15	♥♥ 4
● Etna Rosso Alta Mora Guardiola '15	♥♥ 4

Assuli

C.DA CARCITELLA
91026 MAZARA DEL VALLO [TP]
TEL. 0923547267
www.assuli.it

VENDITA DIRETTA
PRODUZIONE ANNUA 100.000 bottiglie
ETTARI VITATI 120,00
VITICOLTURA Biologico Certificato
AZIENDA SOSTENIBILE

Legame antico con la Sicilia Occidentale e
il suo territorio quello della famiglia Caruso:
l'azienda agricola fondata da Giacomo
Caruso è diventata in breve tempo
un'importante realtà produttiva grazie al
figlio Roberto, che guida la splendida
cantina con l'aiuto della terza generazione
Caruso, costituita dal nipote Roberto e dai
figli Nicoletta e Michele. Circa 130 gli ettari
vitati distribuiti tra Mazara del Vallo,
Castelvetrano, Salemi e Calatafimi Segesta.
Entreranno a breve in produzione i 18 ettari
di vigneti presso il Bosco di Scorace, su
colline alte 600 metri dalle quali nascerà la
materia prima di selezioni autoctone di
eccelsa qualità. Seconda affermazione
consecutiva per il Perricone Furioso: il
2017 è profondo e ben definito, con
eleganti sfumature terrose ed erbacee,
polputo e persistente. Finali anche per il
Nero d'Avola Besi '17: è complesso, ha un
legno magnificamente integrato e un bel
frutto rotondo. Intense note marine e di
cedro candito per il grillo Passito '17.

● Sicilia Perricone Furioso '17	♥♥♥ 5
● Sicilia Nero d'Avola Besi '17	♥♥ 5
○ Passito di Grillo '17	♥♥ 5
○ Sicilia Grillo Astolfo '18	♥♥ 4
○ Sicilia Grillo Fiordiligi '19	♥♥ 3
○ Sicilia Insolia Carinda '19	♥♥ 3
○ Sicilia Lucido Donna Angelica '18	♥♥ 3
● Sicilia Nero d'Avola Lorlando Ris. '17	♥♥ 5
● Sicilia Nero d'Avola Lorlando '19	♥♥ 3
○ Sicilia Zibibbo Dardinello '19	♥♥ 3
○ Astolfo '15	♥♥♥ 4*
● Lorlando '15	♥♥♥ 2*
● Lorlando '14	♥♥♥ 2*
● Sicilia Nero d'Avola Lorlando '17	♥♥♥ 3*
● Sicilia Perricone Furioso '16	♥♥♥ 5

Baglio del Cristo di Campobello

LOC. C.DA FAVAROTTA
S.DA ST.LE 123, KM 19,200
92023 CAMPOBELLO DI LICATA [AG]
TEL. 0922 877709
www.cristodicampobello.it

VISITA SU PRENOTAZIONE
PRODUZIONE ANNUA 300.000 bottiglie
ETTARI VITATI 35,00

Quest'anno Baglio del Cristo festeggia la ventesima vendemmia: un traguardo importante per la famiglia Bonetta, vignaioli appassionati che nel 2000 decisero di mettere a frutto in questa pregevole cantina la loro lunghissima esperienza maturata nel comparto vitivinicolo. 30 gli ettari vitati tra le colline assolate e abbacinanti per il calcareo candore dell'agro circostante, un territorio che vanta particolari condizioni pedoclimatiche, come la vicinanza del mare e un lunghissimo irraggiamento solare, notevolmente amplificato dal riflesso sui cristalli calcarei che ne compongono i suoli. Finale per l'Adénzia Bianco '19, blend di inzolia e chardonnay dall'ampio ed elegante bouquet di fiori e frutta gialla; in evidenza pure l'aspetto minerale e balsamico, menta in particolare, sapido, fresco e ben bilanciato il sorso tra corpo ed acidità per un bello e lungo finale. Di piacevolissima beva il C'D'C Bianco '19, dai deliziosi sentori agrumati che ritornano anche nella fresca chiusura.

Baglio di Pianetto

LOC. PIANETTO
VIA FRANCIA
90030 SANTA CRISTINA GELA [PA]
TEL. 0918570002
www.bagliodipianetto.it

VENDITA DIRETTA
VISITA SU PRENOTAZIONE
OSPITALITÀ E RISTORAZIONE
PRODUZIONE ANNUA 550.000 bottiglie
ETTARI VITATI 104,00
AZIENDA SOSTENIBILE

Correva l'anno 1997 quando il conte Paolo Marzotto, noto imprenditore vitivinicolo veneto recentemente scomparso, decise di investire in una grande cantina in Sicilia da affiancare a quelle che il suo gruppo già possedeva in Italia. L'ambizioso progetto prevedeva sin da subito due diversi ambiti produttivi, uno a Santa Cristina Gela, alle porte di Palermo, e l'altro in Contrada Baroni, in Val di Noto, più di 100 ettari in tutto, coltivati in regime di agricoltura biologica. Da qualche anno la tenuta palermitana ospita anche un elegante wine resort immerso tra le vigne e dotato di un valido ristorante di territorio. In bella evidenza Syraco '17, raffinato syrah in purezza dai profumi fitti e netti di spezie, frutti rossi ed erbe aromatiche; la beva è piena e densa, suadenti e levigati i tannini, per un nettare che si allunga sapido, succoso e persistente sino alla fine. Bene anche il territoriale nero d'Avola Cembali '16, dalle intense nuance di ciliegie e pepe nero, maturo, armonioso e di piacevole beva.

○ Sicilia Bianco Adènzia '19	♟♟ 3*
○ C'D'C' Cristo di Campobello Bianco '19	♟♟ 2*
● C'D'C' Cristo di Campobello Rosso '19	♟♟ 2*
○ Sicilia Grillo Lalùci '19	♟♟ 3
● Sicilia Syrah Lusirà '18	♟♟ 5
● Lu Patri '09	♟♟♟ 5
○ C'D'C' Cristo di Campobello Bianco '18	♟♟ 2*
● C'D'C' Cristo di Campobello Rosso '18	♟♟ 2*
○ Sicilia Bianco Adènzia '18	♟♟ 3
○ Sicilia Bianco Adènzia '16	♟♟ 3*
○ Sicilia Grillo Lalùci '17	♟♟ 3*
● Sicilia Rosso Adènzia '17	♟♟ 3
● Sicilia Syrah Lusirà '17	♟♟ 5

● Syraco '17	♟♟ 3*
⊙ Baiasyra '19	♟♟ 3
○ Monreale Bianco Murriali '19	♟♟ 3
○ Sicilia Bianco Timeo '19	♟♟ 3
● Sicilia Nero d'Avola Cembali '16	♟♟ 5
● Sicilia Rosso Viafrancia Ris. '15	♟♟ 5
○ Sicilia Bianco Ficiligno '19	♟ 3
○ Sicilia Bianco Viafrancia Ris. '18	♟ 4
● Ramione '04	♟♟♟ 3*
● Shymer '14	♟♟♟ 2*
● Shymer '13	♟♟♟ 2*
● Sicilia Rosso Ramione '13	♟♟♟ 3*
○ Sicilia Bianco Viafrancia Ris. '16	♟♟ 4
● Sicilia Rosso Viafrancia Ris. '14	♟♟ 6

Barone di Villagrande

via del Bosco, 25
95025 Milo [CT]
Tel. 3337993868
www.villagrande.it

VENDITA DIRETTA
VISITA SU PRENOTAZIONE
OSPITALITÀ E RISTORAZIONE
PRODUZIONE ANNUA 90.000 bottiglie
ETTARI VITATI 28,00
VITICOLTURA Biologico Certificato
AZIENDA SOSTENIBILE

Quasi 300 anni di storia e non sentirli: questa in breve la storia della famiglia Nicolosi, che coltiva la vite da ben dieci generazioni (ma è pronta l'undicesima) con la stessa passione ed entusiasmo del 1727, anno in cui Carmelo Nicolosi piantò le sue prime barbatelle a Milo, sul versante Est dell'Etna. Adesso a gestire l'azienda è Marco Nicolosi, che negli ultimi anni l'ha completamente rivoluzionata, ammodernando la cantina, aprendo un bellissimo wine resort e facendo coincidere il restyling delle etichette con un significativo aumento del livello qualitativo dell'intera produzione. Le nostre degustazioni hanno confermato che non solo i vini di questa cantina sono ben fatti, ma anche che sono tra i più aderenti al connubio terroir-vitigni etnei. Esemplare l'Etna Bianco Superiore Villagrande '17, che profuma di erbe mediterranee, sale affumicato, frutti a polpa bianca, fine e armonico anche al palato, dove il frutto tonico è ben innestato in un impianto ricco e maturo.

○ Etna Bianco Sup. Contrada Villagrande '17	▼▼ 8
⊙ Etna Rosato '19	▼▼ 5
● Etna Rosso Contrada Villagrande '17	▼▼ 8
○ Salina Bianco '19	▼▼ 8
○ Etna Bianco Sup. '17	▽▽ 3
○ Etna Bianco Sup. Contrada Villagrande '15	▽▽ 6
● Etna Rosso '18	▽▽ 3
● Etna Rosso '16	▽▽ 3
● Etna Rosso '15	▽▽ 3
● Etna Rosso Contrada Villagrande '14	▽▽ 6
● Etna Rosso Contrada Villagrande '13	▽▽ 6
○ Malvasia delle Lipari Passito '14	▽▽ 5
○ Malvasia delle Lipari Passito '13	▽▽ 5

Tenuta Bastonaca

c.da Bastonaca
97019 Vittoria [RG]
Tel. 0932686480
www.tenutabastonaca.it

VENDITA DIRETTA
VISITA SU PRENOTAZIONE
OSPITALITÀ
PRODUZIONE ANNUA 48.000 bottiglie
ETTARI VITATI 17,00
VITICOLTURA Biologico Certificato

Una piccola realtà quella di Silvana Raniolo e suo marito Giovanni Calcaterra, a cui si addice perfettamente la definizione di "boutique winery", sinonimo di azienda artigianale di alto livello qualitativo e di dimensioni ridotte. Delle due tenute, la più grande, pari a 15 ettari di vigneto ad alberello non irriguo, si trova in una delle aree più vocate del Cerasuolo di Vittoria; la seconda, due ettari, è collocata sull'Etna, a Castiglione di Sicilia, in contrada Piano dei Daini ed è costituita da viti dall'età media di oltre settant'anni. Di rilievo la forte sensibilità ecologica dei due titolari. A un passo dai Tre Bicchieri Sud '18, pregevole blend di nero d'Avola, tannat e grenache, vino di carattere deciso e sfaccettato, che si distingue per l'estrema precisione stilistica e la pronunciata eleganza; il quadro aromatico mostra nuance di ribes nero, confettura di ciliegie, bacche di ginepro e cappero, in bocca è succoso e vibrante, con tannini rotondi e carezzevoli. Molto bene il resto.

● Sud '18	▼▼ 5
● Cerasuolo di Vittoria '18	▼▼ 3
○ Etna Bianco '18	▼▼ 5
● Etna Rosso '17	▼▼ 5
○ Sicilia Grillo '19	▼▼ 3
● Sicilia Nero d'Avola '19	▼▼ 3
● Vittoria Frappato '19	▼ 3
● Cerasuolo di Vittoria '17	▽▽ 3
● Cerasuolo di Vittoria '16	▽▽ 3
○ Etna Bianco '17	▽▽ 5
● Etna Rosso '16	▽▽ 5
● Etna Rosso '15	▽▽ 4
● Frappato '18	▽▽ 3
● Frappato '17	▽▽ 3
● Sicilia Nero d'Avola '18	▽▽ 3
● Sud '17	▽▽ 5
● Sud '16	▽▽ 5

★Benanti

VIA GIUSEPPE GARIBALDI, 361
95029 VIAGRANDE [CT]
TEL. 0957893399
www.benanti.it

VENDITA DIRETTA
VISITA SU PRENOTAZIONE
RISTORAZIONE
PRODUZIONE ANNUA 170.000 bottiglie
ETTARI VITATI 28,00
AZIENDA SOSTENIBILE

Sul finire degli anni Ottanta Giuseppe
Benanti commissionò uno studio sui vitigni
autoctoni dell'Etna a un team di cui
facevano parte i professori Rocco Di
Stefano, dell'Istituto di Enologia di Asti,
Jean Siegrist, dell'INRA di Beaune, gli
enologi Gian Domenico Negro e Alessandro
Monchiero e l'agronomo siciliano Salvo
Foti. I risultati delle prime microvinificazioni
furono così incoraggianti che già nel 1990
fu imbottigliata la prima annata, per
esordire poi al Vinitaly 1994, inaugurando
così la consuetudine, ancor oggi in uso, di
commercializzare i vini solo dopo lunghi
affinamenti in cantina. Dopo un paio d'anni
di risultati altalenanti, i fratelli Benanti
sembrano aver conseguito il giusto
equilibrio tra vigna e cantina, una cifra
stilistica ammirevole, una impeccabile
definizione di tutti i vini. Come dimostra il
Monte Serra '18, dai profumi eterei e
raffinatissimi di violetta, bacche nere, ferro
ed erbe officinali, assai fine grazie
all'eleganza quasi impalpabile ma ben
presente del frutto.

● Etna Rosso Contrada Monte Serra '18	♟♟ 6
○ Etna Bianco Sup. Pietra Marina '16	♟♟ 8
● Etna Rosso Contrada Cavaliere '18	♟♟ 6
● Etna Rosso Contrada Dafara Galluzzo '18	♟♟ 6
● Nerello Cappuccio '18	♟♟ 5
○ Etna Bianco Sup. Pietramarina '09	♟♟♟ 5
○ Etna Bianco Sup. Pietramarina '04	♟♟♟ 6
○ Etna Bianco Sup. Pietramarina '02	♟♟♟ 5
○ Etna Bianco Sup. Pietramarina '01	♟♟♟ 5
○ Etna Bianco Sup. Pietramarina '00	♟♟♟ 5
○ Etna Bianco Sup. Pietramarina '99	♟♟♟ 4
○ Etna Bianco Sup. Pietramarina '97	♟♟♟ 4*
● Etna Rosso Contrada Monte Serra '17	♟♟♟ 6
● Etna Rosso Serra della Contessa '06	♟♟♟ 7
● Etna Rosso Serra della Contessa '04	♟♟♟ 7
● Etna Rosso Serra della Contessa '03	♟♟♟ 7

Tenute Bosco

S.DA PROV.LE 64 SOLICCHIATA
95012 CASTIGLIONE DI SICILIA [CT]
TEL. 0957658856
www.tenutebosco.com

VENDITA DIRETTA
VISITA SU PRENOTAZIONE
PRODUZIONE ANNUA 50.000 bottiglie
ETTARI VITATI 10,00
VITICOLTURA Biologico Certificato

Sofia Ponzini ha iniziato in sordina,
preferendo non commercializzare le sue
prime annate prima di confrontarsi con
mercato e critica: voleva essere certa di
avere raggiunto un alto livello qualitativo e il
giusto equilibrio tra terroir e vitigno che si
era prefissata sin dall'acquisizione della
centenaria vigna Vico. Il tempo le ha dato
ragione. Solare, determinata e mossa da
una passione inestinguibile, Sofia
vendemmia dopo vendemmia continua a
proporci vini più che validi, che rimandano
al suo carattere e al suo stile: vitali ed
energici, ma al tempo stesso armonici e di
raffinata eleganza. I vini di questa cantina
confermano che, quando lo si rispetta
appieno, il generoso terroir dell'Etna riesce
ad amplificare al meglio le peculiarità
varietali dei suoi vitigni. Tre Bicchieri al
Vigna Vico '17, archetipo di rosso etneo dai
nitidi aromi minerali e fruttati: elegante e
austero, il sorso ben si apre intorno a una
dinamica spirale tannica che lo supporterà
ancora a lungo nel tempo.

● Etna Rosso V. Vico Prephylloxera '17	♟♟♟ 8
○ Etna Bianco Piano dei Daini '19	♟♟ 5
⊙ Etna Rosato Piano dei Daini '19	♟♟ 5
● Etna Rosso Piano dei Daini '18	♟♟ 5
● Etna Rosso V. Vico Prephylloxera '16	♟♟♟ 8
● Etna Rosso V. Vico Prephylloxera '15	♟♟♟ 8
○ Etna Bianco Piano dei Daini '18	♟♟ 5
○ Etna Bianco Piano dei Daini '17	♟♟ 5
○ Etna Bianco Piano dei Daini '16	♟♟ 5
⊙ Etna Rosato Piano dei Daini '18	♟♟ 5
⊙ Etna Rosato Piano dei Daini '17	♟♟ 5
⊙ Etna Rosato Piano dei Daini '16	♟♟ 5
● Etna Rosso Piano dei Daini '17	♟♟ 5
● Etna Rosso Piano dei Daini '16	♟♟ 5
● Etna Rosso Piano dei Daini '15	♟♟ 5
● Etna Rosso Vigna Vico '14	♟♟ 8

Paolo Calì

FRAZ. C.DA SALMÉ
VIA DEL FRAPPATO, 100
97019 VITTORIA [RG]
TEL. 0932510082
www.vinicali.it

VENDITA DIRETTA
VISITA SU PRENOTAZIONE
PRODUZIONE ANNUA 90.000 bottiglie
ETTARI VITATI 15,00

Da ragazzo la campagna era il suo punto di riferimento nel tempo libero dagli impegni di studio, per via della passione per l'agricoltura ereditata dal padre. Da grande, farmacista, Paolo Calì ha soltanto accentuato questa sua propensione affiancando in modo paritario le due attività e diventando una singolare figura di farmacista-vigneron. Molto bella la tenuta, in conversione biologica, segnata (pur lontana dal mare) da una forte presenza di dune sabbiose che regalano vini sottili e intriganti. Paolo crede nel "secondo natura": i lieviti sono indigeni, non si fanno né filtrazioni né stabilizzazioni. Sfiora i Tre Bicchieri, Forfice '16, Cerasuolo di Vittoria di grande spessore ed eleganza: al naso regala intense note di gelsi neri, pesca, cappero e humus, in bocca mostra grande freschezza e tonicità, perfettamente bilanciato nel rapporto acidità-frutto. Ottimo pure il frappato Mandragola '18. Ma ciò che conta di più oggi è che tutti i vini sono ben fatti ed espressione ammirevole del terroir.

● Cerasuolo di Vittoria Cl. Forfice '16	▼▼	6
○ Blues Grillo '19	▼▼	3
● Cerasuolo di Vittoria Cl. Manene '18	▼▼	4
⊙ Osa! Frappato Rosato '19	▼▼	4
● Vittoria Frappato Mandragola '18	▼▼	3
● Vittoria Nero d'Avola Violino '17	▼▼	3
● Vittoria Frappato Pruvenza '17	▼	6
● Cerasuolo di Vittoria Cl. Forfice '15	▽▼	4
● Cerasuolo di Vittoria Cl. Forfice '13	▽▽	6
● Jazz '16	▽▽	3
● Vittoria Frappato Mandragola '17	▽▽	3
● Vittoria Frappato Mandragola '16	▽▽	3
● Vittoria Frappato Mandragola '15	▽▽	3
● Vittoria Frappato Pruvenza '15	▽▽	6
● Vittoria Nero d'Avola Violino '16	▽▽	3
● Vittoria Nero d'Avola Violino '12	▽▽	3

Caravaglio

VIA NAZIONALE, 33
98050 MALFA [ME]
TEL. 3398115953
www.caravaglio.it

VENDITA DIRETTA
VISITA SU PRENOTAZIONE
PRODUZIONE ANNUA 50.000 bottiglie
ETTARI VITATI 12,00
VITICOLTURA Biologico Certificato
AZIENDA SOSTENIBILE

Ci vuole tanta passione per portare avanti un'azienda su una piccola isola e anche tanta pazienza, visto che le vigne di Nino Caravaglio sono sparse su 40 diverse particelle nei tre comuni di Salina, moltiplicando così per tre la burocrazia. Ma Nino mette da sempre un forza di volontà incredibile nel suo lavoro: in questo modo la sua cantina è diventata un solido punto di riferimento non solo per le Eolie ma per tutta la Sicilia, grazie a vini che rispecchiano pienamente il terroir e a una personalissima e riuscita interpretazione della Malvasia delle Lipari, vino dalla storia millenaria. Tre Bicchieri alla Malvasia Passito '19, dotata di un seducente bouquet mediterraneo e di un sorso elegantissimo che riesce a essere nel contempo morbido e vellutato, ma anche fresco e tonico per via del sapido nerbo acido che lo accompagna per tutto il lunghissimo finale. Assai bene tutti gli altri vini: eccellente la malvasia secca Infatata '19, che ha raggiunto agevolmente le nostre finali.

○ Malvasia delle Lipari Passito '19	▼▼▼	5
○ Infatata '19	▼▼	3*
● Chianu Cruci '19	▼▼	3
● Nero du Munti '19	▼▼	4
● Palmento di Salina '19	▼▼	4
○ Malvasia delle Lipari Passito '18	▽▽▽	5
○ Malvasia delle Lipari Passito '17	▽▽▽	5
○ Malvasia delle Lipari Passito '16	▽▽▽	5
● Chianu Cruci '15	▽▽	3
○ Infatata '18	▽▽	3
○ Infatata '17	▽▽	3
○ Malvasia '18	▽▽	5
○ Malvasia '17	▽▽	5
○ Occhio di Terra Chianu Cruci '17	▽▽	3
● Palmento di Salina '18	▽▽	4
● Palmento di Salina '17	▽▽	4
○ Rossi di Salina '18	▽▽	3

Case Alte

loc. Macellarotto
via Pisciotta, 27
90043 Camporeale [PA]
Tel. 3297130750
www.casealte.it

OSPITALITÀ
PRODUZIONE ANNUA 17.000 bottiglie
ETTARI VITATI 8,00
VITICOLTURA Biologico Certificato

Da tre generazioni i Vaccaro coltivano la vite nel territorio di Camporeale. Tutto inizia negli anni '50 con Giuseppe, che ha una piccola produzione di catarratto e nerello mascalese; negli anni seguenti l'azienda cresce con il figlio Calogero fino al 2010, quando nasce la cantina su impulso del nipote Giuseppe. La conduzione agricola è in biologico e in cantina si usano lieviti autoctoni, sotto l'attenta guida tecnica di Benedetto Alessandro. I vigneti si trovano sulle colline intorno a contrada Macellarotto a quota 500 metri, un microclima ideale per frutti dalle grandi potenzialità. Catarratto di razza, il 12 Filari '19 va con merito in finale: il naso è ampio e complesso, note floreali d'agrumi e sottili sfumature minerali; la stoffa è consistente, ha tensione, è sapido e persistente. Assai piacevole il Grillo 4 Filari '19: pesca, pompelmo, mandorla verde e una polpa fresca e croccante. Il Nero d'Avola 16 Filari '18 è nitido nelle note varietali e fragranti nel delizioso frutto.

○ Sicilia Catarratto 12 Filari '19	▼▼ 3*
○ Sicilia Grillo 4 Filari '19	▼▼ 3
● Sicilia Nero d'Avola 16 Filari '18	▼▼ 4
○ Sicilia 12 Filari '16	▽▽ 3
● Sicilia 16 Filari '15	▽▽ 3
○ Sicilia 4 Filari '16	▽▽ 3
○ Sicilia Catarratto 12 Filari '18	▽▽ 3
○ Sicilia Catarratto 12 Filari '17	▽▽ 3
○ Sicilia Grillo 4 Filari '18	▽▽ 3
○ Sicilia Grillo 4 Filari '17	▽▽ 3
● Sicilia Nero d'Avola 16 Filari '17	▽▽ 4
● Sicilia Nero d'Avola 16 Filari '16	▽▽ 4

Le Casematte

loc. Faro Superiore
c.da Corso
98163 Messina
Tel. 0906409427
www.lecasematte.it

VENDITA DIRETTA
PRODUZIONE ANNUA 40.000 bottiglie
ETTARI VITATI 11,00
VITICOLTURA Biologico Certificato
AZIENDA SOSTENIBILE

Sulle alte colline che dominano lo Stretto di Messina, pochi ettari di terreno scoscesi e impervi caratterizzati da panoramici terrazzamenti, alcune casematte (fortini militari) della II guerra mondiale connotano il profilo di questo esempio di viticultura "eroica"; ne sono proprietari il commercialista Gianfranco Sabbatino e Andrea Barzagli, ex-calciatore assai noto. Alla loro comune passione per il vino di qualità si deve il rafforzamento della prestigiosa Doc Faro, nel segno della finezza e dello stile dei prodotti, molto apprezzati per la nitidezza dell'intarsio e l'eleganza di beva. Ennesimo massimo alloro per il Faro '18 (nerello mascalese, cappuccio, nero d'Avola e nocera), dal suadente tono rubino scarico tendente al granato, ricco e complesso, che profuma di spezie nere, gelsi, cioccolato, erbe medicinali e humus, succoso ed elegante al palato, lungo e carezzevole. Delicato e fine il rosato Rosematte '19, notevole pure la performance di Peloro Bianco '19 e Peloro Rosso '18.

● Faro '18	▼▼▼ 5
● Nanuci '18	▼▼ 3
⊙ Rosematte Nerello Mascalese '19	▼▼ 3
○ Sicilia Peloro Bianco '19	▼▼ 3
● Sicilia Peloro Rosso '18	▼▼ 3
● Faro '17	▽▽▽ 5
● Faro '16	▽▽▽ 5
● Faro '15	▽▽▽ 5
● Faro '14	▽▽▽ 5
● Faro '13	▽▽▽ 5
● Figliodiennenne '12	▽▽ 2*
● Nanuci '17	▽▽ 3
● Peloro Rosso '17	▽▽ 3
● Peloro Rosso '16	▽▽ 3
● Peloro Rosso '15	▽▽ 2*
● Peloro Rosso '14	▽▽ 2*

Centopassi

VIA PORTA PALERMO, 132
90048 SAN GIUSEPPE JATO [PA]
TEL. 0918577655
www.centopassisicilia.it

VENDITA DIRETTA
VISITA SU PRENOTAZIONE
OSPITALITÀ E RISTORAZIONE
PRODUZIONE ANNUA 450.000 bottiglie
ETTARI VITATI 65,00
VITICOLTURA Biologico Certificato
AZIENDA SOSTENIBILE

Vent'anni fa il Consorzio Libera Terra diede vita a un bellissimo progetto: trasformare un patrimonio costruito con la violenza e il crimine in una fonte di ricchezza e occupazione per la collettività. La cantina e i vigneti sono infatti tutti beni immobili confiscati alla mafia. Gli appezzamenti si trovano principalmente in varie zone nell'Alto Belice Corleonese, presso i comuni di Monreale, Camporeale e San Giuseppe Jato, sede anche della cantina di vinificazione; fiore all'occhiello di Centopassi la selezione di cru, dieci etichette che esaltano la diversità pedoclimatica del territorio. Il Grillo Rocce di Pietra Longa '19 ha un naso fine di pesca e macchia mediterranea, in bocca il frutto è ben teso e fragrante; floreale e agrumato il Catarratto Terre Rosse di Giabbascio '19, molto fresco e vivace al sorso; bene anche il blend di grillo e catarratto Giato '19, con note di pera e un piacevole erbaceo; toni molto maturi e naso elegante di confettura per il Cimento di Perricone '18.

○ Sicilia Bianco Sup. Giato '19	♥♥ 2*
○ Sicilia Catarratto Terre Rosse di Giabbascio '19	♥♥ 3
○ Sicilia Grillo Rocce di Pietra Longa '19	♥♥ 3
● Argille di Tagghia Via di Sutta '19	♥ 3
● Cimento di Perricone '18	♥ 3
● Sicilia Merlot Sulla Via Francigena '17	♥ 3
● Sicilia Nerello Mascalese Pietre a Purtedda da Ginestra '17	♥ 5
● Sicilia Rosso Giato '19	♥ 2
○ Tendoni di Trebbiano '18	♥ 3
○ Sicilia Catarratto Terre Rosse di Giabbascio '18	♥♥♥ 3*
● Cimento di Perricone '17	♥♥ 3
○ Sicilia Catarratto Terre Rosse di Giabbascio '17	♥♥ 3*
● Sicilia Giato Nero d'Avola Perricone '18	♥♥ 2*

★Cottanera

LOC. IANNAZZO
S.DA PROV.LE 89
95030 CASTIGLIONE DI SICILIA [CT]
TEL. 0942963601
www.cottanera.it

VENDITA DIRETTA
VISITA SU PRENOTAZIONE
PRODUZIONE ANNUA 350.000 bottiglie
ETTARI VITATI 65,00

Una realtà molto importante del comprensorio etneo, in termini di qualità e superficie vitata, a cui hanno dato vita con lungimiranza e mente aperta il compianto Guglielmo Cambria e suo fratello Enzo. Quest'ultimo continua l'avventura di famiglia con i nipoti Mariangela, Emanuele e Francesco, che sono subentrati al padre apportando nuovo entusiasmo e la medesima dedizione. Da segnalare la riuscita valorizzazione, oltre che delle etichette da uve autoctone, di grande pregio, pure di alcuni vitigni d'Oltralpe (fra cui cabernet sauvignon, merlot e syrah, presenti sull'Etna sin dall'Ottocento). Tutti i vini presentati mostrano, ancora una volta, una cifra stilistica di grande nitidezza, eleganza e pulizia, nel rispetto assoluto del magico terroir etneo e delle sue cultivar. L'Etna Rosso Zottorinoto Ris. '16 conquista da par suo i Tre Bicchieri in virtù di una eccezionale raffinatezza dell'aspetto olfattivo e di una tessitura fruttata matura e soave, eppur straordinariamente tonica.

● Etna Rosso Zottorinoto Ris. '16	♥♥♥ 8
● Etna Rosso Feudo di Mezzo '17	♥♥ 6
○ Etna Bianco '19	♥♥ 3
○ Etna Bianco Barbazzale '19	♥♥ 5
○ Etna Bianco Calderara '18	♥♥ 5
⊙ Etna Rosato '19	♥♥ 2*
● Etna Rosso Barbazzale '19	♥♥ 3
● Etna Rosso Diciassettesalme '18	♥♥ 3
● Sicilia L'Ardenza '17	♥♥ 4
● Sicilia Sole di Sesta '17	♥♥ 4
● Etna Rosso '11	♥♥♥ 5
● Etna Rosso Feudo di Mezzo '16	♥♥♥ 6
● Etna Rosso Zottorinoto Ris. '14	♥♥♥ 8
● Etna Rosso Zottorinoto Ris. '13	♥♥♥ 8
● Etna Rosso Zottorinoto Ris. '12	♥♥♥ 8
● Etna Rosso Zottorinoto Ris. '11	♥♥♥ 8

★★Cusumano

C.DA SAN CARLO
S.DA ST.LE 113 KM 307
90047 PARTINICO [PA]
TEL. 0918908713
www.cusumano.it

VENDITA DIRETTA
VISITA SU PRENOTAZIONE
PRODUZIONE ANNUA 2.500.000 bottiglie
ETTARI VITATI 520,00
AZIENDA SOSTENIBILE

Vent'anni fa Alberto e Diego esordivano nel
mondo del vino: forti di una solida
tradizione familiare, in breve tempo hanno
saputo fare di Cusumano un punto di
riferimento per l'enologia di qualità in
Sicilia. Cinque tenute, un inestimabile
patrimonio di diversità: a ogni vigneto
corrisponde un progetto volto a esaltare il
rapporto tra terroir e vitigno e a esprimere
vini unici per eleganza e carattere: da San
Carlo a Partinico fino a Butera, passando
per Monreale e le alte colline del Bosco di
Ficuzza, che forniscono la materia prima di
Salealto, nuovo blend a base di grillo,
inzolia e zibibbo. È proprio il Salealto '18 ad
aggiudicarsi i Tre Bicchieri: intrigante al
naso, con belle note aromatiche, sfumature
di frutti tropicali e un'elegante mineralità; in
bocca il frutto è morbido, sapido e
persistente. Lo accompagna in finale lo
Chardonnay Jalé '18, fine e morbido, con
un legno armonicamente integrato. Definito
e intenso al naso, tonico e vibrante al
palato il Nero d'Avola Sagana '17.

○ Salealto Tenuta Ficuzza '18	♟♟♟	6
○ Sicilia Chardonnay Jalé '18	♟♟	5
○ Sicilia Bianco Angimbè		
Tenuta Ficuzza '19	♟♟	3
○ Sicilia Grillo Shamaris		
Tenuta Monte Pietroso '19	♟♟	3
● Sicilia Nero d'Avola '19	♟♟	2*
● Sicilia Nero d'Avola Disueri		
Tenuta San Giacomo '19	♟♟	3
● Sicilia Nero d'Avola Sàgana		
Tenuta San Giacomo '17	♟♟	5
● Sicilia Syrah '19	♟♟	2*
○ Insolia '19	♟	2
○ Sicilia Lucido '19	♟	2
○ Sicilia Grillo Shamaris '18	♛♛♛	3*
● Sicilia Nero d'Avola Sàgana '16	♛♛♛	4*
● Sicilia Noà '13	♛♛♛	4*

★★Donnafugata

VIA S. LIPARI, 18
91025 MARSALA [TP]
TEL. 0923724200
www.donnafugata.it

VENDITA DIRETTA
VISITA SU PRENOTAZIONE
PRODUZIONE ANNUA 2.700.000 bottiglie
ETTARI VITATI 410,00
AZIENDA SOSTENIBILE

Un marchio di altissima qualità, di spessore
internazionale, a cui hanno dato vita il
compianto Giacomo Rallo, imprenditore
sagace e visionario, e sua moglie Gabriella
Anca, donna colta, moderna e innovativa. I
valori fondanti dell'azienda, attenzione per
l'ambiente, territorialità, eleganza dei
prodotti, rispetto per la tradizione e,
insieme, capacità di vedere "oltre", legano
ancora di più oggi Gabriella ai figli, Josè e
Antonio. I siti produttivi e le tenute della
maison segnano l'intera Sicilia, da
Contessa Entellina a Marsala e Pantelleria,
dall'area del Cerasuolo di Vittoria all'Etna.
Siamo abituati alle grandi performance di
questa iconica azienda, eppure ogni anno
riusciamo ancora a meravigliarci.
Incredibile il Ben Ryè '17, nettare di una
dolcezza commovente, sontuoso, sensuale:
al naso evoca pere e albicocche candite,
scorzette di arancia, fichi secchi e lavanda,
in bocca l'opulenza del frutto si armonizza
perfettamente con la contrastante
formidabile freschezza.

○ Passito di Pantelleria Ben Ryé '17	♟♟♟	8
● Etna Rosso Fragore		
Contrada Montelaguardia '17	♟♟	8
● Cerasuolo di Vittoria Floramundi '18	♟♟	4
● Etna Rosso Contrada Marchesa '17	♟♟	8
● Etna Rosso Sul Vulcano '17	♟♟	5
● Sicilia Mille e una Notte '16	♟♟	8
○ Sicilia Zibibbo Lighea '19	♟♟	3
● Tancredi '17	♟♟	5
● Vittoria Frappato Bell'Assai '18	♟♟	4
○ Passito di Pantelleria Ben Ryé '16	♛♛♛	7
○ Passito di Pantelleria Ben Ryé '15	♛♛♛	7
○ Passito di Pantelleria Ben Ryé '14	♛♛♛	7
○ Passito di Pantelleria Ben Ryé '12	♛♛♛	7
○ Passito di Pantelleria Ben Ryé '11	♛♛♛	7

Duca di Salaparuta

VIA NAZIONALE, S.S. 113
90014 CASTELDACCIA [PA]
TEL. 091945201
www.duca.it

VENDITA DIRETTA
VISITA SU PRENOTAZIONE
PRODUZIONE ANNUA 9.000.000 bottiglie
ETTARI VITATI 165,00
AZIENDA SOSTENIBILE

Acquisiti nel 2001 dal gruppo ILLVA di Saronno, i tre celebri marchi storici, Corvo, Duca di Salaparuta e Florio raccontano una Sicilia di successo in cui si sono fusi nel tempo eleganza aristocratica, capacità imprenditoriali, bellezza e innovativa visione del mondo. La nuova proprietà si è impegnata sin da subito a valorizzare e sviluppare le personalità e le caratteristiche dei vini e dei terroir sottesi alle tre differenti realtà, nel segno della modernità che si lega alla più autentica tradizione. Di notevole rilievo e di considerevole successo il segmento aziendale legato all'enoturismo. Sciaranèra Vajasindi '18 è un pinot nero di pregio dai raffinati sentori di ciliegia, fragoline di bosco e pesca; piacevole e vivace in bocca, ha tannini gentili e affascinanti. Ottimo pure il Marsala Superiore Dolce Oltre Cento '17, dall'elegante bouquet che profuma di frutta secca, noce, fichi ed erbe medicinali, dolce e suadente, ammaliante per la sua complessità, felicemente ossidativo.

● Calanìca Frappato '19	♛♛	2*
○ Marsala Sup. Dolce Oltre Cento '17	♛♛	4
○ Marsala Sup. Semisecco Ambra Donna Franca Ris.	♛♛	6
○ Marsala Vergine Baglio Florio '02	♛♛	5
● Sciaranera Pinot Nero Vajasindi '18	♛♛	3
○ Calanìca Grillo '19	♛	2
○ Kados '19	♛	3
○ Morsi di Luce	♛	5
● Nawàri Pinot Nero '17	♛	6
○ Sentiero del Vento Suor Marchesa '19	♛	3
● Duca Enrico '03	♛♛♛	6
● Duca Enrico '01	♛♛♛	6
● Duca Enrico '92	♛♛♛	6
● Duca Enrico '90	♛♛♛	6

★Feudi del Pisciotto

C.DA PISCIOTTO
93015 NISCEMI [CL]
TEL. 09331930280
www.castellare.it

VENDITA DIRETTA
VISITA SU PRENOTAZIONE
OSPITALITÀ
PRODUZIONE ANNUA 200.000 bottiglie
ETTARI VITATI 45,00

L'azionista di riferimento di Gambero Rosso spa è anche proprietario di questa azienda. Per evitare qualsiasi conflitto di interesse, Paolo Panerai ha subordinato l'eventuale assegnazione di Tre Bicchieri, che avviene peraltro mediante degustazione coperta, all'ottenimento coevo di rating di eccellenza (da 90/100 in su) su quel vino di quell'annata da parte di valutatori internazionali indipendenti. È questo il caso.

Questa bella e dinamica realtà, oltre che su una moderna cantina, può contare anche su un elegante wine resort caratterizzato da un magnifico palmento settecentesco a otto vasche. Di ragguardevole livello l'intera gamma dei vini degustati. Tre Bicchieri all'elegante Cerasuolo Giambattista Valli '18, dai nitidi profumi di piccoli frutti rossi, humus ed erbe aromatiche e dal sorso tonico, succoso e polputo, supportato da una elegante cornice tannica. Fine lo Chardonnay Alberta Ferretti '18, dal profilo olfattivo ampio e complesso, teso e grintoso al palato.

● Cerasuolo di Vittoria Giambattista Valli '18	♛♛♛	4*
○ Alberta Ferretti Chardonnay '18	♛♛	4
● Baglio del Sole Nero d'Avola '18	♛♛	2*
● Carolina Marengo Kisa Frappato '18	♛♛	4
○ Gianfranco Ferré Passito '18	♛♛	5
○ Gurra di Mare Tirsat '18	♛♛	4
● L'Eterno '18	♛♛	7
● Missoni Cabernet Sauvignon '18	♛♛	4
○ Sicilia Grillo Carolina Marengo Kisa '18	♛♛	4
● Sicilia Nero d'Avola Versace '18	♛♛	4
● Valentino Merlot '18	♛♛	4
○ Baglio del Sole Inzolia '19	♛	2
○ Baglio del Sole Inzolia Catarratto '19	♛	2
● Baglio del Sole Merlot Syrah '18	♛	2

Feudo Arancio

C.DA PORTELLA MISILBESI
92017 SAMBUCA DI SICILIA [AG]
TEL. 0925579000
www.feudoarancio.it

VENDITA DIRETTA
VISITA SU PRENOTAZIONE
OSPITALITÀ
PRODUZIONE ANNUA 6.000.000 bottiglie
ETTARI VITATI 700,00
AZIENDA SOSTENIBILE

Per molto tempo importante realtà locale, Mezzacorona ha scritto sin dal 1904 pagine memorabili di storia enologica ed economica del Trentino. Nell'età contemporanea, grazie alla lungimiranza dei suoi amministratori, ha assunto le dimensioni di un colosso di spessore internazionale. In Sicilia sono due gli investimenti produttivi, uno situato sul lago Arancio, a Sambuca di Sicilia, e l'altro ad Acate, nel ragusano, entrambi terroir di grande fascino. Il progetto è stato sempre molto chiaro: produrre vini di qualità, molto legati ai due territori, con il più basso impatto ambientale possibile. Non tutti i vini erano stati definiti al momento delle degustazioni. Abbiamo apprezzato molto comunque quelli pervenuti, a partire dal Cantodoro Riserva '17 (nero d'Avola e cabernet sauvignon), cupo e profondo, dagli intensi sentori di ciliegia, pepe nero, gelsi ed erbe medicinali, morbido e carezzevole. Gli è pari il tipico Nero d'Avola '19, che profuma di ribes nero, cappero e prugna.

○ Sicilia Bianco Dalila Ris. '18	♟♟	4
○ Sicilia Grillo '19	♟♟	3
○ Sicilia Inzolia '19	♟♟	3
● Sicilia Nero d'Avola '19	♟♟	3
● Sicilia Rosso Cantodoro Ris. '17	♟♟	4
○ Barone d'Albius '15	♟♟	5
● Cantodoro Ris. '16	♟♟	3
○ Sicilia Dalila Ris. '17	♟♟	4
○ Sicilia Dalila Riserva '16	♟♟	4
○ Sicilia Grillo '18	♟♟	3
○ Sicilia Grillo '17	♟♟	3
○ Sicilia Grillo Tinchitè '18	♟♟	3
● Sicilia Hedonis Ris. '16	♟♟	4
● Sicilia Hedonis Ris. '15	♟♟	4
○ Sicilia Inzolia '18	♟♟	3
○ Sicilia Inzolia '17	♟♟	3

★Feudo Maccari

S.DA PROV.LE NOTO-PACHINO KM 13,5
96017 NOTO [SR]
TEL. 0931596894
www.feudomaccari.it

VENDITA DIRETTA
VISITA SU PRENOTAZIONE
PRODUZIONE ANNUA 280.000 bottiglie
ETTARI VITATI 60,00
VITICOLTURA Biologico Certificato
AZIENDA SOSTENIBILE

La tenuta siciliana di Antonio Moretti (adesso a dargli una mano c'è anche il figlio Amedeo) è una delle più belle realtà del Val di Noto: i vecchi casolari sono stati perfettamente restaurati nei classici colori che caratterizzano gli edifici rurali della zona - il rosso e l'ocra - e intorno ai vigneti, tutti rigorosamente ad alberello, sono stati ripristinati i tradizionali muretti a secco. Oltre che dal nero d'Avola, su cui i Moretti hanno puntato sin dalla prima vendemmia, tante soddisfazioni stanno arrivando loro dal peculiare grillo del comprensorio, vitigno su cui hanno molto investito. Tutti i vini presentati hanno confermato l'altissimo livello qualitativo raggiunto negli ultimi anni da questa prestigiosa cantina, ma non è tutto: ci fa piacere infatti sottolineare pure il loro ottimo rapporto qualità-prezzo. Ennesimo Tre Bicchieri per il Saia '18, elegante nero d'Avola varietale e di territorio. Va in finale il nero d'Avola Neré '18, iodato, balsamico e molto persistente.

● Sicilia Nero d'Avola Saia '18	♟♟♟	4*
● Sicilia Nero d'Avola Nerè '18	♟♟	3*
○ Family and Friends Bianco '19	♟♟	5
● Family and Friends Rosso '18	♟♟	5
○ Sicilia Grillo Olli '19	♟♟	3
● Sicilia Syrah Maharis '17	♟♟	5
● Saia '14	♟♟♟	4*
● Saia '13	♟♟♟	4*
● Saia '12	♟♟♟	4*
● Saia '11	♟♟♟	4*
● Saia '10	♟♟♟	4*
● Saia '08	♟♟♟	4*
● Saia '07	♟♟♟	4*
● Saia '06	♟♟♟	4
● Sicilia Nero d'Avola Saia '17	♟♟♟	4*
● Sicilia Nero d'Avola Saia '16	♟♟♟	4*
● Sicilia Saia '15	♟♟♟	4*

Feudo Montoni

C.DA MONTONI VECCHI
92022 CAMMARATA [AG]
TEL. 091513106
www.feudomontoni.it

VENDITA DIRETTA
VISITA SU PRENOTAZIONE
PRODUZIONE ANNUA 215.000 bottiglie
ETTARI VITATI 30,00
VITICOLTURA Biologico Certificato
AZIENDA SOSTENIBILE

Già nel 1469, anno di costruzione del
baglio da parte della famiglia aragonese
degli Abatellis, le terre del Feudo erano
rinomate per la vocazione viticola. A fine
Ottocento i Sireci, attuali proprietari,
iniziano una paziente opera di
valorizzazione dei vigneti della tenuta
attraverso la selezione massale delle
piante. Fabio, siamo alla terza generazione,
ha avviato la vinificazione in proprio,
continuando con la medesima passione il
lavoro dei suoi predecessori. I vigneti sono
coltivati in regime biologico e in cantina la
trasformazione in vino è effettuata con cura
e tecniche artigianali. Il Perricone Vigna del
Core '18 guadagna le finali con l'intenso
fruttato maturo di gelsi, fini note verdi di
cappero e una succosa consistenza del
frutto dal piacevole ritorno balsamico. Il
Nero d'Avola Vrucara '16 è elegante e
definito nelle note varietali, levigato e
rotondo, nitido e lungo nel finale.
Deliziosamente fresco e sapido il frutto di
pesca e mandorla del Grillo Vigna della
Timpa '19.

● Sicilia Perricone V. del Core '18	♟♟	4
○ Sicilia Grillo V. della Timpa '19	♟♟	3
☉ Sicilia Nerello Mascalese Rose di Adele '19	♟♟	4
● Sicilia Nero d'Avola V. Lagnusa '18	♟♟	4
● Sicilia Nero d'Avola Vrucara '16	♟♟	5
○ Sicilia Inzolia dei Fornelli '19	♟	3
○ Sicilia Catarratto V. del Masso '18	♟♟	4
○ Sicilia Catarratto V. del Masso '17	♟♟	4
○ Sicilia Grillo V. della Timpa '18	♟♟	3
○ Sicilia Grillo V. della Timpa '17	♟♟	3
○ Sicilia Inzolia dei Fornelli '17	♟♟	3
● Sicilia Nero d'Avola V. Lagnusa '16	♟♟	4
● Sicilia Nero d'Avola V. Lagnusa '15	♟♟	4
● Sicilia Nero d'Avola Vrucara '15	♟♟	5
● Sicilia Nero d'Avola Vrucara '14	♟♟	5
● Sicilia Perricone V. del Core '15	♟♟	4

★★Firriato

VIA TRAPANI, 4
91027 PACECO [TP]
TEL. 0923882755
www.firriato.it

VENDITA DIRETTA
VISITA SU PRENOTAZIONE
PRODUZIONE ANNUA 6.000.000 bottiglie
ETTARI VITATI 470,00
VITICOLTURA Biologico Certificato
AZIENDA SOSTENIBILE

Prima cantina italiana a "impatto zero" per
le emissioni di gas serra, Firriato abbraccia
i tre terroir principali della Sicilia: il mare
con l'isola di Favignana, la collina con i
vigneti dell'agro trapanese e infine la
montagna con Cavanera Etnea; qui è stato
individuato un cru a 650 metri d'altitudine
sul versante nord est con alberelli franchi
di piede risalenti alla seconda metà
dell'800, età certificata dall'Università di
Palermo e profilo genetico affidato al CNR;
i preziosi frutti sono la materia prima della
riserva Signum Aetnae, ennesimo fiore
all'occhiello dell'azienda della famiglia Di
Gaetano. In attesa del prezioso cru etneo,
incanta per complessità ed eleganza il
Ribeca '15, Perricone intenso e profondo;
in bocca la stoffa è serica e balsamica,
infinita la persistenza. Ottimo il Favinia La
Muciara '18, fresco, ricco e solare nelle
note di macchia mediterranea. Firriato, poi,
per l'eccellente lavoro svolto nell'ambito,
merita quest'anno il Premio Speciale per la
Vitivinicoltura Sostenibile.

● Sicilia Perricone Ribeca '15	♟♟♟	8
○ Favinia La Muciara '18	♟♟	5
○ Etna Bianco Cavanera Ripa di Scorciavacca '18	♟♟	5
○ Etna Bianco Le Sabbie dell'Etna '19	♟♟	4
● Etna Rosso Le Sabbie dell'Etna '18	♟♟	4
○ Quater Vitis Bianco '19	♟♟	4
○ Sicilia Bianco BayAmore Bianco di Bianchi '19	♟♟	3
○ Sicilia Bianco Santagostino Baglio Sorìa '19	♟♟	4
● Sicilia Camelot '15	♟♟	5
● Sicilia Rosso Santagostino Baglio Sorìa '15	♟♟	4

Fondo Antico

FRAZ. RILIEVO
S.DA FIORAME, 54A
91100 TRAPANI
TEL. 0923864339
www.fondoantico.it

VENDITA DIRETTA
VISITA SU PRENOTAZIONE
PRODUZIONE ANNUA 400.000 bottiglie
ETTARI VITATI 80,00

L'antico baglio al centro della tenuta di contrada Portelli, nel trapanese, più di 100 ettari in gran parte vitati, era nato a inizio Ottocento come residenza estiva dei Polizzotti-Scuderi, farmacisti da generazioni da sempre pure appassionati imprenditori agricoli. All'epoca la produzione principale era il grano, solo nel primo Novecento comincia la conversione del fondo alla viticultura, ed è il 1995 quando Giuseppe Polizzotti rivoluziona completamente l'azienda edificando una nuova e moderna cantina per poter produrre e commercializzare con il suo marchio i vini della tenuta di famiglia. Gran bella batteria di vini quella approntata dalla brava Lorenza Scianna, che ormai in cantina è riuscita a trovare la quadra non solo sul grillo - da sempre il cavallo di battaglia aziendale - ma anche sui rossi. Finali per il Per Te Perricone '18, che sa di gelsi e viole, dalla bocca sinuosa ben governata da una sapida e grintosa spinta acida che ne esalta il bel frutto integro e succoso.

● Per Te Perricone '18	♟♟	3*
○ Bello Mio Zibibbo '19	♟♟	3
○ Sicilia Chardonnay Lumiére '19	♟♟	3
○ Sicilia Grillo Parlante '19	♟♟	3
● Sicilia Syrah Le Clay '18	♟♟	3
☉ Sicilia Aprile '19	♟	2
● Sicilia Nero d'Avola Nenè '19	♟	2
○ Baccadoro '16	♟♟	3*
○ Bello Mio '17	♟♟	3
○ Bello Mio Zibibbo '18	♟♟	3
○ Il Coro di Fondo Antico '16	♟♟	3
☉ Memorie '16	♟♟	4
● Per Te Perricone '17	♟♟	3
○ Sicilia Grillo Parlante '18	♟♟	3
○ Sicilia Grillo Parlante '17	♟♟	3*
● Sicilia Nero d'Avola '16	♟♟	2*
● Sicilia Nero d'Avola Nenè '17	♟♟	2*

Generazione Alessandro

C.DA BORRIGLIONE
95015 LINGUAGLOSSA [CT]
TEL. 092437038
www.generazionealessandro.it

VENDITA DIRETTA
VISITA SU PRENOTAZIONE
PRODUZIONE ANNUA 18.500 bottiglie
ETTARI VITATI 10,00

Una nuova promettente realtà di dieci ettari, otto già vitati, sommatoria di quattro tenute e contrade sul versante nord-est dell'Etna, a una altitudine media vicina ai 700 metri: Pontale Palino, Piano Filici, Sciaramanica e Borriglione. I vigneti hanno fra i dieci e 70 anni, le uve raccolte, solo da vitigni autoctoni, vengono vinificate nell'antico palmento di contrada Borriglione, opportunamente reso idoneo. Al timone di questa notevole entità, tre giovani cugini di talento, Benedetto, Anna e Benedetto Alessandro, da tempo nell'azienda di famiglia, qui completamente autonomi e indipendenti. Strepitoso l'Etna Bianco '18 Trainara (carricante 80%, catarratto il saldo), che conquista i Tre Bicchieri con autorevolezza, forte di un naso intenso ed elegante, dalle raffinate nuance minerali, zeste di agrumi, pesca bianca ed erbe medicinali, vino di carattere e caratura superiori, di infinita freschezza e complessità. Quasi sullo stesso livello il finissimo e profondo Etna Rosso Croceferro '18.

○ Etna Bianco Trainara '18	♟♟♟	4*
● Etna Rosso Croceferro '18	♟♟	4

Tenuta Gorghi Tondi

C.DA SAN NICOLA
91026 MAZARA DEL VALLO [TP]
TEL. 0923719741
www.gorghitondi.it

VENDITA DIRETTA
VISITA SU PRENOTAZIONE
PRODUZIONE ANNUA 800.000 bottiglie
ETTARI VITATI 130,00
VITICOLTURA Biologico Certificato
AZIENDA SOSTENIBILE

Ad aprile del 2020 è venuto a mancare
Michele Sala, papà di Annamaria e Clara,
figura di grande rilievo dell'imprenditoria
vinicola siciliana: nel 2000, lui e la moglie
Doretta hanno fondato questa azienda,
affidandone la guida alle figlie. Vigneti e
cantina si trovano in un luogo di
sorprendente bellezza, tra il mare di Mazara
e la Riserva del Lago Preola e Gorghi Tondi.
I 130 ettari vitati sono coltivati in biologico e
grande attenzione è prestata alla
sostenibilità ambientale della produzione,
come testimonia la linea Contrade, prodotta
e imbottigliata senza aggiunta di anidride
solforosa. Il Nero d'Avola Sorante '17
approda alle finali con un naso varietale ben
definito dalle note di capperi e gelsi; in
bocca è rotondo, succoso e persistente.
Piena conferma dal Frappato Dumè '19,
fresco e fragrante al sorso. Molto ben fatto il
Nero d'Avola Rosé Spumante Palmarés; bel
frutto croccante di pesca per il Catarratto
Midor '19; piacevole e fine l'aromaticità
dello Zibibbo Rajah '19.

Graci

LOC. PASSOPISCIARO
C.DA FEUDO DI MEZZO
95012 CASTIGLIONE DI SICILIA [CT]
TEL. 3487016773
www.graci.eu

VENDITA DIRETTA
VISITA SU PRENOTAZIONE
PRODUZIONE ANNUA 65.000 bottiglie
ETTARI VITATI 18,00
VITICOLTURA Biologico Certificato

I vigneti coltivati in biologico da Alberto
Graci si trovano in cinque prestigiose
contrade intorno a Passopisciaro, sul
versante nord est dell'Etna, terroir di
assoluta vocazione qualitativa. La cantina si
trova in un antico baglio, sul confine tra
Arcurìa e Feudo di Mezzo; risalendo verso la
cima del vulcano ci sono Muganazzi e Santo
Spirito, dove nel 2019 è stato impiantato un
ettaro di carricante; infine, a quota 1000
metri c'è Barbabecchi, con alberelli a piede
franco di 100 anni. All'inizio del 2020 sono
usciti i primi vini Idda, frutto della
collaborazione tra Alberto e Angelo Gaja. Il
Bianco Arcurìa '18 conquista i Tre Bicchieri
di slancio: complesso e nitido al naso; il
legno splendidamente in armonia con il
fruttato di agrumi e susine; in bocca è
autorevole, nella polpa fitta ritorna una
mineralità di nobile finezza. In finale anche
l'Arcurìa Rosso '18: sottile, elegantissimo
il bouquet di pesca e piccoli frutti rossi,
al palato è cremoso, lunghissimo e terso
nel finale.

● Sicilia Nero d'Avola Sorante '17	▼▼ 3*
⊙ Palmarés Rosé Extra Dry	▼▼ 3
○ Sicilia Catarratto Midor '19	▼▼ 2*
● Sicilia Frappato Dumè '19	▼▼ 3
○ Sicilia Zibibbo Rajah '19	▼▼ 4
○ Grillo d'Oro Passito '16	▼ 7
○ Sicilia Grillo Kheirè '19	▼ 4
○ Grillo d'Oro Passito '15	♀♀ 7
● Sicilia Frappato Dumè '18	♀♀ 3
● Sicilia Frappato Dumè '17	♀♀ 3
○ Sicilia Grillo Kheirè '18	♀♀ 4
● Sicilia Syrah Segreante '16	♀♀ 4
● Sicilia Syrah Segreante '15	♀♀ 4
○ Sicilia Zibibbo Rajah '18	♀♀ 4
○ Sicilia Zibibbo Rajah '17	♀♀ 4
○ Sicilia Zibibbo Rajah '16	♀♀ 4

○ Etna Bianco Arcurìa '18	▼▼▼ 6
● Etna Rosso Arcurìa '18	▼▼ 6
○ Etna Bianco '19	▼▼ 3
⊙ Etna Rosato '19	▼▼ 3
● Etna Rosso '18	▼▼ 3
● Etna Rosso Feudo di Mezzo '18	▼▼ 6
○ Etna Bianco '10	♀♀♀ 4*
○ Etna Bianco Arcurìa '11	♀♀♀ 5
○ Etna Bianco Quota 600 '10	♀♀♀ 5
● Etna Rosso '16	♀♀♀ 3*
● Etna Rosso Arcurìa '17	♀♀♀ 6
● Etna Rosso Arcurìa '13	♀♀♀ 6
● Etna Rosso Arcurìa '12	♀♀♀ 6
○ Etna Bianco '18	♀♀ 3
○ Etna Bianco Arcurìa '17	♀♀ 6
● Etna Rosso '17	♀♀ 3
● Etna Rosso Feudo di Mezzo '17	♀♀ 6

Lisciandrello

VIA CASE NUOVE, 31
90048 SAN GIUSEPPE JATO [PA]
TEL. 3395917618
www.aziendalisciandrello.com

PRODUZIONE ANNUA 30.000 bottiglie
ETTARI VITATI 6,00

Oltre un quarto di secolo a vendere i vini degli altri, da tutto il mondo, ha segnato l'esistenza di Giuseppe Lisciandrello, enotecario fra i più conosciuti e forniti non solo della Sicilia. Nel 2015 ha avuto modo di rilevare una bella tenuta di sei ettari (con cantina) nel comprensorio di Monreale, in contrada Cerasa, allocata a 550 metri, laddove le escursioni termiche sono importanti e la neve la fa sovente da padrona in inverno. I suoi compagni di avventura sono Luciano Tocco, grande "uomo del fare", e Benedetto Alessandro, uno dei più brillanti enologi siciliani della nouvelle vague. Quest'anno manca qualche etichetta, ma quelle presentate sono di assoluto pregio. Eccelle Jàto '18, catarratto d'alta collina dagli intensi profumi di fiori gialli, zeste di agrumi, pesca matura e sbuffi di pietra focaia, vino profondo e raffinato, sapido, scattante, di bellissima bevibilità. Ammaliante il Nerello Mascalese '17, dalle raffinate nuance di ciliegie e dai tannini fini e setosi.

Monteleone

C.DA CUBA
95012 CASTIGLIONE DI SICILIA [CT]
TEL. 334 5772422
www.monteleonetna.com

PRODUZIONE ANNUA 6.000 bottiglie
ETTARI VITATI 3,00

Giulia Monteleone, molto giovane, ha già avuto due vite: la prima l'ha vissuta da giornalista del vino di talento, briosa, competente, affidabile; nella seconda parte della sua esistenza ha incontrato Benedetto Alessandro, enologo con studi importanti fuori dalla Sicilia, lunghe esperienze all'estero, conoscenza delle lingue, dimensione internazionale, uno dei più brillanti giovani tecnici isolani. Nel loro comune progetto (pure enoico) é entrato l'Etna, sei ettari (per ora solo tre vitati) distribuiti fra le contrade Cuba, Pontale Palino e Sant'Alfio, a un'altitudine che va dai 500 ai 900 metri. Tre Bicchieri di slancio all'Etna Rosso Qubba '18, vino di forte personalità, che alterna raffinate note di pesca a eleganti toni di ardesia, succoso e vivace, dai tannini soavi e seducenti. Eccellenti pure l'Etna Bianco '19, che profuma di susina bianca e pompelmo, sapido e croccante, e l'Etna Rosso Rumex '18, dal fruttato maturo di ciliegia nera, viola e mirtilli, appagante e di grande carattere.

○ Monreale Jàto '18	♟♟ 4
○ Etna Bianco Carricante '18	♟♟ 4
● Nerello Mascalese '17	♟♟ 3
○ Carricante '16	♟♟ 4
○ Cataratto '16	♟♟ 4
○ Chardonnay '16	♟♟ 4
○ Chardonnay '15	♟♟ 3
● Nerello Mascalese '16	♟♟ 3*
● Nerello Mascalese '15	♟♟ 3
○ Sicilia Carricante '17	♟♟ 4
○ Sicilia Chardonnay '17	♟♟ 4

● Etna Rosso Qubba '18	♟♟♟ 7
● Etna Bianco '19	♟♟ 5
● Etna Rosso '18	♟♟ 6
● Etna Rosso Rumex '18	♟♟ 7
● Etna Bianco Anthemis '18	♟♟ 6
● Etna Rosso '17	♟♟ 6
● Etna Rosso Cuba '17	♟♟ 6

981

Cantine Nicosia

VIA LUIGI CAPUANA, 65
95039 TRECASTAGNI [CT]
TEL. 0957806767
www.cantinenicosia.it

VENDITA DIRETTA
VISITA SU PRENOTAZIONE
RISTORAZIONE
PRODUZIONE ANNUA 1.800.000 bottiglie
ETTARI VITATI 240,00
VITICOLTURA Biologico Certificato
AZIENDA SOSTENIBILE

La famiglia Nicosia coltiva con costante successo la vigna sull'Etna dal 1898. Oltre a questo territorio di riferimento, in tempi recenti ha fatto un importante investimento pure nella provincia di Ragusa, acquisendo una vasta tenuta in una delle migliori aree del Cerasuolo di Vittoria. Gli assi portanti dell'attività aziendale mirano alla massima valorizzazione dei vitigni locali e dei diversi terroir, in una logica di sostenibilità evidenziata da una produzione bio-vegana di rilievo nazionale. Notevoli, quest'anno, i vini della nuova realtà etnea di Monte San Nicolò, a 600 metri di altitudine. Cresce la qualità delle etichette di questa storica cantina, player di grande autorevolezza e prestigio su un territorio che i Nicosia conoscono a fondo da oltre un secolo. Etereo, ammaliante, intenso, Lenza di Munti Rosso 720 slm '17 ci ha conquistati con la raffinatezza dei suoi profumi di frutti rossi e ardesia. Praticamente sullo stesso livello l'elegante versione in bianco dello stesso vino.

● Etna Rosso Lenza di Munti 720 slm '17	🍷🍷🍷	3*
○ Etna Bianco Lenza di Munti 720 slm '19	🍷🍷	3*
○ Etna Bianco Contrada Monte Gorna '16	🍷🍷	6
○ Etna Bianco Contrada Monte San Nicolò '19	🍷🍷	4
○ Etna Bianco Fondo Filara Contrada Monte Gorna '19	🍷🍷	4
○ Etna Brut Sosta Tre Santi Collezione di Famiglia M. Cl. '16	🍷🍷	5
⊙ Etna Rosato Vulkà '19	🍷🍷	3
● Etna Rosso Contrada Monte Gorna Ris. '14	🍷🍷	6
● Etna Rosso Contrada Monte San Nicolò '18	🍷🍷	4
● Etna Rosso Fondo Filara Contrada Monte Gorna '18	🍷🍷	4
● Sicilia Frappato Fondo Filara '19	🍷🍷	3
● Etna Rosso Vign. Monte Gorna Ris. '13	🍷🍷🍷	6

Arianna Occhipinti

FRAZ. PEDALINO
S.DA PROV.LE 68 VITTORIA-PEDALINO KM 3,3
97019 VITTORIA [RG]
TEL. 09321865519
www.agricolaocchipinti.it

VENDITA DIRETTA
VISITA SU PRENOTAZIONE
PRODUZIONE ANNUA 130.000 bottiglie
ETTARI VITATI 22,00
VITICOLTURA Biologico Certificato
AZIENDA SOSTENIBILE

In poco più di tre lustri Arianna Occhipinti è diventata una icona del vino siciliano nel mondo, amata per il talento, la caparbietà, la passione. Ma amata soprattutto per la bontà dei suoi vini, buoni, anzi buonissimi, di carattere e spiccata personalità, autentici e originali, al di sopra di mode e tendenze del momento: in una parola i vini di Arianna. Le ultime novità sono, rispettivamente, l'acquisizione di una nuova tenuta a Chiaramonte Gulfi e il "Progetto Contrade", già in essere, che mira a distinguere in modo netto i vini di tre diversi terroir, Pettineo, Fossa di Lupo e Bombolieri. Una produzione di alto livello qualitativo, assai originale nella sua particolare cifra stilistica. Ci è molto piaciuto Il Frappato '18, intenso, carnoso e fragrante, che sa di ciliegia matura e spezie dolci orientali, succoso e polputo, che sfiora di poco i Tre Bicchieri. Cupo e profondo il Grotte Alte '15, piacevolmente austero, dalla beva elegante e aristocratica, assai generoso e persistente.

● Il Frappato '18	🍷🍷	5
● BB Vino di Contrada '17	🍷🍷	7
● Cerasuolo di Vittoria Cl. Grotte Alte '15	🍷🍷	7
● FL Vino di Contrada '17	🍷🍷	7
● PT Vino di Contrada '17	🍷🍷	7
● Siccagno '17	🍷🍷	6
● Il Frappato '12	🍷🍷🍷	5
● Il Frappato '11	🍷🍷🍷	5
● SP 68 Rosso '15	🍷🍷🍷	3*
● Cerasuolo di Vittoria Cl. Grotte Alte '14	🍷🍷	7
● Cerasuolo di Vittoria Cl. Grotte Alte '13	🍷🍷	7
● Cerasuolo di Vittoria Cl. Grotte Alte '10	🍷🍷	7
● Il Frappato '17	🍷🍷	5
● Il Frappato '16	🍷🍷	5

Tenute Orestiadi

V.LE SANTA NINFA
91024 GIBELLINA [TP]
TEL. 092469124
www.tenuteorestiadi.it

VENDITA DIRETTA
VISITA SU PRENOTAZIONE
OSPITALITÀ
PRODUZIONE ANNUA 1.200.000 bottiglie
ETTARI VITATI 120,00
VITICOLTURA Biologico Certificato
AZIENDA SOSTENIBILE

Una realtà cooperativa importante, figlia di quel moto di riscatto successivo al terribile terremoto che colpì la Valle del Belìce nel 1968. La reazione ebbe, nel segmento vinicolo, come stella polare la qualità e come assi portanti l'impegno, la passione, la dedizione più assoluta. Il duro lavoro si legò felicemente alla bellezza e all'arte, incarnati dalla Fondazione Orestiadi, una delle più significative realtà culturali del Mediterraneo. Ne sortirono il successo e vini molto buoni, di grande carattere e personalità, filiazioni dei vari terroir. Una bella novità il recente approdo sull'Etna. In gran forma il Bianco di Ludovico Riserva '17, catarratto con un po' di chardonnay, che profuma di limone e cedro, fiori bianchi ed erbe aromatiche, generoso, morbido e appagante. Notevole e di carattere l'Etna Rosso '16, frutto pregiato della tenuta orientale La Gelsomina, dal bel tono maturo di ciliegie nere, liquirizia e spezie, tipico, territoriale, carezzevole e setoso nei tannini.

○ Etna Bianco La Gelsomina '19	♟♟	3
● Etna Rosso La Gelsomina '16	♟♟	3
⊙ La Gelsomina Brut M. Cl. Rosé	♟♟	5
○ Pacènzia Zibibbo V. T.	♟♟	4
● Paxmentis Syrah Passito '18	♟♟	4
● Sicilia Frappato '18	♟♟	3
○ Sicilia Il Bianco di Ludovico Ris. '17	♟♟	4
○ La Gelsomina Brut Blanc de Noirs M. Cl.	♟	5
● Sicilia Nero d'Avola '18	♟	3
● Sicilia Perricone '18	♟	3
● Sicilia Frappato '17	♟♟	3
● Sicilia Frappato '16	♟♟	3
● Sicilia Nero d'Avola '16	♟♟	3
● Sicilia Perricone '17	♟♟	3
● Sicilia Perricone '16	♟♟	3
○ Sicilia Zibibbo '18	♟♟	3

★Palari

LOC. SANTO STEFANO BRIGA
C.DA BARNA
98137 MESSINA
TEL. 090630194
www.palari.it

PRODUZIONE ANNUA 50.000 bottiglie
ETTARI VITATI 7,00

E sono 30! Era il 1990 quando Salvatore Geraci imbottigliò semi-clandestinamente il suo primo Palari: le bottiglie erano bordolesi, i tappi dovette comprarli in un negozio di ferramenta poiché aveva dimenticato di ordinarli. L'iconica borgognotta col sole dorato con cui il vino è noto nel mondo arriverà solo nel 1994, annata come le precedenti mai commercializzata. Per Salvatore invece il tempo sembra non esser passato: è sempre rimasto il simpatico gioviale Peter Pan del vino italiano, colto, ironico, elegantissimo, sempre in giro coi suoi vini per tutti i Kensington Gardens del mondo. Quest'anno Salvatore, in piena sintonia col fratello Giampiero - è quest'ultimo che da sempre in azienda si occupa della parte tecnica, sia in vigna che in cantina - ha deciso di lasciare il Faro Palari ancora un anno ad affinare in bottiglia. Non ha comunque sfigurato il Rosso del Soprano '17, fascinoso al naso nei suoi sentori marini, di cardamomo e visciola, tonico, profondo e sapido al palato.

● Rosso del Soprano '17	♟♟	4
● Faro Palari '14	♟♟♟	6
● Faro Palari '12	♟♟♟	6
● Faro Palari '11	♟♟♟	6
● Faro Palari '09	♟♟♟	6
● Faro Palari '08	♟♟♟	6
● Faro Palari '07	♟♟♟	6
● Faro Palari '06	♟♟♟	6
● Faro Palari '05	♟♟♟	6*
● Faro Palari '04	♟♟♟	7
● Faro Palari '03	♟♟♟	6
● Faro Palari '02	♟♟♟	6
● Faro Palari '01	♟♟♟	6
● Rosso del Soprano '15	♟♟♟	4*
● Rosso del Soprano '11	♟♟♟	4*
● Rosso del Soprano '10	♟♟♟	4*
● Rosso del Soprano '07	♟♟♟	4

Palmento Costanzo

LOC. PASSOPISCIARO
C.DA SANTO SPIRITO
95012 CASTIGLIONE DI SICILIA [CT]
TEL. 0942983239
www.palmentocostanzo.com

VENDITA DIRETTA
VISITA SU PRENOTAZIONE
RISTORAZIONE
PRODUZIONE ANNUA 90.000 bottiglie
ETTARI VITATI 20,00
VITICOLTURA Biologico Certificato
AZIENDA SOSTENIBILE

Non lasciano indifferenti le affascinanti sabbie vulcaniche brune, frutto delle sgretolamento di antiche lave, che caratterizzano la bella tenuta della famiglia Costanzo, molto attenta alle tematiche ambientali. Ci troviamo sul versante nord dell'Etna, in contrada Santo Spirito, frazione di Passopisciaro, a Castiglione di Sicilia, e i vari terrazzamenti sono adagiati fra 650 e 800 metri di altitudine. Notevole l'insieme, che vede la moderna cantina coocictoro con l'antico palmento ottocentesco perfettamente operativo, entrambi oculatamente restaurati secondo i principi della bioarchitettura. Un lavoro attento e di straordinaria precisione ha portato alla definizione di alcuni eccellenti cru aziendali. Tre Bicchieri meritatissimi per il magnifico Contrada S. Spirito particella 468, che sa di ribes nero, bacche di ginepro, erbe di montagna e pietra focaia, vino di grande eleganza, dal bel frutto tonico, connotato da tannini spettacolari. Molto bene tutte le altre etichette pervenute.

● Etna Rosso		
Contrada Santo Spirito Part. 468 '16	♟♟♟	6
● Etna Rosso		
Contrada Santo Spirito Part. 464 '16	♟♟	6
● Etna Rosso Nero di Sei '16	♟♟	5
○ Etna Bianco di Sei '19	♟♟	5
○ Etna Bianco Mofete '19	♟♟	3
⊙ Etna Rosato Mofete '19	♟♟	3
● Etna Rosso Contrada Santo Spirito '17	♟♟	6
● Etna Rosso		
Contrada Santo Spirito Part. 466 '16	♟♟	6
● Etna Rosso Mofete '17	♟♟	3
○ Etna Bianco di Sei '17	♟♟♟	5
⊙ Etna Rosato Mofete '18	♟♟♟	3*
● Etna Rosso Mofete '14	♟♟	3*
● Etna Rosso Prefillossera '16	♟♟	8

Passopisciaro

LOC. PASSOPISCIARO
C.DA GUARDIOLA
95030 CASTIGLIONE DI SICILIA [CT]
TEL. 0578267110
www.vinifranchetti.com

VENDITA DIRETTA
PRODUZIONE ANNUA 75.000 bottiglie
ETTARI VITATI 26,00

Leggere attraverso il susseguirsi delle annate un terroir straordinario dominato da una presenza ancestrale e imprevedibile: è la sfida che nel 2000 ha raccolto Andrea Franchetti sull'Etna, inaugurando una stagione di rinascita che ha ancora ampi margini di crescita. Grande intuizione l'accento sulle diversità pedoclimatiche delle Contrade, frutto di lungo lavoro di ricerca. I vigneti si trovano sul versante nord, tra i 550 metri di altitudine di Chiappemacine e i 1000 di Rampante. Oltre al nerello mascalese sono coltivati petit verdot, cesanese d'Affile e chardonnay, materia prima del nuovo Contrada PC. L'annata 2018 ci regala un Passorosso davvero emozionante, che merita i Tre Bicchieri grazie alla finezza e all'articolazione di un bouquet dalla mineralità nitida; in bocca ha una splendida consistenza e un'eleganza di frutto incomparabile. Note definite di melograno e pesca per il Contrada G '18, piacevolmente tonico al palato; serico e affascinante nei toni floreali il Contrada R '18.

● Etna Rosso Passorosso '18	♟♟♟	5
● Contrada C '18	♟♟	8
● Contrada G '18	♟♟	8
● Contrada P '18	♟♟	8
○ Contrada PC '18	♟♟	8
● Contrada R '18	♟♟	8
● Contrada S '18	♟♟	8
● Franchetti '17	♟♟	8
○ Passobianco '18	♟♟	8
● Contrada C '17	♟♟♟	6
● Contrada G '11	♟♟♟	8
● Contrada P '10	♟♟♟	7
● Contrada P '09	♟♟♟	7
● Contrada Sciaranuova '15	♟♟♟	6
● Passopisciaro '04	♟♟♟	5
● Contrada Guardiola '16	♟♟	6
● Contrada S '17	♟♟	6

Carlo Pellegrino

VIA DEL FANTE, 39
91025 MARSALA [TP]
TEL. 0923719911
www.carlopellegrino.it

VENDITA DIRETTA
VISITA SU PRENOTAZIONE
PRODUZIONE ANNUA 5.500.000 bottiglie
ETTARI VITATI 150,00
AZIENDA SOSTENIBILE

Era il 1880 quando Paolo Pellegrino,
notaio e appassionato di viticoltura, diede il
via alla sua azienda; a passarsi il
testimone, poi, saranno altre sette
generazioni della medesima famiglia,
entrata autorevolmente nella storia
economica ed enologica della Sicilia. La
visione imprenditoriale è sempre stata
costantemente la stessa: valorizzazione dei
terroir di riferimento (oggi le tenute sono
ben quattro), esaltazione della qualità del
prodotto e di ogni cultivar, visione
lungimirante volta a preparare il futuro
legandolo sempre al presente e alla
migliore tradizione. Pregevole, al solito, la
storica produzione di Marsala. Fra le
(poche) etichette pervenute, ci è molto
piaciuto Il Salinaro '19, un Grillo assai
elegante e minerale che profuma di fiori
d'arancio e glicine, di rimarchevole
freschezza gustativa e bellissima bevibilità.
Conferma le sue doti di piacevolezza
Gibelé '19, aromatico, fine e intenso, che
sa di erbe della macchia mediterranea e
cedro. Bello pure il Passito Nes '18, dolce,
seducente e armonico,

○ Gibelè '19	♀♀	3
○ Passito di Pantelleria Nes '18	♀♀	6
○ Sicilia Grillo Il Salinaro '19	♀♀	3
○ Marsala Sup. Ambra Semisecco Ris. '85	♀♀♀	4*
○ Marsala Vergine Ris. '81	♀♀♀	6
○ Passito di Pantelleria Nes '09	♀♀♀	5
● Tripudium Rosso Duca di Castelmonte '09	♀♀♀	4*
● Duca di Castelmonte Tripudium Rosso '16	♀♀	5
● Gazzerotta '16	♀♀	4
○ Gibelè '18	♀♀	4
○ Passito di Pantelleria Nes '17	♀♀	7
○ Passito di Pantelleria Nes '16	♀♀	5
○ Passito di Pantelleria Nes '15	♀♀	7
● Rinazzo '16	♀♀	4

★Pietradolce

FRAZ. SOLICCHIATA
C.DA RAMPANTE
95012 CASTIGLIONE DI SICILIA [CT]
TEL. 3484037792
www.pietradolce.it

PRODUZIONE ANNUA 50.000 bottiglie
ETTARI VITATI 20,00

Con le ultime acquisizioni in contrada Feudo
di Mezzo sono più di 30 gli ettari vitati di
questo fascinoso domaine, tra i più
blasonati della Sicilia. A pieno servizio
anche la nuova cantina ipogea, così ben
integrata nell'ambiente che quando "si
allunga" verso la collina è davvero difficile
capire dove cominci una e finisca l'altra.
All'interno, insieme alla più moderna
tecnologia trovano posto molte opere d'arte,
come quelle del maestro Alfio Bonanno,
esponente di fama mondiale della Land Art
o la bellissima scultura "Pietre d'Acqua"
dell'artista veronese Giorgio Vigna. Di
altissima qualità anche quest'anno i vini dei
fratelli Faro: Tre Bicchieri al Barbagalli '17,
nettare di metafisica bellezza, dal bouquet
ampio e seducente di spezie dolci, frutti e
agrumi scuri, venato da eleganti nuance
minerali, con il sorso che entusiasma per la
raffinata e persistente trama gustativa.
Molto complesso al naso pure Archineri
Rosso '18, pieno, vitale, di rara lunghezza.

● Etna Rosso Barbagalli '17	♀♀♀	8
● Etna Rosso Archineri '18	♀♀	6
● Etna Rosso Contrada Rampante '18	♀♀	6
○ Etna Bianco Archineri '19	♀♀	6
⊙ Etna Bianco Pietradolce '19	♀♀	4
⊙ Etna Rosato Archineri '19	♀♀	6
● Etna Rosso Contrada Santo Spirito '18	♀♀	6
● Etna Rosso Pietradolce '19	♀♀	4
○ Sant'Andrea Carricante '17	♀♀	6
● Etna Rosso Archineri '10	♀♀♀	5
● Etna Rosso Contrada Rampante '16	♀♀♀	6
● Etna Rosso V. Barbagalli '16	♀♀♀	8
● Etna Rosso V. Barbagalli '14	♀♀♀	8
● Etna Rosso V. Barbagalli '13	♀♀♀	8
● Etna Rosso V. Barbagalli '12	♀♀♀	8
● Etna Rosso V. Barbagalli '11	♀♀♀	8
● Etna Rosso V. Barbagalli '10	♀♀♀	8

★★★Planeta

C.DA DISPENSA
92013 MENFI [AG]
TEL. 091327965
www.planeta.it

VISITA SU PRENOTAZIONE
OSPITALITÀ E RISTORAZIONE
PRODUZIONE ANNUA 2.500.000 bottiglie
ETTARI VITATI 395,00
AZIENDA SOSTENIBILE

Si consolida e cresce di anno in anno la
visione di Francesca, Alessio e Santi
Planeta: la loro azienda continua a
produrre qualità e a promuovere con
iniziative stimolanti i valori più autentici
della cultura siciliana. Sei cantine, cinque
terroir che rappresentano in pieno le
diversità presenti sull'isola: dal nucleo
originario dell'Ulmo a Sambuca e Menfi
con la Dispensa fino alla Baronia a Capo
Milazzo, passando per Dorilli a Vittoria,
Buonivini a Noto e Feudo di Mezzo
sull'Etna; un percorso emozionante
attraverso vini che narrano con eleganza il
rapporto tra vitigno, natura e territorio.
Finale per il Syrah Maroccoli '16:
complesso e profondo al naso, è ben
definito nel fruttato di ribes e mirtillo,
con eleganti sfumature speziate e
balsamiche; in bocca il frutto è rotondo,
persistente e nitido. Molto buono anche lo
Chardonnay '18, ricco di materia ben
armonizzata con un legno usato
sapientemente. Fini note minerali e di
confettura di prugne per il polputo Santa
Cecilia '17.

○ Sicilia Menfi Chardonnay '18	♟♟	5
● Sicilia Menfi Syrah Maroccoli '16	♟♟	3*
● Cerasuolo di Vittoria Cl. Dorilli '17	♟♟	4
○ Etna Bianco '19	♟♟	3
● Etna Rosso '19	♟♟	3
● Noto Nero d'Avola Santa Cecilia '17	♟♟	5
○ Sicilia Carricante Brut M. Cl '17	♟♟	4
○ Sicilia Carricante Eruzione 1614 '18	♟♟	4
○ Sicilia Menfi Alastro '19	♟♟	3
○ Sicilia Menfi Grillo Terebinto '19	♟♟	3
● Sicilia Nocera '18	♟♟	3
○ Sicilia Noto Allemanda '19	♟♟	3
● Cerasuolo di Vittoria Cl. Dorilli '14	♟♟♟	3*
● Cerasuolo di Vittoria Cl. Dorilli '13	♟♟♟	3*
○ Etna Bianco '16	♟♟♟	3*
● Menfi Syrah Maroccoli '14	♟♟♟	4*

Poggio di Bortolone

FRAZ. ROCCAZZO
VIA BORTOLONE, 19
97010 CHIARAMONTE GULFI [RG]
TEL. 0932921161
www.poggiodibortolone.it

VENDITA DIRETTA
VISITA SU PRENOTAZIONE
RISTORAZIONE
PRODUZIONE ANNUA 80.000 bottiglie
ETTARI VITATI 15,00
AZIENDA SOSTENIBILE

Pierluigi "Pigi" Cosenza custodisce e
coltiva i terreni di famiglia in territorio di
Chiaramonte Gulfi; sono 60 ettari, di cui
15 impiantati a vigneto sulle alture e sui
terreni alluvionali dei torrenti Para Para e
Mazzarronello. Siamo nel cuore della
DOCG Cerasuolo di Vittoria Classico e i
vitigni impiegati, tutti a bacca nera, sono
principalmente il nero d'Avola e il frappato,
ma ci sono anche varietà alloctone come
syrah, cabernet sauvignon e petit verdot;
vengono mantenuti alcuni ceppi di grosso
nero, una varietà in estinzione che un
tempo concorreva all'uvaggio del
Cerasuolo. Magnifico, il Cerasuolo Para
Para '17: si è meritato i Tre Bicchieri con il
suo carattere, il bouquet elegante di
confettura di ciliege, spezie dolci e cedro; il
frutto è piacevolissimo, vivo e rotondo, il
finale impeccabile. Riusciti anche il blend
di syrah e cabernet Addamanera '19 con
belle note verdi, fruttate e marine e il
Rosachiara '19, frappato e nero d'avola in
rosa molto fresco e nitido.

● Cerasuolo di Vittoria Il Para Para '17	♟♟♟	5
● Addamanera '19	♟♟	3
⊙ Sicilia Rosato Rosachiara '19	♟♟	3
● Cerasuolo di Vittoria V. Para Para '05	♟♟♟	4
● Cerasuolo di Vittoria V. Para Para '02	♟♟♟	4*
● Addamanera '17	♟♟	3*
● Cerasuolo di Vittoria Cl. Contessa Costanza '16	♟♟	3
● Cerasuolo di Vittoria Cl. Poggio di Bortolone '17	♟♟	3
● Cerasuolo di Vittoria Cl. Poggio di Bortolone '16	♟♟	3
● Cerasuolo di Vittoria Il Para Para '16	♟♟	4
● Sicilia Rosso Pigi '17	♟♟	5
● Sicilia Rosso Pigi '14	♟♟	5
● Vittoria Frappato '18	♟♟	3
● Vittoria Frappato '16	♟♟	3

Principi di Butera

C.DA DELIELLA
93011 BUTERA [CL]
TEL. 0934347726
www.principidibutera.it

VENDITA DIRETTA
VISITA SU PRENOTAZIONE
PRODUZIONE ANNUA 800.000 bottiglie
ETTARI VITATI 180,00
AZIENDA SOSTENIBILE

La denominazione risale al 1543, quando la casata dei Branciforte riceve il titolo di Principi di Butera da Filippo II, Re di Spagna; al periodo di oblio durante il XX secolo è seguita la rinascita voluta dalla famiglia Zonin, che ha rimesso insieme i 320 ettari del Feudo e restaurato l'antico baglio. I vigneti, circa 170 ettari, si trovano su colline calcaree caratterizzate da un microclima con forti irradiazioni solari mitigate da venti provenienti dal vicino golfo di Gela a sud e dal Monte Dessueri a nord est; condizioni ideali per conferire eleganza e personalità ai vini di questo terroir. Abbiamo apprezzato l'intensità e la definizione del Grillo Diamanti '19: bel naso di agrumi, susine e nespole; in bocca il frutto è fragrante e ben teso. Netto e fine nei sentori floreali lo Chardonnay '19, con una piacevole sapidità in evidenza. Molto ben riuscito il Metodo Classico Pas Dosé '17 a base di nero d'Avola in bianco: eleganti note varietali di prugna e cappero, bocca fresca e vivace.

○ Nero d'Avola Pas Dosé M. Cl. '17	♟♟ 6	
○ Sicilia Chardonnay '19	♟♟ 3	
○ Sicilia Grillo Diamanti '19	♟♟ 3	
○ Nero d'Avola Pas Dosé M. Cl. 36 Mesi '16	♟ 6	
○ Sicilia Inzolia Carizza '19	♟ 3	
● Sicilia Nero d'Avola Amira '18	♟ 4	
● Sicilia Syrah Butirah '18	♟ 4	
● Cabernet Sauvignon '00	♟♟♟ 5	
● Deliella '12	♟♟♟ 6	
● Deliella '05	♟♟♟ 6	
● Deliella '02	♟♟♟ 7	
● Deliella '00	♟♟♟ 6	
● Sicilia Deliella '13	♟♟♟ 6	
● Sicilia Nero d'Avola Deliella '16	♟♟♟ 6	
● Sicilia Syrah '15	♟♟♟ 3*	

Rallo

VIA VINCENZO FLORIO, 2
91025 MARSALA [TP]
TEL. 0923721633
www.cantinerallo.it

VENDITA DIRETTA
VISITA SU PRENOTAZIONE
PRODUZIONE ANNUA 420.000 bottiglie
ETTARI VITATI 110,00
VITICOLTURA Biologico Certificato

Ha le sue radici nella migliore storia enologica siciliana questa pregevole cantina fondata nel 1860 da Diego Rallo, affermatasi da subito sui mercati internazionali. Acquisita dalla famiglia Vesco nel 1997, ha beneficiato dell'entusiasmo e della competenza dei nuovi titolari, che nel segno dell'agricoltura biologica di alta qualità ne hanno fatto un limpido esempio di produzione di vini eleganti, piacevoli e molto fini. Guidata con autorevolezza da Andrea Vesco, di solida sensibilità ambientalista, dispone di siti produttivi fra Alcamo, Pantelleria e Marsala, peraltro sede delle fascinose cantine storiche. Una formidabile versione dello zibibbo secco Al Quasar, la '19, conquista d'impeto i Tre Bicchieri con la sua personalità prorompente: deliziosi, intensi e complessi i profumi, che vanno dalla lavanda alle zeste di arancia, dalle erbe officinali all'iris; in bocca è ricco e giocoso, vibrante, sontuosamente sfaccettato ed elegante, soave nel suo felice allungo, seducente. Ottimi gli altri vini.

○ Sicilia Zibibbo Al Qasar '19	♟♟♟ 3*	
○ Alcamo Beleda '19	♟♟ 4	
○ Marsala Sup. Semisecco Mille	♟♟ 6	
○ Marsala Vergine Soleras Venti Anni Ris.	♟♟ 5	
○ Orange AV 01 Catarratto '19	♟♟ 4	
○ Sicilia Grillo Bianco Maggiore '19	♟♟ 3	
○ Sicilia Insolia Evrò '19	♟♟ 3	
○ Alcamo Beleda '17	♟♟♟ 4*	
○ Alcamo Beleda '15	♟♟♟ 4*	
○ Alcamo Beleda '13	♟♟♟ 2*	
○ Bianco Maggiore '12	♟♟♟ 3*	
○ Sicilia Bianco Maggiore '18	♟♟♟ 3*	
○ Sicilia Bianco Maggiore '16	♟♟♟ 3*	
○ Sicilia Bianco Maggiore '14	♟♟♟ 3*	
○ Al Qasar Zibibbo '16	♟♟ 3*	
○ Al Qasar Zibibbo '15	♟♟ 3*	

Tenute Rapitalà

C.DA RAPITALÀ
90043 CAMPOREALE [PA]
TEL. 092437233
www.rapitala.it

VENDITA DIRETTA
VISITA SU PRENOTAZIONE
PRODUZIONE ANNUA 2.200.000 bottiglie
ETTARI VITATI 163,00

Le colline che da Camporeale declinano verso il golfo di Castellammare sono il terroir di riferimento dell'azienda fondata nel 1968 dai coniugi Hugues Bernard de La Gatinais e Gigi Guarrasi, ora guidata dal figlio Laurent all'interno del Gruppo Italiano Vini. Queste terre hanno un'antica vocazione alla viticoltura, le varietà coltivate vanno dagli autoctoni catarratto, grillo e nero d'avola agli internazionali chardonnay, viognier, syrah, cabernet sauvignon e pinot nero. Recentemente è stato acquisito un vigneto di nerello mascalese nel territorio di Randazzo, sul versante nord-est dell'Etna. Uno Chardonnay di livello il Grand Cru '18: si aggiudica le finali con un bouquet sensuale di vaniglia, fiori bianchi e frutti tropicali; il legno sottolinea i profumi senza risultare invasivo; in bocca è morbido, fresco e balsamico. La vendemmia tardiva di catarratto e sauvignon Cielo d'Alcamo '19 ci regala la sua migliore versione: elegante, burrosa, armonica nella dolcezza di un frutto vivo.

○ Conte Hugues Bernard De La Gatinais Grand Cru '18	♟♟ 5
○ Alcamo Bianco I Templi '19	♟♟ 2*
○ Alcamo Cl. V. Casalj '19	♟♟ 3
○ Alcamo V. T. Cielo Dalcamo '19	♟♟ 4
○ Piano Maltese Bianco '19	♟♟ 2*
○ Sicilia Grillo I Templi '19	♟♟ 2*
○ Bouquet '19	♟ 2
○ Sicilia Grillo Viviri '19	♟ 2
● Sicilia Syrah Sire Nero '19	♟ 2
○ Conte Hugues Bernard de la Gatinais Grand Cru '10	♟♟♟ 4*
● Hugonis '01	♟♟♟ 6
● Solinero '03	♟♟♟ 5
● Solinero '00	♟♟♟ 5
● Hugonis '16	♟♟ 5
● Sicilia Nero d'Avola Alto Nero '17	♟♟ 3

Riofavara

FRAZ. RIO FAVARA
S.DA PROV.LE 49 ISPICA-PACHINO
97014 ISPICA [RG]
TEL. 0932705130
www.riofavara.it

VENDITA DIRETTA
VISITA SU PRENOTAZIONE
OSPITALITÀ
PRODUZIONE ANNUA 45.000 bottiglie
ETTARI VITATI 20,00
VITICOLTURA Biologico Certificato
AZIENDA SOSTENIBILE

Nata nel 1920, l'azienda della famiglia Padova si trova in Val di Noto, tra Ispica e Pachino, terroir di due Doc di tradizione, l'Eloro Nero d'Avola e il Moscato di Noto. I bianchi terreni calcarei di questa zona e un microclima particolare regolato dal vento conferiscono ai frutti una solarità e un carattere unici. La produzione di vino risale al 1994, la conduzione è interamente biologica e in cantina sono banditi gli interventi enologici invasivi. Di recente sono entrati in produzione nuovi vigneti, 11 ettari presso Pachino impiantati a nero d'Avola, moscato e alcuni vitigni "reliquia". In attesa della nuova annata dello Sciavé, l'Eloro Nero d'Avola Spaccaforno '16 accede alle finali grazie al suo naso di fascinosa territorialità, con note di gelsi in confettura, alloro, cappero e acciuga; in bocca è rotondo e fresco, netto e persistente. Bel ritorno aromatico per il Moscato secco Mizzica '19, affascinante il nuovo blend di varietà antiche Nsajàr '19, fresco e nervoso nel frutto.

● Eloro Spaccaforno '16	♟♟ 3*
○ Moscato di Noto Mizzica '19	♟♟ 3
○ Nsajàr Recunu '19	♟♟ 6
⊙ Sicilia Rosato '19	♟♟ 3
○ Sicilia Extra Brut M. Cl. '18	♟ 7
● Eloro Nero d'Avola Sciavè '16	♟♟ 5
● Eloro Nero d'Avola Sciavè '13	♟♟ 5
● Eloro Nero d'Avola Spaccaforno '15	♟♟ 4
○ Marzaiolo '18	♟♟ 3
○ Marzaiolo '17	♟♟ 3
○ Marzaiolo '16	♟♟ 3
○ Moscato di Noto Mizzica '18	♟♟ 3
○ Moscato di Noto Mizzica '17	♟♟ 3
○ Moscato di Noto Mizzica '16	♟♟ 3
○ Moscato di Noto Notissimo '16	♟♟ 3

★Girolamo Russo

LOC. PASSOPISCIARO
VIA REGINA MARGHERITA, 78
95012 CASTIGLIONE DI SICILIA [CT]
TEL. 3283840247
www.girolamorusso.it

VENDITA DIRETTA
VISITA SU PRENOTAZIONE
PRODUZIONE ANNUA 65.000 bottiglie
ETTARI VITATI 15,00
VITICOLTURA Biologico Certificato

Giuseppe Russo cura in prima persona i vigneti di famiglia, ubicati nell'equivalente etneo della Côte d'Or, le antiche colate di lava (sciare) alle pendici nord orientali del vulcano che si affacciano sulla valle del fiume Alcantara. I 15 ettari sono distribuiti su tre contrade tra Randazzo e Passopisciaro: San Lorenzo, Feudo e Feudo di Mezzo, a quote tra i 650 e i 780 metri d'altitudine. Giuseppe integra la coltivazione in biologico alle tecniche tradizionali di allevamento della vite sull'Etna; la materie prime sono vinificate separatamente per esaltare differenze e personalità dei singoli cru. Bella affermazione per i bianchi dell'azienda: in finale il Nerina '19, fragrante e definito nelle note di erbe aromatiche, con un frutto nitido e pienamente armonico. Molto bene anche il nuovo San Lorenzo '19, con eleganti nuance minerali fumée e una piacevole cremosità in bocca. Abbiamo però apprezzato la maturità, la complessa eleganza e la levigatezza del Rosso San Lorenzo '18, caratteristiche che gli valgono i Tre Bicchieri.

● Etna Rosso San Lorenzo '18	♟♟♟	6
○ Etna Bianco Nerina '19	♟♟	5
○ Etna Bianco San Lorenzo '19	♟♟	5
☉ Etna Rosato '19	♟♟	4
● Etna Rosso 'A Rina '18	♟♟	4
● Etna Rosso Feudo di Mezzo '18	♟♟	6
● Etna Rosso Calderara Sottana '18	♟	4
● Etna Rosso Feudo '18	♟	6
● Etna Rosso 'A Rina '15	♟♟♟	4*
● Etna Rosso 'A Rina '12	♟♟♟	3*
● Etna Rosso Feudo '11	♟♟♟	5
● Etna Rosso Feudo '10	♟♟♟	5
● Etna Rosso Feudo '07	♟♟♟	5
● Etna Rosso Feudo di Mezzo '16	♟♟♟	6
● Etna Rosso San Lorenzo '14	♟♟♟	6
● Etna Rosso San Lorenzo '13	♟♟♟	5
● Etna Rosso San Lorenzo '09	♟♟♟	5

Cantine Settesoli

S.S. 115
92013 MENFI [AG]
TEL. 092577111
www.cantinesettesoli.it

VENDITA DIRETTA
VISITA SU PRENOTAZIONE
PRODUZIONE ANNUA 20.000.000 bottiglie
ETTARI VITATI 6000,00

Il 21 dicembre 1958 era una bella giornata, e il fatto fu visto come di buon auspicio: 68 agricoltori davano vita con entusiasmo a una nuova realtà cooperativa impiantando la vigna laddove c'erano stati agrumi, cotone e grano. La fortuna fu dalla loro parte, la cantina si rafforzò progressivamente e divenne punto di riferimento economico-sociale del comprensorio. Oggi Settesoli conta oltre 2.000 soci e gestisce 6.000 ettari. I suoi marchi sono diffusi nel mondo e sono sinonimo di alta qualità grazie al lavoro collettivo e a una guida lungimirante e saggia che ha visto al timone prima Diego Planeta e oggi Giuseppe Bursi. La costante qualità di tutte le etichette premia un lavoro impostato tanti anni addietro e una visione lungimirante che non ha mai cercato scorciatoie. Massimo riconoscimento (c'è abituato) per un Nero d'Avola esemplare, Cartagho '18, elegante e fine, connotato da intense sfumature di alloro, tabacco, confettura di prugne e gelsi, venate da fascinosi toni iodati.Ottimo esordio per i due vini etnei.

● Sicilia Mandrarossa Cartagho '18	♟♟♟	3*
● Etna Rosso Mandrarossa Sentiero delle Gerle '16	♟♟	4
○ Etna Bianco Mandrarossa Sentiero delle Gerle '18	♟♟	4
○ Santannella Mandrarossa '19	♟♟	3
○ Sicilia Bertolino Soprano '18	♟♟	3
○ Sicilia Mandrarossa Urra di Mare '19	♟♟	2*
● Sicilia Nero d'Avola Terre del Sommacco '17	♟♟	3
● Mandrarossa Cavadiserpe '16	♟♟♟	3*
● Sicilia Mandrarossa Cartagho '17	♟♟♟	3*
● Sicilia Mandrarossa Cartagho '16	♟♟♟	3*
● Sicilia Mandrarossa Cartagho '14	♟♟♟	3*
● Timperosse Mandrarossa '14	♟♟♟	3*

★★Tasca d'Almerita

C.DA REGALEALI
90129 SCLAFANI BAGNI [PA]
TEL. 0916459711
www.tascadalmerita.it

VENDITA DIRETTA
VISITA SU PRENOTAZIONE
OSPITALITÀ E RISTORAZIONE
PRODUZIONE ANNUA 2.124.000 bottiglie
ETTARI VITATI 370,19
AZIENDA SOSTENIBILE

Lucio Tasca d'Almerita è stato spesso definito l'ultimo Gattopardo, ma in verità lui non è mai stato un campione del decadente immobilismo della nobiltà siciliana tratteggiata dal cugino Tomasi di Lampedusa nel suo capolavoro. "Se vogliamo che tutto rimanga come è, bisogna che tutto cambi", l'aforisma più citato della letteratura siciliana, mal si attaglia al conte Lucio, che in vita sua fermo non è mai stato: ha lavorato sin da ragazzo per innovare e ampliare l'azienda, investendo tanto per ottenere, riuscendoci, vini di grande qualità dal matrimonio tra terroir, vitigni ed eco-sostenibilità. Da una gamma d'eccellenza, cartina di tornasole di un'azienda che ha fatto la storia dell'enologia italiana tout court, emerge lo Chardonnay Vigna San Francesco '18, vino iconico dei Tasca, che per primi, ormai nella seconda metà del secolo scorso, impiantarono questa cultivar in Sicilia: Tre Bicchieri, pertanto, per il millesimo '18, elegantissimo nell'espressione olfattiva, tonico e raffinato al palato.

○ Sicilia Chardonnay V. San Francesco Tenuta Regaleali '18	♟♟♟	6
● Etna Rosso Tascante Contrada Sciaranuova V. V. '17	♟♟	8
● Contea di Sclafani Rosso del Conte Tenuta Regaleali '16	♟♟	7
● Etna Rosso Tascante Contrada Pianodario '17	♟♟	6
● Etna Rosso Tascante Contrada Sciaranuova '17	♟♟	6
● Etna Rosso Tascante Ghiaia Nera '18	♟♟	4
○ Sicilia Bianco Nozze d'Oro Tenuta Regaleali '18	♟♟	4
● Sicilia Cabernet Sauvignon V. San Francesco Tenuta Regaleali '17	♟♟	6
● Sicilia Rosso Cygnus Tenuta Regaleali '17	♟♟	4
○ Vigna di Paola Tenuta Capofaro '19	♟♟	6

Tenuta di Fessina

FRAZ. ROVITTELLO
VIA NAZIONALE 120, 22
95012 CASTIGLIONE DI SICILIA [CT]
TEL. 3357220021
www.tenutadifessina.com

VENDITA DIRETTA
VISITA SU PRENOTAZIONE
OSPITALITÀ E RISTORAZIONE
PRODUZIONE ANNUA 70.000 bottiglie
ETTARI VITATI 13,00
AZIENDA SOSTENIBILE

Un assurdo incidente in bici si è purtroppo portato via Roberto Silva, imprenditore di successo e marito di Silvia Maestrelli. Roberto non amava apparire, ma a Fessina era legato quanto Silvia, tanto da averla sempre incoraggiata e sostenuta sin dall'inizio della sua avventura sull'Etna, condividendone tutte le scelte, anche le più difficili. Insieme di recente avevano deciso di ampliare e ammodernare la cantina e acquisire nuove vigne, aprendo nel contempo un wine resort e affidando la conduzione tecnica dell'azienda a due giovani e bravissimi tecnici, Benedetto Alessandro e Jacopo Maniaci. Massimo alloro per il rosso Moscamento 1911, annata 2017, da una antica vigna sul versante nord dell'Etna impiantata proprio in quell'anno, vino molto complesso e profondo come solo dalle vecchie vigne si riesce ad ottenere: nitido tra rimandi ferrosi e fruttati, mostra un sorso adamantino ben bilanciato tra la fragranza del frutto e una vibrante e sapida acidità. Al solito, molto bene i bianchi.

● Etna Rosso Erse Contrada Moscamento 1911 '17	♟♟♟	5
○ Etna Bianco A' Puddara '18	♟♟	6
○ Etna Bianco Erse '19	♟♟	5
○ Etna Bianco Il Musmeci Contrada Caselle '17	♟♟	8
○ Etna Rosso Erse '18	♟♟	4
● Sicilia Nerello Cappuccio Laeneo '18	♟♟	4
○ Etna Rosato Erse '19	♟	4
○ Etna Bianco A' Puddara '17	♟♟♟	5
○ Etna Bianco A' Puddara '16	♟♟♟	5
○ Etna Bianco A' Puddara '13	♟♟♟	5
○ Etna Bianco A' Puddara '12	♟♟♟	5
○ Etna Bianco A' Puddara '11	♟♟♟	5
○ Etna Bianco A' Puddara '10	♟♟♟	5
○ Etna Bianco A' Puddara '09	♟♟♟	5
● Etna Rosso Musmeci '07	♟♟♟	6

Terra Costantino

VIA GARIBALDI, 417
95029 VIAGRANDE [CT]
TEL. 095434288
www.terracostantino.it

VENDITA DIRETTA
VISITA SU PRENOTAZIONE
OSPITALITÀ
PRODUZIONE ANNUA 55.000 bottiglie
ETTARI VITATI 10,00
VITICOLTURA Biologico Certificato
AZIENDA SOSTENIBILE

Quella di Dino e Fabio Costantino è una bella e affidabile realtà del versante sud-est dell'Etna; la tenuta è stata fondata nel 1699, e tutte le vigne si trovano attorno al coevo palmento di contrada Blandano, a Viagrande, a poca distanza in linea d'aria dal mar Jonio, che con i suoi venti freschi caratterizza il microclima di questo lato del vulcano, accentuando ancor di più durante le notti estive l'escursione termica. I Costantino, non a caso tra i primi a orientarsi al biologico nel comprensorio etneo, da sempre coltivano le loro vigne con grande attenzione all'ambiente e alla biodiversità. Finali per l'Etna Bianco De Aetna '18, vino che rispetta appieno il connubio tra il terroir vulcanico e le sue varietà sin dai profumi, che rimandano all'anice e alla pesca bianca su un bel fondo minerale-salino, mentre il sorso trova in un sapida e fresca spina acida la forza per tenere su un frutto di tutto rispetto. Di piacevolissima beva il rosato De Aetna '19, fresco, fruttato e minerale.

Terrazze dell'Etna

C.DA BOCCA D'ORZO
95036 RANDAZZO [CT]
TEL. 0916236343
www.terrazzedelletna.it

VENDITA DIRETTA
VISITA SU PRENOTAZIONE
PRODUZIONE ANNUA 120.000 bottiglie
ETTARI VITATI 38,00

Un paesaggio modellato da energie formidabili e dalla tenace pazienza dei contadini, che hanno letteralmente scolpito nella pietra lavica le terrazze dove dimorano le viti, fra boschi di castagni e querce e immense sciare che scendono lungo il dorso dell'Etna. Siamo a Bocca d'Orzo: qui Nino Bevilacqua, conquistato da tanta bellezza, ha deciso di fondare l'azienda di famiglia. I vigneti si trovano tra i 600 e i 950 metri d'altitudine, le varietà coltivate sono principalmente il nerello mascalese, con alberelli che arrivano ai 60 anni, il cappuccio, lo chardonnay, il pinot nero e il petit verdot. La Cuvée 50 Mesi ripete le finali con il millesimo 2015: complesso il naso dalle eleganti note di burro di arachidi e ginestra; in bocca è cremoso, assai fine e persistente la bolla. Piacevoli note minerali e di piccoli frutti rossi per il Rosé Brut '17, bel ritorno, fresco e sapido. Profumi più maturi e articolati per l'aristocratico Rosé Brut 50 Mesi '15, bella piacevolezza per la Cuvée Brut '17.

○ Etna Bianco De Aetna '18	♟♟ 5
○ Etna Rosato De Aetna '19	♟♟ 4
● Etna Rosso De Aetna '18	♟♟ 4
⊙ Rasola '19	♟♟ 5
○ Etna Bianco Contrada Blandano '16	♟♟ 5
○ Etna Bianco Contrada Blandano '15	♟♟ 5
○ Etna Bianco Contrada Blandano '14	♟♟ 5
○ Etna Bianco De Aetna '17	♟♟ 3
● Etna Rosso Contrada Blandano '16	♟♟ 5
● Etna Rosso Contrada Blandano '15	♟♟ 5
● Etna Rosso Contrada Blandano '14	♟♟ 5
● Etna Rosso De Aetna '17	♟♟ 3*
● Etna Rosso De Aetna '16	♟♟ 3*
● Etna Rosso De Aetna '15	♟♟ 3
● Etna Rosso De Aetna '14	♟♟ 3
● Etna Rosso De Aetna '13	♟♟ 3

○ Cuvée Brut 50 Mesi '15	♟♟ 5
○ Cuvée Brut '17	♟♟ 5
○ Cuvée Brut 50 Mesi Rosé '15	♟♟ 5
⊙ Rosé Brut '17	♟♟ 5
⊙ Etna Rosato '18	♟ 3
● Etna Rosso Cirneco '09	♟♟♟ 6
● Etna Rosso Cirneco '08	♟♟♟ 5
○ Cuvée Brut '16	♟♟ 5
○ Cuvée Brut '15	♟♟ 5
○ Cuvée Brut '14	♟♟ 5
○ Cuvée Brut 50 Mesi '14	♟♟ 5
○ Cuvée Brut 50 Mesi '12	♟♟ 5
⊙ Rosé Brut '16	♟♟ 5
⊙ Rosé Brut '15	♟♟ 5
⊙ Rosé Brut '14	♟♟ 5
⊙ Rosé Brut 50 Mesi '14	♟♟ 5
⊙ Rosé Brut 50 Mesi '12	♟♟ 5

Girolamo Tola & C.

VIA GIACOMO MATTEOTTI, 2
90047 PARTINICO [PA]
TEL. 0918781591
www.vinitola.it

PRODUZIONE ANNUA 180.000 bottiglie
ETTARI VITATI 55,00

La nuova cantina, baricentrica rispetto alle tenute di riferimento, situate fra le contrade Bosco Falconeria, Giambascio e Grassuri Dairoldi, a cavallo delle province di Palermo e Trapani, ha dato maggiore respiro alle attività di questa realtà familiare di successo molto apprezzata dai mercati internazionali. Le modernissime attrezzature, le confortevoli sale di degustazione e i maggiori ampi spazi sono adesso il contesto idoneo per accentuare la marcata impronta artigianale di questa azienda, curata con passione da Mimmo Tola e da suo figlio Francesco, fresco di studi in economia e management. Cresce in modo costante il livello dei vini, bianchi e rossi. Territoriale, intenso, dal frutto fragrante che sa di ciliegie nere e spezie il Nero d'Avola '19, sorprendente Grysos '18, pinot nero di grande piacevolezza e bevibilità. Notevole il Nero d'Avola Black Label '18, dal tannino deciso e morbido. Sullo stesso piano il Costarosa '19 (mix di uve nere) rosé che sa di pesca, sapido e minerale.

Tornatore

FRAZ. VERZELLA
VIA PIETRAMARINA, 8A
95012 CASTIGLIONE DI SICILIA [CT]
TEL. 3662641380
www.tornatorewine.com

VENDITA DIRETTA
VISITA SU PRENOTAZIONE
PRODUZIONE ANNUA 120.000 bottiglie
ETTARI VITATI 45,00

L'azienda di Francesco Tornatore è una delle più belle realtà dell'Etna, con ancora un'enorme potenzialità di crescita sia in termini qualitativi, già altissimi, che produttivi. Francesco ha cominciato il suo percorso ripartendo dalle origini, il podere con cinque ettari di vigna che il padre coltivava in contrada Trimarchisa: da bravo imprenditore però lo ha fatto pensando al futuro, per cui, oltre al nerello mascalese, ha impiantato 25 ettari a carricante; una geniale intuizione per una varietà poco presente sul versante Nord del vulcano, dove però riesce splendidamente bene. Se è vero che l'affidabilità di una cantina si misura dalla qualità dei vini base, possiamo certamente affermare che questa è tra le più affidabili realtà etnee. Tre Bicchieri all'Etna Bianco Pietrarizzo '19, raffinato e complesso al naso e dal sorso fitto, elegante e di notevole persistenza. Finali per l'Etna Rosso '18, vino di terroir dal frutto nitido e tonico per una beva di rara piacevolezza.

⊙ Costarosa '19	♟♟ 3
○ GranDuca Chardonnay '18	♟♟ 3
● Grysos Pinot Nero '18	♟♟ 6
● Nero d'Avola Syrah '17	♟♟ 3
○ Sicilia Grillo '19	♟♟ 2*
○ Sicilia Grillo Catarratto Chimaera Bianco '19	♟♟ 2*
● Sicilia Nero d'Avola '19	♟♟ 3
● Sicilia Nero d'Avola Black Label '18	♟♟ 3
○ White Label Chardonnay Insolia '19	♟♟ 3
○ Catarratto '18	♟♟ 2*
○ Catarratto Insolia '18	♟♟ 2*
○ Chardonnay Insolia '17	♟♟ 2*
● Nero d'Avola Black Label '17	♟♟ 3
● Nero D'Avola Syrah '16	♟♟ 3
○ Sicilia Grillo '18	♟♟ 2*
● Sicilia Nero d'Avola '18	♟♟ 3

○ Etna Bianco Pietrarizzo '19	♟♟♟ 5
● Etna Rosso '18	♟♟ 4
○ Etna Bianco '19	♟♟ 4
⊙ Etna Rosato '19	♟ 4
● Etna Rosso '17	♟♟♟ 4*
● Etna Rosso '15	♟♟♟ 4*
● Etna Rosso Trimarchisa '16	♟♟ 6
○ Etna Bianco '18	♟♟ 4
○ Etna Bianco '17	♟♟ 4
○ Etna Bianco '16	♟♟ 4
○ Etna Bianco Pietrarizzo '18	♟♟ 5
○ Etna Bianco Pietrarizzo '17	♟♟ 5
● Etna Rosso '16	♟♟ 4
● Etna Rosso Ris. '14	♟♟ 4
● Etna Rosso Trimarchisa '17	♟♟ 6

Valle dell'Acate

C.DA BIDINI
97011 ACATE [RG]
TEL. 0932874166
www.valledellacate.it

VENDITA DIRETTA
VISITA SU PRENOTAZIONE
OSPITALITÀ
PRODUZIONE ANNUA 350.000 bottiglie
ETTARI VITATI 80,00
VITICOLTURA Biologico Certificato
AZIENDA SOSTENIBILE

Dal 2019 l'azienda è guidata
esclusivamente da Gaetana, che
rappresenta la sesta generazione della
famiglia Jacono a coltivare le terre
dell'antico Feudo Bidini. Il terroir di
riferimento si trova nel cuore della Docg
Cerasuolo di Vittoria Classico, le colline
disegnate dal corso del fiume Dirillo; qui
sono state identificate sette morfologie
diverse di suolo dove sono impiantati i
vigneti, dalle terre gialle argilloso-sabbiose
a quelle bianche-calcaree dove cresce lo
chardonnay del Bidis, passando per le
nere-ciottolose che ospitano il frappato,
fino a quelle rosso-arancio del cru Iri da Iri.
Affascinanti note minerali iodate e di erbe
mediterranee per il Grillo Zagra '19, che
sfiora le finali con una bocca di grande
piacevolezza: fresco, sapido e persistente.
Ben riuscito il nuovo Bellifolli Bianco '19,
blend di inzolia, moscato e fiano, dalla bella
tensione gustativa; accattivante nei profumi
varietali il Nero d'Avola Bellifolli '19;
fragrante nel frutto come sempre il
Frappato '19.

● Cerasuolo di Vittoria Cl. '18	▼▼ 4
○ Sicilia Bianco Bellifolli '19	▼▼ 3
○ Sicilia Grillo Zagra '19	▼▼ 3
○ Sicilia Insolia Bellifolli '19	▼▼ 3
● Sicilia Nero d'Avola Bellifolli '19	▼▼ 3
● Sicilia Rosso Bellifolli '19	▼▼ 3
● Vittoria Frappato Il Frappato '19	▼▼ 3
● Cerasuolo di Vittoria Cl. '17	♀♀ 4
● Cerasuolo di Vittoria Cl. '15	♀♀ 4
● Cerasuolo di Vittoria Cl. '14	♀♀ 4
○ Sicilia Insolia Bellifolli '18	♀♀ 3
● Sicilia Nero d'Avola Il Moro '15	♀♀ 4
● Sicilia Nero d'Avola Tanè '15	♀♀ 6
● Sicilia Nero d'Avola Bellifolli '18	♀♀ 3
● Sicilia Syrah Bellifolli '17	♀♀ 3
● Vittoria Frappato Il Frappato '18	♀♀ 3
● Vittoria Frappato Il Frappato '17	♀♀ 3

Zisola

C.DA ZISOLA
96017 NOTO [SR]
TEL. 057773571
www.mazzei.it

VENDITA DIRETTA
VISITA SU PRENOTAZIONE
PRODUZIONE ANNUA 120.000 bottiglie
ETTARI VITATI 30,00
AZIENDA SOSTENIBILE

La tenuta siciliana dei Mazzei, proprietari in
Chianti Classico del famoso Castello di
Fonterutoli e della Tenuta di Belguardo in
Maremma, nasce dall'amore di Filippo
Mazzei per la Sicilia e per Noto in
particolare. Quando l'ha vista per la prima
volta Zisola era pressoché abbandonata;
resisteva fieramente solo un bellissimo
agrumeto in parte dedicato alla coltivazione
del pompelmo rosa. Filippo ha quindi
restaurato il suggestivo baglio
settecentesco realizzando anche una nuova
cantina e soprattutto impiantando ad
alberello, come tradizione vuole, 30 ettari di
vigneto, in prevalenza a nero d'Avola. Va
meritatamente in finale Azisa '19, blend di
catarratto e grillo dal bouquet esplosivo di
agrumi, sentori iodati, erbe aromatiche e
mandorle, di beva fresca, salina e di rara
piacevolezza. Molto bene anche i rossi, i
nero d'Avola in particolare: elegante e dal
sorso fruttato e leggiadro, il Doppiozeta '17,
più semplice ma non meno piacevole lo
Zisola '18, dai piacevoli toni di gelso.

○ Sicilia Azisa '19	▼▼ 3*
● Noto Doppiozeta '17	▼▼ 6
● Noto Nero d'Avola Zisola '18	▼▼ 4
● Sicilia Achilles '17	▼▼ 6
● Achilles '16	♀♀ 6
● Achilles '15	♀♀ 4
● Effe Emme '15	♀♀ 6
● Effe Emme '13	♀♀ 6
● Noto Doppiozeta '15	♀♀ 6
● Noto Doppiozeta '14	♀♀ 6
● Noto Effe Emme '14	♀♀ 6
● Noto Nero d'Avola Zisola '17	♀♀ 4
● Noto Zisola '14	♀♀ 4
● Noto Zisola Doppiozeta '13	♀♀ 6
○ Sicilia Azisa '18	♀♀ 3
○ Sicilia Azisa '17	♀♀ 3
○ Sicilia Azisa '15	♀♀ 3

Al-Cantàra

C.DA FEUDO S. ANASTASIA
S.DA PROV.LE 89
95036 RANDAZZO [CT]
TEL. 095339430
www.al-cantara.it

Pucci Giuffrida coltiva 15 ettari di vigneti presso Randazzo, a poca distanza dall'eponimo fiume: bella prova dall'Etna Bianco Occhi di Ciumi '19, fine e intenso nelle note di agrumi; interessante 'A Nutturna '19, nerello mascalese vinificato in bianco, dal frutto fresco e integro.

○ 'A Nutturna '19	♟♟	4
○ Etna Bianco Luci Luci '18	♟♟	5
○ Etna Bianco Occhi di Ciumi '19	♟♟	3
● Muddichi di Suli '17	♟♟	4

Ampelon

C.DA CALDERARA
95036 RANDAZZO [CT]
TEL. 3459196437
www.viniampelon.it

Barbara e Valter Gazzotti seguono la produzione dal vigneto, curando le viti in modo sostenibile, fino in cantina, dove viene prestata la massima attenzione all'integrità della materia prima. L'Etna Bianco '19 conferma la sua fine mineralità; elegante il frutto del Rosso Le Caldere '16.

○ Etna Bianco Ampelon '19	♟♟	3
● Etna Rosso Le Caldere '16	♟♟	5
● Etna Rosso Passo alle Sciare '17	♟♟	4

Avide - Vigneti & Cantine

C.DA MASTRELLA, 346
97013 COMISO [RG]
TEL. 0932967456
www.avide.it

Una cantina di forte impronta tradizionale che ha segnato la storia enologica del suo territorio. Notevole il Cerasuolo di Vittoria Barocco '13, minerale, terroso, dalle mature note di ribes nero, gelsi e cioccolato fondente, assai fine e dal tannino carezzevole. Bene anche il resto.

● Cerasuolo di Vittoria Barocco '13	♟♟	5
● 1607 Frappato '19	♟	3
● Cerasuolo di Vittoria Cl. Etichetta Nera '17	♟	3
● Sigillo Rosso '15	♟	5

Barone Sergio

LOC. NOTO
VIA CAVOUR, 29
96018 PACHINO [SR]
TEL. 0902927878
www.baronesergio.it

Felice ritorno in Guida per questa azienda del Val di Noto: bel fruttato maturo, note balsamiche in una bocca rotonda e succosa per l'Eloro Nero d'Avola Sergio; piacevoli gli aromi di lavanda e pesca del fresco Moscato Moscà '19; buon erbaceo e una viva sapidità per il Grillo Alègre '19.

● Eloro Nero d'Avola Barone Sergio '18	♟♟	3
○ Sicilia Grillo Alègre '19	♟♟	2*
○ Sicilia Moscato Moscà '19	♟♟	3
○ Alluccà Moscato '19	♟	3

Battiato

VIA CARLO CATTANEO, 25
95010 SANTA VENERINA [CT]
TEL. 3491090748
www.battiatovini.it

Rispetto del terroir, viticoltura e vinificazione artigianale è la base del progetto di questa piccola azienda sul versante est dell'Etna. Notevole l'Etna Rosso Ellonero '17: bouquet intrigante di viola, noce moscata e tabacco biondo; in bocca il frutto è sodo, pulito e persistente.

● Etna Rosso ElloNero '17	♟♟	4

Tenuta Benedetta

C.DA PETTO DRAGONE
95015 LINGUAGLOSSA [CT]
TEL. 3342720047
www.tenutabenedetta.it

Daniele e Laura Noli ci offrono un originale e riuscito confronto fra il sangiovese e il terroir dell'Etna con Unico di Benedetta '16: bella ciliegia, balsamico, rotondo e vivo nel frutto. Bene anche i due Etna Rosso di Laura '16 e Bianco di Mariagrazia '17, entrambi con fini note boisée.

● Unico di Benedetta '16	♟♟	7
○ Etna Bianco di Mariagrazia '17	♟	6
● Etna Rosso di Laura '16	♟	6
● Unico di Benedetta '15	♟	7

Birgi

C.DA BIRGI NIVALORO
91025 MARSALA [TP]
TEL. 0923966736
www.cantinebirgi.it

Questa cantina sociale del marsalese ci ha regalato una deliziosa vendemmia tardiva di nero d'Avola, Unico '18: ha un naso intenso di ciliegia sotto spirito con eleganti note verdi e un frutto dolce e armonico. Bel fruttato di gelsi neri, fresco e beverino il Nero d'Avola Trisole '19.

○ Sicilia Merlot Kinisia Ris. '17	♥♥ 4
● Sicilia Nero d'Avola Trisole '19	♥♥ 2*
● Sicilia Nero d'Avola V. T. Unico '18	♥♥ 4
○ Sicilia Zibibbo Trisole '19	♥ 2

Biscaris

VIA MARESCIALLO GIUDICE, 52
97011 ACATE [RG]
TEL. 0932990762
www.biscaris.it

Nella fertile piana di Acate, una azienda di pochi ettari condotta con grande passione nel segno della naturalità e della biodinamica. Assai ragguardevole il livello del Cerasuolo di Vittoria dai fascinosi toni di ciliegia e gelsi; piacevolissimo il delicato Frappato '19.

● Cerasuolo di Vittoria '19	♥♥ 3
● Frappato '19	♥♥ 2*

Calcagno

FRAZ. PASSOPISCIARO
VIA REGINA MARGHERITA, 153
95012 CASTIGLIONE DI SICILIA [CT]
TEL. 3387772780
www.vinicalcagno.it

Affidabili e territoriali i vini dei fratelli Calcagno: in evidenza l'Etna Bianco Ginestra '19, dai profumi di fiori gialli e frutta a polpa bianca, sapido e fresco al palato. Molto bene anche l'Etna Rosato Romice delle Sciare '19, nerello mascalese dai toni minerali e agrumati.

○ Etna Bianco Ginestra '19	♥♥ 5
○ Etna Rosato Romice delle Sciare '19	♥♥ 5
○ Etna Rosato Romice delle Sciare '18	♀ 5

Cambria

C.DA SAN FILIPPO
VIA VILLA ARANGIA
98054 FURNARI [ME]
TEL. 0941840214
www.cambriavini.com

A Nino Cambria, al timone dell'azienda di famiglia fondata nel 1864, va il merito di avere sempre creduto nell'uva nocera. Da questa cultivar autoctona viene il Kio Nocera Passito '17, nettare morbido, persistente e di dolcezza infinita, che sa di cioccolato e confettura di gelsi.

● Kio Nocera Passito '17	♥♥ 5
○ Sicilia Chardonnay '17	♥ 4
● Sicilia Syrah '17	♥ 5

CVA Canicattì

C.DA AQUILATA
92024 CANICATTÌ [AG]
TEL. 0922829371
www.cvacanicatti.it

Il Nero d'Avola Aynat '16 è un vino di grande carattere e di spiccata personalità: dal colore rubino cupo, sa di confettura di prugne e ciliegie nere, humus, bacche di mirto e di ginepro, pepe in grani, cioccolato; in bocca è ricco, rotondo, succoso, dotato di tannini dolci e setosi.

● Diodoros '16	♥♥ 4
○ Sicilia Grillo Fileno '19	♥♥ 2*
● Sicilia Nero d'Avola Aynat '16	♥♥ 5
○ Sicilia Grillo Aquilae Bio '19	♥ 2

Palmento Carranco

FRAZ. VERZELLA
C.DA CARRANCO
95012 CASTIGLIONE DI SICILIA [CT]
TEL. 00390173626100
www.palmentocarranco.com

Dall'incontro tra il piemontese Borgogno e l'etneo Tornatore nasce Palmento Carranco, dal nome della contrada dove si trova l'antico palmento, simbolo dell'azienda. Varietà e territorio ben si esprimono nell'Etna Bianco Villa dei Baroni '19, vino dagli eleganti e intensi sentori iodati.

○ Etna Bianco Villa dei Baroni '19	♥♥ 5
● Etna Rosso Villa dei Baroni '17	♥ 5

Caruso & Minini

VIA SALEMI, 3
91025 MARSALA [TP]
TEL. 0923982356
www.carusoeminini.it

Finali per Nino '11, blend di uve metà
appassite in fruttaia e metà in pianta: è
complesso, maturo, profondo, con eleganti
sfumature balsamiche e speziate; in bocca
è succoso, rivelando un enorme potenziale
di affinamento. Molto piacevoli gli autoctoni
della linea Naturalmente Bio.

● Nino '11	♥♥ 6
○ Sicilia Catarratto Naturalmente Bio '19	♥♥ 3
○ Sicilia Grillo Naturalmente Bio '19	♥♥ 3
● Naturalmente Bio Perricone '19	♥ 3

Tenuta di Castellaro

FRAZ. QUATTROPANI
VIA CAOLINO
98055 LIPARI [ME]
TEL. 035233337
www.tenutadicastellaro.it

Il cambio di mano in cantina, con l'arrivo di
Emiliano Falsini, ha molto giovato ai vini di
questa bella cantina, che hanno tanto
guadagnato in nitidezza ed eleganza: è il
caso del Nero Ossidiana '17, blend di nero
d'Avola e corinto dai sensuali aromi di frutti
ed erbe mediterranee.

● Nero Ossidiana '17	♥♥ 5
○ Bianco Pomice '19	♥♥ 5
● Corinto '18	♥♥ 5
⊙ Rosa Caolino '19	♥ 3

Contrada Santo Spirito di Passopisciaro

FRAZ. PASSOPISCIARO
C.DA SANTO SPIRITO
95012 CASTIGLIONE DI SICILIA [CT]
TEL. 0575477857
www.contradasantospiritodipassopisciaro.it

La famiglia Moretti Cuseri da alcuni anni ha
esteso al comprensorio dell'Etna le sue
attività siciliane, e ha acquisito 19 ettari di
cui 12 di vigneto, nelle contrade S. Spirito,
Passopisciaro e Arcuria, a 700 metri di
quota. Eccellente il debutto del vellutato e
armonico rosso Animardente '16.

● Etna Rosso Animardente '16	♥♥ 6

Casa Grazia

C.DA BRUCAZZI
ZONA IND.LE 2° STRADA
93012 GELA [CL]
TEL. 0933919465
www.casagrazia.com

I vigneti dell'azienda di Maria Grazia Di
Francesco e Angelo Brunetti si trovano nei
pressi del Lago Biviere, sede di una
suggestiva riserva naturale. Il Moscato
Adorè '19 ha un bel naso aromatico e un
frutto di piacevole freschezza; fine,
agrumato e sapido il Grillo Zahara '19.

● Cerasuolo di Vittoria Victorya 1607 '18	♥♥ 5
○ Sicilia Grillo Zahara '19	♥♥ 5
● Sicilia Moscato Adoré '19	♥♥ 5
● Sicilia Frappato Laetitya '19	♥ 5

Cantine Colosi

LOC. PACE DEL MELA
FRAZ. GIAMMORO
98042 MESSINA
TEL. 0909385549
www.cantinecolosi.it

Ennesima maiuscola prestazione per i vini
della famiglia Colosi. Minerale, con toni che
ricordano l'albicocca disidratata e la
lavanda, lo squisito Passito '16, moscato
bianco di pregio. Molto bene il resto, a
cominciare dalla deliziosa Malvasia Passito
Na'jm '16 (malvasia e corinto nero).

○ Malvasia delle Lipari Dolce Naturale	
Nurah '16	♥♥ 5
○ Malvasia delle Lipari Na'jm '16	♥♥ 5
○ Passito '16	♥♥ 5

Agricola Cortese

C.DA SABUCI, SDA. PRO.VLE 3, KM 11
97019 VITTORIA [RG]
TEL. 09321846555
www.agricolacortese.com

Nel 2016 i fratelli trentini Stefano e Marina
Girelli acquistano questa tenuta a Vittoria
per produrre vini da vitigni autoctoni
coltivati in biologico. Bel profilo per il
carricante Nostru '19, dalle distinte note di
fiori gialli e sambuco; fresco e sapido il
catarratto Nostru '19.

○ Nostru Carricante '19	♥♥ 3
○ Nostru Catarratto Lucido '19	♥♥ 3
● Nostru Nerello Mascalese '19	♥ 3
○ Vanedda '18	♥ 4

Coste Ghirlanda

LOC. PIANA DI GHIRLANDA
91017 PANTELLERIA [TP]
TEL. 3333913695
www.costeghirlanda.it

La bella azienda pantesca della famiglia Pazienza Gelmetti ci ha inviato due etichette di alto livello qualitativo. Finalissima per Silenzio '18, uno zibibbo secco profondo e sfaccettato, che profuma di lavanda, petali di rosa, erbe officinali, su uno stupendo raffinato sfondo minerale.

○ Silenzio '18	🍷🍷	6
● Sicilia Alicante Ghirlanda '17	🍷🍷	6

Gianfranco Daino

VIA CROCE DEL VICARIO, 115
95041 CALTAGIRONE [CT]
TEL. 093358226
www.vinidaino.it

L'azienda si trova presso la Riserva del Bosco di Santo Pietro. Le viti sono allevate ad alberello e coltivate in biologico senza l'uso di macchine agricole. Il Suber '17 (nero d'Avola, alicante e frappato) ha un fine bouquet di ciliegie e spezie dolci e una bocca molto piacevole.

● Suber '17	🍷🍷	7

Feudo Disisa

LOC. GRISÌ
C.DA DISISA
S.DA PROV.LE 30, KM 6
90040 MONREALE [PA]
TEL. 0916127109
www.feudodisisa.it

Convincente, come sempre, la produzione di questa vasta e storica azienda della famiglia Di Lorenzo. Ben definito nei suoi profumi fruttati lo squisito rosato Grecu di Livanti '19, da selezionate uve nero d'Avola. Si distingue pure il fine catarratto Lu Bancu '19, agrumato e floreale.

○ Monreale Lu Bancu '19	🍷🍷	3
○ Sicilia Chardonnay '18	🍷🍷	4
◉ Sicilia Grecu di Livanti '19	🍷🍷	3
○ Sicilia Chara '19	🍷	3

Curto

C.DA SULLA
S.DA ST.LE 115 ISPICA - ROSOLINI KM 358
97014 ISPICA [RG]
TEL. 0932950161
www.curto.it

Purtroppo al momento delle degustazioni diversi vini di questa storica ed affidabile cantina non erano stati ancora imbottigliati. Tra questi il Nero d'Avola Fontanelle, punta di diamante dell'intera gamma produttiva di questa nobile famiglia ispicese che produce vino da oltre tre secoli.

● Eloro Nero d'Avola '19	🍷🍷	3
○ Poiano '19	🍷🍷	2*
● Ikano '17	🍷	3

Gaspare Di Prima

LOC. LAGO ARANCIO
VIA G. GUASTO, 27
92017 SAMBUCA DI SICILIA [AG]
TEL. 0925941201
www.cantinadiprima.com

Condotta in biologico, una bella azienda familiare, compiuta espressione di un terroir d'eccezione, segnato dai limitrofi boschi e dall'affascinante lago Arancio. Il Syrah '18 è morbido e gentile e sa di ciliegia nera; il Pepita Rosso '18 (nero d'Avola e syrah) è di bella beva.

● Sicilia Pepita Rosso '18	🍷🍷	2*
● Syrah '18	🍷🍷	2*
● Sicilia Grillo Il Grillo del Lago '19	🍷	2
● Sicilia Nero d'Avola Gibilmoro '17	🍷	3

Edomé

LOC. PASSOPISCIARO
C.DA FEUDO DI MEZZO
95012 CASTIGLIONE DI SICILIA [CT]
TEL. 3911709974
www.cantinedome.com

La cantina di Ninì e Paola Cianci conta su due ambiti produttivi: a Milo, sul versante sud del vulcano, e in contrada Feudo di Mezzo, sul versante nord. Bene l'Etna Rosso Feudo di Mezzo '16, dai toni minerali-ferrosi al naso, austero e ben giocato tra tannini e frutto al palato.

○ Etna Bianco Aitna V. Nica '19	🍷🍷	5
● Etna Rosso Aitna Feudo di Mezzo '16	🍷🍷	5

Cantine Ermes

C.DA SALINELLA, S.S. 188, KM 45,5
91029 SANTA NINFA [TP]
TEL. 092469124
www.cantineermes.it

Una grande realtà cooperativa capace di coniugare in modo ammirevole quantità e qualità. Nitidezza olfattiva, frutti rossi e pesca tabacchiera per il Vento di Mare Nerello Mascalese '19, di bella bevibilità. Sullo stesso livello Vento di Mare Grillo Bio '19, sapido e vivace.

● Vento di Mare Bio Nero d'Avola Cabernet Sauvignon '19	♛♛ 2*
○ Vento di Mare Grillo '19	♛♛ 2*
● Vento di Mare Nerello Mascalese '19	♛♛ 3

Fischetti

FRAZ. ROVITTELLO
VIA Via NAZIONALE, 2
95012 CASTIGLIONE DI SICILIA [CT]
TEL. 3341272527
www.fischettiwine.it

Affidabili e ben fatti i vini di questa piccola cantina con sede e vigneti a Rovittello, sul versante nord dell'Etna. Di livello l'Etna Bianco Muscamento '19, che si presenta al naso con nitidi sentori di pesca e albicocca, armonico ben bilanciato in bocca tra acidità e frutto.

○ Etna Bianco Muscamento '19	♛♛ 6
⊙ Etna Rosato Muscamento '19	♛♛ 6
● Etna Rosso Muscamento '15	♛ 5

Giasira

C.DA RITILLINI
96019 ROSOLINI [SR]
TEL. 0931501700
www.lagiasira.it

L'azienda biologica di Giovanni Boroli si trova tra le province di Ragusa e Siracusa. I primi impianti risalgono al 2005, quattro anni dopo viene costruita la cantina accanto all'antico baglio. Bei profumi agrumati per il catarratto Keration '19, beverino il blend bianco Giasira '19.

○ Aurantium '16	♛♛ 4
○ Giasira Bianco '19	♛♛ 3
○ Keration '19	♛♛ 3
● Morhum Nerello Mascalese '17	♛ 3

Fazio Wines

FRAZ. FULGATORE
VIA CAPITANO RIZZO, 39
91010 ERICE [TP]
TEL. 0923811700
www.faziowines.it

Il Catarratto Trenta-Salmi '18 è il vino che ci è piaciuto di più quest'anno: profuma di zeste di agrumi, glicine, mandorla ed erbe della macchia mediterranea, in bocca è elegante, morbido, carezzevole, persistente e appagante. Di buon livello anche le altre etichette.

○ Trenta Salmi Catarratto '18	♛♛ 3
○ Erice Grillo Aegades '19	♛ 3
● Erice Nero d'Avola Torre dei Venti '19	♛ 4
● Sicilia Nero d'Avola Gàbal '18	♛ 4

Tenuta Gatti

C.DA CUPRANI
98064 LIBRIZZI [ME]
TEL. 0941368173
www.tenutagatti.com

Al momento delle nostre degustazioni era pronto solamente il Mamertino Bianco Catalina (insolia e grillo), annata 2018, vino di cui Nicolas Gatti è ambasciatore entusiasta nel mondo: notevole il quadro aromatico di frutti bianchi, fiori e nuance minerali, fine e vibrante la beva.

○ Mamertino Bianco Catalina '18	♛♛ 3

Hauner

LOC. SANTA MARIA
VIA G.GRILLO, 61
98123 MESSINA
TEL. 0906413029
www.hauner.it

Quando negli anni Settanta Carlo Hauner arrivò a Salina intuì immediatamente le potenzialità della Malvasia delle Lipari, tanto da trasformare la sua casa in cantina per produrla: il successo fu immediato e ancor oggi l'azienda da lui fondata è punto di riferimento per tutte le Eolie.

○ Malvasia delle Lipari Passito Carlo Hauner Ris. '17	♛♛ 8
● Carlo Hauner '18	♛ 4
○ Iancura '19	♛ 2

Hibiscus

C.DA TRAMONTANA
90010 USTICA [PA]
TEL. 0918449543
www.agriturismohibiscus.com

Lodevole, anche quest'anno, la performance dei vini della cantina della famiglia Longo, l'unica dell'isola. Semplicemente delizioso Grotta dell'Oro '19, Zibibbo che profuma di litchi, nespola, erbe aromatiche. Assai intenso, elegantissimo, Zhabib '19, formidabile Zibibbo Passito.

○ Grotta dell'Oro '19	🍷🍷 4
○ Onde di Sole '19	🍷🍷 4
○ Zhabib Passito '19	🍷🍷 4
⊙ L'Isola Rosato '19	🍷 2

Incarrozza

C.DA CARROZZA
S.DA PROV.LE 12/II KM 1
95045 MISTERBIANCO [CT]
TEL. 3488749305
www.incarrozzavini.com

I vigneti aziendali si trovano sulle dolci colline che degradano verso la piana di Catania, a sud dell'Etna. Bel fruttato maturo di ciliegia e gelsi per il materico syrah San Nicola '12; l'Alicante Rosato '18 ha note di pesca, sfumature minerali e un filo di gradevole tannicità.

⊙ Alicante Rosato '18	🍷🍷 4
● San Nicola Syrah '12	🍷🍷 4
● Fra' Anselmo Perricone '15	🍷 5
○ Uve d'Agosto Bianco '17	🍷 3

Tenute Lombardo

C.DA CUSATINO
93100 CALTANISSETTA
TEL. 09341935148
www.tenutelombardo.it

La bella tenuta della famiglia Lombardo si trova nella Sicilia più interna, sulle colline tra Caltanissetta e San Cataldo, laddove i vigneti si spingono sino a 650 metri d'altitudine. Particolarmente piacevole il Nero D'Altura '17, nero d'Avola dai nitidi rimandi di piccoli frutti rossi.

○ Sicilia Catarratto Bianco d'Altura '19	🍷🍷 2*
● Sicilia Nero d'Avola Nero d'Altura '17	🍷🍷 2*
● Unànime Rosso '18	🍷🍷 3
● Sicilia Eimi '16	🍷 3

Maggiovini

VIA FILIPPO BONETTI, 35
97019 VITTORIA [RG]
TEL. 0932984771
www.maggiovini.com

Non perde un colpo la bella azienda della famiglia Maggio, chiaro esempio di continuità e affidabilità. Assai pregevole Amongae '16 (cabernet sauvignon, merlot e nero d'Avola), profondo, elegante e dai deliziosi toni di ciliegia nera, spezie e cioccolato. Più che bene il resto.

● Amongae '16	🍷🍷 4
○ Sicilia Grillo V. di Pettineo '18	🍷🍷 3
● Vittoria Frappato V. di Pettineo '19	🍷🍷 3
● Cerasuolo di Vittoria Cl. V. di Pettineo '17	🍷 2

Marino Vini

VIA ALFIERI, 51
90043 CAMPOREALE [PA]
TEL. 3886537642
www.marinovini.it

Tra le novità spicca Benì '19, fine blend di catarratto e chardonnay con un erbaceo netto e piacevole e una polpa fresca e sapida. Eleganti sentori marini, note di susina e ginestra per il Grillo Flavì Bio '19; il Syrah-Merlot Krimisos '19 ha un bel fruttato di ciliegia e gelsi.

○ Benì Catarratto Chardonnay '19	🍷🍷 3
○ Sicilia Grillo Flavì '19	🍷🍷 3
● Sicilia Rosso Krìmisos '19	🍷🍷 3
○ Sicilia Bianco Krenè '19	🍷 3

Masseria del Feudo

C.DA GROTTAROSSA
93100 CALTANISSETTA
TEL. 0934830885
www.masseriadelfeudo.it

Carolina e Francesco Cucurullo conducono con impegno costante una bella tenuta nell'agro di Caltanissetta. In gran forma il Grillo '19, che, sotto il colore paglierino intenso e brillante, cela squisite nuance di zeste di cedro, mandorla verde ed erbe aromatiche. Bene il resto.

○ Sicilia Grillo '19	🍷🍷 2*
⊙ Sicilia Rosé Cotì '19	🍷🍷 3
○ Sicilia Inzolia '19	🍷 2
● Sicilia Nero d'Avola '18	🍷 2

Cantina Modica di San Giovanni

C.DA BUFALEFI
96017 NOTO [SR]
TEL. 09311805181
www.vinidinoto.it

Vitigni autoctoni coltivati e vinificati in maniera tradizionale e senza l'uso di sostanze chimiche: queste le cifre della bella e affidabile cantina di Felice Modica, i cui vigneti ad alberello si trovano in contrada Bufaleffi, territorio di Noto, nell'estremo sud della Sicilia.

● Eloro Nero d'Avola Arà '13	♔♔ 3
○ Lupara '19	♔♔ 2*
○ Moscato di Noto Dolcenoto '19	♔♔ 3
● Eloro Nero d'Avola Filinona '14	♔ 2

Morgante

C.DA RACALMARE
92020 GROTTE [AG]
TEL. 0922945579
www.morgantevini.it

Vola fino in finale il profondo e polputo Don Antonio, annata 2017, nero d'Avola esemplare dagli eleganti toni di frutti neri, capperi e sottobosco, vivificati da una piacevolissima nota balsamica e minerale di sottofondo, di stoffa importante, assai persistente e succoso.

● Sicilia Nero d'Avola Don Antonio '17	♔♔ 6
○ Bianco di Morgante '19	♔ 3
● Sicilia Nero d'Avola '18	♔ 3
○ Sicilia Rosè di Morgante '19	♔ 2

Tenuta Morreale Agnello

C.DA FAUMA
92100 AGRIGENTO
TEL. 347 6028029
www.tenutamorrealeagnello.it

In decisa crescita i prodotti di questa vasta realtà della famiglia Morreale Agnello. Sugli allori il Nero d'Avola Terre di Fauma '18, territoriale, fruttato e molto piacevole. Gli è pari il Sephora Grillo '19, dalle fini nuance che ricordano la buccia di limone e la mandorla verde.

○ Sicilia Grillo Sephora '19	♔♔ 2*
● Terre di Fauma Nero d'Avola '18	♔♔ 2*
● Sephora Merlot '17	♔ 3
○ Vigna di Sopra Zibibbo '19	♔ 2

Cantine Mothia

VIA GIOVANNI FALCONE, 22
91025 MARSALA [TP]
TEL. 0923737295
www.cantinemothia.it

Solamente due i vini pronti al momento delle degustazioni: il Grillo Mosaikon '19, erbaceo e floreale, delicato e finissimo, è avvincente anche per una bocca elegante, polputa e vibrante; notevole pure Vela Latina '19 (grillo e zibibbo), dalle fascinose nuance di nespola e lavanda.

○ Sicilia Grillo Mosaikon '19	♔♔ 2*
○ Vela Latina '19	♔♔ 2*

Musita

C.DA PASSO CLACARA
91018 SALEMI [TP]
TEL. 092468576
www.musita.it

Le colline intorno a Salemi sono il terroir di riferimento di questa azienda che coltiva 200 ettari di vigneti, 50 a produzione diretta. Belle note di salvia e agrumi per lo Zibibbo Passito Passopasso '18, dolce e armonico in bocca; molto beverino e fresco il Catarratto Regieterre '19.

○ Sicilia Catarratto Regieterre '19	♔♔ 3
○ Sicilia Zibibbo Passito Passopasso '18	♔♔ 5
○ Sicilia Bianco Passocalcara '17	♔ 5
● Sicilia Rosso Passocalcara Ris. '14	♔ 4

Antica Tenuta del Nanfro

C.DA NANFRO SAN NICOLA LE CANNE
95041 CALTAGIRONE [CT]
TEL. 093360744
www.nanfro.com

Tenuta del Nanfro si estende per quasi 60 ettari, in gran parte vitati, tutti all'interno della Docg Cerasuolo di Vittoria, certificati biologici già dal 1998; i vini di questa dinamica realtà si caratterizzano per la grande piacevolezza di beva e l'alto livello qualitativo.

● Cerasuolo di Vittoria Sammauro '18	♔♔ 3
● Vittoria Frappato '19	♔♔ 3
● Vittoria Nero d'Avola Strade '16	♔♔ 3
○ Strade Insolia '19	♔ 3

Mimmo Paone

FRAZ. SCALA
C.SO SICILIA, 61
98040 TORREGROTTA [ME]
TEL. 0909981101
www.paonevini.it

Nel 2021 l'azienda della famiglia Paone compie trent'anni. I vigneti si trovano a Castanea, Condrò, Salina e Vulcano. Piacevole il Passito di Malvasia delle Lipari '16: etereo con note di bucce d'agrumi e frutti disidratati, dolce e appena tannico. Fresco e floreale il Grillo Di Volà '19.

○ Malvasia delle Lipari Passito '16	♟♟ 6
○ Sicilia Grillo Di Volà '19	♟♟ 2*
● Funnari Nero d'Avola '16	♟ 2
○ Mamertino Bianco '19	♟ 3

Pietracava

VIA LUIGI STURZO, 16
93011 BUTERA [CL]
TEL. 3392410117
www.pietracavawines.it

Manca il campione capace dell'assolo decisivo, tuttavia tutti i vini presentati da questa bella realtà di Butera ci hanno convito appieno, i rossi in particolare. Fruttato intenso e balsamico il Nero d'Avola Septimo '17, complesso e suadente al naso, succoso e persistente al palato.

● Kalpis '17	♟♟ 4
● Sicilia Nero D'Avola Septimo '17	♟♟ 3
○ Sicilia Grillo Pioggia di Luce '19	♟♟ 3
○ Sicilia Chardonnay Idria '18	♟ 3

Pupillo

C.DA LA TARGIA
96100 SIRACUSA
TEL. 0931494029
www.pupillowines.com

Sembra che finalmente la storica azienda del barone Pupillo abbia imboccato la giusta strada: mai come quest'anno, durante le selezioni regionali, i vini di questa cantina, soprattutto quelli dell'ultima annata, ci sono sembrati così nitidi, ben fatti ma soprattutto territoriali.

○ Moscato di Siracusa Solacium '19	♟♟ 4
○ Siracusa Bianco Podere 27 '19	♟♟ 3
○ Siracusa Cyane '19	♟♟ 3
○ Siracusa Bianco Damarete '19	♟ 3

Quignones

C.DA SANT'OLIVA
S.S. 123 KM 31.900
92027 LICATA [AG]
TEL. 0922773744
www.quignones.it

Torniamo ad assaggiare con gioia i vini di Alfredo Quignones: il fine blend di inzolia e chardonnay Largasìa '19 ha profumi tropicali, una polpa fresca e un profilo impeccabile. Naso piacevolmente rustico e un gran bel frutto di melograno per il Nero d'Avola in rosa Fimmina '19.

○ Largasìa Insolia Chardonnay '19	♟♟ 3
⊙ Sicilia Nero d'Avola Rosato Fimmina '19	♟♟ 2*

Ramaddini
Vignaioli a Marzamemi

FRAZ. MARZAMEMI
C.DA LETTIERA
96018 PACHINO [SR]
TEL. 09311847100
www.feudoramaddini.com

L'azienda di Carlo Scollo e Francesco Ristuccia è nel cuore del Val di Noto, terroir di bianchi suoli calcarei battuti dal sole e dai venti. Profumi fruttati per il Grillo Nassa '19, croccante e sapido in bocca; susina, fiori bianchi e anice per il fresco e fine Catarratto Ramà 19.

○ Ramà Catarratto '19	♟♟ 2*
○ Sicilia Grillo Nassa '19	♟♟ 3
● Noto Rosso Ramà '18	♟ 2
● Sicilia Syrah Note Nere '18	♟ 3

Tenuta Sallier de La Tour

FRAZ. CAMPOREALE
C.DA PERNICE
90046 MONREALE [PA]
TEL. 0916459711
www.tascadalmerita.it

La tenuta di Camporeale, per secoli appartenuta ai principi Sallier de la Tour, è ormai da tempo interamente gestita dallo staff tecnico e commerciale dei Tasca d'Almerita. Di livello il Syrah La Monaca '18, elegante e varietale al naso, ben bilanciato tra frutto e tannini in bocca.

● Monreale Syrah La Monaca '18	♟♟ 4
● Sicilia Nero d'Avola '18	♟♟ 2*
⊙ Sicilia Rosato Madamarosè '19	♟♟ 3
○ Sicilia Grillo '19	♟ 2

Santa Tresa

C.DA SANTA TERESA
97019 VITTORIA [RG]
TEL. 09321846555
www.santatresa.com

La prossima sarà la ventesima vendemmia in Sicilia per Stefano e Marina Girelli, eno-imprenditori trentini da sempre innamorati del territorio di Vittoria e dei suoi vini. Ben articolato e territoriale il Cerasuolo di Vittoria '18, dalla dinamica ed elegante beva fruttata.

● Cerasuolo di Vittoria '18	♟♟ 3
● Rina Russa Frappato '19	♟♟ 3
⊙ Rosa di Santa Tresa '19	♟♟ 3
○ Sicilia Bianco Rina Ianca '19	♟ 3

Solidea

C.DA KADDIUGGIA
91017 PANTELLERIA [TP]
TEL. 0923913016
www.solideavini.it

Rimane un'icona dell'enologia pantesca di tradizione il Passito '19 della piccola azienda di Giacomo D'Ancona e sua moglie Solidea: toni ambrati suadenti, nuance raffinate e intense di albicocca, fichi, buccia d'arancia candita, freschi sentori iodati; in bocca è avvolgente e setoso.

○ Ilios '19	♟♟ 3
○ Passito di Pantelleria '19	♟♟ 5

Tenute di Nuna

LOC. FORNAZZO
95010 SANT'ALFIO [CT]
TEL. 3493001213
www.terredinuna.com

Maria Novella Tarantino e Fabio Percolla conducono con dedizione quattro ettari di vigneto a 900 metri di altitudine. L'unico vino, Etna Bianco Nuna '16, Carricante solo in acciaio, è semplicemente magnifico: agrumato, minerale, elegantissimo, complesso, vibrante, avvincente.

○ Etna Bianco Nuna '16	♟♟ 5
○ Etna Bianco Nuna '17	♟♟ 5
○ Etna Bianco Nuna '15	♟♟ 5

Il Serralh

C.DA LA SERRAGLIA
91017 PANTELLERIA [TP]
TEL. 3335058930
ilserralh@tiscali.it

Massimiliano Ferro da anni produce vini di qualità nella sua bella tenuta pantesca di oltre sei ettari, di cui tre vitati. Molto piacevole e profondo il Passito Alma Noctis '09, intenso ed elegante, dal sorso bello, pieno e succoso. Assai appagante pure Yle '19, Zibibbo fine e di carattere.

○ Passito di Pantelleria Alma Noctis '09	♟♟ 6
○ Pantelleria Yle '19	♟♟ 4

Salvatore Tamburello

VIA BORSELLINO, 22
91020 POGGIOREALE [TP]
TEL. 3398605865
www.salvatoretamburello.it

Rendere l'autenticità dei frutti attraverso l'agricoltura biologica e la vinificazione tradizionale è la mission di questa maison. Il Catarratto 797 N '19 ha distinte note di albicocca e camomilla e una polpa ben soda; piacevolmente erbaceo con un bel ritorno agrumato il Grillo 204 N '19.

○ Sicilia Catarratto 797 N '19	♟♟ 3
○ Sicilia Grillo 204 N '19	♟♟ 3
● Sicilia Nero d'Avola 306 N '17	♟ 3
● Sicilia Nero d'Avola 306 '17	♟ 3

Terresikane

C.DA TURCHIOTTO
93011 BUTERA [CL]
TEL. 3273872386
www.terresikane.com

La moderna visione contemporanea dei proprietari - enologica e commerciale - affonda le sue radici nella migliore tradizione di questa felice area della Sicilia interna. Cupo, varietale, assai tipico, il Nero d'Avola Frasciano '18, profuma di cappero e prugna nera e ha tannini decisi.

● Sicilia Nero d'Avola Frasciano '18	♟♟ 4
● Sicilia Nero d'Avola Merlot Il Sikano '18	♟ 3

Torre Mora

S.DA DI COLLEGAMENTO TRA SS120 E SR MARENEVE
95012 CASTIGLIONE DI SICILIA [CT]
TEL. 057754011
www.tenutepiccini.it

Bella batteria di vini quella presentata
quest'anno dalla tenuta etnea di Mario
Piccini. Elegante l'Etna Bianco Scalunera '19,
dall'ampio e persistente ventaglio olfattivo di
frutta a polpa bianca, erbe aromatiche e note
minerali iodate, piacevolmente fresco e
sapido in bocca.

○ Etna Bianco Scalunera '19	♟♟ 4
☉ Etna Rosato Scalunera '19	♟♟ 5
● Etna Rosso Chiuse Vidalba '16	♟♟ 6
● Etna rosso Cauru '19	♟ 3

Tenuta Valle delle Ferle

C.DA VALLE DELLE FERLE
95041 CALTAGIRONE [CT]
TEL. 3288359712
www.valledelleferle.it

Questa cantina può contare su dieci ettari di
vigneto, impiantati nel lontano 1974. Assai
buono il Cerasuolo di Vittoria '17, fruttato e
speziato al naso, dinamico e di piacevole
beva. Bene anche il Nero d'Avola '17, che
profuma di frutti di bosco, coerentemente
riproposti al palato.

● Cerasuolo di Vittoria Tenuta Valle delle Ferle '17	♟♟ 5
● Vittoria Frappato '17	♟♟ 5
● Vittoria Nero D'Avola '17	♟♟ 5

Vinisola

C.DA KAZZEN, 11
91017 PANTELLERIA [TP]
TEL. 3356042155
www.vinisola.it

In una logica di "vini secondo natura", il
Passito Arbaria '15 affascina con le sue
sfumature intense e raffinate di erbe della
macchia mediterranea, albicocca, arancia
candita e i toni iodati; in bocca è dolce ed
equilibrato, elegante e molto piacevole.
Molto bene anche il resto.

○ A Mano Libera '19	♟♟ 5
○ Passito di Pantelleria Arbaria '15	♟♟ 5
☉ Vòta e Firrìa '18	♟♟ 4
○ Pantelleria Bianco Zefiro '18	♟ 3

Feudo Vagliasindi

C.DA FEUDO SANT'ANASTASIA
S.DA PROV.LE 89
95036 RANDAZZO [CT]
TEL. 0957991823
www.feudovagliasindi.it

Elegante struttura alberghiera, azienda
olearia e vincola, il Feudo Vagliasindi si trova
poco fuori Randazzo, dove le sciare laviche
incontrano il corso dell'Alcantara. Abbiamo
particolarmente apprezzato il fruttato di
amarena e gelsi e la bocca fragrante del
Nerello Cappuccio '17.

● Nerello Cappuccio '17	♟♟ 4
☉ Etna Rosato '18	♟ 3
● Etna Rosso '16	♟ 4
● Etna Rosso '15	♟ 4

Villa Moreri

VIA UGO FOSCOLO, 7
90144 PALERMO
TEL. 3332128127
caffarellistudio@gmail.com

La famiglia Caffarelli Guzman dispone di una
vasta tenuta sulle dolci colline di Patti che
guardano le Eolie. Un vino superiore, di
classe e caratura importanti, il Mamertino
Guzman '19 (catarratto, grillo e insolia), ben
definito nei profumi fruttati e floreali, di
bellissima beva.

○ Mamertino Guzman '19	♟♟ 3*

Vivera

C.DA MARTINELLA
95015 LINGUAGLOSSA [CT]
TEL. 095643837
www.vivera.it

Di rilievo anche quest'anno la prestazione
dei vini di questa realtà, che conduce
tenute in più parti della Sicilia. Minerale,
agrumato, scattante A'Mami '17, raffinato
blend di chardonnay e carricante; sullo
stesso livello l'Etna Bianco Salisire '16,
carricante tonico e floreale.

○ A'Mami '17	♟♟ 4
○ Altrove '19	♟♟ 3
○ Etna Bianco Salisire Contrada Martinella '16	♟♟ 4

SARDEGNA

I numeri, si sa, non lasciano spazio a interpretazioni soggettive ed è opportuno partire proprio da questi per tracciare il bilancio dell'Isola nella nuova edizione della Guida. Dei 400 vini valutati, 200 conquistano i Due Bicchieri, ben 48 accedono alle degustazioni finali e 15 salgono sul gradino più alto del podio. Un numero davvero da record che, rapportato ai campioni assaggiati, pone la Regione tra le migliori per qualità (almeno secondo noi) a livello nazionale. Il dato è ancora più importante se si pensa che poco più di 10 anni fa i vini sardi che conquistavano i Tre Bicchieri erano davvero una manciata. Un anno radioso, quindi? Senza dubbio le luci ci sono eccome, anche se ancora qualche ombra si intravede. Se da un lato è indubbia la qualità del vino sardo, la sua aderenza al territorio (che passa attraverso la valorizzazione del patrimonio varietale) e, non ultimo, le potenzialità di invecchiamento di alcune etichette, c'è ancora tanto da fare in termini di marketing, comunicazione e commercializzazione. Il vino, non ci stancheremo mai di dirlo, gioca in un campionato globale, è ambasciatore in tutto il mondo del luogo da cui viene originato, sia esso frutto di piccole produzioni artigiane, sia esso prodotto da grandi cantine cooperative o storiche aziende private. Ma le partite si vincono se si fa un lavoro di squadra, tutti insieme in nome dell'Isola, per poter davvero sfidare i mercati internazionali senza paura. Su questo c'è ancora da lavorare. Non è un caso infatti che alcune Denominazioni, soprattutto quelle che comprendono l'intera regione, sono obsolete e tutto fanno tranne che valorizzare i singoli territori del vino. Ma senza il lavoro dei Consorzi di tutela, esistenti solo dal punto di vista burocratico, non si va da nessuna parte. Detto ciò godiamoci quest'anno il grande risultato e, attraverso i Tre Bicchieri, che cercano di tracciare una sintesi qualitativa di tutta l'Isola, andiamo da Nord a Sud e scopriamo Cannonau di grande eleganza e finezza, giocati su complessità aromatica e grande bevibilità, Vermentini sapidi e minerali, frutto di diversi terroir di provenienza, Carignano mediterranei e avvolgenti o alcuni Bovale tanto strutturati quanto equilibrati. Andando poi a concludere con uno dei grandi e immortali vini del Mondo, la Vernaccia di Oristano. Ben due quest'anno ai vertici assoluti. La Riserva '68 di Silvio Carta e l'Antico Gregori '76. Quest'ultima una versione magistrale che merita anche il Premio Speciale come Vino da Meditazione dell'Anno.

★★Argiolas

VIA ROMA, 28/30
09040 SERDIANA [CA]
TEL. 070740606
www.argiolas.it

VENDITA DIRETTA
VISITA SU PRENOTAZIONE
PRODUZIONE ANNUA 2.200.000 bottiglie
ETTARI VITATI 230,00

È senza dubbio una delle grandi cantine sarde, capace oramai di mettere sul mercato oltre due milioni di bottiglie, ma soprattutto di offrire una qualità comune a tutta la gamma, dai vini del bere quotidiano alle etichette più prestigiose. Dietro tutto ciò, c'è sempre la famiglia Argiolas, unita più che mai, con la terza generazione ormai alla guida aziendale. I vini arrivano tutti dal sud dell'Isola, la maggior parte sono frutto dei vigneti dell'areale di Serdiana, nella subregione del Parteolla, mentre alcune proprietà si trovano nel Sulcis. Con la complicità dell'annata 2016 abbiamo assaggiato un'ottima versione di Turriga: il vino più importante della gamma offre quest'anno note di macchia mediterranea, frutti rossi, spezie e tocchi di sottobosco. Il sorso è snello, nonostante la struttura del vino e il finale molto pulito ed elegante. Tre Bicchieri. Molto buono anche il Korem, altro rosso di punta frutto in prevalenza del vitigno bovale. Qui il tannino è più imponente ma ciò non danneggia la bevibilità.

● Turriga '16	▼▼▼ 8
● Korem Bovale '17	▼▼ 5
● Carignano del Sulcis Is Solinas Ris. '17	▼▼ 4
○ Nasco di Cagliari Iselis '19	▼▼ 3
○ Vermentino di Sardegna Merì '19	▼▼ 3
● Carignano del Sulcis Cardanera '19	▼ 4
○ Vermentino di Sardegna Is Argiolas '19	▼ 3
● Cannonau di Sardegna Senes Ris. '13	♔♔♔ 5
● Cannonau di Sardegna Senes Ris. '12	♔♔♔ 5
● Turriga '15	♔♔♔ 8
● Turriga '11	♔♔♔ 8
● Turriga '10	♔♔♔ 8
● Cannonau di Sardegna Senes Ris. '16	♔♔ 5
● Cannonau di Sardegna Senes Ris. '14	♔♔ 5
○ Vermentino di Sardegna Cerdeña '16	♔♔ 7

Audarya

LOC. SA PERDERA
S.S. 466 KM 10,100
09040 SERDIANA [CA]
TEL. 070 740437
www.audarya.it

VENDITA DIRETTA
VISITA SU PRENOTAZIONE
PRODUZIONE ANNUA 280.000 bottiglie
ETTARI VITATI 40,00

Giovane la cantina, giovani i titolari. La cantina Audarya è riuscita in pochi anni a ritagliarsi un posto di primissimo piano all'interno della produzione isolana. Il merito è dei fratelli Salvatore e Nicoletta Pala che hanno saputo raccogliere al meglio una tradizione di famiglia e trasformarla nell'innovativa Audarya. L'azienda si trova a pochi chilometri da Serdiana e le vigne sono limitrofe alla cantina. Si coltivano i vitigni della tradizione, puntando molto sia sulle varietà più diffuse, sia su bovale, nuragus e nasco, tre uve che stanno dando ottimi riscontri in bottiglia. Un bianco e un rosso conquistano le nostre finali, col Nuracada che ha la meglio e conquista i Tre Bicchieri. Del Bovale '18 abbiamo apprezzato la sua grande eleganza, è un vino dai sentori di frutto rosso e spezie, dal sorso molto elegante e profondo. Ottima beva quindi, ma anche carattere e grinta. Il Camminera '19 rimane comunque un grande Vermentino prodotto nel sud dell'Isola, profuma di fiori di campo e frutto a pasta bianca e regala note gustative fresche e avvolgenti.

● Nuracada Bovale '18	▼▼▼ 5
○ Vermentino di Sardegna Camminera '19	▼▼ 3*
● Cannonau di Sardegna '19	▼▼ 3
⊙ Cannonau di Sardegna Rosato '19	▼▼ 2*
○ Nuragus di Cagliari '19	▼▼ 2*
● Monica di Sardegna '19	▼ 2
○ Vermentino di Sardegna '19	▼ 2
● Nuracada Bovale '17	♔♔♔ 5
○ Bisai '18	♔♔ 5
● Cannonau di Sardegna '18	♔♔ 3
● Cannonau di Sardegna '17	♔♔ 3
○ Malvasia di Cagliari Estissa '18	♔♔ 4
● Nuracada Bovale '16	♔♔ 5
○ Vermentino di Sardegna Camminera '18	♔♔ 3*

Cantina di Calasetta

VIA ROMA, 134
09011 CALASETTA [SU]
TEL. 078188413
www.cantinadicalasetta.it

VENDITA DIRETTA
VISITA SU PRENOTAZIONE
PRODUZIONE ANNUA 100.000 bottiglie
ETTARI VITATI 300,00

Piccola cantina cooperativa che basa la sua
produzione sulle vigne dell'isola di
Sant'Antioco. Siamo in pieno Sulcis e qui il
vitigno carignano è ancora allevato a piede
franco, su sabbia e alcune vigne superano i
cento anni di età. Diversi i rossi prodotti,
divisi a seconda dell'età delle vigne e del
tipo di affinamento. I vini sono molto ben
eseguiti, fedeli al territorio di appartenenza
e sono proposti sul mercato a prezzi
decisamente competitivi. La gamma è
completata da vermentino e moscato. Tutti i
Carignano prodotti non hanno deluso
all'assaggio. I più convincenti sono, per
motivi diversi, Piede Franco e Aìna. Il primo
è ottenuto solo da piante prefillosera, è
vinificato solo in acciaio e regala tutta la
purezza del vitigno sui suoli sabbiosi:
tannino cremoso, profumi di macchia e
frutto maturo, sapidità spiccata; il secondo
è una Riserva del 2017: è più fitto e
corposo, l'alcol riserva calore e avvolgenza,
la struttura è ricca fino alla fine del sorso.
Tra i bianchi molto buono il Cala di Seta '19.

● Carignano del Sulcis Àina Ris. '17	▼▼	4
● Carignano del Sulcis Piede Franco '18	▼▼	3
● Carignano del Sulcis Tupei '18	▼▼	2*
○ Vermentino di Sardegna Cala di Seta '19	▼▼	2*
● Carignano del Sulcis Maccòri '19	▼	2
● Carignano del Sulcis Rosato Rassetto '19	▼	2
● Carignano del Sulcis Àina Ris. '16	♔♔	4
● Carignano del Sulcis Maccòri '18	♔♔	2*
● Carignano del Sulcis Piede Franco '17	♔♔	3*
● Carignano del Sulcis Piede Franco '15	♔♔	2*
● Carignano del Sulcis Tupei '16	♔♔	2*
○ Moscato di Cagliari In Fundu '17	♔♔	3
○ Vermentino di Sardegna Cala di Seta '18	♔♔	2*

★Capichera

S.S. ARZACHENA-SANT'ANTONIO, KM 4
07021 ARZACHENA [SS]
TEL. 078980612
www.capichera.it

VENDITA DIRETTA
VISITA SU PRENOTAZIONE
PRODUZIONE ANNUA 250.000 bottiglie
ETTARI VITATI 50,00
AZIENDA SOSTENIBILE

Il marchio è noto e prestigioso, conosciuto
sia nell'Isola, sia in Italia e nel mondo, ma il
numero di bottiglie negli anni non è
cresciuto più di tanto. La famiglia Ragnedda
ha sempre preferito puntare sulle sue
meravigliose vigne di proprietà, cercando di
alzare di anno in anno la qualità e andando
a individuare i singoli cru per produrre dei
bianchi da uve vermentino capaci di
trasmettere l'animo del territorio e le
potenzialità di invecchiamento. La gamma è
completata da alcuni rossi importanti, da
uve carignano e da syrah, una varietà che
qui ha trovato un habitat ideale. C'è
veramente l'imbarazzo della scelta,
all'interno della gamma firmata Capichera.
Ben tre vini ai vertici assoluti con la
Vendemmia Tardiva ad avere la meglio. A
tre anni dalla vendemmia il grande bianco
da uve vermentino conquista la
commissione in virtù di un naso sfaccettato
e complesso, giocato su toni di anice e
mandorla, fiori bianchi e scorza d'agrume
candito. Bocca sinuosa e profonda, fresca
d'acidità e dal tocco sapido di gran fascino.

○ Capichera V. T. '17	▼▼▼	8
○ Capichera '18	▼▼	6
● Mantenghja '15	▼▼	8
● Assajé '17	▼▼	6
○ També Rosato '19	▼▼	4
○ Vermentino di Gallura Vign'Angena '19	▼▼	5
○ Capichera '14	♔♔♔	6
○ Capichera '13	♔♔♔	6
○ Capichera '12	♔♔♔	6
○ Capichera '11	♔♔♔	6
○ Capichera '10	♔♔♔	5
○ Capichera V. T. '16	♔♔♔	8
○ Vermentino di Gallura Vigna'Ngena '17	♔♔♔	5
○ Vermentino di Gallura Vigna'Ngena '10	♔♔♔	5

Silvio Carta

VIA ROMA, 2
09070 BARATILI SAN PIETRO [OR]
TEL. +39 0783410314
www.silviocarta.it

VENDITA DIRETTA
VISITA SU PRENOTAZIONE
PRODUZIONE ANNUA 83.500 bottiglie
ETTARI VITATI 8,00
VITICOLTURA Biologico Certificato
AZIENDA SOSTENIBILE

Ha radici antiche la cantina Silvio Carta. Fu fondata nel 1929 a Baratili San Pietro, piccolo paesino dell'oristanese. Obiettivo era quello di valorizzare la Vernaccia di Oristano, vino unico e prezioso ottenuto grazie a lunghissimi invecchiamenti in botti scolme del vino ottenuto dal vitigno omonimo. Dal 1973 è Elio Carta (figlio di Silvio) a guidare l'azienda che, nel frattempo, si è specializzata anche in distillati e liquori di qualità. Ogni anno assaggiamo diverse vecchie Riserve di Vernaccia che arrivano dalla cantina storica e le sorprese ci sono sempre. E non poteva che essere sorprendente la Riserva 1968. Solo pensare a un vino con più di cinquanta anni d'età fa venire i brividi. Ma, lo abbiamo detto più volte, la Vernaccia è un grande vino capace di stupire soprattutto sul lungo (lunghissimo) periodo. L'esplosione dei profumi si avverte appena stappata la bottiglia, prima di metterla nel bicchiere: frutta secca, spezie orientali, erbe officinali e una chiara nota salmastra inondano il naso. La bocca è infinita e sempre segnata da una traccia salina di grande fascino.

○ Vernaccia di Oristano Ris. '68	▼▼▼ 8
○ Vermentino di Gallura Sup. Serenata '19	▼▼ 3
○ Vernaccia di Oristano Ris. '06	▼▼ 8
● Cagnulari Po Tui '18	▼ 3
● Monica di Sardegna Po Tui '18	▼ 3
○ Vernaccia di Oristano Ris. '03	♀♀ 6
○ Vernaccia di Oristano Ris. '01	♀♀ 6

Giovanni Maria Cherchi

LOC. SA PALA E SA CHESSA
07049 USINI [SS]
TEL. 079380273
www.vinicolacherchi.it

VENDITA DIRETTA
VISITA SU PRENOTAZIONE
PRODUZIONE ANNUA 170.000 bottiglie
ETTARI VITATI 30,00

La valorizzazione del territorio vitivinicolo di Usini è passata e passa tuttora dall'azienda Cherchi, realtà capace negli anni di sorprendere col Vermentino (prodotto in diverse versioni), ma anche col Cagnulari, vino ottenuto dall'uva omonima e presente solo in questo comprensorio. I vini comunicano molto bene il terroir di provenienza, dove le peculiarità sono rappresentate dalle altitudini collinari, i terreni calcarei e le brezze marine. Nella gamma anche un Cannonau, un passito e un Metodo Classico da uve vermentino. Anche quest'anno non delude la gamma di vini presentata. Sorprendono soprattutto i rossi dell'annata 2018. Tra questi spicca il Luzzana (blend di cagnulari e cannonau) dal naso complesso nelle note di frutto nero e dalla bocca fitta e compatta. Il tannino è rotondo e morbido, si unisce a ottima freschezza e, con la complicità di un tocco salino, regala un finale pulito e persistente. Molto buono anche il Cannonau di Sardegna. La linea Billia è sempre una garanzia al giusto prezzo. Tra i bianchi ottimo il Tuvaoes 30 Vendemmie.

● Luzzana '18	▼▼ 4
● Cagnulari Billia '19	▼▼ 3
● Cannonau di Sardegna '18	▼▼ 3
○ Vermentino di Sardegna Billia '19	▼▼ 2*
○ Vermentino di Sardegna Tuvaoes '19	▼▼ 3
○ Vermentino di Sardegna Tuvaoes 30 Vendemmie	▼▼ 3
○ Vermentino di Sardegna Filighe Brut M. Cl. '15	▼ 3
○ Vermentino di Sardegna Tuvaoes '16	♀♀♀ 3*
○ Vermentino di Sardegna Tuvaoes '88	♀♀♀ 4*
● Cagnulari '18	♀♀ 3
● Cannonau di Sardegna '16	♀♀ 3*
● Luzzana '17	♀♀ 4

Chessa

VIA SAN GIORGIO
07049 USINI [SS]
TEL. 3283747069
www.cantinechessa.it

VENDITA DIRETTA
VISITA SU PRENOTAZIONE
PRODUZIONE ANNUA 43.000 bottiglie
ETTARI VITATI 15,00

Giovanna Chessa è una brava e appassionata produttrice che ha scommesso tutto sul territorio di Usini; e i risultati non sono mancati. La produzione verte su vermentino e cagnulari, le due varietà che qui riescono a comunicare al meglio il territorio. I suoli calcarei e argillosi, le vigne dislocate in collina, sempre accarezzate dalle brezze e un lavoro in cantina atto a preservare ciò che avviene tra i filari garantiscono vini di grande finezza e bevibilità, freschi ed eleganti, capaci di evolvere bene nel tempo. La gamma è completata da un Moscato Passito e da un importante Igt frutto di cagnulari e cannonau. Proprio quest'ultimo, il Lugherra, non è stata presentato perché ancora in affinamento. Nel frattempo però abbiamo assaggiato un'ottima versione di Cagnulari: affascinante nei toni di frutto di bosco e spezie dolci, non mancano dei tratti ematici e ferrosi. La bocca è snella, di grande eleganza, pur non tradendo la forza del vitigno. Sempre una garanzia il Mattariga.

● Cagnulari '19	♟♟ 3*
○ Vermentino di Sardegna Mattariga '19	♟♟ 3
● Cagnulari '18	♟♟ 3*
● Cagnulari '16	♟♟ 3
● Cagnulari '15	♟♟ 3
● Cagnulari '14	♟♟ 3
● Cagnulari '13	♟♟ 3
○ Kentàles	♟♟ 5
● Lugherra '16	♟♟ 5
○ Vermentino di Sardegna Mattariga '18	♟♟ 3
○ Vermentino di Sardegna Mattariga '16	♟♟ 3
○ Vermentino di Sardegna Mattariga '15	♟♟ 3
○ Vermentino di Sardegna Mattariga '14	♟♟ 3

Attilio Contini

VIA GENOVA, 48/50
09072 CABRAS [OR]
TEL. 0783290806
www.vinicontini.it

VENDITA DIRETTA
VISITA SU PRENOTAZIONE
PRODUZIONE ANNUA 1.000.000 bottiglie
ETTARI VITATI 110,00
VITICOLTURA Biologico Certificato
AZIENDA SOSTENIBILE

È certamente tra le più importanti cantine dell'Isola, nata alla fine del 1800 per volere di Attilio Contini e ancora gestita dalla stessa famiglia. Le redini sono ora in mano alla quarta generazione, con Alessandro e Mauro a presiedere le attività. L'azienda ha contribuito a valorizzare la vitivinicoltura dell'Oristanese a partire dalla vinificazione, mai abbandonata, di quel gioiello enologico che è la Vernaccia di Oristano. Entrare nella bottaia storica significa poter assaporare vecchie riserve di Vernaccia che partono dagli anni Cinquanta. Ma la produzione non si ferma certo al grande vino ossidativo, è molto vasta e annovera tutti i principali vini coltivati nell'Isola. Vero è che difronte a certe bottiglie tutto passa in secondo piano. L'Antico Gregori esce per la prima volta con l'indicazione del millesimo. Il 1976 è un vino incredibile, dalla complessità magistrale, interminabile al palato. Dopo diversi decenni ha ancora tanto da dire. Per noi è una delle migliori selezioni di Vernaccia di Oristano mai assaggiate in più di trent'anni di Guida. Tre Bicchieri. È il Vino da Meditazione dell'Anno

○ Vernaccia di Oristano Antico Gregori '76	♟♟♟ 8
● Cannonau di Sardegna Cl. 'Inu Ris. '16	♟♟ 4
● Cannonau di Sardegna Sartiglia '18	♟♟ 3
○ Karmis '19	♟ 3
● Maluentu '18	♟ 3
○ Vermentino di Sardegna Parìglia '19	♟ 2
● Barrìle '13	♟♟♟ 7
● Barrìle '11	♟♟♟ 6
○ Pontis '00	♟♟♟ 4
○ Vernaccia di Oristano Antico Gregori	♟♟♟ 7
○ Vernaccia di Oristano Ris. '88	♟♟♟ 4*
○ Vernaccia di Oristano Ris. '71	♟♟♟ 5
● Cannonau di Sardegna 'Inu Ris. '13	♟♟ 4
● Cannonau di Sardegna Sartiglia '17	♟♟ 3
● I Giganti Rosso '16	♟♟ 5

Antonella Corda

s.s. 466 Km 6,8
09040 Serdiana [CA]
Tel. 0707966300
www.antonellacorda.it

VENDITA DIRETTA
VISITA SU PRENOTAZIONE
PRODUZIONE ANNUA 50.000 bottiglie
ETTARI VITATI 15,00

La 2016 fu la prima annata per Antonella Corda e lasciò subito il segno con la conquista del primo Tre Bicchieri e il premio come Cantina Emergente. A quattro anni da quella vendemmia l'azienda ha consolidato la produzione di cannonau, vermentino e nuragus e si è sempre più indirizzata verso vini di grande bevibilità ed eleganza. Tutto ciò parte da un lavoro certosino tra i filari che passa per l'individuazione delle vigne più vocate, ora tutte in conversione biologica. Ai tre vini si è aggiunto un particolarissimo bianco Igt, da uve vermentino, vinificato in anfora con macerazione sulle bucce. Partiamo proprio da quest'ultimo. Lo Ziru '18 è veramente un grande vino. Particolare nei toni di agrume candito, frutta secca, fiori di campo e iodio. La bocca è bucciosa, ma mai amara e astringente, la freschezza e la sapidità reggono la beva e spingono il sorso in un bellissimo finale. Altro grande vino è il Cannonau di Sardegna, sempre millesimo 2018: fresco, elegante, fine e snello rappresenta un esemplare modello di Cannonau.

● Cannonau di Sardegna '18		▼▼ 5
○ Ziru '18		▼▼ 6
○ Nuragus di Cagliari '19		▼▼ 4
○ Vermentino di Sardegna '19		▼▼ 4
● Cannonau di Sardegna '17		♛♛♛ 3*
● Cannonau di Sardegna '16		♛♛♛ 3*
○ Nuragus di Cagliari '18		♛♛ 3
○ Nuragus di Cagliari '17		♛♛ 2*
○ Vermentino di Sardegna '18		♛♛ 3
○ Vermentino di Sardegna '17		♛♛ 3

Cantine di Dolianova

loc. Sant'Esu
s.s. 387 km 17,150
09041 Dolianova [SU]
Tel. 070744101
www.cantinedidolianova.it

VENDITA DIRETTA
VISITA SU PRENOTAZIONE
PRODUZIONE ANNUA 4.000.000 bottiglie
ETTARI VITATI 1200,00

Dolianova è la più grande cantina cooperativa dell'Isola e può vantare una produzione importante, portata avanti attraverso decine di viticoltori che lavorano le uve provenienti dalla zona del Parteolla, a pochi passi da Cagliari. Negli ultimi anni l'azienda è stata capace di rinnovarsi egregiamente, con cambiamenti che hanno riguardato l'immagine, la qualità e la gamma dei vini proposti. I risultati non si sono fatti attendere, sia con i vini più semplici, sia - anzi soprattutto - con le selezioni basate sui grandi autoctoni del sud. Ben due vini finalisti nei nostri assaggi. Uno è la grande novità di quest'anno, si chiama Ju '17 ed è frutto di un blend di uve autoctone. È un vino ricco e di grande complessità, moderno nell'impostazione generale e segnato da sentori mentolati e di cioccolato, spezie e frutto nero. La beva è imponente ed è solo leggermente contratta sul finale. Ai vertici anche il Terresicci '15, particolare vino mediterraneo ottenuto da barbera sarda. Molto buoni, inoltre, Prendas e Anzenas, rispettivamente Vermentino e Cannonau.

● Ju '17		▼▼ 6
● Terresicci '15		▼▼ 5
● Cannonau di Sardegna Anzenas '18		▼▼ 2*
⊙ Cannonau di Sardegna Rosato Rosada '19		▼▼ 2*
○ Càralis Chardonnay Brut M. Cl.		▼▼ 3
○ Montesicci '18		▼▼ 3
○ Vermentino di Sardegna Prendas '19		▼▼ 2*
○ Càralis Malvasia Demi Sec		▼ 2
● Monica di Sardegna Arenada '17		▼ 2
○ Nuragus di Cagliari Perlas '19		▼ 2
● Terresicci '14		♛♛♛ 5
● Cannonau di Sardegna Blasio Ris. '13		♛♛ 3
○ Nuragus di Cagliari Perlas '18		♛♛ 2*
○ Vermentino di Sardegna Prendas '18		♛♛ 2*

Cantina Dorgali

VIA PIEMONTE, 11
08022 DORGALI [NU]
TEL. 078496143
www.cantinadorgali.com

VENDITA DIRETTA
VISITA SU PRENOTAZIONE
PRODUZIONE ANNUA 1.500.000 bottiglie
ETTARI VITATI 600,00
AZIENDA SOSTENIBILE

Dorgali è il paesino del versante orientale dell'Isola che regala il nome alla cooperativa del territorio. Ci troviamo in un bellissima zona vitivinicola, non distante dalla costa tirrenica, dove colline e promontori sono abitate da filari e ulivi secolari. Il cannonau è senza dubbio il protagonista, qui siamo nella zona Classica della denominazione e le uve sono ancora coltivate ad alberello. Ampia la gamma dei vini che comprende anche dei bianchi, alcune deliziose bollicine rosé da cannonau e dei vini dolci da vendemmie tardive. Prezzi davvero competitivi. È il D53 a stupire di più durante gli assaggi. Approda alle finali il millesimo 2016, un Cannonau di Sardegna tipico e di grande beva. Ha note di mirto, sottobosco, frutto rosso e spezie, la bocca ha un ingresso fresco e sapido e il sorso è profondo e molto pulito. L'Icorè è un Cannonau più giovane, ma non per questo meno affascinante. Mora e ribes dominano il naso e anticipano un palato gentile e fluido. Sempre convincente l'Hortos '14, da uve cannonau e syrah.

● Cannonau di Sardegna Cl. D 53 '16	🍷🍷 5
● Cannonau di Sardegna Icorè '18	🍷🍷 2*
● Hortos '14	🍷🍷 6
● Bardia '19	🍷 3
⊙ Cannonau di Sardegna Rosato Filieri '19	🍷 2
○ Vermentino di Sardegna Cala Luna '19	🍷 2
○ Vermentino di Sardegna Filine '19	🍷 2
● Cannonau di Sardegna Cl. D 53 '15	🍷🍷 5
● Cannonau di Sardegna Tunila '17	🍷🍷 2*
● Cannonau di Sardegna V. di Isalle '16	🍷🍷 2*
● Cannonau di Sardegna Vigna di Isalle '17	🍷🍷 2*
● Hortos '13	🍷🍷 6
⊙ Cannonau di Sardegna Rosato Filieri '18	🍷 2

Fradiles

LOC. CRECCHERÌ
VIA S. PERTINI, 2
08030 ATZARA [NU]
TEL. 3331761683
paolo.savoldo@gmail.com

VENDITA DIRETTA
VISITA SU PRENOTAZIONE
PRODUZIONE ANNUA 20.000 bottiglie
ETTARI VITATI 12,00
AZIENDA SOSTENIBILE

Fradiles è una piccola realtà artigiana guidata da Paolo Savoldo, giovane e appassionato vignaiolo. Siamo nel cuore del Mandrolisai, denominazione basata su tre vitigni (cannonau, bovale e monica), vecchie vigne ad alberello e un'altitudine che si spinge oltre i 700 metri. I vini proposti sono molto tradizionali, rispecchiano varietà e zona di provenienza, non tradiscono mai in termini di finezza e beva. Diverse, a seconda dell'affinamento, le selezioni di Mandrolisai proposte a cui si aggiunge un Bovale in purezza. Ben due vini in finale rappresentano un sicuro successo per piccola azienda di Atzara. L'Angraris '16, nuova etichetta che si aggiunge alla gamma, è un Mandrolisai Superiore di altissimo livello, perfettamente in equilibrio tra morbidezza e acidità: il naso è fitto e sfaccettato e anticipa un sorso polposo, dove il tannino regala la giusta durezza e dà ritmo al sorso. L'Antiogu, anch'esso del 2016, è leggiadro e succoso, dall'estrazione perfetta. Molto buoni anche l'Istentu e il Fradiles, versione giovane e dinamica.

● Mandrolisai Sup. Angraris '16	🍷🍷 8
● Mandrolisai Sup. Antiogu '16	🍷🍷 4
● Mandrolisai Fradiles '18	🍷🍷 3
● Mandrolisai Sup. Istentu '16	🍷🍷 5
○ Funtanafrisca '19	🍷 4
● Mandrolisai Sup. Antiogu '11	🍷🍷🍷 5
● Bagadiu '17	🍷🍷 3
● Bagadiu '16	🍷🍷 3
● Bagadiu '13	🍷🍷 4
● Bagadiu Bovale '15	🍷🍷 3
● Mandrolisai Azzàra '16	🍷🍷 2*
● Mandrolisai Fradiles '17	🍷🍷 3*
● Mandrolisai Fradiles '16	🍷🍷 3
● Mandrolisai Fradiles '15	🍷🍷 3*
● Mandrolisai Sup. Antiogu '15	🍷🍷 4
● Mandrolisai Sup. Antiogu '14	🍷🍷 4

SARDEGNA

★Giuseppe Gabbas

VIA TRIESTE, 59
08100 NUORO
TEL. 078433745
www.gabbas.it

VENDITA DIRETTA
VISITA SU PRENOTAZIONE
PRODUZIONE ANNUA 70.000 bottiglie
ETTARI VITATI 15,00

Passano gli anni ma Giuseppe Gabbas, spinto dalla sua innata passione, continua a lavorare gli ettari di vigna di proprietà, tutti dislocati intorno alla cantina non distante da Nuoro. Qui il vitigno cannonau è il re indiscusso e Giuseppe, vendemmia dopo vendemmia, è stato capace di regalare versioni che non tradiscono varietà e territorio, ma che invece riescono anche a tirare fuori tanta finezza ed eleganza, semplicità di beva e carattere. Il merito va a un lavoro maniacale fatto in vigna, propedeutico a operazioni di cantina semplici ed essenziali. Tre i vini presentati quest'anno tutti di ottimo livello. Il Dule è ancora una volta esemplare per la tipologia. Questo Cannonau di Sardegna Classico del 2017 profuma di mora e ribes, pepe nero e non mancano tratti floreali. La bocca è snella, avvolgente, calda ma mai bruciante. Sorprende per pulizia aromatica e per il finale nitido. Ancora una volta Tre Bicchieri. Sempre una garanzia il Lillové, altro Cannonau ma proposto in versione giovane, succosa e dinamica. Fresco e iodato il Manzanile '19.

● Cannonau di Sardegna Cl. Dule '17	▼▼▼	4*
● Cannonau di Sardegna Lillové '19	▼▼	3
○ Vermentino di Sardegna Manzanile '19	▼	3
● Cannonau di Sardegna Cl. Dule '16	♈♈♈	4*
● Cannonau di Sardegna Cl. Dule '15	♈♈♈	4*
● Cannonau di Sardegna Cl. Dule '13	♈♈♈	4*
● Cannonau di Sardegna Cl. Dule '12	♈♈♈	4*
● Cannonau di Sardegna Cl. Dule '11	♈♈♈	4*
● Cannonau di Sardegna Dule Ris. '10	♈♈♈	4*
● Cannonau di Sardegna Dule Ris. '09	♈♈♈	3*
● Cannonau di Sardegna Dule Ris. '08	♈♈♈	3*
● Cannonau di Sardegna Dule Ris. '07	♈♈♈	3*
● Cannonau di Sardegna Dule Ris. '06	♈♈♈	3*
● Cannonau di Sardegna Dule Ris. '05	♈♈♈	3*
● Cannonau di Sardegna Lillové '18	♈♈	3
● Cannonau di Sardegna Lillové '17	♈♈	2*
● Cannonau di Sardegna Lillové '16	♈♈	2*

Cantina Gallura

VIA VAL DI COSSU, 9
07029 TEMPIO PAUSANIA
TEL. 079631241
www.cantinagallura.com

VENDITA DIRETTA
VISITA SU PRENOTAZIONE
PRODUZIONE ANNUA 1.300.000 bottiglie
ETTARI VITATI 350,00

La cantina di Gallura è una delle tre grandi cooperative della zona ed è stata capace, negli anni, di valorizzare la viticoltura del nord est dell'Isola attraverso il suo vitigno principale, il vermentino. Ampia la gamma dei vini prodotti, a partire proprio dai bianchi, che si differenziano per diversi affinamenti ed esposizione delle vigne. Il Vermentino di Gallura è proposto a prezzi competitivi ed è sempre garanzia di ottima qualità. Per il resto segnaliamo alcuni buoni spumanti, tra cui il tipico Moscato di Tempio. Il Canayli è l'etichetta storica della cantina e oramai viene proposta in due versione. La più semplice è veramente buona e regala profumi di mandorla e fiori bianchi, nespola e agrume. C'è poi la Vendemmia Tardiva, sempre dell'annata 2019, che gioca più su grassezza e rotondità, pur non perdendo la freschezza e la mineralità che un buon Gallura deve avere. Tra gli altri vini segnaliamo il già citato Moscato di Tempio Spumante, un vero fuoriclasse tra le bollicine dolci.

○ Moscato di Tempio Pausania Spumante Dolce	♈♈	2*
○ Vermentino di Gallura Canayli V. T. '19	♈♈	4
○ Vermentino di Gallura Sup. Canayli '19	♈♈	2*
● Karana '19	♈	2
⊙ Campos '18	♈♈	2*
● Cannonau di Sardegna Templum '16	♈♈	2*
● Karana '17	♈♈	2*
○ Vermentino di Gallura Canayli V. T. '17	♈♈	4
○ Vermentino di Gallura Piras '18	♈♈	2*
○ Vermentino di Gallura Piras '17	♈♈	2*
○ Vermentino di Gallura Piras '16	♈♈	2*
○ Vermentino di Gallura Sup. Canayli '18	♈♈	2*

Cantina Giba

VIA PRINCIPE DI PIEMONTE, 16
09010 GIBA [SU]
TEL. 0781689718
www.cantinagiba.it

VENDITA DIRETTA
PRODUZIONE ANNUA 100.000 bottiglie
ETTARI VITATI 15,00

Piccola quanto affascinante realtà del profondo sud dell'Isola. Deve il nome al piccolo paesino dove la cantina nasce e porta avanti una politica fatta di vini altamente territoriali, a volte un pizzico imprecisi, ma dal sicuro carattere. Si parte dal Carignano del Sulcis, con le uve coltivate a piede franco, su alberelli molto vecchi che producono quantità limitatissime. Non manca nemmeno il Vermentino, sempre di provenienza sulcitana, e un particolarissimo Metodo Classico in rosa sempre da uve carignano. Autentico e affascinante, anche quest'anno il 6Mura (Carignano del Sulcis Riserva) ci convince e conquista i Tre Bicchieri. Il rosso da vecchie vigne ha un'estrazione tannica magistrale, il legno delle botti grandi non si sente minimamente e lascia spazio a frutto rosso e sentori di macchia di gran fascino. In bocca, nonostante l'alcolicità, l'apporto sapido/acido bilancia bene la beva e il finale è lunghissimo. Molto buono anche la selezione di Vermentino di Sardegna, ottenute da uve rigorosamente coltivate nel Sulcis.

● Carignano del Sulcis 6 Mura Ris. '17	▼▼▼ 5
● Carignano del Sulcis Giba '19	▼▼ 2*
○ Vermentino di Sardegna 6 Mura '19	▼▼ 4
⊙ Carignano del Sulcis Rosato '19	▼ 2
● Carignano del Sulcis 6Mura '12	♀♀♀ 5
● Carignano del Sulcis 6Mura '11	♀♀♀ 5
● Carignano del Sulcis 6Mura '10	♀♀♀ 5
● Carignano del Sulcis 6Mura '09	♀♀♀ 5
● Carignano del Sulcis 6Mura Ris. '16	♀♀♀ 5
● Carignano del Sulcis 6Mura Ris. '15	♀♀♀ 5
● Carignano del Sulcis Giba '17	♀♀ 2*
● Carignano del Sulcis Giba '16	♀♀ 2*
○ Vermentino di Sardegna 6Mura '18	♀♀ 4
○ Vermentino di Sardegna Giba '18	♀♀ 3
○ Vermentino di Sardegna Giba '17	♀♀ 2*

Luca Gungui

C.SO VITTORIO EMANUELE, 21
08024 MAMOIADA [NU]
TEL. 3473320735
cantinagungui@tiscali.it

PRODUZIONE ANNUA 3.437 bottiglie
ETTARI VITATI 2,30

Sono veramente tante le cantine nate a Mamoiada negli ultimi anni, in nome di un areale unico e prezioso, dove il Cannonau è protagonista assoluto e il territorio è un concentrato di vecchie vigne ad alberello coltivate ad altitudini che superano i 700 metri. Anche Luca Gungui ha deciso qualche anno fa di investire sulla sua terra e sulla viticoltura. Per ora produce due vini, un rosso e un rosato: l'espressione territoriale non manca, così come la beva e l'eleganza ed è per questo che, nonostante le esigue quantità prodotte, entra a far parte delle cantine più importanti della Guida. All'assaggio due vini, entrambi dell'annata 2019. Il Cannonau di Sardegna Berteru si rivela un grande vino per la tipologia, fresco e pimpante nei toni di rosa passita e frutto rosso, ha beva succosa e un buon allungo. È più sottile e scarno di anni precedenti, ma comunque sempre di gran fascino. En Rose, come suggerisce il nome, è la versione (sempre di Cannonau) in rosa. Vitale e scorrevole, profuma di fragolina di bosco e mughetto.

● Cannonau di Sardegna Berteru '19	▼▼ 6
⊙ Cannonau di Sardegna	
Berteru En Rose '19	▼▼ 8
● Cannonau di Sardegna Berteru '18	♀♀ 6
● Cannonau di Sardegna Berteru '17	♀♀ 6
● Cannonau di Sardegna Berteru '16	♀♀ 6
⊙ Cannonau di Sardegna	
Berteru En Rose '18	♀♀ 8
● Cannonau di Sardegna Berteru Ris. '15	♀♀ 8

Antichi Poderi Jerzu

VIA UMBERTO I, 1
08044 JERZU [OG]
TEL. 078270028
www.jerzuantichipoderi.it

VENDITA DIRETTA
VISITA SU PRENOTAZIONE
PRODUZIONE ANNUA 1.500.000 bottiglie
ETTARI VITATI 750,00

Antichi Poderi di Jerzu è una cantina cooperativa storica e di indubbio valore. Opera in piena Ogliastra, zona vinicola capace di offrire grandi vini, veri testimoni viticoltura della costa orientale. Il Cannonau è il vitigno indiscusso e qui si può fregiare di una delle tre sottozone della grande Doc regionale. Diversi anni fa la cantina ha investito molto sulla qualità, con un programma preciso di valorizzazione delle uve conferite, attuata attraverso una preziosa zonazione del territorio. Ampia la gamma prodotta che comprende anche bianchi da uve vermentino. Ai vertici dei nostri assaggi le due Riserve di Cannonau, entrambe frutto dell'annata 2017: il Chuèrra è un rosso di impostazione moderna, si scorge ancora una nota di legno, ma il frutto e le sensazioni varietali non mancano. Fitto e corposo ha un buon finale pulito. Molto buono anche Josto Miglior, nonostante la leggera contrazione del sorso dovuta a un tannino imponente. Tutti ben fatti i vini più giovani della gamma.

● Cannonau di Sardegna Chuèrra Ris. '17		♟♟ 5
☉ Cannonau di Sardegna Isara '19		♟♟ 2*
● Cannonau di Sardegna Josto Miglior Ris. '17		♟♟ 5
● Cannonau di Sardegna Bantu '19		♟ 2
● Cannonau di Sardegna Jerzu Marghìa '18		♟ 4
● Monica di Sardegna Camalda '19		♟ 2
○ Vermentino di Sardegna Lucean le Stelle '19		♟ 3
○ Vermentino di Sardegna Telavè '19		♟ 2
● Cannonau di Sardegna Josto Miglior Ris. '09		♟♟♟ 4*
● Cannonau di Sardegna Josto Miglior Ris. '05		♟♟♟ 4
● Radames '01		♟♟♟ 5
● Cannonau di Sardegna Chuèrra Ris. '16		♟♟ 5

Tenuta La Sabbiosa

LOC. CUSSORGIA
CASE SPARSE
09011 CALASETTA [SU]
TEL. 3921493397
www.tenutalasabbiosa.com

RISTORAZIONE
PRODUZIONE ANNUA 20.000 bottiglie
ETTARI VITATI 7,00
VITICOLTURA Biologico Certificato
AZIENDA SOSTENIBILE

Bella e affascinante realtà nata da pochi anni per volere di Tessa Gelisio e Massimo Pusceddu. Si trova nell'Isola di Sant'Antioco e, come si evince dal nome, può contare sul alcuni preziosi appezzamenti coltivati su sabbia, molto vecchi ad alberello. Il vitigno coltivato è unicamente il carignano e la sua produzione si basa sui principi di agricoltura biologica e tutto è concepito secondo idee di sostenibilità ambientale. Due i vini prodotti fin dalla prima annata, entrambi Carignano del Sulcis, mentre quest'anno si è aggiunto alla gamma un Superiore, frutto della migliore selezione aziendale. È proprio quest'ultimo il vino che più ha sorpreso durante gli assaggi. Il 2 è un Superiore di grande spessore e complessità. In questa fase è ancora leggermente segnato dal legno, ma sotto la materia è incredibile. Al naso sono evidenti note di frutto rosso, mirto, cisto e non mancano evidenti tocchi balsamici. In bocca è cremoso e avvolgente, profondo e nitido. Davvero un grande esordio. Molto buono anche il Bio, per la sua piacevolezza di beva.

● Carignano del Sulcis Sup. 2 '17		♟♟ 8
● Carignano del Sulcis II Bio '18		♟♟ 5
● Carignano del Sulcis II Bio '17		♟♟ 5
● Carignano del Sulcis II Bio '16		♟♟ 5
● Carignano del Sulcis II Doc '17		♟♟ 5
● Carignano del Sulcis II Doc '16		♟♟ 5

Andrea Ledda

VIA MUSIO, 13
07043 BONNANARO [SS]
TEL. 079845060
www.vitivinicolaledda.com

VENDITA DIRETTA
VISITA SU PRENOTAZIONE
PRODUZIONE ANNUA 25.000 bottiglie
ETTARI VITATI 24,00

Una realtà suddivisa in ben tre tenute. Tutto nasce vicino a Bonnanaro, paese natìo di Andrea Ledda, fondatore della cantina. Lo sviluppo aziendale avviene attraverso l'impianto messo a punto nella Tenuta Pelao, su suoli vulcanici a oltre 700 metri d'altitudine e si completa con l'acquisizione della Tenuta Matteu, ad Arzachena, una delle più belle vigne della Gallura. Eleganza, finezza, bevibilità non mancano, completate dal carattere che ciascun territorio riesce a conferire. Lo si evince soprattutto nel Vermentino, prodotto in tutte e tre le tenute. L'azienda ha deciso di tenere i vini in affinamento, quindi l'assaggio di tutta la gamma è rimandato al prossimo anno. Attualmente sono in commercio i millesimi recensiti lo scorso anno, che riportiamo con i bicchieri bianchi. Con l'occasione abbiamo riassaggiato il Soliànu '18 e a un anno di distanza è in ottima forma. Primeggiano ancora i profumi floreali e fruttati, la bocca è tonica e scorrevole e non dà minimamente segni di cedimento. Veramente una grande conferma.

○ Vermentino di Gallura Sup. Soliànu Tenuta Matteu '18	♔♔♔ 5
○ Vermentino di Sardegna Azzesu Tenuta del Vulcano Pelao '17	♔♔♔ 7
● Cannonau di Sardegna Cerasa Tenuta Monte Santu '16	♔♔ 6
● Cannonau di Sardegna Cerasa Tenuta Monte Santu '15	♔♔ 6
○ Vermentino di Gallura Soliànu Tenuta Matteu '16	♔♔ 5
○ Vermentino di Gallura Sup. Soliànu Tenuta Matteu '17	♔♔ 5
○ Vermentino di Sardegna Azzesu Tenuta del Vulcano Pelao '18	♔♔ 7
○ Vermentino di Sardegna Giaru Tenuta Monte Santu '18	♔♔ 3
○ Vermentino di Sardegna Giaru Tenuta Monte Santu '17	♔♔ 3

Masone Mannu

LOC. SU CANALE
S.S. 199 KM 48
07020 MONTI [SS]
TEL. 078947140
www.tenutamasonemannu.it

VENDITA DIRETTA
VISITA SU PRENOTAZIONE
PRODUZIONE ANNUA 70.000 bottiglie
ETTARI VITATI 30,00
AZIENDA SOSTENIBILE

Dopo diversi passaggi di proprietà, l'azienda qualche anno fa è stata acquisita da un imprenditore romagnolo, già titolare della Tenuta Mara. Di certo ora si trova in ottime mani e, visto il valore dei vini che ha sempre prodotto e del parco vigneti, non si potrà che continuare a far bene. La nuova proprietà sta indirizzando Masone Mannu verso una produzione di alta sostenibilità, attuata attraverso un grande lavoro in vigna e poche operazioni di cantina. Freschezza, tonicità e grande impronta territoriale sono le peculiarità che si avvertono in bottiglia. Ben due i vini, un bianco e un rosso, accedono alle nostre finali. Il primo è il Vermentino di Gallura Superiore Costarenas '19, profumato nei toni di nespola e fiori bianchi, tonico e freschissimo al palato. Ancor più accattivante Entu '16, rosso fitto e complesso, dalle note di mora, prugna e ciliegia e dal sorso sostenuto da acidità e da un tratto salino molto affascinante. Tra gli altri abbiamo apprezzato lo Zurria '18, rosso fresco e vitale.

● Entu '16	♔♔ 5
○ Vermentino di Gallura Sup. Costarenas '19	♔♔ 4
⊘ Zeluiu Rosato '19	♔♔ 3
● Zurria '18	♔♔ 3
○ Vermentino di Gallura Petrizza '19	♔ 3
○ Vermentino di Gallura Sup. Costarenas '18	♔♔♔ 4*
○ Vermentino di Gallura Sup. Costarenas '16	♔♔♔ 3*
● Cannonau di Sardegna Zòjosu '15	♔♔ 3*
● Entu '15	♔♔ 5
○ Vermentino di Gallura Petrizza '18	♔♔ 3
○ Vermentino di Gallura Petrizza '17	♔♔ 3
○ Vermentino di Gallura Sup. Costarenas '17	♔♔ 4

1014

SARDEGNA

Cantina Mesa

LOC. SU BARONI
09010 SANT'ANNA ARRESI [CA]
TEL. 0781965057
www.cantinamesa.com

VENDITA DIRETTA
VISITA SU PRENOTAZIONE
PRODUZIONE ANNUA 700.000 bottiglie
ETTARI VITATI 78,00

Fondata diversi anni fa da Gavino Sanna, attualmente Mesa è in mano al gruppo Santa Margherita. La filosofia produttiva non è cambiata e l'azienda continua a mettere in bottiglia vini di indubbio valore, che puntano molto sul territorio - ci troviamo nel cuore del Sulcis - e su vini di grande bevibilità e pulizia. Tra i rossi il protagonista è il carignano, prodotto in diverse versioni, a seconda dell'età delle vigne. Spazio anche al cannonau e al syrah, che qui sembra aver trovato un habitat ideale. Tra i bianchi non manca il vermentino, capace di regalare emozioni anche a diversi anni dalla vendemmia. Proprio da un Vermentino arriva una bella sorpresa. L'Opale '19 è un trionfo di profumi tra fiori bianchi, agrumi, mandorla ed erbe aromatiche. La bocca è sapida e tonica e anche il finale non tradisce per pulizia e profondità. Ancor meglio il Buio Buio '17, un Carignano del Sulcis tipico e complesso nei profumi di macchia e frutto rosso. Bocca cremosa e avvolgente, dal giusto nerbo che agevola la beva. Piacevoli, per quanto più semplici, i vini d'annata, Buio e Giunco.

● Carignano del Sulcis Buio Buio Ris. '17	♟♟	5
○ Vermentino di Sardegna Opale '19	♟♟	5
● Brace Cagnulari '17	♟♟	4
● Brama Syrah '18	♟♟	4
○ Vermentino di Sardegna Giunco '19	♟♟	3
● Carignano del Sulcis Buio '19	♟	3
● Buio Buio '10	♟♟♟	4*
● Carignano del Sulcis Buio Buio Ris. '13	♟♟♟	5
● Carignano del Sulcis Buio Buio Ris. '12	♟♟♟	5
● Brace Cagnulari '15	♟♟	4
● Brama Syrah '15	♟♟	4
● Carignano del Sulcis Buio '15	♟♟	3
● Carignano del Sulcis Buio Buio Ris. '16	♟♟	5
● Carignano del Sulcis Buio Buio Ris. '15	♟♟	5
● Carignano del Sulcis Sup. Gavino '16	♟♟	5
○ Vermentino di Sardegna Giunco '18	♟♟	3
○ Vermentino di Sardegna Opale '17	♟♟	4

Cantina di Mogoro Il Nuraghe

S.S. 131 KM 62
09095 MOGORO [OR]
TEL. 0783990285
www.cantinadimogoro.it

VENDITA DIRETTA
VISITA SU PRENOTAZIONE
PRODUZIONE ANNUA 850.000 bottiglie
ETTARI VITATI 480,00

La cantina il Nuraghe è una cooperativa del campidano e conta su vigne e conferitori che insistono sul comune di Mogoro e su tutte le aree limitrofe, fino ad arrivare al basso oristanese. Qui c'è un vitigno autoctono a bacca bianca, il semidano, su cui si punta da sempre e a cui è dedicata una piccola Doc, Mogoro per l'appunto. La cantina ne produce diverse versioni, tra cui il Puisteris che esce a diversi anni dalla vendemmia. L'altra uva su cui si punta è il bovale, specie quello proveniente dalla vicina Doc Terralba. Ed è proprio un Bovale a sorprendere la commissione d'assaggio: Il Cavaliere Sardo è un Terralba Riserva '16 di grande spessore. Al naso la complessità è garantita da toni muschiati, di mirto, sottobosco e pepe nero, mentre il palato ha carattere e nerbo, in un equilibrio che si snoda tra tannino ben equilibrato e corpo. In attesa della nuova annata del Puisteris segnaliamo un altro Semidano di Mogoro: giovane, fresco e agrumato l'Anastasia '19 è davvero piacevole. Gran vino quotidiano, infine, il Tiernu, sempre da uve bovale.

○ Semidano di Mogoro Anastasia '19	♟♟	2*
● Terralba Bovale Cavaliere Sardo '16	♟♟	2*
● Terralba Bovale Tiernu '18	♟♟	2*
○ Nuragus di Cagliari Mugarò '19	♟	2
○ Vermentino di Sardegna Don Giovanni '19	♟	2
● Cannonau di Sardegna Vignaruja '15	♟♟	2*
○ Semidano di Mogoro Anastasia '18	♟♟	2*
○ Semidano di Mogoro Sup. Puistèris '17	♟♟	4
○ Vermentino di Sardegna Don Giovanni '18	♟♟	2*

Mura

LOC. AZZANIDÒ, 1
07020 LOIRI PORTO SAN PAOLO [SS]
TEL. 3402602507
vini.mura@tiscali.it

VENDITA DIRETTA
VISITA SU PRENOTAZIONE
RISTORAZIONE
PRODUZIONE ANNUA 50.000 bottiglie
ETTARI VITATI 12,00

Piccola ma deliziosa azienda gallurese, gestita a dovere dai due fratelli Mura. Marianna, enologa, si occupa di vigna e produzione mentre Salvatore si dedica al marketing e alle azioni commerciali. I vini sono un concentrato di Gallura, si percepisce la freschezza del microclima, mitigato dalle brezze marine, così come è chiara la mineralità legata al suolo granitico. Il protagonista è senza dubbio il vermentino, ma non mancano i rossi. I vini, oltre a essere molto equilibrati e precisi, hanno grande potenziale d'invecchiamento. Mentre l'assaggio dei rossi è rimandato al prossimo anno (è stato prolungato l'affinamento di alcuni vini), ci siamo dedicati ai blanchi, vero fiore all'occhiello della produzione dei fratelli Mura. Approda alle nostre finali Sienda il Decennio, una affascinante selezione di uve vermentino prodotto solo nelle migliori annate e dedicate ai dieci anni del vino: a due anni dalla vendemmia i profumi sono ancora integri e puliti, la parte varietale ancora si scorge e si iniziano a sentire le prime note terziarie. Molto buoni anche il Sienda e il Cheremi 2019.

○ Sienda il Decennio '18	♈♈	6
○ Vermentino di Gallura Cheremi '19	♈♈	3
○ Vermentino di Gallura Sup. Sienda '19	♈♈	5
○ Vermentino di Gallura Sup. Sienda '13	♈♈♈	3*
● Cannonau di Sardegna Cortes '16	♈♈	3
○ Vermentino di Gallura Cheremi '18	♈♈	3
○ Vermentino di Gallura Cheremi '16	♈♈	3
○ Vermentino di Gallura Cheremi '12	♈♈	3
○ Vermentino di Gallura Sienda '15	♈♈	4
○ Vermentino di Gallura Sup. Sienda '18	♈♈	3*
○ Vermentino di Gallura Sup. Sienda '16	♈♈	3
○ Vermentino di Gallura Sup. Sienda '14	♈♈	3*

Olianas

LOC. PORRUDDU
08030 GERGEI [CA]
TEL. 0558300411
www.olianas.it

VENDITA DIRETTA
VISITA SU PRENOTAZIONE
PRODUZIONE ANNUA 170.000 bottiglie
ETTARI VITATI 24,00
VITICOLTURA Biologico Certificato
AZIENDA SOSTENIBILE

Olianas è il progetto isolano di Stefano Casadei, enologo e viticoltore in Toscana, e del suo socio Erminio Olianas. Da diverso tempo hanno deciso di investire in Sardegna, nel Gergei, una zona un tempo popolata da vigneti e macchia mediterranea. Grazie a loro si è ridata vita ai filari attraverso un progetto di alta sostenibilità che si avvale di un protocollo interno chiamato Biointegrale. Nessun prodotto chimico in vigna, utilizzo degli animali per le lavorazioni tra le viti, a partire dalle oche per il diserbo. In cantina semplici operazioni e una interessante sperimentazione sulle anfore. Ottima prestazione anche quest'anno per i vini tipici del Gergei. Le selezioni sono senza dubbio le più entusiasmanti: la Riserva '17 di Cannonau di Sardegna profuma di tabacco e sottobosco, la bocca è fitta ma mai contratta. Intenso e complesso anche il Perdixi, Igt a prevalenza bovale: note di cuoio e tocchi ferrosi si alternano a frutto nero e spezie e la bocca è fluida nel suo sviluppo. Sempre delizioso il giovanissimo Cannonau di Sardegna '19.

● Cannonau di Sardegna '19	♈♈	3
● Cannonau di Sardegna Ris. '17	♈♈	4
● Perdixi '18	♈♈	4
○ Vermentino di Sardegna '19	♈	3
● Cannonau di Sardegna '16	♈♈	3
● Cannonau di Sardegna '15	♈♈	3
● Cannonau di Sardegna Ris. '16	♈♈	4
● Cannonau di Sardegna Ris. '15	♈♈	4
⊙ Olianas '18	♈♈	3
● Perdixi '16	♈♈	4

SARDEGNA

Cantina Oliena

VIA NUORO, 112
08025 OLIENA [NU]
TEL. 0784287509
www.cantinasocialeoliena.it

PRODUZIONE ANNUA 300.000 bottiglie
ETTARI VITATI 180,00

È una tra le più piccole cantine cooperative della Sardegna, si trova ad Oliena, piccolo paesino del nuorese che le dà il nome. La sua produzione si avvale unicamente sul Cannonau di Sardegna che qui si può avvalere sulla sottozona territoriale Nepente di Oliena. Negli ultimi anni l'impegno di tutto lo staff (tecnico e commerciale) è stato imponente e i risultati si vedono: i vini sono pura espressione di questo comprensorio, non manca bevibilità e finezza e alcune etichette danno ottimi risultati anche sul lungo periodo. Ottima performance quest'anno per vini firmati Oliena. Il più convincente ci è parso l'Irilai, un Nepente Classico frutto dell'annata 2015. Tipico nei sentori di frutto rosso e rosa passita riesce ad esprimere forza e vigore al palato, pur non tradendo una beva scorrevole e dinamica. Sempre una garanzia il Nepente di Oliena più giovane (quest'anno proposto nell'annata 2018) così come il Corrasi, Riserva 2014 potente e complessa. Segnaliamo infine il Logheri, vino bianco dolce da uve autoctone molto espressivo e dalla dolcezza calibrata.

● Cannonau di Sardegna Dionisi '17	♟♟	2*
● Cannonau di Sardegna Nepente di Oliena '18	♟♟	2*
● Cannonau di Sardegna Nepente di Oliena Corrasi Ris. '14	♟♟	4
● Cannonau di Sardegna Nepente di Oliena Irilai '15	♟♟	3
● Lanaitto '18	♟♟	2*
○ Logheri	♟♟	6
⊙ OroRosa Brut Rosé	♟	5
● Cannonau di Sardegna Nepente di Oliena '16	♟♟	2*
● Cannonau di Sardegna Nepente di Oliena '15	♟♟	2*
● Cannonau di Sardegna Nepente di Oliena Corrasi Ris. '13	♟♟	4
● Cannonau di Sardegna Nepente di Oliena Irilai '14	♟♟	3

Pala

VIA VERDI, 7
09040 SERDIANA [CA]
TEL. 070740284
www.pala.it

VENDITA DIRETTA
VISITA SU PRENOTAZIONE
PRODUZIONE ANNUA 490.000 bottiglie
ETTARI VITATI 98,00

Pala è un'azienda di indubbio valore che ha contribuito a rendere noto e prestigioso il territorio di Serdiana. È guidata da Mario Pala e dalla sua famiglia, col prezioso ausilio di Fabio Angius, direttore commerciale e braccio destro della proprietà. I vini trasmettono molto bene il territorio che li genera e sono accomunati tutti da una sottile vena sapida molto affascinante e tipica. Oltre al comprensorio di Serdiana la cantina si avvale di alcuni appezzamenti nel terralbese: qui coltivano il bovale, ancora a piede franco da vigne su sabbia. La gamma si apprezza a partire dai vini più semplici della linea Silenzi. Anche quest'anno assaggio impeccabile. A testimoniarlo prima di tutto diversi vini finalisti, tra cui ha la meglio il "solito" Stellato. Anche la versione 2019 del Vermentino di Sardegna sorprende per una complessità olfattiva da manuale e per un palato lungo e progressivo con la sapidità a contrastare bene le note aromatiche del vitigno. Affascinante la versione Nature '19, imbottigliato con le fecce fini. Tra i rossi ottimo l'Essentija '17.

○ Vermentino di Sardegna Stellato '19	♟♟♟	4*
○ Stellato Nature '19	♟♟	6
● Cannonau di Sardegna I Fiori '19	♟♟	3
○ Entemari '17	♟♟	5
● Essentija '17	♟♟	3
● S'Arai '17	♟♟	5
○ Vermentino di Sardegna I Fiori '19	♟♟	3
⊙ Chiaro di Stelle '19	♟	3
● Monica di Sardegna I Fiori '19	♟	3
○ Nuragus di Cagliari I Fiori '19	♟	2
● Cannonau di Sardegna Ris. '12	♟♟♟	3*
● Cannonau di Sardegna Ris. '11	♟♟♟	3*
○ Vermentino di Sardegna Stellato '18	♟♟♟	4*
○ Vermentino di Sardegna Stellato '17	♟♟♟	4*
○ Vermentino di Sardegna Stellato '16	♟♟♟	4*

Cantina Pedres

VIA MINCIO, 42 Z.I. SETT.7
07026 OLBIA
TEL. 0789595075
www.cantinapedres.it

VENDITA DIRETTA
VISITA SU PRENOTAZIONE
PRODUZIONE ANNUA 500.000 bottiglie
ETTARI VITATI 80,00
AZIENDA SOSTENIBILE

Pedres è un'azienda condotta con passione e determinazione da Antonella Mancini (erede di un'importante famiglia del vino isolano) e da suo marito, enologo. Insieme gestiscono ben 80 ettari di vigneto da cui si ottengono circa 500mila bottiglie. Protagonista il Vermentino di Gallura, prodotto in diverse sfumature e figlio di uno stile puro ed essenziale, che mira a far trasparire tutta l'essenza del suolo granitico e del microclima galluroco. Vini freschi quindi, di grande beva, ma dallo sviluppo sempre profondo e piacevole. Oltre ai bianchi si producono rossi interessanti e diversi spumanti Metodo Italiano. È il Vermentino di Gallura Thilibas a spiccare durante gli assaggi. Il bianco in versione Superiore '19 si distingue per un naso fine ed elegante, tutto giocato su note floreali e d'agrume. La bocca è leggiadra e persistente, profonda e ritmica: l'acidità è ben dosata e regala schiettezza e nerbo. Buoni anche i due rossi da cannonau: il Sulità è delizioso seppur giovanissimo, il Cerasio è più maturo e complesso.

○ Vermentino di Gallura Sup. Thilibas '19	♟♟	4
● Cannonau di Sardegna Cerasio '18	♟♟	4
● Cannonau di Sardegna Sulitài '19	♟♟	3
○ Vermentino di Gallura Pedres Brut '18	♟♟	3
○ Vermentino di Gallura Sangusta '19	♟♟	3
● Cannonau di Sardegna Desigio '19	♟	3
○ Moscato di Sardegna Assolo '19	♟	3
○ Vermentino di Gallura Brino '19	♟	3
○ Vermentino di Sardegna Desigio '19	♟	2
○ Vermentino di Gallura Sup. Thilibas '10	♟♟♟	3*
○ Vermentino di Gallura Sup. Thilibas '09	♟♟♟	3*
○ Vermentino di Gallura Brino '18	♟♟	3
○ Vermentino di Gallura Sangusta '18	♟♟	3
○ Vermentino di Gallura Sup. Thilibas '17	♟♟	4

Tenute Perdarubia

LOC. PRANU MANNU
S.DA PROV.LE 56, KM 7,1
08040 TALANA [NU]
TEL. 3296333122
www.tenuteperdarubia.com

VENDITA DIRETTA
VISITA SU PRENOTAZIONE
PRODUZIONE ANNUA 20.000 bottiglie
ETTARI VITATI 20,00
VITICOLTURA Biologico Certificato

Perdarubia è una cantina nata alla fine degli anni '40 per volere del commendator Mario Mereu. Da sempre qui si è puntato sul cannonau, coltivato a piede franco secondo le regole tradizionali. Le vigne sono molto vecchie e regalano profumi e sapori tipici dell'Ogliastra. Dopo un periodo di inattività la terza generazione di famiglia ha ripreso in mano produzione e vendita, puntando sempre sulle vigne storiche aziendali. Gli ettari vitati sono 20 e i vini prodotti 3: autenticità e tradizione li contraddistinguono. Senza dubbio un'annata da ricordare. I vini presentati (soprattutto i rossi) si fanno notare, e non poco, agli assaggi. Il Naniha è un Cannonau di grande freschezza, profumato e dai toni di piccoli frutti di bosco e spezie. Non manca un tocco floreale che anticipa una bocca leggiadra ed elegante, fresca e profonda. Ecco cosa vogliamo da un Cannonau di Sardegna giovane! Tre Bicchieri. Ai vertici anche il Perdarubia, un anno in più di affinamento per un vino più corposo e avvolgente.

● Cannonau di Sardegna Naniha '18	♟♟♟	4*
● Cannonau di Sardegna Cl. Perdarubia '17	♟♟	5
○ Vermentino di Sardegna Lanùra '19	♟	3
● Cannonau di Sardegna Nanhia '16	♟♟	4

SARDEGNA

F.lli Puddu

LOC. ORBUDDAI
08025 OLIENA [NU]
TEL. 0784288457
info@aziendapuddu.it

PRODUZIONE ANNUA 70.000 bottiglie
ETTARI VITATI 30,00
VITICOLTURA Biologico Certificato

Quella dei fratelli Puddu è una solida realtà agricola che si divide tra produzioni di salumi di alto livello e vino di qualità. Tra i filari si pratica agricoltura biologica e si punta principalmente sul Cannonau che in questo territorio si avvale della sottozona Nepente di Oliena. I vini sono autentici e molto tradizionali, invecchiano molto bene e trovano bella armonia tra pulizia e precisione stilistica e peculiarità offerte da terreni e microclima. La gamma vede il Nepente declinato in varie versioni (tra selezioni e riserve), bianchi da uve vermentino e bollicine sempre prodotte da varietà autoctone. Tre i vini presentati, tutti Nepente di Oliena di diverse annate. Il Pro Vois è il cavallo di razza dell'azienda, è una Riserva frutto di una selezione esemplare di uve cannonau. L'annata 2015 regala un vino di grande complessità e spessore, esemplare per ticipità e franchezza. Al naso dominano i toni autunnali, tra foglie secche, spezie, frutto maturo e sottobosco, mentre la bocca scorre in maniera impeccabile, aiutata da freschezza e da un tannino setoso. Tre Bicchieri.

● Cannonau di Sardegna Nepente di Oliena Pro Vois Ris. '15	♟♟♟ 5
● Cannonau di Sardegna Nepente di Oliena Carros '16	♟♟ 3
● Cannonau di Sardegna Nepente di Oliena Tiscali '18	♟♟ 3
● Cannonau di Sardegna Nepente di Oliena Pro Vois Ris. '14	♟♟♟ 5
● Cannonau di Sardegna Nepente di Oliena Tiscali '17	♟♟ 3
● Cannonau di Sardegna Nepente di Oliena Tiscali '16	♟♟ 3*
⊙ Cannonau di Sardegna Rosato Nepente di Oliena Biriai '18	♟♟ 3

Quartomoro di Sardegna

VIA DINO POLI, 31
09092 ARBOREA [OR]
TEL. 3467643522
www.quartomoro.it

VENDITA DIRETTA
VISITA SU PRENOTAZIONE
PRODUZIONE ANNUA 50.000 bottiglie
ETTARI VITATI 11,00

Quartomoro è il bellissimo progetto di Piero Cella e sua moglie Luciana. È il frutto dell'esperienza come enologo consulente di Piero, grande conoscitore dei territori isolani così come delle sue varietà. L'azienda ha come obiettivo la valorizzazione di vecchie vigne e vitigni meno noti, così come lo sperimentare tecniche ancestrali di vinificazione sulle uve più conosciute. Il risultato è a dir poco affascinante, con vini di estremo carattere, convincenti e puri. Ampia la gamma, nonostante la produzione totale sia contenuta, tra rossi, bianchi e alcune bollicine rifermentate in bottiglia. Buonissimo quest'anno il BVL della linea Memorie di Vite. Il rosso ottenuto da vitigno bovale approda alle finali forte di una complessità gusto-olfattiva da manuale. Profumi di mirto e prugna, ciliegia e pepe nero e un sapore fitto, compatto e profondo. Tra i bianchi abbiamo apprezzato l'ARV da vitigno arvesionadu: frutto bianco, scorsa di limone, fiori di campo per un palato sapido e leggermente buccioso. Ben fatti e tutti di gran fascino gli altri vini.

● BVL Memorie di Vite '18	♟♟ 4
○ ARV Memorie di Vite '19	♟♟ 4
○ Q Brut M. Cl.	♟♟ 4
○ Orriu Vernaccia sulle Bucce '19	♟ 3
● BVL Memorie di Vite '17	♟♟ 4
● BVL Memorie di Vite '16	♟♟ 4
● Cannonau di Sardegna CNS Memorie di Vite '16	♟♟ 4
● Cannonau di Sardegna Memorie di Vite CNS '15	♟♟ 4
○ Orriu Vernaccia sulle Bucce '18	♟♟ 3
○ SMD Memorie di Vite '18	♟♟ 3
○ Vermentino di Sardegna VRM Memorie di Vite '16	♟♟ 4
○ Vermentino di Sardegna VRM Memorie di Vite '14	♟♟ 4

Santa Maria La Palma

FRAZ. SANTA MARIA LA PALMA
07041 ALGHERO [SS]
TEL. 079999008
www.santamarialapalma.it

VENDITA DIRETTA
VISITA SU PRENOTAZIONE
PRODUZIONE ANNUA 4.000.000 bottiglie
ETTARI VITATI 650,00

Santa Maria La Palma è la grande cooperativa del nord ovest dell'Isola. Negli ultimi anni ha attraversato un rinnovamento generale che ha giovato sia all'immagine dei vini, sia, soprattutto, alla qualità. Cannonau, cagnulari e vermentino sono le tre varietà su cui si punta: sono proposte in varie versioni, da quelle più semplici a selezioni e riserve. Spazio anche per le bollicine, su cui la cantina ha sempre scommesso. Da segnalare, infine, alcune etichette storiche e tirate in diverse migliaia di bottiglie: vini quotidiani, venduti a prezzi onesti, ma dalla qualità indiscussa. Nonostante la vasta gamma prodotta sono solo 4 i vini presentati quest'anno agli assaggi. Sono tutti prodotti introdotti di recente sul mercato e frutto di severe selezioni delle uve. Il più interessante è senza dubbio il Ràfia '18, Vermentino di Sardegna di grande sapidità e dai profumi intensi. Intrigante anche il Cannonau di Sardegna Redìt Riserva '17, così come il Recònta, sempre 2017 ma ottenuto da uve cagnulari. Altra interessante novità è l'Akenta Cuvée 71 '19.

○ Vermentino di Sardegna Ràfia '18	♟♟ 5
● Alghero Cagnulari Recònta Ris. '17	♟♟ 4
● Cannonau di Sardegna Redìt Ris. '17	♟♟ 3
○ Vermentino di Sardegna Akènta Cuvée 71 '19	♟♟ 3
● Cannonau di Sardegna R Ris. '15	♟♟♟ 3*
● Alghero Cagnulari '16	♟♟ 3
● Alghero Cagnulari '14	♟♟ 3
● Alghero Cagnulari Recònta Ris. '16	♟♟ 4
● Alghero Rosso Cabirol '14	♟♟ 2*
● Cannonau di Sardegna '17	♟♟ 3
● Cannonau di Sardegna Redìt Ris. '16	♟♟ 3*
● Cannonau di Sardegna Valmell '17	♟♟ 2*
● Cannonau di Sardegna Valmell '16	♟♟ 2*
○ Vermentino di Sardegna Ràfia '17	♟♟ 5

★★Cantina Santadi

VIA GIACOMO TACHIS, 14
09010 SANTADI [SU]
TEL. 0781950127
www.cantinadisantadi.it

VENDITA DIRETTA
VISITA SU PRENOTAZIONE
PRODUZIONE ANNUA 1.740.000 bottiglie
ETTARI VITATI 603,00

La valorizzazione del territorio sulcitano è iniziata tanti anni proprio grazie all'azione della cantina di Santadi. La cooperativa, con la sua qualità, ottenuta attraverso un rapporto ideale instaurato con i vignaioli conferitori, è stata di esempio per altre cantine sociali che ora costituiscono il fiore all'occhiello della produzione isolana. Qui tutto è incentrato sul vitigno carignano, impiantato ad alberello, su sabbia, alcune volte a piede franco. Una gamma quasi esclusivamente rossista quindi, che vede la varietà sulcitana declinata in diverse tipologie. Il Terre Brune rimane un vero fuoriclasse della sua categoria e per noi anche quest'anno si aggiudica i Tre Bicchieri. L'annata 2016 è fortunata anche nel Sulcis e il vino può godere di un grande equilibrio tutto giocato tra complessità aromatica e armonia gustativa. Il fratellino minore, il Rocca Rubia, gioca sempre la sua ottima partita e rimane un grande vino specie se si rapporta al suo prezzo. Ottimi risultati anche da Cannonau di Sardegna Noras.

● Carignano del Sulcis Sup. Terre Brune '16	♟♟♟ 7
● Cannonau di Sardegna Noras Cl. '17	♟♟ 4
● Carignano del Sulcis Grotta Rossa '18	♟♟ 2*
● Carignano del Sulcis Rocca Rubia Ris. '17	♟♟ 4
● Festa Noria	♟♟ 6
○ Nuragus di Cagliari Pedraia '19	♟♟ 2*
○ Solais Brut M. Cl.	♟ 5
○ Vermentino di Sardegna Cala Silente '19	♟♟ 3
○ Villa di Chiesa '18	♟ 5
● Carignano del Sulcis Sup. Terre Brune '15	♟♟♟ 7
○ Vermentino di Sardegna Cala Silente '18	♟♟ 3

Sardus Pater

VIA RINASCITA, 46
09017 SANT'ANTIOCO [SU]
TEL. 0781800274
www.cantinesarduspater.com

VENDITA DIRETTA
VISITA SU PRENOTAZIONE
PRODUZIONE ANNUA 400.000 bottiglie
ETTARI VITATI 250,00

Sardus Pater è la cooperativa di Sant'Antioco, isola a sud ovest della Regione collegata con la Sardegna attraverso un istmo artificiale. Siamo in piena Doc Carignano del Sulcis e le vigne vecchie, su sabbia, alcune delle quali a piede franco, qui non mancano. La gamma è vasta e oltre al Carignano (prodotto in diverse versioni, da quelle d'annata vinificate col solo uso dell'acciaio fino ad arrivare alle Riserve e ai passiti) prevede vini ottenuti col vermentino (tra cui spicca uno spumante) così come dolci da uve moscato e nasco. La novità di quest'anno è dedicata ai settant'anni dell'azienda e, non per niente, si chiama Sardus Pater Settantenario. È frutto di una importante selezione di uve carignano vendemmiate nel 2016. Ricco, maturo, elegante, ha note di grafite e frutto scuro. La bocca è sinuosa e attraversata da una sottile vena sapida. Molto buoni anche gli altri tre Carignano proposti in versione più fresca e immediata (il Nur '18), in tipologia Riserva (Is Arenas '18) o Superiore (Arruga '17).

● Sardus Pater Settantenario '16	♟♟ 5
● Carignano del Sulcis Is Arenas Ris. '18	♟♟ 5
● Carignano del Sulcis Nur '18	♟♟ 3
● Carignano del Sulcis Sup. Arruga '17	♟♟ 6
● Carignano del Sulcis Is Solus '19	♟ 3
○ Elat '19	♟ 3
○ Vermentino di Sardegna Brut AD 49 M. Cl. '16	♟ 5
○ Vermentino di Sardegna Lugore '19	♟ 4
○ Vermentino di Sardegna Terre Fenicie '19	♟ 3
● Carignano del Sulcis Is Arenas Ris. '09	♟♟♟ 4*
● Carignano del Sulcis Is Arenas Ris. '08	♟♟♟ 4*
● Carignano del Sulcis Is Arenas Ris. '07	♟♟♟ 3*
● Carignano del Sulcis Is Arenas Ris. '06	♟♟♟ 3*
● Carignano del Sulcis Sup. Arruga '09	♟♟♟ 6
● Carignano del Sulcis Sup. Arruga '07	♟♟♟ 5

Giuseppe Sedilesu

VIA VITTORIO EMANUELE II, 64
08024 MAMOIADA [NU]
TEL. 078456791
www.giuseppesedilesu.com

VENDITA DIRETTA
VISITA SU PRENOTAZIONE
PRODUZIONE ANNUA 100.000 bottiglie
ETTARI VITATI 20,00

Una grande famiglia del vino che ha dato tanto (e continua a dare molto) lustro al territorio di Mamoiada. Fondata da Giuseppe Sedilesu (a cui è dedicato anche un vino) è arrivata alla terza generazione. Tutto si fonda su un concetto di sostenibilità che tiene conto della salvaguardia ambientale e sociale da attuare attraverso la viticoltura. I vini sono le specchio del territorio: sono frutto di vecchie vigne ad alberello, godono di altitudini che superano i 700 metri e sono ottenuti attraverso operazioni semplici e basilari, per non nascondere - anzi, per meglio valorizzare - ciò che la natura offre. Il Mamuthone è uno dei simboli aziendali e la versione 2017 per noi è una delle migliori versioni di sempre. Profuma di macchia, erbe officinali, frutto nero e spezie. La bocca è vellutata, ma fresca, avvolgente, ma sapida. Il sorso avanza in un crescendo di chiaroscuri, affascinanti e infiniti. Un vero fuoriclasse che rappresenta al meglio il terroir di Mamoiada. Tre Bicchieri. Ma non è il solo a stupire: il Ballu Tundu '15 è una Riserva da manuale.

● Cannonau di Sardegna Mamuthone '17	♟♟♟ 4*
● Cannonau di Sardegna Ballu Tundu Ris. '15	♟♟ 5
● Cannonau di Sardegna Carnevale Ris. '17	♟♟ 5
● Cannonau di Sardegna Sartiu '19	♟♟ 3
○ Granazza '19	♟♟ 3
⊙ Cannonau di Sardegna Erèssia '19	♟ 3
● Cannonau di Sardegna Mamuthone '15	♟♟♟ 3*
● Cannonau di Sardegna Mamuthone '12	♟♟♟ 3*
● Cannonau di Sardegna Mamuthone '11	♟♟♟ 3*
● Cannonau di Sardegna Mamuthone '08	♟♟♟ 3*
○ Perda Pintà '09	♟♟♟ 4
○ Perda Pintà '07	♟♟♟ 5
● Cannonau di Sardegna Ballu Tundu Ris. '14	♟♟ 6

★★Tenute Sella & Mosca

Loc. I Piani
07041 Alghero [SS]
Tel. 079997700
www.sellaemosca.com

VENDITA DIRETTA
VISITA SU PRENOTAZIONE
PRODUZIONE ANNUA 5.000.000 bottiglie
ETTARI VITATI 560,00

A qualche anno dall'acquisizione da parte di Terra Moretti iniziano ad arrivare i risultati di una vera e propria rivoluzione attuata presso la storica cantina di Alghero. Il vigneto a corpo unico di ben 500 ettari è in conversione biologica, la gamma si è ampliata con alcune interessanti etichette (progetto che vede impegnato lo stilista algherese Antonio Marras) e si è rafforzata la qualità. Due i vitigni su cui si scommette di più: il torbato, declinato in più versioni, e il cabernet sauvignon da cui si ottiene il grande rosso aziendale, il Marchese di Villamarina. Un anno di affinamento in più è senza dubbio servito al Catore '18. La selezione di Torbato approda alle finali e sorprende la commissione d'assaggio: i profumi spaziano dalle note di fiori di campo ai tocchi di erbe aromatiche, mentre la bocca è fitta e sapida. Tre Bicchieri strameritati. L'altro cavallo di razza non è da meno. Il Marchese di Villamarina si conferma il grande Cabernet Sauvignon isolano. Molto ben fatti gli altri vini.

Siddùra

Loc. Siddùra
07020 Luogosanto [SS]
Tel. 0796513027
www.siddura.com

VENDITA DIRETTA
VISITA SU PRENOTAZIONE
OSPITALITÀ E RISTORAZIONE
PRODUZIONE ANNUA 200.000 bottiglie
ETTARI VITATI 37,00
AZIENDA SOSTENIBILE

Siddùra è l'azienda fondata da Massimo Ruggero e Nathan Gottesdiener (rispettivamente amministratore e presidente dell'azienda). Da subito si è posta l'obiettivo di produrre grandi vini che siano lo specchio di questa bellissima porzione di Gallura. Ci troviamo nella località che regala il nome alla tenuta, non distante dal paesino di Luogosanto. La cantina si trova nel cuore dei vigneti principali ed è un concentrato di tecnologia. Tutto è al servizio della vigna ed è pensato per valorizzare i vitigni della tradizione, a partire dal vermentino. È proprio un Vermentino il vino migliore della batteria. Il Màia esce a un anno dalla vendemmia e mostra vitalità e spessore. Il naso richiama in pieno la Gallura, tra cenni iodati, tracce erbacee e frutto bianco, mentre la bocca è fresca e sapida. Solo un pizzicco di complessità non lo fa arrivare fino in fondo. Buonissimi anche i rossi a partire dal Cannonau Fòla, fresco e cremoso, passando per il Bàcco e il Tiros.

○ Alghero Torbato Catore '18	♟♟♟	5
● Alghero Marchese di Villamarina '16	♟♟	6
○ Alghero Torbato Brut	♟♟	3
● Cannonau di Sardegna Mustazzo '17	♟♟	5
● Carignano del Sulcis Terre Rare Ris. '16	♟♟	3
○ Vermentino di Gallura Sup. Monteoro '19	♟♟	3
○ Vermentino di Sardegna Ambat '18	♟♟	5
○ Vermentino di Sardegna Cala Reale '19	♟	3
○ Alghero Torbato Catore '17	♟♟♟	5
○ Alghero Torbato Terre Bianche Cuvée 161 '18	♟♟♟	3*
○ Alghero Torbato Terre Bianche Cuvée 161 '16	♟♟♟	3*
○ Alghero Torbato Terre Bianche Cuvée 161 '15	♟♟♟	4*

○ Vermentino di Gallura Sup. Màia '18	♟♟	4
● Bàcco Cagnulari '17	♟♟	5
● Cannonau di Sardegna Fòla Ris. '17	♟♟	5
● Tiros '16	♟♟	6
⊙ Cannonau di Sardegna Rosato Nudo '19	♟	4
○ Vermentino di Gallura Sup. Màia '15	♟♟♟	4*
○ Vermentino di Gallura Sup. Màia '14	♟♟♟	4*
● Cannonau di Sardegna Fòla '15	♟♟	5
⊙ Cannonau di Sardegna Rosato Nudo '17	♟♟	2*
○ Vermentino di Gallura Spèra '18	♟♟	3
○ Vermentino di Gallura Spèra '17	♟♟	3
○ Vermentino di Gallura Sup. Màia '17	♟♟	4
○ Vermentino di Gallura Sup. Màia '16	♟♟	4

Su Entu

S.DA PROV.LE KM 1,800
09025 SANLURI [SU]
TEL. 070 93571206
www.cantinesuentu.com

VENDITA DIRETTA
VISITA SU PRENOTAZIONE
PRODUZIONE ANNUA 240.000 bottiglie
ETTARI VITATI 32,00

Fortemente voluta da Salvatore Pilloni, imprenditore di razza, l'azienda ha contribuito a dare nuova linfa alla viticoltura della Marmilla, subregione a sud dell'Isola. La cantina, su una collina che domina i vigneti, è una costruzione moderna e affascinante, ma la sua architettura esterna tiene bene in considerazione la sostenibilità ambientale, mentre l'interno ha ampi spazi dedicati alla ricezione e agli eventi. I vini negli anni hanno raggiunto un'ottima qualità, puntando sulle varietà locali, cannonau, vermentino, bovale e moscato, con sperimentazioni su alcune uve internazionali. Diversi i vini di assoluto livello presentati, tutti di impostazione moderna. Ai vertici Su' Nico '18, un bovale in purezza dai profumi di spezie e cioccolato e dalla sensazione gustativa fitta e morbida. Anche se leggermente segnato dal legno non manca la parte fruttata sintomo di buona gioventù. Della stessa annata Su' Anima, un Cannonau di Sardegna fresco e leggiadro. Su' Diterra è l'altro rosso degno di nota: è un blend che ci porta dritti ai profumi mediterranei.

● Su' Nico '18	▼▼▼ 5
● Cannonau di Sardegna	
Su'Anima '18	▼▼ 3
○ Su'Aro '19	▼▼ 3
● Su'Diterra '18	▼▼ 3
○ Su'Luci Passito '18	▼ 5
● Su'Oltre '17	▼ 5
○ Vermentino di Sardegna	
Su'Imari '19	▼ 3
● Bovale '16	♈♈♈ 5
● Cannonau di Sardegna '16	♈♈ 3
● Su'Oltre '16	♈♈ 3*
○ Vermentino di Sardegna '16	♈♈ 3
○ Vermentino di Sardegna	
Su'Orma '17	♈♈ 3*

Surrau

S.DA PROV.LE ARZACHENA - PORTO CERVO
07021 ARZACHENA [SS]
TEL. 078982933
www.vignesurrau.it

VENDITA DIRETTA
VISITA SU PRENOTAZIONE
PRODUZIONE ANNUA 300.000 bottiglie
ETTARI VITATI 50,00
AZIENDA SOSTENIBILE

Surrau è senza dubbio uno dei progetti più convincenti degli ultimi anni. Il merito va a Tino Demuro e al suo staff, capace di mettere in bottiglia vini di indubbio valore, veri figli della Gallura, ma anche di sviluppare azioni commerciali e di marketing concrete che pian piano stanno facendo conoscere l'azienda nel mondo. Non ultimo l'aspetto legato all'ospitalità attraverso una cantina molto bella, aperta tutto l'anno, che organizza mostre, convegni e incontri di ogni genere. La produzione va dai bianchi da uve vermentino ad alcuni rossi molto interessanti, fino ad arrivare ai convincenti Metodo Classico. Il Cannonau di Sardegna Sincaru '18 è un rosso di grande finezza ed eleganza, dai tratti di macchia con alcune percezioni fumé. La bocca è snella e succosa, profonda e pulita. Il Vermentino di Gallura Superiore Sciala '19 ha intense note di zagara e lime, elicriso e rosmarino. Al palato la freschezza non manca e, unita a buona sapidità, spinge il sorso in un finale lunghissimo. Tre Bicchieri. Degno di nota anche il Branu '19.

○ Vermentino di Gallura Sup. Sciala '19	▼▼▼ 5
● Cannonau di Sardegna Sincaru '18	▼▼ 5
● Cannonau di Sardegna Sincaru Ris. '17	▼▼ 5
● Surrau '18	▼▼ 4
○ Vermentino di Gallura Branu '19	▼▼ 3
● Cannonau di Sardegna Sincaru Ris. '14	♈♈♈ 5
● Surrau '09	♈♈♈ 4*
○ Vermentino di Gallura Sup. Sciala '18	♈♈♈ 5
○ Vermentino di Gallura Sup. Sciala '17	♈♈♈ 5
○ Vermentino di Gallura Sup. Sciala '15	♈♈♈ 5
○ Vermentino di Gallura Sup. Sciala '14	♈♈♈ 5
○ Vermentino di Gallura Sup. Sciala '13	♈♈♈ 5
○ Vermentino di Gallura Sup. Sciala '12	♈♈♈ 5
● Cannonau di Sardegna Sincaru Ris. '16	♈♈ 5
● Cannonau di Sardegna Sincaru Ris. '15	♈♈ 5
○ Vermentino di Gallura Branu '18	♈♈ 3

Tenuta l'Ariosa

LOC. PREDDA NIEDDA SUD
S.DA 15
07100 SASSARI
TEL. 079261905
www.lariosa.it

PRODUZIONE ANNUA 40.000 bottiglie
ETTARI VITATI 9,00

Tenuta l'Ariosa è l'azienda vitivinicola della famiglia Rau, realtà agricola fondata a metà degli anni venti. L'azienda è specializzata in liquori e distillati di qualità, ma negli ultimi si è dedicata al vino attraverso un progetto serio che anno dopo anno convince sempre di più. I vini sono ottenuti da vitigni autoctoni con uno sguardo preciso al nord ovest dell'Isola. Ottima bevibilità e finezza aromatica sono comuni a tutta la gamma, composta da bianchi e rossi e da un vino dolce da uve moscato. L'alto livello della gamma presentata fa entrare di diritto l'Ariosa tra le cantine più importanti della regione. Ai vertici Assolo '19, Cannonau fresco e succoso, elegante e dinamico. È così che un rosso giovane dev'essere e non è un caso sia approdato in finale. Altro vino più che convincente è il Pedrastella, ottenuto da varietà autoctone: fitto, ma fresco e sapido ha carattere e genuinità. Tra i bianchi abbiamo apprezzato Galatea '19, un Vermentino dalle nette percezioni iodate.

● Cannonau di Sardegna Assolo '19	🍷🍷	3*
● Cannonau di Sardegna Llunes Ris. '17	🍷🍷	3
● Pedrastella '18	🍷🍷	4
● Sass'Antico Cagnulari '17	🍷🍷	4
○ Vermentino di Sardegna Arenu '19	🍷🍷	3
○ Vermentino di Sardegna Galatea '19	🍷🍷	3
● Cannonau di Sardegna Assolo '18	🍷🍷	3
● Cannonau di Sardegna Assolo '15	🍷🍷	3
○ Vermentino di Sardegna Arenu '17	🍷🍷	3
○ Vermentino di Sardegna Galatea '18	🍷🍷	3

Cantina Sociale della Vernaccia

LOC. RIMEDIO
VIA ORISTANO, 6A
09170 ORISTANO
TEL. 078333383
www.vinovernaccia.com

VENDITA DIRETTA
VISITA SU PRENOTAZIONE
PRODUZIONE ANNUA 260.000 bottiglie
ETTARI VITATI 120,00

L'azienda è una piccola realtà cooperativa che deve tutto al vino simbolo della zona in cui si trova, la Vernaccia di Oristano. Negli ultimi anni la qualità è cresciuta su tutta la linea, dai bianchi ottenuti da vermentino, ai rossi da uve cannonau, nieddera o monica. Ma ovviamente la Vernaccia continua ad avere un posto di rilievo: viene prodotta in versione tradizionale (ossidativa, invecchiata in botti scolme e messa in commercio a diversi anni dalla vendemmia), così come fresca e d'annata. Da qualche anno si produce anche una particolare versione spumante rifermentata in bottiglia. Nessuna nuova Riserva di Vernaccia da valutare, ma diversi vini di ottimo livello ai nostri assaggi. Tra tutti emerge il Corash, un saporito Cannonau di Sardegna Riserva frutto del millesimo 2016. Mirto, prugna e spezie dolci al naso anticipano un sorso austero e imponente, dove la freschezza fa la differenza e rende il sorso equilibrato. Molto buoni due bianchi aziendali, entrambi '19, uno da uve vermentino (l'Is Arutas), l'altro da vernaccia (il Terresinis). Notevole anche il Montiprama.

● Cannonau di Sardegna Corash Ris. '16	🍷🍷	3
● Montiprama Nieddera '17	🍷🍷	3
⊙ Seu '19	🍷🍷	2*
○ Terresinis Vernaccia '19	🍷🍷	2*
○ Vermentino di Sardegna Is Arutas '19	🍷🍷	2*
○ Aristanis M. Cl. Brut	🍷	3
● Cannonau di Sardegna Maiomone '18	🍷	2
● Monica di Sardegna Don Efisio '18	🍷	2
⊙ Seu Rosó Brut	🍷	2
○ Vermentino di Sardegna Spumante Is Arutas Brut	🍷	2
● Cannonau di Sardegna Corash Ris. '15	🍷🍷	3
● Cannonau di Sardegna Maiomone '17	🍷🍷	2*
● Cannonau di Sardegna Maiomone '15	🍷🍷	2*
⊙ Seu '18	🍷🍷	2*

1Sorso - Leonardo Bagella

LOC. TRUNCONI
07037 SORSO [SS]
TEL. 3471274211
www.1sorso.it

Azienda agricola fondata da Leonardo Bagella e portata avanti con l'aiuto prezioso di suo figlio Mario. Secondo anno di assaggio per noi e conferma di un progetto serio, fatto di vini non solo buoni ma anche autentici e veri figli del terroir di provenienza. Ai vertici il Cagnulari '18.

● Mario Millenovecento28 Cagnulari '18	♟♟ 6
○ Millenovecento64 Moscato '19	♟♟ 4
○ Vermentino di Sardegna Olieddu '19	♟♟ 5
● Cannonau di Sardegna '19	♟ 4

Cantina Berritta

LOC. VALLATA DI ODDOENE
VIA KENNEDY, 108
08022 DORGALI [NU]
TEL. 078495372
www.cantinaberritta.it

Veramente una gamma d'eccezione presentata quest'anno dalla piccola cantina di Dorgali. Approda alle finali il Monte Tundu, Cannonau tipico del comprensorio, dai profumi di macchia e frutto rosso. Qualche rusticità, ma molto fascino per il Baillanu '16. Maturo il Thurcalesu '18.

● Cannonau di Sardegna Cl. Monte Tundu '17	♟♟ 4
● Cannonau di Sardegna Baillanu '16	♟♟ 5
● Cannonau di Sardegna Thurcalesu '18	♟♟ 4

Cantina Canneddu

VIA MANNO, 69
08024 MAMOIADA [NU]
TEL. 3496852916
www.cantinacanneddu.it

Fermentazioni spontanee, lavoro solo manuale, aratura con i buoi. La cantina Canneddu produce vini a Mamoiada nel profondo rispetto delle tradizioni del territorio. Molto buono lo Zibbo '18, fitto e freschissimo. Piacevole il Delissia '19, bianco da uve grenazza.

● Cannonau di Sardegna Zibbo '18	♟♟ 5
○ Delissia '19	♟ 5

Cantine Carboni

VIA UMBERTO, 163
08036 ORTUERI [NU]
TEL. 078466213
www.vinicarboni.it

Carboni è una piccola realta a gestione familiare che propone sempre vini tipici e di buon spessore. Convincente quest'anno il Mandrolisai Superiore Balente: l'annata 2016 regala profumi di cuoio e prugna, il palato ha buon tannino e il finale è lungo e pulito.

● Mandrolisai Sup. Balente '16	♟♟ 6
● Balente '18	♟ 4
○ Helios '19	♟ 4

Cantina Castiadas

LOC. OLIA SPECIOSA
09040 CASTIADAS [CA]
TEL. 0709949004
www.cantinacastiadas.com

Sempre apprezzabili i vini della piccola cooperativa di Castiadas. Il protagonista è il Cannonau che qui si può fregiare della sottozona Capo Ferrato. Molto buono il Rei '17, dai tipici sentori di Eucaliptus su uno sfondo di frutto nero. Coinvince anche il Parolto '16, cremoso e avvolgente.

● Cannonau di Sardegna Capo Ferrato Rei '17	♟♟ 3
● Parolto '16	♟♟ 4
○ Vermentino di Sardegna Notteri '19	♟ 3

Ferruccio Deiana

LOC. SU LEUNAXI
VIA GIALETO, 7
09040 SETTIMO SAN PIETRO [CA]
TEL. 070749117
www.ferrucciodeiana.it

Annata interlocutoria per l'azienda guidata dal bravo viticoltore Ferruccio Deiana. Tutti buoni i vini presentati, ma senza lo spunto di altri anni. Molto buono il Karel, Monica di Sardegna '18 dai chiari sentori fruttati. Ottimo anche il Cannonau di Sardegna Sileno Riserva '16.

● Cannonau di Sardegna Sileno Ris. '16	♟♟ 4
● Monica di Sardegna Karel '18	♟♟ 2*
● Ajana '16	♟ 6
○ Vermentino di Sardegna Arvali '19	♟ 3

Eminas

VIA VITTORIO EMANUELE II, 71
08024 MAMOIADA [NU]
TEL. 3476800377
www.eminas.it

Ingresso meritatissimo in Guida per
Eminas, bella realtà di Mamoiada gestita a
dovere da tre sorelle che hanno deciso di
portare avanti l'attività di famiglia. Da un
vigneto storico del comprensorio arriva un
Cannonau di Sardegna moderno e di
ottima fattura.

● Cannonau di Sardegna '17		▼▼ 4
⊙ Cannonau di Sardegna Rosato Izza '19		▼ 4

Francesco Fiori

VIA OSSI, 10
07049 USINI [SS]
TEL. 3381949246
www.vinifiori.it

Piccola azienda di Usini specializzata in vini
del territorio, frutto di uve autoctone,
realizzati con cura e passione. Ci ha
convinto il Serra Aspridda, Vermentino di
Sardegna di impronta sapida e dai chiari
sentori floreali. Corretto anche il Cagnulari
Serra Juales.

⊙ Vermentino di Sardegna Serra Aspridda '19		▼▼ 3
● Cagnulari Serra Juales '18		▼ 3

Tenute Fois
Accademia Olearia

LOC. UNGIAS GALANTÈ LOTTO E1, ZONA D2
07041 ALGHERO [SS]
TEL. 079980394
www.accademiaolearia.com

Piccola tenuta vinicola di proprietà di
Accademia Olearia, azienda di assoluto
livello per la produzione di extravergine.
Solo un vino prodotto, un Vermentino
d'annata sempre sapido e lodato. La
vicinanza al mare si avverte e si somma a
freschezza acida e tocchi agrumati.

⊙ Vermentino di Sardegna Chlamys '19		▼▼ 3

I Garagisti di Sorgono

VIA LOGUDORO, 1
08038 SORGONO [NU]
TEL. 3470868122
www.garagistidisorgono.com

È un progetto serio e interessante basato
sul recupero di vigneti storici dislocati ad
altitudini importanti nel cuore del
Mandrolisai. Soprattutto gli ideatori ci
mettono la faccia e il loro nome. Ogni vino
è frutto di una vigna di ciascuno di loro ed
è affascinante assaggiarli tutti.

● Manca '17		▼▼ 6
● Parisi '17		▼▼ 5
● Uras '17		▼▼ 6
● Murru '17		▼ 5

Cantina Giogantinu

VIA MILANO, 30
07022 BERCHIDDA [SS]
TEL. 079704163
www.giogantinu.it

Giogantinu è una cooperativa che ogni
anno produce diversi vini interessanti, a
partire da alcune selezioni di Vermentino di
Gallura. Quest'anno spicca tra tutti un
rosso: il Nastarrè '19 è un vino polposo, ma
fresco e dalla beva vitale e dinamica.

● Nastarrè '19		▼▼ 2*
⊙ Vermentino di Gallura Giogantinu '19		▼ 2
⊙ Vermentino di Gallura Lunghente '18		▼ 3

Jankara

VIA ARZACEHNA, 19
07030 SANT'ANTONIO DI GALLURA [SS]
TEL. 3287577060
www.vinijankara.com

Valida e interessante realtà agricola guidata
dal bravo Renato Spanu. Si trova nel cuore
della Gallura, ma tra i suoi vini c'è anche
un Igt frutto di una vigna di Mamoiada. Si
chiama 755 e fa riferimento all'altitudine
della vigna. Diversi i vitigni utilizzati per un
rosso di grande complessità.

● 755mt '18		▼▼ 7
● Cannonau di Sardegna '18		▼▼ 5
● Colli del Limbara Lu Nieddu '18		▼ 5
⊙ Vermentino di Gallura Sup. '19		▼ 4

Antonella Ledà d'Ittiri

FRAZ. FERTILIA
LOC. ARENOSU, 23
07041 ALGHERO [SS]
TEL. 079999263
www.ledadittiri.it

Azienda vitivinicola, ma anche Resort
dedicato al vino, con possibilità di
soggiornare, fermarsi a cena o prender
parte alle degustazioni o eventi organizzati.
Davvero superlativa la gamma presentata
quest'anno, a partire dal Ginjol '19, rosso
da uve merlot e cannonau.

● Alghero Cagnulari Cigala '19	♟♟ 3
● Ginjol '19	♟♟ 3
● Margallò '19	♟♟ 3

Cantina del Mandrolisai

C.SO IV NOVEMBRE, 20
08038 SORGONO [NU]
TEL. 078460113
www.cantinadelmandrolisai.com

Un solo vino assaggiato quest'anno per la
piccola cooperativa del centro Sardegna. È
il Kent'Annos '15, un Mandrolisai Superiore
molto tipico, dalle note leggermente evolute
di frutto e radici e dal palato compatto,
tannico e persistente.

● Mandrolisai Sup. Kent'Annos '15	♟♟ 4

Abele Melis

VIA SANTA SUINA, 3
09098 TERRALBA [OR]
TEL. 0783851090
melis.vini@tiscali.it

Bella realtà del Terralbese, capace di
produrre vini convincenti per qualità, ma
soprattutto interpreti fedeli del territorio
da cui provengono. Buonissimo il Terralba
Dominariu '17, dagli affascinanti sentori
di frutto nero, di estrema bevibilità il
Bovale '18.

● Bovale '18	♟♟ 2*
● Terralba Bovale Dominariu '17	♟♟ 3
○ Vermentino di Sardegna localia '19	♟ 2

Li Duni

LOC. LI PARISI
07030 BADESI [SS]
TEL. 0799144480
www.cantinaliduni.it

C'è sempre carattere e fascino nei vini di Li
Duni. Il terroir su cui insistono le vigne è
unico, sabbioso, a due passi dal mare.
Diversi gli impianti a piede franco molto
vecchi. Ai vertici le selezioni di Vermentino
di Gallura '19, compreso Nozzinnà,
particolare versione amabile.

○ Vermentino di Gallura Sup. Amabile Nozzinnà '18	♟♟ 5
○ Vermentino di Gallura Sup. Renabianca '19	♟♟ 3

Meana
Terre del Mandrolisai

VIA ROMA, 129
08030 MEANA SARDO [NU]
TEL. 3498797817
www.cantinameana.it

I buonissimi rossi prodotti dalla Cantina
Meana sono ancora in affinamento. Ne
abbiamo approfittato per riassaggiare il
Mandrolisai '16 (già recensito lo scorso
anno, sempre in gran forma) e il Pareda
Rosato '19, vera novità aziendale: è snello,
scorrevole e di grande profondità.

○ Mandrolisai Rosato Parèda '19	♟♟

Mora&Memo

VIA GIUSEPPE VERDI, 9
09040 SERDIANA [CA]
TEL. 3311972266
www.moraememo.it

Di padre in figlia. Elisabetta Pala raccoglie
l'eredità del papà Mario e crea una cantina
a sua immagine. Freschezza e vitalità
caratterizza tutta la gamma e la beva non
manca di certo. Nau e Tino i nostri preferiti
quest'anno, il primo per i suoi profumi di
ciliegia, il secondo la sapidità.

● Cannonau di Sardegna Nau '19	♟♟ 4
○ Vermentino di Sardegna Tino '19	♟♟ 4
○ Vermentino di Sardegna Tino Sur Lie '19	♟ 3

Nuraghe Crabioni

LOC. LU CRABIONI
07037 SORSO [SS]
TEL. 3468292457
www.nuraghecrabioni.com

Davvero una prestazione da incorniciare per i vini di Nuraghe Crabioni. Non solo bontà, ma anche vera espressione territoriale. Approda alle nostre finali il Crabioni, Cannonau di grande spessore ed eleganza. Ottimi gli altri, a partire dal Sussinku Bianco e dal Cagnulari.

- ● Cannonau di Sardegna Crabioni '18 — 🍷🍷 3*
- ○ Sussinku Bianco '18 — 🍷🍷 3
- ● Sussinku Cagnulari '18 — 🍷🍷 5
- ○ Vermentino di Sardegna '19 — 🍷🍷 3

Orgosa

LOC. LUCURIÒ
08027 ORGOSOLO [NU]
TEL. 3397784958
mgorgosolo@tiscali.it

Giuseppe Musina è un vero artigiano del vino, lavora con passione le uve cannonau della sua piccola azienda di Orgosolo. Nel Cannonau di Sardegna '19 non mancano alcune genuine imperfezioni che non disturbano, anzi arricchiscono di fascino il bicchiere. Vino di beva incredibile.

- ● Cannonau di Sardegna '19 — 🍷🍷 4

Poderi Parpinello

LOC. JANNA DE MARE
S.S. 291
07100 SASSARI
TEL. 3465915194
www.poderiparpinello.it

Bellissima tenuta immersa nella natura con vigneti a due passi dal mare. Gamma di tutto rilievo quella proposta quest'anno: il San Costantino è un Cannonau succoso e di ottima beva, mentre il Centogemme è un Torbato di grande spessore e pulizia. Molto ben fatti gli altri vini.

- ○ Alghero Torbato Cento Gemme '19 — 🍷🍷 3
- ● Cagnulari '18 — 🍷🍷 4
- ● Cannonau di Sardegna San Costantino '18 — 🍷🍷 3

Pedra Majore

VIA ROMA, 106
07020 MONTI [SS]
TEL. 078943185
www.pedramajore.it

Riassaggiamo dopo diverso tempo i vini Pedra Majore e i risultati sono tutt'altro che deludenti. Sapido e scattante l'Hysonj '19, un Vermentino di Gallura Superiore di grande personalità. Molto buono, per quanto più semplice, Le Conche '19, vino dai toni fruttati e dalla beva fresca.

- ○ Vermentino di Gallura Le Conche '19 — 🍷🍷 2*
- ○ Vermentino di Gallura Sup. Hysony '19 — 🍷🍷 4
- ○ Vermentino di Gallura I Graniti '19 — 🍷 3

Giuliana Puligheddu

P.ZZA COLLEGIO, 5
08025 OLIENA [NU]
TEL. 0784287734
www.agricolapuligheddu.it

A pochi anni dalla prima vendemmia prosegue il percorso di Giuliana Puligheddu segnato unicamente dall'alta qualità dei vini. Quest'anno è solo il Cannonau Classico a esser recensito: ancora segnato un po' dal legno, ha comunque profumi di frutto nero e beva ritmica e profonda.

- ● Cannonau di Sardegna Cl. Cupanera '17 — 🍷🍷 5

Viticoltori Romangia

VIA MARINA, 5
07037 SORSO [SS]
TEL. 079351666
www.cantinaromangia.it

Piccola cooperativa formata da alcuni bravi viticoltori nel segno del territorio della Romangia. Fin dalla prima annata i vini ci sono sembrati molto interessanti e le conferme sono arrivate vendemmia dopo vendemmia. Veramente superlativo il Pietra, Cagnulari frutto dell'annata 2018.

- ● Oro Dry '19 — 🍷🍷 4
- ● Pietra '18 — 🍷🍷 3
- ○ Vermentino di Sardegna Sabbia '19 — 🍷🍷 3

Sa Raja

VIA SA RAJA
07020 TELTI [SS]
TEL. 3458080429
www.saraja.it

Progetto nuovissimo, molto interessante e da tenere sott'occhio. Per ora l'assaggio della prima vendemmia non ha di certo deluso le aspettative. Tre vini presentati e tre ottimi punteggi assegnati. Tra tutti il più convincente è il Cannonau di Sardegna, dinamico e scorrevole.

● Cannonau di Sardegna '19	♥♥ 3
○ Vermentino di Sardegna '19	♥♥ 3
● Carignano del Sulcis '19	♥ 4

Consorzio San Michele

LOC. SAN MICHELE
07022 BERCHIDDA [SS]
TEL. 078957817
www.consorziosanmichele.com

Piccolo consorzio gallurese che ogni anno presenta vini convincenti, puliti aromaticamente e dal gusto cristallino. Tra i due Vermentino di Gallura presentati abbiamo preferito Sinfonia Gallurese, più complesso e sfaccettato e dal bel tocco iodato.

○ Vermentino di Gallura Invidia Gallurese '18	♥♥ 3
○ Vermentino di Gallura Sinfonia Gallurese '18	♥♥ 3

Tenute Smeralda

VIA KENNEDY, 21
09040 DONORI [CA]
TEL. 3387446524
www.tenutesmeralda.it

È giovanissima, ma il lavoro della piccola cantina Smeralda di Donori si fa apprezzare sempre più. Tre i vini assaggiati quest'anno: il più convincente è senza dubbio Sapienti '17. Naso complesso e sfaccettato con profumi che spaziano dal frutto rosso al sottobosco, palato fitto e dinamico.

● Sapienti '17	♥♥ 4
● Rubinus '18	♥ 5
○ Vermentino di Sardegna Smeralda '19	♥ 3

Agricola Soi

VIA CUCCHESI, 1
08030 NURAGUS [CA]
TEL. 3488140084
www.agricolasoi.it

Stefano Soi faceva e continua a fare l'architetto, ma la sua passione lo sta portando piano piano a stare più in vigna che in cantiere. E i risultati non mancano, a partire dal Cannonau di Sardegna, dai profumi di frutto rosso e cenni speziati.

● Cannonau di Sardegna '16	♥♥ 4
● Lun '17	♥♥ 3
○ Nuragus di Cagliari Nurà '19	♥ 4

Tenute Soletta

LOC. SIGNOR'ANNA
07040 CODRONGIANOS [SS]
TEL. 079435067
www.tenutesoletta.it

È Umberto Soletta a guidare l'azienda di famiglia situata nel nord ovest dell'Isola. Quest'anno abbiamo preferito i bianchi, a partire dal Chimera di grande sapidità e dai toni di frutto giallo. Più semplice il Vermentino Sardo, mentre Hermes è un grande vino dolce.

○ Hermes '18	♥♥ 5
○ Vermentino di Sardegna Chimera '19	♥♥ 4
○ Vermentino di Sardegna Sardo '19	♥ 3

Cantina Tani

LOC. CONCA SA RAIGHINA, 2
07020 MONTI [SS]
TEL. 3386432055
www.cantinatani.it

Deliziosa realtà a gestione familiare che si occupa anche di ricettività. Di anno in anno sempre più convincenti i vini presentati. Buonissimo il Serranu '16, blend di uve rosse dai profumi di pepe nero e frutti di bosco. Al palato l'equilibrio non manca e il finale è pulito e profondo.

● Serranu '16	♥♥ 8
○ Vermentino di Gallura Meoru '19	♥♥ 3